Dipl.-Math. Ralf Sube
Prof. Dr. rer. nat. habil. Günther Eisenreich

Wörterbuch Physik

N—Z

Englisch
Deutsch
Französisch
Russisch

Mit etwa 75 000 Wortstellen

2., berichtigte Auflage

1984

Verlag Harri Deutsch · Thun und Frankfurt am Main

CIP-Kurztitelaufnahme der Deutschen Bibliothek

Sube, Ralf:
Wörterbuch Physik: engl., dt., franz., russ.;
mit etwa 75000 Fachbegriffen / Ralf Sube; Günther
Eisenreich. – Thun; Frankfurt am Main : Deutsch
   Ausg. im Verl. Technik, Berlin, u. d. T.: Sube,
   Ralf: Physik
   ISBN 3-87144-143-0
NE: Eisenreich, Günther: ; HST
N – Z. – 2., berichtigte Aufl. – 1984.

ISBN 3 87144 143 0

N

N 1	**Nabarro-Herring model**	Nabarro-Herring-Modell n	modèle m de Nabarro-Herring	модель Набарро-Херринга
	nabla, nabla operator (vector)	s. del <math.>		
N 1a	**Nachet prism,** tetrahedral prism	Nachet-Prisma n, Tetraederprisma n	prisme m de Nachet, prisme tétraédrique	тетраэдрическая призма
N 2	**Nachet['s] vertical illuminator**	Vertikalilluminator m nach Nachet, Prismenilluminator m [nach Nachet], Prisma n	illuminateur m vertical de Nachet	вертикальный осветитель с призмой, опакиллюминатор с призмой
N 3	**Nacken-Kyropoulos method, Nacken method**	Nacken-[Kyropoulos-]Verfahren n, Nacken-[Kyropoulos-]Methode f, Kristallzüchtung f aus der Schmelze nach dem Nacken-Kyropoulos-Verfahren	méthode f de Nacken-Kyropoulos, méthode de Nacken	метод Наккена-Киропулоса, метод Наккена, выращивание монокристаллов методом Наккена-Киропулоса
	nacreous cloud	s. mother-of-pearl cloud		
N 4	**Nadenenko dipole**	Nadenenko-Antenne f, Nadenenko-Strahler m	antenne-dipôle f [de] Nadenenko	диполь Надененко
	nadir, plumb point, nadir point <of aerophotogram>	Nadirpunkt m, Bildnadir m <Luftmeßbild>	nadir m <de l'aérophoto>	точка надира <аэрофотоснимка>
N 5	**nadiral distance, nadir distance**	Nadirdistanz f, Bildneigung f, Nadirabstand m	distance f nadirale	надирное расстояние, расстояние от надира
	nadir point, plumb point, nadir <of aerophotogram>	Nadirpunkt m, Bildnadir m <Luftmeßbild>	nadir m <de l'aérophoto>	точка надира <аэрофотоснимка>
N 6	**nadir point triangulation,** plumb-point triangulation	Nadirpunkttriangulation f, Nadirtriangulation f	triangulation f du nadir	фототриангуляция из точки надира, надирная фототриангуляция
N 7	**naive model**	einfaches Modell n	modèle m simple	простая модель
N 8	**Nakamura biplate; Nakamura halfshade; Nakamura plate, Nakamura rotating biplate**	Nakamura-Platte f; Halbschattenapparat m nach Nakamura	plaque f de Nakamura, biplaque (lame) f de Nakamura; dispositif m à pénombre de Nakamura	пластинка Накамура; полутеневой прибор Накамура
N 9	**naked eye,** unaided eye	unbewaffnetes Auge n, bloßes (freies) Auge	œil m nu	невооруженный глаз
	naked pile, naked reactor, bare reactor, bare pile	unreflektierter Reaktor m, Reaktor ohne Reflektor, nackter Reaktor	réacteur m nu, réacteur sans réflecteur, pile f nue, pile sans réflecteur	реактор без отражателя, «голый» реактор
	n-al axis	s. symmetry axis of order n		
N 10	**n-al axis of the second sort,** n-al symmetry axis of the second sort, symmetry [axis] of the second sort of order n	n-zählige Drehspiegelungsachse f	axe m de symétrie inverse d'ordre n	зеркальная ось n-го порядка, инверсионная ось n-го порядка
N 11	**naled**	Naled f, Naljod f, Aufeisbildung f; Taryn n	naled f	наледь; тарын
	n-al rotation axis	s. symmetry axis of order n		
	n-al screw axis, n-fold screw axis, screw axis of order n	n-zählige Schraubenachse f	axe m spiral d'ordre n	винтовая ось n-го порядка
	n-al symmetry, n-fold symmetry, symmetry of order n	n-zählige Symmetrie f, n-Zähligkeit f, Symmetrie f der Ordnung n, Zähligkeit f n	symétrie f n-aire, symétrie d'ordre n	симметрия n-го порядка
	n-al symmetry axis of the second sort	s. n-al axis of the second sort		
N 12	**nano...,** n, millimicro..., mμ	Nano..., n	nano..., n, millimicro..., mμ	нано..., н, n, миллимикро..., ммк
N 13	**nanophotogrammetry**	Nanophotogrammetrie f	nanophotogrammétrie f	нанофотограмметрия
N 14	**nanosecond pulse**	Impuls m im Nanosekundenbereich, Nanosekundenimpuls m	impulsion f de la gamme de nanoseconde[s], impulsion de l'ordre de nanoseconde[s]	наносекундный импульс
N 15	**nanosecond pulse technique, nanosecond technique**	Nanosekundenimpulstechnik f, Nanosekunden[meß]technik f	technique f nanoseconde (des impulsions nanosecondes)	наносекундная импульсная техника, наносекундная техника
N 16	**Nansen bathometer, Nansen bottle**	Nansen-Flasche f	bathomètre (bathymètre) m de Nansen	батометр Нансена
	Naperian digit, nepit, nit <= 1.44 bits>	Nepit n, nepit, nit <= 1.44 bits>	népit m, nit m <= 1,44 bits>	непит, нит <= 1,44 бит>
	Naperian logarithm	s. natural logarithm		
N 17	**Napier['s] analogies,** Neper's analogies	Nepersche Analogien fpl, Napiersche Analogien	analogies fpl de Néper, analogies népériennes	неперовы аналогии
	Napierian absorption coefficient	s. linear absorption coefficient <in Lambert's law>		
	Napierian absorption index, linear absorption index, natural absorption index	natürlicher Absorptionsindex m	indice m d'absorption linéique, indice d'absorption naturel (népérien)	линейный показатель поглощения, натуральный показатель поглощения
	Napierian extinction	s. Napierian optical density		
	Napierian extinction coefficient	s. linear extinction coefficient		
	Napierian extinction index	s. linear extinction index		
	Napierian logarithm	s. natural logarithm		

N 18	**Napierian optical density,** Napierian extinction, natural [optical] extinction, internal optical density defined by natural logarithm	natürliche Extinktion f	extinction f optique népérienne (naturelle), extinction népérienne (naturelle), densité f optique interne déterminée par logarithme naturel	натуральная экстинкция; внутренняя оптическая плотность, определенная натуральным логарифмом
	Napier['s] logarithm	s. natural logarithm		
N 19	**nappe,** overflowing sheet	überschießender Strahl m, Strahl, Überfallamelle f; Nappe f	nappe f	[водосливная] струя, плоская струя за водосливом; переливающийся слой жидкости
N 19a	**nappe** <geo.>	Überschiebungsdecke f, tektonische Decke f, Decke; Deckenüberschiebung f <Geo.>	nappe f charriée (de charriage, de chevauchement, tectonique); charriage m <géo.>	тектонический покров, покров, покров надвига, покров шарьяжа; шарьяж <гео.>
	nappe	s. a. sheet <math.>		
N 20	**narrow angle lighting fitting**	Tiefstrahler m, tiefstrahlende Leuchte f	luminaire m intensif	глубокоизлучатель
N 21	**narrow band amplifier**	Schmalbandverstärker m	amplificateur m à bande étroite	узкополосный усилитель
N 22	**narrow-band axis**	Schmalbandachse f	axe m de bande étroite	ось узкой полосы
N 23	**narrow-band filter** <opt., el.>	Schmalbandsperre f <El.>	filtre m à bande passante étroite <él.>	узкополосный фильтр <эл.>
N 24	**narrow-band frequency modulation,** NFM	Schmalband-Frequenzmodulation f	modulation f de fréquence à bande étroite	узкополосная частотная модуляция
N 25	**narrow-band noise**	schmalbandiges Rauschen n	bruit m à bande étroite	узкополосный шум
N 26	**narrow-band noise generator**	Schmalbandrauschgenerator m	générateur m de bruit à bande étroite	узкополосный шумовой генератор
N 27	**narrow-band phase modulation,** NPM	Schmalband-Phasenmodulation f	modulation f de phase à bande étroite	узкополосная фазная модуляция
N 28	**narrow beam**	schmales Bündel n, enges Bündel, enges Strahlenbündel n; streustrahlenfreies Bündel; Fadenstrahl m	pinceau m étroit, faisceau m étroit, champ m étroit	узкий пучок
N 29	**narrow-beam absorption**	Absorption f unter der Bedingung des schmalen Bündels, Kleinfeldabsorption f, Schmalstrahlabsorption f	absorption f à faisceau étroit, absorption à pinceau étroit, absorption à champ étroit	поглощение узкого пучка, поглощение при условии узкого пучка
N 30	**narrow-beam condition**	Bedingung f des schmalen Bündels, Kleinfeldbedingung f	condition f du pinceau étroit	условие узкого пучка
N 31	**narrow-beam measurement**	Messung f mit schmalem Bündel, Messung bei schmalem Bündel, Kleinfeldmessung f	mesure f à faisceau (pinceau, champ) étroit, mesure sous condition de faisceau étroit	измерение при условии узкого пучка
N 32	**narrow cut filter** <opt.>	Schmalbandfilter n; tonrichtiges Filter n <Opt.>	filtre m à cannelure étroite, filtre étroit <opt.>	узкополосный светофильтр (фильтр) <опт.>
	narrow flame	s. shooting flame		
	narrowing	s. contraction		
	narrowing of lines by exchange interaction, exchange narrowing	Austauschverschmälerung f	rétrécissement m des raies dû à l'interaction d'échange	сужение линий за счет обменного взаимодействия, обменное сужение линий
N 33	**narrowing of lines due to motion**	Bewegungsverschmälerung f	rétrécissement m des raies dû au mouvement	сужение линий за счет движения
N 34	**narrowing of the forbidden zone**	Verengerung (Verschmälerung) f des Bandabstandes	amincissement m de la bande interdite	сокращение запрещенной зоны
	narrowing of the spectral line	s. line narrowing		
	narrowing ratio	s. contraction ratio		
N 35	**narrow pulse**	schmaler Impuls m	impulsion f de courte durée	короткий импульс
N 36	**narrow shower**	schmaler Schauer m	gerbe f étroite	узкий ливень
	nascent; elemental <chem.>	atomar, elementar; naszierend <Chem.>	élémentaire; nascent <chim.>	атомарный; элементарный; находящийся в процессе возникновения, выделяющийся <хим.>
N 37	**nascent state,** status nascens	naszierender Zustand m, Status m nascendi	état m naissant, état nascent	состояние в момент выделения
N 38	**Nasmyth reflector, Nasmyth telescope**	Nasmyth-Teleskop n, Spiegelteleskop n nach Nasmyth	télescope m de Nasmyth	телескоп системы Несмита, рефлектор Несмита (Нэсмита)
N 39	**nastic movement, nastic reaction, nasty**	Nastie f, nastische Bewegung f	nastic f	настия
	natural absorption coefficient	s. linear absorption coefficient <in Lambert's law>		
	natural absorption index, linear (Napierian) absorption index	natürlicher Absorptionsindex m	indice m d'absorption linéique (naturel, népérien)	линейный (натуральный) показатель поглощения
N 40	**natural abundance**	natürliche Häufigkeit f	abondance f naturelle	естественная распространенность, распространенность в природе
	natural admittance	s. characteristic admittance <of transmission line>		
N 41	**natural angular frequency,** fundamental (characteristic) angular frequency	Eigenkreisfrequenz f	fréquence f angulaire propre (caractéristique, fondamentale)	собственная угловая частота, собственная круговая частота

N 42	**natural background radiation;** background radiation; natural radiation background, radiation background, background	natürliche Untergrundstrahlung (Strahlung) f, natürlicher Strahlenpegel m; Untergrundstrahlung, Grundstrahlung f, Strahlungsuntergrund m; Umgebungsstrahlung f; Raumstrahlung f	rayonnement m ionisant (de l'ambiant) naturel, fond m naturel de rayonnement; fond de rayonnement; rayonnement (fond) ambiant, radiation f ambiante, fond de la radiation (radioactivité) naturelle	фон естественной радиации, естественный [радиационный] фон, естественный радиоактивный фон; фоновое излучение, фон радиации (излучения); излучение (фон) окружающей среды
	natural breadth of energy level	s. natural width of energy level		
N 43	**natural broadening,** radiation broadening, line broadening by [radiation] damping, broadening by damping	natürliche Linienverbreiterung f, Strahlungsverbreiterung f, f, Linienverbreiterung (Verbreiterung f) durch Strahlungsdämpfung, Linienverbreiterung durch Dämpfung, Dämpfungsverbreiterung f	élargissement m naturel [de la raie spectrale], élargissement dû à l'amortissement par rayonnement, élargissement par amortissement	естественное уширение спектральной линии, уширение линии вследствие затухания [излучением]; уширение линии, обусловленное затуханием
N 44	**natural capacitance**	s. self-capacitance		
	natural circulation	Naturumlauf m, natürlicher Umlauf m	circulation f naturelle	естественная циркуляция
	natural colloid, eucolloid, true colloid	Eukolloid n	eucolloïde m	эвколлоид, эйколлоид, истинный коллоид
N 45	**natural convection,** free convection	freie Konvektion f, natürliche Konvektion	convection f libre, convection naturelle	свободная конвекция, естественная конвекция
	natural co-ordinates; intrinsic co-ordinates; natural system [of co-ordinates], natural frame	natürliche Koordinaten fpl; natürliches Koordinatensystem n, natürliches System n	coordonnées fpl intrinsèques (naturelles); système m de coordonnées naturelles, système naturel [de coordonnées], repère m naturel	естественные координаты; естественная система [координат]
N 46	**natural density,** inherent density	Eigendichte f	densité f propre	собственная плотность
N 47	**natural diaphragm**	natürliche Blende f	diaphragme m naturel	естественная диафрагма
N 48	**natural equation [of the curve],** intrinsic equation [of the curve]	natürliche Gleichung f [der Kurve]	équation f intrinsèque [de la courbe]	натуральное уравнение [кривой]
	natural extinction	s. Napierian optical density		
	natural extinction coefficient	s. linear extinction coefficient		
	natural extinction index	s. linear extinction index		
	natural frame	s. natural co-ordinates		
N 49	**natural frequency,** fundamental (inherent, characteristic) frequency, self-frequency, eigenfrequency, free-running frequency	Eigenfrequenz f, Resonanzfrequenz f, Eigenfrequenz f, Eigenschwingungszahl f	fréquence f propre, fréquence fondamentale, fréquence caractéristique	собственная частота, основная частота, частота собственных колебаний
N 50	**natural hour**	natürliche Stunde f <3862 s der mittleren Zeit>	heure f naturelle <à la Lippmann>	естественный час
N 51	**natural hydrogen,** ordinary hydrogen	gewöhnlicher (natürlicher) Wasserstoff m	hydrogène m ordinaire, hydrogène naturel	обычный водород, естественный водород
	natural impedance, characteristic (surge) impedance <of the transmission line>	Wellenwiderstand m <Leitung>, Leitungswellenwiderstand m	impédance f caractéristique, impédance d'onde <de la ligne de transmission>	волновое сопротивление <линии передачи>
N 52	**natural isotopic mixture**	natürliches Isotopengemisch n	mélange m isotopique (d'isotopes) naturel	природная смесь изотопов
	natural law, law of nature	Naturgesetz n	loi f de la nature	закон природы
	natural level breadth (width)	s. natural width of energy level		
N 53	**natural light**	natürliches Licht n	lumière f naturelle	естественный свет
	natural limit of stress	s. endurance strength at alternating load		
N 54	**natural line width,** natural width of line, natural spectral line width, natural whole half width	natürliche Linienbreite f (Breite f der Spektrallinie)	largeur f naturelle [de la raie], largeur naturelle de la raie spectrale	естественная ширина [спектральной] линии
N 55	**natural logarithm,** logarithm to base e, Napierian (Naperian) Napier's, hyperbolic) logarithm, ln, $\log_e$	natürlicher (Neperscher, Napierscher, hyperbolischer) Logarithmus m, ln, ${}^e\log$, $\log_e$	logarithme m naturel, logarithme népérien (hyperbolique, de base « e »), ln, $\log_e$	натуральный логарифм, неперов логарифм, ln, $\log_e$
	naturally occurring uranium, natural uranium, unenriched uranium	Natururan n, natürliches Uran n, nicht angereichertes Uran	uranium m naturel, uranium non enrichi	природный уран, естественный уран, необогащённый уран
N 56	**naturally radioactive nuclide,** natural radioactive nuclide, natural radionuclide	natürliches Radionuklid n, natürliches radioaktives Nuklid n, natürlich radioaktives Nuklid	nucléide m radioactif naturel, radionucléide m naturel	природный (естественный) радиоактивный изотоп, естественно-радиоактивный изотоп, природный (естественный) радиоизотоп
	natural nuclear transformation	s. spontaneous transformation		
	natural optical extinction	s. Napierian optical density		
	natural oscillation	s. vibrational mode		
N 57	**natural oscillation of antenna**	Antenneneigenschwingung f, Eigenschwingung f der Antenne	oscillation f propre (naturelle) de l'antenne	собственное колебание антенны

N 58	natural parallelism	natürlicher Parallelismus *m*	parallélisme *m* naturel	естественный параллелизм
N 59	natural period [of oscil-lation], free period; characteristic period	Eigenperiode *f*, Eigen-schwingungsdauer *f*	période *f* propre; période de mouvement propre et fondamental; période caractéristique	собственный период, период собственных колебаний
N 60	natural phenomenon	Naturerscheinung *f*	phénomène *m* de nature	явление природы
N 61	natural pitch	natürliche Stimmung *f*	gamme *f* naturelle	естественный строй
	natural radiation background	s. natural background radiation		
	natural radioactive nuclide	s. naturally radioactive nuclide		
N 62	natural radioactivity	natürliche Radioaktivität *f*	radioactivité *f* naturelle	естественная радио-активность
	natural radionuclide	s. naturally radioactive nuclide		
N 63	natural resonance	Eigenresonanz *f*	résonance *f* propre	собственный резонанс
	natural rigidity, inherent rigidity	Formstarrheit *f*	rigidité *f* de forme	жесткость формы
N 64	natural scatter[ing]	natürliche Streuung *f*	diffusion *f* naturelle	естественное рассеяние
N 65	natural science	Naturwissenschaft *f*	science *f* naturelle	естествознание
	natural slope	s. slope of repose		
N 66	natural sound, eigentone	Eigenton *m*	son *m* propre <de salles>	собственный звук
	natural spectral line width	s. natural line width		
	natural strength	s. endurance strength at alternating load		
	natural system [of co-ordinates]	s. natural co-ordinates		
	natural system of units	s. system of atomic units		
	natural temperature, eigentemperature, intrinsic temperature	Eigentemperatur *f*	température *f* naturelle, température propre	собственная температура, внутренняя темпе-ратура
	natural time; relaxation time	Relaxationszeit *f*, Zeit-konstante *f*; Abklingzeit *f*; Einstellzeit *f*; Erholungszeit *f*	temps *m* de relaxation, période *f* de relaxation	время релаксации, период релаксации
N 67	natural trajectory	wirkliche Bahn *f*	trajectoire *f* réelle, trajectoire naturelle	истинная траектория
	natural transformation	s. natural nuclear trans-formation		
	natural unit, atomic unit; Hartree unit	Hartree-Einheit *f*; atomare (natürliche) Einheit *f*	unité *f* atomique (naturelle; de Hartree)	атомная единица [Хартри], естественная единица
N 68	natural uranium, naturally occurring uranium, unenriched uranium	Natururan *n*, natürliches Uran *n*, nicht ange-reichertes Uran	uranium *m* naturel, uranium non enrichi	природный уран, естественный уран, необогащенный уран
	natural velocity	s. proper velocity		
	natural vibration	s. vibrational mode		
N 69	natural vibrational co-ordinates	natürliche Schwingungs-koordinaten *fpl*	coordonnées *fpl* vibration-nelles (de vibration) naturelles	естественные колебатель-ные координаты
N 69a	natural voltage <el.>	Eigenspannung *f* <El.>	tension *f* propre (naturelle) <él.>	собственное напряжение <эл.>
	natural water, ordinary water	gewöhnliches (natürliches, leichtes) Wasser *n*	eau *f* ordinaire, eau naturelle, eau légère	естественная (природная, обычная, легкая) вода
N 70	natural wave	Eigenwelle *f*	onde *f* propre	собственная волна, нор-мальная волна
N 71	natural wavelength	Eigenwellenlänge *f*, natürliche Wellenlänge *f*	longueur *f* d'onde propre	длина собственной волны
	natural whole half width	s. natural line width		
N 72	natural width of [energy] level, natural breadth of energy level, natural level width, natural level breadth	natürliche Niveaubreite *f*, natürliche Breite *f* des Energieniveaus	largeur *f* naturelle du niveau [d'énergie], largeur in-trinsèque du niveau [d'énergie], largeur propre du niveau [d'énergie]	естественная ширина уровня
	natural width of line	s. natural line width		
	nature of radiation	s. type of radiation		
N 73	Naumann[i's] index	Naumannscher Flächen-index *m*	indice *m* de Naumann	индекс Наумана
N 74	nautical astronomy	nautische Astronomie *f*	astronomie *f* nautique	навигационная (мореход-ная, морская) астро-номия
	nautical mile	s. international mile <= 1,852 m>		
N 75	Navier-Stokes equation of motion, Navier-Stokes equations	Navier-Stokessche Gleichungen *fpl* (Be-wegungsgleichung *f*)	équations *fpl* de Navier [-Stokes], équation de Navier-Stokes	уравнения Навье-Стокса
	navigability	s. dirigibility		
N 76	navigational aid	Navigationshilfsmittel *n*, Navigationsmittel *n*	aide *m* à la navigation	средство навигации, навигационное сред-ство, средство нави-гационного обеспече-ния
	navigational computer	s. navigation computer		
	navigational instrument	s. navigation instrument		
	navigational triangle	s. polar triangle		
N 77	navigation computer, navigational computer	Navigationsrechner *m*, Navigationsrechen-anlage *f*	calculateur *m* de navi-gation	навигационный счетно-решающий прибор, навигационное вы-числительное устрой-ство

N 78	**navigation instrument,** navigational instrument	Navigationsinstrument n, Navigationsgerät n	instrument m de navigation	навигационный прибор
N 79	**navigation satellite**	Navigationssatellit m	satellite m de navigation	навигационный спутник
N 80	**N band** <15—22 Gc/s>	N-Band n <15···22 GHz>	gamme f N [de fréquences], bande f N [de fréquences] <15—22 Gc/s>	диапазон N [частот] <15÷22 *Ггц*>
	N-body	*s.* Newtonian fluid		
N 81	**n-body problem,** problem of n bodies	n-Körper-Problem n	problème m des n corps	задача n тел
	N.C. contact	*s.* rest contact		
N 82	**N-component,** nuclear-active component, nuclear interacting component, nuclear component	kernaktive Komponente (Gruppe) f, N-Komponente f, Komponente der kernverwandten Teilchen, nukleare Komponente, Kern-wechselwirkungs-komponente f	composante f [d'inter-action] nucléaire, composante interactive nucléaire, composante N	ядерно[-]активная компонента, ядерно[-] взаимодействующая компонента, ядерная компонента
	n-compound, normal compound	normale Verbindung f, n-Verbindung f	composé m normal	нормальное соединение, n-соединение
	n-conducting, N-con-ducting, n-type, N-type	n-leitend, n-, n-Typ-, überschußleitend	à conduction électronique, conducteur électronique, type n, n	с электронной проводи-мостью
N 83	**neap rise (tide),** dead tide	Nippflut f, Nadirflut f, taube Flut f; Nipptide f, Nadirtide f, taube Tide f, Taubezeit f, Quadra-tur f	marée f de morte-eau, marée de quadrature, petites marées fpl	квадратурный прилив
N 84	**near-critic[al]**	fastkritisch	presque critique	почти критический, околокритический
N 85	**near earthquake,** neighbouring earthquake	Nahbeben n	tremblement m de terre rapproché, séisme m rapproché (proche)	близкое землетрясение
N 86	**nearest neighbour,** neighbour of the first sphere	nächster Nachbar m, Nachbar erster Sphäre	voisin m (atome m voisin) le plus proche, voisin de la première sphère	ближайший сосед, ближайшая соседняя частица, сосед первой сферы
N 87	**nearest-neighbour interaction**	Wechselwirkung f nächster Nachbarn	interaction f des voisins les plus proches	взаимодействие ближай-ших соседних
N 88	**near field** <ac.; el.>	Nahfeld n <Ak.; El.>	champ m proche <ac.; él.>	ближнее поле <ак.; эл.>
N 89	**near field pattern,** Fresnel pattern <of antenna>	Nahfelddiagramm n <Antenne>	diagramme m de champ proche, diagramme de Fresnel <de l'antenne>	диаграмма ближнего поля, диаграмма Френеля <антенны>
	nearfield region	*s.* near zone		
N 90	**near-forward scattering**	Fastvorwärtsstreuung f	diffusion f quasi en avant	рассеяние почти вперед
	near-ground air [layer]	*s.* near-soil atmospheric layer		
N 91	**near infra-red [region]** <2.5—25 μ>	mittleres Infrarot[gebiet] n, mittleres IR [-Gebiet] n, Infrarot-C-Gebiet n, IR-C-Gebiet n, mittleres Ultrarot n <3,0···25 μm>	infrarouge m moyen <2,5—25 μ>	средняя инфракрасная область <2,5÷50 *мк*>
N 92	**near limit** <phot.>	Nahpunkt m <Phot.>	hyperfocale f, limite f antérieure de la zone de netteté <phot.>	гиперфокальное расстояние <фот.>
N 93	**nearly circular orbit**	kreisnahe Bahn f	orbite f quasi circulaire	почти круговая орбита
N 94	**nearly parabolic orbit**	parabelnahe Bahn f	orbite f quasi parabolique	почти параболическая орбита
N 95	**nearly symmetric top,** quasisymmetric top	quasisymmetrischer Kreisel m	toupie f quasi symétrique	почти симметричный волчок, квазисимметрич-ный волчок
N 96	**near-magic**	fastmagisch	presque magique	почти магический, околомагический
	near point of clear vision, punctum proximum	Nahpunkt m, punctum n proximum; Nahpunkt im engeren Sinne, mani-fester Nahpunkt	punctum m proximum; point m le plus proche de vision distincte, point proche	ближняя точка; точка, находящаяся на рас-стоянии наилучшего зрения
N 97	**near-prompt**	fastprompt	presque prompt	почти мгновенный
	near-sightedness, myopia, myopy, short-sightedness	Kurzsichtigkeit f, Myopie f, Brachymetropie f	myopie f, vue f basse, vue courte	близорукость, миопия
	near singing, tendency to sing	Pfeifneigung f	tendance f à l'amorçage d'oscillations, tendance à l'accrochage	склонность к самовозбуж-дению
N 98	**near-soil atmospheric layer,** bottom layer, near-ground air [layer], ground-level air, surface air, air close to the soil surface <meteo.>	bodennahe Luft[schicht] (Atmosphärenschicht) f, Bodenschicht f, Haut-schicht f <Meteo.>	couche f atmosphérique au sol <météo.>	приземный слой, призем-ный атмосферный слой, придонный слой <метео.>
	near-surface	*s.* surface		
	near-surface flow; surface flow, surface current	Oberflächenströmung f; oberflächennahe Strömung f	courant m superficiel; courant près de surface	поверхностное течение; приповерхностное течение
	near-surface wave	*s.* surface wave		
	near the surface	*s.* surface		
N 99	**near-threshold stimulus**	schwellennaher Reiz m	stimulus m près du seuil	раздражитель вблизи порога
	near ultraviolet	*s.* black light		
	near ultraviolet [region]	*s.* black-light region		

N 100	**near zone**, induction zone, Fresnel['s] zone, nearfield region, Fresnel['s] region, Huyghens['] zone <ac.; el.>	Nahzone f, Nahwirkungsgebiet n, Nahfeld n, Induktionszone f, Fresnelsches Gebiet n, Fresnelsche Zone f, Fresnel-Zone f <Ak.; El.>	zone f proche, zone d'induction, zone de Fresnel <ac.; él.>	ближняя зона, зона ⟨Френеля ⟨ак.; эл.⟩
	near-zone focusing, short-range focusing	Nahfeldeinstellung f	mise f au point sur le premier plan	установка с близкого расстояния
N 101	**nebula; nebulosity** <astr.>	Nebel m, Nebelfleck m <Astr.>	nébuleuse f <astr.>	туманность ⟨астр.⟩
N 102	**nebular hypothesis** <established by Kant>	Meteoritenhypothese f [von Kant]	hypothèse f nébulaire de Kant	небулярная гипотеза [Канта], гипотеза Канта
N 103	**nebular line**, nebulium line	Nebellinie f	raie f nébulaire	небулярная линия
N 104	**nebular ring**	Nebelring m	anneau m nébulaire	туманное кольцо
	nebular shell, nebulous shell	Nebelhülle f	couche f nébuleuse	туманная оболочка
N 105	**nebular spectrograph**	Nebelspektrograph m	spectrographe m pour l'étude des nébuleuses galactiques	небулярный спектрограф
N 106	**nebular stage** <of nova>	Nebelstadium n <Nova>	phase f nébulaire <d'une nova>	небулярная стадия ⟨новой⟩
	nebular variable, T Tauri star, RW Aurigae-type star	RW Aurigae-Stern m, T Tauri-Stern m, Nebelveränderlicher m	variable f du type T Tauri, variable du type RW Aurigae, variable nébulaire	переменная типа T Тельца, небулярная переменная [звезда]
N 107	**nebulium**	Nebulium n	nébulium m	небулий
	nebulium line, nebular line	Nebellinie f	raie f nébulaire	небулярная линия
	nebulosity	s. nebula <astr.>		
	nebulous cloud, nebulous stratus	schleierartige Wolke f, Nebulosusform f, Stratus m nebulosus	nuage m en voile, stratus m nebulosus	вуалеобразное облако, туманообразное облако, слоистое туманообразное облако
N 108	**nebulous shell**, nebular shell	Nebelhülle f	couche f nébuleuse	туманная оболочка
N 109	**nebulous stratus**, nebulous cloud	schleierartige Wolke f, Nebulosusform f, Stratus m nebulosus	nuage m en voile, stratus m nebulosus	вуалеобразное облако, туманообразное облако, слоистое туманообразное облако
N 110	**necessary condition**	notwendige Bedingung f	condition f nécessaire	необходимое условие
N 111	**neck**	Hals m, Einschnürung f	col m, cou m	шейка, горло
N 112	**neck** <of bottle>	Hals m <an Gefäßen>, Füllansatz m	col m, cou m <de la bouteille>	горлышко ⟨бутылки⟩
N 113	**neck**, volcanic neck <geo.>	Vulkanschlot m, Schlot m, Schlotgang m, Schußkanal m, Eruptionskanal m, Stielgang m; Neck m <Geo.>	neck m [de lave]; culot m de lave, volcan m démantelé, suc m <géo.>	канал вулкана, жерло [вулкана], вулканическое жерло, горловина [вулкана], жерловина, [вулканический] нэк, нек ⟨гео.⟩
N 114	**necking [down]**	s. constriction		
	necking in tension, reduction of area in tension	Brucheinschnürung f, Bruchquerschnittsverminderung f	striction f de rupture	сужение при разрыве, сужение после разрушения, шейка разрыва
N 115	**neck of areometer**	Aräometerspindel f	tige f de l'aréomètre	стержень ареометра
N 116	**neck of the meander lobe**	Mäanderhals m, Schleifenhals m	pédoncule m, racine f de la boucle	горло (шейка) меандра, перемычка петли меандра
	needle, pointer <of measuring instrument>; indicator, index	Zeiger m <allg.; Meßgerät>	aiguille f <de l'appareil de mesure>; indicateur m, index m	стрелка, стрелка-указатель <измерительного прибора>, указатель
N 117	**needle counter [tube]**	Nadelzählrohr n	tube m compteur aiguille, compteur m aiguille	игольчатый счетчик
N 118	**needle dam**, needle weir, dam with frames and needles	Nadelwehr n	barrage m à aiguilles, barrage à fermettes et à aiguilles	спицевая плотина, плотина со спицевыми затворами
	needle deflection, deflection of the needle, needle throw	Nadelausschlag m	déviation f de l'aiguille	отклонение стрелки, бросок стрелки
	needle deflection, pointer deflection, deflection of the needle (pointer); movement of the pointer	Zeigerausschlag m, Zeigerauslenkung f	déviation f de l'aiguille, flèche f d'aiguille	отклонение стрелки, угол отклонения стрелки, отклонение указателя, показание указателя
N 119	**needle effect of electrostatics**, point effect of electrostatics	Spitzenwirkung f der Elektrostatik, Spitzeneffekt m der Elektrostatik	effet m de pointe de l'électrostatique	концентрация электрических зарядов на остриях, истечение электричества с остриев, острийный эффект электростатики
N 120	**needle electrode**	Nadelelektrode f	électrode f en aiguille	игольчатый электрод
N 121	**needle electrometer**	Nadelelektrometer n	électromètre m à aiguille	электрометр с магнитной стрелкой, бисквитный электрометр
N 122	**needle galvanometer**, moving-magnet galvanometer, galvanometer with moving magnet	Nadelgalvanometer n, Drehmagnetgalvanometer n	galvanomètre m à aiguille, galvanomètre à aimant mobile	гальванометр с магнитной стрелкой, гальванометр с подвижным магнитом
N 123	**needle gap**	Spitzenfunkenstrecke f, Spitzenentladungsstrecke f, Spitzenzündstrecke f, Nadelfunkenstrecke f	éclateur m à aiguilles, éclateur à pointes [d'aiguilles], entrode f à aiguilles (pointes)	игольчатый разрядник, искровой промежуток с игольчатым электродом, разрядник с игольчатым электродом

N 124	needle ice, candle ice	Kammeis n, Nadeleis n, Haareis n, Pipcrake n; Eisnadeln fpl	glace f en aiguille, glace aiguillée	ледяные иглы
N 125	needle oscillograph	Nadeloszillograph m	oscillographe m à aiguille	игольчатый осциллограф
N 126	needle radiation	Nadelstrahlung f	rayonnement m en aiguille, rayonnement aciculaire	игловидное излучение
	needle scratch, surface noise, scratch	Nadelgeräusch n, Nadelrauschen n, Kratzen n der Nadel	bruit m de surface, bruit d'aiguille	шум канавки, шум иглы, шум от иглы, поверхностный шум
	needle-shaped crystal	s. whisker		
	needle throw, deflection of the needle, needle deflection	Nadelausschlag m	déviation f de l'aiguille	отклонение стрелки, бросок стрелки
N 127	needle-type suspension, point-type suspension	Spitzenlagerung f, Nadellagerung f	suspension f par pointes	установка между остриями, подвеска на острие, опора на кернах, керновая опора
	needle weir, needle dam, dam with frames and needles	Nadelwehr n	barrage m à aiguilles, barrage à fermettes et à aiguilles	спицевая плотина, плотина со спицевыми затворами
N 128	Néel point, Néel temperature, antiferromagnetic Curie point (temperature)	Néel-Punkt m, Néel-Temperatur f, Néelsche Asymptotentemperatur f, antiferromagnetischer Curie-Punkt m, antiferromagnetische Übergangstemperatur f	point m de Néel, température f de Néel, point de Curie antiferromagnétique	точка Нееля, температура Нееля, антиферромагнитная точка Кюри
N 129	Néel wall	Néel-Wand f	cloison f de Néel	граница Нееля
N 130	negative; negative image	Negativ n, photographisches Negativ; Negativbild n	négatif m, cliché m, type m, phototype m; image f [photographique] négative	негатив; негативное изображение
N 131	negative, electrically negative; negatively charged <el.>	negativ, elektrisch negativ; negativ [auf]geladen <El.>	[électriquement] négatif; négatogène, négativement chargé <él.>	[электрически] отрицательный; отрицательно заряженный <эл.>
N 132	negative absolute temperature, negative thermodynamic temperature	negative absolute Temperatur f	température f absolue négative	отрицательная абсолютная температура
	negative absorption	s. stimulated emission		
	negative acceleration	s. deceleration <mech.>		
N 133	negative beta decay, β⁻ decay	β⁻-Zerfall m, Elektronenzerfall m	désintégration f bêta minus, désintégration β⁻	негатронный распад, распад β⁻
	negative binomial [series] distribution	s. Pólya['s] distribution		
N 134	negative boosting transformer	Saugtransformator m	transformateur m à bobines de compensation	отсасывающий трансформатор
	negative branch, P-branch	P-Zweig m, negativer Zweig m	branche f P, branche négative	P-ветвь, отрицательная ветвь
N 135	negative bridge feedback	Brückengegenkopplung f	réaction f négative en pont	мостовая отрицательная обратная связь
	negative catalysis	s. inhibition <chem.>		
N 136	negative charge feedback	Ladungsgegenkopplung f	contre-réaction f en charge	обратная связь по заряду, противосвязь по заряду
N 136a	negative conductance transistor[ized] amplifier	NLT-Verstärker m <negative Leitung mit Transistoren>	amplificateur m transistorisé (à transistors) à conductance négative	транзисторный усилитель с отрицательной проводимостью
	negative correlation; inverse correlation	negative Korrelation f	corrélation f inverse (négative)	отрицательная корреляция
N 137	negative crystal	negativer Kristall m	cristal m négatif	отрицательный кристалл
	negative current feedback	s. current feedback		
N 138	negative definite	negativ[-] definit	négatif défini, défini négatif	отрицательно определенный
N 139	negative density, DN	Negativschwärzung f, Negativdichte f	densité f du négatif, densité optique du négatif	оптическая плотность негатива, почернение негатива
N 140	negative developer	Negativentwickler m	révélateur m pour négatifs, révélateur négatif	негативный проявитель
	negative distortion	s. barrel distortion		
	negative electricity	s. resinous electricity		
	negative electron, negatron; e⁻ electron	Elektron n; Negatron n, negatives Elektron, e⁻	électron m; négaton m, électron négatif, e⁻	электрон; негатрон, отрицательный электрон, e⁻
N 141	negative element of telephoto lens	Telenegativ n	élément m négatif du télé-objectif	теленегатив
N 142	negative emulsion	Negativemulsion f	émulsion f négative	негативная фотоэмульсия (эмульсия)
N 143	negative energy state; negative term	negativer Energiezustand m; negativer Term m	état m énergétique négatif; terme m négatif	состояние с отрицательной энергией; отрицательный терм
	negative entropy	s. average information content		
N 144/5	negative excess	negativer Überschuß m	excédent m négatif, excès m négatif	отрицательный избыток
	negative excess	s. a. platikurtosis		
	negative eyepiece, Huyghenian eyepiece, Huyghens['] eyepiece	Huygenssches (negatives) Okular n, Huygens-Okular n, Okular nach Huygens	oculaire m négatif [d'Huygens], oculaire d'Huygens	окуляр Гюйгенса, отрицательный окуляр
	negative feedback	s. reverse feedback		
N 146	negative feedback amplifier	gegengekoppelter Verstärker m	amplificateur m à contre-réaction (contre-couplage)	усилитель с отрицательной обратной связью
N 147	negative feedback factor	Gegenkopplungsfaktor m	coefficient (facteur) m de contre-réaction	коэффициент отрицательной обратной связи

N 148	**negative feedback ratio**	Gegenkopplungsgrad *m*, Gegenkopplungsverhältnis *n*	taux *m* de contre-réaction	коэффициент отрицательной обратной связи
N 149	**negative flame,** cathodic flame	negative (katodische) Flamme *f*, Katodenflamme *f*	flamme *f* négative, flamme cathodique	отрицательное пламя, катодное пламя
N 150	**negative frequency part**	Teil *m* mit negativen Frequenzen	partie *f* à fréquences négatives	отрицательно-частотная часть
N 151	**negative glow**	negatives Glimmlicht *n*, negative Glimmschicht *f*; negatives Büschel *n* <Bogenentladung>	lueur *f* négative	отрицательное свечение
N 151a	**negative glow lamp,** glow lamp	Glimmlampe *f*	lampe *f* à lueur	лампа тлеющего разряда, лампа отрицательного свечения
N 152	**negative-going pulse,** negative pulse	negativer Impuls *m*, Minusimpuls *m*, Negativimpuls *m*	impulsion *f* négative	отрицательный импульс
	negative image	*s.* negative		
	negative impedance, expedance	negativer komplexer Wechselstromwiderstand *m*, negative Impedanz *f*, Expedanz *f*	impédance *f* négative, expédance *f*	отрицательное полное сопротивление, отрицательное комплексное сопротивление
N 153	**negative ion column**	negative Ionensäule *f*	colonne *f* ionique négative	отрицательная ионная колонка
N 154	**negative[-] ion vacancy,** anion vacancy	Anionenleerstelle *f*, Anionenfehlstelle *f*, Anionenlücke *f*	lacune (vacance) *f* anionique, lacune d'un ion négatif	анионная дырка, анионная вакансия
	negative lens, divergent lens, diverging lens, dispersion (dispersive) lens	Zerstreuungslinse *f*, Negativlinse *f*, Streu[ungs]linse *f*	lentille *f* divergente, lentille négative	рассеивающая линза, отрицательная линза
N 155	**negative lift**	Untertrieb *m*, negativer Auftrieb *m*	force *f* descensionnelle	отрицательная подъемная сила, отрицательная плавучесть
	negative limb, negative terminal	Minusklemme *f*, negative Klemme *f*, Minuspol *m*	borne *f* négative	отрицательный токоотвод, отрицательная клемма, отрицательный (минусовый) зажим, отрицательный полюс
	negatively charged	*s.* negative <el.>		
	negative meniscus, diverging meniscus; convexo-concave lens	negativer (streuender) Meniskus *m*; konvex-konkave Linse *f*	ménisque *m* divergent; lentille *f* convexe-concave	рассеивающий (отрицательный) мениск; выпукло-вогнутая линза
N 156	**negative modulation**	Negativmodulation *f*	modulation *f* négative	негативная модуляция [несущей]
	negative nodal point, antinodal point	negativer Knotenpunkt *m*	point *m* antinodal, point nodal négatif	антиузловая (отрицательная узловая) точка
N 156a	**negative osmosis**	negative Osmose *f*	osmose *f* négative	отрицательный осмос
	negative parity, odd parity, parity — 1	ungerade Parität *f*, Parität — 1, negative Parität	parité *f* impaire, parité négative	отрицательная четность, четное состояние
	negative pitching moment, diving moment	negatives Kippmoment *n*	couple *m* piqueur (de piquage), moment *m* piqueur (de tangage négatif)	пикирующий момент, отрицательный момент тангажа
N 157	**negative polarity,** direct polarity	Minuspolung *f*, negative (direkte) Polung *f*, negative Polarität *f*	polarité *f* négative, polarité directe	отрицательная полярность, прямая полярность
N 158	**negative pole,** minus	Minuspol *m*, negativer Pol *m*, Minus *n*	pôle *m* négatif, moins *m*	отрицательный полюс, минус
N 159	**negative position [of crystal]**	Subtraktionsstellung *f*	position *f* négative [du cristal]	отрицательное положение [кристалла под поляризационным микроскопом]
N 160	**negative-positive process, negative-positive technique**	Negativ-Positiv-Prozeß *m*, Negativ-Positiv-Verfahren *n*	procédé *m* négatif-positif	негативно-позитивный процесс, негативно-позитивный метод
	negative pressure	*s.* underpressure		
N 161	**negative pressure wave** <hydr.>	Gegenwelle *f*, reflektierte Welle *f* <Hydr.>	onde *f* négative d'amont <hydr.>	волна отрицательного инерционного давления <гидр.>
	negative principal point, antiprincipal point	negativer Hauptpunkt *m*	point *m* antiprincipal, point principal négatif	антиглавная точка, отрицательная главная точка
N 162	**negative process**	Negativprozeß *m*, Negativverfahren *n*	procédé *m* négatif, formation *f* et développement *m* de l'image négative	негативный процесс
	negative pulse, negative-going pulse	negativer Impuls *m*, Minusimpuls *m*, Negativimpuls *m*	impulsion *f* négative	отрицательный импульс
N 163	**negative rain**	negativer Regen *m*	pluie *f* négative	отрицательный дождь; дождь, несущий отрицательный заряд
	negative reactance	*s.* capacitive reactance		
N 164	**negative reactivity**	negative Reaktivität *f*	antiréactivité *f*, réactivité *f* négative	отрицательная реактивность
N 165	**negative refraction**	negative Brechung *f*	réfraction *f* négative	отрицательное преломление; отрицательная рефракция <ак.>
N 166	**negative resistance**	negativer [differentieller] Widerstand *m*, Negwid *m*	résistance négative	отрицательное сопротивление
N 167	**negative resistance diode**	Negativwiderstanddiode *f*	diode *f* à résistance négative	диод с отрицательным сопротивлением

N 168	negative resistance effect	Negativwiderstandeffekt m, Negwideffekt m	effet m de résistance négative	явление отрицательного сопротивления
	negative rotation, laevorotation, levorotation, counterclockwise rotation	Linksdrehung f, negative Drehung f; Linkslauf m	lévogyration f; rotation f gauche, rotation négative	левое вращение, вращение влево, отрицательное вращение, вращение против часовой стрелки
N 169	negative semidefinite	negativ semidefinit	négatif semi-défini, semi-défini négatif	отрицательно полуопределенный
N 170	negative sequence component	Gegenkomponente f	composante f inverse	[симметричная] составляющая обратной последовательности
N 171	negative sequence impedance, opposition impedance	Gegenimpedanz f, Gegenscheinwiderstand m, gegenläufige Impedanz f, Impedanz des gegenläufigen Feldes	impédance f inverse, impédance de champ inverse, impédance en opposition, impédance opposée	импеданс (полное сопротивление) обратной последовательности [фаз], [кажущееся] сопротивление обратной последовательности
N 172	negative sequence system, negative system	Gegensystem n	système m négatif	система обратной последовательности [фаз]
N 173	negative sequence system vector, negative system vector	Gegensystemvektor m	vecteur m du système négatif	вектор системы обратной последовательности
N 174	negative series feedback	Reihen[schluß]gegenkopplung f	réaction f négative [en] série	последовательная отрицательная обратная связь
	negative sign, minus sign (symbol, mark); subtraction sign	Minuszeichen n; negatives Vorzeichen n	signe m moins, signe négatif	знак минус, минус, отрицательный знак
N 175	negative skewness	negative Schiefe f	dissymétrie f négative	отрицательная асимметрия
	negative stability	s. unstable equilibrium		
	negative system	s. negative sequence system		
	negative system vector, negative sequence system vector	Gegensystemvektor m	vecteur m du système négatif	вектор системы обратной последовательности
N 176	negative temperature coefficient, NTC	negativer Temperaturkoeffizient m	coefficient m de température négatif	отрицательный температурный коэффициент
	negative temperature coefficient resistor	s. thermistor		
N 177	negative temperature state, inversion state	Zustand m mit negativer [absoluter] Temperatur	état m à température absolue négative	состояние [системы] с отрицательной абсолютной температурой, состояние отрицательной температуры, состояние инверсной заселенности
	negative term; negative energy state	negativer Energiezustand m; negativer Term m	état m énergétique négatif; terme m négatif	состояние с отрицательной энергией; отрицательный терм
N 178	negative terminal, negative limb	Minusklemme f, negative Klemme f, Minuspol m	borne f négative	отрицательный токоотвод, отрицательная клемма, отрицательный (минусовый) зажим, отрицательный полюс
	negative thermodynamic temperature, negative absolute temperature	negative absolute Temperatur f	température f absolue négative	отрицательная абсолютная температура
	negative viewer, negatoscope, light box, spotting box	Negatoskop n, Negativschaukasten m, Negativbetrachter m	négatoscope m	негатоскоп, негаскоп
	negative viscosity, endosity	Endosität f, negative Viskosität f	endosité f, viscosité f négative	отрицательная вязкость
N 179	negative voltage feedback	Spannungsgegenkopplung f	contre-réaction f (contrecouplage m, réaction f inversée) en tension	отрицательная обратная связь по напряжению
N 180	negativity wave	Negativitätswelle f	onde f de négativité	волна отрицательности
	negaton	s. negatron		
N 181	negatoscope, negative viewer, light box, spotting box	Negatoskop n, Negativschaukasten m, Negativbetrachter m	négatoscope m	негатоскоп, негаскоп
	negatron, negative electron, e⁻; electron	Elektron n; Negatron n, negatives Elektron, e⁻	électron m; négaton m, électron négatif, e⁻	электрон; негатрон, отрицательный электрон, e⁻
N 182	negatron <thermionic valve>	Negatron n <Elektronenröhre>	négatron m <tube électronique>	негатрон <электронная лампа>
	negentropy	s. average information content		
N 183	neglect, neglection; omission	Vernachlässigung f; Fortlassung f, Weglassung f	négligence f; omission f	пренебрежение; отбрасывание; опущение, опускание, пропуск
N 184	negligible <with respect to>, negligibly small <in comparison with>	vernachlässigbar <gegen>, zu vernachlässigen, vernachlässigbar klein	négligeable <devant ou vis-à-vis>	можно пренебречь, пренебрежимый, пренебрежимо малый
N 185	Negretti thermometer	Negretti-Thermometer n	thermomètre m de Negretti	термометр Негретти
	neighbor <US>	s. neighbour		
	neighborhood <US>	s. vicinity		
N 186	neighbour, neighbor <US>	Nachbar m	voisin m	сосед, соседняя частица, соседний объект
	neighbour, neighbouring atom	Nachbaratom n, Nachbar m	atome m voisin, voisin m	соседний атом, сосед
N 187	neighbourhood <math.>	Umgebung f <Math.>	voisinage m, entourage m <math.>	окрестность <матем.>
	neighbourhood	s. a. vicinity		
N 187a	neighbourhood effect, [development] adjacency effect	Nachbareffekt m [der Entwicklung]	effet m de voisinage, effet d'épuisement	эффект близости

N 188	neighbouring atom, neighbour	Nachbaratom *n*, Nachbar *m*	atome *m* voisin, voisin *m*	соседний атом, сосед
	neighbouring earthquake, near earthquake	Nahbeben *n*	tremblement *m* de terre rapproché, séisme *m* rapproché (proche)	близкое землетрясение
N 188a	neighbouring group participation	Nachbargruppeneffekt *m*	participation *f* du groupe voisin	действие соседней группы
	neighbour of the first sphere	s. next neighbour		
	neighbour of the second sphere	s. next-nearest neighbour		
	Neil's parabola	s. semicubical parabola		
N 189	nekton	Nekton *n*	nekton *m*	нектон
N 190	nematic [crystal], nematic phase	nematische Phase *f*, pl-Phase *f*, nematische kristalline Flüssigkeit *f*, nematischer Kristall *m*	cristal *m* nématique, nématique, *m*, phase nématique	нематическая фаза, нематическое жидкокристаллическое вещество <Triedel>, нематический кристалл, жидкий кристалл <Lehmann>
N 191	nematic state	nematischer Zustand *m*	état *m* nématique	нематическое состояние
N 191a	Nemets effect	Nemets-Effekt *m*	effet *m* Nemets	эффект Неметса
N 192	neon bulb, neon lamp, neon tube	Neonglimmlampe *f*, neongefüllte Glimmlampe *f*, Glimmlampe mit Neonfüllung	lampe *f* à néon, tube *m* au néon	неоновая лампа [тлеющего разряда]
N 193	neon lamp, neon tube	Neonlampe *f*, Neonröhre *f*	lampe *f* à néon, tube *m* au néon	неоновая лампа
	neon stabilizer [tube]	s. glow-discharge stabilizer tube		
	neon tube	s. neon bulb		
	neon tube	s. a. neon lamp		
	NEP	s. noise equivalent power		
N 194	neper, Np, N	Neper *n*, Np, N	néper *m*, Np, N	непер, *неп*
	Neper['s] analogies, Napier's analogies	Nepersche Analogien *fpl*, Napiersche Analogien	analogies *fpl* de Néper, analogies népériennes	неперовы аналогии
	Neperian logarithm	s. natural logarithm		
N 195	neper meter	Nepermeter *n*	népermètre *m*	непермерт, измеритель уровня в неперах
N 195a	nephelauxetic effect	nephelauxetischer Effekt *m*	effet *m* néphélauxétique	нефелауксетическое явление
N 196	nephelometer	Nephelometer *n*, Trübungsmesser *m*	néphélomètre *m*	нефелометр, нефеломер
N 197	nephelometric titration, — heterometry	nephelometrische Titration *f*, Heterometrie *f*, Trübungstitration *f*	titrage *m* néphélométrique, hétérométrie *f*	нефелометрическое титрование, гетерометрия
N 198	nephelometry	Nephelometrie *f*, Trübungsmessung *f*	néphélométrie	нефелометрия
	nephelometry in its proper sense	s. tyndallimetry		
N 199	nephograph	Nephograph *m*	néphographe *m*	нефограф
N 200	nephology	Lehre *f* von den Wolken, Wolkenkunde *f*	néphologie *f*	нефология, наука (учение) об облаках
N 201	nephometer	Nephometer *n*, Bewölkungsmengenmesser *m*, Wolken[mengen]messer *m*	néphomètre *m*	нефометр, нефомер, измеритель [количества] облачности
N 202	nephoscope; mirror (reflecting) nephoscope	Nephoskop *n*; Wolkenspiegel *m*	néphoscope *m*; néphoscope à miroir	нефоскоп; зеркальный нефоскоп
N 203	nepit, nit, Naperian digit <= 1.44 bits>	Nepit *n*, nepit, nit <= 1,44 bit>	népit *m*, nit *m* <= 1,44 bits>	непит, нит <= 1,44 бит>
N 204	neptunium, ₉₃Np	Neptunium *n*, ₉₃Np	neptunium *m*, ₉₃Np	нептуний, ₉₃Np
	neptunium [radioactive] family	s. neptunium series		
N 205	neptunium [radioactive] series, 4n + 1 series; neptunium family, neptunium radioactive family, radioactive family of neptunium, 4n + 1 family	Neptuniumzerfallsreihe *f*, Neptuniumreihe *f*, (4n + 1)-Zerfallsreihe *f*, Zerfallsreihe *f* des Neptuniums; radioaktive Familie *f* des Neptuniums, Neptuniumfamilie *f*	famille *f* du neptunium, famille radioactive du neptunium, famille 4n + 1; série *f* du neptunium, série 4n + 1	ряд нептуния; семейство нептуния, радиоактивное семейство нептуния
N 206	Nernst approximation [formula]	Nernstsche Näherung[s-formel] *f*	approximation *f* (formule *f* d'approximation) de Nernst	приближение (приближенная формула) Нернста
N 207	Nernst calorimeter	Nernstsches Metallkalorimeter (Kalorimeter) *n*, Nernst-Kalorimeter *n*	calorimètre *m* de Nernst, calorimètre de type Nernst-Magnus	калориметр Нернста
N 208	Nernst coefficient	Nernst-Koeffizient *m*	coefficient *m* de Nernst	коэффициент Нернста
N 208a	Nernst detector, Nernst-effect detector	Nernst-Detektor *m*, Nernst-Effekt-Detektor *m*	détecteur *m* à effet Nernst	детектор Нернста; детектор, основанный на эффекте Нернста
N 209	Nernst diffusion layer, diffusion layer <el.chem.>	[Nernstsche] Diffusionsschicht *f* <El.chem.>	couche *f* de diffusion [de Nernst] <él.chim.>	диффузионный слой [Нернста] <эл.хим.>
N 210	Nernst distribution law, Nernst partition law, partition law [of Nernst], distribution law [of Nernst]	Nernstscher Verteilungssatz *m*	loi *f* de distribution de Nernst	закон распределения Нернста
N 211	Nernst effect	Nernst-Effekt *m*	effet *m* Nernst	эффект Нернста
	Nernst-effect detector	s. Nernst detector		
N 212	Nernst-Einstein relation	Nernst-Einsteinsche Beziehung *f*	relation *f* de Nernst-Einstein	формула (уравнение) Нернста-Эйнштейна
N 213	Nernst equation <for e.m.f.>	Nernstsche Gleichung *f*; Nernstsche Formel *f*, Formel von Nernst	équation *f* de Nernst	уравнение Нернста, формула Нернста
N 214	Nernst equation <bio.>	Nernstsches Gesetz *n* <Bio.>	loi *f* de Nernst <bio.>	закон Нернста <био.>

N 215	**Nernst-Ettingshausen effect**	Nernst-Ettingshausen-Effekt *m*, Ettingshausen-Nernst-Effekt *m* <1. und 2.>	effet *m* Nernst-Ettingshausen	эффект Нернста-Эттингсгаузена, явление Нернста-Эттингсгаузена
N 216	**Nernst factor**	Nernst-Faktor *m*	facteur *m* de Nernst	постоянная Нернста, константа Нернста
N 217	**Nernst field**	Nernst-Feld *n*	champ *m* de Nernst	поле Нернста
N 218	**Nernst filament, Nernst glower**	Nernst-Stift *m*, Nernst-Brenner *m*	corps *m* incandescent de Nernst	горелка Нернста, штифт Нернста
	Nernst['s] heat theorem	*s.* third law of thermodynamics		
N 219	**Nernst lamp**	Nernst-Lampe *f*	lampe *f* [de] Nernst	лампа Нернста
	Nernst['s] law	*s.* third law of thermodynamics		
	Nernst partition law	*s.* Nernst distribution law		
	Nernst['s] theorem	*s.* third law of thermodynamics		
N 220	**Nernst-Thompson rule**	Nernst-Thompsonsche Regel *f*	règle *f* de Nernst-Thompson	правило Нернста-Томпсона
	Nernst transport number, true transport (transference) number	wahre Überführungszahl *f*, Nernstsche Überführungszahl	nombre *m* vrai de transport, nombre de transport de Nernst	истинное число переноса, число переноса Нернста
N 221	**nerve conductance, nerve conduction,** propagation of the nerve impulse	Nervenleitung *f*	conduction *f* de l'influx nerveux, conduction nerveuse	проведение нервного импульса, проведение импульсов по нервам, нервное проведение, проведение возбуждения по нерву
N 222	**nerve ending**	Nervenendigung *f*	terminaison *f* nerveuse, terminaison du nerf	нервное окончание
N 223	**nerve excitation**	Nervenerregung *f*	excitation *f* nerveuse	нервное возбуждение
N 224	**nerve impulse,** nervous impulse	Nervenimpuls *m*	influx *m* nerveux, impulsion *f* nerveuse	нервный импульс
	nerve stimulation, stimulation of nerve, excitation in nerves	Nervenreizung *f*	stimulation *f* du nerf, stimulation nerveuse	раздражение нерва
	nervous impulse	*s.* nerve impulse		
	nervus opticus, optic nerve	Sehnerv *m*, Nervus *m* opticus, Fasciculus *m* opticus	nerf *m* optique	зрительный нерв, главный нерв
N 225	**nesistor**	Nesistor *m*, Zweipolfieldistor *m*	nésistor *m*	незистор
N 226	**nested**	verschachtelt, geschachtelt, ineinandergeschachtelt	fractionné	вложенный, расположенный гнездами; перешихтованный
	nested; clustered	nestartig, nest[er]förmig, haufenförmig	en amas; en nid	гнездообразный, гнездовой
	nested sample, cluster <stat.>	Klumpenstichprobe *f* <Stat.>	échantillon *m* en grappes <stat.>	гнездовая выборка
N 227	**nesting**	Schachtelung *f*, Verschachtelung *f*	fractionnement *m*	вложение, расположение гнездами; [пере]шихтовка
N 228	**nest of intervals** <math.>	Intervallschachtelung *f*, Schachtelung *f* <Math.>	fractionnement *m* <math.>	совокупность вложенных интервалов; шихтовка <матем.>
N 229	**nest of pipes,** bundle of pipes (tubes)	Rohrbündel *n*	faisceau *m* de tubes, faisceau tubulaire	трубный пучок, пучок труб, пакет труб
N 230	**net; net weight; net mass**	Eigengewicht *n*; Eigenmasse *f*, Nettomasse *f*; Nettogewicht *n*, Reingewicht *n*	poids *m* net, poids propre; masse *f* nette	чистый (собственный) вес, вес нетто; собственная (чистая) масса, масса нетто
	net	*s. a.* atomic plane <cryst.>		
	net	*s. a.* grid		
	net acceleration, resultant acceleration	Gesamtbeschleunigung *f*, resultierende Beschleunigung *f*	accélération *f* résultante, accélération composite	результирующее ускорение
N 231	**net caloric power (value), net calorific power (value),** calorifi[c] power, lower calorific value, net heating value (power), heat[ing] value, heating power	Heizwert *m*, unterer Heizwert, Brennwert *m*	pouvoir *m* calorifique [inférieur], puissance *f* calorifique, valeur *f* calorifique	теплотворная способность [по нижнему пределу], низшая теплотворная способность, [низшая] теплотворность, [низшая] теплота сгорания; калорийность, теплопроизводительность
N 232	**net chart,** nomogram with radial lines, isopleth	Netztafel *f*, Isoplethentafel *f*, Isoplethenkarte *f*	abaque *m* à radiantes	сетчатая номограмма
	net damping, resultant damping; total damping	Gesamtdämpfung *f*; resultierende Dämpfung *f*	affaiblissement *m* total; affaiblissement résultant (composite)	полное затухание; суммарное (результирующее) затухание
N 233	**net density**	Netzdichte *f*	densité *f* du réseau	густота сети
	net efficiency	*s.* overall efficiency		
	net equivalent	*s.* net loss		
	net force, resultant, resultant force <mech.>	resultierende Kraft *f*, Resultierende *f*, Resultante *f* <Mech.>	résultante *f* des forces, résultante de translation, force *f* résultante (unique) <méc.>	равнодействующая сила, результирующая сила <мех.>
	net gain, overall gain, overall amplification	Gesamtverstärkung *f*, Gesamtverstärkungsfaktor *m*	gain *m* global (total), amplification *f* totale	коэффициент полного усиления, полное (общее) усиление
	net heating power (value)	*s.* net calorific value		
N 234	**net level of interference**	Reststörpegel *m*	niveau *m* résiduel de perturbations	остаточный уровень помех

N 235	net loss, net [transmission] equivalent, overall [line] attenuation, overall equivalent; net-loss factor	Restdämpfung f	affaiblissement m effectif, affaiblissement composite, affaiblissement total	остаточное затухание, полное затухание [линии]
N 236	net loss <gen.> net-loss factor net magnetic field net mass net multiplier	Gesamtverlust m <allg.> s. net loss s. resultant magnetic field s. net s. Venetian blind multiplier	perte f globale (nette, totale) <gén.>	суммарная потеря <общ.>
N 237	net of climatological stations, climatological net	Klimanetz n	réseau m de stations climatologiques, réseau climatologique	сеть климатологических станций, климатологическая сеть
N 238	net of slip lines	Gleitliniennetz n	réseau m de lignes de glissement	сетка линий скольжения
	net of Wulff, Wulff['s] net, stereographic net	Wulffsches Netz n	réseau (canevas) m de Wulff, réseau (canevas) stéréographique	сетка Вульфа, стереографическая сетка
	net plane, atomic plane, lattice plane, net <cryst.>	Netzebene f, Gitterebene f <Krist.>	plan m réticulaire, plan de réseau, plan du réseau	плоскость [кристаллической] решетки, атомная (кристаллографическая) плоскость, сетчатая плоскость решетки
N 239	net register ton	Nettoregistertonne f, NRT	tonne f de registre nette	регистровая тонна нетто, тонна нетто
N 240	net tonnage	Nettotonnage f, Nettoregistertonnenzahl f, NRT-Zahl f	tonnage m net	нетто-регистровый тоннаж, нетто-тоннаж, чистая регистровая вместимость
	net torque, resulting torque, resultant torque	Gesamtdrehmoment n, resultierendes Drehmoment n	couple m résultant (composite), maître-couple m	результирующий (суммарный) момент вращения
	net transmission equivalent	s. net loss		
	net velocity, resultant velocity	resultierende Geschwindigkeit f	vitesse f résultante	равнодействующая скорость
N 241	net voltage of interference	Reststörspannung f	tension f résiduelle de perturbations	остаточное напряжение помех
	net weight	s. net		
N 242	network, network of lines, system <el.>	Netzwerk n, Netz n, Streckenkomplex m <El.>	réseau m [de lignes], système m <él.>	сеть; [разветвленная электрическая] цепь; многополюсник; схема; система <эл.>
N 243	network <cryst.; in glass>	Netzwerk n <Krist.; in Gläsern>	réseau m <crist.; dans les verres>	сетка <крист.; в стеклах>
N 244	network, network of stations, réseau <geo.>	Stationsnetz n <Geo.>	réseau m [des stations] <géo.>	станционная сеть, сеть станций <гео.>
	Γ network	s. general Γ network		
N 245	network analysis, circuit analysis, electrical circuit analysis	Netzwerkanalyse f, Netzanalyse f, Stromkreisanalyse f	analyse f des réseaux [électriques], analyse des circuits [électriques]	анализ цепей, анализ электрических цепей
N 246	network analyzer, circuit analyzer	Netz[werk]analysator m, Netzmodell n, Netzwerkgleichungslöser m	analyseur m des réseaux	модель (анализатор) сетей сетевой (схемный) анализатор
N 247	network element, system element; network(system) parameter	Netz[werk]element n; Netz[werk]parameter m	élément m du réseau (système); paramètre m du réseau (système)	элемент сети; параметр сети
N 248	network-forming ion	netzwerkbildendes Ion n	ion m formant la structure	структурообразующий ион; ион, образующий структуру
N 249	network-modifying ion	netzwerk[ver]änderndes Ion n	ion m modifiant la structure	ион, изменяющий структуру
	network molecule network node network of dislocations, dislocation network network of lines network of stations, network, réseau <geo.> network parameter	s. cross-linked molecule s. node <el.> Versetzungsnetzwerk n, Versetzungsgitter n s. network <el.> Stationsnetz n <Geo.> s. network element	réseau m de dislocations réseau m [des stations] <géo.>	сетка дислокаций станционная сеть, сеть станций <гео.>
N 250	network structure	Netzwerkstruktur f	structure f réticulaire (en réseau)	сетчатая структура
N 251	network synthesis, electrical network synthesis, synthesis of electrical network	Netzwerksynthese f	synthèse f des réseaux	синтез цепей
N 252	network theory, theory of electrical networks	Netzwerktheorie f	théorie f des réseaux [électriques]	теория цепей
	network theory, theory of four-terminal networks	Vierpoltheorie f	théorie f des quadripôles	теория четырехполюсников
	network transformation, transfiguration (transformation) of network	Netztransfiguration f, Netzumwandlung f	transfiguration f de réseau, transformation f de réseau	преобразование цепей; преобразование сети
N 253	network transmission equivalent, transmission equivalent	Netzwerkbezugsdämpfung f, Netzwerk-Übertragungsäquivalent n	équivalent m de transmission du réseau	эквивалент передачи сети, эквивалент затухания сети
	Neuber-Papkovich solution	s. Boussinesq-Papkovich solution		
N 254	Neuhaus['] method [of crystal growth]	Kammerverfahren n [nach Neuhaus], Neuhaussches Kristallzüchtungsverfahren n	méthode f de Neuhaus	метод Нейгауза
N 255	Neumann['s] algebra / von, W*-algebra	von Neumannsche Algebra, Neumann-Algebra f, W*-Algebra f	algèbre f de von Neumann, algèbre W*	алгебра фон Неймана алгебра W*

N 256	**Neumann band**, twin band	Neumannsches Band n, Zwillingsstreifen m	bande f de Neumann	полоса Неймана
	Neumann['s] Bessel function [of the second kind]	s. Bessel function of the second kind		
N 257	**Neumann['s] boundary condition**, boundary condition of the second kind, second boundary condition	Neumannsche Randbedingung f, Randbedingung zweiter Art, zweite Randbedingung	condition f aux limites de Neumann (deuxième espèce, seconde espèce), deuxième condition aux limites	краевое условие Неймана, условие Неймана, краевое условие второго рода, второе краевое условие
	Neumann['s] boundary [value] problem	s. Neumann['s] problem		
N 258	**Neumann['s] constant**	Neumannsche Konstante f	constante f de Neumann	постоянная (константа) Неймана
	Neumann['s] ergodic theorem / von	s. statistical ergodic theorem		
N 259	**Neumann['s] formula [of mutual inductance]**	Neumannsche Formel f [für die Gegeninduktion]	formule f de Neumann	формула Неймана [для расчета взаимной индуктивности]
	Neumann['s] function	s. Bessel function of the second kind		
N 260	**Neumann-Kopp rule**, Kopp-Neumann['s] law	Neumann-Koppsche Regel f, Joule-Koppsche Regel, Kopp-Neumannsche Regel, Regel von Kopp-Neumann	règle f de Neumann[-Kopp], loi f de Kopp-Neumann	правило Неймана-Коппа, правило (закон) Коппа-Неймана
	Neumann['s] law	s. Faraday['s] law of induction		
N 261	**Neumann line**	Neumannsche Linie f	ligne f de Neumann	линия Неймана
	Neumann matrix / von	s. density matrix		
N 262	**Neumann['s] permeameter**	Neumann-Joch n	perméamètre m de Neumann	пермеаметр Неймана
N 263	**Neumann['s] polynomial**	Neumannsches Polynom n	polynôme m de Neumann	многочлен (полином) Неймана
N 264	**Neumann potential**	Neumannsches Potential n, Neumann-Potential n	potentiel m de Neumann	потенциал Неймана
N 265	**Neumann['s] principle**	Neumannsches Prinzip n	principe m de Neumann	принцип Неймана
N 266	**Neumann['s] problem**, Neumann['s] boundary [value] problem, second boundary [value] problem, boundary value problem of the second kind	Neumannsches Problem (Randwertproblem) n, Neumann-Problem n, Neumannsche (zweite) Randwertaufgabe f, zweites Randwertproblem, Randwertproblem (Randwertaufgabe) zweiter Art	problème m de Neumann, deuxième problème aux limites, problème aux limites de deuxième espèce	задача Неймана, краевая задача Неймана, вторая краевая задача, краевая задача второго рода
N 267	**Neumann['s] recorder, Neumann[s] sound pressure-reverberation time recorder**	Neumann-Schreiber m, Neumann-Pegelschreiber m, Neumannscher Pegelschreiber m, Dämpfungsschreiber m [nach Neumann]	enregistreur m de Neumann	самописец Неймана, самописец уровня Неймана, прибор для записи затухания
N 268	**Neumann['s] series**, Liouville-Neumann series	Neumannsche Reihe f	série f de Neumann	ряд Неймана
N 269	**Neumann['s] triangle**	Neumannsches Dreieck n	triangle m de Neumann	треугольник Неймана
N 270	**Neumayer screen**	Neumayersche Hütte f	abri m [météorologique] de Neumayer	метеорологическая будка Неймейера
N 271	**neurilemma**, Schwann['s] sheath	Schwannsche Scheide f, Neurolemma n, Neurilemma n	gaine f de Schwann, névrilemme m	неврилемма
N 272	**neuristor**	Neuristor m	neuristor m	нейристор
	neurite, axon	Axon n, Neurit m, Achsenzylinder m	axone m, cylindraxe m	аксон, осевой цилиндр, неврит, нейрит
N 273	**neuron**	Neuron n	neurone m	нейрон, неврон
N 274	**neuston**	Neuston n	neuston m	нейстон
N 275	**neutral**, neutral particle, uncharged particle	Neutrales n, neutrales (ungeladenes) Teilchen n, Neutralteilchen n, neutrale Partikel f	neutral m, particule f neutrale, particule non chargée	нейтральная частица, незаряженная частица, нейтрал
	neutral	s. a. neutral point		
N 276	**neutral**, electrically neutral; uncharged, without (of zero) charge <el.>	neutral, elektrisch neutral; ungeladen, ladungsfrei, ohne Ladung <El.>	[électriquement] neutre; non chargé, sans charge, de (à) charge zéro <él.>	[электрически] нейтральный; незаряженный, без (не имеющий) заряда <эл.>
	neutral absorber	s. neutral filter		
	neutral acid, molecular acid	Molekülsäure f, Neutralsäure f	acide m moléculaire (neutre)	молекулярная (нейтральная) кислота
	neutral axis	s. elastic axis <elasticity>		
	neutral base, molecular base	Molekülbase f, Neutralbase f	base f moléculaire, base neutre	молекулярное (нейтральное) основание
	neutral conductor	s. neutral point		
N 277	**neutral cross-section**, neutral section	neutraler Querschnitt m, Fließscheide f	section f [transversale] neutre	нейтральное поперечное сечение
	neutral density filter	s. neutral filter		
N 278	**neutral diffuser**, non-selective diffuser	neutral (grau, nichtselektiv, aselektiv) streuender Körper m, Neutralstreuer m	diffuseur m neutre, diffuseur gris, diffuseur non sélectif	нейтральный (неизбирательный, неселективный) рассеиватель
N 279	**neutral drag**	mechanische Bremswirkung f durch neutrale Luftpartikeln <Satellit>	résistance f neutre	сопротивление нейтральных частиц
N 280	**neutral electrode** <ECG>	indifferente Elektrode f	électrode f indifférente	нейтральный электрод
	neutral element	s. identity [element]		
N 281	**neutral equilibrium**, neutral stability, indifferent equilibrium	indifferentes Gleichgewicht n, stetiges Gleichgewicht	équilibre m indifférent, équilibre neutre	безразличное (нейтральное, астатическое) равновесие

N 282	**neutral filament**	s. elastic axis <elasticity>		
	neutral filter, neutral absorber (density filter, grey non-selective filter), non-selective absorber (filter)	Neutralfilter n, Graufilter n, Schwächungsfilter n, neutrales (aselektives) Filter n, Echtgraufilter n	filtre m neutre, absorbant m neutre, absorbant non sélectif, filtre gris [neutre], filtre non sélectif	нейтральный светофильтр, неселективный поглотитель (светофильтр), серый фильтр
	neutral gas	s. indifferent gas		
N 283	**neutral glass,** non-selective glass, smoked glass	Neutralglas n, neutrales Glas n, Grauglas n, Rauchglas n, Schwächungsglas n	verre m neutre, verre non sélectif, verre fumé	нейтральное (неселективное, дымчатое) стекло
	neutral grey filter	s. neutral filter		
N 284	**neutral hue**	neutraler Farbton m	teinte f neutre	нейтральный [цветовой] тон
N 285	**neutral illumination,** optically (physically) neutral illumination	neutrale Beleuchtung f, optisch (physikalisch) neutrale Beleuchtung	éclairage m neutre	нейтральное освещение
N 286	**neutrality condition**	Neutralitätsbedingung f	condition f de neutralité	условие нейтральности
N 287	**neutrality principle**	Neutralitätsprinzip n	principe m de la neutralité	принцип [электро]нейтральности, принцип Полинга
N 288	**neutralization,** neutralizing, neutrodynization <el.>	Neutralisation f <El.>	neutralisation f, neutrodynage m, neutrodynation f <él.>	нейтрализация, нейтродинирование, нейтродинизация <эл.>
	neutralization	s.a. compensation		
	neutralization heat, heat of neutralization	Neutralisationswärme f	chaleur f de neutralisation	теплота нейтрализации
	neutralization point	s. equivalence point <chem.>		
	neutralizing, neutralization, neutrodynization <el.>	Neutralisation f <El.>	neutralisation f, neutrodynage m, neutrodynation f <él.>	нейтрализация, нейтродинирование, нейтродинизация <эл.>
N 289	**neutralizing bridge circuit**	Neutralisationsbrückenschaltung f, Neutralisationsschaltung f	neutralisation f en pont	мостиковая схема нейтрализации (нейтродинирования), нейтрализация по схеме моста
N 290	**neutralizing capacitance**	Neutralisationskapazität f, Neutrodynkapazität f	capacité f de neutralisation (neutrodynation)	нейтродинная емкость, нейтрализующая емкость
N 291	**neutralizing capacitor**	Neutralisationskondensator m, Neutrodynkondensator m, Neutrodyn[-kondensator] m	condensateur m neutrodyne, condensateur de neutrodynation (neutralisation)	нейтродинный конденсатор, выравнивающий конденсатор
	neutralizing circuit, neutrodyne circuit neutrodyne [connection]	Neutrodynschaltung f, Neutrodyn[e] n, Neutralisationsschaltung f	neutrode f, montage m neutrodyne, montage de neutralisation	нейтродинная схема, нейтродин
N 292	**neutralizing resistor**	Nullpunkt[s]widerstand m, künstlicher Widerstand m	résistance f neutralisatrice	сопротивление, соединенное в звезду
N 292a	**neutralizing titration,** acid-base titration	Neutralisationstitration f, Neutralisationsanalyse f, Säure-Base-Titration f	titrage m par neutralisation, titrage acid-base	кислотноосновное титрование
N 293	**neutral layer,** neutral surface, neutral plane <elasticity, elastic bending>	neutrale Schicht (Faserschicht, Fläche, Ebene) f, Nullschicht f <Elastizität, elastische Biegung>	surface f neutre, surface des fibres neutres <élasticité, flexion élastique>	нейтральный слой, нейтральная поверхность (плоскость) <в теории упругости, упругий изгиб>
	neutral line	s. isogyre		
N 294	**neutral mass,** mass of neutral atom	neutrale Masse (Atommasse) f, Masse des neutralen Atoms	masse f neutre, masse de l'atome neutre	масса нейтрального атома, нейтральная масса
N 295	**neutral meson,** neutret[to]	neutrales Meson n, Neutretto n	méson m neutre, neutretto m	нейтральный мезон, нейтретто
	neutral particle	s. neutral		
N 296	**neutral pi-meson,** neutral pion, π^0 meson, π^0	neutrales Pi-Meson (Pion, π-Meson) n, π^0-Meson n, π^0	méson m pi neutre, pion m neutre, méson π neutre, méson π^0, π^0	нейтральный пи-мезон, нейтральный π-мезон, π^0-мезон, π^0
	neutral plane	s. neutral layer		
N 297	**neutral point,** neutral; mid-point [conductor]; star[-]point, star zero point, zero point of the star, centre point, neutral conductor <el.>	neutraler Punkt (Leiter) m, Neutralpunkt m, Nullpunkt m, Nulleiter m; Sternpunkt m, Mittelpunkt m, [neutraler] Mittelleiter m, Mittelpunktleiter m; Sternpunktleiter m <El.>	point m neutre; point zéro de l'étoile, zéro m de l'étoile, point d'étoile, conducteur m neutre (zéro), ligne f neutre (zéro) <él.>	нейтральная (нулевая) точка, нейтраль, точка нулевого потенциала; узловая (нулевая) точка звезды, нейтральный (нулевой) провод <эл.>
N 298	**neutral point** <of atmospheric polarization>	neutraler Punkt m, Neutralpunkt m <Himmelslichtpolarisation>	point m neutre <de la polarisation atmosphérique>	нейтральная точка <атмосферной поляризации>
	neutral point, neutral temperature <of the thermocouple>	neutraler Punkt m, neutrale Temperatur f <Thermoelement>	température f neutre, point m neutre <du thermocouple>	нейтральная температура, нейтральная точка <термопары>
	neutral point	s. a. centre of compression and twist		
	neutral point voltage, star point voltage, voltage to neutral	Sternpunktspannung f	tension f du point neutre	потенциал нулевой точки
N 299	**neutral potential,** potential independent of isobaric spin	neutrales Potential n	potentiel m neutre, potentiel non dépendant du spin isotopique	нейтральный потенциал; потенциал, независящий от изотопического спина
N 300	**neutral-pseudoatom method,** method of neutral pseudoatom	Methode f der neutralen Pseudoatome	méthode f des pseudoatomes neutres	метод нейтральных псевдоатомов
N 301	**neutral pseudoscalar [meson] theory**	neutrale pseudoskalare Mesonentheorie (Mesonenfeldtheorie, Theorie) f	théorie f [mésique] pseudoscalaire neutre	нейтральная псевдоскалярная [мезонная] теория

N 302	neutral red	Neutralrot *n*, Toluylenrot *n*	rouge *m* neutre	нейтральрот, нейтральный красный
	neutral rock, intermediate rock	intermediäres Gestein *n*	roche *f* intermédiaire, roche neutre	промежуточная порода, нейтральная порода
N 303	neutral salt	Neutralsalz *n*, neutrales Salz	sel *m* neutre	нейтральная соль; средняя соль
N 304	neutral scalar field	neutrales skalares Feld *n*	champ *m* scalaire neutre	нейтральное скалярное поле
N 305	neutral scalar meson theory, neutral scalar theory	neutrale skalare Mesonen-theorie (Mesonenfeld-theorie, Theorie) *f*	théorie *f* [mésique] scalaire neutre	нейтральная скалярная [мезонная] теория
	neutral section, neutral cross-section	neutraler Querschnitt *m*, Fließscheide *f*	section *f* [transversale] neutre	нейтральное поперечное сечение
	neutral stability	*s.* neutral equilibrium		
N 306	neutral step wedge, step wedge, grey step wedge, sensitometric tablet	Stufengraukeil *m*, Stufenkeil *m*, Grautreppe *f*, Stufen-grautafel *f*, Graustufen-keil *m*	filtre *m* neutre à transmission échelonnée, coin *m* [neu-tre] à degrés, coin [neutre] gradué, échelle *f* de gris graduée	нейтральный ступенчатый клин, ступенчатый клин
	neutral surface	*s.* neutral layer		
N 307	neutral temperature, neutral point <of the thermocouple>	neutraler Punkt *m* neutrale Temperatur *f* <Thermo-element>	température *f* neutre, point *m* neutre <du thermo-couple>	нейтральная температура, нейтральная точка <термопары>
N 308	neutral theory [of nuclear forces]	neutrale Theorie *f*, Neutral-theorie *f* <der Kern-kräfte>	théorie *f* neutre [des forces nucléaires]	нейтральная теория [ядерных сил]
	neutral wave	*s.* stable wave		
N 309	neutral wedge, grey wedge, wedge	Graukeil *m*, Neutralkeil *m*, Keil *m*, Schwärzungs-treppe *f*	coin *m* neutre (photométri-que, gris, gris-neutre), coin	нейтральный клин, серый клин; градационный клин <тв.>
N 310	neutral wedge analysis, Goldberg wedge analysis	Graukeilanalyse *f*	analyse *f* par échelle de gris	анализ методом «серого клина»
N 311	neutral wedge method	Graukeilverfahren *n*	méthode *f* d'échelle de gris	метод «серого клина»
N 312	neutral wire	Nullungsleiter *m*	fil *m* de sécurité pour mise au neutre	зануляющий провод
	neutret[to], neutral meson	neutrales Meson *n*, Neutretto *n*	méson *m* neutre, neutretto *m*	нейтральный мезон, нейтретто
	neutret[to]	*s. a.* neutrino in mu-meson decay		
N 313	neutrino bremsstrahlung	Neutrinobremsstrahlung *f*	freinage (bremsstrahlung) *m* neutrinique, rayonnement *m* de freinage neutrinique (des neutrinos), brems-strahlung des neutrinos	нейтринное тормозное излучение
N 314	neutrino charge, neutrino number	Neutrinoladung *f*, Neutrino-zahl *f*	charge *f* neutrinique, nom-bre *m* neutrinique	нейтринный заряд, ней-тринное число
N 315	neutrino field	Neutrinofeld *n*	champ *m* neutrinique	нейтринное поле
N 316	neutrino hypothesis	Neutrinohypothese *f*	hypothèse *f* de neutrino	нейтринная гипотеза
N 317	neutrino in beta decay, electron neutrino, e-neutrino, v_e	e-Neutrino *n*, Elektron[en]-neutrino *n*, beim Posi-tronenzerfall (Beta-Zer-fall) entstehendes Neu-trino, zum Elektron gehö-rendes Neutrino, Neu-trino der Theorie des Beta-Zerfalls, v_e	neutrino *m* associé à l'élec-tron; neutrino électroni-que, neutrino de la dés-intégration bêta, v_e	электронное нейтрино бета-распадное ней-трино, v_e
N 318	neutrino in mu-meson decay, neutrino in muon decay, muon neu-trino, mu-neutrino, μ-neutrino, neutret[to], v_μ	μ-Neutrino *n*, My-Neutrino *n*, Myon[nen]neutrino *n*, beim My-Mesonen-Zer-fall entstehendes Neutrino *n*, zum My-Meson gehörendes Neutrino, Muon[en]neutrino *n*, Müonenneutrino *n*, myonverwandtes Neu-trino, Neutretto *n*, v_μ	neutrino *m* associé au muon, neutrino mu[-mésique], neutrino de la désintégra-tion du méson mu, v_μ	мюонное нейтрино, ней-трино мю-мезонного распад, v_μ
N 318a	neutrino lens	Neutrinolinse *f*	lentille *f* neutrinique	нейтринная линза
N 319	neutrino luminosity	Neutrinohelligkeit *f*	luminosité *f* neutrinique	нейтринная светимость
	neutrino number, neutrino charge	Neutrinoladung *f*, Neutrinozahl *f*	charge *f* neutrinique, nom-bre *m* neutrinique	нейтринный заряд, ней-тринное число
N 320	neutrino operator, operator of neutrino	Neutrinooperator *m*, Opera-tor *m* des Neutrinos	opérateur *m* du neutrino	нейтринный оператор, оператор нейтрино
N 321	neutrino physics	Neutrinophysik *f*	physique *f* des neutrinos, physique neutrinique	нейтринная физика
N 322	neutrino radiation	Neutrinostrahlung *f*	rayonnement *m* neutrinique	нейтринное излучение
N 323	neutrino theory of beta decay	Neutrinotheorie *f* des Beta-Zerfalls	théorie *f* neutrinique de la désintégration bêta	нейтринная теория бета-распада
N 324	neutrodyne [circuit], neutrodyne connection, neutralizing circuit	Neutrodynschaltung *f*, Neutrodyn[e] *n*, Neutrali-sationsschaltung *f*	neutrode *f*, montage *m* neutrodyne, montage de neutralisation	нейтродинная схема, нейтродин
	neutrodynization	*s.* neutralization <el.>		
N 325	neutron absorber, neutron sponge	Neutronenabsorber *m*, Neutronenfänger *m*	absorbeur (absorbant) *m* de neutrons	поглотитель нейтронов
N 326	neutron absorption analysis	Neutronenabsorptions-analyse *f*	analyse *f* par absorption des neutrons	анализ методом поглоще-ния нейтронов, нейтрон-ный абсорбционный анализ
N 327	neutron absorption cross-section, cross-section for neutron absorption	Neutronenabsorptionsquer-schnitt *m*, Absorptions-querschnitt *m* für Neu-tronen, Wirkungsquer-schnitt *m* für (der) Neu-tronenabsorption, Neu-tronenabsorptions-wirkungsquerschnitt *m*	section *f* efficace d'absorp-tion des neutrons, section efficace d'absorption neutronique	сечение поглощения ней-тронов

N 328	**neutron activation**	Neutronenaktivierung f, Aktivierung f durch Neutronen	activation f par les neutrons, activation neutronique	активация нейтронами, нейтронная активация
N 329	**neutron activation analysis**, NAA	Neutronenaktivierungsanalyse f	analyse f par activation neutronique	нейтронный активационный анализ
N 330	**neutron activation analysis / by**	neutronenaktivierungsanalytisch	à (de, par) analyse par activation neutronique	методом нейтронного активационного анализа
	neutron age, Fermi age [of neutron], symbolic age [of neutron], age <nucl.>	Fermi-Alter n, Neutronenalter n, Neutronen„age" n, Alter n [des Neutrons], Age m, „age" n <Kern.>	âge m de Fermi [du neutron], âge neutronique, âge de ralentissement, âge <nucl.>	возраст нейтронов [по Ферми], возраст по Ферми, фермиевский возраст [нейтронов] <яд.>
N 331	**neutron attenuation cross-section**, cross-section for neutron attenuation	Neutronenschwächungsquerschnitt m, Wirkungsquerschnitt m für (der) Neutronenschwächung, Schwächungsquerschnitt m für Neutronen	section f efficace d'atténuation neutronique (pour les neutrons)	сечение ослабления пучка нейтронов
N 332	**neutron balance**	Neutronenbilanz f; Neutronengleichgewicht n	bilan m neutronique (des neutrons); équilibre m neutronique	баланс нейтронов, нейтронный баланс
	neutron bath, neutron field	Neutronenfeld n	champ m neutronique	нейтронное поле
N 333	**neutron beam**; neutron ray	Neutronenstrahl m; Neutronenbündel n	faisceau m neutronique (de neutrons); rayon m neutronique	нейтронный пучок, пучок нейтронов; нейтронный луч
	neutron-beta detector	s. Hilborn detector		
N 334	**neutron binding energy**	Bindungsenergie f des Neutrons, Neutronenbindungsenergie f	énergie f de liaison du neutron	энергия связи нейтрона
	neutron bombardment; neutron irradiation	Neutronenbestrahlung f; Neutronenbeschuß m	irradiation f neutronique; bombardement m neutronique	облучение нейтронами; нейтронная бомбардировка
N 335	**neutron booster**, neutron multiplicator	Neutronenmultiplikator m, Neutronenvervielfacher m	multiplicateur m de neutrons	нейтронный размножитель
	neutron burst	s. neutron pulse		
N 336	**neutron capture cross-section**, cross-section for neutron capture	Neutroneneinfangquerschnitt m, Einfangquerschnitt m für Neutronen, Wirkungsquerschnitt m für Neutroneneinfang, Neutroneneinfangwirkungsquerschnitt m	section f efficace de capture neutronique, section efficace de capture des neutrons	сечение захвата нейтронов
	neutron capture gamma-rays, capture gamma-rays, capture gamma radiation, capture gammas	Einfang-Gamma-Quanten npl, Einfang-Gamma-Strahlung f, Gamma-Strahlung f beim (n, γ)-Prozeß	rayons mpl gamma de capture [radiative], gammas mpl de capture d'un neutron	захватные гамма-лучи; гамма-лучи, возникающие при захвате нейтронов
N 337	**neutron-capture reaction**	Neutroneneinfangreaktion f, Neutroneneinfangprozeß m <speziell: (n, γ)-Prozeß>	réaction f de capture neutronique	реакция захвата нейтрона
N 338	**neutron chain reaction**	Neutronenkettenreaktion f	réaction f neutronique en chaîne, réaction en chaîne neutronique (provoquée par les neutrons)	нейтронная цепная реакция
	neutron chamber, neutron irradiation chamber	Neutronenbestrahlungskammer f, Neutronenkammer f	chambre f d'irradiation aux neutrons, chambre neutronique (à neutrons)	камера для облучения нейтронами, нейтронная камера
N 339	**neutron chamber**, neutron ionization chamber	Neutronenkammer f, Neutronenionisationskammer f, Ionisationskammer f für Neutronen	chambre f neutronique, chambre à neutrons, chambre d'ionisation à neutrons	нейтронная камера, камера для регистрации нейтронов, ионизационная камера для нейтронов
	neutron chopper	s. chopper <nucl.>		
	neutron collimator; neutron howitzer	Neutronenkollimator m	collimateur m neutronique (des neutrons)	нейтронный коллиматор, коллиматор нейтронов
	neutron collision diameter, collision diameter	Stoßdurchmesser m, Kollisionsdurchmesser m	diamètre m de [la] collision	диаметр столкновения
	neutron collision radius, collision radius	Stoßradius m, Kollisionsradius m	rayon m de [la] collision	радиус столкновения
N 340	**neutron component**	Neutronenkomponente f	composante f neutronique	нейтронная компонента
	neutron concentration	s. neutron density		
N 341	**neutron converter**	Neutronenkonverter m, Neutronentransformator m, Neutronenumwandler m	convertisseur m de neutrons	преобразователь нейтронов
N 342	**neutron corrosion**	Korrosion f durch Neutroneneinwirkung	corrosion f neutronique	нейтронная коррозия
	neutron count	s. neutron pulse		
N 343	**neutron counter**	Neutronenzählrohr n	tube m compteur de neutrons	нейтронный счетчик, счетчик нейтронов
N 344	**neutron cross-section**, cross-section for neutrons	Neutronen[wirkungs]querschnitt m, Wirkungsquerschnitt m für Neutronen	section f efficace neutronique (des neutrons, pour les neutrons)	нейтронное сечение, сечение для нейтронов
N 345	**neutron crystal monochromator**	Kristall[neutronen]monochromator m, Neutronenkristallmonochromator m	monochromateur m neutronique à cristal	нейтронный кристаллический монохроматор, кристаллический монохроматор [нейтронов]
N 346	**neutron current**	Neutronenstrom m, Neutronendiffusionsstrom m	courant m neutronique, courant de neutrons	векторный нейтронный поток, [диффузионный] нейтронный поток

N 347	neutron current density	Neutronenstromdichte *f*	densité *f* de courant neutronique	плотность векторного нейтронного потока, плотность [диффузионного] нейтронного потока
N 348	neutron cycle	Neutronenzyklus *m*, Generationenfolge *f* der Neutronen	cycle *m* neutronique	нейтронный цикл
N 349	neutron deficiency	Neutronendefizit *n*	manque *m* de neutrons, déficience *f* en neutrons, déficit *m* neutronique	недостаток нейтронов
N 350	neutron-deficient	neutronenarm, neutronendefizit, mit Neutronendefizit	déficient (pauvre) en neutrons, à déficit neutronique	нейтроно[-]дефицитный, с недостатком нейтронов
N 351	neutron density, neutron concentration ‹n/cm³›	Neutronenzahldichte *f*, Neutronendichte *f*, Neutronenkonzentration *f* ‹n/cm³›	nombre *m* volumique de neutrons, densité (concentration) *f* de neutrons, densité neutronique ‹n/cm³›	плотность нейтронов, концентрация нейтронов ‹н/см³›
N 352	neutron detector	Neutronendetektor *m*, Neutronennachweisgerät *n*	détecteur *m* (appareil *m* détecteur) de neutrons	детектор нейтронов, нейтронный детектор
N 353	neutron diffraction	Neutronen[strahl]beugung *f*, Neutronendiffraktion *f*	diffraction *f* de neutrons	дифракция нейтронов
	neutron diffraction meter	s. neutron diffractometer		
N 354	neutron diffraction pattern, neutronogram	Neutronenbeugungsbild *n*, Neutronenbeugungsaufnahme *f*, Neutronenbeugungsdiagramm *n*, Neutronogramm *n*	neutronogramme *m*	нейтронограмма
N 355	neutron-diffraction study, neutron diffractometry; neutron[]graphy	neutronendiffraktometrische Untersuchung *f*, Neutronenstrukturuntersuchung *f*, Neutronen[strahl]beugungsuntersuchung *f*; Neutronographie *f*	diffractométrie *f* neutronique; neutrongraphie *f*, neutronographie *f*; diffractométrie neutronique structurale	нейтронографическое исследование (изучение); нейтронография; структурная нейтронография
N 356	neutron diffractometer, neutron diffraction meter	Neutronenbeugungsanordnung *f*, Neutronenbeugungsgerät *n*, Neutronendiffraktometer *n*, Neutronenspektrometer *n*	diffractomètre *m* à neutrons, diffractomètre neutronique, spectromètre *m* à neutrons	нейтронограф, нейтронный дифрактометр, нейтронный спектрометр
	neutron diffractometry	s. neutron-diffraction study		
N 357	neutron diffusion	Neutronendiffusion *f*	diffusion *f* des neutrons	диффузия нейтронов
	neutron diffusion group, neutron group, neutron energy group	Neutronengruppe *f*, Neutronendiffusionsgruppe *f*, Neutronenenenergiegruppe *f*	groupe *m* de neutrons [par énergie], groupe énergétique de neutrons	группа нейтронов [определенной энергии]
N 358	neutron diffusion law	Neutronendiffusionsgesetz *n*, Gesetz *n* der Neutronendiffusion	loi *f* de diffusion des neutrons	закон диффузии нейтронов
	neutron diffusion length	s. diffusion length		
N 359	neutron diffusion tensor	Neutronendiffusionstensor *m*	tenseur *m* de diffusion des neutrons	тензор диффузии нейтронов
N 360	neutron dose	Neutronendosis *f*	dose *f* neutronique	нейтронная доза, доза облучения нейтронами
N 361	neutron dosemeter	Neutronendosimeter *n*, Neutronendosismesser *m*	dosimètre *m* neutronique, dosimètre des neutrons	нейтронный дозиметр
N 362	neutron doubling time, doubling time	Neutronenverdopplungszeit *f*, Verdopplungszeit *f*	temps *m* de doublement [des neutrons]	время удвоения нейтронов
N 363	neutron economy	Neutronenökonomie *f*	économie *f* des neutrons	экономия нейтронов, полезное использование нейтронов
N 364	neutron-electron interaction	Neutron-Elektron-Wechselwirkung *f*	interaction *f* neutron-électron	нейтрон-электронное взаимодействие, взаимодействие нейтрон-электрон (между нейтронами и электронами)
N 365	neutron emitter	Neutronenstrahler *m*	émetteur *m* de neutrons	излучатель нейтронов
	neutron energy group, neutron group, neutron diffusion group	Neutronengruppe *f*, Neutronendiffusionsgruppe *f*, Neutronenenenergiegruppe *f*	groupe *m* de neutrons [par énergie], groupe énergétique de neutrons	группа нейтронов [определенной энергии]
N 366	neutron evaporation	Neutronenverdampfung *f*	évaporation *f* de neutrons	испарение нейтронов
N 367	neutron excess [number], difference number, isobaric (isotopic) number	Neutronenüberschuß *m*	excès *m* de neutrons, excès neutronique	избыток нейтронов
N 368	neutron field, neutron bath	Neutronenfeld *n*	champ *m* neutronique	нейтронное поле
N 369	neutron filter	Neutronenfilter *n*	filtre *m* pour les neutrons, filtre neutronique	нейтронный фильтр, фильтр для нейтронов
N 370	neutron fission, neutron-induced fission, (n,f) reaction	neutroneninduzierte (neutronenausgelöste) Spaltung *f*, Spaltung durch ein Neutron, Kernspaltung *f* durch ein Neutron, (n,f)-Prozeß *m*, (n,f)-Reaktion *f*	fission *f* provoquée par les neutrons, fission par les neutrons, réaction *f* (n,f), processus *m* (n,f)	деление ядра, вызванное нейтронами; деление ядра нейтронами, (n,f)-реакция, (n,f)-процесс
N 371	neutron flux, neutron flux density, flux	Neutronenfluß *m*, Fluß *m* ‹n/cm²s›, Neutronenflußdichte *f*	flux *m* de neutrons, flux neutronique, densité *f* de flux de neutrons, flux	поток нейтронов, нейтронный поток, плотность нейтронного потока
N 372	neutron flux converter, flux converter, doughnut	Flußkonverter *m*, Flußumwandler *m*	convertisseur *m* de flux, convertisseur de neutrons	преобразователь нейтронного потока
	neutron flux density	s. neutron flux		

	neutron flux distribution, flux distribution	Flußverteilung f, Verteilung f des Neutronenflusses	distribution f du flux [neutronique]	распределение потока [нейтронов]
N 373	**neutron flux meter**	Neutronenflußmesser m	mesureur m du flux de neutrons, appareil m de mesure du flux neutronique	измеритель нейтронного потока
N 374	**neutron gas**	Neutronengas n	gaz m neutronique, gaz de neutrons	нейтронный газ
N 375	**neutron generation**	Neutronengeneration f	génération f de neutrons	поколение нейтронов
	neutron generation, neutron production	Neutronenerzeugung f	production (génération) f de neutrons	генерация нейтронов
	neutron generation time, generation time	Generationsdauer f der Neutronen, mittlere Lebensdauer f der Neutronengeneration	temps m de génération	[среднее] время жизни поколения нейтронов, время жизни генерации
N 376	**neutron generator,** neutron producer, machine source	Neutronengenerator m, Neutronenerzeuger m; Neutronenerzeugungsreaktor m, Kleinreaktor m zur Neutronenerzeugung	générateur m de neutrons; réacteur m à production de neutrons	нейтронный генератор; реактор-источник нейтронов
	neutron[ ]graphy, neutron radiography, neutronography	Neutronenradiographie f	neutro[n]graphie f, radiographie f neutronique (par neutrons)	нейтронография, нейтронная радиография (дефектоскопия)
	neutron[ ]graphy	s. neutron-diffraction study		
N 377	**neutron group,** neutron diffusion group, neutron energy group	Neutronengruppe f, Neutronendiffusionsgruppe f, Neutronenenergiegruppe	groupe m de neutrons [par énergie], groupe énergétique de neutrons	группа нейтронов [определенной энергии]
N 378	**neutron guide,** neutron pipe	Neutronenleiter m	guide (conduit) m de neutrons	нейтроновод
N 379	**neutron hardening,** hardening of the neutron spectrum	Härtung f des Neutronenspektrums, Neutronenhärtung f	durcissement m du spectre des neutrons, endurcissement m de neutrons	жестчение [спектра] нейтронов, увеличение жесткости спектра нейтронов
	neutron hardening by absorption, absorption hardening [of the neutron spectrum]	Absorptionshärtung f [des Neutronenspektrums]	durcissement m du spectre des neutrons par absorption	жестчение спектра нейтронов поглощением, абсорбционное жестчение [спектра нейтронов]
	neutron hardening by diffusion, diffusion hardening [of the neutron spectrum]	Diffusionshärtung f [des Neutronenspektrums]	durcissement m du spectre des neutrons par diffusion	жестчение спектра нейтронов диффузией, диффузионное жестчение [спектра нейтронов]
	neutron hardening by filters, filter hardening [of the neutron spectrum]	Filterhärtung f [des Neutronenspektrums]	durcissement m du spectre des neutrons par filtres	жестчение спектра нейтронов фильтрами
	neutron hardening by leakage, leakage hardening [of the neutron spectrum]	Ausflußhärtung f [des Neutronenspektrums]	durcissement m du spectre des neutrons par fuite	жестчение спектра нейтронов утечкой, жестчение спектра утечкой нейтронов
N 380	**neutron heating**	Neutronenaufheizung f	chauffage m neutronique, chauffage par les neutrons	нагрев нейтронами, нейтронное нагревание
N 381	**neutron howitzer;** neutron collimator	Neutronenkollimator m	collimateur m neutronique (des neutrons)	нейтронный коллиматор, коллиматор нейтронов
	neutronics <especially in nuclear reactor systems>; neutron physics	Neutronenphysik f	physique f neutronique, neutronique f	нейтронная физика
N 381a	**neutron image intensifier [tube]**	Neutronenbildverstärker m	tube m intensificateur d'image neutrongraphique, intensificateur m d'image neutrongraphique	усилитель нейтронографического изображения
	neutron importance, importance, importance of neutrons	Neutroneneinfluß m, Einfluß m [der Neutronen], Neutroneninhalt m	importance f de neutrons, influence f de neutrons	ценность нейтронов
	neutron-induced fission	s. neutron fission		
N 382	**neutron-induced reaction,** neutron reaction	Neutronenreaktion f, neutroneninduzierte (durch ein Neutron ausgelöste) Reaktion f	réaction f provoquée par un neutron, réaction neutronique	реакция, вызванная нейтроном; нейтронная реакция
N 383	**neutron interference**	Neutronen[strahl]interferenz f	interférence f de neutrons	нейтронная интерференция
N 384	**neutron inventory**	Gesamtzahl f der zu gegebener Zeit vorhandenen freien Neutronen, Neutroneninventar n, Neutroneninhalt m	inventaire m neutronique	полное число нейтронов, находящихся в некоторой системе в заданный момент времени
	neutron ionization chamber	s. neutron chamber		
N 385	**neutron irradiation;** neutron bombardment	Neutronenbestrahlung f; Neutronenbeschuß m	irradiation f neutronique; bombardement m neutronique	облучение нейтронами; нейтронная бомбардировка
N 386	**neutron irradiation chamber,** neutron chamber	Neutronenbestrahlungskammer f, Neutronenkammer f	chambre f d'irradiation aux neutrons, chambre neutronique (à neutrons)	камера для облучения нейтронами, нейтронная камера
	neutron leakage, leakage, escape of neutrons	Neutronenabfluß m, Neutronenausfluß m, Neutronenverlust m	fuite f de neutrons	утечка нейтронов
N 387	**neutron lethargy,** lethargy of the neutron, lethargy variable	Neutronenlethargie f, Lethargie f des Neutrons	léthargie f du neutron	летаргия нейтрона
N 388	**neutron lifetime,** mean life of the neutron	Neutronenlebensdauer f, [mittlere] Lebensdauer f des Neutrons, mittlere Neutronenlebensdauer	vie f moyenne du neutron, vie du neutron	время жизни нейтрона, среднее время жизни нейтрона
	neutron magneto-vibrational scattering	s. magneto-vibrational scattering [of neutrons]		

N 389	neutron mass, mass of the neutron	Neutronenmasse f, Masse f des Neutrons	masse f du neutron, masse neutronique	масса нейтрона
N 390	neutron mean free path, neutron path length	mittlere freie Weglänge f des Neutrons, Neutronenweglänge f	libre parcours m moyen du neutron	длина свободного пробега нейтрона, средняя длина свободного пробега нейтрона
	neutron migration length	s. migration length		
	neutron mirror	s. neutron reflector		
N 391	neutron moment	Moment n des Neutrons, Neutronenmoment n	moment m du neutron	момент нейтрона
N 392	neutron multiplication	Neutronenmultiplikation f, Neutronenvermehrung f	multiplication f des neutrons	размножение нейтронов
	neutron multiplicator, neutron booster	Neutronenmultiplikator m, Neutronenvervielfacher m	multiplicateur m de neutrons	нейтронный размножитель
N 393	neutron-neutron force	Neutron-Neutron-Kraft f	force f neutron-neutron	нейтрон-нейтронная сила
N 394	neutron-neutron scattering, n-n scattering	Neutron-Neutron-Streuung f, n-n-Streuung f	diffusion f neutron-neutron, diffusion n-n, diffusion des neutrons par les neutrons	нейтрон-нейтронное (n-n) рассеяние, рассеяние нейтронов нейтронами (на нейтронах)
N 395	neutron number	Neutronenzahl f, Anzahl f der Neutronen im Kern	nombre m de neutrons dans le noyau, nombre neutronique	число нейтронов в ядре
	neutronogram	s. neutron diffraction pattern		
	neutronography	s. neutron radiography		
N 396	neutron-optical	neutronenoptisch	neutron-optique, neutronique	нейтронно-оптический
N 397	neutron optics	Neutronenoptik f	optique f des neutrons, optique neutronique	нейтронная оптика
	neutron path length	s. neutron mean free path		
N 398	neutron period, neutron rate	Neutronenflußperiode f	période f de flux neutronique	период нейтронного потока
N 399	neutron-physical	neutronenphysikalisch	neutron-physique, neutronique	нейтронно-физический
N 400	neutron physics; neutronics <especially in nuclear reactor systems>	Neutronenphysik f	physique f neutronique, neutronique f	нейтронная физика
N 401	neutron pile, Simpson['s] pile	Neutronenzählrohrteleskop n, Simpsonsche Säule f	pile f à neutrons, pile de Simpson	столбик нейтронных счетчиков по Симпсону, столбик Симпсона
	neutron pipe, neutron guide	Neutronenleiter m	guide (conduit) m de neutrons	нейтроновод
	neutron poison, nuclear poison, reactor poison	Reaktorgift n, Neutronengift n, starker Neutronenabsorber m	poison m nucléaire, poison du réacteur [nucléaire]	вещество, отравляющее реактор; шлак
	neutron poison effect, neutron poisoning	s. poisoning of the nuclear reactor		
N 402	neutron probe	Neutronensonde f, Neutronenmeßkopf m	sonde f neutronique	нейтронный зонд, нейтронный датчик
	neutron producer	s. neutron generator		
N 403	neutron production, neutron generation	Neutronenerzeugung f	production (génération) f de neutrons	генерация нейтронов
	neutron productivity, productivity [of neutrons]	Produktivität f [von Neutronen], Neutronenproduktivität f	productivité f [de neutrons], productibilité f [de neutrons]	производительность [нейтронов]
N 404	neutron projection operator	Neutronenprojektionsoperator m	opérateur m projection du neutron	проекционный оператор нейтрона
N 405	neutron proportional counter	Neutronenproportionalzählrohr n	tube m compteur proportionnel de (à) neutrons	нейтронный пропорциональный счетчик
N 406	neutron-proton diagram	Neutron-Proton-Diagramm n	diagramme (schéma) m neutron-proton	нейтрон-протонная диаграмма
N 407	neutron-proton exchange force, neutron-proton force	Neutron-Proton-Kraft f, Neutron-Proton-Austauschkraft f	force f neutron-proton, force d'interchange neutron-proton	нейтрон-протонная сила, нейтрон-протонная обменная сила
N 408	neutron-proton ratio	Neutronen/Protonen-Verhältnis n, Verhältnis n von Neutronen- zu Protonenzahl	rapport m neutrons/protons	отношение числа нейтронов к числу протонов
	neutron-proton reaction	s. (n,p) reaction		
N 409	neutron-proton scattering, n-p scattering	Neutron-Proton-Streuung f, n-p-Streuung f	diffusion f neutron-proton, diffusion n-p, diffusion des neutrons par les protons	нейтрон-протонное (n,p) рассеяние, рассеяние нейтронов протонами (на протонах)
N 410	neutron pulse, neutron burst; neutron count	Neutronenimpuls m	bouffée f de neutrons, impulsion f neutronique (de neutrons)	нейтронный импульс, импульс нейтронов; нейтронный отсчет
N 411	neutron radiation, neutron rays	Neutronenstrahlung f	radiation f (rayonnement m) neutronique	нейтронное излучение, нейтронные лучи
N 412	neutron radiography, neutron[ ]graphy, neutronography	Neutronenradiographie f	neutro[n]graphie f, radiographie f neutronique (par neutrons)	нейтронография, нейтронная радиография (дефектоскопия)
N 413	neutron radius [of nucleus]	Neutronenradius m [des Kerns], Kernkraftradius m	rayon m neutronique	нейтронный радиус [ядра]
	neutron rate, neutron period	Neutronenflußperiode f	période f du flux neutronique	период нейтронного потока
	neutron-ray; neutron beam	Neutronenstrahl m; Neutronenbündel n	faisceau m neutronique (de neutrons); rayon m neutronique	нейтронный пучок, пучок нейтронов; нейтронный луч
	neutron rays, neutron radiation	Neutronenstrahlung f	radiation f (rayonnement m) neutronique	нейтронное излучение, нейтронные лучи
	neutron reaction	s. neutron-induced reaction		
	neutron-reflecting mirror	s. neutron reflector		

N 414	**neutron reflector,** neutron[-reflecting] mirror	Neutronenreflektor m, Neutronenspiegel m	réflecteur m de neutrons	отражатель нейтронов, нейтронное зеркало
N 415	**neutron-rich**	neutronenreich, mit Neutronenüberschuß	riche en neutrons, excédant de neutrons	избыточно-нейтронный, с избытком нейтронов
N 416	**neutron richness**	Neutronenüberschuß m	richesse f en neutrons	избыток нейтронов
N 417	**neutron scattering factor**	Neutronenstreukoeffizient m	coefficient (facteur) m de diffusion neutronique	коэффициент рассеяния нейтронов
N 418	**neutron scintillator**	Neutronenszintillator m	scintillateur m à neutrons	сцинтиллятор для нейтронов
N 419	**neutron self-radiation**	Neutroneneigenstrahlung f	rayonnement m neutronique propre	собственное нейтронное излучение
N 420	**neutron-sensitive,** sensitive to neutrons	neutronenempfindlich, empfindlich gegen[über] Neutronen	sensible aux neutrons	чувствительный к нейтронам, нейтроночувствительный
N 421	**neutron shell**	Neutronenschale f	couche f neutronique	нейтронная оболочка, нейтронный слой
N 422	**neutron shield**	Neutronenschild m, Neutronenschutz m, Abschirmung f gegen Neutronen	écran m de protection contre les neutrons	экран [для защиты] от нейтронов, защита от нейтронов, нейтронная защита
N 423	**neutron shower**	Neutronenschauer m	gerbe f neutronique	нейтронный ливень
	neutron slowing-down length	s. slowing-down length		
N 423a	**neutron slowing-down spectrum**	Neutronenbremsspektrum n	spectre m de ralentissement des neutrons	спектр замедления нейтронов
N 424	**neutron source strength**	Neutronenquellstärke f	intensité f de la source de neutrons	мощность (интенсивность) источника нейтронов
N 425	**neutron spectrometer**	Neutronenspektrometer n	spectromètre m neutronique, spectromètre à neutrons	нейтронный спектрометр, спектрометр нейтронов
N 426	**neutron spectrometry, neutron spectroscopy**	Neutronenspektrometrie f, Neutronenspektroskopie f	spectroscopie f neutronique (des neutrons), spectrométrie f neutronique (des neutrons)	нейтронная спектроскопия, спектроскопия нейтронов, нейтронная спектрометрия
N 427	**neutron spectrum**	Neutronenspektrum n	spectre m neutronique, spectre des neutrons	нейтронный спектр, спектр нейтронов
	neutrons per absorption	s. neutron yield per absorption		
N 428	**neutrons per fission,** ν	Gesamtzahl f der Neutronen je Spaltung ‹einschließlich der verzögerten›, ν	nombre m de neutrons par fission, ν	полное число нейтронов, включая запаздывающие, испущенных на один акт деления, ν
	neutrons per fission	s. neutron yield per fission		
	neutron sponge, neutron absorber	Neutronenabsorber m, Neutronenfänger m	absorbeur m de neutrons, absorbant m de neutrons	поглотитель нейтронов
N 429	**neutron standard [source],** standard neutron source	Standardneutronenquelle f, Neutronenstandard m; Neutronenvergleichsquelle f	source f neutronique de référence, source étalon de neutrons, étalon de neutrons, étalon neutronique	эталонный источник нейтронов, нейтронный стандарт
N 430	**neutron star**	Neutronenstern m	étoile f neutronique	нейтронная звезда
N 431	**neutron state**	Neutronenzustand m	état m neutronique	нейтронное состояние, состояние нейтрона
N 431a	**neutron streaming**	Neutronentransport m durch Spalte	passage m des neutrons à travers les fentes	прохождение нейтронов через щели
N 432	**neutron temperature**	Neutronentemperatur f	température f neutronique	нейтронная температура, температура нейтронного газа
N 433	**neutron therapy**	Neutronentherapie f	neutronthérapie f, thérapie f neutronique	нейтронозахватывающая (нейтронная) терапия
N 434	**neutron thermocouple**	Neutronenthermoelement n	thermocouple m à neutrons	нейтронная термопара
N 435	**neutron thermopile**	Neutronenthermosäule f	thermopile f à neutrons	нейтронная термобатарея, нейтронный термостолбик
N 436	**neutron-tight**	neutronendicht, neutronenundurchlässig	étanche aux neutrons	нейтроноупорный, непроницаемый для нейтронов
N 437	**neutron total cross-section,** total neutron cross-section	totaler Neutronenwirkungsquerschnitt (Wirkungsquerschnitt m für Neutronen), Gesamtneutronenquerschnitt m, Neutronengesamtquerschnitt m	section f efficace totale neutronique, section efficace totale pour les neutrons	полное нейтронное сечение
N 438	**neutron transition**	Neutronenübergang m	transition f neutronique	нейтронный переход
N 439	**neutron transmission**	Neutronendurchgang m, Neutronentransmission f, Neutronendurchstrahlung f	transmission f de neutrons	прохождение нейтронов
N 440	**neutron transparency**	Neutronendurchlässigkeit f	transparence f aux neutrons	проницаемость для нейтронов
N 441	**neutron transport**	Neutronentransport m	transport m de neutrons, transfert m de neutrons	перенос нейтронов, транспорт нейтронов
	neutron transport cross-section	s. transport cross-section		
	neutron transport theory, transport theory	Transporttheorie f, Neutronentransporttheorie f, kinetische Diffusionstheorie f	théorie f du transport [des neutrons]	теория переноса [нейтронов]
N 442	**neutron trap**	Neutronenfalle f, Neutronenauffänger m	piège m à neutrons	нейтронная камера-ловушка
N 443	**neutron vacancy**	Neutronenleerstelle f, Neutronenloch n	vacance f neutronique	вакансия в нейтронной оболочке

N 444	**neutron velocity selector**	Neutronengeschwindig-keitsselektor *m*, Geschwindigkeitsselektor *m* für Neutronen	sélecteur *m* de vitesses neutroniques, sélecteur de vitesses de neutrons	нейтронный селектор [скоростей]
N 445	**neutron wave**	Neutronenwelle *f*	onde *f* neutronique	нейтронная волна
N 446	**neutron wavelength**	Neutronenwellenlänge *f*	longueur *f* d'onde neutronique (du neutron)	длина нейтронной волны, длина волны нейтрона
N 447	**neutron width**	Neutronenbreite *f*	largeur *f* neutronique	нейтронная ширина
N 448	**neutron yield**	Neutronenausbeute *f*	rendement *m* en (de) neutrons	выход нейтронов
N 449	**neutron yield per absorption**, mean number of neutrons per absorption, neutrons per absorption, η	[mittlere] Spaltneutronenausbeute *f* pro absorbiertes Neutron, [mittlere] Anzahl (Zahl) *f* der pro absorbiertes Neutron emittierten Spaltneutronen, [mittlere] Spaltneutronenzahl *f* pro absorbiertes Neutron, η	facteur *m* éta, facteur η, nombre *m* moyen de neutrons par absorption, nombre de neutrons par absorption, η	[среднее] число вторичных нейтронов на один поглощенный нейтрон; [среднее] количество вторичных нейтронов, образующихся на один поглощенный нейтрон, η
N 450	**neutron yield per fission**, mean neutron yield per fission, [mean] number of neutrons per fission, neutrons per fission, ν	[mittlere] Spaltneutronenausbeute *f* pro Spaltung, [mittlere] Anzahl (Zahl) *f* der pro Spaltung emittierten Spaltneutronen, mittlere Spaltneutronenzahl *f*, [mittlere] Spaltneutronenzahl pro Spaltung, mittlere Anzahl (Zahl) der emittierten Neutronen [bei einer Spaltung], mittlere Anzahl (Zahl) der Spaltneutronen [pro Spaltung], ν	facteur *m* nu, facteur ν, nombre *m* moyen de[s] neutrons par fission, nombre de neutrons par fission, ν	[среднее] число вторичных нейтронов на акт деления; [среднее] число вторичных нейтронов, возникающих при одном делении; среднее число испускаемых при делении нейтронов, среднее число нейтронов на акт деления, ν
N 451	**neutropause**	Neutropause *f*	neutropause *f*	нейтропауза
N 452	**neutrosphere**	Neutrosphäre *f*	neutrosphère *f*	нейтросфера
	névé, firn	Firn *m*, Firnschnee *m*	névé *m*, firn *m*	фирн, зернистый лед, снеговой песок
	névé basin, firn basin	Firnfeld *n*, Firnmulde *f*, Firnbecken *n*	bassin *m* de névé	фирновый бассейн, фирновая мульда, снежник
	névé line	s. snow[]line		
N 453	**never frozen soil**	Niefrostboden *m*	sol *m* jamais glacé	никогда не мерзлая почва
N 454	**new atmosphere**, atmosphere, at	technische Atmosphäre *f*, at	atmosphère *f* technique, at	техническая атмосфера, *am*, at
	new candle	s. candela		
	Newcomb['s] constant, precessional constant, Newcomb['s] precession constant	Newcombsche Präzessionskonstante *f*, Newcombsche Konstante *f*, Präzessionskonstante	constante *f* de précession [de Newcomb], constante de Newcomb	постоянная прецессии [Ньюкома], постоянная Ньюкома
N 455	**Newcomb['s] period**	Newcombsche Periode *f*	période *f* de Newcomb	период Ньюкома
	Newcomb['s] precession constant, precessional constant, Newcomb['s] constant	Newcombsche Präzessionskonstante *f*, Newcombsche Konstante *f*, Präzessionskonstante	constante *f* de précession [de Newcomb], constante de Newcomb	постоянная прецессии [Ньюкома], постоянная Ньюкома
N 456	**Newlands['] law of octaves**	Newlands' Gesetz *n* der Oktaven, Gesetz der Oktaven [von Newlands], Oktavengesetz *n* [von Newlands]	loi *f* d'octaves [de Newlands]	закон октав [Ньюлендса]
N 457	**new Moon**	Neumond *m*, Interlunium *n*	nouvelle Lune *f*	новолуние, новая луна
	new star, nova <pl.: novae>, explosive star	Nova *f* <pl.: Novae>, Neuer Stern *m*	nova *f* <pl.: novae>, étoile *f* nouvelle	новая звезда, новая, Новая
N 458	**newton**, N	Newton *n*, N	newton *m*, N	ньютон, *н*, N
	Newton['s] approximation formula	s. Newton-Raphson algorithm		
	Newton['s] axioms [of motion], Newton['s] laws [of motion]	Newtonsche Axiome *npl* [der Mechanik], Newtonsche Gesetze *npl*	principes *mpl* de Newton	законы механики Ньютона
	Newton['s] chromatometer	s. Maxwell['s] disk		
N 459	**Newton['s] colour circle**	s. Maxwell['s] disk		
	Newton['s] colour disk, Newton['s] disk	Newtonsche Farbenscheibe *f*	disque *m* [de couleurs] de Newton	[цветовой] диск Ньютона, цветной диск Ньютона
	Newton['s] colour disk	s. a. Maxwell['s] disk		
	Newton['s] cooling equation	s. Newton['s] law of cooling		
	Newton['s] corpuscular theory	s. corpuscular theory		
N 460	**Newton['s] cosmology**, Newtonian cosmology	Newtonsche Kosmologie *f*	cosmologie *f* newtonienne	ньютонианская (ньютоновская) космология
N 461	**Newton['s] diagram**	Newtonsches Diagramm *n*, Puiseux-Diagramm *n*, Puiseuxsches Diagramm	polygone *m* de Newton	многоугольник Ньютона
	Newton['s] disk	s. Maxwell['s] disk		
	Newton['s] disk	s. a. Newton['s] colour disk		
	Newton['s] double ring; double ring	Doppelring *m*; Newtonscher Doppelring	double anneau *m*; double anneau de Newton	двойное кольцо; двойное кольцо Ньютона
	Newton['s] emission theory	s. corpuscular theory		
	Newton['s] equation	s. Newton['s] law of conjugate points		
N 462	**Newton['s] extrapolation formula**	Newtonsche Extrapolationsformel *f*	formule *f* d'extrapolation de Newton	экстраполяционная формула Ньютона
N 463	**Newton['s] finder**, Newton['s] viewfinder, optical direct viewfinder	Linsendurchsichtsucher *m*, Newton-Sucher *m*, Galilei-Sucher *m*	viseur *m* de Newton, viseur à lentille divergente	ньютоновский видоискатель

N 464	**Newton['s] first law [of motion]**, first law of motion, Newton['s] law of inertia, law of inertia	erstes Newtonsches Gesetz (Axiom) *n*, [Newtonsches] Trägheitsgesetz *n*, [Newtons] Lex *f* prima, [allgemeines] Beharrungsgesetz *n*, Trägheitsprinzip *n*	premier principe *m* de Newton, principe premier [de Newton], principe de l'inertie, loi *f* d'inertie	первый закон Ньютона, закон инерции, принцип инерции
N 465	**Newton['s] formula** <stat.>	Newtonsche Formel *f* <Stat.>	formule *f* de Newton <stat.>	формула Ньютона <стат.>
	Newton['s] formula	*s. a.* Newton['s] law of conjugate points		
	Newton-Gauss formulas	*s.* Gauss['] formula of interpolation		
	Newtonian absolute time, absolute time	absolute Zeit *f*, Newtonsche absolute Zeit	temps *m* absolu [de Newton]	абсолютное время [Ньютона], ньютоновское абсолютное время
N 466	**Newtonian attraction**	Newtonsche Attraktion *f*, Newtonsche Anziehung *f*	attraction *f* newtonienne	ньютоновское (ньютонианское) притяжение
N 467	**Newtonian attraction force**	Newtonsche Anziehungskraft *f*	force *f* d'attraction newtonienne, force newtonienne	сила ньютоновского притяжения
	Newtonian cosmology, Newton['s] cosmology	Newtonsche Kosmologie *f*	cosmologie *f* newtonienne	ньютонианская (ньютоновская) космология
N 468	**Newtonian dynamics**	Newtonsche Dynamik *f*	dynamique *f* newtonienne	ньютоновская (ньютонова) динамика
N 469	**Newtonian field of forces**	Newtonsches Kraftfeld *n*	champ *m* de forces newtonien	ньютоновское поле сил
N 470	**Newtonian flow**	Newtonsche Strömung *f*	écoulement *m* newtonien	ньютоновское течение
N 471	**Newtonian fluid**, Newtonian liquid, ideal viscous liquid, N-body	Newtonsche (ideale zähe) Flüssigkeit *f*, N-Körper *m*, idealviskose (rein[ ]viskose) Flüssigkeit	fluide *m* newtonien, substance *f* newtonienne	ньютоновская жидкость, идеальная ньютоновская жидкость, истинно вязкая жидкость
N 472	**Newtonian focus**, prime focus	Newton-Fokus *m*, Primärfokus *m*	foyer *m* newtonien, foyer primaire	главный (прямой, первичный, ньютоновский) фокус, фокус Ньютона
N 473	**Newtonian gas**	Newtonsches Gas *n*, Newton-Gas *n*	gaz *m* newtonien, gaz de Newton	ньютоновский газ
	Newtonian interference colour, normal interference colour	normale Interferenzfarbe *f*, Newtonsche Interferenzfarbe	teinte *f* de Newton	нормальный (ньютоновский) интерференционный цвет
	Newtonian liquid	*s.* Newtonian fluid		
	Newtonian mechanics, classical mechanics, Newton['s] mechanics	klassische Mechanik *f*, Newtonsche Mechanik	mécanique *f* classique, mécanique newtonienne, mécanique de Newton	классическая механика, ньютоновская механика, ньютонова механика
N 474	**Newtonian motion**	Newtonsche Bewegung *f*	mouvement *m* newtonien	ньютоновское движение
N 475	**Newtonian principle of relativity**	Relativitätsprinzip *n* der [klassischen] Mechanik, mechanisches (Newtonsches) Relativitätsprinzip	principe *m* de la relativité de Newton	принцип относительности Ньютона (классической механики)
	Newtonian reflector	*s.* Newtonian telescope		
	Newtonian relativity	*s.* Galilean principle of relativity		
N 476	**Newtonian telescope**, Newtonian reflector	Newtonsches Spiegelteleskop (Teleskop) *n*, Newton-Spiegel *m*, Spiegelteleskop nach Newton, Newton-Teleskop *n*	télescope *m* newtonien, télescope monté en Newton	рефлектор Ньютона, ньютоновский зеркальный телескоп
N 477	**Newtonian time**	Newtonscher Zeitbegriff *m*, Newtonsche Zeit *f*	temps *m* de Newton, temps newtonien	ньютоновское время
	Newtonian viscosity	*s.* coefficient of viscosity <quantity>		
N 478	**Newton['s] interpolation formulae**, Gregory['s] interpolation formulae	Newtonsche Interpolationsformeln *fpl*, Gregory-Newtonsche Formeln *fpl*	formules *fpl* d'interpolation de [Gregory-]Newton	[интерполяционные] формулы [Грегори-]Ньютона
	Newton['s] interpolation formula with backward differences	*s.* Gregory['s] backward formula		
	Newton['s] interpolation formula with forward differences	*s.* Gregory['s] forward formula		
	Newton['s] law	*s.* Newton['s] second law		
	Newton['s] law for heat loss	*s.* Newton['s] law of cooling		
N 479	**Newton['s] law of conjugate points**, Newton['s] formula, Newton['s] equation [for conjugate distances]	Newtons[che] Abbildungsgleichung *f*, Grundgleichung *f* für die brechende Kugelfläche, Newtonsche Form *f* [der Grundgleichung für die brechende Kugelfläche], Newtons Form; Newtonsche Gleichungen *fpl*	formule *f* de Newton; loi *f* des points conjugués [de Newton], formules *fpl* de Newton	закон соответствующих точек [Ньютона], закон Ньютона [соответствующих точек], формула изображения Ньютона
N 480	**Newton['s] law of cooling**, Newton['s] law for heat loss, Newton['s] cooling equation	Newtonsches Abkühlungsgesetz *n*, Newtonsche Abkühlungsgleichung *f*, Newtonscher Ansatz *m* für den Wärmeübergang	loi *f* de refroidissement de Newton, loi de Newton pour le refroidissement, loi des échanges thermoconvectifs de Newton	закон охлаждения Ньютона, формула Ньютона для передачи
	Newton['s] law of fluid resistance	*s.* Newton['s] law of hydrodynamic resistance		

N 481	Newton['s] law of friction	Newtonscher Reibungsansatz (Schubspannungsansatz, Ansatz) *m*	loi *f* de Newton pour le frottement	закон внутреннего трения Ньютона, закон Ньютона для внутреннего трения
	Newton['s] law of friction	*s. a.* Newton['s] law of hydrodynamic resistance		
	Newton['s] law of gravitation	*s.* law of gravitation		
N 482	Newton['s] law of hydrodynamic resistance, Newton['s] law of [fluid] resistance, Newton['s] law of friction	Newtonsches Gesetz *n* für den hydrodynamischen Widerstand, Newtonsches Widerstandsgesetz *n*	loi *f* de la résistance hydrodynamique de Newton	закон гидродинамического сопротивления Ньютона, закон сопротивления Ньютона
	Newton['s] law of inertia	*s.* Newton['s] first law		
	Newton['s] law of resistance	*s.* Newton['s] law of hydrodynamic resistance		
N 483	Newton['s] law of similarity	Newtonsches Ähnlichkeitsgesetz *n*	loi *f* de la similitude de Newton	закон подобия Ньютона
	Newton['s] law of universal gravitation	*s.* law of gravitation		
N 484	Newton['s] laws [of motion], Newton['s] axioms [of motion]	Newtonsche Axiome *npl* [der Mechanik], Newtonsche Gesetze *npl*	principes *mpl* de Newton	законы механики Ньютона
	Newton['s] mechanics, classical mechanics, Newtonian mechanics	klassische Mechanik *f*, Newtonsche Mechanik	mécanique *f* classique, mécanique newtonienne, mécanique de Newton	классическая механика, ньютоновская механика, ньютонова механика
	newton meter	*s.* joule		
	Newton['s] method	*s.* Newton-Raphson method		
	Newton No.	*s.* Newton number		
N 485	Newton number, Newton No., *Ne* Newton similarity number	Newton-Zahl *f*, Newtonsche Kennzahl *f*, Newtonsche Ähnlichkeitszahl *f*, *Ne*	nombre *m* de Newton, *Ne*, nombre de la similitude de Newton	критерий Ньютона, число Ньютона, *Ne*, число подобия Ньютона
N 486	Newton['s] potential	Newtonsches Potential *n*	potentiel *m* de Newton	потенциал Ньютона, ньютонов потенциал
	Newton['s] prism, quadratic prism	Newton-Prisma *n*	prisme *m* quadratique (de Newton)	призма квадратного сечения [Ньютона]
N 487	Newton-Raphson algorithm (formula, method), second-order (quadratically convergent) Newton-Raphson process, Newton['s] method, Newton['s] approximation formula	Newton-Raphsonsche Methode *f*, Newtonsches Näherungsverfahren (Verfahren) *n*, Newtonsche Näherungsmethode *f*	méthode *f* de Newton-Raphson, méthode de Newton	метод Ньютона-Рафсона, метод Ньютона, метод касательных
N 488	Newton['s] ring	Newtonscher Ring *m*, Berührungsring *m*, Newton-Ring *m*, Ring (Streifen *m*) gleicher Dicke	anneau (cercle, halo) *m* de Newton	кольцо Ньютона
N 489	Newton['s] second law [of motion], second law of motion, Newton['s] law	[zweites] Newtonsches Gesetz *n*, Newtonsches Grundgesetz *n* der Mechanik, Grundgesetz der Mechanik [für die fortschreitende Bewegung], Newtonsches Beschleunigungsgesetz *n*, Newtonsche Bewegungsgleichung (Gleichung) *f*, [Newtons] Lex *f* secunda, Newtonsches Kraftgesetz *n*, dynamische Grundgleichung *f*, Grundgleichung der Dynamik	loi *f* fondamentale du mouvement, deuxième principe *m* de Newton, principe deuxième [de Newton], loi de Newton	второй закон Ньютона, закон Ньютона
	Newton similarity number	*s.* Newton number		
	Newton-Stirling interpolation formula	*s.* Stirling['s] interpolation formula		
	Newton['s] theory of light	*s.* corpuscular theory		
N 490	Newton['s] third law [of motion], third law of motion, principle of action and reaction, law of action and reaction, interaction law, law of reaction, law of stress	drittes Newtonsches Gesetz *n*, Wechselwirkungsgesetz *n*, Gegenwirkungsprinzip *n*, Prinzip *n* von Wirkung und Gegenwirkung, Prinzip von Aktion und Reaktion, Newtonsches Aktionsprinzip *n*, Reaktionsprinzip *n*, Wechselwirkungsprinzip *n*, Gesetz der Gleichheit von Aktion und Reaktion, actio *f* = reactio *f*, [Newtons] Lex *f* tertia	troisième principe *m* de Newton, principe troisième [de Newton], principe de l'action et de réaction, principe général de l'action et de la réaction, principe de l'égalité de l'action et de la réaction, loi *f* d'interaction	третий закон Ньютона, закон действия и противодействия, принцип равенства действия и противодействия, закон взаимодействия
	Newton['s] three-eights rule	*s.* three-eights rule		
	Newton['s] viewfinder, Newton['s] finder, optical direct viewfinder	Linsendurchsichtsucher *m*, Newton-Sucher *m*, Galilei-Sucher *m*	viseur *m* de Newton, viseur à lentille divergente	ньютоновский видоискатель

N 491	new turbidity factor [of Linke]	neuer Trübungsfaktor m [nach Linke]	nouveau facteur m de turbidité [de Linke]	новый фактор мутности [Линке]
N 492	next-nearest neighbour, second neighbour, neighbour of the second sphere	Nachbar m zweiter Sphäre, zweitnächster Nachbar	second voisin m, voisin de la deuxième sphère	частица, следующая за соседней; сосед вторичной сферы
N 493	Neyman['s] [contagious] distribution	Neyman-Verteilung f, Neymansche Verteilung f	distribution f de Neyman	распределение Неймана
	n-fold axis [of symmetry]	s. symmetry axis of order n		
N 494	n-fold screw axis, n-al screw axis, screw axis of order n	n-zählige Schraubenachse f	axe m spiral d'ordre n	винтовая ось n-го порядка
N 495	n-fold symmetry, n-al symmetry, symmetry of order n	n-zählige Symmetrie f, n-Zähligkeit f, Symmetrie f der Ordnung n, Zähligkeit f n	symétrie f n-aire, symétrie d'ordre n	симметрия n-го порядка
	Nicad	s. nickel-cadmium cell		
N 496	Nichols['] locus	Nichols-Ortskurve f	lieu m de Black	логарифмическая характеристика
N 497	Nicholson['s] hydrometer	Nicholsonsche Senkwaage f	hydromètre m de Nicholson	ареометрические весы
	nick	s. notch		
N 498	nick and bend test, nick-break test	Kerbbruchversuch m	essai m de rupture sur l'entaille	испытание на излом надрезанного образца
N 499	nickel-cadmium battery (cell), Nicad	Nickel-Kadmium-Akkumulator m	accumulateur m nicad (nickel-cadmium)	никель-кадмиевый [щелочной] аккумулятор
N 500	nickel-iron battery, nickel-iron cell	Nickel-Eisen-Akkumulator m	accumulateur m fer-nickel, accumulateur Edison	железо[-]никелевый [щелочной] аккумулятор
N 501	nicol, Nicol polarizing prism, Nicol['s] prism	Nicol n (m), Nicolsches Prisma (Doppelprisma) n, Polarisationsprisma (Doppelprisma) n nach Nicol, Nicol-Prisma n, Nikol n (m)	nicol m, prisme m de Nicol, prisme polarisateur de Nicol	николь, призма Николя, поляризационная призма Николя, поляризующий николь
N 502	Nier-type mass spectrometer	Niersches Massenspektrometer n, Massenspektrometer vom Nierschen Typ	spectromètre m de masse de Nier, spectromètre de masse type Nier	масс-спектрометр Нира
	nieve penitente	s. penitentes		
N 503	nife [core]	Nife n, Nifekern m	nifé m, Nickel-Ferrum m	нифе
N 504	night airglow, night[]glow, nightglow emission, permanent aurora, night sky luminescence	Nachthimmelsleuchten n	lueur (émission) f atmosphérique nocturne, lueur nocturne, émission (luminescence) f du ciel nocturne, émission dans le ciel nocturne	свечение ночного неба, ночное свечение атмосферы, атмосферная составляющая свечения ночного неба
N 505	night blindness, hemeralopia, noctalopia	Nachtblindheit f, Dämmerungsblindheit f, Tagessichtigkeit f, Hemeralopie f, Hemeropie f	héméralopie f, cécité f scotopique	гемералопия, куриная слепота, ночная слепота
N 506	night effect; night error, polarization error, twilight effect <el.>	Dämmerungseffekt m, Nachteffekt m; Nachteffektfehler m, Nachtfehler m <El.>	effet m de nuit; erreur f nocturne, erreur de nuit, erreur de polarisation <él.>	ночной (сумеречный) эффект; ошибка вследствие ночного эффекта, ночная (поляризационная) ошибка <эл.>
N 507	night field intensity, night strength of field	Nachtfeldstärke f	intensité f de champ de nuit, champ m de nuit	напряженность поля ночью
N 508	night glass	Nachtglas n, Nachtbeobachtungsglas n	lunette f de nuit, binocle m de nuit	ночной бинокль
N 509	night[]glow, nocturnal glow	Nachtschein m	lueur f nocturne	ночное сияние
	nightglow [emission]	s. night airglow		
N 510	night myopia	Nachtmyopie f, Nachtkurzsichtigkeit f	myopie f de nuit	ночная близорукость, ночная миопия
N 511	night presbyopia	Nachtpresbyopie f, Nachtalterssichtigkeit f	presbyopie f de nuit	ночная пресбиопия (старческая дальнозоркость)
N 512	night range	Nachtreichweite f	portée f nocturne	дальность ночной передачи, ночная дальность действия
N 513	night side; shadow (shady) side	Nachtseite f; Schattenseite f	côté m de nuit; côté de l'ombre	ночная сторона; теневая сторона
N 514	night sky light	Nachthimmelslicht n	lumière f du ciel nocturne	свет ночного неба
	night sky luminescence	s. night airglow		
N 515	night sky spectrograph	Nachthimmelsspektrograph m	spectrographe m pour l'étude de la lueur nocturne	спектрограф для исследования свечения ночного неба
N 516	night sky spectrum	Nachthimmelsspektrum n	spectre m de la lueur nocturne	спектр свечения ночного неба
	night strength of field, night field intensity	Nachtfeldstärke f	intensité f de champ de nuit, champ m de nuit	напряженность поля ночью
N 517	night-time [meteor] shower	Nachtstrom m <Meteore>	essaim m nocturne <de météores>	ночной поток [метеоров], ночной метеорный поток
N 518	night twilight	Nachtdämmerung f	crépuscule m nocturne	ночные сумерки
N 519	night twilight arch	Nachtdämmerungsbogen m, äußerster Dämmerungsbogen m	arc m crépusculaire nocturne	ночная сумеречная дуга

	night visibility [distance], night visual range, visibility at night	Nachtsichtweite f, Nachtsicht f	portée f de vue de nuit, visibilité f de nuit	дальность видимости ночью, ночная видимость
N 520	Nikuradse diagram	Nikuradsesches Schaubild n, Nikuradse-Diagramm n	courbes fpl de Nikuradzé	диаграмма Никурадзе
	nil-load	s. idling		
N 521	nilpotent element	nilpotentes Element n	élément m nilpotent	нильпотентный элемент, нильэлемент
N 522	nilpotent matrix	nilpotente Matrix f	matrice f nilpotente	нильпотентная матрица
N 523	Nilsson model	Nilsson-Model n	modèle m de Nilsson	модель Нильссона (Нильсона)
N 524	Nilsson potential	Nilsson-Potential n, Nilssonsches Potential n	potentiel m de Nilsson	потенциал Нильссона
N 524a	nimbostratus, Ns	Nimbostratus m, Regenschichtwolke f, Ns	nimbostratus m, Ns	слоисто-дождевое облако
N 524b	nimbus, rain cloud	Nimbus m, Regenwolke f	nimbus m, nuage m de pluie	дождевое облако
	nimbus fractus, fracto[-]nimbus	Fractonimbus m, Nimbus m fractus, zerrissene Schlechtwetterwolke f	fractonimbus m, nimbus m fractus, lambeau m de nuages	разорванное дождевое облако, разорванное облако плохой погоды
N 525	niphablepsia, niphotyphlosis	Niphablepsie f, Schneeblindheit f, Gletscherkatarrh m, ophthalmia f photoelectrica, photophthalmia f electrica	ophtalmie f des neiges	ослепление ярким светом, ослепление поверхностью снега
N 526	Nipkow disk, spiral disk, exploring disk, apertured disk	Nipkow-Scheibe f, Abtastscheibe f, Spirallochscheibe f	disque m de Nipkow, disque explorateur (analyseur, de balayage	диск Нипкова, спиральный (развертывающий, разлагающий) диск
N 527	Nissen bifilar electrometer	Zweifadenelektrometer n nach Nissen, Nissensches Zweifadenelektrometer	électromètre m bifilaire de Nissen	двуниточный электрометр Нисена
	nit, nepit, Naperian digit <= 1.44 bits>	Nepit n, nepit, mt <= 1,44 bit>	népit m, nit m <= 1,44 bits>	непит, нит <= 1,44 бит>
	nit	s. a. candela per square meter <opt.>		
N 528	nitometer	Nitometer n	nitomètre m	нитометр <яркомер>
	niton, NT	s. radon <element>		
N 529	nitrating, nitration	Nitrieren n	nitration f	нитрация, нитрование, нитрирование
N 530	nitridation, nitriding, nitrogen case hardening <of steel>	Nitrierhärtung f, Nitrieren n, Aufsticken n <Stahl>	nitruration f, azoturation f, azotation f <de l'acier>	азотирование, азотизация, нитрирование <стали>
N 531	nitrification	Nitrifikation f	nitrification f	нитрификация
	nitrogen-carbon cycle	s. carbon-nitrogen cycle		
	nitrogen case hardening	s. nitridation <of steel>		
N 532	nitrogen catastrophe	Stickstoffkatastrophe f	catastrophe f d'azote	азотная катастрофа
N 533	nitrogenous metabolism	Stickstoffstoffwechsel m, N-Stoffwechsel m	métabolisme m de l'azote	азотный обмен
N 534	nitrogen star	Stickstoffstern m	étoile f azotée	азотная звезда
N 535	nival climate, snow climate	nivales Klima n; vollnivales Klima	climat m nival	нивальный климат, снежный климат
N 536	nivation	Nivation f, Schnee-Erosion f, Firnerosion f	nivation f	нивация, снеговая (снежная) эрозия, эрозия фирна, эрозия под действием снега
N 537	n-leg	n-Bein n	n-pied m	n-нога, n-ножник
	N.L.S. wave	s. non-linear polarization source wave		
	NMR	s. nuclear magnetic resonance		
N 538	n-n junction, n-n+ junction	nn-Übergang m, nn+-Übergang m	jonction f n-n, jonction n-n+	электронно-электронный переход, n-n+-переход
	n-n scattering	s. neutron-neutron scattering		
N 539	nobelium, $_{102}$No, jolium, joliot-curium, Jo	Nobelium n, $_{102}$No, Jolium n, Jo	nobélium m, $_{102}$No, jolium m, Jo	нобелий, $_{102}$No, жолий, Jo
N 540	Nobili['s] interference ring, Nobili['s] ring	Nobilischer Farbenring m	anneau m [d'interférence] de Nobili, anneau de couleur de Nobili	интерференционное кольцо Нобили, цветное кольцо Нобили
	noble gas	s. rare gas		
N 541	noble metal	Edelmetall n	métal m noble	благородный металл
	no-bond resonance	s. hyperconjugation		
	noctalopia, night blindness, hemeralopia	Nachtblindheit f, Dämmerungsblindheit f, Tagessichtigkeit f, Hemeralopie f, Hemeropie f	héméralopie f, cécité f scotopique	гемералопия, куриная слепота, ночная слепота
N 542	noctilucent cloud, luminous night cloud, mesospheric cloud	leuchtende Nachtwolke f, mesosphärische Wolke f	nuage m nocturne lumineux, nuage mésosphérique	мезосферное (серебристое) облако, серебристое (светящееся) ночное облако
N 543	noctilucent train <of meteor>	Nachtschweif m <Meteor>	traînée f visible de nuit <du météore>	ночной след <метеора>
	noctovision, scotopic vision	Nachtsehen n, Dämmerungssehen n, Dunkelsehen n, Stäbchensehen n, skotopisches Sehen n	vision f scotopique, noctovision f	ночное зрение, зрение в темноте, видение в темноте
N 544	nocturnal arc	Nachtbogen m	arc m nocturne	ночная дуга
	nocturnal glow, night[]glow	Nachtschein m	lueur f nocturne	ночное сияние
N 545	nodal cone	Knotenkegel m	cône m nodal	узловой конус
N 546	nodal cylinder	Knotenzylinder m	cylindre m nodal	узловой цилиндр

N 547	nodal distance	Knotenabstand *m*	distance *f* entre deux nœuds	расстояние между двумя узлами; расстояние до узла
N 548	nodal distance <opt.>	Nodaldistanz *f*, Abstand *m* der Hauptpunkte <Opt.>	distance *f* nodale, intervalle *m* nodal, distance des points nodaux <opt.>	расстояние между главными точками <линзы> <опт.>
N 549	nodal line, line of nodes <astr., mech.>	Knotenlinie *f* <Astr., Mech.>; Knoténachse *f* <Mech.>	ligne *f* des nœuds <astr., méc.>	линия узлов <астр., мех.>
N 550	nodal plane	Knotenebene *f*	plan *m* nodal	узловая поверхность
	nodal point, node <of oscillation, standing wave>	Schwingungsknoten *m*; Wellenknoten *m*, Knoten *m* [der stehenden Welle]	nœud *m* <de l'oscillation, de l'onde stationnaire>	узел, узловая точка <колебания, стоячей волны>
	nodal point, node, branch[ing] point, break point, vertex <el.>	Knoten *m*, Knotenpunkt *m*, Leitungsknoten[punkt] *m*, Verzweigungspunkt *m* <El.>	nœud *m* [de réseau], point *m* nodal (de branchement, de bifurcation) <él.>	узловая точка, узел, точка разветвления <эл.>
N 551	nodal point <opt.>	Knotenpunkt *m* <Opt.>	point *m* nodal <opt.>	узловая точка <опт.>
N 552	nodal potential	Knotenpunktpotential *n*, Knotenpotential *n*	potentiel *m* nodal	узловой потенциал, потенциал узла, потенциал в узловой точке
N 553	nodal shift	Knotenverschiebung *f*	décalage *m* des nœuds, écart *m* des nœuds	перемещение узлов, смещение узлов
N 554	nodal-shifting method	Knotenverschiebungsmethode *f*	méthode *f* du décalage des nœuds	метод перемещения узлов
	nodal singularity, node <for differential equations>	Knotenpunkt *m* <Differentialgleichungen>	point *m* nodal <d'une équation différentielle>	узел, узловая точка <для дифференциальных уравнений>
N 555	nodal sphere	Knotenkugel *f*	sphère *f* nodale	узловая сфера
N 556	nodal surface	Knotenfläche *f*	surface *f* nodale	узловая поверхность
	nodal value, node <geo.>	Sattelpunkt *m* <Geo.>	nœud *m* <géo.>	узел <гео.>
	nodal voltage method, method of nodal voltages	Knotenspannungsmethode *f*, Methode *f* der Knotenspannungen	méthode *f* des tensions nodales	метод напряжений в узловых точках, метод узловых напряжений
	nodding, nutation <astr.; mech.>	Nutation *f*, reguläre (regelmäßige) Präzession *f* <Astr.; Mech.>; Nutationsbewegung *f*	nutation *f* <astr.; méc.>	нутация <астр.; мех.>; нутационное движение
N 556a	node, crunode <of the curve>	Knotenpunkt *m* <Kurve>	point *m* nodal <de la courbe>	узловая точка <кривой>
N 557	node, nodal singularity <for differential equations>	Knotenpunkt *m* <Differentialgleichungen>	point *m* nodal <d'une équation différentielle>	узел, узловая точка <для дифференциальных уравнений>
	node <of frame>	s. joint <of system of bars>		
N 558	node, nodal point, vibration (wave) node <of oscillation, standing wave>	Schwingungsknoten *m*; Wellenknoten *m*, Knoten *m* [der stehenden Welle]	nœud *m* <de l'oscillation, de l'onde stationnaire>	узел, узловая точка <колебания, стоячей волны>
N 559	node <astr.>	Knoten *m* <Astr.>	nœud *m* <astr.>	узел <астр.>
N 560	node, nodal point, branch[ing] point, break point, vertex, network node <el.>	Knoten *m*, Knotenpunkt *m*, Leitungsknoten[punkt] *m*, Verzweigungspunkt *m* <El.>	nœud *m* [de réseau], point *m* nodal (de branchement, de bifurcation) <él.>	узловая точка, узел, точка разветвления <эл.>
N 561	node, nodal value <geo.>	Sattelpunkt *m* <Geo.>	nœud *m* <géo.>	узел <гео.>
N 562	node beam	Knotenstrahl *m*	foyer *m* <pour faisceau>	узловой пучок
N 563	node of longitudinal wave	Druckknoten *m*	nœud *m* de l'onde longitudinale	узел продольной волны
	node of potential, potential node	Spannungsknoten *m*	nœud *m* de tension	узел напряжения
	node of Ranvier, Ranvier node	Ranvierscher Schnürring (Schnürknoten) *m*	étranglement (nœud) *m* de Ranvier	перехват Ранвье
N 564	node of the acoustic wave	Schallknoten *m*	nœud *m* acoustique	узел акустической волны
N 565	node of the Moon's orbit	Drachenpunkt *m*, Knoten *m* der Mondbahn	nœud *m* de l'orbite de la Lune	узел лунной орбиты
	nodical month, draconitic month, draconitic period	drakonitischer Monat *m*, drakonitischer Umlauf *m*	mois *m* draconique, révolution *f* draconique [de la Lune]	драконический месяц
N 566	nodical year	drakonitisches Jahr *n*	année *f* nodale	драконический год
	no-echo condition	s. polar blackout		
N 567	Noether['s] theorem	[E.] Noetherscher Satz *m*, Noethersches Theorem *n*, Noether-Theorem *n*	théorème *m* de Nœther	теорема Нётер
N 568	no-failure probability	Zuverlässigkeitsfunktion *f*	probabilité *f* de fonctionnement correct (sans panne, sans défaut[s]), probabilité *f* de bon fonctionnement	вероятность безотказной работы, вероятность исправной работы
N 569	no-field track	Nebelspur *f* in der feldfreien Nebelkammer	trace *f* dans la chambre à détente sans champ magnétique	след в камере Вильсона без магнитного поля
N 570	no forces / under, under the action of no forces, force-free, free from forces	kräftefrei, kraftfrei	sans force, à force nulle	бессиловый
N 571	noise <ac.>	Geräusch *n*; Lärm *m*	bruit *m* <ac.>	шум, шумы <ак.>
N 572	noise, random noise, fluctuation noise, statistical noise <of thermionic valve>	Rauschen *n*, statististisches Rauschen <Elektronenröhre>	bruit *m* [de fluctuation], bruit non pondéré, bruit chaotique <du tube électronique>	шум, [хаотический] флуктуационный шум, хаотический шум <электронной лампы>
N 573	noise abatement	Lärmbekämpfung *f*	lutte *f* contre le bruit	борьба против шума
N 574	noise admittance	Rauschleitwert *m*	admittance *f* de bruit	шумовая проводимость
N 575	noise amplitude	Rauschamplitude *f*	amplitude *f* de bruit	амплитуда шума

N 576	noise audiogram	Geräuschaudiogramm n	audiogramme m de bruit, audiogramme atonal	шумовая аудиограмма, атональная аудиограмма
N 577	noise background <el.>	Störuntergrund m; Störnebel m <El.>	fond m parasite <él.>	фон помех <эл.>
N 578	noise barometer	Lärmbarometer n	baromètre m de bruit	барометр шума
	noise cancelling	s. noise suppression		
N 579	noise characteristic	Rauschcharakteristik f, Rauschkennlinie f, Rausch[ausschlag]kurve f, Rauschamplitudenkurve f	caractéristique f de bruit	характеристика шумов, шумовая характеристика
N 580	noise current	Rauschstrom m	courant m de bruit	ток шумов, шумовой ток, ток помех, фоновый ток
N 581	noise current component	Rauschstromanteil m, Rauschstromkomponente f	composante f de courant de bruit	составляющая шумового тока
N 582	noise diode	Rauschdiode f	diode f de bruit	шумовой диод
	noise effect	s. shot effect		
N 583	noise energy	Rauschenergie f	énergie f de bruit	энергия шума
	noise equivalent admittance	s. equivalent noise admittance		
N 584	noise equivalent circuit	Rauschersatzschaltbild n, Rauschersatzschaltung f, Rauschersatzschema n	circuit m équivalent de bruit	эквивалентная схема для шумов, схема замещения для шумовых помех
N 584a	noise equivalent power, NEP	äquivalente Rauschleistung f	puissance f équivalente de bruit	эквивалентная мощность шума
	noise equivalent resistance	s. equivalent noise resistance		
N 584b	noise equivalent source	äquivalente Rauschquelle f	source f de bruit équivalente	эквивалентный источник шумов
N 585	noise factor, inherent noise figure, noise figure, figure of noise, signal-to-noise merit	Rauschzahl f, Rauschfaktor m; Rauschgüte f; Geräuschverhältnis n, Geräuschfaktor m	facteur (coefficient) m de bruit, facteur de souffle	коэффициент шума (шумов, шумовых помех), шум-фактор
N 586	noise factor meter	Rauschzahlmesser m, Rauschfaktormesser m	mesureur (contrôleur) m de facteur de bruit	измеритель коэффициента шума
	noise figure	s. noise factor		
N 587	noise filter	Geräuschfilter n, Bewertungsfilter n, Rauschfilter n	filtre m de bruit	фильтр шума, фильтр шумов, шумовой фильтр
N 588	noise filter	Störschutzfilter n, Störfilter n	filtre m antiperturbateur (d'antiparasitage, antiparasite, d'interférences)	противопомеховый фильтр, помехоподавляющий фильтр
	noise-free	s. noiseless		
N 589	noise function	Rauschfunktion f	fonction f de bruit	шумовая функция
N 590	noise generator	Rauschgenerator m, Rauscherzeuger m; Geräuscherzeuger m, Geräuschgenerator m	générateur m de bruit[s]	генератор шума, шумовой генератор
	noise immunity, antijamming ability, noise stability	Störstabilität f, Störfestigkeit f, Störsicherheit f; Störspannungsfestigkeit f	immunité f de bruit, immunité contre les brouillages, stabilité f contre les bruits	помехоустойчивость, невосприимчивость к помехам
	noise keying	s. noise suppression		
	noiseless, noise-free; low-noise	rauscharm; rauschfrei; rauschlos	à faible bruit; sans bruit	малошумный, с пониженным уровнем шума, с малым шумом; малошумящий; бесшумный
N 591	noise level, background level	Rauschpegel m, Rauschhöhe f; Störpegel m, Geräuschpegel m, Störspiegel m, Störniveau n	niveau m de bruit (brouillage, perturbations)	уровень шума, уровень помех
N 592	noise level <ac.>	Geräuschpegel m <Ak.>	niveau m de bruit <ac.>	уровень шума <ак.>
	noise level	s. a. noise voltage <el.>		
	noise level meter	s. noise meter <ac.>		
N 593	noise limiter; interference limiter	Rauschbegrenzer m; Geräuschbegrenzer m, Störbegrenzer m, Störbegrenzerkreis m	écrêteur (limiteur) m de bruits; écrêteur antiparasite, écrêteur (limiteur) de parasites	ограничитель шума (шумов), шумоограничитель; ограничитель помех, помехоограничитель
N 594	noise matching	Rauschanpassung f	adaptation f de bruit	шумовое согласование
	noise measuring meter, noise meter, psophometer <el.>	Geräuschspannungsmesser m, Psophometer n, Geräuschmesser m <El.>	psophomètre m, bruitomètre m <él.>	псофометр <эл.>
N 595	noise meter, noise level meter <ac.>	Geräuschmesser m <Ak.>	phonomètre m, bruitomètre m <él.>	шумомер, измеритель интенсивности (уровня) шума <ак.>
N 596	noise modulation, jamming modulation	Störmodulation f; Rauschmodulation f	modulation f parasite, modulation par bruit	мешающая (помеховая) модуляция, модуляция помехой, паразитная (побочная) модуляция; шумовая модуляция
	noise output	s. noise power <el.>		
N 597	noise pattern	Rauschbild n	image f de bruits	картина шумов
	noise performance	s. noise power <el.>		
	noise potential	s. noise voltage <el.>		
N 598	noise power, noise performance; output noise power, noise [power] output <el.>	Rauschleistung f [am Ausgang], Geräuschleistung f <El.>	puissance f du (de) bruit; puissance de sortie du bruit <él.>	мощность помех (шумов, шума), шумовая мощность; выходная мощность шумов <эл.>
N 599	noise power <of reactor>	Rauschleistung f, Leistung f zwischen den Impulsen <Reaktor>	puissance f de bruit, puissance du fond <du réacteur nucléaire>	шумовая мощность <импульсного реактора>
	noise power output	s. noise power <el.>		

N 600	noise power ratio, noise ratio, NR	Rauschleistungsverhältnis n	rapport m des puissances de bruit	отношение шумовых мощностей
N 601	noise power spectrum	Rauschleistungsspektrum n	spectre m de la puissance de bruit	спектр шумовой мощности
N 602	noise pulse	Rauschimpuls m	impulsion f de bruit	шумовой импульс (выброс)
N 603	noise region	Rauschgebiet n	zone (région) f de bruit	область шума
N 604	noise resistance	Rauschwiderstand m	résistance f de bruit	шумовое сопротивление
N 605	noise source <el.; nucl.>	Rauschquelle f <El.; Kern.>; Geräuschquelle f <El.>	source f de bruit <él.; nucl.>	источник шумов (шума) <эл.; яд.>
N 606	noise source <el.>	Störquelle f, Störer m <El.>	source f de brouillages (perturbation[s]), perturbateur m <él.>	источник помех; источник возмущений <эл.>
N 607	noise spectrum	Rauschspektrum n; Störspektrum n <El.>	spectre m de bruit [de fond]	спектр шума; спектр помех <эл.>
	noise stability, antijamming ability, noise immunity	Störstabilität f, Störfestigkeit f, Störsicherheit f; Störspannungsfestigkeit f	immunité f de bruit, immunité contre les brouillages, stabilité f contre les bruits	помехоустойчивость, невосприимчивость к помехам
N 608	noise storm	Radiosturm m, Geräuschsturm m, Rauschsturm m	orage m de bruit, orage radio-électrique (radiosolaire, radio)	шумовая буря
N 609	noise suppression; parasitic suppression; noise keying; noise cancelling, silencing	Rauschunterdrückung f, Geräuschunterdrückung f, Krachtötung f, Krachunterdrückung f; Störungsunterdrückung f; Störaustastung f	suppression f du bruit, suppression des brouillages; éliminage m de parasites (perturbations), déparasitage m	подавление шумов, шумоподавление, шумоглушение; глушение шумов; подавление помех, помехоподавление
N 610	noise suppressor capacitor	Störschutzkondensator m	condensateur m d'antiparasitage, condensateur de déparasitage (protection contre les parasites)	помехоподавляющий конденсатор, противопомеховый конденсатор, помехозащитный конденсатор
N 611	noise temperature	Rauschtemperatur f	température f de bruit (souffle)	шумовая температура, температура шумов
N 612	noise thermometer	Rauschthermometer n, Geräuschthermometer n	thermomètre m à bruit [Johnson], thermomètre à bruit de fond	шумовой термометр
N 613	noise threshold	Rauschschwelle f	seuil m de bruit	порог шума, порог помех
N 614	noise tube	Rauschröhre f	tube m de bruit	шумовая лампа
N 615	noise twoport, noisy four-terminal network	Rausch[quellen]vierpol m, rauschender Vierpol m	quadripôle m bruyant	шумящий четырехполюсник
N 616	noise voltage, noise potential, psophometric voltage, noise level <el.>	Rauschspannung f, Geräuschspannung f, Geräuschpegel m <El.>	tension f de bruit [de fond], tension psophométrique, niveau m de bruit <él.>	напряжение шумов (шума, помех), шумовое (псофометрическое, мешающее) напряжение, уровень (величина) шумов <эл.>
	noise voltage, parasitic (interference) voltage	Störspannung f	tension f parasite, tension perturbatrice	напряжение помех, мешающее (паразитное) напряжение
N 617	noise-voltage source	Rauschspannungsquelle f	source f de tension de bruit	источник шумового напряжения
	noisy four-terminal network, noise twoport	Rausch[quellen]vierpol m, rauschender Vierpol m	quadripôle m bruyant	шумящий четырехполюсник
	no-lift angle, zero lift angle	Nullauftriebswinkel m, Nullanstellwinkel m	angle m de portance (sustentation) nulle	угол нулевой подъемной силы
	no-lift line, zero lift line, axis of zero lift	Nullauftriebslinie f, Nulllinie f des Profils, erste Achse f des Profils, Nullauftriebsachse f	axe m de portance nulle, axe de sustentation nulle, premier axe	линия нулевой подъемной силы, ось нулевой подъемной силы
	no-load, unloaded <el.> no-load	unbelastet <El.> s. a. idling	non chargé <él.>	ненагруженный <эл.>
	no-load admittance, open-circuit admittance	Leerlaufleitwert m, Leerlaufadmittanz f, Leeradmittanz f	admittance f en circuit ouvert	полная проводимость при холостом ходе, полная проводимость холостого хода
N 618	no-load capacitance, open-circuit capacitance	Leerkapazität f, Leerlaufkapazität f	capacité f à vide, capacité en circuit ouvert	емкость холостого хода
N 619	no-load characteristic, open-circuit characteristic	Leerlaufcharakteristik f, Leerlaufkennlinie f	caractéristique f à vide, caractéristique en circuit ouvert	характеристика холостого хода
	no-load condition	s. open circuit / being on <el.>		
	no-load current, open-circuit current; idle current	Leerlaufstrom m; Leerstrom m	courant m à vide, courant en circuit ouvert	ток холостого хода; ток холостой работы
	no-load gain	s. open-circuit gain		
	no-load impedance	s. open-circuit impedance		
	no-load inductance, open-circuit inductance	Leerlaufinduktivität f, Leerinduktivität f	inductivité f en circuit ouvert	индуктивность холостого хода
	no-load input impedance	s. open-circuit input impedance		
N 620	no-load input power, no-load power	Leerlaufleistung f	puissance f [d'entrée] à vide	мощность холостого хода
N 621	no-load loss	Leerlaufverlust m; Leerverlust m	perte f à vide	потеря при холостом ходе, холостая потеря
	no-load operation	s. idling		
	no-load output	s. open-circuit output admittance		
	no-load output impedance	s. open-circuit output impedance		
	no-load power, no-load input power	Leerlaufleistung f	puissance f [d'entrée] à vide	мощность холостого хода
	no-load resistance	s. open-circuit resistance		
	no-load voltage	s. open-circuit voltage		

	no-loss line, dissipationless (zero-loss) line, loss-free (lossless) line	verlustlose Leitung f, verlustfreie Leitung	ligne f sans pertes (dissipation, affaiblissement)	линия без потерь
	nominal A-bomb	s. nominal atomic bomb		
N 622	**nominal atomic bomb,** nominal A-bomb <△ 20,000 t trinitrotoluene>	nominelle Atombombe f <△ 20 000 t Trinitrotoluol>	bombe f « A » nominale <△ 20.000 t de trinitrotoluène>	номинальная атомная бомба <сила взрыва которой эквивалентна 20 000 m тринитротолуола>
N 623	**nominal circuit voltage,** rated temperature-rise voltage, temperature rise voltage <of an instrument>	maximal zulässige Betriebsspannung f <Meßgerät>	tension f nominale d'isolement <d'un appareil>	максимально допустимое рабочее напряжение <прибора>
	nominal position, desired (required) position	Sollstellung f	position f donnée, position nominale	заданное положение
N 624	**nominal power,** rated power [output], rated output (burden), rating	Nennleistung f, Nominalleistung f	puissance f nominale, puissance f de précision	номинальная мощность
N 625	**nominal range of use**	Nennbereich m	domaine m nominal d'utilisation, gamme f nominale d'utilisation	номинальный диапазон применения
N 626	**nominal transformation ratio**	Nennübersetzung f	rapport m de transformation nominal	отношение первичного номинального тока к вторичному <у трансформаторов тока>; отношение первичного номинального напряжения к вторичному <у трансформаторов напряжения>
	nominal value, rating, rated value	Nennwert m, Nominalwert m	valeur f nominale	номинальная величина, номинальное значение, номинал; номинальный параметр <реле>
N 627	**nominal value of the resistor**	Nennwert m des Widerstandes, Nennwiderstand m	valeur f nominale de la résistance	сопротивление резистора
N 628	**nomogram,** nomograph, nomographic chart, abac	Nomogramm n, Rechentafel f, graphische Rechentafel, Abakus m	nomogramme m, abaque m	номограмма, вычислительная таблица
N 629	**nomogram with moving transparents,** slide-rule nomogram	Flächenschieber m, Schiebeblattnomogramm n, Gleitflächentafel f, Nomogramm n mit beweglichen Transparenten	nomogramme m à transparents mobiles	номограмма с подвижными транспарантами, номограмма типа счетной линейки
	nomogram with radial lines, net chart, isopleth	Netztafel f, Isoplethentafel f, Isoplethenkarte f	abaque m à radiantes	сетчатая номограмма
	nomograph[ic chart]	s. nomogram		
N 630	**nomographic scale of a function**	Funktionsskala f, Funktionsleiter f	échelle f nomographique d'une fonction	шкала функции
	non[-]abelian group, non-commutative group	nichtkommutative (nichtabelsche) Gruppe f	groupe m non commutatif, groupe non abélien	некоммутативная группа, неабелева группа
N 631	**non 1/v absorber**	Nicht-1/v-Absorber m	absorbeur m non en loi 1/v	поглотитель с законом поглощения, отличным от 1/v
	non-accelerated	s. accelerationless		
N 632	**non-accelerated frame of reference**	unbeschleunigtes Bezugssystem n	système m de référence non accéléré	неускоренная система отсчета
	non-active	s. inactive		
	non-active carrier	s. stable carrier		
N 633	**non-adiabatic,** diabatic	nichtadiabatisch	non adiabatique	неадиабатический
	nonarithmetic shift	s. cyclic shift		
	non-artesian water	s. phreatic water		
	non-associated liquid	s. normal liquid		
N 634	**non-autonomous inverter**	fremdgeführter (netzerregter) Wechselrichter m	inverseur m non autonome	инвертор, ведомый сетью
N 635	**non-axial collision**	nichtachsennaher Stoß m	choc m non axial	неосевое столкновение
N 636	**non-1/v behaviour**	Nicht-/1v-Verhalten n, Abweichung f vom 1/v-Gesetz	déviation f de la loi 1/v	отклонение от закона 1/v
N 637	**non-black body,** non-black radiator	nichtschwarzer Körper (Strahler) m	corps (radiateur) m non noir	нечерное тело, нечерный излучатель
N 638	**non-bonding electron**	nichtbindendes (spinabgesättigtes) Elektron n	électron m non liant	несвязывающий электрон
	non-bonding orbital	s. antibonding orbital		
	non-branching chain	s. linear chain		
	non-branching model	s. Landau model		
	non[-]browning glass, stabilized glass	stabilisiertes Glas n	verre m stabilisé	стабилизированное стекло
N 639	**non-causality**	Akausalität f	acausalité f	непричинность, невыполнение требований принципы причинности
N 640	**non-central force,** tensor force	Tensorkraft f, Nichtzentralkraft f, nichtzentrale Kraft f	force f tensorielle (tenseur, de tenseur, non centrale)	тензорная сила, нецентральная сила
	non-central moment, crude moment	nichtzentrales Moment n	moment m non central	нецентральный момент
N 641	**non-central potential**	nichtzentrales Potential n	potentiel m non central	нецентральный потенциал, потенциал поля нецентральных сил
N 641a	**non-central t-distribution**	nichtzentrale t-Verteilung f	distribution f de t non centrale	нецентральное t-распределение
	non-centric, acentric	azentrisch, nichtzentrisch; nichtzentriert	non centré, non centrique	нецентрический

	noncircuital field	s. irrotational field		
	non-closed, open	offen, nichtgeschlossen; nichtabgeschlossen	ouvert, non fermé	незамкнутый, разомкнутый; открытый
N 642	**non-cluster galaxis, non-cluster nebula**	Feldnebel m	galaxie f non-membre d'un amas	туманность, не принадлежащая скоплению
	non-cluster star, field star, background star, non-member of a cluster	Feldstern m	étoile f de champ, non-membre m d'amas, étoile non-membre de l'amas	звезда поля, нечлен скопления; звезда, не принадлежащая скоплению
	non-coherence, incoherence	Inkohärenz f, Nichtkohärenz f	incohérence f, non-cohérence f	некогерентность
N 643	**non-coherent unit, incoherent unit**	nichtkohärente (inkohärente, systemfreie, systemfremde) Einheit f	unité f non cohérente, unité incohérente, unité hors système	некогерентная единица, внесистемная единица
N 644	**non-combining terms**	nichtkombinierende Terme mpl	termes mpl non combinants	некомбинирующие термы
N 645	**non[-]combustible, incombustible**	nichtbrennbar, unbrennbar; unverbrennbar	incombustible, non combustible	негорючий; несгораемый
N 646	**non-commutability, non-commutativity**	Nichtvertauschbarkeit f, Nichtkommutativität f	non-commutativité f, non-commutabilité f	неперестановочность, некоммутативность
N 647	**non-commutative group, non[-]abelian group**	nichtkommutative (nicht-abelsche) Gruppe f	groupe m non commutatif, groupe non abélien	некоммутативная группа, неабелева группа
	non-commutativity, non-commutability	Nichtvertauschbarkeit f, Nichtkommutativität f	non-commutativité f, non-commutabilité f	неперестановочность, некоммутативность
N 648	**non-compact group**	nichtkompakte Gruppe f	groupe m non compact	некомпактная группа
N 649	**non-competitive inhibition**	nichtkompetitive Hemmung f	inhibition f non compétitive	неконкурентное угнетение
	non-compound-elastic scattering	s. elastic scattering without formation of compound nucleus		
	non concentrated, distributed	verteilt, stetig verteilt	réparti, distribué, non concentré, disséminé	распределенный
	non[-]conducting, non-conductive; dielectric; insulating <el.>	dielektrisch; nichtleitend; isolierend <El.>	diélectrique; non conducteur; isolant <él.>	диэлектрический; непроводящий; изолирующий <эл.>
	non-conductor	s. dielectric		
N 650	**non-conservation of parity, violation of parity, parity non-conservation (violation)**	Nichterhaltung f der Parität, Paritätsverletzung f	non-conservation f de la parité	несохранение четности
N 651	**non-conservative force**	nichtkonservative Kraft f	force f non conservative	неконсервативная сила
	non-conservative motion	s. climbing motion <of dislocations>		
	non-constancy, inconstancy <math.>	Inkonstanz f, Nichtkonstanz f <Math.>	inconstance f, non-constance f <math.>	непостоянство <матем.>
	non-constancy, instability, inconstancy <meas.>	Inkonstanz f, Instabilität f <Meß.>	instabilité f, inconstance f, non-constance f <mes.>	неустойчивость, непостоянство <изм.>
N 652	**non[-]consumable electrode**	unverzehrbare Elektrode f	électrode f non consommable	нерасходуемый электрод
	non-contact piston	s. shorting plunger <el.>		
N 653	**non-contact[ing] thickness gauging**	berührungslose Dickenmessung f	mesure f d'épaisseur sans contact	бесконтактное измерение толщины
N 654	**non-continuable <math.>**	nicht fortsetzbar <Math.>	non prolongeable <math.>	непродолжаемый <матем.>
N 655	**non-continuous**	nichtstetig; nichtkontinuierlich	non continu, discontinu	прерывный
	non[-]continuum flow	s. Knudsen flow		
	non-contrasty picture, soft (uncontrasty) picture	weiches Bild n, kontrastloses (flaues) Bild	image f sans sécheresse, image terne (flouc)	мягкое изображение
N 656	**non-correlated**	nichtkorreliert, korrelationsfrei	non corrélé	некоррелированный
N 657	**non-corrodible, non-corroding, non-corrosive**	nichtkorrodierbar, nichtangreifbar, unangreifbar	inattaquable	некорродируемый
N 658	**non-corrosive**	nichtkorrodierend, nichtkorrosiv, nichtangreifend	non corrosif	некорродирующий
	non-corrosive steel	s. stainless steel		
N 659	**non-critical amount, non-critical mass**	nichtkritische Menge f, nichtkritische Masse f	quantité f non critique, masse f non critique	некритическое количество, некритическая масса
N 660	**non-crossing rule**	Neumann-Wignersche Regel f [für die Potentialenergie zweiatomiger Moleküle], Nichtüberkreuzungsregel f, Überkreuzungsverbot n, Überschneidungsverbot n	loi f de non-entrecroisement, règle f de non-entrecroisement, loi de non entre-croisement	правило непересечения
N 661	**non-crystalline liquid**	nichtkristalline Flüssigkeit f	liquide m non cristallin	некристаллическая жидкость
	non-cyclic co-ordinate, palpable co-ordinate	nichtzyklische Koordinate f	coordonnée f non cyclique, paramètre m principal	нециклическая координата
	non-Daltonian compound, non-daltonide	s. berthollide		
N 662	**non-decomposable matrix, indecomposable matrix**	unzerlegbare Matrix f	matrice f non décomposable	неразложимая матрица
N 663	**non-decremental conduction**	Leitung f ohne Dekrement	conduction f non décrémentielle	проводимость без декремента
N 664	**non-deformable**	unverformbar, nicht deformierbar	indéformable, non déformable	недеформируемый, недеформирующийся
N 665	**non-deformation of pulse shape**	Impulsformtreue f	non-distorsion f de la forme d'impulsion	неискаженность формы импульса
N 666	**non[-]degeneracy**	Nichtentartung f	non-dégénérescence f	невырождение, отсутствие вырождения

N 667	non-degenerate	nichtentartet; nichtausgeartet <Math.>	non dégénéré	невырожденный
N 668	non-degenerate semiconductor	gewöhnlicher (nichtentarteter) Halbleiter *m*	semi-conducteur *m* non dégénéré	невырожденный полупроводник
N 669	non-degenerate state	nichtentarteter Zustand *m*	état *m* non dégénéré	невырожденное состояние
N 670	nondense, nowhere dense <math.>	nirgendsdicht	rare, nulle part dense	нигде не плотный, не плотный
N 671	non-dense cloud	lockere Wolke *f*	nuage *m* épars	неплотное (разреженное) облако, облако с малой оптической плотностью
N 672	non-destructive magnetic test[ing], magnetic testing, magnetic inspection, magnetographic inspection	magnetisches Prüfverfahren *n* [der zerstörungsfreien Werkstoffprüfung], magnetische Prüfung *f*, [zerstörungsfreie] magnetische Werkstoffprüfung *f*, Magnetdefektoskopie *f*	examen *m* magnétique, contrôle *m* magnétique [non destructif], recherche *f* des défauts magnétique	[электро]магнитная дефектоскопия, магнитоскопия, магнитный метод дефектоскопии (контроля), магнитное испытание
N 673	non-destructive materials testing, non-destructive testing [of materials]; NDT	zerstörungsfreie Werkstoffprüfung *f*, zerstörungsfreie Prüfung *f*, zerstörungsfreie Materialprüfung *f*, zerstörungsfreies Prüfverfahren *n*, Defektoskopie *f*	essai *m* sans destruction de l'éprouvette, essai non destructif (destructeur), examen (contrôle) *m* non destructif [des matériaux], recherche *f* de défauts des matériaux non destructive, défectoscopie *f*	дефектоскопия, испытание без разрушения образца, неразрушающий метод контроля материалов
N 674	non-developed shower	nichtentwickelter Schauer *m*	gerbe *f* sous-développée (non développée)	неразвившийся ливень
N 675	non-diagonal element, off-diagonal element	Nichtdiagonalelement *n*	élément *m* non diagonal	недиагональный элемент
N 676	non-diagram line, satellite [X-ray] line, satellite [in X-ray spectrum]	Nichtdiagrammlinie *f*, Satellitenlinie *f*, Satellit *m*, Röntgensatellit *m*	satellite *m*, raie *f* X satellite, raie satellite	сателлит [рентгеновской линии], недиаграммная линия, линия-спутник
	non-diathermic	s. athermanous		
N 677	non-diffusible; non-diffusing; indiffusible	nichtdiffusibel, indiffusibel; nichtdiffundierend	non diffusible; non diffusant	недиффундирующий, не способный диффундировать
N 678	non-dilatational strain, pure non-dilatational strain, change of shape	[reine] Gestalt[s]änderung *f*, Deformation *f* ohne Volumenänderung	changement *m* [pur] de forme	деформация без изменения объёма, изменение формы
N 679	non[-]dimensional, dimensionless	dimensionslos, dimensionsfrei	adimensionnel, non dimensionnel, sans dimension	безразмерный
	nondimensional group (quantity)	s. similarity parameter		
N 680	non-dipole field	Nichtdipolfeld *n*	champ *m* non dipolaire	недипольное поле
	non-directed	s. non-directional		
N 681	non-directed bond	ungerichtete Bindung *f*	liaison *f* non dirigée	ненаправленная связь
N 682	non-directed graph	ungerichteter Graph *m*	graphe *m* non dirigé	ненаправленный граф
N 683	non-directed radiation, undirected radiation, omnidirectional radiation	ungerichtete Strahlung *f*	rayonnement *m* non directionnel (dirigé); émission *f* circulaire, émission (radiation *f*) omnidirectionnelle	ненаправленное излучение
N 684	non-directional, non-directive, independent of direction, non-directed	richtungsunabhängig, ungerichtet	non directionnel, non dirigé; indépendant de la direction	ненаправленный; независящий от направления
N 685	non-directional counter [tube], Milligoat counter	richtungsunabhängiges Zählrohr *n*, Milligoat-Zählrohr *n*, Milligoatsches Zählrohr	tube *m* compteur non directionnel (dirigé), tube compteur de Milligoat	ненаправленный счётчик, счётчик Миллигота
N 686	non-directional microphone, omnidirectional (astatic) microphone	Kugelmikrophon *n*, Mikrophon *n* mit Kugelcharakteristik, ungerichtetes Mikrophon	microphone *m* non directionnel (omnidirectionnel)	ненаправленный микрофон
	non-directive	s. non-directional		
	non-directive antenna	s. omnidirectional antenna		
N 687	non-dispersive spectrometry	nichtdispersive Spektrometrie *f*	spectrométrie *f* non dispersive	недисперсионная спектрометрия
	non-echo chamber	s. anechoic chamber <ac.>		
	non-elastic, inelastic <mech.>	unelastisch, inelastisch, nichtelastisch <Mech.>	inélastique, non élastique <méc.>	неупругий; неэластичный <мех.>
	non-elastic buckling, plastic buckling, inelastic buckling	plastische Knickung *f*, unelastische Knickung	flambage *m* plastique (inélastique, dans le domaine plastique)	неупругий продольный изгиб, пластический продольный изгиб
	non-elastic collision	s. inelastic collision		
	non-elastic impact	s. perfectly inelastic impact <mech.>		
	non-elasticity	s. inelasticity		
	non-elastic range	s. plastic range		
N 687a	non[-]elastic scattering	nonelastische Streuung *f*	diffusion *f* non élastique	неупругое рассеяние
	non-electrolysable, anelectric	nichtelektrolysierbar, anelektrisch	anélectrique, non électrolysable	неэлектризуемый
N 688	non-electrolyte, anelectrolyte	Nichtelektrolyt *m*, Anelektrolyt *m*	non-électrolyte *m*, non électrolyte *m*	неэлектролит
N 689	non-electrolyte complex	Nichtelektrolytkomplex *m*	complexe *m* non électrolyte	неэлектролитное комплексное соединение
N 690	non-electromagnetic mass	nichtelektromagnetische Masse *f*	masse *f* non électromagnétique	неэлектромагнитная масса
N 691	non-empty; non-vacuum; non-void <math.>	nichtleer	non vide, non-vide	непустой
N 692	non-enumerable, uncountable	nichtabzählbar, überabzählbar, unabzählbar	non dénombrable, innombrable	несчётный, бесчисленный
N 693	non-equilibrium, disequilibrium	Nichtgleichgewicht *n*; gestörtes Gleichgewicht *n*, Ungleichgewicht *n*	déséquilibre *m*, non-équilibre *m*	неравновесие, неравновесность, отсутствие равновесия

N 694	**non-equilibrium**	Nichtgleichgewichts-, nicht im Gleichgewicht [befindlich]	déséquilibré, non équilibré, hors d'équilibre	неравновесный
N 695	**non-equilibrium carrier density, non-equilibrium concentration (density)**	Nichtgleichgewichtsdichte f, Nichtgleichgewichts-konzentration f	densité f [de] non-équilibre, concentration f [de] non-équilibre	неравновесная концентрация [носителей заряда]
N 696	**non-equilibrium effect, non-equilibrium phenomenon**	Nichtgleichgewichts-erscheinung f	effet m de non-équilibre (déséquilibre), phénomène m de non-équilibre	неравновесное явление
N 697	**non-equilibrium ionization**	Nichtgleichgewichts-ionisierung f	ionisation f hors d'équilibre	неравновесная ионизация
N 698	**non-equilibrium plasma**	Nichtgleichgewichtsplasma n, nicht im thermodynamischen Gleichgewicht befindliches Plasma n	plasma m hors d'équilibre thermodynamique	неравновесная плазма
N 699	**non-equilibrium process,** non-static process	Nichtgleichgewichtsprozeß m, nichtstatischer Prozeß m	processus m hors d'équilibre, processus de non-équilibre (déséquilibre), processus non équilibré (statique)	неравновесный процесс, нестатический процесс
N 700	**non-equilibrium state**	Nichtgleichgewichtszustand m	état m de non-équilibre (déséquilibre), état non équilibré	неравновесное состояние
N 701	**non-equilibrium surface tension,** dynamic[al] surface tension	dynamische Oberflächen-spannung f	tension f de surface dynamique	динамическое поверхностное натяжение
N 702	**non-equilibrium thermo-dynamics,** irreversible thermodynamics	Thermodynamik f irreversibler Prozesse, irreversible Thermodynamik	thermodynamique f des procédés irréversibles	термодинамика необратимых процессов
N 703	**non-erasable storage**	nichtlöschbare Speicherung f	emmagasinage m (mémorisation f, enregistrement m) non effaçable	нестираемая запись, нестираемое накопление
N 704	**nonet**	Nonett n	nonet m	нонет
N 705	**non-euclidean, non-Euclidean,** non-euclidian, non-Euclidian	nichteuklidisch, nicht-Euklidisch	non euclidien	неэвклидов
N 706	**non-euclidean distance**	nichteuklidischer Abstand m	distance f non euclidienne	неэвклидово расстояние
N 707	**non-euclidean motion**	nichteuklidische Bewegung f, Bewegung im nicht-euklidischen Raum	déplacement m non euclidien	неэвклидово движение
N 708	**non-Euclidean translation**	nichteuklidische Schiebung f	translation f non euclidienne	неэвклидов перенос
	non-euclidian, non-Euclidian	s. non-euclidean		
N 709	**non-evanescent wave**	nichtabklingende Welle f	onde f non amortie, onde non atténuée	незатухающая волна
	non evaporating	s. non-volatile		
	non-faradaic current	s. residual current		
N 710	**non-favoured beta transition, non-favoured transition,** normal allowed transition	nichtbegünstigter Übergang m, normalerlaubter [Beta-]Übergang m, normaler Übergang	transition f infavorable, transition non favorisée, transition [béta] permise non favorisée	неблагоприятный переход, нормальный [разрешенный] переход, слабо-запрещенный переход
N 711	**non[-]ferrous metal**	Nichteisenmetall n, NE-Metall n; Buntmetall n	métal m non ferreux	цветной металл, нежелезный металл
	non-fission capture	s. non[-]productive capture		
	non-flammable, non-inflammable, ininflammable, flameproof	nichtentflammbar, unentzündlich, unentflammbar	ininflammable; ignifuge	невоспламеняемый, невоспламеняющийся, невозгорающийся
N 712	**non-flip scattered wave**	Streuwelle f mit ungeänderter Spinrichtung	onde f de diffusion conservant l'orientation de spin	рассеянная волна при сохранении ориентации спина
N 713	**non-free body**	unfreier Körper m	solide m gêné, corps m assujéti à des liaisons	несвободное тело
	non-free point	s. constrained material point		
	non-gaseous	s. non-volatile		
N 713a	**non-genuine vibration**	unechte (uneigentliche) Schwingung f	vibration f non réelle (vraie)	неистинное колебание
N 714	**non-heat-conducting**	nichtwärmeleitend	non conducteur de la chaleur	нетеплопроводный
N 715	**non-heat-isolated**	nichtwärmeisoliert	non calorifugé	нетеплоизолированный
N 716	**non-holonomic constraint,** anholonomic constraint	nichtholonome Zwangsbedingung (Bedingung) f, anholonome Bedingung, nichtholonome Bindung (Bedingungsgleichung) f	liaison f non holonome, contrainte f non holonome, contrainte anholonom[iqu]e	неголономная связь, дифференциальная связь, кинетическая неинтегрируемая связь
N 717	**non-holonomic co-ordinate,** quasi co-ordinate, pseudo co-ordinate	nichtholonome Koordinate f, Pseudokoordinate f, Quasikoordinate f	coordonnée f non holonomique, pseudo-coordonnée f, quasi-coordonnée f	неголономная координата квазикоордината, псевдокоордината
N 718	**non-holonomic co-ordinate of velocity, non-holonomic velocity co-ordinate**	nichtholonome Geschwindigkeitskoordinate f, nichtholonomer Geschwindigkeitsparameter m, Pseudoparameter m der Geschwindigkeit	coordonnée f non holonomique de vitesse	неголономная координата скорости, неголономный параметр скорости
	non-Hookian, non-linearly elastic	nichtlinear elastisch	à élasticité non linéaire	нелинейно упругий, негуковский
	non-ideal crystal	s. imperfect crystal		
	non-ideality	s. imperfection		
N 719	**non-ideal superconductor,** hard superconductor	harter Supraleiter m, nichtidealer Supraleiter	supraconducteur m dur, supraconducteur non idéal	неидеальный сверхпроводник, жесткий сверхпроводник

	nonignitable	s. non-inflammable		
N 720	**non-inductive**	induktivitätsarm; induktionsfrei	non inductif	безындукционный, неиндуктивный
N 721	**non-inductive resistance; non-inductive resistor**	induktionsfreier (eigeninduktivitätsfreier) Widerstand m	résistance f anti-inductive (non inductive, non selfique)	безындукционное (безындукционное) сопротивление
N 722	**non-inertia,** inertialessness, absence of inertia	Trägheitslosigkeit f	absence f d'inertie	безынерционность
N 723	**non-inertial system**	Nichtinertialsystem n	système m non d'inertie	неинерциальная система
N 724	**non-inflammable,** ininflammable, nonflammable, flameproof, nonignitable	nichtentflammbar, unentzündlich, unentflammbar	ininflammable; ignifuge	невоспламеняемый, невоспламеняющийся, невозгорающийся
N 725	**non-interacted,** non-interconnected	unvermascht	non maillé	без замкнутых контуров, без [образования] петель
N 726	**non-interacting**	nichtwechselwirkend, nicht in Wechselwirkung tretend (stehend), ohne Wechselwirkung, wechselwirkungsfrei	sans interaction	невзаимодействующий
	non-interchangeable; non-reversible <el.>	unverwechselbar	irréversible; polarisé; non interchangeable	с фиксированными полюсами, незаменяемый
	non-interconnected	s. non-interacted		
N 727	**non-ionic,** non-ionic detergent (tenside)	nichtionogenes Tensid n, nichtionogener Stoff m, Nichtionogen n	agent m non ionique	неионогенное вещество, неионогенный детергент
N 728	**non-ionic bond**	nichtionische Bindung f, Nichtionenbindung f	liaison f non ionique	неионная связь
	non-ionic detergent (tenside), non-ionic	nichtionogenes Tensid n, nichtionogener Stoff m, Nichtionogen n	agent m non ionique	неионогенное вещество, неионогенный детергент
N 729	**non-isentropic flow,** anisentropic flow	nichtisentrope Strömung f	écoulement m non isentropique	неизэнтропическое течение
N 730	**non-isothermal plasma**	nichtisothermes Plasma n	plasma m non isothermique	неизотермическая плазма
N 731	**non-isotopic; heterotopic**	nichtisotop[isch]; heterotop	non isotopique; hétérotopique	неизотопный
N 732	**non-isotopic carrier**	nichtisotoper Träger m, mechanischer Träger	porteur m non isotopique	неизотопный носитель
N 733	**non-isotopic labelling**	nichtisotope Markierung f	marquage m non isotopique	неизотопное мечение, неизотопная маркировка
	nonius, vernier	Nonius m	vernier m, nonius m	верньер, вернир; нониус
N 734	**non-leakage probability**	Verbleibwahrscheinlichkeit f	probabilité f de non-fuite, probabilité d'échapper à la [perte par] fuite	вероятность избежания утечки
N 735	**non-leptonic decay,** hadronic decay	nichtleptonischer Zerfall m, hadronischer Zerfall	désintégration f non leptonique, désintégration hadronique	нелептонный распад, безлептонный распад, адронный распад
N 736	**non-linear acoustics,** macrosonics	nichtlineare Akustik f	acoustique f non linéaire	нелинейная акустика, акустика высоких амплитуд, макроакустика
N 737	**non-linear detector,** distortion detector	nichtlinearer Detektor m, Verzerrungsdetektor m	détecteur m non linéaire	детектор с нелинейной характеристикой, нелинейный детектор
N 738	**non[-]linear distortion**	nichtlineare Verzerrung f, Klirrverzerrung f, Klirren n	distorsion f non linéaire	нелинейное искажение
	nonlinear distortion coefficient	s. coefficient of harmonic distortion <of n-th order>		
	nonlinear distortion factor	s. distortion factor		
	non-linear elastic theory	s. non-linear theory of elasticity		
N 739	**non-linear electrodynamics [of Born-Infeld]**	nichtlineare Elektrodynamik f [von Born und Infeld], Born-Infeldsche nichtlineare Elektrodynamik	électrodynamique f non linéaire [de Born et Infeld]	нелинейная электродинамика [Борна-Инфельда]
N 740	**non-linearly elastic,** non-Hookian	nichtlinear elastisch	à élasticité non linéaire	нелинейно упругий, негуковский
N 741	**non-linearly viscous fluid**	nichtlinear viskose Flüssigkeit f	fluide m à viscosité non linéaire	нелинейно вязкая жидкость
	non-linear mechanics, theory of non-linear vibrations	Theorie f der nichtlinearen Schwingungen, nichtlineare Mechanik f	théorie f des vibrations non linéaires, mécanique f non linéaire	теория нелинейных колебаний, нелинейная механика
	non-linear Newtonian liquid	s. non-Newtonian liquid		
	non-linear oscillation	s. non-linear vibration		
	non-linear oscillator, anharmonic oscillator	anharmonischer (nichtharmonischer, nichtlinearer) Oszillator m	oscillateur m anharmonique, oscillateur non linéaire	негармонический (ангармонический, нелинейный) осциллятор
N 742	**non-linear polarization source wave, N.L.S. wave**	NLS-Welle f, Welle f der nichtlinearen Polarisationsquellen	onde f des sources de polarisation non linéaires, onde S.N.L.	волна нелинейных источников поляризации
N 743	**non-linear-resistance arrester**	Ventilableiter m	parafoudre m à résistance variable	вентильный разрядник, разрядник с катодным падением, полупроводниковый разрядник с нелинейной вольтамперной характеристикой
	non-linear semiconducting dipole	s. varistor		
N 744	**non-linear theory of elasticity,** non-linear elastic theory, finite elasticity theory	nichtlineare Elastizitätstheorie f	théorie f non linéaire d'élasticité, théorie d'élasticité non linéaire, théorie d'élasticité finie	нелинейная теория упругости, теория нелинейной упругости

N 745	non-linear vibration, non-linear oscillation, pseudoharmonic oscillation, pseudoharmonic vibration	nichtlineare Schwingung f, pseudoharmonische Schwingung	oscillation (vibration) f non linéaire, vibration des systèmes à caractéristiques non linéaires, oscillation (vibration) pseudoharmonique	нелинейное колебание, псевдогармоническое колебание
N 746	non-Liouville damping	Nicht-Liouville-Dämpfung f, nicht-Liouvillesche Dämpfung f	amortissement m non Liouville	нелиувиллевское затухание
N 747	non-local; global; in the large <math.>	nichtlokal; global; im Großen <Math.>	non local; global <math.>	нелокальный; глобальный; в большом, в целом <матем.>
N 747a	non[-]localizable theory	nichtlokalisierbare Theorie f	théorie f non localisable	теория нелокализуемых состояний, нелокализуемая теория
N 748	non-localized bond	nichtlokalisierte Bindung f	liaison f non localisée	нелокализованная связь
N 749	non-localized fringes, non-localized interferences	nichtlokalisierte Interferenzen fpl	interférences (franges) fpl non localisées	нелокализованные интерференции (интерференционные полосы)
N 750	non-localized molecular orbital, non-localized orbital	nichtlokalisiertes Orbital n, nichtlokalisierte Molekülbahn f	orbitale f [moléculaire] non localisée	нелокализованная [молекулярная] орбиталь
	non-localized vector	s. sliding vector		
N 751	non-local quantum field theory	nichtlokale Quantenfeldtheorie f	théorie f quantique non locale du champ	нелокальная квантовая теория поля
	non-luminous flame	s. blue flame		
N 752	non-magnetic scattering	nichtmagnetische Streuung f	diffusion f non magnétique	немагнитное рассеяние
N 753	non-magnetic steel	unmagnetisierbarer (unmagnetischer) Stahl m	acier m amagnétique	немагнитная сталь
N 754	non-1/v material	Nicht-1/v-Material n <Stoff mit einem Einfangquerschnitt, der dem 1/v-Gesetz nicht genügt>	substance f dont la section ne satisfait pas à la loi en 1/v	вещество, сечение которого не подчиняется закону 1/v
	non-member of a cluster, field star, background star, non-cluster star	Feldstern m	étoile f de champ, non-membre m d'amas, étoile non-membre de l'amas	звезда поля, нечлен скопления; звезда, не принадлежащая скоплению
N 755	non-mes[on]ic decay	nichtmesonischer Zerfall m	désintégration f non més[on]ique	немезонный распад, безмезонный распад
N 756	non-metal, metalloid, antimetal	Nichtmetall n, Metalloid n	non[-]métal m, métalloïde m, métaloïde m	неметалл, неметаллический элемент, металлоид
	non-miscibility, immiscibility	Nichtmischbarkeit f, Unmischbarkeit f, Unvermischbarkeit f	immiscibilité f, non-miscibilité f	несмешиваемость
N 757	non-mobility, fixity	Unbeweglichkeit f	non-mobilité f	неподвижность
N 758	non-moderator	Nichtmoderator m, Material n mit kleinem Bremsquerschnitt	non-modérateur m, matière f non modératrice, matériel m non modérateur	незамедлитель, незамедляющее вещество
	non-monoenergetic	s. heterogeneous <of radiation>		
	non-moving, at rest, motionless, fixed	in Ruhe, ruhend, fest, bewegungslos, unbewegt	au repos, en repos, sans mouvement, fixe	покоящийся, в состоянии покоя, неподвижный, без движения
	non-moving observer, observer at rest	ruhender Beobachter m	observateur m au repos	покоящийся наблюдатель, наблюдатель в состоянии покоя
	non-Newtonian, structural-viscou	strukturviskos, nicht-Newtonsch, anomal fließend	de viscosité anormale, non newtonien	структурно-вязкий, аномально-вязкий, неньютоновский
N 759	non-Newtonian liquid, non-linear (generalized) Newtonian liquid	nicht-Newtonsche (anomal fließende, strukturviskose) Flüssigkeit f, nicht-Newtonscher Stoff m	liquide m non newtonien, substance f non newtonienne	неньютоновская жидкость, аномально-вязкая жидкость, структурно-вязкая жидкость
	non-occupied, unoccupied; unfilled; unpopulated; empty; vacant	unbesetzt, nichtbesetzt; leer; vakant; frei	inoccupé, non occupé; non comblé; vide; vacant	незанятый; незаполненный; свободный; вакантный
N 760	non-ohmic	nichtohmsch	non ohmique	неомический
	non-orientable surface, one-sided (unilateral) surface	einseitige Fläche f, nicht-orientierbare Fläche	surface f unilatère (unilatérale), surface non orientable	односторонняя поверхность, неориентируемая поверхность
N 761	non-orientation, absence of orientation	Unorientiertheit f, Fehlen n einer Orientierung	non-orientation f, absence f d'orientation	неориентированность, отсутствие ориентации
N 761a	non-oriented graph, ordinary graph	nichtorientierter Graph m	graphe m non orienté	неориентированный граф[ик]
N 762	non-orthogonality integral	Nichtorthogonalitätsintegral n	intégrale f de non-orthogonalité	интеграл неортогональности
	non-oscillating	s. aperiodic		
	non-overflow dam	s. dam on bed of river		
	non-overlapping, disjoint <math.>	disjunkt, elementefremd, fremd, durchschnittsfremd <Math.>	disjoint, sans point (élément) commun <math.>	непересекающийся, дизъюнктный <матем.>
N 763	non-overloading amplifier	nichtübersteuernder Verstärker m	amplificateur m non saturé	неперегруженный усилитель
N 763a	non-paralyzable counter	nichtblockierendes Zählrohr n	tube m compteur non paralysable	неблокирующий счетчик
N 764	non-parametric test, distribution[-]free test, parameter-free test; order test	verteilungsfreier (nichtparametrischer, parameterfreier) Test m; Anordnungstest m	test m non paramétrique	непараметрический критерий; порядковый критерий
	non-penetrating	s. low-energy <of radiation>		
N 765	non-penetrating electron orbit, non-penetrating orbit	Nichttauchbahn f, nichttauchende Elektronenbahn f	orbite f non pénétrante	непроникающая орбита, непроникающая электронная орбита
	non-periodic	s. aperiodic		

N 766	non-perspective projection, modified projection	unechte (nichtperspektivische) Projektion *f*	projection *f* non perspective, projection modifiée	неперспективная проекция
N 767	non-photographic photogrammetry	nichtphotographische Photogrammetrie *f*	photogrammétrie *f* non photographique	нефотографическая фотограмметрия
N 768	non-planar molecule	nichtebenes Molekül *n*	molécule *f* gauche	неплоская молекула
N 769	non-planar network	nichtebenes Netzwerk *n*	réseau *m* non plan	неплоская схема
N 770	non-polar, apolar	nichtpolar, apolar	non polaire, apolaire	неполярный, аполярный
N 771	nonpolarizable electrode, unpolarizable (unpolarized) electrode	unpolarisierbare Elektrode *f*	électrode *f* non polarisable, électrode impolarisable	неполяризуемый электрод, неполяризующийся электрод
	non-polar liquid	*s.* normal liquid		
N 772	non-porous	porenfrei, porendicht, nichtporös	non poreux, sans porosité	непористый, беспористый
N 773	non-potential force	Nichtpotentialkraft *f*	force *f* non dérivant d'un potentiel	непотенциальная сила
N 774	non-primitive cell	nichtprimitive Gitterzelle *f*	cellule *f* non primitive	непростая ячейка, неосновная ячейка
N 775	non[-]productive capture, non-fission capture	unproduktiver Einfang, nichtproduktiver Einfang, Verlusteinfang *m*	capture *f* stérile, capture non productive, capture sans multiplication (régénération)	паразитный (вредный, непроизводительный, непродуктивный) захват; захват, не приводящий к делению
N 776	non-productive evaporation	unproduktive Verdunstung *f*	évaporation *f* non productive	непроизводительное испарение
N 777	non-radiative capture, radiationless capture	strahlungsloser (nichtstrahlender) Einfang *m*	capture *f* non radiative	нерадиационный (безызлучательный) захват
N 778	non-radiative centre	strahlungsloses Zentrum *n*	centre *m* non radiatif	нерадиационный (безызлучательный) центр
N 779	non-radiative recombination, radiationless recombination	Dreierstoßrekombination *f*, Rekombination *f* im Dreierstoß, strahlungslose (nichtstrahlende) Rekombination	recombinaison *f* non radiative	рекомбинация, не сопровождающаяся излучением
	non-radiative transition, radiationless (Auger) transition	strahlungsloser Übergang *m*, Auger-Übergang *m*	transition *f* Auger (non radiative, sans radiation)	безызлучательный (нерадиационный) переход, оже-переход, переход Оже
	non-radioactive	*s.* inactive		
N 780	non-reactive circuit	reaktionslose Schaltung *f*	circuit *m* non réactif	нереактивная цепь, нереактивный контур
N 781	non-reactive resistance	winkelfreier Widerstand *m*, phasenfreier Widerstand	résistance *f* non réactive	безреактивное сопротивление, сопротивление без фазового сдвига
N 782	non-real <math.>	nichtreell <Math.>	non-réel <math.>	невещественный, недействительный <матем.>
N 783	non-recommended	nicht empfohlen	déconseillé	нерекомендуемый, нерекомендуется
	non-rectifying contact	*s.* ohmic contact		
N 784	non-rectifying electrode	sperr[schicht]freie Elektrode *f*	électrode *f* non redresseuse (rectifiante)	невыпрямляющий электрод
N 785	non-rectifying junction	sperr[schicht]freier Übergang *m*	jonction *f* non redresseuse (rectifiante)	невыпрямляющий переход
	non-reflecting	*s.* reflectionless		
N 786	non-reflecting termination, matched termination	reflexionsfreier Abschluß *m*	terminaison *f* sans réflexion, terminaison adaptée	неотражающая (согласованная) оконечная нагрузка
N 787	non-reflection	Reflexionsfreiheit *f*	non-réflexion *f*	отсутствие отражения
N 788	non-reflection attenuation	Anpassungsdämpfung *f*	amortissement *m* d'adaptation	затухание при согласовании
	non-refractory	*s.* low-melting		
N 789	non-refractory arc, cold-cathode arc, field-emission arc, field arc	Feldbogen *m*, Feldlichtbogen *m*	arc *m* à émission électrostatique (par effet de champ), arc à auto-émission	автоэлектронная дуга, «холодная» дуга
N 790	non-refractory cathode	leicht verdampfbare Katode *f*	cathode *f* [à métal] non réfractaire	легко испаряющийся катод
N 791	non-refractory electrode transition, cold cathode glow to arc transition	Übergang *m* Glimmstrom — Lichtbogen bei leicht verdampfbaren Elektroden	transition *f* lueur-arc aux électrodes non réfractaires	переход от тлеющего разряда к дуге при легко испаряющихся электродах
N 792	non-relativistic approximation	nichtrelativistische Näherung *f*	approximation *f* non relativiste	нерелятивистское приближение
N 793	non-relativistic region	nichtrelativistisches Gebiet *n*, NR-Gebiet *n*	région *f* non relativiste	нерелятивистская область
N 794	non-resonance scattering	Nichtresonanzstreuung *f*	diffusion *f* non réson[n]ante	нерезонансное рассеяние
N 795	non-resonant feeder, untuned feeder	unabgestimmte Speiseleitung *f*	alimentateur *m* désaccordé (désadapté), feeder *m* désaccordé (désadapté)	ненастроенный фидер, рассогласованный фидер
	non-reversibility, irreversibility	Irreversibilität *f*, Nichtumkehrbarkeit *f*	irréversibilité *f*, non-réversibilité *f*	необратимость
N 796	non-reversible; non-interchangeable <el.>	unverwechselbar	irréversible; polarisé; non interchangeable	с фиксированными полюсами, незаменяемый
N 797	non-Riemannian geometry	nicht-Riemannsche Geometrie *f*	géométrie *f* non riemannienne	риманова геометрия
N 798	non-rigid rotator	nichtstarrer (unstarrer) Rotator *m*	rotator *m* non rigide	нежесткий ротатор
	non-rotational field	*s.* irrotational field		
N 799	non-salient pole machine	Vollpol[synchron]maschine *f*, Volltrommel[synchron]maschine *f*	machine *f* synchrone à roteur cylindrique	синхронная машина с неявнополюсным (цилиндрическим) ротором

N 800	non-salient pole rotor	Vollpolläufer *m*	roteur *m* à encoches fermées	неявнополюсный (цилиндрический) ротор, турборотор
	non-saturated, unsaturated	ungesättigt <auch Chem.>; nichtgesättigt; nichtabgesättigt; nicht voll ausgebildet	non saturé	ненасыщенный; непредельный <хим.>
N 801	non-saturating	nichtabsättigbar	non saturant	ненасыщающийся
N 802	non-screen film	folienloser Film *m*	film *m* sans écran	безэкранная пленка
	non-seismic region	s. aseismic region		
	non-selective absorber	s. neutral filter		
	non-selective diffuser, neutral diffuser	neutral (grau, nichtselektiv, aselektiv) streuender Körper *m*, Neutralstreuer *m*	diffuseur *m* neutre, diffuseur gris, diffuseur non sélectif	нейтральный рассеиватель, неизбирательный (неселективный) рассеиватель
	non-selective filter	s. neutral filter		
	non-selective glass	s. neutral glass		
	non-selective radiator, grey body, gray body <US>	Graustrahler *m*, grauer Strahler (Körper) *m*, nichtselektiver Strahler	corps *m* gris, radiateur *m* non sélectif	серое тело, неизбирательный (неселективный) излучатель
N 803	non-self-luminous object, non-self-luminous surface	Nichtselbstleuchter *m*, nichtselbstleuchtendes Objekt *n*, nichtselbstleuchtende Fläche *f*	objet *m* non autoluminescent, surface *f* non autoluminescente	несамосветящийся объект, несамосветящаяся поверхность
N 804	non-self-maintained conduction, non-self-maintained conductivity, non-self-maintained electronic conduction (conductivity)	unselbständige Elektronenleitung *f*, unselbständige Leitung *f*, unselbständige Elektrizitätsleitung *f*, unselbständige Stromleitung *f*	conduction (conductibilité) *f* non auto-entretenue, conductibilité (conduction) semi-autonome, conduction électronique semi-autonome (non auto-entretenue)	несамостоятельная электропроводность, несамостоятельная проводимость
N 805	non-self-maintained discharge; non-self-sustained discharge	unselbständige Gasentladung (Entladung) *f*	décharge *f* non spontanée; décharge semi-autonome	полностью несамостоятельный разряд; несамостоятельный разряд
	non-self-maintained electronic conduction (conductivity)	s. non-self-maintained conduction		
N 806	non-self-quenching counter	nichtselbstlöschendes Zählrohr *n*	compteur *m* non autocoupeur	несамогасящийся счетчик
	nonsense correlation	s. illusory correlation		
N 807	non-separable <chem.>	nichttrennbar, untrennbar <Chem.>	non séparable <chim.>	неразделяемый, неразделимый <хим.>
	non-shower meteor, sporadic, sporadic meteor	sporadisches Meteor *n*	météore *m* sporadique, météore du champ	спорадический метеор; метеор, не принадлежащий к потоку
	non-singular matrix, invertible matrix, regular matrix	reguläre (invertierbare, umkehrbare, nichtsinguläre, nichtausgeartete) Matrix *f*	matrice *f* inversible, matrice non singulière, matrice régulière	обратимая матрица, невырожденная матрица, неособенная матрица
N 808	non-slipping	schlupflos, schlupffrei; gleitfrei	sans glissement	нескользящий, без скольжения
N 809	non-smooth	nichtglatt	non lisse	негладкий
N 810	non-solidified, unsolidified	unverfestigt	non solidifié	неупрочненный
N 811	non-solvent, nonsolvent	Nichtlösungsmittel *n*	non[-] solvant *m*	нерастворитель
N 812	non-solving space	nichtlösender Raum *m*	espace *m* non solvant	нерастворяющее пространство
	non-specific labelling	s. physical labelling		
	non-specific tracer	s. physical tracer		
	non-spherical, aspherical	nichtsphärisch, nichtkugelförmig, nichtkuglig, asphärisch	asphérique, non sphérique	асферический, несферический; анизометричный
	non-split anode	s. heavy anode		
N 813	non-standard ionospheric propagation, long-range ionospheric propagation	ionosphärische Überreichweite *f*	propagation *f* ionosphérique hyperlointaine	дальнее ионосферное распространение
N 814	non-standard propagation, anomalous propagation, long-range propagation, overshoot[ing]	Überreichweite *f*	propagation *f* hyperlointaine, propagation anormale	сверхдальнее (дальнее, сверхнормальное) распространение, сверхнормальная дальность действия
N 815	non-standard tropospheric propagation, long-range tropospheric propagation	troposphärische Überreichweite *f*	propagation *f* troposphérique hyperlointaine	дальнее тропосферное распространение
	non-static process	s. non-equilibrium process		
	non-stationary; non-steady, unsteady[-state]	nichtstationär, instationär	non stationnaire, non permanent	нестационарный, неустановившийся
	non-stationary	s. a. mobile		
	non-stationary	s. a. time-dependent		
N 816	non-stationary current, non-stationary state of current	nichtstationärer Strom *m*	courant *m* non stationnaire, état *m* non stationnaire de courant	неустановившийся (нестационарный) ток, неустановившееся (нестационарное) состояние тока
N 817	non-stationary flow, (motion), non-steady flow, unsteady flow (motion)	instationäre (nichtstationäre) Strömung *f*; nichtstationäres Fließen *n*; instationäre (nichtstationäre) Bewegung *f*	écoulement *m* non permanent (stationnaire); mouvement *m* non permanent (stationnaire), mouvement variable	неустановившееся (нестационарное) течение; нестационарное (неустановившееся) движение
	non-stationary state of current	s. non-stationary current		

N 818	non-steady, unsteady [-state]; non-stationary	nichtstationär, instationär	non stationnaire, non permanent	нестационарный, неустановившийся
N 819	non-steady behaviour <e.g. of reactor>	nichtstationäres Verhalten n <z. B. des Reaktors>	comportement (régime) m non stationnaire <p. ex. de la pile>	нестационарный режим, неустановившийся режим <напр. реактора>
	non-steady flow	s. non-stationary flow		
N 820	non-stoichiometric compound	nichtstöchiometrische Verbindung f	composé m non stœchiométrique	нестехиометрическое соединение
N 821	non-streamlined body	schlecht umströmbarer Körper m	corps m à résistance aérodynamique élevée	неудобообтекаемое тело
N 822	non-substituted	unsubstituiert	non substitué	незамещенный
	nonsymmetrical, asymmetric[al], unsymmetric[al], dissymmetric[al]	asymmetrisch, unsymmetrisch, nichtsymmetrisch	asymétrique, dissymétrique	несимметричный, асимметрический, асимметричный, несимметрический
N 823	non-symmetric halo	unsymmetrischer Halo m	halo m non symétrique	несимметричное гало
	nonsymmetry	s. asymmetry		
N 824	non-thermal emission, non-thermal [radio-frequency] radiation	nichtthermische Radiofrequenzstrahlung f, nichtthermische Strahlung f	rayonnement m [radio-électrique] non thermique, émission (radiation) f non thermique	нетепловое радиоизлучение, нетепловое излучение
N 825	non-topographic photogrammetry	nichttopographische Photogrammetrie f; Nahbildmessung f	photogrammétrie f non topographique	нетопографическая фотограмметрия
N 826	non-tracking, track resistant	kriechstromfest	résistant au courant de fuite [superficielle]	стойкий (прочный) в отношении поверхностной утечки, не допускающий утечки тока; стойкий в отношении скользящих разрядов
	non-tracking quality, tracking resistance	Kriechstromfestigkeit f, Gleichstrom-Kriechstromfestigkeit f	résistance f au courant de fuite [superficielle]	стойкость к токам утечки; стойкость к скользящим разрядам, сопротивление действию блуждающего тока
	non-translucent, adiaphanous	adiaphan, nicht durchscheinend	adiaphane, non translucide	непросвечивающий
	non-transparency; impermeability to light; opacity, opaqueness, blackness	Lichtundurchlässigkeit f, Undurchlässigkeit f für Licht; Undurchsichtigkeit f	imperméabilité f à la lumière; opacité f; non-transparence f	светонепроницаемость, непроницаемость для света; непрозрачность
	non-transparent; impermeable to light; opaque; not transparent	lichtundurchlässig, undurchlässig für Licht; opak; undurchsichtig, nicht durchsichtig	imperméable à la lumière; opaque; non transparent	светонепроницаемый, непроницаемый для света; непрозрачный, непросвечивающий
	non-trivial solution, non-vanishing solution	nichttriviale Lösung f	solution f non nulle, solution non triviale	ненулевое (нетривиальное, отличное от нуля) решение
N 827	non-turbulent	turbulenzfrei, nicht-turbulent, nicht-wirbelnd	non turbulent	нетурбулентный
N 828	non-uniformity, irregularity, lack of uniformity	Ungleichförmigkeit f, Ungleichmäßigkeit f	non-uniformité f, irrégularité f	неравномерность
	non-uniformity	s. a. heterogeneity		
N 829	non-uniformity [of chain length], non-uniformity of polymer	Uneinheitlichkeit f [des Polymers]	non-uniformité f [du polymère]	неоднородность [полимера]
N 830	non-uniformity of flow, irregularity of flow	Strömungsungleichheit f	irrégularité f de l'écoulement	неравномерность потока
N 831	non-uniform load <el.>	ungleichförmige (ungleichmäßige) Belastung f, Ungleichbelastung f <El.>	charge f non uniforme <él.>	неравномерная нагрузка <эл.>
N 832	non-uniform magnetic field, inhomogeneous magnetic field	inhomogenes Magnetfeld n	champ m magnétique non uniforme, champ magnétique inhomogène	неоднородное магнитное поле
N 833	non-uniform motion	ungleichförmige Bewegung f	mouvement m varié (non uniforme)	неравномерное движение
N 834	non-uniform strain, unequal strain	ungleichmäßige Verformung (Deformation) f	déformation f non uniforme, déformation inégale	неравномерная деформация
	non-uniform stress	s. unequal stress <mech.>		
	non-vacuum	s. non-empty		
	non-vanishing, non-zero, different from zero	nichtverschwindend, ungleich Null, verschieden von Null	différent de zéro, non disparaissant, non fugitif	отличный от нуля, не равный нулю, ненулевой, неисчезающий, не обращающийся в нуль
N 835	non-vanishing solution, non-trivial solution	nichttriviale Lösung f	solution f non nulle, solution non triviale	ненулевое (нетривиальное, отличное от нуля) решение
N 836	non-variant	nonvariant	non variant	нонвариантный, безвариантный
	non varying constraint, constraint independent of time, scleronomous binding	skleronome Bedingung f, starrgesetzliche Bedingung	liaison f non dépendant du temps, liaison scléronome	стационарная связь, склерономная связь
N 837	non-virgin neutron; degraded neutron	nichtjungfräuliches Neutron n; degradiertes Neutron	neutron m non vierge, neutron heurté, neutron dégradé	нейтрон, испытавший столкновение

N 838	**non-viscous**, inviscid, frictionless \<of flow, liquid, gas\>	reibungsfrei, reibungslos \<Strömung, Flüssigkeit, Gas\>	non visqueux, sans (dénué de) frottement \<de l'écoulement, du liquide, du gaz\>	невязкий, без трения, идеально текучий \<о течении, жидкости, газе\>
	non-viscous instability, frictionless (inviscid) instability	reibungslose Instabilität f	instabilité f sans friction	невязкая неустойчивость
N 839	**non-visibility**, lack of visibility; haziness, zero visibility	Unsichtigkeit f; Dunstigkeit f, Diesigkeit f	non-vue f; nébulosité f	отсутствие видимости; замутненность
	nonvoid	s. non-empty		
N 840	**nonvolatile**	nichtflüchtiger Stoff m	substance f non volatile, non-volatil m	нелетучее вещество
N 841	**non-volatile**; nonevaporating; non-gaseous	nichtflüchtig; nichtgasförmig	non volatil; non fugace; non gazeux	нелетучий; негазообразный
N 842	**nonvolatile storage**	leistungsloser Speicher m	mémoire f non volatile	накопитель, не требующий восстановления
N 843	**non[-]volatility**, fixity	Nichtflüchtigkeit f	non-volatilité f	нелетучесть
	non-vortical field	s. irrotational field		
N 844	**non[-]wettability**	Nichtbenetzbarkeit f	non-mouillabilité f	несмачиваемость
N 845	**non-wetting**	Nichtbenetzung f	non[-]mouillage m	несмачивание
N 846	**non-wetting liquid**	nichtbenetzende Flüssigkeit f	liquide m non mouillant	несмачивающая жидкость
N 847	**non-zero**, non-vanishing, different from zero	nichtverschwindend, ungleich Null, verschieden von Null	différent de zéro, non disparaissant, non fugitif	отличный от нуля, не равный нулю, ненулевой, неисчезающий, не обращающийся в нуль
N 848	**non-zero black and white content / having**, containing a portion of black and white, masked by grey, veiled by grey, shaded by grey, grey shaded \<of chromatic colour\>	grauverhüllt, vergraut	avec un contenu de blanc et noir différent de zéro, contenant une portion de blanc et noir, masqué par le gris \<de couleur chromatique\>	имеющий содержание белого и черного цветов, отличное от нуля; содержащий долю белого и черного цветов, маскированный белым и черным цветами \<о хроматическом цвете\>
N 849	**non-zero black content / having**, containing a portion of black, masked (veiled, shaded) by black, black shaded \<of chromatic colour\>	schwarzverhüllt, verschwärzlicht	avec un contenu de noir différent de zéro, contenant une portion de noir, masqué par le noir \<de couleur chromatique\>	имеющий содержание черного цвета, отличное от нуля; содержащий долю черного цвета, маскированный черным цветом \<о хроматическом цвете\>
N 850	**non-zero white content / having**, containing a portion of white, masked (veiled, shaded) by white, white shaded \<of chromatic colour\>	weißverhüllt, verweißlicht	avec un contenu de blanc différent de zéro, contenant une portion de blanc, masqué par le blanc \<de couleur chromatique\>	имеющий содержание белого цвета, отличное от нуля; содержащий долю белого цвета, маскированный белым цветом \<о хроматическом цвете\>
N 851	**Norbury['s] rule**	Norburysche Regel f	règle f de Norbury	правило Норбери
N 852	**Nordheim['s] relation**	Nordheimsche Beziehung (Relation) f	relation f de Nordheim	формула Нордгейма
N 853	**Nordheim['s] rules**	Nordheimsche Regeln fpl, Nordheim-Regeln fpl	règles fpl de Nordheim	правила Нордгейма
N 854	**Nordström['s] theory of gravitation**	Nordströms[che] Gravitationstheorie f, Gravitationstheorie von Nordström	théorie f de gravitation de Nordstrœm	теория тяготения Нордстрема
	norm; standard	Standard m; Norm f	standard m; norme f	стандарт; норма; нормаль
N 855	**norm** \<of the quaternion\>	Norm f \<Quaternion\>	norme f \<du quaternion\>	квадрат нормы
N 856	**norm**; bound \<of operator\>	Norm f \<Math.\>	norme f \<math.\>	норма \<матем.\>
	normal, perpendicular [line], vertical line, plumb line	Senkrechte f, Lot n, Normale f	perpendiculaire f, ligne f verticale	перпендикуляр; вертикаль, вертикальная линия; отвесная линия
	normal, normal to the surface, surface normal, normal of surface	Flächennormale f, Normale f der Fläche	normale f à la surface	нормаль к поверхности
N 857	**normal**	normal, regelmäßig, regelrecht, regulär	normal	правильный
	normal; perpendicular	senkrecht; normal; seiger, saiger; lotrecht	perpendiculaire; normal	перпендикулярный; направленный под прямым углом; нормальный; отвесный
	normal, standard	Standard, Normal-, normal	étalon, normal, type, standard	стандартный, нормальный, эталонный
N 858	**normal**, N; n- \<chem.\>	normal, n, N; n- \<Chem.\>	normal, N; n- \<chim.\>	нормальный, H; n- \<хим.\>
N 859	**normal acceleration**, normal component of acceleration; centripetal [component of] acceleration	Normalbeschleunigung f, Normalkomponente f der Beschleunigung; Zentripetalbeschleunigung f	accélération f normale; accélération centripète	нормальное ускорение; центростремительное ускорение
	normal acoustic impedance, normal impedance \<ac.\>	Normalwiderstand m, normale Widerstandskomponente f \<Ak.\>	impédance f acoustique normale \<ac.\>	нормальное сопротивление \<ак.\>
	normal allowed transition, non-favoured [beta] transition	nichtbegünstigter (normaler) Übergang m, normalerlaubter [Beta-]Übergang m	transition f infavorable, transition non favorisée, transition [bêta] permise non favorisée	неблагоприятный переход, нормальный [разрешенный] переход, слабозапрещенный переход
	normal annual discharge (runoff)	s. mean annual runoff		

N 860	normal astrograph	Normalastrograph *m*	astrographe *m* normal, astrographe [du type] Carte du Ciel	нормальный астрограф, астрограф типа «Карты неба»
N 861	normal atom	normales Atom *n* <alle Elektronen im Grundzustand>	atome *m* normal	нормальный атом
	normal band, valence [electron] band, valence-bond band	Valenzband *n*, V-Band *n*, Valenzelektronenband *n*	bande *f* de valence, zone *f* de valence	валентная (нижняя, нормальная, заполненная) зона
N 862	normal band	Normalbande *f*, Normalband *n* <dem Grundzustand entsprechend>	bande *f* normale	нормальная полоса
	normal calomel electrode, standard calomel electrode, Ostwald['s] electrode	Normalkalomelelektrode *f*, Ostwald-Elektrode *f*	électrode *f* normale au calomel	нормальный каломельный электрод, нормальный каломелевый электрод
	normal case, ordinary case, fundamental case	Normalfall *m*	cas ordinaire, cas normal, cas fondamental	нормальный случай, обычный случай
N 863	normal cathode fall	normaler Katodenfall *m*	chute *f* cathodique normale	нормальное катодное падение [потенциала]
	normal cell, standard [voltage] cell	Normalelement *n*	pile *f* étalon (normale), élément *m* étalon (normal)	нормальный элемент; эталонный (стандартный) элемент
	normal class	s. monoclinic holohedry		
	normal class	s. orthorhombic holohedry		
	normal class	s. holohedry of the hexagonal system		
	normal class	s. holohedry of the regular system		
	normal class	s. holohedry of the tetragonal system		
	normal class	s. holohedry of the triclinic system		
	normal colour, standard colour	Normalfarbe *f*	couleur *f* normale, couleur standard, couleur étalon	нормальный цвет, эталонный цвет, стандартный цвет
	normal component of acceleration, normal acceleration; centripetal [component of] acceleration	Normalbeschleunigung *f*, Normalkomponente *f* der Beschleunigung; Zentripetalbeschleunigung *f*	accélération *f* normale; accélération centripète	нормальное ускорение; центростремительное ускорение
	normal component of force; normal force, perpendicular force	Normalkraft *f*; Normalkomponente *f* der Kraft	force *f* normale; composante *f* normale de force	нормальная сила, нормальное усилие; нормальная составляющая силы
N 864	normal component of strain, normal strain	Normalkomponente *f* der Verformung, normale Verformung *f*	composante *f* normale de contrainte, contrainte *f* normale	нормальная составляющая деформации, нормальное перемещение
	normal component of stress	s. normal stress		
N 865	normal compound, n-compound	normale Verbindung *f*, n-Verbindung *f*	composé *m* normal	нормальное соединение, n-соединение
	normal conditions	s. standard conditions		
N 866	normal conductor	Normalleiter *m*	conducteur *m* normal	нормальный проводник
	normal contact	s. rest contact		
N 867	normal co-ordinate analysis	Normalkoordinatenanalyse *f*	analyse *f* par coordonnées normales	анализ методом нормальных координат
N 868	normal co-ordinates, orthogonal trajectory co-ordinates	Normalkoordinaten *fpl*, Hauptkoordinaten *fpl*, Rayleighsche Koordinaten *fpl*	coordonnées *fpl* normales, variables *fpl* principles	нормальные координаты
	normal coupling, weak coupling <nucl.>	schwache Kopplung *f*, normale Kopplung <Kern.>	couplage *m* faible, couplage normal <nucl.>	слабая связь, нормальная связь <яд.>
N 869	normal curvature vector	Normalkrümmungsvektor *m*	vecteur *m* de courbure normale	вектор нормальной кривизны
	normal curve of magnetization	s. virgin curve of magnetization		
	normal cut, X-cut, X cut	X-Schnitt *m*	coupe *f* X	X-срез [кристалла]
	normal density	s. standard density <20 °C, 760 Torr>		
N 870	normal derivative	Normalableitung *f*, Ableitung *f* in Normalenrichtung	dérivée *f* suivante la normale, dérivée normale	производная по нормали, нормальная производная
	normal developer, standard developer	Normalentwickler *m*, Standardentwickler *m*	révélateur *m* normal, révélateur étalon, révélateur type, révélateur standard	нормальный проявитель, стандартный проявитель
N 871	normal direction, direction of normal	Normalenrichtung *f*	direction *f* de la normale	направление нормали
	normal discharge	s. normal glow discharge		
N 872	normal dispersion	normale Dispersion *f*	dispersion *f* normale	нормальная дисперсия; отрицательная дисперсия <ак.>
	normal distribution	s. Gaussian distribution		
	normal distribution curve	s. error curve		
	normal distribution law	s. Gaussian distribution		
N 873	normal divisor, invariant sub-group, normal sub-group, self-conjugate sub-group, distinguished sub-group	Normalleiter *m*, invariante (ausgezeichnete, selbstkonjugierte) Untergruppe *f*	sous-groupe *m* invariant, sous-groupe distingué, sous-groupe normal	нормальный делитель, инвариантная подгруппа, нормальная подгруппа
N 874	normal E-layer	normale E-Schicht *f*	couche *f* E normale	нормальный слой E

	normal electrode, standard electrode	Normalelektrode f	électrode f normale	нормальный (стандартный, эталонный) электрод
	normal electron, quasiparticle of the superconductor	Quasiteilchen n des Supraleiters, Normalelektron n	quasi-particule f du supraconducteur, électron m normal	квазичастица в сверхпроводнике, «нормальный» электрон
	normal elliptic integral of the first <second; third> kind in Legendre's notation	s. elliptic integral of the first <second; third> kind in Legendre's normal form		
N 875	**normal energy level** <of atom or molecule>	niedrigstes Energieniveau n; Grundterm m; Grundzustand m, normaler Energiezustand m <Atom oder Molekül>	niveau m normal <de l'atome ou de la molécule>	нормальный энергетический уровень <атома или молекулы>
N 876	**normal energy level** <of electron>	Grundwert m der Energie, normaler Energiezustand m, Normalzustand m <Elektron>	niveau m normal de l'électron	нормальный энергетический уровень [электрона]
N 877	**normal equation,** standard equation	Normalgleichung f	équation f normale	нормальное уравнение
N 878	**normal equation of Hesse,** Hesse's standard (normal) form	Hessesche Normalform f	forme f normale de Hesse	нормальная форма Гессе
N 879	**normal equivalent deviate, normal equivalent deviation,** NED, N.E.D., n.e.d.	Normalfraktil n, NED n	écart m réduit normal	нормальный квантиль, квантиль нормального распределения
	normal error curve	s. error curve		
	normal eye, standard eye	mittleres, normales menschliches Auge n; Normalauge n, normales Auge, Standardauge n	œil m étalon, œil type, œil normal, œil humain moyen	нормальный глаз, стандартный глаз, средний нормальный человеческий глаз
N 880	**normal fold,** symmetric fold	stehende (aufrechte) Falte f	pli m normal (droit, symétrique)	симметричная (прямая) складка
N 881	**normal force,** perpendicular force; normal component of force	Normalkraft f; Normalkomponente f der Kraft	force f normale; composante f normale de force	нормальное сила, нормальное усилие, нормальная составляющая силы
	normal force	s. dynamic lift <aero., hydr.>		
N 882	**normal form of Weierstrass**	Weierstraßsche Normalform f	forme f réduite de Weierstrass	нормальная форма Вейерштрасса
N 883	**normal form transformation**	Normalformtransformation f, Transformation f auf die Normalform	transformation f à la forme normale	преобразование к нормальному виду
	normal frequency	s. fundamental frequency <of coupled systems>		
	normal frequency	s. a. standard frequency		
	normal frequency curve	s. error curve		
N 884	**normal giant, normal giant star**	normaler Riesenstern m, normaler Riese m	géante f normale, étoile f géante normale	нормальная звезда-гигант, слабый (нормальный) гигант
N 885	**normal glow discharge,** normal [rate of] discharge	normale Glimmentladung (Entladung) f, Normalentladung f	décharge f luminescente normale, décharge normale	нормальный [тлеющий] разряд, нормальный режим разряда
N 886	**normal glow regime**	Gebiet n der normalen Glimmentladung (Entladung)	régime m de décharge luminescente normale	область нормального тлеющего разряда
N 887	**normal hydrogen**	Normalwasserstoff m	hydrogène m normal	нормальный водород
	normal hydrogen electrode	s. standard hydrogen electrode		
N 888	**normal impedance,** normal acoustic impedance <ac.>	Normalwiderstand m, normale Widerstandskomponente f <Ak.>	impédance f acoustique normale <ac.>	нормальное сопротивление <ак.>
N 889	**normal incidence,** vertical incidence	senkrechter (normaler) Einfall m, Normaleinfall m	incidence f normale, incidence verticale	падение по нормали, нормальное (вертикальное) падение
N 890	**normal induction**	normale Induktion f	induction f normale	нормальная индукция
N 891	**normal interference colour,** Newtonian interference colour	normale Interferenzfarbe f, Newtonsche Interferenzfarbe	teinte f de Newton	нормальный интерференционный цвет, ньютоновский интерференционный цвет
N 892	**normal isotope effect**	normaler (regulärer) Isotopeeffekt m	effet m isotopique normal	нормальный изотопный эффект
N 893	**normality,** equivalent concentration	Normalität f, Äquivalentkonzentration f, Äquivalenzkonzentration f, Grammäquivalent n je Liter	normalité f, concentration f équivalente	нормальность, эквивалентная концентрация
N 894	**normality factor** <chem.>	Normalitätsfaktor m, Korrektionsfaktor m, Korrekturfaktor m	facteur m de normalité, facteur de correction	поправочный коэффициент, численное значение нормальности
N 895	**normalizable function,** quadratically integrable function	normierbare Funktion f, quadratisch integrierbare Funktion	fonction f normable, fonction de carré sommable	нормируемая функция, интегрируемая с квадратом функция
N 896	**normalizable kernel,** Hilbert-Schmidt kernel	normierbarer Kern m, Hilbert-Schmidtscher Kern, quadratisch integrierbarer Kern	noyau m de carré sommable, noyau de type de Hilbert-Schmidt	нормируемое ядро, ядро Гильберта-Шмидта
N 897	**normalization**	Normierung f	normalisation f	нормировка, нормирование
	normalization, normalizing [heat treatment]	Normalglühen n, Normalisierung f	normalisation f	нормализация, воздушная закалка

N 898	**normalization** <num. math.>	Normalisierung f <num. Math.>	normalisation f <math. num.>	нормализация <числ. матем.>
N 899	**normalization condition**	Normierungsbedingung f, Normierungsbeziehung f	condition f de normalisation	условие нормировки, условие нормирования
	normalization factor, normalizing factor	Normierungsfaktor m	facteur m de normalisation, facteur normalisant	нормировочный коэффициент, нормирующий (нормирующий) множитель
N 900	**normalized algebra**	normierte Algebra f	algèbre f normée	нормированное кольцо
N 901	**normalized basis**	normierte Basis f	base f normée	нормированный базис
N 902	**normalized co-ordinates,** normed co-ordinates	normierte Koordinaten fpl	coordonnées fpl normées	нормированные координаты
N 903	**normalized function**	normierte Funktion f	fonction f normée	нормированная функция, приведенная функция
N 904	**normalized impedance,** reduced impedance, normalized wave impedance, reduced wave impedance	normierter (reduzierter) Wellenwiderstand m, normierter (reduzierter) Feldwellenwiderstand m	impédance f normalisée, impédance ramenée, impédance réduite	нормированное (нормализованное) полное сопротивление, приведенное полное сопротивление
	normalized orthogonal system	s. orthonormal system		
N 905	**normalized quaternion,** versor	Versor m, normierte Quaternion f, genormte Quaternion	verseur m, quaternion m normé	нормированный кватернион
N 906	**normalized space,** normed space	normierter Raum m	espace m normé	нормированное пространство
N 907	**normalized unit**	normierte Einheit f, reduzierte Einheit	unité f normalisée	приведенная единица, нормированная единица
	normalized vector	s. unit vector		
	normalized wave impedance	s. normalized impedance		
N 908	**normalizing,** normalizing heat treatment, normalization	Normalglühen n, Normalisierung f	normalisation f	нормализация, воздушная закалка
N 909	**normalizing factor,** normalization factor	Normierungsfaktor m	facteur m de normalisation, facteur normalisant	нормировочный коэффициент, нормировочный (нормирующий) множитель
	normalizing heat treatment	s. normalizing		
	normal law of errors	s. error law		
N 910	**normal level,** ground (fundamental) level	Grundniveau n	niveau m fondamental, niveau normal	основной уровень, нормальный уровень
N 911	**normal liquid,** non-associated liquid, unassociated liquid, non-polar liquid	nichtassoziierte (nichtangelagerte, nichtpolare, normale) Flüssigkeit f, Normalflüssigkeit f	liquide m normal (non associé, non polaire), fluide m normal	простая (неассоциированная, неассоциирующая, неполярная, нормальная) жидкость
	normal Lorentz triplet, normal Zeeman triplet	normales Zeeman-Triplett n, normales Lorentz-Triplett n, normales Zeemansches Triplett n	triplet m Zeeman normal, triplet Lorentz normal	нормальный триплет Зеемана, нормальный триплет Лоренца
	normally closed contact (interlock)	s. rest contact		
N 912	**normally distributed variable**	normalverteilte Variable f	variable f laplacienne	нормально распределенная переменная, распределенная по закону Гаусса переменная
	normally open interlock <US>	s. make contact		
	normally ordered aggregate, well-ordered set, well-ordered aggregate	wohlgeordnete Menge f, vollständig geordnete Menge, Wohlordnung f	ensemble m bien ordonné	вполне упорядоченное множество
	normal magnetization curve	s. virgin curve of magnetization		
N 913	**normal magnification**	Normalvergrößerung f, normale Vergrößerung f; Pupillengleiche f <beim Fernrohr>	agrandissement m normal, grossissement m normal (équipupillaire)	нормальное увеличение, равнозрачковое увеличение
N 914	**normal mass effect**	normaler Kernmasseneffekt m [der Isotopie]	effet m de masse normal	нормальный массовый эффект
N 915	**normal matrix**	normale Matrix f; Normalmatrix f	matrice f normale	нормальная матрица
	normal mode, <of vibration>, normal vibration <of microwaves>	Normalschwingung f, normale Mode f, Normalmode f <Mikrowellen>	vibration f normale, mode m normal <des micro-ondes>	нормальный вид колебаний <микроволн>
	normal mode <of vibration>, fundamental oscillation <of coupled systems>	Normalschwingung f, Eigenschwingung f, Fundamentalschwingung f, Hauptschwingung f <gekoppelter Systeme>	oscillation f fondamentale <de systèmes couplés>	нормальное колебание, главное колебание <связанных систем>
	normal multiplet, regular multiplet	regelrechtes (reguläres, normales) Multiplett n, Multiplett mit normaler Termordnung	multiplet m régulier, multiplet normal	регулярный мультиплет, нормальный мультиплет
	normal of surface, normal to the surface, [surface] normal	Flächennormale f, Normale f der Fläche	normale f à la surface	нормаль к поверхности
N 916	**normal operator**	normaler Operator m	opérateur m normal, opération f normale	нормальный оператор
N 917	**normal order of terms**	normale Termordnung f	ordre m normal des termes	нормальный порядок термов
	normal oxidation-reduction potential	s. standard oxidation-reduction potential		

	English	German	French	Russian
	normal permeability	s. absolute permeability		
	normal photoelectric effect (emission)	s. photoemissive effect		
N 918	normal plane	Normalebene f	plan m normal	нормальная плоскость
N 919	normal polarogram	Normalpolarogramm n	polarogramme m normal	нормальная полярограмма
N 920	normal position, standard position	Normalstellung f; Normallage f	position f normale	нормальное положение
	normal position	s. a. position of rest		
	normal potential	s. standard electrode potential		
	normal pressure	s. standard pressure <760 Torr>		
	normal pressure and temperature	s. standard electrode conditions		
N 921	normal-pressure drag, pressure drag <aero.>	Druckwiderstand m <Aero.>	traînée (résistance) f de pression <aéro.>	сопротивление давления <аэро.>
	normal probability curve	s. error curve		
	normal probability paper	s. Gauss paper		
	normal process, N process	N-Prozeß m, Normalprozeß m, normaler Prozeß m	processus m N, processus normal, procédé m N, procédé normal	нормальный процесс
N 922	normal product	Normalprodukt n	produit m normal; produit ordonné	нормальное произведение
	normal rate of discharge, normal [glow] discharge	normale Glimmentladung (Entladung) f, Normalentladung f	décharge f luminescente normale, décharge normale	нормальный [тлеющий] разряд, нормальный режим разряда
	normal ray, perpendicular ray	Normalstrahl m	rayon m normal	перпендикулярный луч, нормальный луч
	normal ray	s. a. ordinary ray		
N 923	normal reaction	Normalreaktion f	réaction f normale	нормальная реакция
	normal recession curve	s. recession curve <hydr.>		
N 924	normal representation	normale Darstellung f	représentation f normale	нормальное представление
	normal room temperature, room (ordinary) temperature	Raumtemperatur f, Zimmertemperatur f	température f de l'intérieur, température ambiante (ordinaire)	комнатная температура, температура помещения (в помещении)
	normal saline [solution]	s. physiological salt solution		
	normal schliere, standard schliere, reference schliere	Normalschliere f	strie f étalon, strie normale	стандартный шлир, стандартная свиль, нормальный шлир, нормальная свиль
	normal segregation	s. macroscopic segregation		
	normal sensitivity f of, of average sensitivity	normalempfindlich	de sensibilité moyenne, de rapidité moyenne	нормальной чувствительности, среднечувствительный
N 925	normal series	Normalreihe f	série f normale	нормальный ряд
N 926	normal shock	Normalstoß m, normaler Stoß m	choc m normal de recompression	прямой скачок уплотнения
	normal slope, equilibrium slope	Gleichgewichtsgefälle n, Normalgefälle n	pente f d'équilibre, pente normale	равновесное падение, нормальное падение
N 927	normal solution, standard solution, 1 N solution	Normallösung f, n-Lösung f, normale Lösung f, 1 n Lösung	solution f normale, solution molaire normale, solution 1 N	нормальный раствор, однонормальный раствор, 1 H раствор
N 928	normal sound	Normalschall m	son m normal	нормальный звук
	normal spectrum	s. grating spectrum		
N 929	normal spinel	Normalspinell m	spinelle m normal	нормальная шпинель
	normal standard cell	s. Weston normal standard cell		
N 930	normal state, standard state, state under normal conditions	Norm[al]zustand m, Zustand m unter Normalbedingungen	état m standard (normal, type, sous conditions normales)	стандартное (нормальное) состояние, состояние в нормальных условиях
	normal state	s. ground state		
N 931	normal-state disintegration energy	Zerfallsenergie f für den Grundzustand	énergie f de désintégration de l'état fondamental	энергия распада основного состояния
N 932	normal-state energy	Energie f des Grundzustandes	énergie f de l'état fondamental	энергия основного состояния
	normal steam	s. standard steam		
N 933	normal stereogram	Normalstereogramm n	stéréogramme m normal	нормальная стереопара
	normal strain, normal component of strain	Normalkomponente f der Verformung, normale Verformung f	composante f normale de contrainte, contrainte f normale	нормальная составляющая деформации, нормальное перемещение
	normal strain	s. unit elongation		
N 934	normal stress	Normalspannungszustand m	état m à tension normale	состояние нормального напряжения
N 935	normal stress, normal component of stress, direct stress <mech.>	Normalspannung f <Mech.>	tension (contrainte) f normale <méc.>	нормальное напряжение <мех.>
N 936	normal stress <mech.>	Normalbeanspruchung f; Normalanstrengung f	effort m normal <méc.>	нормальное напряжение <мех.>
	normal stress	s. a. tensile stress		
N 936a	normal stress effect, cross effect	Normalspannungseffekt m	effet m de la tension normale	эффект (влияние) нормального напряжения
N 937	normal stress law	Normalspannungshypothese f, Normalspannungsgesetz n [von Sohncke]	loi f de la tension normale, critère m de la tension principale maximum	закон нормальных напряжений
	normal sub-group	s. normal divisor		
N 938	normal surface, wave-normal surface, wave velocity surface	Normalenfläche f, Wellen[normalen]fläche f, Wellengeschwindigkeitsfläche f	surface f des normales [d'onde]	поверхность фронта волны, поверхность нормалей (нормальных скоростей)
N 939	normal temperature, standard temperature	Normtemperatur f, Normaltemperatur f	température f normale	нормальная температура

	normal temperature and pressure	s. standard conditions		
N 940	normal tensor	Normaltensor m, Normalaffinor m	tenseur m normal	нормальный тензор
	normal term, ground term, fundamental term, term of ground state	Grundterm m, Term m des Grundzustandes	terme m fondamental, terme normal, terme de l'état normal	основной терм, нормальный терм, терм основного состояния
	normal to the reflecting surface, axis (perpendicular) of incidence, perpendicular	Einfallslot n, Einfallsnormale f	normale f [d'incidence]	перпендикуляр [к плоскости отражения]
N 941	normal to the surface, [surface] normal, normal of surface	Flächennormale f, Normale f der Fläche	normale f à la surface	нормаль к поверхности
N 942	normal transformation	normale Transformation f	transformation f normale	нормальное преобразование
	normal unit vector	s. unit normal		
N 943	normal valence <chem.>	normale Wertigkeit f, normale Valenz f <Chem.>	valence f normale <chim.>	нормальная валентность <хим.>
N 944	normal variable	Normalvariable f	variable f normale	нормальная переменная
N 945	normal vector	Normalenvektor m	vecteur m normal, vecteur de la normale	вектор нормали
N 946	normal vibration, normal mode [of vibration] <of microwaves>	Normalschwingung f, normale Mode f, Normalmode f <Mikrowellen>	vibration f normale, mode m normal <des microondes>	нормальный вид колебаний <микроволн>
N 947	normal vibration of the molecule	Normalschwingung (Eigenschwingung) f des Moleküls	vibration f normale (propre) de la molécule	нормальное (собственное) колебание молекулы
	normal vision, emmetropia	Normalsichtigkeit f, Rechtsichtigkeit f, Emmetropie f	emmétropie f, vision f normale	эмметропия, нормальное зрение
	normal Wien effect, Wien['s] effect	Wien-Effekt m normaler Wien-Effekt, Feldstärkeeffekt m [von Wien]	effet m Wien, effet Wien normal	эффект Вина, нормальный эффект Вина, дисперсия электропроводности
N 948	normal year	Normaljahr n	année f normale	нормальный год; средний по водности год
N 949	normal Zeeman effect	normaler Zeeman-Effekt m, Zeeman-Effekt der Singulettsysteme	effet m Zeeman normal	простое (нормальное) явление Зеемана, нормальный эффект Зеемана
N 950	normal Zeeman triplet, normal Lorentz triplet	normales Zeeman-Triplett (Lorentz-Triplett, Zeemansches Triplett) n	triplet m Zeeman normal, triplet Lorentz normal	нормальный триплет Зеемана, нормальный триплет Лоренца
N 951	normatron	Normatron n	normatron m	норматрон
	normed co-ordinates	s. normalized-co-ordinates		
	normed space, normalized space	normierter Raum m	espace m normé	нормированное пространство
N 952	Nörremberg['s] polarizer (polarizing apparatus)	Nörrembergscher Polarisationsapparat m	appareil m à polariser de Nörremberg	поляризационный прибор (аппарат) Нерремберга
N 953	north celestial pole, [celestial] north pole <astr.>	Himmelsnordpol m, nördlicher Himmelspol m, Nordpol m [des Himmels], Weltpol m <Astr.>	pôle m céleste nord <astr.>	небесный северный полюс, северный небесный полюс, [северный] полюс мира <астр.>
	northern autumnal equinox	s. autumnal equinox		
	northern autumnal equinox	s. autumnal point		
	northern dawn	s. northern lights		
N 954	northern hemisphere	Nordhalbkugel f, nördliche Hemisphäre (Halbkugel) f, Nordhemisphäre f	hémisphère m boréal, hémisphère du nord, hémisphère Nord	северное полушарие
N 955	northern [polar] lights, aurora borealis, northern dawn	Nordlicht n, Aurora f borealis	aurore f boréale	северное сияние, северное полярное сияние
	northern vernal equinox, vernal equinox, spring equinox	Frühlingsäquinoktium n, Frühlings-Tagundnachtgleiche f	équinoxe m vernal, équinoxe de (du) printemps	весеннее равноденствие
N 956	north magnetic pole	magnetischer Nordpol m	pôle m nord [de l'aimant]	северный магнитный полюс, магнитный северный полюс
N 957	north point [of the horizon]	Nordpunkt m	point m nord [de l'horizon]	точка севера [горизонта]
N 958	north polar distance, polar distance, codeclination, P.D., PD	Poldistanz f, Polabstand m, Nordpolabstand m, Polardistanz f	distance f polaire, codéclinaison f, distance du nord polaire	полярное расстояние <светила>
N 959	north polar sequence, polar sequence	Polsequenz f, Nordpolarsequenz f, Polfolge f	séquence f polaire	Северный Полярный Ряд, полярный ряд
	north pole	s. north celestial pole <astr.>		
N 960	north-south asymmetry	Nord-Süd-Asymmetrie f	asymétrie (dissymétrie) f nord-sud, asymétrie N-S	северно-южная асимметрия
N 961	north-south effect	Nord-Süd-Effekt m	effet m nord-sud	северно-южный эффект
N 962	Norton['s] theorem	Satz m von H. F. Mayer, Nortonscher Satz	théorème m de Norton	теорема Нортона
N 963	Norwegia-type glacier, plateau glacier	Plateaugletscher m, Hochlandeis n, norwegischer Gletschertyp m	glacier m de plateau, glacier du type norvégien	ледник норвежского типа, ледяная шапка, норвежский тип ледника, высокогорный лед
N 963a	nose; nosing	Nase f; Schnauze f; Vorderteil n; Bug m	nez m	носик; носовая часть; передняя часть
N 964	nose[]heaviness	Kopflastigkeit f; Vorderlastigkeit f	lourdeur f du nez, lourdeur de l'avant	передняя центровка, перетяжеление носа <самолета>; дифферент на нос <судна>
	nose piece <e.g. of microscope>	s. turret head		

	English	German	French	Russian
	nose shock	s. head wave		
	no-signal potential	s. resting potential		
	nosing	s. nose		
N 964a	no-sky line	Himmelslichtgrenzlinie f	ligne f d'occultation du ciel	граница видимости неба
N 965	no-slip condition, condition of no (zero) slip	Haftbedingung f	condition f d'adhérence	условие прилипания
	notation; designation; system of notation; symbolism	Bezeichnung f; Bezeichnungsweise f; Schreibweise f; Symbolik f	notation f; système m de notation; système de numération; symbolique f	обозначение; система обозначения, система счисления; символика
N 966	notch, nick; indentation; cut	Kerbe f, Einkerbung f, Kerb m; Einschnitt m; Aussparung f; Scharte f	entaille f; [en]coche f; indentation f	надрез; запил; насечка; зарубка; засечка; зазубрина; щербина
	notch bar	s. notch specimen		
N 967	notch bar bending test	Kerbbiegeversuch m, Kerbbiegeprüfung f	essai m de flexion d'une éprouvette entaillée	испытание на изгиб образца с надрезом
	notch bar impact resistance	s. notch impact strength		
N 968	notch bar impact test, notch beam impact test, notch bend test	Kerbschlagbiegeversuch m, Kerbschlagversuch m	essai m de résilience sur mouton-pendule, essai de résilience	ударное испытание на ударную вязкость образца с надрезом (запилом), ударное испытание на изгиб образца с надрезом (запилом)
N 969	notch brittleness	Kerbsprödigkeit f	fragilité f due à l'entaille	хрупкость из-за наличия зарубки
	notch brittleness (ductility)	s. a. notch impact strength		
	notched bar	s. notch specimen		
	notched effect	s. notch effect		
	notched impact strength (value)	s. notch impact strength		
	notched specimen	s. notch specimen		
	notched weir, measuring weir, measurement weir, weir	Meßüberfall m, Meßwehr n, Wehr n	déversoir m de mesure, déversoir à échancrure, déversoir	мерный (измерительный, гидрометрический) водослив, водослив с вырезом
N 970	notch effect, notched effect	Kerbwirkung f	effet m d'entaille	влияние запила (зарубки, надреза), действие запила (зарубки), действие надреза; концентрация напряжений в надрезе
	notch [fatigue] factor	s. reduced factor of stress concentration		
N 971	notch groove, groove (root, base) of the notch	Kerbgrund m	base f de l'entaille	основание надреза
	notch impact resistance	s. notch impact strength		
N 972	notch impact strength (value), [notched] impact strength (value), notch ductility, [notch] toughness, notch brittleness, notch [bar] impact resistance, impact resistance	Kerbschlagzähigkeit f, Kerbzähigkeit f, Kerbschlagwert m, Kerbschlagbiegezähigkeit f, Kerbfestigkeit f, spezifische Schlagarbeit f	résilience f, résistance f au choc [sur l'entaille], resistance au choc d'une éprouvette entaillée	ударная вязкость [образца с надрезом], ударная вязкость в запиле, динамическая вязкость, ударное сопротивление [образца с надрезом]
N 973	notching, indenting, cutting	Kerbung f, Einkerbung f; Nutung f	entaillement m, encochement m, encochage m	зарубка, деление вырезов (зарубок); выемка пазов
	notch sensitivity, fatigue notch sensitivity	Kerbempfindlichkeit f, Kerbempfindlichkeitszahl f	sensibilité f à l'entaille; coefficient m de susceptibilité à l'entaille	чувствительность к надрезу; коэффициент чувствительности [к надрезу]
N 974	notch specimen, notch bar, notched bar (specimen)	gekerbte Probe f, Kerbschlag[biege]probe f, gekerbter Probestab m, Kerbstab m	éprouvette f entaillée, barreau m entaillé	образец с надрезом (запилом), надрезанный образец
	notch toughness	s. notch impact strength		
	notch-type depression, V-depression, vee depression	V-Depression f, V-förmige Senke f	dépression f en V	V-образная депрессия
N 975	not close-packed structure	nichtdichte Packung f	empilement m non compact	неплотная упаковка
	note amplifier	s. audio amplifier		
	note frequency, beat frequency (rate)	Schwebungsfrequenz f, Schwebungszahl f	fréquence f de battement	частота биений, частота пульсации
	notion of heat, heat concept	Wärmebegriff m	notion f de chaleur	понятие тепла
	not stratified, unstratified	ungeschichtet	non stratifié	ненапластованный; нестратифицированный; неслоистый
	not transparent; impermeable to light; opaque; non-transparent	lichtundurchlässig, undurchlässig für Licht; opak; undurchsichtig, nicht durchsichtig	imperméable à la lumière; opaque; non transparent	светонепроницаемый, непроницаемый для света; непрозрачный, непросвечивающий
N 976	Nouy tensiometer / du	Adhäsionswaage f [nach Lecomte du Nouy]	tensiomètre m Lecomte du Nouy	тензиометр Леконта дю Нуй
N 977	nova <pl.: novae>, new star, explosive star	Nova f <pl.: Novae>, Neuer Stern m, temporärer Veränderlicher m	nova f <pl: novae>, étoile f nouvelle	новая звезда, новая, Новая
N 978	nova explosion, nova outburst, outburst of nova	Novaausbruch m, Helligkeitsausbruch (Lichtausbruch) m einer Nova	explosion f d'une nova	вспышка новой [звезды]
N 979	Nowotny phase	Nowotny-Phase f	phase f de Nowotny	фаза Новотного
N 980	nox, nx	Nox n, nx	nox m, nx	нокс, нкс
N 981	noxious surface	schädliche Fläche f	surface f nuisible	вредная поверхность

	English	German	French	Russian
	nozzle; mouthpiece	Mundstück n ‹z. B. der Düse›; Düsenmundstück n, Austrittsöffnung f der Düse	ajutage m [rentrant]; embouchure f	насадок, гидравлический насадок, насадка; наконечник; мундштук; сопло
N 982	**nozzle**	Düse f	tuyère f, ajutage m	сопло, форсунка, конфузор
N 983	**nozzle,** flanged nozzle (socket), connecting piece, connection, lug	Stutzen m, Rohransatz m, Rohransatzstück n, Rohrstutzen m	tubulure f	штуцер, патрубок, насадка
	nozzle, spout ‹of waveguide›	Austrittsöffnung f [des Wellenleiters], Wellenleiter[-Austritts]öffnung f s. a. jet nozzle	bouchon m du guide d'ondes	щель [в волноводе]
	nozzle			
N 984	**nozzle flow**	Düsenströmung f	écoulement m dans une tuyère	течение в сопле
N 985	**nozzle separator,** separation nozzle	Trenndüse f, Schäldüse f	buse f (gicleur m) de séparation, tuyère f séparatrice	разделительное сопло
	nozzle throat, throat of the nozzle	Düsenhals m, Hals m (Verengung f) der Düse, kritischer Düsenquerschnitt m	col m de la tuyère	горловина сопла, критическое сечение сопла
N 986	**n-particle problem**	n-Teilchen-Problem n	problème m des n particules	задача n частиц
N 987	**n-p junction**	np-Übergang m, np-Verbindung f, np-Kontakt m	jonction f [type] n-p, jonction semi-conductrice n-p	электронно-дырочный переход [типа n-p], n-p-переход
N 988	**n-p-n-junction transistor,** n-p-n-type transistor, n-p-n- transistor	npn-Transistor m, npn-Flächentransistor m	transistor m à jonctions n-p-n, transistor type n-p-n, transistor n-p-n	плоскостной полупроводниковый триод с n-p-n переходами, полупроводниковый триод типа n-p-n, транзистор с n-p-n переходами, n-p-n-транзистор
N 989	**n-p-n-p diode,** four-layer n-p-n-p diode	npnp-Diode f, npnp-Flächendiode f, npnp-Vierschichtdiode f	diode f à trijonction n-p-n-p, diode à jonctions n-p-n-p, diode type n-p-n-p, diode n-p-n-p	n-p-n-p-диод, полупроводниковый диод с n-p-n-p-переходами, четырехслойный диод с n-p-n-p-структурой
N 990	**n-p-n-p transistor,** four-layer n-p-n-p transistor	npnp-Transistor m, npnp-Flächentransistor m, npnp-Vierschichttransistor m	transistor m à trijonction n-p-n-p, transistor à jonctions n-p-n-p, transistor type n-p-n-p, transistor n-p-n-p	n-p-n-p-транзистор, четырехслойный транзистор с n-p-n-p-структурой, полупроводниковый триод с n-p-n-p-переходами
	n-p-n[-type] transistor	s. n-p-n junction transistor		
	n-port, multiport	Mehrtor n, n- Tor n	multiporte f	многократный вывод, n-кратный вывод
N 991	**(n,p) process, (n,p) reaction,** (n,p) type reaction, (n,p) type process, reaction of (n,p) type, neutron-proton reaction	(n,p)-Reaktion f, (n,p)-Prozeß m, Neutron-Proton-Reaktion f	réaction f (n,p), réaction du type (n,p), processus m (n,p), réaction neutron-proton, processus neutron-proton	(n,p)-реакция, реакция типа (n,p), нейтрон-протонная реакция
N 992	**N process,** normal process	N-Prozeß m, Normalprozeß m, normaler Prozeß m	processus m N, processus normal, procédé m N, procédé normal	нормальный процесс
	n-p scattering	s. neutron-proton scattering		
	NPT	s. standard conditions		
	(n,p) type process (reaction)	s. (n,p) reaction		
N 993	**n-region**	n-leitende Zone f, n-leitender Bereich m n-Gebiet n, n-Zone f, n-Schicht f	région f n	область с электронной проводимостью, электронная область, n-область
	N.T.C. resistor	s. thermistor		
N 994	**n-th forbidden**	n-fach verboten	interdit n fois, n fois interdit	n-кратно запрещенный
N 995	**n-th forbidden transition**	n-fach verbotener Übergang m	transition f interdite n fois, transition n fois interdite	n-кратно запрещенный переход
N 996	**n-th order transformation (transition),** transition (transformation) of n-th order	Umwandlung f n-ter Ordnung (Art), Übergang m n-ter Ordnung (Art)	transition f de n-ième espèce (ordre), transformation f de n-ième espèce (ordre)	фазовый переход n-го рода, фазовое превращение n-го рода
N 996a	**n-tuple**	n-tupel n	n-tuple m	набор из n элементов (чисел); n-ка
N 997	**n-type, N-type,** n-conducting, N-conducting	n-leitend, n-, n-Typ-, überschußleitend	à conduction électronique, conducteur électronique, type n, n	с электронной проводимостью
N 998	**n-type conduction,** electronic conduction, electron conduction, excess conduction, surplus conduction	Überschußleitung f, n-[Typ-]Leitung f, Elektronen[halb]leitung f, elektronische Halbleitung f, Donatorenleitung f, Störelektronenleitung f, Störstellenleitung f vom n-Typ, Zusatzelektronenleitung f, Zwischen[gitter]platzleitung f	conduction f par électrons, conduction électronique, conduction type n, conduction par charge excédentaire	электронная проводимость, избыточная проводимость, проводимость типа n
	n-type conductivity, electron conductivity	Elektronenleitfähigkeit f, Überschußleitfähigkeit f, n-Typ-Leitfähigkeit f	conductibilité f par électrons, conductibilité type n	электронная проводимость
	n-type conductor	s. n-type semiconductor		
	n-type impurity	s. donor		

№	English	German	French	Russian
N 999	n-type ionic conduction	Ionenüberschußleitung f	conduction f par excès d'ions	ионная проводимость типа n
N 1000	n-type ionic conductor	Ionenüberschußleiter m	semi-conducteur m par excès d'ions	ионный полупроводник типа n
N 1001	n-type metallic conduction	metallische Elektronenleitung f	conduction f métallique type n	металлическая электронная проводимость
N 1002	n-type semiconductor, excess semiconductor, n-type conductor	Überschuß[halb]leiter m, n-[Typ-]Halbleiter m, n-Leiter m, Reduktions[halb]leiter m, Leiter (Störstellenhalbleiter) m vom n-Typ, Störelektronenleiter m, Donatorenleiter m	semi-conducteur m par excès d'électrons, semiconducteur électronique, semi-conducteur aux centres n, semi-conducteur type n	полупроводник с электронной проводимостью, электронный полупроводник, примесный электронный полупроводник, полупроводник типа n
N 1003	nuclear	Kern-, Nuklear-, nuklear	nucléaire	ядерный
N 1004	nuclear, nucleonic, nuclear-physical, in (of, by) nuclear physics	kernphysikalisch	nucléaire, nucléonique, de (à, en, par) physique nucléaire	ядерный, ядерно-физический, ядерной физики, в ядерной физике
N 1004a	nuclear acoustic resonance, NAR	kernakustische Resonanz f, akustische Kernresonanz f, NAR	résonance f acoustique nucléaire, RAN, R. A. N.	ядерный акустический резонанс, ЯАР
	nuclear-active component	s. N-component		
N 1005	nuclear-active particle	kernaktives (kernverwandtes) Teilchen n	particule f active à l'égard du noyau	ядерно-активная частица
N 1006	nuclear adiabatic demagnetization, nuclear cooling	nukleare adiabatische Abkühlung f, adiabatische Abkühlung eines Kernspinsystems, [adiabatische] Kernabkühlung f, Kernkühlung f, adiabatische Kernentmagnetisierung f	désaimantation f adiabatique nucléaire, démagnétisation f adiabatique nucléaire, refroidissement m nucléaire	адиабатическое размагничивание системы ядерных спинов, [адиабатическое] ядерное размагничивание, ядерное [магнитное] охлаждение
	nuclear alignement; nuclear orientation	Kernorientierung f; Kernausrichtung f	orientation f nucléaire, alignement m nucléaire	ориентация ядер
	nuclear angular momentum	s. nuclear spin		
N 1007	nuclear astrophysics	Astrokernphysik f, Lehre f von der Entstehung der chemischen Elemente	astrophysique f nucléaire	ядерная астрофизика, учение о нуклеогенезисе
	nuclear attraction, intranuclear attraction	innernukleare (intranukleare) Anziehung f, Kernanziehung f	attraction f intranucléaire (nucléaire, nucléonique)	внутриядерное (ядерное) притяжение
N 1008	nuclear barrier	Potentialwall m des Atomkerns	barrière f de potentiel du noyau	ядерный барьер, потенциальный барьер ядра
	nuclear battery	s. atomic battery		
N 1009	nuclear binding energy, nucleus bond energy	Bindungsenergie f des Atomkerns (Kerns), Kernbindungsenergie f	énergie f de liaison nucléaire	энергия связи ядра
	nuclear blast (burst)	s. atomic blast		
N 1010	nuclear capture [of particles]	Kerneinfang m <(x, γ)-Prozeß>	capture f nucléaire	захват ядром, ядерный захват
N 1011	nuclear cascade process	Kaskadenkernreaktion f, Kaskaden[kern]prozeß m	procès m nucléaire en cascade	ядерный каскадный процесс
N 1012	nuclear chain reaction, chain reaction <nucl.>	Kernkettenreaktion f, Kettenkernreaktion f	réaction f en chaîne nucléaire, réaction [nucléaire] en chaîne	цепная [ядерная] реакция, ядерная цепная реакция
N 1013	nuclear charge, Ze	Kernladung f, Ze	charge f nucléaire, Ze	заряд ядра, Ze
	nuclear charge, nucleonic charge	Nukleonenladung f, nukleare Ladung f, Kernladung f	charge f nucléonique, charge nucléaire	нуклонный заряд, ядерный заряд
N 1014	nuclear charge quantum number, charge quantum number	Ladungsquantenzahl f	nombre m quantique de charge	квантовое число заряда
N 1015	nuclear chemistry	Kernchemie f, Chemie f der Kernreaktionen	chimie f nucléaire	ядерная химия
N 1016	nuclear classification, nuclear systematics	Kernsystematik f	systématique f nucléaire, systématique des noyaux [stables]	систематика ядер
N 1017	nuclear collision	Kernstoß m	collision f nucléaire	ядерное соударение
	nuclear component	s. N-component		
N 1018	nuclear constant	Kernkonstante f, kernphysikalische Konstante f	constante f nucléaire	постоянная ядра
	nuclear constituent, nucleon; nuclear particle	Nukleon n, Kernbaustein m, Kernbestandteil m; Kernteilchen n	nucléon m; particule f nucléaire	нуклон; ядерная частица
N 1019	nuclear constitution, nuclear structure	Kern[auf]bau m, Kernstruktur f, Bau m des Atomkerns	structure f nucléaire	строение ядра
	nuclear cooling	s. nuclear adiabatic demagnetization		
	nuclear core, core (trunk) of the nucleus, nuclear trunk (frame)	Kernrumpf m, Rumpf m des Atomkerns	tronc m du noyau, cœur m du noyau, cœur nucléaire	остов ядра, ядерный остов; сердцевина ядра
	nuclear core isomerism, core isomerism	Kernrumpfisomerie f, Rumpfisomerie f	isomérie f du [tronc de] noyau	изомерия остова, изомерия сердцевины ядра
N 1020	nuclear criticality safety	Kritizitätssicherheit f	sûreté f [relative au danger de] criticité	безопасность относительно критичности
	nuclear decay	s. decay		
N 1021	nuclear deformation energy, deformation energy of nucleus	Deformationsenergie f des Kerns, Kerndeformationsenergie f	énergie f de déformation nucléaire	энергия деформации ядра
	nuclear democracy	s. bootstrap		

N 1022	**nuclear density,** density of nuclear matter	Dichte *f* der Kernmaterie, Kerndichte *f*, Materiedichte (Massendichte) *f* im Atomkern, Dichte des Atomkerns	densité *f* nucléaire (du noyau, de la matière nucléaire), masse *f* volumique dans le noyau atomique	плотность ядерного вещества, плотность вещества в атомном ядре, ядерная плотность, плотность ядра
N 1023	**nuclear detector,** detector	Kernstrahlungsdetektor *m*, Kernstrahlungsnachweisgerät *n*, kernphysikalisches Nachweisgerät *n*, Detektor *m*	détecteur *m* des rayonnements nucléaires, détecteur nucléaire, détecteur	детектор ядерных излучений, ядерный детектор, детектор
N 1024	**nuclear dipole moment**	Kerndipolmoment *n*	moment *m* dipolaire (de dipôle) nucléaire, moment nucléaire dipolaire	ядерный дипольный момент, дипольный момент ядра
	nuclear disintegration	s. decay		
	nuclear disintegration energy, decay (disintegration) energy	Zerfallsenergie *f*	énergie *f* de désintégration [nucléaire]	энергия распада, энергия радиоактивного распада
	nuclear distance	s. internuclear distance		
N 1025	**nuclear doublet**	Kerndublett *n*	doublet *m* nucléaire	ядерный дублет
N 1026	**nuclear electric moment**	elektrisches Moment *n* des Atomkerns	moment *m* électrique du noyau	электрический момент ядра
N 1027	**nuclear electric quadrupole moment**	elektrisches Kernquadrupolmoment *n*	moment *m* du quadripôle électrique nucléaire	электрический квадрупольный момент ядра
N 1028	**nuclear electron**	Kernelektron *n*	électron *m* nucléaire	ядерный электрон
N 1029	**nuclear electronics**	Kernelektronik *f*, kernphysikalische Elektronik *f*	électronique *f* nucléaire	ядерная электроника; ядерная радиоэлектроника
N 1030	**nuclear emulsion,** nuclear photographic emulsion	Kernspuremulsion *f*, Kernemulsion *f*, kernphysikalische Emulsion *f*	émulsion *f* nucléaire [à traces]	ядерная [фото]эмульсия, ядерная фотографическая эмульсия, толстослойная фотоэмульсия
N 1031	**nuclear emulsion technique,** photographic emulsion technique, emulsion technique, photographic plate technique	Plattentechnik *f*, Photoplattenmethode *f*, Photoplattentechnik *f*, Emulsionstechnik *f*, Kernemulsionstechnik *f*, Kernemulsionsmethode *f*	technique *f* des émulsions [nucléaires], technique (méthode *f*) des émulsions photographiques, méthode des émulsions [nucléaires], technique (méthode) des plaques photographiques	метод толстослойных фотопластинок, метод ядерных (фотографических) эмульсий, метод фотопластинок, эмульсионная техника, техника [толстослойных] фотопластинок, техника ядерных (фотографических) эмульсий
N 1032	**nuclear energy**	Kernenergie *f*, Atomkernenergie *f*	énergie *f* nucléaire	ядерная энергия, энергия атомного ядра, внутриядерная энергия
N 1033	**nuclear energy level,** nuclear level, energy level of the nucleus	Kern[energie]niveau *n*, Energieniveau *n* des Kerns, Kernterm *m*	niveau *m* énergétique du noyau, niveau nucléaire	ядерный уровень, энергетический уровень ядра
N 1034	**nuclear energy-level diagram**	Kernniveauschema *n*, Kerntermschema *n*	diagramme *m* des niveaux énergétiques du noyau	схема ядерных уровней
	nuclear energy state	s. nuclear state		
N 1035	**nuclear engine**	Kernenergieantrieb *m*, Kernenergietriebwerk *n*, Atommotor *m*	engin *m* nucléaire, propulseur *m* nucléaire, nucléopropulseur *m*	ядерный двигатель
N 1036	**nuclear entropy**	Kernentropie *f*	entropie *f* nucléaire	ядерная энтропия
	nuclear envelope, nuclear (nucleus) membrane	Kernmembran *f*	membrane *f* nucléaire	ядерная оболочка
N 1037	**nuclear equation,** nuclear reaction equation (formula)	Kernreaktionsformel *f*, Kernreaktionsgleichung *f*	formule *f* de la réaction nucléaire, équation *f* nucléaire	уравнение ядерной реакции
	nuclear equivalent	s. nucleoid <bio.>		
	nuclear evaporation, evaporation of the nucleus	Verdampfung *f* des Kerns, Kernverdampfung *f*	évaporation *f* du noyau, évaporation nucléaire	испарение ядра, ядерное испарение
N 1038	**nuclear event; hit of nucleus**	[kernphysikalisches] Ereignis *n*; Kerntreffer *m*	événement *m* nucléaire	акт ядерного взаимодействия; попадание в ядро
N 1039	**nuclear excitation**	Kernanregung *f*	excitation *f* nucléaire	ядерное возбуждение
	nuclear explosion	s. atomic blast		
	nuclear explosion	s. fragmentation [of nucleus]		
	nuclear explosion test (trial)	s. atomic blast		
	nuclear facility	s. nuclear installation		
N 1040	**nuclear ferromagnetism**	Kernferromagnetismus *m*	ferromagnétisme *m* nucléaire	ядерный ферромагнетизм
N 1041	**nuclear field,** nucleonic field	Kernfeld *n*, Kraftfeld *n* des Atomkerns, Feld *n* des Kerns, Nukleonenfeld *n*	champ *m* nucléaire, champ du noyau, champ nucléonique	ядерное поле, поле ядра, нуклонное поле
N 1042	**nuclear film**	Kernspurfilm *m*, Film *m* für Kernspuraufnahmen	film *m* nucléaire	пленка для ядерных исследований
	nuclear fission, fission	Spaltung *f*, Kernspaltung *f* <Kern.>	fission *f*, fission nucléaire <nucl.>	деление, деление ядра, ядерное деление <яд.>
	nuclear fission cross-section	s. fission cross-section		
N 1043	**nuclear fluid**	Kernflüssigkeit *f*	fluide *m* nucléaire	ядерная жидкость; ядерное вещество, трактуемое как жидкость
	nuclear fluorescence, nuclear resonance fluorescence	Kernresonanzfluoreszenz *f*, Kernfluoreszenz *f*	fluorescence *f* [de résonance] nucléaire	ядерная [резонансная] флуоресценция

N 1044	**nuclear force**	Kernkraft f, Kernfeldkraft f, starke Kraft f	force f nucléaire	ядерная сила
	nuclear force meson, π meson, pi meson, pion, British meson <π+, π⁰, π⁻>	π-Meson n, Pi-Meson n, Pion n <π+, π⁰, π⁻>	méson m π, méson pi, pion m <π+, π⁰, π⁻>	π-мезон, пи-мезон, пион <π+, π⁰, π⁻>
N 1045	**nuclear form factor**	Kernformfaktor m	facteur m de forme nucléaire	ядерный формфактор
N 1046	**nuclear fragment,** fragment, chip, splinter <nucl.>	Kernbruchstück n, Bruchstück n, Kernfragment n, Fragment n <Kern.>	fragment m nucléaire, fragment <nucl.>	ядерный осколок (фрагмент, обломок), осколок [ядра], фрагмент [ядра], обломок [ядра] <яд.>
	nuclear frame	s. core of the nucleus		
	nuclear fuel	s. nuclear reactor fuel <nucl.>		
N 1047	**nuclear fusion,** fusion, nucleosynthesis <nucl.>	Kernfusion f, Fusion f, Kernsynthese f, Kernverschmelzung f, Kernaufbau m, Kernvereinigung f, Verschmelzung f [von Kernen] <Kern.>	fusion f nucléaire, fusion, nucléosynthèse f <nucl.>	синтез ядер, слияние ядер, ядерный синтез, ядерное слияние, нуклеосинтез <яд.>
	nuclear fusion energy	s. fusion energy		
N 1048	**nuclear fusion physics,** high-temperature plasma physics	Hochtemperatur-Plasmaphysik f, Kernfusionsphysik f, Fusionsphysik f	physique f de la fusion nucléaire, physique du plasma à température élévée	физика высокотемпературной плазмы, физика термоядерных реакций
N 1049	**nuclear fusion reactor,** fusion reactor; thermonuclear reactor	Fusionsreaktor m, Kernfusionsreaktor m; thermonuklearer Reaktor m	réacteur m à fusion; réacteur thermonucléaire	термоядерный реактор
	nuclear fusion temperature	s. fusion temperature <nucl.>		
	nuclear gamma[-ray] resonance, NGR	s. Mössbauer effect		
	nuclear gamma[-ray] resonance spectroscopy	s. Mössbauer spectrometry		
N 1050	**nuclear geophysics**	Kerngeophysik f	géophysique f nucléaire	ядерная геофизика
N 1051	**nuclear g-factor**	Kern-g-Faktor m, g-Faktor m des Kernspins (Kerns)	facteur m g nucléaire	ядерный множитель Ланде, ядерный g-фактор
N 1052	**nuclear-grade,** nuclear pure	nuklearrein	pur nucléaire, nucléaire-ment pur	ядерно[]чистый
N 1053	**nuclear gyromagnetic ratio**	gyromagnetisches Verhältnis n des Atomkerns	rapport m gyromagnétique nucléaire	ядерное гиромагнитное отношение
N 1053a	**nuclear gyroscope**	Kern[spin]gyroskop n	gyroscope m nucléaire	ядерный гироскоп
N 1054	**nuclear heating**	nukleare Erwärmung (Aufheizung) f, Kernerwärmung f, Kernaufheizung f	chauffage m nucléaire	ядерное нагревание, ядерный нагрев
N 1055	**nuclear inactive particle**	kerninaktives Teilchen n, kernfremdes Teilchen	particule f inactive à l'égard du noyau	ядерно-неактивная частица
	nuclear induction	s. nuclear magnetic resonance		
N 1056	**nuclear induction technique;** method of nuclear resonance absorption, technique of nuclear resonance absorption, NMR technique	Kerninduktionsmethode f; Methode f der magnetischen Kernresonanz [-absorption], Kernresonanzmethode f, NMR-Methode f	méthode f de l'induction nucléaire; méthode de résonance magnétique nucléaire, méthode d'absorption par résonance magnétique nucléaire, méthode R. M. N.	метод ядерной индукции; метод ядерного магнитного резонанса, метод ЯМР
N 1056a	**nuclear installation,** nuclear plant (facility)	Kernanlage f	installation (usine) f nucléaire	ядерная установка
	nuclear interacting component	s. N-component		
N 1057	**nuclear interaction**	Kernwechselwirkung f, Wechselwirkung f zwischen (mit) Kernen	interaction f nucléaire	ядерное взаимодействие
N 1058	**nuclear investigation,** nuclear study	kernphysikalische Untersuchung f	étude f nucléaire, investigation f nucléaire	ядерное исследование
	nuclear isobar, [nucleonic] isobar	Isobar n, Kernisobar n	nucléide m isobare, isobare m, isobare nucléaire	[ядерный] изобар, ядро-изобар
N 1059	**nuclear isomer,** isomer	Kernisomer n, Isomer n	isomère m [nucléaire], nucléide m isomère	[ядерный] изомер
N 1060	**nuclear isomerism,** isomerism of atomic nucleus	Kernisomerie f, Isomerie f des Atomkerns	isomérie f nucléaire	изомерия атомного ядра, ядерная изомерия
	nuclear level, nuclear energy level, energy level of the nucleus	Kernniveau n, Kernenergieniveau n, Energieniveau n des Kerns, Kernterm m	niveau m énergétique du noyau, niveau nucléaire	ядерный уровень, энергетический уровень ядра
N 1061	**nuclear magnetic alignment**	magnetische Kernausrichtung f (Orientierung f der Kerne)	alignement m magnétique nucléaire	магнитное ядерное выстраивание
	nuclear magnetic dipole moment	s. magnetic moment of the nucleus		
	nuclear magnetic induction	s. nuclear magnetic resonance		
	nuclear magnetic moment	s. magnetic moment of the nucleus		

N 1062	**nuclear magnetic resonance,** nuclear resonance absorption, nuclear magnetic resonance absorption, NMR, n.m.r. <Purcell>; nuclear induction, nuclear magnetic induction <Bloch>	magnetische Kernresonanz *f*, magnetische Kernresonanzabsorption *f*, Kernspinresonanz *f*, Kernresonanzabsorption, kernmagnetische Resonanz *f*, NMR <nach Purcell>; Kerninduktion *f* <nach Bloch>	résonance *f* magnétique nucléaire, résonance nucléaire magnétique, absorption *f* par résonance [nucléaire], absorption paramagnétique par résonance, RMN, r. m. n. <Purcell>; induction *f* nucléaire <Bloch>	ядерный магнитный резонанс, резонансное ядерное поглощение, ядерное резонансное поглощение, ЯМР <по Парселлу>; ядерная индукция <по Блоху>
	nuclear magnetic resonance absorption	*s.* nuclear magnetic resonance		
N 1063	**nuclear magnetic resonance measurement,** measurement of nuclear induction, measurement of nuclear resonance absorption, NMR measurement	Kernresonanzmessung *f*, magnetische Kernresonanzmessung *f*, Kerninduktionsmessung *f*, NMR-Messung *f*	mesure *f* de résonance magnétique nucléaire, mesure d'absorption par résonance [magnétique] nucléaire, mesure R. M. N.	измерение ядерного магнитного резонанса, измерение ЯМР
N 1064	**nuclear magnetic resonance phenomenon,** NMR phenomenon	Kernresonanzeffekt *m*, Kernspinresonanzeffekt *m*, magnetischer Kernresonanzeffekt, Resonanzeffekt *m*, NMR-Effekt *m*	phénomène *m* de résonance magnétique nucléaire, phénomène R. M. N.	явление ядерного магнитного резонанса, явление ЯМР
	nuclear magnetic resonance signal	*s.* nuclear resonance signal		
N 1065	**nuclear magnetic resonance spectrograph,** nuclear resonance absorption spectrograph, nuclear resonance spectrograph, NMR spectrograph	Kernresonanzspektrograph *m*, magnetischer Kernresonanzspektrograph *m*, Kerninduktionsspektrograph *m*, NMR-Spektrograph *m*	spectrographe *m* à résonance magnétique nucléaire, spectrographe à résonance nucléaire, spectrographe à induction nucléaire, spectrographe R. M. N.	ядерно-резонансный спектрограф, ядерный резонансный спектрограф, спектрограф для наблюдения ядерного магнитного резонанса, спектрограф ЯМР
N 1066	**nuclear magnetic resonance spectrometer,** nuclear resonance spectrometer, nuclear resonance absorption spectrometer, NMR spectrometer	Kernresonanzspektrometer *n*, magnetisches Kernresonanzspektrometer, Kerninduktionsspektrometer *n*, NMR-Spektrometer *n*	spectromètre *m* à résonance magnétique nucléaire, spectromètre à résonance nucléaire, spectromètre à induction nucléaire, spectromètre R. M. N.	ядерно-резонансный спектрометр, ядерный резонансный спектрометр, спектрометр для наблюдения ядерного магнитного резонанса, спектрометр ЯМР, парамагнитный резонансный спектрометр
N 1067	**nuclear magnetic resonance spectroscopy,** NMR spectroscopy	Kernresonanzspektroskopie *f*, magnetische Kernresonanzspektroskopie, NMR-Spektroskopie *f*	spectroscopie *f* à résonance magnétique nucléaire, spectroscopie à résonance nucléaire, spectroscopie R. M. N.	ядерно-резонансная спектроскопия, ядерная (магнитная) резонансная спектроскопия, спектроскопия ядерного магнитного резонанса, спектроскопия ЯМР
N 1068	**nuclear magnetic resonance spectrum,** nuclear resonance spectrum, nuclear resonance absorption spectrum, NMR spectrum	Kernresonanzspektrum *n*, magnetisches Kernresonanzspektrum, Kerninduktionsspektrum *n*, NMR-Spektrum *n*	spectre *m* d'absorption par résonance [magnétique] nucléaire, spectre R. M. N.	ядерно-резонансный спектр, ядерный резонансный спектр, спектр ядерного магнитного резонанса, спектр ЯМР
N 1069	**nuclear magnetism**	Kernmagnetismus *m*, Magnetismus *m* des Atomkerns	magnétisme *m* nucléaire	ядерный магнетизм, магнетизм [атомного] ядра
N 1070	**nuclear magneton**	Kernmagneton *n*, KM	magnéton *m* nucléaire	ядерный магнетон
N 1071	**nuclear mass; nuclear rest mass**	Kernmasse *f*; Ruhemasse *f* des Atomkerns	masse *f* nucléaire; masse du noyau au repos	масса ядра; масса покоя ядра
	nuclear mass surface, mass surface	Massenfläche *f*, Kernmassenfläche *f* <Z, N-Koordinaten>	surface *f* de masses nucléaires	поверхность масс ядер <в координатах Z, N>
N 1072	**nuclear matrix element**	Kernmatrixelement *n*	élément *m* matriciel nucléaire	ядерный матричный элемент
N 1073	**nuclear matter**	Kernmaterie *f*	matière *f* nucléaire	ядерное вещество, ядерная материя, модель «безграничного» ядра
N 1074	**nuclear medicine**	Nuklearmedizin *f*	médecine *f* nucléaire	медицинская радиология, ядерная медицина
N 1075	**nuclear membrane,** nucleus membrane, nuclear envelope	Kernmembran *f*	membrane *f* nucléaire	ядерная оболочка
	nuclear meson	*s.* nuclear pi-meson		
	nuclear model, model of nucleus	Kernmodell *n*, Modell *n* des Atomkerns	modèle *m* nucléaire	ядерная модель, модель ядра
N 1076	**nuclear model of the atom**	Kernmodell *n* des Atoms	modèle *m* nucléaire de l'atome	ядерная модель атома
N 1077	**nuclear moment**	Kernmoment *n*, Moment *n* des Atomkerns	moment *m* nucléaire	ядерный момент
	nuclear motion	*s.* nuclear movement		
N 1078	**nuclear movement,** nuclear motion; motion of the nucleus	Kernbewegung *f*; Mitbewegung *f* des Kerns, Kernmitbewegung *f*	mouvement *m* nucléaire; mouvement du noyau	ядерное движение, движение ядра вокруг центра инерции атома, сопутствующее движение ядра
N 1079	**nuclear multiplet**	Kernmultiplett *n*	multiplet *m* nucléaire	ядерный мультиплет
	nuclear number	*s.* mass number		
N 1080	**nuclear orientation;** nuclear alignment	Kernorientierung *f*; Kernausrichtung *f*	orientation *f* nucléaire, alignement *m* nucléaire	ориентация ядер

	nuclear oscillation, oscillation of molecule nuclei	Kernschwingung *f* [der Moleküle]	oscillation *f* des noyaux de la molécule, oscillation nucléaire	колебание ядер молекулы
N 1081	nuclear oscillation energy, energy of nuclear oscillations	Kernschwingungsenergie *f*	énergie *f* des oscillations nucléaires	энергия колебаний ядер [молекулы]
N 1082	nuclear Overhauser effect	Kern-Overhauser-Effekt *m*	effet *m* Overhauser nucléaire	ядерный эффект Оверхаузера
	nuclear paramagnetic resonance	s. nuclear magnetic resonance		
N 1083	nuclear paramagnetism	Kernparamagnetismus *m*, Paramagnetismus *m* des Atomkerns	paramagnétisme *m* nucléaire	ядерный парамагнетизм
	nuclear parent, parent nuclide. parent; parent nucleus, original nucleus	Mutternuklid *n*, Ausgangsnuklid *n*; Ausgangskern *m*, Mutterkern *m*, Elternkern *m*	père *m* nucléaire, nucléide *m* père, nucléide parent; noyau *m* père, noyau parent, noyau primitif	исходное ядро, материнское ядро
	nuclear particle	s. nucleon		
	nuclear particle track	s. nuclear track		
N 1084	nuclear permeability <bio.>	Kernpermeabilität *f* <Bio.>	perméabilité *f* nucléaire <bio.>	проницаемость ядра <био.>
N 1085	nuclear phase displacement, nuclear phase shift	Kernphasenverschiebung *f*	décalage *m* de phase nucléaire, déphasage *m* nucléaire	ядерное фазовое смещение
	nuclear photodisintegration (photoeffect, photoelectric effect)	s. photodisintegration		
	nuclear photographic emulsion	s. nuclear emulsion		
N 1086	nuclear photography	Kernphotographie *f*, Kernspurphotographie *f*	photographie *f* nucléaire	ядерная фотография
N 1087	nuclear photomagnetic effect, γ,n reaction	(γ,n)-Prozeß *m*. photomagnetischer Effekt *m* am Kern	effet *m* photomagnétique nucléaire, réaction γ,n, processus *m* γ,n	ядерный фотомагнитный эффект, фотомагнитная ядерная реакция, фотоядерная реакция с испусканием нейтрона, (γ,n)-процесс, (γ,n)-реакция
	nuclear photoreaction	s. photodisintegration		
	nuclear-physical	s. nuclear		
N 1088	nuclear physicist	Kernphysiker *m*	physicien *m* nucléaire, nucléicien *m*	специалист в области ядерной физики, специалист по ядерной физике, специалист-атомник, физик-атомник
	nuclear physics / by (in, of), nuclear, nucleonic, nuclear-physical	kernphysikalisch	nucléaire, nucléonique, de (à, en, par) physique nucléaire	ядерный, ядерно-физический, ядерной физики, в ядерной физике
	nuclear pile	s. nuclear reactor		
N 1089	nuclear pile neutron, pile neutron, reactor neutron	Reaktorneutron *n*	neutron *m* du réacteur, neutron de la pile	нейтрон из реактора, нейтрон реактора, котельный нейтрон
	nuclear pile oscillator, pile oscillator, reactivity oscillator, reactor oscillator	Reaktoroszillator *m*, Pileoszillator *m*	oscillateur *m* de pile, oscillateur de réacteur	реакторный осциллятор
N 1090	nuclear pi-meson, nuclear π-meson, nuclear meson, meson [of the nucleus], Yukawa particle, Yukawa meson, yukon	Kern-π-Meson *n*, Kern-pi-Meson *n*, Kernmeson *n*, Meson *n* [des Kerns], Yukawasches Kernmeson, Yukawa-Teilchen *n*, Yukon *n*, Yukawa-Quant *n*	méson *m* π nucléaire, méson pi nucléaire, méson nucléaire, méson [du noyau], particule *f* de Yukawa, quantum *m* de Yukawa, yukon *m*	ядерный π-мезон, ядерный пи-мезон, ядерный мезон, мезон [ядра], частица Юкавы, юкон
	nuclear plant	s. nuclear installation		
N 1091	nuclear plate	Kernplatte *f*, Kernspurplatte *f*, Kernemulsionsplatte *f*, Kernspur[en]emulsionsplatte *f*, Kernphotoplatte *f*	plaque *f* nucléaire	ядерная фотопластинка
N 1092	nuclear poison, neutron poison, reactor poison	Reaktorgift *n*, Neutronengift *n*, starker Neutronenabsorber *m*	poison *m* nucléaire, poison du réacteur [nucléaire]	вещество, отравляющее реактор; шлак
N 1093	nuclear polarization	Kernpolarisation *f*	polarisation *f* nucléaire	поляризация ядер
N 1094	nuclear potential, potential of nuclear forces	Kernkraftpotential *n*, Potential *n* der Kernkräfte, Kernpotential *n*	potentiel *m* nucléaire, potentiel des forces nucléaires	ядерный потенциал, потенциал ядерных сил
N 1095	nuclear potential energy	potentielle Energie *f* des Atomkerns	énergie *f* potentielle du noyau	потенциальная энергия ядра
N 1096	nuclear power	[nutzbare] Kernenergie *f*, Kernkraft *f*	énergie *f* nucléaire [utilisable]	ядерная энергия
	nuclear-powered, nuclear propelled	kernenergiegetrieben, mit Kernenergieantrieb, Reaktor-, Kern-, Atom-	à propulsion nucléaire, [à énergie] nucléaire, atomique	с ядерным двигателем (приводом), ядерный, атомный
N 1097	nuclear-powered rocket, nuclear rocket	Rakete *f* mit Ausnutzung von Kernenergie zur Beschleunigung einer Stützmasse, Kernrakete *f*	fusée *f* nucléaire, fusée à énergie nucléaire	ракета на ядерном горючем, ядерная ракета
N 1098	nuclear power plant	Kernenergieanlage *f*, Leistungsreaktoranlage *f*	installation *f* d'énergie nucléaire	ядерная [энерго]силовая установка, ядерная энергоустановка, ядерная энергетическая установка, атомная [энерго-]силовая установка, атомная энергетическая установка, атомная энергоустановка

N 1099	**nuclear power produc-tion**	Kernenergieerzeugung *f*, Kernenergiegewinnung *f*, Kernenergiefreisetzung *f*	production *f* d'énergie nucléaire	производство ядерной энергии, получение ядерной энергии
N 1100	**nuclear precession** **nuclear precession magnetometer**	Kernpräzession *f* s. proton magnetometer	précession *f* nucléaire	ядерная прецессия
	nuclear process; nuclear reaction	Kernreaktion *f*; Kernprozeß *m*, Kernumwandlungs-prozeß *m*	réaction *f* nucléaire; pro-cessus *m* nucléaire	ядерная реакция; ядерный процесс
N 1101	**nuclear propelled,** nuclear-powered	kernenergiegetrieben, mit Kernenergieantrieb, Reaktor-, Kern-, Atom-	à propulsion nucléaire, [à énergie] nucléaire atomique	с ядерным двигателем (приводом), ядерный, атомный
N 1102	**nuclear proton**	Kernproton *n*	proton *m* nucléaire	ядерный протон
	nuclear pseudopotential, Fermi pseudopotential	Fermisches Pseudopotential *n*, Kernpseudopotential *n*	pseudopotentiel *m* de Fermi, pseudopotentiel nucléaire	фермиевский псевдопотен-циал, псевдопотенциал Ферми, ядерный псевдо-потенциал
	nuclear pure, nuclear-grade	nuklearrein	pur nucléaire, nucléairement pur	ядерно[]чистый
N 1103	**nuclear purification**	nukleare Feinreinigung *f*	purification *f* nucléaire	ядерная очистка
N 1104	**nuclear purity**	nukleare Reinheit *f*, Kernreinheit *f*	pureté *f* nucléaire	ядерная[]чистота
N 1105	**nuclear quadruplet**	Kernquadruplett *n*	quadruplet *m* nucléaire	ядерный квадруплет
N 1106	**nuclear quadrupole coupling**	Kernquadrupolkopplung *f*	couplage *m* quadripolaire nucléaire	ядерная квадрупольная связь
N 1107	**nuclear quadrupole moment**	Kernquadrupolmoment *n*	moment *m* du quadripôle nucléaire, moment quadripolaire nucléaire	квадрупольный момент ядра
N 1108	**nuclear quadrupole resonance, NQR**	Kernquadrupolresonanz *f*	résonance *f* quadripolaire nucléaire	ядерный квадрупольный резонанс, ЯКР
N 1109	**nuclear quadrupole resonance frequency**	Kernquadrupolresonanz-frequenz *f*	fréquence *f* de la résonance quadripolaire nucléaire	частота ядерного квадру-польного резонанса
N 1110	**nuclear quadrupole resonance spectro-graph**	Kernquadrupolresonanz-spektrograph *m*	spectrographe *m* à résonance quadripolaire nucléaire	спектрограф для наблю-дения ядерного квадру-польного резонанса
N 1111	**nuclear quadrupole spectrum**	Kernquadrupolspektrum *n*	spectre *m* quadripolaire nucléaire	ядерный квадрупольный спектр
N 1112	**nuclear radiation**	Kernstrahlung *f*	radiation *f* nucléaire, rayonnement *m* nucléaire	ядерное излучение
N 1113	**nuclear radius**	Kernradius *m*	rayon *m* du noyau, rayon nucléaire	радиус ядра
N 1114	**nuclear reaction;** nuclear process	Kernreaktion *f*; Kernprozeß *m*, Kernumwandlungs-prozeß *m*	réaction *f* nucléaire; proces-sus *m* nucléaire	ядерная реакция; ядерный процесс
	nuclear reaction cross-section	s. reaction cross-section		
	nuclear reaction energy	s. Q value <nucl.>		
	nuclear reaction equa-tion, nuclear reaction formula	s. nuclear equation		
N 1115	**nuclear reaction pro-ceeding through (via) a compound nucleus**	Zwischenkernreaktion *f*, Zwischenkernprozeß *m*, Kernreaktion *f* mit Compoundkernstadium, Reaktion *f* mit Com-poundkernstadium, Compoundkernreaktion *f*	réaction *f* nucléaire à noyau composé (intermédiaire)	ядерная реакция с образо-ванием составного ядра; [ядерная] реак-ция, проходящая через стадию составного ядра
N 1116	**nuclear reaction yield,** reaction yield	Ausbeute *f* der Kernreak-tion, Reaktionsausbeute *f*	rendement *m* de la réaction nucléaire, rendement de réaction	выход ядерной реакции, выход реакции
	nuclear reactor, reactor, pile, nuclear pile, chain-reacting pile <nucl.>	Reaktor *m*, Kernreaktor *m*, Pile *m* <Kern.>	réacteur *m*, réacteur nucléaire, pile *f*, pile nucléaire <nucl.>	реактор, ядерный реактор <яд.>
N 1117	**nuclear reactor fuel,** nuclear fuel, fuel <nucl.>	Kernbrennstoff *m*, Brenn-stoff *m*, Spaltstoff *m* <Kern.>	combustible *m* nucléaire, combustible <nucl.>	ядерное топливо, ядерное горючее, топливо <яд.>
	nuclear reactor period **nuclear reactor reactivity**	s. period s. reactivity <nucl.>		
N 1118	**nuclear recoil**	Kernrückstoß *m*	recul *m* nucléaire	отдача ядра
N 1119	**nuclear relaxation** **nuclear repulsion,** intranuclear repulsion	Kernrelaxation *f* innernukleare (intranukleare) Abstoßung *f*, Kern-abstoßung *f*	relaxation *f* nucléaire répulsion *f* intranucléaire (nucléaire), répulsion nucléonique	ядерная релаксация внутриядерное (ядерное) отталкивание
N 1120	**nuclear resonance** **nuclear resonance absorption** **nuclear resonance absorption spectro-graph** **nuclear resonance absorption spectrom-eter**	Kernresonanz *f* s. nuclear magnetic resonance s. nuclear magnetic resonance spectrograph s. nuclear magnetic resonance spectrometer	résonance *f* nucléaire	ядерный резонанс
	nuclear resonance ab-sorption spectrum, nuclear [magnetic] reso-nance spectrum, NMR spectrum	[magnetisches] Kern-resonanzspektrum *n*, Kerninduktionsspektrum *n*, NMR-Spektrum *n*	spectre *m* d'absorption par résonance [magnétique] nucléaire, spectre R. M. N.	ядерно-резонансный (ядерный резонансный) спектр, спектр ядерного магнитного резонанса, спектр ЯМР
N 1120a	**nuclear resonance cryoscopy**	Kernresonanzkryoskopie *f*	cryoscopie *f* par résonance nucléaire	ядерно-резонансная криоскопия
N 1121	**nuclear resonance fluorescence,** nuclear fluorescence	Kernresonanzfluoreszenz *f*, Kernfluoreszenz *f*	fluorescence *f* [de résonance] nucléaire	ядерная [резонансная] флуоресценция

	English	German	French	Russian
	nuclear resonance integral	s. resonance integral		
N 1122	nuclear resonance maser	Kernresonanzmaser m	maser m à résonance nucléaire	квантовый усилитель, в котором используется ядерный резонанс
	nuclear resonance scattering	s. resonance scattering		
	nuclear resonance scattering cross-section, resonance scattering cross-section, cross-section for resonance scattering	Resonanzstreuquerschnitt m, Wirkungsquerschnitt m für (der) Resonanzstreuung	section f efficace de diffusion par résonance [nucléaire]	сечение [ядерного] резонансного рассеяния
N 1123	nuclear resonance signal, nuclear magnetic resonance signal, NMR signal	Kernresonanzsignal n, Kerninduktionssignal n, magnetisches Kernresonanzsignal n, NMR-Signal n	signal m de résonance [magnétique] nucléaire, signal R. M. N.	сигнал ядерного магнитного резонанса, сигнал ЯМР
	nuclear resonance spectrograph	s. nuclear magnetic resonance spectrograph		
	nuclear resonance spectrometer	s. nuclear magnetic resonance spectrometer		
	nuclear resonance spectrum	s. nuclear magnetic resonance spectrum		
	nuclear resonant scattering	s. resonance scattering		
	nuclear rest mass; nuclear mass	Kernmasse f; Ruhemasse f des Atomkerns	masse f nucléaire; masse du noyau au repos	масса ядра; масса покоя ядра
N 1123a	nuclear ribonucleic acid, nuclear RNA, nRNA	Kernribonukleinsäure f, Kern-RNS f, nukleäre Ribonukleinsäure f	acide m ribonucléique nucléaire, ARN m nucléaire, ARNn	рибонуклеиновая кислота ядра, РНК ядра
	nuclear rocket, nuclear-powered rocket	Rakete f mit Ausnutzung von Kernenergie zur Beschleunigung einer Stützmasse, Kernrakete f	fusée f nucléaire, fusée à énergie nucléaire	ракета на ядерном горючем, ядерная ракета
N 1124	nuclear rotation	Kernrotation f	rotation f du noyau	вращение ядра
N 1125	nuclear rotational level	Kernrotationsniveau n, Rotationsniveau n des Atomkerns	niveau m nucléaire rotationnel, niveau rotationnel du noyau, niveau nucléaire de rotation	ядерный вращательный уровень, ядерный ротационный уровень
N 1126	nuclear rydberg	nukleares Rydberg n	rydberg m nucléaire	ядерный ридберг
N 1127	nuclear saturation, saturation of nuclear matter	Kernsättigung f, Sättigung f der Kernmaterie	saturation f nucléaire, saturation de matière nucléaire	ядерное насыщение, насыщение ядерного вещества
N 1128	nuclear scattering amplitude	Kernstreuamplitude f, Amplitude f der Kernstreuung	amplitude f de la diffusion nucléaire	амплитуда ядерного рассеяния
N 1129	nuclear science	Kernwissenschaft f	science f nucléaire	наука об атомном ядре
	nuclear separation	s. internuclear distance		
N 1130	nuclear shell	Kernschale f	couche f nucléaire	ядерная оболочка, ядерный слой, оболочка (слой) ядра
	nuclear shell model	s. shell model		
	nuclear shell structure	s. shell structure of nucleus		
N 1131	nuclear size resonance	Kerngrößenresonanz f, Resonanzstruktur f des totalen Neutronenwirkungsquerschnitts	résonance f de la section totale d'un noyau pour les neutrons, structure f de résonance de la section efficace neutronique totale	резонанс в полном нейтронном сечении ядра, резонансная структура полного нейтронного сечения
N 1132	nuclear space <math.; bio.>	nuklearer Raum m <Math.; Bio.>; Kernraum m <Bio.>	espace m nucléaire <math.; bio.>	ядерное пространство <матем.; био.>
	nuclear spacing	s. internuclear distance		
	nuclear species, nuclide, atomic species, sort of atom	Nuklid n, Kernart f, Kernsorte f, Atomart f, Atomsorte f	nucléide m, espèce f atomique	нуклид, сорт атома, разновидность атома, атом [определенного] изотопа (изомера), изотоп
N 1133	nuclear spectrometer	Kernspektrometer n; Kernstrahlungsspektrometer n, Kernstrahlenspektrometer n	spectromètre m nucléaire	ядерный спектрометр; спектрометр ядерных излучений
N 1134	nuclear spectroscopy	Kernspektroskopie f	spectroscopie f nucléaire	ядерная спектроскопия
N 1135	nuclear spectrum	Kernspektrum n, Gamma-Linienspektrum n	spectre m du noyau	ядерный спектр
N 1136	nuclear spin, nuclear angular momentum, intrinsic angular momentum of atomic nucleus	Kernspin m, Kerndrehimpuls m; Gesamtdrehimpuls (Drehimpuls) m des Atomkerns, mechanischer Drehimpuls des Atomkerns, mechanischer Gesamtdrehimpuls des Kerns, Kerndrall m, Kerndrallwert m	spin m nucléaire, moment m angulaire du noyau, moment cinétique du noyau, moment mécanique nucléaire	спин ядра, ядерный спин, момент количества движения ядра
N 1137	nuclear spin echo	Kernspinecho n	écho m de spin nucléaire	эхо ядерного спина, ядерный спин-эхо
N 1138	nuclear spin entropy	Kernspinentropie f	entropie f due au spin nucléaire	энтропия, вызванная спином ядра; энтропия ядерных спинов
N 1139	nuclear spin function	Kernspinfunktion f	fonction f de spin nucléaire	ядерно-спиновая функция, функция ядерного спина
N 1140	nuclear spin-lattice relaxation, spin-lattice relaxation	Spin-Gitter-Relaxation f	relaxation f spin-réseau, relaxation spin-milieu	спин-решеточная релаксация

N 1141	**nuclear spin operator,** operator of nuclear spin	Kernspinoperator m, Operator m des Kernspins	opérateur m du spin nucléaire	оператор спина ядра, оператор ядерного спина
N 1142	**nuclear spin quantum number**	Kernspinquantenzahl f, Spinquantenzahl f des Atomkerns	nombre m quantique de spin nucléaire	спиновое число, спиновое квантовое число ядра
N 1143	**nuclear spin-spin relaxation,** spin-spin relaxation	Spin-Spin-Relaxation f	relaxation f spin-spin	спин-спиновая релаксация
N 1144	**nuclear spin system**	Kernspinsystem n	système m à spins nucléaires	система ядерных спинов
N 1145	**nuclear stability**	Kernstabilität f	stabilité f nucléaire	стабильность ядер, ядерная стабильность
N 1146	**nuclear stability curve**	Kernstabilitätskurve f	courbe f de stabilité nucléaire	кривая стабильности ядер
N 1147	**nuclear stability rules**	Kernstabilitätsregeln fpl, Stabilitätsgesetze npl für die Nuklide	règles fpl de stabilité nucléaire	правила стабильности ядер
	nuclear star	s. emulsion star <nucl.>		
N 1148	**nuclear state,** nuclear energy state, energy state of the nucleus	Kernzustand m, Energiezustand m des Atomkerns (Kerns), Kernenergiezustand m	état m nucléaire, état d'énergie nucléaire, état [énergétique] du noyau	ядерное состояние, энергетическое состояние ядра, состояние ядра
N 1149	**nuclear statistics**	Kernstatistik f	statistique f nucléaire	ядерная статистика, статистика ядер
	nuclear structure, nuclear constitution	Kernbau m, Kernstruktur f, Bau m des Atomkerns, Kernaufbau m	structure f nucléaire	строение ядра
	nuclear study	s. nuclear investigation		
N 1150	**nuclear superheating**	nukleare Überhitzung f	surchauffe f nucléaire	ядерный перегрев
N 1151	**nuclear surface; border of** the nucleus	Kernoberfläche f; Kernrand m	surface f du noyau; bord m du noyau	поверхность ядра; край ядра
N 1152	**nuclear surface energy,** nuclear surface tension, surface energy of the nucleus	Oberflächenenergie (Oberflächenspannung) f des Kerns, Kernoberflächenenergie f, Kernoberflächenspannung f	énergie (tension) f superficielle du noyau, énergie de surface nucléaire, tension superficielle nucléaire	поверхностная энергия ядра, поверхностное натяжение ядра, ядерное поверхностное натяжение
N 1153	**nuclear surface oscillation,** surface oscillation of the nucleus	Oberflächenschwingung f des Kerns, Kernoberflächenschwingung f	oscillation f superficielle du noyau, oscillation de surface nucléaire	поверхностное колебание ядра, колебание поверхности ядра
	nuclear surface tension	s. nuclear surface energy		
N 1154	**nuclear susceptibility**	Kernsuszeptibilität f	susceptibilité f nucléaire	ядерная восприимчивость
	nuclear systematics, nuclear classification	Kernsystematik f	systématique f nucléaire, systématique des noyaux [stables]	систематика ядер
N 1155	**nuclear temperature**	Kerntemperatur f	température f nucléaire	ядерная температура, температура ядра
	nuclear test	s. atomic blast		
N 1156	**nuclear thermodynamics,** thermodynamics of the nucleus	Kernthermodynamik f, Thermodynamik f des Atomkerns	thermodynamique f nucléaire, thermodynamique du noyau [atomique]	ядерная термодинамика, термодинамика [атомного] ядра
N 1157	**nuclear track,** track in nuclear emulsion, [charged] nuclear particle track; track of the nucleus	Kernspur f, Spur f in der Kernemulsion, Emulsionsspur f	trace f [dans l'émulsion] nucléaire; trace de la particule nucléaire; trace due au noyau	след в ядерной фотоэмульсии; след ядерной частицы; след ядра
	nuclear track chamber (detector)	s. track detector		
N 1158	**nuclear track photograph,** track photograph	Kernspuraufnahme f, Spuraufnahme f	photographie f de traces, photo f de traces	снимок следов [частиц], фотоснимок следов [частиц]
N 1159	**nuclear transformation,** transformation [of nucleus], atomic transformation, nuclear transmutation, transmutation [of nucleus], atomic transmutation <nucl.>	Kernumwandlung f, Umwandlung f [des Atomkerns], Atomumwandlung f, Transmutation f <Kern.>	transmutation f nucléaire, transmutation [du noyau], transmutation atomique, transformation f nucléaire, transformation [du noyau], transformation atomique <nucl.>	превращение ядра, превращение атомного ядра, превращение, ядерное превращение, атомное превращение <яд.>
N 1160	**nuclear transformation probability,** transmutation probability, transmutation rate <nucl.>	Umwandlungswahrscheinlichkeit f <Kern.>	probabilité f de transmutation [nucléaire] <nucl.>	вероятность превращения <яд.>
N 1161	**nuclear transition**	Kernübergang m	transition f nucléaire	ядерный переход
	nuclear transmutation	s. nuclear transformation		
	nuclear trial	s. atomic blast		
	nuclear trunk	s. core of the nucleus		
	nuclear volume effect	s. finite size effect		
	nucleate boiling (bubbling)	s. bulk boiling		
N 1162	**nucleation,** formation of nuclei	Keimbildung f, Bildung f von Keimen, Kernbildung f	germination f, formation f de germes	образование зародышей (активных центров), зародышеобразование; образование центров кристаллизации
N 1162a	**nucleation and growth transformation,** diffusional transformation, civilian transformation	diffusionsbedingte (diffusionsartig verlaufende) Umwandlung f, Umwandlung durch Keimbildung und Wachstum	transformation f diffusionnelle, transformation par germination et croissance	диффузионное превращение
N 1163	**nucleation cavity**	Keimhöhle f	cavité f embryonnaire	зародышевая полость
	nucleation of fracture, initiation of fracture	Einsetzen n des Bruchs	amorçage m (germination f) de la rupture	зарождение разрушения

N 1164	**nucleation rate,** rate of nucleation	Keimbildungshäufigkeit f, Keimbildungsgeschwindigkeit f, Bildungsgeschwindigkeit f der Keime, Kernbildungsgeschwindigkeit f	vitesse f de germination	скорость образования зародышей
N 1165	**nucleic acid,** nuclein	Nukleinsäure f, Nucleinsäure f, Nuklein n	acide m nucléique, nucléine f	нуклеиновая кислота, нуклеин
N 1166	**nuclei counter,** counter of nuclei	Kernzähler m, Kondensationskernzähler m	compteur m de noyaux	счетчик ядер
	nuclein	s. nucleoproteide		
	nuclein	s. a. nucleic acid		
N 1167	**nucleogenesis,** element synthesis, formation of elements	Elementenentstehung f, Elementenaufbau m, Elementaufbau m, Elementensynthese f, Nukleogenese f	nucléogenèse f, formation f des éléments, synthèse f des éléments	нуклеогенезис, образование элементов, образование атомных ядер, происхождение ядер
N 1168	**nucleohiston**	Nukleohiston n	nucléohistone f	нуклеогистон
N 1169	**nucleoid,** nuclear equivalent <bio.>	Nukleoid n, Karyoid n, Kernäquivalent n <Bio.>	nucléoïde m, équivalent m nucléaire <bio.>	нуклеоид, эквивалент ядра <био.>
N 1170	**nucleolus**	Nukleolus m, Nukleole f, Kernkörperchen n	nucléole m	ядрышко, нуклеоль
N 1171	**nucleon,** nuclear constituent; nuclear particle	Nukleon n, Kernbaustein m, Kernbestandteil m; Kernteilchen n	nucléon m; particule f nucléaire	нуклон; ядерная частица
N 1172	**nucleon binding,** nucleon coupling	Nukleonenkopplung f, Nukleonenbindung f	couplage m nucléonique, liaison f nucléonique	нуклонная связь, связь между нуклонами
N 1173	**nucleon cascade**	Nukleonenkaskade f	cascade f de nucléons	нуклонный каскад
	nucleon core, nucleor, bare nucleon, core of the nucleon	Nukleor n, Nukleonkern m, nacktes Nukleon n, innerster Bezirk m des Nukleons	nucléore m, nucléon m nu, cœur m du nucléon	«голый» нуклон, нуклор, сердцевина нуклона <образующий с мезонным облаком обычный нуклон>
	nucleon coupling	s. nucleon binding		
	nucleon field	s. nuclear field		
N 1174	**nucleon gas**	Nukleonengas n	gaz m nucléonique	нуклонный газ
N 1175	**nucleonic**	kernelektronisch	nucléonique, électronucléaire	ядерно-электронный, ядерный
	nucleonic, nuclear, nuclear-physical, in (of, by) nuclear physics	kernphysikalisch	nucléaire, nucléonique, de (à, en, par) physique nucléaire	ядерный, ядерно-физический, ядерной физики, в ядерной физике
N 1176	**nucleonic charge,** nuclear charge	Nukleonenladung f, nukleare Ladung f, Kernladung f	charge f nucléonique, charge nucléaire	нуклонный заряд, ядерный заряд
N 1177	**nucleonic component**	Nukleonenkomponente f	composante f nucléonique	нуклонная компонента
	nucleonic device	s. nucleonic instrument		
	nucleonic field	s. nuclear field		
N 1178	**nucleonic instrument,** nucleonic measuring instrument, nucleonic measuring device, nucleonic device	kernphysikalisches Meßgerät n; kernelektronisches Meßgerät; kerntechnisches Gerät n, kerntechnisches Meßgerät	appareil m nucléaire (atomique); appareillage m nucléaire (atomique); appareil nucléonique; appareil électronucléaire; dispositif m à rayonnement nucléaire	прибор ядерной физики, прибор для ядерных исследований; ядерная электронная аппаратура; прибор для ядерной техники
	nucleonic isobar	s. isobar		
	nucleonic measuring device	s. nucleonic measuring instrument		
	nucleonic measuring instrument	s. nucleonic instrument		
N 1179	**nucleonics**	Nukleonik f, angewandte Kernphysik f <soweit sie die Labor- und Meßtechnik betrifft>	nucléonique f	нуклеоника, прикладная ядерная физика
N 1180	**nucleon isobar**	Nukleonenisobar n	isobare m nucléonique	изобар нуклона, нуклонный изобар
N 1181	**nucleon-meson coupling constant**	Nukleon-Meson-Kopplungskonstante f	constante f de couplage nucléon-méson, constante d'accouplement nucléon-méson	постоянная связи между нуклоном и мезоном, постоянная нуклон-мезонной связи
	nucleon moment	s. orbital angular momentum of the nucleon		
N 1182	**nucleon-nucleon collision,** nucleon-nucleon encounter	Nukleon-Nukleon-Stoß m	collision f nucléon-nucléon, collision de nucléons	нуклон-нуклонное столкновение, столкновение нуклонов
N 1183	**nucleon-nucleon interaction,** interaction between nucleons	Nukleon-Nukleon-Wechselwirkung f	interaction f nucléon-nucléon, interaction entre les nucléons	нуклон-нуклонное взаимодействие, взаимодействие между нуклонами
N 1184	**nucleon-nucleon scattering**	Nukleon-Nukleon-Streuung f, Streuung f von Nukleonen an Nukleonen	diffusion f nucléon-nucléon	нуклон-нуклонное рассеяние, рассеяние нуклонов нуклонами
N 1185	**nucleon-nucleus collision**	Nukleon-Kern-Stoß m	collision f nucléon-noyau	столкновение нуклона на ядре
N 1186	**nucleon-nucleus scattering**	Nukleon-Kern-Streuung f	diffusion f nucléon-noyau	рассеяние нуклонов на ядре
	nucleon number	s. mass number		
	nucleon orbital angular momentum	s. orbital angular momentum of the nucleon		
N 1187	**nucleon shell**	Nukleonenschale f	couche f nucléonique	нуклонная оболочка, нуклонный слой
	nucleon spin, spin of the nucleon	Spin m des Nukleons, Nukleonspin m, Nukleonenspin m	spin m du nucléon	спин нуклона

	English	German	French	Russian
	nucleon star	s. evaporation star		
N 1187a	nucleon vertex function	Eckenfunktion f der Nukleonen	fonction f de sommet des nucléons	вершинная функция нуклонов
N 1188	nucleon width	Nukleonenbreite f	largeur f nucléonique, largeur de nucléons	нуклонная ширина
N 1189	nucleophilic, anionoid	nukleophil, kernsuchend, kernfreundlich, anionoid	nucléophile, anionoïde	электродонорный, нуклеофильный, анионоидный
N 1190	nucleophilic addition	nukleophile Addition f, anionoide Addition	addition nucléophile, addition f anionoïde	анионоидное присоединение, нуклеофильное присоединение
N 1191	nucleophilic reactivity	Nukleophilität f, Nukleophilie f	réactivité f nucléophile	нуклеофильная реакционная способность, анионоидная реакционная способность
N 1192	nucleophilic rearrangement, nucleophilic transposition	nukleophile Umlagerung f, anionoide Umlagerung	regroupement m nucléophile (anionoïde), transposition f nucléophile (anionoïde)	нуклеофильная (электронодонорная, анионоидная) перегруппировка
N 1193	nucleophilic series	Nukleophilitätsreihe f, Nukleophiliereihe f	série f nucléophile	нуклеофильный ряд
N 1194	nucleophilic substitution	nukleophile Substitution f, anionoide Substitution	substitution f nucléophile, substitution anionoïde	нуклеофильное замещение, анионоидное замещение
	nucleophilic transposition	s. nucleophilic rearrangement		
N 1195	nucleoplasm	Karyolymphe f, Nukleoplasma n, Kernplasma n, Enchylem n, Kernsaft m	nucléoplasme m	нуклеоплазма
N 1195a	nucleoproteide, nucleoprotein, nuclein	Nukleoproteid n, Nuklein n	nucléoprotéine f, nucléine f	нуклеопротеид, нуклеопротеин, нуклеин
N 1196	nucleor, nucleon core, bare nucleon, core of the nucleon	Nukleor n, Nukleonkern m, nacktes Nukleon n, innerster Bezirk m des Nukleons	nucléore m, nucléon m nu, cœur m du nucléon	«голый» нуклон, нуклор, сердцевина нуклона <образующий с мезонным облаком обычный нуклон>
	nucleosynthesis	s. nuclear fusion		
N 1197	nucleotide sequence	Nukleotidsequenz f	séquence f des nucléotides	последовательность нуклеотидов
	nucleus, atomic nucleus, nucleus of atom	Atomkern m, Kern m [des Atoms]	noyau m atomique, noyau [de l'atome]	атомное ядро, ядро [атома]
	nucleus, cometary nucleus, nucleus of the comet	Kern m [des Kometen], Kometenkern m	noyau m cométaire, noyau [de la comète]	ядро [кометы], кометное ядро
	nucleus, meteor nucleus, nucleus of the meteor	Kern m [des Meteors], Meteorkern m	noyau m [du météore]	ядро [метеора]
	nucleus, Fredholm kernel (nucleus), kernel	Fredholmscher Kern m	noyau m de Fredholm	ядро Фредгольма
N 1198	nucleus, nucleus of cell, cell nucleus <bio.>	Zellkern m, Kern m [der Zelle], Nukleus m, Nucleus m, Karyon n <Bio.>	noyau m [de la cellule], noyau cellulaire <bio.>	ядро [клетки], клеточное ядро <био.>
	nucleus, cycle, ring <chem.>	Ring m, Kern m, Zyklus m <Chem.>	cycle m, noyau m, anneau m <chim.>	цикл, ядро, кольцо <хим.>
N 1199	nucleus <cryst.; therm.>; germ, complex <cryst.>	Keim m <Krist.; Therm.>; Kern m, Komplex m <Krist.>	germe m <crist.; therm.>	зародыш <крист.; тепл.>; центр <крист.>
	nucleus at rest, stationary nucleus, static nucleus	ruhender Kern m, stationärer Kern	noyau m stationnaire, noyau au repos	неподвижное ядро, стационарное ядро
	nucleus bond energy, nuclear binding energy	Bindungsenergie f des Atomkerns, Bindungsenergie des Kerns, Kernbindungsenergie f	énergie f de liaison nucléaire	энергия связи ядра
N 1200	nucleus-cytoplasm relation	Kern-Plasma-Relation f, Kern-Plasma-Verhältnis n	rapport m nucléo-cytoplasmique, rapport nucléoplasmatique	ядерно-плазматическое отношение, ядерно-плазменное отношение
	nucleus for the initiation of freezing, freezing nucleus	Gefrierkern m	noyau m de solidification, noyau de congélation	ядро замерзания
	nucleus membrane	s. nuclear membrane		
N 1201	nucleus-nucleus collision, collision of two nuclei	Kern-Kern-Stoß m	collision f noyau-noyau, choc m noyau-noyau	соударение ядро-ядро, соударение двух ядер
	nucleus of atom	s. atomic nucleus		
	nucleus of cell	s. nucleus		
	nucleus of condensation	s. condensation nucleus		
N 1202	nucleus of crystal, nucleus of crystallization, crystal nucleus, embryo, centre of crystallization, crystallization centre	Kristallisationskeim m, Kristallkeim m; Embryo m, Kristallisationskern m, Kristallkern m; Kristallisationszentrum n	germe m cristallin, germe du cristal; centre m de cristallisation, embryon m	зародыш [кристаллизации], зародыш кристалла, кристаллический зародыш; ядро кристаллизации, ядро кристалла; центр кристаллизации, центр кристалла; зерно кристаллизации; возбудитель кристаллизации; затравка кристаллизации
	nucleus of the comet, cometary nucleus, nucleus	Kern m [des Kometen], Kometenkern m	noyau m cométaire, noyau [de la comète]	ядро [кометы], кометное ядро
	nucleus of the galaxy	s. galactic nucleus		

	English	German	French	Russian
	nucleus of the meteor, meteor nucleus, nucleus	Kern m [des Meteors], Meteorkern m	noyau m [du météore]	ядро [метеора]
	nucleus of the planetary nebula, central star	Zentralstern m [des planetarischen Nebels]	étoile f centrale, noyau m de la nébuleuse planétaire	центральная звезда, ядро планетарной туманности
N 1203	nuclide, nuclear species, atomic species, sort of atom	Nuklid n, Kernart f, Kernsorte f, Atomart f, Atomsorte f	nucléide m, espèce f atomique	нуклид, сорт атома, разновидность атома, атом [определенного] изотопа (изомера), изотоп
	nuclide emitting soft radiation	s. soft radiator		
N 1204	nuclidic mass	Nuklidmasse f <Masse des neutralen Atoms in ME>	masse f atomique	масса атома
N 1205	nuisance area, mush area	Störempfangsgebiet n	zone f de brouillage; zone perturbée; zone d'interférence	зона помех; возмущенная зона; область интерференции
N 1206	nuisance parameter	lästiger Parameter m	paramètre m nocif	мешающий параметр, от которого приходится избавляться
	null, zero <of function, curve>	Nullstelle f <Funktion, Kurve>	zéro m <de fonction, courbe>	нуль <функции, кривой>
N 1207	null amplifier	Nullverstärker m	amplificateur m de zéro	усилитель индикатора нуля
	null-balance indicator	s. null detector		
	null balancing, zero balancing, zero balance	Nullabgleich m	équilibrage m au zéro	нулевое уравновешивание, уравновешивание на нуль
N 1208	null cone, light cone, light-cone <rel.>	Lichtkegel m, Kausalitätskegel m, Nullkegel m <Rel.>	cône m de lumière, cône élémentaire, cône d'ondes, cône isotrope <rel.>	световой конус <рел.>
N 1209	null detector, null indicator, null-balance indicator; null instrument, balancing instrument, null-type meter, balance meter	Nullanzeiger m, Nullindikator m, Nulldetektor m; Nullinstrument n, Nullgerät n, Nullmesser m	indicateur m de zéro, détecteur m de zéro; instrument m de zéro, appareil m de zéro, appareil à zéro	нульиндикатор, нулевой индикатор, индикатор нуля, нулевой указатель, нульуказатель, указатель нуля; нульинструмент, нулевой прибор, нулевое устройство
	null element, zero [element] <math.>	Nullelement n, Null f <Math.>	élément m nul [pour l'addition], élément neutre <math.>	нулевой элемент, нуль <матем.>
N 1210	null galvanometer	Nullgalvanometer n	galvanomètre m de zéro	нульгальванометр
N 1210a	null[-] geodesic	Nullgeodätische f	géodésique f isotrope	изотропная геодезическая
	null[-]gravity	s. absence of gravity		
N 1211	null hypothesis, nullhypothesis, hypothesis tested	Nullhypothese f	hypothèse f H_0	нулевая гипотеза, нульгипотеза, основная гипотеза, проверяемая гипотеза
	null indicator (instrument)	s. null detector		
N 1212	nullity <math.>	Rangdefekt m, Rangabfall m, Nullität f, Defekt m <Math.>	nullité f <math.>	дефект (размерность) ядра <матем.>
N 1213	null line, light line <rel.>	Nullinie f, Lichtlinie f, Kausalitätslinie f <Rel.>	ligne f de lumière <rel.>	нулевая линия, световая линия; нулевая (предельная) прямая <рел.>
	null line [gap]	s. origin of the band		
N 1214	null matrix, zero matrix	Nullmatrix f	matrice f nulle	нулевая матрица, нуль-матрица
N 1215	null method, zero method, balancing method	Nullmethode f; Nullabgleichmethode f	méthode f de zéro, méthode de réduction à zéro, méthode d'opposition; méthode de balance nulle (zéro)	нулевой метод [измерения], метод приведения к нулю; метод нулевого баланса
	nullode	s. electrodeless ionic tube		
	null of directivity pattern, antenna null	Nullstelle f der Richtcharakteristik	zéro m du diagramme de directivité	провал в диаграмме направленности антенны, мертвая зона диаграммы направленности
N 1216	null operator	Nulloperator m	opérateur m nul	нулевой оператор
N 1217	null plane; datum plane (level), reference datum	Nullebene f; Bezugsebene f	plan m nul; plan de référence; plan focal, plan polaire	нулевая плоскость; опорный уровень, уровень начала отсчета; нулевой уровень
N 1218	null representation	Nulldarstellung f	représentation f nulle	нулевое представление
	null sequence	s. sequence tending to zero		
N 1219	null set, set of measure zero, empty set	Nullmenge f, Menge f vom Maß Null	ensemble m de mesure zéro	множество нулевой меры, множество меры нуль, нульмерное множество, пустое множество
N 1220	null system, zero-system <math.>	Nullsystem n, Nullkorrelation f <Math.>	complexe m de Chasles <math.>	нуль-система <матем.>
N 1221	null transformation	Nulltransformation f	transformation f nulle	нулевое преобразование, нулевое отображение
	null-type meter	s. null detector		
	null vector	s. zero vector <also rel.>		
	number	s. atomic charge		
	number	s. similarity parameter <therm.>		

N 1222	number average	Zahlenmittel *n*	moyenne *f* numérique	численное среднее
N 1223	number average molecular weight	Zahlenmittel *n* des Molekulargewichts	masse *f* moléculaire moyenne en nombre	среднечисловой (среднечисленный) молекулярный вес
	number axis	*s.* uniform scale		
	number characteristic, characteristic	Charakterzahl *f*	caractéristique *f*, nombre *m* caractéristique	характеристика, характеристическое число
N 1224	number density, number density of particles, number of particles per unit volume	Anzahldichte *f*, Teilchenanzahldichte *f*, Teilchenzahldichte *f*, Teilchendichte *f*, Partikeldichte *f*	nombre *m* volumique [de particules], densité *f* numérique, nombre de particules par unité de volume	плотность частиц, плотность числа частиц, численная плотность, количество частиц на единицу объёма
N 1225	number density of molecules, number of molecules per unit volume	Molekülanzahldichte *f*, Molekülzahldichte *f*	nombre *m* volumique de molécules, nombre de molécules par unité de volume	количество молекул на единицу объёма, число молекул на единицу объёма, плотность [числа] молекул
	number density of particles	*s.* number density		
N 1226	number display tube	Zahlenanzeigeröhre *f*	décatron *m* indicateur	декатрон с цифровыми матрицами
N 1227	number-distance curve	Anzahl-Abstand[s]-Kurve *f*	courbe *f* nombre-distance	кривая количество-расстояние
N 1228	number generator	Zahlengeber *m*	générateur *m* de nombres; impulseur *m*	датчик чисел; импульсник
N 1229	number of alternations	Polwechselzahl *f*	nombre *m* d'alternances	число смен полюсов, количество полупериодов
	number of alternations	*s. a.* number of cycles		
	number of ampere turns	*s.* number of turns <el.>		
N 1230	number of collisions, collision number	Stoßzahl *f*	nombre *m* des chocs, nombre de chocs, nombre de collisions	число столкновений, число соударений
N 1231	number of collisions with the wall	Wandstoßzahl *f*	nombre *m* des collisions avec les parois	число столкновений со стенкой
N 1232	number of condensation nuclei	Kondensationskernzahl *f*, Kernzahl *f*	nombre *m* des noyaux de condensation	количество ядер конденсации, число ядер конденсации
N 1233	number of cycles, cycles per unit time; number of alternations	Wechselzahl *f*, Anzahl *f* der Wechsel, Wechsel *mpl*	alternance *f*, nombre *m* de cycles, cycles par unité de temps	число перемен
	number of cycles of load stressing, cycles of load stressing	Lastspielzahl *f*, Lastwechselzahl *f*, Lastspiele *npl*	cycles *mpl* de tension, nombre *m* de cycles de tension	число циклов нагрузки, число циклов нагружения
N 1234	number of cycles of overstress	Überlastungsspielzahl *f*	nombre *m* des cycles de surcharge	число циклов перегрузки
N 1235	number of degrees of freedom	Anzahl *f* der Freiheitsgrade, Zahl *f* der Freiheitsgrade, Freiheitszahl *f*	nombre *m* de degrés de liberté, degrés *mpl* de liberté	число степеней свободы
	number of degrees of freedom	*s. a.* degree of freedom		
	number of degrees of superheat	*s.* degree of superheating		
N 1236	number of drops	Tropfenzahl *f*	nombre *m* des gouttes	содержание (количество, число) капель
N 1237	number of exceeding values	Überschreitungszahl *f*	nombre *m* de dépassements	«число превышений»
	number of exchanges	*s.* number of interchanges		
	number of grooves per unit length, number of rulings per unit length	Strichzahl *f* <Beugungsgitter>	nombre *m* de traits par unité de longueur	количество штрихов на единицу длины
N 1238	number of interchanges, number of exchanges	Platzwechselzahl *f*	nombre *m* des permutations de sites, nombre d'échanges	число обменов [местами], количество обменов [местами]
	number of ionizations, ionization number	Ionisierungszahl *f*	nombre *m* d'ionisations	число ионизаций
	number of meteors per hour, rate of shooting stars, hourly rate of meteors, frequency of meteors	Häufigkeit *f* der Meteore, Anzahl *f* der Meteore pro Stunde	nombre *m* horaire des météores, nombre horaire, fréquence *f* horaire, fréquence des météores	часовое число [метеоров]
	number of molecules per unit volume, number density of molecules	Molekülanzahldichte *f*, Molekülzahldichte *f*	nombre *m* volumique de molécules, nombre de molécules par unité de volume	количество молекул на единицу объёма, число молекул на единицу объёма
N 1239	number of moles	Molzahl *f*, Molenzahl *f*	nombre *m* de moles	число молей, количество молей
N 1240	number of nearest neighbours	Anzahl (Zahl) *f* der nächsten Nachbarn	nombre *m* des voisins les plus proches	число ближайших соседей
N 1241	number of neighbours	Nachbarzahl *f*, Anzahl *f* der Nachbarn	nombre *m* de voisins	число соседей
	number of neutrons per fission	*s.* neutron yield per fission		
N 1242	number of nuclei	Keimzahl *f*, Anzahl *f* der Keime, Kernzahl *f*	nombre *m* des germes	количество (число) зародышей
N 1243	number of nuclei per unit volume	Anzahl *f* der Kerne pro Volum[en]einheit, Zahl *f* der Kerne pro Volum[en]einheit, Kernanzahldichte *f*	nombre *m* volumique de noyaux cibles	ядерная концентрация вещества; ядерная плотность делящегося вещества
N 1244	number of particles, particle number; particulate number <of aerosol>	Teilchenzahl *f*	nombre *m* des particules	количество частиц, число частиц

	English	German	French	Russian
	number of particles per unit volume	s. number density		
N 1245	number of places	Stellenzahl f	index m	количество разрядов
N 1246	number of practical plates, number of real plates	praktische Bodenzahl f	nombre m de plateaux réels	число практических (фактических) тарелок
N 1247	number of revolutions, number of turns	Umdrehungszahl f, Drehzahl f, Tourenzahl f, Umlaufzahl f	nombre m de révolutions, nombre de tours	число оборотов
	number of revolutions per minute	s. revolutions per minute		
	number of revolutions per unit time	s. speed		
N 1248	number of rulings per unit length, number of grooves per unit length	Strichzahl f <Beugungsgitter>	nombre m de traits par unité de longueur	количество штрихов на единицу длины
N 1249	number of secondary turns	Sekundärwindungszahl f	nombre m de spires secondaires	число витков вторичной обмотки
N 1250	number of stages [of separation]	Trennstufenzahl f	nombre m des étages [de séparation]	количество (число) ступеней разделения
N 1251	number of theoretical plates (trays), NTP	Zahl f der theoretischen Böden, [theoretische] Bodenzahl f, NTP-Wert m	nombre m de plateaux théoriques	число теоретических тарелок
N 1252	number of transfer units, NTU	[theoretische] Austauschzahl f, NTU-Wert m	nombre m d'unités de transfert	[теоретический] коэффициент переноса массы, число единиц переноса, число единиц передачи
	number of turns, number of revolutions	Umdrehungszahl f, Drehzahl f, Tourenzahl f, Umlaufzahl f	nombre m de révolutions, nombre de tours	число оборотов
N 1253	number of turns, index <of the curve>	Windungszahl f, Umlaufszahl f, Index m <Kurve>	indice m [de giration] <de la courbe>	винтовое число, число обходов, индекс <кривой>
N 1254	number of turns, number of ampere turns, ampere turns <el.>	Windungszahl f, Anzahl f der Windungen, Amperewindungszahl f, Stromwindungszahl f, elektrische Durchflutung f <El.>	nombre m de spires, nombre de tours, nombre d'ampères-tours, ampères-tours mpl <él.>	число витков, количество витков, число ампер-витков, ампер-витки <эл.>
N 1255	number of turns per unit length	Windungszahl f pro Längeneinheit, Windungszahldichte f, Windungsdichte f	nombre m des spires par unité de longueur	плотность витков, число витков на единицу длины
	number of turns per unit time	s. speed		
	number operator, numerical operator	Zahlenoperator m	opérateur m numérique	числовой оператор
N 1256	number reflection build-up factor	Quantenreflexions-Aufbaufaktor m	facteur m d'accumulation de quanta sous réflexion	фактор накопления квантов при отражении
N 1257	number representation <num. math.>	Zahlendarstellung f, Zahldarstellung f <num. Math.>	représentation f des nombres <math. num.>	представление чисел <числ. матем.>
	number system, system of numbers, numeration	Zahlensystem n	système m numérique; système de nombres; système de numérotation	числовая система, система представления чисел, система счисления (нумерации)
N 1258	number triple, triple of numbers	Zahlentripel n	triple m de nombres	тройка чисел
	numeration	s. number system		
N 1259	numerator [of the fraction]	Zähler m [des Bruches]	numérateur m [de la fraction]	числитель [дроби]
N 1260	numerical aperture, N.A., NA	numerische Apertur f, Apertur f	ouverture f numérique	числовая (численная) апертура
	numerical axis	s. uniform scale		
N 1261	numerical check <num. math.>	Probe f <num. Math.>	vérification f <math. num.>	проверка <числ. мат.>
	numerical coefficient, numerical factor	Zahlenfaktor m	coefficient m numérique, facteur m numérique	числовой коэффициент, числовой множитель
N 1262	numerical constant	Zahlenkonstante f	constante f numérique, constante métrique	численная константа
N 1263	numerical data, numerics	numerische Werte mpl, Zahlenwerte mpl, Zahlenangaben fpl	données fpl numériques	численные данные, числовые данные, цифровые данные
N 1264	numerical display tube	Ziffernanzeigeröhre f	tube m indicateur numérique	цифровая индикаторная лампа
N 1265	numerical distance	numerischer Abstand m, numerische Entfernung f	distance f numérique	численное расстояние
N 1266	numerical example	Zahlenbeispiel n, numerisches Beispiel n	exemple m numérique	численный пример, числовой пример
N 1267	numerical factor, numerical coefficient	Zahlenfaktor m	coefficient m numérique, facteur m numérique	числовой коэффициент, числовой множитель
N 1268	numerical integration	numerische Integration f	intégration f numérique	численное интегрирование
	numerical line	s. uniform scale		
N 1269	numerical measure, measure, coefficient of measure, numerical value	Zahlenwert m, Maßzahl f, numerischer Wert m	valeur f numérique, mesure f, cote f	численное значение [величины], числовое значение [величины], значение [величины]
N 1270	numerical operator, number operator	Zahlenoperator m	opérateur m numérique	числовой оператор
	numerical value	s. numerical measure		

	numerics	s. numerical data		
N 1271	**nunatak**	Nunatak m ‹pl.: -takr, -takker›	nunatak m	нунатак
N 1272	**Nusselt equation** **Nusselt group**	Nußeltsche Gleichung f s. Nusselt number	formule f de Nusselt	формула Нуссельта
N 1273	**Nusselt-Kraussold relation** **Nusselt No.**	Nußelt-Kraussoldsche Beziehung f s. Nusselt number	formule f de Nusselt et Kraussold	формула Нуссельта-Крауссольда
N 1274	**Nusselt number,** Nusselt No., Nusselt group, Biot modulus (number), Nu, Bi	Nußelt-Zahl f [erster (1.) Art], Nußeltsche Kennzahl f, Nußeltsche Zahl f, Biot-Zahl f, Biotsche Kennzahl f, Nu	nombre m de Biot, nombre de Nusselt, Bi, Nu	число Нуссельта, критерий Нуссельта, критерий Био, Nu, Bi
N 1275	**Nusselt sphere**	Nußeltsche Kugel f	sphère f de Nusselt	шарик Нуссельта
N 1276	**Nusselt['s] theory [of filmwise condensation]**	Nußeltsche Wasserhauttheorie f, Wasserhauttheorie von Nußelt	théorie f de Nusselt [de la condensation en film]	теория Нуссельта [пленочной конденсации]
N 1277	**nutating-disk flowmeter, nutating-disk [fluid] meter**	Scheiben[rad]zähler m; Scheibenmengenmesser m, Scheibenradmesser m	compteur m à disque, débitmètre m à disque	дисковый расходомер, дисковый счетчик
N 1278	**nutation, nodding ‹astr.; mech.›**	Nutation f; reguläre Präzession f, regelmäßige Präzession ‹Astr.; Mech.›; Nutationsbewegung f	nutation f ‹astr.; méc.›	нутация ‹астр.; мех.›; нутационное движение
N 1279	**nutation ‹bio.›**	Nutationsbewegung f, Wachstumsbewegung f ‹Bio.›	nutation f ‹bio.›	нутация ‹био.›
	nutational ellipse, nutation ellipse	Nutationsellipse f	ellipse f de nutation	нутационный эллипс
N 1280	**nutation angle**	Nutationswinkel m	angle m de nutation	угол нутации
N 1281	**nutation cone**	Nutationskegel m	cône m de nutation	конус нутации
N 1282	**nutation constant,** constant of nutation	Nutationskonstante f	constante f de la nutation	постоянная нутации
N 1283	**nutation ellipse,** nutational ellipse	Nutationsellipse f	ellipse f de nutation	нутационный эллипс
N 1284	**nutation frequency,** frequency of nutation	Nutationsfrequenz f	fréquence f de nutation	частота нутации
N 1285	**nutation in longitude**	Nutation f in Länge	nutation f en (de) longitude	нутация по долготе
N 1286	**nutation in obliquity [of ecliptic]**	Nutation f in Schiefe	nutation f en obliquité, nutation d'obliquité	нутация наклона эклиптики
N 1287	**nutrient,** nutrient material **nutrient [liquid]** **nutrient material**	Nährgut n s. a. nutrient solution s. nutrient	matériel m nourricier, substance f nourricière	питательный материал, питательное вещество
N 1288	**nutrient solution,** nutrient liquid, nutrient	Nährlösung f	solution f de culture, solution nourricière, liquide m nourricier	жидкая питательная среда
N 1289	**nutsche [filter], nutsch filter**	Nutsche f, Filternutsche f, Nutsch[en]filter n	nutsche m, filtre-nutsche m, entonnoir-filtre m	нуч, нучфильтр, нутч
N 1289a	**Nutting-Scott-Blair equation**	Nutting-Scott-Blairsche Gleichung f	équation f de Nutting-Scott-Blair	уравнение Нэттинга-Скотта-Блэра
N 1290	**nuvistor** **n value**	Nuvistor m s. field index	nuvistor m	нювистор
N 1291	**n-valued logic[al calculus]**	n-wertige Logik f	logique f à n valeurs	n-значная логика
	Nyberg-Luther colour solid	s. Luther-Nyberg colour solid		
N 1292	**nyctalopia**	Nyktalopie f, Tagblindheit f, Nachtsichtigkeit f	nyctalopie f	дневная слепота
N 1293	**nyctonasty**	Nyktonastie f, nyktonastische Bewegung f, Schlafbewegung f	nyctonastie f	никтонастия
N 1294	**Nyquist-Cauchy criterion [of stability],** generalized Nyquist-Cauchy criterion [of stability], stability criterion of Nyquist-Cauchy, generalized stability criterion of Nyquist-Cauchy	[verallgemeinertes] Nyquist-Cauchysches Stabilitätskriterium n, [verallgemeinertes] Stabilitätskriterium nach Nyquist-Cauchy, [verallgemeinertes] Nyquist-Cauchy-Stabilitätskriterium n, Nyquist-Cauchy-Kriterium n, Nyquist-Cauchysches Kriterium n, [verallgemeinertes] Kriterium von Nyquist-Cauchy	critère m de Nyquist-Cauchy, critère généralisé de Nyquist-Cauchy, critérium m de stabilité de Nyquist-Cauchy, critérium généralisé de stabilité de Nyquist-Cauchy	критерий Найквиста-Коши, обобщенный критерий Найквиста-Коши
N 1295	**Nyquist['s] criterion [for a control system], Nyquist['s] criterion of stability,** stability criterion of Nyquist, Nyquist-Michailov criterion [of stability], stability criterion of Nyquist-Michailov, topographical criterion [for a control system], Nyquist rule	Nyquist[-Michajlow]sches Stabilitätskriterium (Kriterium) n, Stabilitätskriterium nach Nyquist, Nyquist[-Michajlow]-Stabilitätskriterium n, Nyquist[-Michajlow]-Kriterium n, Kriterium von Nyquist[-Michajlow], Nyquist[-Michajlow]-Bedingung f, Nyquist[-Michajlow]sche Stabilitätsbedingung, Nyquist-Effekt m, Stabilitätskriterium von Nyquist-Michajlow	critère m de Nyquist, critérium m de stabilité de Nyquist, critère de Nyquist-Michailov, critérium de stabilité de Nyquist-Michailov	критерий Найквиста, критерий Найквиста-Михайлова
N 1296	**Nyquist filter**	Nyquist-Filter n	filtre m de Nyquist, filtre Nyquist	фильтр с крутыми фронтами частотной характеристики, фильтр Найквиста

	English	German	French	Russian
N 1297	**Nyquist flank**	Nyquist-Flanke f	flanc (front) m de Nyquist	срез (фронт) Найквиста
N 1298	**Nyquist['s] formula,** Nyquist['s] theorem	Nyquistsche Rauschformel (Formel) f, Nyquist-Formel f	formule f de Nyquist	формула Найквиста
N 1298a	**Nyquist frequency,** turnover frequency	Nyquist-Frequenz f	fréquence f de Nyquist	частота Найквиста
	Nyquist locus	s. transfer locus		
	Nyquist-Michailov criterion [of stability]	s. Nyquist['s] criterion		
	Nyquist plot	s. transfer locus		
	Nyquist['s] rule	s. Nyquist['s] criterion		
	Nyquist['s] theorem	s. Nyquist['s] formula		
N 1299	**nystagmus**	Nystagmus m, Augenzittern n	nystagmus m, mouvement m oscillatoire des yeux	нистагм
N 1300	**Nyström extrapolation**	Nyström-Extrapolation f	extrapolation f de Nyströem	экстраполяция Нистрема

O

O 1	**Oakes-Yang's problem**	Oakes-Yangsches Problem n	problème m d'Oakes et Yang	проблема Окса-Янга
O 2	**O association**	O-Assoziation f	association f O	O-ассоциация
O 3	**Obach cell**	Obach-Element n	élément m d'Obach	элемент Обаха
	object; target	Ziel n	cible f; objet m	цель; мишень; объект
O 4	**object** <gen., opt., bio.>; specimen <gen., especially in electron microscopy>	Objekt n <Allg., Opt., Bio.>; Gegenstand m, Ding n <Allg., Opt.>; Gesichtsobjekt n, Sehding n, Sehobjekt n <physiol. Opt.>	objet m <gén., opt., bio.>	объект <общ., опт., био>; предмет <общ., опт.>
O 5	**object,** object-side, front <opt.>	dingseitig, objektseitig, gegenstandsseitig, Gegenstands-, Ding-, Objekt-, vorderer <Opt.>	objet, antérieur <opt.>	передний, [в стороне] объекта, первый <опт.>
	object airlock, specimen airlock	Objektschleuse f	sas-objet m, écluse f pour les objets	шлюз камеры объектов
	object damage, specimen damage	Objektschaden m	lésion f de l'objet, dommage m de l'objet	повреждение объекта, поражение объекта
O 6	**object distance** <from object principal point>	Dingweite f, Gegenstandsweite f, Objektweite f	distance f [de l']objet <au point principal objet>	расстояние объекта, расстояние до предмета <от передней главной точки>
	object distance	s. a. target distance		
O 7	**object distance from the vertex [of the lens],** front vertex object distance, lens / object distance	Dingschnittweite f, dingseitige (objektseitige, vordere, gegenstandsseitige) Schnittweite f	distance f de l'objet au sommet [de la lentille]	расстояние от объекта до линзы, расстояние от объекта до вершины [линзы]
O 8	**object field**	Dingfeld n, Objektfeld n	champ m objet	поле объекта
O 9	**object field of sight,** object field of view	Dingfeld n, dingseitiges Gesichtsfeld n, Eintrittssichtfeld n, Dingsichtfeld n	champ m de vision objet	поле зрения в стороне объекта
O 10	**object field stop**	Dingfeldblende f, Objektfeldblende f, Eintrittsblende f	diaphragme m de champ objet	передняя полевая диафрагма
O 11	**object focal length,** front focal length	Dingbrennweite f, dingseitige (objektseitige, gegenstandsseitige, vordere) Brennweite f, Objektbrennweite f, Gegenstandsbrennweite f	longueur f focale objet, longueur focale antérieure	переднее фокусное расстояние, фокусное расстояние в стороне объекта
O 12	**object focus,** front focus, first focal point	Dingbrennpunkt m, dingseitiger (objektseitiger, vorderer) Brennpunkt m	foyer m objet, foyer antérieur	передний фокус, фокус в стороне объекта, фокус объекта
O 13	**object for estimating visibility**	Sichtziel n	objet m d'observation pour l'estimation de la portée de vue	объект наблюдения для оценки видимости
O 14	**object fouling**	Objektverschmutzung f	salissement (encrassement) m de l'objet	загрязнение объекта
O 15	**object function** <opt.>	Objektfunktion f <Opt.>	fonction f objet <opt.>	функция объекта <опт.>
	object holder	s. slide		
O 16	**objectifiability [in quantum mechanics]**	Objektivierbarkeit f [in der Quantenmechanik]	objectifiabilité f [dans la mécanique quantique]	объективируемость [в квантовой механике]
	objective colorimeter	s. photoelectric colorimeter		
	objective colorimetry	s. photoelectric colorimetry		
	objective doublet, doublet, doublet lens, doublet objective	Doppelobjektiv n, zweilinsiges Objektiv n, Zweilinsenobjektiv n, Zweilinser m	doublet m, objectif m à deux lentilles, objectif à deux verres	дублет, двухлинзовый объектив, перископ
O 16a	**objective function**	Zielfunktion f	fonction f économique	целевая функция
	objective glossmeter, photoelectric glossmeter	lichtelektrischer (photoelektrischer, objektiver) Glanzmesser m	luisancemètre m photoélectrique, luisancemètre objectif	фотоэлектрический глянцемер, объективный глянцемер
O 17	**objective grating**	Objektivgitter n	réseau m d'objectif	объективная решетка
	objective mirror; primary mirror <of telescope>	Hauptspiegel m <Fernrohr>	grand miroir m <du télescope>	главное зеркало <телескопа>

	English	German	French	Russian
	objective photometer, photoelectric photometer	lichtelektrisches (photoelektrisches, objektives) Photometer n	photomètre m photo-électrique, photomètre objectif	фотоэлектрический фотометр, объективный фотометр, электрофотометр
O 18	objective prism	Objektivprisma n	prisme m d'objectif	объективная призма
O 19	object[-] micrometer	Objektmikrometer n	micromètre m d'objet, objet m micrométrique	объект-микрометр
	object-mount	s. slide		
O 20	object nodal point, front nodal point	Dingknotenpunkt m, dingseitiger (objektseitiger, vorderer) Knotenpunkt m	point m nodal objet, point nodal antérieur	передняя узловая точка, узловая точка [в стороне] объекта
O 21	object plane, specimen plane	Dingebene f, Gegenstandsebene f, Objektebene f	plan m objet	плоскость объекта, плоскость предмета
O 22	object point <opt.>	Dingpunkt m, Gegenstandspunkt m, Objektpunkt m <Opt.>	point-objet m, point m objet <opt.>	объектная (предметная) точка, точка объекта (предмета), точка в предметном пространстве <опт.>
O 23	object principal plane, front principal plane	Dinghauptebene f, dingseitige (objektseitige, vordere) Hauptebene f	plan m principal objet, plan principal antérieur	передняя главная плоскость, главная плоскость в стороне объекта
	object principal point, front principal point	Dinghauptpunkt m, dingseitiger (objektsseitiger, vorderer) Hauptpunkt m	point m principal objet, point principal antérieur	передняя главная точка, главная точка в стороне объекта, главная точка объекта
O 24	object ray, ray from object point	Dingstrahl m	rayon m objet, rayon du point-objet	луч от точки объекта
	object-side	s. object <opt.>		
	object-side pupil	s. entrance pupil		
O 25	object size	Dinggröße f, Gegenstandsgröße f, Objektgröße f	dimensions fpl (taille f) de l'objet	размер объекта, размер предмета
	object slide	s. slide		
	object space	s. original space <math.>		
O 26	object space <opt.>	Dingraum m, Gegenstandsraum m, Objektraum m <Opt.>	espace-objet m, espace m objet, milieu m objet <opt.>	пространство объектов (предметов), объектное (предметное) пространство <опт.>
	object stage	s. stage		
O 27	object to be measured, object under measurement (test), test object	Meßobjekt n, Meßling m; Prüfobjekt n, Prüfling m; Testobjekt n	objet m de mesure; objet d'essai	измеряемый объект; испытуемый объект, испытуемый предмет
O 28	object to be studied, object under investigation	Untersuchungsgegenstand m, Untersuchungsobjekt n	objet m d'étude, objet d'examen, objet à essayer (étudier)	исследуемый объект
	object under measurement (test)	s. object to be measured		
O 29	object vergence, front vergence	dingseitige (objektseitige) Vergenz f	vergence f objet, vergence antérieure	передняя вергенция, вергенция объекта
O 30	oblate ellipsoid of revolution, oblate spheroid	abgeplattetes Rotationsellipsoid n	ellipsoïde m [de révolution] aplati	сплющенный эллипсоид [вращения], сжатый эллипсоид
	oblateness	s. flattening <quantity>		
	oblateness of the Earth	s. flattening of the Earth		
	oblate spheroid	s. oblate ellipsoid of revolution		
O 31	oblate spheroidal co-ordinates	abgeplattet-rotationselliptische Koordinaten fpl, Koordinaten des abgeplatteten Rotationsellipsoids	coordonnées fpl de l'ellipsoïde de révolution aplati	вырожденные эллипсоидальные сплюснутые координаты, координаты сплющенного сфероида, сплюснутая сфероидальная система координат
O 32	oblique; inclined; skew; slant; angled	schräg; schief; verkantet	oblique; incliné	косой; наклонный; косвенный; скошенный
O 33	oblique, oblique[-] angled	schiefwinklig	oblique	косоугольный
O 34	oblique, slant, skew <opt.>	schräg einfallend, schräg, schief <Opt.>	oblique <opt.>	косой <опт.>
O 35	oblique aerial survey	Luftbild-Schrägaufnahme f	photographie f aérienne oblique	наклонная аэрофотосъемка
	oblique[-] angled	s. oblique		
O 36	oblique anode	Schräganode f	anode f oblique	наклонный анод
O 37	oblique ascension, geocentric longitude	Schrägaszension f, geozentrische Länge f	ascension f oblique, longitude f géocentrique	косое восхождение, геоцентрическая долгота
O 38	oblique bending	schiefe (schräge) Biegung f	flexion f composée	косой изгиб
O 39	oblique bundle, slant bundle	schiefes Bündel n	faisceau m oblique, pinceau m oblique	косой пучок [лучей]
O 40	oblique co-ordinates	schiefwinklige Koordinaten fpl	coordonnées fpl obliques	косоугольные координаты
O 41	oblique cylinder	schiefer Zylinder m	cylindre m oblique	косой цилиндр
O 42	oblique fault, cross fault	Schrägverwerfung f, Diagonalverwerfung f	faille f oblique, faille diagonale	косой сброс, диагональный сброс
O 43	oblique flow	Schräganströmung f	écoulement m oblique	косоструйное течение, косое натекание (обтекание); косой обдув
	oblique fold, asymmetric fold	schiefe Falte f	pli m oblique, pli dissymétrique, pli déjeté, pli en genou	асимметричная складка, косая складка, наклонная складка

	English	German	French	Russian
O 44	**oblique illumination**	Schrägbeleuchtung f, schiefe (schräge) Beleuchtung f, Schräglichtbeleuchtung f, Schräglicht n	éclairage m oblique	косое освещение, одностороннее освещение, боковое освещение, освещение под косым углом
O 45	**oblique illuminator**	Schräg[licht]illuminator m, Schräglichtkondensor m	condenseur m à éclairage oblique	конденсор для косого освещения, косоосветитель
O 46	**oblique impact**	schiefer Stoß m	choc m (impact m, collision f) oblique	косой удар, косое столкновение (соударение)
O 47	**oblique incidence**	schräger (schiefer) Einfall m	incidence f oblique	косое падение
O 48	**oblique observation**	Schrägbeobachtung f	observation f oblique (sous angle)	наблюдение под углом
O 49	**oblique photography**	Schrägaufnahme f	photographie f oblique; photographie aérienne oblique	съемка с наклонной осью камеры, перспективная съемка; перспективное воздушное фотографирование
	oblique plane, inclined plane	schiefe Ebene f	plan m incliné	наклонная плоскость
O 50	**oblique position;** tilt; obliquity	Schräglage f, schräge Lage f, Neigung f; Schiefstellung f; Schrägstellung f; Verkippung f	position f inclinée; obliquité f	наклонное положение, скошенное (косое) положение; перекос, перекашивание
O 51	**oblique projection,** inclined throw <mech.>	schiefer Wurf m <Mech.>	jet m oblique <méc.>	косое движение; движение тела, брошенного наклонно к горизонту <мех.>
	oblique projection	s. a. skew projection		
	oblique ray	s. skew ray		
O 52	**oblique reflection technique**	Schrägreflexionsverfahren n	méthode f des réflexions obliques	метод косого отражения
O 53	**oblique shock**	schiefer Verdichtungsstoß m	onde f de choc oblique	косой скачок уплотнения
O 54	**oblique stratification**	Schrägschichtung f	stratification f oblique (transversale)	косая слоистость (стратификация)
O 55	**oblique visibility [distance]**	Schrägsichtweite f, Schrägsicht f	portée f de vue oblique, visibilité f oblique	перспективная дальность видимости
	obliquity; oblique position; tilt	Schräglage f, schräge Lage f, Neigung f; Schiefstellung f; Schrägstellung f; Verkippung f	position f inclinée; obliquité f	наклонное положение; скошенное (косое) положение; перекос, перекашивание
O 56	**obliquity,** tilt	Schiefe f, Schräge f	biais m, obliquité f	скос; наклон; уклон
	obliquity factor	s. inclination factor		
O 57	**obliquity of [the] ecliptic**	Schiefe f der Ekliptik	obliquité f de l'écliptique	наклон эклиптики, наклонение эклиптики
	obliviator	s. influence function <gen., elasticity)		
	oblong, prolate	verlängert, gestreckt; länglich	allongé, oblong	вытянутый, продолговатый; удлиненный
O 58	**oblong basin,** prolate basin <geo.>	Wanne f <Geo.>	bassin m oblong <géo.>	ванна, продолговатая мульда <гео.>
O 59	**O branch**	O-Zweig m	branche f O	О-ветвь
O 60	**Obreimow-Shubnikov method**	Obreimow-Schubnikow-Verfahren n, Methode f von Obreimow-Schubnikow	méthode f d'Obreimov-Sh[o]ubnikov	метод Обреимова-Шубникова
	obscured glass	s. opal glass		
O 60a	**obscure radiation,** dark radiation	Dunkelstrahlung f	radiation f obscure, rayonnement m obscur	темное излучение, невидимое излучение
O 61	**obsequent river**	obsequenter Fluß m	rivière f obséquente	обсеквентная река
O 62	**observability**	Beobachtbarkeit f	observabilité f	возможность наблюдения, наблюдаемость
O 63	**observable**	Observable f, beobachtbare Größe f	observable f (m), grandeur f observable	наблюдаемая величина, наблюдаемая
O 64	**observance**	Beachtung f, Befolgung f	considération f, obéissance f	соблюдение, исполнение
O 65	**observational equation,** observation equation	Fehlergleichung f, Verbesserungsgleichung f	relation (équation) f d'observation	уравнение погрешностей, уравнение ошибок
	observation hole	s. observation port		
O 66	**observation port,** observation hole, viewing window, eyehole, eye sight, eye, peephole, inspection hole	Beobachtungsfenster n; Beobachtungsöffnung f; Schauloch n; Schauöffnung f; Einblickfenster n	trou m d'observation; orifice m d'observation; orifice d'inspection; visière f, regard m	наблюдательное окошко; смотровое окно; смотровое отверстие; смотровой люк, смотровой лючок; глазок [для наблюдения]
O 67	**observation telescope,** scope	Beobachtungsfernrohr n, Betrachtungsfernrohr n	télescope m à l'observation	телескоп для наблюдения (рассмотрения), наблюдательный телескоп
O 68	**observed threshold**	beobachteter Schwellenwert m, empirische Schwelle f	seuil m observé	наблюдаемый порог
O 69	**observer at rest,** non-moving observer	ruhender Beobachter m	observateur m au repos	покоящийся наблюдатель, наблюдатель в состоянии покоя
O 70	**observing slit [of the dome]**	Kuppelspalt m	fente f [dans la coupole]	люк [купола]
O 71	**obstacle,** obstruction	Hindernis n; Schrank f; Widerstand m	obstacle m	препятствие, преграда
O 72	**obstacle cloud;** orographic cloud	Hinderniswolke f; orographische Wolke f	nuage m d'obstacle; nuage orographique	облако препятствий; орографическое облако
O 73	**obstacle gain**	Wellenverstärkung f am Hindernis, Hindernisverstärkung f	gain m d'obstacle	усиление препятствием

O 74	**obstacle wave;** orographic wave	Hinderniswelle *f*; Hinderniswoge *f*; orographische Welle *f*	onde *f* d'obstacle; onde orographique	волна препятствий; орографическая волна
O 75	**obstruction;** choking	Verstopfung *f* <auch Medizin>; Verschließung *f*; Stauung *f*	obstruction *f*	засорение, закупорка; забивание, забивка; занос
	obstruction, obstacle	Hindernis *n*; Schrank *f*; Widerstand *m*	obstacle *m*	препятствие, преграда
O 76	**obtained by a parallel displacement**	parallel verschoben parallel übertragen	transporté par équipollence (parallélisme)	параллельно перенесенный
O 77	**obtuse, obtuse-angled**	stumpfwinklig	obtusangle, à angle obtus	тупоугольный
O 78	**obtuse bisectrix**	stumpfe (zweite) Bisektrix *f*, stumpfe (zweite) Mittellinie *f*	bissectrice *f* obtuse	биссектриса тупого угла
O 79	**Obukhoff['s] theory,** theory of Obukhoff	Obuchowsche Theorie *f*, Theorie von Obuchow	théorie *f* d'Obukhoff	теория Обухова
O 79a	**obversion** <math.>	Umkehrung *f* <Math.>	inversion *f* <math.>	превращение <матем.>
O 80	**O-carcinotron,** O-type carcinotron, O-type backward wave tube	Carcinotron *n* vom O-Typ, O-Typ-Rückwärtswellenröhre *f*, Rückwärtswellenröhre *f* vom O-Typ	carcinotron *m* du type O, tube *m* à onde inverse type O	лампа обратной волны типа О, маломощный карцинотрон
	occasive amplitude, western amplitude	Abendweite *f*	amplitude *f* ouest	западная амплитуда, западное отстояние по горизонту
O 81	**occluded gas**	okkludiertes Gas *n*	gaz *m* occlus	окклюдированный газ
O 82	**occluding cyclone**	okkludierende Zyklone *f*	cyclone *m* d'occlusion	окклюдирующий циклон
O 83	**occlusion** <also meteo.>	Okklusion *f* <auch Meteo.>	occlusion *f* <aussi météo.>	окклюзия <также метео.>, включение, поглощение
	occlusion of cold front, cold front occluison	Kaltfrontokklusion *f*	occlusion *f* du front froid	окклюзия холодного фронта
	occlusion of warm front, warm front occlusion	Warmfrontokklusion *f*	occlusion *f* du front chaud	окклюзия теплого фронта
O 84	**occultation** <astr.>	Bedeckung *f*, Verfinsterung *f* durch ein Gestirn <Astr.>	occultation *f* <astr.>	покрытие <астр.>
O 85	**occultation of the star [by the Moon],** lunar occultation	Sternbedeckung *f* [durch den Mond]	occultation *f* de l'étoile [par la lune]	покрытие звезды [Луной], закрытие звезды [Луной]
	occultation variable	*s.* eclipsing variable		
O 86	**occulting light**	unterbrochenes Feuer *n*	feu *m* à occultations	затмевающийся [проблесковый] огонь
	occupancy	*s.* degree of occupation		
O 87	**occupancy probability,** occupation probability	Besetzungswahrscheinlichkeit *f*	probabilité *f* d'occupation	вероятность заполнения
	occupated level	*s.* filled level		
O 88	**occupation**	Besetzung *f*	occupation *f*	заполнение, занятие
O 89	**occupational exposure, occupational irradiation**	berufliche Bestrahlung *f*, berufsbedingte Bestrahlung (Strahlenexponierung) *f*	exposition *f* professionnelle	профессиональное облучение; облучение, связанное с производством (условиями работы)
O 90	**occupation function**	Besetzungsfunktion *f*, Zustandsbesetzungsfunktion *f*	fonction *f* d'occupation	функция заполнения
O 91	**occupation number**	Besetzungszahl *f*	nombre *m* d'occupation, indice *m* d'occupation	число заполнения
	occupation probability, occupancy probability	Besetzungswahrscheinlichkeit *f*	probabilité *f* d'occupation	вероятность заполнения
O 92	**occupation rule**	Besetzungsvorschrift *f*	règle *f* d'occupation	правило заполнения
O 93	**occupied area, occupied space**	Strahlungsbereich *m*, in dem sich Personen aufhalten dürfen	zone *f* occupée, espace *m* occupé	рабочая зона
O 94	**occupied state**	besetzter Zustand *m*	état *m* occupé, état *m* saturé	занятое состояние, заполненное состояние
O 95	**occurence of fading,** appearance of fading	Schwundeinbruch *m*	apparition *f* d'évanouissement	появление замирания
O 96	**ocean basin** ocean core	Ozeanbecken *n* *s.* ocean floor	bassin *m* océanique	бассейн океана, океанический бассейн
	ocean current, oceanic current, marine current	Meeresströmung *f*	courant *m* marin	морское течение, океаническое течение, океанское течение
O 97	**ocean floor,** floor of ocean, sea floor; ocean core	Meeresboden *m*, Meeresgrund *m*	fond *m* de l'océan; noyau *m* de l'océan	океаническое дно, морское дно; морской грунт
	oceanic climate, maritime climate, insular climate	Seeklima *n*, maritimes Klima *n*, ozeanisches Klima	climat *m* marin, climat maritime	морской климат, океанический климат
O 98	**oceanic current,** ocean (marine) current	Meeresströmung *f*	courant *m* marin	морское (океаническое, океанское) течение
O 99	**ocean of air**	Luftozean *m*, Luftmeer *n*	mer *f* (océan *m*) d'air, océan atmosphérique	воздушный океан
O 100	**oceanography; oceanology**	Ozeanographie *f*, Meereskunde *f*; Meeresforschung *f*	océanographie *f*; océanologie *f*	океанография; океанология
	ocean ridge	*s.* mid-ocean ridge		
O 101	**ocean troposphere**	Troposphäre *f* des Ozeans, ozeanische Troposphäre	troposphère *f* de l'océan, troposphère océanique	океаническая тропосфера, тропосфера океана
O 102	**ocean trough**	Ozeangraben *m*, Meeresgraben *m*	creux *m* océanique	ложбина морского дна, океаническая ложбина (впадина)

	English	German	French	Russian
	ocean wave, sea wave	Meereswelle f, Meereswoge f	vague f de la mer	морская (океаническая) волна
O 103	ocellus	Ocellus m, Ozelle f	ocelle m	глазок
	o-compound, ortho-compound, ortho-substitution compound	ortho-Verbindung f, Orthoverbindung f, o-Verbindung f	composé m par ortho-substitution, ortho-composé m, o-composé m	ортосоединение, ортозамещенное соединение, o-соединение
O 104	ocosphere	Okosphäre f	ocosphère f	окосфера
O 105	octad symmetry, 8-al symmetry, symmetry of order eight (8)	achtzählige Symmetrie f, 8zählige Symmetrie	symétrie f d'ordre huit (8)	симметрия восьмого порядка, симметрия 8-го порядка
O 106	octahedral environment	Oktaederumgebung f	ambiance f octaédrique	октаэдрическая окрестность
O 107	octahedral group	Oktaedergruppe f	groupe m octaédrique	октаэдрическая группа
O 108	octahedral invariant	Oktaederinvariante f	invariant m octaédrique	октаэдрический инвариант
O 109	octahedral plane	Oktaederebene f	plan m octaédral	октаэдрическая плоскость
O 110	octahedral shear stress	oktaedrale Schubspannung f, Schubspannung in Oktaederfläche, Oktaeder[schub]-spannung f	tension f [de cisaillement] octaédrique	октаэдрическое сдвигающее (касательное) напряжение, октаэдрическое напряжение [сдвига]
O 111	octahedral shear-stress law	Oktaeder[schub]spannungs-gesetz n	loi f de la tension [de cisaillement] octaédrique	закон октаэдрического напряжения сдвига
	octahedral site	s. B site		
O 112	octahedral symmetry	Oktaedersymmetrie f	symétrie f octaédrique	октаэдрическая симметрия
O 113	octahedron	Oktaeder n, Achtflächner m, Achtflach n	octaèdre m	октаэдр, восьмигранник
O 114	octahedron structure	Oktaederstruktur f	structure f octaédrique	октаэдрическая структура
O 115	octal representation	oktale Darstellung f, Oktaldarstellung f	représentation f octale	восьмеричное представление
	octane level (number)	s. octane ratio		
O 116	octane rating, octane ratio, octane value, octane number, octane level	Oktanzahl f, Klopf-festigkeitswert m, Klopf-festigkeit[szahl] f, Klopf-zahl f, Klopffestigkeits-grad m, OZ	indice m d'octane	октановое число
O 117	octantal, octantal error, octantal in form	Oktantfehler m	erreur f octantale	октантная ошибка, октантальная ошибка (погрешность)
O 118	octave analyzer (band filter), octave filter	Oktavsieb n, Oktavband-paß m, Oktavfilter n	filtre m d'octaves	октавный [пропускающий полосовой] фильтр
O 119	octave-band [sound] pressure level, octave pressure level	Schalldruckpegel m der Oktave	niveau m de pression sonore de l'octave	уровень звукового давления в октавной полосе частот, октавный уровень давления
	octave filter	s. octave analyzer		
	octave pressure level	s. octave-band sound pressure level		
O 120	octet	Oktett n	octet m	октет
	octet formula, electronic formula, polarity formula	Elektronenformel f	formule f électronique (de polarité)	электронная формула, октетная формула [по Льюису]
	octet method	s. eightfold way / the		
O 121	octet rule, rule of eight	Oktettregel f, Lang-muirsche Oktettregel, Regel f der maximalen Bindigkeit	règle f des octets [de Langmuir]	правило октета (октетов, электронных октетов Ленгмюра)
	octet shell	s. L-shell		
O 122	octet theory ‹of G. N. Lewis›	Oktetttheorie f [von G. N. Lewis]	théorie f des octets [de G. N. Lewis]	октетная теория валентности, теория октетов [Льюиса]
O 123	octode, eight-electrode (eight-element, six-grid) tube	Oktode f, Achtpolröhre f, Sechsgitterröhre f	octode f, tube m hexagrille	октод, восьмиэлектродная лампа
	octopole	s. octupole		
O 124	octupole, octopole ‹nucl.›	Oktupol m, Oktopol m ‹Kern.›	octopôle m ‹nucl.›	октуполь ‹яд.›
	octupole	s. a. eight-terminal network ‹el.›		
O 125	octupole excitation	Oktupolanregung f	excitation f octopolaire	октупольное возбуждение
O 126	octupole field	Oktupolfeld n	champ m de l'octopôle, champ octopolaire	поле октуполя, октополь-ное поле
O 127	octupole moment	Oktupolmoment n	moment m octopolaire (octupolaire)	октопольный момент
O 128	octupole radiation	Oktupolstrahlung f	rayonnement m par octopôle	октупольное излучение
O 129	octupole transition	Oktupolübergang m	transition f octopolaire	октупольный переход
	ocular, eyepiece lens, eyelens, eyeglass	Okularlinse f, Einblick-linse f, Auglinse f	lentille f d'oculaire	линза окуляра
O 130	ocular estimate, visual estimate	visuelle Schätzung f, Schätzung	évaluation f visuelle	глазомерная оценка, определение на глаз
O 131	ocular filter, eyepiece filter	Okularsperrfilter n, Okularfilter n	filtre m d'oculaire	окулярный фильтр
	ocular prism, prismatic eyepiece	Okularprisma n	prisme m oculaire	окулярная призма
O 132	ocular spectroscope, eyepiece spectroscope, spectroscopic eyepiece	Okularspektroskop n	spectroscope m d'oculaire	окулярный спектроскоп

	English	German	French	Russian
O 133	odd-even nucleus, odd-even nuclide	ug-Kern m, Ungerade-gerade-Kern m, ug-Nuklid n, Ungerade-gerade-Nuklid n	noyau m impair-pair, nucléide m impair-pair	нечетно-четное ядро
O 134	odd-even rule of nuclear stability	Ungerade-gerade-Regel f der Kernstabilität	loi f impaire-paire de la stabilité nucléaire	нечетно-четное правило стабильности ядер
O 135	odd-even spin	Spin m eines ug-Kerns, ug-Spin m	spin m d'un noyau impair-pair	спин нечетно-четного ядра
O 136	odd function	ungerade Funktion f	fonction f impaire (antisymétrique)	нечетная функция
O 137	odd molecule	ungerades Molekül n, Molekül mit ungerader Valenzelektronenzahl	molécule f impaire	нечетная молекула
O 138	odd nucleus	ungerader Kern m, Kern ungerader Massenzahl	noyau m impair	ядро с нечетным массовым числом
O 139	odd-odd nucleus, odd-odd nuclide	uu-Kern m, Ungerade-ungerade-Kern m, doppelt ungerader Kern m, uu-Nuklid n, Ungerade-ungerade-Nuklid n	noyau m impair-impair, nucléide m impair-impair	нечетно-нечетное ядро
O 140	odd-odd spin	Spin m eines uu-Kerns, uu-Spin m	spin m d'un noyau impair-impair	спин нечетно-нечетного ядра
O 141	odd parity, negative parity, parity − 1 odometer	ungerade Parität f, Parität − 1, negative Parität s. hodometer	parité f impaire, parité négative	отрицательная четность, нечетное состояние
O 142	Odqvist['s] method	Odqvistsche Methode f	contribution (méthode) f d'Odqvist	метод Одквиста
O 143	oedometer	Oedometer n	œdomètre m	эдометр
O 144	oersted, Oe, O <= 79,577 A/m>	Oersted n, Oe <= 79,577 A/m>	œrsted m, Œ, Oe <= 79,577 A/m>	эрстед, э <= 79,577 a/м>
O 145	oersted meter	Oerstedmesser m	œrstedmètre m	эрстедметр
O 146	Oersted phenomenon	Oersted-Effekt m, Oersted-Phänomen n	phénomène m Œrsted	явление Эрстеда
O 146a	off-axis, abaxial	außeraxial	hors d'axe	[в]неосевой
O 146b	off-centre collision (impact) off condition	nichtzentraler Stoß m s. off state	choc m non central	нецентральное соударение
O 147	off critical amount	Differenz f zur kritischen Masse	différence f de la masse critique	величина отклонения от критического состояния
	off-diagonal element offense against the selection rule	s. non-diagonal element s. violation of the selection rule		
O 148	offense against the sine condition, OSC	Verletzung f (Abweichung f von) der Sinusbedingung	violation f de la condition des sinus	нарушение условия синусов
O 149	off-line equipment	selbständige Einheit f, Peripherieeinheit f	éléments mpl périphériques	внешнее оборудование
	off-load voltage off-period, cut-off time, switch-off period <semi.>	s. electromotive force Sperrzeit f <Halb.>	temps m de blocage <semi.>	время запирания, время блокировки <полу.>
O 150	off-position	Ausschaltstellung f, „Aus"-Stellung f	position f d'interruption, position « arrêt »	положение выключения, выключенное положение, положение «выключено»
	off-position off-region	s. a. rest position <e.g. of relay> s. stop band		
O 151	off-resonance attenuation	Verstimmungsdämpfung f	affaiblissement m de désaccord	затухание вследствие рассогласования
O 152	off-resonance method, detuning method	Verstimmungsmethode f, Verstimmungsverfahren n	méthode f de désaccord, procédé m de désaccord	метод расстройки, метод рассогласования
O 153	offset, shift[ing], misalignment	Versetzung f, Verschiebung f, Versatz m	décalage m	перемещение, смещение, сдвиг
O 154	offset, position error <control>	P-Abweichung f, Proportionalabweichung f, statische Nachstellung f, bleibende Abweichung f <Regelung>	écart m statique, erreur f de position, écart de statisme <réglage>	статическая ошибка, статическое отклонение <управление>
O 154a	offset current	Offsetstrom m, Eingangsnullstromabweichung f	décalage m de courant nul d'entrée	отклонение входного нулевого тока
O 155	off-shell particle	Teilchen n außerhalb der Massenschale, „off-shell"-Teilchen n	particule f hors de la couche massique	необолочечная частица
	offshoot of the traverse, open (unclosed) traverse; spur of the traverse	offener Polygonzug m, offener Zug m	cheminement m ouvert; antenne f de cheminement	несомкнутый ход, незамкнутый полигон; висячий ход
	off-shore wind off-spring, secondary [particle]	s. land breeze Sekundärteilchen n, Sekundäres n	particule f secondaire, secondaire f	вторичная частица
O 156	off state, off condition, blocking state (condition)	Sperrzustand m, gesperrter Zustand m	état m bloqué	запертое состояние, запертое положение
O 157	ogdohedry	Ogdoedrie f, Achtelflächigkeit f	ogdoédrie f	огдоэдрия
	ogive, percentile curve; distribution curve, cumulative frequency curve	Verteilungskurve f, kumulative Verteilungskurve; Ogive f	courbe f de distribution (répartition, fréquences cumulées); ogive f	кривая распределения; огива, оживальная кривая
O 157a	ogive <aero., hydr.>	Kopf m; Spitze f; Spitzbogen m <Aero., Hydr.>	ogive f <aéro., hydr.>	оживальная часть, оживал <аэро., гидр.>
	OH group, hydroxyl	Hydroxylgruppe f, OH-Gruppe f	hydroxyle m, radical m oxhydrile, oxhydrile m, groupement m OH	гидроксил, гидроксильная группа, водный остаток, группа OH

	English	German	French	Russian
O 158	ohm, Ω	Ohm n, Ω	ohm m, Ω	ом, ом, Ω
	ohmad, British Association Unit, British Association ohm, B.A.U. <= 0.988 Ω>	Ohmad n, British Association Unit f, B.A.U. <= 0,988 Ω>	ohmad m, British Association Unit f <= 0,988 Ω>	омад <= 0,988 ом>
O 159	ohmage	Widerstand[swert] m in Ohm, Ohmwert m	résistance f en ohms, ohmage m	сопротивление в омах
O 160	Ohmart cell	Ohmart-Zelle f	pile f Ohmart, élément m Ohmart	элемент Омарта
O 161	ohmic, resistive, resistance <el.>	ohmsch, ohmisch <El.>	ohmique, résistif, par résistance <él.>	омический, активный <эл.>
	ohmic branch	s. resistance branch		
O 162	ohmic bulk resistance	ohmscher Bahnwiderstand m	résistance f de volume ohmique	омическое объемное сопротивление
	ohmic component, active (resistive) component	Wirkstromkomponente f, ohmsche Komponente f	composante f active, composante résistive, composante ohmique	активная (резистивная, омическая) составляющая
O 163	ohmic component of the attenuation constant	Widerstandsdämpfung f	amortissement m par résistance	затухание, обусловленное активным сопротивлением; успокоение (демпфирование) включенным активным сопротивлением
O 164	ohmic contact, non-rectifying contact, low-resistance contact	ohmscher (sperrfreier, sperrschichtfreier) Kontakt m, Kleinwiderstandskontakt m	contact m ohmique, contact non redresseur, contact à basse résistance	невыпрямляющий контакт, омический контакт
	ohmic coupling	s. direct coupling <of circuit>		
O 165	ohmic drop [in potential], ohmic drop of voltage, ohmic potential drop, resistive drop [of voltage], resistive drop in potential	ohmscher Spannungsabfall m	chute f ohmique [de tension], chute active [de tension], chute résistive [de tension], chute de potentiel ohmique (résistive)	омическое (активное) падение напряжения, омическое (активное) падение потенциала
O 166	ohmic heating, resistive heating, Joule heating <of plasma>	ohmsche Heizung (Aufheizung) f, Joule-Effekt-Aufheizung f, Joulesche Aufheizung, Widerstandsheizung f <Plasma>	chauffage m ohmique, chauffage par effet Joule, chauffage par résistance <du plasma>	омический нагрев, омическое нагревание, нагрев джоулевым теплом <плазмы>
	ohmic load	s. active load		
O 167	ohmic loss, resistance loss	ohmscher Verlust m	perte f ohmique	омическая потеря, потеря в активном сопротивлении
O 168	ohmic overpotential; ohmic polarization, resistive polarization	Widerstandsüberspannung f; Widerstandspolarisation f	surtension f ohmique; polarisation f ohmique	омическое перенапряжение; омическая поляризация
	ohmic potential drop	s. ohmic drop		
O 169	ohmic resistance	ohmscher Widerstand m, Gleichstromwiderstand m	résistance f ohmique	омическое сопротивление
O 170	Ohm['s] law	[elektrisches] Ohmsches Gesetz n	loi f d'Ohm	закон Ома
	Ohm['s] law for magnetic circuits	s. Hopkinson['s] law		
O 171	Ohm['s] law of acoustics	Ohmsches Gesetz n der Akustik, Ohmscher Satz m, akustisches Ohmsches Gesetz <für Schallschnelle oder Schallwellenwiderstand>	loi f d'Ohm de l'acoustique	закон Ома в акустике
O 171a	Ohm['s] law of hearing	Ohmsches Gesetz n der Akustik, Ohm-Helmholtzsches Gesetz	loi f d'Ohm[-Helmholtz] de l'ouïe	закон Ома[-Гельмгольца] слуха
O 172	Ohm['s] law of light flux, Hansen['s] law	Ohmsches Gesetz n für den Lichtfluß, Hansensches Gesetz	loi f d'Ohm du flux lumineux, formule f (loi) de Hansen	закон Ома для светового потока [по Ганзену]
	Ohm['s] law of magnetism	s. Hopkinson['s] law		
	oikocryst	s. host crystal		
	oil air pump	s. oil pump		
	oil artificial horizon, oil horizon	Ölhorizont m	horizon m artificiel à huile	масляный искусственный горизонт
O 173	oil bath	Ölbad n	bain m d'huile	масляная баня; масляная ванна
O 174	oil capacitor	Ölkondensator m	condensateur m à l'huile	масляный конденсатор
O 175	oil damping, dashpot dampening	Öldämpfung f	amortissement m par (à) l'huile	масляное успокоение, масляное демпфирование
O 176	oil diffusion pump	Öldiffusionspumpe f	pompe f à diffusion d'huile	[паро]масляный насос, [паро]масляный диффузионный насос, диффузионно-масляный вакуумный насос, диффузионный масляный насос
	oil-drop experiment [of Millikan]	s. Millikan['s] experiment		
O 177	oiled paper, oil[]paper	Ölpapier n	papier m huilé	промасленная бумага
	oil-filled	s. oil-immersed <of instrument>		
O 178	oil film	Ölfilm m, dünne Ölschicht f	film m d'huile	масляная пленка

№	English	Deutsch	Français	Русский
	oil fog	s. oil mist		
O 179	oil horizon, oil artificial horizon	Ölhorizont m	horizon m artificiel à huile	масляный искусственный горизонт
O 180	oil-immersed, oil-filled <of instrument>	ölgefüllt, unter Öl, Öl- <Gerät>	à bain d'huile <de l'appareil>	масляный, залитый маслом <о приборе>
O 181	oil immersion	Ölimmersion f	immersion f d'huile	масляная иммерсия
O 182	oiliness	Öligkeit f	onctuosité f	маслянистость
O 183	oil-in-water emulsion	Öl-in-Wasser-Emulsion f, O/W-Emulsion f	émulsion f du type « huile dans l'eau »	эмульсия типа «масло в воде», эмульсия типа м/в
	oil manometer	s. oil pressure gauge		
O 184	oil mist, oil fog, airborne oil fog	Ölnebel m	brume f d'huile, brouillard m d'huile	масляный туман
	oil[]paper	s. oiled paper		
O 185	oil pressure gauge, oil manometer	Ölmanometer n, Öldruckmesser m, Öldruckmanometer n	manomètre m à huile	масляный манометр, манометр масляного давления
	oilproof seal	s. oil seal		
O 186	oil pump, oil vacuum pump, oil air pump	Ölluftpumpe f, Ölvakuumpumpe f, Ölpumpe f	pompe f à huile, pompe à vide à huile	масляный насос, масляный вакуумнасос
O 187	oil seal, oilproof seal	Öldichtung f	étanchage m par l'huile, joint m à l'huile	масляное уплотнение
O 188	oil separator	Ölabscheider m	séparateur m d'huile	маслоотделитель, масляный сепаратор; маслоуловитель, маслоулавливатель
O 189	oil test cell; test cell	Ölprüfgerät n, Ölprüfeinrichtung f; Gerät n für Durchschlagprüfungen an Flüssigkeiten	spintermètre m	аппарат для испытания масла [на пробой]; аппарат для испытания жидкостей на пробой
	oil vacuum pump	s. oil pump		
O 190	oil vapour	Öldampf m	vapeur f d'huile	масляные пары
O 191	oil vapour pump	Öldampfstrahlpumpe f	pompe f à vapeur d'huile	[эжекторный] паромасляный насос
O 192	Okubo['s] formula	Formel f von Okubo, Okubosche Formel	formule f d'Okubo	формула Окубо
O 193	Olbers['] hypothetical planet	hypothetischer Planet m nach Olbers	planète f hypothétique [d'Olbers]	гипотетическая планета Ольберса
	Olbers['] paradox	s. photometrical paradox		
O 194	older population I	Ältere Population f I	population f I des étoiles du type A et à fortes raies métalliques	население типа I Галактики, содержащее звезды спектрального типа A и с интенсивными металлическими линиями
	old nova	s. ex-nova		
	old pack, hummocked ice, pack, pack-ice	Packeis n	glace f à hummock, glace moutonnée, glace de banquise	торосистый лед, паковый лед, пак
	old quantum theory	s. quantum theory		
O 195	oleometer	Ölaräometer n, Oleometer n	oléomètre m	ареометр для масел, олеометр
O 196	oleorefractometer	Ölrefraktometer n	oléoréfractomètre m	рефрактометр для масел
O 197	oleosol	Oleosol n	oléosol m	олеозоль
O 198	oligodynamic effect, oligodynamics	Oligodynamie f, oligodynamische Wirkung f	effet m oligodynamique	олигодинамическое действие
O 199	oligomer, oligopolymer	Oligomer[e] n, Oligopolymer[e] n	oligomère m, oligopolymère m	олигомер, олигополимер
O 200	oligotrophic	oligotroph	oligotrophe	олиготрофный
O 201	olive	Olive f	olive f	оливка, валовая шлифовка
O 202	Ollard test	Ollardsches Verfahren n, Ollard-Verfahren n, Ollard-Test m	méthode f d'Ollard	метод Олларда
O 203	Ollendorf['s] formula	Formel f von Ollendorf, Ollendorfsche Formel	formule f d'Ollendorf	формула Оллендорфа
	Olsen test <US>	s. Erichsen cupping test		
	ombrogram, pluviogram	Pluviogramm n, Ombrogramm n, Niederschlagsdiagramm n, Niederschlagskurve f	pluviogramme m, ombrogramme m	плювиограмма, омброграмма
	ombrograph	s. pluviograph		
	ombrography	s. pluviography		
	ombrometer	s. rain gauge		
	ombrometry	s. pluviometry		
	omission	s. neglect		
O 204	omnidirectional antenna, omnidirective antenna	Rundstrahler m, rundstrahlende Antenne f, Rundstrahlantenne f	antenne f omnidirectionnelle, antenne toutes directions	всенаправленная антенна
	omnidirectional microphone	s. non-directional microphone		
	omnidirectional radiation	s. non-directed radiation		
	omnidirective antenna	s. omnidirectional antenna		
O 205	on-and-off switch, two-position switch, two-way switch	Schalter m mit zwei Stellungen, Zweistellungsschalter m, Zweiweg[e]schalter m, Ein-Aus-Schalter m	interrupteur m à deux voies, interrupteur à deux positions	выключатель на два положения, двухпозиционный выключатель
O 206	once-through, once-through circulation <techn.>	Zwang[s]durchlauf m, Zwang[s]lauf m <Techn.>	passage m unique (direct), circulation f forcée [à une seule fois] <techn.>	принудительный проток, однократная принудительная циркуляция <техн.>

O 207	one-through cooling	Kühlung f mit einmaligem Kühlmitteldurchlauf, Durchlaufkühlung f	réfrigération f à passage unique	однократное (прямоточ-ное) охлаждение
O 208/9	once-through cooling [by pump]	Zwang[s]durchlaufkühlung f, Zwang[s]laufkühlung f	refroidissement m par pompe à passage unique (direct)	прямоточное охлаждение, охлаждение с однократ-ной принудительной циркуляцией
O 210	oncotic pressure ondograph	s. colloid osmotic pressure Ondograph m, Wellen-schreiber m, Wellen-linienschreiber m	ondographe m; houlo-graphe m	ондограф, волнограф, волномер-самописец, самопишущий волномер
	ondometer	s. wavemeter		
	ondoscope	s. oscillograph		
O 211	one-armed balance	einarmige Waage f	balance f à un bras	одноплечие весы
O 212	one-armed lever	einarmiger Hebel m	levier m inter-résistant, levier interpuissant, levier du deuxième genre	рычаг второго рода
O 213	one-body model of nucleus, single-particle model, j-j coupling shell model	Einteilchen[-Schalen]-modell n, Schalenmodell n mit einfacher jj-Kopp-lung der äußeren Teil-chen, Schalenmodell mit jj-Kopplung	modèle m extrême de la particule simple, modèle à une particule, modèle à structure en couche à couplage j-j	одночастичная модель ядра, оболочечная модель с jj-связью
O 214	one-body problem, single-body problem	Einkörperproblem n	problème m d'un seul corps, problème de corps unique	задача одного тела
O 215	one-centre approxima-tion	Einzentrennäherung f	approximation f à un centre	одноцентровое прибли-жение
O 216	one-circle goniometer	Einkreisgoniometer n, Einkreis-Reflex[ions]-goniometer n, ein-kreisiges Goniometer n	goniomètre m à un cercle	однокружный гониометр, однокружный отража-тельный гониометр
O 217	one-component system, unicomponent system, unitary (unary) system	Einstoffsystem n, unitäres (unäres) System n, Ein-komponentensystem n	système m à une compo-sante, système unitaire (unaire)	однокомпонентная (унарная) система
O 218	one-cycle engine one-determinantal wave function	s. one-stroke engine Eindeterminanten-Wellenfunktion f	fonction f d'onde à un seul déterminant	однодетерминантная волновая функция
	one-dimensional	s. linear		
O 219	one-dimensional disorder, line defect	eindimensionale Fehl-ordnung (Fehlstelle) f	désordre m linéaire	одномерный дефект, линейный дефект
	one-dimensional distribu-tion	s. univariate distribution		
O 220	one-dimensional flow	Fadenströmung f	mouvement (écoulement) m unidimensionnel	одномерный поток, струйное течение
O 221	one-dimensional motion, lineal motion	eindimensionale (lineale) Bewegung f	mouvement m uni-dimensionnel	одномерное движение
O 222	one-domain particle, single-domain particle	Einbereichspartikel f, Einbereichsteilchen n, Eindomänenteilchen n	particule f de la dimension du domaine unique, particule monodomaine	однодоменная частица
O 222a	one-domain size	Einbereichsgröße f	taille f du domaine unique	однодоменный размер
O 223	one-electron approximation	Einelektronennäherung f, Einelektronnäherung f	approximation f mono-électronique	одноэлектронная аппроксимация
O 224	one-electron bond, single-electron bond, semivalence, semivalency	Einelektronbindung f, Einelektronenbindung f	liaison f à un électron, liaison monoélectro-nique, liaison à électron unique	одноэлектронная связь
O 225	one-electron model	Einelektronenmodell n	modèle m mono-électronique	одноэлектронная модель
	one-electron orbital wave function	s. orbital		
O 226	one-electron problem, single-electron problem	Einelektronenproblem n	problème m mono-électronique	одноэлектронная задача
O 227	one-electron spectrum	Einelektronenspektrum n	spectre m mono-électronique	одноэлектронный спектр
O 228	one-electron state	Einelektronenzustand m	état m monoélectronique	одноэлектронное состоя-ние
O 229	one-electron system, hydrogen-like system, lone electron	Ein[zel]elektronensystem n, wasserstoffähnliches System n	système m mono-électronique (à un électron, hydrogénoïde)	одноэлектронная система, водородоподобная система
O 230	one-electron term	Einelektronenterm m	terme m mono-électronique	одноэлектронный член
O 231	one-electron theory	Einelektronentheorie f	théorie f mono-électronique	одноэлектронная теория
	one-electron wave function associated with the electronic configurations	s. orbital		
O 232	one-group approxima-tion	Eingruppennäherung f	approximation f à un groupe, approximation à groupe unique	одногрупповое прибли-жение
O 233	one-group method	Eingruppenmethode f	méthode f à un groupe	одногрупповой метод
O 234	one-group model	Eingruppenmodell n	modèle m à un groupe	одногрупповая модель
O 235	one-group theory	Eingruppentheorie f	théorie f à un groupe	одногрупповая теория
	one-half period rectification	s. half-wave rectification		
	one-kick multivibrator	s. univibrator		
	one-level approxima-tion, single-level approximation	Einniveau[an]näherung f	approximation f d'un seul niveau	приближение одного уровня
	one-level formula, single-level formula	Einniveauformel f, Ein-niveau-Resonanz-formel f	formule f à un seul niveau	формула [резонанса] для одного уровня
O 236	one-meson approxima-tion	Einmesonnäherung f	approximation f de méson unique	одномезонное прибли-жение

O 237	**one-millimetre klystron,** millimetre-wavelength klystron	Millimeterwellenklystron n	klystron m millimétrique	клистрон миллиметрового диапазона
O 237a	**one-mode resonance system**	Resonanzsystem n mit einer Schwingungsmode	système m de résonance à un mode	одновидовая резонансная система, резонансная система с одним видом колебаний
	one-one mapping	s. one-to-one mapping		
O 238	**one-over-Q value,** l/Q value, damping, degree of damping <el.>	Dämpfungsfaktor m, Dämpfungsgrad m, Dämpfung f <El.>	coefficient m d'amortissement <él.>	затухание контура
O 239	**one-over-v law,** 1/v-law	Eins-durch-v-Gesetz n, 1/v-Gesetz n	loi f en 1/v	закон 1/v
O 240/1	**one-parameter**	einparametrig	à un paramètre	однопараметрический
O 242	**one-particle equation,** single-particle equation	Einteilchengleichung f	équation f à une particule	одночастичное уравнение
O 243	**one-particle Green['s] function,** single-particle Green['s] function	Greensche Einteilchenfunktion f, Einteilchen-Green-Funktion f	fonction f de Green à une particule	одночастичная функция Грина
O 244	**one-particle state**	Ein[zel]teilchenzustand m	état m à une particule	одночастичное состояние
O 245	**one-particle structure**	Einteilchenstruktur f	structure f monoparticulaire	одночастичная структура
O 245a	**one-pass gain**	Durchgangsverstärkung f	amplification f par passage	усиление на проход
O 246	**one-phase region,** homogeneous region	Einphasenbereich m, homogenes Gebiet n	domaine m à une phase, domaine homogène	однофазная (гомогенная, однородная) область
	one-phase system, homogeneous (monophase) system	homogenes (einphasiges) System n, Einphasensystem n	système m homogène, système monophasique	однородная (гомогенная, однофазная) система
O 247	**one-phonon interaction,** single-phonon interaction	Einphononenwechselwirkung f	interaction f monophonique	однофононное взаимодействие
	one-port, two-terminal network, one-port network, two-pole network	Zweipol m	réseau m dipôle, dipôle m, bipôle m	двухполюсник
	one-port cavity maser, reflection-type cavity maser	Reflexionsmaser m, Einstrahlmaser m	maser m à cavité réflexe	квантовый усилитель с отражательным резонатором
	one-port network	s. one-port		
	one-quarter wave skirt, quarter-wave transformer	Viertelwellenumformer m	transformateur m quart d'onde	четвертьволновый трансформатор
O 248	**one-region reactor,** single region reactor	Einzonenreaktor m, Eingebietreaktor m	réacteur m à une seule région, réacteur à zone unique, pile f à une région, pile à région unique	однозонный реактор
	one-shot [multivibrator]	s. univibrator		
O 249	**one-side coated,** single-side coated	einseitig beschichtet	émulsionné à une seule surface	односторонне наслоенный
O 250	**one-sided surface,** unilateral surface, nonorientable surface	einseitige Fläche f, nichtorientierbare Fläche	surface f unilatère (unilatérale), surface non orientable	односторонняя поверхность, неориентируемая поверхность
O 251	**one-sided test,** single-tailed test, single tail test	einseitiger Test m	test m unilatéral, test à une queue	односторонний критерий, односторонне ограниченный критерий
	one-slot antenna	s. one-slot cylinder antenna		
O 252	**one-slot cylinder antenna,** one-slot antenna	Einschlitzstrahler m	antenne f cylindrique à fente [unique], antenne à fente [unique], antenne [cylindrique] à une seule fente	однощелевая цилиндрическая антенна, однощелевая антенна
O 253	**one-step photograph**	Minutenphotographie f, Minutenaufnahme f, Polaroid-Land-Aufnahme f	photographie-minute f, photo-minute f, photo f Polaroïde	снимок, полученный одноступенчатым фотографическим процессом «момент»
	one-step photographic camera, Polaroid-Land camera, Polaroid camera, Land camera	Landsche Ein-Minuten-Kamera f, Polaroid-Land-Kamera f, Polaroid-Kamera f	caméra f Polaroïde-Land, caméra-minute f, caméra Polaroïde	камера с фотокомплектом «момент», фотокомплект «момент»
O 254	**one-step photographic process,** one-step photography, while-you-wait photography	Minutenphotographie f, Polaroid-Land-Verfahren n, Ein-Minuten-Photographie f, „one-step photographic process" m, Schnellphotographie f	procédé m Polaroïd-Land, Polaroid m, photographie f foraine	одноступенчатый фотографический процесс [«момент»], фотографирование при помощи фотокомплекта «момент», скоростная фотография
	one-step reaction	s. simple reaction		
	one-stroke cycle engine	s. one-stroke engine		
O 255	**one-stroke engine,** one-[stroke] cycle engine, single-stroke [cycle] engine, single-cycle engine	Eintaktmotor m, Eintaktmaschine f, Eintakter m	moteur m à un seul temps, machine f à un seul temps	однотактный двигатель
O 255a	**one-tenth-peak divergence (spread),** tenth-peak divergence (spread)	Zehntelstreuwinkel m	largeur f angulaire de faisceau à déciintensité	угловая ширина пучка, ограниченного 10%-ной силой света
	one-to-one correspondence	s. one-to-one mapping		

O 256	**one-to-one mapping,** one-to-one correspondence, one-one mapping, bi-unique mapping, (1,1) correspondence, bijection, bijective mapping	eineindeutige Abbildung (Zuordnung) f, umkehrbar eindeutige Abbildung (Zuordnung)	représentation f biunivoque, application f biunivoque, correspondance f biunivoque	взаимно однозначное отображение (преобразование, соответствие), однолистное отображение
O 257	**one-valued function,** single-valued function	eindeutige Funktion f	fonction f univalente	однозначная функция
O 257a	**one-velocity transport theory**	Eingeschwindigkeits-Transporttheorie f	théorie f de transport à une vitesse	односкоростная теория переноса
O 258	**one-wattmeter method**	Einwattmetermethode f	méthode f du wattmètre unique	метод одного ваттметра
	one-way stress	s. pulsating stress		
	"onion" diagram, Sanson['s] net	Sanson-Netz n, Sansonsches Netz n	réseau m de Sanson, diagramme m de Sanson	сеть Сансона, диаграмма Сансона
O 259	**-onium compound**	Oniumverbindung f, -onium-Verbindung f	composé m onionique	ониевое соединение
	on-line computer	s. process computer		
O 260	**on-line equipment**	angeschlossene Einheit f, „on-line"-Einheit f	éléments mpl connectés	оборудование самой машины
	on line-isotope (mass) separator	s. on-line separator		
O 261	**on-line mass spectrometer**	„on-line"-Massenspektrometer n	spectromètre m de masse « on-line »	масс-спектрометр «on-line»
	on-line method	s. on-line technique		
O 262	**on-line separator,** on-line isotope (mass) separator	„on-line"-Massentrenner m, „on-line"-Separator m	séparateur m « on-line », séparateur d'isotopes « en ligne »	сепаратор «on-line», масс-сепаратор на пучке
O 263	**on-line technique,** on-line method	„on-line"-Methode f	méthode f « on-line »	методика «on-line»
	Onnes effect	s. lambda leak		
O 263a	**Onnes temperature,** temperature of the zero field transition	Onnes-Temperatur f	température f d'Onnes	температура Оннеса
O 264	**on-off**	„Ein" — „Aus"	« marche » — « arrêt »	«включено» — «выключено»
O 265	**on-off control,** two-step action [control], two-step control, two-position action [control], two-position (two-state) control, bang-bang servo	Zweipunktregelung f, Zweistellungsregelung f, Schwarz-Weiß-Regelung f, Ein-Aus-Regelung f	réglage m à deux paliers (positions), réglage par « tout-ou-rien », réglage [par] tout ou rien, réglage par « plus-ou-moins », réglage [par] plus ou moins	двухпозиционное регулирование, регулирование по принципу включено-выключено
	on-off control[ler]	s. two-step action control[ler]		
O 266	**on-off switch,** single-throw switch	Ein-Aus-Schalter m	commutateur m de deux positions	двухпозиционный переключатель
O 267	**on-position**	Einschaltstellung f, „Ein"-Stellung f	position f de fonctionnement, position « marche »	положение включения, включенное положение, положение «включено»
O 268	**on-position** <of relay>	Arbeitsstellung f, „Ein"-Stellung f <Relais>	position f de travail <du relais>	рабочее положение, конечное состояние <реле>
O 269	**Onsager['s] approximation**	Onsagersche Näherung f, Onsager-Näherung f	approximation f d'Onsager	приближение Онсагера
O 270	**Onsager-Casimir equations, Onsager-Casimir [reciprocity] relations**	Onsager-Casimirsche Reziprozitätsbeziehungen (Reziprozitätsrelationen) fpl	relations fpl d'Onsager et Casimir	соотношения взаимности Онсагера-Казимира
	Onsager coefficient	s. kinetic coefficient		
	Onsager conductivity equation	s. Debye-Hückel equation		
O 271	**Onsager['s] correction**	Onsager-Korrektion f, Onsagersche Korrektion f	correction f d'Onsager	поправка Онсагера, поправка по Онсагеру
	Onsager['s] coupling matrix, Onsager['s] matrix	Onsagersche Kopplungsmatrix f. Onsager-Matrix f	matrice f d'Onsager	матрица Онсагера
O 272	**Onsager['s] equation**	Onsager-Gleichung f	équation f d'Onsager	уравнение Онсагера
O 273	**Onsager['s] equation** <for conductance>	Onsagersche Gleichung f <für den elektrischen Leitwert>	équation f d'Onsager <pour la conductance>	уравнение электропроводности Онсагера, уравнение Онсагера <для электропроводности>
	Onsager['s] equation [for dielectric constant]	s. Onsager['s] formula <for the dielectric constant>		
O 274	**Onsager equations,** Onsager relations, [Onsager] reciprocity relations, Onsager['s] reciprocal relations, Onsager symmetry relations	Onsager-Beziehungen fpl, Onsagersche Reziprozitätsbeziehungen (Beziehungen, Symmetriebeziehungen, Reziprozitätsrelationen, Relationen) fpl	relations fpl d'Onsager, relations phénoménologiques; relations, dites phénoménologiques, d'Onsager	соотношения взаимности Онсагера, теорема Онсагера, условие Онсагера
O 275	**Onsager['s] formula** <for the dielectric constant>, Onsager['s] equation [for dielectric constant]	Onsagersche Formel f <für die Dielektrizitätskonstante>	formule f d'Onsager <pour la constante diélectrique>	формула Онсагера <для диэлектрической проницаемости>
O 276	**Onsager-Lagrange function**	Onsager-Lagrange-Funktion f	fonction f d'Onsager-Lagrange	функция Онсагера-Лагранжа
O 277	**Onsager['s] matrix,** Onsager['s] coupling matrix	Onsagersche Kopplungsmatrix f, Onsager-Matrix f	matrice f d'Onsager	матрица Онсагера

O 278	**Onsager['s] principle [of symmetry]**, Onsager['s] symmetry principle	Onsagersches Reziprozitätsprinzip (Prinzip, Symmetrieprinzip) n	principe m d'Onsager	принцип Онсагера, принцип симметрии Онсагера
O 279	**Onsager['s] reaction field**, reaction field	Reaktionsfeld n [von Onsager]	champ m de réaction [d'Onsager]	реакционное поле [Онсагера]
	Onsager['s] reciprocal (reciprocity) relations	s. Onsager equations		
	Onsager['s] reciprocity theorem, Onsager['s] theorem	Onsagerscher Reziprozitätssatz m	théorème m d'Onsager	теорема Онсагера
	Onsager relations	s. Onsager equations		
O 280	**Onsager['s] spherical model**	Onsagersches sphärisches Modell n	modèle m sphérique d'Onsager	сферическая модель Онсагера
	Onsager['s] symmetry principle, Onsager['s] principle [of symmetry]	Onsagersches Reziprozitätsprinzip (Prinzip, Symmetrieprinzip) n	principe m d'Onsager	принцип Онсагера, принцип симметрии Онсагера
	Onsager symmetry relations	s. Onsager equations		
O 281	**Onsager['s] theorem**, Onsager['s] reciprocity theorem	Onsagerscher Reziprozitätssatz m	théorème m d'Onsager	теорема Онсагера
	onset of superfluidity, superfluidity onset	Einsetzen n der Suprafluidität	amorçage m de suprafluidité	появление свойства сверхтекучести
O 282	**on-shore breakers**, surf on shore, sea breaking on shore	Strandbrandung f	brisant m sur plage	прибрежный бурун, прибой
	on-shore wind, sea breeze, sea wind	Seewind m	brise f (vent m) de mer, vent du large, vent d'amont	ветер с моря, морской ветер (бриз)
O 283	**oolitic**	oolithisch	oolithique	оолитовый
O 284	**Oort constant**	Oortsche Konstante f	constante f d'Oort	постоянная Оорта, постоянная Орта
O 285	**Oort rotation formulae**	Oortsche Rotationsformeln fpl	formules fpl de rotation d'Oort	формулы вращения Оорта (Орта)
O 286	**ooze**, silt	Schlick m	vasard m, schlick m, limon m épais, vase f; sable m vasard	глинистый ил, ил, иловатый песок; наносный грунт
	oozing, seepage, trickling through	Durchsickern n, Eindringen n	suintage m, suintement m	просачивание, процеживание
	oozing away	s. infiltration		
	opacimeter	s. densitometer		
	opacity; impermeability to light; opaqueness; non-transparency, blackness	Lichtundurchlässigkeit f, Undurchlässigkeit f für Licht; Undurchsichtigkeit f	imperméabilité f à la lumière; opacité f; non-transparence f	светонепроницаемость, непроницаемость для света; непрозрачность
O 287	**opacity** <quantity>	Opazität f, reziproker Durchlaßgrad m <Größe>	opacité f <grandeur>	коэффициент непрозрачности, непрозрачность <величина>
	opacity of stellar interior, stellar opacity	Sternopazität f	opacité f stellaire	непрозрачность звезд; непрозрачность звездных недр
	opacus cloud	s. opaque cloud		
O 288	**opalescence**; opalizing	Opaleszenz f; Opalisieren n	opalescence f	опалесценция
O 289	**opalescent glass**	mitteltrübes Glas n, Opaleszenzglas n, Opaleszentglas n	verre m opalescent	опаловое стекло
O 290	**opal glas**, milk (dull, bone, clouded, obscured, diffusing) glass	Trübglas n, Opalglas n, Opakglas n, Milchglas n	verre m opale, verre laiteux, verre opalin	мутное (рассеивающее, молочное, опаловое, глушенное) стекло
	opalizing; opalescence	Opaleszenz f; Opalisieren n	opalescence f	опалесценция
O 291	**opal lamp**	Opallampe f	lampe f opale	опаловая лампа
	opaque; impermeable to light; non-transparent, not transparent	lichtundurchlässig, undurchlässig für Licht; opak; undurchsichtig, nicht durchsichtig	imperméable à la lumière; opaque; non transparent	светонепроницаемый, непроницаемый для света; непрозрачный, непросвечивающий
O 292	**opaque cloud**, opacus cloud	undurchsichtige Wolke f, Opacusform f	nuage m opaque	непросвечивающее облако
	opaque colour	s. body colour		
	opaque illuminator	s. vertical illuminator		
O 293	**opaque medium**, radiopaque medium	Kontrastmittel n, Röntgenkontrastmittel n	substance f radio-opaque, milieu m radio-opaque	рентгеноконтрастный препарат; контрастная масса; вещество, непроницаемое для [рентгеновских] лучей
	opaqueness	s. opacity		
	opaque pigment	s. body colour		
O 294	**open** <el.>	offen <El.>	ouvert <él.>	открытый, разомкнутый, разобщенный, незамкнутый <эл.>
O 295	**open**, non-closed	offen, nichtgeschlossen; nichtabgeschlossen	ouvert, non fermé	незамкнутый, разомкнутый; открытый
	open, open-type <of instrument>	offen <gegen zufällige Berührung nicht geschützt> <Gerät>	ouvert <non protégé contre les contacts accidentels> <de l'appareil>	открытый <о приборе>
	open air counter, free[-] air counter, open counter, free counter	offenes Zählrohr n	tube m compteur à air [libre], tube compteur ouvert	воздушный счетчик, открытый счетчик, счетчик с воздушным наполнением
	open-air ionization chamber	s. free[-] air ionization chamber		
	open arc	s. open-flame arc		
O 296	**open-band semiconductor**	Offenbandhalbleiter m	semi-conducteur m à bande ouverte	полупроводник с незаполненной зоной

	English	German	French	Russian
O 297	**open channel** <hydr.>	offenes Gerinne n, offener Kanal m <Hydr.>	canal m à ciel ouvert <hydr.>	открытое русло, открытый канал <гидр.>
O 298	**open channel [of the reaction]** <nucl.>	offener Kanal m [der Reaktion], offener Reaktionskanal m <Kern.>	canal m ouvert [de la réaction], voie f ouverte <nucl.>	открытый канал [реакции] <яд.>
O 299	**open circle,** unshaded circle <in a figure>	heller Kreis m, offener Kreis <in der Abbildung>	cercle m ouvert, cercle clair <dans la figure>	светлый круг, контурный круг <в рисунке>
O 300	**open circuit,** incomplete circuit <el.>	offener Stromkreis m, offener Kreis m <El.>	circuit m ouvert <él.>	разомкнутая цепь, незамкнутая цепь; открытый колебательный контур <эл.>
	open circuit	s. a. open[-] jet wind tunnel <aero.>		
O 301	**open circuit / being on;** open-circuit condition, (operation, function), no-load condition <el.>	Leerlauf m; Leerlaufzustand m; Leerlaufbedingung f <El.>	fonctionnement m en (à) circuit ouvert, fonctionnement à vide; condition f du circuit ouvert <él.>	холостой ход; условие разомкнутого конца [линии]; условие разомкнутой цепи; самоход [счетчика] <эл.>
O 302	**open-circuit admittance,** no-load admittance	Leerlaufleitwert m, Leerlaufadmittanz f, Leeradmittanz f	admittance f en circuit ouvert	полная проводимость при холостом ходе, полная проводимость холостого хода
	open-circuit capacitance, no-load capacitance	Leerkapazität f, Leerlaufkapazität f	capacité f à vide, capacité en circuit ouvert	емкость холостого хода
	open-circuit characteristic; no-load characteristic	Leerlaufcharakteristik f, Leerlaufkennlinie f	caractéristique f à vide; caractéristique en circuit ouvert	характеристика холостого хода
	open-circuit condition	s. open circuit / being on		
O 303	**open-circuit current,** no-load current; idle current	Leerlaufstrom m; Leerstrom m	courant m à vide, courant en circuit ouvert	ток холостого хода; ток холостой работы
O 304	**open-circuited line**	leerlaufende Leitung f	ligne f en circuit ouvert	холостая линия
	open-circuit electromotive force	s. open-circuit voltage		
	open-circuit function	s. open circuit / being on		
O 305	**open-circuit gain;** no-load gain	Leerlaufverstärkung f; Leerlaufverstärkungsfaktor m	gain m à vide; coefficient m d'amplification en circuit ouvert	усиление при холостом ходе, усиление при отсутствии нагрузки; коэффициент усиления при отсутствии нагрузки
O 306	**open-circuit impedance,** no-load impedance, open-end impedance; blocked impedance	Leerlaufimpedanz f, Leerlauf-Scheinwiderstand m, Leerlaufwiderstand m	impédance f en circuit ouvert	импеданс (полное сопротивление) холостого хода; сопротивление разомкнутой схемы, сопротивление при разомкнутом конце [линии]
O 307	**open-circuit inductance,** no-load inductance	Leerlaufinduktivität f, Leerinduktivität f	inductivité f en circuit ouvert	индуктивность холостого хода
O 308	**open-circuit input impedance,** no-load input impedance	Leerlauf-Eingangswiderstand m	impédance f d'entrée en circuit ouvert	входное полное сопротивление при холостом ходе, входное полное сопротивление холостого хода
	open-circuit operation	s. open circuit / being on		
O 309	**open-circuit output admittance,** no-load output admittance	Leerlauf-Ausgangsleitwert m	admittance f de sortie en circuit ouvert	выходная полная проводимость при холостом ходе, выходная полная проводимость холостого хода
O 310	**open-circuit output impedance,** no-load output impedance	Leerlauf-Ausgangswiderstand m	impédance f de sortie en circuit ouvert	выходное полное сопротивление при холостом ходе, выходное полное сопротивление холостого хода
	open-circuit photoelectromotive force	s. open-circuit photovoltage		
O 311	**open-circuit photomagnetoelectric voltage**	photomagnetoelektrische Leerlaufspannung f	tension f photomagnétoélectrique de circuit ouvert	фотомагнитоэлектрическое напряжение холостого хода
O 312	**open-circuit photovoltage,** open-circuit photoelectromotive force, open-circuit photo-e.m.f.	Leerlaufspannung f des Photoelements, Leerlauf-Photo-EMK f, Leerlauf-Photospannung f	force f photoélectromotrice en circuit ouvert, force électromotrice de la cellule photo-électrique en circuit ouvert, f.e.m. de la cellule photoélectromotrice en circuit ouvert	фотоэлектродвижущая сила холостого хода, фото-э. д. с. холостого хода
	open-circuit potential	s. open-circuit voltage		
O 313	**open-circuit resistance,** no-load resistance	Leerlaufwirkwiderstand m, Leerlaufwiderstand m	résistance f en circuit ouvert, résistance à vide	[активное] сопротивление холостого хода; сопротивление разомкнутой цепи
O 314	**open-circuit reverse voltage transfer**	Leerlauf-Spannungsrückwirkung f	réaction f de tension en circuit ouvert	реакция напряжения холостого хода
O 315	**open-circuit transfer impedance**	Leerlauf-Kernwiderstand m	impédance f de transfert en circuit ouvert	сопротивление внутренней связи [четырехполюсника в режиме] холостого хода

O 316	**open-circuit transfer voltage ratio**	Leerlauf-Spannungsüber-tragungsfaktor m rück-wärts	rapport m de transfert en tension pour le circuit ouvert	коэффициент передачи по напряжению при холостом ходе
O 317	**open-circuit voltage,** open-circuit electro-motive force, open-circuit e.m.f., open-circuit potential; no-load voltage **open-circuit voltage**	Leerlaufspannung f, Leer-lauf-EMK f; Urspannung f, eingeprägte Spannung f, Leerlaufspannung des Generators s. a. electromotive force	tension f en (de) circuit ouvert, force f électro-motrice en circuit ouvert, f. e. m. en circuit ouvert; tension à vide	напряжение (электро-движущая сила) холо-стого хода, э. д. с. хо-лостого хода, э. д. с. при холостом ходе
O 318	**open cluster,** open star cluster	offener Sternhaufen m	amas m ouvert	рассеянное [звездное] скопление, открытое [звездное] скопление
	open counter, free[-] air counter, open air counter, free counter	offenes Zählrohr n	tube m compteur à air [libre], tube compteur ouvert	воздушный счетчик, открытый счетчик, счетчик с воздушным наполнением
O 319	**open crystal form,** open form	offene Form f	forme f simple ouverte	открытая кристалли-ческая форма
	open end barometer, baroscope	Baroskop n	baroscope m	бароскоп
	open-end impedance	s. open-circuit impedance		
	open fault	s. disjunctive fault		
O 320	**open-flame arc,** open arc	offener (nackter) Licht-bogen m	arc m à flamme découverte	открытая дуга
	open form	s. open crystal form		
O 321	**open gauge,** open manometer, open liquid manometer	offenes Flüssigkeitsmano-meter n, offenes Mano-meter n	manomètre m à air libre	жидкостный манометр с открытым коленом трубки, манометр с от-крытой трубкой, от-крытый манометр
	opening; orifice; hole; gap; port [hole]	Öffnung f; Loch n; Kanal-mündung f, Kanal-öffnung f, Kanal m; · Durchführung f	orifice m; trou m	отверстие; дырка; дыра, проход
O 322	**opening,** break	Öffnen n	coupure f, interruption f, rupture f, déconnexion f, ouverture f	размыкание, выключе-ние, разрыв; отпира-ние, открытие
O 323	**opening** <mech.>	Öffnung f <Mech.>	ouverture f <méc.>	открывание, открытие <мех.>
	opening	s. a. gap		
	opening area of the valve, valve [opening] area	[freier] Ventilquerschnitt m, Ventilöffnungsquer-schnitt m	aire f d'ouverture de la sou-pape, section f de la soupape	[свободное] проходное сечение клапана
	opening current	s. break current		
	opening of the ring	s. ring cleavage		
O 324	**opening of the valve,** valve opening	Ventilöffnung f	ouverture f de la soupape	открытие клапана; про-ходное отверстие кла-пана
O 325	**opening period,** time of partial shutter opening <phot.>	Öffnungszeit f <Phot.>	durée f d'ouverture <phot.>	время открывания, время раскрывания <фот.>
	opening pulse	s. gating pulse		
	opening spark	s. break spark		
O 326	**opening time,** contact opening time; contact time; clearing time <el.>	Ausschaltverzögerung f, Ausschaltverzug m, Öffnungszeit f <El.>	durée f d'ouverture [jusqu'à séparation des contacts de coupure], temps m d'ouverture <él.>	запаздывание (замедле-ние) выключения, выдержка времени при отключении, время размыкания; про-должительность (время) отключения; время открытого состояния; период отпертого состояния; время срабатывания <эл.>
O 327	**opening time,** break time <el.>	Öffnungszeitpunkt m <El.>	temps m de coupure (rupture), temps d'ouverture <él.>	момент размыкания <эл.>
O 328	**open interval** <math.>	offenes Intervall n <Math.>	intervalle m ouvert <math.>	интервал, открытый про-межуток <матем.>
	open jet, free jet, jet flow; stream[ ]flow	freier Strahl m, Freistrahl m, Strahlströmung f, Strahl-ausfluß m	jet m libre, jet liquide libre	свободная струя, открытая струя
O 329	**open[-] jet wind tunnel,** free[-] jet wind tunnel; free flight wind tunnel; open[-throat] wind tunnel, wind tunnel with open working section, open circuit <aero.>	Windkanal m mit freier Meßstrecke, Windkanal mit freiem Strahl, Frei-strahlwindkanal m, offener Windtunnel m (Windkanal) <Aero.>	soufflerie f à circuit [de mesure] ouvert, soufflerie à veine libre (ouverte), soufflerie de vol libre, tunnel m aérodynamique à veine libre <aéro.>	аэродинамическая труба со свободной струей, аэродинамическая труба с открытой рабочей частью, аэродинамическая труба для свободноле-тающих моделей, аэро-динамическая труба открытого типа, открытая аэродинами-ческая труба <аэро.>
	open liquid manometer	s. open gauge		
O 330	**open-loop stable**	stabil bei offenem Regel-kreis	stable en boucle ouverte	устойчивый в разомкну-том состоянии
O 331	**open-loop transfer function,** transfer function of the open-loop system	Übertragungsfunktion f des aufgeschnittenen (offenen) Regelsystems (Übertragungssystems, Systems, Regelkreises), Übertragungsfunktion der offenen Kette	transmittance f en boucle (chaîne) ouverte, fonc-tion f de transfert en boucle (chaîne) ouverte	передаточная функция разомкнутой системы (цепи), оператор линейного звена разомкнутой системы (цепи)

	English	German	French	Russian
	open manometer, open gauge, open liquid manometer	offenes Flüssigkeitsmanometer n, offenes Manometer n	manomètre m à air libre	жидкостный манометр с открытым коленом трубки, манометр с открытой трубкой, открытый манометр
	open model [of the universe], open universe	offene Welt f, offenes Modell (Weltmodell) n	univers m ouvert, modèle m ouvert	открытая (незамкнутая) вселенная, открытая (незамкнутая) модель
O 332	**open phase**	offene (nichtabgeschlossene) Phase f	phase f ouverte	открытая фаза
O 333	**open pipe**	offene Pfeife f	tuyau m ouvert	открытая трубка, открытый свисток
	open position	s. vacant site		
	open sector, sector aperture	Hellsektor m	secteur m ouvert	вырезанный сектор, секторный вырез; открытая лопасть
O 334	**open set**	offene Menge f	ensemble m ouvert, ouvert m	открытое множество
	open shade, shade	Schatten m	ombre f, ombrage m	тень
	open star cluster, open cluster	offener Sternhaufen m	amas m ouvert	рассеянное [звездное] скопление, открытое [звездное] скопление
	open system equilibrium	s. flux equilibrium		
	open-throat wind tunnel	s. open[-] jet wind tunnel <aero.>		
O 335	**open traverse,** unclosed traverse; spur (offshoot) of the traverse	offener Polygonzug m, offener Zug m	cheminement m ouvert; antenne f de cheminement	несомкнутый ход, незамкнутый полигон; висячий ход
O 336	**open-type,** open <of instrument>	offen <gegen zufällige Berührung nicht geschützt> <Gerät>	ouvert <non protégé contre les contacts accidentels> <de l'appareil>	открытый <о приборе>
O 337	**open universe,** open model [of the universe]	offene Welt f, offenes Modell n, offenes Weltmodell n	univers m ouvert, modèle m ouvert	открытая (незамкнутая) вселенная, открытая (незамкнутая) модель
	open wind tunnel	s. open[-] jet wind tunnel <aero.>		
	open wire, overhead conductor, overhead wire	Freileiter m	conducteur m aérien	свободно висящий провод; провод (проводник) воздушной линии
O 338	**opera glass[es]**	Opernglas n, Theaterglas n	jumelles fpl	бинокль, театральный бинокль
O 339	**operand**	Rechengröße f, Operand m	opérande m	операнд, вычисляемая величина, объект действия, прообраз
O 340	**operating characteristic,** working characteristic, performance characteristic	Betriebskennlinie f, Betriebscharakteristik f	caractéristique f de fonctionnement (service), caractéristique d'utilisation	рабочая характеристика, характеристика работы
O 341	**operating characteristic** <num. math.>	Operationscharakteristik f, O-C-Funktion f <num. Math.>	caractéristique f opérationnelle (d'opération) <math. num.>	оперативная характеристика <числ. матем.>
	operating characteristics	s. operating parameters		
	operating coil	s. magnet coil		
	operating contact	s. make contact		
O 342	**operating current,** running (working) current	Betriebsstrom m, Arbeitsstrom m	courant m de fonctionnement (travail, régime)	рабочий ток
	operating curve	s. dynamic characteristic		
	operating data	s. operating parameters		
	operating line	s. dynamic characteristic		
	operating mode	s. mode of operation <of apparatus, instrument>		
O 343	**operating parameters,** operating characteristics, operating data, technical data	technische Daten pl, Betriebsdaten pl	caractéristiques fpl de fonctionnement (service), caractéristiques d'utilisation, paramètres mpl d'exploitation	эксплуатационные (рабочие) характеристики эксплуатационные параметры (данные), рабочие параметры
O 344	**operating point,** working point	Arbeitspunkt m	point m de régime (fonctionnement, travail), point d'utilisation; point de repos	рабочая точка
	operating temperature	s. working temperature		
O 345	**operating time** <of relay>	Schaltzeit f <Relais>	délai m de réponse <du relais>	продолжительность коммутации <реле>
	operating time	s. a. time of operation <of relay>		
	operating voltage	s. burning voltage <of discharge, arc>		
	operating winding	s. magnet winding		
O 346	**operation**	Betrieb m	service m, fonctionnement m, marche f; exploitation f	эксплуатация; работа; функционирование
O 347	**operation,** mathematical operation <math.>	Operation f, Rechenoperation f <Math.>	opération f [mathématique] <math.>	действие, операция, вычислительная операция <матем.>
	operation	s. a. handling <gen.>		
	operation	s. a. composition <math.>		
O 348	**operational amplifier,** computing amplifier	Funktionsverstärker m, Operationsverstärker m, Rechenverstärker m	amplificateur m opérationnel (opérateur, de calcul, à calcul[er])	операционный усилитель, усилитель вычислительной машины
	operational calculus	s. operator calculus		

O 349	operational element	Funktionselement n	élément m fonctionnel	функциональный блок (элемент)
	operational research	s. operations research		
	operation of switch	s. switching <el.>		
	operations analysis	s. operations research		
O 350	operations research, operations analysis <US>, operational research	mathematische Planungsforschung f, [betriebswirtschaftliche] Operationsforschung f, Unternehmensforschung f, „operations research" n	recherche f opérationnelle	исследование операций
O 351	operator <math.>	Operator m <Math.>	opérateur m, opération f <math.>	оператор, операция <матем.>
	operator	s. a. operator gene <bio.>		
	operator	s. a. quantifier		
O 352	operator calculus, operational calculus, Heaviside [operational] calculus	[Heavisidesche] Operatorenrechnung f, Operatorenkalkül m, Heaviside-Kalkül m	calcul m symbolique, calcul opérationnel, calcul opératoire	операционное (операторное, символическое) исчисление, метод Хевисайда, операционный метод
	operator equation, functional equation	Operatorgleichung f, Funktionsgleichung f	équation f fonctionnelle; relation f fonctionnelle	функциональное (операторное) уравнение; функциональное отношение
	operator function, operator-valued function	Operatorfunktion f	fonction f opérateur	операторная функция
O 353	operator gene, operator <bio.>	Operatorgen n, Operator m <Bio.>	gène m opérateur, opérateur m <bio.>	[ген-]оператор <био.>
O 354	operator isomorphism	Operatorisomorphie f, Operatorisomorphismus m	isomorphisme m opérateur	операторный изоморфизм
	operator of antineutrino, antineutrino operator	Antineutrinooperator m, Operator m des Antineutrinos	opérateur m de l'antineutrino	антинейтринный оператор, оператор антинейтрино
	operator of charge density, charge density operator	Ladungsdichteoperator m	opérateur m [de] densité de charge	оператор плотности заряда
	operator of current density, current density operator	Stromdichteoperator m	opérateur m [de] densité de courant	оператор плотности тока
	operator of force, force operator	Kraftoperator m, Operator m der Kraft	opérateur m de force	оператор силы
	operator of increase, growth (increase) operator	Zuwachsoperator m	opérateur m d'accroissement	оператор приращения
	operator of neutrino, neutrino operator	Neutrinooperator m, Operator m des Neutrinos	opérateur m du neutrino	нейтринный оператор, оператор нейтрино
	operator of nuclear spin, nuclear spin operator	Kernspinoperator m, Operator m des Kernspins	opérateur m du spin nucléaire	оператор спина ядра, оператор ядерного спина
	operator of orbital angular momentum, orbital angular momentum operator	Bahndrehimpulsoperator m	opérateur m de moment cinétique orbital	оператор орбитального момента количества движения
	operator of particle number, particle number operator	Teilchenzahloperator m	opérateur m [de] nombre de particules	оператор количества частиц, оператор числа частиц
	operator of rest energy, rest energy operator	Ruhenergieoperator m, Ruheenergieoperator m	opérateur m de l'énergie au repos	оператор энергии покоя
	operator of time reversal, time reversal operator	Operator m der (für die) Zeitumkenr, Zeitumkehroperator m	opérateur m d'inversion de temps, opérateur inversion de temps	оператор обращения времени
O 355	operator of total angular momentum, total angular momentum operator	Gesamtdrehimpulsoperator m, Operator m des Gesamtdrehimpulses	opérateur m du moment angulaire total	оператор полного момента количества движения
	operator of velocity, velocity operator	Geschwindigkeitsoperator m, Operator m der Geschwindigkeit	opérateur m de vitesse	оператор скорости
O 356	operator-valued distribution	Operatordistribution f	distribution f opérateur	операторная обобщенная функция, операторное распределение
O 357	operator-valued function, operator function	Operatorfunktion f	fonction f opérateur	операторная функция
O 358	operator wave function	Operatorwellenfunktion f	fonction f d'onde opérationnelle	операторная волновая функция
O 359	operon	Operon n	opéron m	оперон
	ophthalmic lens	s. spectacle lens		
O 360	ophthalmometer	Ophthalmometer n	ophtalmomètre m	офтальмометр
O 361	ophthalmoscope	Augenspiegel m, Ophthalmoskop n	ophtalmoscope m [à miroir]	офтальмоскоп
O 362	ophthalmoscopy	Ophthalmoskopie f, Augenspiegeln n	ophthalmoscopie f	офтальмоскопия
	o-position, orthoposition	ortho-Stellung f, o-Stellung f	position f ortho, orthoposition f, o-position f	орто-положение, o-положение
O 363	Oppenheimer-Phillips process (relation), O-P process	Oppenheimer-Phillips-Prozeß m	process.is m Oppenheimer-Phillips	процесс Оппенгеймера-Филипса
O 364	„opponent" theory of colour vision, Hering['s] theory [of colour vision]	[Heringsche] Gegenfarbentheorie f, Heringsche Vierfarbentheorie f, Vierfarbentheorie [von Hering]	théorie f des « couples antagonistes », théorie de Hering	антагонистическая теория [цветного зрения], теория цветового контраста, теория [противоположных цветов] Херинга

	opposed	s. opposite		
	opposer ion, counterion, gegenion	Gegenion n	ion m compensateur, gegenion m	противоион, гегенион
	opposing connection, series-opposed (series-opposing) connection, series opposition	Gegenreihenschaltung f, Gegen[einander]-schaltung f, Gegensinn-reihenschaltung f	connexion f opposée-parallèle, connexion en opposition	встречно-параллельное (встречное) включение, противовключение
	opposing field, counter field	Gegenfeld n	champ m antagoniste	противодействующее поле, встречное поле
	opposing fields method, method of opposing fields	Gegenfeldmethode f	méthode f des champs antagonistes	метод противодейст-вующих полей
	opposing reaction, gegenreaction, counter reaction	Gegenreaktion f	réaction f antagoniste, réaction opposée	обратная (встречная, противодействующая) реакция, противореак-ция
O 365	opposite, of opposite polarity (sign), having opposite polarity (sign), opposed, unlike, dissimilar	ungleichnamig, ungleicher Polarität, ungleichen Vorzeichens	opposable, [de] nom opposé, [de] nom con-traire, [de] polarité opposée, [de] signe opposé	разноименный, разной полярности, разного знака
	opposite	s. a. antiparallel		
	opposite and equal	s. same magnitude / of the		
O 366	opposite component, counter component	Gegenkomponente f <Nulleitersystem>; gegenläufige Kom-ponente f	composante f opposée, composante inverse, contre-composante f	обратная составляющая, составляющая обрат-ной последователь-ности фаз
	opposite direction / of, opposite in direction, oppositely directed	s. antiparallel		
	opposite moment of couple	s. opposite torque		
O 367	opposite phase, anti-phase, reversed phase	Gegenphase f	phase f opposée, antiphase f	противофаза, противо-положная фаза, обрат-ная фаза
	opposite polarity / hav-ing (of), opposite sign / having (of)	s. opposite		
O 368	opposite torque, opposite moment of couple, counter-torque	Gegendrehmoment n	couple m antagoniste	противодействующий момент, противодей-ствующий крутящий момент
O 369	opposition <astr.>	Opposition f, Gegen-schein m	opposition f	противостояние, оппозиция
O 370/1	opposition, opposition of phase, phase opposition, opposition shift	180°-Phasenverschiebung f, Phasenverschiebung um 180°, Phasenopposition f, entgegengesetzte Phasenlage f	opposition f [de phase]	противофаза, фазовый сдвиг на 180°, сдвиг по фазе на 180°, про-тивоположность фаз, оппозиция фаз, раз-ность фаз на 180°, фазы со сдвигом на 180°
	opposition / in	s. antiphase		
	opposition impedance	s. negative sequence impedance		
O 372	opposition in right ascension	Opposition f in Rektaszension	opposition f en ascension droite	противостояние по прямому восхождению
O 373	opposition method	Gegenschaltungsmethode f, halbpotentiometrische Schaltung (Methode) f	méthode f d'opposition, méthode de connexion en opposition	метод противовключения (встречного включе-ния), полупотенцио-метрический (потен-циометрический ком-пенсационный) метод
	opposition of phase, opposition shift	s. opposition		
	O-P process	s. Oppenheimer-Phillips process		
	optic-acoustic effect	s. optico-acoustic phenomenon		
O 374	optical activity, rotatory polarization, rotary polarization, opticity	optische Aktivität f, optisches Drehvermögen n, Rotationspolarisation f, Drehung f der Polarisa-tionsebene (Schwingungs-ebene), optische Drehung, Drehver-mögen n, Gyration f	activité f optique, polari-sation f rotatoire	оптическая активность, способность вращать плоскость поляризации
O 375	optical analysis of gas mixtures, optical gas analysis	optische Gasanalyse f (Analyse f von Gas-gemischen)	analyse f optique des gaz	оптический газовый анализ
	optical antimer (antipode)	s. enantiomer		
	optical axial plane	s. optic axial plane		
O 376	optical axis	optische Achse f	axe m optique	оптическая ось
O 377	optical axis of eye	Augenachse f, optische Achse f des Auges	axe m optique de l'œil	оптическая ось глаза
O 378	optical axis of the lens, axis of the lens	Linsenachse f, optische Achse f der Linse	axe m optique de la lentille, axe de la lentille	оптическая ось линзы, ось линзы
	optical balance, optical compensation	optischer Ausgleich m, optische Kompensation f	compensation f optique	оптическая компенсация, оптическое выравнива-ние
	optical bearing, optical direction finding	Sichtpeilverfahren n	radiogoniométrie f à in-dication optique, gonio-métrie f optique	метод визуальной пелен-гации, визуальная пеленгация
O 379	optical bench	optische Bank f	banc m optique	оптическая скамья
	optical binary, optical double star	optischer Doppelstern m	étoile f double optique, double f optique	оптическая двойная [звезда]

O 380	optical branch \<of the elastic spectrum>	optischer Zweig *m* [des elastischen Spektrums]	branche *f* optique [du spectre élastique]	оптическая ветвь [упругого спектра]
	optical branch of lattice vibrations, optical lattice vibration	optische Gitterschwingung *f*, optischer Zweig *m* der Gitterschwingungen	vibration *f* optique du réseau, branche *f* optique des vibrations du réseau	оптическое колебание решетки, оптическая ветвь колебаний решетки
	optical brightener, brightener	optischer Aufheller *m*, optisches Bleichmittel *n*, Weißtöner *m*, „brightener" *m*	agent *m* de blanchiment optique	оптический отбеливатель, отбеливающее средство
O 381	optical calculation	Optikrechnen *n*, optisches Rechnen *n*	calcul *m* optique	расчет оптических систем (приборов)
	optical camera length, optical length of camera	optische Kameralänge *f*, optische Länge *f* der Kamera	longueur *f* optique de la caméra (chambre photographique)	оптическая длина фотоаппарата
O 382	optical centre	optischer Mittelpunkt *m*; Sehzentrum *n*, optisches Zentrum (Wahrnehmungszentrum) *n*, Sehsphäre *f*	centre *m* optique	оптический центр
O 383	optical centre of the lens, lens centre	Linsenmittelpunkt *m*, optischer Mittelpunkt *m* der Linse	centre *m* optique de la lentille, centre de la lentille	оптический центр линзы, центр линзы
	optical centring device	*s.* optical plummet		
O 384	optical character	optischer Charakter *m*	caractère *m* optique	оптический характер, характер оптической активности
	optical chart	*s.* optical test chart		
O 385	optical colouration	optische Färbung *f*, Kontrastfarbenbeleuchtung *f*	coloration *f* optique	оптическое окрашивание
O 386	optical comparator	optischer Komparator *m*; [optisches] Längenmeßgerät *n*	comparateur *m* optique	оптический компаратор; оптический длиномер
O 387	optical compensation, optical balance	optischer Ausgleich *m*, optische Kompensation *f*	compensation *f* optique	оптическая компенсация, оптическое выравнивание
O 387a	optical compensator, compensator \<opt.>	Kompensator *m*, optischer Kompensator \<Opt.>	compensateur *m*, compensateur optique \<opt.>	компенсатор, оптический компенсатор \<опт.>
	optical conductivity	optische Leitfähigkeit *f*	conductibilité *f* optique	оптическая проводимость
O 388	optical constant	optische Konstante *f*	constante *f* optique	оптическая константа (постоянная)
	optical contact	*s.* optical coupling		
O 389	optical contrast	optischer Kontrast *m*	contraste *m* optique	оптический контраст
O 390	optical coupling; coupling medium, optical contact	optischer Kontakt *m*; optisches Kontaktmittel *n*	contact *m* optique; joint *m* optique, couplage *m* optique	оптический контакт
O 391	optical density, density, blackening, blacking, photographic transmission density, transmission [optical] density \<phot.>	[photographische] Schwärzung *f*, Filmschwärzung *f*, [optische] Dichte *f*, Deckung *f* \<Phot.>	densité *f* [optique], noircissement *m* [photographique], intensité *f* de noircissement \<phot.>	оптическая плотность, плотность [почернения], почернение \<фот.>
	optical density	*s. a.* optical extinction		
O 392	optical density in reflected light	Aufsichtschwärzung *f*, Aufsichtdichte *f*	densité *f* optique dans la lumière réfléchie	оптическая плотность в отраженном свете
O 393	optical depth	optische Tiefe *f*	profondeur *f* optique	оптическая глубина
	optical depth	*s. a.* optical thickness		
	optical diminution, diminution, diminishing, [optical] reduction	Verkleinerung *f*, optische Verkleinerung \<Opt.>	diminution *f* [optique], réduction *f*, réduction optique \<opt.>	уменьшение, оптическое уменьшение \<опт.>
O 394	optical direction finder	Sichtpeilgerät *n*, Sichtpeilanlage *f*, Sichtfunkpeiler *m*, Sichtpeiler *m*	goniomètre *m* optique	пеленгаторная установка с визуальной индикацией, визуальный пеленгатор
O 395	optical direction finding, optical bearing	Sichtpeilverfahren *n*	radiogoniométrie *f* à indication optique, goniométrie *f* optique	метод визуальной пеленгации, визуальная пеленгация
	optical direct viewfinder, Newton['s] [view]finder	Linsendurchsichtsucher *m*, Newton-Sucher *m*, Galilei-Sucher *m*	viseur *m* de Newton, viseur à lentille divergente	ньютоновский видоискатель
O 396	optical dissociation	optische Dissoziation *f*	dissociation *f* optique	оптическая диссоциация
O 397	optical distance, optical length [of ray], optical path length, optical path, light path	optische (reduzierte) Weglänge *f*, Lichtweg *m*, optischer (reduzierter) Weg *m*; Charakteristik *f* \<in der geometrischen Optik>	chemin *m* optique, trajet *m* optique [du rayon]	оптическая длина пути
	optical distance	*s. a.* visibility		
	optical distance meter	*s.* rangefinder		
O 398	optical dividing head	optischer Teilkopf *m*	poupée *f* diviseuse optique, poupée à diviseur optique	оптическая делительная головка
O 399	optical Doppler effect, Doppler effect in optics	optischer Doppler-Effekt *m*, Doppler-Effekt in der Optik	effet *m* Fizeau (Doppler) optique, effet Doppler dans l'optique	эффект Доплера в оптике
O 400	optical double star, optical binary	optischer Doppelstern *m*	étoile *f* double optique, double *f* optique	оптическая двойная [звезда]
O 401	optical doublet	optisches Dublett *n*, Doppellinie *f*	doublet *m* optique	оптический дублет
O 402	optical eclipse	optische Finsternis *f*	éclipse *f* optique	оптическое затмение
O 403	optical efficiency [of radiation]	optischer Nutzeffekt *m* [einer Strahlung], optischer Wirkungsgrad *m*, Lichtwirkungsgrad *m*	efficacité *f* optique [d'un rayonnement]	оптический коэффициент полезного действия [излучения]

	English	German	French	Russian
	optical electron	s. luminous electron		
	optical emptiness, optical voidness, optical purity	optische Reinheit f, optische Leere f	pureté f optique	оптическая пустота, оптическая чистота
O 404	**optical exaltation,** exaltation of molecular refraction	Exaltation f der Molekularrefraktion	exaltation f optique, exaltation de réfraction moléculaire	экзальтация молекулярной рефракции
O 405	**optical exposure meter**	optischer Belichtungsmesser m	posemètre m visuel, photomètre m optique	оптический экспонометр
O 406	**optical extensometer,** optical type extensometer	optischer Dehnungsmesser m, optisches Dilatometer n	extensomètre m optique	оптический экстензометр
	optical extent	s. optical flux		
O 407	**optical extinction,** extinction, optical density, absorbance, absorbancy	dekadische Extinktion f, optische Dichte f, spektrales Absorptionsmaß n	extinction f optique, extinction, densité f optique	экстинкция, оптическая плотность, спектральная поглощательная способность
	optical filter, light filter, filter	Lichtfilter n, [optisches] Filter n; Lichtdrossel f	filtre m de lumière, filtre optique, filtre	светофильтр, оптический фильтр, фильтр
O 408	**optical flat,** plane parallel glass, plane glass, sheet of glass	planparallele Platte (Glasplatte) f, Planparallelplatte f, Plan[parallel]glas n, Planglasplatte f	lame f à faces parallèles	плоскопараллельная пластинка
O 409	**optical flux,** optical extent, light conductance	optischer Fluß m, Lichtleitwert m	étendue f optique, flux m optique	оптический фактор [пучка], оптический поток
O 410	**optical foam**	optischer Schaum m	mousse f optique	оптическая пена
	optical gas analysis, optical analysis of gas mixtures	optische Gasanalyse f, optische Analyse f von Gasgemischen	analyse f optique des gaz	оптический газовый анализ
O 411	**optical illusion,** pseudopsy	geometrisch-optische Wahrnehmungsverzerrung f, [geometrisch-]optische Täuschung f	illusion f optique, pseudopsie f	обман зрения, оптический обман, оптическая иллюзия
O 412	**optical image;** optical picture; optical mapping	optisches Bild n; optische Abbildung f	image f optique	оптическое изображение
	optical indicatrix	s. index ellipsoid		
	optical inversion system, [image] erecting system, inversion system	Umkehrsystem n, Bildaufrichtungssystem n, Aufrichtungssystem n	système m [optique] de retournement, système [optique] d'inversion	оптический выпрямитель, оборачивающая система
O 412a	**optical isolator**	optischer Isolator m	isolateur m optique	оптическая развязка
	optical isomer[ide]	s. enantiomer		
	optical isomerism, enantiomorphism, mirror-symmetric isomerism <chem.>	Spiegelbildisomerie f, optische Isomerie f, Enantiomorphie f <Chem.>	isomérie f optique, énantiomorphisme m <chim.>	энантиоморфизм, оптическая изомерия, зеркальная изомерия <хим.>
O 413	**optical lattice vibration,** optical branch of lattice vibrations	optische Gitterschwingung f, optischer Zweig m der Gitterschwingungen	vibration f optique du réseau, branche f optique des vibrations du réseau	оптическое колебание решетки, оптическая ветвь колебаний решетки
	optical law of refraction	s. Snell['s] law		
	optical length	s. optical distance		
O 414	**optical length of camera,** optical camera length	optische Kameralänge f, optische Länge f der Kamera	longueur f optique de la caméra (chambre photographique)	оптическая длина фотоаппарата
	optical length of ray	s. optical distance		
O 415	**optical length of tube,** optical tube length	optische Tubuslänge f	longueur f optique du tube-rallonge	оптическая длина тубуса
	optical lever, optimeter, refractionometer	Optimeter n, optischer Fühlhebel m	optimètre m, levier m optique	оптиметр, оптический чувствительный рычаг
	optical lever	s. a. Kerr cell		
O 415a	**optical levitation**	optisches Schweben n, optische Levitation f	lévitation f optique	оптическое всплывание
O 416	**optical libration,** geometric libration	optische Libration f, geometrische Libration <Mond>	libration f optique, libration géométrique	оптическая либрация, геометрическая либрация
	optically active electron	s. luminous electron		
	optically empty, optically void (pure)	optisch rein, optisch leer	optiquement pur (vide)	оптически пустой, оптически чистый
O 417	**optically flat,** flat, [optically] plane <opt.>	optisch eben, eben, optisch flach, flach <Opt.>	optiquement plan, plan <opt.>	[оптически] гладкий, [оптически] плоский
	optically flat surface, plane surface <opt.>	Planfläche f <Opt.>	surface f plate optique, surface plane <opt.>	плоская (оптически гладкая) поверхность
O 418	**optically inactive,** inactive <opt.>	optisch inaktiv, inaktiv <Opt.>	optiquement inactif, inactif <opt.>	[оптически] неактивный, [оптически] недеятельный <опт.>
O 419	**optically negative**	optisch negativ	optiquement négatif, répulsif	оптически отрицательный
	optically neutral illumination, [physically] neutral illumination	neutrale Beleuchtung f, optisch (physikalisch) neutrale Beleuchtung	éclairage m neutre	нейтральное освещение
	optically plane, optically flat, flat, plane <opt.>	optisch eben, eben, optisch flach, flach <Opt.>	optiquement plan, plan <opt.>	оптически гладкий, гладкий, оптически плоский, плоский <опт.>
O 420	**optically positive**	optisch positiv	optiquement positif, attractif	оптически положительный
	optically pure	s. optically void		
O 421	**optically uniaxial,** uniaxial	optisch einachsig, einachsig	optiquement uniaxe, uniaxe	оптически одноосный, одноосный
O 422	**optically void,** optically empty, optically pure	optisch rein, optisch leer	optiquement pur (vide)	оптически пустой, оптически чистый

	optical magnification	s. magnification		
O 422a	**optical magnon**	optisches Magnon n	magnon m optique	оптический магнон
	optical mapping; optical image; optical picture	optisches Bild n; optische Abbildung f	image f optique	оптическое изображение
	optical maser	s. laser		
	optical maser amplifier	s. laser amplifier		
O 423	**optical-mechanical**	optisch-mechanisch	optico-mécanique	оптико-механический
O 424	**optical micrometer,** [optical type of] micrometer <opt.>	optisches Mikrometer n, Mikrometer <Opt.>	micromètre m optique, micromètre <opt.>	оптический микрометр, микрометр <опт.>
O 425	**optical microscope,** light microscope	Lichtmikroskop n, optisches Mikroskop n	microscope m optique (photonique), microscope à lumière	оптический микроскоп, световой микроскоп
O 426	**optical microscopy,** light microscopy	Lichtmikroskopie f, optische Mikroskopie f	microscopie f optique, microscopie à lumière	оптическая микроскопия, световая микроскопия
O 427	**optical mode**	optischer Schwingungstyp (Wellentyp, Schwingungsfreiheitsgrad) m, optische Schwingungsart (Mode) f	mode m optique, mode d'oscillation optique	оптический вид колебаний
	optical model <of particle scattering>, **optical model of nucleus**	s. semi-transparent model of nucleus		
O 428	**optical multiplication**	optische Vervielfachung f [von Meßstrecken]	multiplication f optique	оптическое умножение <оптический метод измерения больших расстояний>
O 429	**optical neutrality,** physical neutrality	optische Neutralität f, physikalische Neutralität	neutralité f optique, neutralité physique	оптическая нейтральность, физическая нейтральность
	optical nucleon, luminous nucleon, emitting nucleon	Leuchtnukleon n	nucléon m lumineux, nucléon optique	светящийся нуклон, оптический нуклон
O 429a	**optical output ratio**	optischer Wirkungsgrad m	rendement m optique	оптический коэффициент полезного действия, оптический к.п.д.
O 430	**optical parallax**	optische Parallaxe f; Einstellparallaxe f; Ableseparallaxe f	parallaxe f optique	оптический параллакс
	optical path [length], optical distance, optical length [of ray], light path	optische (reduzierte) Weglänge f, Lichtweg m, optischer (reduzierter) Weg m; Charakteristik f <in der geometrischen Optik>	chemin m optique, trajet m optique [du rayon]	оптическая длина пути
	optical pattern	s. light band		
O 431	**optical phonon**	optisches Gitterschwingungsquant (Phonon) n	phonon m optique	оптический фонон
	optical picture; optical image; optical mapping	optisches Bild n; optische Abbildung f	image f optique	оптическое изображение
O 432	**optical plummet,** optical centring device	optisches Lot n; optische Zentriervorrichtung f; Firstabloter m	lunette f de centrage, dispositif m de centrage optique, lunette plongeante, viseur (plomb) m optique	оптический отвес
	optical pointer	s. light-beam pointer		
	optical pointer instrument	s. instrument with optical pointer		
	optical potential	s. complex potential of the optical model		
O 433	**optical printing** <phot.>	Umkopieren n <Phot.>	contre-typage m; transcription f; transposition f <phot.>	перекопирование, перекопировка <фот.>
O 434	**optical pumping**	optisches Pumpen n	pompage m optique, pompage lumineux	оптическая накачка (подкачка), световая накачка (подкачка), накачка (подкачка) светом
	optical purity	s. optical voidness		
	optical pyrometer	s. radiation pyrometer		
O 434a	**optical quantum gyrometer,** laser rotation rate sensor	Lasergyrometer n	gyroscope m quantique optique	оптический [квантовый] гироскоп
O 435	**optical quenching**	optische Tilgung f, Phototilgung f; optische Auslöschung (Löschung) f, Photo[aus]löschung f	extinction f optique	оптическое тушение; оптическое гашение
	optical radar	s. laser radar		
O 436	**optical radial table**	optischer Rundtisch m	platine f radiale optique	оптический оборотный стол[ик]
	optical range	s. visibility		
	optical rangefinder	s. optical telemeter		
	optical record	s. photographic recording		
O 437	**optical recording,** light-beam recording	Licht[strahl]registrierung f, Lichtschrift f	enregistrement m optique, enregistrement à rayon lumineux	световая (оптическая) запись, световая (оптическая) регистрация
	optical reduction	s. optical diminution		
	optical resonator	s. Fabry-Pérot resonator		
	optical rotary dispersion	s. rotary dispersion		
O 438	**optical rotatory power,** rotatory power, specific rotatory power, specific rotation <quantity>	spezifische Drehung f [der Polarisationsebene], optisches Drehvermögen n, Drehvermögen <Größe>	pouvoir m rotatoire optique, pouvoir rotatoire, rotation f spécifique <grandeur>	постоянная вращения, удельное вращение <величина>

O 439	**optical scanning system**	Abtastoptik f	optique f d'exploration	оптическая система развертывающего устройства
	optical sight	s. sighting telescope		
	optical signal; luminous signal; light	Lichtsignal n, optisches Signal n	signal m lumineux, signal optique	световой сигнал, оптический сигнал
O 440	**optical siren**	optische Sirene f, Lichtsirene f	sirène f optique	оптическая сирена
O 441	**optical slide rule,** variopter	optischer Rechenstab m, Variopter m	curseur m optique, varioptre m	оптическая счетная линейка, вариоптер
O 442	**optical sound technique**	Lichttonverfahren n	méthode f de son optique, méthode d'enregistrement photographique des sons	метод оптической звукозаписи, оптический метод звукозаписи
O 443	**optical sound track; optical sound tracking**	Lichttonaufzeichnung f; Lichttonspur f	enregistrement m photographique des sons; piste (trace) f optique, piste (trace) photographique	фотографическая фонограмма
O 444	**optical spectrograph,** light spectrograph	Lichtspektrograph m, optischer Spektrograph m	spectrographe m optique	оптический спектрограф, световой спектрограф
O 445	**optical spectrography,** light spectrography	Lichtspektrographie f, optische Spektrographie f	spectrographie f optique	оптическая спектрография, световая спектрография
O 446	**optical spectrometer, optical spectroscope,** light spectrometer (spectroscope)	Lichtspektrometer n, Lichtspektroskop n, optisches Spektrometer (Spektroskop) n	spectromètre m optique, spectroscope m optique	оптический спектрометр (спектроскоп), световой спектрометр (спектроскоп)
O 447	**optical spectrometry, optical spectroscopy,** light spectroscopy (spectrometry)	Lichtspektroskopie f, Lichtspektrometrie f, optische Spektroskopie (Spektrometrie) f	spectroscopie f optique, spectrométrie f optique	оптическая спектроскопия (спектрометрия), световая спектроскопия (спектрометрия)
O 448	**optical spectrum,** visible (luminous, light) spectrum	Lichtspektrum n, sichtbares (optisches) Spektrum n	spectre m optique, spectre visible	оптический спектр, видимый спектр, световой спектр
	optical square, square	Winkelinstrument n; Rechtwinkelinstrument n <für 90°>; Flachwinkelinstrument n <für 180°>; Winkelkreuz n	équerre f [d'arpenteur], équerre optique	эккер, экер, оптический угольник
O 449	**optical stimulation, photostimulation**	Photoausleuchtung f, optische Ausleuchtung f	stimulation f optique, photostimulation f	оптическое высвечивание
	optical stimulus	s. light stimulus		
O 450	**optical system;** optics	optisches System n; Optik f	système m optique; optique f	оптическая система; оптика
	optical system for the projection, optical system of projection	s. projection optics		
	optical system of the Schmidt telescope	s. Schmidt['s] optical system		
	optical telemeter, telemeter, [optical] rangefinder, [optical] distance meter	[optischer] Entfernungsmesser m, Distanzmesser m, Telemeter n; Abstandsmesser m	télémètre m, télémètre optique	дальномер, оптический дальномер
O 451	**optical telephone**	optisches Telephon n, Lichttelephon n	téléphone m optique	оптический телефон
O 452	**optical test**	Sehprobe f	essai m optique	оптическое испытание
O 453	**optical test chart,** optical test plate, optical chart, test chart, proof plate	Sehprobentafel f, Testplatte f, Testtafel f	mire f, plaque f d'essai optique, tableau m d'essai optique	мира, испытательная таблица, оптическая пластина, таблица для оптического испытания, оптическая тест-таблица (тест-пластинка), тест-таблица, тест-пластинка, тест-поле
	optical test object	s. optotype		
	optical test plate	s. optical test chart		
O 454	**optical theorem**	optischer Satz m, optisches Theorem n	théorème m optique	оптическая теорема
O 455	**optical thickness,** optical depth	optische Dicke f	épaisseur f optique	оптическая толщина
	optical transfer function	s. contrast transmission function		
	optical tube length, optical length of tube	optische Tubuslänge f	longueur f optique du tube-rallonge	оптическая длина тубуса
	optical type extensometer, optical extensometer	optischer Dehnungsmesser m, optisches Dilatometer n	extensomètre m optique	оптический экстензометр
	optical type of micrometer, [optical] micrometer <opt.>	optisches Mikrometer n, Mikrometer <Opt.>	micromètre m optique, micromètre <opt.>	оптический микрометр, микрометр <опт.>
O 456	**optical variable [star]**	optischer Veränderlicher m	variable f optique	оптическая переменная [звезда]
O 457	**optical voidness,** optical emptiness, optical purity	optische Reinheit f, optische Leere f	pureté f optique	оптическая пустота, оптическая чистота
	optical wedge, wedge [interferometer] <opt.>	Keil m, optischer Keil <Opt.>	coin m, coin optique <opt.>	клин, оптический клин <опт.>
O 458	**optical window [in Earth's atmosphere]**	optisches Fenster n	fenêtre f optique	оптическое окно в земной атмосфере
	optic angle	s. angle of sight		
O 459	**optic [axial] angle,** axial angle	[optischer] Achsenwinkel m, wahrer Achsenwinkel	angle m axial	угол между осями
O 460	**optic axial plane,** axial plane, plane of optic[al] axes	Achsenebene f, optische Achsenebene	plan m axial [optique]	осевая плоскость, плоскость оптических (кристаллических) осей
	optic axis (binormal)	s. primary optic axis		
	optic biradial	s. secondary optic axis		
	opticity	s. optical activity		

O 461	**optic nerve,** nervus opticus	Sehnerv *m*, Nervus *m* opticus, Fasciculus *m* opticus	nerf *m* optique	зрительный нерв, глазной нерв
O 462	**optico-acoustic gas analysis**	optisch-akustische Gasanalyse *f*	analyse *f* optico-acoustique des gaz	оптико-акустический газовый анализ
O 463	**optico-acoustic phenomenon,** optic-acoustic (Tyndall-Röntgen) effect	optisch-akustische Erscheinung *f*, optisch-akustischer Effekt *m*, Tyndall-Röntgen-Effekt *m*	phénomène *m* optico-acoustique, effet *m* optico-acoustique, effet Tyndall-Rœntgen	оптико-акустическое явление, эффект Тиндаля-Рентгена
	optics	*s.* optical system		
	optics of crystalline lattice, lattice optics	Gitteroptik *f*	optique *f* du réseau cristallin	оптика кристаллической решетки
O 464	**optics of metals,** metallo-optics	Metalloptik *f*	optique *f* des métaux, métallo-optique *f*, optique métallique	металлооптика, оптика металлов
O 465	**optics of moving media**	Optik *f* bewegter Medien (Körper)	optique *f* des milieux mouvants	оптика движущихся сред
	optics of polarized light, polarization optics	Polarisationsoptik *f*	optique *f* de la lumière polarisée	оптика поляризационного света
	optics of the sea, marine optics	Meeresoptik *f*	optique *f* marine, optique des mers	оптика моря
O 466	**optimal code,** optimum code	Optimalcode *m*, Optimalkode *m*	code *m* optimal	оптимальный код
O 467	**optimal colour**	Optimalfarbe *f*	couleur *f* optimale	оптимальный цвет
	optimalizing control	*s.* pick-holding control		
	optimally coded programme, optimum programme	optimales Programm *n*, Schnellprogramm *n*, Bestzeitprogramm *n*	programme *m* optimum	оптимальная программа
O 468	**optimeter,** optical lever, refractionometer	Optimeter *n*, optischer Fühlhebel *m* <zur Längenmessung>	optimètre *m*, levier *m* optique	оптиметр, оптический чувствительный рычаг
O 468a	**optimization, optimizing**	Optimierung *f*	optim[al]isation *f*	оптимизация, доведение до оптимума
	optimizing control	*s.* pick-holding control		
O 469	**optimum,** optimum value	Optimalwert *m*, Optimum *n*, Bestwert *m*, günstigster Wert *m*	valeur *f* optimum, valeur optimale, optimum *m*	оптимальная величина
	optimum code	*s.* optimal code		
O 470	**optimum control**	Optimalregelung *f*, optimale Regelung *f*; optimale Steuerung *f*	commande *f* automatique optimale; commande optimale	оптимальное регулирование; оптимальная система автоматического регулирования; оптимальное управление
	optimum control	*s. a.* pick-holding control		
	optimum coupling, critical coupling	kritische Kopplung *f*	couplage *m* critique, couplage optimum	критическая связь, оптимальная связь
O 471	**optimum estimator**	optimale Schätzung *f*	estimateur *m* optimum	оптимальная оценка
O 472	**optimum programme,** optimally coded programme	optimales Programm *n*, Schnellprogramm *n*, Bestzeitprogramm *n*	programme *m* optimum	оптимальная программа
O 473	**optimum transfer function**	Standardübertragungsfunktion *f*, optimale Übertragungsfunktion *f*, SÜF	transmittance *f* optimale, fonction *f* de transfert optimale	оптимальная передаточная функция
	optimum value, optimum	Optimalwert *m*, Optimum *n*, Bestwert *m*, günstigster Wert *m*	valeur *f* optimum, valeur optimale, optimum *m*	оптимальная величина
O 474	**optional quenching circuit**	einstellbare Löschschaltung *f*, wählbarer Löschkreis *m*	circuit *m* de coupure ajustable	управляемая гасящая схема
O 475	**opto-electronic amplifier**	optoelektronischer Verstärker *m*	amplificateur *m* opto-électronique	оптико-электронный усилитель
O 476	**opto-electronics**	Optoelektronik *f*, Optronik *f* <Licht-Elektronen-Wechselwirkung in Festkörpern>	opto-électronique *f*	оптико-электроника
O 477	**opto-electronic transducer**	optoelektronischer Wandler *m*	transducteur *m* opto-électronique	оптико-электронный преобразователь
O 478	**optogram**	Optogramm *n*	optogramme *m*	оптограмма
O 479	**optokinesis**	Optokinese *f*	optocinèse *f*	оптокинез
O 480	**opto-mechanical analogy**	optisch-mechanische (optomechanische) Analogie *f*	analogie *f* opto-mécanique	оптико-механическая аналогия
O 481	**optometry,** refractionometry	Optometrie *f*	optométrie *f*, réfractionométrie *f*	оптометрия
	optotype, [optical] test object, identifiable design <opt.>	Sehzeichen *n*, Optotype *f*; Testobjekt *n* <Opt.>	optotype *m*; mire *f* <opt.>	оптотип; мира <опт.>
O 482	**orange heat**	Orangeglut *f*	chaude *f* orange	оранжевое каление, оранжевый накал, оранжево-калильный жар
O 482a	**orange peel model**	Apfelsinenschalenmodell *n*	modèle *m* de la peau d'orange	модель апельсинной корки
O 483	**orbiform curve**	Orbiforme *f*, ebener Körper *m* konstanter Breite, Gleichdick *n*, gleichdicke Kurve *f*	courbe *f* orbiforme, courbe de largeur constante, orbiforme *m*	кривая постоянной ширины
O 484	**orbit,** orbital path	Umlaufbahn *f*, [geschlossene] Bahn *f*, Orbit *m* <um einen Zentralkörper>	orbite *f*, trajectoire *f* fermée	орбита, замкнутая траектория
	orbit	*s. a.* circular path		
O 485	**orbital,** one-electron orbital wave function, one-electron wave function associated with the electronic configurations	Orbital *n* (*m*), Einzelelektronenzustand *m*; Einelektronen-Wellenfunktion *f*	orbitale *f*, fonction *f* d'onde électronique	орбиталь, орбита, одноэлектронное состояние; одноэлектронная волновая функция

	English	German	French	Russian
	orbital, peripheral <nucl.>, extranuclear <bio., nucl.>	extranuklear, Hüllen-, Bahn-, kernfern <Kern.>; extranuklear, extranukleär <Bio.>	extranucléaire <bio., nucl.>; périphérique, orbital, satellite <nucl.>	внеядерный <био., яд.>; периферический, орбитальный <яд.>
O 486	orbital angular momentum of the nucleon, nucleon orbital angular momentum, nucleon moment	Bahndrehimpuls m des Nukleons, Bahnimpuls m (Moment n) des Nukleons, Nukleonmoment n, Nukleonenmoment n	moment m cinétique orbital du nucléon, moment du nucléon	орбитальный момент количества движения нуклона, момент нуклона
O 487	orbital angular momentum, orbital moment [of momentum], orbital momentum	Bahndrehimpuls m, Bahnmoment n, Bahnimpuls m	moment m [cinétique] orbital, impulsion f orbitale, moment cinétique (angulaire)	орбитальный момент количества движения, орбитальный момент
O 488	orbital angular momentum operator, operator of orbital angular momentum	Bahndrehimpulsoperator m	opérateur m de moment cinétique orbital	оператор орбитального момента количества движения
O 489	orbital angular momentum vector	Bahndrehimpulsvektor m	vecteur m moment cinétique [orbital]	вектор орбитального момента количества движения
O 490	orbital degeneracy, orbital degeneration	Bahnentartung f	dégénérescence f orbitale	орбитальное вырождение
O 490a	orbital diamagnetism	Bahndiamagnetismus m	diamagnétisme m de l'orbite, diamagnétisme orbital	орбитальный диамагнетизм
O 491	orbital electron, planetary electron, extranuclear electron	Hüllenelektron n, Bahnelektron n	électron m orbitaire (orbital, planétaire, satellite)	орбитальный электрон, электрон [атомной] оболочки; электрон, движущийся по орбите
O 492	orbital-electron capture, electron capture [decay], E capture [decay], ε, EC	E-Einfang m, Elektroneneinfang m, Einfang m eines Hüllenelektrons, Bahnelektroneneinfang m, ε	capture f E, capture d'un électron [orbital], capture d'un électron satellite, capture électronique, ε	захват орбитального электрона, захват электрона, ε
O 493	orbital element, element of the orbit	Bahnelement n	élément m orbital (de l'orbite, du mouvement elliptique)	элемент орбиты, орбитальный элемент
O 494	orbital ellipse, Keplerian ellipse	Kepler-Ellipse f	ellipse f de Kepler, ellipse képlérien	кеплеров эллипс, кеплеровский эллипс
O 495	orbital equation, orbit equation	Bahngleichung f	équation f de la trajectoire, équation de l'orbite	уравнение траектории, уравнение орбиты
O 496	orbital magnetic moment	magnetisches Bahnmoment n, bahnmagnetisches Moment n, Bahnmagnetismus m	moment m magnétique orbital, magnétisme m de l'orbite, magnétisme orbital	магнитный орбитальный момент, орбитальный магнитный момент
	orbital moment [of momentum], orbital momentum, orbital angular momentum	Bahndrehimpuls m, Bahnmoment n, Bahnimpuls m	moment m cinétique orbital, impulsion f orbitale	орбитальный момент количества движения, орбитальный момент
	orbital motion (movement)	s. orbiting		
O 497	orbital oscillation	Bahnoszillation f, Oszillation f um die mittlere Bahn	oscillation f de la particule autour de l'orbite moyenne	колебание частицы около средней орбиты
O 498	orbital paramagnetism	Bahnparamagnetismus m	paramagnétisme m de l'orbite, paramagnétisme orbital	орбитальный парамагнетизм, парамагнетизм орбиты
	orbital path	s. orbit		
	orbital period, period, period of revolution, time of one revolution <astr.>	Umlaufzeit f, Umlaufzeit f, Umlauf[s]dauer f, Umlauf[s]periode f <Astr.>	période f (durée f, temps m) de révolution <astr.>	период обращения, время обращения <астр.>
	orbital plane, orbit plane, plane of the orbit, plane of motion	Bahnebene f	plan m de l'orbite	плоскость орбиты; плоскость круговой орбиты
	orbital quantum number	s. secondary quantum number		
O 499	orbital rocket, orbiting rocket	in eine Umlaufbahn gebrachte Sonde f, orbitale Sonde, orbitale Rakete f	fusée f orbitale (satellisée)	орбитальная ракета
O 500	orbital stability, orbit stability, stability of the orbit	orbitale Stabilität f, Bahnstabilität f	stabilité f orbitale, stabilité de l'orbite	орбитальная устойчивость, устойчивость траектории (орбиты)
O 501	orbital velocity; path velocity, velocity of motion along the path, velocity of flight	Bahngeschwindigkeit f	vitesse f orbitale; vitesse le long de l'orbite	орбитальная скорость, скорость движения по орбите; скорость на траектории, скорость по траектории
O 502	orbital velocity	erste kosmische Geschwindigkeit[sstufe] f, Kreisbahngeschwindigkeit f, Orbitalgeschwindigkeit f	vitesse f orbitale, vitesse de satellisation	орбитальная скорость, первая космическая скорость, круговая скорость
O 502a	orbital wave function	Bahnwellenfunktion f	fonction f d'onde orbitale	орбитальная волновая функция
O 503	orbit circumference, circumference of orbit, path length, length of path	Bahnlänge f, Bahnumfang m	longueur f d'orbite, circonférence f de l'orbite	длина орбиты, окружность орбиты
	orbit contractor, particle-orbit contractor	Teilchenbahnkontraktor m, Bahnkontraktor m	contracteur m de l'orbite [des particules]	контрактор орбиты [частиц]
	orbit equation	s. orbital equation		
	orbit expander, particle-orbit expander	Teilchenbahndehner m, Bahndehner m, Teilchenbahnexpander m, Bahnexpander m	dilatateur m de l'orbite [des particules]	устройство, смещающее замкнутую орбиту [частиц]

	English	German	French	Russian
O 504	**orbiting,** orbital motion, orbital movement, revolutionary motion, rotary motion	Bahnbewegung *f*; Umlauf[s]bewegung *f*, Bahnumlauf *m*, Kreisen *n*, orbitale Bewegung *f* <um einen Zentralkörper>; Kreisbahnbewegung *f*, Orbitalbewegung *f* <z. B. von Flüssigkeitsteilchen in Wasserwellen>	satellisation *f*, mouvement *m* orbital, mouvement orbitaire, mouvement révolutif	движение по орбите, орбитальное движение; движение по круговом орбите, обращательное движение
	orbiting	*s. a.* revolution <around, round>		
	orbiting rocket, orbital rocket	in eine Umlaufbahn gebrachte Sonde *f*, orbitale Sonde (Rakete) *f*	fusée *f* orbitale (satellisée)	орбитальная ракета
O 505	**orbiting the Moon**	Mondumlauf *m*, Bahnumlauf *m* um den Mond, Umfliegen *n* des Mondes in einer geschlossenen Bahn, Umkreisen *n* des Mondes	vol *m* orbital autour de la lune, vol circumlunaire	полет по орбите вокруг Луны, облет по орбите вокруг Луны
	orbit of planet, planetary orbit	Planetenbahn *f*	orbite *f* de la planète	орбита планеты, планетная орбита
O 506	**orbit-orbit interaction**	Bahn-Bahn-Wechselwirkung *f*	interaction *f* orbite-orbite	взаимодействие орбит
O 507	**orbit plane,** plane of the orbit, orbital plane, plane of motion	Bahnebene *f*	plan *m* de l'orbite	плоскость орбиты; плоскость круговой орбиты
O 508	**orbit shift coils,** deflector coils <acc.>	Ablenkspulen *fpl* <Beschl.>	enroulements *mpl* déflecteurs d'orbite, bobines *fpl* de déviation, bobines de déplacement de l'orbite <acc.>	катушки для смещения орбиты, отклоняющие (дефлекторные) катушки, катушки сдвига орбиты <уск.>
	orbit-spin coupling	*s.* spin-orbit coupling		
	orbit stability	*s.* orbital stability		
O 509	**order,** order of magnitude; tenth power, power of ten	Größenordnung *f*; Zehnerpotenz *f*	ordre *m*, ordre de grandeur; puissance *f* de dix	порядок, порядок величин[ы]; степень десяти
O 510	**order,** order of spectrum, order of diffraction	Beugungsordnung *f*, Gitterordnung *f*, Ordnungszahl *f* [des Spektrums], Ordnung *f* des Beugungsspektrums (Spektrums)	ordre *m* [de diffraction], ordre de spectre	порядок спектра
	order, rank, degree, valence <of tensor>	Stufe *f* <Tensor>, Tensorstufe *f*	ordre *m*, valence *f* <du tenseur>	ранг, валентность <тензора>
	order, instruction <num. math.>	Befehl *m* <num. Math.>	instruction *f*, ordre *m* <math. num.>	команда <числ. матем.>
	order	*s. a.* ordering <math.>		
	order	*s. a.* order of sequence		
O 511	**order / in the,** in the order of, order-of-magnitude	größenordnungsmäßig, in der Größenordnung [von]	dans l'ordre [de]	по порядку величины; в порядке, в соответствии с порядком величины
O 512	**order-disorder phenomenon**	Fernordnungserscheinung *f*, Ordnungs-Unordnungs-Erscheinung *f*	phénomène *m* ordre-désordre	явление порядок-беспорядок
O 513	**order-disorder transformation, order-disorder transition,** phenomenon of melting, melting phenomenon	Ordnungs-Unordnungs-Umwandlung *f*, Ordnungs-Unordnungs-Übergang *m*, Übergang *m* vom Ordnungs-Unordnungs-Typ, Schmelzerscheinung *f*	transition *f* ordre-désordre, transformation *f* ordre-désordre, phénomène *m* de fusion	переход «порядок-беспорядок»
O 514	**ordered alloy**	geordnete Legierung *f*	alliage *m* ordonné	упорядочивающийся (упорядоченный) сплав
O 514a	**ordered by increasing...**	geordnet nach wachsendem ...	rangé par ordre de grandeur croissante	расположенный в порядке возрастания
	ordered scattering	*s.* Bragg scattering		
O 515	**ordered set,** linearly ordered set <math.>	[einfach-]geordnete Menge *f*, k-geordnete (kettenmäßig geordnete, strenggeordnete, strikt geordnete, linear geordnete) Menge, Kette *f*, linearer Verband (Verein) *m* <Math.>	ensemble *m* ordonné <math.>	[линейно]упорядоченное множество <матем.>
	ordered set	*s. a.* partially ordered set <math.>		
O 516	**ordered solid solution**	geordneter Mischkristall *m*	solution *f* solide ordonnée	упорядоченный твердый раствор
O 517	**ordering,** linear (total, complete, simple) ordering, order <math.>	[einfache] Ordnung *f*, lineare (totale, vollständige, konnexe, kettenmäßige) Ordnung, k-Ordnung *f*, Anordnung *f* <Math.>	ordre *m*, ordre linéaire (strict) <math.>	[линейное] упорядочение, строгий порядок <матем.>
O 518	**ordering domain,** ordering region	Ordnungsdomäne *f*, Ordnungsbereich *m*, Ordnungsgebiet *n*	domaine *m* d'ordination	домен упорядочения, область упорядочения
O 519	**ordering energy**	Ordnungsenergie *f*	énergie *f* coordinatrice	энергия упорядочения
O 520	**ordering phenomenon**	Ordnungserscheinung *f*	phénomène *m* d'ordination	явление упорядочения, упорядочение
	ordering region	*s.* ordering domain		
O 521	**order in the condition of Lipschitz,** Hölder index	Hölder-Exponent *m*, [Hölderscher] Exponent *m*	exposant *m* dans la condition de Lipschitz	порядок условия Липшица
	order of accuracy, degree of accuracy (precision)	Genauigkeitsgrad *m*	degré *m* de précision	степень точности
	order of chemical reaction, order of reaction, reaction order	Reaktionsordnung *f*, Ordnung *f* der Reaktion	ordre *m* de la réaction [chimique], ordre de réaction	порядок реакции

	English	German	French	Russian
	order of diffraction	s. order		
	order of forbiddenness, degree of forbiddenness	Grad *m* des Verbots, Verbotenheitsgrad *m*, Verbotenheitsfaktor *m*, Ordnung *f* des Verbots	degré *m* d'interdiction	степень запрета (запрещения), порядок запрещения (запрета)
O 522	order of interference	Ordnung *f* der Interferenz, Ordnungszahl *f* der Interferenz	ordre *m* d'interférence, numéro *m* d'ordre de la frange d'interférence	порядок интерференции
	order of levels	s. order of terms		
	order of magnitude, order; tenth power, power of ten	Größenordnung *f*; Zehnerpotenz *f*	ordre *m*, ordre de grandeur; puissance *f* de dix	порядок, порядок величин[ы]; степень десяти
	order-of-magnitude, in the order [of]	größenordnungsmäßig, in der Größenordnung [von]	dans l'ordre [de]	по порядку величины; в порядке, в соответствии с порядком величины
O 523	order of reaction, order of chemical reaction, reaction order	Reaktionsordnung *f*, Ordnung *f* der Reaktion	ordre *m* de la réaction [chimique], ordre de réaction	порядок реакции
O 524	order of reflection, reflection order	Reflexionsordnung *f*, Ordnung *f* der Reflexion	ordre *m* de réflexion	порядок отражения
O 525	order of sequence; order; sequence; succession	Reihenfolge *f*; Folge *f*; Ordnung *f*; Anordnung *f*	ordre *m* de séquence; ordre; séquence *f*; succession *f*; suite *f*	последовательность; последовательный порядок, порядок [следования]; чередование; упорядочение
	order of spectrum	s. order		
O 526	order of superposition, stratigraphic sequence	Schicht[en]folge *f*, Schichtenkomplex *m*, Schichtengruppe *f*, Schichtenreihe *f*, Schichtenserie *f*, Schichtensystem *n*	ordre *m* de superposition, position *f* des couches, superposition *f*	порядок напластования; порядок залегания пластов; порядок налегания, порядок наслоения; свита пластов
	order of symmetry [of the axis]	s. degree of the axis <cryst.>		
O 527	order of terms, term order, order of levels, level order	Termordnung *f*	ordre *m* de termes, ordre des niveaux	порядок термов, порядок уровней
	order of the bond, bond order	Bindungsordnung *f*, Ordnung *f* der Bindung	indice *m* de liaison, ordre *m* de [la] liaison, ordre de lien	порядок связи, природа связи
	order of the discontinuity	s. discontinuity order		
	order of the function	s. growth <of the function>		
O 528	order of the pole	Polordnung *f*	ordre *m* du pôle	порядок полюса
O 529	order parameter	Ordnungsparameter *m*	paramètre *m* d'ordre	параметр упорядочения
O 530	order relaxation, Zener relaxation	Ordnungsrelaxation *f*, Zener-Relaxation *f*	relaxation *f* d'ordre, relaxation [de] Zener	порядковая (зинеровская) релаксация
	order state, state of order	Ordnungszustand *m*	état *m* d'ordre	состояние упорядочения
O 531	order statistic	Ranggröße *f*	valeur *f* observée rangée par ordre de grandeur croissante	член вариационного ряда
O 532	order statistics	Ordnungsstatistik *f*	statistique *f* d'ordre	порядковая (непараметрическая) статистика
	order test; non-parametric test, distribution[-]free test	verteilungsfreier (nichtparametrischer, parameterfreier) Test *m*; Anordnungstest *m*	test *m* non paramétrique	непараметрический критерий; порядковый критерий
	ordinal number	s. atomic charge <nucl.>		
	ordinary bond	s. single bond		
O 533	ordinary case, normal case, fundamental case	Normalfall *m*	cas *m* ordinire, cas normal, cas fondamental	нормальный случай, обычный случай
	ordinary component of double refraction	s. ordinary ray		
O 534	ordinary differential equation	gewöhnliche Differentialgleichung *f*	équation *f* différentielle [ordinaire]	обыкновенное дифференциальное уравнение
O 535	ordinary diffusion	gewöhnliche Diffusion *f*	diffusion *f* due à l'inhomogénéité de composition, diffusion ordinaire	обыкновенная диффузия
	ordinary discontinuity	s. jump <math.>		
O 536	ordinary finite difference method	gewöhnliches Differenzenverfahren *n*	méthode *f* de différences finies ordinaire	обыкновенный метод разностей
	ordinary force, Wigner force	Wigner-Kraft *f*, Wignersche Kraft *f*	force *f* de Wigner	сила Вигнера
	ordinary graph	s. non-oriented graph		
O 537	ordinary Hall coefficient	ordentlicher Hall-Koeffizient *m*	coefficient *m* de Hall ordinaire	обыкновенный коэффициент Холла
	ordinary hydrogen, natural hydrogen	gewöhnlicher (natürlicher) Wasserstoff *m*	hydrogène *m* ordinaire, hydrogène naturel	обычный водород, естественный водород
	ordinary link[age]	s. single bond		
O 538	ordinary ray, normal ray; ordinary wave; ordinary component of double refraction	ordentlicher (ordinärer) Strahl *m*; ordentliche (ordinäre) Welle *f*; ordentliche (ordinäre) Komponente *f* der Doppelbrechung	rayon *m* ordinaire; onde *f* ordinaire; composante *f* ordinaire de la biréfringence	обыкновенный луч; обыкновенная волна; обыкновенная составляющая двойного преломления
O 539	ordinary system, ordinary thermodynamic system	gewöhnliches [thermodynamisches] System *n*	système *m* [thermodynamique] ordinaire	обычная [термодинамическая] система
	ordinary temperature, room temperature, normal room temperature	Raumtemperatur *f*, Zimmertemperatur *f*	température *f* de l'intérieur, température ambiante (ordinaire)	комнатная температура, температура помещения (в помещении)
	ordinary thermodynamic system	s. ordinary system		

	English	German	French	Russian
	ordinary velocity of wave, ordinary wave velocity	ordentliche (ordinäre) Wellengeschwindigkeit f	vitesse f ordinaire de l'onde	обыкновенная волновая скорость, обыкновенная скорость волны
O 540	**ordinary water**, natural water, light water	gewöhnliches (natürliches, leichtes) Wasser n	eau f ordinaire, eau naturelle, eau légère	естественная (природная, обычная, легкая) вода
O 541	**ordinary water level**, **ordinary water stage** <Hydr.>	gewöhnlicher Wasserstand m, Zentralwert m, ZW <Hydr.>	niveau m d'eau ordinaire <hydr.>	обычный уровень воды <гидр.>
	ordinary wave	s. ordinary ray		
O 542	**ordinary wave velocity**, ordinary velocity of wave	ordentliche (ordinäre) Wellengeschwindigkeit f	vitesse f ordinaire de l'onde	обыкновенная волновая скорость, обыкновенная скорость волны
O 542a	**ordo-symbol**	Landau-Symbol n, Landausches Symbol <O oder o>	symbole m O <ou o>	символ Ландау
O 542b	**Orear region** [of momentum transfer]	Orearsches Gebiet n	région f d'Orear	орировская область [передач]
O 543	**oreometry**, orometry	Orometrie f	orométrie f	орометрия, измерение гор
	organ dose	Organdosis f	dose f absorbée dans l'organe, dose à l'organe	доза облучения органа
O 544	**organic correlation**	organische Korrelation f	corrélation f organique	органическая корреляция
O 545	**organic glass**	organisches Glas n <Handelsnamen: Plexiglas, Lucit, Perspex, Pontalit, Diakon usw.>	verre m organique	органическое стекло
O 546	**organic moderator**	organischer Moderator m, organische Bremsflüssigkeit f	modérateur m organique	органический замедлитель, замедлитель в виде органической жидкости
O 547	**organic phosphor**, organophosphor	Organophosphor m, organischer Leuchtstoff m	phosphore m organique, organophosphore m	органический фосфор, органофосфор
O 548	**organic regression**	organische Regression f	régression f organique	органическая регрессия
O 549	**organic scintillating solution**	flüssiger organischer Szintillator m, organische Szintillationslösung f	solution f organique à scintillation, scintillateur m liquide organique	жидкий органический сцинтиллятор
O 550	**organ of equilibrium**	Gleichgewichtsorgan n	organe m de l'équilibration	орган равновесия
O 551	**organ of sight (vision)**, visual (light sense) organ	Sehorgan n, Lichtsinnesorgan n	organe m de la vision, organe visuel (de sens lumineux)	орган зрения
O 552	**organogel**	Organogel n (m)	organogel m	органогель
O 553	**organometallic compound**, metallo-organic compound, metalorganic compound	metallorganische Verbindung f, Metallorganyl n, Organometallverbindung f	composé m organo-métallique	металл[о]органическое соединение
	organophosphor, organic phosphor	Organophosphor m, organischer Leuchtstoff m	phosphore m organique, organophosphore m	органический фосфор, органофосфор
O 554	**organosol**	Organosol n	organosol m	органозоль
O 555	**orientability**	Orientierbarkeit f	orientabilité f	ориентируемость
	orientable surface, two-sided surface	zweiseitige Fläche f, orientierbare Fläche	surface f orientable (bilatère)	двусторонняя (ориентируемая) поверхность
	orientation, orienting <geo.>	Orientierung f <Geo.>	orientement m, orientation f <géo.>	ориентирование, ориентировка <гео.>
O 556	**orientation** <math.>	Orientierung f <Math.>	orientation f <math.>	ориентация <матем.>
O 557	**orientation**; alignment <phys., chem.>	Orientierung f; Ausrichtung f <Phys., Chem.>	orientation f; alignement m <phys., chim.>	ориентация; выстраивание <физ., хим.>
	orientational polarizability	s. orientation polarization		
O 558	**orientation birefringence**, orientation double refraction	Orientierungsdoppelbrechung f	biréfringence f d'orientation	ориентационное двойное лучепреломление (преломление)
O 558a	**orientation disorder**	Orientierungsunordnung f	désordre m d'orientation	разупорядочение ориентации
	orientation double refraction	s. orientation birefringence		
O 559	**orientation effect**	Orientierungseffekt m, Einfluß m der Orientierung	effet m d'orientation	эффект ориентации, ориентационный эффект
O 560	**orientation factor**	Orientierungsfaktor m	facteur m d'orientation	коэффициент ориентировки
O 560a	**orientation-imperfect crystal**	Orientierungsfehlkristall m	cristal m imparfait par orientation	несовершенный кристалл по ориентации
O 561	**orientation movement** <bio.>	Einstellbewegung f <Bio.>	mouvement m d'orientation <bio.>	движение ориентировки <био.>
O 562	**orientation of the cut**, cut orientation	Schnittlage f	orientation f de la coupe	ориентация среза
O 563	**orientation of the screw**, screw orientation, direction of the screw, screw direction, direction of screwing, screw[-]sense, screw sense, helicity	Schraubensinn m, Schraubungssinn m	sens m de rotation de la vis, direction f de la vis, orientation f de la vis	направление вращения винта, направление винта, ориентация винта
O 564	**orientation ordering**	Orientierungsordnung f	ordre m d'orientation, ordre orientationnel	ориентационный порядок
O 565	**orientation polarization**, molecular polarization, orientational polarizability	Orientierungspolarisation f	polarisation f d'orientation, polarisation moléculaire, polarisabilité f d'orientation	ориентационная (дипольная) поляризация, поляризация ориентации; поляризация, вызванная ориентированием беспорядочно расположенных диполей
O 566	**orientation polymorphism**	Orientierungspolymorphie f	polymorphie f d'orientation	ориентационный полиморфизм
O 567	**orientation quantum number**	Orientierungsquantenzahl f	nombre m quantique d'orientation	ориентационное квантовое число
O 568	**orientation relation**	Orientierungsbeziehung f	relation f d'orientation	отношение ориентации
O 569	**orientation triangle**	Orientierungsdreieck n	triangle m d'orientation	стереографический треугольник

O 570	oriented	orientiert; ausgerichtet; vorzugsgerichtet	orienté	ориентированный
O 571	oriented circle <math.>	gerichteter (orientierter) Kreis m, Zykel m <Math.>	cercle m orienté <math.>	ориентированный круг <матем.>
	oriented crystal growth	s. epitaxy		
	oriented graph	s. directed graph		
	oriented [over]growth	s. epitaxy		
O 572	orienting, orientation <geo.>	Orientierung f <Geo.>	orientement m, orientation f <géo.>	ориентирование, ориентировка <гео.>
O 573	orienting compasses	Orientier[ungs]bussole f, Orientierungskompaß m	orienteur m	ориентир-буссоль
O 574	orientometer	Orientometer n	orientomètre m	ориентометр <прибор для измерения ориентированности структуры>
O 575	orifice; opening; hole; gap; port [hole]	Öffnung f; Loch n; Kanalmündung f, Kanalöffnung f, Kanal m; Durchführung f	orifice m; trou m	отверстие; дырка; дыра; проход
O 576	orifice, mouth; muzzle	Mündung f	bouche f, orifice m, bec m	выход, устье
O 577	orifice plate, plate orifice [meter], static plate	Meßblende f, Durchflußmeßblende f, Normblende f, Drosselscheibe f, Stauscheibe f, Blende[nscheibe] f, Staurand [-Strömungsmesser] m, Staudruckströmungsmesser m	diaphragme m, diaphragme à orifice, diaphragme du débitmètre, débitmètre m à obturateur	расходомерная шайба, дроссельная шайба, измерительная диафрагма, диафрагма
O 578	orificing	Drosselung f	étranglement m	дросселирование; диафрагмирование
	origin, origination, source; parentage	Ursprung m, Entstehung f, Bildung f; Herkunft f, Zustandekommen n	origine, source f	начало, возникновение, происхождение, источник
	origin, initial point; starting point <e.g. of the motion>; point of emergency	Anfangspunkt m, Ausgangspunkt m	origine f; point m d'application <p. ex. du vecteur>; point d'émergence	начало; исходная точка; точка выхода
	origin, focus, hearth, seat [of origin], centre <geo., meteo.>	Herd m <Geo., Meteo.>	âtre m, foyer m <géo., météo.>	очаг, фокус <гео., метео.>
	origin	s. a. origin of co-ordinates		
	origin	s. a. point of action		
O 579	original, original function, superior function, determining function; inverse transform	Oberfunktion f, Originalfunktion f, Stammfunktion f, Objektfunktion f, determinierende Funktion f; Rücktransformierte f	fonction f originale, original m, fonction supérieure; transformée f inverse, image f réciproque	оригинал [преобразования], функция-оригинал, первообразная функция; обратное преобразование
O 580	original fission	Primärspaltung f, Erstspaltung f	fission f primordiale	первичное деление
	original function	s. original		
	original ion pair, primary ion pair, initial ion pair	primäres Ionenpaar n	paire f d'ions primaire, paire d'ions primordiale	первичная (начальная, исходная) пара ионов
	original nucleus	s. parent nuclide		
	original particle	s. primary particle		
	original rock	s. primary rock		
O 581	original space, superior space, object space <math.>	Objektbereich m, Objektraum m, Oberbereich m, Originalbereich m, Originalraum m <Math.>	espace m original, espace supérieur <math.>	пространство-оригинал, оригинальное пространство <матем.>
O 582	origination, origin, source; parentage	Ursprung m, Entstehung f, Bildung f; Herkunft f, Zustandekommen n	origine f, source f	начало, возникновение, происхождение, источник
	origin distortion	s. zero variation		
O 583	origin of co-ordinates, origin	Koordinatenursprung m, Anfangspunkt (Nullpunkt) m des Koordinatensystems, Koordinatenanfang[spunkt] m, Koordinatennullpunkt m	origine f des coordonnées, origine, point m origine, point nul	начало координат, нулевая точка [координат]
O 584	origin of the band, band origin; zero line, null line; zero (null) line gap	Nullinie f; Nullücke f <Opt.>	origine f de la bande, raie f zéro (nulle), ligne f zéro <opt.>	нулевая линия; отсутствие нулевой линии, нулевой промежуток <опт.>
	origin of the force	s. point of action		
	origin of the wave, wave centre, centre of the wave	Wellenzentrum n	centre m d'onde, origine f d'onde	центр волны, начало волны
O 585	origin of turbulence, transition to turbulence	Turbulenzentstehung f	naissance f (déclenchement m) de la turbulence	возникновение турбулентности
O 586	Orion[-type] star, Orion variable [star]	Orionveränderlicher m	étoile f [variable] du type Orion	переменная звезда типа Ориона
O 587	Orlich bridge	Orlich-Brücke f	pont m d'Orlich	мост Орлиха
O 588	ornithopter	Schlagflügelflugzeug n	ornithoptère m	орнитоптер, летательный аппарат с машущими крыльями
O 589	Ornstein and Zernike's integral equation	Ornstein-Zernikesche Integralgleichung f	équation f intégrale d'Ornstein et Zernike	интегральное уравнение Орнштейна-Цернике
O 590	Ornstein-Uhlenbeck process	Ornstein-Uhlenbeck-Prozeß m	processus (procédé) m d'Ornstein et Uhlenbeck	процесс Орнштейна-Уленбека
O 591	orogen	Orogen n	orogène m	ороген, складчатая область
O 592	orogenesis, mountain-building, mountainous formation, orogeny; revolution	Orogenese f, Gebirgsbildung f; Umwälzung f	orogenèse f, orogénie f; révolution f	орогенез, горообразование, орогения; переворот

	English	German	French	Russian
O 593	**orogenesis,** tectogenesis	Tektogenese *f*, Orogenese *f*	tectogenèse *f*, orogenèse *f*	тектогенез, орогенез
	orogenic thrust	Gebirgsschub *m*	poussée *f* orogénique, poussée des roches	боковое давление горных пород
O 594	**orogeny**	Orogenie *f*	orogénie *f*	орогения
	orogeny	*s. a.* orogenesis		
	orographic cloud; obstacle cloud	Hinderniswolke *f*; orographische Wolke *f*	nuage *m* obstacle; nuage orographique	облако препятствий; орографическое облако
O 594 a	**orographic downward wind,** downslope (forced downward) wind	Hangabwind *m*, Fallwind *m*	vent *m* orographique descendant	ветер, дующий вниз по склону; нисходящий склоновый ветер
	orographic effect of the wind	*s.* orographic wind effect		
O 595	**orographic elevation**	orographische Hebung *f*	montée *f* orographique	орографическое восхождение
O 596	**orographic isobar**	orographische Isobare *f*	isobare *f* orographique	орографическая изобара
O 597	**orographic obstacle**	orographisches Hindernis *n*	obstacle *m* orographique	орографическое препятствие
O 598	**orographic precipitation, orographic rainfall**	orographischer Niederschlag (Regen) *m*, Geländeregen *m*; Steigungsregen *m*; Stauungsregen *m*	précipitations *fpl* orographiques	орографические осадки
	orographic snow[-]line	*s.* snow[-]line		
	orographic upward	*s.* up-stream		
O 599	**orographic upward wind,** hillside upcurrent, forced upward wind	Hangaufwind *m*, Hangwind *m*	vent *m* orographique ascendant	орографический (вынужденный) восходящий ветер
	orographic wave; obstacle wave	Hinderniswelle *f*; Hinderniswoge *f*; orographische Welle *f*	onde *f* d'obstacle; onde orographique	волна препятствий; орографическая волна
O 600	**orographic wind effect,** orographic effect of the wind	orographischer Windeffekt *m*	effet *m* orographique du vent	орографический эффект в поле ветра
O 601	**orometry,** oreometry	Orometrie *f*	orométrie *f*	орометрия, измерение гор
	O-R potential	*s.* oxidation-reduction potential		
	O-R process	*s.* oxidation-reduction process		
O 602	**orrery,** planetarium	Planetarium *n*	planétarium *m*	планетарий
	Orr-Sommerfeld disturbance (perturbation) equation, Orr-Sommerfeld['s] equation, stability equation of Orr and Sommerfeld	Orr-Sommerfeldsche Störungsgleichung *f*, Orr-Sommerfeldsche Gleichung *f*	équation *f* d'Orr-Sommerfeld	формула Орра-Зоммерфельда
O 603	**Orsat apparatus**	Orsat-Apparat *m*	appareil *m* d'Orsat	газоанализатор Орса, прибор Орса
O 604	**Orsat pipette**	Orsat-Pipette *f*	pipette *f* d'Orsat	пипетка Орса
O 605	**orthicon [tube],** [C.P.S.] emitron	Orthikon *n*, Emitron *n*	orthicon *m*, orthiconoscope *m*	ортикон
O 606	**ortho axis,** orthodiagonal axis	Orthoachse *f*, Orthodiagonale *f*	ortho-axe *m*	ортоось
O 607	**orthobaric density**	orthobare Dichte *f*	densité *f* orthobarique	ортобарическая плотность
O 608	**orthobaric line**	orthobare Kurve *f*, Orthobare *f*	courbe *f* orthobarique	ортобарическая кривая
O 609	**orthobaric liquid,** saturated liquid, liquid at its bubble point	orthobare Flüssigkeit *f*	liquide *m* orthobarique	ортобарическая жидкость
O 610	**orthobaric volume**	orthobares Volumen *n*	volume *m* orthobarique	ортобарический объем
O 611	**orthochromatism**	Orthochromasie *f*	orthochromatisme *m*	ортохроматизм
O 612	**orthochrone Lorentz group,** full Lorentz group	orthochrone (volle, vollständige) Lorentz-Gruppe *f*	groupe *m* de Lorentz [homogène et] orthochrone	ортохронная (полная) группа Лоренца
	orthocomplement, orthogonal complement	orthogonales Komplement *n*	complément *m* orthogonal	ортогональное дополнение, ортодополнение
O 613	**ortho-compound,** orthosubstitution compound, o-compound	ortho-Verbindung *f*, Orthoverbindung *f*, o-Verbindung *f*	composé *m* par orthosubstitution, ortho-composé *m*, o-composé *m*	ортосоединение, ортозамещенное соединение, o-соединение
	orthodiagonal axis, ortho axis	Orthoachse *f*, Orthodiagonale *f*	ortho-axe *m*	ортоось
	orthodiagraphy, orthoradioscopy	Orthoröntgenoskopie *f*, Orthodiagraphie *f*	orthoradioscopie *f*	орторадиоскопия
O 614	**orthodrome,** great circle line	Orthodrome *f*, Großkreisbogen *m*	orthodromie *f*	ортодрома, дуга большого круга
	orthodromic projection	*s.* gnomonic projection		
O 615	**orthogeosyncline**	Orthogeosynklinale *f*	orthogéosynclinal *m*	ортогеосинклиналь
O 616	**orthogeotropism**	Orthogeotropismus *m*	orthogéotropisme *m*	ортогеотропизм
O 617	**orthogonal**	orthogonal, sich rechtwinklig schneidend, senkrecht aufeinanderstehend	orthogonal	ортогональный
O 618	**orthogonal complement,** orthocomplement	orthogonales Komplement *n*	complément *m* orthogonal	ортогональное дополнение, ортодополнение
O 619	**orthogonal co-ordinates**	rechtwinklige (orthogonale) Koordinaten *fpl*, Orthogonalkoordinaten *fpl*	coordonnées *fpl* rectangulaires, coordonnées orthogonales	ортогональные координаты, прямоугольные координаты
O 620	**orthogonal co-ordinate system,** orthogonal system [of co-ordinates], orthogonal set [of co-ordinates]	rechtwinkliges Koordinatensystem *n*, orthogonales Koordinatensystem, Orthogonalsystem *n*	système *m* de coordonnées orthogonales, système de coordonnées rectangulaires	прямоугольная система [координат], система прямоугольных координат, ортогональная система [координат]
O 621	**orthogonal curvilinear co-ordinates,** curvilinear orthogonal co-ordinates	krummlinige Orthogonalkoordinaten *fpl*, orthogonale krummlinige Koordinaten *fpl*	coordonnées *fpl* curvilignes orthogonales	ортогональные криволинейные координаты

O 622	orthogonal expansion, expansion in an orthogonal series	Orthogonalentwicklung f, Entwicklung f in eine Orthogonalreihe	développement m orthogonal, développement en série orthogonale	разложение в ортогональный ряд, ортогональное разложение
O 623	orthogonal families of curves	orthogonale Kurvenscharen fpl	familles fpl de courbes orthogonales	ортогональные семейства [кривых]
	orthogonal group	s. full orthogonal group		
	orthogonal Hermite polynomial	s. Hermite polynomial		
	orthogonality	s. perpendicularity		
O 624	orthogonality of error method	Fehlerorthogonalitäts-methode f	méthode f d'orthogonalité des erreurs	метод ортогональности погрешностей
O 625	orthogonality relation	Orthogonalitätsrelation f, Orthogonalitätsbeziehung	relation f d'orthogonalité	соотношение ортогональности
	orthogonalization and normalization	s. orthonormalization		
O 626	orthogonalized plane wave, O.P.W.	orthogonalisierte ebene Welle f, OPW, OEW	onde f plane orthogonalisée, O.P.O., OPO	ортогонализированная плоская волна
	orthogonal linear transformation, orthogonal mapping	s. orthogonal transformation		
O 626a	orthogonal matrix	orthogonale (ortho-normierte) Matrix f	matrice f orthogonale	ортогональная матрица
	orthogonal normalized system	s. orthonormal system		
O 627	orthogonal projection, orthographic projection	rechtschnittige (orthogonale, normale) Projektion f, rechtschnittiger [kartographischer] Entwurf m, Orthogonalprojektion f, Normalprojektion f	projection f orthogonale	ортогональная проекция, ортогональное проектирование
	orthogonal set [of co-ordinates]	s. orthogonal co-ordinate system		
O 628	orthogonal stochastic process	orthogonaler Prozeß m <Stat.>	processus m stochastique orthogonal	ортогональный процесс <стат.>
	orthogonal system [of co-ordinates]	s. orthogonal co-ordinate system		
O 629	orthogonal trajectory	orthogonale Trajektorie f, Orthogonaltrajektorie f	trajectoire f orthogonale, trajectoire normale	ортогональная траектория
	orthogonal trajectory co-ordinates, normal co-ordinates	Normalkoordinaten fpl, Hauptkoordinaten fpl, Rayleighsche Koordinaten fpl	coordonnées fpl normales, variables fpl principales	нормальные координаты
O 630	orthogonal transformation, orthogonal linear transformation, congruent transformation, orthogonal mapping	orthogonale Transformation f, orthogonale Abbildung f	transformation f orthogonale, transformation linéaire orthogonale	ортогональное преобразование, ортогональное линейное преобразование
O 631	orthographic projection	orthographische Projektion f, Parallelprojektion f der Erde	projection f orthographique	ортографическая проекция
O 632	orthographic projection	s. a. orthogonal projection		
O 633	orthoheliotropism	Orthoheliotropismus m	orthohéliotropisme m	ортогелиотропизм
	ortho[-]hydrogen, ortho hydrogen	Orthowasserstoff m, o[rtho]-Wasserstoff m	orthohydrogène m	ортоводород, орто-водород, о-водород
O 634	orthokinetic coagulation	orthokinetische Koagulation f	coagulation f orthocinétique	кинематическая (ортокинетическая) коагуляция
O 635	orthometamorphic rock, orthorock	Orthogestein n	roche f orthométamorphique	ортометаморфическая порода, ортопорода
O 636	orthometric correction	orthometrische Verbesserung f	correction f orthométrique	ортометрическая поправка
	orthometric height	s. height above sea level		
O 637	orthomorphic	orthomorph, raumrichtig, tautomorph	orthomorphique	ортоморфный
	orthomorphic projection	s. conformal projection		
O 638	orthonormality	Orthonormiertheit f, Orthonormalität f	orthonormalité f	ортонормированность
O 639	orthonormalization, orthogonalization and normalization	Orthonormierung f, Orthogonalisierung f und Normierung f	orthonormalisation f, orthogonalisation f et normalisation f	ортонормировка, ортонормирование, ортогонализация и нормировка
O 640	orthonormal system, orthogonal normalized system, normalized orthogonal system	Orthonormalsystem n, normiertes Orthogonalsystem n	système m orthonormal, (orthonormé, orthogonal et normé), famille (suite) f orthonormale	ортонормированная система, ортогональная нормированная система
O 641	orthonormal wave function	orthonormierte Wellenfunktion f	fonction f d'onde orthonormale	ортонормальная волновая функция
O 642	ortho-para conversion	Ortho-Para-Umwandlung f	transformation f ortho-para	орто-пара-превращение, превращение орто-состояния в пара-состояние или обратно
O 643	ortho-para equilibrium	Ortho-Para-Gleichgewicht n	équilibre m ortho-para	орто-пара-равновесие
O 644	ortho-para ratio	Ortho-Para-Verhältnis n	rapport m ortho-para	соотношение между орто- и пара-изомерами
O 645	orthopolar method	Orthopolarenverfahren n	méthode f des orthopolaires	метод ортополяр
O 646	ortho-position, o-position	ortho-Stellung f, o-Stellung f	position f ortho, ortho-position f, o-position f	орто-положение, о-положение
O 647	ortho[-]positronium, triplet positronium	Orthopositronium n	orthopositronium m	ортопозитроний
O 648	orthoradioscopy, orthodiagraphy	Orthoröntgenoskopie f, Orthodiagraphie f	orthoradioscopie f	орторадиоскопия
	orthorhombic crystal system	s. rhombic crystal system		
	orthorhombic hemimorphy	s. hemimorphic hemihedry of the orthorhombic system		

O 649	**orthorhombic holohedry,** holohedry of the ortho-rhombic system, holo-hedral class of the rhombic system, di-digonal equatorial class, bipyramidal (normal) class	orthorhombische Holoedrie *f*, rhombische Holoedrie, rhombisch-bipyramidale Klasse *f*, bipyramidale Klasse, rhombisch-dipyramidale Klasse	holoédrie *f* du système ter-binaire (orthorombique), holoédrie terbinaire (orthorombique), classe *f* rhombobipyramidale, classe planaxiale du sys-tème rhombique, classe holoèdre du système terbinaire	ромбо-дипирамидальный вид симметрии
	orthorhombic system	*s.* rhombic crystal system		
	orthorock, orthometamor-phic rock	Orthogestein *n*	roche *f* orthométamorphi-que	ортометаморфическая порода, ортопорода
	orthoscopic, free from distortion, rectilinear	verzeichnungsfrei, rekto-linear, orthoskopisch, tiefenrichtig	sans distorsion, rectilinéaire, orthoscopique	без дисторсии, бездистор-сионный, свободный от дисторсии, ортоско-пический; противодис-торсионный
O 650	**ortho-state, ortho state**	Orthozustand *m*	ortho-état *m*	орто-состояние
O 651	**orthostatic**	orthostatisch	orthostatique	ортостатический
O 652	**orthostigmat**	Orthostigmat *n*	orthostigmat *m*	ортостигмат
	ortho-substitution com-pound, ortho-compound, o-compound	ortho-Verbindung *f*, Orthoverbindung *f*, o-Verbindung *f*	composé *m* par orthosubsti-tution, ortho-composé *m*, o-composé *m*	ортосоединение, ортозаме-щенное соединение, o-соединение
O 653	**ortho term**	Orthoterm *m*	ortho-terme *m*	ортотерм
O 654	**orthotomic**	orthotom	orthotomique	ортотомный
O 655	**orthotomy,** property of being orthotomic	Orthotomie *f*	orthotomie *f*	ортотомность, ортотомия
O 656	**orthotropic plate**	orthotrope Platte *f*	plaque *f* orthotrope	ортотропная пластин[к]а
O 657	**orthotropism, ortho-tropy**	Orthotropie *f*	orthotropie *f*	ортотропизм, ортотропия
	ortive amplitude, eastern amplitude	Morgenweite *f*	amplitude *f* est	восточная амплитуда, восточное отстояние по горизонту
	Orton cone <US>	*s.* pyrometric cone		
	O/R value, reduction oxidation index, oxidation-reduction index (value)	Redoxindex *m*, O/R-Wert *m*	indice *m* réduction-oxydation, indice oxy-dation-réduction, valeur *f* O/R	окислительно-восстано-вительный показатель, показатель окисления-восстановления
	osar	*s.* eskar		
O 658	**osar centre**	Oskern *m*, Oszentrum *n*	centre *m* d'ósar	центр оза
O 659	**oscillating arc**	schwingender Lichtbogen *m*	arc *m* oscillant	колеблющаяся дуга
O 660	**oscillating circuit,** oscillating electronic circuit, oscillator[y] circuit, oscillator [tank] <el.>	Schwing[ungs]kreis *m*, elektr[omagnet]ischer Schwingkreis; schwing[ungs]fähiger Kreis *m* <El.>	circuit *m* oscillant, circuit oscillatoire, circuit vibratoire <él.>	колебательный контур <эл.>
O 661	**oscillating-coil potentiometer**	Schwenkspulenkompen-sator *m*, Taumelspulen-potentiometer *n*	potentiomètre *m* à bobine oscillante	потенциометр с колеблю-щейся катушкой
	oscillating contact, vibrating contact	Schwingkontakt *m*	contact *m* vibrant. vibreur *m*	качающийся контакт
O 662	**oscillating crystal**	Schwenkkristall *m*	cristal *m* oscillant	вибрирующий кристалл
O 663	**oscillating crystal** <el.>	Schwingkristall *m*, Schwinger *m* <El.>	cristal *m* oscillant <él.>	осциллирующий (осцилляторный, гене-рирующий, колеблющийся) кристалл <эл.>
	oscillating crystal	*s. a.* oscillating quartz		
O 664	**oscillating-crystal method,** oscillation photography	Schwenkmethode *f*, Schwenkkristall-methode *f*, Schwenk-kristallverfahren *n*	méthode *f* de cristal oscillant	метод колебаний, метод вибрирующего крис-талла
O 665	**oscillating current**	Schwingstrom *m*	courant *m* oscillant	колебательный ток
	oscillating drop	*s.* oscillating liquid drop		
O 666	**oscillating electron,** hunting electron	Pendelelektron *n*	électron *m* oscillateur, électron oscillant	колеблющийся электрон, осциллирующий электрон
	oscillating electronic circuit	*s.* oscillating circuit		
	oscillating electron ion source	*s.* Penning ion source		
O 667	**oscillating field,** vibrating field	Schwingungsfeld *n*	champ *m* oscillatoire, champ vibratoire	колебательное поле, поле колебаний
O 668	**oscillating force**	Rüttelkraft *f*	force *f* oscillante	колеблющаяся сила
	oscillating frequency, [oscillation] frequency, vibration[al] frequency	Frequenz *f*, Schwingungs-zahl *f*, Schwingungs-frequenz *f*	fréquence *f*, fréquence d'oscillations	частота, частота колеба-ний
	oscillating klystron, oscillator klystron	Oszillatorklystron *n*	klystron *m* oscillateur	генераторный клистрон
O 669	**oscillating liquid drop,** oscillating drop, fluctuating [liquid] drop	schwingender Tropfen *m*, schwingender Flüssig-keitstropfen *m*	goutte *f* oscillante, goutte fluctuante	колеблющаяся капля, флуктуирующая капля
O 670	**oscillating load,** vibrating (vibration, vibratory) load; oscillating (vibrating, vibration, vibratory) strain	Schwing[ungs]belastung *f*, schwingende Belastung *f*; schwingende Bean-spruchung *f*, Schwing[ungs]bean-spruchung *f*	charge *f* oscillatoire, charge vibratoire, effort *m* oscillatoire, effort vibratoire	колеблющаяся нагрузка, колебательная нагрузка, вибрационная нагрузка, виброперегрузка; цикл напряжений
O 671	**oscillating mirror,** vibrating mirror, oscillatory mirror	Schwingspiegel *m*; Wackelspiegel *m*	miroir *m* oscillant	вибрирующее зеркало; поворотное зеркало
	oscillating model, oscillating universe <of the first *or* second kind>	oszillierende (pulsierende) Welt *f*, Modell *n* einer oszillierenden Welt <erster *oder* zweiter Art>	univers *m* oscillant, modèle *m* oscillant <de première *ou* deuxième espèce>	осциллирующая (пуль-сирующая) вселенная, осциллирующая модель [вселенной] <первого *или* второго рода>

	English	German	French	Russian
O 672	oscillating quantity	Schwinggröße f, Schwingungsgröße f	grandeur f oscillante	колебательная величина
	oscillating quantity, alternating quantity <el.>	Wechselgröße f, Schwingung f <El.>	grandeur f alternative, grandeur f périodique <él.>	переменная величина, периодическая величина <эл.>
O 673	oscillating quartz [crystal], oscillating crystal, oscillator crystal, vibrating quartz [crystal], quartz-crystal oscillator, crystal oscillator, piezoid	Schwingquarz m, schwingender Quarz[kristall] m, Piezoid n	quartz m oscillateur, cristal m de quartz pour les oscillateurs, piézoïde m	пьезокварц, кристалл пьезокварца, пьезоид, кварцевый вибратор, излучающая кварцевая пластинка, кварцевая генераторная пластинка
O 674	oscillating rod, vibrating rod	schwingender Stab m	barre (tige) f vibrante, barre (tige) oscillante	колеблющийся стержень
	oscillating rotator	s. vibrating rotator		
	oscillating strain	s. oscillating load		
	oscillating stress, cyclic[al] stress, vibratory (vibrating) stress	Schwingspannung f, Schwingungsspannung f, schwingende Spannung f	tension f cyclique, tension oscillatoire, tension vibratoire	циклическое напряжение, напряжение цикла
	oscillating system	s. oscillation system		
O 675	oscillating universe, oscillating model <of the first or second kind>	oszillierende (pulsierende) Welt f, Modell n einer oszillierenden Welt <erster oder zweiter Art>	univers m oscillant, modèle m oscillant <de première ou deuxième espèce>	осциллирующая (пульсирующая) вселенная, осциллирующая модель [вселенной] <первого или второго рода>
O 676	oscillation	Schwingung f; Oszillation f; [periodische] Schwankung f	oscillation f; ondulation f	колебание; качание; размах
O 677	oscillation; swinging	Schwenkung f	pivotement m; oscillation f	поворот; качание; отклонение; верчение; скос
O 678	oscillation <of a real-valued function> <math.>	Schwankung f, Oszillation f <einer reellen Funktion > <Math.>	oscillation f <d'une fonction réelle> <math.>	колебание <действительной функции> <матем.>
	oscillation	s. a. pendular oscillation		
	oscillation amplitude	s. amplitude <of vibration, oscillation>		
	oscillation characteristic family, family of oscillation characteristics	Schwingkennlinienfeld n	réseau m de caractéristiques de l'oscillation, réseau d'amplification <du tube électronique>	семейство колебательных характеристик
	oscillation energy, vibration[al] energy, energy of vibration	Schwingungsenergie f <z. B. Moleküle>; Oszillationsenergie f	énergie f vibratoire (de vibration, d'oscillation, oscillatoire, vibrationnelle)	энергия колебаний, колебательная энергия
O 679	oscillation equation, equation of oscillation, time-independent wave equation	Schwingungsgleichung f, zeitfreie Wellengleichung f, zeitunabhängige Schrödinger-Gleichung f	équation f du mouvement oscillatoire, équation de vibration	уравнение колебаний, уравнение колебательного движения, уравнение колебательного процесса
	oscillation excitation	s. excitation of oscillations		
	oscillation frequency, frequency, oscillating (vibrational, vibration) frequency	Frequenz f, Schwingungszahl f, Schwingungsfrequenz f	fréquence f, fréquence d'oscillations	частота, частота колебаний
	oscillation generation	s. excitation of oscillations		
O 680	oscillation impedance	Schwingwiderstand m, Schwingungswiderstand m	impédance f de l'entretien d'oscillations	волновое сопротивление, сопротивление колебательного контура
O 681	oscillation kernel	Oszillationskern m	noyau m d'oscillation	осцилляционное ядро
O 682	oscillation magnetometer	Schwingmagnetometer n	magnétomètre à vibration	магнитометр, основанный на определении времени колебаний его подвижного элемента
O 683	oscillation matrix	Oszillationsmatrix f	matrice f d'oscillation	осцилляционная матрица
O 684	oscillation of coupled circuits	Koppelschwingung f, Kopplungsschwingung f	oscillation f de circuits accouplés	колебание в связанных контурах
O 685	oscillation of molecule nuclei, nuclear oscillation	Kernschwingung f [der Moleküle]	oscillation f des noyaux de la molécule, oscillation nucléaire	колебание ядер молекулы
	oscillation of temperature about the mean value	s. temperature fluctuation		
O 686	oscillation of the first <second; third> kind	Schwingung f erster <zweiter; dritter> Art	oscillation f de première <deuxième; troisième> espèce	колебание первого <второго; третьего> рода
	oscillation of the liquid drop	s. liquid drop oscillation		
	oscillation period	s. period of oscillation		
O 687	oscillation photograph, X-ray oscillation photograph	Schwenkkristallaufnahme f, Schwenkaufnahme f	photographie f radioscopique à cristal oscillant	рентгенограмма колебания
	oscillation photography	s. oscillating-crystal method		
	oscillation quantum number	s. vibration quantum number		
O 688	oscillation range, vibration range	Schwingbereich m, Schwingungsbereich m, Schwinggebiet n	gamme f d'oscillation	колебательный диапазон, диапазон качания, область [существования] колебаний
	oscillation release	s. excitation of oscillations		
O 689	oscillation rotation	oszillierende Rotation f	oscillation f de rotation	колеблющееся вращение

	English	German	French	Russian
	oscillation spectrum, vibrational spectrum, vibration spectrum	Schwingungsspektrum n	spectre m de vibration, spectre vibrationnel, spectre d'oscillation	колебательный спектр, вибрационный спектр
O 689a	oscillation spike	Generationsspitze f, Oszillationsspitze f	pic (spike) m d'oscillation	пичок генерации
O 690	oscillation stop	Schwingloch n	point m de décrochage, trou m d'oscillation	провал колебаний, область срыва колебаний
O 691	oscillation system, oscillating (oscillatory, vibrating) system	Schwing[ungs]system n, schwingendes System n; schwing[ungs]fähiges System	système m oscillant, système vibrant	колебательная система
O 691a	oscillation threshold	Generationsschwelle f	seuil m d'oscillation	порог генерации
	oscillation tube	s. oscillator valve		
	oscillation vector, vector of oscillation	Schwingungsvektor m	vecteur m de l'oscillation	вектор колебания
	oscillation viscometer, oscillatory viscometer	Schwingungsviskosimeter n	viscosimètre m à oscillations	колебательный вискозиметр
O 692	oscillator; vibrator	Oszillator m, schwingendes (schwingfähiges) Gebilde n	oscillateur m; vibrateur m	осциллятор; вибратор
O 693	oscillator, vibration generator, generator; exciter, exciter of oscillations <el.>	Oszillator m, Schwingungs-generator m, Generator m, Schwingungserreger m, Schwingungserzeuger m, Schwinger m <El.>	oscillateur m, générateur m d'oscillations, généra-teur de vibrations, générateur <él.>	генератор колебаний, генератор; вибратор; возбудитель колебаний, источник колебаний; осциллятор <эл.>
	oscillator <mech.>, mechanical oscillator	[mechanischer] Oszillator m, mechanische Schwin-gungsvorrichtung f <Mech.>	oscillateur m mécanique, oscillateur <méc.>	механический осцилля-тор, осциллятор <мех.>
	oscillator [circuit]	s. oscillating circuit <el.>		
O 694	oscillator coil; moving coil; vibrating (vibration) coil	Oszillatorspule f; Schwingspule f, Vibrationsspule f	bobine f oscillatrice; bobine mobile, bobine oscillante	катушка генератора; вибрирующая (пово-ротная, подвижная) катушка
O 695	oscillator co-ordinates	Oszillatorkoordinaten fpl	coordonnées fpl oscillatoires	осцилляторные коорди-наты
	oscillator crystal	s. oscillating quartz		
O 696	oscillator drift	Oszillatordrift f, Frequenz-auswanderung f des Oszillators	dérive (excursion) f de fré-quence [de l'oscillateur]	уход частоты генератора
O 697	oscillator klystron, oscillating klystron	Oszillatorklystron n	klystron m oscillateur	генераторный клистрон
O 698	oscillator model	Oszillatormodell n	modèle m en oscillateur	осцилляторная модель
O 699	oscillator potential	Oszillatorpotential n	potentiel m [de l']oscillateur	потенциал осциллятора
O 700	oscillator radiation	Oszillatorausstrahlung f, Oszillator[ab]strahlung f; Oszillatorstörstrahlung f	rayonnement m d'oscillateur local	излучение гетеродина; мешающее излучение гетеродина
O 701	oscillator strength, f-value	Oszillator[en]stärke f, f-Wert m	force f d'oscillateur, valeur f f	сила осциллятора
	oscillator tank	s. oscillating circuit <el.>		
O 702	oscillator tube (valve), oscillation tube	Oszillatorröhre f, Schwingröhre f	tube m oscillateur, lampe f oscillatrice, oscillatrice f	генераторная лампа
O 703	oscillator wave function	Oszillatorwellenfunktion f, oszillatorische Wellenfunktion f	fonction f d'onde oscillatoire	осцилляторная волновая функция
	oscillatory circuit	s. oscillating circuit <el.>		
O 704	oscillatory discharge	oszillatorische Entladung (Funkenentladung) f	décharge f oscillatoire	колебательный разряд
	oscillatory instability, vibrational instability	Schwingungsinstabilität f	instabilité f vibrationnelle, instabilité aux vibrations	вибрационная неустойчи-вость
	oscillatory magneto-band absorption, magneto-oscillatory absorption effect	oszillatorische (oszillierende) Magneto[band]absorp-tion f	effet m d'absorption magnéto-oscillatoire, absorption f par bande magnéto-oscillatoire	магнито-осцилляцион-ный эффект поглоще-ния
	oscillatory mirror	s. oscillating mirror		
O 705	oscillatory motion, oscillatory movement	Schwing[ungs]bewegung f, schwingende Bewegung f, Oszillationsbewegung f	mouvement m oscillatoire (d'oscillation, vibratoire)	колебательное движение
O 706	oscillatory power	Schwingleistung f	puissance f oscillatoire	колебательная мощность
	oscillatory system	s. oscillation system		
O 707	oscillatory viscometer, oscillation viscometer	Schwingungsviskosimeter n	viscosimètre m à oscillations	колебательный вискози-метр
	oscillion, triode oscillator	Triodenoszillator m, Triodengenerator m	oscillateur (générateur) m à triode[s]	триодный генератор, генератор на триодах
O 708	oscillistor	Oszillistor m, Oszillator-transistor m	oscillistor m, transistor m oscillateur	генераторный полупровод-никовый триод, гене-раторный транзистор, осциллистор
O 709	oscillogram, oscillograph	Oszillogramm n, Oszillo-graphenbild n, Schwingungsbild n, Wellenbild n	oscillogramme m	осциллограмма, картина колебаний, диаграмма колебаний
O 710	oscillograph, oscilloscope, ondoscope	Oszilloskop n, Oszillo-graph m	oscillographe m, oscilloscope m	осциллограф, осцилло-скоп
	oscillograph	s. a. oscillogram		
O 711	oscillograph bridge	Oszillographenbrücke f	pont m oscillographique, pont à oscillographe	измерительный мост с осциллографом в качестве нульинди-катора
O 711a	oscillographic polarography	oszillographische Polaro-graphie f	polarographie f oscillo-graphique	осциллографическая полярография
	oscillographic representation	s. oscillography		

	English	German	French	Russian
O 712	**oscillographic tube,** oscilloscope tube, oscillotron	Oszillographenröhre f, Oszilloskopröhre f, Oszillotron n	tube m oscillographique, oscillotron m	осциллографическая [электроннолучевая] трубка
O 713	**oscillograph loop**	Oszillographenschleife f	boucle f d'oscillographe	шлейф осциллографа
O 714	**oscillograph spectrometer**	Oszillographenspektrometer n	spectromètre m à oscillographe	спектрометр с осциллографом
	oscillograph with bifilar suspension	s. loop oscillograph		
O 715	**oscillography,** oscilloscopy, oscillographic representation	Oszillographie f, oszillographische Darstellung f, Oszilloskopie f	oscillographie f, oscilloscopie f, représentation f oscillographique	осциллография, осциллографирование, осциллоскопия
O 716	**oscillometry**	Oszillometrie f; Hochfrequenzindikation f, HF-Indikation f	oscillométrie f	осциллометрия
	oscilloscope	s. oscillograph		
	oscilloscope tube	s. oscillographic tube		
	oscilloscopy	s. oscillograph		
	oscillotron	s. oscillographic tube		
O 717	**osculating centre**	Schmiegungsmittelpunkt m, Schmiegmittelpunkt m	centre m osculateur	центр соприкасания
	osculating circle	s. circle of curvature		
O 718	**osculating curve**	oskulierende Kurve f	courbe·f osculatrice	соприкасающаяся (оскулирующая) кривая
O 719	**osculating element [of orbit]**	oskulierendes Element n [der Bahn]	élément m osculateur [de l'orbite]	оскулирующий элемент [орбиты]
O 720	**osculating ellipse**	oskulierende Ellipse f	ellipse f osculatrice	оскулирующий (соприкасающийся) эллипс
O 721	**osculating Euclidean metric**	oskulierende euklidische Metrik f	métrique f euclidienne osculatrice	евклидова касательная метрика
O 722	**osculating Euclidean space**	oskulierender euklidischer Raum m	espace m euclidien osculateur	касательное евклидово пространство
O 723	**osculating Kepler ellipse**	oskulierende Kepler-Ellipse f	ellipse f keplérienne osculatrice	оскулирующий кеплеров эллипс
O 724	**osculating orbit**	oskulierendé Bahn f	orbite f osculatrice	оскулирующая орбита
O 725	**osculating parabola**	Schmieg[ungs]parabel f	parabole f osculatrice	соприкасающаяся парабола
O 726	**osculating paraboloid**	Schmieg[ungs]paraboloid n	paraboloïde m osculateur	соприкасающийся параболоид
O 727	**osculating plane,** plane of curvature	Schmieg[ungs]ebene f, Oskulationsebene f	plan m osculateur	соприкасающаяся плоскость
O 728	**osculating sphere,** sphere of curvature	Schmieg[ungs]kugel f, Oskulationskugel f	sphère f osculatrice	соприкасающаяся сфера
O 729	**osculating surface**	oskulierende Fläche f	surface f osculatrice	соприкасающаяся (оскулирующая) поверхность
O 730	**osculation** <also astr.>; superosculation	Berührung f <Math.>; Oskulation f, Schmiegung f <Math., Astr.>; Hyperoskulation f <Math.>	osculation f	соприкосновение, соприкасание <матем.>; оскуляция <астр.>; соприкосновение выше первого порядка <матем.>
O 731	**Oseen['s] approximation**	Oseensche Näherung f	approximation f d'Oseen	приближение Озеена
O 732	**Oseen['s] equation**	Oseensche Gleichung f (Formel) f	équation f d'Oseen	уравнение Озеена
O 733	**Oseen['s] flow**	Oseensche Strömung f	mouvement m d'Oseen	течение Озеена
O 734	**Oseen['s] flow in three dimensions**	Oseensche dreidimensionale Strömung f	mouvement m spatial d'Oseen	трехмерное течение Озеена
O 735	**Oseen['s] integral equation**	Oseensche Integralgleichung f	équation f intégrale d'Oseen	интегральное уравнение Озеена
O 736	**Oseen['s] problem**	Oseensches Problem n	problème m d'Oseen	задача Озеена
O 737	**Oseen['s] unsteady flow**	Oseensche nichtstationäre Strömung f	mouvement m non permanent d'Oseen	неустановившееся течение Озеена
O 738	**Oseen['s] wake**	Oseenscher Nachlauf m	sillage m [tourbillonnaire] d'Oseen	след Озеена, выбег Озеена
O 739	**osmolar concentration**	Osmolarität f	osmolarité f	общая концентрация осмотически активных ионов и молекул
	osmometer due to Berkeley and Hartley, Berkeley-Hartley osmometer	Osmometer n nach Berkeley und Hartley, Berkeley-Hartley-Osmometer n	osmomètre m de Berkeley et Hartley	осмометр Беркли-Хартли
O 740	**osmophilic**	osmophil, osmiophil	osmophile, osmiophile	осмофильный
O 741	**osmophobic**	osmophob	osmophobe	осмофобный
O 742	**osmophor[e], osmophoric group**	osmophore Gruppe f, Osmophor m	osmophore m, groupement m osmophore	осмофорная группа, осмофор
O 743	**osmoregulation**	Osmoregulation f	osmorégulation	осморегуляция
	osmose; osmosis	Osmose f	osmose f	осмос
	osmose paper	s. osmotic paper		
O 744	**osmosis,** osmose	Osmose f	osmose f	осмос
O 745	**osmotaxis**	Osmotaxis f, Osmotaxe f	osmotactisme m	осмотаксис
O 746	**osmotic barrier**	osmotische Barriere f	barrière f osmotique	осмотический барьер
O 747	**osmotic cell,** osmotic-pressure cell	Osmosezelle f	cellule f osmotique	осмотическая ячейка, ячейка для определения осмотического давления
O 748	**osmotic coefficient**	osmotischer Koeffizient m	coefficient m osmotique	осмотический коэффициент
O 748a	**osmotic constant,** osmotic unit	osmotische Zustandsgröße (Konstante) f	constante f osmotique	осмотическая константа
O 749	**osmotic energy**	osmotische Energie f	énergie f osmotique	осмотическая энергия
O 750	**osmotic equivalent**	osmotisches Äquivalent n	équivalent m osmotique	осмотический эквивалент
O 751	**osmotic exchange**	osmotischer Austausch m	échange m osmotique	осмотический обмен
O 752	**osmotic force**	osmotische Kraft f	force f osmotique	осмотическая сила
O 753	**osmotic gradient**	osmotischer Gradient m	gradient m osmotique	осмотический градиент

O 754	**osmotic paper,** osmose paper	Osmosepapier n	papier m osmotique (pour l'osmose)	бумага для осмоса
O 755	**osmotic potential**	osmotisches Potential n	potentiel m osmotique	осмотический потенциал
O 756	**osmotic pressure**	osmotischer Druck m	pression f osmotique	осмотическое давление
	osmotic-pressure cell, osmotic cell	Osmosezelle f	cellule f osmotique	осмотическая ячейка, ячейка для определения осмотического давления
O 757	**osmotic shock**	osmotischer Schock m	choc m osmotique	осмотический шок
O 758	**osmotic solution**	osmotische Lösung f	solution f osmotique	осмотический раствор
O 758a	**osmotic term**	osmotisches Glied n	terme m osmotique	осмотический член
	osmotic unit s. osmotic constant			
O 759	**osmotic value,** concentration <bio.>	osmotischer Wert m, Saugwert m <der Lösung> <Bio.>	valeur f osmotique <bio.>	осмотическая концентрация <био.>
O 760	**osmotic work**	osmotische Arbeit f	travail m osmotique	осмотическая работа
O 761	**osmotropism**	Osmotropismus m	osmotropisme m	осмотропизм
O 762	**Ossanna circle, Ossanna diagram**	Ossanna-Diagramm n, Ossanna-Kreis m	diagramme (cercle) m d'Ossanna	[круговая] диаграмма Осана
O 763	**Ossipov-King polarizing prism, Ossipov-King prism**	Ossipow-King-Prisma n, Polarisationsprisma n von Ossipow und King	prisme m d'Ossipov et King, prisme polarisateur d'Ossipov-King	призма Осипова-Кинга, поляризационная призма Осипова-Кинга
	Ostrogradsky's theorem	s. Green theorem		
O 763a	**Ostwald['s] adsorption isotherm**	Ostwaldsche Adsorptionsisotherme f	isotherme f d'adsorption d'Ostwald	изотерма [адсорбции] Оствальда
O 764	**Ostwald body**	Ostwaldscher Körper m, Körper mit Fließelastizität	corps m d'Ostwald	тело Оствальда
O 765	**Ostwald colour atlas**	Ostwaldscher Farbenatlas m	atlas m des couleurs d'Ostwald	цветовой атлас Оствальда
	Ostwald colour system, Ostwald system	Ostwald-System n, Ostwaldsches Farbsystem n	système m d'Ostwald	система Оствальда, цветовая система Оствальда
O 766	**Ostwald curve**	Ostwald-Kurve f	courbe f d'Ostwald	кривая Оствальда
O 767	**Ostwald-De Waele relation**	Ostwald-de Waelesche Beziehung f	relation f d'Ostwald-de Waele	соотношение Оствальда-де-Вила
O 768	**Ostwald['s] dilution law**	Ostwaldsches Verdünnungsgesetz n, Ostwaldscher Verdünnungssatz m	loi f de dilution d'Ostwald, loi de dilution des électrolytes	закон разведения Оствальда
	Ostwald['s] electrode, standard (normal) calomel electrode	Normalkalomelelektrode f, Ostwald-Elektrode f	électrode f normale au calomel	нормальный каломельный (каломелевый) электрод
O 769	**Ostwald['s] power law**	Ostwaldsches Potenzgesetz n, Potenzgesetz nach Ostwald	loi f de puissance d'Ostwald	степенной закон Оствальда
O 770	**Ostwald ripening**	Ostwald-Reifung f, Rekristallisation f	maturation f d'Ostwald	оствальдово созревание
O 771	**Ostwald['s] rule**	Ostwaldsche Stufenregel f	règle f d'Ostwald	правило Оствальда
	Ostwald['s] solubility coefficient	s. solubility coefficient		
O 772	**Ostwald['s] viscometer**	Ostwaldsches Kapillarviskosimeter n, Ostwald-Viskosimeter n	viscosimètre m Ostwald	вискозиметр Оствальда
O 773	**Ostwald system,** Ostwald colour system	Ostwald-System n, Ostwaldsches Farbsystem n	système m d'Ostwald	система Оствальда, цветовая система Оствальда
	other side of the Moon, far side of the Moon	Rückseite f des Mondes	côté m détourné de la Lune	обратная сторона Луны, оборотная сторона Луны
	otolith, statolith	Statolith m, Hörstein m, Gehörsteinchen n, Otolith m, Otokonie f, Statokonie f	statolit[h]e f, otolit[h]e f	статолит, отолит
O 774	**Otto cycle**	Ottoscher Kreisprozeß m, Otto-Prozeß m	cycle m [de] Beau de Rochas, cycle [d']Otto	цикл Отто, цикл Бо-де-Роша, цикл при постоянном объеме
O 775	**Otto engine,** internal combustion engine, spark-ignition engine	Otto-Motor m, Gleichraummaschine f, Maschine mit Gleichraumverbrennung, Verbrennungsmotor m mit Fremdzündung	moteur m à combustion interne, moteur à allumage, moteur otto, otto m	двигатель внутреннего сгорания, двигатель с принудительным зажиганием
	O-type backward wave tube, O-type carcinotron, O-carcinotron	Carcinotron n vom O-Typ, O-Typ-Rückwärtswellenröhre f, Rückwärtswellenröhre f vom O-Typ	carcinotron m du type O, tube m à onde inverse type O	лампа обратной волны типа О, маломощный карцинотрон
O 776	**Oudeman['s] law,** law of Oudeman, Landolt-Oudeman law	Oudemansches Gesetz n, Landolt-Oudemansches Gesetz	loi f d'Oudeman, loi de Landolt et Oudeman	закон Удемана, закон Ландольта-Удемана
	outbreak	s. intrusion <meteo.>		
	outburst of nova, nova outburst, nova explosion	Novaausbruch m, Helligkeitsausbruch (Lichtausbruch) m einer Nova	explosion f d'une nova	вспышка новой [звезды]
	outcome, outlet, portal, outlet orifice	Austrittsöffnung f, Ausflußöffnung f, Ablaßöffnung f	ouverture f d'échappement, orifice m d'écoulement, orifice de décharge	выходное отверстие, выпускное отверстие
O 776a	**outdiffusion,** postalloy diffusion	Ausdiffusion f	« outdiffusion » f	
O 777	**outdoor apparatus; outdoor device**	Freiluftgerät n; Freiluftanlage f	appareil m d'extérieur; dispositif m d'extérieur	прибор [для] наружной установки; аппарат [для] наружной установки

	English	German	French	Russian
O 778	**outer automorphism,** contragredient automorphism	äußerer Automorphismus *m*	automorphisme *m* extérieur (contragrédient)	внешний автоморфизм
O 779	**outer bremsstrahlung**	äußere Bremsstrahlung *f*	rayonnement *m* de freinage externe	внешнее тормозное излучение
O 780	**outer capacity**	äußere Kapazität *f*	capacité *f* extérieure	внешняя емкость
O 781	**outer conductor,** outer wire	Außenleiter *m*	conducteur *m* extérieur, ligne *f* extérieure	внешний (крайний; фазовый) провод; наружный проводник, внешний проводник
O 782	**outer core [of Earth],** E region	äußerer Kern (Erdkern) *m*, äußere Kernschale *f* (Schale *f* des Kerns), E-Schale *f*	noyau *m* externe [de la Terre], zone *f* E [du noyau]	внешнее ядро [земли], зона E [ядра], область E [ядра], внешняя часть ядра
	outer electrical potential	*s.* Volta potential difference		
	outer measure	*s.* upper measure		
	outermost hysteresis loop, limiting hysteresis loop	Grenzschleife *f*, Grenzkurve *f*, äußerste Hystereseschleife *f*	boucle *f* d'hystérésis limite	ограничивающая кривая петли гистерезиса, внешняя кривая гистерезиса
O 783	**outermost orbit,** outer (peripheral, valence) orbit	Valenzbahn *f*, kernfernste Bahn *f*, äußerste Elektronenbahn *f*	orbite *f* externe (périphérique, de valence), couronne *f* extérieure	внешняя орбита, валентная орбита
	outermost shell	*s.* valence shell		
	outer multiplication of tensors	*s.* tensor multiplication		
	outer nucleon	*s.* peripheral nucleon		
	outer orbit	*s.* outermost orbit		
	outer-orbital complex, high-spin complex, spin-free complex	Normalkomplex *m*, magnetisch normaler Komplex *m*, [„normaler"] Anlagerungskomplex *m*	complexe *m* à haut spin, complexe à spin élevé	высокоспиновое (спин-свободное) комплексное соединение
	outer planet, superior planet	äußerer Planet *m*, oberer Planet	planète *f* supérieure	верхняя планета, внешняя планета
O 784	**outer point**	äußerer Punkt *m*	point *m* extérieur	внешняя точка
O 785	**outer product,** exterior (wedge) product	äußeres Produkt *n*	produit *m* extérieur	внешнее произведение
O 786	**outer product,** general product, product <of tensors>	[allgemeines] Tensorprodukt *n*, direktes Produkt *n* <Tensoren>	produit *m* général <de tenseurs>	тензорное произведение
	outer product	*s. a.* vector product		
O 787	**outer radiation belt (zone),** outer Van Allen [radiation] belt	äußerer Strahlungsgürtel *m*	ceinture *f* extérieure, zone *f* de radiation extérieure	внешний радиационный пояс [земли], второй радиационный пояс [земли]
O 788	**outer ring,** ring A	äußerer Ring *m*, A-Ring *m*	anneau *m* extérieur, anneau A	внешнее кольцо, кольцо A
	outer shell	*s.* valence shell		
	outer shell electron	*s.* bonding electron		
	outer Van Allen [radiation] belt, outer radiation zone (belt)	äußerer Strahlungsgürtel *m*	ceinture *f* extérieure, zone *f* de radiation extérieure	внешний радиационный пояс [земли], второй радиационный пояс [земли]
	outer wire	*s.* outer conductor		
O 789	**outer work function**	äußere Austrittsarbeit *f*	travail *m* externe	внешняя работа выхода
	outer zone	*s.* peripheral region		
O 790	**out-field,** outgoing field	auslaufendes Feld *n*, „out"-Feld *n*	champ *m* sortant, champ « out »	выходящее поле, «out»-поле, аут-поле
	outflow, outflux	*s.* discharge <of liquid>		
	outgassing, degassing, degasification, extraction of gas	Entgasung *f*, Gasaustreibung *f*, Austreibung *f* von Gasen, Beseitigung *f* von Gasresten	dégazage *m*, dégazation *f*, dégazéification *f*, dégagement *m* de gaz	дегазация, обезгаживание, удаление газов, выделение (вытеснение) газов
	outgoing field, out-field	auslaufendes Feld *n*, „out"-Feld *n*	champ *m* sortant, champ « out »	выходящее поле, «out»-поле, аут-поле
O 791	**outgoing radiation**	Ausstrahlung *f* [der Erde]	radiation *f* totale émise par la Terre	уходящая радиация
O 792	**outgrowth;** overgrowth <cryst.>	Überwachsung *f* <Krist.>	surcroissance *f* <crist.>	нарост, нарастание <крист.>
	out impedance	*s.* output impedance		
O 793	**outlet,** outcome, portal, outlet orifice	Austrittsöffnung *f*, Ausflußöffnung *f*, Ablaßöffnung *f*	ouverture *f* d'échappement, orifice *m* d'écoulement, orifice de décharge	выходное отверстие, выпускное отверстие
	outlet, output <el.>	Ausgang *m* <El.>	sortie *f* <él.>	выход <эл.>
	outlet orifice	*s.* outlet		
O 794	**outlet pressure;** discharge pressure	Austrittsdruck *m*, Druck *m* am Ausgang, Druck beim Austritt, Ausgangsdruck *m*	pression *f* de sortie; pression de décharge	давление на выходе, выходное давление; выпускное давление
O 795	**outlet pressure**	Mündungsdruck *m*	pression *f* à l'embouchure	давление у дульного среза, дульное давление; давление у устья; давление у выходного сечения; давление на выходе
O 796	**outlet temperature,** exit temperature	Austrittstemperatur *f*, Temperatur *f* am Ausgang, Temperatur beim Austritt, Ausgangstemperatur *f*	température *f* de sortie	температура на выходе, исходная температура
O 797	**outline,** contour; planform; structural shape <of steel>	Kontur *f*; Umrißlinie *f*; Begrenzungslinie *f*; Umriß *m*; Bildgrenze *f*; Profilform *f*	contour *m*; configuration *f* du profil	очертание, контур; форма профиля, конфигурация профиля
	outline chart (map)	*s.* hypsometric map		

	English	German	French	Russian
O 798	**outnumbering,** exceeding	Übertreffen n, Übersteigen n, Größersein n	surpassage m, excédent m, m, surmontée f	превосхождение, превышение
	out-of-balance	s. a. unbalance <mech.>		
	out-of-balance bridge	s. unbalanced bridge		
O 799	**out-of-phase,** phase-shifted	außer Phase, phasenfalsch, phasenverschoben	déphasé	не в фазе, не совпадающий по фазе, сдвинутый по фазе, находящийся в неправильной фазе; разфазированный
O 800	**out-of-phase component**	„out-of-phase"-Komponente f	composante f contre phase	противофазная составляющая
O 801	**out-of-pile experiment, out-of-pile test**	Bestrahlungsversuch (Versuch) m außerhalb des Reaktors	expérience f à l'extérieur du réacteur	опыт, поставленный вне реактора
O 802	**out-of-plane vibration**	nichtebene Schwingung f	vibration f en dehors du plan, vibration gauche	неплоское колебание, неплоскостное колебание
O 803	**out-of-roundness;** ellipticity	Unrundheit f, Unrunde f; Elliptizität f	ellipticité f	некруглость; эллиптичность, эллипсность
	out-of-step domain, antiphase domain	Antiphasenbereich m, antiphasiger Bereich m, Anti[phasen]domäne f	domaine m antiphase	антифазный домен, антифазная область
O 804	**out-operator**	„out"-Operator m	opérateur m « out »	«out»-оператор, аут-оператор
O 805	**output,** productivity; efficiency, efficacy; performance	Leistung[sfähigkeit] f, Produktionsleistung f, Produktivität f	productivité f, productibilité f	производительность; отдача; выработка
	output, output power, power output	Ausgangsleistung f, Output m, Leistungsabgabe f, abgegebene Leistung f	puissance f de sortie	выходная мощность, мощность на выходе; отдаваемая мощность
O 806	**output** <chem.>	entnommene Fraktion f, Entnahmeprodukt n, Produkt n <Chem.>	soutirage m <chim.>	отбор, фракция <хим.>
O 807	**output,** outlet <el.>	Ausgang m <El.>	sortie f <él.>	выход <эл.>
O 808	**output** <num. math.>	Output m, Ausgabe f, Datenausgabe f	sortie f	вывод [данных], устройство вывода результата
	output	s. a. power delivery		
	output	s. a. secondary drive		
O 809	**output admittance**	Ausgangs[schein]leitwert m, Ausgangsadmittanz f	admittance f de sortie	выходная [полная] проводимость
	output aperture, exit slit	Austrittsspalt m; Austrittsschlitz m; Ausgangsspalt m; Austrittsblende f	fente f de sortie; lumière f d'échappement	выходная щель
O 810	**output capacitance**	Ausgangskapazität f	capacité f de sortie	выходная емкость
O 811	**output gap**	Auskoppelschlitz m, Auskoppelspalt m	espace m d'interaction de sortie	щель для отбора мощности
O 812	**output impedance,** out impedance	Ausgangsimpedanz f, Ausgangsscheinwiderstand m, Outimpedanz f, „out"-Impedanz f	impédance f de sortie	полное выходное сопротивление, выходное полное сопротивление, выходной импеданс
O 813	**output meter**	Ausgangsleistungsmesser m, Leistungsmesser m, Outputmeter n	output-mètre m, wattmètre m de sortie	измеритель выходной мощности, измеритель выхода, выходной прибор
	output noise power, noise [power] output; noise power (performance) <el.>	Rauschleistung f [am Ausgang], Geräuschleistung f <El.>	puissance f du (de) bruit; puissance de sortie du bruit <él.>	мощность помех (шумов), шумовая мощность; выходная мощность шумов <эл.>
O 814	**output power,** output, power output	Ausgangsleistung f, Output m, Leistungsabgabe f, abgegebene Leistung f	puissance f de sortie	выходная мощность, мощность на выходе; отдаваемая мощность
O 815	**output quantity** <el.>	Ausgangsgröße f <El.>	grandeur f de sortie <él.>	выходная величина <эл.>
O 816	**output resistance**	Ausgangswiderstand m; Ausgangswirkwiderstand m	résistance f de sortie	выходное [активное] сопротивление, выходной резистанс
O 817	**output transformer**	Ausgangstransformator m; Ausgangsübertrager m, Nachübertrager m	transformateur m de sortie	выходной трансформатор, оконечный трансформатор
	outside temperature	s. exterior temperature		
O 818	**out-state**	„out"-Zustand m	état m « out »	состояние «после», «out»-состояние, аут-состояние
O 819	**outward normal,** outward pointing normal	äußere Normale f	vecteur m normal extérieur, normale f extérieure	внешняя нормаль
O 820	**outward winding of the spiral arms**	Öffnung f der Spiralwindungen nach außen	déroulement m des bras spiraux dans le sens de la rotation	развертывание ветвей, раскручивание рукавов
O 821	**oval cross-section**	ovaler Querschnitt m, Zitronenquerschnitt m	section f ovale, section transversale ovale	овальное поперечное сечение
O 822	**oval of Cassini,** Cassinian oval (curve), cassinoid	Cassinische Kurve f, Cassinische Linie f	ovale m de Cassini, cassinienne f, cassinoïde f	овал Кассини, кассиниев овал
O 823	**ovaloid**	Ovaloid n, Rotationsovaloid n	ovaloïde m	овалоид
O 824	**oval window**	ovales Fenster n	fenêtre f ovale	овальное окно
	ovary ellipsoid, prolate spheroid, prolate ellipsoid [of revolution]	verlängertes Rotationsellipsoid n, gestrecktes Rotationsellipsoid	ellipsoïde m de révolution allongé	вытянутый эллипсоид
	overall amplification	s. overall gain		
	overall attenuation	s. net loss		
	over[-]all coefficient [of heat transfer]	s. heat[-] transmission coefficient		
	overall coefficient of harmonic distortion	s. distortion factor		
O 825	**overall contrast ratio**	Gesamtkontrast m	contraste m total, rapport m de contraste total	общий коэффициент контрастности, общий контраст

O 826	**overall dimensions,** external dimensions	Gesamtabmessung f, größte Abmessungen fpl; Größe f über alles; äußere Abmessungen, Außenmaße npl	gabarit m, dimensions fpl extérieures	габарит[ные размеры]
O 827	**overall efficiency,** net efficiency; brake thermal efficiency	Gesamtwirkungsgrad m, Nettowirkungsgrad m	efficacité f totale, rendement m total (net)	общий коэффициент полезного действия
O 828	**overall efficiency of sound reproducer,** acoustic-mechanical efficiency	akustisch-mechanischer Wirkungsgrad m	rendement m acoustico-mécanique	акустико-механический коэффициент полезного действия (к.п.д.)
	overall equivalent	s. net loss		
O 829	**overall gain,** net gain; overall amplification	Gesamtverstärkungsfaktor m; Gesamtverstärkung f	gain m global, gain total; amplification f totale	коэффициент полного усиления; полное (общее) усиление
	over[-]all heat-transfer coefficient	s. heat[-]transmission coefficient		
	overall impulse	s. overall momentum		
	overall line attenuation	s. net loss		
O 830	**overall loudness,** summation loudness	Gesamtlautstärke f, Summenlautstärke f	intensité f acoustique (de son) totale, intensité acoustique somme	суммарная громкость
	overall magnification, total magnification	Gesamtvergrößerung f	grossissement m total	общее увеличение, полное увеличение
	overall momentum, total momentum (impulse), overall impulse	Gesamtimpuls m; resultierender Impuls m	impulsion f totale; impulsion résultante (composite)	полный (общий) импульс; суммарное количество движения
O 831	**overall plate efficiency,** plate efficiency, plate efficiency factor	Gesamtbodenwirkungsgrad m <Verhältnis der Anzahl der notwendigen theoretischen Böden zur Anzahl der wirklich erreichten>	coefficient m d'efficacité totale	коэффициент полезного действия тарелки, отношение числа теоретических тарелок к числу действующих тарелок
O 831a	**overall rate-of reaction**	Zeitgesetz n der Reaktion	vitesse f totale de la réaction	общая скорость реакции
O 832	**overall separation factor**	Gesamttrennfaktor m	facteur m de séparation total	общий коэффициент разделения
O 833	**overall species**	Gesamtrasse f	type m de symétrie du système complet	полный тип симметрии
O 834	**overall width [of grating],** total width of grating	Gitterbreite f, Gesamtbreite f des Beugungsgitters	largeur f totale [du réseau de diffraction]	общая (полная) широта дифракционной решетки
O 835	**overbar,** overline	Strich m über ...	ligne f sur...	черта сверху
O 836	**overbarred quantity**	überstrichene Größe f	grandeur f surlignée	величина с чертой [сверху]
O 837	**over-blowing**	Überblasen n	sursoufflage m	передувка, передувание
O 837a	**overblow tone**	Überblaston m	son m de sursoufflage	тон передувания
O 838	**overbunching**	überkritische Ballung f	groupement m excessif, surgroupement m	чрезмерное группирование, чрезмерная группировка
O 839	**overcast**	bedeckt; eingetrübt	entièrement couvert	затянутый облаками, пасмурный
	overcast day, murky day	trüber Tag m	jour m couvert	пасмурный день
	overclimb, stall, stalling, burbling, overzoom <aero.>	Überziehen n, Abkippen n, Abrutschen n, Durchsacken n <Aero.>	décrochage m, décrochement m <aéro.>	срыв (отрыв) потока, срыв в штопор; потеря скорости при срыве потока <аэро.>
	overcoming the potential barrier	s. tunnelling through the [potential] barrier		
O 840	**overcommutation,** accelerated commutation	Überkommutierung f, beschleunigte Kommutierung (Stromwendung) f	surcommutation f, commutation f accélérée	ускоренная коммутация, перекоммутирование
O 841	**overcompensation**	Überkompensierung f	surcompensation f	перекомпенсация, перекомпенсирование, избыточное компенсирование
O 842	**overcompound excitation**	Überverbunderregung f	excitation f surcompound (hypercompound)	перекомпаундированное возбуждение
O 843	**overcompounding**	Überkompoundierung f	surcompoundage m, fonctionnement m en surcompound	перекомпаундирование, гиперкомпаундирование
O 844	**overcompression,** overpressure	Überkompression f, Überverdichtung f	surcompression f	пересжатие, избыточная компрессия
O 845	**overcompression ratio**	Überkompressionsverhältnis n, Überkompression f	rapport m de surcompression	повышенная степень сжатия
O 846	**overcorrection**	Überkorrektion f	surcorrection f	перепоправка, перекоррекция, исправление с избытком
	overcoupling, overcritical coupling	s. tight coupling <el.>		
O 847	**overcurrent,** excess current	Überstrom m, Überschußstrom m	surintensité f [de courant], courant m excessif	сверхток, ток перегрузки, избыточный ток
	overcurrent cutout, overload cutout, overcurrent trip-out	Grenzstrom[aus]schalter m, Überstromschalter m, Überlastschalter m	interrupteur m de surintensité, interrupteur à maximum d'intensité	максимальный токовый выключатель, максимальный выключатель
O 848	**overcurrent factor**	Überstrom[kenn]ziffer f, Überstromfaktor m	facteur (indice) m de surcharge; facteur de surintensité	десятипроцентная кратность, кратность насыщения
O 849	**overcurrent relay**	Überstromrelais n, Maximalstromrelais n, Maximalrelais n, Überlastungsrelais n, Überlastrelais n	relais m à maximum d'intensité, relais de surintensité	реле максимального тока, максимальное реле, реле увеличения тока, реле перегрузки
	overcurrent trip-out, overload cutout, overcurrent cutout	Grenzstrom[aus]schalter m, Überstromschalter m, Überlastschalter m	interrupteur m de surintensité, interrupteur à maximum d'intensité	максимальный токовый выключатель, максимальный выключатель

№	English	German	French	Russian
O 850	**overdamming**	Überstauung f, Überstau m	remous m excessif, remous d'excès	создание (подтопление вследствие) избыточного подпора, переподпор
O 851	**overdamped forced oscillation**	überkritisch gedämpfte erzwungene Schwingung f	oscillation f forcée à amortissement surcritique	сверхзатухающее вынужденное колебание
	overdamping, super-critical damping	überkritische Dämpfung f, Überdämpfung f	amortissement m surcritique, suramortissement m	затухание выше критического (границы апериодичности), передемпфирование, переуспокоение; апериодический режим
O 852	**overdeepening**	Übertiefung f	surcreusement m	переуглубление
O 853	**overdense**	überdicht <Elektronendichte > 10^{12} e/cm>	hyperdense, de densité supérieure à 10^{12} él./cm	повышенной плотности, сверхплотный, с электронной плотностью больше 10^{12} эл.см$^{-1}$
O 854	**overdepth**	Übertiefe f	surprofondeur f	переглубина
	overdesign	s. oversizing		
O 855	**overdetermined system [of equations]**	überbestimmtes Gleichungssystem n	système m surdéterminé [d'équations]	переопределенная система уравнений
O 856	**overdetermination**	Überbestimmung f	surdétermination f	избыточное определение, переопределение
O 857	**overdetermination**	Überbestimmtheit f	surdétermination f	переопределенность
O 858	**overdeveloped**, cooked	überentwickelt	surdéveloppé	перепроявленный
	overdimensioning	s. oversizing		
O 859	**overdistillation**	Überdestillieren n	distillation f [de l'autre côté]	перегонка
O 860	**overdose**	Überdosis f	dose f excessive, surdose f	чрезмерная доза
O 861	**overdriven amplifier**	übersteuerter Verstärker m	amplificateur m saturé	перегруженный усилитель; искажающий (ограничивающий) усилитель
O 862	**overdriving; overriding; overloading, overload; overexcitation; overmodulation; blasting**	Übersteuerung f; Impulsübersteuerung f	surcharge f; surexcitation f; surmodulation f	перегрузка; перевозбуждение; перемодуляция; перерегулирование; управление по максимальным значениям
O 863	**over-estimate**	Überschätzung f	surestimation f	переоценка
O 864	**overexcitation**, extra-excitation, superexcitation	Übererregung f	surexcitation f	перевозбуждение, чрезмерное возбуждение, форсированное возбуждение; форсировка возбуждения
	overexcitation	s. a. overdriving		
O 865	**overexpansion**	Überexpansion f	surexpansion f	перерасширение
O 866	**overexposure**, overirradiation	Überbestrahlung f, Überexponierung f, Überdosierung f der Strahlung	irradiation f excessive, surexposition f, exposition f excessive	переоблучение, чрезмерное облучение
	overexposure, photographic overexposure <phot.>	Überexposition f, Überbelichtung f <Phot.>	surexposition f <phot.>	передержка, переэкспозиция <фот.>
	overfall, overflow	Überlauf m; Ablauf m; Abfluß m; Überlaufrinne f	trop-plein m; égout m	перелив, пересброс, перепуск, слив, водослив
O 867	**overfault**, thrust fault, centrifugal (reversed) fault <geo.>	Aufschiebung f, widersinnige Verwerfung f <Geo.>	faille f conjonctive (en surplomb, de refoulement, de contraction, de compression) <géo.>	взброс, переброс, надвигание <гео.>
O 868	**overflow**, overfall	Überlauf m; Ablauf m; Abfluß m; Überlaufrinne f	trop-plein m; égout m	перелив, пересброс, перепуск, слив, водослив
O 869	**overflow** <num.math.>	Überlauf m <num. Math.>	dépassement m de capacité, débordement m <math. num.>	переполнение <числ. матем.>
	overflow	s. a. overflowing		
O 870	**overflow area**, inundation area, submerged area	Überschwemmungsfläche f, Überschwemmungsgebiet n, Überschwemmungsau f, Inundationsfläche f, Inundationsgebiet n	aire f d'ennoyage, terrain m submergé	зона затопления, район затопления, площадь затопления, затопленная зона, зона разлива, площадь разлива
	overflow dam	s. overflow weir		
O 871	**overflowing**, overflow, overrun[ning], spill-over	Überlaufen n, Überströmen n	débordement m	переливание через край; перетекание, перелив[ание], переток; затопление
	overflowing sheet, nappe	[überschießender] Strahl m, Überfallamelle f; Nappe f	nappe f	[водосливная] струя, плоская струя за водосливом
O 872	**overflow plate**	Überlaufboden m	plateau m de débordement	переливная тарелка
O 873	**overflow reservoir**, overflow tank	Überlaufgefäß n	vase m collecteur; réservoir m collecteur	переливной бак
O 874	**overflow tube**, spillway	Überlaufrohr n	trop-plein m, tuyau m de chute	перепускная (переточная) трубка; сливная трубка
O 875	**overflow weir**, overflow dam, spillway, spillway dam (weir)	Überfallwehr n, offenes Wehr n; Überfall[stau]mauer f	barrage m déversoir (à crête déversante), déversoir m	водосливная плотина, сливной карман
	overfold; overfolding; inverted fold. overturned fold	überkippte Falte f; vergente Falte; Überfaltung f	repli m, pli m renversé, pli déversé, pli charrié	опрокинутая складка

	English	German	French	Russian
O 876	**overfolding hypothesis, overfolding theory**	Überfaltungstheorie f		гипотеза покровно-складчатого строения
	overgrowth, intergrowth, intercrescence <cryst.>	Verwachsung f <Krist.>	intercroissance f, jointure f en croissance, composition f <crist.>	срастание, прорастание; сросток <крист.>
	overgrowth	s. a. outgrowth		
O 876a	**overhang;** salient, projection	Ausladung f; Überhängen n; Auskragung f; Vorsprung m	porte-à-faux m	выступ; свес
	overhang, overhanging beam (end)	s. cantilever		
	overhang leakage	s. face-ring leakage		
O 877	**Overhauser effect**	Overhauser-Effekt m	effet m Overhauser	эффект Оверхаузера
O 878	**overhead,** overhead distillate	Obendestillat n	panache m	верхний погон; отбор из верхней части колонки
O 879	**overhead conductor,** overhead wire, open wire	Freileiter m	conducteur m aérien	свободно висящий провод; провод (проводник) воздушной линии
	overhead distillate	s. overhead		
O 880	**overhead distillate, overhead product,** first runnings <chem.>	Vorlauf m <Chem.>	tête f de la distillation <chim.>	головка дистиллята, головной погон, первый погон <хим.>
	overhead wire	s. overhead conductor		
	overheat	s. overheating		
	overheated steam, superheated steam, superheat; superheated vapour	Heißdampf m <Wasser>; überhitzter Dampf m	vapeur f surchauffée	перегретый водяной пар; перегретый пар, ненасыщенный пар
O 881	**overheating** <el.>	Überheizung f <El.>	surchauffage m <él.>	перегрев[ание], повышенный накал <эл.>
O 882	**overheating,** overheat, superheating, superheat	Überhitzung f; Überwärmung f; Wärmestauung f, Wärmestau m	surchauffage m, surchauffe f	перегрев, перегревание
	overirradiation	s. overexposure		
	overland flow	s. surface discharge		
O 883	**overlap,** overlapping <with>	Überlappung f, Übergreifen n, Übereinandergreifen n, Überdeckung f, Überschneiden n <mit>	recouvrement m; chevauchement m	перекрытие, перекрывание; покрытие
O 884	**overlap,** overlap of photographs	Überdeckung f [der Bilder]	recouvrement m [des aérophotogrammes]	перекрытие [аэрофотоснимков]
O 885	**overlap angle,** angle of overlap	Überlappungswinkel m	angle m de recouvrement (chevauchement)	угол перекрытия
O 886	**overlap factor**	Überlappungsfaktor m	facteur m de recouvrement	коэффициент перекрытия
O 887	**overlap integral**	Überlappungsintegral n	intégrale f de recouvrement	интеграл перекрывания (перекрытия)
	overlap interval, duration of overlap	Überlappungsdauer f, Überlappungsintervall n	durée f (intervalle m) de recouvrement	продолжительность перекрытия, интервал перекрытия
O 888	**overlap of energy bands**	Überlappung f der Energiebänder	recouvrement m des bandes énergétiques	слипание энергетических зон
	overlap of photographs, overlap	Überdeckung f [der Bilder]	recouvrement m [des aérophotogrammes]	перекрытие [аэрофотоснимков]
O 889	**overlap of strata**	Übergreifen n der Schichten	glissement m des couches	надвигание пластов
	overlapping	s. overlap <with>		
O 890	**overlapping, [of interference orders]**	Überlagerung f [von Interferenzordnungen]	superposition f [de deux ordres d'interférence]	перекрывание [интерференционных порядков]
	overlapping mean	s. moving average		
O 891	**overlap ratio**	Überdeckungsverhältnis n; Überdeckungsgrad m, Profilüberdeckung f, Eingriffsdauer f <Mech.>	degré m de recouvrement	коэффициент перекрытия
O 892	**overlap region,** region of overlap	Überlappungsbereich m, Überlappungsgebiet n	zone f de recouvrement	область перекрытия
	overline	s. overbar		
O 893	**overload,** excessive load; overloading, superloading	Überlast f; Über[be]lastung f, Mehrbelastung f	surcharge f; effort m excessif	перегрузка
	overload	s. a. overdriving		
O 894	**overload capacity**	Überlastbarkeit f; Überlastfaktor m, Überlastungsfaktor m; Überlastungsfähigkeit f	capacité f de surcharge; résistance f à la surcharge	перегружаемость; перегрузочный коэффициент; способность выдерживать перегрузку
O 895	**overload current**	Überlast[ungs]strom m	courant m de surcharge	ток перегрузки
O 896	**overload cutout,** overcurrent cutout, overcurrent trip-out	Grenzstrom[aus]schalter m, Überstromschalter m, Überlastschalter m	interrupteur m de surintensité, interrupteur à maximum d'intensité	максимальный токовый выключатель, максимальный выключатель
	overloading, overload, excessive load; superloading	Überlast f; Über[be]lastung f, Mehrbelastung f	surcharge f; effort m excessif	перегрузка
	overloading	s. a. overdriving		
O 897	**overload level** <ac.>	Überlastungsgrenze f, Belastungsgrenze f <Ak.>	limite f de surcharge <ac.>	уровень перегрузки <ак.>
O 898	**overload point**	Überlastungspunkt m, Überlastungsstelle f	point m de surcharge	точка перегрузки, место перегрузки
	overload rating	s. permissible overload		
	overload relay; contactor <normally open or normally closed>, contactor relay	Schütz n, Schaltschütz n <mit Arbeits- oder Ruhekontakten>	contacteur m; rupteur m	контактор

O 899	**overload resistance**	Übersteuerungsfestigkeit f	résistance f à la surcharge	прочность на перегрузку
	overlying, super[im]-position, super[im]-posing	Superposition f, Über-lagerung f	superposition f	суперпозиция, наложе-ние
O 900	**overmatching**	Überanpassung f	suradaptation f	сверхсогласование, неточное согласование с сопротивлением на-грузки больше сопро-тивления источника
O 901	**overmodulation**	Übermodulation f, Über-modelung f	surmodulation f	перемодуляция
	overmodulation	s. a. overdriving		
O 902	**overpopulation**	Überbesetzung f; Über-völkerung f	surpopulation f	перезаполнение; перезаселенность
O 903	**overpotential**, over-voltage, overtension <el. chem.>	Überspannung f, Polari-sation f, Überspannungs-polarisation f, elektrische (galvanische, elektro-lytische, irreversible) Polarisation <El.Chem.>	surtension f, surpotentiel m <él. chim.>	перенапряжение, смеще-ние потенциала электрода <эл. хим.>
	overpressure, super-pressure, super-atmospheric pressure, positive pressure	Überdruck m; Mehrdruck m	surpression f, pression f positive, pression de sur-charge	давление выше атмосфер-ного, сверхбарометри-ческое (избыточное, из-лишнее) давление
	overpressure	s. a. overcompression		
O 904	**overpressure diagram**	Überdruckdiagramm n	diagramme m de sur-pression	диаграмма избыточного давления
O 905	**overpressure gauge**, positive pressure gauge	Überdruckmanometer n, Überdruckmesser m	manomètre m de pression positive	манометр избыточного давления
O 906	**overpressure wind tunnel**	Überdruckwindkanal m, Überdruckkanal m	soufflerie f (tunnel m aéro-dynamique) à surpression	аэродинамическая труба с повышенным давле-нием
	overranging	s. overrun		
O 907	**over[-]relaxation**	Überrelaxation f	sur-relaxation f	сверхрелаксация, верхняя релаксация
O 908	**overresonance**	Überresonanz f	surrésonance f	сверхрезонанс
	overriding	s. overdriving		
O 909	**overripening**	Überreifen n	maturation f trop longue, surmaturation f	перезревание
O 910	**overrun**, overranging, overshoot, exceeding, passing-over, transgres-sion	Überschreitung f <einer bestimmten, natürlichen Grenze>	dépassement m, excès m, passage m <sur>	превышение, переход <за установленный, нормальный предел>
	overrun[ing], over-flowing, overflow, spill-over	Überlaufen n, Über-strömen n	débordement m	переливание через край; перетекание, перелив[а-ние], переток; затопле-ние
	oversaturation, super-saturation	Übersättigung f	sursaturation f	пересыщение; пересыщенность
	oversea refraction, overwater refraction	Überwasserrefraktion f	réfraction f sur l'eau, réfraction sur la surface d'eau	надводная рефракция
O 911	**oversensitivity**, super-sensitivity	Überempfindlichkeit f	supersensibilité f, ultra-sensibilité f	сверхчувствительность
O 912	**overshoot**, overshooting, overswing, blip <of pulse>	Überschwingen n <Impuls>	dépassement m, rebondisse-ment m, top m <d'impulsion>	выброс, сверхраскачка, лишняя раскачка <импульса>
O 913	**overshoot**, overshooting, overtravel, hunting <control>	Überschwingen n <Regelung>	dépassement m, rebondisse-ment m, surréglage m <réglage>	перерегулирование, вылет величины за предписан-ное значение <управление>
	overshoot	s. a. overshooting		
	overshoot	s. a. overrun		
O 914	**overshoot curve**	überschwingende Kurve f	courbe f à dépassement	кривая с избыточным отклонением, «overshoot»-кривая
O 915	**overshoot distortion**	Übermodulationsver-zerrung f, Über-steuerungsverzerrung f	distorsion f par sur-modulation	перегрузочное искаже-ние, искажение от перегрузки, перемо-дуляционное искажение
	overshooting, overshoot, overswing; ballistic factor, damping factor <US> <of measuring instrument>	Überschwingung f <Meßgerät>	facteur m balistique <de l'appareil de mesure>	избыточное отклонение; отброс <стрелки прибора>
	overshooting	s. a. non-standard propagation		
O 916	**overshooting ratio**, overshoot ratio	Überschwing[ungs]faktor m, Überschwing[ungs]-verhältnis n	coefficient m de dépasse-ment (rebondissement, surréglage)	коэффициент (степень) перерегулирования
O 917	**overshot water wheel**	oberschlächtiges Wasserrad n	roue f hydraulique au-dessus (en dessus)	верхнебойное (верхнена-ливное) водяное колесо
	oversize	s. screenings		
O 918	**oversizing**, making oversize; overdimen-sioning; overdesign	Überbemessung f, Über-dimensionierung f	choix m de paramètres excessifs; emploi m de paramètres excessifs; surdimensionnement m	расчет с излишним запа-сом; выбор параметров с запасом; применение избыточных параметров
O 919	**over[-]speed**	Überdrehzahl f	survitesse f de rotation, vitesse f de rotation dé-passant la valeur nominale	число оборотов, превы-шающее номинальное; угонное (разностное) число оборотов на мину-ту; скорость выше номи-нальной

O 920	**overstability**	Überstabilität f	surstabilité f	сверхустойчивость, сверхстабильность
O 921	**overstable oscillation**	überstabile Schwingung f	oscillation f surstable	сверхустойчивое колебание
O 922	**overstraining**, overstressing	Überbeanspruchung f	surcharge f, surtension f	перенапряжение
	overstress <mech.>; overvoltage <el.>	Überspannung f	surtension f <él., méc.>; excédent m de contrainte <méc.>	перенапряжение
	overstressing, overstraining	Überbeanspruchung f	surcharge f, surtension f	перенапряжение
	overswing	s. overshooting		
	overswing	s. a. overshoot <of pulse>		
	overtemperature, excess temperature	Übertemperatur f, Überschußtemperatur f	température f excédentaire, surtempérature f	избыточная температура, сверхтемпература
	overtension	s. overpotential		
O 923	**overthrust**	Tauchdecke f	charriage m déversé	ныряющий шарьяж, шарьяж с погружающимся фронтом
	overthrust	s. a. overthrust of folds		
O 924	**overthrust fold**	überkippte Falte f; Deck[en]falte f; Überschiebungsfalte f; Tauchfalte f	pli m déversé; pli renversé; pli charrié	опрокинутая складка; надвинутая складка, надвиговая (покровная складка, складка покрова
O 925	**overthrust of folds** <geo.>	Faltenüberschiebung f <Geo.>	chevauchement m <géo.>	складчатый надвиг, надвиг складки, складка-взброс <гео.>
O 926	**overthrust surface**, thrust surface (plane)	Überschiebungsfläche f	surface f de chevauchement (charriage)	поверхность надвига, надвиговая поверхность; плоскость надвига
O 927	**overtone**, upper partial <ac.>	Oberton m <Ak.>	note f harmonique, son m harmonique <ac.>	обертон <ак.>
	overtone, partial, partial tone <ac.>	Teilton m, Partialton m, Oberton m <Ak.>	son m accessoire non harmonique, son partiel <ac.>	обертон, частичный (частный, составляющий) тон <ак.>
	overtone	s. a. upper harmonic		
O 928	**overtone band**	Obertonbande f	bande f harmonique	обертонная полоса, гармоническая полоса
	overtone series	s. harmonic series		
	overtravel, overshoot, overshooting, hunting <control>	Überschwingen n <Regelung>	dépassement m, rebondissement m, surréglage m <réglage>	перерегулирование, вылет величины за предписанное значение <управление>
	over-travel switch	s. limit switch		
	overturn, tilting over, canting, upturning <geo.>	Überkippung f, Kippung f <Geo.>	renversement m, versage m <géo.>	опрокидывание, переворачивание; опрокинутое положение <гео.>
	overturned fold, inverted fold, overfold; overfolding	überkippte Falte f; vergente Falte f; Überfaltung f	repli m, pli m renversé, pli déversé, pli charrié	опрокинутая складка
	overturning moment	s. maximum torque		
	overturning moment coefficient	s. pitching moment coefficient		
O 929	**overturning sea**, overturning wave	Übersturzsee f	vague f chavirante, vague déferlante	перекатывающаяся волна
O 930	**overturn of the wave**	Umkippen (Kentern) n der Welle	chavirement m de l'onde	опрокидывание волны
O 931	**overvoltage** <el.>; overstress <mech.>	Überspannung f	surtension f <él., méc.>; excédent m de contrainte <méc.>	перенапряжение
	overvoltage	s. a. overpotential		
	overvoltage circuit breaker, overvoltage protective device	Überspannungs[schutz]gerät n, Überspannungsschutz m	dispositif m de protection contre les surtensions	прибор для защиты от перенапряжения
O 932	**overvoltage factor**	Überspannungsfaktor m	facteur m de surtension	кратность (коэффициент) перенапряжения
O 933	**overvoltage of the Geiger-Müller counter**, counter overvoltage	Überspannung f des Geiger-Müller-Zählrohres, Zählrohrüberspannung f	surtension f du tube compteur de Geiger-Müller	перенапряжение счетчика Гейгера-Мюллера
O 934	**overvoltage-proof**, resistant to overvoltage, self-protecting	überspannungsfest, überspannungssicher	résistant aux surtensions	стойкий при перенапряжениях, с повышенной изоляционной прочностью
O 935	**overvoltage protection**, transient protection, surge protection	Überspannungsschutz m	protection f contre les surtensions (pointes de tension)	защита от перенапряжений
O 936	**overvoltage protective device**, overvoltage circuit breaker	Überspannungs[schutz]gerät n, Überspannungsschutz m	dispositif m de protection contre les surtensions	прибор для защиты от перенапряжения
O 937	**overvoltage relay**	Überspannungsrelais n	relais m à maximum de tension, relais de surtension	реле максимального напряжения
	overvoltage suppressor	s. surge diverter		
	overvoltage transient (wave)	s. surge <el.>		
O 938	**overwater refraction**, oversea refraction	Überwasserrefraktion f	réfraction f sur l'eau, réfraction sur la surface d'eau	надводная рефракция
	overzoom, stall, stalling, burbling, overclimb <aero.>	Überziehen n, Abkippen n, Abrutschen n, Durchsacken n <Aero.>	décrochage m, décrochement m <aéro.>	срыв (отрыв) потока, срыв в штопор; потеря скорости при срыве потока <аэро.>
	oviform, egg-shaped	eiförmig	ovoïde	яйцевидный

O 939	**ovionic**	Ovionic[-Bauelement] n	ovionique m, composant m ovionique	полупроводниковый компонент, работающий на эффекте Овшинского
O 940	**Ovshinsky effect**	Ovshinsky-Effekt m	effet m Ovshinsky	эффект Овшинского
O 941	**Owen bridge**	Owen-Brücke f, Owen-Induktivitätsmeß-brücke f	pont m d'Owen	мост Оуэна [для измерения индуктивностей
O 942	**Owens-Rutherford unit**	Owens-Rutherford-Einheit f, O.-R.-Einheit f	unité f Owens et Rutherford	единица Оуэнса-Резерфорда
	owl-light, dusk, twilight, gloaming	Abenddämmerung f	crépuscule m	[вечерние] сумерки
O 943	**own radiation** <of a planet>	Eigenstrahlung f <Planet>	radiation f propre <d'une planète>	собственное излучение <планеты>
O 944	**oxenium ion**	Oxeniumion n	ion m oxénium	оксениевый ион
O 945	**oxidability,** oxidizability, oxidizing capacity (power), ability of oxidizing, oxidation susceptibility	Oxydierbarkeit f, Oxydationsvermögen n, Oxydationsfähigkeit f	oxydabilité f, pouvoir m oxydant	окисляемость, окисляющая способность, окислительная способность, склонность к окислению
O 946	**oxidant,** oxidizing agent (substance, chemical), oxidizer	Oxydationsmittel n, Oxydans n <pl.: Oxydanzien>	oxydant m, agent m oxydant (d'oxydation), oxydateur m, électronet m	окислитель, окисляющий агент
	oxidation accelerator	s. oxidation catalyst		
	oxidation affinity per unit charge, oxidation potential	Oxydationspotential n	potentiel m d'oxydation	окислительный потенциал
O 947	**oxidation catalyst,** oxidation accelerator	Oxydationsbeschleuniger m, Oxydationskatalysator m	catalyseur m d'oxydation	катализатор окисления, окислительный катализатор
	oxidation film, oxide film, oxidic film, oxide skin, oxide coating; oxide layer	Oxidhaut f; Oxidschicht f	pellicule f d'oxydation, pellicule d'oxyde, film m d'oxyde, couche f oxydée	окисная пленка, пленка окислов, оксидная пленка ,окисный слой
	oxidation inhibitor	s. antioxidant		
O 948	**oxidation number,** oxidation value, oxidation state, electrochemical valency, charge number of the ion	Oxydationszahl f, Oxydationsstufe f, Oxydationswert m, Ladungswert m, elektrochemische Wertigkeit f, Wertigkeit f des Ions	nombre m d'oxydation, état m d'oxydation, valence f électrochimique, électrovalence f de l'ion	число окисления, степень окисления, кислородное число, электрохимическая валентность, электровалентность иона
O 949	**oxidation potential,** oxidation affinity per unit charge	Oxydationspotential n	potentiel m d'oxydation	окислительный потенциал
	oxidation preventive	s. antioxidant		
	oxidation-reduction	s. oxidoreduction		
	oxidation-reduction chain, redox chain	Redoxkette f	pile f à oxydo-réduction	окислительно-восстановительная цепь
O 950	**oxidation-reduction cycle,** redox cycle	Redoxzyklus m	cycle m d'oxydo-réduction, cycle oxydation-réduction, cycle redox	окислительно-восстановительный цикл, цикл окисления-восстановления, редокс-цикл
O 951	**oxidation-reduction electrode,** redox electrode	Redoxelektrode f	électrode f redox, électrode d'oxydation-réduction	окислительно-восстановительный электрод, редокс-электрод
O 952	**oxidation-reduction equilibrium,** redox equilibrium	Redoxgleichgewicht n, Reduktions-Oxydations-Gleichgewicht n	équilibre m oxydation-réduction	окислительно-восстановительное равновесие, равновесие редокс-процесса
O 953	**oxidation-reduction fuel cell,** redox fuel cell	Redox-Brennstoffelement n	pile f à combustible à oxydo-réduction, pile de combustion à oxydo-réduction	окислительно-восстановительный топливный элемент
	oxidation-reduction index, reduction-oxidation index, oxidation-reduction value, O/R value	Redoxindex m, O/R-Wert m	indice m réduction-oxydation, indice oxydation-réduction, valeur f O/R	окислительно-восстановительный показатель, показатель окисления-восстановления
O 954	**oxidation-reduction indicator,** redox indicator	Redoxindikator m	indicateur m oxydation-réduction	окислительно-восстановительный индикатор, индикатор окислительно-восстановительного состояния
O 955	**oxidation-reduction ion exchanger,** redox [ion] exchanger	Redoxaustauscher m, Redox-Ionenaustauscher m	échangeur m d'ions redox, échangeur d'ions à oxydation-réduction	окислительно-восстановительный ионообменник (ионит), редокс-ионит
O 956	**oxidation-reduction potential,** redox potential, O-R potential	Redoxpotential n, Oxydations-Reduktions-Potential n, Redox-spannung f	potentiel m d'oxydo-réduction, potentiel oxydo-réducteur, potentiel redox	окислительно-восстановительный потенциал, редокс[-]потенциал, окислительно-восстановительное напряжение
O 957	**oxidation-reduction process,** redox process, O-R process	Redoxprozeß m, Redoxvorgang m, Reduktions-Oxydations-Prozeß m, Oxydations-Reduktions-Prozeß m	procédé m d'oxydo-réduction, procédé oxydation-réduction, procédé redox	окислительно-восстановительный процесс, процесс окисления-восстановления (окисления и восстановления), редокс-процесс
O 958	**oxidation-reduction reaction,** redox reaction, reduction-oxidation reaction	Redoxreaktion f, Reduktions-Oxydations-Reaktion f	réaction f d'oxydo-réduction	окислительно-восстановительная реакция, реакция окисления-восстановления, редокс-реакция

	English	German	French	Russian
O 959	**oxidation-reduction system**, redox system	Redoxsystem n, Reduktions-Oxidations-System n	système m d'oxydo-réduction, système redox	окислительно-восстановительная система, редокс-система
	oxidation-reduction titration	s. oxidimetry		
	oxidation-reduction value, reduction-oxidation index, oxidation-reduction index, O/R value	Redoxindex m, O/R-Wert m	indice m réduction-oxydation, indice oxydation-réduction, valeur f O/R	окислительно-восстановительный показатель, показатель окисления-восстановления
	oxidation retarder	s. antioxidant		
	oxidation state	s. oxidation number		
	oxidation susceptibility	s. oxidability		
	oxidation value	s. oxidation number		
O 960	**oxidation zone**	Oxydationszone f, Eiserner Hut m	zone f d'oxydation, chapeau m de fer	зона окисления, железная шляпа
	oxidative weathering, weathering by oxidation	Oxydationsverwitterung f	altération f par oxydation	окислительное выветривание, выветривание воздействием атмосферного кислорода
O 961	**oxide[-coated] cathode**	Oxidkatode f, Wehnelt-Katode f; Dampfkatode f	cathode f à oxyde[s], cathode oxydée; cathode à couche d'oxyde rapportée	оксидный катод; оксидированный катод, катод с оксидным покрытием
O 962	**oxide coating; oxide film**, oxidic film, oxide skin, oxidation film, oxide layer	Oxidhaut f; Oxidschicht f	pellicule f d'oxydation, pellicule d'oxyde, film m d'oxyde, couche f oxydée	окисная пленка, пленка окислов, оксидная пленка, окисный слой
	oxide layer	s. oxide film		
O 963	**oxide replica**	Oxidabdruck m	réplique f oxydique	окисная (оксидная) реплика
	oxide skin, oxidic film, oxide film, oxidation film, oxide coating; oxide layer	Oxidhaut f; Oxidschicht f	pellicule f d'oxydation, pellicule d'oxyde, film m d'oxyde, couche f oxydée	окисная пленка, пленка окислов, оксидная пленка, окисный слой
O 964	**oxidimetry**, oxidation-reduction (redox) titration	Oxydimetrie f, Redox-analyse f, Redoxtitration f, Oxydations-Reduktions-Titration f	oxydimétrie f	оксидиметрия
	oxidizability	s. oxidability		
	oxidizer, oxidizing agent	s. oxidant		
	oxidizing capacity	s. oxidability		
	oxidizing chemical	s. oxidant		
O 965	**oxidizing flame**	Oxydationsflamme f, oxydierende Flamme f	flamme f oxydante, flamme d'oxydation	окислительное пламя
O 966	**oxidizing fusion**	oxydierendes Schmelzen n, Oxydationsschmelze f	fusion f oxydante	окислительная плавка
	oxidizing power	s. oxidability		
	oxidizing substance, oxidant, oxidizing agent (chemical), oxidizer	Oxydationsmittel n, Oxydans n <pl.: Oxydanzien>	oxydant m, agent m oxydant (d'oxydation), oxydateur m, électronet m	окислитель, окисляющий агент
O 967	**oxidoreduction**, oxidation-reduction; dismutation [reaction]; disproportionation	Oxydation-Reduktion f, Oxydoreduktion f, Dismutation f, Disproportionierung f	oxydoréduction f, oxydation-réduction; dismutation f; disproportionation f	окисление-восстановление, окисление и восстановление; дисмутация; диспропорционирование
O 968	**oximetry**	Oxymetrie f, Sauerstoffmessung f <im Blut>	oxymétrie f	оксиметрия
	oxonium ion, hydronium ion, hydroxonium ion, H_3O^+	Hydroniumion n, Oxoniumium n, H_3O^+	ion m hydroxonium, ion hydronium, H_3O^+	оксониевый ион, ион гидроксония, H_3O^+
O 969	**oxycalorimeter**	Sauerstoffkalorimeter n	oxycalorimètre m	кислородный калориметр
O 970	**oxygen bridge**	Sauerstoffbrücke f	pont m d'oxygène	кислородный мостик
O 971	**oxygen deficiency**	Sauerstoffmangel m	défaut m d'oxygène	дефицит кислорода
O 972	**oxygen dept**	Sauerstoffhunger m		кислородное голодание
O 973	**oxygen diffusion electrode**	Sauerstoffdiffusionselektrode f	électrode f à diffusion d'oxygène	кислородный диффузионный электрод
O 974	**oxygen displacement**	Sauerstoffverschiebung f	déplacement m d'oxygène	перемещение кислорода
O 975	**oxygen effect**	Sauerstoffeffekt m	effet m oxygène	кислородный эффект
O 975a	**oxygen-ion conduction**	Sauerstoffionenleitung f	conduction f par les ions d'oxygène	кислородноионная проводимость
O 976	**oxygen octahedron**	Sauerstoffoktaeder n	octaèdre m d'oxygène	кислородный октаэдр
O 977	**oxygen overvoltage**	Sauerstoffüberspannung f	surtension f d'oxygène	перенапряжение кислорода
O 978	**oxygen point**, temperature of equilibrium between liquid oxygen and its vapour	Sauerstoffpunkt m	température f d'ébullition de l'oxygène, point m d'ébullition de l'oxygène	точка кипения кислорода
O 979	**oxygen polarography**	Sauerstoffpolarographie f	polarographie f à oxygène	кислородная полярография
O 980	**oxygen tetrahedron**	Sauerstofftetraeder n	tétraèdre m d'oxygène	кислородный тетраэдр
O 981	**oxygen voltameter**	Sauerstoffcoulometer n, Sauerstoffvoltameter n	voltamètre m à oxygène	кислородный вольтаметр (кулонометр, кулометр)
	oxyhydrogen, oxyhydrogen gas, electrolytic gas	Knallgas n	gaz m oxyhydrique (fulminant, tonnant, détonant, explosif)	гремучая смесь, гремучий газ
	oxyhydrogen coulombmeter	s. oxyhydrogen voltameter		
	oxyhydrogen couple, gaseous couple, hydrogen-oxygen cell	Knallgaskette f, Knallgaselement n, Wasserstoff-Sauerstoff-Kette f, Gaselement n, Gaskette f	pile f à gaz, cellule f hydrogène-oxygène	газовый элемент

	English	German	French	Russian
O 982	**oxyhydrogen gas,** oxyhydrogen, electrolytic gas	Knallgas n	gaz m oxyhydrique (fulminant, tonnant, détonant, explosif)	гремучая смесь, гремучий газ
O 983	**oxyhydrogen reaction**	Knallgasreaktion f	réaction f oxyhydrique	водородно-кислородная реакция
O 984	**oxyhydrogen voltameter,** oxyhydrogen coulombmeter	Knallgascoulometer n, Knallgasvoltameter n	voltamètre (coulombmètre) m à gaz oxyhydrique, voltamètre (coulombmètre) à hydrogène et oxygène	водородно-кислородный вольтаметр, водородно-кислородный кулонметр
O 985	**oxyluminescence oxyty**	Oxylumineszenz f = concentration of dissolved oxygen	oxyluminescence f	оксилюминесценция
O 986	**ozone band,** absorption (electronic) band of ozone	Ozonbande f	bande f électronique (d'absorption) de l'ozone	полоса поглощения озона, электронная полоса озона
	ozone layer, ozonosphere <of atmosphere>	Ozonosphäre f, Ozonschicht f <Atmosphäre>	ozonosphère f, couche f d'ozone <de l'atmosphère>	озоносфера, озонный слой, слой озона <атмосферы>
O 987	**ozone shadow**	Ozonschatten m	ombre f d'ozone	озонная тень
	ozone shadowing, effect of ozone shadow	Ozonschatteneffekt m	effet m d'absorption par l'ozone	эффект озонной тени, поглощение света озоновым слоем
O 988	**ozonide**	Ozonid n	ozonide m	озонид
O 989	**ozonizer** <e.g. of Siemens or Brodie>	Ozonisator m <z. B. von Siemens oder Brodie>	ozoniseur m, ozoneur m, ozonateur m <p. ex. de Siemens ou de Brodie>	озонатор <напр. Сименса или Броди>
O 990	**ozonolysis**	Ozonspaltung f, Ozonolyse f	ozonolyse f	озонолиз
O 991	**ozonometer**	Ozonmesser m	ozonomètre m	озонометр, прибор для определения озона
O 992	**ozonosphere,** ozone layer <of atmosphere>	Ozonosphäre f, Ozonschicht f <Atmosphäre>	ozonosphère f, couche f d'ozone <de l'atmosphère>	озоносфера, озонный слой, слой озона <атмосферы>

P

P 1	**pA, pA number, pA value**	pA-Wert m, pA	pA, valeur f pA	pA
	pace; step; stride	Schritt m; Stufe f	pas m	шаг
P 2	**pacemaker,** heart (cardiac) pacemaker	Herzschrittmacher m, „pacemaker" m	« pace maker » m [artificiel], entraîneur m cardiaque (électrosystolique), stimulateur m [implantable] cardiaque	водитель ритма, электрокардиостимулятор, стимулятор сердечной деятельности
	pack, hummocked ice, old pack, pack-ice	Packeis n	glace f à hummock, glace moutonnée, glace de banquise	торосистый лед, паковый лед, пак
	pack	s. a. packing <of column>		
	pack[age]	s. a. bunch <e.g. of waves, particles>		
	package	s. portable		
P 3	**packaged magnetron**	Magnetron n mit Feldmagnet, Feldmagnet-Magnetron n	magnétron m à aimant incorporé	пакетный магнетрон, пакетированный магнетрон, магнетрон с вмонтированными полюсами
	packaging, packing	Packung f; Feststampfen n; Stopfen n; Füllung f	garnissage m; serrement m; bourrage m	набивка; упаковывание; уплотнение; прокладка
P 4	**packaging** <of type A or type B> <nucl.>	Verpackung f <vom Typ A oder B> <Kern.>	emballage m <type A ou B> <nucl.>	упаковка <типа А или В> <яд.>
P 5	**packed column,** packed tower, filled column, filled tower	Füllkörperkolonne f, Füllkörpersäule f	colonne f garnie	колонка с насадкой; башня с насадкой
	packed density	s. apparent density		
	packed tower	s. packed column		
	packet	s. bunch <e.g. of waves, particles>		
P 6	**packet emulsion, packet photographic emulsion**	Mehrschichtenemulsion f, Vielschichtenemulsion f, Mehrfachschichtemulsion f, Vielfachschichtemulsion f	émulsions f pl superposées	многослойная эмульсия, многослойная фотоэмульсия
	pack-ice, hummocked ice, old pack, pack	Packeis n	glace f à hummock, glace moutonnée, glace de banquise	торосистый лед, паковый лед, пак
P 7	**packing,** packaging	Packung f; Feststampfen n; Stopfen n; Füllung f	garnissage m; serrement m; bourrage m	набивка; упаковывание; уплотнение; прокладка
P 8	**packing,** packing material, padding, gasket	Dichtung f, Packung f, Packungsmaterial n; Füllung f, Dichtungsmaterial n; Stampfmasse f	garniture f, étoupage m	набивка, набивная масса; набивочный материал; закладочный материал; уплотнение, уплотняющий материал; прокладка; утрамбованная смесь
	packing, compacting, compaction, densification	Verdichtung f [von Material]	compactage m, tassement m, serrage m, densification f	уплотнение [материала]
P 9	**packing,** pack, filling <of column>	Füllkörper m [der Kolonne]; Aufsatz m	garnissage m [de la colonne]	насадка [колонны], башенная насадка
P 10	**packing** <cryst.; num. math.>	Packung f <Krist.; num. Math.>	empilement m <crist.; math. num.>	упаковка <крист.>; объединение <числ. матем.>

	English	German	French	Russian
	packing defect, mass defect (deficit), packing loss (effect) <nucl.>	Massendefekt *m*, Kernschwund *m* <Kern.>	défaut *m* de masse <nucl.>	дефект массы <яд.>
P 11	**packing density**	Informationsdichte *f*	densité *f* d'information	плотность информации
P 12	**packing density** <cryst.>	Packungsdichte *f* <Krist.>	densité *f* d'empilement <crist.>	плотность упаковки <крист.>
	packing effect	s. mass effect <nucl.>		
	packing effect	s. packing defect <nucl.>		
P 13	**packing fraction; packing index**	Packungsanteil *m*	coefficient *m* de tassement (cohésion), défaut *m* de masse relatif, facteur *m* (fraction *f*) de tassement, « packing fraction » *f*	упаковочный множитель, упаковочный коэффициент
	packing loss	s. packing defect <nucl.>		
	packing material	s. packing		
P 14	**packing of cylinders,** system of cylinders	Zylinderpackung *f*	empilement *m* de cylindres	цилиндрическая упаковка
P 15	**packing of spheres,** system of spheres	Kugelpackung *f*	empilement *m* de sphères	шаровая упаковка
	packing ring, filling[-in] ring, filler ring	Füllring *m*	anneau *m* de garniture	насадочное кольцо, кольцевая башенная насадка
	packing water seal	s. liquid seal		
	padder	s. padding capacitor		
	padding	s. packing		
P 16	**padding capacitor,** padder	Paddingkondensator *m*, Serientrimmer *m*	condensateur *m* en série d'équilibrage, padding *m*	конденсатор сопряжения, выравнивающий (педдинговый, подстроечный, пэддинговый) конденсатор
P 17	**paddle**	Schaufel *f*	aube *f*	лопасть <напр. мешалки>; лопатка
P 18	**paddle [board],** corner vane, baffle <hydr.>	Leitblech *n*, Leitschaufel *f*, Umlenkschaufel *f*, Schaufel *f*, schaufelförmiger Einbau *m*, Prallblech *n*, Umlenkblech *n*, Prallplatte *f* <Hydr.>	chicane *f*, aube *f* directrice, aube de guidage angulaire <hydr.>	направляющий лист; поворотный лист, отбойный щиток, направляющий лоток; направляющая пластинка; дефлектор; поворотная (отклоняющая, направляющая) лопатка <гидр.>
P 19	**Padé['s] table**	Padésche Tafel *f*, Padé-Entwicklung *f*	tableau *m* de Padé	таблица Паде
P 20	**Paetow effect**	Pätow-Effekt *m*	effet *m* Paetow	эффект Пэтова
P 21	**paint**	Anstrichfarbe *f*, Farbe *f*, Anstrichstoff *m*	peinture *f*, couleur *f* de peinture	краска, тертая краска
	pain threshold of hearing	s. upper threshold of hearing		
P 22	**pair annihilation**	Paarvernichtung *f*, Paarannihilation *f*, Paarzerstrahlung *f*	annihilation *f* de paires, fusionnement *m* de particules opposées	аннигиляция пар
P 23	**pair annihilation to neutrinos**	Neutrinoerzeugung *f* durch Paarvernichtung	création *f* de neutrinos par annihilation électron-positon	нейтринная аннигиляция электронно-позитронных пар
P 24	**pair conversion**	Paarkonversion *f*, Paarumwandlung *f*	conversion *f* de paire	конверсия пары, парная конверсия
P 25	**pair-correlation function**	Paarkorrelationsfunktion *f*	fonction *f* de corrélation des paires	функция корреляции пар
P 26	**pair correlation model**	Paarkorrelationsmodell *n*	modèle *m* des corrélations de paires	модель парных корреляций
P 27	**pair creation,** pair production (formation, emission, generation), pairing	Paarbildung *f*, Paarerzeugung *f*, Paarung *f*	production (création, formation) *f* de paires, pairage *m*	образование пар, рождение пар, спарение, спаривание
P 28	**pair-creation coefficient,** pair-production coefficient	Paarbildungskoeffizient *m*, Schwächungskoeffizient *m* für den Paarbildungseffekt	coefficient *m* de la production de paire[s]	коэффициент образования пар[ы]
	pair creation rate	s. creation rate		
P 29	**pair density**	Paardichte *f*	densité *f* de paires	плотность пар
P 30	**pair distribution function**	Paarverteilungsfunktion *f*, Zweiteilchen-Verteilungsfunktion *f*	fonction *f* de distribution binaire (de deux particules)	парная (двухчастичная, бинарная) функция распределения
P 31	**pair distribution matrix**	Paarverteilungsmatrix *f*, Zweiteilchen-Verteilungsmatrix *f*	matrice *f* de distribution de deux particules	парная (двухчастичная) матрица распределения
P 32	**paired dislocation,** superextended dislocation	gepaarte Versetzung *f*, Versetzungspaar *n*	dislocation *f* paire, dislocation appariée	парная дислокация <в упорядоченных сплавах>
	pair emission	s. pair creation		
P 33	**pair force**	Paarkraft *f*	force *f* de paires	парная сила
	pair formation (generation), pairing	s. pair creation		
P 34	**pairing effect**	Paarungseffekt *m*	effet *m* de [la formation de] paires, effet de pairage	эффект спаривания, парный эффект
P 35	**pairing energy**	Paarbildungsenergie *f*, Paarungsenergie *f*	énergie *f* [de création d'une] paire	парная энергия, энергия образования пары
P 36	**pairing operator**	Paarungsoperator *m*	opérateur *m* de production des paires	оператор образования пар, оператор спаривания
P 37	**pairing peak**	Paarpeak *m*, Paarbildungslinie *f*	ligne *f* due à la création de paires	электронно-позитронная линия; линия, отвечающая электронно-позитронной паре
P 38	**pair interaction**	Paarwechselwirkung *f*	interaction *f* des paires; action *f* mutuelle des points deux à deux	парное взаимодействие, попарное взаимодействие

P 39	**pair model**	Paarmodell *n*	modèle *m* des paires	модель пар
	pair of data; pair of values	Wertepaar *n*	paire *f* de valeurs; paire de données	пара значений; два взаимозависящих значения
	pair of scales, scales <US also sing.>; balance	Waage *f*	balance *f*; pèse-produit *m*; bascule *f*	весы
P 40	**pair of stars**	Sternpaar *n*	couple *m* (paire *f*) d'étoiles	звездная пара
	pair of vacancies	s. double vacancy		
P 41	**pair of values;** pair of data	Wertepaar *n*	paire *f* de valeurs; paire de données	пара значений, два взаимозависящих значения
	pair of voids	s. double vacancy		
P 42	**pair-producing collision**	paarerzeugender Stoß *m*	collision *f* (choc *m*) de production d'une paire	столкновение, приводящее к образованию пары
	pair production	s. pair creation		
P 43	**pair-production absorption**	[Gamma-]Absorption *f* durch Paarbildung	absorption *f* due à la formation d'une paire	поглощение гамма-лучей посредством образования пар
	pair-production coefficient	s. pair-creation coefficient		
P 44	**pair-production cross-section,** cross-section for pair creation (production, generation, formation)	Paarbildungsquerschnitt *m*, Wirkungsquerschnitt *m* für (der) Paarbildung, Paarbildungswirkungsquerschnitt *m*	section *f* efficace de production de paires	сечение образования пар, сечение рождения пар, парное сечение
P 44a	**pair-production energy transfer coefficient**	Paarumwandlungskoeffizient *m*, Paarbildungs-Umwandlungskoeffizient *m*	coefficient *m* de transfert d'énergie correspondant à la production de paires	коэффициент переноса (передачи) энергии за счет образования пар
P 45	**pair-production mass attenuation coefficient,** mass attenuation coefficient for pair production	Massenschwächungskoeffizient *m* für den Paarbildungseffekt, Massen-Paarbildungskoeffizient *m*	coefficient *m* d'atténuation [par unité de masse surfacique] correspondant à la production de paires	массовый коэффициент ослабления за счет образования пар
P 46	**pairs / in,** pairwise	paarweise	deux à deux, deux par deux	попарно
P 47	**pair spectrograph**	Paarspektrograph *m*	spectrographe *m* à paires	парный спектрограф
P 48	**pair spectrometer**	Paarspektrometer *n*	spectromètre *m* à paires	парный спектрометр
	pair theory	s. hole theory		
	pairwise, in pairs	paarweise	deux à deux, deux par deux	попарно
P 49	**Pais['] equation**	Paissche Gleichung *f*, Pais-Gleichung *f*	formule *f* de Pais, équation *f* de Pais	уравнение Пайса
P 50	**palaeo-astrobiology**	Paläoastrobiologie *f*	paléo-astrobiologie *f*	палеоастробиология
P 51	**palaeoclimate**	Paläoklima *n*	paléoclimat *m*	палеоклимат
P 52	**palaeomagnetism**	Paläomagnetismus *m*	paléomagnétisme *m*	палеомагнетизм
P 53	**palaeotemperature**	Paläotemperatur *f*	paléotempérature *f*	палеотемпература
P 54	**Palatini['] method (procedure)**	Palatinisches Verfahren *n*	méthode *f* de Palatini	метод Палатини
	paleo . . .	s. palaeo . . .		
P 55	**palisade phenomenon,** railing (fence) phenomenon	Staketenphänomen *n*	phénomène *m* des estacades (palisades)	феномен палисадов
P 56	**palladium-platinum thermocouple,** palla-plat thermocouple, Pd-Pt thermocouple	Pallaplat-Thermoelement *n*, Pallaplatelement *n*, Palladium-Platin-Thermoelement *n*, Pd-Pt-Thermoelement *n*	thermocouple *m* palladium-platine, couple *m* palladium-platine, thermocouple Pd-Pt, couple Pd-Pt	палладиево-платиновая термопара, термопара Pd-Pt
P 57	**Pall ring**	Pall-Ring *m*	anneau *m* de Pall	кольцо Палла
	Palomar telescope, Hale reflector, Mount Palomar telescope	Hale-Teleskop *n*, Palomar-Teleskop *n*, Hale-Reflektor *m*	réflecteur *m* du Mont Palomar, télescope *m* du Mont Palomar, réflecteur de Hale	рефлектор на Маунт-Паломарской обсерватории, маунт-паломарский рефлектор, рефлектор Хэла
P 58	**palpable co-ordinate,** non-cyclic co-ordinate	nichtzyklische Koordinate *f*	coordonnée *f* non cyclique, paramètre *m* principal	нециклическая координата
	pan, [weighing] scale, scale pan, weighing dish, dish [of the scales]	Waagschale *f*, Waageschale *f*	plateau *m* [de la balance], bassin *m* [de la balance]	чашка [весов], чашечка [весов]; тарелка [весов]
P 59	**panactinic**	panaktinisch	panactinique	панактиничный
P 60	**pancake coil,** slab coil, flat coil	Flachspule *f*	bobine *f* plate, bobine en galette	плоская катушка, галетная катушка
	pancake ice, cake ice	Tellereis *n*, Pfannkucheneis *n*	glace *f* en crêpes (oreillettes)	блинчатый лед
P 60a	**pancaking** <aero.>	Absacken *n*, Durchsacken *n* <Aero.>	tomber *m* pour perte de vitesse <aéro.>	проваливание, парашютирование <аэро.>
P 61	**panchromatic filter,** panchromatic vision filter, P.V. filter	Panfilter *n*, panchromatisches Filter *n*	filtre *m* panchromatique, filtre pour pellicule panchromatique	панхроматический фильтр, светофильтр для панхроматической эмульсии
P 62	**panchromatism,** sensitivity to all colours	Panchromatismus *m*, Allfarbenempfindlichkeit *f*, Panchromasie *f*	panchromatisme *m*, sensibilité *f* à toutes les couleurs	панхроматизм, чувствительность ко всем цветам
P 63	**pancratic condenser [lens]**	pankratischer Kondensor *m*	condenseur *m* pancratique	панкратический конденсор
P 64/5	**pancratic telescope**	pankratisches Fernrohr *n*	télescope *m* pancratique	панкратический телескоп, панкратическая [зрительная] трубка
P 66	**panel cabinet**	Schaltschrank *m*	armoire *f*	распределительный шкаф
	panel point	s. joint <of truss>		
P 67	**Paneth['] [adsorption] rule**	Panethsches Gesetz *n*	loi *f* de Paneth	правило Панета
	pan head, panoramic head, panoramic top	Panoramakopf *m*	tête *f* panoramique, plateforme *f* panoramique	панорамная головка
P 68	**panidiomorphic**	panidiomorph	panidiomorphe	панидиоморфный
P 69	**panning**	Panoramieren *n*	panoramique *m*	панорамирование

P 70	**Panofsky lens**	Panofsky-Linse f	lentille f de Panofsky	линза Панофского
P 71	**Panofsky ratio**	Panofsky-Verhältnis n	rapport m de Panofsky	отношение Панофского
	panorama; panoramic view	Rundsicht f; Rundblick m; Panorama n	vision f panoramique; vue f panoramique; panorama m	круговой обзор; круговая обзорность; круговая видимость; панорама
P 72	**panoramic camera**	Panoramakammer f, Rundbildaufnahmekammer f; Rundbildkamera f	chambre f panoramique, chambre pour prise de vues panoramiques	панорамная камера; панорамная фотокамера; панорамный фотоаппарат
P 73	**panoramic cinematography**	Panoramakinematographie f	cinématographie f panoramique	панорамная кинематография
P 74	**panoramic effect**	Panoramaeffekt m, Panoramawirkung f	effet m d'écran large	эффект панорамы, панорамный эффект
P 75	**panoramic exposure**	Karussellaufnahme f, Panoramaaufnahme f	exposition f panoramique	радиография с кольцеобразным расположением образцов
P 76	**panoramic head**, panoramic top, pan head	Panoramakopf m	tête (plate-forme) f panoramique	панорамная головка
	panoramic photogram, panoramic survey	Panoramameßbild n, Rundblickmeßbild n	photogramme m (photographie f) panoramique	панорамная фотограмма
P 77	**panoramic photograph**, panoramic picture <phot.>	Panoramaaufnahme f, Rundbild n, Rundaufnahme f, Rundbildaufnahme f <Phot.>	vue f (photographie f) panoramique, panorama m photographique <phot.>	панорамное изображение, панорамный снимок <фот.>
P 78	**panoramic photography**, panoramic shot; pan-shot <phot.>	Panoramaaufnahme f, Rund[bild]aufnahme f <Phot.>	prise f de vues panoramiques; panoramique m <phot.>	панорамная съемка <фот.>
	panoramic picture	s. panoramic photograph <phot.>		
P 79	**panoramic radar**, panoramic surveillance radar, all-round looking radar, panoramic unit	Rundsuchradar n, Rundblickradar n, Rundsichtradar n, Panoramagerät n, Panoramafunkmeßgerät n	surveillance (exploration) f panoramique, recherche f circulaire; radar m de surveillance panoramique, radar de recherche circulaire, radar panoramique [de surveillance]	круговой поиск, круговой обзор; радиолокационная станция кругового обзора, панорамная радиолокационная станция
	panoramic shot	s. panoramic photography <phot.>		
	panoramic surveillance radar	s. panoramic radar		
P 80	**panoramic survey**, panoramic photogram	Panoramameßbild n, Rundblickmeßbild n	photogramme m (photographie f) panoramique	панорамная фотограмма
P 81	**panoramic telescope**	Panoramafernrohr n, Rundblickfernrohr n, Rundsichtfernrohr n	télescope m panoramique	панорамная зрительная трубка, панорамный телескоп (прицел), панорама
	panoramic top	s. panoramic head		
	panoramic unit	s. panoramic radar		
P 82	**panoramic view**; panorama	Rundsicht f; Rundblick m; Panorama n	vision f panoramique; vue f panoramique; panorama m	круговой обзор; круговая обзорность; круговая видимость; панорама
	pan-out turbine	s. extraction turbine		
P 83	**panphotometric**	panphotometrisch	panphotométrique	панфотометрический, ориентирующийся для освещения прямыми солнечными лучами
P 84	**panradiometer**	Panradiometer n	panradiomètre m	«черный» радиометр
	pan-shot	s. panoramic photography <phot.>		
P 85	**pantograph**	Pantograph m, Storchschnabel m	pantographe m	пантограф, пропорциональный циркуль
P 86	**pantograph arm**	Scherenarm m, Storchschnabelarm m	bras m de pantographe	рычаг пантографа
	pantograph manipulator	s. mechanical pantograph manipulator		
P 87	**Panum['s] area**, area of single vision, region of single vision	Panum-Bereich m, Panum-Kreis m, Zone f des binokularen Einfachsehens, Zone der binokularen Verschmelzung f	aire f de Panum	площадь Панума, область Панума
P 88	**pA number**, pA, pA value	pA-Wert m, pA	pA, valeur f pA	pA
	Panum effect	Panum-Effekt m	effet m Panum	эффект Панума
P 89	**Panum['s] theorem**	Panumscher Satz m, Satz von Panum	théorème m de Panum	теорема Панума
P 90	**Panum['s] vision**, [binocular] single vision	Panum-Sehen n, beidäugiges Einfachsehen n	vision f [binoculaire] unique, vision de Panum	зрение Панума, одиночное зрение
	panynological analysis	s. pollen analysis		
	panzeractinometer, Linke-Feussner actinometer, shielded actinometer	Panzeraktinometer n [nach Linke und Feußner], Linke-Feußner-Aktinometer n	actinomètre m de Linke et Feussner	термоэлектрический актинометр Линке-Фейснера, актинометр Линкс-Фейснера
P 91	**paper carriage**	Papier[transport]walze f; Registrierwalze f; Schreibwagen m; Papierträger m, Registrierstreifenträger m, Schreibstreifenträger m	chariot m enregistreur	салазки пишущего прибора, бумагопротяжный валик, регистрирующий валик, каретка <записывающего устройства>
P 92	**paper chromatogram**	Papierchromatogramm n	chromatogramme m sur papier	хроматограмма на бумаге, бумажная хроматограмма
P 93	**paper chromatography**, paper partition chromatography, papyrography	Papierchromatographie f, Papyrographie f	chromatographie f sur papier, papyrographie f	хроматография на бумаге, бумажная хроматография
P 94	**paper electropherogram**	Papierelektropherogramm n	électrophérogramme m sur papier	электроферограмма на бумаге

P 95	paper electropherography	Papierelektropherographie f	électrophérographie f sur papier	электроферография на бумаге, бумажная электроферография
P 96	paper electrophoresis	Papierelektrophorese f	électrophorèse f sur papier	электрофорез на бумаге
P 97	paper feed	Papiervorschub m, Papiertransport m	avance f de papier	подача [диаграммной] бумаги, подача бумажной ленты; протяжка диаграммной бумаги
P 98	paper feed mechanism	Papiervorschub m, Papiervorschubvorrichtung f, Papierschubwerk n	mécanisme m d'entraînement du papier, avancement m du papier	бумагопротяжный механизм
P 99	paper ionopherography	Papierionopherographie f	ionophérographie f sur papier	ионоферография на бумаге
P 100	paper ionophoresis paper partition chromatography	Papierionophorese f s. paper chromatography	ionophorèse f sur papier	ионофорез на бумаге
P 101	paper radiochromatograph	Radiopapierchromatograph m, Papierradiochromatograph m	radiochromatographe m sur papier	бумажный радиохроматограф, радиохроматограф на бумаге
P 102	paper radiochromatography	Radiopapierchromatographie f, Papierradiochromatographie f	radiochromatographie f sur papier	бумажная радиохроматография, радиохроматография на бумаге
P 102a	paper strip electrophoresis	Papierstreifenelektrophorese f	électrophorèse f sur bande de papier	электрофорез на полосках бумаги
P 103	paper tape storage, punched tape storage	Lochstreifenspeicher m	mémoire f à bande perforée	накопитель на перфоленте
P 104	Papin['s] [steam] digester	Papinscher Topf m, Dampfdrucktopf m	marmite f (autoclave m, digesteur m) de Papin	котел Папена
	Papkovich solution, Boussinesq-Papkovich solution, Neuber-Papkovich solution	Boussinesq-Papkowitsch-Lösung f, Papkowitsch-Lösung f	solution f de Boussinesq-Papkovitch, solution de Papkovitch	решение Буссинеска-Папковича, решение Папковича
	Papperitz['s] equation	s. Riemann['s] differential equation		
P 105	P_n approximation	P_n-Approximation f	approximation f P_n	P_n-аппроксимация, P_n-приближение
	Pappus['] theorem	s. Guldin['s] rule		
	PA projection	s. PA view		
	papyrography	s. paper chromatography		
P 106	parabola method [of J. J. Thomson], Thomson['s] parabola method, method of parabolas	Parabelmethode f [von J. J. Thomson], Thomsonsche Parabelmethode	méthode f de la parabole [de J. J. Thomson], méthode de paraboles	метод парабол [Дж. Дж. Томсона]
P 107	parabola of safety	Sicherheitsparabel f	parabole f de sûreté (sécurité)	парабола безопасности
P 108	parabola spectrograph	Parabelspektrograph m	spectrographe m à trajectoire parabolique	параболический спектрограф
P 109	parabolic comet	parabolischer Komet m, Komet mit parabolischer Bahn	comète f parabolique	параболическая комета
	parabolic co-ordinates, confocal paraboloidal co-ordinates	parabolische Koordinaten fpl, ebene parabolische Koordinaten	coordonnées fpl paraboliques	параболические координаты
P 110	parabolic co-ordinates, co-ordinates of the paraboloid of revolution	rotationsparabolische (spezielle parabolische) Koordinaten fpl, Koordinaten des Rotationsparaboloids	coordonnées fpl des paraboloïdes de révolution	параболоидальные координаты
P 111	parabolic creep	parabolisches Kriechen n	fluage m parabolique	параболическая ползучеть
	parabolic current, parabolic waveform current	Parabelstrom m	courant m parabolique, courant à forme d'onde parabolique	параболический ток, ток с параболической формой волны
P 112	parabolic cylinder function, function of the parabolic cylinder	Funktion f des parabolischen Zylinders, parabolische Zylinderfunktion f, Weber[-Hermite]sche Funktion	fonction f du cylindre parabolique, fonction de Weber-Hermite, polynôme m de Weber-Hermite	функция параболического цилиндра, функция Вебера-Эрмита
	parabolic cylindrical co-ordinates, co-ordinates of the parabolic cylinder	Koordinaten fpl des parabolischen Zylinders, parabolische Zylinderkoordinaten fpl	coordonnées fpl du cylindre parabolique	координаты параболического цилиндра, параболические цилиндрические координаты
	parabolic differential equation	s. parabolic equation		
P 113	parabolic dune	Parabeldüne f	dune f parabolique	параболическая дюна
P 114	parabolic equation, parabolic [partial] differential equation, differential equation of the parabolic type	parabolische Differentialgleichung f, Differentialgleichung vom parabolischen Typ	équation f parabolique, équation de type parabolique	уравнение параболического типа, параболическое [дифференциальное] уравнение, дифференциальное уравнение в частных производных параболического типа
P 115	parabolic flow, parabolic motion <hydr.>	Parabelströmung f <Hydr.>	écoulement m parabolique, courant m parabolique, mouvement m parabolique <hydr.>	течение с параболическим распределением скоростей, параболическое течение <гидр.>
P 116	parabolic mirror, paraboloid[al] mirror <opt.>	Parabol[oid]spiegel m, parabolischer Spiegel (Hohlspiegel) m <Opt.>	miroir m parabolique <opt.>	параболическое зеркало <опт.>
	parabolic motion	s. parabolic flow <hydr.>		
P 117	parabolic orbit, parabolic trajectory	parabolische Bahn f	orbite (trajectoire) f parabolique	параболическая орбита (траектория)
	parabolic partial differential equation	s. parabolic equation		

P 118	**parabolic point**	parabolischer Punkt *m*	point *m* parabolique	параболическая точка
P 119	**parabolic potential**	Parabelpotential *n*	potentiel *m* parabolique	параболический потенциал
P 120	**parabolic quantum number**	parabolische Quantenzahl *f*	nombre *m* quantique parabolique	параболическое квантовое число
P 121	**parabolic reflector,** paraboloid[al] reflector; parabolic-reflector antenna <el.>	Parabolreflektor *m*, parabolischer Reflektor *m*; Parabol[oid]spiegel *m*, Parabol[oidspiegel]-antenne *f* <El.>	réflecteur *m* parabolique (paraboloïdal); antenne *f* parabolique, antenne à réflecteur (miroir) paraboloïdal <él.>	параболический отражатель (рефлектор); антенна с параболическим отражателем (рефлектором), параболическая антенна <эл.>
	parabolic-reflector antenna	s. parabolic reflector <el.>		
	parabolic rule	s. Simpson['s] rule		
P 122	**parabolic stage of hardening**	parabolische Verfestigung *f*	écrouissage *m* parabolique	параболическое упрочнение
	parabolic trajectory, parabolic orbit	parabolische Bahn *f*	orbite (trajectoire) *f* parabolique	параболическая орбита (траектория)
	parabolic velocity	s. escape velocity		
P 123	**parabolic velocity profile,** Poiseuille velocity profile	parabolisches Geschwindigkeitsprofil *n*	profil *m* parabolique de vitesse	параболический профиль скоростей
P 124	**parabolic waveform current,** parabolic current	Parabelstrom *m*	courant *m* parabolique, courant à forme d'onde parabolique	параболический ток, ток с параболической формой волны
	paraboloid[al] condenser, single-mirror condenser	Einspiegelkondensor *m*, Paraboloidkondensor *m*	condenseur *m* à un seul miroir, condenseur parabolique (paraboloïdal)	параболический конденсор, параболоидный конденсор
P 124a	**paraboloid[al] coordinates**	parabolische Koordinaten *fpl* <konfokale Paraboloide>	coordonnées *fpl* paraboliques	параболоидные координаты
	paraboloid[al] reflector	s. parabolic reflector <el.>		
P 125	**paraboloid of revolution**	Rotationsparaboloid *n*, Umdrehungsparaboloid *n*	paraboloïde *m* de révolution	параболоид вращения
P 126	**paraboson**	Paraboson *n* ,	para-boson *m*	парабозон
P 127	**parachor**	Parachor *m* [nach Sudgen], P	parachor *m*	парахор
P 128	**parachute landing**	Fallschirmlandung *f*	atterrissage *m* par parachute	приземление на парашюте
P 129	**parachute recovery**	Fallschirmbergung *f*	récupération *f* par parachute	спасение на парашюте
P 130	**paraclase,** fault fissure	Verwerfungskluft *f*, Verwerfungsspalte *f*, Sprungkluft *f*, Sprungspalte *f*, Paraklase *f*	paraclase *f*	параклаз, разрывное нарушение, разломы, трещина сброса, сбрасывающая трещина, сбрасыватель; трещина, производящая сброс
P 131	**para-compound,** para-substitution compound, p-compound	para-Verbindung *f*, p-Verbindung *f*	composé *m* par para-substitution, para-composé *m*, p-composé *m*	парасоединение, паразамещенное соединение, p-соединение
P 131a	**paraconductivity**	Paraleitfähigkeit *f*	paraconductibilité *f*	парапроводимость
P 132	**paracontrast**	Parakontrast *m*	paracontraste *m*	параконтраст
P 133	**paracrystal**	Parakristall *m*	paracristal *m*	паракристалл
P 134	**paracrystalline**	parakristallin, pseudoamorph	paracristallin	паракристаллический
	paradox of Euler and d'Alembert	s. hydrodynamic paradox of d'Alembert		
	paradox of Stokes, Stokes['] paradox	Stokessches Paradoxon *n*, Paradoxon von Stokes	paradoxe *m* de Stokes	парадокс Стокса
	paradox of the space traveller, twin paradox	Zwillingsparadoxon *n*	paradoxe *m* de [voyageur de] Langevin	парадокс о близнецах
P 135	**paraelastic effect**	paraelastischer Effekt *m*	effet *m* paraélastique	параупругое явление, параупругий эффект
P 136	**paraelastic resonance**	paraelastische Resonanz *f*	résonance *f* paraélastique	параупругий резонанс
P 137	**para-electric,** para-electric material	Paraelektrikum *n*, paraelektrischer Stoff *m*	para-électrique *m*, matériel *m* para-électrique	параэлектрик, параэлектрический материал
P 138	**para[-]electric,** parelectric	paraelektrisch, parelektrisch	para-électrique, par-électrique	параэлектрический, парэлектрический
	para-electric material	s. para-electric		
P 138a	**paraelectric resonance,** PER	paraelektrische Resonanz *f*, PER	résonance *f* paraélectrique	параэлектрический резонанс, ПЭР
P 139	**para-electric susceptibility**	paraelektrische Suszeptibilität *f*	susceptibilité *f* para-électrique	параэлектрическая восприимчивость
P 140	**parafermion**	Parafermion *n*	para-fermion *m*	парафермион
P 141	**paraffin phantom**	Paraffinphantom *n*	fantôme *m* en paraffine	парафиновый фантом
P 142	**parafoveal vision,** eccentric vision	parafoveales (parazentrisches, exzentrisches) Sehen *n*	vision *f* para-fovéale, vision excentrique	парафовеальное зрение
P 143	**paragenesis** <geo.>	Paragenese *f*, Mineralparagenese *f*, Assoziation *f* <Geo.>	paragenèse *f* <géo.>	парагенезис <гео.>
P 144	**paraheliotropism**	Paraheliotropismus *m*	parahéliotropisme *m*	парагелиотропизм
P 145	**parahelium,** parhelium	Parahelium *n*, Parhelium *n*	parahélium *m*, parhélium *m*	парагелий, паргелий
P 146	**para-hydrogen,** para hydrogen	Parawasserstoff *m*	parahydrogène *m*, para-hydrogène *m*	параводород
P 147	**paralic**	paralisch	paralique	приморский, паралический
P 148	**parallactic angle,** angle of situation	parallaktischer Winkel *m*, Parallaxenwinkel *m*	angle *m* parallactique	параллактический угол
	parallactic difference	s. binocular parallax		
P 149	**parallactic ellipse**	parallaktische Ellipse *f*	ellipse *f* parallactique	параллактический эллипс
P 150	**parallactic error,** parallax error, parallax displacement	Parallaxenfehler *m*	erreur *f* de parallaxe, erreur parallactique	ошибка вследствие параллакса, погрешность отсчета от параллакса, параллактическая ошибка

	English	German	French	Russian
	parallactic inequality			
		s. Moon's parallactic inequality		
	parallactic libration, diurnal libration	tägliche (parallaktische) Libration f <Mond>	libration f diurne (parallactique)	суточная (параллактическая) либрация
P 151	parallactic mounting, equatorial mounting	parallaktische (äquatoriale) Fernrohrmontierung f, parallaktische (äquatoriale) Montierung f, parallaktische (äquatoriale) Aufstellung f	monture f équatoriale	параллактическая установка, экваториальная установка
P 152	parallactic rule, triquetra	parallaktisches Lineal n	règle f parallactique	параллактическая линейка
P 153	parallactic shift	parallaktische Verschiebung f	déplacement m parallactique	параллактическое смещение
	parallactic triangle		s. polar triangle	
P 154	parallactoscopy	Parallaktoskopie f	parallactoscopie	параллактоскопия
	parallax; annual parallax, heliocentric parallax	Parallaxe f; jährliche (heliozentrische) Parallaxe	parallaxe f; parallaxe annuelle (héliocentrique)	параллакс; годичный (гелиоцентрический) параллакс
	parallax adjustment, parallax compensation, parallax correction	Parallaxenausgleich m	correction f de la parallaxe	поправка на параллакс, компенсация параллактического смещения
P 155	parallax compensator	Parallaxenausgleich[er] m	correcteur m de parallaxe, parallaxeur m	компенсатор параллактического смещения
P 156	parallax computer	Parallaxenrechner m	calculateur m de parallaxe[s]	счетно-решающее устройство для вычисления поправки на параллакс
P 157	parallax correction, parallax compensation, parallax adjustment	Parallaxenausgleich m	correction f de la parallaxe	поправка на параллакс, компенсация параллактического смещения
P 158	parallax displacement, parallax error, parallactic error	Parallaxenfehler m	erreur f de parallaxe, erreur parallactique	ошибка вследствие параллакса, погрешность отсчета от параллакса, параллактическая ошибка
	parallax of one second, parsec, pc	Parsec n, Parallaxensekunde f, Sternweite f, Parsek n, pc	parsec m, pc	парсек, псек, пс
P 159	parallax of reading	Ableseparallaxe f	parallaxe f de lecture	параллакс отсчета
P 160	parallaxometer	Parallaxenmeßgerät n	parallaxomètre m	параллаксометр
P 161	parallax photogrammetry	Parallaxenphotogrammetrie f	photogrammétrie f parallactique	параллактическая фотограмметрия
P 162	parallax refractometer	Parallaxenrefraktometer n	réfractomètre m à parallaxe	параллаксный рефрактометр
P 163	parallax stereogram	Parallaxenstereogramm n	stéréogramme m parallactique (parallaxe)	параллактическая стереограмма
P 164	parallel, parallel of latitude, line of latitude, parallel circle <geo.>	Breitenkreis m, Parallelkreis m, Parallel m <Geo.>	parallèle m, cercle m de latitude <géo.>	параллель, параллельный круг, круг параллели, широтный круг <гео.>
	parallel, parallel line	Parallele f	parallèle f	параллель, параллельная прямая
P 165	parallel; equidirectional, codirectional	parallel; gleichgerichtet	parallèle; équidirectionnel, codirectionnel	параллельный; равнонаправленный, однонаправленный
	parallel		s. a. line of equal latitude	
	parallel access [computer] store		s. parallel store	
P 166	parallel adder	Paralleladdierschaltung f, Paralleladdierwerk n	additionneur m en parallèle	сумматор параллельного типа (действия), параллельный сумматор, схема параллельного суммирования
P 167	parallel addition	Paralleladdition f	addition f en parallèle	параллельное суммирование
P 168	parallel admittance	Parallelleitwert m	admittance f en parallèle	параллельная [активная] проводимость
P 169	parallel [antenna] array	Dipolgruppe f	réseau m parallèle, réseau de dipôles parallèles	линия параллельных вибраторов, антенна из параллельных диполей
P 170	parallel[-]axiom	Parallelenaxiom n	axiome m des parallèles, axiome de parallélisme	аксиома параллельных (параллельности)
P 171	parallel axis theorem, theorem of parallel axes, law of parallel axes, transfer theorem for moment of inertia, Steiner['s] theorem	Steinerscher Satz m, Satz von Steiner, Satz von Huygens, Huygensscher Satz	théorème m des moments, théorème de Huygens	теорема Гюйгенса, теорема Штейнера [об изменении момента инерции при переносе оси], теорема об изменении момента при переносе оси
P 172	parallel band	Parallelbande f, ‖-Bande f	bande f en parallèle, bande parallèle	параллельная полоса
P 173	parallel beam, parallel pencil of rays, bundle of rays parallel to each other, parallel rays	Parallelstrahlenbündel n, Parallelstrahlen mpl	faisceau m parallèle, faisceau (pinceau m) de rayons parallèles, rayons mpl parallèles	пучок параллельных лучей, параллельный пучок, параллельные лучи
P 174	parallel beam of light	Parallellichtbündel n	faisceau m de rayons lumineux parallèles, faisceau lumineux parallèle	пучок параллельных световых лучей, параллельный пучок световых лучей
P 175	parallel capacitance; shunt capacitance, shunt arm capacitance	Parallelkapazität f, Querkapazität f	capacité f en parallèle, capacité en dérivation	шунтирующая (параллельная) емкость, емкость шунта

P 176	**parallel capacitor,** shunt[ing] capacitor, by-pass capacitor	Parallelkondensator m, parallelgeschalteter (parallelliegender) Kondensator m, Nebenschlußkondensator m, Querkondensator m, Überbrückungskondensator m, Ableitkondensator m	condensateur m en parallèle, condensateur en dérivation, condensateur by-pass	шунтирующий конденсатор, параллельно включенный конденсатор, параллельный конденсатор, блокировочный конденсатор
	parallel circle	s. parallel <geo.>		
	parallel cleavage	s. primary cleavage		
P 177	**parallel-coil movement**	Parallelspulmeßwerk n	équipage m de mesure à cadre parallèle	измерительный механизм с параллельно расположенными рамками
P 178	**parallel coil of wattmeter,** wattmeter parallel coil	Wattmeterspannungsspule f	bobine f du wattmètre en parallèle	параллельная катушка ваттметра, катушка напряжения ваттметра
	parallel computer	s. parallel machine		
P 179	**parallel conductivity,** parallel electric conductivity	Parallelleitfähigkeit f	conductibilité f électrique parallèle, conductibilité parallèle (en parallèle)	параллельная электропроводность (проводимость), электропроводность в направлении магнитного поля
P 180	**parallel connection,** connection in parallel, in-parallel (shunt) connection, paralleling	Parallelschaltung f, Nebeneinanderschaltung f	connexion f (branchement m, montage m, coulage m) en parallèle	параллельное соединение, параллельное включение
P 181	**parallel co-ordinates;** parallel co-ordinate system, set of parallel co-ordinates	Parallelkoordinaten fpl, affine Koordinaten fpl; Parallelkoordinatensystem n, affines Koordinatensystem n	coordonnées fpl parallèles; système m de coordonnées parallèles	параллельные координаты, параллельная система [координат]
	parallel co-ordinates	s. a. Cartesian co-ordinates		
	parallel co-ordinate system	s. parallel co-ordinates		
	parallel current	s. parallel flow <hydr.>		
	parallel cut, Y cut, Y-cut	Y-Schnitt m	coupe f Y	Y-срез
	parallel discharge gap; parallel [spark] gap	Parallelfunkenstrecke f	éclateur m (entrode f) en parallèle	параллельный искровой промежуток
P 182	**parallel displacement,** parallel propagation (shift) <of vectors>	Parallelübertragung f, Parallelverschiebung f <Vektoren>	transport m par parallélisme, transport parallèle <de vecteurs>	параллельное перенесение <векторов>
	parallel displacement	s. a. translation <mech.>		
P 183	**parallel division**	Parallelteilung f	division f parallèle	параллельное деление
	parallel electric conductivity	s. parallel conductivity		
	parallelepiped	s. parallelepipedon		
P 184	**parallelepipedal deformation,** parallelepipedal strain	parallelepipedische Verformung f	déformation f parallélépipédique	параллелепипедическая деформация
P 185	**parallelepipedal product,** triple product [of three vectors], scalar triple product, triple scalar product, mixed product	Spatprodukt n, skalares Dreierprodukt n, gemischtes Produkt n	produit m triple [de trois vecteurs], produit scalaire triple, produit parallélépipède	смешанное произведение [трех векторов], тройное произведение
	parallelepipedal strain, parallelepipedal deformation	parallelepipedische Verformung f	déformation f parallélépipédique	параллелепипедическая деформация
P 186	**parallelepipedon,** parallelepiped, parallelopiped[on]	Parallelepiped[on] n, Parallelflach n, Spat n	parallélépipède m	параллелепипед
P 187	**parallel excitation,** parallel field excitation	Parallelerregung f, Parallelfelderregung f	excitation f en parallèle	параллельное возбуждение
	parallel experiment	s. replicated experiment		
	parallel-faced hemihedry	s. paramorphic hemihedry of the regular system		
P 188	**parallel field** <of forces>	Parallelfeld n	champ m de forces parallèles	параллельное поле
	parallel field excitation, parallel excitation	Parallelerregung f, Parallelfelderregung f	excitation f en parallèle	параллельное возбуждение
	parallel flow, parallel stream, co-current flow	Parallelströmung f, Parallelstrom m, Translationsströmung f	courant m parallèle, écoulement m parallèle	параллельный поток, параллельное течение, плоско-параллельное течение (движение)
P 189	**parallel flow**	Schichtenströmung f	écoulement m longitudinal, mouvement m par droites parallèles	параллельное (параллельноструйное, слоистое) течение
P 190	**parallel flow,** parallel current <techn.>	Gleichstrom m <Techn.>	écoulement m parallèle, courant m parallèle	прямой ток, прямоток <техн.>
P 191	**parallel[-] flow exchanger**	Gleichstrom-Wärmeaustauscher m; Gleichstrom[aus]tauscher m	échangeur m à courants parallèles	теплообменник с прямотоком; обменник с прямотоком
P 192	**parallel[-]flow principle,** principle of parallel flow	Gleichstromprinzip n	principe m des courants parallèles	принцип прямотока; принцип прямого тока
P 192a	**parallel[-] flow turbine,** axial turbine	Axialturbine f	turbine f axiale	осевая турбина
	parallel gap, parallel spark (discharge) gap	Parallelfunkenstrecke f	éclateur m (entrode f) en parallèle	параллельный искровой промежуток
	parallel gauge, slip gauge, block gauge, Johansson gauge	Parallelendmaß n	jauge f parallèle	плоскопараллельная концевая мера длины, калиберная (измерительная) плитка
	parallel impedance	s. shunt impedance		

	English	German	French	Russian
	paralleling, parallel connection, connection in parallel	Parallelschaltung f, Nebeneinanderschaltung f	connexion f (branchement m, montage m, couplage m) en parallèle	параллельное соединение, параллельное включение
P 193	**parallelism**	Parallelismus m, Parallelität f	parallélisme m	параллелизм, параллельность
P 194	**parallelism**, plane parallelism	Planparallelität f	parallélisme m, planparallélisme m	параллельность, плоскопараллельность
P 195	**parallelism error**, lack of parallelism	Parallelitätsfehler m	erreur f de parallélisme	ошибка параллельности
P 196	**parallelizability**	Parallelisierbarkeit f	parallélisabilité f	параллелизуемость
P 197	**parallel line**, parallel	Parallele f	parallèle f	параллель, параллельная прямая
P 198	**parallel machine**, parallel computer	Parallelmaschine f, Parallelrechenmaschine f	machine f parallèle, calculatrice f parallèle	[счетная] машина параллельного действия, параллельная вычислительная машина
P 199	**parallel marking off**	parallele Abtragung f	application f parallèle	параллельное откладывание
	parallel of altitude	s. almucantar		
	parallel of latitude, parallel, line of latitude, parallel circle <geo.>	Breitenkreis m, Parallelkreis m, Parallel m <Geo.>	parallèle m, cercle m de latitude <géo.>	параллель, параллельный круг, круг параллели, широтный круг <гео.>
P 200	**parallelogram law**, principle of the parallelogram of forces	Parallelogrammregel f, Parallelogrammgesetz n, Satz m vom Parallelogramm der Kräfte	règle f du parallélogramme [des forces], loi f du parallélogramme [des forces]	правило параллелограмма [сил]
P 201	**parallelogram of forces**	Parallelogramm n der Kräfte, Kräfteparallelogramm n	parallélogramme m des forces, parallélogramme de force	параллелограмм сил
P 202	**parallelogram of motion (velocities)**	Parallelogramm n der Geschwindigkeiten (Bewegung)	parallélogramme m des vitesses (mouvements)	параллелограмм скоростей (движения)
P 203	**parallelogram pendulum**	Parallelogrammpendel n	pendule m en parallélogramme	параллелограммный маятник
P 204	**parallelohedron**	Paralleloeder n	paralléloèdre m	параллелоэдр
P 205	**parallel operation**	Parallelbetrieb m	opération f en parallèle	работа при параллельном включении, параллельная работа, параллельный режим
	parallelepiped[on]	s. parallelepipedon		
P 205a	**parallelotope**	Parallelotop n	parallélotope m	параллелотоп, гиперпараллелепипед
	parallel pencil of rays	s. parallel beam		
	parallel perspective	s. parallel projection		
	parallel phase resonance	s. parallel resonance		
	parallel[-] plane, plane[-]parallel	planparallel	à faces parallèles, planparallèle, à plans parallèles	плоскопараллельный, плоско-параллельный, с параллельными плоскостями
	parallel plate capacitor	s. plate capacitor		
P 206	**parallel plate chamber**, parallel-plate spark chamber	Parallelplattenkammer f, Parallelplatten-Funkenkammer f	chambre f à étincelles à plateaux parallèles, chambre à plateaux parallèles	искровая камера с плоскопараллельными электродами, плоскопараллельная [искровая] камера
P 207	**parallel plate chamber**, parallel plate ionization chamber	Platten[ionisations]kammer f, Parallelplatten[-Ionisations]kammer f	chambre f à plateaux parallèles, chambre d'ionisation à plateaux parallèles	ионизационная камера с плоскопараллельными (плоскими параллельными) электродами
P 208	**parallel plate counter**	Plattenzähler m, Parallelplattenzähler m	tube m compteur à plateaux parallèles	счетчик с плоскопараллельными (плоскими параллельными) электродами
P 209	**parallel plate electrodes**	Parallelplattenelektroden fpl, Plattenelektroden fpl	électrodes fpl [à plaques] parallèles	плоскопараллельные электроды
P 210	**parallel plate guide**, parallel plate waveguide	Plattenwellenleiter m, Parallelplattenwellenleiter m, planparalleler Wellenleiter m	guide m d'ondes à faces parallèles	пластинчатая волноводная линза
	parallel plate ionization chamber	s. parallel plate chamber		
P 211	**parallel plate lens**	Parallelplattenlinse f	lentille f à plaques parallèles	линза с плоскими параллельными электродами
	parallel plate spark chamber	s. parallel plate chamber		
P 212	**parallel plate spark counter**	Parallelplatten-Funkenzähler m	compteur m à étincelles à plateaux parallèles	искровой счетчик с параллельными электродами
	parallel plate waveguide	s. parallel plate guide		
P 213	**parallel projection**, parallel perspective	Parallelprojektion f, Parallelperspektive f, Parallelriß m	projection f parallèle	параллельная проекция, параллель-перспектива
	parallel propagation, parallel displacement <of vectors>	Parallelübertragung f, Parallelverschiebung f <Vektoren>	transport m par parallélisme, transport parallèle <de vecteurs>	параллельное перенесение <векторов>
P 214	**parallel pumping effect**	Parallelpumpeffekt m	effet m de pompage parallèle	эффект параллельной накачки

P 215	**parallel push-pull [cascade]**, single-ended push-pull [cascade]	eisenlose Gegentaktschaltung (Gegentaktstufe) *f*, Parallel-„push-pull"-Schaltung *f*, „single-ended push-pull"-Schaltung *f*	push-pull *m* en parallèle, push-pull sans fer	безжелезный двухтактный каскад
	parallel rays	*s.* parallel beam		
P 216	**parallel reactance**	Parallelblindwiderstand *m*, Parallelreaktanz *f*	réactance *f* en parallèle	параллельно включенное реактивное сопротивление
	parallel reaction	*s.* side reaction		
P 217	**parallel resistance**	Paralleldämpfungswiderstand *m*	résistance *f* en parallèle	шунтирующее активное сопротивление
	parallel resistance	*s. a.* shunt resistance		
P 218	**parallel resonance,** parallel phase resonance, current resonance, antiresonance	Parallelresonanz *f*, Stromresonanz *f*, Sperresonanz *f*, Antiresonanz *f*	résonance *f* parallèle, résonance de courant, anti[-]résonance *f*	резонанс токов, параллельный резонанс, резонанс при параллельном соединении; антирезонанс
P 219	**parallel resonant circuit**	Parallelresonanzkreis *m*, Stromresonanzkreis *m*, Parallelschwingkreis *m*	circuit *m* de résonance parallèle	параллельный резонансный (колебательный) контур, контур параллельного резонанса
P 220	**parallel-resonant circuit amplifier**	schwingkreisgekoppelter Verstärker *m*	amplificateur *m* à charge antirésonnante	усилитель с параллельным колебательным контуром
P 221	**parallel-resonant frequency**	Parallelresonanzfrequenz *f*, Stromresonanzfrequenz *f*	fréquence *f* de résonance parallèle	частота резонанса токов; резонансная частота шунтовой цепи
	parallel resonant impedance	*s.* shunt impedance		
P 222	**parallel-rod tank circuit**	Lecher-Kreis *m*, Lecher-Resonanzkreis *m*, Parallel-Leistungsschwingkreis *m*	circuit *m* Lecher, circuit aux fils de Lecher	колебательный контур с системой Лехера
P 223	**parallel sectioning**	Parallelschnittverfahren *n*	méthode *f* de section transversale parallèle	метод параллельного сечения
P 224	**parallel-series circuit, parallel-series connection**	Parallelreihenschaltung *f*, Parallelserienschaltung *f*	connexion *f* parallèle-série, circuit *m* parallèle-série	параллельно-последовательная цепь, параллельно-последовательная схема [включения]
P 225	**parallel-series matrix**	Parallelreihenmatrix *f*, Parallelserienmatrix *f*	matrice *f* parallèle-série	параллельно-последовательная матрица, матрица для параллельно-последовательной схемы включения четырехполюсников
	parallel shift	*s.* parallel displacement <of vectors>		
	parallel shift	*s. a.* translation <mech.>		
P 226	**parallel spark gap,** parallel [discharge] gap	Parallelfunkenstrecke *f*	éclateur *m* (entrode *f*) en parallèle	параллельный искровой промежуток
P 227	**parallel storage, parallel store,** parallel access [computer] store	Parallelspeicher *m*, Rechenspeicher *m* mit Parallelzugriff	mémoire *f* en parallèle, mémoire à accès en parallèle	параллельное запоминающее устройство, параллельный накопитель, запоминающее устройство с параллельной выборкой данных
P 228	**parallel stream,** parallel flow, co-current flow	Parallelströmung *f*, Parallelstrom *m*, Translationsströmung *f*	courant *m* parallèle, écoulement *m* parallèle	параллельный поток, параллельное течение, плоско-параллельное течение (движение)
P 229	**parallel structure**	Parallelstruktur *f*	structure *f* en parallèle	параллельное строение, параллельная структура
P 230	**parallel texture**	Paralleltextur *f*	texture *f* en parallèle	параллельная текстура
P 231	**parallel-to-series converter,** dynamicizer	Parallel-Serie-Konverter *m*, Parallel-Serie-Umsetzer *m*	convertisseur *m* parallèle-série	параллельно-последовательный преобразователь
P 232	**parallel-tube amplifier,** push-push amplifier	Gleichtaktverstärker *m*	amplificateur *m* à tubes électroniques en parallèle	усилитель на параллельно включенных лампах
	parallel-wire line	*s.* two-wire line		
P 233	**parallel-wire wavemeter**	Paralleldrahtwellenmesser *m*	ondemètre *m* à ligne de Lecher	волномер с двухпроводной измерительной линией
	paralysis; blocking; interlocking, locking; cut-off; rejection; blackout; bottoming <el.>	Sperrung *f* <El.>	blocage *m*; verrouillage *m*; barrage *m*; coupure *f*, cut-off *m* <él.>	блокировка, блокирование; запирание; заграждение; отсечка <эл.>
P 234	**paralysis circuit** <of counter>	Sperrkreis *m* <Zählrohr>	circuit *m* de paralysie (temps mort) <du tube compteur>	время блокировки <счетчика>
P 235	**paralysis period (time),** insensitive interval (time)	Sperrzeit *f*, Unempfindlichkeitszeit *f*, Totzeit *f*	temps *m* de paralysie, temps mort	время нечувствительности, мертвое время
	paralyst, paralyzer	*s.* inhibitor <chem.>		
P 235a	**paralyzable counter**	blockierendes Zählrohr *n*	tube *m* compteur paralysable (à circuit de paralysie), compteur *m* paralysable	блокируемый (блокирующийся) счетчик
P 236	**paramagnet[ic],** paramagnetic material, paramagnetic substance	Paramagnetikum *n*, paramagnetischer Stoff *m*	paramagnétique *m*, substance *f* paramagnétique	парамагнетик, парамагнитное вещество, парамагнитный материал
P 237	**paramagnetic amplifier**	paramagnetischer Verstärker *m*	amplificateur *m* paramagnétique	парамагнитный усилитель
	paramagnetic cooling	*s.* magnetic cooling		

P 238	**paramagnetic Curie point [of temperature], Weiss constant**	paramagnetische Curie-Temperatur f, paramagnetischer Curie-Punkt m, Weisssche Konstante f, Weiss-Konstante f	point m de Curie paramagnétique, température f de Curie paramagnétique	парамагнитная точка Кюри
P 239	**paramagnetic dispersion**	paramagnetische Dispersion f	dispersion f paramagnétique	парамагнитная дисперсия
P 240	**paramagnetic maser [amplifier]**	Maser m mit paramagnetischem Material, paramagnetischer Quantenverstärker m	maser m paramagnétique, amplificateur m maser paramagnétique	парамагнитный квантовый усилитель; квантовый усилитель с активным веществом, обладающим парамагнитными свойствами
	paramagnetic material	s. paramagnet		
	paramagnetic moment of the atom	s. atomic magnetic moment		
P 241	**paramagnetic permeability**	paramagnetische Permeabilität f, Permeabilität des Paramagnetikums	perméabilité f paramagnétique	парамагнитная проницаемость
P 241a	**paramagnetic relaxation**	paramagnetische Relaxation f	relaxation f paramagnétique	парамагнитная релаксация
P 242	**paramagnetic resonance absorption**	paramagnetische Resonanzabsorption f	absorption f par résonance paramagnétique	парамагнитное резонансное поглощение
P 243	**paramagnetic resonance phenomenon**	paramagnetische Resonanzerscheinung f	phénomène m de résonance paramagnétique	явление парамагнитного резонанса
P 244	**paramagnetic rotation [of the plane of polarization]**	paramagnetische Drehung f [der Polarisationsrichtung]	rotation f paramagnétique [du plan de polarisation]	парамагнитный поворот плоскости поляризации
P 244a	**paramagnetic scattering**	paramagnetische Streuung f	diffusion f paramagnétique	парамагнитное рассеяние
P 245	**paramagnetic screening,** paramagnetic shielding	paramagnetische Abschirmung f	blindage m paramagnétique	парамагнитное экранирование
P 246	**paramagnetic screening constant**	paramagnetische Abschirmungskonstante f	constante f de blindage paramagnétique	коэффициент парамагнитного экранирования
	paramagnetic shielding, paramagnetic screening	paramagnetische Abschirmung f	blindage m paramagnétique	парамагнитное экранирование
	paramagnetic substance, paramagnet[ic], paramagnetic material	Paramagnetikum n, paramagnetischer Stoff m	paramagnétique m, substance f paramagnétique	парамагнетик, парамагнитное вещество, парамагнитный материал
P 247	**paramagnetic susceptibility**	paramagnetische Suszeptibilität f	susceptibilité f paramagnétique	парамагнитная восприимчивость
P 248	**parametamorphic rock,** pararock	Paragestein n	roche f paramétamorphique, pararoche f	параметаморфическая порода, парапорода
P 249	**parameter,** characteristic, characteristic value, datum, characteristic datum ‹gen.›	Parameter m, Kennwert m, Kenngröße f, Kenndatum n, Kennziffer f, Charakteristik f, Charakteristikum n, charakteristischer Wert m, Bestimmungsgröße f; Nebenvariable f, Hilfsvariable f ‹allg.›	paramètre m, caractéristique f, valeur f caractéristique, grandeur f caractéristique, donnée f caractéristique ‹gén.›	параметр, характеристика, характеристическое значение, данное, характеристическое данное, характеристическая величина ‹общ.›
P 250	**parameter change,** parameter transformation	Parameteränderung f, Parametertransformation f	changement m des paramètres	преобразование параметров
P 251	**parameter curve,** parametric curve	Parameterkurve f, Parameterlinie f	ligne f paramétrale	параметрическая линия
	parameter-free test	s. non-parametric test		
	parameter invariance	s. adiabatic invariance		
	parameterization	s. parametrization		
P 252	**parameterized**	parametrisiert	paramétrisé	параметризированный
	parameter of inertia, inertial parameter	Trägheitsparameter m	paramètre m d'inertie	параметр инерции
P 253	**parameter of information,** information parameter	Informationsparameter m	paramètre m d'information	параметр информации, информационная характеристика
P 254	**parameter of live steam**	Frischdampfparameter m	paramètre m de vapeur vive	параметр острого пара, параметр свежего пара
	parameter of Rodrigues	s. Eulerian parameter		
P 255	**parameter of state,** variable of state, state parameter, state variable, thermodynamic co-ordinate (property)	Zustandsgröße f, Zustandsparameter m, Zustandsvariable f, Zustandsveränderliche f s. deformation parameter	paramètre m d'état, paramètre de définition de l'état du système, variable f d'état	параметр состояния, величина состояния, характеристика состояния
	parameter of strain **parameter of the screw,** pitch of the wrench	Parameter m der Dyname, Pfeil m der Schraube	flèche f du torseur, flèche du mouvement hélicoïdal	параметр динамы
P 256	**parameter of velocity**	Geschwindigkeitsparameter m	paramètre m de vitesses	параметр скорости
P 257	**parameter scattering**	Parameterstreuung f	dispersion f des paramètres	разброс параметров
	parameters of the system	s. general co-ordinates		
	parameter transformation, parameter change	Parameteränderung f, Parametertransformation f	changement m des paramètres	преобразование параметров
P 258	**parametral face, parametral plane**	Parameterfläche f, Parameterebene f	surface f paramétrique, plan m paramétrique	параметрическая грань (плоскость); плоскость, характеризующаяся миллеровскими индексами ‹1,1,1›
P 259	**parametric amplification,** reactance amplification	parametrische Verstärkung f, Reaktanzverstärkung f	amplification f paramétrique (à réactance)	параметрическое усиление
P 260	**parametric amplifier;** reactance amplifier, mavar ‹mixer amplification by variable reactance›	parametrischer Verstärker m; Reaktanzverstärker m, Mavar m	amplificateur m paramétrique; amplificateur à réactance	параметрический усилитель, квантовый параметрический усилитель

	English	German	French	Russian
P 261	**parametric circuit**	parametrischer Kreis m; parametrische Schaltung f	circuit m paramétrique	параметрическая цепь (схема), параметрический контур
	parametric curve	s. parameter curve		
	parametric diode	s. varactor		
	parametric equation, parametric representation	Parameterdarstellung f	représentation f paramétrique, équation f paramétrique	параметрическое представление
P 262	**parametric equation**	Parametergleichung f	équation f paramétrique	параметрическое уравнение
P 263	**parametric excitation**	parametrische Erregung f	excitation f paramétrique	параметрическое возбуждение [колебаний]
P 263a	**parametric hypothesis**	Parameterhypothese f, parametrische Hypothese f	hypothèse f paramétrique	параметрическая гипотеза
	parametric line	s. parameter curve		
P 264	**parametric oscillation**	parametrische Schwingung f	oscillation f paramétrique	параметрическое колебание
P 265	**parametric oscillator**	parametrischer Oszillator m	oscillateur m paramétrique, générateur m paramétrique	параметрический генератор
P 266	**parametric representation,** parametric equation	Parameterdarstellung f	représentation (équation) f paramétrique	параметрическое представление
P 267	**parametric resonance**	parametrische Resonanz f	résonance f paramétrique	параметрический резонанс
	parametric travelling-wave amplifier, travelling-wave parametric amplifier	parametrischer Wanderfeldverstärker (Wanderwellenverstärker) m	amplificateur m paramétrique à onde progressive	параметрический усилитель бегущей волны, параметрический усилитель с бегущей волной
P 268	**parametrix,** singularity function	Parametrix f, Levische Funktion f, Singularitätenfunktion f, Singularität[s]funktion f	paramétrix m	параметрикс
P 269	**parametrization,** parameterization	Parametrisierung f	paramétrisation f	параметрирование, параметризация
P 270	**parametron oscillation**	Parametronschwingung f	oscillation f paramétronique	параметронное колебание
P 271	**para-molecule**	para-Molekül n, Paramolekül n	paramolécule f	парамолекула
P 272	**paramorph**	paramorphe Form f	forme f paramorphe	параморфический вид, параморфическая форма, параморф
P 273	**paramorphic**	paramorph	paramorphe, paramorphique	параморфический, параморфный
	paramorphic hemihedral class of the cubic system	s. paramorphic hemihedry of the regular system		
	paramorphic hemihedral class of the hexagonal system	s. paramorphic hemihedry of the hexagonal system		
	paramorphic hemihedral class of the tetragonal system	s. paramorphic hemihedry of the tetragonal class		
	paramorphic hemihedral class of the trigonal system	s. hexagonal tetartohedry of the second sort		
P 274	**paramorphic hemihedry of the hexagonal system,** hexagonal equatorial class, pyramidal class, hexagonal bipyramidal class, hexagonal-dipyramidal [crystal] class, hexagonal paramorphy, paramorphic hemihedral class of the hexagonal system	paramorphe Hemiedrie f des hexagonalen Systems, hexagonal-bipyramidale Klasse f, pyramidale Hemiedrie, hexagonal dipyramidale Klasse	parahémiédrie f à axe sénaire [du système sénaire], hémiédrie f pyramidale, hémiédrie centrée hexagonale (du système hexagonal), classe f hexagonale bipyramidale, classe centrale du système hexagonal	гексагонально-дипирамидальный класс (вид симметрии)
P 275	**paramorphic hemihedry of the regular system,** tesseral central class, pyritohedral class, parallelfaced (pentagonal) hemihedry, dyakisdodecahedral class, regular paramorphy, paramorphic hemihedral class of the cubic system, diploidal [crystal] class	paramorphe Hemiedrie f des kubischen Systems, disdodekaedrische Klasse f, pentagonale Hemiedrie, parallelflächige Hemiedrie	parahémiédrie f du système cubique, parahémiédrie cubique, hémiédrie f centrée [du système] cubique, classe f disdodécaédrique, classe centrale du système cubique	дидодекаэдрический класс (вид симметрии)
P 276	**paramorphic hemihedry of the tetragonal system,** tetragonal paramorphy, paramorphic hemihedral class of the tetragonal system, tetragonal equatorial class, [bi]pyramidal class, tetragonal-dipyramidal [crystal] class	paramorphe Hemiedrie f des tetragonalen Systems, tetragonal-bipyramidale Klasse f, tetragonal dipyramidale Klasse, tetragonale pyramidale Hemiedrie	parahémiédrie f du système quaternaire, parahémiédrie quaternaire, hémiédrie f centrée [du système] quadratique, classe f tétragonale bipyramidale, classe centrale du système tétragonal	тетрагонально-дипирамидальный класс (вид симметрии)
P 277	**paramorphism,** paramorphosis	Paramorphose f, Umlagerungspseudomorphose f	paramorphisme m, paramorphose f	параморфизм, параморфоз
P 278	**paranthelion**	Nebengegensonne f	paranthélie m, parhélie m de 120° (134°)	парантгелий, парантелий, побочное (ложное) противосолнце
P 279	**parantiselena**	Nebengegenmond m	parantisélène f	парантиселена, побочная противолуна

P 280	**paraphase amplifier**	Verstärker *m* mit Phasenumkehr[ung], Phasenumkehrstufe *f*, Zweitaktverstärker *m*, Paraphasenverstärker *m*	amplificateur *m* en va-et-vient, amplificateur paraphase	парафазный усилитель, двухтактный усилитель
	paraphase amplifier	*s. a.* push-pull amplifier		
P 281	**para-position, p-position**	para-Stellung *f*, p-Stellung *f*	position *f* para, para-position *f*, p-position *f*	пара-положение, p-положение
P 282	**para[-]positronium,** singlet positronium	Parapositronium *n*	parapositonium *m*, para-positronium *m*	парапозитроний
	pararock, parametamorphic rock	Paragestein *n*	roche *f* paramétamorphique, pararoche *f*	параметаморфическая порода, парапорода
P 283	**paraselena**	Nebenmond *m*	parasélène *f*	параселена, ложная луна
	parasite	*s.* parasitic element		
P 284	**parasite current,** parasitic current; interference current; disturbing (perturbing) current; sneak current; stray (vagabond) current	Störstrom *m*; Fremdstrom *m*; Streustrom *m*, vagabundierender Strom *m*	courant *m* parasite; courant perturbateur, courant de bruit; courant vagabond	паразитный ток; мешающий ток; ток помех; «чужой» ток; ток рассеяния; блуждающий ток
P 285	**parasite drag (resistance),** parasitic (passive, resistance) drag, passive (wasteful, prejudicial) resistance	schädlicher Widerstand *m*	résistance *f* passive, résistance parasite, résistance nuisible	вредное (бесполезное, паразитическое) сопротивление, сопротивление ненесущих частей самолета
P 286	**parasitic absorption**	parasitäre Absorption *f*	absorption *f* parasite	паразитное поглощение
	parasitic[ally excited] antenna	*s.* parasitic element		
P 287	**parasitic antenna array, parasitic array**	Antenne *f* mit Reflektoren und Direktoren	antenne *f* avec éléments directeurs et réflecteurs	антенна с директорами и рефлекторами, пассивная антенная решетка
P 288	**parasitic capture [of neutrons]**	parasitärer Einfang (Neutroneneinfang) *m*	capture *f* parasite [de neutrons]	паразитный захват [нейтронов]
P 289	**parasitic capture-to-fission ratio**	Verhältnis *n* der parasitären Einfänge zur Anzahl der Spaltungen	rapport *m* des captures parasites au nombre de fissions	отношение числа захватов, не приводящих к делению, к числу захватов, приводящих к делению
	parasitic current	*s.* parasite current		
P 290	**parasitic director,** director, wave director <el.>	Direktor *m*, Wellenrichter *m*, Richtdipol *m*, Führungsantenne *f*, Leitantenne *f* <El.>	dipôle *m* inerte, dipôle passif, antenne *f* directrice, élément *m* directeur, directeur *m* <el.>	пассивный вибратор-директор, директор, направляющий диполь <эл.>
	parasitic drag	*s.* parasite drag		
	parasitic effect, perturbing action (influence, effect)	Störwirkung *f*, Störeinfluß *m*, Störeffekt *m*	action (influence) *f* perturbatrice, effet *m* perturbateur	возмущающее действие, возмущающее влияние
P 291	**parasitic electromotive force,** parasitic e.m.f.	Stör-EMK *f*, störende elektromotorische Kraft *f*	force *f* électromotrice parasite, f. e. m. parasite	электродвижущая сила помех, э. д. с. помех
P 292	**parasitic element [of antenna],** radiation coupled element, parasitic antenna, passive antenna, parasitically excited antenna, passive element of antenna, parasite	strahlungsgekoppeltes (passives) Element *n* [der Antenne], strahlungsgekoppelte Antenne *f*, nichtangeschlossenes Zusatzelement *n* für Dipolantennen, Zusatzelement [der Antenne]	élément *m* passif [d'antenne], antenne *f* passive, antenne inerte, dipôle *m* passif, dipôle inerte, antenne parasite	пассивный элемент [антенны], пассивная антенна, связанная за счет излучения антенна, пассивный вибратор, пассивный диполь
P 293	**parasitic feedback**	Streurückkopplung *f*	réaction *f* parasite	паразитная обратная связь
P 294	**parasitic oscillation,** undesired oscillation	Störschwingung *f*	oscillation *f* parasitaire (à fréquence parasite)	паразитное колебание, колебание на паразитной частоте
	parasitic oscillation	*s. a.* spurious oscillation		
	parasitic radiation	*s.* spurious radiation		
P 295	**parasitic reactance,** spurious reactance	Störblindwiderstand *m*, Störreaktanz *f*	réactance *f* parasite, réactance nuisible	паразитная (вредная) реактивность
P 296	**parasitic reflector,** reflector, radiation-coupled reflector <el.>	Reflektor *m* <El.>	réflecteur *m* passif, réflecteur d'antenne, élément *m* réflecteur, réflecteur <él.>	пассивный [вибратор-] рефлектор, пассивный отражатель, отражатель (рефлектор) антенны, диполь-рефлектор <эл.>
P 297	**parasitic resonance**	Störresonanz *f*, parasitäre Resonanz *f*	résonance *f* parasite	паразитный резонанс
P 298	**parasitics; interference; jamming; mush** <el.>	Störung *f*; Störgeräusch *n* <El.>	brouillage *m*, parasite *m*, interférence *f*, perturbation *f*, perturbance *f*, bruit *m* <él.>	помеха; паразитное явление; мешающее явление <эл.>
	parasitic signal	*s.* spurious signal		
	parasitic suppression	*s.* noise suppression		
P 299	**parasitic voltage,** interference (noise) voltage	Störspannung *f*	tension *f* parasite, tension perturbatrice	напряжение помех, мешающее (паразитное) напряжение
	parasitic voltage meter, interference voltage meter	Störspannungsmeßgerät *n*, Störspannungsmesser *m*	perturbomètre *m*	измеритель напряжения помех
	parasitic wave	*s.* spurious wave		
P 300	**para-state, para state**	Para-Zustand *m*	para-état *m*	пара-состояние
P 301	**parastatistics**	Parastatistik *f*	para-statistique *f*	парастатистика
P 302	**parastrophe**	Parastrophe *f*	parastrophe *f*	парастрофа
	para-substitution compound, para-compound, p-compound	para-Verbindung *f*, p-Verbindung *f*	composé *m* par parasubstitution, para-composé *m*, p-composé *m*	парасоединение, паразамещенное соединение, p-соединение
P 303	**paraterm**	Paraterm *m*	paraterme *m*	параметр
P 304	**paraxial**	paraxial, achsennah	paraxial	параксиальный, приосевой

	paraxial image point, Gaussian image point	Gaußscher (paraxialer, idealer) Bildpunkt *m*; axialer Bildpunkt	point *m* image de Gauss, point image paraxial	параксиальная точка изображения, гауссова точка изображения
P 305	paraxial optics	Gaußsche Dioptrik *f*, Lehre *f* von der optischen Abbildung mit Hilfe des fadenförmigen Raumes	optique *f* paraxiale	параксиальная оптика
P 306	paraxial ray, Gauss ray	Paraxialstrahl *m*, paraxialer Strahl *m*; Nullstrahl *m*	rayon *m* paraxial, rayon de Gauss	параксиальный луч, гауссов луч
P 307	paraxial region, Gauss region	paraxiales (Gaußsches, achsennahes) Gebiet *n*, fadenförmiger Raum *m*	domaine *m* paraxial, domaine de Gauss	параксиальная область, гауссова область
P 308	paraxial Schroedinger equation	paraxiale Schrödinger-Gleichung *f*	équation *f* paraxiale de Schrœdinger	параксиальное уравнение Шредингера
P 309	paraxial single-surface equation <opt.>	Gaußsche Gleichung *f* <Opt.>	formule *f* de Descartes <opt.>	формула Гаусса <опт.>
P 310	paraxial trajectory	paraxiale Bahn *f*, Paraxialbahn *f*	trajectoire *f* paraxiale	параксиальная (приосевая) траектория
	parelectric	*s.* para[-]electric		
	parent	*s.* parent atom		
	parent	*s. a.* parent nuclide		
	parent	*s. a.* parent element		
	parentage	*s.* origin		
	parental magma	*s.* primordial magma		
P 311	parent atom, parent	Ausgangsatom *n*, Mutteratom *n*	atome *m* père (parent, initial), parent *m* [atomique]	материнский атом, исходный атом
P 312	parent comet, comet associated with the shower	erzeugender Komet *m*, Mutterkomet *m*	comète *f* génératrice (associée à l'essaim, mère), comète-mère *f*	комета-родоначальница, родительская комета; комета, связанная с роем
P 313	parent element, parent <nucl.>	Ausgangselement *n*, Mutterelement *n* <Kern.>	élément *m* père (parent, original, primitif), parent *m* <nucl.>	исходный элемент, материнский элемент <яд.>
P 314	parent fraction	Ausgangsfraktion *f*, Anteil *m* der Ausgangssubstanz	fraction *f* mère	исходная фракция, материнская фракция
	parenthesis, round bracket <math.>	[runde] Klammer *f* <Math.>	parenthèse *f* <math.>	[круглая] скобка, простая скобка <матем.>
P 315	parent mass peak, parent peak	Ausgangslinie *f*, Bezugslinie *f* im Massenspektrum <zum undissoziierten Molekül gehörig>	raie *f* de référence, ligne *f* mère	исходная линия; линия масс-спектра, отвечающая недиссоциированным молекулам
P 316	parent-molecule <in comet head>	Muttermolekül *n* <im Kometenkopf>	molécule *f* parente, molécule-mère *f* <dans la tête de la comète>	родительская молекула <в голове кометы>
	parent nucleus	*s.* parent nuclide		
P 317	parent nuclide, [nuclear] parent; parent (original) nucleus	Mutternuklid *n*, Ausgangsnuklid *n*; Ausgangskern *m*, Mutterkern *m*, Elterkern *m*	père *m* nucléaire, nucléide *m* père (parent); noyau *m* père (parent, primitif)	исходное ядро, материнское ядро
	parent peak	*s.* parent mass peak		
	parent population	*s.* population <stat., gen.>		
P 318	parhelic circle <halo>	Horizontalkreis *m*, Horizontalring *m*, Nebensonnenkreis *m*, Nebensonnenring *m* <Halo>	cercle *m* parhélique <halo>	паргелический круг, горизонтальный круг <гало>
P 319	parhelion, mocksun, sun-dog	Nebensonne *f*	parhélie *m*	паргелий, ложное солнце, побочное солнце
P 320	parhelion of 22°, 22°-parhelion	Nebensonnenhalo *m*, Nebensonne *f* von 22°	parhélie *m* de 22°	22-градусный паргелий
P 321	parhelium, parahelium parity	Parahelium *n*, Parhelium *n* Parität *f*; Spiegelungsmoment *n*, Signatur *f*	parahélium *m*, parhélium *m* parité *f*	парагелий, паргелий четность
	parity + 1, even parity, positive parity	gerade Parität *f*, Parität + 1, positive Parität	parité *f* paire, parité positive	положительная четность, четное состояние
	parity – 1, odd parity, negative parity	ungerade Parität *f*, Parität – 1, negative Parität	parité *f* impaire, parité négative	отрицательная четность, нечетное состояние
P 322	parity check <num.math.>	Paritätsprüfung *f* <num. Math.>	contrôle *m* de parité <math. num.>	проверка на четность или нечетность, контроль на четность <числ. матем.>
P 323	parity coefficient	Paritätskoeffizient *m*	coefficient *m* de parité	коэффициент четности
P 323a	parity conjugation [operation]	Paritätskonjugation *f*	conjugaison *f* de parité, opération *f* conjuguée de parité	сопряжение четности
	parity conservation law	*s.* law of conservation of parity		
	parity favoured [forbidden] transition	*s.* unique transition		
	parity non-conservation	*s.* non-conservation of parity		
P 324	parity operator	Paritätsoperator *m*	opérateur *m* de parité	оператор четности
P 325	parity selection rule	Paritätsauswahlregel *f*	loi *f* de sélection par parité	правило отбора четности состояний
	parity unfavoured [forbidden] transition	*s.* unfavoured transition		
	parity violation	*s.* non-conservation of parity		
P 326	Parker effect	Parker-Effekt *m*	effet *m* Parker	эффект Паркера, явление Паркера
P 327	parkerization, parkerizing	Parkerisieren *n*, Parker-Verfahren *n*	parkérisation *f*	паркеризация
P 328	Parker['s] solution	Parker-Lösung *f*, Parkersche Lösung *f*	solution *f* de Parker	раствор Паркера, паркеровский раствор
P 329	Parker-Washburn boundary	Parker-Washburn-Korngrenze *f*, Parker-Washburnsche Korngrenze *f*	joint *m* de Parker-Washburn	граница зерна Паркера-Уошберна

	English	German	French	Russian
	parkesization, parkesizing	s. Parkes process		
P 330	**Parkes process (technique) [for desilvering lead]**, parkesizing, parkesization	Parkes-Verfahren n, Parkesieren n	procédé m de Parkes, méthode f de Parkes, parkésation f	способ Паркеса, метод Паркеса, паркесация
P 331	paroxysmal eruption	paroxysmale Eruption f, paroxysmaler Ausbruch m	éruption f paroxysmale	пароксизмальное извержение
P 332	**Parr['s] principle**	Parrsches Prinzip n	principe m de Parr	принцип Парра
P 333	**Parry['s] arc**	Parrys Halo m	halo m de Parry	гало Парри, дуга Парри
P 334	**parsec**, parallax of one second, pc	Parsec n, Parallaxensekunde f, Sternweite f, Parsek n, pc	parsec m, pc	парсек, псек, пс
P 335	**Parseval['s] equation, Parseval['s] formula, Parseval['s] theorem**, completeness relation	Parsevalsche Formel (Gleichung) f, Abgeschlossenheitsrelation f, Vollständigkeitsrelation f, Parsevalscher Satz m, Parsevalsches Theorem n	formule f de Parseval, égalité f de Parseval	условие замкнутости Ляпунова-Стеклова, соотношение полноты, равенство Парсеваля
P 335 a	**Parshall['] measuring flume**	Parshall-Gerinne n, Parshall-Kanal m	canal m de Parshall	лоток Паршалла
	Parsons turbine	s. reaction turbine		
	part, subset, sub-aggregate \<math.\>	Untermenge f, Teilmenge f, Teil m \<Math.\>	sous-ensemble m, ensemble m contenu, partie f \<math.\>	подмножество, часть \<матем.\>
	part	s. a. circuit element \<of the electrical circuit\>		
	part	s. a. component \<of construction\>		
P 336	**part by mass**, part by weight	Masseteil m, Gewichtsteil m	part f en masse, part en poids	весовая часть, часть по весу, весовая доля, доля по весу
P 337	**part by volume**	Volum[en]teil m, Volum[en]anteil m, Raumanteil m	part m en volume	объемная часть, часть по объему
	part by weight	s. part by mass		
	parted hyperboloid, two-sheet hyperboloid, hyperboloid of two sheets	zweischaliges Hyperboloid n	hyperboloïde m à deux nappes	двуполостный гиперболоид, двуполый гиперболоид
P 338	**Parthasarathy['s] rule**	Parthasarathysche Regel f	règle f de Parthasarathy	правило Партазарати
P 339	**partial**, partial tone, partial overtone, overtone \<ac.\>	Teilton m, Partialton m, Oberton m \<Ak.\>	son m accessoire non harmonique, son partiel \<ac.\>	обертон, частичный (частный, составляющий) тон \<ак.\>
	partial air force, aerodynamic derivative, resistance derivative	partielle Ableitung f von aerodynamischen Kräften \<oder Momenten\>	dérivée f de résistance, dérivée aérodynamique	аэродинамическая производная
P 340	**partial analysis**	Teilanalyse f	analyse f partielle	частичный (неполный) анализ
P 340a	**partial association** \<stat.\>	partielle Assoziation f \<Stat.\>	association f partielle \<stat.\>	частичная зависимость (ассоциация) \<стат.\>
P 341	**partial body irradiation**, partial exposure	Teilkörperbestrahlung f, Teilbestrahlung f	irradiation f partielle [du corps]	частичное облучение [тела]
P 342	**partial breakdown**, incomplete breakdown	Teildurchschlag m	claquage (éclatement, percement) m partiel	неполный пробой
P 343	**partial capacitance**	[Breisigsche] Teilkapazität f	capacité f partielle	частичная емкость
P 344	**partial coherence**	partielle Kohärenz f	cohérence f partielle	частичная когерентность
	partial colour blindness, dichromatic vision, dichromatism	Dichromasie f, partielle Farbenblindheit f, Dichromatopsie f, Zweifarbenblindheit f	dichromatisme m, déficience f partielle de la vision des couleurs	дихромазия, дихроматизм, частичная недостаточность цветового зрения
	partial combustion, incomplete combustion	unvollständige Verbrennung f, Teilverbrennung f	combustion f incomplète, combustion partielle	неполное сгорание, частичное сгорание
	partial compensation of loss	s. reversal of damping		
	partial condensation, dephlegmation	Teilkondensation f, partielle (teilweise) Kondensation f, Dephlegmation f	condensation f partielle, déflegmation f, déphlegmation f	дефлегмация; частичная конденсация, неполная конденсация
	partial condenser	s. dephlegmator		
P 344a	**partial contingency**	partielle Kontingenz f	contingence f partielle	частичная сопряженность
P 345	**partial conversion coefficient**	partieller Konversionsfaktor m	facteur m de conversion partiel	парциальный коэффициент конверсии
P 346	**partial correlation**	partielle (bereinigte) Korrelation f, Partialkorrelation f, Teilkorrelation f	corrélation f partielle	частная корреляция
P 347	**partial correlation coefficient**	partieller (bereinigter) Korrelationskoeffizient m	coefficient m de corrélation partielle	коэффициент частной корреляции
P 348	**partial cross-section**	partieller Wirkungsquerschnitt m, Partialquerschnitt m	section f efficace partielle, section partielle	парциальное сечение
P 349	**partial current density**	Teilstromdichte f	densité f de courant partielle	частичная (парциальная) плотность тока
P 350	**partial deformation**	Teilverformung f	déformation f partielle	частичная деформация
P 351	**partial degeneracy**	teilweise Entartung f, Teilentartung f	dégénérescence f partielle	частичное вырождение
P 352	**partial demagnetization**	partielle Entmagnetisierung f	démagnétisation (désaimantation) f partielle	частичное размагничивание
P 353	**partial derivative**, partial differential coefficient	partielle Ableitung f	dérivée f partielle	частная производная
P 354	**partial difference quotient**	partieller Differenzenquotient m	quotient m des différences partiel	частная разделенная разность

	English	German	French	Russian
P 355	**partial differential,** intermediate differential	partielles Differential n	différentielle f partielle	частный дифференциал
	partial differential coefficient, partial derivative	partielle Ableitung f	dérivée f partielle	частная производная
P 356	**partial differential equation**	partielle Differential-gleichung f	équation f aux dérivées partielles	уравнение в частных производных
	partial differential equation of Hamilton-Jacobi	s. Hamilton-Jacobi equation		
P 357	**partial diffusion coefficient**	partieller Diffusions-koeffizient m	coefficient m de diffusion partielle	парциальный коэффи-циент диффузии
P 358	**partial dilution heat,** partial heat of dilution	partielle Verdünnungs-wärme f	chaleur f partielle de dilution	парциальная теплота разбавления
P 359	**partial discharge**	Teilentladung f	décharge f partielle	частичный (неполный) разряд
P 360	**partial disintegration constant**	partielle Zerfallskonstante f	constante f de désinté-gration partielle	парциальная постоянная распада
	partial dislocation	s. half[-] dislocation		
P 360a	**partial dispersion**	partielle Dispersion f	dispersion f partielle	частичная (частная) дис-персия
	partial domain	s. subdomain <math.>		
P 361	**partial eclipse,** penumbral eclipse	partielle Finsternis f, teil-weise Verfinsterung f, Halbschattenfinsternis f	éclipse f partielle	частное затмение, полу-теневое затмение
	partial eclipse of the Sun	s. partial solar eclipse		
P 362	**partial emissivity,** partial emittance	Teilstrahlungsvermögen n	pouvoir m émissif partiel	частичная эмиссионная способность
P 363	**partial energy**	Partialenergie f	énergie f partielle	парциальная энергия
P 364	**partial entropy**	Partialentropie f	entropie f partielle	парциальная энтропия
P 365	**partial equilibrium**	Teilgleichgewicht n, par-tielles Gleichgewicht n, Partialgleichgewicht n	équilibre m partiel	частное равновесие, парциальное равно-весие, частичное равновесие
P 366	**partial evaporation,** incomplete evaporation	Teilverdampfung f, unvollständige Ver-dampfung f	évaporation f partielle, évaporation incomplète	частичное испарение, неполное испарение
P 367	**partial excitation**	Teilerregung f	excitation f partielle	частичное (неполное) возбуждение
	partial exposure, partial body irradiation	Teilkörperbestrahlung f, Teilbestrahlung f	irradiation f partielle [du corps]	частичное облучение [тела]
P 368	**partial fraction**	Partialbruch m	élément m simple	элементарная дробь, простейшая дробь
P 369	**partial fraction expansion,** expressing in partial fractions, decomposition into partial fractions	Partialbruchzerlegung f	décomposition f en éléments simples	разложение на про-стейшие дроби, раз-ложение на элемен-тарные дроби
P 370	**partial-fraction net-work**	Partialbruchschaltung f	réseau m dipôle à éléments simples	двухполюсник, элементы которого представляют члены разложения на простейшие дроби
	partial heat of dilution	s. partial dilution heat		
P 371	**partial horopter**	Partialhoropter m, Linien-horopter m, partieller Horopter m	horoptère m partiel	парциальный гороптер, частичный гороптер
	partial image, split image	Teilbild n	image f partielle	частичное изображение
P 372	**partial inductance**	Teilinduktivität f	inductance f partielle	частичная индуктив-ность
	partial integration	s. integration by parts		
P 373	**partial internal energy**	innere Partialenergie f	énergie f partielle interne	внутренняя частичная энергия
P 374	**partial ionization**	Teilionisation f, Teilioni-sierung f, teilweise (partielle) Ionisierung f	ionisation f partielle	неполная ионизация, частичная ионизация
P 375	**partial level width,** partial width	Partialbreite f, partielle Niveaubreite f	largeur f partielle [de niveau]	парциальная ширина [уровня]
P 376	**partial load;** sub-load	Teillast f, Teilbelastung f	charge f partielle	частичная (неполная) нагрузка
P 377	**partial luminous flux**	Teillichtstrom m	flux m lumineux (de lumière) partiel	частичный световой поток
P 378	**partially coherent**	teilkohärent, teilweise (partiell) kohärent	partiellement cohérent	частично когерентный
P 379	**partially crystalline**	partiell kristallin	partiellement cristallin	частично кристалли-ческий
P 380	**partially degenerate**	teilweise entartet	partiellement dégénéré	частично вырожденный
	partially dissoluble, partially soluble	teillöslich, teilweise (un-vollständig, partiell) löslich	partiellement dissoluble, partiellement soluble	неполностью раствори-мый, частично рас-творимый
	partially enclosed, screened <of apparatuses>	gegen zufällige Berührung geschützt <Geräte>	protégé contre les contacts accidentels <d'appareils>	частично закрытый <о приборах>
P 381	**partially evacuated**	teilevakuiert	partiellement évacué, à vide partiel	частично откачиванный
P 382	**partially miscible,** partly miscible	teilweise (unvollständig, partiell) mischbar	partiellement miscible	частично смешивающийся
P 383	**partially occupied band**	teilbesetztes Energieband n, teilweise besetztes Energieband	bande f partiellement occupée	частично заполненная полоса
P 384	**partially ordered set,** ordered set, partly ordered set <math.>	halbgeordnete (partiell geordnete, teilweise geordnete, t-geordnete) Menge f, Verein m <Math.>	ensemble m ordonné (d'élé-ments partiellement or-donnés, d'éléments semi-ordonnés, partiellement ordonné, semi-ordonné)	[частично] упорядоченное множество <матем.>

P 385	**partially ordered state**	teilweise geordneter Zustand m, teilgeordneter Zustand	état m à ordre partiel	частично-упорядоченное состояние
P 386	**partially polarized**	teilweise polarisiert, teilpolarisiert	partiellement polarisé	частично поляризованный
P 387	**partially reflected**	partiell (teilweise) reflektiert, teilreflektiert	partiellement réfléchi, partiellement reflété	частично отраженный
P 388	**partially soluble,** partielly dissoluble	teillöslich, teilweise (unvollständig, partiell) löslich	partiellement dissoluble, partiellement soluble	неполностью растворимый, частично растворимый
	partially transmitting, semi-transparent, semi-opaque <opt.>	halbdurchlässig, teildurchlässig, teilweise durchlässig <Opt.>	semi-transparent <opt.>	полупропускающий, полупрозрачный, полупроницаемый <опт.>
	partial matrix, submatrix	Untermatrix f, Teilmatrix f	sous-matrice f, matrice f partielle	подматрица, частичная матрица
P 389	**partial miscibility,** incomplete miscibility	unvollständige (teilweise, partielle) Mischbarkeit f, Teilmischbarkeit f	miscibilité f partielle, miscibilité incomplète	частичная смешиваемость, неполная смешиваемость
	partial mode; partial wave; subwave	Teilwelle f, Partialwelle f	onde f partielle	парциальная волна
	partial molal free energy	s. chemical potential		
P 390	**partial molar heat**	partielle Molwärme f	chaleur f molaire partielle	парциальная молярная теплоемкость
P 391	**partial molar quantity**	partielle molare Größe f	quantité f molaire partielle	парциальная мольная (молярная) величина
P 392	**partial node**	Teilknoten m	nœud m partiel	частичный узел
P 393	**partial ordering**	Halbordnung f, Partialordnung f, teilweise Ordnung f, t-Ordnung f	ordre m partiell	частичное упорядочение
P 394	**partial oscillation,** partial vibration	Partialschwingung f, Teilschwingung f	oscillation f partielle, vibration f partielle	[гармоническая] составляющая колебания, частичное колебание
	partial overtone	s. partial <ac.>		
P 395	**partial Paschen-Back effect**	partieller Paschen-Back-Effekt m	effet m Paschen-Back partiel	частный эффект Пашена-Бака
	partial pitch	s. partial step		
P 396	**partial polarization**	Teilpolarisation f, teilweise (partielle) Polarisation f	polarisation f partielle	частичная поляризация
P 397	**partial pole**	Teilpol m	pôle m partiel	частичный полюс
P 398	**partial potential,** partial thermodynamic potential <of n-th order>	partielles [thermodynamisches] Potential m, Teilpotential n <n-ter Ord­nung>	potentiel m partiel, potentiel thermodynamique partiel <d'ordre n>	частичный потенциал, парциальный потенциал <порядка n>
P 399	**partial pressure**	Partialdruck m, partieller Druck m, Teildruck m; Partialdampfdruck m	pression f partielle	парциальное давление
P 400	**partial pressure gradient**	Partialdruckgefälle n	gradient m de pression partielle	перепад парциального давления
	partial problem, subproblem	Teilproblem n	sous-problème m, problème m partiel	подзадача, частная задача
P 401/2	**partial pulse**	Teilimpuls m	impulsion f partielle	частичный импульс
	partial racemate	s. quasi[-] racemate		
P 403	**partial racemization**	partielle Razemisierung f	racémisation f partielle	неполная рацемизация
P 404	**partial radiation**	Teilstrahlung f	radiation f partielle, rayonnement m partiel	частичное излучение
P 405	**partial radiation pyrometer**	Teilstrahlungspyrometer n	pyromètre m à radiation partielle	[оптический] пирометр частичного излучения
P 406	**partial radiation thermometer**	Teilstrahlungsthermometer n	thermomètre m à radiation partielle	[оптический] термометр частичного излучения
P 406a	**partial range,** quasi range	partielle Spannweite f	étendue f partielle	неполный размах
P 407	**partial reaction**	Teilreaktion f	réaction f partielle	частичная реакция, парциальная реакция
	partial reaction width, channel width <nucl.>	Kanalbreite f, Partialbreite f des Kanals <Kern.>	largeur f du canal, largeur de canal <nucl.>	ширина канала <яд.>
P 408	**partial reflection**	partielle (teilweise) Reflexion f, Teilreflexion f	réflexion f partielle	частичное отражение
	partial resonance	s. subresonance		
	partial restoring time	s. hangover time		
	partial reversal of damping	s. reversal of damping		
P 409	**partial saturation**	partielle Sättigung f, Teilsättigung f	saturation f partielle	частичное насыщение
P 410	**partial scattering cross-section**	partieller Streuquerschnitt m	section f [efficace] partielle de diffusion	парциальное сечение рассеяния
	partial series	s. harmonic series		
	partial shadow, penumbra, half shade (shadow)	Halbschatten m, Penumbra f	pénombre f	полутень
P 411	**partial sideband suppression,** partial suppression of sideband	Seitenbandbeschneidung f	suppression f partielle de la bande latérale	частичное подавление боковой полосы
P 412	**partial solar eclipse,** partial eclipse of the Sun	partielle Sonnenfinsternis f	éclipse f partielle du Soleil	част[ич]ное солнечное затмение, част[ич]ное затмение Солнца
P 413	**partial solarization**	Teilsolarisation f	solarisation f partielle	частичная соляризация
	partial specific Gibbs function	s. chemical potential		
P 414	**partial specific quantity**	partielle spezifische Größe f	quantité f molaire spécifique	удельная мольная (молярная) величина
P 414a	**partial step; partial pitch**	Teilschritt m	pas m partiel	частичный шаг

P 415	partial sum	Partialsumme f, Teil-summe f	somme f partielle	частичная сумма, подсумма
	partial suppression of sideband, partial sideband suppression	Seitenbandbeschneidung f	suppression f partielle de la bande latérale	частичное подавление боковой полосы
	partial thermodynamic potential	s. partial potential <of n-th order>		
P 416	partial tide	Partialtide f, partielle Tide f, Teiltide f, Teilgezeit f, Teilwelle f <Geo.>	marée f partielle	частичный прилив
	partial tone, partial [overtone], overtone <ac.>	Teilton m, Partialton m, Oberton m <Ak.>	son m accessoire non harmonique, son partiel <ac.>	обертон, частичный (частный, составляющий) тон <ак.>
P 417	partial transference (transport) number	partielle Überführungs-zahl f,	nombre m de transport partiel	парциальное (частичное) число переноса
	partial vacuum	s. fore-vacuum		
	partial vacuum	s. underpressure		
P 418	partial valence, partial valency, residual valence (valency)	Partialvalenz f, Rest-valenz f, Teilvalenz f, Teilwertigkeit f	valence f partielle (résiduelle)	парциальная (остаточ-ная, частичная, част-ная) валентность
	partial valence	s. a. secondary valence		
P 419	partial valence theory	Partialvalenztheorie f	théorie f des valences partielles	теория парциальных валентностей
	partial valency	s. partial valence		
	partial vibration, partial oscillation	Partialschwingung f, Teil-schwingung f	oscillation f partielle, vibration f partielle	[гармоническая] со-ставляющая колеба-ния, частичное коле-бание
P 420	partial voltage, voltage fraction (component), component of the voltage	Teilspannung f	tension f partielle, composante f de tension	частичное (составляю-щее) напряжение, составляющая часть напряжения
P 421	partial voltage polygon	Teilspannungspolygon n	polygone m des tensions partielles	многоугольник частичных напряжений
P 422	partial volume	Partialvolumen n, partielles Volumen f	volume m partiel	парциальный объем
P 423	partial wave; partial mode; subwave	Teilwelle f, Partialwelle f	onde f partielle	парциальная волна
P 424	partial wave method, method of partial waves	Partialwellenmethode f, Teilwellenmethode f, Methode f der Partial-wellen	méthode f des ondes partielles	метод парциальных (частичных) волн, пар-циально-волновой метод
P 425	partial wave solution	Partialwellenlösung f, Teilwellenlösung f	solution f par les ondes partielles	решение методом пар-циальных волн
	partial width, partial level width	Partialbreite f, partielle Niveaubreite f	largeur f partielle [de niveau]	парциальная ширина [уровня]
P 426	particle	Teilchen n; Partikel f <pl.: Partikeln>	particule f	частица; частичка
	particle	s. a. material point		
	particle accelerator	s. atomic particle accelerator		
P 427	particle aspect <of matter>	Teilchenbild n, Teilchen-aspekt m, Partikelbild n, Partikelaspekt m <der Materie>	aspect m corpusculaire (cor-puscule, particulaire, particule), point m de vue particulaire, image f cor-pusculaire <de la matière>	частичный аспект <вещества>
P 428	particle beam, beam <acc.>	Teilchenstrahl m, Strahl m <Beschl.>	faisceau m de particules, faisceau <acc.>	пучок частиц, пучок <уск.>
P 429	particle capture <acc.>	Teilcheneinfang m <Beschl.>	accrochage m (capture f) des particules <acc.>	захват частиц [в ускори-тельный цикл]
	particle current, accelera-ted [particle] current, current of accelerated particles <acc.>	Teilchenstrom m <Beschl.>	courant m des particules [accélérées] <acc.>	ток ускоренных частиц <уск.>
P 430	particle displacement <ac.>	Schallausschlag m, Teilchen-verschiebung f <Ak.>	déplacement m des parti-cules <ac.>	колебательное смещение, амплитуда звуковых колебаний <ак.>
P 431	particle dynamics	Teilchendynamik f, Dyna-mik f der Teilchen	dynamique f [du mouve-ment] des particules, dynamique particulaire (corpusculaire)	динамика движения ча-стиц, динамика частиц
P 432	particle family	Teilchenfamilie f	famille f de particules	семейство частиц
	particle flow, corpuscular stream	Teilchenstrom m, Partikel-strom m, Korpuskelstrom m	courant m corpusculaire	корпускулярный поток, поток частиц
P 433	particle fluence, fluence <bio.>	Teilchenfluenz f, Fluenz f <Bio.>	fluence f de particules, fluence <bio.>	поток частиц <био.>
P 434	particle fluence build-up factor	Teilchenfluenz-Aufbau-faktor m	facteur m d'accumulation de fluence [des particules]	коэффициент накопления потока частиц
P 435	particle flux, flux of particles	Teilchenfluß m	flux m de particules	поток частиц
P 436	particle flux [density]	Teilchenstromdichte f; Teilchenflußdichte f, Teilchenfluß m	densité f de flux des parti-cules, flux m de particules	плотность потока частиц, поток частиц
P 437	particle flux density, flux density, fluence rate <bio.>	Teilchenflußdichte f, Fluß-dichte f, Fluenzleistung f <Bio.>	débit m de fluence, densité f de flux [de particules], flux m surfacique [de particules] <bio.>	плотность потока частиц <био.>
	particle function, particle wave function	Teilchen[wellen]funktion f, Wellenfunktion f des Teilchens	fonction f d'onde de la particule, fonction de la particule	волновая функция части-цы, функция частицы
P 438	particle-hole theorem	Teilchen-Loch-Theorem n	théorème m particule-trou	теорема частица-дырка
P 439	particle level width, particle width	Teilchenniveaubreite f, Teilchenbreite f	largeur f de niveau pour la particule	ширина уровня для частицы

P 440	particle localization	Teilchenort[s]messung f, Teilchenlokalisierung f	localisation f de la particule	локализация частицы
P 441	particle mass	Teilchenmasse f	masse f de la particule	масса частицы
	particle mass, point (concentrated) mass	Punktmasse f, konzentrierte Masse f	masse f ponctuelle	точечная масса
P 442	particle momentum	Teilchenimpuls m	quantité f de mouvement de la particule, impulsion f de la particule	импульс частицы, количество движения частицы
	particle number, number of particles; particulate number <of aerosol>	Teilchenzahl f	nombre m des particules	количество частиц, число частиц
P 443	particle number conservation law, law of conservation of particle number	Satz m von der Erhaltung der Teilchenzahl, Teilchenzahlerhaltungssatz m, Erhaltungssatz m der Teilchenzahl	loi f de la conservation du nombre des particules	закон сохранения числа частиц
P 443a	particle number density operator	Teilchen[anzahl]dichteoperator m, Operator m der Einteilchen-Dichtematrix	opérateur m [du] nombre volumique de particules	оператор плотности [числа] частиц
P 444	particle number operator, operator of particle number	Teilchenzahloperator m	opérateur m [de] nombre de particules	оператор количества частиц, оператор числа частиц
	particle of air, air particle	Luftpartikel f, Luftteilchen n	particule f d'air	частица воздуха, воздушная частица
P 445	particle of finite rest mass	Teilchen n endlicher Ruhemasse	particule f de masse au repos finie	частица с конечной массой покоя
P 445a	particle optics	Korpuskularoptik f	optique f corpusculaire	корпускулярная оптика
P 446	particle-orbit contractor, orbit contractor	Teilchenbahnkontraktor m, Bahnkontraktor m	contracteur m de l'orbite [des particules]	контрактор орбиты [частиц]
P 447	particle-orbit expander, orbit expander	Teilchenbahndehner m, Bahndehner m, Teilchenbahnexpander m, Bahnexpander m	dilatateur m de l'orbite [des particules]	устройство, смещающее замкнутую орбиту [частиц]
	particle pair density, density of particle pairs	Teilchenpaardichte f	densité f double [des particules]	плотность пар частиц
P 448	particle production [in nuclear collisions]	Teilchenerzeugung f [durch Kernstöße]	production (génération, création) f de particules [dans les collisions nucléaires]	генерация частиц [при ядерных столкновениях]
	particle pulse, pulse of particles	Teilchenimpuls m	bouffée f de particules	импульс корпускулярного излучения, импульс частиц
	particle radiation	s. corpuscular radiation		
P 449	particle-rich shower	teilchenreicher Schauer m	gerbe f riche en particules	ливень с большим количеством частиц
	particle rigidity	s. magnetic rigidity		
P 450	particle size	Teilchengröße f, Partikelgröße f	taille f de la particule	размеры частицы
P 451	particle-size analysis, granulation (granulometric, sieve, sieving, screen) analysis, sieve (screen) test, mesh analysis	Siebanalyse f, Körnungsanalyse f, Siebversuch m	analyse f granulométrique, analyse au tamis, analyse de tamisage, meillage m	ситовый анализ, гранулометрический анализ, анализ зернистости, механический анализ методом просеивания
	particle size distribution, size distribution	Korn[größen]verteilung f, Körnung f, Kornzusammensetzung f	répartition f granulométrique (des grains par taille)	распределение размеров зерен, гранулометрический состав
	particle-size distribution curve	s. granulometric curve		
P 452	particle spectrum	Teilchenspektrum n	spectre m des particules	спектр частиц
	particle track	s. track [of the particle]		
P 453	particle transfer (transport)	Teilchenübertragung f, Teilchentransport m	transfert m de particules	перенос частиц
P 454	particle velocity, acoustic[al] particle velocity, sound particle velocity, acoustic[al] velocity <ac.>	Schallschnelle f <Ak.>	vitesse f acoustique, vitesse vibratoire <ac.>	колебательная скорость [частиц], акустическая скорость [частиц] <ак.>
P 455	particle wave function, particle function	Teilchen[wellen]funktion f, Wellenfunktion f des Teilchens	fonction f d'onde de la particule, fonction de la particule	волновая функция частицы, функция частицы
	particle width, particle level width	Teilchenniveaubreite f, Teilchenbreite f	largeur f de niveau pour la particule	ширина уровня для частицы
	particle with half-integer spin, fermion, Fermi-[-Dirac] particle	Fermion n, Fermi[-Dirac]-Teilchen n	fermion m, particule f de Fermi	фермион, ферми-частица, частица Ферми
	particle with spin, spin particle	Teilchen n mit Spin, Spinteilchen n	particule f avec spin (le spin inégal au zéro)	частица, обладающая спином
	particle with spin $\frac{1}{2}$, spin $\frac{1}{2}$ particle	Spin-$\frac{1}{2}$-Teilchen n, Teilchen n mit dem Spin $\frac{1}{2}$	spinion m, pàrticule f de spin $\frac{1}{2}$	частица со спином $\frac{1}{2}$; частица, обладающая спином $\frac{1}{2}$
	particle with spin 1, spin 1 particle	Spin-1-Teilchen n, Teilchen n mit dem Spin 1	particule f de spin 1	частица со спином 1; частица, обладающая спином 1
P 456	particular case, special case	Spezialfall m, spezieller Fall m, Sonderfall m	cas m spécial, cas particulier	особый случай; отдельный случай
	particular integral	s. particular solution		
P 457	particular solution, particular integral	partikuläre (spezielle, individuelle) Lösung f, partikuläres Integral n, Einzellösung f, Partiallösung f	solution f particulière, intégrale f particulière	частное решение, частный интеграл
	particulate	s. aerosol particulate		

	English	German	French	Russian
	particulate number <of aerosol>; number of particles, particle number	Teilchenzahl f	nombre m des particules	количество частиц, число частиц
	particulate of aerosol	s. aerosol particulate		
	parting; separation, separation of sizes	Scheidung f	triage m	обогащение, сортировка, разборка
	parting	s. a. separation		
	parting	s. a. partition <chem.>		
	parting agent	s. abherent		
	parting surface	s. interface		
P 458	**partition**, partitioning, segmentation, sectionalization, subdivision	Unterteilung f	sectionnement m; segmentation f	секционирование, расчленение
P 459	**partition**, dividing (inner) partition, partition wall, dividing wall, parting; diaphragm; baffle; septum <chem.>	Trennwand f, Trennungswand f, Scheidewand f. Zwischenwand f; Diaphragma n <Chem.>	cloison f, surface-cloison f; entre-deux m; diaphragme m <chim.>	[разделительная] перегородка; междуфазная перегородка; переборка; промежуточная стенка; простенок; диафрагма <хим.>
P 460	**partition** <math.>	Partition f <Math.>	partition f <math.>	разбиение, партиция <матем.>
	partition	s. a. distribution		
	partition	s. a. separation		
	partition chart, distribution chart (map), partition map	Verteilungskarte f	carte f de répartition, carte de distribution	карта распределения
P 461	**partition chromatography**, liquid-liquid chromatography, partography	Verteilungschromatographie f	chromatographie f de partage, chromatographie liquide-liquide, partographie f	распределительная хроматография
	partition coefficient	s. distribution coefficient		
	partitioned matrix	s. hypermatrix		
P 462	**partition function**, sum over states, sum-over-states, zustandssumme, state sum <therm.>	Zustandssumme f [von Planck], Plancksche Zustandssumme, Verteilungsfunktion f <Therm.>	fonction f de partition, somme f des états, somme d'états, zustandssumme f [de Planck] <therm.>	сумма по состояниям, сумма состояния <тепл.>
	partition function	s. a. distribution function		
	partition function of external rotation, external rotation partition function	Zustandssumme f der äußeren Rotation	fonction f de partition de la rotation externe	сумма по состояниям внешнего вращения
P 463	**partition function of internal molecular motions**	Zustandssumme f der inneren Molekülbewegungen	fonction f de partition des mouvements internes de la molécule	сумма по состояниям внутренних движений молекулы
	partition function of internal rotation, internal rotation partition function	Zustandssumme f der inneren Rotation	fonction f de partition de la rotation interne	сумма по состояниям внутреннего вращения
P 464	**partition function of the molecule**	Zustandssumme f des Moleküls, Molekülzustandssumme f	fonction f de partition de la molécule	сумма по состояниям молекулы
P 465	**partition-function ratio**	Zustandssummenverhältnis n	rapport m de sommes des états, rapport des fonctions de partition	отношение сумм по состояниям
	partitioning	s. partition		
	partition law, distribution law	Verteilungsgesetz n	loi f de distribution, loi de répartition	закон распределения; закон распространения <напр. минералов>
	partition law [of Nernst]	s. Nernst distribution law		
	partition map, distribution chart (map), partition chart	Verteilungskarte f	carte f de répartition, carte de distribution	карта распределения
	partition method, barrier diffusion method	Trennwanddiffusionsverfahren n, Isotopentrennung f durch Diffusion durch eine poröse Wand	méthode f de la diffusion gazeuse à travers une barrière	метод разделения при диффузии через пористую перегородку
P 466	**partition noise**, [current] distribution noise, fluctuation noise, distribution fluctuation[s]	Stromverteilungsrauschen n, Verteilungsrauschen n	bruit m de partition (distribution), bruit de répartition de courant[s], bruit de distribution de courant[s]	шум токораспределения, шумовая помеха при распределении тока, шум распределения тока
P 467	**partition ratio**	Stromübernahmeverhältnis n	rapport m de transfert en courant	коэффициент передачи тока
	partition wall	s. partition <chem.>		
	partly crystalline, hypocrystalline	hypokristallin	hypocristallin	полукристаллический, гипокристаллический
P 468	**partly miscible**, partially miscible	teilweise (unvollständig, partiell) mischbar	partiellement miscible	частично смешивающийся
	partly open interval	s. half-closed interval		
	partly ordered set	s. partially ordered set		
P 469	**partly transistorized**, part-transistorized	teiltransistorisiert, teilweise transistorbestückt	partiellement transistorisé	частично обнаруженный на полупроводниковых триодах
	part of reflected intensity	s. reflected intensity		
	part of the spectrum	s. spectral region		
	part of transmitted intensity	s. transmitted intensity		
	partography	s. partition chromatography		
P 469a	**parton**	Parton n	parton m	партон
P 470	**part per billion**, p.p.b., ppb <= 10^{-9} $\triangle$ 10^{-7} vol.%>	Teil m pro Milliarde, part per billion, ppb <= 10^{-9} $\triangle$ 10^{-7} Vol.-%>	part f par billion, p. p. b., ppb <= 10^{-9} $\triangle$ 10^{-7} vol.%>	часть на миллиард <= 10^{-9} $\triangle$ 10^{-7} об.%>

№	English	German	French	Russian
P 471	**part per million,** p.p.m., ppm $<= 10^{-6}$ $\triangle$ 10^{-4} vol.%>	Teil m pro Million, part per million, ppm $<= 10^{-6}$ $\triangle$ 10^{-4} Vol.-%>	part f par million, p. p. m., ppm $<= 10^{-6}$ $\triangle$ 10^{-4} vol.%>	часть на миллион $<= 10^{-6}$ $\triangle$ 10^{-4} об.%>
	part-transistorized, partly transistorized	teiltransistorisiert, teilweise transistorbestückt	partiellement transistorisé	частично обнаруженный на полупроводниковых триодах
P 472	**pascal,** Pa $<= 1\ N/m^2>$	Pascal n, Pa $<= 1\ N/m^2>$	pascal m $<= 1\ N/m^2>$	паскаль, na, Pa $<= 1\ н/м^2>$
	Pascal['s] distribution	s. Pólya['s] distribution		
	Pascalian liquid	s. ideal liquid		
P 473	**Pascal['s] law [of the transmissibility of hydrostatic pressure],** principle of Pascal, law of the transmissibility of pressure, theorem on the isotropy of pressure	Pascalsches Gesetz n, Druckfortpflanzungsgesetz n	principe m (loi f) de Pascal, principe de la transmission des pressions, loi de l'accroissement de la pression	принцип передачи давлений, закон Паскаля
	Pascal['s] limaçon	s. limaçon		
P 474	**Pascal['s] rule**	Pascalsche Regel f, Regel von P. Pascal	règle f de Pascal	правило Паскаля
P 475	**Pascal['s] triangle**	Pascalsches Zahlendreieck n, Pascalsches Dreieck n	triangle m arithmétique [de Pascal], triangle de Pascal	треугольник Паскаля, арифметический треугольник
P 476	**Paschen-Back effect**	Paschen-Back-Effekt m, magnetischer Verwandlungseffekt m	effet m Paschen-Back, effet Paschen et Back	эффект Пашена-Бака, явление Пашена-Бака
P 477	**Paschen circle**	Paschen-Kreis m	cercle m de Paschen	круг Пашена
P 478	**Paschen curve**	Paschen-Kurve f	courbe f de Paschen	кривая Пашена
P 479	**Paschen['s] law,** law of Paschen	Paschensches Gesetz n	loi f de Paschen	закон Пашена
P 480	**Paschen-Runge grating mounting, Paschen-Runge mounting [of diffraction grating]**	Runge-Paschensche Gitteraufstellung f, Paschen-Rungesche Gitteraufstellung	montage m de Paschen et Runge [du réseau de diffraction], monture f de Runge et Paschen [du réseau de diffraction]	установка решетки по Пашену и Рунге, установка решетки по Рунге-Пашену
P 481	**Paschen series**	Paschen-Serie f	série f de Paschen	серия Пашена, серия Пашена-Ритца
P 482	**pass,** passage <of piece in rolling>	Stich m, Walzstich m, Durchgang m <Walzen>	passe f <de laminage>	пропуск <через валки>
P 483	**passage,** passing	Durchzug m, Vorbeizug m, Vorüberzug m; Vorbeigang m; Vorbeilaufen n	passage m	прохождение
P 484	**passage,** transit <of a star>	Durchgang m; Vorübergang m <Gestirn>	passage m, transit m <d'une étoile>	прохождение <звезды>
	passage	s. a. pass <of piece in rolling>		
	passage	s. a. passing		
	passage grid controllance	s. penetrance		
	passage instrument	s. transit instrument <astr.>		
P 485	**passage of current,** current passage, current flow	Stromdurchgang m, Stromdurchfluß m, Stromfluß m	passage m de courant, écoulement m de courant	прохождение тока, протекание тока, поток тока
	passage of front, front passage	Frontdurchgang m, Durchgang m der Front, Frontpassage f	passage m de front	прохождение фронта
	passage of heat	s. transmission of heat		
	passage of zero [point]	s. zero passage		
	passage through the meridian	s. meridian transit		
P 486	**pass[-] band,** filter range; pass range; transmission range, free transmission range; transmission band	Durchlässigkeitsbereich m, Durchlässigkeitsband n, Durchlaßbereich m; nutzbare Bandbreite f	cannelure f, bande f passante, bande de transmission, domaine m passant	полоса пропускания, диапазон пропускания; полоса прозрачности
	pass-band damping, damping in the pass band	Lochdämpfung f, Durchlaßdämpfung f; Grunddämpfung f	affaiblissement m dans le domaine passant	затухание в полосе пропускания [фильтра]
	passing, passage	Durchzug m, Vorbeizug m, Vorüberzug m; Vorbeigang m; Vorbeilaufen n	passage m	прохождение
P 487	**passing,** passage, transmission, transit, traversing <of light, particles>	Durchgang m, Durchlaufung f, Durchlaufen n, Passieren n, Passage f, Durchgehen m, Durchtritt m, Durchsetzen n, Durchqueren n, Hindurchgehen n <Licht, Teilchen>	passage m [à travers], transmission f, traversement m, pénétration f <de la lumière, de particules>	прохождение, проход <света, частиц>
	passing electron, transelectron	Transelektron n	électron m de passage	пролетный электрон, пролетающий электрон
	passing motion [around]	s. flow around a body		
	passing-over	s. overrun		
P 488	**passing shower,** transient (local) shower	Strichregen m	pluie f partielle	местный дождь
	passing through the meridian	s. meridian transit		
	passing to the limit, limiting process	Grenzübergang m	passage m à la limite, processus m limite	предельный переход
	passivating	s. passivation		
	passivating agent	s. inhibitor <chem.>		
P 489	**passivation,** passivating, formation of protective film	Passivierung f, Schutzschichtbildung f, Deckschichtbildung f	passivation f, formation f de couche protectrice	пассивирование, пассивация, создание защитного слоя
P 490	**passivation potential**	Passivierungspotential n, Passivierungsspannung f	potentiel m de passivation	потенциал пассивации
	passivator	s. inhibitor <chem.>		

	English	German	French	Russian
P 491	passive, inactive, reactionless <chem.>	passiv, Passiv-, inaktiv, reaktionsträge <Chem.>	passif, inerte <chim.>	пассивный, бездеятельный, инертный, реакционноинертный, не вступающий в реакцию <хим.>
P 492	passive-active cell	Passiv-Aktiv-Element n	pile f passive-active, élément m passif-actif	активно-пассивный элемент
	passive antenna	s. parasitic element		
	passive drag	s. parasite drag		
	passive element of antenna	s. parasitic element		
P 493	passive film, passive layer	Passivschicht f	pellicule f passive, film m passif, couche f passive	пассивная пленка, пассивный слой
	passive flight	s. inertial flight		
P 494	passive gravitational mass	passive schwere Masse f	masse f grave passive	пассивная гравитационная масса
	passive layer, passive film	Passivschicht f	pellicule f passive, film m passif, couche f passive	пассивная пленка, пассивный слой
P 495	passive mass <of rocket>	passive Masse f <Rakete>	masse f passive <de la fusée>	пассивная масса <ракеты>
P 496	passive past	passive Vergangenheit f	passé m passif	пассивное прошлое
	passive resistance	s. parasite drag		
P 497	passive slip plane	nichtbetätigte Gleitebene f	plan m de glissement passif	неактивная плоскость скольжения
P 498	passive transducer	passiver Wandler m, passiver Transduktor m	transducteur m passif	пассивный преобразователь
	pass range	s. pass[-] band		
	pastagram, Bellamy pastagram	Bellamy-Diagramm n, Pastagramm n	diagramme m de Bellamy, pastagramme m	диаграмма Беллами, пастаграмма
P 499	paste cathode	Pastekatode f	cathode f pâteuse	катод, покрытый эмиттирующей пастой
P 500	pasted-plate accumulator	Bleiakkumulator m mit gepasteten Gitterplatten, Akkumulator m mit Gitterplatten	accumulateur m à plaques ajourées	решетчатый (пастированный) аккумулятор, аккумулятор с пастированными пластинками
P 501	pastel	Pastellfarbe f	pastel m	пастельный цвет, пастель
P 502	paste reactor	Pastenreaktor m	réacteur m à pâte combustible	[ядерный] реактор с топливом в виде пасты
P 503	pasting	Pastierung f	pâtement m	пастирование; намазка
	pasty, doughy	teigartig, teigig	pâteux	тестообразный
P 504	pasty state	teigiger Zustand m	état m pâteux	тестообразное состояние
	patch; spot <also el.>; speck	Fleck m	tache f; spot m <él.>	пятно
P 505	path, pathway, way; distance [passed through], distance covered, space passed through; travel; displacement	Weg m; Laufweg m; Flugweg m; Wegstrecke f, Laufstrecke f, Flugstrecke f, durchlaufene Strecke f, Strecke, zurückgelegter Weg	chemin m; parcours m; trajet m; voie f	путь; пробег; участок пути, отрезок пути; пройденное расстояние; пролетное расстояние, путь пролета; длина пробега
	path, path length	Weglänge f	parcours m, longueur (distance) f de parcours	длина пробега
	path	s. a. trajectory		
P 506	path amplitude	Wegamplitude f	amplitude f de chemin	амплитуда пути
	path analysis	s. path coefficient method		
P 507	path attenuation	Streckendämpfung f, Funkfelddämpfung f	affaiblissement m sur lignes hertziennes	затухание на участке линии
P 507a	path coefficient method, path analysis	Pfadkoeffizientenmethode f, Pfadanalyse f	méthode (analyse) f des coefficients de direction	метод путевых коэффициентов, анализ пути
P 508	path contraction	Bahnkontraktion f, Bahneinengung f	contraction f de la trajectoire	сужение пути
	path difference	s. difference of path <of rays>		
P 509	path element, element of path	Wegelement n	élément m de chemin	элемент пути
P 510	path group	Wegegruppe f	groupe m de chemins	группа путей
P 511	path inclination; inclination of orbit	Bahnneigung f	inclinaison f de la trajectoire; inclinaison de l'orbite	угол наклона траектории; наклон орбиты, наклонение орбиты
P 512	path length, path	Weglänge f	parcours m, longueur (distance) f de parcours	длина пробега
	path length	s. a. orbit circumference		
	path line	s. trajectory		
P 513	path of conduction <bio.>	Leitungsbahn f <Bio.>	voie f de conduction <bio.>	путь проводимости <био.>
	path of current	s. current path <el.>		
P 514	path of integration	Integrationsweg m	contour m (ligne f) d'intégration	путь интегрирования, линия интегрирования
P 515	path of leakage current, leakage current path <el.>	Leckweg m, Irrweg m <El.>	voie f (cheminement m) de courant de fuite <él.>	путь тока утечки <эл.>
P 516	path of rays, run of rays, ray[-] trajectory; trace of rays <US>	Strahlengang m, Strahlenverlauf m, Strahlenweg m, Strahlenbahn f	marche f (trajectoire f, trajet m, cheminement m) des rayons	ход лучей, путь лучей, траектория лучей
P 517	path of the hurricane, hurricane path	Asgardweg m, Asgardsweg m, zerstörende Bahn f der Trombe	route f Asgard, voie f [des destructions] de l'ouragan	путь разрушений [смерча], путь смерча
P 518	pathologic system	pathologisches System (Sternsystem) n	système m pathologique	патологическая система
	path resistance, bulk resistance	Bahnwiderstand m	résistance f de volume	объемное сопротивление, прямое сопротивление
P 519	path-time diagram; displace-time diagram	Weg-Zeit-Diagramm n, Weg-Zeit-Schaubild n	diagramme m parcours-temps, diagramme chemin-temps	пространственно-временной график <напр. движения электронов>, пространственно-временная диаграмма

P 520	**path-time law,** space-time law	Weg-Zeit-Gesetz n	loi f chemin-temps	пространственно-временной закон
	path velocity	s. orbital velocity		
	pathway	s. trajectory		
P 521	**pathway of the reaction**	Reaktionsbahn f	voie f de la réaction	путь реакции
	pattern	s. screen		
	pattern	s. version		
P 521a	**patterned sampling,** systematic sampling	systematische Probennahme f; systematisches Stichprobenverfahren n	échantillonnage m systématique, sondage m systématique	систематический выбор
	pattern of dislocation	s. dislocation array		
P 522	**pattern of the field,** field pattern, lines of force; field mapping; field map	Feld[linien]bild n, Feldlinien fpl, Kraftlinienbild n, [bildliche] Darstellung f des Feldes durch Feldlinien	lignes fpl de champ, lignes de force	силовые линии [поля], линии поля, картина поля, изображение силовых линий
	Patterson [diagram]	s. Patterson map		
P 523	**Patterson['s] function,** P-function	Pattersonsche Funktion f, Patterson-Funktion f, P-Funktion f	fonction f de Patterson, fonction P	функция Паттерсона, паттерсоновская (паттерсонова) функция, P-функция, функция P
P 524	**Patterson-Harker method,** Patterson['s] method	Patterson[-Harker]sches Verfahren n, Patterson-[Harker-]Verfahren n, Pattersonsche Methode f	méthode f de Patterson [et Harker]	метод Паттерсона-Харкера, метод Паттерсона
P 525	**Patterson map,** Patterson, Patterson diagram	Pattersonsche Karte f, Patterson-Karte f, Patterson-Diagramm n	carte f de Patterson, diagramme m de Patterson	диаграмма Паттерсона, паттерсоновская карта (диаграмма), диаграмма межатомных векторов
	Patterson['s] method	s. Patterson-Harker method		
P 526	**Patterson peak**	Patterson-Maximum n, Pattersonsches Maximum n	pic m de Patterson	максимум (пик) Паттерсона, паттерсоновский максимум (пик)
P 527	**Patterson projection**	Pattersonsche Projektion f, Patterson-Projektion f	projection f de Patterson	паттерсоновская (паттерсонова) проекция, проекция Паттерсона
P 528	**Patterson section**	Patterson-Schnitt m, Pattersonscher Schnitt m	section f de Patterson	сечение Паттерсона, паттерсоновское сечение, сечение Харкера
	Patterson series	s. Patterson synthesis		
P 529	**Patterson space**	Patterson-Raum m	espace m de Patterson	паттерсоновское (паттерсоново) пространство
P 530	**Patterson synthesis,** Patterson series, F^2 series	Pattersonsche Synthese f, Patterson-Synthese f, Patterson-Reihe f, Pattersonsche Reihe f, F^2-Reihe f	synthèse f de Patterson, série f de Patterson, série F^2	синтез (ряд) Паттерсона, синтез межатомной функции, паттерсоновский (паттерсонов) ряд, F^2-ряд
P 531	**paucimolecular film,** paucimolecular layer	paucimolekulare Schicht f, paucimolekularer Film m	film m paucimoléculaire, couche f paucimoléculaire	маломолекулярный слой, маломолекулярная пленка
P 532	**Pauli['s] algebra**	Paulische Algebra f	algèbre f de Pauli	алгебра Паули
P 533	**Pauli approximation**	Pauli-Näherung f, Paulische Näherung f	approximation f de Pauli	приближение Паули
P 534	**Pauli equation**	Pauli-Gleichung f, Paulische Gleichung f	équation f de Pauli	уравнение Паули
	Pauli['s] exclusion principle	s. exclusion principle		
P 535	**Pauli function**	Pauli-Funktion f, Paulische Funktion f	fonction f de Pauli	функция Паули
	Pauli['s] g-sum rule	s. g sum rule		
P 536	**Pauli-Gürsey transformation**	Pauli-Gürsey-Transformation f, Pauli-Gürseysche Transformation f	transformation f de Pauli et Gürsey, transformation de Pauli-Gürsey	преобразование Паули-Гюрши
P 536a	**Pauli-Jordan commutation function**	Pauli-Jordansche Vertauschungsfunktion f	fonction f de commutation de Pauli-Jordan	перестановочная функция Паули-Иордана
	Pauli line, Pauli straight line	Pauli-Gerade f	droite f de Pauli	прямая Паули
	Pauli matrix	s. Pauli spin matrix		
	Pauling rule, magnetic criterion [of bond type] <of Pauling>	magnetisches Kriterium n [von Pauling], Paulingsches Kriterium n, Paulingsche Regel f	critère m magnétique [de liaison] <de Pauling>, règle f de Pauling	магнитный критерий химической связи [Полинга], правило Полинга
P 537	**Pauli operator,** Pauli spin operator	Pauli-Operator m, Paulischer Operator m	opérateur m de Pauli	паули-оператор, оператор Паули
P 538	**Pauli paramagnetism**	Pauli-Paramagnetismus m, Paulischer Paramagnetismus m	paramagnétisme m de Pauli	парамагнетизм Паули
	Pauli['s] principle	s. exclusion principle		
P 539	**Pauli representation**	Pauli-Darstellung f, Paulische Darstellung f	représentation f de Pauli	представление Паули
P 540	**Pauli spin matrix,** spin matrix [of Pauli], [two-by-two] Pauli matrix	Paulische Spinmatrix (Matrix) f, Spinmatrix [von Pauli], Pauli-Matrix f	matrice f de Pauli, matrice de spin de Pauli, matrice de spin	спиновая матрица Паули, матрица Паули, спиновая матрица
	Pauli spin susceptibility	s. spin susceptibility		
P 541	**Pauli straight line,** Pauli line	Pauli-Gerade f	droite f de Pauli	прямая Паули
P 542	**Pauli system**	Pauli-System n	système m de Pauli	паули-система
P 543	**Pauli['s] theorem**	Pauli-Theorem n, Paulisches Theorem n, Satz m von Pauli	théorème m de Pauli	теорема Паули
	Pauli vacancy principle	s. electron-shell structure		

	English	German	French	Russian
	pA value, pA, pA number	pA-Wert m, pA	pA, valeur f pA	pA
P 544	PA view, PA projection, posterior-anterior view, anterior projection, frontal projection	Projektion f von hinten nach vorn	vue f PA, projection f PA, vue postéro-antérieure, projection antérieure (frontale)	заднепередняя проекция
P 545	pawl and ratchet motion, ratchet motion, ratchet wheel drive, rack wheel	Zahngesperre n, Klinkengesperre n, Klinkenschaltwerk n, Zahnklinkenschaltwerk n	encliquetage m à rochet, roue f à rochet	храповик с собачкой, храповой затвор, зубчатый затвор (останов, тормоз)
P 546	pawl wheel, ratchet wheel	Sperrad n	roue f à cliquet (chien)	храповое колесо
P 547	Pawsey stub	Pawseyscher Symmetriertopf m, Pawsey-Symmetriertopf m	stub m de Pawsey	шлейф Поусей
P 548	payload <of the rocket>	Nutzlast f <Rakete>	charge f payante, charge utile <de la fusée>	полезная (платная) нагрузка, полезный груз <ракеты>
P 549	payload ratio	Nutzlastverhältnis n	rapport m de charge utile	отношение полезного груза, отношение массы ступени к массе ее платной нагрузки
P 550	P band <0.225−0.39 or 12.4−18 Gc/s>	P-Band n <0,225···0,39 oder 12,4···18 GHz>	gamme f P [de fréquences], bande f P [de fréquences] <0,225−0,39 ou 12,4−18 Gc/s>	диапазон P [частот] <0,225 ÷ 0,39 или 12,4 ÷ 18 Ггц>
P 551	P-branch, negative branch	P-Zweig m, negativer Zweig m	branche f P, branche négative	Р-ветвь, отрицательная ветвь
P 552	PC invariance	PC-Invarianz f	invariance f PC	PC-инвариантность
	p-compound, para-compound, para-substitution compound	para-Verbindung f, p-Verbindung f	composé m par para-substitution, composé m, p-composé m	парасоединение, паразамещенное соединение, p-соединение
	p-conducting, p-type	p-leitend, p-, p-Typ-, defektleitend	à conduction par trous (lacunes), type p, p	с дырочной проводимостью
	P. control	s. proportional control		
	P. controller	s. proportional controller		
P 553	P Cygni star	P Cygni-Stern m	étoile f P Cygni	звезда типа P Лебедя
	P.D. control	s. proportional derivative control		
	P.D. controller	s. proportional and derivative action controller		
P 553a	pD value, pD	pD-Wert m, pD	valeur f pD, pD	pD, фактор pD
P 553b	Peach-Koehler equation	Peach-Koehler-Gleichung f	équation f de Peach-Koehler	уравнение Пича-Келера
P 554	peak, line, maximum	Peak m, Linie f, [scharfes] Maximum n, Gipfel m; Berg m, Spitze f <Chromatographie>	pic m, ligne f, raie f, maximum m, sommet m	пик, линия, [острый] максимум, вершина
P 555	peak, peak value, crest [value] <US>, apex, summit <gen.>	Scheitelwert m, Gipfelwert m, Scheitel m <allg.>	valeur f de crête, crête f, sommet m, maximum m <gén.>	максимальное (пиковое) значение, вершина, пик <общ.>
	peak ammeter	s. peak-reading ammeter		
	peak amplitude	s. peak value		
P 556	peak counting rate	Peakzählrate f	taux m de comptage dans le pic	скорость счета в максимуме (пике)
P 557	peak current, peak value of current	Stromscheitelwert m, Scheitelwert m des Wechselstroms (Stroms), Scheitelstrom m; Stromspitzenwert m, Spitzenwert m des Wechselstroms (Stroms), Spitzenstrom m	courant m de crête, courant de pointe, courant maximum, courant maximal, crête f d'amplitude de courant	амплитудное значение тока, амплитудный ток, пиковое значение тока, пиковый ток, максимальное значение тока, максимальный ток
	peak delay	s. delay time		
	peak deviation of frequency	s. peak frequency deviation		
P 557a	peakedness	Hochgipfligkeit f, positiver Exzeß m	excès m positif	островершинность, положительный эксцесс
P 558	peak efficiency	Peakeffektivität f	efficacité f dans le pic	эффективность в максимуме (пике)
	peaker [circuit]	s. peaking circuit		
P 559	peaker strip	Differenzierspule f	bobine f écrêteuse	проволочный датчик импульсов
	peak factor	s. crest factor		
P 560	peak factor bridge	Scheitelfaktormeßbrücke f	pont m à mesurer le facteur de crête	мост для измерения коэффициента амплитуды
P 561	peak factor meter	Scheitelfaktormesser m, Scheitelfaktormeßgerät n	appareil m à mesurer le facteur de crête	прибор для измерения коэффициента амплитуды
P 562	peak force, peak mechanomotive force	Spitzenwert m der mechanomotorischen Kraft	force f mécanomotrice de crête	пиковое значение механодвижущей силы, пиковая (амплитудная, максимальная) механодвижущая сила
P 563	peak frequency deviation, peak deviation of frequency	Maximalhub m [der Frequenz]	déviation f maximum [de fréquence]	максимальное частотное отклонение, максимальное отклонение [частоты], максимальная девиация [частоты]
	peak gust, maximum gust	Spitzenbö f	rafale f maximum	максимальный порыв ветра
P 564	peak height	Linienhöhe f, Peakhöhe f	hauteur f de la ligne, hauteur du pic	амплитуда линии, амплитуда пика

		German	French	Russian
	peak indication; maximum (peak) reading; maximum indication	Maximumanzeige *f*	lecture *f* à maximum, indication *f* à maximum	показание амплитудных значений
P 565	**peaking circuit**, peaker circuit, peaker	Spitzenkreis *m*	circuit *m* raidisseur, circuit différentiant les crêtes	схема обострения импульсов, обостряющая схема (цепь), триггерный обостритель, обостритель импульсов
P 566	**peak inverse voltage**	Scheitelsperrspannung *f*, Spitzensperrspannung *f*, Spitzenwert *m* der Spannung in Sperrichtung	tension *f* inverse de crête, tension de crête inverse	амплитудное запирающее напряжение, пиковое (максимальное) запирающее напряжение, максимальное (наиболее) обратное напряжение
P 567	**peak limiter**, amplitude limiter, clipper circuit, [amplitude] lopper	Amplitudenbegrenzer *m*	limiteur *m* d'amplitude, écrêteur *m*, circuit *m* d'écrêtage	ограничитель амплитуд, амплитудный ограничитель
P 568	**peak load**	Spitzenlast *f*; Spitzenbelastung *f*	puissance *f* de crête	пиковая нагрузка, максимальная нагрузка
	peak load	s. a. maximum permissible load		
P 569	**peak making current**	Scheitelwert *m* des Einschaltstromes, Einschalt[strom]spitze *f*	courant *m* établi	пик тока при включении
	peak mechanomotive force	s. peak force		
	peak of mass spectrum, mass peak	Massenlinie *f*, Massenpeak *m*, Linie *f* im Massenspektrum	pic *m* du spectre de masse, ligne *f* du spectre de masse	линия масс-спектра, пик масс-спектра
P 570	**peak of the atmospheric layer**, top of the atmospheric layer	Gipfel *m* (Maximum *n*) der Atmosphärenschicht	maximum *m* de la région de l'atmosphère	пик атмосферного слоя
P 571	**peak of the flash**, duration of peak	Scheitelzeit *f*	délai *m* d'attente de l'intensité maximum	время максимума
	peak of the wave	s. crest [of the wave]		
P 572	**peakology**	„peakology"-Methode *f*, Peakologie *f*, Peakanalyse *f*	« peakologie » *f*, « picologie » *f*	пикология
P 573	**peak power meter**	Spitzenleistungsmesser *m*	mesureur *m* de puissance de crête	измеритель пиковой мощности
P 574	**peak pulse power**	Impulsspitzenleistung *f*	puissance *f* de crête d'impulsion	пиковая импульсная мощность, пиковая (максимальная) мощность в импульсе
	peak reading, maximum reading; maximum (peak) indication	Maximumanzeige *f*	lecture *f* à maximum, indication *f* à maximum	показание амплитудных значений
P 575	**peak-reading ammeter**, peak ammeter	Spitzen[wert]strommesser *m*, Scheitel[wert]strommesser *m*, Höchstwertstrommesser *m*, Maximumstromanzeigegerät *n*, Maximumstrom[an]zeiger *m*	ampèremètre *m* de crête	пиковый амперметр, амплитудный амперметр
P 576	**peak-reading indicator**, **peak-reading meter**, peak-value indicator, maximum indicator; demand attachment	Höchstwertanzeiger *m*, Höchstwertmesser *m*, Maximumanzeiger *m*, Maximumzeiger *m*, Spitzenwertmesser *m*, Scheitelwertmesser *m*	indicateur *m* à maximum, indicateur de pointe, appareil *m* de mesure à maximum	указатель амплитудных (максимальных) значений, указатель максимума, максимальный указатель, измеритель амплитудных (пиковых) значений
P 577	**peak-reading voltmeter**, peak voltmeter	Spitzenspannungsmesser *m*, Spitzen[wert]voltmeter *n*, Scheitel[wert]spannungsmesser *m*, Höchstwertvoltmeter *n*	voltmètre *m* de crête	пиковый вольтметр, амплитудный вольтметр
P 578	**peak selector**	[automatischer] Linienwähler *m*	sélecteur *m* de lignes, sélecteur des pics	селектор линий, селектор пиков
P 579	**peak-to-peak**	[von] Spitze zu Spitze, Spitze-Spitze-, zwischen Maximum und Minimum	[de] crête à crête, [de] pointe à pointe	от максимума до минимума
P 580	**peak-to-peak [amplitude]**, **peak-to-peak value**, double-amplitude peak, total amplitude	Spitze-[zu-]Spitze-Wert *m*, Spitze-zu-Spitze-Amplitude *f*, Spitze *f* zu Spitze	valeur *f* de crête à crête, crête *f* à crête	полный размах, размах, удвоенная амплитуда <колебания>; полное изменение <величины>
	peak-to-peak volt, volt peak-to-peak	Volt *n* Scheitelspannung, Volt Spitze-Spitze	volt *m* de tension de pointe, volt de pointe, volt de crête	вольт пикового напряжения, пиковый вольт, вольт пиковый
P 581	**peak-to-valley ratio**	Maximum/Minimum-Verhältnis *n*, Maximum-zu-Minimum-Verhältnis *n*	rapport *m* maximum/minimum, rapport de maximum au minimum	отношение максимум/минимум, отношение до максимума к минимуму
P 582	**peak-to-zero**	[von] Spitze zu Null, Spitze-Null-, zwischen Maximum und Null	[de] crête à zéro, [de] pointe à zéro	от максимума до нуля
P 583	**peak-to-zero [value]**	Spitze-[zu-]Null-Wert *m*, Spitze *f* zu Null	valeur *f* de crête à zéro, crête *f* à zéro	изменение от максимума до нуля
P 584	**peak / trough ratio**	Berg / Tal-Verhältnis *n*	rapport *m* pic / vallée	отношение $J_{пик} / J_{впад}$ отношение пик-впадина
P 585	**peak value**, peak amplitude, crest [value] <US> <of variable quantity> <el.>	Scheitelwert *m*, Amplitude *f*; Spitzenwert *m* <Wechselgröße> <El.>	valeur *f* de crête (pic, pointe), valeur d'amplitude *f* <d'une grandeur variable> <él.>	амплитудное (пиковое, максимальное) значение, амплитуда <переменной величины> <эл.>

	English	German	French	Russian
	peak value	s. a. peak		
	peak-value indicator	s. peak-reading meter		
	peak value of current	s. peak current		
	peak value of magnification, resonance ratio	Resonanzüberhöhung f der Amplitude	facteur m de résonance, facteur (coefficient m) de surtension à la résonance	добротность контура при резонансе, добротность при резонансе
	peak value of voltage	s. peak voltage		
P 586	**peak voltage**, peak value of voltage	Spannungsscheitelwert m, Scheitelwert m der Wechselspannung (Spannung), Scheitelspannung f; Spannungsspitzenwert m, Spitzenwert m der Wechselspannung (Spannung), Spitzenspannung f	tension f de crête, tension de pointe, tension maximum, tension maximale, crête f d'amplitude de tension	амплитудное значение напряжения, амплитудное напряжение, пиковое значение напряжения, пиковое напряжение, максимальное значение напряжения, максимальное напряжение
	peak voltmeter	s. peak-reading voltmeter		
P 587	**peak white**; white peak	Weißspitze f, Spitzenweiß n, Maximum n an Weiß, hellste Stelle f des Bildes	crête f de blanc; niveau m de blanc maximum	пиковое значение уровня белого, пик белого, самое яркое белое место изображения; уровень сигнала, соответствующий самой белой точке изображения; уровень сигнала, соответствующий максимуму белого в изображении
	peak width	s. full width at half[-] maximum		
P 588	**pearlitic point**, pearlitic temperature	Perlitpunkt m	point m (température f) perlitique	перлитовая точка, перлитовая температура
P 589	**pearlitic structure**	perlitisches Gefüge n, Perlitgefüge n	structure f perlitique	перлитная структура, перлитное строение
	pearlitic temperature	s. pearlitic point		
	pearl necklace	s. bead lightning		
P 590	**pearl polymerization**, bead polymerization; slurry polymerization [process], suspension polymerization; emulsion polymerization	Perlpolymerisation f, Kornpolymerisation f, Suspensionspolymerisation f, Polymerisation f in Dispersion; Emulsionspolymerisation f, Polymerisation in Emulsion	polymérisation f en perles; polymérisation en suspension; polymérisation en émulsion	бисерная (суспензионная) полимеризация, полимеризация в суспензии; эмульсионная полимеризация, полимеризация в эмульсии
	Pearl-Reed curve, logistic curve, logistic growth curve	logistische Kurve (Funktion) f, logistisches Wachstumsgesetz n, Robertsonsche Wachstumsfunktion f	courbe f logistique	логистическая кривая
P 590a	**pearl-string model**	Perlschnurmodell n, Perlenkettenmodell n <Makromoleküle>	modèle m en forme de perles enfilées	модель «жемчужин»
P 591	**pearshaped**, pyriform	birnenförmig	piriforme	грушевидный
P 592	**pear[-]shaped figure [of equilibrium]**	Poincarésche Birne f, birnenförmige Gleichgewichtsfigur f	poiroïde m de Poincaré, figure f piriforme [d'équilibre]	грушевидная фигура равновесия
	pearson['s] coefficient [of correlation]	s. Bravais correlation coefficient		
P 593	**Pearson['s] distribution**	Pearsonsche Verteilung f	distribution (répartition) f de Pearson	распределение Пирсона
P 594	**Pearson-Lee-Fisher function**	Pearson-Lee-Fisher-Funktion f	fonction f de Pearson-Lee-Fisher	функция Пирсона-Ли-Фишера
P 595	**peasant's proverb**, peasant's saying	Bauernregel f, Volkswetterregel f	sentence f des paysans	народные приметы о погоде
P 596	**pebble-bed reactor**, pebble reactor	Kugelhaufenreaktor m, Pebblereaktor m	réacteur m à [lit de] boulets, réacteur nucléaire comportant un amas d'éléments de cœur en forme de boulets	реактор на активной зоне в виде шариков
	pecky sea, rough sea, angry sea	[ziemlich] grobe See f, ziemlich hoher Wellengang m, ziemlich hohe Wellen fpl <Stärke 5>	houle f assez forte, mer f houleuse	бурное море, среднее волнение <5 баллов, волны высотой 2,0÷3,5 м>
P 597	**Péclet['s] number**, Pe	Péclet-Zahl f, Pécletsche Kennzahl f, Pe	nombre m de Péclet, Pe	число Пекле, критерий Пекле, Pe
	pectization	s. coagulation		
P 598	**peculiar motion**	Pekuliarbewegung f	mouvement m particulier, vitesse f particulière	пекулярное движение
P 599	**peculiar star**	Pekuliarstern m, Peculiarstern m	étoile f particulière	пекулярная звезда
P 600	**pedal [curve], pedal locus, pedal locus line**	Fußpunkt[s]kurve f	podaire f	подэра, подера, подэрная (подерная, подарная) кривая
P 601	**pedal surface**	Fußpunkt[s]fläche f	surface f podaire	подэрная (подерная, подарная) поверхность
P 602	**Pedersen ray**	Pedersen-Strahl m	rayon m de Pedersen	луч Педерсена
P 603	**pedestal** <el.>	Schulter f <El.>	piédestal m, palier m d'impulsion <él.>	пьедестал, плоская верхушка импульса <эл.>
	pedial class	s. hemihedry of the triclinic system		
P 604	**pediment**	Pediment n, Pedimentfläche f	pédiment m	педимент, предгорная скалистая равнина
P 605	**pedion** <cryst.>	Pedion n <Krist.>	monoèdre m, pédion m <crist.>	моноэдр, педион <крист.>
	pedometer	s. hodometer		
P 606	**Peek['s] formula**	Peeksche Formel f	formule f de Peek	формула Пика

P 607	**peeler**	Abschäler *m*, „peeler" *m*	« peeler » *m*	возбудитель в системе регенеративного вывода
P 608	**peeling [off]**	Schälen *n*	pelage *m*; écorçage *m*	удаление оболочки, обдирание, обдирка; шелущение, вылущивание
	peeling [off] <from>	*s.* stripping <of an emulsion, a coating>		
P 609	**peeling off; spalling; leafing**	Abblättern *n*, Abplatzen *n*, <schichtweise> Ablösung *f*	écaillage *m*, écaillement *m*	отслаивание, расслаивание
	peening	*s.* smith forging		
	peephole	*s.* observation port		
P 610	**peg, stone <meas.>**	Meßstab *m*, Meßstange *f*, Stab *m* <Meß.>	piquet *m* <mes.>	пикет <изм.>
	pegging-out <US>, marking-out, staking <US>	Verpflockung *f*, Verpfählung *f*	piquetage *m*	обозначение кольями
P 611	**Peierls['] equation, Peierls['] integral equation**	Peierls-Gleichung *f*, Peierlssche Integralgleichung *f*, Integralgleichung von Peierls	équation *f* de Peierls, équation intégrale de Peierls	интегральное уравнение Пайерлса, уравнение Пайерлса
P 612	**Peierls['] equation[s]**	Peierlssche Gleichungen *fpl*	équations *fpl* [cinétiques] de Peierls	кинетические уравнения Пайерлса
	Peierls['] integral equation	*s.* Peierls['] equation		
	Peierls lattice force, Peierls-Nabarro force	Peierls-[Nabarro-]Kraft *f*, Peierls-Nabarrosche Kraft *f*	force *f* de Peierls-Nabarro	сила Пайерлса
P 613	**Peierls model**	Peierlssches Modell *n*	modèle *m* de Peierls	модель Пайерлса
P 614	**Peierls-Nabarro force, Peierls lattice force**	Peierls-[Nabarro-]Kraft *f*, Peierls-Nabarrosche Kraft *f*	force *f* de Peierls-Nabarro	сила Пайерлса
P 615	**Peierls potential**	Peierls-Potential *n*	potentiel *m* de Peierls	потенциал Пайерлса
P 616	**Peierls stress**	Peierls-Spannung *f*, Peierlssche Spannung *f*	tension *f* de Peierls	напряжение (натяжение) Пайерлса
P 617	**pelagial, pelagic region, pelagic zone**	Pelagial *m*, pelagischer Bereich *m*	pélagial *m*, région *f* pélagique	пелагиаль, пелагическая область
P 617a	**pelagian, pelagic**	pelagisch, pelagial	pélagique	пелагический
	pelagic region (zone)	*s.* pelagial		
P 617b	**Pell['s] equation, Pellian equation**	Pellsche Gleichung *f*	équation *f* de Pell	уравнение Пелла
P 618	**pellet**	Pellet *n*, Granulatkorn *n*, Granalie *f*, Kügelchen *n*,	pellet *m*, bille *f*	таблетка; окатыш; крупинка; дробинка; гранула; шарик; катышек
P 619	**pellet getter**	Pillengetter *m*, Getterpille *f*	getter *m* en tablette, tablette *f* de getter	таблеточный газопоглотитель (геттер)
P 620	**pelletizing, granulating, granulation, graining**	Pelletisieren *n*, Granulieren *n*	pellétisation *f*, granulation *f*	окомкование, окатывание, пеллетизация, гранулирование, зернение
P 621	**pellets, granulated (granular) material, granulate**	Granulat *n*, Granalien *pl*, Pellets *pl*	pellets *mpl*, granulé *m*, produit *m* granulé	гранулят, зерненый (гранулированный) продукт
	Pellian equation	*s.* Pell['s] equation		
	pellicle; thin layer; film	dünne Schicht *f*; Haut *f*, Häutchen *n*; Film *m*	couche *f* mince, film *m*, pellicule *f*	тонкий слой; <поверхностная> пленка
P 622	**pellicle stack**	Emulsionspaket *n*, Emulsionsstapel *m*	pile *f* de pellicules, chambre *f* d'émulsion	эмульсионная камера
	pellicular water, adhesive water	Haftwasser *n*, Grundfeuchtigkeit *f*; Bergfeuchtigkeit *f*	eau *f* pelliculaire, eau connexe; eau souterraine	пленочная вода; связанная грунтовая вода
P 623	**Pellin-Broca prism, Abbe prism**	Abbe-Prisma *n*, Pellin-Broca-Prisma *n*	prisme *m* d'Abbe, prisme de Pellin-Broca	призма Аббе
P 624	**pellucidity, pellucidness**	Pelluzidität *f*	pellucidité *f*	прозрачность <минералов>
P 625	**pelorus**	Pelorus *m*	pelorus *m*	пелорус
P 626	**Peltier cell**	Peltier-Zelle *f*	pile (cellule) *f* de Peltier	ячейка Пельтье
P 627	**Peltier coefficient**	Peltier-Koeffizient *m*	coefficient *m* [de] Peltier	коэффициент Пельтье
	Peltier cooling	*s.* Peltier effect cooling		
P 628	**Peltier effect**	Peltier-Effekt *m*	effet *m* Peltier	явление Пельтье, [электротермический] эффект Пельтье
P 629	**Peltier effect cooling, Peltier cooling**	Peltier-Kühlung *f*, Peltier-Effekt-Kühlung *f*	refroidissement *m* par effet Peltier	охлаждение по [эффекту] Пельтье
P 630	**Peltier electromotive force, Peltier e.m.f.**	Peltier-EMK *f*	force *f* électromotrice Peltier, f. é. m. Peltier	электродвижущая сила Пельтье, э. д. с. Пельтье
P 631	**Peltier heat**	Peltier-Wärme *f*	chaleur *f* Peltier	теплота Пельтье; <тепло, выделенное *или* поглощенное при явлении Пельтье>
	Pelton turbine, Pelton [water-]wheel	*s.* impulse turbine		
	PEM effect	*s.* photoelectromagnetic effect		
P 631a	**penalty constant**	Penaltykonstante *f*	constante *f* de « peine »	штрафная константа
P 631b	**penalty function**	Penaltyfunktion *f*, Straffunktion *f*	fonction *f* de « peine »	штрафная функция
	pen-and-ink recorder	*s.* ink recorder		
	pencil <of rays>; beam <of radiation>	Strahlenbündel *n*, Bündel *n*, Strahl *m*; Strahlenbüschel *n* <in der Ebene>	faisceau *m* <de rayons>; pinceau *m* <de rayons>	пучок, связка <лучей>; лучистый пучок
	pencil-beam antenna	*s.* superdirective antenna		
	pencil-beam interferometer, Mills cross aerial	Mills-Kreuz *n*, Mills-Kreuzantenne *f*	croix *f* (antenne *f* en croix) de Mills, interféromètre *m* en croix	крест Миллса, крестообразный радиоинтерферометр

P 632	pencil glide, pencil gliding, pencil slip[ping]	Stäbchengleitung f, „pencil glide" n, begrenztes Gleiten n	glissement m en pinceau	карандашное скольжение
	pencil of light, light[-ray] pencil; beam of light, light beam	Lichtbündel n; Lichtbüschel n	faisceau m lumineux; pinceau m lumineux	пучок световых лучей, световой пучок, пучок света
	pencil slip[ping]	s. pencil glide		
P 633	Penck['s] limit	[Pencksche] Trockengrenze f	limite f de Penck	граница Пенка
P 634	pendellösung, pendulum solution, Ewald['s] solution	Pendellösung f, Ewaldsche Pendellösung	solution f « pendulaire » [d'Ewald]	«маятниковое» решение [Эвальда]
P 635	pendular motion, pendulum motion (movement), motion of the pendulum, pendulation	Pendelbewegung f, Pendelschwingung f, Pendelung f	mouvement m pendulaire, mouvement de pendule	маятниковое движение, движение маятника
P 636	pendular oscillation, [pendulum] oscillation <mech.>	Pendelschwingung f <Mech.>	oscillation f pendulaire, oscillation de pendule <méc.>	маятниковое колебание <мех.>
	pendulation	s. pendular motion		
	pendulous body	s. bob of the pendulum		
P 637	pendulum	Pendel n	pendule m	маятник
	pendulum anemometer	s. pressure-plate anemometer		
	pendulum balance	s. pendulum weighing system		
	pendulum bob	s. bob of the pendulum		
P 638	pendulum deflection, pendulum swing	Pendelausschlag m	amplitude f des oscillations de pendule	отклонение маятника, амплитуда [колебания] маятника
	pendulum dynamometer	s. pendulum manometer		
P 639	pendulum effect	Pendeleffekt m	effet m pendulaire	маятниковый эффект
P 640	pendulum equation	Pendelgleichung f	équation f du pendule	уравнение маятника
	pendulum exposure, pendulum irradiation	Pendelbestrahlung f	irradiation f pendulaire	маятниковое облучение, облучение качающимся полем
P 641	pendulum hardness	Pendelhärte f	dureté f au pendule	маятниковая твердость, твердость по методу затухания колебаний, ударная вязкость по маятниковому копру
P 642	pendulum hardness test	Pendelhärteprüfung f, Pendelschlaghärteprüfung f	essai m de dureté au pendule	испытание на твердость по методу затухания колебаний, испытание на твердость качанием маятника
P 643	pendulum hardness tester (testing machine)	Pendelhärteprüfgerät n	appareil m pendulaire	маятниковый прибор для испытания твердости
P 644	pendulum horizon	Pendelhorizont m	horizon m de pendule	маятниковый искусственный горизонт
P 644a	pendulum inclinometer	Pendelneigungsmesser m	[in]clinomètre m pendulaire	маятниковый уклономер
P 645	pendulum instrument	Pendelgerät n, Pendelapparat m	appareil m à pendule, pendule-appareil m	маятниковый прибор
P 646	pendulum irradiation, pendulum exposure	Pendelbestrahlung f	irradiation f pendulaire	маятниковое облучение, облучение качающимся полем
P 647	pendulum law, law of pendulum oscillation (motion)	Pendelgesetz n	loi f des oscillations du pendule	закон колебания маятника
	pendulum level	s. pendulum weighing system		
P 648	pendulum magnetometer	Pendelmagnetometer n	magnétomètre m pendulaire	маятниковый магнитометр
P 649	pendulum manometer, pendulum[-type] dynamometer	Pendelmanometer n	manomètre m pendulaire	маятниковый манометр
P 650	pendulum meter	Pendelzähler m, Aron-Zähler m, [Aronscher] Uhrzähler m	compteur m pendulaire	счетчик Арона, маятниковый счетчик, счетчик с маятником
	pendulum motion (movement), pendular motion, motion of the pendulum	Pendelbewegung f, Pendelschwingung f, Pendelung f	mouvement m pendulaire, mouvement de pendule	маятниковое движение, движение маятника
	pendulum oscillation	s. pendular oscillation <mech.>		
	pendulum rectifier	s. chopper <el.>		
P 651	pendulum seismometer	Pendelseismometer n	séismomètre m pendulaire	маятниковый сейсмометр
P 652	pendulum sextant	Pendelsextant m	sextant m pendulaire	маятниковый секстант
	pendulum solution, pendellösung, Ewald['s] solution	Pendellösung f, Ewaldsche Pendellösung	solution f « pendulaire » [d'Ewald]	«маятниковое» решение [Эвальда]
P 653	pendulum suspension, rocking suspension	Pendelaufhängung f	suspension f pendulaire	подвеска маятника, подвес маятника
	pendulum swing, pendulum deflection	Pendelausschlag m	amplitude f des oscillations de pendule	отклонение маятника, амплитуда [колебания] маятника
	pendulum swinging on a rotating shaft, Froude pendulum	Froudesches Pendel n, Reibungspendel n	pendule m de Froude	фрикцио́нный маятник, маятник Фр[о]уда
	pendulum-type dynamometer	s. pendulum manometer		
P 654	pendulum-type impact testing machine	Pendelschlagwerk n, Pendelhammer m, Schlagpendel n	pendule m à choc, machine f à choc type pendule	маятниковый копер

P 655	pendulum viscometer	Pendelviskosimeter n	viscosimètre m pendulaire	маятниковый вискозиметр
P 656	pendulum weighing system, pendulum balance (level)	Pendelwaage f	balance f oscillante, balance (niveau m) à pendule	маятниковые весы
P 657	peneplain	Fastebene f, Peneplain f	pénéplaine f	пенеплен, почти-равнина, предельная равнина
P 658	peneseismic	peneseismisch	pénéséismique	пенесейсмический
P 659	penetrability	Durchdringungsfähigkeit f; Durchdringbarkeit f; Durchdringlichkeit f	pénétrabilité f	проницаемость, проникающая способность
	penetrability [of the barrier]	s. barrier factor		
P 660	penetrable, transparent <to particles>	durchlässig <für Teilchen>	pénétrable, transparent <aux particules>	проницаемый, прозрачный <для частиц>
P 661	penetrable, permeable <to gases>	durchdringbar, durchlässig, permeabel <für Gase>	pénétrable, perméable <aux gaz>	проницаемый, неплотный, негерметичный <для газов>
P 662	penetrameter	Penetrameter n	pénétramètre m, pénétromètre m	пенетрометр, измеритель проникающей силы рентгеновского излучения
P 663	penetrance, penetration [factor], reciprocal of amplification factor, grid transparency, passage grid controllance, transparence, durchgriff, penetration coefficient, transgrid action <el.>	Durchgriff m; Rückgriff m	facteur m de pénétration, transparence f de grille, pénétrabilité f	проницаемость, проницаемость сетки <лампы>, коэффициент проницаемости
	penetrant method, liquid-penetrant testing process	Eindringverfahren n, Diffusionsverfahren n <Werkstoffprüfung>	méthode f par pénétration d'un liquide <de l'essai des matériaux>	капиллярный метод дефектоскопии
P 664	penetrating component, hard component <of cosmic rays>	harte (durchdringende) Komponente f <kosmische Strahlung>; harte Sekundärstrahlung f	composante f dure, composante pénétrante <du rayonnement cosmique>	жесткая компонента, проникающая компонента <космического излучения>
	penetrating depth	s. depth of penetration		
P 665	penetrating [electron] orbit	Tauchbahn f	orbite f pénétrante	проникающая [электронная] орбита
	penetrating particle, high-energy (energetic) particle	energiereiches (durchdringendes) Teilchen n, Teilchen hoher Energie	particule f à grande énergie, particule pénétrante	частица большой энергии, проникающая частица
P 665a	penetrating power, penetration power, penetrativeness	Eindringvermögen n	pouvoir m de pénétration	проникающая способность
P 666	penetrating power [of radiation], [radiation] hardness, penetration power <of radiation, especially of X-rays>	Durchdringungsvermögen n [der Strahlung], Strahlungshärte f, Strahlenhärte f, Härte f <Strahlung, speziell Röntgenstrahlen>	pouvoir m de pénétration [du rayonnement], dureté f [du rayonnement] <des rayonnements, en particulier des rayons X>	проникающая способность [излучения], жесткость излучения; жесткость [рентгеновских лучей], проницаемость <излучения, особенно рентгеновских лучей>
P 667	penetrating radiation, hard radiation	harte (durchdringende, energiereiche) Strahlung f	rayonnement m dur, rayonnement pénétrant	жесткое излучение, проникающее излучение
	penetrating shower	s. hard shower		
	penetrating twin	s. penetration twin		
P 668	penetration, piercing	Durchdringung f; Durchgang m; Eindringen n	pénétration f	проникновение, проникание; прохождение
P 669	penetration <e.g. for lubricating oils>	Penetration f <z. B. Schmieröle>	pénétration f <p. ex. pour les huiles lubrifiantes>	пенетрация, проникание <напр. для смазочных масел>
P 670	penetration, interpenetration, intersection <math.>	Durchdringung f <Math.>	pénétration f, interpénétration f <math.>	взаимное проникание <матем.>
	penetration	s. a. depth of penetration		
	penetration	s. a. penetrance		
	penetration coefficient	s. barrier factor		
	penetration coefficient	s. a. penetrance <el.>		
	penetration complex	s. low-spin complex		
	penetration corrosion	s. through corrosion		
	penetration depth	s. depth of penetration		
	penetration depth [in skin effect], skin depth	Eindringtiefe f [beim Skineffekt], Hauttiefe f, Hautdicke f, Skintiefe f, Skindicke f	épaisseur f de peau, épaisseur de pénétration	толщина скин-слоя, толщина поверхностного слоя
	penetration factor	s. penetrance <of electron tube>		
	penetration factor	s. a. barrier factor		
	penetration meter	s. qualimeter		
P 671	penetration of heat, heat penetration	Wärmeeindringung f, Wärmedurchdringung f	pénétration f de la chaleur	проникновение тепла, проникание тепла
P 672	penetration potential	Durchdringungspotential n	potentiel m de pénétration	потенциал прозрачности потенциального барьера
	penetration power	s. penetrating power		
	penetration power	s. a. penetrating power [of radiation]		
P 673	penetration probability, potential-barrier penetration probability, probability of tunnelling; Gamow factor	Durchdring[ungs]wahrscheinlichkeit f; Gamow-Faktor m	probabilité f de pénétration; facteur m de Gamow	вероятность прохождения [через потенциальный барьер], вероятность туннельного эффекта
P 674	penetration resistance <bio.>	Penetrationswiderstand m, Permeationswiderstand m	résistance f à la perméation <bio.>	сопротивление прониканию <био.>

	English	German	French	Russian
P 675	**penetration twin,** interpenetration twin, penetrating twin	Durchdringungszwilling m, Durchwachsungszwilling m, Penetrationszwilling m, Ergänzungszwilling m	macle f par pénétration	двойник прорастания
	penetrativeness penetrometer	s. penetrating power s. qualimeter		
P 676	**peniotron**	Peniotron n	péniotron m	пениотрон
P 677	**penitentes,** nieve penitente	Zackenfirn m, Büßerschnee m, Penitentes pl	neige f des pénitents, pénitentes fpl	зубчатый фирн, «снег кающихся», «кающиеся монахи»
P 678	**Penning discharge,** Penning gas discharge, PIG discharge	Penning-Entladung f	décharge f de Penning	разряд Пеннинга, газовый разряд Пеннинга
P 679	**Penning effect**	Penning-Effekt m	effet m Penning	явление (эффект) Пеннинга
	Penning gas discharge	s. Penning discharge		
P 680	**Penning [ionization] gauge,** Philips gauge, Philips ion gauge, Philips ionization gauge, Penning vacuummeter, Philips vacuummeter, P.I.G.	Philips-Manometer n, Penning-Manometer n, Gasentladungsmanometer n nach Penning, Philips-Vakuummeter n, Penningsches Vakuummeter n	manomètre m [à ionisation] de Penning, jauge f [à ionisation] de Penning, manomètre [à ionisation] de Philips, jauge [à ionisation] de Philips, tube m à décharge, tube-témoin m	магнитный электроразрядный манометр, манометр Пеннинга
P 681	**Penning ion source, Penning type [ion] source,** Philips ion gauge [arc] source, PIG ion (type) source, oscillating electron ion source, magnetic-type ion source	Penning-Ionenquelle f, PIG-Ionenquelle f, Pendelionenquelle f, Ionenquelle f vom PIG-Typ	source f d'ions de Penning, source d'ions de type PIG, source d'ions magnétique, source d'ions à électrons oscillants	ионный источник с осциллирующими электронами, ионный источник Пеннинга
	Penning vacuummeter	s. Penning ionization gauge		
	penstock [pipe] <of turbine>; supply (feed, inlet, intake) pipe, supply tube, lead	Zuleitungsrohr n, Zuführungsrohr n, Zuflußrohr n; Zulaufrohr n	tuyau m adducteur, tuyau d'amenée, tuyau d'arrivée, tuyau d'alimentation	подводящая труба, подающая труба
P 682	**pentad average, pentad mean,** five-days' average	Pentadenmittel n, Fünftagemittel n	moyenne f pentadique (d'une pentade, de cinq jours)	пентадная средняя, среднее пентадное
P 683	**pentadodecahedron, pentagonal dodecahedron,** pyritohedron	Pentagondodekaeder n, Pyritoeder n	dodécaèdre m pentagonal, pentagone-dodécaèdre m, hémihexatétraèdre m, pyritoèdre m	пентагональный додекаэдр, пентагондодекаэдр
	pentagonal hemihedry	s. paramorphic hemihedry of the regular system		
P 684	**pentagonal icositetrahedron,** icositetrahedron, trapezohedron, gyrohedron, leucitohedron, 24-hedron, deltoid icositetrahedron	Deltoidikositetraeder n, Pentagonikositetraeder n, Ikositetraeder n, Gyroeder n, Plagieder n, Vierundzwanzigflächner m, 24-Flächner m, Leuzitoeder n	icositétraèdre m, pentagone-trioctaèdre m, gyroèdre m, 24-èdre m, leucitoèdre m, icositétraèdre deltoïde	пентагональный икоситетраэдр, икоситетраэдр, икосатетраэдр, гироэдр, трапецоэдр, двадцатичетырехгранник, 24-гранник, лейцитоэдр, тригонтриоктаэдр, дельтоидикоситетраэдр
	pentagonal mirror, penta mirror	Pentaspiegel m	penta-miroir m, miroir m pentagonal	пентазеркало, пятигранное зеркало
P 685	**pentagonal prism,** penta prism, Goulier prism	Penta[gon]prisma n, Goulier-Prisma n, Prandtl-Prisma n, Fünfseitenprisma n	prisme m pentagonal, penta-gonal m, prisme de Goulier, penta-prisme m	пятигранная призма, пентапризма
	pentagon-dodecahedral class pentagon-icositetrahedral class	s. tetartohedry of the regular system s. enantiomorphous hemihedry of the regular system		
P 686	**pentagrid converter**	Pentagridkonverter m, Fünfgitterumformer m; Pentagridmischröhre f	pentagrille f mélangeuse	пентагрид-смеситель, пентагрид-преобразователь
P 687	**pentahedron**	Pentaeder n, Fünfflach n, Fünfflächner m	pentaèdre m	пентаэдр, пятигранник
P 688	**penta mirror,** pentagonal mirror	Pentaspiegel m	penta-miroir m, miroir m pentagonal	пентазеркало, пятигранное зеркало
P 689	**pentane candle** <= 1.001 cd>	Pentankerze f <= 1,001 cd>	bougie f de pentane <= 1,001 cd>	пентановая свеча <= 1,001 cd>
P 690	**pentane lamp**	Pentanlampe f	lampe f au pentane, lampe étalon de Vernon-Harcourt	пентановая лампа
P 691	**pentane thermometer penta prism**	Pentanthermometer n s. pentagonal prism	thermomètre m à pentane	пентановый термометр
P 692	**pentaprism eye-level viewfinder,** reflex focusing device	Prismeneinsatz m, Prismenaufsatz m	prisme m redresseur de visée, prisme redresseur pour visée reflex à hauteur d'œil	призменная насадка
P 693	**pentode, pentode tube (valve),** five-electrode tube, three-grid valve	Pentode f, Fünfpolröhre f, Fünfelektrodenröhre f, Dreigitterröhre f	pent[h]ode f, tube m trigrille	пентод, пятиэлектродная лампа
P 694	**pen-type dosimeter,** fountain-pen type pocket dosimeter	Füll[feder]halterdosimeter n, Ansteckdosimeter n	stylo m dosimètre, dosimètre m [de type] stylo, dosimètre à plume	дозиметр карандашного типа
P 695	**penumbra,** partial (incomplete) shadow, half shade (shadow)	Halbschatten m, Penumbra f	pénombre f	полутень
P 696	**penumbra,** spot penumbra	Penumbra f (Hof m) des Sonnenflecks	pénombre f de la tache [solaire]	полутень [солнечного] пятна

	penumbral eclipse	*s.* partial eclipse		
	penumbral effect, decrease (loss) in brightness	Helligkeitsabfall *m*	pertes *fpl* de luminosité	спад яркости
P 697	**peplopause**	Peplopause *f*	peplopause *f*	пеплопауза
P 698	**peptizing agent,** resolver	Peptisator *m*, Peptisationsmittel *n*	peptisant *m*, agent *m* peptisant	пептизатор, агент пептизации
	PER	*s.* paraelectric resonance		
	perambulator	*s.* hodometer		
P 699	**percentage advance**	prozentuale Voreilung *f*	avance *f* pourcentuelle	процентное опережение
	percentage bearing contact area	*s.* ratio of bearing contact area		
P 700	**percentage by mass, percentage by weight,** mass percents, weight percents, %wt., w/w	Massenprozentsatz *m*, Gewichtsprozentsatz *m*	pourcentage *m* en (relatif à la) masse, pour cents *mpl* en masse, pourcentage en (relatif au) poids, pour cents en poids	содержание в процентах по весу, процентный состав по весу, весовые проценты
P 701	**percentage composition,** percent composition, percentage	prozentuale Zusammensetzung *f*	composition *f* relative <en %>	относительный (процентный) состав, состав в процентах
	percentage content, relative content, content by per cent	Prozentgehalt *m*, prozentualer Gehalt *m*	teneur *f* relative, teneur [pourcentuelle] <en %>	процентное содержание, содержание <в %>
P 702	**percentage depth dose**	prozentuale Tiefendosis *f*, Tiefendosis *f* in Prozenten der Oberflächendosis	rendement *m* en profondeur, dose *f* de profondeur en pourcentage, pourcentage *m* de dose en profondeur	процентная глубинная доза
	percentage distortion, relative distortion	relative Verzeichnung *f*, Verzeichnung <in %>	distorsion *f* relative, distorsion pourcentuelle	относительная (процентная относительная, процентная) дисторсия
	percentage elongation	*s.* elongation <in %>		
	percentage error; relative error	relativer Fehler *m*; prozentualer Fehler	erreur *f* relative; erreur pourcentuelle	относительная погрешность (ошибка); процентная погрешность (ошибка)
P 703	**percentage modulation,** degree (depth) of modulation, modulation depth	Aussteuerungsgrad *m*; Aussteuerungskoeffizient *m*; Modulationstiefe *f*	degré *m* de modulation, profondeur *f* de modulation	коэффициент модуляции; глубина модуляции
	percentage of moisture, relative humidity, hygrometric state, saturation ratio	relative Feuchtigkeit (Feuchte) *f*, prozentuale Feuchtigkeit, Feuchtigkeitsgrad *m*	humidité *f* relative, état *m* hygrométrique, degré *m* hygrométrique	относительная влажность, влажность [в процентах], проценты влажности
	percentage of water, water ratio	Wasserprozentgehalt *m*, prozentualer Wassergehalt *m*	teneur *f* pourcentuelle en eau	содержание воды в процентах
	percentage probability	*s.* branching ratio <nucl.>		
	percentage reduction	*s.* reduction of cross-sectional area		
P 704	**percentage reduction of area**	Brucheinschnürung *f*, relative Brucheinschnürung, Einschnürung *f* <in %>	striction *f* de rupture <en pour cent>, réduction *f* de section pourcentuelle	остаточное (процентное) относительное сужение, относительное сужение [при разрыве], сужение после разрушения <в процентах>
	percentage ripple voltage	*s.* hum factor		
P 705	**percentage supersaturation**	prozentuale Übersättigung *f*	sursaturation *f* pourcentuelle, sursaturation en pour cent	пересыщение в процентах, процентуальное пересыщение, перенасыщенность
	percentage yield; unit shortening, linear compression, longitudinal contraction	Stauchung *f*, relative Verkürzung *f*	accourcissement *m* linéique	[процентное] относительное укорочение, относительное сжатие (изменение длины)
P 706	**per cent by volume,** volume percentage, volume per cent, % vol., vol. %, v/v	Volum[en]prozent *n*, Vol.-%, Vol.%	pourcent *m* en volume, pourcentage *m* en volume, % vol.	объемный процент, об.%
	percent composition	*s.* percentage composition		
P 707	**percentile,** centile	Perzentil *n*, Prozentil *n*, Zentil *n*	pourcentile *m*, percentile *m*, centile *m*	процентиль
	percentile curve, ogive; distribution curve, cumulative frequency curve	Verteilungskurve *f*, kumulative Verteilungskurve; Ogive *f*	courbe *f* de distribution (répartition, fréquences cumulées); ogive *f*	кривая распределения; огива, оживальная кривая
P 708	**per cent ripple**	Welligkeitsgrad *m*	ondulation *f* pourcentuelle	процентная пульсация
P 709	**perceptibility**	Wahrnehmbarkeit *f*	perceptibilité *f*, aperceptibilité *f*	воспринимаемость
P 710	**perception** <bio.>	Wahrnehmung *f* <Bio.>	perception *f* <bio.>	восприятие <био.>
	perception <bio.>	*s. a.* reception		
P 711	**perception of brightness,** perception of luminosity	Helligkeitswahrnehmung *f*	perception *f* de brillance, perception de luminosité	восприятие яркости
	perception of contrast, contrast perception	Schwellenwahrnehmung *f*, Unterschiedswahrnehmung *f*	perception *f* des contrastes	восприятия контрастов
	perception of depth, space perception	Raumwahrnehmung *f*, Tiefenwahrnehmung *f*, Raumsehen *n*, Tiefensehen *n*	perception *f* d'espace, perception de profondeur	восприятие пространства, восприятие глубины
	perception of luminosity	*s.* perception of brightness		
P 712	**perception of movements,** vision of movements	Bewegungswahrnehmung *f*, Bewegungssehen *n*	perception *f* de mouvements, vision *f* des mouvements	восприятие движений, зрение движений
P 712a	**perched [ground] water table**	gespannter Grundwasserspiegel *m*	nappe *f* captive (artésienne)	артезианский горизонт
P 712b	**percolate**	Perkolat *n*	percolat *m*	перколят

	English	German	French	Russian
	percolating water, water of infiltration	Sickerwasser n, Senkwasser n, Sinkwasser n	eau f de cheminement, eau d'infiltration	просачивающаяся (инфильтрационная, фильтрационная, фильтрующая) вода
P 713	percolation	Perkolieren n, Perkolation f; Durchseihung f	percolation f	перколяция; фильтрация через адсорбирующий слой
	percolation	s. a. infiltration		
P 714	percolation coefficient, percolation factor	Durchsickerungskoeffizient m	coefficient m de percolation	коэффициент просачивания
P 714a	percolation gauge (meter), lysimeter	Lysimeter n	lysimètre m	лизиметр
P 715	percolation rate, percolation velocity, seepage velocity, infiltration rate	Perkolationsgeschwindigkeit f, Durchsickerungsgeschwindigkeit f, Sickergeschwindigkeit f, Versickerungsgeschwindigkeit f	vitesse f de percolation; vitesse d'infiltration	[объемная] скорость просачивания, скорость инфильтрации
	percussion; impact; shock; stroke; blow; push; shove	Schlag m, Stoß m, Anstoß m	impact m; choc m; percussion f; heurt m, frappe f; coup m	удар, толчок
	percussion	s. a. shaking		
	percussion figure	s. impact figure		
P 716	percussion instrument, struck instrument	Schlaginstrument n; Anschlaginstrument n	instrument m à (de) percussion, instrument à cordes frappées	ударный [музыкальный] инструмент, струнный ударный инструмент
	percussive sound	s. impact sound		
P 716a	Percy-Buck effect	Percy-Buck-Effekt m	effet m Percy-Buck	эффект Перси-Бака
P 716b	perdeuterated	perdeuteriert, vollständig deuteriert	perdeuteré, perdeuterisé	полно[стью] дейтерированный
P 717	perennial source, perennial spring	perennierende Quelle f, Dauerquelle f	source f pérenne	неиссякаемый источник
P 718	Pérès['] method	Pérèssche Methode f	méthode f de Pérès	метод Переса
P 719	Pérès['] wave	Pérèssche Welle f	onde f de Pérès	волна Переса
P 720	Perey effect	Perey-Effekt m	effet m Perey	эффект Перея
P 721	perfect conductivity, ideal conductivity	vollkommene (ideale) Leitfähigkeit f	conductibilité f parfaite (idéale)	идеальная (совершенная) проводимость
	perfect conductor, ideal conductor	idealer Leiter m, Idealleiter m	conducteur m idéal, conducteur parfait	идеальный проводник
	perfect correlation, total correlation	totale (vollkommene) Korrelation f	corrélation f totale (parfaite)	полная (прямолинейная) корреляция
	perfect crystal, ideal crystal	Idealkristall m, idealer (fehlerfreier) Kristall m	cristal m idéal, cristal parfait	идеальный кристалл
	perfect crystal lattice, perfect lattice	ideales Gitter (Kristallgitter) n, Idealgitter n	réseau m parfait	идеальная решетка, идеальная кристаллическая решетка
P 722	perfect differential, exact (total, complete) differential	vollständiges (totales, exaktes) Differential n	différentielle f [totale] exacte, différentielle totale	полный дифференциал, точный дифференциал
	perfect diffuser	vollkommen mattweiße Fläche f, vollkommen mattweißer Körper m	diffuseur m parfait	совершенный (идеальный) рассеиватель
P 723	perfect diffusion	vollkommene Streuung f	diffusion f parfaite	совершенное рассеяние
P 724	perfect dislocation	vollständige (vollkommene) Versetzung f	dislocation f parfaite	полная дислокация
P 725	perfect elasticity	vollkommene (völlige, ideale) Elastizität f	élasticité f parfaite	идеальная упругость, совершенная упругость
P 726	perfect flexibility	vollkommene Biegsamkeit f	flexibilité f parfaite	совершенная гибкость, идеальная гибкость
	perfect fluid	s. ideal liquid		
P 727	perfect fluidity	vollkommene Fluidität f	fluidité f parfaite	идеальная текучесть, совершенная текучесть
	perfect gas, ideal gas	ideales Gas n, vollkommenes Gas	gaz m idéal, gaz parfait	идеальный газ, совершенный газ
	perfect gas equation [of state], perfect gas law	s. Boyle-Charles law		
	perfect-gas scale, [ideal] gas scale of temperature	Gasskala f der Temperatur, ideale Gasskala	échelle f thermométrique gazeuse	газовая термометрическая шкала
P 728	perfect Helmholtz liquid	vollkommene Helmholtzsche Flüssigkeit f	fluide m parfait helmholtzien	совершенная жидкость Гельмгольца
P 729	perfect lattice, perfect crystal lattice	ideales Gitter (Kristallgitter) n, Idealgitter n	réseau m parfait	идеальная решетка, идеальная кристаллическая решетка
	perfect liquid	s. ideal liquid		
P 730	perfectly conducting, ideally conducting	ideal leitend	conducteur parfait (idéal)	идеально проводящий
P 731	perfectly elastic, fully elastic	vollkommen (ideal, völlig) elastisch	parfaitement élastique	идеально[-]упругий, совершенно (абсолютно) упругий
	perfectly elastic body	s. perfectly elastic solid		
P 732	perfectly elastic impact <mech.>	vollkommen (völlig) elastischer Stoß m, elastischer Stoß <Mech.>	choc m parfaitement élastique <méc.>	совершенно упругий удар <мех.>
P 733	perfectly elastic material (solid), elastic solid, Hookean (Hookeian, Hookian, Hooke['s]) solid, [perfectly] elastic body, Hookean body, Hooke['s] body, H-body	Hookescher Körper m, Hookescher Festkörper m, H-Körper m, vollkommen elastischer Körper, ideal elastischer Körper, elastischer Körper	solide m [parfaitement] élastique, corps m [parfaitement] élastique, solide (corps) satisfaisant la loi de Hooke	идеально-упругое тело, упругое тело; твердое тело, подчиняющееся закону Гука
P 734	perfectly elastic torsion, fully elastic torsion	vollkommen (völlig) elastische Torsion f	torsion f parfaitement élastique	совершенно упругое кручение
P 735	perfectly inelastic, fully inelastic	vollkommen unelastisch, völlig unelastisch, ideal unelastisch	parfaitement (idéalement) inélastique, inélastique idéal, dépourvu d'élasticité	идеально[-]неупругий, совершенно неупругий, абсолютно неупругий

P 736	**perfectly inelastic collision, perfectly inelastic impact,** plastic impact, plastic collision, inelastic (non-elastic) impact <mech.>	vollkommen unelastischer Stoß m, [völlig] unelastischer Stoß, plastischer Stoß <Mech.>	choc m [parfaitement] inélastique, collision f parfaitement inélastique, choc plastique, collision plastique <méc.>	абсолютно неупругое ударение, [абсолютно] неупругий удар, [абсолютно] неупругое столкновение, [абсолютно] неупругое соударение, пластическое ударение (столкновение, соударение), пластический удар
P 737	**perfectly mat**	vollkommen matt	parfaitement mat	совершенно матовый
P 738	**perfectly plastic,** fully (ideally) plastic	vollkommen (völlig) plastisch, ideal[-]plastisch	parfaitement plastique, plastique idéal, idéalement plastique	идеально[-]пластический, совершенно (абсолютно) пластический
P 739	**perfectly plastic torsion,** fully plastic torsion	vollkommen (völlig) plastische Torsion f	torsion f parfaitement plastique	совершенно пластическое кручение
	perfectly polished	s. perfectly smooth		
P 740	**perfectly rough**	vollkommen rauh	parfaitement rugueux	совершенно шероховатый
P 741	**perfectly smooth,** perfectly polished	vollkommen glatt	parfaitement poli	совершенно гладкий
P 742	**perfectly soft,** fully soft	vollkommen (völlig, ideal) weich	parfaitement mou	идеально[-]мягкий, совершенно (абсолютно) мягкий
P 743	**perfect mosaic crystal**	vollkommener (idealer, vollständiger) Mosaikkristall m	cristal m mosaïque parfait	идеально-мозаичный кристалл
P 744	**perfect plasticity,** ideal plasticity; St. Venant (Saint-Venant) plasticity	vollkommene (völlige, ideale) Plastizität f	plasticité f parfaite	идеальная (совершенная) пластичность
P 745	**perfect rectifier,** linear rectifier, linear detector	geradliniger (linearer, idealer) Gleichrichter m	redresseur m linéaire (idéal), détecteur m linéaire	выпрямитель с линейной характеристикой, линейный детектор
P 745a	**perfect reflecting diffuser**	vollkommen mattweißer Körper m bei Reflexion	diffuseur m parfait par réflexion	совершенный отражающий рассеиватель
P 746	**perfect resonance**	vollständige Resonanz f, vollkommene Resonanz	résonance f parfaite	полный резонанс
P 747	**perfect rigidity**	absolute (vollkommene) Starrheit f	rigidité f absolue	полная жесткость, абсолютная жесткость
P 748	**perfect set**	perfekte Menge f	ensemble m parfait	совершенное множество
	perfect solution, ideal solution	ideale Lösung f, vollkommene Lösung	solution f idéale, solution parfaite	идеальный раствор
P 748a	**perfect transmitting diffuser**	vollkommen mattweißer Körper m bei Transmission	diffuseur m parfait par transmission	совершенный пропускающий рассеиватель
	perfect year, abundant year, annus abundans	überzähliges Gemeinjahr n <im jüdischen Kalender>	année f abondante	лунно-високосный год
P 749	**perflectometer [comparator]**	Perflekto[meter]komparator m	perflectomètre m	перфлектометр
	perforated disk	s. apertured disk		
	perforated plate, sieve plate	Siebboden m; Siebplatte f	plaque f criblée, plateau m perforé	сетчатая (ситчатая) тарелка; ситчатая пластинка; ложное дно
	perforated-plate column	s. sieve-plate column		
	perforated screen; apertured (pinhole) diaphragm, diaphragm <opt.>	Lochblende f <Opt.>	diaphragme m à petite ouverture, diaphragme; écran m perforé <opt.>	диафрагма с отверстиями (перфорациями), диафрагма; перфорированный экран <опт.>
P 750	**perforated steel plate**	Röhrchenplatte f	plaque f tubulaire	трубчатая пластинка, трубная решетка
	perforation, punching; sprocket hole	Lochung f; Perforation f, Stanzloch n	perforation f	перфорация; пробивание отверстий
P 751	**perforation** <chem.>	Perforieren n <Chem.>	perforation f <chim.>	перфорация <хим.>
	perforation	s. a. through corrosion		
P 752	**perforation pitch,** pitch of the perforation	Perforationsabstand m, Perforationsschritt m, Loch[mitten]abstand m, Lochschritt m	pas m [de la perforation]	шаг перфорации
	performance; output, productivity; efficiency, efficacy	Leistung[sfähigkeit] f, Produktionsleistung f, Produktivität f	productivité f, productibilité f	производительность; отдача, выработка
	performance	s. a. behaviour		
	performance	s. a. making		
	performance	s. a. useful work		
P 753	**performance characteristic,** performance curve	Leistungscharakteristik f, Leistungs[kenn]linie f, Leistungskurve f	caractéristique f de performance, courbe f de performance	график мощности, характеристика мощности, кривая мощности
	performance characteristic	s. a. operating characteristic		
	performance chart	s. indicator diagram		
	performance chart	s. a. family of characteristic[s]		
P 754	**performance coefficient,** coefficient of performance	Leistungsbeiwert m, Leistungsziffer f	coefficient m de performance	коэффициент производительности
P 755	**performance criterion**	Gütekriterium n	critère m de performance	критерий качества
	performance curve, performance characteristic	Leistungscharakteristik f, Leistungs[kenn]linie f, Leistungskurve f	caractéristique f de performance, courbe f de performance	график мощности, характеристика мощности, кривая мощности
P 756	**performance factor** <of relay>	Gütefaktor m <Relais>	qualité f de fonctionnement <du relais>	коэффициент правильности срабатывания <реле>
P 757	**performance index**	Güteindex m	indice m de performance	показатель добротности
	performance of control, control performance	Regelgüte f, Güte f des Regelungssystems	performance f de réglage	качество (добротность) регулирования

	English	German	French	Russian
	performance operator, transfer function	Übertragungsfunktion f, ÜF	transmittance f, fonction f de transfert, opérateur m de performance, admittance f généralisée	передаточная функция, оператор линейного звена
	pergelisol, permafrost, perpetually frozen soil, ever-frost, tjaele	Dauerfrostboden m, [ewige] Gefrornis f, Permafrost m, Pergelisol m, Kongelisol m	congélation f perpétuelle, glaces fpl perpétuelles	вечная мерзлота
P 758	**perhapsatron**	Perhapsatron n	perhapsatron m	перхэпсатрон
P 759	**perhumid** <of climate>	perhumid <Klima>	perhumide <du climat>	пергумидный <о климате>
P 760	**periastron**	Periastron n, Sternnähe f	périastre m	периастр[ий], периастрон
P 761	**pericentre,** galactic pericentre <astr.>	Perigalaktikum n <Astr.>	péricentre m galactique <astr.>	перигалактий, перицентр <астр.>
P 762	**pericentre** <mech.>	Perizentrum n <Mech.>	péricentre m <méc.>	перицентр <мех.>
	pericline	s. brachyanticlinal		
	pericynthion	s. perilune		
P 763	**perigean velocity**	Perigäumsgeschwindigkeit f	vitesse f [dans le] périgée	скорость в перигее
P 764	**perigee**	Perigäum n, Erdnähe f	périgée m	перигей
P 765	**perigee altitude**	Perigäumshöhe f	altitude f du périgée	высота перигея
P 766	**perigee distance**	Perigäumsdistanz f, Perigäumsabstand m, Perigäumsentfernung f	distance f au périgée, distance périgée	расстояние в перигее, перигейное расстояние
P 767	**perigon [angle],** round angle, full angle	[ebener] Vollwinkel m	angle m de 360°	угол в 360°, угол полного оборота, полный угол [в 360°]; плоский угол, равный 2 π [радиан]
	perihelic distance	s. perihelion distance		
P 768	**perihelic velocity**	Perihelgeschwindigkeit f	vitesse f [dans le] périhélie	скорость в перигелии
P 769	**perihelion**	Perihel n, Perihelium n, Sonnennähe f	périhélie m	перигелий
P 770	**perihelion distance,** perihelic distance	Periheldistanz f, Perihelabstand m, Perihelentfernung f	distance f au périhélie, distance périhélie	расстояние в перигелии, перигельное расстояние
	perihelion motion	s. advance of perihelion		
P 771	**perihelion passage**	Perihaldurchgang m	passage m au périhélie	прохождение через перигелий
P 772	**perikinetic coagulation**	perikinetische Koagulation f	coagulation f péricinétique	тепловая коагуляция, броуновская коагуляция
P 773	**perilune,** pericynthion	Perilunium n, Mondnähe f	périlunie m, péricynthie m	ближайшая к Луне точка орбиты [лунного спутника], перилуний
P 774	**perilymph**	Perilymphe f, Gehörwasser n	périlymphe f	перилимфа
P 775	**perimeter** <opt.>	Perimeter n <Opt.>	périmètre m <opt.>	периметр, прибор для исследования поля зрения <опт.>
P 775a	**perimeter;** circumference <quantity, math.>	Umfang m; Perimeter n <Größe, Math.>	périmètre m; circonférence f <grandeur, math.>	периметр; окружность <величина, матем.>
	perimeter	s. a. periphery		
P 776	**perimorphism,** peri-morphogenesis, perimorphosis	Perimorphism f, Umhüllungspseudomorphose f	périmorphose f	периморфоза
P 777	**period,** period of the reactor, [nuclear] reactor period, time constant of nuclear reactor, reactor time constant, rise time <of nuclear reactor>	Periode f des Reaktors, Reaktorperiode f; Reaktorzeitkonstante f	constante f de temps du réacteur, période f du réacteur	период реактора, постоянная времени реактора
P 778	**period,** period of revolution, orbital period, time of one revolution <astr.>	Umlaufzeit f, Umlaufzeit f, Umlauf[s]dauer f, Umlauf[s]periode f <Astr.>	période f (durée f, temps m) de révolution <astr.>	период обращения, время обращения <астр.>
P 779	**period** <math.>	Periode f <Math.>	période f <de la fonction>; période cyclique <de l'intégrale> <math.>	период <функции>; циклическая постоянная <интеграла> <матем.>
	period	s. a. radioactive half-life		
	period	s. a. period of oscillation		
	period	s. a. periodic time		
P 780	**periodic adsorption**	periodische Adsorption f	adsorption f périodique	периодическая адсорбция
P 781	**periodic[al];** cyclic	periodisch [veränderlich]; zyklisch	périodique; cyclique	периодический; циклический, циклически действующий
	periodically changing potential, periodic potential	periodisches (periodisch veränderliches) Potential n	potentiel m périodique	периодический (периодически изменяющийся) потенциал
	periodic boundary condition	s. Born-von Kármán boundary condition		
	periodic classification [of the elements]	s. periodic system		
	periodic disturbance	s. periodic perturbation		
P 782	**periodic fluctuations of light (luminous flux)**	Lichtwelligkeit f	fluctuations fpl périodiques du flux lumineux	волнистость света, периодические колебания светового потока
P 783	**periodic focusing**	Wechselfeldfokussierung f	focalisation f [au moyen du champ] périodique	периодическая фокусировка, фокусировка периодическим полем
P 784	**periodic group,** torsion group	periodische (ordnungsfinite) Gruppe f, Torsionsgruppe f	groupe m périodique, groupe à torsion, groupe avec torsion	периодическая группа, группа с кручением
	periodic group	s. a. group <in the periodic table>		
	periodic inequality	s. periodic perturbation		

	English	German	French	Russian
P 785	periodic in the mean	im Mittel periodisch, periodisch im Mittel	périodique en moyenne	периодический в среднем
P 786	periodicity condition	Periodizitätsbedingung f	relation f de périodicité	условие периодичности
	periodicity in space of the crystal, crystal periodicity, periodicity of lattice	Kristallperiodizität f, Periodizität f der Kristallstruktur, Periodizität des Gitters	périodicité f de la structure cristalline, périodicité du réseau cristallin	периодичность структуры кристалла, периодичность кристаллической решетки
P 787	periodicity modulus, modulus of periodicity	Periodizitätsmodul m, zyklische Konstante f	module m de périodicité	модуль периодичности
	periodicity of lattice, crystal periodicity, periodicity in space of the crystal	Kristallperiodizität f, Periodizität f der Kristallstruktur, Periodizität des Gitters	périodicité f de la structure cristalline, périodicité du réseau cristallin	периодичность структуры кристалла, периодичность кристаллической решетки
P 788	periodic law [of Mendeléef], Mendeléef['s] periodic law, Mendeléef['s] law, Mendeleyev['s] periodic law	Periodengesetz n [von Mendelejew], Periodengesetz von Mendelejeff	loi f périodique [de Mendeleev]	периодический закон Менделеева
P 789	periodic orbit	periodische Bahn f	orbite f périodique	периодическая орбита
P 790	periodic perturbation, periodic disturbance (inequality)	periodische Störung f	perturbation f périodique, inégalité f périodique	периодическое возмущение, периодическое неравенство
P 791	periodic potential, periodically changing potential	periodisches (periodisch veränderliches) Potential n	potentiel m périodique	периодический (периодически изменяющийся) потенциал
P 792	periodic precipitation, Liesegang effect, rhythmic precipitation	Liesegang-Effekt m, periodische (rhythmische) Fällung f	précipitation f périodique, effet m Liesegang, précipitation rythmique	ритмическое осаждение, эффект Лизеганга
	periodic pulse train	s. recurrent pulses		
P 793	periodic sinusoidal flow	periodische sinusoidale Strömung f	mouvement m harmonique	гармоническое течение
P 794	periodic solution <of the first, second, third kind>	periodische Lösung f <erster, zweiter, dritter Gattung>	solution f périodique <de premier, second, troisième genre>	периодическое решение <первого, второго, третьего рода>
P 795	periodic source; rhythmic source	periodisch fließende Quelle f; episodisch fließende Quelle; Hungerquelle f	source f périodique; source rythmique; source rémittante	периодический источник, периодически действующий источник; ритмический источник
P 796	periodic specimen, periodic structure	periodisches Objekt n	objet m périodique, structure f périodique	периодический объект
P 797	periodic square-wave pulse train	Rechteckpuls m, Rechteckstoßschwingung f, periodisch wiederkehrende Rechteckimpulsfolge f	train m d'impulsions rectangulaires périodiques	периодически повторяющееся напряжение прямоугольной формы
P 798	periodic stream	periodischer Meteorstrom m	essaim (courant) m périodique <de météores>	постоянный поток <метеоров>
P 799	periodic structure	periodische Struktur f	structure f périodique	периодическая структура
	periodic structure	s. a. periodic specimen		
P 800	periodic system [of the elements], periodic table [of the elements], periodic chart [of the elements], periodic classification [of the elements], Mendeléef['s] classification [of the elements], Mendeléef['s] periodic table	Periodensystem n [der Elemente], periodisches System n [der Elemente]; Tafel f des Periodensystems [der Elemente], Tabelle f des Periodensystems [der Elemente], Periodentafel f, Periodentabelle f	classification f périodique des éléments, système m périodique [des éléments]; tableau m du système périodique [des éléments], tableau de Mendeleev, liste f de Mendeleev, série f de Mendeleev	периодическая система [химических элементов] Д. И. Менделеева, система Менделеева; таблица Менделеева, периодическая таблица [химических элементов Д. И. Менделеева]
P 801	periodic time, period	Periodendauer f, Periode f, Periodenlänge f	période f	период, продолжительность периода
	periodic variable; regular variable	regelmäßiger Veränderlicher m; periodischer Veränderlicher; Pulsationsveränderlicher m	variable f régulière; variable périodique	правильная переменная [звезда], регулярная переменная [звезда]; периодическая переменная [звезда]
P 802	period-luminosity relation	Periode[n]-Leuchtkraft-Beziehung f, Periode[n]-Helligkeits-Beziehung f	relation f période-luminosité	зависимость период-светимость
P 803	period meter	Schwingungszeitmesser m, Schwingungszeitmeßanordnung f, Schwingungszeitmeßanlage f	périodemètre m	измеритель периода [колебаний]
P 804	period meter, reactor period meter	Periodenmesser m, Reaktorperiodenmesser m	périodemètre m [du réacteur nucléaire]	измеритель периода [реактора]
P 805	period module, module of periods	Periodenmodul m	module m des périodes	модуль периодов
P 806	period of advance	Vorstoßperiode f	période f d'avancement	период продвижения, период наступления
	period of beat, beat period, beat cycle	Schwebungsperiode f, Schwebungsdauer f	période (durée) f de battement	период биений, период биения
	period of compression, compression period, compression time	Kompressionszeit f, Verdichtungszeit f, Verdichtungsperiode f	période f de compression, temps m de compression	период сжатия
P 807	period of deformation, deformation period	Deformationszeit f, Verformungszeit f, Verzerrungszeit f	période f (durée f, temps m) de déformation	период (продолжительность, время) деформации
P 808	period of excitation	Anregungsdauer f	durée f d'excitation	продолжительность возбуждения
P 809	period of fading, fading period	Schwundperiode f	période f d'évanouissement, période de fading	период замирания

	English	German	French	Russian
P 810	**period of forecast[ing]**, forecast period, period of validity of forecast	Vorhersagezeitraum *m*, Prognosezeitraum *m*	période *f* de prévision, période *f* de pronostic	срок прогноза, прогнозируемый отрезок времени, период действия прогноза
P 811	**period of full opening [of shutter]**	Volloffenzeit *f*	durée *f* d'ouverture complète [de l'obturateur]	время полного открывания [затвора]
P 812	**period of oscillation**, period of vibration, oscillation period, vibration period, period	Schwingungsdauer *f*, Schwingungsperiode *f*, Periode *f*, Periodendauer *f*, Schwingdauer *f*, Schwing[ungs]zeit *f*	période *f* d'oscillation, période, durée *f* de l'oscillation, durée de la vibration	период колебания, продолжительность колебания, период
P 813	**period of recession**, recessional period; stage of retreat	Rückzugsperiode *f*, Rückzugsstadium *n*	période *f* de régression (retrait); stade *m* de retrait (régression)	период отступления
	period of recording	s. recording period		
P 814	**period of regression**, regression period	Regressionsperiode *f*	période *f* de régression	период регрессии
	period of rest, state of rest <bio.>	Ruhezustand *m*, Ruheperiode *f* <Bio.>	état *m* de repos, période *f* de repos <bio.>	состояние покоя, спокойное состояние <био.>
P 815	**period of restitution**	Wiederherstellungsperiode *f*	période *f* de restitution (rétablissement)	период восстановления
	period of revolution, [orbital] period, time of one revolution <astr.>	Umlaufszeit *f*, Umlaufzeit *f*, Umlauf[s]dauer *f*, Umlauf[s]periode *f* <Astr.>	période *f* (durée *f*, temps *m*) de révolution <astr.>	период обращения, время обращения <астр.>
	period of revolution (rotation)	s. rotation period		
	period of sunspots, sunspot cycle, sunspots cycle, sunspot period	Sonnenfleckenzyklus *m*, Fleckenzyklus *m*, Sonnenfleckenperiode *f*, Fleckenperiode *f*	cycle *m* des taches solaires, période *f* des taches solaires	цикл солнечных пятен, период солнечных пятен
	period of the reactor	s. period		
	period of validity of forecast	s. period of forecast		
	period of vibration	s. period of oscillation		
P 816	**periodogram**	Periodogramm *n*	périodogramme *m*	периодограмма; график спектральной функции
P 817	**periodogram analysis**	Periodogrammanalyse *f*, Periodogrammrechnung *f*	analyse *f* par périodogramme	периодограмм-анализ, анализ периодограммой
	periodometer	s. Fourier analyzer		
P 818	**period range**, time constant range <of reactor>	Periodenbereich *m*, Zeitkonstantenbereich *m* <Reaktor>	domaine *m* de divergence <du réacteur>	режим (диапазон) разгона, промежуточный участок пускового режима <реактора>
P 819	**period-spectrum relation**	Periode[n]-Spektrum-Beziehung *f*	relation *f* période-spectre	зависимость период-спектр
P 820	**peripheral**; circumferential, meridianal	Umfangs-; peripher; Mantel-; Rand-	périphérique; circonférentiel	окружный; периферический
P 820a	**peripheral**, meridianal, mer- <chem.>	peripheral, meridianal, mer- <Chem.>	périphérique, méridianal, mér- <chim.>	периферический, меридианальный, мер- <хим.>
	peripheral	s. a. extranuclear		
	peripheral component, circumferential component	Umfangskomponente *f*	composante *f* périphérique, composante circonférentielle	окружная составляющая (компонента), проекция по направлению вращения
	peripheral electron	s. bonding electron <chem., nucl.>		
P 821	**peripheral emission**	Peripherieemission *f*	émission *f* périphérique	периферическое излучение, периферическая эмиссия
P 822	**peripheral gas**	Mantelgas *n*	gaz *m* périphérique	газ по периферии
P 823	**peripheral layer**, surface layer	Randschicht *f*, periphere Schicht *f*, Mantelschicht *f*	couche *f* périphérique (superficielle, marginale)	периферический слой, кромочный слой, пограничный слой
	peripheral moraine, lateral (flank, marginal) moraine	Seitenmoräne *f*, Ufermoräne *f*, Randmoräne *f*	moraine *f* latérale, moraine marginale	боковая морена, краевая морена, береговая морена
P 824	**peripheral nucleon**, outer nucleon	äußeres (peripheres) Nukleon *n*, Randnukleon *n*, Nukleon außerhalb der besetzten Schalen	nucléon *m* périphérique	внешний нуклон, периферический нуклон
	peripheral orbit, outermost orbit, outer orbit, valence orbit	Valenzbahn *f*, kernfernste Bahn *f*, äußerste Elektronenbahn *f*	orbite *f* externe (périphérique), couronne *f* extérieure, orbite de valence	внешняя орбита, валентная орбита
	peripheral ray	s. marginal ray		
P 825	**peripheral region**, peripheral zone, periphery, marginal region, marginal zone, border zone, outer zone	Randzone *f*, Randgebiet *n*, periphere Zone *f*, peripherer Bereich *m*, Peripherie *f*	zone *f* périphérique, région *f* périphérique, zone marginale, zone bordière	периферическая область (зона), периферия; краевая зона; пограничная область (зона), граничная зона; концевая зона
	peripheral shell	s. valence shell		
	peripheral speed, circumferential speed, peripheral velocity	Umfangsgeschwindigkeit *f*	vitesse *f* périphérique, vitesse circonférentielle	окружная скорость
P 825a	**peripheral stress (tension)**	Umfangsspannung *f*, Randspannung *f*	tension *f* périphérique (circonférentielle)	окружное усилие
	peripheral unit	s. supplementary apparatus		
	peripheral velocity, circumferential (peripheral) speed	Umfangsgeschwindigkeit *f*	vitesse *f* périphérique, vitesse circonférentielle	окружная скорость

P 826	peripheral velocity	Randgeschwindigkeit f, Mantelgeschwindigkeit f	vitesse f périphérique	скорость в пограничном слое
P 827	peripheral vision	peripheres Sehen n	vision f périphérique	периферическое зрение
	peripheral zone	s. peripheral region		
	peripheric fault, boundary (circumferential) fault	Randverwerfung f, Randstörung f	faille f limite (périphérique, marginale)	краевой сброс, периферический сброс, краевой разлом
P 828	periphery; circumference; perimeter <math.>	Peripherie f, Umfangslinie f, Umfang m <Math.>	périphérie f <math.>	граница фигуры (тела), периферия, окружность, обхват <матем.>
	periphery surface	s. surface		
P 829	periplanatic	periplanatisch	périplanétique	перипланатический
P 830	peri-position	peri-Stellung f	position f péri, péri-position f	пери-положение
P 831	periscopic lens	periskopisches Glas n	lentille f périscopique, verre m périscopique	перископическая линза, перископическое стекло
P 832	periscopic lens <objective>	Periskop n <Photoobjektiv>	objectif m périscopique	перископ <фотообъектив>
P 833	perisphere	Perisphäre f	périsphère f	перисфера
P 834	peristrophe	Peristrophe f	péristrophe f	перистрофа
P 835	peritectic	Peritektikum n; peritektische Legierung f; peritektisches Gefüge n	péritectique m	перитектика
P 836	peritectic point; peritectic temperature	peritektischer Punkt m; peritektische Temperatur f; Peritektikale f	point m péritectique; température f péritectique	перитектическая точка; перитектическая температура; перитектика
P 837	peritectoid	Peritektoid n	péritectoïde m	перитектоид
P 838	peritectoid point, peritectoid temperature	peritektoider Punkt m, peritektoide Temperatur f	point m (température f) péritectoïde	перитектоидная точка (температура)
P 838a	Perkin['s] phenomenon	Perkin-Phänomen n	phénomène m de Perkin	явление Перкина
P 839	permafrost, perpetually frozen soil, ever-frost, pergelisol, tjaele	Dauerfrostboden m, [ewige] Gefrornis f, Permafrost m, Pergelisol m, Kongelisol m, Congelisol m	congélation f perpétuelle, glaces fpl perpétuelles	вечная мерзлота
P 840	permanence, permanency, durability, constancy <gen.>	Permanenz f, Unveränderlichkeit f, Dauerhaftigkeit f, Beständigkeit f, Beharrungszustand m, Konstanz f <allg.>	permanence f, constance f <gén.>	постоянство, перманентность, неизменность, неизменяемость, прочность <общ.>
P 841	permanence of matter	Permanenz f der Materie	permanence f de la matière	постоянство (перманентность) вещества
P 842	permanence of the functional equation, persistence of the functional equation	Permanenz f der Funktionalgleichung	permanence f de l'équation fonctionnelle	перманентность функционального уравнения
	permanence of vision	s. persistence of vision		
P 843	permanence principle	Permanenzprinzip n	principe m de permanence	принцип перманентности (постоянства)
P 844	permanence principle of binding energy	Prinzip n der Konstanz der Bindungsenergie	principe m de permanence de l'énergie de liaison	принцип постоянства энергии связей
P 845	permanence principle of light velocity	Prinzip n der Konstanz der Lichtgeschwindigkeit	principe m de permanence de la vitesse de lumière	принцип постоянства скорости света
	permanency	s. permanence		
	permanent	s. steady		
	permanent aurora	s. night airglow		
P 846	permanent axis of rotation, stable axis [of rotation]	permanente (spontane) Drehachse f, stabile Achse f	axe m permanent (spontané) de rotation, axe stable [de rotation]	устойчивая ось [вращения], перманентная ось вращения
	permanent blip	s. permanent echo		
P 847	permanent charging	Dauerladung f	charge f permanente	«капельный» заряд [батареи], непрерывный (дозовый) подзаряд
	permanent deformation	s. plastic deformation		
P 848	permanent echo, fixed echo, permanent blip	Festzielecho n, Festzeichen n, Festzacke f, Fixecho n, Dauerecho n	écho m permanent	сигнал, отраженный от неподвижных (местных) предметов; сигнал от местных предметов
	permanent elongation	s. residual elongation		
P 849	permanent excitation <e.g. of luminescence>	Dauererregung f <z. B. von Lumineszenz>	excitation f permanente <p. ex. de luminescence>	постоянное возбуждение, продолжительное возбуждение <напр. люминесценции>
	permanent exposure	s. chronic exposure		
P 850	permanent filtration <bio.>	Vorfilterung f <Bio.>	préfiltration f <bio.>	предфильтрация, предварительная фильтрация <био.>
P 851	permanent gas	permanentes Gas n, Permanentgas n	gaz m permanent	постоянный газ
P 852	permanent geomagnetic field	beharrliches Magnetfeld n der Erde	champ m géomagnétique permanent	постоянное геомагнитное поле
P 853	permanent hardness [of water]	bleibende (permanente) Härte f, Nichtkarbonathärte f, NKH <Wasser>	dureté f permanente [de l'eau]	постоянная жесткость [воды], некарбонатная жесткость [воды]
P 854	permanent load; continuous load; steady load; dead [weight] load, fixed load <mech.>	Dauerbelastung f; konstante (ständige, bleibende) Belastung f; Dauerlast f, ruhende Last f; ständige Last f <Mech.>	charge f permanente; charge constante; charge continue <méc.>	постоянная нагрузка, постоянно действующая нагрузка; длительная нагрузка <мех.>
	permanent load	s. a. continuous load <el.>		

P 855	**permanent magnet**	Permanentmagnet *m*, Dauermagnet *m*, permanenter Magnet *m*	aimant *m* permanent	постоянный магнит
P 856	**permanent[-] magnetic**	permanentmagnetisch, dauermagnetisch	à magnétisme permanent, à aimant permanent	постоянно магнитный, с постоянным магнетизмом
P 857	**permanent[-]magnetic circuit**	permanent[]magnetischer Kreis *m*, Dauermagnetkreis *m*	circuit *m* à (en) aimant permanent, circuit d'aimant permanent	постоянно магнитная цепь, цепь постоянного магнита
P 858	**permanent-magnetic field**	permanentes Magnetfeld *n*, Permanentmagnetfeld *n*	champ *m* magnétique permanent	постоянное магнитное поле
P 859	**permanent-magnetic lens**	permanent[ ]magnetische Linse *f*	lentille *f* à aimant permanent	постоянная магнитная линза
P 860	**permanent-magnetic material**	permanentmagnetischer Werkstoff *m*, Dauermagnetwerkstoff *m*	matériau *m* magnétique, matériau d'aimants permanents	постоянный магнетик
P 861	**permanent magnetism**	permanenter Magnetismus *m*, Permanentmagnetismus *m*, Dauermagnetismus *m*	magnétisme *m* permanent	постоянный магнетизм
P 862	**permanent magnet-ization [vector]**	permanente Magnetisierung *f*	intensité *f* (vecteur *m* intensité) d'aimantation permanente	постоянная намагниченность
P 863	**permanent-magnet moving-coil instrument,** moving-coil instrument	Drehspulinstrument *n*, Drehspulmeßgerät *n*	appareil *m* magnétoélectrique, appareil à cadre mobile et à aimant fixe, appareil à bobine mobile	[измерительный] прибор с подвижной катушкой, магнитоэлектрический [измерительный] прибор, рамочный прибор
P 864	**permanent-magnet moving-coil instrument,** iron needle instrument	Eisennadelinstrument *n*, Eisennadelmeßgerät *n*, Dreheiseninstrument *n* mit Magnet	appareil *m* à fer mobile et aimant, appareil à aiguille fer	магнитоэлектрический измерительный прибор с железной стрелкой
	permanent memory	*s.* permanent store		
P 865	**permanent modification,** dauermodifikation	Dauermodifikation *f*	modification *f* permanente	длительная модификация
	permanent nova, recurrent nova, repeated nova	[periodisch] wiederkehrende Nova *f*, Novula *f* <*pl.*: Novulae>	nova *f* récurrente	повторная новая [звезда], повторно вспыхивающая новая [звезда]
P 866	**permanent operating temperature,** final temperature	Beharrungstemperatur *f*, Dauertemperatur *f*, Endtemperatur *f*	température *f* permanente, température finale	установившаяся температура, конечная температура
	permanent set	*s.* plastic deformation		
P 867	**permanent short-circuit current**	Dauerkurzschlußstrom *m*	courant *m* permanent de court-circuit	постоянный ток короткого замыкания
P 868	**permanent store,** permanent memory	permanenter Speicher *m*, Totspeicher *m*	mémoire *f* permanente	долговременное запоминающее устройство, устройство постоянного запоминания, постоянный накопитель
P 869	**permanent stream**	permanenter Meteorstrom *m*	essaim (courant) *m* permanent <de météores>	постоянный поток <метеоров>
P 870	**permanent time signal,** continuous time signal	Dauerzeitzeichen *n*	signal *m* horaire permanent	непрерывный сигнал времени
	permanent wave	*s.* stable wave		
P 871	**permeability,** magnetic permeability	[magnetische] Permeabilität *f*, magnetische Durchlässigkeit *f*	perméabilité *f*, perméabilité magnétique	магнитная проницаемость
P 872	**permeability,** perviousness <of a solid>	Durchlässigkeit *f*, Permeabilität *f* <Festkörper>	perméabilité *f* <du solide>	проницаемость; коэффициент фильтрации <твердого тела>
	permeability	*s. a.* permeability coefficient <Darcy's law>		
	permeability	*s. a.* permeability coefficient <bio.>		
	permeability	*s. a.* absolute permeability		
P 873	**permeability bridge**	Permeabilitäts[meß]brücke *f*, Permeameter *n*	pont *m* de perméabilités	мост для измерения магнитной проницаемости
P 874	**permeability coefficient,** coefficient of permeability, permeability <bio.>	Permeabilitätskoeffizient *m*, Durchlässigkeitskoeffizient *m* <Bio.>	perméabilité *f* <bio.>	коэффициент проницаемости <био.>
	permeability coefficient, hydraulic conductivity, permeability <in Darcy's law>	Durchlässigkeit *f* <Darcysches Gesetz>	perméabilité *f* <dans la loi de Darcy>	проницаемость <в законе Дарси>
P 875	**permeability constant** <bio.>	Permeabilitätskonstante *f*, Permeationskonstante *f* <Bio.>	constante *f* de perméabilité <bio.>	константа проницаемости <био.>
P 876	**permeability curve**	Permeabilitätskurve *f*	courbe *f* de perméabilité	кривая [магнитной] проницаемости, характеристика [магнитной] проницаемости
P 877	**permeability factor,** Vitamin P	Permeabilitätsfaktor *m*, Vitamin *n* P, Vitamin-P-Gruppe *f*, Permeabilitätsvitamin *n*, Citrin *n*	facteur *m* de perméabilité, vitamine *f* P	витамин P
	permeability for water, permeability to water, water permeability	Wasserdurchlässigkeit *f*; Wasserpermeabilität *f* <Bio.>	perméabilité *f* à l'eau, perméabilité pour l'eau	водопроницаемость, проницаемость для воды; коэффициент водопроницаемости <био.>
P 878	**permeability line**	Permeabilitätsgerade *f*	droite *f* de perméabilité	прямая проницаемости
P 879	**permeability matrix**	Permeabilitätsmatrix *f*	matrice *f* de perméabilité [magnétique]	матрица [магнитной] проницаемости
P 880	**permeability model**	Durchlässigkeitsmodell *n*	modèle *m* de perméabilité	модель проницаемости

P 881	**permeability of free space,** permeability of vacuum, absolute permeability of free space, absolute permeability of vacuum	[absolute] Permeabilität *f* des Vakuums, [absolute] Permeabilität des freien Raumes, Vakuumpermeabilität *f*, magnetische Permeabilität des Vakuums, magnetische Feldkonstante *f*, Induktionskonstante *f*, Permeabilitätskonstante *f*	perméabilité *f* du vide, perméabilité absolue du vide	магнитная проницаемость вакуума, абсолютная магнитная проницаемость вакуума, индукционная постоянная
	permeability of the barrier	s. barrier factor		
P 882	**permeability of the membrane,** membrane permeability (conductance)	Membranpermeabilität *f*, Membrandurchlässigkeit *f*	perméabilité *f* de la membrane	проницаемость мембраны, мембранная проницаемость
	permeability of the toroidal core, toroidal-core permeability	Ringkernpermeabilität *f*, Werkstoffpermeabilität *f*	perméabilité *f* du noyau toroïdal	магнитная проницаемость тороидального сердечника
P 882a	**permeability of vacuum**	s. permeability of free space		
	permeability series	Permeabilitätsreihe *f*	série *f* de perméabilités	ряд проницаемостей
P 883	**permeability tensor,** tensor of permeability	Permeabilitätstensor *m*, Durchlässigkeitstensor *m*, Tensor *m* der Durchlässigkeit	tenseur *m* de la perméabilité	тензор проницаемости
P 884	**permeability tensor** <magn.>	Permeabilitätstensor *m* <Magn.>	tenseur *m* de perméabilité [magnétique], tenseur perméabilité <magn.>	тензор магнитной проницаемости, тензор проницаемости <магн.>
P 885	**permeability theory of narcosis**	Permeabilitätstheorie *f* der Narkose	théorie *f* de perméabilité de la narcose	теория проницаемости наркоза
P 886	**permeability to gas**	Gasdurchlässigkeit *f*	perméabilité *f* au gaz	газопроницаемость
	permeability to heat	s. diathermance <phenomenon>		
P 887	**permeability to light,** light permeability (perviousness); transmission of light, light transmission, photopermeability	Lichtdurchlässigkeit *f*; Lichtdurchlassung *f*	perméabilité *f* à la lumière; transmission *f* de lumière	светопропускаемость, пропускаемость для света; светопропускание, пропускание света
P 888	**permeability to water,** perviousness to water, permeability for water, water permeability	Wasserdurchlässigkeit *f*; Wasserpermeabilität *f* <Bio.>	perméabilité *f* à l'eau, perméabilité pour l'eau	водопроницаемость, проницаемость для воды; коэффициент водопроницаемости <био.>
	permeability tuning, magnet tuning	magnetische Abstimmung *f*, Permeabilitätsabstimmung *f*, M-Abstimmung *f*	accord *m* par variation de perméabilité	магнитная настройка, настройка с помощью изменения магнитной проницаемости
	permeable, penetrable <to gases>	durchdringbar, durchlässig, permeabel <für Gase>	pénétrable, perméable <aux gaz>	проницаемый, неплотный, негерметичный <для газов>
	permeable to heat	s. diathermanous		
	permeable to light	s. transparent		
P 889	**permeameter**	Permeabilitätsmesser *m*, Permeameter *n*, Eisenmeßgerät *n*, Meßjoch *n*	perméamètre *m*	пермеаметр, измеритель магнитной проницаемости, мюметр, измерительное ярмо
	permeance, magnetic conductance	magnetischer Leitwert *m*, magnetische Leitfähigkeit *f*, Permeanz *f*	conductivité *f* magnétique, perméance *f*	магнитная проводимость, магнитопроводимость
	permeating light, transmitted (translucent) light	Durchlicht *n*	lumière *f* transmise	просвет, пропущенный свет, проходящий свет
P 890	**permeation** <e.g. of gases>	Durchlaß *m*, Durchlassung *f* <Gase>	perméation *f* <des gaz>	пропуск[ание] <газов>
P 891	**permeation** <bio.>	Permeation *f* <Bio.>	perméation *f* <bio.>	проникновение, проникание, проницание <био.>
P 891a	**permeation pressure**	Permeationsdruck *m*	pression *f* de perméation	давление проникновения
P 892	**permeation rate**	Durchlaßgeschwindigkeit *f*, Permeationsgeschwindigkeit *f*, Eindringgeschwindigkeit *f*	vitesse *f* de perméation	скорость проникновения
	permissibility, allowedness, permission	Erlaubtheit *f*	permission *f*, admissibilité *f*	разрешенность
P 893	**permissible concentration,** tolerance concentration	zulässige (verträgliche) Konzentration *f*, Toleranzkonzentration *f*	concentration *f* admissible (tolérée, de tolérance)	допустимая концентрация
	permissible dose	s. tolerance dose		
P 894	**permissible function**	zulässige Funktion *f* [bei der Eigenwertaufgabe]	fonction *f* admissible	допустимая функция
	permissible limits	s. permissible tolerance		
P 895	**permissible overload,** overload rating	zulässige Überlastung (Überlastbarkeit) *f*, Überlastungsgrenze *f*, Überlastbarkeitsgrenze *f*	surcharge *f* admissible	допустимая перегрузка
P 896	**permissible reverse voltage**	Sperrspannungsfestigkeit *f*	tension *f* inverse admissible	допустимое обратное напряжение
P 897	**permissible stress,** permissible (allowable) workings stress, working (safe) stress	zulässige Spannung *f*; zulässige Beanspruchung *f*	contrainte *f* (tension *f*, effort *m*, sollicitation *f*) admissible	допустимое напряжение, допускаемое напряжение, допустимое усилие
	permissible tolerance, tolerance, allowance, permissible (allowable) limits, margin	Toleranz *f*, Maßtoleranz *f*, zulässige Abweichung *f*, zulässiger Fehler *m*, Spielraum *m*	tolérance *f*, tolérance admise, tolérance permise, limite *f* de tolérance	допуск, допустимое (допускаемое) отклонение, допустимая погрешность, толерантность

	permissible tolerance [dose]	*s.* tolerance dose		
	permissible working stress	*s.* permissible stress		
	permission	*s.* permissibility		
	permittance	*s.* capacitance <el.>		
	permitting radiant heat to pass through	*s.* diathermanous		
P 898	**permittivity,** absolute permittivity, dielectric constant, [specific] inductive capacity, specific (electronic, relative) inductivity, inductivity <of the material>	Dielektrizitätskonstante *f*, absolute Dielektrizitätskonstante, dielektrische Leitfähigkeit *f*, Induktionsvermögen *n*, Permittivität *f*, DK <des Mediums>	permittivité *f* [absolue], permitivité *f*, perméabilité *f* diélectrique [absolue], capacité *f* inductive spécifique, pouvoir *m* inducteur spécifique <du milieu>	диэлектрическая проницаемость, абсолютная диэлектрическая проницаемость, диэлектрическая постоянная <вещества>
P 899	**permittivity of free space, permittivity of vacuum,** electric constant	[absolute] Dielektrizitätskonstante *f* des Vakuums, Influenzkonstante *f*, Verschiebungskonstante *f*, elektrische Feldkonstante *f*, absolute Dielektrizitätskonstante für den freien Raum, elektrostatische (dielektrische) Grundkonstante *f*	permittivité *f* du vide, perméabilité *f* diélectrique du vide, constante *f* diélectrique du vide, constante *f* électrique	диэлектрическая проницаемость вакуума, абсолютная диэлектрическая постоянная вакуума, электрическая постоянная [поля]
	permittivity tensor	*s.* dielectric tensor		
P 899a	**permselective membrane**	permselektive Membran *f*	membrane *f* permsélective (sélective par perméabilité)	диафрагма (мембрана), обладающая селективной проницаемостью
P 900	**permutability,** commutability	Vertauschbarkeit *f*, Kommutierbarkeit *f*	permutabilité *f*, commutabilité *f*	коммутативность, коммутируемость, перестановочность
	permutable, commuting	[miteinander] vertauschbar, kommutierend	échangeable [entre eux], commutant, permutable	коммутирующий, перестановочный
	permutation <gen.>; rearrangement; transposition	Umlagerung *f*, Verlagerung *f*; Umordnung *f*; Umstellung *f*; Umsetzung *f*; Vertauschung *f* <allg.>	réarrangement *m*; regroupement *m*; interversion *f*; transposition *f*; permutation *f*; substitution *f* <gén.>	перегруппировка; перестановка; подстановка; изменение порядка; перераспределение; перемена <общ.>
P 901	**permutation** <math.>	Permutation *f*; Anordnung *f* <Math.>	permutation *f* <math.>	подстановка, перестановка <матем.>
P 902	**permutation group**	Permutationsgruppe *f*	groupe *m* de permutations (substitutions)	группа подстановок, группа перестановок
P 903	**permutation matrix**	Vertauschungsmatrix *f*, Permutationsmatrix *f*	matrice *f* de permutation[s] (substitutions)	матрица перестановок
P 904	**permutation of lines**	Vertauschung *f* der Zeilen, Zeilenvertauschung *f*	permutation *f* des lignes	перестановка строк
P 905	**permutation operator**	Permutationsoperator *m*, Vertauschungsoperator *m*, Austauschoperator *m*	opérateur *m* de permutation	оператор перестановок
	permutation symbol, alternator, e-system	Levi-Cività-Dichte *f*, Tensordichte *f* von Levi-Cività, Levi-Civitàsche Tensordichte *f*	densité *f* (indicateur *m*) de Levi-Cività	тензорная плотность Леви-Чивита, оператор перестановок
P 906	**permutation symmetry,** commutation symmetry	Vertauschungssymmetrie *f*	symétrie *f* de permutation (commutation)	перестановочная симметрия, симметрия перестановок
	permutation test	*s.* randomization test		
P 907	**permutit[e] ion exchange arrangement**	Permutitentsalzungsanlage *f*, Permutitanlage *f*	adoucisseur *m* d'eau employant des permutites	пермутитовая установка
P 908	**permutit method, permutit process**	Permutitverfahren *n* [der Wasserenthärtung]	procédé *m* permutite, déminéralisation *f* de l'eau par la permutite	пермутитовое умягчение воды, пермутитовый способ умягчения воды
P 908a	**permutoid reaction**	permutoide Reaktion *f*	réaction *f* permutoïde	пермутоидная реакция
P 909	**perovskite structure**	Perowskitstruktur *f*	structure *f* pérovskitique	перовскитовая структура, перовскитовое строение
P 910	**peroxide bridge**	Peroxidbrücke *f*	pont *m* peroxydique	перекисный [кислородный] мостик
P 911	**perpendicular,** perpendicular line, normal, vertical line, plumb line	Senkrechte *f*, Lot *n*, Normale *f*	perpendiculaire *f*, ligne *f* verticale	перпендикуляр; вертикаль, вертикальная линия; отвесная линия, линия отвеса
P 912	**perpendicular;** normal	senkrecht; normal; seiger, saiger; lotrecht	perpendiculaire; normal	перпендикулярный; направленный под прямым углом; нормальный; отвесный
	perpendicular	*s. a.* perpendicular of incidence		
P 913	**perpendicular band**	Senkrechtbande *f*, ⊥-Bande *f*	bande *f* perpendiculaire	перпендикулярная полоса
P 914	**perpendicular force;** vertical force	senkrecht angreifende (wirkende) Kraft *f*, Senkrechtkraft *f*	force *f* perpendiculaire; force verticale	перпендикулярная сила; вертикальная сила
	perpendicular force, normal force; normal component of force	Normalkraft *f*; Normalkomponente *f* der Kraft	force *f* normale; composante *f* normale de force	нормальная сила, нормальное усилие; нормальная составляющая силы
P 915	**perpendicularity;** squareness; rectangularity; orthogonality	Rechtwinkligkeit *f*; Rechteckigkeit *f*, Rechteckförmigkeit *f*; Orthogonalität *f*	perpendicularité *f*; rectangularité *f*; orthogonalité *f*	перпендикулярность; прямоугольность; ортогональность
	perpendicular line	*s.* perpendicular		

	perpendicular magnet-ization, cross (transverse) magnetization	Quermagnetisierung f, transversale Magneti-sierung f	aimantation f transversale, aimantation perpendicu-laire	поперечное намагничи-вание
	perpendicular of in-cidence, axis of incidence, perpendicular, normal to the reflecting surface	Einfallslot n, Einfalls-normale f	normale f [d'incidence]	перпендикуляр [к плоско-сти отражения]
P 916	**perpendicular ray,** normal ray	Normalstrahl m	rayon m normal	перпендикулярный луч, нормальный луч
P 917	**perpendicular vibration**	Senkrechtschwingung f	vibration f perpendiculaire	перпендикулярное колебание
	perpendicular voltage, cross voltage, transverse voltage	Querspannung f	tension f transversale, tension perpendiculaire	поперечное напряжение; напряжение, перпенди-кулярное к направле-нию тока
P 918	**perpetual calendar**	immerwährender Kalender m	calendrier m perpétuel	вечный календарь
	perpetually frozen soil, permafrost, ever-frost, pergelisol, tjaele	Dauerfrostboden m, ewige Gefrornis f, Gefrornis, Permafrost m, Pergelisol m, Kongelisol m, Conge-lisol m	congélation f perpétuelle, glaces fpl perpétuelles	вечная мерзлота
P 919	**perpetual motion [engine], perpetual motion machine, perpetuum mobile** <of the first, second kind>	Perpetuum n mobile <erster, zweiter Art> <pl.: Perpe-tua mobilia, Perpetuum mobile>	perpetuum m mobile, mou-vement m perpétuel, per-pétuel m mobile (moteur) <de la première sorte ou de première espèce, de la deuxième sorte ou de seconde espèce>	вечный двигатель <пер-вого, второго рода>
	perpetual snow[-]line	s. snow[-]line		
P 920	**Perrin['s] rule**	Perrinsche Regel f	règle f de Perrin	правило Перэна
P 921	**per-salt**	Persalz n	persel m, sel m du peracide	надсоль, соль надкисло-ты, персоль, соль перкислоты
P 922	**persistence,** time of per-sistence, duration of per-sistence (afterglow), after-glow duration	Nachleuchtdauer f, Nach-leuchtzeit f	temps m de persistance, temps de rémanence	время послесвечения, продолжительность послесвечения
P 923	**persistence** <also chem.>	Persistenz f < auch Chem.>	persistance f <aussi chim.>	устойчивость <также хим.>
P 924	**persistence** <gen.>	Dauer f, Fortdauer f <allg.>; Durchhaltevermögen n <Stat.>	persistance f <gén.>	длительность; продолже-ние; сохраняемость; сохранение <общ.>
	persistence	s. a. afterglow <of screen>		
P 925	**persistence**			
	persistence characteristic	Nachleuchtcharakteristik f, Nachleuchtkurve f	caractéristique f de persis-tance	характеристика после-свечения
	persistence characteris-tic, decay characteristic <of luminescence>	Abklingcharakteristik f, Abfallcharakteristik f, Zerfallscharakteristik f <Lumineszenz>	caractéristique f de déclin [de la luminescence]	характеристика затухания [люминесценции]
P 926	**persistence length**	Persistenzlänge f	longueur f de persistance	длина корреляции, персистентная длина
P 927	**persistence of frequency**	s. frequency pulling		
	persistence of state	Persistenz f des Zustandes	persistance f de l'état	продолжительность состояния
	persistence of the func-tional equation, per-manence of the functional equation	Permanenz f der Funk-tionalgleichung	permanence f de l'équation fonctionnelle	перманентность функцио-нального уравнения
P 927a	**persistence of velocity**	Persistenz f der Geschwindigkeit	persistance f de la vitesse	продолжительность скорости
P 928	**persistence of vision,** permanence (retentivity) of vision	Nachbildwirkung f, Nach-bildeffekt m, Trägheit f des Auges, Augenträgheit f	persistance f de vision, per-sistance d'impression vi-suelle (rétinienne), persis-tance rétinienne (des sen-sations lumineuses), inertie f de l'œil	инерция зрительного ощущения (восприятия), инерция глаза (зрения), инерционность зритель-ного ощущения (во-сприятия); явление по-следовательных обра-зов, задерживающая способность глаза
P 929	**persistence screen,** per-sistent screen, phospho-rescent screen, afterglow screen	Nachleuchtschirm m, Leuchtschirm (Lumines-zenzschirm) m mit mittel-langem Nachleuchten	écran m à persistance, écran phosphorescent	экран с послесвечением, фосфоресцирующий экран
	persistency	s. persistence		
P 930	**persistent current**	Dauerstrom m	courant m persistant	постоянный ток сверхпро-водимости
P 931	**persistent irradiation,** long-duration (long-time) irradiation	Langzeitbestrahlung f	irradiation f prolongée	длительное облучение, продолжительное облучение
	persistent line, sensitive line, distinctive line, raie ultime, letzte linie	letzte Linie f, Restlinie f, beständige Linie, Nach-weislinie f	raie f ultime	последняя линия, остаточ-ная линия
P 932	**persistent radiation**	Dauerstrahlung f	radiation f persistante	постоянная радиация
	persistent screen	s. persistence screen		
	persisting elongation	s. residual elongation		
P 933	**persistor**	Persistor m	persistor m	персистор
P 934	**persistotron**	Persistotron n	persistotron m	персистотрон
P 935	**personal dose**	Personendosis f, individuelle Dosis f, Individualdosis f	dose f individuelle, dose personnelle	индивидуальная доза
P 936	**personal dosemeter**	Personendosimeter n, indi-viduelles Dosimeter n, Individualdosimeter n	dosimètre m individuel	индивидуальный дози-метр
P 937	**personal dosimetry,** individual dosimetry	Personendosimetrie f, individuelle Dosimetrie f, Individualdosimetrie f	dosimétrie f individuelle	индивидуальная дози-метрия

P 938	**personal equation**	persönliche Gleichung *f*	équation *f* personnelle (individuelle)	личное (персональное) уравнение
P 939	**personal error,** individual error	persönlicher Fehler *m*	erreur *f* personnelle, erreur individuelle	личная ошибка, ошибка наблюдателя (эксперименатора)
P 939a	**personal probability,** subjective probability	subjektive Wahrscheinlichkeit *f*	probabilité *f* subjective	субъективная вероятность
P 940	**personnel monitoring**	Strahlenschutzüberwachung *f* des Betriebspersonals, Personalüberwachung *f*	surveillance *f* personnelle (du personnel), contrôle *m* du personnel	индивидуальная дозиметрия персонала, дозиметрический контроль персонала
P 941	**persorption**	Persorption *f*	persorption *f*	персорбция
P 942	**perspective,** central perspective, central projection	Perspektive *f*, Zentralperspektive *f*, Zentralprojektion *f*	perspective *f* [centrale], projection *f* centrale	[центральная] перспектива, центральная (конечная) проекция
P 943	**perspective,** in central perspective, in central projection	perspektiv, perspektivisch, zentralperspektivisch	perspectif, dans la perspective centrale, en projection centrale	перспективный, в центральной перспективе, в конечной проекции
	perspective exaggeration	s. foreshortening		
	perspective foreshortening	s. foreshortening		
P 944	**perspective picture,** picture <of perspective projection>	perspektivisches Bild *n*, Bild <Perspektive>	image *f* perspective, image <de la projection perspective>	перспективное изображение, изображение <перспективной проекции>
P 945	**perspective projection,** true projection	perspektivische (echte, wahre) Projektion *f*, perspektivischer (echter, wahrer) Entwurf *m*	projection *f* perspective, projection vraie	перспективная проекция, истинная проекция
P 946	**perspectivity**	Perspektivität *f*, Zentralkollineation *f*, zentrale Kollineation *f*, Homologie *f* <Geometrie>	perspectivité *f*	перспективное соответствие
P 947	**perspiration**	Perspiration *f*, Hautatmung *f*	perspiration *f* [cutanée]	газообмен через кожу
P 948	**perspiration corrosion**	Schwitzwasserkorrosion *f*	corrosion *f* par l'eau condensée	коррозия конденсационной водой
	perturbance	s. perturbation		
P 949	**perturbance factor,** interference factor <gen.>	Störfaktor *m* <allg.>	facteur *m* perturbateur <gén.>	возмущающий фактор <общ.>
P 950	**perturbation,** disturbance, perturbance <astr., math.>	Störung *f*; Perturbation *f* <Astr., Math.>	perturbation *f* <astr., math.>	возмущение; пертурбация <астр., матем.>
P 951	**perturbation energy,** disturbance energy	Störungsenergie *f*	énergie *f* de perturbation	энергия возмущения
P 952	**perturbation equation**	Störungs[differential]gleichung *f*	équation *f* donnant les perturbations	уравнение возмущения
P 953	**perturbation field theory**	Störfeldtheorie *f*, Störungsfeldtheorie *f*	théorie *f* des champs à perturbation	пертурбационная теория поля
P 954	**perturbation Hamiltonian**	Störungs-Hamilton-Operator *m*	hamiltonien *m* de perturbation, hamiltonien perturbateur	гамильтониан возмущения
P 955	**perturbation-insensitive physical property**	störungsunempfindliche physikalische Eigenschaft *f*	propriété *f* physique non sensible aux perturbations	нечувствительное к возмущениям физическое свойство
P 955a	**perturbation matrix**	Störungsmatrix *f*	matrice *f* de perturbation	матрица возмущений
P 955b	**perturbation method,** disturbance method, method of [small] perturbations (disturbances)	Störungsmethode *f*	méthode *f* perturbationnelle (des perturbations)	метод возмущений; метод малого параметра
	perturbation of equilibrium	s. disturbance of equilibrium		
P 956	**perturbation operator**	Störoperator *m*, Störungsoperator *m*	opérateur *m* de perturbation (turbation)	оператор возмущения
P 957	**perturbation potential,** perturbing potential	Störpotential *n*, Störungspotential *n*	potentiel *m* perturbateur	потенциал возмущения
P 958	**perturbation-sensitive physical property**	störungsempfindliche physikalische Eigenschaft *f*	propriété *f* physique sensible aux perturbations	чувствительное к возмущениям физическое свойство
P 959	**perturbation series**	Störungsreihe *f*	série *f* de la théorie des perturbations	ряд теории возмущений
	perturbation term	s. perturbing term		
P 960	**perturbation theory,** theory of perturbations, disturbation theory	Störungsrechnung *f*; Störungstheorie *f*	théorie *f* des perturbations	теория возмущений
P 960a	**perturbed angular correlation,** PAC	gestörte Winkelkorrelation *f*	corrélation *f* angulaire perturbée	возмущенная угловая корреляция
P 961	**perturbed series**	gestörte Serie *f*	série *f* perturbée	возмущенная серия
P 962	**perturbing action,** perturbing influence (effect), parasitic effect	Störwirkung *f*, Störeinfluß *m*, Störeffekt *m*	action (influence) *f* perturbatrice, effet *m* perturbateur	возмущающее действие, возмущающее влияние
P 963	**perturbing coordinates**	Störungskoordinaten *fpl*	coordonnées *fpl* perturbatrices	возмущающие координаты
	perturbing current	s. parasite current		
	perturbing effect	s. perturbing action		
	perturbing field intensity meter	s. perturbing field strength meter		
P 964	**perturbing field strength;** radio noise field intensity	Störfeldstärke *f*	intensité *f* du champ perturbateur	напряженность (сила) поля помех, сила искажающего поля
P 965	**perturbing field strength meter,** perturbing field intensity meter	Störfeldstärkemesser *m*, Störfeldstärkemeßgerät *n*	perturbomètre *m*	измеритель напряженности поля помех, измеритель поля помех

P 966	perturbing function, disturbing (disturbance) function <astr.>	Störungsfunktion f <Astr.>	fonction f perturbatrice <astr.>	пертурбационная (возмущающая) функция <астр.>
	perturbing influence	s. perturbing action		
	perturbing mass, disturbing mass	störende Masse f	masse f perturbatrice	возмущающая масса; масса, создающая возмущение
	perturbing potential, perturbation potential	Störpotential n, Störungspotential n	potentiel m perturbateur	потенциал возмущения
P 967	perturbing radiation, interference radiation, spurious radiation, spurious emission, stray radiation <el.>	Störstrahlung f, Störemission f; Nebenausstrahlung f, ungewollte Ausstrahlung f; Nebenwellenausstrahlung f <El.>	rayonnement m parasite, radiation f parasite, rayonnement perturbateur, émission f gênante, émission parasite <él.>	мешающее (паразитное) излучение, излучение мешающих сигналов; неиспользуемое излучение; излучение помех; побочное излучение <эл.>
P 968	perturbing term, perturbation term	Stör[ungs]glied n, Störungsterm m	terme m perturbateur	член возмущения, возмущающий член
P 969	perturbing vector	Störungsvektor m	vecteur m perturbateur	вектор возмущения, возмущающий вектор
	perveance, space-charge factor	Perveanz f, Raumladungskonstante f, Raumladungsfaktor m	pervéance f, constante f (facteur m) de charge d'espace	постоянная пространственного заряда, постоянная в законе «трех вторых», первеанс
P 970	perversor	Perversor m, Kehrversor m	perversor m	перверсор
	perviousness	s. permeability		
	perviousness to water	s. permeability to water		
P 971	pervious wall	durchlässige Wand f	paroi f perméable	проницаемая стена
P 972	Petersen coil, Petersen grounding coil	Petersen-Spule f, Erdschlußlöschspule f, Erdschlußspule f	bobine f de Petersen	катушка Петерсена, заземлительная катушка, дугогасительная заземляющая катушка
P 972a	Peters factor	Peters-Faktor m	facteur m de Peters	коэффициент (фактор) Питерса
P 972b	petit ensemble	kleine Gesamtheit f	petit ensemble m	малый ансамбль
P 973	Petri dish	Petri-Schale f	boîte f de Petri	чашка Петри
P 974	petrifaction, petrification	Versteinerung f; Petrefakt m; Petrifikation f	pétréfact m; pétrification f	окаменелость; окаменение
P 974a	petticoat insulator, bell-shaped insulator	Glockenisolator m; Deltaisolator m	isolateur m à cloche	юбочный (колоколообразный) изолятор
P 975	petticoat insulator, double-petticoat (double-shed) insulator	Doppelglockenisolator m	isolateur m à double cloche	двухъюбочный изолятор
P 976	Petzval['s] condition	s. Petzval sum		
P 977	Petzval curvature	Petzval-Krümmung f	courbure f de Petzval	кривизна Пецваля
	Petzval sum; Petzval['s] condition; Petzval['s] theorem	Petzval-Summe f; Petzval-Bedingung f, Petzvalsche Bedingung f, Petzval-Coddingtonsches Gesetz n; Petzvalscher Satz m, Petzvalsches Theorem n	somme f de Petzval; condition f de Petzval, loi f de Petzval[-Coddington]; théorème m de Petzval	сумма Пецваля; условие Пецваля; теорема Пецваля
P 978	Petzval surface	Petzval-Fiache f, Petzval-Schale f, Petzvalsche Bildschale f	surface f de Petzval	поверхность Пецваля
P 978a	Peukert['s] equation	Peukertsche Gleichung f	équation f de Peukert	уравнение Пейкерта
	Pfaff['s] expression, Pfaffian	s. Pfaffian differential form		
	Pfaffian differential equation	s. total differential equation		
P 979	Pfaffian [differential] form, Pfaffian, Pfaff['s] expression, linear differential expression (form)	Pfaffsche Form f, Pfaffscher Ausdruck m, lineare Differentialform f, linearer Differentialausdruck m	pfaffien m, expression f de Pfaff, forme f pfaffienne	форма Пфаффа, пфаффиан, пфаффова форма, дифференциальная 1-форма
P 980	Pfaff['s] system of equations	Pfaffsches Gleichungssystem n	système m de Pfaff, système d'équations de Pfaff	система уравнений Пфаффа (в полных дифференциалах)
P 981	Pfeffer cell, Pfeffer osmometer	Pfeffersche Zelle f, Pfeffersches Osmometer n, Osmometer nach Pfeffer	cellule f de Pfeffer, osmomètre m de Pfeffer	ячейка Пфеффера, осмометр Пфеффера
P 982	Pfeffer coefficient, economic coefficient	Pfeffer-Koeffizient m, ökonomischer Koeffizient m	coefficient m de Pfeffer, coefficient économique	коэффициент Пфеффера, экономический коэффициент
	Pfeffer osmometer	s. Pfeffer cell		
P 983	Pflüger's laws	Pflügersche Zuckungsgesetze npl	lois fpl des secousses de Pflüger	законы Пфлюгера
P 984	Pfotzer curve, Pfotzer line	Pfotzer-Kurve f	courbe f de Pfotzer	кривая Пфотцера
P 985	Pfrenger['s] theory	Pfrengersche Theorie f, Theorie von Pfrenger	théorie f de Pfrenger	теория Пфренгера
	P-function	s. Patterson['s] function		
P 986	Pfund arc, iron arc	Eisen[licht]bogen m, Pfund-Bogen m	arc m [de] Pfund, arc au (à) fer	[электрическая] дуга Пфунда, железная дуга
P 987	Pfund grating mounting, Pfund mounting [of diffraction grating]	Pfundsche Gitteraufstellung f	montage m de Pfund [du réseau de diffraction]	установка решетки по Пфунду, установка решетки Пфунда
P 988	Pfund series	Pfund-Serie f	série f de Pfund	серия Пфунда
P 988a	pF value, pF	pF-Wert m, pF	valeur f (indice m) pF, pF	pF, показатель (фактор) pF

P 989	pH, pH number, pH value, hydrogen [ion] exponent, hydrogen index, hydrogen number	pH-Wert m, pH <nur in Verbindung mit dem Zahlenwert: $pH = 7$ usw.>, Wasserstoffexponent m, Wasserstoffzahl f, Säurestufe f	pH, valeur f pH, indice m d'hydrogène, indice de Sørensen	pH, фактор pH, водородный показатель, показатель [концентрации] водородных ионов, водородное число
	pH adjustment, pH control	pH-Einstellung f, Einstellung f des pH-Wertes	régulaticn f de la valeur pH, régulation pH	регулирование pH
P 990	phakometer, phakoscope	Phakometer n, Phakoskop n	phakoscope m, phakomètre m	факоскоп, факометр
P 991	phanerocrystalline	phanerokristallin	phanérocristallin	явнокристаллический, фанерокристаллический
P 992	phantom	Phantom n	fantôme m, milieu m factice; équivalent-homme m	фантом
P 993	phantom	s. a. phantom circuit		
P 993	phantom chamber	Phantomkammer f	chambre f à fantôme	фантомная камера
P 994	phantom circuit, phantom	Phantom[strom]kreis m, Vierer m; Phantomleitung f, Viererleitung f; Phantomschaltung f, Viererschaltung f	ligne f fantôme, ligne fictive	фантомная цепь, искусственная цепь; фантомная схема, искусственная схема
P 995	phantom [circuit loading] coil	Phantomspule f, Phantom-Pupin-Spule f, Viererspule f	bobine f fantôme, bobine de la ligne fantôme	пупиновская катушка для фантомной цепи
P 996	phantom formation, phantoming	Phantombildung f, Viererbildung f, Phantomschaltung f, Viererschaltung f	formation f fantôme	образование фантомных цепей
	phantom material, tissue-equivalent material	gewebeäquivalentes Material n, Gewebeäquivalent n, Phantomsubstanz f	matière f équivalente au tissu, matière fantôme	тканеэквивалентное вещество, фантомное вещество
	phantom repeater, measuring (measurement, test) amplifier	Meßverstärker m	amplificateur m de mesure	измерительный усилитель
	phantom ring; glory, heiligenschein, gloriole	Glorie f; Heiligenschein m, Gloriole f	gloire f; nimbe m	глория; сияние
P 997	phantom transposition, transposition of pairs <el.>	Schleifenkreuzung f <El.>	transposition f de paires <él.>	транспозиция проводов <эл.>
	phantom transposition	s. a. interchange of sites		
P 998	pharmaceutical balance, tare balance	Tarierwaage f	balance f pharmaceutique	таровые весы
P 999	pharoid	Pharoid n, Strahlenköcher m	pharoïde m	фароид
	phase, phase of oscillation, phase angle <of oscillation>	Schwingungsphase f, Phasenwinkel m, Phase f <Schwingung>	phase f d'oscillation, angle m de phase, phase <de l'oscillation>	фаза колебания, фазовый угол колебания, фаза <колебания>
P 1000	phase / in, of equal phase	in Phase, gleichphasig, phasengleich, konphas	phasé, en phase, d'égale phase	совпадающий по фазе, в фазе, синфазный, равной фазы
P 1001	phase acceleration	Phasenbeschleunigung f	accélération f de phase	фазовое ускорение, ускорение фазы
	phase advance, phase lead[ing], leading (advance) of phase	Phasenvoreilung f	avance f de phase	опережение фазы, опережение по фазе
	phase-advance angle, lead angle, angle of lead, advance angle <control>	Vorhaltwinkel m, Vorhaltewinkel m <Regelung>	angle m d'avance [de phase] <réglage>	угол опережения, угол упреждения, угол предварения <регулирование>
	phase-advance circuit, lead circuit	Vorhaltkreis m, Vorhaltekreis m	circuit m d'avance [de phase]	опережающая цепь, цепь упреждения, цепь предварения
P 1002	phase advancer, advancer	Phasenschieber m, Verschiebungstransformator m	compensateur m de phase	фазокомпенсатор, компенсатор реактивной энергии, фазовый компенсатор, компенсатор фаз
P 1003	phase angle, phase angle error, displacement error <US>	Fehlwinkel m, Phasenwinkelfehler m	déphasage m, erreur f de déphasage, erreur d'angle de phase <grandeur>	угол погрешности, угловая (фазовая) погрешность, погрешность фазового угла, угол сдвига фазы
	phase angle, phase of oscillation, phase <of oscillation>	Schwingungsphase f, Phasenwinkel m, Phase f <Schwingung>	phase f d'oscillation, angle m de phase, phase <de l'oscillation>	фаза колебания, фазовый угол колебания, фаза <колебания>
P 1004	phase angle <astr.>	Phasenwinkel m <Astr.>	angle m de phase <astr.>	угол фазы, фазовый угол <астр.>
P 1005	phase angle <of alternating quantity> <el.>	Phasenwinkel m <Wechselgröße> <El.>	angle m de phase <d'une grandeur alternative> <él.>	фазовый (фазный) угол <переменной величины> <эл.>
P 1006	phase-angle bridge	Phasenbrücke f	pont m déphaseur	фазовый (фазовращающий, фазосдвигающий, дефазирующий) мост[ик]
	phase angle error	s. phase angle		
	phase-angle modulation, angle modulation	Phasenwinkelmodulation f, Pendelmodulation f	modulation f d'angle [de phase]	модуляция фазового угла
P 1007	phase annulus	Phasenring m; ringförmiger Phasenstreifen m, Zernike-Ring m	anneau m de phase	фазовое кольцо
P 1008	phase anomaly	Phasenanomalie f, Phasensprung m	anomalie f de phase	аномалия фазы
	phase average	s. phase space average		

	phase balance	s. phase coincidence		
P 1009	phase belt, belt <el.>	Strang m, Wicklungsstrang m <El.>	conducteur m [d'une phase], faisceau m d'enroulements <él.>	фаза <напр. обмотки>; ветвь, участок электрической цепи <эл.>
	phase belt voltage, phase-to-neutral voltage; star voltage, Y-voltage	Phasenspannung f, Sternspannung f, Strangspannung f	tension f phase-neutre, tension étoilée, tension en étoile	фазовое (фазное) напряжение, напряжение между фазой и нейтралью; напряжение одной ветви обмотки
P 1010	phase boundary, phase limit, interphase, phase interface	Phasengrenze f, Phasengrenzfläche f, Phasengrenzschicht f	couche f limite entre deux phases, interphase f, couche limite de phase, interface f des phases	поверхность (граница) раздела фаз, межфазная поверхность, фазовая граница, граница [соприкосновения различных] фаз, раздел фаз
P 1011	phase-boundary line, interphase line	Phasengrenzlinie f	ligne f interphase (limite de phase)	линия раздела фаз, межфазная линия
P 1012	phase-boundary potential	Phasengrenzpotential n	potentiel m électrique entre les phases, potentiel de la couche limite de phase	потенциал на границе раздела фаз, фазовый потенциал
	phase bunching, phase grouping, [radio-frequency] bunching	Phasenbündelung f	groupement m en phase, bunching m en phase	фазовая группировка [частиц], фазовое группирование [частиц], группирование по фазе
	phase capture region, capture region	Phaseneinfangbereich m	région f de capture de phase	область [фазового] захвата
P 1013	phase cell	s. phase-space cell		
P 1014	phase centre	Phasenmitte f	centre m de phase	центр фазы
	phase change	Phasenänderung f	changement m de phase	изменение фазы
	phase change, transition, transformation, change <met.>	Umwandlung f, Übergang m, Phasenumwandlung f, Phasenübergang m <Met.>	transition f, transformation f, changement m de phase, changement d'état <mét.>	фазовый переход, фазовое превращение, переход, превращение <мет.>
	phase change	s. a. first-order transition <met.>		
	phase change coefficient	s. phase constant <el.>		
	phase change of first order	s. first-order transition		
P 1015	phase changer, phase shifter	Phasenschieber m, Phasenregler m	déphaseur m, variateur m de phase, régulateur m de phase	фазовращатель, фазовращающая цепь, фазосдвигающее (фазоврашающее) устройство; фазорегулятор
	phase characteristic	s. phase response		
P 1016	phase coefficient <astr.>	Phasenkoeffizient m <Astr.>	coefficient m de phase <astr.>	коэффициент фазы, фазовый коэффициент <астр.>
	phase coefficient	s. a. phase constant <el.>		
P 1017	phase coherence	Phasenkohärenz f	cohérence f de (en) phase	когерентность по фазе, когерентность фаз
P 1018	phase coherence factor, coherence factor, [complex] degree of coherence	Kohärenzgrad m, komplexer Kohärenzgrad, Interferenzfähigkeit f	degré m de cohérence	фактор (коэффициент, степень) когерентности, нормированная функция автокорреляции
P 1019	phase-coherent	phasenkohärent	cohérent en phase	когерентный по фазе
P 1020	phase coincidence, phase balance, coincidence (balance, synchronism) of phases	Phasengleichheit f, Phasenübereinstimmung f	coïncidence f des phases, synchronisme m des phases	совпадение по фазе, совпадение фаз, синфазность, синхронизм фаз
P 1021	phase comparator	Phasenvergleicher m	comparateur m de phase	фазовый компаратор, прибор (устройство) для сравнения фаз, указатель угла сдвига фаз
	phase-comparing network	s. phase comparison circuit		
P 1022	phase comparison	Phasenvergleich m	comparaison f des phases	сравнение фаз
P 1023	phase comparison circuit, phase-comparing network	Phasenvergleichsschaltung f	circuit m de comparaison de phases	схема (цепь) сравнения фаз, фазосравнивающая цепь
P 1024	phase-compensating filter	Phasenausgleichsfilter n	filtre m correcteur de phases	фазовыравнивающий фильтр
	phase-compensating network	s. phase-equalizing network		
P 1025	phase compensation; phase equalization; phase correction	Phasenentzerrung f; Phasenausgleich m <Fs.>; Phasenkompensierung f; Phasenkompensation f; Phasenschieben n	compensation f des phases; égalisation f des phases; correction f de phases	выравнивание фаз, фазовыравнивание, компенсация фаз, фазокомпенсация; компенсация фазовых искажений; компенсация сдвига фаз; фазовая коррекция, коррекция фаз
	phase compensation network	s. phase-equalizing network		
	phase compensator	s. phase corrector		
	phase condenser, phase contrast condenser	Phasenkontrastkondensor m, Phasenkondensor m	condenseur m [à contraste] de phase	фазо[во]контрастный конденсор
P 1026	phase condition	Phasenbedingung f	condition f de phases	фазовое условие
P 1027	phase conductor	Phasenleiter m	conducteur m de phase	фазовый проводник, линейный провод; токонесущий провод

	English	German	French	Russian
P 1028	phase constant, wavelength (phase-shift) constant, wave parameter, phase [change] coefficient <el.>	Phasenkonstante f, Wellenlängenkonstante f, Phasenbelag m; Phasenmaß n <El.>	constante f de phase, constante de longueur d'onde; déphasage m caractéristique; déphasage linéique <él.>	фазовая постоянная, волновой коэффициент; линейный сдвиг фаз, километрический сдвиг фаз <эл.>
P 1029	phase constant <of homogeneous line>	Winkelmaß n [der homogenen Leitung]	déphasage m [de la ligne homogène]	фазная постоянная [однородной линии]
	phase constant	s. a. image phase constant		
P 1030	phase contrast	Phasenkontrast m	contraste m de phase	фазовый контраст
	phase contrast combination	s. phase contrast device		
P 1031	phase contrast condenser, phase condenser	Phasenkontrastkondensor m, Phasenkondensor m	condenseur m à contraste de phase, condenseur de phase	фазо[во]контрастный конденсор
P 1032	phase contrast device (equipment), phase contrast combination	Phasenkontrasteinrichtung f	dispositif (équipement) m à contraste de phase; véhicule f à contraste de phase	фазо[во]контрастное устройство
P 1033	phase contrast image	Phasenkontrastbild n	image f en contraste de phase	фазо[во]контрастное изображение
P 1034	phase contrast method	Phasenkontrastverfahren n	méthode f du contraste de phase	фазо[во]контрастный метод
P 1035	phase contrast microscope, phase microscope	Phasenkontrastmikroskop n	microscope m à contraste de phase	фазо[во]контрастный микроскоп, фазовый микроскоп
	phase contrast microscopy, phase microscopy	Phasenkontrastmikroskopie f	microscopie f à contraste de phase	фазо[во]контрастная микроскопия, фазовая микроскопия
P 1036	phase contrast photometer	Phasenkontrastphotometer n	photomètre m à contraste de phase	фазо[во]контрастный фотометр
P 1037	phase-contrast test due to F. Zernike, Zernike['s] phase contrast test (method)	Phasenkontrastverfahren n nach F. Zernike, Zernikesches Phasenkontrastverfahren	méthode f du contraste de phase dite de Zernike, méthode de Zernike	фазо[во]контрастный метод Цернике, метод Цернике
P 1038	phase converter, phase transformer	Phasenumformer m, Arno-Umformer m	convertisseur m de phases	фазопреобразователь, фазовый преобразователь, преобразователь числа фаз
P 1039	phase co-ordinate	Phasenkoordinate f	coordonnée f de phase	фазовая координата, фазовая характеристика
P 1040	phase correction <opt.>	Phasenkorrektion f <Opt.>	correction f de phase <opt.>	коррекция фазы, фазовая коррекция <опт.>
	phase correction	s. a. phase compensation		
P 1041	phase corrector, phase equalizer, delay equalizer, phase compensator	Phasenkorrektionseinrichtung f, Phasenentzerrer m, Laufzeitentzerrer m	correcteur m de phase, compensateur m de phase, égaliseur m du temps de propagation	фазовый корректор, фазокомпенсатор, фазовыравниватель, выравниватель фазы, компенсатор (корректор) фазовых искажений, компенсатор сдвига фаз
P 1042	phase-correlated transition	phasenkorrelierter Übergang m	transition f corrélée par la phase	фазокоррелированный переход
P 1043	phase current	Phasenstrom m	courant m de phase	фазовый (фазный) ток
P 1044	phase curve	Phasenkurve f	courbe f de phase	фазовая кривая
	phase definition, phase resolution, phase resolving power	Phasenauflösung f, Phasenauflösungsvermögen n	résolution f en phase, pouvoir m de résolution dans la phase	фазовое разрешение, фазовая разрешающая способность, разрешающая способность по фазе
P 1045	phase delay [time]	Phasenlaufzeit f	temps m de propagation de phase	фазовая задержка, фазовое время распространения, время распространения фазы
	phase delay	s. a. phase lagging		
	phase demodulator	s. phase discriminator		
	phase density	s. density in phase		
P 1046	phase detector	Phasendetektor m, Φ-Detektor m, Phi-Detektor m	détecteur m de phase	фазовый детектор
	phase deviation, maximum phase angle deviation	Phasenhub m	déviation f de phase, déviation maximale de phase	максимальное отклонение фазы, фазовая раскачка, качание фазы
P 1047	phase diagram, metallurgical phase diagram, [metallurgical] equilibrium diagram, constitution (state) diagram, diagram of state, thermodynamic [phase] diagram	Zustandsdiagramm n, therm[odynam]isches Zustandsdiagramm, Zustandsschaubild n, Zustandsbild n, Phasendiagramm n, Gleichgewichtsdiagramm n	diagramme m de phase[s], diagramme des phases, diagramme d'équilibre, diagramme d'état, diagramme thermodynamique	диаграмма состояния, диаграмма равновесия, фазовая диаграмма [состояния], диаграмма фаз
P 1048	phase diagram, phase pattern <math.>	Phasendiagramm n, Phasenbild n <Math.>	diagramme m de phase, portrait m de phase <math.>	фазовая диаграмма <матем.>
P 1049	phase diagram method, method of phase diagram	Phasendiagrammethode f, Methode f des Phasendiagramms	méthode f du diagramme de phase	метод фазовой диаграммы
P 1050	phase discriminator, phase demodulator, Foster-Seeley discriminator	Phasendiskriminator m, Diskriminator m nach Foster und Seeley, Foster-Seeley-Demodulator m, Riegger-Demodulator m, Riegger-Kreis m	discriminateur m de phase, discriminateur Foster-Seeley, démodulateur m de phase	фазовый дискриминатор, фазовый детектор, фазовый демодулятор, дискриминатор по схеме Риггера

	English	German	French	Russian
P 1051	**phase displacement** <acc.>	Versetzung *f* von Phasen-raumelementen außerhalb des „buckets", Verdrängung *f* von Phasenraum-elementen <Beschl.>	déplacement *m* de phase <acc.>	фазовое смещение <уск.>
	phase displacement	s. a. phase shift		
P 1052	**phase distortion,** transit time distortion, delay distortion; rise-time distortion; envelope delay-frequency distortion	Phasenverzerrung *f*, Lauf-zeitverzerrung *f*	distorsion *f* de phase, distorsion de temps de propagation	фазовое искажение, искажение фазы; искажение, связанное с изменением времени распространения
	phase distribution, phase spectrum, distribution in phase	Phasenspektrum *n*, Phasen-verteilung *f*	spectre *m* des phases, distribution *f* des phases	фазовый спектр, распределение фаз; распределение по фазам
P 1053	**phase diversity**	Phasendiversity *f*; Phasen-diversityempfang *m*	diversité *f* de phase; réception *f* en diversité de phase	разнесение по фазе; разнесенный по фазе прием
	phase divider, phase splitter	Phasenspalter *m*, Phasenteiler *m*, Phasentrenner *m*	diviseur *m* de phase	фазорасщепитель
	phase division; phase splitting <el.>	Phasenaufspaltung *f*, Phasenteilung *f*; Phasentrennung *f* <El.>	dédoublement *m* de phase; division *f* de phase <él.>	расщепление фаз, фазорасщепление; разделение фазы; разделение фаз <эл.>
	phase equalization	s. phase compensation		
	phase equalizer	s. phase corrector		
P 1054	**phase-equalizing network,** phase-compensating network, phase compensation network	Phasenentzerrungskette *f*	réseau *m* correcteur de phase	фазокорректирующая цепь; контур, корректирующий фазовые искажения; цепь фазовой компенсации (коррекции), схема фазовой компенсации (коррекции), блок (устройство) фазовой компенсации
P 1055	**phase equation**	Phasengleichung *f*	équation *f* de phase	фазовое уравнение
P 1056	**phase equilibrium**	Phasengleichgewicht *n*	équilibre *m* des (entre) phases	фазовое равновесие
P 1057	**phase equivalent**	Phasenäquivalent *n*	équivalent *m* de phase	фазовый эквивалент
P 1058	**phase error**	Phasenfehler *m*	erreur *f* de phase	фазовая погрешность (ошибка), погрешность по фазе
P 1059	**phase factor**	Phasenfaktor *m*	coefficient *m* de phase, facteur *m* de déphasage caractéristique	коэффициент сопряженности фаз; [волновой] фазовый коэффициент, коэффициент фаз
	phase factor	s. a. image phase constant		
P 1060	**phase fluctuation**	Phasenschwankung *f*	fluctuation *f* en phase	флюктуация фазы
P 1061	**phase focusing**	Phasenfokussierung *f*, Phaseneinsortierung *f*; Phasenaussortierung *f*	groupement *m* en phase	группирование [электронов] по фазе, фазовая фокусировка; удаление электронов из зоны группирования
P 1062	**phase focusing** <acc.>	Phasenfokussierung *f* <Beschl.>	focalisation *f* de phase <acc.>	фазовая фокусировка <уск.>
	phase-focusing principle, principle of phase stability	Prinzip *n* der Phasenstabilität (selbständigen Phasenstabilisierung)	principe *m* de stabilité de phase	принцип автофазировки
P 1063	**phase formulae**	Phasenformeln *fpl*	formules *fpl* de phase	формулы для определения фаз
P 1064	**phase frequency**	Phasenfrequenz *f*	fréquence *f* de phase	фазовая частота
P 1065	**phase function**	Phasenfunktion *f*	fonction *f* de phase	фазовая функция
P 1066	**phase grating**	Phasengitter *n*	réseau *m* de phase	фазовая дифракционная решетка, фазовая решетка
P 1067	**phase grouping,** bunching, phase bunching, radio-frequency bunching	Phasenbündelung *f*	groupement *m* en phase, bunching *m* en phase	фазовая группировка [частиц], фазовое группирование [частиц], группирование по фазе
P 1068	**phase hologram**	Phasenhologramm *n*	hologramme *m* par (de) phase	фазная голограмма
	phase hyperspace	s. phase space		
P 1069	**phase index,** phase refractive index	Phasenbrechungsindex *m*, Phasen-Brechungsindex *m*	indice *m* de réfraction de phase	фазовый показатель преломления
P 1070	**phase integral**	Phasenintegral *n*	intégrale *f* de phase	фазовый интеграл
P 1071	**phase integral of Gibbs,** Gibbs['] phase integral	Gibbssches Phasenintegral *n*	intégrale *f* de phase de Gibbs	фазовый интеграл Гиббса
P 1072	**phase-integral relation**	Phasenintegralbeziehung *f*	relation *f* de l'intégrale de phase	соотношение фазового интеграла
	phase interface	s. phase boundary		
	phase inversion	s. phase reversal		
	phase inverter	s. inverter tube		
P 1073	**phase-inverter circuit,** phase reverter stage	Phasenumkehrschaltung *f*, Phasenumkehrstufe *f*, Phasenumkehrkreis *m*	circuit *m* d'inversion de phase	фазоинверсная (фазоинвёрторная) схема, схема фазоинвертора, фазоопрокидывающая цепь, фазоинверторный (фазоопрокидывающий) каскад
	phase inverter stage	s. inverter stage		
	phase inverter tube	s. inverter tube		
P 1074	**phase jump,** sudden phase shift	Phasensprung *m*	décalage (changement) *m* brusque de phase	скачкообразное изменение фазы, скачок фазы
P 1075	**phase lag**	Phasenanschnitt *m*	retard *m* de phase	фазовая отсечка
	phase lag	s. a. phase lagging		

P 1076	**phase lag angle**	Phasennacheilungswinkel m, Phasenverzögerungswinkel m	angle m de retard [de phase]	угол отставания по фазе, угол запаздывания по фазе
P 1077	**phase lagging,** phase lag, lagging of phase; phase delay, retardation of phase, phase retardation	Phasennacheilung f; Phasenverzögerung f; Phasenverlust m	retard m de phase	отставание фазы, отставание по фазе, фазное отставание, запаздывание по фазе
	phase lead	s. phase leading		
P 1078	**phase lead angle**	Phasenvoreilungswinkel m	angle m d'avance [de phase]	угол опережения по фазе
P 1079	**phase leading,** phase lead (advance), leading (advance) of phase	Phasenvoreilung f	avance f de phase	опережение фазы, опережение по фазе
	phase limit	s. phase boundary		
P 1080	**phase-locked [to]**	phasenstarr [mit], phasensynchronisiert, phasenverriegelt	à verrouillage de phase, verrouillé de phase	с блокировкой фазы, синхронизированный по фазе
P 1081	**phase margin**	Phasenrand m, Phasenabstand m, Phasenreserve f	marge f de phase	избыток фазы, запас по амплитуде, запас по фазе
	phase meter	s. power-factor meter		
	phase microscope, phase contrast microscope	Phasenkontrastmikroskop n	microscope m à contraste de phase	фазо[во]контрастный микроскоп, фазовый микроскоп
P 1082	**phase microscopy,** phase contrast microscopy	Phasenkontrastmikroskopie f	microscopie f à contraste de phase	фазо[во]контрастная микроскопия, фазовая микроскопия
P 1082a	**phase mixing,** fine-scale mixing	Phasenmischung f, Feinmischung f	mélange[age] m de phase, mélange[age] à échelle fine	тонкое перемешивание
P 1083	**phase modulation,** PM	Phasenmodulation f, PM	modulation f de phase, modulation par déphasage (déviation de phase), M. P.	фазовая модуляция, ФМ
P 1084	**phase modulation index,** modulation index	Modulationsindex m, Phasenwinkelhub m; Nullphasenwinkelhub m	indice m de modulation	индекс модуляции
P 1085	**phase noise**	Phasenrauschen n	bruit m de phase	фазовый шум
P 1086	**phase object,** phase specimen	Phasenobjekt n	objet m de phase	фазовый объект
P 1087	**phase of oscillation,** phase angle, phase <of oscillation>	Schwingungsphase f, Phasenwinkel m, Phase f <Schwingung>	phase f d'oscillation, angle m de phase, phase <de l'oscillation>	фаза колебания, фазовый угол колебания, фаза <колебания>
P 1088	**phase of tide**	Gezeitenphase f	phase f de marée	фаза прилива, приливо-отливная фаза
P 1089	**phase operator**	Phasenoperator m	opérateur m de phase	фазовый оператор
	phase opposition	s. opposition [of phase]		
	phase opposition / in	s. antiphase		
P 1090	**phase oscillation**	Phasenschwingung f	oscillation f de phase	фазовое колебание
	phase pattern, phase diagram <math.>	Phasendiagramm n, Phasenbild n <Math.>	diagramme m de phase, portrait m de phase <math.>	фазовая диаграмма <матем.>
	phase picture	s. phase portrait		
P 1091	**phase plate**	Phasenplatte f, Phasenkontrastplatte f, Phasenplättchen n	lame (plaque) f de phase	фазовая пластинка <опт.>; фазосместитель <электронная оптика>
P 1092	**phase point,** representative point	Phasenpunkt m, Phasenbildpunkt m	point m de phase	фазовая точка, представляющая точка
P 1093	**phase polarization**	Phasenpolarisation f	polarisation f de phase	фазовая поляризация
P 1094	**phase portrait,** phase picture	Phasenbild n, Bild n im Phasenraum	portrait m de phase	фазовый портрет, фазовая картина
P 1095	**phase position**	Phasenlage f	position f de phase	положение по фазе (углу); положение фаз
P 1096	**phase problem**	Phasenproblem n	problème m de phase	фазовая проблема, проблема фаз
	phase quadrature	s. quadrature [of phase]		
P 1097	**phase quadrature / in,** in quadrature	[um] 90° phasenverschoben	en quadrature [de phase]	сдвинутый по фазе на 90°
P 1098	**phaser,** phonon maser	Phaser m, Phonon[en]maser m, Maser m im Tonfrequenzbereich	phaser m, amplificateur m phaser, amplificateur de phonons	квантовый усилитель фононов (звуковых колебаний)
P 1099	**phase reference information**	Phasenbezugsinformation f	information f de la phase de référence	информация об опорной фазе
	phase refractive index, phase index	Phasenbrechungsindex m, Phasen-Brechungsindex m	indice m de réfraction de phase	фазовый показатель преломления
P 1100	**phase relation, phase relationship**	Phasenbeziehung f, Phasenverhältnis n	relation f des phases	фазовое соотношение, соотношение фаз
P 1101	**phase resolution, phase resolving power,** phase definition	Phasenauflösung f, Phasenauflösungsvermögen n	résolution f en phase, pouvoir m de résolution dans la phase	фазовое разрешение, фазовая разрешающая способность, разрешающая способность по фазе
P 1102	**phase resonance,** velocity resonance	Phasenresonanz f	résonance f de phase	фазовый резонанс
P 1103	**phase response,** phase-shift/frequency characteristic, phase characteristic, group delay/frequency characteristic	Phasenfrequenzgang m, Phasengang m, Phasen-Frequenz-Charakteristik f, Phasen-Frequenz-Kennlinie f	caractéristique f phase-fréquence, réponse f en phase, courbe f déphasage-fréquence	фазовая характеристика, фазочастотная характеристика, частотно-фазовая характеристика
	phase retardation	s. phase lagging		
P 1104	**phase reversal,** inversion of phases, phase inversion <chem.>	Inversion f der Phasen, Phasenumkehr f <Chem.>	inversion f des phases, inversion de phase <chim.>	обращение фаз <хим.>

P 1105	**phase reversal,** phase inversion, inversion of phase <el.>	Phasenumkehr f, Phasenumkehrung f <El.>	inversion f de phase <él.>	инверсия фазы, фазоинверсия, опрокидывание фазы, изменение фазы на противоположную <эл.>
P 1106	**phase reversal transformer, phase-reversing transformer**	Phasenumkehrübertrager m, Umkehrübertrager m	transformateur m inverseur de phase	фазоинверсный трансформатор
	phase reverter stage	s. phase-inverter circuit		
P 1107	**phase rotation**	Phasendrehung f	rotation f de phase	фазовращение, вращение (поворот) фазы
P 1108	**phase rule,** Gibbs['] phase rule	Gibbssche Phasenregel f, Phasenregel [von Gibbs], Gibbssches Phasengesetz n, Phasengesetz von Gibbs	règle f des phases [de Gibbs], règle de Gibbs, loi f des phases	правило фаз [Гиббса]
P 1109	**phase-sensitive detection (rectification)**	phasenempfindliche Gleichrichtung f	détection f (redressement m) à sensibilité de phase	фазочувствительное детектирование (выпрямление)
	phase separation, segregation <bio.>	Segregation f, Sonderung f, Aufspaltung f, Entmischung f <Bio.>	ségrégation f <bio.>	расслаивание, раскалывание <био.>
P 1110	**phase separation** <therm.>	Phasentrennung f <Therm.>	séparation f des phases <therm.>	разделение фаз <тепл.>
P 1111	**phase sequence,** sequence of phases	Phasenfolge f	séquence f des phases	последовательность (чередование) фаз
P 1112	**phase-sequence indicator**	Drehfeldrichtungsanzeiger m, Phasenfolgeanzeiger m	indicateur m d'ordre des phases, indicateur de séquence des phases	индикатор направления вращающегося поля, указатель последовательности (порядка следования) фаз
P 1113	**phase shift,** phase displacement; misphasing	Phasenverschiebung f, Phasendrehung f	déphasage m, décalage m (dérive f, déplacement m, variation f, changement m) de phase	сдвиг фазы, фазовый сдвиг, смещение фазы, расфазирование; сдвиг по фазе
P 1114	**phase-shift analysis**	Analyse f der Phasenverschiebungen, Phasen[verschiebungs]analyse f, Phasenwinkelanalyse f	analyse f des phases, analyse de phase, analyse de déphasage	фазовый анализ
P 1115	**phase-shift angle**	Phasenverschiebungswinkel m	angle m de déphasage	угол сдвига фазы
	phase-shift capacitor	s. static phase advancer		
P 1116	**phase-shift circuit,** phase-shifting circuit	Phasenschieberschaltung f	circuit m déphaseur	фазосдвигающая схема
	phase-shift constant	s. phase constant <el.>		
	phase-shifted, out-of-phase	außer Phase, phasenfalsch, phasenverschoben	déphasé	не в фазе, не совпадающий по фазе, сдвинутый по фазе, находящийся в неправильнойфазе, расфазированный
	phase shifter	s. phase changer		
	phase-shift / frequency characteristic	s. phase response		
	phase-shifting capacitor	s. static phase advancer		
	phase-shifting circuit, phase-shift circuit	Phasenschieberschaltung f	circuit m déphaseur	фазосдвигающая схема
P 1117	**phase-shift oscillator**	Phasenschiebergenerator m	oscillateur m à déphasage, oscillateur (générateur m) à réseau de phase	генератор с фазовым сдвигом, генератор с фазосдвигающей цепочкой
P 1118	**phase-shift section**	Phasendrehglied n	élément m déphaseur	фазовращающее звено, элемент фазовращателя
P 1119	**phase space,** phase hyperspace	Phasenraum m	espace m de (en) phase, extension f en phase, espace des phases	фазовое пространство
P 1120	**phase space average,** ensemble average, phase average	Scharmittel n, Scharmittelwert m, Phasen[raum]mittel n, Phasenmittelwert m	moyenne f en phase, moyenne microcanonique	фазовое среднее
P 1121	**phase-space cell,** phase cell	Phasenraumzelle f	cellule f de volume (l'espace) de phase	ячейка (клеток) фазового пространства
P 1122	**phase space distribution,** angular distribution	Phasenraumverteilung f, Winkelverteilung f im Phasenraum	densité f en phase, densité angulaire	распределение в фазовом пространстве
P 1123	**phase space element**	Phasenvolumenelement n, Phasenraumelement n	élément m d'extension en phase	элемент фазового объема (пространства)
	phase space plot	s. Dalitz plot		
P 1124	**phase-space volume,** phase volume	Phasenvolumen n	volume m d'extension en phase	фазовый объем
P 1125	**phase spacing**	Phasenabstand m	séparation f en phases	расстояние между фазами
	phase specimen, phase object	Phasenobjekt n	objet m de phase	фазовый объект
P 1126	**phase spectrum,** phase distribution, distribution in phase	Phasenspektrum n, Phasenverteilung f	spectre m des phases, distribution f des phases	фазовый спектр, распределение фаз; распределение по фазам
	phase spectrum of the pulse, pulse-phase spectrum	Impulsphasenspektrum n, Phasenspektrum n des Impulses, Spektrum n der Impulsphasen	spectre m de phase de l'impulsion	фазовый спектр импульса
P 1127	**phase splitter,** phase divider	Phasenspalter m, Phasenteiler m, Phasentrenner m	diviseur m de phase	фазорасщепитель
P 1128	**phase splitting;** phase division <el.>	Phasenaufspaltung f, Phasenteilung f; Phasentrennung f <El.>	dédoublement m de phase; division f de phase <él.>	расщепление фаз, фазорасщепление; разделение фазы; разделение фаз <эл.>

	English	German	French	Russian
P 1129	**phase stability**	Phasenstabilität f; Phasenkonstanz f	stabilité f de phase	фазовая стабильность, фазовая устойчивость
P 1130	**phase stability,** self-stability [of phase], phase stabilization ‹acc.›	Phasenstabilität f, Autophasierung f, Synchrotronprinzip n, [selbständige] Phasenstabilisierung f, automatische Phasenstabilisierung ‹Beschl.›	stabilité f de phase ‹acc.›	автофазировка; стабильность фазы ‹уск.›
	phase stability region, bucket, phase-stable bucket	stabiler Phasenbereich m, phasenstabiler Bereich m, Phasenstabilitätsbereich m, „bucket" n	région f de stabilité de phase, « bucket » m	область фазовой устойчивости, область устойчивости
	phase stabilization	s. phase stability ‹acc.›		
	phase-stable bucket	s. phase stability region		
	phase-stable orbit	s. equilibrium orbit		
	phase-stable particle, equilibrium particle, phase-stationary (synchronous) particle	Sollteilchen n, Synchronteilchen n	particule f d'équilibre, particule synchrone	равновесная частица, резонансная частица
P 1131	**phase standard**	Phasennormal n	étalon m de phase, phase-étalon f	фазовая нормаль
P 1132	**phase state**	Phasenzustand m	état m en phase	фазовое состояние
	phase-stationary particle	s. phase-stable particle		
P 1133	**phase structure**	Phasenstruktur f	structure f de (en) phase	фазовый рельеф, фазовая структура
	phase-swept interferometer, swept-lobe interferometer	„swept-lobe"-Interferometer n, Phasendrehinterferometer n	interféromètre m à lobe balayé, interféromètre à balayage de phase (lobe)	интерферометр с качающейся диаграммой
P 1134	**phase-switching interferometer**	Phasenschaltinterferometer n, Ryle-Interferometer n	interféromètre m à commutation de phase	интерферометр Райла
P 1135	**phase-switching method,** Ryle['s] method	Phasenschaltverfahren n, Ryle-Verfahren n	méthode f à commutation de phase, méthode de Ryle	метод Райла
P 1136	**phase theory [of excitation]**	Phasentheorie f [der bioelektrischen Potentiale]	théorie f des phases [de l'excitation]	фазовая теория [возбуждения]
P 1136a	**phase titration**	Phasentitration f	titrage m de phases	титрование фаз
P 1137	**phase-to-neutral voltage,** phase belt voltage; star voltage, Y-voltage	Phasenspannung f, Sternspannung f, Strangspannung f	tension f phase-neutre, tension étoilée, tension en étoile	фазовое (фазное) напряжение, напряжение между фазой и нейтралью; напряжение одной ветви обмотки
	phase-to-phase voltage	s. line voltage		
P 1138	**phase trajectory**	Phasenbahn f, Phasentrajektorie f, Phasenkurve f	trajectoire f de phase	фазовая траектория
P 1139	**phase transformation** ‹el.›	Phasenumformung f ‹El.›	transformation f de phases ‹él.›	преобразование [числа] фаз ‹эл.›
	phase transformation	s. a. first-order transition		
P 1139a	**phase transformation plasticity,** dynamic superplasticity	dynamische Superplastizität f	superplasticité f dynamique	динамическая сверхпластичность
P 1140	**phase transformer**	Phasentransformator m	transformateur m de phase	фазовый трансформатор
	phase transformer, phase converter	Phasenumformer m, Arno-Umformer m	convertisseur m de phases	фазопреобразователь, фазовый преобразователь, преобразователь числа фаз
	phase transition	s. first-order transition		
P 1141	**phase unbalance**	Phasenungleichgewicht n, Phasenungleichheit f	dissymétrie f de phase, non-équilibrité f des phases	фазовая несимметрия, асимметрия фаз
P 1142	**phase variable**	Phasenvariable f	variable f de phase	фазовая переменная
P 1143	**phase velocity,** wave phase (propagation) velocity, propagation (wave) velocity, velocity of the wave	Phasengeschwindigkeit f, Ausbreitungsgeschwindigkeit f, Wellengeschwindigkeit f, Fortpflanzungsgeschwindigkeit f	vitesse f de [propagation de] phase, vitesse de propagation des phases, vitesse [de propagation] de l'onde, vitesse d'onde, célérité f de l'onde	фазовая скорость, фазная скорость, скорость распространения волны, скорость волны, волновая скорость
	phase velocity	s. a. wave normal velocity		
	phase volume	s. phase-space volume		
P 1143a	**phase wave**	Phasenwelle f	onde f de phase	фазовая волна
P 1144	**phase wavelength**	Phasenwellenlänge f	longueur f d'onde de phase	фазовая длина волны
P 1145	**phasing**	In-Phase-Bringen n, Phaseneinstellung f, Phasierung f	phasage m, mise f en phase	фазирование, фазировка
P 1146	**phasing capacitor**	Phasenkondensator m	condensateur m compensateur de phase	конденсатор для выравнивания фаз
P 1147	**phasing chain, phasing network**	Phasenkette f	réseau m déphaseur, réseau de déphasage	фазосдвигающая цепочка, фазовращающая схема, фазовая цепь
P 1148	**phasitron**	Phasitron n	phasitron m	фазитрон, лампа для фазовой модуляции
	phasometer	s. power factor indicator		
	phasotron	s. synchrocyclotron		
P 1149	**pH change**	pH-Änderung f, pH-Wert-Änderung f	changement m de pH	изменение pH
P 1150	**pH control,** pH adjustment	pH-Einstellung f, Einstellung f des pH-Wertes	régulation f de la valeur pH, régulation pH	регулирование pH
	pH-controller, pH-meter, pH-instrument	pH-Messer m	pH-mètre m, appareil m à mesurer la valeur pH, appareil de mesure pH	pH-метр, измеритель pH; регулятор pH
P 1151	**pH effect**	pH-Effekt m	effet m pH	эффект pH
P 1152	**phenological season**	phänologische Jahreszeit f	saison f phénologique	фенологическое время года, фенологический сезон

	English	German	French	Russian
	phenomenological coefficient	s. kinetic coefficient		
P 1153	**phenomenological electrodynamics**	phänomenologische Elektrodynamik f	électrodynamique f phénoménologique	феноменологическая электродинамика
P 1153a	**phenomenological equations (relations)** <therm.>	phänomenologische Gleichungen fpl <Therm.>	relations fpl phénoménologiques <therm.>	феноменологические уравнения <тепл.>
P 1154	**phenomenological theory,** continuum theory	phänomenologische Theorie f, Kontinuumstheorie f	théorie f phénoménologique	феноменологическая теория, континуальная теория
P 1155	**phenomenon of diffraction,** diffraction phenomenon	Beugungserscheinung f	phénomène m de diffraction	явление дифракции
P 1156	**phenomenon of excitation**	Reizerscheinung f	phénomène m d'excitation	явление физиологического возбуждения
	phenomenon of fusion, fusion phenomenon	Verschmelzungsphänomen n	phénomène m de fusion	явление слияния
	phenomenon of interference, interference phenomenon	Interferenzerscheinung f	phénomène m d'interférence	явление интерференции, интерференционное явление
	phenomenon of melting	s. order-disorder transformation		
P 1157	**phenomenon of turbulent fluctuation,** turbulent fluctuation	turbulente Schwankungserscheinung f	phénomène m de fluctuation turbulente, fluctuation f turbulente	явление турбулентной флуктуации
P 1158	**phenomenon of variability** <bio.>	Variationserscheinung f <Bio.>	phénomène m de variabilité <bio.>	явление изменчивости <био.>
P 1159	**phenometry**	Phänometrie f	phénométrie f	фенометрия
	pherography	s. electropherography		
	phial, vial	Phiole f, Fläschchen n	fiole f	склянка [с длинным горлом], пузырек, флакон
P 1160	**philharmonic pitch,** American Standard pitch, standard pitch <440 c/s>; concert pitch, high pitch <450 c/s>; international pitch, low pitch, French pitch <435 c/s>	Kammerton m, Kammertonhöhe f, Normal-a' n, Normstimmton m <440 Hz>; internationale Stimmung f <435 Hz>	diapason m [normal], étalon m a, hauteur f du ton-étalon, ton-étalon m <440 Hz>; gamme f internationale <435 Hz>	нормальный тон, камертон, оркестровая высота строя, международная высота строя <440 гц>; высокий строй <450 гц>; низкий строй, международный строй <435 гц>
P 1161	**Philipps beaker,** conical beaker	Philipps-Becher m, Erlenmeyersches Becherglas n, Nonnenglas n; konisches Becherglas n	bécher m de Philipps; bécher conique	конический химический стакан
P 1162	**Philips cycle**	Philips-Prozeß m	cycle m de Philips	цикл Филипса
	Philips [ion] gauge	s. Penning ionization gauge		
	Philips ion gauge [arc] source	s. Penning ion source		
	Philips ionization gauge, Philips vacuummeter	s. Penning ionization gauge		
P 1163	**Philpot-Svensson curve**	Philpot-Svensson-Kurve f, Philpot-Svensson-Registrierkurve f	courbe f de Philpot-Svensson	кривая Фильпота-Свенсона
P 1164	**Philpot-Svensson method**	Philpot-Svenssonsche Methode f, Methode f von Philpot-Svensson	méthode f de Philpot et Svensson	метод Фильпота-Свенсона
	pH indicator	s. acid-base indicator		
	pH-instrument	s. pH-meter		
P 1165	**phlebostatic axis**	phlebostatische Achse f	axe m phlébostatique	флебостатическая ось
	phlegma	s. reflux		
P 1166	**phlogiston**	Phlogiston n	calorique m combiné, phlogistique m	флогистон
P 1166a	**phlogiston theory,** Stahl['s] phlogiston theory	Phlogistontheorie f	théorie f du phlogistique	флогистонная теория
P 1167	**pH-meter,** pH-instrument; pH-controller	pH-Messer m	pH-mètre m, appareil m à mesurer la valeur pH, appareil de mesure pH	pH-метр, измеритель pH; регулятор pH
	pH number	s. pH		
P 1168	**phobo-phototaxis**	Phobophototaxis f	phobo-phototactisme m	фобо-фототаксис
P 1169	**phobotactic reaction**	phobotaktische Reaktion f	réaction f phobotactique	фоботаксическая реакция
P 1170	**phobotaxis**	Phobotaxis f	phobotactisme m	фоботаксис, реакция избегания
P 1171	**phon**	Phon n, phon	phone m	фон, относительный децибел, фон
P 1172	**phonics**	Phonik f, Schallehre f; Klanglehre f, Lautlehre f	phonique f	теория звука, учение о звуке
P 1173	**phonic wheel,** tone wheel	phonisches Rad n, Tonrad n	roue f phonique	фоническое колесо, колесо Лакура
	phoning	s. telephony		
P 1174	**phonocardiogram**	Phonokardiogramm n, Herzschallbild n	phonocardiogramme m	фонокардиограмма
P 1175	**phonocardiography**	Phonokardiographie f, Herzschallaufzeichnung f	phonocardiographie f	фонокардиография
P 1176	**phonogram,** sound record	Phonogramm n, Schallaufzeichnung f	phonogramme m	звукозапись, запись звука
	phonograph cartridge, pick-up, playback (reproducing) head, pick-up cartridge <ac.>	Abtaster m, Tonabnehmerkopf m <Ak.>	tête f de lecture, pick-up m <ac.>	головка звукоснимателя, рекордер <ак.>
P 1176a	**phonolysis**	Phonolyse f	phonolyse f	фонолиз
P 1177	**phonometer**	Schallmesser m, Schallmeßgerät n, Geräuschmesser m, Phonmeter n; Phonometer n, Hörschärfemesser m	phonomètre m	звукомер, звукометрический прибор, шумомер; фонометр

	phonometer, acoustimeter	Schallstärkemesser *m*, Akustimeter *n*	acoustimètre *m*, phonomètre *m*	измеритель интенсивности (силы) звука, акустиметр
P 1178	**phonometry**	Phonometrie *f*, Schallmessung *f*	phonométrie *f*	звукометрия, фонометрия
P 1179	**phonon,** sound quantum, quantum of acoustic wave energy	Phonon *n*, Schallquant *n*	phonon *m*, quantum *m* de son	фонон, квант акустических колебаний, квант энергии акустических волн
P 1179a	**phonon bottleneck effect**	Flaschenhalseffekt *m* [der Phononen]	effet *m* de goulot phononique	эффект фононного узкого горла
P 1180	**phonon distribution**	Phononenverteilung *f*, Schallquantenverteilung *f*	distribution *f* des phonons	фононное распределение
P 1181	**phonon drag**	Phonon„drag" *m*	entraînement *m* [des électrons] par les phonons	увлечение [электронов] фононами
P 1182	**phonon entropy**	Phononenentropie *f*, Schallquantenentropie *f*	entropie *f* des phonons	фононная энтропия
P 1183	**phonon exchange**	Phononenaustausch *m*	échange *m* de phonons	обмен фононами
P 1184	**phonon excitation** **phonon frequency shift**	Phononenanregung *f* *s.* phonon shift	excitation *f* phononique	фононное возбуждение
P 1185	**phonon gas**	Phononengas *n*	gaz *m* de phonons, gaz phononique	фононный газ
	phonon maser, phaser	Phaser *m*, Phonon[en]-maser *m*, Maser *m* im Tonfrequenzbereich	phaser *m*, amplificateur *m* phaser, amplificateur de phonons	квантовый усилитель фононов (звуковых колебаний)
P 1186	**phonon part**	Phononenanteil *m*	partie *f* phononique	фононная часть
P 1187	**phonon-phonon umklapp process, phonon-phonon U-process**	Phonon-Phonon-Umklappprozeß *m*	processus *m* de réorientation phonon-phonon	фонон-фононный процесс переброса
P 1187a	**phonon shift,** phonon frequency shift	Phononenverschiebung *f*	décalage (déplacement) *m* phononique	фононный сдвиг, фононное смещение
P 1188	**phonon spectrum**	Phononenspektrum *n*, Schallquantenspektrum *n*	spectre *m* des phonons, spectre phononique	фононный спектр
P 1189	**phonon width**	Phononenbreite *f*	largeur *f* phononique (de phonons)	фононная ширина
P 1189a	**phonosynthesis**	Phonosynthese *f*	phonosynthèse *f*	фоносинтез
P 1190	**phonozenograph**	Phonogoniometer *n*	phonogoniomètre *m*	акустический пеленгатор
	phoronomics	*s.* kinematics		
	phoronomy	*s.* kinematics		
	phosphene	*s.* entoptic phenomenon		
	phosphor	*s.* luminescent material		
	phosphor-bronze thermometer, resistance thermometer of phosphor-bronze	Widerstandsthermometer *n* aus Phosphorbronze *f*, Phosphorbronze-thermometer *n*	thermomètre *m* à bronze phosphoreux	бронзовый термометр
P 1191	**phosphor dot,** colour [-emitting] phosphor dot	Leuchtstoffpunkt *m*	point *m* de phosphore	люминесцирующий элемент мозаичного экрана
	phosphorescence centre, phosphorescent centre	Phosphoreszenzzentrum *n*	centre *m* phosphorogène, centre de phosphorescence	фосфоресцентный центр, центр фосфоресценции
	phosphorescence in crystal, crystal phosphorescence, crystallophosphorescence	Kristallphosphoreszenz *f*, Kristallophosphoreszenz *f*	phosphorescence *f* des cristaux, cristallo-phosphorescence *f*	кристаллофосфоресценция
P 1192	**phosphorescence spectrum,** phosphorescent spectrum	Phosphoreszenzspektrum *n*	spectre *m* de phosphorescence	спектр фосфоресценции, фосфоресцентный спектр
P 1193	**phosphorescent centre,** phosphorescence centre	Phosphoreszenzzentrum *n*	centre *m* phosphorogène, centre de phosphorescence	фосфоресцентный центр, центр фосфоресценции
	phosphorescent decay	*s.* decay		
	phosphorescent screen, persistence screen, persistent screen, afterglow screen	Nachleuchtschirm *m*, Leuchtschirm (Lumineszenzschirm) *m* mit mittellangem Nachleuchten	écran *m* à persistance, écran phosphorescent	экран с послесвечением, фосфоресцирующий экран
	phosphorescent spectrum, phosphorescence spectrum	Phosphoreszenzspektrum *n*	spectre *m* de phosphorescence	спектр фосфоресценции, фосфоресцентный спектр
P 1193a	**phosphorimetry**	Phosphorimetrie *f*, Phosphoreszenzmessung *f*	phosphorimétrie *f*	фосфориметрия, измерение фосфоресценции
	phosphorogen	*s.* activator		
P 1194	**phosphorography**	Phosphorographie *f*	phosphorographie *f*	фосфорография, фотографирование в свете фосфоресценции
P 1195	**phosphoroscope [of Becquerel],** Becquerel (two-disk) phosphoroscope	Phosphoroskop *n*, Becquerel-Phosphoroskop *n*	phosphoroscope *m*, phosphoroscope de Becquerel	двухдисковый фосфороскоп [Беккереля], фосфороскоп Беккереля
	phosphor screen, luminescent (luminous) screen, actinic screen	Lumineszenzschirm *m*, Leuchtschirm *m*, Leuchtstoffschirm *m*	écran *m* luminescent, écran actinique	люминесцентный экран, светящийся экран
P 1196	**phot,** ph <= 10⁴ lx>	Phot *n*, ph <= 10⁴ lx>	phot *m*, ph <= 10⁴ lx>	фот, *фот* <= 10^4 лк или = 10.059 *лк*>
P 1197	**photism**	Photismus *m*	photisme *m*	фотизм
	photistor, phototransistor, transistor structure as a photoelectric cell, phototriode	Phototransistor *m*, lichtempfindlicher Transistor *m*, Phototriode *f*	photistor *m*, photo-transistor *m*, phototransistor *m*, transistor *m* à effet photo-électrique, phototriode *f*	фототранзистор, фототриод

P 1198	**photoabsorption,** photoelectric absorption	Photoabsorption f, photoelektrische (lichtelektrische) Absorption, Absorption durch Photoeffekt	photoabsorption f, absorption f photoélectrique	фотопоглощение, фотоэлектрическое поглощение
P 1199	**photoabsorption band**	Photoabsorptionsbande f	bande f de photoabsorption	фотоабсорбционная полоса, полоса фотопоглощения
	photoabsorption coefficient	s. photoelectric attenuation coefficient		
P 1200	**photoabsorption cross-section,** cross-section for photoabsorption	Photoabsorptions-[wirkungs]querschnitt m, Wirkungsquerschnitt m für (der) Photoabsorption, Wirkungsquerschnitt für photoelektrische Absorption, Wirkungsquerschnitt der photoelektrischen Absorption	section f efficace de photoabsorption, section efficace d'absorption photo-électrique	сечение фотоэлектрического поглощения
P 1201	**photoactivation**	Photoaktivierung f; Lichtaktivierung f	photoactivation f	фотоактивация
	photo-adaptation	s. light adaptation		
	photoaddition, photochemical addition	photochemische Anlagerung f	addition f photochimique, photo-addition f	фотоприсоединение, фотохимическое присоединение
P 1202	**photoag[e]ing**	Lichtalterung f	vieillissement m à la lumière	фотостарение, световое старение, старение под действием света
P 1203	**photobiology**	Photobiologie f	photobiologie f; héliobiologie f	фотобиология
P 1204	**photocarrier,** photoinduced carrier	photoinduzierter Ladungsträger m, Phototräger m	photoporteur m [de charge]	фотоноситель
P 1205	**photocatalysis,** photochemical catalysis	Photokatalyse f, photochemische Katalyse f	photocatalyse f, catalyse f photochimique	фотокатализ, фотохимический катализ
P 1206	**photocatalyst,** photochemical catalyst	Photokatalysator m, photochemischer Katalysator m	photocatalyseur m, catalyseur m photochimique	фотокатализатор, фотохимический катализатор
P 1207	**photocathode,** photoelectric (photoemissive, photosensitive) cathode, photoemitter	Photokatode f	photocathode f, cathode f photoémissive, cathode photoélectrique	фотокатод, фотоэлектрический катод, фоточувствительный катод
	photocell	s. photoelectric cell		
	photocell	s. a. photoemissive cell		
P 1208	**photocell noise**	Photozellenrauschen n	bruit m de cellule photoélectrique	шумы фотоэлемента
P 1209	**photocentre**	Lichtzentrum n	centre m lumineux, centre photométrique	фотоцентр
	photochemical action	s. photochemical effect		
P 1210	**photochemical addition,** photoaddition	photochemische Anlagerung f	addition f photochimique, photo-addition f	фотоприсоединение, фотохимическое присоединение
	photochemical assimilation, assimilation	Assimilation f, photochemische Assimilation	assimilation f, assimilation photochimique	ассимиляция, фотохимическая ассимиляция
P 1211	**photochemical autoxidation**	Photoautoxydation f, photochemische Autoxydation f	photo-autoxydation f	фотохимическое самоокисление
	photochemical catalysis, photocatalysis	Photokatalyse f, photochemische Katalyse f	photocatalyse f, catalyse f photochimique	фотокатализ, фотохимический катализ
	photochemical catalyst, photocatalyst	Photokatalysator m, photochemischer Katalysator m	photocatalyseur m, catalyseur m photochimique	фотокатализатор, фотохимический катализатор
	photochemical decomposition	s. photodissociation		
	photochemical destruction, photodestruction <of polymers>	photochemischer Abbau m <Polymere>	photodestruction f, destruction f photochimique <des polymères>	фотохимическая деструкция <полимеров>
	photochemical dissociation	s. photodissociation		
P 1212	**photochemical effect,** photochemical action	photochemische Wirkung f	effet m (action f) photochimique	фотохимическое действие, фотохимический эффект
	photochemical equivalence law	s. law of photochemical equivalence		
	photochemical isomerization, photoisomeric change, photoisomerization	Photoisomerisation f, photochemische Isomerisation f	photoisomérisation f, isomérisation f photochimique	фотоизомеризация, изомеризация под действием света, фотохимическая изомеризация
P 1213	**photochemical method of isotope separation**	photochemische Methode f der Isotopentrennung	méthode f photochimique de la séparation des isotopes	разделение изотопов фотохимическим методом, фотохимический метод разделения изотопов
	photochemical polymerization	s. photopolymerization		
	photochemical quantum yield	s. photochemical yield		
P 1214	**photochemical reaction,** photoreaction, light reaction	photochemische Reaktion f, Photoreaktion f, Lichtreaktion f	réaction f photochimique, photoréaction f, réaction sous l'action de lumière	фотохимическая реакция, фотореакция, реакция на свет

	English	German	French	Russian
P 1215	photochemical rearrangement	Photoumlagerung f, photochemische Umlagerung f	réarrangement m photochimique	фотоперегруппировка, фотохимическая перегруппировка
P 1216	photochemical sensitization, photosensitization	photochemische Sensibilisierung f, Photosensibilisierung f	sensibilisation f photochimique, photosensibilisation f	фотохимическая сенсибилизация, фотосенсибилизация
	photochemical yield, quantum efficiency, photochemical quantum yield, quantum yield	Quantenausbeute f, photochemische Quantenausbeute, photochemische Ausbeute f	rendement m photochimique, rendement quantique <en photochimie>	фотохимический выход, квантовый выход <в фотохимии>
P 1217	photoconductance	Photoleitwert m	photoconductance f	фотопроводимость
P 1218	photoconducting, photoconductive, photopositive, light-positive	lichtelektrisch leitend (positiv), lichtpositiv, photoleitend, photopositiv	photo-conducteur, photopositif, photoconductif	светоположительный, фотопроводящий, фотоположительный
	photoconducting cell	s. photoconductive cell		
	photoconducting detector	s. photoconductive detector		
P 1219	photoconduction, photoelectric conduction, photoconductivity	Photoleitung f, photoelektrische Leitung f, lichtelektrische Leitung, Photoleitfähigkeit f	photoconduction f, conduction f photoélectrique, photoconductibilité f, photoconductivité f	фотопроводимость, фотоэлектрическая проводимость, фотопроводность
	photoconduction	s. a. internal photoeffect		
P 1220	photoconduction response (sensitivity), photoconductive sensitivity	Photoleitungsempfindlichkeit f	sensibilité f de photoconduction	чувствительность фотопроводимости
	photoconductive	s. photoconducting		
P 1221	photoconductive cell, photoconducting cell, photoresistance, photoresistor, photoresistance cell, photoelectric resistance cell; photovaristor; photoconductive detector, photoconducting detector	Widerstands[photo]zelle f, Photowiderstandszelle f, Photowiderstand m, Photoleit[ungs]zelle f, lichtelektrischer (photoelektrischer) Widerstand m, Lichtwiderstand m, Halbleiter[-Photo]zelle f, Halbleiter-Photoelement n, Kristallphotozelle f; auf dem inneren lichtelektrischen Effekt beruhender Strahlungsempfänger m, Photoleitungsdetektor m	photorésistance f, résistance f photosensible, cellule f photoconductrice, cellule photoconductive, cellule à effet photoélectrique interne, cellule photorésistante	фотосопротивление, фотоэлемент с внутренним фотоэффектом; фоторезистор
P 1222	photoconductive compensator, photoresistance compensator	Photowiderstandskompensator m	compensateur m photoconductif (photorésistant, à effet photoélectrique interne)	компенсатор с фотосопротивлением
	photoconductive detector	s. photoconductive cell		
	photoconductive effect	s. internal photoeffect		
	photoconductive sensitivity	s. photoconduction response		
P 1223	photoconductive time constant	lichtelektrische (photoelektrische) Zeitkonstante f	constante f de temps photoélectrique	фотоэлектрическая постоянная времени
P 1224	photoconductivity, photoelectric conductivity	Photoleitfähigkeit f, photoelektrische (lichtelektrische) Leitfähigkeit f	photoconductibilité f, conductibilité (conductivité) f photoélectrique	фотопроводимость, фотоэлектрическая проводимость, фотопроводность
	photoconductivity	s. a. photoconduction		
	photoconductivity counter	s. crystal counter <nucl.>		
P 1225	photoconductor	Photoleiter m	semi-conducteur m photoélectrique, photoconducteur m	светочувствительный полупроводник (проводник), фотопроводник
P 1226	photoconstriction coefficient	Photokonstriktionskoeffizient m	coefficient m de photoconstriction	коэффициент фотосокращения
P 1227	photoconstriction effect	Photokonstriktionseffekt m	effet m de photoconstriction, effet photoconstrictif	фотоконстрикционный эффект
P 1228	photocreep	Photokriechen n	photofluage m	фотоползучесть
P 1229	photocurrent, photoelectric current	Photo[elektronen]strom m, photoelektrischer (lichtelektrischer) Strom m	courant m photoélectrique, photocourant m	фототок, фотоэлектрический ток
P 1229a	photocurrent coefficient	Photostromkoeffizient m	coefficient m de photocourant	коэффициент фототока
P 1230	photocurrent stimulation	Photostromanregung f	stimulation f du courant photoélectrique	возбуждение фототока
	photodecomposition	s. photodissociation		
P 1231	photodestruction, photochemical destruction <of polymers>	photochemischer Abbau m <Polymere>	photodestruction f, destruction f photochimique <des polymères>	фотохимическая деструкция <полимеров>
P 1232	photodetachment [of electrons]	Photoablösung f [von Elektronen], Elektronenablösung f durch Photonen[absorption], lichtelektrische Elektronenabspaltung f	photodétachement m [d'électrons]	фотоотщепление электронов, фотоотлипание электронов, фотоэлектрическое вырывание электронов
	photodetection	s. photographic detection		
P 1233	photodetector, light detector (receiver)	Lichtempfänger m, Lichtdetektor m	photodétecteur m, détecteur m de lumière	детектор света, приемник света
	photodetector	s. a. photoelectric radiation detector		

P 1234	photodeuteron	Photodeuteron n	photodeutéron m	фотодейтрон
P 1235	photodichroism	Photodichroismus m	photodichroïsme m, dichroïsme m photographique	фотодихроизм
P 1236	photodielectric effect	photodielektrischer (lichtdielektrischer) Effekt m	effet m photodiélectrique	фотодиэлектрический эффект
P 1237	photodiffusion voltage	Photodiffusionsspannung f	tension f de photodiffusion	напряжение фотодиффузии
P 1238	photodinesis	Photodinese f	photodinèse f	течение протоплазмы, вызванное светом
P 1239	photodiode, semiconductor photodiode	Photodiode f, Halbleiterphotodiode f	photodiode f, photodiode à semi-conducteur	полупроводниковый фотодиод, фотодиод
P 1240	photodisintegration, nuclear photodisintegration, photonuclear reaction, nuclear photoreaction, nuclear photoelectric effect, nuclear photoeffect, gamma-ray induced nuclear reaction, photoninduced nuclear reaction, γ,x reaction	Kernphotoeffekt m, Kernphotoreaktion f, Kernphotoprozeß m, Photokernreaktion f, Photokernprozeß m, Photozerfall m, photonukleare Reaktion f, gamma-induzierte Kernreaktion f, photoninduzierte Kernreaktion, (γ,x)-Prozeß m, (γ,x)-Reaktion f, Photoumwandlung f	photodésintégration f [nucléaire], réaction f (processus m, effet m) photonucléaire, effet m photoélectrique nucléaire, photoeffet m nucléaire, réaction f nucléaire provoquée par les rayons gamma, réaction nucléaire provoquée par un photon, réaction γ,x, processus γ,x	фотоядерная реакция, фотоядерный процесс, фоторасщепление, ядерное фоторасщепление; ядерная фотореакция, ядерный фотоэффект (фотоэлектрический эффект); ядерная реакция, вызванная гамма-квантом (фотоном); (γ,x)-процесс, (γ,x)-реакция
	photodisintegration	s. a. photodissociation		
	photodisintegration cross-section	s. photonuclear cross-section		
P 1241	photodissociation, photochemical dissociation, photolysis, photochemical decomposition, photodecomposition, photodisintegration	Photodissoziation f, Photolyse f, photochemische Dissoziation f, photochemische Zersetzung f	photodissociation f, dissociation f photochimique, photolyse f	фотохимическая диссоциация, фотодиссоциация, фотолиз, фотораспад, фотохимический распад, фоторазложение, фото[химическое] расщепление
P 1242	photodynamic effect	photodynamischer Effekt m, Lichtsensibilisation f	effet m photodynamique	фотодинамический эффект
	photoeffect	s. photoelectric effect		
P 1243	photoelastic, stress-optic[al]	spannungsoptisch; photoelastisch	photoélastique; photoélasticimétrique	фотоупругий; фотоэластичный
P 1244	photoelastic bench	spannungsoptische Bank f	banc m photoélasticimétrique, banc pour des mesures photoélastiques	скамья для поляризационно-оптических исследований напряжений
	photoelastic coefficient, stress-optical coefficient	spannungsoptischer Koeffizient m	coefficient m photoélastique	коэффициент фотоупругости
	photoelastic constant, stress-optic[al] constant, stress optic constant	spannungsoptische Konstante f, photoelastische Konstante	constante f photoélastique	константа фотоупругости, фотоупругая константа (постоянная)
	photoelastic fringe pattern, stress fringe pattern	spannungsoptisches Streifenbild n, Spannungsstreifenbild n	image f des franges d'interférence photoélastiques	фотоупругая интерференционная картина
	photoelasticimetry, photoelastic investigation	s. photoelastic method		
P 1245	photoelasticity	Spannungsoptik f, Elastooptik f, Photoelastizität f	photoélasticité f	фотоупругость, эластооптика
P 1246	photoelastic method, photoelastic investigation, photoelasticimetry	spannungsoptische Untersuchung (Messung, Methode) f, photoelastische Methode, Photoelastizimetrie f	photoélasticimétrie f	оптический метод исследования напряжений, [поляризационно-] оптический метод исследования напряжения
P 1247	photoelastic [stress] pattern, stress pattern	Isochromatenbild n, Spannungsmodell n	diagramme m d'isochromatiques	картина изохром
P 1248	photoelectret	Photoelektret n	photoélectret m	фотоэлектрет
	photoelectric absorption	s. photoabsorption		
	photoelectric absorption coefficient	s. photoelectric attenuation coefficient		
	photoelectric activity, photoelectric sensitivity, photosensitivity, photoresponse	lichtelektrische (photoelektrische) Empfindlichkeit f, Photoempfindlichkeit f	sensibilité f photoélectrique, photosensibilité f	фотоэлектрическая чувствительность, фоточувствительность
P 1249	photoelectric aftereffect	lichtelektrische (photoelektrische) Nachwirkung f	rémanence f photoélectrique	фотоэлектрическое последействие
	photoelectric analyzer of Kent and Lawson	s. Kent-Lawson photoelectric analyzer		
P 1250	photoelectric atomic battery, photoelectric battery, photoelectric isotopic power generator	photoelektrische Batterie f, photoelektrische Radionuklidbatterie f	batterie f atomique photoélectrique, pile f photoélectrique [nucléaire]	фотоэлектрическая батарея, фотоэлектрическая атомная батарея
P 1250a	photoelectric attenuation coefficient, photoelectric absorption coefficient, photoabsorption coefficient	Photoabsorptionskoeffizient m, Schwächungskoeffizient m für den Photoeffekt, photoelektrischer Absorptionskoeffizient m	coefficient m d'atténuation photoélectrique, coefficient d'absorption photoélectrique	коэффициент фотоэлектрического ослабления (поглощения)
	photoelectric battery	s. photoelectric atomic battery		
	photoelectric cathode	s. photocathode		
P 1251	photoelectric cell, photocell, electric eye	lichtelektrische (photoelektrische) Zelle f, lichtelektrischer (photoelektrischer) Strahlungsempfänger m, lichtelektrischer (photoelektrischer) Wandler m, Photozelle f	cellule f photoélectrique, photocellule f, tube m photoélectrique, phototube m	фотоэлемент, фотоэлектрический элемент

№	English	German	French	Russian
P 1252	**photoelectric cell**	*s. a.* photoemissive cell		
	photoelectric colorimeter, objective colorimeter	lichtelektrisches (photoelektrisches, objektives) Kolorimeter *n*; lichtelektrischer (photoelektrischer, objektiver) Farbmesser *m*	photocolorimètre *m*, colorimètre *m* photoélectrique, colorimètre objectif	фотоэлектрический колориметр, объективный колориметр, абсорбциометр, фотоколориметр
P 1253	**photoelectric colorimetry**, objective colorimetry	lichtelektrische (photoelektrische, objektive) Kolorimetrie *f*; lichtelektrische (photoelektrische, objektive) Farbmessung *f*	colorimétrie *f* photoélectrique, colorimétrie objective	фотоэлектрическая колориметрия, объективная колориметрия
	photoelectric compensator, Lindeck-Rothe compensator	Lindeck-Rothe-Kompensator *m*, Photozellenkompensator *m*	compensateur *m* de Lindeck-Rothe, compensateur photoélectrique	компенсатор Линдека-Роте, фотоэлектрический компенсатор
	photoelectric conduction, photoconduction, photoconductivity	Photoleitung *f*, photoelektrische Leitung *f*, lichtelektrische Leitung *f*, Photoleitfähigkeit *f*	photoconduction *f*, conduction *f* photoélectrique, photoconductibilité *f*, photoconductivité *f*	фотопроводимость, фотоэлектрическая проводимость, фотопроводность
	photoelectric conduction	*s. a.* internal photoeffect		
	photoelectric conductivity, photoconductivity	Photoleitfähigkeit *f*, photoelektrische (lichtelektrische) Leitfähigkeit *f*	photoconductibilité *f*, conductivité (conductivité) *f* photoélectrique	фотопроводимость, фотоэлектрическая проводимость, фотопроводность
P 1253a	**photoelectric constant**	photoelektrische (lichtelektrische) Konstante *f*	constante *f* photoélectrique	фотоэлектрическая постоянная (константа)
	photoelectric current, photocurrent	Photo[elektronen]strom *m*, photoelektrischer Strom *m*, lichtelektrischer Strom	courant *m* photoélectrique, photocourant *m*	фототок, фотоэлектрический ток
P 1254	**photoelectric densitometer for comparison**	Vergleichsschwärzungsmesser *m*	densitomètre *m* photoélectrique comparateur (de comparaison)	фотоэлектрический денситометр для сравнения, образцовый денситометр
	photoelectric detector	*s.* photoelectric radiation detector		
P 1255	**photoelectric dissociation**	lichtelektrische (photoelektrische) Dissoziation *f*	dissociation *f* photoélectrique	фотоэлектрическая диссоциация, фотоэлектрическое разложение
P 1256	**photoelectric effect**, photoeffect, photoelectric phenomenon	Photoeffekt *m*, lichtelektrischer (photoelektrischer) Effekt *m*, lichtelektrische (photoelektrische) Wirkung *f*	effet *m* photoélectrique, phénomène *m* photoélectrique	фотоэлектрическое явление, фотоэффект, фотоэлектрический эффект
P 1257	**photoelectric efficiency**, photoemissive efficiency, photoemissive yield, quantum efficiency [of photoelectric effect], photoelectric yield	lichtelektrische (photoelektrische) Quantenausbeute *f*, Quantenausbeute [des Photoeffekts], lichtelektrischer (photoelektrischer) Wirkungsgrad *m*, Photoelektronenausbeute *f*, Photoemissionsausbeute *f*	rendement *m* photoélectrique, rendement quantique [de l'effet photoélectrique]	квантовый выход внешнего фотоэффекта
	photoelectric emission	*s.* photoemissive effect		
P 1258	**photoelectric emission centre**, photoemissive centre, emission centre	lichtelektrisches Emissionszentrum (Zentrum) *n*, photoelektrisches Emissionszentrum (Zentrum)	centre *m* d'émission photoélectronique, centre photo-émetteur	центр фотоэмиссии, центр фотоэлектронной эмиссии
	photoelectric emissivity, photoemissivity	Photoemissionsvermögen *n*	pouvoir *m* photoémissif	фотоэмиссионная способность
P 1258a	**photoelectric energy transfer coefficient**	Photoumwandlungskoeffizient *m*, Energieumwandlungskoeffizient *m* für den Photoeffekt	coefficient *m* de transfert d'énergie photoélectrique	коэффициент переноса (передачи) энергии за счет фотоэффекта
	photoelectric equation	*s.* Einstein['s] equation		
P 1259	**photoelectric exposure meter**	photoelektrischer Belichtungsmesser *m*, lichtelektrischer Belichtungsmesser	posemètre *m* photovoltaïque, posemètre à cellule [photo-électrique], cellule *f* [photo-électrique]	фотоэлектрический экспонометр
P 1260	**photoelectric fatigue**	lichtelektrische (photoelektrische) Ermüdung *f*; lichtelektrische Erregung *f*	fatigue *f* photoélectrique	фотоэлектрическая утомляемость, фотоэлектрическое утомление
P 1261	**photoelectric flow meter**	lichtelektrischer (photoelektrischer) Strömungsmesser *m*	rhéomètre *m* photoélectrique	фотоэлектрическая вертушка
P 1262	**photoelectric fringe counter**	photoelektrischer (lichtelektrischer) Interferenzzähler *m*	compteur *m* pelliculaire photoélectrique	фотоэлектрический счетчик интерференционных (дифракционных) полос
P 1263	**photoelectric glossmeter**, objective glossmeter	lichtelektrischer (photoelektrischer, objektiver) Glanzmesser *m*	luisancemètre *m* photoélectrique, luisancemètre objectif	фотоэлектрический глянцемер, объективный глянцемер
	photoelectric isotopic power generator	*s.* photoelectric atomic battery		
P 1264	**photoelectricity**	Photoelektrizität *f*, Lichtelektrizität *f*	photoélectricité *f*	фотоэлектричество
P 1265	**photoelectric line**, photoelectric straightline	photoelektrische Gerade *f*	droite *f* photoélectrique	фотоэлектрическая прямая
P 1266	**photoelectric luxmeter**	lichtelektrischer (photoelektrischer) Beleuchtungsmesser *m*, lichtelektrisches (photoelektrisches) Luxmeter *n*	luxmètre *m* photoélectrique	фотоэлектрический люксметр
	photoelectric magnitude, photoelectric stellar magnitude	photoelektrische Helligkeit *f*, lichtelektrische Helligkeit ⟨Gestirn⟩	magnitude *f* stellaire photoélectrique, magnitude photoélectrique	фотоэлектрическая звездная величина, фотоэлектрическая величина [звезды]

P 1267	photoelectric mass absorption (attenuation) coefficient	Massen-Photoabsorptionskoeffizient *m*, Massenschwächungskoeffizient *m* für den Photoeffekt, photoelektrischer Massenabsorptionskoeffizient *m*	coefficient *m* d'atténuation (d'absorption) photoélectrique massique	массовый коэффициент фотоэлектрического поглощения (ослабления)
P 1267a	photoelectric mass energy transfer coefficient	Massen-Photoumwandlungskoeffizient *m*	coefficient *m* de transfert d'énergie photoélectrique massique	массовый коэффициент переноса (передачи) энергий за счет фотоэффекта
	photoelectric multiplier	s. photomultiplier		
P 1268	photoelectric peak, photopeak	Photopeak *m*, Photolinie *f*	pic *m* (raie *f*) photoélectrique, photopic *m*, photoraie *f*	фотопик, фотоэлектрический пик
	photoelectric phenomenon	s. photoelectric effect		
P 1269	photoelectric photometer, objective photometer	lichtelektrisches (photoelektrisches, objektives) Photometer *n*	photomètre *m* photoélectrique, photomètre objectif	фотоэлектрический фотометр, объективный фотометр, электрофотометр
	photoelectric potentiometer	s. Lindeck-Rothe potentiometer		
P 1270	photoelectric proportionality law	lichtelektrisches Proportionalitätsgesetz *n*, Gesetz *n* von Stoletow, Stoletowsches Gesetz	loi *f* de proportionnalité photoélectrique	закон Столетова
P 1271	photoelectric radiation detector, photoelectric detector, photodetector	photoelektrisches (lichtelektrisches) Strahlungsmeßgerät *n*, photoelektrisches (lichtelektrisches) Strahlungsnachweisgerät *n*, photoelektrischer (lichtelektrischer) Detektor *m*, Photodetektor *m*	détecteur *m* photoélectrique, photodétecteur *m*	фотоэлектрический детектор [излучения], фотодетектор
P 1272	photoelectric relay, photorelay, photoswitch; light barrier, light relay	Lichtrelais *n*, lichtelektrisches Relais *n*; Lichtschranke *f*, Strahlenschranke *f*	relais *m* photoélectrique; relais photosensible, relais à commande lumineuse	фотоэлектрическое реле, фотореле; фотореленый (фотоэлектрический световой) барьер
	photoelectric resistance cell	s. photoconductive cell		
	photoelectric scanning	s. photoelectric sensing		
P 1273	photoelectric semiconduction	Photohalbleitung *f*, lichtelektrische (photoelektrische) Halbleitung *f*	semiconduction *f* photoélectrique	фотоэлектрическая полупроводимость
P 1274	photoelectric semiconductor device	Photobauelement *n*, photoelektrisches Bauelement *n*, lichtelektrisches (photoelektrisches) Halbleitergerät *n*, lichtelektrische (photoelektrische) Halbleiterzelle *f*	dispositif *m* photoélectrique semi-conducteur	фотоэлектрический полупроводниковый прибор
P 1275	photoelectric sensing, photoelectric scanning	lichtelektrische (photoelektrische) Abtastung *f*, Photoscanning *n*	balayage *m* photoélectrique	фотоэлектрическая развертка
P 1276	photoelectric sensitivity, photosensitivity, photoresponse, photoelectric activity	lichtelektrische (photoelektrische) Empfindlichkeit *f*, Photoempfindlichkeit *f*	sensibilité *f* photoélectrique, photosensibilité *f*	фотоэлектрическая чувствительность, фоточувствительность
P 1277	photoelectric sensitization	lichtelektrische (photoelektrische) Sensibilisierung *f*	sensibilisation *f* photoélectrique	фотоэлектрическая сенсибилизация
P 1278	photoelectric stellar magnitude, photoelectric magnitude	photoelektrische Helligkeit *f*, lichtelektrische Helligkeit <Gestirn>	magnitude *f* stellaire photoélectrique, magnitude photoélectrique	фотоэлектрическая звездная величина, фотоэлектрическая величина [звезды]
	photoelectric straight-line, photoelectric line	photoelektrische Gerade *f*	droite *f* photoélectrique	фотоэлектрическая прямая
P 1279	photoelectric threshold, photoelectric threshold energy, threshold energy of normal photoelectric effect	Grenzenergie *f* des äußeren Photoeffekts, Photoschwelle *f*, photoelektrische Aktivierungsenergie (Schwellenenergie) *f*, photoelektrischer Schwellenwert *m*, photoelektrische Schwelle *f*, lichtelektrische Aktivierungsenergie (Schwellenenergie), lichtelektrischer Schwellenwert, lichtelektrische Schwelle	seuil photoélectrique, seuil d'énergie photoélectrique, seuil d'énergie pour l'effet photoélectrique externe, énergie *f* de seuil pour l'effet photoélectrique externe	фотоэлектрический порог, пороговая энергия внешнего фотоэффекта, граничная энергия внешнего фотоэффекта, предельная энергия внешнего фотоэффекта
P 1280	photoelectric transition	photoelektrischer (lichtelektrischer) Übergang *m*	transition *f* photoélectrique	фотоэлектрический переход
	photoelectric tube	s. photoelectric cell		
P 1281	photoelectric voltage, photovoltage	Photospannung *f*, photoelektrische (lichtelektrische) Spannung *f*	phototension *f*, tension *f* photoélectrique	фотонапряжение, фотоэлектрическое напряжение
P 1281a	photoelectric work function	Austrittsarbeit *f* der Photoelektronen	travail *m* de sortie des photoélectrons	работа выхода фотоэлектронов (при фотоэффекте)
	photoelectric yield	s. photoelectric efficiency		
	photoelectroluminescence	s. electrophotoluminescence		

P 1282	photoelectromagnetic effect, PEM effect, photogalvanomagnetic effect	photoelektromagnetischer Effekt m, PEM-Effekt m, Kikoin-Noskow-Effekt m, photogalvanomagnetischer Effekt	effet m photoélectromagnétique	эффект Кикоина-Носкова, нечетный фотомагнитный эффект, фотоэлектромагнитный (фотомагнитоэлектрический, фотомагнитогальванический) эффект, ФЭМ-эффект
	photo-electromotive force, photo-e.m.f.	Photo-EMK f, photoelektromotorische Kraft f	photo-f. e. m. f, force f photo-électromotrice	фото-э. д. с., фотоэлектродвижущая сила
P 1283	photoelectron discharge	Photoelektronenentladung f	décharge f photoélectronique	фотоэлектронный разряд
P 1284	photoelectronics	Photoelektronik f	photoélectronique f	фотоэлектроника
P 1284a	photoelectronic travelling-wave tube	Photoelektronen-Wanderfeldröhre f	tube m photoélectronique à l'onde progressive	фотоэлектронная лампа бегущей волны
P 1284b	photoelectron spectroscopy	Photoelektronenspektroskopie f	spectroscopie f de photoélectrons	спектроскопия фотоэлектронов
P 1285	photoelectron spectrum	Photoelektronenspektrum n	spectre m de photoélectrons	спектр фотоэлектронов
P 1286	photo-electron-stabilized photicon, rieseliconoscope	Rieselikonoskop n	rieseliconoscope m, photicon m à stabilisation par photoélectrons	ризеликоноскоп, рисельиконоскоп, супериканоскоп со стабилизацией потенциала мозаики, фотикон со стабилизацией фотоэлектронами
P 1287	photo-e.m.f., photoelectromotive force	Photo-EMK f, photoelektromotorische Kraft f	photo-f. e. m. f, force f photo-électromotrice	фото-э. д. с., фотоэлектродвижущая сила
	photoemission	s. photoemissive effect		
	photoemissive cathode	s. photocathode		
P 1288	photoemissive cell, photoemissive element, photoemissive tube; phototube, photovalve, photoelectric cell, photocell; photoemissive detector	Photozelle f [mit äußerem Photoeffekt], Emissionsphotozelle f, Photoemissionszelle f; auf dem äußeren lichtelektrischen Effekt beruhender Strahlungsempfänger m, Photoemissionsdetektor m	cellule (photocellule) f photoémissive, cellule (photocellule) photoémettrice, cellule (photocellule) à effet photoélectrique externe, tube m photoélectrique	фотоэлемент с внешним фотоэффектом, эмиссионный фотоэлемент; [электро]вакуумный фотоэлемент
	photoemissive centre	s. photoelectric emission centre		
	photoemissive detector	s. photoemissive cell		
P 1289	photoemissive effect, external photoelectric effect, normal photoelectric effect, external photoeffect, Hallwachs effect; normal photoelectric emission, photoelectric emission, photoemission	äußerer lichtelektrischer Effekt m, äußerer Photoeffekt m (photoelektrischer Effekt), Photoemissionseffekt m, Hallwachs-Effekt m, Righi-Effekt m, normaler lichtelektrischer Effekt, normaler Photoeffekt (photoelektrischer Effekt); lichtelektrische Elektronenemission f, Photo[elektronen]emission f, photoelektrische (lichtelektrische) Emission	effet m photoélectrique externe, effet photoélectrique normal, effet Hallwachs, effet Righi; émission f photoélectronique, émission photoélectrique, photoémission f, effet photoémissif, effet photoémetteur	внешний (эмиссионный) фотоэффект, нормальный фотоэффект, эффект Хальвакса; фотоэлектронная эмиссия, фотоэмиссия
	photoemissive efficiency	s. photoelectric efficiency		
	photoemissive element	s. photoemissive cell		
	photoemissive gas-filled cell	s. gas-filled photocell		
P 1290	photoemissive mosaic element, mosaic element, mosaic photocathode, mosaic	Mosaikphotokatode f, Mosaikelement n	élément m mosaïque photoémissif, photocathode f mosaïque	мозаичный фотокатод, мозаичный элемент
	photoemissive tube	s. photoemissive cell		
	photoemissive vacuum cell	s. vacuum photocell		
	photoemissive yield	s. photoelectric efficiency		
P 1291	photoemissivity, photoelectric emissivity	Photoemissionsvermögen n	pouvoir m photoémissif	фотоэмиссионная способность
P 1292	photoemitter	Photoemitter m, Photoelektronenemitter m	émetteur m photoélectronique, photoémetteur m	излучатель фотоэлектронов, фотоэмиттер
	photoemitter	s. a. photocathode		
	photoemulsion, emulsion, photographic emulsion	Emulsion f, photographische Emulsion, Photoemulsion f, optische Emulsion	émulsion f, émulsion photographique, photo-émulsion f	эмульсия, фотоэмульсия, фотографическая эмульсия
P 1293	photoexcitation	Photoanregung f, Anregung f durch Photonenabsorption	photoexcitation f, photobrisure f; excitation f par lumière	фотовозбуждение, возбуждение фотонами
P 1294	photoexcitation cross-section, cross-section for photoexcitation	Photoanregungsquerschnitt m, Wirkungsquerschnitt m für Photoanregung, Photoanregungswirkungsquerschnitt m	section f efficace de photoexcitation	сечение фотовозбуждения
P 1295	photoexciton	Lichtexciton n, Photoexciton n	photoexciton m	светоэкситон, фотоэкситон
	photo[-]eyepiece, projection eyepiece	Projektionsokular n, Photookular n, Projektiv n, mikrophotographisches Okular n	photo-oculaire m, oculaire m de projection	фотоокуляр, проекционный окуляр
P 1296	photofinish camera	Zielphotokamera f	caméra f ultra-rapide pour photographier les fins [de courses]	высокоскоростная камера для фотосъемки финишей
P 1297	photofission, photonuclear fission	Photospaltung f, (γ, f)-Prozeß m	photofission f	деление фотонами, ядерное фотоделение, фотоделение

P 1298	**photofission cross-section,** cross-section for photofission	Photospalt[ungs]querschnitt *m*, Wirkungsquerschnitt *m* für Photospaltung, Photospaltungswirkungsquerschnitt *m*	section *f* efficace de photofission	сечение фотоделения
P 1299	**photofission threshold**	Schwellenenergie *f* der Photospaltung, Photospaltungsschwelle *f*	seuil *m* de la photofission	порог фотоделения, энергетический порог фотоделения
P 1300	**photoflash,** flash, flashlight	Photoblitz *m*, Blitzlicht *n*	photo-flash *m*, éclair *m*	[фото]вспышка, магниевая вспышка, импульсная лампа
P 1301	**photoflash lamp,** flash lamp, flash bulb, regular flash	Blitzlampe *f*, Vakublitz *m*, Vakublitzgerät *n*, Vakublitzleuchte *f*, Vakumblitzlichtlampe *f*, Kolbenblitz *m*, Birnenblitz *m*	lampe-éclair *f*, lampe-éclair chimique, lampe *f* éclair, lampe-flash *f*, flash *m*	вакуумная фотолампа-вспышка, вакуумная лампа-вспышка [для фотосъемок], лампа-вспышка [для фотосъемок], фотовспышка [одноразного действия], вспышка одноразового действия
P 1302	**photoflood lamp,** photographic lamp	Photoaufnahmelampe *f*, Photolampe *f*	lampe *f* pour photographie, lampe survoltée	фотолампа
	photofluorogram	s. screen photograph		
P 1303	**photofluorograph, photofluorographic unit,** photo-roentgen unit, PR unit	Schirmbildgerät *n*, Röntgenschirmbildgerät *n*	appareil *m* de radiophotographie	флуорограф, флюорограф
	photofluorography	s. fluorography		
	photogalvanomagnetic effect	s. photoelectromagnetic effect		
P 1304	**photogel**	Photogel *n*	photogel *m*	фотогель
P 1305	**photogenic,** light-producing	lichterzeugend	photogène, produisant la lumière	производящий свет, светящийся
	photogoniometer	s. phototheodolite		
P 1306	**photogram**	Photogramm *n*, Meßbild *n*	photogramme *m*	фотограмма
P 1307	**photogrammetrical plotting, photogrammetrical restitution,** plotting	Bildauswertung *f*, photogrammetrische Bildauswertung (Auswertung *f*), Auswertung	restitution *f* photogrammétrique des images, photointerprétation *f*	фотограмметрическое восстановление изображений, дешифрирование [аэроснимков], фотограмметрическая обработка
	photogrammetric apparatus, image measuring apparatus	Bildmeßgerät *n*	appareil *m* photogrammétrique	фотограмметрический прибор
P 1308	**photogrammetric chamber**	Meßkammer *f*, Meßbild[aufnahme]kammer *f*; Meßbild[aufnahme]gerät *n*	chambre *f* photogrammétrique	фотограмметрическая камера; фотограмметрический прибор
	photogrammetric intersection	s. intersection photogrammetry		
P 1309	**photogrammetric map,** photomap; aerophotogrammetric map; aerotopographic map	Bildplan *m*; Bildkarte *f*; Luftbildplan *m*, Luftbildkarte *f*	plan *m* photogrammétrique; carte *f* photogrammétrique; plan photogrammétrique; carte aérophotogrammétrique	фотоплан; фотокарта; карта аэрофотосъемки; фотограмметрическая карта
P 1310	**photogrammetric objective**	photogrammetrisches Objektiv *n*; Meßobjektiv *n*	objectif *m* photogrammétrique	фотограмметрический объектив
	photogrammetric plotting instrument	s. aerocartograph		
	photogrammetric stereocamera	s. stereophotogrammetric camera		
	photogrammetric theodolite	s. phototheodolite		
	photogrammetric triangulation	s. phototriangulation		
P 1311	**photogrammetry,** phototopography	Photogrammetrie *f*, Bildmessung *f*, Phototopographie *f*	photogrammétrie *f*, phototopographie *f*	фотограмметрия, фототопография
	photogrammetry by intersection	s. intersection photogrammetry		
	photographically catalyzed nucleation, photonucleation, photographic nucleation	Photokeimbildung *f*	nucléation *f* photographique, photonucléation *f*	образование центров кристаллизации светом, фотообразование центров кристаллизации
P 1312	**photographic astrometry**	photographische Astrometrie *f*	astrométrie *f* photographique	фотографическая астрометрия
	photographic contrast	s. gamma <quantity>		
P 1313	**photographic detection,** photodetection, photographic method [of detection]	photographische Nachweis *m*; photographische Methode *f*	détection *f* photographique, photodétection *f*; méthode *f* photographique	обнаружение фотографическим методом; фотографический метод, метод обнаружения радиоактивного излучения при помощи фотопластинок
P 1314	**photographic detector**	photographischer Detektor (Strahlungsempfänger, Empfänger) *m*	détecteur *m* photographique	фотографический детектор
	photographic dosimeter	s. dosifilm		
P 1315	**photographic effect**	photographischer Effekt *m*	effet *m* photographique	фотографический эффект
	photographic emulsion, emulsion, photoemulsion	[photographische] Emulsion *f*, Photoemulsion *f*, optische Emulsion	émulsion *f*, émulsion photographique, photoémulsion *f*	эмульсия, фотоэмульсия, фотографическая эмульсия

	English	German	French	Russian
	photographic emulsion technique	s. nuclear emulsion technique		
	photographic fog, fog	Schleier m, photographischer Schleier	voile m, voile photographique (de couche sensible, chimique)	вуаль, фотографическая вуаль; пелена (туман) на изображении
	photographic glazing, glazing	Satinage f, Satinieren n	satinage m	сатинирование, придание блеска, лощение, каландрирование
	photographic halo, halo, halation, aureola	Lichthof m, photographischer Lichthof, Hof m	halo m, halo photographique	ореол, фотографический ореол
P 1316	**photographic intensification**, intensification [of the photographic image]	photographische Verstärkung f, Verstärkung [des photographischen Bildes]	renforcement m photographique, renforcement [de l'image photographique]	фотографическое усиление, усиление [фотографического изображения]
P 1317	**photographic intensifier**, intensifier <phot.>	photographischer Verstärker m, Verstärker <Phot.>	renforçateur m [photographique]	фотографический усилитель, усилитель <фот.>
	photographic lamp, photoflood lamp	Photoaufnahmelampe f, Photolampe f	lampe f pour photographie, lampe survoltée	фотолампа
	photographic layer	s. photolayer <phot.>		
	photographic magnitude, photographic stellar magnitude	photographische Helligkeit f, Blauhelligkeit f <Gestirn>	magnitude f stellaire photographique, magnitude photographique	фотографическая звездная величина, фотографическая величина [звезды]
	photographic method [of detection]	s. photographic detection		
	photographic nucleation, photonucleation, photographically catalyzed nucleation	Photokeimbildung f	nucléation f photographique, photonucléation f	образование центров кристаллизации светом, фотообразование центров кристаллизации
P 1318	**photographic overexposure**, overexposure <phot.>	Überexposition f, Überbelichtung f <Phot.>	surexposition f <phot.>	передержка, переэкспозиция <фот.>
P 1319	**photographic plane**	Meßflugzeug n; Bildmeßflugzeug n	avion m topographique	самолет для аэросъемки, съемочный самолет
	photographic plate, photoplate, plate <phot.>	Platte f, photographische Platte, Photoplatte f <Phot.>	plaque f, plaque photographique <phot.>	пластинка, фотопластинка, фотографическая пластинка <фот.>
	photographic plate technique	s. nuclear emulsion technique		
P 1320	**photographic radiation temperature**	photographische Strahlungstemperatur f	température f de rayonnement photographique	фотографическая температура излучения
P 1321	**photographic record**, **photographic recording**, optical record	photographische Registrierung f, photographische Aufzeichnung f	enregistrement m photographique	фотографическая регистрация, фотографическая запись, фотозапись, фоторегистрация
	photographic redevelopment	s. redevelopment		
	photographic reducer, reducer	Abschwächer m, photographischer Abschwächer	affaiblisseur m [photographique], faiblisseur (réducteur) m [photographique]	ослабитель, фотографический ослабитель
P 1322	**photographic reduction**, reduction <phot.>	photographische Verkleinerung f, Verkleinerung <Phot.>	réduction f photographique, réduction <phot.>	фотографическое уменьшение, фотоуменьшение, уменьшение <фот.>
	photographic sensitizer, sensitizer <phot.>	Photosensibilisator m, [photographischer] Sensibilisator m <Phot.>	sensibilisateur m [photographique], colorant m sensibilisateur <phot.>	фотографический сенсибилизатор, сенсибилизатор <фот.>
	photographic shutter, shutter <phot.>	Verschluß m, photographischer Verschluß <Phot.>	obturateur m, obturateur photographique <phot.>	затвор, фотографический затвор <фот.>
P 1323	**photographic sound recording**; sound-on-film recording	photographische Schallaufzeichnung f	enregistrement m photographique des sons	оптическая звукозапись, фотографическая запись звука, фотозапись звука, запись звукового сопровождения кинофильма
P 1324	**photographic stellar magnitude**, photographic magnitude	photographische Helligkeit f, Blauhelligkeit f <Gestirn>	magnitude f stellaire photographique, magnitude photographique	фотографическая звездная величина, фотографическая величина [звезды]
	photographic sub-image	s. latent image		
P 1325	**photographic surface photometry**	photographische Großflächenphotometrie f	photométrie f photographique de large surface	фотографическая фотометрия большой поверхности
	photographic telescope	s. astrograph		
	photographic transmission density	s. optical density <phot.>		
	photographic turbidity	s. turbidity <phot.>		
	photographic underexposure, underexposure; underexposition	Unterexposition f; Unterbelichtung f	sous-exposition f	недодержка; недостаточная экспозиция, недостаточное облучение
	photographing	s. taking <phot.>		
P 1326	**photographone**	Photographon n, Lichtsprechgerät n	photographone m	фотографон, прибор оптического телефона
	photography of spectra	s. spectroscopic photography		

P 1327	**photogyration**	Photogyration f, photo-gyroskopischer Effekt m	photogiration f, photo-gyration f	фотогирация, фото-гироскопический эффект
P 1328	**photohole**	Photodefektelektron n, Photoloch n	photolacune f, phototrou m	фотодырка
P 1329	**photoimpact**	Quantenstoß m, Photostoß m	photo-impact m	фотоимпульс
P 1330	**photo-inactivation**	Photoinaktivierung f	photo-inactivation f	фотоинактивация
	photo-induced carrier, photocarrier	photoinduzierter Ladungs-träger m, Phototräger m	photoporteur m [de charge]	фотоноситель
P 1331	**photoinduction**	Photoinduktion f	photo-induction f	фотоиндукция
P 1332	**photoinjection**	Photoinjektion f	photoinjection f	фотоинжекция
P 1333	**photo-ionization,** photoionization, atomic photoelectric effect	Photoionisation f, Photo-ionisierung f, photo-elektrische (licht-elektrische) Ionisation f, Ionisation durch Photonen[absorption]	photo-ionisation f, photoionisation f	фотоионизация, иониза-ция в результате поглощения фотонов
P 1334	**photoionization cross-section,** cross-section for photoionization	Photoionisationsquerschnitt m, Wirkungsquerschnitt m für (der) Photoioni-sation, Photoionisations-wirkungsquerschnitt m	section f efficace de photo-ionisation	сечение фотоионизации
P 1335	**photoionization efficiency**	Photoionisationsausbeute f	rendement m de photo-ionisation	выход фотоионизации
P 1336	**photoionizing radiation**	photoionisierende Strahlung f	rayonnement m photo-ionisant	фотоионизирующее излучение
P 1337	**photoisomeric change, photoisomerization,** photochemical isomerization	Photoisomerisation f, photochemische Isomerisation f	photoisomérisation f, isomérisation f photo-chimique	фотоизомеризация, изомеризация под дей-ствием света, фото-химическая изомери-зация
P 1338	**photokinesis**	Photokinesis f	photokinésie f	фотокинезис
P 1339	**photokinetic threshold**	photokinetische Schwelle f	seuil m photocinétique	фотокинетический порог
P 1340	**photolabile**	photolabil	photolabile	светолабильный
P 1341	**photolayer,** photosensitive layer, photographic (sensitive) layer <phot.>	Photoschicht f, photo-graphische (lichtempfind-liche, photoempfindliche) Schicht f <Phot.>	couche f photosensible, couche photographique, photocouche f <phot.>	фоточувствительный слой, фотографический слой, фотослой чувствитель-ный слой; светочувст-вительный слой <фот.>
P 1342	**photolayer track,** emulsion track	Photoschichtspur f	trace f dans l'émulsion photosensible	след на фоточувстви-тельном слое
	photology, physical optics, science of light	physikalische Optik f, Lehre f vom Licht	optique f physique, photologie f, science f de la lumière	физическая оптика, учение о свете
P 1343	**photoluminescence**	Photolumineszenz f	photoluminescence f	фотолюминесценция
	photolysis	s. photodissociation		
P 1344	**photomagnetic effect** <semi.>	photomagnetischer Effekt m <Halb.>	effet m photomagnétique <semi.>	четный фотомагнитный эффект [Кикоина], фотомагнитный эффект <полу.>
P 1345	**photomagnetoelectric effect**	photomagnetoelektrischer Effekt m	effet m photomagnéto[-]électrique	фотомагнит[н]оэлектри-ческий эффект
	photomap	s. photogrammetric map		
P 1346	**photomechanical effect**	photomechanischer Effekt m	effet m photomécanique	фотомеханическое явление, фотомехани-ческий эффект
P 1347	**photomeson**	Photomeson n	photoméson m	фотомезон
	photometer constant, photometric constant	Photometerkonstante f	constante f du photomètre, constante photométrique	постоянная фотометра
	photometer eyepiece, photometric eyepiece	Photometerokular n	oculaire m photométrique	фотометр-окуляр, фото-метрический окуляр
P 1348	**photometer field**	Photometerfeld n	champ m photométrique	поле фотометра
P 1349	**photometer for visi-bility measurement**	Sichtphotometer n	photomètre m à mesurer la visibilité	фотометр для измерения видимости
P 1350	**photometer head**	Photometerkopf m; Photometeraufsatz m	tête f photométrique	фотометрическая головка
P 1351	**photometering**	Photometrierung f	photométrie f	фотометрирование
	photometer lamp, photometric lamp, standard [photometric] lamp	Normallampe f, Photo-meterlampe f, Photo-meternormal n	lampe f photométrique [étalon], étalon m photo-métrique	[эталонная] фотометриче-ская лампа, образцовая фотометрическая лампа
	photometer ped	s. photometer head		
P 1352	**photometer screen (test plate),** test plate <of photometer>	Photometerschirm m, Auf-fangschirm m, Meßplatte f <des Photometers>	plaque f d'essai photométri-que, écran m de photo-mètre	образцовая поверочная пластинка, испытатель-ная пластинка <фото-метра>, экран фотометра
P 1353	**photometrical paradox,** Olbers['] (Cheseaux-Olbers, Cheseaux and Olbers') paradox	photometrisches Paradoxon n, Olberssches Paradoxon	paradoxe m photométrique, paradoxe d'Olbers, para-doxe d'Olbers-Cheseaux	фотометрический пара-докс, парадокс Ольбер-са, парадокс Шезо-Ольберса
P 1354	**photometric bench**	Photometerbank f	banc m photométrique	фотометрическая скамья, линейный фотометр
	photometric binary [star]	s. eclipsing variable		
	photometric brightness	s. photometric stellar magnitude		
P 1355	**photometric brightness contrast**	photometrischer Hellig-keitskontrast m	contraste m lumineux photométrique	фотометрический кон-траст яркостей
P 1356	**photometric colour contrast**	photometrischer Farb-kontrast m	contraste m de couleurs photométrique	фотометрический цветной контраст
P 1357	**photometric constant,** photometer constant	Photometerkonstante f	constante f du photomètre, constante photométrique	постоянная фотометра
	photometric cube	s. Lummer-Brodhun cube		
P 1358	**photometric curve**	Photometrierungskurve f	courbe f photométrique	кривая фотометрирования

P 1359	photometric deter-mination; photometric record[ing]	Ausphotometrierung f	détermination f par analyse photométrique; enregis-trement m photométrique	измерение фотометриче-ским методом, фото-метрическое определе-ние; регистрация дан-ных фотометрического анализа
	photometric end-point detection	s. photometric titration		
	photometric equivalence	s. photometric radiation equivalent		
P 1360	photometric eyepiece, photometer eyepiece	Photometerokular n	oculaire m photométrique	фотометр-окуляр, фото-метрический окуляр
P 1361	photometric integrator, integrating (Ulbricht) sphere, integrating (sphere) photometer, [Ulbricht's] globe photometer	Ulbrichtsche Kugel f, Ulbricht-Kugel f, Ulbricht-Photometer n, U-Kugel f, Kugel-photometer n	sphère f photométrique, sphère d'Ulbricht, photo-mètre m sphérique	светомерный шар [Уль-брихта], шаровой фото-метр [Ульбрихта], шар (фотометр) Ульбрихта
P 1362	photometric lamp, photometer lamp, stand-ard [photometric] lamp	Normallampe f, Photo-meterlampe f, Photo-meternormal n	lampe f photométrique [étalon], étalon m photo-métrique	[эталонная] фотометриче-ская лампа, образцовая фотометрическая лампа
	photometric magnitude	s. photometric stellar magnitude		
P 1363	photometric parallax	photometrische Parallaxe f, Helligkeitsparallaxe f	parallaxe f photométrique	фотометрический параллакс
P 1364	photometric quantity, light quantity	photometrische (lichttech-nische) Größe f	grandeur f photométrique	световая (фотометриче-ская) величина
P 1365	photometric radiation equivalent, photometric equivalence, relative lu-minous efficiency, lumi-nosity factor [of radia-tion], luminous factor [of radiation], visibility factor [of radiation], light watt	photometrisches Strahlungs-äquivalent n	uivalent m photométrique du rayonnement, effica-cité f lumineuse relative, facteur m de luminosité [du rayonnement], coeffi-cient m photométrique de visibilité [du rayonne-ment]	световой эквивалент мощ-ности монохроматиче-ского излучения, фото-метрический эквива-лент
	photometric record[ing]	s. photometric determination		
P 1366	photometric standard observer, ICI photo-metric standard observer	photometrischer Normal-beobachter m	observateur m de référence photométrique CIE	стандартный фотометри-ческий наблюдатель [МОК]
P 1367	photometric stellar magnitude, photometric magnitude (brightness)	photometrische Helligkeit f <Gestirn>	magnitude f [stellaire] photométrique	фотометрическая [звездная] величина
P 1367a	photometric titration, photometric end-point detection	photometrische Titration (Endpunktbestimmung) f	titrage m photométrique	фотометрическое титро-вание
P 1368	photometric unit, light unit	photometrische (lichttech-nische) Einheit f	unité f photométrique	световая (фотометриче-ская) единица
P 1369	photometry	Photometrie f, Licht-messung f	photométrie f	фотометрия, светометрия, световое измерение
P 1370	photomicrogram, photomicrograph	Mikrophotographie f, Mikrobild n, Mikroauf-nahme f, mikrophoto-graphische Aufnahme f	microphotographie f, photo-micrographie f, micro-graphie f	микрофотоснимок, микро-снимок, микрофото-графия
P 1371	photomicrographic apparatus, photo-micrographic equip-ment	mikrophotographisches Gerät n	appareil m microphoto-graphique, appareillage m microphotographique	микрофотоустановка, микрофотографическая установка, микрофото-графическое устрой-ство, устройство для микрофотографиро-вания
P 1372	photomicrography, micrography	Mikrophotographie f	microphotographie f, photomicrographie f, micrographie f	микро[фото]графия, микро[фото]съемка; микрофотографиро-вание
P 1373	photomultiplier, photo-multiplier tube, multiplier phototube, multiplier tube, multiplier, electron multiplier [tube], secon-dary emission multiplier, photoelectric multiplier, photomultiplier cell	Photovervielfacher m, Sekundärelektronenver-vielfacher m, SEV m, Sekundär[emissions]ver-vielfacher m, Sekundär-emissions-Verstärker-röhre f, Elektronenverviel-facher m, Photoelektro-nenvervielfacher m, Photomultiplier m, Multi-plier m, photoelektr[on]i-scher Vervielfacher m, Vervielfacher, Elektronen-vervielfachungsröhre f, Photovervielfacherröhre f, Vervielfacherröhre f, Photovervielfachungs-röhre f, Vervielfacher-[photo]zelle f, photo-elektrische Vervielfacher-zelle f	tube m photomultiplicateur, photomultiplicateur m, photomultiplicateur d'é-lectrons, multiplicateur m d'électrons [secondaires], multiplicateur électroni-que, multiplicateur, tube multiplicateur électroni-que, tube amplificateur à émission secondaire, cellu-le f photoémissive multi-plicatrice, cellule multipli-catrice, cellule à multi-plication d'électrons	фотоэлектронный умно-житель, фотоумножи-тель, электронный умно-житель, ФЭУ
P 1374	photomultiplier cell	Photovervielfacherzelle f	cellule f photomultiplica-trice (à multiplication d'électrons, photoélectri-que à multiplicateur)	фотоэлемент с умножите-лем электронов
	photomultiplier cell	s. a. photomultiplier		
	photomultiplier char-acteristic, multiplier gain-v[ersu]s-voltage power law	Photovervielfachercharak-teristik f, Spannungs-abhängigkeit f des Ver-stärkungsfaktors [beim Sekundärelektronen-vervielfacher]	caractéristique f du photo-multiplicateur	зависимость коэффи-циента усиления фото-умножителя от напря-жения
	photomultiplier tube	s. photomultiplier		

P 1375	**photomuon**	Photomyon n, My-Photomeson n, μ-Photomeson n	photomuon m	мю-фотомезон, фотомюон
P 1376	**photon,** light quantum, light particle, light corpuscle, quantum of light	Photon n, Lichtquant n, Lichtteilchen n, Lichtkorpuskel n, Lichtatom n	photon m [de lumière], photon lumineux, quantum m (particule f, corpuscule m, atome m) de lumière	фотон, квант света, световой квант
P 1377	**photon,** radiation quantum, quantum	Photon n, Strahlungsquant n, Quant n	photon m, quantum m de rayonnement, quantum m	фотон, квант излучения, квант
	photon, luxon, international photon, troland	Troland n [internationales] Photon n, Luxon n	troland m, photon m [international], luxon m	троланд, международный фотон, фотон, люксон
P 1378	**photon annihilation;** quantum annihilation	Photonenvernichtung f; Quantenvernichtung f	annihilation f de photons; annihilation de quanta	фотонная аннигиляция, аннигиляция фотонов; квантовая аннигиляция, аннигиляция (исчезновение) квантов
P 1379	**photonastic**	photonastisch	photonastique	фотонастический
P 1380	**photonasty**	Photonastie f	photonastie f	фотонастия
P 1381	**photon component**	Photonenkomponente f	composante f photonique	фотонная компонента
P 1382	**photon converter**	Photonenwandler m	convertisseur m photonique	фотонный преобразователь
P 1383	**photon counter,** quantum counter	Licht[quanten]zähler m, Lichtzählrohr n	compteur m de photons, compteur photonique	счетчик фотонов, квантовый счетчик
P 1384	**photon echo**	Photonecho n, Photonenecho n	écho m photonique, écho de photon	фотонное эхо, фотон-эхо
P 1385	**photon echo method**	Photonenechomethode f	méthode f de l'écho photonique	метод фотонного эха
	photonegative	s. photoresistive		
P 1386	**photonegative effect**	Photonegativeffekt m	effet m photonégatif	фотоотрицательный(светоотрицательный) эффект
	photon emission	s. photon radiation		
P 1387	**photon emission curve**	Photonenemissionskurve f	courbe f d'émission de photons	кривая испускания фотонов
P 1388	**photoneutrino effect, photoneutrino process**	Photoneutrinoeffekt m, Photoneutrinoprozeß m	processus (effet) m photoneutrinique, effet photoneutrino	фотонейтринный эффект
P 1389	**photoneutron cross-section,** cross-section for photoneutron emission	Photoneutronenquerschnitt m, Wirkungsquerschnitt m für (der) Photoneutronen[emission], Wirkungsquerschnitt für (γ,n)-Prozeß, Wirkungsquerschnitt des (γ,n)-Prozesses	section f efficace des photoneutrons, section efficace photoneutronique	фотонейтронное сечение
P 1390	**photoneutron deuterium source**	Deuterium-Photoneutronenquelle f	source f de photoneutrons en deutérium	дейтериевый источник фотонейтронов
P 1391	**photoneutron source,** photosource of neutrons	Photoneutronenquelle f	source f de photoneutrons	источник фотонейтронов, (фоторожденных нейтронов), фотонейтронный источник
P 1392	**photon field**	Photonenfeld n	champ m photonique, champ de photons	фотонное поле
P 1393	**photon flux**	Photonenfluß m, Photonenstrom m	flux m photonique	фотонный поток, поток фотонов
P 1394	**photon flux density**	Photonenflußdichte f, Photonenstromdichte f	densité f de flux de photons, densité de flux photonique	плотность потока фотонов [излучения], плотность потока квантов [излучения], поток фотонов [излучения], поток квантов [излучения], поток фотонного потока
P 1395	**photon gas**	Photonengas n	gaz m photonique	фотонный газ
	photon-induced nuclear reaction	s. photodisintegration		
P 1396	**photon momentum,** momentum of the photon	Photonenimpuls m, Licht[quanten]impuls m, Impuls m des Lichtes	impulsion f du photon	импульс фотона
P 1397	**photon-phonon interaction**	Photon-Phonon-Wechselwirkung f	interaction f photonphonon	фотон-фононное взаимодействие
	photon-photon scattering	s. scattering of light by light		
P 1398	**photon population**	Photonenbesetzung f	population f photonique	плотность фотонов, заполнение фотонами
P 1399	**photon radiation;** photon emission	Photonenstrahlung f; Photonenemission f	rayonnement m photonique; radiation f photonique, émission f de photons	фотонное (квантовое) излучение, излучение фотонов; испускание (эмиссия) фотонов
P 1400	**photon rocket**	Photonenrakete f, Lichtdruckrakete f	fusée f photonique, fusée à photons	фотонная ракета
P 1401	**photon transition**	Photonenübergang m	transition f photonique	фотонный переход
P 1402	**photonuclear cross-section,** photodisintegration cross-section	Wirkungsquerschnitt m für (der) Photokernreaktion, Wirkungsquerschnitt für Kernphotoeffekt, Wirkungsquerschnitt des Kernphotoeffekts, Photo[wirkungs]querschnitt m	section f efficace photonucléaire, section efficace de la réaction photonucléaire, section efficace de photodésintégration	сечение фотоядерной реакции, сечение фоторасщепления
	photonuclear fission	s. photofission		
	photonuclear reaction	s. photodisintegration		
P 1403	**photonuclear threshold**	Schwellenenergie f für Kernphotoeffekt, photo-nuklearer Schwellenwert m	seuil m photonucléaire, seuil de la réaction photonucléaire	порог фотоядерной реакции
P 1404	**photonucleation,** photographic nucleation, photographically catalyzed nucleation	Photokeimbildung f	nucléation f photographique, photonucléation f	образование центров кристаллизации светом, фотообразование центров кристаллизации

P 1405	photooxidation	Photooxydation *f*	photo-oxydation *f*	фотоокисление
	photopeak, photoelectric peak	Photopeak *m*, Photolinie *f*	pic *m* (raie *f*) photoélectrique, photopic *m*, photoraie *f*	фотопик, фотоэлектрический пик
P 1406	photoperiodism	Photoperiodismus *m*	photopériodisme *m*	фотопериодизм
	photopermeability	s. permeability to light		
P 1407	photophoby	Photophobie *f*	photophobie *f*	фотофобия
P 1408	photophoresis	Photophorese *f*	photophorèse *f*	фотофорез
P 1409	photopic vision	Tagessehen *n*, Zapfensehen *n*, photopisches Sehen *n*	vision *f* photopique	дневное зрение, зрение при дневном свете
P 1410	photopiezoelectric effect	photopiezoelektrischer Effekt *m*	effet *m* photopiézo-électrique	фотопьезоэлектрический эффект
P 1411	photopion	Photopion *n*, Pi-Photomeson *n*, π-Photomeson *n*	photopion *m*	пи-фотомезон, фотопион
	photoplasticimetry	s. photoplastic measurement		
P 1412	photoplasticity	Photoplastizität *f*	photoplasticité *f*	фотопластичность
P 1413	photoplastic measurement, photoplasticimetry	photoplastische Untersuchung *f*, Photoplastizimetrie *f*	photoplasticimétrie *f*	исследование фотопластичности
	photoplate	s. plate <phot.>		
P 1414	photopolymerization, photochemical polymerization	Photopolymerisation *f*, photochemische Polymerisation *f*	photopolymérisation *f*, polymérisation *f* photochimique	фотополимеризация, полимеризация под действием света, фотохимическая полимеризация
	photopositive, photoconducting, photoconductive, light-positive	lichtelektrisch leitend (positiv), lichtpositiv, photoleitend, photopositiv	photo-conducteur, photopositif, photoconductif	светоположительный, фотопроводящий, фотоположительный
P 1414a	photopotential	Photopotential *n*	photopotentiel *m*	фотопотенциал
P 1415	photoproduction cross-section, cross-section for photoproduction	Wirkungsquerschnitt *m* für (der) Photoerzeugung, Photoerzeugungs[wirkungs]querschnitt *m*	section *f* efficace de photo-production	сечение фоторождения
P 1416	photoproduction of mesons	Photoerzeugung *f* von Mesonen, Photomesonenerzeugung *f*	photoproduction *f* de mésons	фоторождение мезонов, фотообразование мезонов
P 1417	photopsy	Photopsie *f*	photopsie *f*	фотопсия
	photoreaction, photochemical reaction, light reaction	photochemische Reaktion *f*, Photoreaktion *f*, Lichtreaktion *f*	réaction *f* photochimique, photoréaction *f*, réaction sous l'action de lumière	фотохимическая реакция, фотореакция, реакция на свет
P 1418	photo[-]reactivation, photo[-]restoration, photo[-]recovery, photo[-]reversal	Photoreaktivierung *f*	photo-réactivation *f*	фотореактивация, фотореактивирование
P 1419	photoreception	Lichtreizaufnahme *f*, Photorezeption *f*	photoréception *f*	прием света
P 1420	photoreceptor <bio.>	Lichtempfänger *m*, Photorezeptor *m* <Bio.>	photorécepteur *m* <bio.>	рецептор света, фоторецептор, приемник света <био.>
	photo[-]recovery, photo[-]reactivation, photo[-]restoration, photo[-]reversal	Photoreaktivierung *f*	photo-réactivation *f*	фотореактивация, фотореактивирование
P 1421	photo[-]reduction	Photoreduktion *f*	photo-réduction *f*	фотовосстановление, фоторедукция
	photorelay, photoelectric relay, photoswitch; light barrier	Lichtrelais *n*, lichtelektrisches Relais *n*; Lichtschranke *f*, Strahlenschranke *f*	relais *m* photoélectrique; relais photosensible, relais à commande lumineuse	фотоэлектрическое реле, фотореле; фоторелейный (фотоэлектрический, световой) барьер
	photoresistance	s. internal photoeffect		
	photoresistance [cell]	s. photoconductive cell		
	photoresistance compensator, photoconductive compensator	Photowiderstandskompensator *m*	compensateur *m* photoconductif (photorésistant, à effet photoélectrique interne)	компенсатор с фотосопротивлением
P 1422	photoresistant, photoresisting, photoresistive, photonegative, light-negative	lichtelektrisch negativ, lichtnegativ, photonegativ, photoresistiv	photo-résistant, photonégatif	светоотрицательный, фоторезистивный, фотоотрицательный
	photoresistive effect	s. internal photoeffect		
	photoresistor	s. photoconductive cell		
P 1423	photoresonance	Photoresonanz *f*	photorésonance *f*	фоторезонанс
	photoresponse, photoelectric sensitivity (activity), photosensitivity	lichtelektrische (photoelektrische) Empfindlichkeit *f*, Photoempfindlichkeit *f*	sensibilité *f* photoélectrique, photosensibilité *f*	фотоэлектрическая чувствительность, фоточувствительность
	photoresponsive	s. photosensitive		
	photo[-]restoration, photo[-]reversal, photo[-]reactivation, photo[-]recovery	Photoreaktivierung *f*	photo-réactivation *f*	фотореактивация, фотореактивирование
	photoroentgenography	s. fluorography		
	photo-roentgen unit, photofluorograph, photofluorographic unit, PR unit	Schirmbildgerät *n*, Röntgenschirmbildgerät *n*	appareil *m* de radiophotographie	флуорограф, флюоорограф
P 1424	photoscanner	Photoabtaster *m*, Photoscanner *m*	photoscanner *m*, photobalayeur *m*	фотоскэннер
	photoscintigram	s. scintiphotogram		
	photosensibilisator	s. photosensitizer		
P 1425	photosensitive, sensitive to light, light-sensitive; photoresponsive; sensitized <phot.>	lichtempfindlich, photoempfindlich; photosensibel <Bio.>	sensible à la lumière, photosensible	светочувствительный, чувствительный к свету

	photosensitive cathode	s. photocathode		
	photosensitive layer	s. photolayer \<phot.\>		
	photosensitive surface	s. photosurface		
	photosensitivity, photo-electric sensitivity (activity), photoresponse	lichtelektrische (photoelektrische) Empfindlichkeit *f*, Photoempfindlichkeit *f*	sensibilité *f* photoélectrique, photosensibilité *f*	фотоэлектрическая чувствительность, фоточувствительность
	photosensitization, photochemical sensitization	photochemische Sensibilisierung *f*, Photosensibilisierung *f*	sensibilisation *f* photochimique, photosensibilisation *f*	фотохимическая сенсибилизация, фотосенсибилизация
P 1426	**photosensitizer**	Photosensibilisator *m*	photo-sensibilisateur *m*	вещество, усиливающее фотосинтез
	photosource of neutrons	s. photoneutron source		
P 1427	**photospallation**	Photospallation *f*	photospallation *f*, photobrisure *f*	фоторасщепление, реакция скалывания под действием гамма-квантов
P 1428	**photosphere**	Photosphäre *f*	photosphère *f*	фотосфера
P 1429	**photospheric facula**	photosphärisches Fackelgebiet *n*, photosphärische Fackel *f*	facule *f* photosphérique	фотосферный факел
	photospheric granulation, granulation \<of photosphere\>	Granulation *f* [der Photosphäre]	granulation *f* [photosphérique]	грануляция [фотосферы], гранулярность
P 1430	**photospheric radiation**	photosphärische Strahlung *f*, Photosphärenstrahlung *f*	rayonnement *m* photosphérique	фотосферное излучение
	photostimulation, optical stimulation	Photoausleuchtung *f*, optische Ausleuchtung *f*	stimulation *f* optique, photostimulation *f*	оптическое высвечивание
P 1431	**photostrophism**	Photostrophismus *m*	photostrophisme *m*	фотострофизм
P 1432	**photosurface,** photosensitive surface	strahlenempfindliche Fläche (Oberfläche) *f*, photoempfindliche Fläche	surface *f* sensible aux rayonnements	лучечувствительная поверхность
	photoswitch	s. photoelectric relay		
P 1433	**photosynthetic**	photosynthetisch	photosynthétique	фотосинтетический
P 1434	**phototactic**	phototaktisch	phototactique	фототаксический
P 1435	**phototaxis**	Phototaxis *f*	phototactisme *m*	фототаксис
P 1436	**phototheodolite,** photogrammetric theodolite, photogoniometer	Bildmeßtheodolit *m*, Bildtheodolit *m*, Phototheodolit *m*, Erdbildaufnahmegerät *n*, Erdbildaufnahme-Meßkammer *f*	photothéodolite *m*, phototachéographe *m*	фотограмметрический теодолит, фототеодолит
P 1437	**photothermoelasticity**	Photothermoelastizität *f*	photothermoélasticité *f*	фототермоупругость
P 1437a	**photothermomagnetic**	photothermomagnetisch	photothermomagnétique	фототермомагнитный
P 1438	**photothermometry**	Photothermometrie *f*	photothermométrie *f*	фототермометрия
P 1439	**photo[]timer**	Photozeitschalter *m*, [photoelektrischer] Zeitschalter *m*, Phototimer *m*; Photoschaltuhr *f*; photoelektrischer Belichtungsautomat *m*; photoelektrischer (lichtelektrischer) Bestrahlungsautomat *m*	photo-minuterie *f*; photochronomètre *m*	фотоэлектрический хронометр; фотореле времени; фотосинхронизатор
P 1440/1	**phototonus**	Phototonus *m*	photosensibilité *f*	чувствительность к свету
	phototopography, photogrammetry	Photogrammetrie *f*, Bildmessung *f*, Phototopographie *f*	photogrammétrie *f*, phototopographie *f*	фотограмметрия, фототопография
P 1442	**phototransistor,** photistor, transistor structure as a photoelectric cell, phototriode	Phototransistor *m*, lichtempfindlicher Transistor *m*, Phototriode *f*	photistor *m*, phototransistor *m*, phototransistron *m*, transistor *m* à effet photoélectrique, phototriode *f*	фототранзистор, фототриод
P 1443	**phototriangulation,** photogrammetric triangulation	Bildtriangulation *f*, photogrammetrische Triangulation *f*	phototriangulation *f*, triangulation *f* photogrammétrique	фототриангуляция
	phototriode	s. phototransistor		
P 1444	**phototronics**	Phototronik *f*	phototronique *f*	фототроника
P 1445	**phototropic**	phototrop[isch]	phototropique	фототропический, фототропный
P 1446	**phototropism,** heliotropism	Phototropismus *m*, Heliotropismus *m*	phototropisme *m*, héliotropisme *m*	фототропизм, гелиотропизм
P 1447	**phototropy**	Phototropie *f*	phototropie *f*	фототропия
	phototube, photovalve	s. photoemissive cell		
	phototube, photovalve	s. a. vacuum photocell		
	photovaristor	s. photoconductive cell		
P 1448	**photovisual magnitude, photovisual stellar magnitude**	photovisuelle Helligkeit *f*, Gelbhelligkeit *f* \<Gestirn\>	magnitude *f* stellaire photovisuelle, magnitude photovisuelle	фотовизуальная звездная величина, фотовизуальная величина [звезды]
	photovoltage, photoelectric voltage	Photospannung *f*, photoelektrische Spannung *f*, lichtelektrische Spannung	phototension *f*, tension *f* photoélectrique	фотонапряжение, фотоэлектрическое напряжение
P 1449	**photovoltaic [barrier-layer] cell, photovoltaic detector,** barrier layer [photo]cell, barrier-layer photoelectric (photovoltaic) cell, blocking layer [photo]cell, barrage [photo]cell, Lange cell, rectifier [photo]cell, photronic [photo]cell, semiconductor cell, junction [photo]cell; barrier layer detector	Photoelement *n*, Sperrschicht[-Photo]zelle *f*, Sperrschicht[-Photo]element *n*, Gleichrichter[-Photo]element *n*, Gleichrichter[-Photo]zelle *f*, Lichtelement *n*; auf dem Sperrschicht-Photoeffekt beruhender Strahlungsempfänger *m*, photovoltaischer Strahlungsempfänger (Strahlungsdetektor) *m*, photovoltaischer Detektor *m*, Photospannungsdetektor *m*, Sperrschichtdetektor *m*	photopile *f*, cellule *f* photovoltaïque, photocellule *f* voltaïque, [photo]cellule à couche d'arrêt, [photo-]cellule à couche de barrage, [photo]cellule à contact rectifiant, couple *m* photoélectrique, cellule photoélectrique à couche de barrage; détecteur *m* semiconducteur à couche d'arrêt	вентильный фотоэлемент, вентильный фотоэлемент, фотоэлемент с запирающим слоем, фотогальванический элемент; полупроводниковый детектор с запирающим слоем

	English	German	French	Russian
P 1450	photovoltaic effect, barrier-layer photoeffect, barrier-layer photoelectric (photovoltaic) effect, depletion-layer photo [-electric] effect, p-n junction photovoltaic effect	Sperrschicht-Photoeffekt m, Sperrschicht[photo]effekt m, Photo-Volta-Effekt m, Photospannungseffekt m, Photovolteffekt m, Randschichtphotoeffekt m, Raumladungsphotoeffekt m, Photospannung f	effet m photovoltaïque, photo-effet m voltaïque, effet m photo-électrique dans la couche de barrage; effet radio-voltaïque	фотогальванический эффект, вентильный фотоэффект, фотоэффект в запирающем слое, фотоэффект запирающего слоя, эффект запорного слоя, фотоэффект запорного слоя, фотовольтаический эффект
	photovoltaic effect	s. a. Becquerel effect		
P 1451	photovoltaic junction	photovoltaischer Übergang m, Sperrschicht-Photoübergang m	jonction f photovoltaïque	фотогальванический переход
P 1452	photovoltaic process	Sperrschichtphotoprozeß m	processus m photovoltaïque	фотогальванический процесс
	photronic [photo]cell	s. photovoltaic cell		
P 1453	Phragmén['s] theorem	Phragménscher Satz m	théorème m de Phragmén	теорема Фрагмена
	phreatic nappe (surface)	s. main water table		
P 1454	phreatic water, nonartesian water, free ground water	ungespanntes Grundwasser n, freies Grundwasser	nappe f libre	безнапорная подземная вода, свободная подземная вода, фреатическая вода
P 1454a	phreatic zone	phreatischer Bereich m	zone f phréatique	фреатическая зона
P 1455	pH-stat	pH-Stat m	pH-state m	pH-стат
	pH titration	s. potentiometry		
P 1456	phugoid	Phugoid n	phugoïde m	фугоида, низкочастотные автоколебания
	pH value	s. pH		
	physical acoustics, wave acoustics	Wellenakustik f	acoustique f d'ondes, acoustique physique	волновая акустика
	physical adsorption	s. physisorption		
	physical age determination (estimation)	s. physical dating		
	physical atmosphere	s. standard atmosphere ⟨unit⟩		
P 1457	physical atomic weight	physikalisches Atomgewicht n	poids m atomique physique	физический атомный вес
	physical atomic weight scale	s. physical scale		
P 1458	physical chemistry, physicochemistry	physikalische Chemie f, Physikochemie f	chimie f physique physicochimie	физическая химия, физико-химия
	physical circuit, real (side) circuit, physical line	Stammleitung f	circuit m réel	основная цепь, физическая цепь, основная линия
P 1459	physical climatic zone	physische (wirkliche) Klimazone f, physische Zone f, Landschaftsgürtel m	zone f climatique physique	физическая климатическая зона (область), физический климатический пояс
P 1460	physical colorimetry, indirect colorimetry	objektive (physikalische) Farbmessung f	colorimétrie f physique	физическая колориметрия
P 1461	physical component, physical tensor component	physikalische Komponente (Tensorkomponente) f	composante f cartésienne	физическая составляющая
P 1462	physical constant	physikalische Konstante f	constante f physique	физическая константа, физическая постоянная
P 1462a	physical dating, physical age determination (estimation)	physikalische Altersbestimmung f	datation f physique	определение абсолютного возраста физическим методом
P 1463	physical deterioration of the fuel material, deterioration of fuel	Abbrennen (Ausbrennen) n des Kernbrennstoffs, Spaltstofferschöpfung f	consommation f du combustible nucléaire	выгорание ядерного горючего
P 1464	physical dimension	physikalische Dimension f	dimension f physique	физическая размерность
P 1465	physical double star, binary, binary star	physischer Doppelstern m	couple m physique, binaire f, double f	физическая двойная [звезда], двойная звезда
P 1466	physical electronics	physikalische Elektronik f	électronique f physique	физическая электроника
P 1467	physical evaporimeter	physikalischer Verdunstungsmesser m	évaporimètre m physique	физический прибор для измерения испарений, физический эвапорометр
P 1468	physical geodesy	physikalische Geodäsie f	géodésie f physique	физическая геодезия
P 1469	physical geography, physiography	physische (physikalische) Geographie f	géographie f physique, physiographie f	физическая география, физиография
	physical half-life	s. radioactive half-life		
	physical hydration, secondary hydration	sekundäre (physikalische) Hydration f	hydratation f secondaire (physique)	вторичная (дальняя, физическая) гидратация
P 1470	physical labelling, non-specific labelling	nichtspezifische (physikalische) Markierung f	marquage m physique (non spécifique), traçage m physique	физическое мечение, физическая маркировка
P 1471	physical libration	physikalische Libration f ⟨Mond⟩	libration f physique	физическая либрация
	physical line, real (side, physical) circuit	Stammleitung f	circuit m réel	основная цепь, физическая цепь, основная линия
	physical litre atmosphere, litre atmosphere, latm	(physikalische) Literatmosphäre f, latm	litre-atmosphère m [physique], latm	[физическая] литроатмосфера, л-атм, l.atm
	physically neutral illumination, [optically] neutral illumination	[optisch] neutrale Beleuchtung f, physikalisch neutrale Beleuchtung	éclairage m neutre	нейтральное освещение
	physical magnitude, [physical] quantity	[physikalische] Größe f; Größenart f	grandeur f, grandeur physique	величина, физическая величина
	physical mass	s. mass on physical scale		
P 1472	physical mass scale	physikalische Massenskala f	échelle f physique de masse	физическая шкала масс
	physical mass unit	s. atomic mass unit		

P 1472a	**physical metallurgy**	s. science of metals		
	physical methods of nondestructive testing	physikalische Methoden *fpl* der zerstörungsfreien Werkstoffprüfung, Defektoskopie *f*	méthodes *fpl* physiques d'essai des défauts de matériaux non destructif, défectoscopie *f*	дефектоскопия, физические методы контроля (испытания) материалов без разрушения образца
	physical neutrality, optical neutrality	optische Neutralität *f*, physikalische Neutralität	neutralité *f* optique, neutralité physique	оптическая нейтральность, физическая нейтральность
P 1473	**physical nutation**	physikalische Nutation *f*	nutation *f* physique	физическая нутация
P 1474	**physical oceanography,** marine physics, physics of the ocean	physikalische Ozeanographie *f*, Physik *f* des Meeres	océanographie *f* physique, physique *f* de la mer	физическая океанография, физика моря
	physical optics, wave optics	Wellenoptik *f*, physikalische Optik *f*	optique *f* d'ondes, optique physique	волновая оптика, физическая оптика
P 1475	**physical optics,** photology, science of light	physikalische Optik *f*, Lehre *f* vom Licht	optique *f* physique, photologie *f*, science *f* de la lumière	физическая оптика, учение о свете
P 1476	**physical pendulum,** compound pendulum, rigid body pendulum	physi[kali]sches Pendel *n*, Starrkörperpendel *n*, zusammengesetztes Pendel	pendule *m* physique, pendule composé	физический маятник, сложный маятник
P 1477	**physical photometer**	physikalisches (objektives) Photometer *n*	photomètre *m* physique	физический фотометр
P 1478	**physical photometry**	physikalische (objektive) Photometrie *f*	photométrie *f* physique	физическая фотометрия
P 1479	**physical pitch**	physikalische Stimmung *f*	gamme *f* physique	физический строй
	physical quantity, quantity, physical magnitude	Größe *f*, physikalische Größe; Größenart *f*	grandeur *f*, grandeur physique	величина, физическая величина
P 1480	**physical ripening** <phot.>	physikalische Reifung *f*, Vorreifung *f* <Phot.>	maturation *f* physique, première maturation, mûrissement *m*, mûrissage *m* <phot.>	физическое созревание, предсозревание <фот.>
	physical roentgen equivalent	s. roentgen equivalent		
P 1481	**physical scale [of atomic masses], physical scale of atomic weights,** physical atomic weight scale	physikalische Atomgewichtsskala *f*, physikalische Skala *f*	échelle *f* physique [des poids atomiques]	физическая шкала [атомных весов]
	physical second	s. atomic second		
	physical solvation	s. secondary solvation		
P 1482	**physical space** <in biological optics>	Außenraum *m*, Objektraum *m*, [objektiver] physikalischer Raum *m* <biologische Optik>	espace *m* physique <en optique biologique>	физическое пространство <в биологической оптике>
P 1483	**physical spectrophotometer**	physikalisches (objektives) Spektralphotometer *n*	spectrophotomètre *m* physique	физический спектрофотометр
	physical state	s. state of aggregation		
P 1484	**physical statistics**	physikalische Statistik *f*	statistique *f* physique	физическая статистика
P 1485	**physical system of mechanical units**	physikalisches Einheitensystem *n* [der Mechanik], physikalisches Maßsystem *n* [der Mechanik]	système *m* physique d'unités mécaniques	физическая система механических единиц
	physical system of units	s. c.g.s. system		
	physical tensor component, physical component	physikalische Komponente (Tensorkomponente) *f*	composante *f* cartésienne	физическая составляющая
P 1486	**physical theory of meteors**	Physik *f* der Meteore, Meteortheorie *f*	théorie *f* physique des météores	физическая теория метеоров
P 1487	**physical tracer,** non-specific tracer	nichtspezifischer Tracer (Indikator) *m*, physikalischer Tracer (Indikator)	traceur *m* physique (non spécifique), indicateur *m* physique (non spécifique)	физический индикатор
	physical vacuum	s. free space		
P 1488	**physical variable [star],** proper (intrinsic) variable, intrinsically variable star	physischer Veränderlicher *m*, eigentlicher Veränderlicher	variable *f* physique, variable propre, variable intrinsèque	физическая переменная [звезда], истинная (собственно) переменная звезда
P 1489	**physical weathering,** disintegration <geo.>	mechanische (physikalische) Verwitterung *f* <Geo.>	désagrégation *f* physique, désintégration *f* <géo.>	физическое (механическое) выветривание
P 1490	**physical yield point, physical yield strength**	physikalische Streckgrenze *f*	limite *f* d'écoulement physique, limite de déformation élastique	физический предел текучести
P 1491	**physico-biological weathering**	physikalisch-biologische Verwitterung *f*	altération *f* physico-biologique	физико-биологическое выветривание
P 1492	**physico[-]chemical**	physikalisch-chemisch, physikochemisch	physico-chimique	физико-химический
P 1493	**physico-chemical mechanics**	physikalisch-chemische Mechanik *f*	mécanique *f* physico-chimique	физико-химическая механика
	physicochemistry, physical chemistry	physikalische Chemie *f*, Physikochemie *f*	chimie *f* physique, physicochimie *f*	физическая химия, физико-химия
	physics of condensed matter, condensed matter physics	Physik *f* der kondensierten Materie	physique *f* de la matière condensée	физика конденсированного вещества
P 1494	**physics of elementary particles**	Elementarteilchenphysik *f*, Physik *f* der Elementarteilchen	physique *f* des particules élémentaires, physique subnucléaire	физика элементарных частиц
	physics of failures, failure physics	Physik *f* des Versagens	physique *f* des pannes (défaillances)	физика отказов
	physics of heat, heat physics	Wärmephysik *f*	physique *f* de la chaleur	физика тепла, теплофизика

	physics of high temperature, high-temperature physics	Hochtemperaturphysik f	physique f de haute température, physique des températures élevées	физика высоких температур, высокотемпературная физика
	physics of ionosphere, ionospheric physics	Ionosphärenphysik f	physique f d[e l]'ionosphère	физика ионосферы
P 1495	physics of metals, metal physics	Metallphysik f	physique f des métaux, physique métallique	металлофизика, физика металлов
	physics of solids, solid state physics	Festkörperphysik f	physique f du corps solide, physique des solides	физика твердого тела, физика твердых тел
	physics of superhigh energies, superhigh energy physics	Höchstenergiephysik f	physique f d'énergie ultra-haute	физика сверхвысоких энергий
P 1496	physics of the Earth's interior	Physik f des Erdinnern	physique f de l'intérieur de la Terre	физика недр Земли
	physics of the ocean, physical oceanography, marine physics	physikalische Ozeanographie f, Physik f des Meeres	océanographie f physique, physique f de la mer	физическая океанография, физика моря
	physics of the orbital electrons	s. atomic physics		
P 1497	physics of the Sun, solar physics, heliophysics	Sonnenphysik f, Physik f der Sonne	physique f du Soleil, physique solaire, héliophysique f	физика Солнца, гелиофизика
	physics of X-radiation, X-ray physics	Röntgenphysik f, Physik f der Röntgenstrahlen	physique f des rayons X	рентгенофизика, физик рентгеновских лучей
	physiography, physical geography	physische (physikalische) Geographie f	géographie f physique, physiographie f	физическая география, физиография
P 1498	physiological colorimetry	höhere Farb[en]metrik f, Farbempfindungsmetrik f	colorimétrie f physiologique	физиологическая колориметрия
P 1499	physiological contrast, contrast of eye	physiologischer Kontrast (Helligkeitskontrast) m, Kontrast des Auges, funktioneller Kontrast, Wahrnehmungskontrast m, Kontrasterscheinung f, Kontrastempfindung f, Kontrastfunktion f	contraste m physiologique, contraste de l'œil, contraste fonctionnel	зрительный контраст, физиологический контраст
P 1500	physiological salt solution, physiological solution, normal saline [solution]	physiologische Kochsalzlösung f	solution f physiologique	физиологический раствор поваренной соли, физиологический раствор [соли], физиологический солевой раствор
	physiological solution	s. physiological salt solution		
P 1501	physisorption, physical adsorption, reversible adsorption, Van der Waals adsorption	Physisorption f, physikalische (reversible) Adsorption f, Van-der-Waals-Adsorption f, van der Waalssche Adsorption	physisorption f, adsorption f physique, adsorption réversible, adsorption [de] Van der Waals	физическая адсорбция, физисорбция, ван-дер-ваальсовая адсорбция, обратимая адсорбция
P 1502	phytoplankton	Phytoplankton n	phytoplancton m	фитопланктон
P 1503	phytotron	Phytotron n	phytotron m	фитотрон
	pibal	s. pilot balloon		
P 1504	pi-bond, π-bond	π-Bindung f, Pi-Bindung f	liaison f π, liaison pi	π-связь, пи-связь
P 1505	Picard circuit	Picard-Schaltung f	circuit m Picard, montage m Picard	схема Пикара
	Picard['s] method	s. iterative method		
P 1506	Picard['s] theorem	Satz m von Picard, Picardscher Satz	théorème m de Picard	теорема Пикара
P 1507	Piche evaporimeter	Verdunstungsmesser m nach Piche, Piche-Verdunstungsmesser m	évaporimètre m de Piche	испаритель Пиша
P 1508	Pickering[-Fowler] series	Pickering-Serie f	série f de Pickering [-Fowler]	серия Пикеринга
P 1509	pick-holding control, optimum (optimizing, optimalizing, extremal) control	Optimalwertregelung f, Extremalwertregelung f	réglage m extrémal, régulation f extrémale, commande f extrémale	экстремальное регулирование
	picking [out]	s. sorting [out] by hand		
	pickling	s. scouring <met.>		
	pick-off	s. sensitive element		
P 1510	pick[-]up, pick up, response <of relay>	Ansprechen n; Anziehen n <Relais>	mise f au travail <du relais>	действие; срабатывание; реагирование; трогание; втягивание <реле>
P 1511	pick-up, playback (reproducing) head, pick-up (phonograph) cartridge <ac.>	Abtaster m, Tonabnehmerkopf m <Ak.>	tête f de lecture, pick-up m <ac.>	головка звукоснимателя, рекордер <ак.>
P 1512	pick-up, pick-up reaction <nucl.>	„pick-up"-Reaktion f, „pick-up" n, Abstreifreaktion f, inverse Strippingreaktion f, Herausreißen n eines Nukleons aus dem Kern, Aufpickprozeß m	rapt m, réaction f d'enlèvement, piquage m, pick-up m, réaction de « pick-up » <nucl.>	подхват, реакция подхвата [нуклона из ядра налетающей частицей], реакция выхвата, реакция захвата нуклона из ядра <яд.>
	pick-up	s. a. material pick-up		
	pick-up	s. a. transducer <meas.>		
P 1513	pick-up arm	Tonarm m, Tonabnehmerarm m	bras m de lecture	тонарм, держатель звукоснимателя
	pick-up cartridge	s. pick-up <ac.>		
P 1514	pick-up coil, Rogowski coil, Rogowski loop	Rogowski-Spule f, Rogowski-Spannungsmesser m, Rogowski-Gürtel m	bobine f de Rogowski, ceinture f de Rogowski	пояс Роговского
P 1515	pick-up electrode	Abnahmeelektrode f, Ableitelektrode f	électrode f réceptrice	отводящий электрод

P 1516	**pick-up electrode** ‹acc.›	Strahlsonde f, ,,pick-up‘‘-Elektrode f ‹Beschl.›	électrode f « pick-up » ‹acc.›	сигнальный электрод, следящий электрод ‹уск.›
	pick-up plate	s. mosaic screen		
	pick-up reaction	s. pick-up ‹nucl.›		
	pick-up tube, cathode-ray tube for flying-spot scanner	Abtaströhre f [für Lichtpunktabtaster]	tube m cathodique pour exploration à spot mobile	передающая телевизионная трубка для развертки бегущим лучом
P 1517	**pick-up value** ‹of relay›	Ansprechwert m ‹Relais›	valeur f de mise au travail ‹du relais›	величина параметра трогания, величина трогания ‹реле›
P 1518	**pico...,** p ‹absolete: micro-micro..., μμ›	Piko..., Pico..., p	pico..., p	пико..., n
	P.I. control[ler]	s. proportional integral control[ler]		
P 1519	**Pictet-Trouton rule**	Pictet-Troutonsche Regel f	règle f de Pictet et Trouton, règle de Pictet-Trouton	правило Пикте-Трутона
P 1519a	**pictogram**	Piktogramm n	pictogramme m	пиктограмма, диаграмма
	picture, perspective picture ‹of perspective projection›	perspektivisches Bild n, Bild ‹Perspektive›	image f perspective, image ‹de la projection perspective›	перспективное изображение, изображение ‹перспективной проекции›
P 1520	**picture definition,** picture resolution	Bildauflösung f	résolution f de lignes ‹de l'image›, définition f de l'image	разложение изображения; разрешающая способность изображения
	picture-dot interlace (interlacing)	s. dot interlacing		
	picture-dupe negative, dupe negative, duplicated negative	Duplikatnegativ n, Dupnegativ n	contretype m négatif, négatif m contretype	дубльнегатив, промежуточный негатив
	picture-dupe positive, dupe positive, duplicated positive	Duplikatpositiv n, Duppositiv n	contretype m positif, positif m contretype	дубльпозитив, промежуточный позитив
P 1521	**picture of flow,** flow pattern, flow diagram	Strömungsbild n, Stromlinienbild n, Strömungsfigur f, Strömungsdiagramm n	image f de l'écoulement, configuration f de mouvement	картина течения, схема течений
	picture plane, plane of projection, projection plane ‹of perspective projection›	Bildtafel f, Bildebene f, Projektionsebene f ‹der Perspektive›	plan m de projection, plan image ‹de la projection perspective›	плоскость проекции, плоскость изображения перспективы
	picture resolution	s. picture definition		
P 1522	**picture screen,** viewing screen ‹tv.›	Bildschirm m, Leuchtschirm m der Bildröhre ‹Fs.›	écran m de télévision, écran télévisionique ‹tv.›	телевизионный экран, экран телевизора, зрительный экран, видеоэкран ‹тв.›
	pictures in fast motion, fast-motion picture[s]	Zeitrafferfilm m, Zeitrafferaufnahme f	film m en accéléré	замедленная кинопленка, замедленная пленка
	pictures in slow motion, slow-motion picture[s]	Zeitlupenfilm m, Zeitlupenaufnahme f	film m au ralenti	ускоренная кинопленка, ускоренная пленка
P 1523	**picture tube,** kinescope, electronic picture reproducing tube	Bild[wiedergabe]röhre f, Wiedergaberöhre f, Fernseh[bild]röhre f, Kineskop n	cinescope m, tube m cathodique de télévision, tube de télévision	телевизионная трубка, приемная телевизионная трубка, кинескоп
	P.I.D. control[ler]	s. proportional integral derivative control[ler]		
P 1524	**piecewise continuous,** sectionally continuous	stückweis[e] stetig, abteilungsweise stetig	continu par morceaux	кусочно[]непрерывный
P 1525	**piecewise differentiable**	stückweise (abteilungsweise) differenzierbar	dérivable par morceaux	кусочно[]дифференцируемый
P 1526	**piecewise smooth,** sectionally smooth	stückweise glatt ‹Kurve›; stückweise (abteilungsweise) stetig differenzierbar ‹Funktion›	régulier par morceaux	кусочно[]гладкий
P 1527	**pie diagram**	Perigramm n	diagramme m de cercle	круговая диаграмма
P 1528	**piedmont glacier, piedmont-type glacier,** Alaskian-type glacier	Vorlandgletscher m, Piedmontgletscher m, Alaskatyp m	piémont-glacier m, glacier m de piémont, glacier du pied des monts	предгорный ледник, ледник предгорного типа, ледник подгорья (подножия), ледник аласкинского (маляспинского) типа, ледник типа маляспина
P 1529	**pi-electron,** π-electron	π-Elektron n, pi-Elektron n	électron m π, électron pi	π-электрон, пи-электрон
P 1530	**pier; pillar**	Pfeiler m; Säule f	pilier m	бык, контрфорс; столб; опора; целик
P 1531	**Pierce circuit**	s. Pierce oscillator		
	Pierce electrode	Pierce-Elektrode f	électrode f de Pierce	электрод Пирса
P 1532	**Pierce [electron] gun,** Pierce-type electron gun	Pierce-Kanone f, Elektronenkanone f nach Pierce	canon m de Pierce, canon à électrons de Pierce	электронная пушка Пирса
	piercement folding, diapir fold[ing]	Quellfaltung f, Diapirfaltung f	diapir m; diapirisme m	диапировая складка; складка протыкания
	Pierce optics	s. Pierce system		
P 1533	**Pierce oscillator,** Pierce circuit	Pierce-Schaltung f, Schaltung f nach Pierce, Pierce-Oszillator m	oscillateur m de Pierce, circuit m de Pierce	схема Пирса, кварцевый генератор по схеме Пирса
P 1534	**Pierce system,** Pierce optics	Pierce-Fernfokussystem n, Pierce-System n, Pierce-Optik f	système m de Pierce, optique f de Pierce	система Пирса, оптика Пирса

	English	German	French	Russian
	Pierce-type electron gun, Pierce [electron] gun	Pierce-Kanone *f*, Elektronenkanone *f* nach Pierce	canon *m* de Pierce, canon à électrons de Pierce	электронная пушка Пирса
	piercing	*s.* intersection		
	piercing	*s. a.* penetration		
	piercing point	*s.* point of intersection		
P 1535	**pie[-type] winding,** interleaved (sandwich coil, disk-type) winding	Scheibenwicklung *f*	enroulement *m* en galettes	галетная обмотка, дисковая обмотка, дисковая намотка
	piezobirefringence	*s.* double refraction under pressure		
P 1536	**piezocaloric coefficient**	piezokalorischer Koeffizient *m*	coefficient *m* piézocalorifique	пьезокалорический коэффициент
P 1537	**piezocaloric effect**	piezokalorischer Effekt *m*	effet *m* piézocalorifique	пьезокалорический эффект
P 1538	**piezochemistry**	Piezochemie *f*, Druckchemie *f*	piézochimie *f*	пьезохимия
P 1539	**piezochrom[at]ism**	Farbänderung *f* durch Druckeinwirkung, Piezochromie *f*	piézochromatisme *m*	пьезохроматизм
P 1539a	**piezocrystallization**	Piezokristallisation *f*, Druckkristallisation *f*	piézocristallisation *f*	кристаллизация под давлением, пьезокристаллизация
	piezoeffect	*s.* piezoelectric effect		
	piezoelectric, piezoelectric material	piezoelektrischer Stoff *m*, Piezoelektrikum *n*	matériau *m* piézo-électrique, piézo-électrique *m*	пьезоэлектрический материал, пьезоэлектрик
P 1540	**piezoelectric coefficient**	piezoelektrischer Koeffizient *m*, Piezokoeffizient *m*	coefficient *m* piézoélectrique	пьезоэлектрический коэффициент
P 1541	**piezoelectric constant**	piezoelektrische Konstante *f*, Piezokonstante *f*	constante *f* piézo-électrique	пьезоэлектрическая константа
	piezoelectric crystal element, piezoelectric element	piezoelektrisches Element *n*	élément *m* piézo-électrique	пьезоэлемент, пьезоэлектрический элемент
P 1542	**piezoelectric effect;** piezoeffect, piezoelectricity; direct piezoelectric effect, polarization by distortion	piezoelektrischer Effekt *m*, Piezoeffekt *m*; direkter (eigentlicher) piezoelektrischer Effekt	effet *m* piézo-électrique, piézoeffet *m*; effet piézoélectrique direct	пьезоэлектрический эффект, пьезоэффект; прямой пьезоэлектрический эффект
P 1543	**piezoelectric element,** piezoelectric crystal element	piezoelektrisches Element *n*	élément *m* piézo-électrique	пьезоэлемент, пьезоэлектрический элемент
	piezoelectric filter, crystal filter; quartz filter	Filterquarz *m*, Quarzfilter *n*; Kristallfilter *n*, piezoelektrisches Filter *n*	filtre *m* à quartz; filtre à cristal, filtre piézoélectrique	кварцевый фильтр; пьезоэлектрический фильтр
	piezoelectric generator	*s.* piezoelectric oscillator		
P 1544	**piezoelectricity**	Piezoelektrizität *f*, Druckelektrizität *f*	piézo-électricité *f*	пьезоэлектричество
	piezoelectricity	*s. a.* piezoelectric effect		
P 1545	**piezoelectric loudspeaker,** crystal loudspeaker	piezoelektrischer Lautsprecher *m*, Kristalllautsprecher *m*	haut-parleur *m* piézo-électrique, haut-parleur à cristal	пьезоэлектрический громкоговоритель
P 1546	**piezoelectric material,** piezoelectric	piezoelektrischer Stoff *m*, Piezoelektrikum *n*	matériau *m* piézo-électrique, piézo-électrique *m*	пьезоэлектрический материал, пьезоэлектрик
P 1547	**piezoelectric matrix**	piezoelektrische Matrix *f*	matrice *f* piézo-électrique	пьезоэлектрическая матрица
P 1548	**piezoelectric microphone,** crystal microphone	Kristallmikrophon *n*, piezoelektrisches Mikrophon *n*	microphone *m* piézo-électrique, microphone à cristal	пьезоэлектрический микрофон, пьезомикрофон
P 1549	**piezoelectric modulus**	piezoelektrischer Modul *m*, Piezomodul *m*	module *m* piézo-électrique	пьезомодуль, пьезоэлектрический модуль
P 1550	**piezoelectric oscillator,** piezoelectric generator	piezoelektrischer Schwingungserzeuger (Schwinger; Schallgeber) *m*	oscillateur *m* piézo-électrique, générateur *m* piézoélectrique	пьезоэлектрический генератор [колебаний]; пьезоэлектрический излучатель (датчик)
P 1551	**piezoelectric probe**	piezoelektrische Sonde *f*	sonde *f* piézo-électrique	пьезоэлектрический зонд, пьезозонд
P 1552	**piezoelectric resonator;** crystal (quartz-crystal) resonator, quartz resonator	piezoelektrisches Resonanzsystem *n*, piezoelektrischer Resonator *m*, Piezoresonator *m*, Kristallresonator *m*; Quarzresonator *m*	résonateur *m* piézo-électrique, résonateur à cristal; résonateur au quartz	пьезоэлектрический резонатор, пьезорезонатор; кварцевый резонатор
P 1553	**piezoelectric tensor**	piezoelektrischer Tensor *m*	tenseur *m* piézo-électrique	пьезоэлектрический тензор
	piezoglypt, rhegmaglypt	Rhegmaglypte *f*	piézoglypte *m*	регмаглипт, пьезоглипт
	piezoid	*s.* oscillating quartz		
P 1554	**piezoisobath**	Piezoisobathe *f*	piézo-isobathe *f*	пьезоизобата
P 1555	**piezoluminescence**	Piezolumineszenz *f*	piézoluminescence *f*	пьезолюминесценция
P 1556	**piezomagnetic coefficient**	piezomagnetischer Koeffizient *m*	coefficient *m* piézomagnétique	пьезомагнитный коэффициент
P 1557	**piezomagnetic effect;** piezomagnetism	piezomagnetischer Effekt *m*; Piezomagnetismus *m*	effet *m* piézo-magnétique; piézo-magnétisme *m*	пьезомагнитный эффект; пьезомагнетизм
P 1558	**piezomagnetic moment**	piezomagnetisches Moment *n*	moment *m* piézo-magnétique	пьезомагнитный момент
P 1559	**piezomagnetic tensor**	piezomagnetischer Tensor *m*	tenseur *m* piézo-magnétique	пьезомагнитный тензор
	piezomagnetism	*s.* piezomagnetic effect		
P 1560	**piezometer**	Piezometer *n*	piézomètre *m*	пьезометр
P 1561	**piezometer level**	Standrohrspiegel *m*	niveau *m* piézométrique	уровень в пьезометре, пьезометрический уровень
P 1562	**piezometer tube,** static pressure tube	Drucksonde *f*, Piezometerrohr *n*	tube *m* piézométrique	пьезометрическая трубка
P 1563	**piezometric gradient**	Piezometergefälle *n*	gradient *m* piézométrique	пьезометрический уклон

ID	English	German	French	Russian
P 1564	piezometric height	Piezometerdruckhöhe f, Piezometerhöhe f	hauteur f piézométrique	пьезометрическая высота [давления]
P 1565	piezometric line; pressure surface contour	Piezometerdrucklinie f, Piezometerlinie f; Grundwasserdrucklinie f, Drucklinie f	ligne f piézométrique	пьезометрическая линия
P 1566	piezometric pressure	Piezometerdruck m	pression f piézométrique, pression étoilée	пьезометрическое давление
P 1566a	piezometric surface, pressure surface	Piezometerdruckfläche f, Piezometerfläche f; Grundwasserdruckfläche f, Druckfläche f	surface f piézométrique	пьезометрическая поверхность
P 1567	piezo-optic coefficient	piezooptischer Koeffizient m	coefficient m piézooptique	пьезооптический коэффициент
P 1568	piezo-optic constant	piezooptische Konstante f	constante f piézo-optique	пьезооптическая постоянная
P 1569	piezoresistance	Piezowiderstand m, piezoelektrischer Widerstand m	piézorésistance f	пьезосопротивление
P 1570	piezoresistance [effect], piezoresistive effect	piezoresistiver Effekt m, Piezowiderstandseffekt m, Piezowiderstandsänderung f	effet m piézorésistif, piézorésistance f	эффект пьезосопротивления, пьезоэлектрический эффект изменения сопротивления
P 1571	piezoresistivity	spezifischer piezoelektrischer Widerstand m, spezifischer Piezowiderstand m	piézorésistivité f	удельное пьезосопротивление
P 1572	piezotropic equation of state	piezotrope Zustandsgleichung f	équation f caractéristique piézotrope	пьезотропное уравнение состояния
P 1573	piezotropic modulus of elasticity	Piezotropiemodul m	module m piézotrope d'élasticité	пьезотропный модуль
P 1574	piezotropy	Piezotropie f	piézotropie f	пьезотропия
P 1575	pi-filter, Π-filter	Π-Filter n, Collins-Filter n, Pi-Filter n	filtre m en Π, filtre en pi	Π-образный фильтр, пи-образный фильтр
	pig	s. ingot		
	PIG discharge, Penning [gas] discharge	Penning-Entladung f	décharge f de Penning	разряд Пеннинга, газовый разряд Пеннинга
	PIG ion source	s. Penning ion source		
P 1576	pigment, chemical colour (pigment), dry colour; dye-stuff	Pigment n, Körperfarbe f; Trockenfarbe f; Farbkörper m; Pigmentfarbstoff	pigment m	пигмент, красящее вещество, окраска; краситель
P 1577	pigmented glass filter, coloured (stained) glass	Farbglas n	verre m coloré	цветное стекло
	PIG type source	s. Penning ion source		
	pile, [nuclear] reactor, nuclear (chain-reacting) pile <nucl.>	Reaktor m, Kernreaktor m, Pile m <Kern.>	réacteur m [nucléaire], pile f [nucléaire] <nucl.>	реактор, ядерный реактор <яд.>
	pile activation, reactor activation	Reaktoraktivierung f, Pileaktivierung f, Aktivierung f im Kernreaktor	activation f dans le réacteur [nucléaire]	активация в ядерном реакторе
P 1578	piled-up group [of dislocations]	Versetzungsgruppe f, Versetzungsanhäufung f	encombrement m (groupe m empilé) de dislocations	группа (скопление) дислокаций
	piled up lengthwise, piled up longitudinally; longitudinally stratified, lengthwise stratified	längsgeschichtet	stratifié longitudinalement (en direction longitudinale), disposé par couches longitudinales	продольнослоистый, слоистый в продольном направлении
	piled up transversally, transversally stratified	quergeschichtet	stratifié transversalement (en direction transversale), disposé par couches transversales	поперечнослоистый, слоистый в поперечном направлении
	pile-emitted radiation	s. pile radiation		
P 1579	pile factor	Pilefaktor m	facteur m de pile	коэффициент реактора
	pile fluctuation, pile (reactor) noise, reactor fluctuation	Reaktorrauschen n, Rauschen n des Reaktors	bruit m du réacteur, fluctuation f du réacteur	шум реактора, флуктуация реактора
	pile neutron, nuclear pile neutron, reactor neutron	Reaktorneutron n	neutron m du réacteur, neutron de la pile	нейтрон [из] реактора, котельный нейтрон
	pile neutron spectrum	s. pile spectrum		
P 1580	pile noise, reactor noise, pile (reactor) fluctuation	Reaktorrauschen n, Rauschen n des Reaktors	bruit m du réacteur, fluctuation f du réacteur	шум реактора, флуктуация реактора
P 1581	pile-oscillation method	Reaktoroszillatormethode f, Pileoszillatormethode f	méthode f de l'oscillateur de pile	метод «реакторного осциллятора»
P 1582	pile oscillator, nuclear pile oscillator, reactivity (reactor) oscillator	Reaktoroszillator m, Pileoszillator m	oscillateur m de pile, oscillateur de réacteur	реакторный осциллятор
P 1583	pile radiation, pile-emitted radiation, reactor[-emitted] radiation	Reaktorstrahlung f	rayonnement m du réacteur	излучение реактора, излучение из реактора; радиационное излучение из реактора
P 1584	pile spectrum, pile neutron spectrum, reactor [neutron] spectrum	Reaktorneutronenspektrum n, Energiespektrum n der Reaktorneutronen, Reaktorspektrum n	spectre m des neutrons du réacteur	спектр нейтронов [из] реактора, спектр нейтронов в реакторе, котельный спектр нейтронов
P 1585	pile-up effect, pile-up of pulses	Aufstocken n der Impulse, Impulsaufstockung f, „pile-up"-Effekt m, Aufeinandertürmen n	effet m d'empilement <des impulsions>, empilement m des impulsions	эффект наложения <импульсов>, наложение импульсов
P 1586	pile-up of dislocations	Versetzungsaufstauung f, Aufstauung f (Aufstau m) von Versetzungen	empilement m de dislocations	скопление дислокаций
	pile-up of pulses	s. pile-up effect		

	English	German	French	Russian
P 1587	**pileus**	Pileus *m*	pileus *m*	покрывало, шапка облака; облако в виде покрывала; облако с покрывалом
	piling; lamination; stacking; stratification, layering	Schichtung *f*, Schichten *n*, Schichtbildung *f*, Stratifikation *f*	disposition *f* par couches, empilement *m*	наслаивание, наслоение; шихтовка; напластование, расслоение, расслаивание
	piling up	s. pile-up <of dislocations>		
	piling up	s. a. water-surface ascent		
	pillar; pier	Pfeiler *m*; Säule *f*	pilier *m*	бык, контрфорс; столб; опора; целик
P 1588	**pillar, pillar-type switchgear**	Schaltsäule *f*	colonne *f* de manœuvre	коммутационная (распределительная) колонка
	pilot	s. pilot wire <el.>		
P 1589	**pilot balloon,** pibal	Pilotballon *m*, Registrierballon *m*	ballon-pilote *m*	шар-пилот, шаропилот
P 1590	**pilot circuit,** pilot wire circuit	Pilotkreis *m*, Steuerstromkreis *m*, Steuerkreis *m*	circuit *m* pilote, circuit de commande (pilotage)	контрольная цепь, цепь оперативного тока, цепь управления, управляющая цепь
	pilot flame, ignition flame, igniting flame	Zündflamme *f*; Lockflamme *f*	flamme *f* d'allumage	запальное пламя, пламя зажигания, факел зажигания
P 1591	**pilot frequency,** drive frequency	Steuerfrequenz *f*, Pilotfrequenz *f*	fréquence *f* pilote; fréquence repère, fréquence de référence	частота задающего генератора; контрольная (управляющая, опорная) частота
P 1592	**pilotherm**	Thermostat *m* mit Bimetallfühler	pilotherme *m*	термостат с биметаллическим терморегулятором
P 1592a	**pilot ion coulometry**	Pilotionencoulometrie *f*	coulométrie *f* à ion pilote	кулонометрия с пилотным ионом
P 1592b	**pilot leader,** pilot streamer	Pilotblitz *m*; Vorentladung *f*	leader *m* pilote	пилот лидера
	pilotless; unmanned, without crew; unattended	unbemannt; unbesetzt, nichtbesetzt	sans équipage; sans pilote; non surveillé	без экипажа; беспилотный; необслуживаемый, без обслуживающего персонала
P 1593	**pilot plant,** pilot scale equipment	Pilotanlage *f*, Versuchsanlage *f* [im halbtechnischen Maßstab], halbtechnische (halbindustrielle) Anlage *f*	usine *f* pilote, installation *f* pilote	полузаводская установка, головная установка, опытная установка, пилотная установка
	pilot pulse, starting pulse	Einschaltimpuls *m*, Startimpuls *m*; Urimpuls *m*	impulsion *f* de démarrage, impulsion excitatrice	пусковой импульс, стартовый импульс
P 1594	**pilot reactor,** development reactor	Versuchsreaktor *m*, Pilotreaktor *m*	réacteur *m* pilote, pile *f* pilote	опытный реактор
	pilot scale equipment	s. pilot plant		
P 1595	**pilot spark,** ignition spark	Zündfunke *m*	étincelle *f* d'allumage, étincelle auxiliaire	искра зажигания, запальная искра
	pilot streamer	s. pilot leader		
P 1596	**pilot wave**	Führungswelle *f* [nach de Broglie], de Brogliesche Führungswelle, Pilotwelle *f*	onde *f* pilote, onde-pilote *f*	волна-пилот
P 1597	**pilot wire,** surveying wire, pilot <el.>	Pilotleitung *f*, Pilotdraht *m*, Meßdraht *m* <El.>	ligne *f* pilote, fil *m* pilote, fil d'essai <él.>	контрольный провод, мерная (калиброванная, измерительная) проволока <эл.>
	pilot wire circuit	s. pilot circuit		
	pi-mesic atom	s. pionic atom		
P 1598	**pi meson,** π meson, pion, nuclear force meson, British meson <π⁺, π⁰, π⁻>	π-Meson *n*, Pi-Meson *n*, Pion *n* <π⁺, π⁰, π⁻>	méson *m* π, méson pi, pion *m* <π⁺, π⁰, π⁻>	π-мезон, пи-мезон, пион <π⁺, π⁰, π⁻>
	pi meson decay, decay of the pi-meson, pion decay	Zerfall *m* des Pi-Mesons, Pionzerfall *m*, π-Zerfall *m*, Pi-Zerfall *m*	désintégration *f* du méson pi, désintégration du pion	распад пиона, распад пи-мезона
P 1599	**pinacoid,** terminal face	Pinakoid *n*, Endfläche *f*	pinacoïde *m*, pinakoïde *m*	пинакоид
	pinacoidal class	s. holohedry of the triclinic class		
	pin-and-arc indicator; indicating goniometer	Winkelanzeigegerät *n*, Winkelindikator *m*; Pin and Arc *n*	goniomètre *m* indicateur	угломер-индикатор
	pinball board	s. Galton['s] apparatus		
	pinch, pinching; constriction; necking [down]; contraction of area; waist	Einschnürung *f*	pincement *m*, striction *f*, constriction *f*; contraction *f*	отшнуровывание, образование шейки; сужение; закручивание; стягивание; сжатие
	pinch; squeeze, squeezing; squashing; crimp[ing]	Quetschung *f*	écrasement *m*; pincement *m*; exprimage *m*	сжатие, деформация при сжатии; отжатие, отжим; осаживание; сдавливание
P 1600	**pinch** <of plasma>	Pinch *m* <Plasma>	striction *f*, pincement *m* <du plasma>	отшнурование, сжатие <плазмы>; самостягивание разряда
	pinch	s. a. pinch effect <of plasma>		
	pinch clamp	s. pinch cock		
P 1601	**pinch cock;** pinch clamp, snap valve	Quetschhahn *m*, Schraubklemme *f*	pince *f* [de Mohr] à vis; pince à ressort	зажим Гофмана, зажим Мора, [пружинный] зажим; винтовой зажим

P 1602	**pinch discharge**	*s.* pinch effect		
	pinch effect, pinch[ing], selfconstricting effect, pinch [effect] discharge, pinching discharge <of plasma>	Pincheffekt *m*, eigenmagnetische Kompression *f*, Selbsteinschnürung *f*, Einschnüreffekt *m*, Pinchentladung *f*, Selbstabschnürung *f*, Abschnüreffekt *m* <Plasma>	effet *m* de striction (pincement, pinch), pincement *m*, resserrement *m*, décharge *f* à autostriction, autostriction *f*, décharge autocontractée (auto-pincée) <du plasma>	самостягивающийся разряд, пинч-эффект, пинч, отшнурование [плазмы], сжатие плазмы, самосжатие плазмы, самосжатый разряд <плазмы>
	pinch effect discharge	*s.* pinch effect		
	pinching, pinch; constriction; necking [down]; contraction of area; waist	Einschnürung *f*	pincement *m*, striction *f*, constriction *f*; contraction *f*	отшнуровывание, образование шейки; сужение; закручивание; стягивание; сжатие
	pinching [discharge]	*s.* pinch effect		
P 1603	**pinch-off effect**	„pinch-off"-Effekt *m*, Abschnür[ungs]effekt *m*	effet *m* de pincement	явление сужения, эффект сужения
P 1604	**pinch-off voltage**	„pinch-off"-Spannung *f*, Abschnür[ungs]spannung *f*	tension *f* de pincement	напряжение сужения
P 1605	**pin-connected**	gelenkig gelagert; gelenkig verbunden	articulé	шарнирно-закрепленный, соединенный шарнирами
P 1606	**p-i-n contact**	pin-Kontakt *m*	contact *m* p-i-n	*p-i-n*-контакт
P 1607	**pin coupling**	Stiftkopplung *f*	couplage *m* par tige, joint *m* par tige	штифтовое соединение, штифтовое сочленение
P 1608	**pin[-]cushion distortion, pincushioning**, positive distortion	kissenförmige Verzeichnung *f*, Kissenverzeichnung *f*, positive Verzeichnung	distorsion *f* en coussinet, distorsion en croissant, distorsion positive	подушкообразная дисторсия, подушкообразное искажение (искривление), положительная дисторсия
P 1609	**pine crystal**	*s.* dendrite		
	Pines['] relation	Pines-Beziehung *f*, Beziehung *f* von Pines, Pinessche Beziehung	relation *f* de Pines	формула Пайнеса
P 1610	**Pi[-] network, Π[-] network, Pi[-] section, Π[-] section**	P-Glied *n*, Π-Glied *n*, Pi-Schaltung *f*, Π-Schaltung *f*, Pi-Netzwerk *n*, Π-Netzwerk *n*, Π-Vierpol *m*; Π-Grundkette *f*, Π-Grundschaltung *f*, Grund-Π-Schaltung *f*	cellule *f* de filtre en Π, cellule en Π, réseau *m* en pi (Π), réseau Π, circuit *m* en Π, circuit Π	Π-образное звено [фильтра], Π-образная цепь, Π-образная схема, Π-образная секция (ячейка); четырехполюсник типа Π, Π-образный (пи-образный) четырехполюсник
	pinging noise	*s.* microphonic effect <el.>		
	pinhole, pseudo lens	Loch *n* <Lochkamera>	sténopé *m*	отверстие <стенопа>; булавочный прокол
	pinhole; pinhole porosity <met.>	Fadenlunker *m*, Feinlunker *m*; Feinporosität *f* <Met.>	porosité *f* fine; pore *m* fin <mét.>	булавочная пористость <мет.>
P 1611	**pinhole action**, action of pinhole camera	Lochkamerawirkung *f*, Lochkammerwirkung *f*	effet *m* sténopéique, effet du sténoscope	действие стенопа (камеры-обскуры, камер-обскуры)
P 1612	**pinhole camera**, camera obscura	Lochkamera *f*, Portasche Kamera *f*, Camera obscura	sténoscope *m*, chambre *f* obscure	стеноп, камера-обскура, камер-обскура
	pinhole diaphragm	*s.* apertured diaphragm <opt.>		
P 1613	**pinhole image; pinhole photograph**	Lochkamerabild *n*; Lochkameraaufnahme *f*	image *f* sténopéique (de sténoscope); sténopéphotographie *f*	изображение камерой-обскурой; снимок камерой-обскурой
P 1614	**pinhole porosity**; pinhole <met.>	Fadenlunker *m*, Feinlunker *m*; Feinporosität *f* <Met.>	porosité *f* fine; pore *m* fin <mét.>	булавочная пористость <мет.>
P 1615	**pinion**	Ritzel *n*	pignon *m*	малая шестерня; ведущее зубчатое колесо; триб, трибка <часов>
P 1615a	**pin joint**, hinge joint	gelenkiger (gelenkartiger) Knoten *m*, Gelenkknoten *m*	nœud *m* articulé	шарнирный узел
	pinning down	*s.* locking <of dislocations>		
P 1616	**p-i-n rectifier**	pin-Gleichrichter *m*	redresseur *m* à jonction p-i-n	полупроводниковый вентиль с *p-i-n* переходом
P 1616a	**pin support, pin suspension**	Pinnenaufhängung *f*, Pinnenlagerung *f*; Stiftlagerung *f*	suspension *f* à (par) tige[s]	штифтовая опора, штифтовой подвес
P 1617	**pin-type insulator**	Schaftisolator *m*	isolateur *m* à tige	штыревой изолятор
P 1618	**Piobert effect**	Piobert-Effekt *m*	effet *m* Piobert	эффект Пиобера
P 1619	**Piola-Kirchhoff stress tensor**	Piola-Kirchhoffscher Spannungstensor *m*	matrice *f* des contraintes de Piola-Kirchhoff	кирхгофов тензор напряжений, тензор напряжений Пиолы-Кирхгофа
P 1620	**Piola['s] theorem**	Piolascher Satz *m*	théorème *m* de Piola	теорема Пиолы
	pion	*s.* pi meson		
	pion decay, decay of the pi-meson, pi-meson decay	Zerfall *m* des Pi-Mesons, Pionzerfall *m*, π-Zerfall *m*, Pi-Zerfall *m*	désintégration *f* du méson pi, désintégration du pion	распад пиона, распад пи-мезона
P 1621	**pionic atom**, pi-mesic atom, π-mesic atom	Pi-Meso[n]atom *n*, pi-mesonisches Atom *n*, Pionatom *n*, π-Mesonatom *n*	atome *m* pionique, atome pi-mésique, atome π-mésique	пи-мезонный [мезо]атом, π-мезонный атом, π-мезонный мезоатом

P 1622	pion-nucleon scattering	Pion-Nukleon-Streuung *f*	diffusion *f* pion-nucléon	пион-нуклонное рассеяние, рассеяние пи-мезонов нуклонами
P 1623	pip, spike of the pulse; kick[back]	Überschwingimpuls *m*, Überschwingspitze *f*, Pip *m*, Zacke *f*	top *m* d'impulsion, pip *m*	выброс, пик, отметка, импульс отметки, бросок <на экране индикатора>
P 1624	pipe, funnel, pipe of ingot	trichterförmiger Lunker (Schwindungslunker) *m*	retassure *f* en forme d'entonnoir	трубообразная [усадочная] раковина
	pipe, whistle <ac.>	Pfeife *f* <Ak.>	sifflet *m*, tuyau *m* sonore (acoustique) <ac.>	свисток <ак.>
P 1625	pipe, volcanic pipe <geo.>	Explosionsröhre *f*, [vulkanische] Durchschlag[s]röhre *f*, Pipe *f*, Diatrem *n*	diatrème *f* <géo.>	диатрема, трубка взрыва, вулканическая трубка, трубка <гео.>
	pipe coil, winding pipe (tube), coil	Rohrschlange *f*, Schlangenrohr *n*, Schlange *f*	serpentin *m*	трубный змеевик, змеевик
P 1626	pipe connection	Rohrverbindung *f*	raccord *m*	соединение труб
P 1627	pipe cooler, trumpet cooler	Röhrenkühler *m*, Rohrkühler *m*; Rohrbündelkühler *m*	réfrigérant *m* tubulaire; réfrigérant à faisceau de tubes	трубчатый холодильник; кожухотрубный холодильник
P 1628	pipe diffusion, dislocation pipe diffusion	„pipe diffusion" *f*, Röhrendiffusion *f*, Diffusion *f* in Röhren [längs der Versetzungslinien]	diffusion *f* dans les tubes [le long des lignes de dislocation], pipe-diffusion *f*	диффузия в каналах [вдоль линий дислокации]
P 1629	pipe filter, tubular filter, tubular electrical dust filter	Röhrenfilter *n*, Rohrfilter *n*	filtre *m* à tube, filtre [électrostatique] tubulaire	трубчатый фильтр, трубчатый электрофильтр
P 1630	pipe flow, flow through pipes, tubular flow	Rohrströmung *f*	circulation *f* (écoulement *m*) dans un tube	течение в трубе, течение по трубам
	pipe of ingot	*s.* pipe		
P 1631	pipe resistance	Leitungswiderstand *m*	résistance *f* dans la conduite	сопротивление трубопровода
P 1632	pipet[te] holder (stand)	Pipettenständer *m*	statif *m* pour les pipettes	штатив для пипеток
P 1633	pipe under pressure	Druckleitung *f*	conduite *f* à pression, tuyautage *m* à pression	нагнетательная линия, нагнетательный (напорный) трубопровод
P 1634	piping <of ingots>, liquid shrinkage, shrinking	Lunkerung *f*, Lunkerbildung *f*, flüssiges Schwinden *n*	formation *f* de retassures, pompage *m* [des lingots], retrait *m* liquide	образование усадочных раковин
	piping	*s. a.* underwashing		
	piping around a corner; turn[-back], deflection [around a corner]	Umlenkung *f*	changement *m* de direction, déviation *f*, renversement *m*, renvoi *m*	изменение направления, отклонение, поворот
P 1635	Pippard('s) equation	Pippardsche Gleichung *f*	équation *f* de Pippard	уравнение Пиппарда
P 1636	Pirani bridge	Pirani-Brücke *f*	pont *m* de Pirani	мост Пирани
P 1637	Pirani gauge, Pirani pressure gauge, Pirani resistance gauge, hot-wire gauge, hot-wire [manometer]	Pirani-Manometer *n*, Wärmeleitungsmanometer *n* nach Pirani, Piranisches Widerstandsmanometer *n*, Widerstandsmanometer [nach Pirani]	manomètre *m* de Pirani, jauge *f* de Pirani, manomètre à résistance [de Pirani]	манометр Пирани, вакуумметр Пирани, тепловой манометр
	Pi[-] section	*s.* Pi[-] network		
	pistolgraph	*s.* instantaneous shot		
P 1638	piston <of the pump>	Stempel *m* <Pumpe>	piston *m* <de la pompe>	поршень; пуансон; скалка <насоса>
P 1639	piston <techn.>	Kolben *m* <Techn.>	piston *m* <techn.>	поршень <техн.>
	piston	*s. a.* shorting plunger <el.>		
	piston air pump	*s.* piston pump		
P 1640	piston attenuator	variables Dämpfungsglied *n*, Kolbendämpfungsglied *n*, Kolbenattenuator *m*	atténuateur *m* à plongeur, atténuateur à piston	поршневой аттенюатор, аттенюатор поршневого типа, поршневой ослабитель
P 1641	piston compressor, reciprocating [piston] compressor	Kolbenkompressor *m*, Kolbenverdichter *m*	compresseur *m* à piston	поршневой компрессор
P 1641a	piston diaphragm	Kolbenmembran *f*	diaphragme *m* piston	поршневая диафрагма
	piston flowmeter (fluid meter)	*s.* piston-type flowmeter		
	piston gauge <US>	*s.* manometric balance		
	piston meter	*s.* piston-type flowmeter		
P 1642	piston[]phone	Pistonphon *n*, Kolbenmikrophon *n*	pistonphone *m*	пистонфон
P 1643	piston pressure	Kolbendruck *m*	pression *f* au piston	давление на поршень
	piston pressure gauge	*s.* manometric balance		
P 1644	piston pump, reciprocating pump, piston air pump	Kolbenpumpe *f*, Stiefelpumpe *f*; Kolbenluftpumpe *f*, Hubkolbenpumpe *f*	pompe *f* à piston, pompe alternative (à pistons alternatifs)	поршневой насос
	piston stroke	*s.* stroke of piston		
	piston-swept volume, displacement [volume], volume of stroke	Hubraum *m*, Hubvolumen *n*	cylindrée *f*, volume *m* de la cylindrée	рабочий объем цилиндра, литраж цилиндра
P 1645	piston-type flowmeter, piston-type [fluid] meter, piston flowmeter, piston [fluid] meter	Kolbenzähler *m*, Verdrängungszähler *f*	compteur *m* à piston	поршневой расходомер; поршневой водомер
P 1646	pit, recess, depression, indent[ation]	Aussparung *f*, Ausschnitt *m*, Vertiefung *f*, Höhlung *f*, Einbuchtung *f*	creux *m*, cavité *f*; approfondissement *m*	выемка, впадина, углубление; ниша; выточка; вырез, прорезь
	pit, etch pit	Ätzgrübchen *n*, Ätzgrube *f*	fosse *f* de décapage	ямка травления
	pit	*s. a.* cock[-]pit <geo.>		
	pit	*s. a.* pitting		

	English	German	French	Russian
P 1647	pitch; lead	Steigung *f*; Teilung *f*; Schrittweite *f*	pas *m*; filetage *m*	шаг [намотки]; модуль; питч
P 1648	pitch, lead <of the helix, screw>, screw pitch, pitch of screw	Ganghöhe *f*, Steigung *f* <Schraube>, Schraubensteigung *f*, Schraubengang *m*, Gang *m* <Schraube>	hauteur *f* de pas, pas *m* <de l'hélice, de la vis>	шаг <винта>; ход винта оборот винта, поступь винта
P 1649	pitch, pitch of note, pitch of the tone, tone (sound) pitch <ac.>	Tonhöhe *f*, Höhe *f* <Ton> <Ak.>	hauteur *f* [du son] <ac.>	высота [тона], высота звука <ак.>
	pitch, musical pitch <ac.>	Stimmung *f* <Ak.>	gamme *f* [musicale] <ac.>	музыкальный строй, строй <ак.>
P 1650	pitch, pitching <aero.>	Längsneigung *f* <Aero.>	tangage *m*, inclinaison *f* longitudinale <aéro.>	тангаж, продольный крен <аэро.>
P 1651	pitch, pitching, rocking, plunging <hydr.>	Stampfen *n*, Stampfbewegung *f* <Hydr.>	tangage *m* <hydr.>	килевая качка, тангаж <гидр.>
P 1651a	pitch angle	Steig[ungs]winkel *m*	angle *m* de pas	угол шага
	pitch angle	s. a. pitching angle		
P 1651b	pitch chord ratio	Teilungsverhältnis *n* <Aero., Hydr.>	rapport *m* du pas à la corde, rapport pas/corde (pas/diamètre)	шаговое отношение; густота рещётки
P 1652	pitch circle theodolite	Zahnkreistheodolit *m*	théodolite *m* à cercles dentés	теодолит с зубчатыми кругами
P 1653	pitch error	Steigungsfehler *m*	erreur *f* de pas	ошибка шага, погрешность шага
	pitchfork, tuning[-] fork	Stimmgabel *f*	diapason *m*	камертон
	pitching, pitch <aero.>	Längsneigung *f* <Aero.>	tangage *m*, inclinaison *f* longitudinale <aéro.>	тангаж, продольный крен <аэро.>
	pitching, pitch, rocking, plunging <hydr.>	Stampfen *n*, Stampfbewegung *f* <Hydr.>	tangage *m* <hydr.>	килевая качка, тангаж <гидр.>
P 1653a	pitching angle, pitch angle	Längsneigungswinkel *m* <Aero.>; Stampfwinkel *m* <Hydr.>	angle *m* de tangage	угол тангажа <аэро.; гидр.>; угол килевой качки <гидр.>
	pitching moment, pitch moment <of wing>, longitudinal moment <aero.>	Längsmoment *n*, Kippmoment *n* [des Tragflügels] <Aero.>	moment *m* de tangage, moment de décroc age, moment longitudinal <aéro.>	момент тангажа, продольный момент [крыла], момент относительно поперечной оси <аэро.>
P 1654	pitching moment coefficient, pitch moment coefficient, coefficient of pitching moment; [over]turning moment coefficient, tilting (tipping) moment coefficient	Kippmomentenbeiwert *m* <Flugzeug>; Stampfmomentenbeiwert *m* <Schiff>; Querneigungsmomentenbeiwert *m*	coefficent *m* de moment de tangage; coefficient de moment de renversement, coefficient de moment renversant	коэффициент момента тангажа, коэффициент продольного аэродинамического момента; коэффициент опрокидывающего момента
P 1655	pitch interval	Tonhöhenverhältnis *n*	rapport *m* des fréquences de tons musicaux	отношение частот музыкальных тонов
P 1656	pitch length	Ganglänge *f*	longueur *f* de pas	длина шага
P 1657	pitch moment, pitching moment <of wing>, longitudinal moment <aero.>	Längsmoment *n*, Kippmoment *n* [des Tragflügels] <Aero.>	moment *m* de tangage, moment de décrochage, moment longitudinal <aéro.>	момент тангажа, продольный момент [крыла], момент относительно поперечной оси <аэро.>
	pitch moment coefficient	s. pitching moment coefficient		
P 1658	pitch of deflection sag	Biegungspfeil *m*, Biegepfeil *m*, Durchbiegung *f*	flèche *f* de rupture, flèche, déplacement *m*	стрела прогиба, стрела провеса
	pitch of note	s. pitch <ac.>		
	pitch of screw	s. pitch		
	pitch of the perforation	s. perforation pitch		
	pitch of the teeth, tooth pitch	Zahnteilung *f*	pas *m* d'engrenage, pas [circonférentiel] de l'engrenage	шаг зацепления, шаг зубцов, зубцовый шаг, зубцовое деление
	pitch of the tone	s. pitch <ac.>		
P 1659	pitch of the worm	Schneckensteigung *f*, Schneckenteilung *f*	pas *m* de la 'vis	ход червяка, шаг резьбы червяка (шнека)
P 1660	pitch of the wrench, parameter of the screw	Parameter *m* der Dyname, Pfeil *m* der Schraube	flèche *f* du torseur, flèche du mouvement hélicoïdal	параметр динамы
P 1661	pitch recorder	Tonhöhenschreiber *m*	enregistreur *m* de la hauteur [du son]	регистратор высоты [звука], самописец высоты [звука]
P 1662	pitch variation	Tonhöhenschwankung *f*	variation *f* de la hauteur [du son]	колебание высоты тона, колебание уровня тона
P 1663	pith-ball electroscope	Holundermarkkugelelektroskop *n*	électroscope *m* à balle de moëlle [de surreau]	электроскоп с бузинными шариками
P 1664	pi-theorem, Buckingham['s] pi theorem, Π-theorem, π-theorem	Pi-Theorem *n*, Π-Theorem *n*	théorème *m* de Vaschy-Buckingham, théorème pi, théorème Π, théorème π	пи-теорема [Бэкингема], Π-теорема, π-теорема
	pitometer	s. Pitot tube		
	Pitot comb	s. Pitot rake		
P 1665	Pitot pressure	Pitot-Druck *m*	pression *f* de Pitot	давление Пито
P 1666	Pitot rake, Pitot comb	Druckmeßrechen *m* [aus zusammengefaßten Pitot-Rohren]	peigne *f* de Pitot	гребенка приемников полного давления, гребенка из трубок Пито
	Pitot static tube	s. Pitot tube		
P 1667	Pitot tube, pitot, impact tube; Pitot static tube; pitometer	Pitot-Rohr *n*, Pitotsches Rohr *n*, Gesamtdruck-Meßsonde *f*, Pitotsche Röhre *f*, Pitot-Sonde *f*	tube *m* de Pitot, sonde *f* de Pitot	трубка Пито

	English	German	French	Russian
	pitpoint corrosion	s. pitting		
P 1668	pitting, hydrogen blister, pit	Wasserstoffpore f, Grübchen n, Korrosionsgrübchen n	piqûre f	пора, обусловленная выделением водорода; язвина, оспина
P 1669	pitting	Grübchenkorrosion f, Pitting n, Grübchenbildung f	corrosion f aux piqûres, piqûration f	оспенная коррозия
P 1670	pitting, pitting corrosion, pitpoint corrosion, localized corrosion; point[ed] corrosion	Lochfraß m, Lochfraßkorrosion f, punktförmige tiefe Anfressurg f, Punktkorrosion f, Punktfraß m, punktförmiger Korrosionsangriff m	corrosion f ponctuelle, corrosion localisée; attaque f par points	питтинговая коррозия, точечная коррозия, питтинг; изъязвление
P 1670a	pitting factor	Pittingfaktor m	facteur m de piqûration	коэффициент питтингообразования
P 1671	Pi-type waveguide, Π-type waveguide, Π waveguide	Steghohlleiter m	guide m d'ondes en Π	волновод Π-образного сечения, мостиковый волновод
	pivot	s. centre of rotation		
	pivot	s. a. axis of rotation		
	pivot	s. a. pivot journal		
	pivot friction, bearing friction	Lagerreibung f	frottement m du coussinet	трение подшипника, трение в подшипнике
P 1672	pivoting <mech.>	Bohren n, Drehung f um die gemeinsame Normale <Mech.>	pivotement m <méc.>	верчение <мех.>
P 1673	pivoting friction	Bohrreibung f, bohrende Reibung f	frottement m de pivotement	трение верчения
P 1674	pivoting friction torque, moment of pivoting friction	Bohrreibungsmoment n	moment m du couple du frottement de pivotement	момент трения верчения
P 1675	pivot journal, pivot, swivel pin; trunnion	Zapfen m, Spitze f; Lagerzapfen m; Stützzapfen m, Tragzapfen m, Spurzapfen m; Drehzapfen m	tourillon m; tourillon d'appui; tourillon de rotation, pivot m de direction	цапфа, острие; шейка; палец; коренная шейка (цапфа); опорная шейка (цапфа); поворотная цапфа
	pivot point	s. centre of rotation		
	pivot support, journal support	Zapfenlagerung f	support m à tourillon	опора цапфы
P 1676	pK, pK value	pK-Wert m, pK	valeur f pK, pK	pK, показатель pK
P 1677	place; point; position; site	Ort m, Stelle f, Platz m; Position f; Standort m	lieu m, point m, place f; position f; site m	место, положение, позиция; площадка, площадь; мастонахождение; место (точка) стояния
P 1678	place, position <of a star>	Ort m [eines Gestirns], Position f [eines Gestirns], Sternort m	position f [d'une étoile]	позиция [звезды], место [звезды], положение [звезды]
	place exchange	s. interchange of sites		
	place isomer, position isomer	Stellungsisomer n	isomère m de position	изомер положения
P 1679	place-isomeric, position-isomeric	stellungsisomer	isomérique de position	изомерный по положению
	place isomerism, position (substitutional) isomerism	Stellungsisomerie f, Positionsisomerie f, Substitutionsisomerie f, Ortsisomerie f	isomérie f de position	изомерия положения
	place theory [of Helmholtz]	s. Helmholtz['] place theory		
P 1680	place value	Stellenwert m	valeur f de position	значение разряда
	placing	s. introduction		
P 1680a	Placzek['s] function	Placzek-Funktion f	fonction f de Placzek	функция Плачека
P 1681	Placzek['s] theory [of polarizability]	Placzeksche Theorie f [der Polarisierbarkeit]	théorie f de Placzek [de la polarisabilité]	теория Плачека [поляризуемости]
P 1682	plage, plage area, chromospheric facula	[chromosphärische] Fackel f, Chromosphärenfackel f	plage f faculaire, facule f chromosphérique	хромосферный факел
	plage	s. a. flocculus		
	plage area	s. plage		
	plagihedral class	s. enantiomorphous hemihedry of the regular system		
P 1683	plagiotropic	plagiotrop, plagiogeotropisch	plagiotropique	плагиотропный
P 1684	plagiotropism	Plagiotropismus m	plagiotropisme m	плагиотропизм
P 1685	plain <geo.>	Ebene f <Geo.>	plaine f <géo.>	равнина, низменность <гео.>
	plain carbon, homogeneous carbon, pure carbon, retort carbon	Homogenkohle f, Reinkohle f, Retortenkohle f, Reindochtkohle f	charbon m homogène, charbon de cornue	однородный уголь, уголь низкой интенсивности, чистый (простой, реторный) уголь
	plain colour, free colour, surface colour	freie (unbezogene) Farbe f, Flächenfarbe f	couleur f libre, couleur superficielle	свободный цвет
P 1686	plain specimen, unnotched specimen	Vollprobestab m, Vollstab m	éprouvette f pleine, éprouvette non entaillée	сплошной (цельный, ненадрезанный) образец
	plaited filter, [pre]folded filter, pleated filter	Faltenfilter n	filtre m pliant	складчатый фильтр, плоеный фильтр
	plait point	s. critical solution temperature		
	plait point curve	s. solubility curve		
	plan, design, test programme <of the first or second order>	Versuchsplan m <erster oder zweiter Ordnung>	plan m d'expérience, plan expérimental <du premier ou deuxième ordre>	план опыта, схема опыта <первого или второго порядка>

	English	German	French	Russian
P 1687	**planar; plane; flat**	eben, plan; planar; flächenhaft [ausgedehnt], Flächen-; flach, in der gleichen Ebene, in einer Ebene	plan; plat	плоский; плоскостный; ровный; лежащий в одной плоскости
P 1688	**planar diode**	Planardiode f	diode f planaire, diode à électrodes planes	планарный [полупроводниковый] диод, плоскоэлектродный диод, диод с плоской системой электродов
	plan area	s. cross-sectional area		
	planar epitaxial transistor (triode)	s. epiplanar transistor		
P 1689	**planar eyepiece**	Planokular n	oculaire m plan, planooculaire m	плоский окуляр
P 1690	**planar feature** <geo.>	planares Element n, Spaltbarkeit f <Geo.>	élément m plan <géo.>	плоский элемент <гео.>
P 1691	**planar graph**	planarer Graph m	graphe m plan	плоский граф[ик]
P 1692	**planar Hall effect**	planarer Hall-Effekt m	effet m Hall plan	плоский эффект Холла
P 1693	**planar interface**	ebene Grenzfläche f	surface-limite f plane	плоская поверхность раздела, плоская граница раздела
P 1694	**planar junction**	planarer Übergang m, Planarübergang m	jonction f plane	плоский переход
P 1695	**planar lens, planar objective**	Planobjektiv n	objectif m plan, plano-objectif m	плоский объектив
	planar mask	s. shadow mask <tv.>		
P 1696	**planar molecule**	ebenes Molekül n	molécule f plane	плоская молекула
P 1697	**planar moment of inertia**	planares Trägheitsmoment n, Trägheitsmoment in bezug auf eine Ebene	moment m d'inertie par rapport à un plan, moment d'inertie planaire (de surface), somme f d'inertie	плоскостный момент инерции
	planar objective	s. planar lens		
P 1698	**planar radius of inertia, gyration modulus**	planarer Trägheitsradius m	rayon m de giration plan, module m de giration, bras m d'inertie	плоскостный радиус инерции
P 1699	**planar transistor, planar triode**	Planartransistor m, Planartriode f	triode f planaire, triode à électrodes planes, transistor m planaire, transistor à électrodes planes	планарный [полупроводниковый] триод, [полупроводниковый] триод с плоской системой электродов, плоскоэлектродный [полупроводниковый] триод, планарный транзистор
P 1700	**Planck['s] constant,** quantum of action, elementary quantum of action, action quantum, Planck['s] quantum	Plancksche (lichtelektrische) Konstante f, [Plancksches] Wirkungsquantum n, [Plancksche] Wirkungskonstante f, [Plancksches] Wirkungsquant n, Plancksches Wirkungselement n	constante f de Planck, quantum m d'action de Planck, quantum d'action, quantum de Planck	постоянная Планка, квант действия, квант действия Планка, константа Планка
P 1701	**Planck distribution**	Planck-Verteilung f, Plancksche Verteilung f	distribution f de Planck	распределение Планка
P 1702	**Planck-Einstein function**	Planck-Einstein-Funktion f, Planck-Einsteinsche Funktion f	fonction f de Planck-Einstein	функция Планка-Эйнштейна
	Planck['s] formula	s. Planck['s] law		
P 1703	**Planck['s] function,** Planck['s] potential, Planck['s] thermodynamic potential	Plancksche Funktion f, Plancksches [thermodynamisches] Potential n, thermodynamisches Potential von Planck, thermodynamisches Plancksches Potential, Planck-Funktion f	fonction f de Planck, fonction caractéristique de Planck, potentiel m de Planck, potentiel thermodynamique de Planck	функция Планка, характеристическая функция Планка, потенциал Планка, термодинамический потенциал Планка
P 1704	**Planck['s] fundamental length**	Plancksche Elementarlänge f	longueur f fondamentale de Planck	элементарная длина Планка, фундаментальная длина Планка
P 1705	**Planck['s] hypothesis**	Plancksche Hypothese f	hypothèse f de Planck	гипотеза Планка
P 1705a	**Planckian colour**	Plancksche Farbe f	chromaticité f de Planck	цвет Планка
	Planckian locus	s. achromatic locus		
	Planckian radiator	s. black body		
	Planck-Kelvin['s] formulation of the second law of thermodynamics	s. second law		
P 1705b	**Planck's law** <$E = h\nu$>	Plancksche Relation f	loi (relation) f de Planck	соотношение Планка
P 1706	**Planck['s] law [of radiation], Planck['s] radiation law, Planck['s] radiation formula, Planck['s] formula**	Plancksches Strahlungsgesetz (Gesetz) n, Strahlungsgesetz von Planck, Plancksche Strahlungsformel (Formel) f, Strahlungsformel von Planck, Plancksche Strahlungsgleichung (Gleichung) f, Strahlungsgleichung von Planck	loi f de Planck, formule f de Planck, théorème m du rayonnement de Planck	закон излучения Планка, закон Планка, закон лучеиспускания Планка; формула Планка, формула излучения Планка
P 1707	**Planck['s] mean**	Mittelwert m nach Planck, Plancksches Mittel n	moyenne f de Planck	среднее по Планку, среднее Планка
P 1708	**Planck['s] oscillator**	Planckscher Oszillator m, Oszillator von Planck	oscillateur m de Planck	осциллятор Планка
	Planck['s] potential	s. Planck['s] function		

P 1709	Planck['s] quantum	s. Planck['s] constant		
	Planck['s] radiation constant	Plancksche Strahlungs- konstante f	constante f de rayonnement de Planck	константа Планка
	Planck['s] radiation formula (law)	s. Planck['s] law [of radia- tion]		
	Planck['s] thermo- dynamic potential	s. Planck['s] function		
P 1710	plane	Ebene f	plan m	плоскость, плоская поверхность
	plane, optically flat (plane), flat <opt.>	optisch eben, eben; optisch flach, flach <Opt.>	optiquement plan, plan <opt.>	[оптически] гладкий, [оптически] плоский <опт.>
	plane	s. a. planar		
P 1711	plane angle	ebener Winkel m	angle m plan	плоский угол
	plane antenna, flat-top antenna, sheet antenna	Flächenantenne f	antenne f en nappe; antenne plane	плоская антенна; поверх- ностная антенна
	plane at infinity, ideal plane	uneigentliche (unendlich[-] ferne) Ebene f, Fernebene f	plan m de l'infini, plan à l'infini	несобственная (бесконечно удалённая) плоскость
	plane-centred	s. face-centred		
	plane[-]concave, plano-concave	plankonkav	plan-concave, concave-plan	плоско[-]вогнутый
	plane[-]convex, plano-convex	plankonvex	plan-convexe, convexe-plan	плоско[-]выпуклый
P 1712	plane co-ordinates, co-ordinates in the plane	ebene Koordinaten fpl, Koordinaten in der Ebene	coordonnées fpl planes, coordonnées dans le plan	плоские координаты, координаты на плос- кости
P 1713	plane co-ordinates	Ebenenkoordinaten fpl	coordonnées fpl tangentiel- les (homogènes du plan, du plan)	координаты плоскости
P 1714	plane corrugated sur- face, corrugated surface (structure)	[ebene] Oberfläche f mit Einschnitten	surface f [plane] gaufrée, structure f gaufrée	ребристая (гофрирован- ная) поверхность, ребристая структура
	plane[-]cylindrical, plano-cylindrical	planzylindrisch	plan-cylindrique, cylindrique-plan	плоско[-]цилиндриче- ский
P 1715	plane cylindric wave	ebene Zylinderwelle f	onde f plane cylindrique	плоская цилиндрическая волна
P 1716	plane diffusion kernel	Diffusionskern m für ebene Quellen	noyau m de diffusion pour des sources planes	диффузионная функция влияния для плоских источников
P 1717	plane elasticity	ebene Elastizitätstheorie f	élasticité f plane, élasticité bidimensionnelle	плоская упругость
P 1718	plane flow, two-dimen- sional flow	ebene Strömung f, zwei- dimensionale Strömung, ebene Bewegung f	mouvement (écoulement) m à deux dimensions, mou- vement [en courant] plan, courant (écoulement) m plan	плоское течение, двумер- ное течение
	plane flow	s. a. flow along a slab		
	plane frame[-work]; plane truss	ebenes Fachwerk n; ebenes Tragwerk n	treillis m plan	плоская ферма, плоская решетка [фермы]
	plane glass	s. optical flat		
P 1719	plane grating <opt.>	Plangitter n <Opt.>	réseau m plan	плоская решетка
P 1720	plane grating spectrograph	Plangitterspektrograph m	spectrographe m à réseau plan	спектрограф с плоской решеткой
P 1721	plane ground joint	Planschliff m	joint m rodé plan, rodage m plan	плоский шлиф
P 1722	plane horopter	Planhoropter m	horoptère m plan	плоский гороптер
P 1723	plane lattice, two- dimensional lattice	Flächengitter n, zwei- dimensionales Gitter n, ebenes Gitter	réseau m bidimensionnel (plan, en deux dimensions; à plans atomiques)	двумерная решетка, пло- ская кристаллическая решетка, плоская ре- шетка
	plane mathematical pendulum, mathematical (simple) pendulum	mathematisches Pendel n, Punktkörperpendel n	pendule m mathématique, pendule simple	[круговой] математиче- ский маятник, простой маятник
P 1724	plane mirror, flat mirror	Planspiegel m, ebener Spie- gel m, Flachspiegel m	miroir m plan	плоское зеркало
P 1725	plane motion, uniplanar motion	ebene Bewegung f	mouvement m [parallèle à un] plan	плоское движение
	planeness, flatness, smoothness	Ebenheit f, Glätte f	planitude f, planéité f; lissure f	ровность; плоскостность; гладь, гладкость; плавность
	plane of bending	s. plane of flexure		
	plane of curvature	s. osculating plane		
P 1726	plane of deformation	Verformungsebene f, Ver- zerrungsebene f, Um- form[ungs]ebene f, Formänderungsebene f	plan m de la déformation	плоскость деформации
P 1727	plane of denudation, denudation plane (level)	Rumpffläche f, Endrumpf m, Rumpfebene f; Pri- märrumpf m, Trugrumpf m	plaine f de dénudation, plaine d'érosion, plaine de lavage	денудационная равнина, предельная равнина, остаточная равнина
P 1728	plane of discontinuity	Sprungfläche f; elektrische Sprungfläche	surface f de discontinuité	поверхность разрыва непрерывности
P 1729	plane of division	Teilungsebene f	plan m de division	плоскость раздела (разъема)
	plane of ecliptic	s. ecliptic[al] plane		
	plane of flexure, plane of bending, bending line plane, flexural plane	Biegungsebene f	plan m de la ligne déformée	плоскость изгиба
	plane of floatation, waterplane, floatation plane	Schwimmebene f	plan m de flottaison	плоскость плавания
P 1730	plane of flow, plane of the flow	Stromebene f, Strömungs- ebene f	plan m de l'écoulement	плоскость потока (течения)

P 1731	plane of gravity, gravity plane	Schwerebene *f*	plan *m* passant par le centre de gravité	плоскость, проходящая через центр тяжести
	plane of ground glass; groundglass plane; image plane	[Gaußsche] Bildebene *f* <Opt.>; Mattscheiben- ebene *f*, Auffangebene *f* <Phot.>	plan *m* image; plan du verre dépoli	плоскость изображения; плоскость матового стекла
	plane of measurement, working plane	Meßebene *f*	plan *m* utile, plan référentiel, plan de mesure	рабочая поверхность (плоскость), плоскость измерения
	plane of mirror [reflec- tion symmetry], mirror plane, reflection plane	Spiegelebene *f*	plan *m* réflecteur, miroir *m*	зеркальная плоскость [симметрии]
	plane of mirror reflec- tion symmetry	s. plane of symmetry		
	plane of motion	s. plane of the orbit		
	plane of optic[al] axes, optic[al] axial plane, axial plane	Achsenebene *f*, optische Achsenebene	plan *m* axial [optique]	осевая плоскость, плос- кость оптических (кристаллических) осей
	plane of oscillation, plane of vibration[s], vibration plane	Schwingungsebene *f*, Schwingebene *f*	plan *m* de l'oscillation, plan d'onde, plan de vibration	плоскость колебания, плоскость качания, плоскость качения
P 1732	plane of paper, plane of the paper, drawing plane	Zeichenebene *f*, Papier- ebene *f*	plan *m* de figure	плоскость рисунка, плоскость чертежа
	plane of principal section	s. principal section <cryst., opt.>		
P 1733	plane of projection, projection (picture) plane <of perspective projec- tion>	Bildtafel *f*, Bildebene *f*, Projektionsebene *f* <der Perspektive>	plan *m* de projection, plan image <de la projection perspective>	плоскость проекции, плос- кость изображения перспективы
	plane of reference	s. reference plane		
	plane of shear	s. shear plane		
P 1734	plane of slip, slip plane, glide plane, shearing plane <cryst.>	Gleitebene *f*, Translations- ebene *f* <Krist.>	plan *m* de glissement <crist.>	плоскость скольжения, плоскость сдвига, плос- кость трансляции <крист.>
P 1735	plane of stratification <geo.>	Schichtfläche *f*; Schicht- ebene *f*; Schicht[en]fuge *f* <Geo.>	délit *m*, plan *m* de stratifica- tion <géo.>	плоскость наслоения (на- пластования, пласта) <гео.>
P 1736	plane of support, supporting plane	Stützebene *f*, Stützhyper- ebene *f*	plan *m* d'appui, hyperplan *m* d'appui	опорная плоскость (гиперплоскость)
P 1737	plane of symmetry, symmetry[-] plane; plane of mirror reflection symmetry <cryst.>	Symmetrieebene *f*	plan *m* de symétrie	плоскость симметрии
	plane of the cut; plane of the section, section plane; cut plane	Schnittebene *f*, Schnitt- fläche *f*	plan *m* de la section; plan de la coupe	плоскость сечения; секу- щая плоскость; плос- кость разреза, плос- кость резания
P 1738	plane of the eye	Augenebene *f*	plan *m* des yeux	плоскость глаз
	plane of the flow	s. plane of flow		
P 1739	plane of the meridian, meridian plane, meri- dional plane	Meridianebene *f*	plan *m* méridien	плоскость меридиана, меридианная (меридио- нальная) плоскость
	plane of the orbit, orbit[al] plane, plane of motion	Bahnebene *f*	plan *m* de l'orbite	плоскость орбиты, плос- кость круговой орбиты
	plane of the paper	s. plane of paper		
P 1740	plane of the section, section plane; plane of the cut, cut plane	Schnittebene *f*, Schnitt- fläche *f*	plan *m* de la section; plan de la coupe	плоскость сечения; секу- щая плоскость; плос- кость разреза; плос- кость резания
P 1741	plane of transmission, transmission plane	Transmissionsebene *f*	plan *m* de transmission	плоскость пропускания (прохождения)
P 1742	plane of vibration[s], plane of oscillation, vibration plane	Schwingungsebene *f*, Schwingebene *f*	plan *m* de l'oscillation, plan d'onde, plan de vibration	плоскость колебания, плоскость качания, плоскость качения
P 1743	plane of vision, visual plane	Visionsebene *f*; Blickebene *f*	plan *m* de vision	зрительная плоскость, картинная плоскость
	plane of zero luminosity	s. alychn		
P 1744	plane[-] parallel, parallel[-] plane	planparallel	à faces parallèles, plan- parallèle, à plans parallèles	плоскопараллельный, плоско-параллельный, с параллельными плос- костями
P 1745	plane-parallel atmosphere	planparallele Atmosphäre *f*	atmosphère *f* plane (strati- fiée en couches planes parallèles)	плоско-параллельная атмосфера
	plane-parallel capacitor, plate capacitor, parallel plate capacitor	Plattenkondensator *m*	condensateur *m* plan, con- densateur à plaques [parallèles]	пластинчатый конден- сатор, конденсатор с плоскими обкладками (пластинами)
	plane parallel glass	s. optical flat		
	plane parallelism, parallelism	Planparallelität *f*	parallélisme *m*, plan- parallélisme *m*	параллельность, плоско- параллельность
P 1746	plane plasticity	ebene Plastizitätstheorie *f*	plasticité *f* plane	плоская пластичность
	plane polar co-ordinates, polar co-ordinates [in the plane]	Polarkoordinaten *fpl* [in der Ebene], ebene Polar- koordinaten	coordonnées *fpl* polaires [dans le plan], coordon- nées polaires planes	полярные координаты [на плоскости], плоские полярные координаты
P 1747	plane polarization, linear polarization	lineare (geradlinige) Polari- sation *f*, Linearpolari- sation *f*	polarisation *f* linéaire (dans un plan, rectiligne)	линейная поляризация, плоская поляризация
P 1748	plane polarized, linearly polarized	linear polarisiert, geradlinig polarisiert	rectilignement polarisé, po- larisé rectiligne (dans un plan), à polarisation plane (rectiligne)	плоскополяризованный, линейно поляризован- ный

	English	German	French	Russian
P 1749	plane polarized oscillation, linear[ly polarized] oscillation	linear polarisierte Schwingung *f*, lineare (geradlinige) Schwingung	oscillation *f* polarisée rectilignement (dans un plan), oscillation linéaire	плоскополяризованное (линейно поляризованное, линейное) колебание
P 1750	plane radiator; surface radiator, surface emitter	Flächenstrahler *m*; Oberflächenstrahler *m*	radiateur *m* plan; radiateur en nappe; émetteur *m* superficiel, radiateur superficiel	плоский излучатель, плоскостной излучатель; поверхностный излучатель
P 1751	plane reflector antenna	Flachreflektorantenne *f*	antenne *f* à réflecteur plan	антенна с плоским рефлектором
P 1752	plane resection	ebenes Rückwärtseinschneiden *n*, ebener Rückwärtseinschnitt *m*, Rückwärtseinschneiden in der Ebene	résection *f* plane	плоская обратная засечка
P 1753	plane source	ebene Quelle *f*; Flächenquelle *f*, flache (flächenhaft ausgedehnte) Quelle	source *f* plane	плоский источник
	plane[-]spherical, plano-spherical	plansphärisch	plan-sphérique, sphérique-plan	плоско[-]сферический
P 1754	plane strain	ebener Verformungszustand (Deformationszustand, Verzerrungszustand, Formänderungszustand) *m*, „plane strain" *m*	état *m* plan de déformation, état de déformation plane, déformation *f* plane; déplacement *m* plan, D. P.	плоская деформация
P 1755	plane stress, biaxial stress, state of plane stress	ebener Spannungszustand *m*, zweiachsiger Spannungszustand	tension *f* plane, état *m* de tension plane, champ *m* de contrainte biaxial	плоское напряжённое состояние, двухмерное напряжённое состояние
P 1756	plane surface, optically flat surface <opt.>	Planfläche *f* <Opt.>	surface *f* plate optique, surface plane <opt.>	плоская (оптически гладкая) поверхность <опт.>
	plane surface	s. a. face <of polyhedron>		
P 1757	plane symmetry	ebene Symmetrie *f*, Flächensymmetrie *f*	symétrie *f* plane	плоская симметрия
P 1758	plane table, plane-table	Meßtisch *m*	planchette *f*, planchette topographique	мензула, планшет, топографический планшет
P 1759	plane-table map	Meßtischblatt *n*	planchette *f* allemande	мензульная карта, мензульный планшет; мензульный лист, лист мензульной карты
P 1760	plane-table photogrammetry	Meßtischphotogrammetrie *f*, Einschneidephotogrammetrie *f*	photogrammétrie *f* à planchette	мензульная фотограмметрия; комбинированная съёмка
P 1761	plane-table survey, stadia method	Meßtischaufnahme *f*	levé *m* à la planchette	мензульная съёмка
P 1762	plane-table tachymetry	Meßtischtachymetrie *f*	tachéométrie *f* à planchette	мензульная тахеометрия
P 1763	planetarium, orrery	Planetarium *n*	planétarium *m*	планетарий
	planetary	s. planetary nebula		
P 1764	planetary aberration	Planetenaberration *f*, planetarische Aberration *f*	aberration *f* planétaire	планетная аберрация
P 1765	planetary albedo	planetarische Albedo *f*	albédo *m* planétaire	планетное альбедо, альбедо планеты
P 1766	planetary configuration, planet configuration, configuration of planet <astr.>	Konstellation *f* <Astr.>	configuration *f* des planètes <astr.>	конфигурация планет, планетная конфигурация <астр.>
	planetary electron	s. orbital electron		
P 1767	planetary ellipsoid	planetarisches Ellipsoid *n*	ellipsoïde *m* planétaire	планетарный эллипсоид
	planetary gear, epicyclic gear, planet gear, cryptogear	Planetengetriebe *n*, Umlaufgetriebe *n*	engrenage *m* planétaire, planétaire *m*	планетарная (эпициклическая) передача
	planetary geomagnetic index	s. planetary [magnetic] index		
P 1768	planetary hypothesis <of atomic structure>	Planetenhypothese *f* <der Atomstruktur>	hypothèse *f* planétaire <de la structure atomique>	«планетарная» гипотеза <строения атома>
P 1768a	planetary [magnetic] index, planetary geomagnetic index	planetarischer [geomagnetischer] Index *m*	indice *m* [magnétique] planétaire	планетарный индекс [магнитной активности]
P 1769	planetary nebula, planetary	planetarischer Nebel *m*	nébuleuse *f* planétaire	планетарная туманность
P 1770	planetary orbit, orbit of planet	Planetenbahn *f*	orbite *f* de la planète	орбита планеты, планетная орбита
P 1771	planetary precession	Planetenpräzession *f*, planetar[isch]e Präzession *f*	précession *f* planétaire	прецессия от планет, планетная прецессия
P 1772	planetary system	Planetensystem *n*	système *m* planétaire	планетная система
P 1773	planetary system of winds, planetary wind system	planetarisches Windsystem *n*	système *m* planétaire des vents	планетарная система ветров
P 1774	planetary vorticity flux	planetarischer Vorticityfluß *m*	flux *m* de tourbillon planétaire	планетарный поток вихря
P 1775	planetary west wind drift	planetarische Westwinddrift *f*	dérive *f* sous vent d'ouest planétaire	планетарный западный перенос в атмосфере
P 1776	planetary wind belt	planetarischer Windgürtel *m*	ceinture *f* planétaire des vents	планетарный пояс ветров
	planetary wind system	s. planetary system of winds		
	planet configuration	s. planetary configuration <astr.>		
	planet gear	s. planetary gear		
P 1777	planetocentric coordinates; planetocentric set [of co-ordinates], planetocentric system [of co-ordinates]	planetozentrische Koordinaten *fpl*; planetozentrisches Koordinatensystem *n*	coordonnées *fpl* planétocentriques; système *m* de coordonnées planétocentriques	планетоцентрические координаты; планетоцентрическая система [координат]
P 1778	planetogenic vortex	planetogener Wirbel *m*	tourbillon *m* planétogène	планетогенный вихрь

P 1779	planetographic co-ordinates; planeto-graphic set [of co-ordinates], planeto-graphic sýstem [of co-ordinates]	planetographische Koordinaten *fpl*; planeto-graphisches Koordinaten-system *n*	coordonnées *fpl* planéto-graphiques; système *m* de coordonnées planéto-graphiques	планетографические координаты; плането-графическая система [координат]
	planetoid, asteroid, minor planet, small planet	Planetoid *m*, Asteroid *m*, Kleiner Planet *m*, Zwergplanet *m*	astéroïde *m*, planétoïde *m*, petite planète *f*	малая планета, планетоид, астероид
	planetology	*s.* astrogeology		
P 1780	plane truss; plane frame [-work]	ebenes Fachwerk *n*; ebenes Tragwerk *n*	treillis *m* plan	плоская ферма, плоская решетка [фермы]
P 1781	plane wake	ebener Nachlauf *m*	sillage *m* plan	плоский след
P 1782	plane wave	ebene Welle *f*, Planwelle *f*	onde *f* plane	плоская волна
	plane wave expansion; expansion in plane waves	Entwicklung *f* nach ebenen Wellen	développement *m* en ondes planes	разложение на плоские волны
	planform; outline, contour; structural shape.<of steel>	Kontur *f*; Umrißlinie *f*; Begrenzungslinie *f*; Um-riß *m*, Bildgrenze *f*; Profilform *f*	contour *m*; configuration *f* du profile	очертание, контур; форма профиля, конфигу-рация профиля
	planform taper, taper <of the wing>	Zuspitzung *f*, Zu-spitzungsverhältnis *n* <Flügel>	angle *m* de flèche [de l'aile]	сужение [крыла], отно-шение концевой хор-ды крыла к корневой хорде
	planigraph	*s.* laminograph		
P 1783	planigraphy	Körperschichtaufnahme [-verfahren *n*] *f* mittels Planigraphen, Schicht-[bild]aufnahme *f* mittels Planigraphen, Plani-graphie *f*	planigraphie *f*	планиграфия
P 1784	planimeter constant	Planimeterkonstante *f*	constante *f* du planimètre	цена деления планиметра
P 1785	planimeter eyepiece, eyepiece planimeter	Planimeterokular *n*, Okularplanimeter *n*	oculaire *m* planimétrique, planimètre *m* d'oculaire	окулярный планиметр, окуляр-планиметр
P 1786	planimetering, planim-etration; measure-ment of area, area (surface) measurement	Planimetrierung *f*; Flächen[aus]messung *f*	planimétrage *m*, plani-métrie *f*; mesure *f* (mesurage *m*) des aires, mesure de surface	планиметрирование; измерение площадей (поверхностей, плоскостей)
P 1787	planimetric detail	Situationseinzelheit *f*, Einzelheit *f* der Situation	détail *m* planimétrique	ситуационный предмет, ситуационная деталь
P 1788	planimetric survey [operations]	Situationsaufnahme *f*; Grundrißaufnahme *f*; Lageaufnahme *f*	planimétrage *m*, levé *m* planimétrique	съемка ситуации, съемка контуров
P 1789	planimetry	Planimetrie *f*; Flächen-meßlehre *f*, Flächen-messung *f*	planimétrie *f*	планиметрия
	planing	*s.* surfing <on the water surface>		
	planing boat, skimming boat, glider, hydroplane	Gleitboot *n*, Wassergleiter *m*	hydroplane *m*, hydroglisseur *m*	глиссер
	planishing, flattening <of the bump>	Ausbeulung *f*, Beulen *n*, Austreibung *f* der Beule	aplanissement *m*, débosselage *m*	сглаживание неров-ности, выправление неровности
P 1790	planisphere	Planiglob *m*, Plani-globium *n* <pl.: -bien>; Planisphäre *f*	planisphère *f*	планисфера
	planispiral	*s.* helical		
P 1791	plankton	Plankton *n*	plancton *m*, plankton *m*	планктон
	planning of experiment	*s.* design of experiment		
P 1792	plano-achromat[e], plano-achromatic lens (objective)	Planachromat *n* (*m*)	objectif *m* plano-achromatique, plano-achromat *m*	плоско-ахроматический объектив, плоско-ахромат
P 1793	plano-apochromat[e], plano-apochromatic lens (objective)	Planapochromat *n* (*m*)	objectif *m* plano-apochro-matique, plano-apo-chromat *m*	плоско-апохромати-ческий объектив, плоско-апохромат
P 1794	plano-concave, plane[-]concave	plankonkav	plan-concave, concave-plan	плоско[-]вогнутый
P 1795	plano-concave lens	plankonkave Linse *f*, Plankonkavlinse *f*; Plankonkavglas *n*	lentille *f* plan-concave, lentille concave-plane	плоско-вогнутая линза
P 1796	plano-convex, plane[-]convex	plankonvex	plan-convexe, convexe-plan	плоско[-]выпуклый
P 1797	plano-convex lens	plankonvexe Linse *f*, Plankonvexlinse *f*; Plankonvexglas *n*	lentille *f* plan-convexe, lentille convexe-plane	плоско-выпуклая линза
P 1798	plano-cylindrical, plane[-]cylindrical	planzylindrisch	plan-cylindrique, cylindrique-plan	плоско[-]цилиндри-ческий
P 1799	plano-cylindrical lens	Planzylinderlinse *f*, plan-zylindrische Linse *f*; Planzylinderglas *n*	lentille *f* plan-cylindrique, lentille cylindrique-plane	плоско-цилиндрическая линза
	plan of transposition	*s.* Williot diagram		
P 1800	plano-spherical, plane[-]spherical	plansphärisch	plan-sphérique, sphérique-plan	плоско[-]сферический
P 1801	plano-spherical lens	plansphärische Linse *f*	lentille *f* plan-sphérique (sphérique-plane)	плоско-сферическая линза
P 1802	plan-position indicator, indicator, radarscope, scope, display, radar screen (display panel)	Radarbildschirm *m*, Radar-schirm *m*, Bildschirm *m*, Schirm *m* <Radar>	indicateur *m* radar, indica-teur; écran *m* radar, écran de radiodétecteur, écran de réception, écran <radar>	[радиолокационный] индикатор, индикатор-ное устройство; экран [радиолокационного] индикатора, экран <радиолокационный>
P 1803	plant cell	Pflanzenzelle *f*	cellule *f* végétale	растительная клетка
P 1804	Planté plate	Planté-Platte *f*	plaque *f* de Planté	пластина [системы] Планте, поверхностная пластина типа Планте

P 1805	**plant scale**	Produktionsmaßstab *m*, Betriebsmaßstab *m*	échelle *f* de l'usine	заводской масштаб
	plaque	*s.* plate		
P 1806	**plasma accelerator**	Plasmabeschleuniger *m*	accélérateur *m* de plasmas	плазменный ускоритель, ускоритель плазмы
P 1807	**plasma annulus**	Plasmaring *m*	anneau *m* de plasma	плазменное кольцо
P 1808	**plasma balance**	Plasmagleichgewicht *n*	équilibre *m* de plasma	равновесное состояние плазмы
P 1809	**plasma beam**	Plasmastrahl *m*	faisceau *m* du plasma	плазменный пучок (шнур)
P 1810	**plasma betatron**	Plasmabetatron *n*	bêtatron *m* à plasma[s]	плазменный бетатрон
	plasma boundary layer	*s.* protoplasmic surface <bio.>		
P 1811	**plasma capacitor**	Plasmakondensator *m*	condensateur *m* à plasma	плазменный конденсатор
	plasma channel	*s.* plasma column		
P 1811a	**plasma chromatography**	Plasmachromatographie *f*	plasmachromatographie *f*	плазменная хроматография
	plasma cluster, plasmoid	Plasmoid *n*, Plasmaklumpen *m*, Plasmawolke *f*, Plasmamasse *f*, Plasmapaket *n*	plasmoïde *m*, bouffée *f* de plasma	плазменный сгусток, плазмоид
P 1812	**plasma column, plasma cylinder, plasma channel**	Plasmasäule *f*, Plasmafaden *m*, Plasmazylinder *m*, Plasmakanal *m*, Plasmaschnur *f*	plasma *m* pincé, colonne *f* de plasma, cylindre *m* de plasma, canal *m* de plasma	плазменный шнур (стержень, цилиндр, столб, канал)
P 1813	**plasma confinement, plasma containment, containment of plasma, confinement of plasma, confining of plasma, plasma isolation**	Einschließung (Halterung, Begrenzung, Isolation) *f* des Plasmas, Plasmaeinschließung *f*, Plasmahalterung *f*, Plasmabegrenzung *f*, Plasmaisolation *f*, „confinement" *n*, „containment" *n*, Plasma„confinement" *n*	confinement *m* du plasma, isolation *f* du plasma	удержание плазмы, ограничение плазмы, изоляция плазмы
	plasma cylinder	*s.* plasma column		
P 1814	**plasma density**	Plasmadichte *f*	densité *f* [volumique] du plasma	плотность плазмы
P 1815	**plasmadesma** <*pl.*: -desmata>	Plasmodesmus *m* <*pl.*: -desmen>	plasmodesme *m*	плазмодесма
P 1816	**plasma diagnostic, diagnostics of plasma**	Plasmadiagnostik *f*, Diagnostik (Diagnose) *f* des Plasmas, Plasmadiagnose *f*	diagnostic *m* du plasma	диагностика плазмы
P 1817	**plasma diode**	Plasmadiode *f*	diode *f* à plasma	плазменный диод
P 1818	**plasma electron oscillation, electron plasma oscillation**	Elektronenplasmaschwingung *f*	oscillation *f* électronique du plasma	электронное колебание плазмы
	plasma-filled waveguide, plasma[-type] waveguide	Plasmawellenleiter *m*	guide *m* d'ondes à plasma	плазменный (заполненный плазмой) волновод
P 1819	**plasma flow**	Plasmaströmung *f*	courant (écoulement) *m* du plasma	поток (течение) плазмы, плазменное течение
P 1820	**plasma frequency**	Plasmafrequenz *f*	fréquence *f* de plasma	плазменная частота, частота плазменных колебаний
	plasma frequency	*s. a.* Langmuir frequency		
P 1820a	**plasmagram**	Plasma[chromato]gramm *n*	plasma[chromato]gramme *m*	плазма[хромато]грамма
P 1821	**plasma gun**	Plasmakanone *f*	canon *m* à plasma	плазменная пушка
P 1822	**plasma heating, heating of plasma**	Plasmaaufheizung *f*, Aufheizung *f* des Plasmas	chauffage *m* du plasma	нагревание плазмы, нагрев плазмы
P 1823	**plasma injection, injection of plasma**	Plasmaeinbringung *f*, Plasmainjektion *f*, Plasmaeinschuß *m*, Einbringung *f* (Injektion *f*, Einschuß *m*) des Plasmas	injection *f* du plasma	инжекция плазмы
P 1824	**plasma injector**	Plasmainjektor *m*	injecteur *m* du plasma	инжектор плазмы
	plasma instability, instability of plasma [column]	Plasmainstabilität *f*, Instabilität *f* der Plasmasäule	instabilité *f* [de la colonne] du plasma	неустойчивость плазмы (плазменного шнура)
P 1825	**plasma ion oscillation**	Ionenplasmaschwingung *f*	oscillation *f* ionique du plasma	ионное колебание плазмы
P 1826	**plasma ion source**	Plasmaionenquelle *f*	source *f* d'ions à plasma	плазменный ионный источник, плазменный источник ионов
	plasma isolation	*s.* plasma confinement		
P 1827	**plasma jet**	Plasmastrahl *m*	jet *m* de plasma	плазменная струя
P 1828	**plasmalemma**	Plasmalemma *n*, protoplasmatische Membran *f*	plasmalemme *m*	плазмолемма, протоплазматическая мембрана
P 1829	**plasmalemma potential**	Plasmalemmapotential *n*	potentiel *m* du plasmalemme	потенциал протоплазматической мембраны
P 1830	**plasma lens**	Plasmalinse *f*	lentille *f* à plasma	плазменная линза
P 1831	**plasmal reaction, Feulgen procedure (reaction)**	Feulgensche Reaktion *f*	méthode *f* de Ziehl[-Neelsen], coloration *f* de Feulgen	плазмалевая реакция Фейлгена
	plasma of gaseous discharge, [gas] discharge plasma	Gasentladungsplasma *n*, Entladungsplasma *n*	plasma *m* de décharge [dans un gaz]	газоразрядная плазма
P 1832	**plasma oscillation**	Plasmaschwingung *f*	oscillation *f* du plasma	колебание плазмы, плазменное колебание
P 1833	**plasmapause**	Plasmapause *f*	plasmapause *f*	плазмапауза
P 1834	**plasma physics**	Plasmaphysik *f*, Physik *f* des Plasmas	physique *f* du plasma	физика плазмы
P 1835	**plasma reactor**	Plasmareaktor *m*, Plasmaspaltungsreaktor *m*	réacteur *m* à plasma	плазменный реактор
P 1836	**plasma resonance**	Plasmaresonanz *f*	résonance *f* du plasma	плазменный резонанс

	English	German	French	Russian
P 1837	**plasma sheath**	Plasmahülle *f*	enveloppe (couche) *f* de plasma	плазменная оболочка
P 1838	**plasma sound**	Plasmaschall *m*	son *m* de plasma	плазменный звук
P 1839	**plasma sphere**	Plasmakugel *f*	sphère *f* du plasma	плазменный шар
P 1840	**plasma state**	Plasmazustand *m*, vierter Aggregatzustand *m*	état *m* du plasma, quatrième état *m* de la matière	плазменное состояние, четвертое состояние вещества
	plasma streaming, protoplasmic streaming	Plasmaströmung *f*, Protoplasmaströmung *f*	courant *m* cytoplasmique	протоплазматический ток
P 1841	**plasma swelling**	Plasmaquellung *f*	gonflement *m* du plasma	набухание плазмы
P 1842	**plasma torch**	Plasmabrenner *m*; Wolfram-Inert-Gas-Brenner *m*, WIG-Brenner *m*	chalumeau *m* à plasma	плазменная горелка
P 1843	**plasma torch**	Plasmafackel *f*	torche *f* de plasma	плазменный факел
P 1844	**plasma torch cutting**	Wolfram-Inert-Gas-schneiden *n*, WIG-Schneiden *n*, Plasmaschneiden *n*, WIG-Verfahren *n*, Wolfram-Inert-Gas-Verfahren *n*	découpage *m* au chalumeau à plasma	резка плазменной горелкой
P 1845	**plasmatron**, plasmotron	Plasmatron *n*	plasmotron *m*, plasmatron *m*	плазмотрон, генератор плазмы, плазматрон
P 1846	**plasma-type parametric amplifier**	parametrischer Plasmaverstärker *m*	amplificateur *m* paramétrique plasmique	плазменный параметрический усилитель
P 1847	**plasma-type waveguide**, plasma[-filled] waveguide	Plasmawellenleiter *m*	guide *m* d'ondes à plasma	плазменный (заполненный плазмой) волновод
P 1848	**plasma wave**	Plasmawelle *f*	onde *f* de plasma	плазменная волна, волна плазмы, распространяющаяся в плазме волна
	plasma waveguide	*s.* plasma-type waveguide		
P 1849	**plasma wavelength**, ionospheric plasma wavelength	Plasmawellenlänge *f*	longueur *f* d'onde du plasma	плазменная длина волны
P 1850	**plasmochisis**	Plasmochise *f*	plasmochise *f*	плазмошиз
P 1851	**plasmograph**	Plasmagraph *m*, Plasmograph *m*	plasmographe *m*	плазмограф
P 1852	**plasmoid**, plasma cluster	Plasmoid *n*, Plasmaklumpen *m*, Plasmawolke *f*, Plasmamasse *f*, Plasmapaket *n*	plasmoïde *m*, bouffée *f* de plasma	плазменный сгусток, плазмоид
P 1853	**plasmolysis form method**	Plasmolyseformmethode *f*	méthode *f* de la forme de plasmolyse	метод формы плазмолиза
P 1854	**plasmolysis time method**	Plasmolysezeitmethode *f*	méthode *f* du temps de plasmolyse	метод времени плазмолиза
P 1855	**plasmolytic coefficient**	plasmolytischer Koeffizient *m*	coefficient *m* plasmolytique	плазмолитический коэффициент
P 1856	**plasmon** <phys., bio.>	Plasmon *n* <Phys., Bio.>	plasmon *m* <phys., bio.>	плазмон <физ., био.>; квант плазменных колебаний электронного газа <физ.>
P 1856a	**plasmon spectroscopy**	Plasmonenspektroskopie *f*	spectroscopie *f* plasmonique	плазмонная спектроскопия
P 1857	**plasmoptysis**	Plasmoptyse *f*	plasmoptyse *f*	плазмоптизис
P 1858	**plasmorrhysis**	Plasmorrhyse *f*, Plasmorhyse *f*	plasmorhyse *f*	плазморизис
	plasmotron, plasmatron	Plasmatron *n*	plasmotron *m*, plasmatron *m*	плазмотрон, генератор плазмы, плазматрон
P 1859	**plast, plastic**, plastic material	Plast *m*; Plastwerkstoff *m*, plastischer (bildsamer) Werkstoff *m*; plastischer Stoff *m*; Kunststoff *m*; Kunstharz *n*	plastique *m*, matière *f* plastique	пластик, пластическая масса, пластмасса, пластический материал
	plastic, plastic effect, illusion of depth	Plastik *f*	plastique *f*, effet *m* quasi-relief	пластика; рельефное искажение изображения
P 1860	**plastic after flow**, after[-]flow, plastic-flow persistence	plastische Nachwirkung *f*, Nachfließen *n*, Relaxation *f*	persistance *f* de l'écoulement plastique	пластическое последействие; пластическое течение, наблюдаемое после прекращения внешних сил; остаточная пластическая деформация
P 1861	**plastic bending**	plastische Verbiegung *f*	flexion *f* plastique	пластическое изгибание
P 1862	**plastication**, plasticizing <of caoutchouc>	Weichmachen *n* <Gummi>	plastication *f* <du caoutchouc>	пластикация, пластицирование <резина>
	plastic body, plastic solid	plastischer Festkörper *m*, plastischer Körper *m*	solide *m* plastique, corps *m* plastique, corps mou	пластическое твердое тело, пластическое тело
P 1863	**plastic buckling**, inelastic (non-elastic) buckling	plastische Knickung *f*, unelastische Knickung	flambage *m* plastique (inélastique, dans le domaine plastique)	неупругий продольный изгиб, пластический продольный изгиб
	plastic collision	*s.* perfectly inelastic impact <mech.>		
P 1864	**plastic deformation**, plastic strain, permanent deformation, permanent set	plastische Verformung (Formänderung, Deformation) *f*, bleibende Formänderung, bleibende (bildsame) Verformung	déformation *f* plastique, déformation permanente	пластическое деформирование, пластическая деформация, остаточная деформация
P 1865	**plastic effect**, plastic, illusion of depth	Plastik *f*	plastique *f*, effet *m* quasi-relief	пластика; рельефное искажение изображения
P 1866	**plastic elongation**	plastische Dehnung *f*, bleibende Dehnung	déformation *f* (allongement *m*) plastique	остаточное удлинение

	plastic flow	s. yielding <of metal, material, solid>		
	plastic-flow persistence	s. plastic after flow		
	plastic gel	s. plastigel		
P 1866a	**plastic hysteresis**	plastische Hysterese f	hystérésis f plastique	пластический гистерезис
	plastic impact	s. perfectly inelastic impact <mech.>		
P 1867	**plasticity**	Plastizität f, Bildsamkeit f	plasticité f	пластичность
	plasticity agent	s. softener		
	plasticity condition	s. yield condition		
P 1868	**plasticity index**	Plastizitätszahl f; Plastizitätsindex m <Kohle>	indice m de plasticité	число пластичности, показатель пластичности
P 1869	**plasticity modulus,** module of plastic strain	Modul m der plastischen Formänderung	module m de plasticité	модуль пластичности (пластической деформации)
P 1870	**plasticity of crystals,** crystal plasticity	Kristallplastizität f, kristallographisch orientierte Plastizität f	plasticité f des cristaux	пластичность кристаллов
P 1871	**plasticity theory of Hencky**	Henckysche Plastizitätstheorie f	théorie f de plasticité d'Hencky	теория пластичности Хенки
P 1872	**plasticity threshold**	Plastizitätsschwelle f	seuil m de plasticité	порог пластичности
P 1873	**plasticization, plasticizing, plastifying, plastification, softening; fluxing, fluxion**	Weichmachen n, Plastifikation f, Plastifizierung f; Plastizierung f	plastification f	пластификация, пластифицирование, мягчение, смягчение; пластикация
P 1874	**plasticizer** <of caoutchouc>	Plastikator m, Plastiziermittel n, Peptisiermittel n <Gummi>	plastifiant m, plastificateur m <du caoutchouc>	мягчитель, пластификатор <резина>
	plasticizer	s. a. softener		
	plasticizing, plastication <of caoutchouc>	Weichmachen n <Gummi>	plastication f <du caoutchouc>	пластикация, пластицирование <резина>
	plasticizing	s. a. plasticization		
	plasticizing agent	s. softener		
	plastic layer	s. plastic range		
P 1875	**plastic lens**	Plastiklinse f, plastische Linse f	lentille f (antenne f à lentille) plastique	диэлектрическая линзовая антенна
	plastic limit	s. yield strength		
	plastic material	s. plast		
P 1876	**plasticodynamics**	Dynamik f plastischer Körper	plasticodynamique f	динамика пластических тел
P 1877	**plasticostatics**	Statik f plastischer Körper	plasticostatique f	статика пластических тел
P 1878	**plastic potential**	plastisches Potential n	potentiel m plastique	пластический потенциал
	plastic radiograph	s. X-ray stereogram		
P 1879	**plastic range,** plastic layer, non-elastic range, inelastic range	plastischer Bereich m, unelastischer Bereich, Plastizitätsgebiet n	domaine m plastique (inélastique, de la plasticité); zone f plastique	пластическая (неупругая) область, область пластичности; пластическая зона
P 1880	**plastic-rigid boundary**	plastisch-starre Grenze f	frontière f plastico-rigide	пластично-твёрдая граница [раздела]
P 1881	**plastic scintillator**	Kunststoffszintillator m, Plast[ik]szintillator m, plastischer Szintillator m	scintillateur m plastique, scintillateur en [matière] plastique	пластический сцинтиллятор
	plastic shear	s. slip <cryst.>		
	plastic sheet, lamina <pl.: laminae>	Plastfolie f	feuille f <plastique>	лист, пластина <пластмассы>
P 1882	**plastic sol,** plastisol	plastisches Sol n, Plastisol n	plastisol m, sol m plastique	пластизоль, пластический золь
P 1883	**plastic solid,** plastic body	plastischer Festkörper (Körper) m	solide (corps) m plastique, corps mou	пластическое [твёрдое] тело
	plastic strain	s. plastic deformation		
	plastic strain rate	s. rate of strain		
P 1884	**plastic strength**	plastische Festigkeit f	résistance f plastique	пластическая прочность
P 1885	**plastic stress**	plastischer Spannungszustand m	tension f plastique	пластическое напряжение
P 1886	**plastic stress function**	plastische Spannungsfunktion f	fonction f de tension plastique	функция пластического напряжения
P 1887	**plastic stress surface**	plastische Spannungsfläche f	surface f d'allongement plastique	поверхность пластического напряжения
P 1888	**plastic viscosity**	plastische Viskosität f	viscosité f plastique	пластическая вязкость
P 1889	**plastic wave**	plastische Welle f	onde f plastique	пластическая волна
P 1890	**plastic work**	plastische Arbeit f	travail m plastique	работа пластических деформаций
P 1891	**plastidom**	Plastidom n	plastidome m	пластидом, совокупность пластид в клетке
	plastification	s. plasticization		
	plastifier	s. softener		
	plastifying	s. plasticization		
P 1892	**plastigel,** plastic gel, plastogel, Schwedoff body	plastisches Gel n, Plastigel n, Schwedoffscher Körper m	plastigel m, gel m plastique	пластигель, пластогель, пластический гель
	plastisol, plastic sol	plastisches Sol n, Plastisol n	plastisol m, sol m plastique	пластизоль, пластический золь
P 1893	**plasto-elastic**	plastisch-elastisch	plasto-élastique	пластично-упругий, пластико-упругий
	plastogel	s. plastigel		
P 1894	**plasto-inelastic**	plastisch-unelastisch	plasto-inélastique	пластично-неупругий, пластико-неупругий
P 1894a	**plastomer**	Plastomer[e] n	plastomère m	пластомер
P 1895	**plastometer**	Plastometer n, Plastizitätsmesser m	plastomètre m	пластометр
P 1896	**plastometry**	Plastizitätsmessung f, Plastometrie f	plastométrie f	пластометрия, измерение показателей пластических свойств

	English	German	French	Russian
P 1897	**plate**; slab, flat slab; plaque	Platte f	plaque f; dalle f	пластина; пластинка; плита; сляб
P 1898	**plate**; platform; dish	Teller m	plateau m, plaque f	тарелка
P 1899	**plate**, vane <of capacitor>	Belag m, Belegung f <Kondensator>, Kondensatorbelag m, Kondensatorbelegung f, Kondensatorplatte f	armature f, plaque f <du condensateur>	обкладка, пластина <конденсатора>
P 1900	**plate**, tray, head; stage <chem.>	Boden m, Platte f; Stufe f <Chem.>	plateau m <chim.>	тарелка <хим.>
P 1901	**plate**, photographic plate, photoplate <phot.>	Platte f, photographische Platte, Photoplatte f <Phot.>	plaque f, plaque photographique <phot.>	пластинка, фотопластинка, фотографическая пластинка <фот.>
P 1902	**plate analogy**	Plattengleichnis n	analogie f de plaque	аналогия пластинки
	plate anemometer	s. vane anemometer		
	plate anode, disk anode	Scheibenanode f, Telleranode f	anode f à disque	дисковый анод
P 1903	**plate at zero incidence**	längsangeströmte Platte f	plaque f à incidence zéro	пластинка под нулевым углом атаки, продольно обтекаемая пластина
P 1904	**plateau**, plateau region <of the curve>	Plateau n, Plateaubereich m, Konstanzbereich m, horizontaler Abschnitt m <Kurve>	plateau m, palier m <de la courbe>	плато, область плато, область постоянного значения, пологая часть <кривой>
P 1905	**plateau characteristic**	Plateaucharakteristik f	caractéristique f de palier (plateau)	характеристика плато
P 1906	**Plateau['s] experiment**	Plateauscher Versuch m	expérience f de Plateau	опыт Плато
P 1907	**Plateau figure [of equilibrium]**	Plateausche Gleichgewichtsfigur (Fläche) f	figure f d'équilibre de Plateau	форма равновесия Плато, поверхность Плато
	plateau glacier, Norwegian-type glacier	Plateaugletscher m, Hochlandeis n, norwegischer Gletschertyp m	glacier m de plateau, glacier du type norvégien	ледник норвежского типа, ледяная шапка, норвежский тип ледника, высокогорный лед
	plateau length, length of plateau	Plateaulänge f	longueur f du palier, longueur du plateau	длина плато, протяженность плато, ширина плато
P 1908	**plateau of the counter**, Geiger plateau, voltage plateau <of the counter>	Plateau n, Geiger-Plateau n, Plateaubereich m <Zählrohrcharakteristik>	palier m du tube compteur, plateau m du tube compteur	плато счетчика, плато счетной характеристики
	plateau region	s. plateau <of the curve>		
P 1909	**plateau slope**, relative plateau slope	Plateauanstieg m, Plateauneigung f, Plateausteigung f	pente f [relative] de palier, pente [relative] de plateau	относительный наклон плато, наклон плато
P 1910	**plate camera**	Plattenkamera f	chambre f à plaques	пластиночный фотоаппарат
P 1911	**plate capacitor**, parallel plate capacitor, plane-parallel capacitor	Plattenkondensator m	condensateur m plan, condensateur à plaques [parallèles]	пластинчатый конденсатор, конденсатор с плоскими обкладками (пластинами)
P 1912	**"plate carrée" projection**	rechteckige Plattkarte f, quadratische Plattkarte	projection f de carte plate carrée	
P 1913	**plate characteristic [curve]**	Anodenstrom-Anodenspannung[s]-Kennlinie f, Anodenstromcharakteristik f, I_a-U_a-Kennlinie f	caractéristique f anodique à potentiel de grille constant, caractéristique du courant de plaque en fonction de la tension de plaque, caractéristique de Ia-Ua	анодная характеристика <лампы>
P 1914	**plate column**	Bodenkolonne f	colonne f à plateaux	тарельчатая колонна, колонна с тарелками
	plate conductor	s. plate-shaped conductor		
P 1915	**plate-coupled multivibrator**	anodengekoppelter Multivibrator m, Multivibrator mit Anodenkopplung	multivibrateur m à couplage d'anode	мультивибратор с анодной связью
P 1916	**plated circuit**	plattierte Schaltung f	circuit m plaqué	плакированная схема
	plate detector	s. anode detector		
	plate dissipation	s. anode dissipation		
P 1917	**plate efficiency**, plate efficiency factor, Murphree plate efficiency <chem.>	Bodenwirkungsgrad m, Verstärkungsverhältnis n	coefficient m d'efficacité par plateau	эффективность тарелки
	plate efficiency	s. a. overall plate efficiency		
P 1918	**plate efficiency** <el.>	Anodenwirkungsgrad m <El.>	rendement m anodique <él.>	коэффициент полезного действия по анодной цепи <эл.>
	plate efficiency factor	s. El. efficiency <chem.>		
	plate efficiency factor	s. a. overall plate efficiency		
P 1919	**plate equation**	Plattengleichung f	équation f de la plaque	уравнение пластины (плиты)
P 1920	**plate glass**	Tafelglas n	verre m en tables	листовое стекло
P 1921	**plate glass**, mirror glass	Spiegelglas n	verre m à glaces, glace f, verre du miroir	зеркальное стекло, полированное стекло
P 1922	**plate-group strap**, strap	Polbrücke f	barrette f de connexion [entre les plaques]	[соединительная] перемычка, полюсный мостик
P 1923	**plate level**	Stehachsenlibelle f, Alhidadenlibelle f	niveau m de calage, niveau de verticalité	установочный уровень, уровень алидады, уровень при алидаде, уровень основной оси
P 1924	**plate-like crystal**	plattenförmiger Kristall m	cristal m plan	плоский кристалл

plate 1216

P 1925	**plate-like generator, plate-like oscillator, plate-like vibrator,** flat vibrator	Plattenschwinger m	vibrateur (oscillateur) m en forme de plaque, vibrateur (oscillateur) plan	плоский вибратор, плоский излучатель, плоский генератор
	plate modulation	s. anode modulation		
	plate orifice [meter]	s. orifice plate		
P 1926	**plate potential**	Anodenpotential n	potentiel m de plaque, potentiel anodique	анодный потенциал
P 1927	**plate reaction**	Anodenrückwirkung f	réaction f de plaque, réaction de l'anode	анодная реакция
	plate rectifier, semiconductor (bimetallic, dry) rectifier	Halbleitergleichrichter m, Trockengleichrichter m, Plattengleichrichter m	redresseur m [sec] semiconducteur, redresseur sec	полупроводниковый выпрямитель, сухой выпрямитель, металлический выпрямитель
	plate rigidity	s. rigidity of the plate		
	plate-shaped conductor, flat conductor, plate conductor, conducting plate	plattenförmiger Leiter m, Plattenleiter m	conducteur m plat	пластинчатый провод[ник], плоский провод[ник]
P 1928	**plate spark-gap**	Plattenfunkenstrecke f	éclateur m à plaque	пластинчатый разрядник
P 1929	**plate-type fuel element,** fuel plate <of reactor>	plattenförmiges Brennelement n, Plattenelement n, Brennstoffplatte f <Reaktor>	élément m combustible en plaque, plaque f combustible, plaque de combustible <du réacteur>	тепловыделяющий элемент пластинного типа, пластинный (пластинчатый) тепловыделяющий элемент, пластинчатый топливный элемент, тепловыделяющая (топливная) пластинка <в реакторе>
	plate-type voltmeter, Seidler voltmeter	Plattenvoltmeter n [nach Seidler], Seidlersches Plattenvoltmeter	voltmètre m de Seidler, voltmètre à plaques [de Seidler]	пластинчатый вольтметр, вольтметр с пластинчатыми электродами
	plate valve	s. disk valve		
P 1930	**plate variometer**	Anodenvariometer n	variomètre m de plaque	анодный вариометр
P 1931	**plate wave**	Plattenwelle f	onde f le long de la plaque	волна вдоль пластинки
	platform; plate; dish	Teller m	plateau m, plaque f	тарелка
P 1932	**platform** <of balance>	Brücke f <Waage>	tablier m, plateforme f, plateau m <de la balance>	платформа <весов>
	platform, table <geo.>	Tafel f <Geo.>	table f, plate-forme f <géo.>	платформа, стол <гео.>
	platform balance (scale), weigh[ing] bridge, bridge scale	Brückenwaage f	bascule f	мостовые весы; весовая платформа
P 1933	**plating,** cladding	Plattierung f	placage m, plaquage m	плакирование, плакировка
P 1934	**platinization,** platinum deposition (plating)	Platinierung f	platinisation f	платинирование; электроосаждение платины
P 1935	**platinum black**	Platinmohr n, Platinschwarz n	noir m (mousse f) de platine	платиновая чернь
P 1936	**platinum crucible**	Platintiegel m	creuset m en platine	платиновый тигель
	platinum deposition	s. platinization		
P 1937	**platinum [group] metal**	Platinmetall n	platinoïde m	платиновый металл, металл группы платины
	platinum plating	s. platinization		
P 1938	**platinum/platinum-rhodium thermocouple,** Pt-PtRh thermocouple, Le Chatelier thermocouple, standard thermocouple of platinum and platinum-rhodium	Platin-Platinrhodium-Thermoelement n, Platin-Platinrhodium-Element n, Pt-PtRh-Thermoelement n, Pt-PtRh-Element n, Le-Chatelier-Thermoelement n, Le-Chatelier-Element n	[thermo]couple m platine-platine rhodié, [thermo-]couple Pt-PtRh, couple thermoélectrique platine-platine rhodié, couple thermoélectrique Pt-PtRh, thermocouple de Le Châtelier, couple [thermoélectrique] de Le Châtelier	платино-платинородистая термопара, платина-платинородиевая термопара, термопара Pt-PtRh, термопара Ле Шателье
P 1939	**platinum point,** freezing point of platinum, point of freezing platinum	Platinpunkt m, Erstarrungspunkt m des Platins	point m de platine, point (température f) de solidification du platine	точка затвердевания платины
	platinum sponge, spongy platinum	Platinschwamm m	platine m spongieux (en éponge)	губчатая платина
P 1940	**plation,** plation tube	Plattensteuerröhre f, Plation n	plation m, tube m à plaque de commande	платион, электронная лампа с управляющей пластинкой
P 1941	**Platonic year**	Platonisches Jahr n	année f platonique	платонический год
P 1941a	**platykurtosis,** negative excess	Flachgipfligkeit f, negativer Exzeß m	excès m négatif, platykurtosis f	плосковершинность
	platzwechsel	s. interchange of sites		
	platzwechsel force, position-exchange force; exchange force	Austauschkraft f; Platzwechselkernkraft f	force f d'échange	обменная сила
	plausibility	s. likelihood		
	play	s. gap <techn.>		
P 1942	**playback characteristic,** reproducing characteristic, reproduction curve	Wiedergabecharakteristik f, Wiedergabekurve f	caractéristique f de reproduction, courbe f de reproduction	характеристика верности воспроизведения, характеристика воспроизведения
	playback head, pick-up, reproducing head, pick-up (phonograph) cartridge <ac.>	Abtaster m, Tonabnehmerkopf m <Ak.>	tête f de lecture, pick-up m <ac.>	головка звукоснимателя, рекордер <ак.>
P 1943	**play in bearing**	Lagerspiel n; Lagerluft f; Achsenluft f; Spitzenluft f	jeu m de coussinet, jeu accidentel de coussinet	люфт (зазор) в подшипнике, аксиальный зазор керна
P 1944	**playing of the pointer,** swinging of the pointer <around the rest position>	Spielen n des Zeigers	oscillation f de l'aiguille, balancement m de l'aiguille, jeu m de l'aiguille	игра стрелки, колебание стрелки
	pleated filter	s. plaited filter		

	pleiade of isotopes, isotopic pleiade	Plejade *f*, Pleiade *f*, Isotopenplejade *f*	pléiade *f* isotopique, pléiade	плеяда изотопов
P 1945	pleiotropy	Pleiotropie *f*	pléiotropie *f*	плейотропия
P 1945a	Plemelj-Sokhotskii theorem	Plemel-Sochozkyscher Satz *m*	théorème *m* de Plemelj-Sokhotskii	теорема Племеля-Сохоцкого
P 1946	pleochroic halo	pleochroitischer Hof *m*	halo *m* pléochroïque	плеохроичный (плеохроический, цветной) ореол, плеохроичный дворик; плеохроичное кольцо, плеохроичная оболочка
	pleochroism, pleochromatism	*s.* polychroism		
P 1947	pleomorphism	Pleomorphie *f*	pléomorphisme *m*	плеоморфизм
P 1948	plethysm	Plethysmus *m*	pléthysme *m*	плетизм
P 1949	plethysmography	Plethysmographie *f*	pléthysmographie *f*	плетизмография
P 1950	pleuston	Pleuston *n*	pleuston *m*	плейстон
	pliability	*s.* flexibility		
	plication	*s.* folding ‹geo.›		
P 1951	pliobar, pliobaric line PLK-method	Pliobare *f*	pliobare *f*, courbe *f* pliobare	плиобара
		s. Poincaré-Lighthill-Kuo method		
P 1952	Plößl['s] eyepiece	Plößlsches Okular *n*	oculaire *m* de Plœßl	окуляр Плесля
P 1953	plot, graphical representation (construction), graph ‹of a function›	[graphische] Darstellung *f*, Kurvendarstellung *f*, Kurvenbild *n* ‹Funktion›	représentation *f* graphique, graphique *f* ‹d'une fonction›	графическое представление (построение), график; диаграмма; эпюра ‹функции›
P 1954	plot of the equation of time, curve of the equation of time	Zeitgleichungskurve *f*	ligne *f* de l'équation du temps, courbe *f* de l'équation du temps	кривая уравнения времени
	plotter	*s.* plotting machine		
	plotter	*s. a.* characteristic recorder		
	plotter	*s. a.* recorder		
P 1955	plotting	Abtragen *n* ‹Strecke, Meßwert›; Auftragen *n* ‹Meßwert›	traçage *m*	нанесение; откладывание
	plotting, recording, record, registration, registering ‹of the curve›	Registrierung *f*; Schreiben *n*; Aufzeichnung *f*, Zeichnung *f*; Aufnahme *f* ‹Kurve›	enregistrement *m*	регистрация; запись; составление; снятие ‹характеристики›; построение ‹кривой›; нанесение ‹на график›
	plotting	*s. a.* photogrammetrical restitution		
P 1956	plotting device ‹photogrammetry›	Auswertegerät *n*, Auswertungsgerät *n* ‹Photogrammetrie›	restituteur *m*, appareil *m* de restitution ‹photogrammétrie›	дешифратор, дешифрирующий аппарат ‹фотограмметрия›
	plotting equipment	*s.* plotting machine		
	plotting from aerial photographs	*s.* restitution from aerial photographs		
P 1957	plotting machine, plotter, plotting equipment	Bildkartiergerät *n*, Kartiergerät *n*, Kartograph *m*	cartographe *m*, appareil *m* de restitution photogrammétrique	картирующий прибор, картограф; картосоставительный прибор; развертывающий прибор
	plotting paper	*s.* square paper		
P 1958	ploughing	Furchung *f*, Furchenbildung *f*, Rillenbildung *f*	labourage *m*, formation *f* de rainures, rainurage *m*	нарезка желобков; пропахивание
P 1959	plucked instrument	Zupfinstrument *n*	instrument *m* à cordes pincées	щипковый [музыкальный] инструмент, струнный щипковый инструмент
P 1960	Plucker co-ordinates, line co-ordinates	[Plückersche] Linienkoordinaten *fpl*, Plückersche Koordinaten *fpl*, Geradenkoordinaten *fpl*	coordonnées *fpl* linéaires, coordonnées pluckériennes, coordonnées de Plücker, coordonnées de la droite, coordonnées tangentielles	линейчатые координаты, плюккеровы координаты
P 1961	Plucker equations, equations of Plucker	Plückersche Gleichungen *fpl*	équations *fpl* de Plücker	уравнения Плюккера
P 1962	plug	Pfropfen *m*	tampon *m*	пробка; затычка
	plug capacitance box, capacitance box with plugs	Stöpselkondensator *m*	boîte *f* de capacités à fiches	штепсельный конденсатор (магазин емкостей)
	plug drawing, mandrel drawing	Stopfenzug *m*, Ziehen *n* über einen Stopfen, Ziehen über eine Nuß	mandrinage *m* de tubes, étirage *m* de tubes sur le mandrin court	волочение на короткой оправке
P 1963	plug flow	plastisches Fließen *n* mit festem Kern	écoulement *m* à noyau, écoulement en bouchon	течение со структурным ядром, жесткое течение
P 1964	plug-in	steckbar, Steck-	interchangeable, amovible, à fiches	вставной, втычной
P 1965	plug-in amplifier, amplifier plug-in, amplifier subassembly, amplifier unit	Verstärkereinschub *m*	bloc *m* amovible amplificateur, tiroir *m* interchangeable amplificateur	вставной блок усилителя
P 1966	plug-in capacitor	Einsteckkondensator *m*	condensateur *m* interchangeable	вставной конденсатор
P 1967	plug-in card	Steckkarte *f*	carte *f* amovible (interchangeable)	вставная карта, сменная карта
P 1968	plug-in coil	Steckspule *f*	bobine *f* à fiches, bobine interchangeable	сменная катушка со штепсельными контактами
	plug-in diaphragm	*s.* sliding stop		
P 1969	plug inductance box, inductance box with plugs	Stöpselinduktivität *f*	boîte *f* d'inductances à fiches	штепсельная индуктивность, штепсельный магазин индуктивностей

P 1970	**plug-in unit**, rack assembly	Steckbaueinheit *f*, Steckbaustein *m*, Steckeinheit *f*; Einschub *m*	bloc *m* amovible, tiroir *m* interchangeable, tiroir	сменный блок со штепсельным контактом, блок со штепсельным контактом, блок во втычном исполнении; вставной (сменный) блок, вставная (вдвижная) конструкция, вдвижное шасси
	plug of the cock, cock plug, faucet <US>	Hahnküken *n*, Küken *n*, Hahnkegel *m*	boisseau *m* du robinet, clef *f* du robinet	пробка [крана]
P 1971	**plug resistance [box], plug rheostat**, resistance box with plugs	Stöpselwiderstand *m*, Stöpselrheostat *m*, Widerstandskasten *m* [mit Stöpseln]	boîte *f* de résistances à fiches, résistance *f* à fiches	штепсельный магазин сопротивлений, штепсельный реостат
P 1972	**plug-type bridge**, plug-type measuring bridge	Stöpselbrücke *f*, Stöpselmeßbrücke *f*	pont *m* à fiches, pont de mesure à fiches	штепсельный мост[ик], штепсельный измерительный мост[ик]
P 1973	**plumb**; plummet, bob, sounding lead	Lot *n*, Senklot *n*, Senkwaage *f*, Bleilot *n*, Senkblei *n*, Peillot *n*	plomb *m* [de sonde], fil *m* à plomb, aplomb *m*, sonde *f*	отвес, лот
	plumb deviation	s. plumb-line deflection		
	plumbing	s. sounding		
	plumb line, perpendicular [line], normal, vertical line	Senkrechte *f*, Lot *n*, Normale *f*	perpendiculaire *f*, ligne *f* verticale	перпендикуляр; вертикаль, вертикальная линия; отвесная линия, линия отвеса
	plumb line	s. a. vertical		
	plumb-line deflection (deviation)	s. deflection of the plumb line		
	plumb-line direction, direction of plumb line	Lotrichtung *f*	direction *f* d'aplomb, direction de la pesanteur	направление отвеса, направление силы тяжести
P 1974	**plumb point**, nadir [point] <of aerophotogram>	Nadirpunkt *m*, Bildnadir *m* <Luftmeßbild>	nadir *m* <de l'aérophoto>	точка надира <аэрофотоснимка>
	plumb-point triangulation, nadir point triangulation	Nadirpunkttriangulation *f*, Nadirtriangulation *f*	triangulation *f* du nadir	фототриангуляция из точки надира, надирная фототриангуляция
P 1974a	**plume**	Rauchfahne *f*, Rauchsäule *f*	colonne *f* de fumée	полоса дыма, столб дыма, струя эмиссии
	plume, polar ray <of the solar corona>	Polarstrahl *m* <Sonnenkorona>	rayon *m* polaire <de la couronne solaire>	полярный луч <солнечной короны>
	plume	s. a. water column		
	plummet, bob; plumb; sounding lead	Lot *n*, Senklot *n*, Senkwaage *f*, Bleilot *n*, Senkblei *n*, Peillot *n*	plomb *m* [de sonde], fil *m* à plomb, aplomb *m*, sonde *f*	отвес, лот
	plunge	s. dipping		
	plunge	s. a. sudden fall		
P 1974b	**plunger**	Tauchkörper *m*	plongeur *m*, flotteur *m* plongeant	погружаемый (погружной) поплавок
P 1975	**plunger [piston]**	Tauchkolben *m*, Tau her *m*, Plungerkolben *m*	piston *m* plongeur, plongeur *m*	плунжер, [тронковый] поршень, ныряющий поршень; скалка
	plunger	s. a. shorting plunger <el.>		
	plunger	s. a. stub		
P 1976	**plunger pump**	Tauchkolbenpumpe *f*	pompe *f* à plongeur	плунжерный (скальчатый) насос
	plunging; moving in, insertion; dipping; immersion <of rods>	Einfahren *n*; Absenken *n*; Hinablassen *n*; Einschieben *n*; Eintauchen *n* <Stäbe>	introduction *f*; immersion *f*; plongement *m* <des barres>	вдвижение; введение; погружение; опускание <стержней>
	plunging	s. a. dipping		
	plunging	s. a. pitch <hydr.>		
	plural	s. multiple		
	plural creation, plural formation	s. plural production		
	plural process; multiple process	Vielfachprozeß *m*; Mehrfachprozeß *m*	processus *m* multiple; processus plural	множественный (многоактивный, многократный) процесс
P 1977	**plural production**, plural creation, plural formation	Mehrfacherzeugung *f*, Mehrfachbildung *f*, plurale Erzeugung *f*	création *f* plurale, génération *f* plurale, production *f* plurale	множественное рождение (образование), множественная генерация, кратное рождение (образование)
P 1978	**plural production of mesons**, meson plural production	Mehrfacherzeugung *f* von Mesonen, plurale Mesonenerzeugung *f*	production *f* plurale de mésons	множественное рождение мезонов
P 1979	**plural scatter[ing]**	Mehrfachstreuung *f*	diffusion *f* plurale	многократное рассеяние
	plurivalent	s. polyvalent <chem.>		
	plus, positive pole	Pluspol *m*, positiver Pol *m*, Plus *n*	pôle *m* positif, plus *m*	положительный полюс, плюс
	plus material	s. screenings		
P 1980	**plus sight**, back sight	Rückwärtsvisur *f*, Rückwärtsvisieren *n*	visée *f* en arrière, visée en retour	визирование назад, обратное визирование
P 1981	**plus wave**	Pluswelle *f*	onde *f* plus	плюс-волна
	plus wire, positive wire, positive conductor	positiver Leiter *m*, Plusleiter *m*, positive Leitung *f*, Plusleitung *f*, Plusdraht *m*	fil *m* positif, ligne *f* positive, conducteur *m* positif	положительный провод, соединённый с положительным полюсом батареи провод
P 1981a	**pluton**	Pluton *m*, Tiefengesteinskörper *m*	massif *m* d'intrusion (d'épanchement)	плутон, интрузивный массив
	plutonic rock, plutonite, intrusive rock, abyssal rock	Tiefengestein *n*, Intrusivgestein *n*, plutonisches Gestein *n*, Plutonit *m*	roche *f* intrusive (plutonienne, plutonique, de profondeur, abyssale), plutonite *f*	интрузивная порода, глубинная (коренная) порода, абиссальная порода
P 1982	**plutonium**, $_{94}$Pu, esperium	Plutonium *n*, $_{94}$Pu	plutonium *m*, $_{94}$Pu	плутоний, $_{94}$Pu

	English	German	French	Russian
P 1983	plutonium cycle	Plutoniumzyklus m, Plutonium-Brennstoffzyklus m	cycle m du plutonium	плутониевый цикл, плутониевый топливный цикл
	plutonium pile	s. plutonium reactor		
P 1984	plutonium poisoning	Plutoniumvergiftung f	empoisonnement m par plutonium	отравление плутонием
P 1985	plutonium-producing reactor, plutonium reactor, production[-type] reactor	Produktionsreaktor m ‹zur Plutoniumgewinnung›, Plutoniumerzeugungsreaktor m	réacteur m de production de plutonium réacteur plutonigène	реактор для производства плутония
P 1986	plutonium reactor, plutonium pile	Plutoniumreaktor m	réacteur m au plutonium	плутониевый реактор; реактор работающий на плутонии
	plutonium reactor	s. plutonium-producing reactor		
P 1987	plutonium recycle	Plutoniumrückführung f, Plutoniumrückführungsprozeß m	recyclage m de plutonium	повторный плутониевый цикл
P 1988	plutonium reprocessing	Plutoniumrückgewinnung f	traitement m du plutonium irradié, récupération f du plutonium	регенерация плутония
P 1989	pluvial period	Pluvialzeit f, Feuchtbodenzeit f; Regenzeit f, Regenperiode f	période f pluviale; saison f des pluies	плювиальный период; период дождей. период интенсивных осадков, дождливый период (сезон), сезон дождей
P 1990	pluviogram, ombrogram	Pluviogramm n, Ombrogramm n, Niederschlagsdiagramm n, Niederschlagskurve f	pluviogramme m, ombrogramme m	плювиограмма, омброграмма
P 1991	pluviograph, recording pluviometer, recording rain gauge, ombrograph, recording ombrometer, hyetograph	Pluviograph m, Niederschlagsschreiber m, Regenschreiber m, registrierender (selbstschreibender) Niederschlagsmesser m, registrierender (selbstschreibender) Regenmesser m, Ombrograph m, schreibender Regenmesser, Hyetograph m	pluviographe m, pluviomètre m enregistreur, ombrographe m, ombromètre m enregistreur	плювиограф, дождемер-самописец, самопишущий дождемер, самопишущий осадкомер, дождеписец, омброграф
	pluviography	s. pluviometry		
	pluviometer	s. rain gauge		
P 1992	pluviometer-association, totalizer	Totalisator m, Niederschlagstotalisator m, Niederschlagssammler m	pluviomètre-association m, pluviomètre m totalisateur, totalisateur m	суммирующий плювиометр, суммарный дождемер, осадкомер-интегратор, тотализатор
P 1993	pluviometry, ombrometry, hyetometry; pluviography, ombrography, hyetography	Niederschlags[mengen]messung f, Regenmessung f, Hyetometrie f, Pluviometrie f; Hyetographie f, Pluviographie f	pluviométrie f, ombrométrie f; pluviographie f, ombrographie f	плювиометрия, измерение [дождевых] осадков; плювиография
	p-n boundary	s. p-n junction		
P 1994	pneumatic elevator	Druckluftförderer m	élévateur m à air comprimé, élévateur pneumatique, monte-charge m à air comprimé, monte-charge pneumatique	пневматический подъемник
P 1995	pneumatic frogsuit	Druckluftanzug m, Druckluftschutzanzug m	vêtements mpl de sûreté pneumatiques	защитный пневмокостюм
P 1996	pneumatic gauging ‹meas.›	pneumatische Eichung f ‹Meß.›	calibrage m pneumatique, jaugeage m pneumatique ‹mes.›	пневматическая выверка, пневматическая калибровка ‹изм.›
P 1997	pneumatic helmet	Druckhelm m	casque m supportant de fortes pressions	пневмошлем
	pneumatic loudspeaker	s. pressure-chamber loudspeaker		
	pneumatic mariograph	s. pneumatic water gauge		
P 1998	pneumatic post, pneumatic tube[-installation], rabbit channel	Rohrpostkanal m, Rohrpost m, Bestrahlungskanal m im Reaktor	tube m pneumatique	канал пневмопочты, пневматический канал облучения
	pneumatic receiver	s. Golay cell		
P 1998a	pneumatic shell	Tragluftschale f	enveloppe f pneumatique	пневматическая оболочка
	pneumatic sizer	s. air separator		
	pneumatic tube[-installation]	s. pneumatic post		
P 1999	pneumatic water gauge, pneumatic mariograph	Druckluftpegel m	marégraphe m pneumatique	пневматический мареограф
P 2000	pneumatolytic	pneumatolytisch	pneumatolytique	пневматолитический
P 2000a	pneumatosphere	Pneumatosphäre f	pneumatosphère f	пневматосфера
P 2001	pneumogram	Pneumogramm n	pneumogramme m	пневмограмма
P 2002	pneumonics, compressed air technique	Pneumonik f	pneumonique f	струйная пневмоавтоматика, пневмоника
P 2002a	pneutronic	pneutronisch, elektronisch-pneumatisch	pneutronique	электронно-пневматический
	p-n-i-p transistor	s. intrinsic-barrier transistor		
P 2003	p-n junction; p-n transition; p-n boundary	pn-Übergang m, pn-Übergangsschicht f; pn-Flächenverbindung f, pn-Verbindung f; pn-Schicht f; pn-Kontakt m; pn-Grenzschicht f, pn-Grenze f, pn-Grenzfläche f; pn-Sperrschicht f	jonction f p-n, jonction type p-n, jonction semiconductrice p-n	электронно-дырочный переход, p-n-переход, переход типа p-n, дырочно-электронный переход

	English	German	French	Russian
	p-n junction diode, junction diode, semiconductor junction diode	Halbleiterflächendiode f, Flächendiode f, pn-Diode f, Schichtdiode f, pn-Flächendiode f	diode f à jonction	плоскостной полупроводниковый диод, плоскостной диод, слоистый диод
P 2004	**p-n junction phototransistor**	pn-Phototransistor m, pn-Flächenphototransistor m, pn-Verbindungs-Phototransistor m	phototransistor m à jonction p-n, photistor m à jonction p-n	фототранзистор с *p-n*-переходом
	p-n junction photovoltaic effect	s. photovoltaic effect		
	p-n junction rectifier, p-n rectifier	pn-Gleichrichter m	redresseur m à jonction p-n	полупроводниковый вентиль с *p-n*-переходом
	p-n junction rectifier	s. a. barrier-layer rectifier		
P 2005	**p-n junction transistor,** p-n type transistor	pn-Transistor m, pn-Flächentransistor m	transistor m p-n, transistor à jonction type p-n	полупроводниковый триод типа *p-n*, плоскостной полупроводниковый триод с *p-n*-переходом
P 2006	**p-n-p-n diode,** four-layer p-n-p-n diode	pnpn-Diode f, pnpn-Flächendiode f, pnpn-Vierschichtdiode f	diode f à trijonction p-n-p-n, diode à jonctions p-n-p-n, diode type p-n-p-n, diode p-n-p-n	*p-n-p-n*-диод, полупроводниковый диод с *p-n-p-n*-переходами, четырехслойный диод с *p-n-p-n*-структурой
P 2007	**p-n-p-n transistor,** four-layer p-n-p-n transistor	pnpn-Transistor m, pnpn-Flächentransistor m, pnpn-Vierschichttransistor m	transistor m à trijonction p-n-p-n, transistor à jonctions p-n-p-n, transistor [type] p-n-p-n	*p-n-p-n*-транзистор, четырехслойный транзистор с *p-n-p-n*-структурой, полупроводниковый триод с *p-n-p-n*-переходами
	p,n process	s. proton-neutron reaction		
P 2008	**p-n-p transistor,** p-n-p type transistor	pnp-Transistor m	transistor m p-n-p, transistor type p-n-p, transistor à jonctions p-n-p	[плоскостной] полупроводниковый триод с *p-n-p*-переходами, полупроводниковый триод типа *p-n-p*, *p-n-p*-транзистор
	p,n reaction	s. proton-neutron reaction		
P 2009	**p-n rectifier,** p-n junction rectifier	pn-Gleichrichter m	redresseur m à jonction p-n	полупроводниковый вентиль с *p-n*-переходом
	p-n transition	s. p-n junction		
	p-n type transistor, p-n junction transistor	pn-Transistor m, pn-Flächentransistor m	transistor m p-n, transistor à jonction p-n	полупроводниковый триод типа *p-n*, плоскостной полупроводниковый триод с *p-n*-переходом
	Pochhammer-Barnes equation	s. Kummer['s] differential equation		
P 2010	**Pockels effect,** longitudinal (linear) electro-optical effect	Pockels-Effekt m, elektro-optischer Längseffekt m	effet m Pockels, effet électro-optique longitudinal	эффект Поккельса, продольный электрооптический эффект
P 2011	**pocket** <of mass spectrometer target>	Tasche f [des Auffängers], Auffängertasche f	poche f, poche-cible f	карман [приемника]
P 2012	**pocket chamber,** pocket ion[ization] chamber	Taschenionisationskammer f	chambre f d'ionisation de poche	карманная ионизационная камера
P 2013	**pocket current**	Taschenstrom m	courant m de poche	ток, попавший на карман; ток на карман, ток кармана
P 2014	**pocket dosimeter,** pocketed valve	Taschendosimeter n	dosimètre m de poche	карманный дозиметр
	pocketed valve	s. disk valve		
P 2015	**pocket instrument,** pocket meter	Taschenmeßgerät n, Taschengerät n, Tascheninstrument n	appareil m [de mesure] de poche, instrument m de poche	карманный прибор, карманный измерительный прибор
	pocket ion[ization] chamber	s. pocket chamber		
	pocket meter	s. pocket instrument		
	pocket meter	s. pocket dosimeter		
P 2016	**pocket spectroscope**	Taschenspektroskop n	spectroscope m de poche	карманный спектроскоп
	pockhole	s. shrinkage cavity		
P 2017	**Poehler switch**	Pöhler-Schalter m	commutateur m de charge [de Poehler]	зарядный выключатель Пелера, элементный коммутатор
P 2018	**Poggendorff['s] compensating (compensation) method,** potentiometer method, Poggendorff['s] [potentiometer] principle, compensation (compensating, Poggendorff['s]) method	Kompensationsverfahren n, [Poggendorffsche] Kompensationsmethode f, Kompensationsmethode von (nach) Poggendorff	méthode f potentiométrique, méthode à compensation de Poggendorff	компенсационный метод [Поггендорфа], нулевой метод [измерения], потенциометрический метод [измерения]
P 2019	**Poggendorf compensator,** Poggendorff-Du Bois-Raymond potentiometer, Poggendorff potentiometer, valve potentiometer	Poggendorff-Kompensator m, Kompensationsschaltung f nach Poggendorff	potentiomètre m de Poggendorff, compensateur m de Poggendorff	компенсатор Поггендорфа
	Poggendorff['s] method	s. Poggendorff['s] compensating method		
	Poggendorff potentiometer	s. Poggendorff compensator		
	Poggendorff['s] potentiometer principle	s. Poggendorff['s] compensating method		
P 2020	**Pogson['s] equation**	Pogson-Gleichung f	équation f de Pogson	формула Погсона

	English	German	French	Russian
P 2021	Pogson['s] ratio	Pogson-Verhältnis n	rapport m de Pogson	отношение Погсона
P 2022	Pogson['s] scale [of stellar magnitude]	Pogsonsche Helligkeits-skala f, Pogson-Skala f	échelle f de Pogson	шкала Погсона [звездных величин]
P 2023	pOH, pOH factor, pOH value, hydroxyl-ion exponent	pOH-Wert m, pOH <nur in Verbindung mit dem Zahlenwert>, Hydro-xylionenexponent m	pOH, valeur f pOH	pOH, фактор pOH, показатель гидроксилиона
P 2023a	Pohl commutator	Pohlsche Wippe f	commutateur m de Pohl	[качающийся] выключа-тель Поля
P 2024	Pohl effect	Pohl-Effekt m	effet m Pohl	эффект Поля
P 2025	Pohlhausen['s] method	Pohlhausen-Verfahren n, Pohlhausensche Methode f, Methode von Pohl-hausen	méthode f de Pohlhausen, méthode employée par Pohlhausen	метод Польгаузена
	pOH value	s. pOH, pOH factor, hydroxyl-ion exponent		
	poid	s. centrode		
	poikilotherm, cold-blooded animal	Wechselwarmblüter m, Kaltblüter m, Poikilo-therm m	animal m à sang froid, animal poïkilothermique	пойкилотермное (холод-нокровное) животное, пойкилотерм
P 2026	Poincaré['s] cycle period	Poincarésche Wieder-kehrzeit f	temps m de retour, temps de récurrence	время возврата [Пуанкаре]
P 2027	Poincaré['s] equations	Poincarésche Gleichungen fpl	formules fpl de H. Poin-caré	уравнения Пуанкаре
P 2027a	Poincaré group, inhomogeneous Lorentz group	inhomogene Lorentz-Gruppe f, Poincaré-Gruppe f	groupe m de Lorentz inhomogène, groupe de Poincaré	неоднородная группа Лоренца, группа Пуанкаре
P 2027b	Poincaré invariant	Poincarésche Invariante f	invariant m de Poincaré	инвариант Пуанкаре
P 2028	Poincaré-Lighthill-Kuo method, PLK-method, approximation method of M.J. Lighthill, Lighthill['s] method	Poincaré-Lighthill-Kuosche Methode f, PLK-Methode f, Poincaré-Lighthill-Methode f, Lighthillsche Methode	méthode f de Lighthill, méthode de Poincaré-Lighthill-Kuo	метод Пуанкаре-Лайтхилля-Го, метод ПЛГ, метод Лайтхилля
P 2029	Poincaré pressure	Poincaréscher Druck m	pression f de Poincaré	давление Пуанкаре
P 2030	Poincaré['s] recurrence theorem, recurrence theorem [of Poincaré]	Poincaréscher Wieder-kehrsatz m, Wieder-kehrsatz [von Poincaré]	théorème m de [retour de] Poincaré, théorème du « retour »	теорема Пуанкаре, тео-рема Пуанкаре-Каратеодори о воз-вращении, теорема воз-вращения [Пуанкаре]
P 2031	Poincaré['s] representation	Poincarésche Darstellung f, Poincaré-Darstellung f	représentation f de Poin-caré	представление Пуанкаре
P 2032	Poincaré['s] sphere	Poincarésche Kugel f	sphère f de Poincaré	сфера Пуанкаре
P 2033	Poincaré variable	Poincarésche Koordinate f; Poincarésches kanoni-sches Element n, kanonisches Poincarésches Element	variable f de Poincaré	переменная Пуанкаре
P 2034	Poinsot['s] construction	Poinsotsche (Poinsot) Konstruktion f, Poinsot-Konstruktion f	représentation f du mouvement donné par Poinsot	конструкция Пуансо
P 2035	Poinsot['s] ellipsoid, ellipsoid of Poinsot, momental ellipsoid	Poinsot-Ellipsoid n, Poinsotsches Ellipsoid (Trägheitsellipsoid) n, Cauchy-Poinsotsches Trägheitsellipsoid, Trägheitsellipsoid von Poinsot, Energieellipsoid n	ellipsoïde m de Poinsot, ellipsoïde de Cauchy-Poinsot; surface f centrale de Poinsot	эллипсоид Пуансо, эллипсоид Коши-Пуансо
P 2036	Poinsot['s] motion	Poinsot-Bewegung f, Poinsotsche Bewegung f	mouvement m à la Poinsot, mouvement de Poinsot	движение Эйлера-Пуансо
	point, rhumb, point of the compass, wind reference number	Windstrich m, Windziffer f	aire f [de vent], rumb m, rhumb m	румб ветра
	point, rhumb <=11°15'>	Strich m, nautischer Strich <= 11°15'>	rumb m, rhumb m <= 11°15'>	румб <= 11°15'>
	point, station <geo.>	Standpunkt m <Geo.>	station f, point m <géo.>	точка стояния, станция <гео.>
	point	s. a. place		
P 2037	point approximation	punktweise Näherung f	approximation f ponctuelle	точечное приближение
	point at infinity, ideal point <math.>	uneigentlicher (unendlich[] ferner) Punkt m, Fernpunkt m <Math.>	point m de l'infini, point à l'infini, point idéal <math.>	несобственная точка, бесконечно удаленная точка <матем.>
P 2038	point brilliance	Punkthelle f, Punkt-helligkeit f	éclat m apparent, brillance f ponctuelle	блеск [точечного источника]
	point-by-point method	s. point technique		
P 2039	point cathode <semi.>	Punktkatode f, Spitzen-katode f <Halb.>	cathode f punctiforme (ponctuelle, à pointe) <semi.>	точечный катод <полу.>
	point characteristic [function] <of Hamilton>	s. Hamilton['s] characteristic function		
P 2040	point charge	Punktladung f, punkt-förmige Ladung f	charge f ponctuelle	точечный заряд
P 2041	point contact, spot contact	Punktkontakt m, Spitzen-kontakt m	contact m à pointe[s]	точечный контакт
P 2042	point contact diode	Punktkontaktdiode f, Spitzendiode f, Punkt-diode f	diode f à pointe	точечный [полупровод-никовый] диод, полу-проводниковый диод с точечным контактом, точечно-контактный диод
P 2043	point contact junction	Spitzen[kontakt]übergang m, Punkt[kontakt]-übergang m	jonction f à pointe[s]	точечный переход, точечно-контактный переход

№	English	German	French	Russian
P 2044	point contact photodiode, point photodiode	Punktkontakt-Photodiode f, Spitzenphotodiode f, Punktphotodiode f	photodiode f à pointe	точечный фотодиод, полупроводниковый фотодиод с точечным контактом, точечно-контактный фотодиод
P 2045	point contact phototransistor, point phototransistor	Punktkontakt-Phototransistor m, Spitzenphototransistor m, Punktphototransistor m	phototransistor m à pointe	точечный полупроводниковый фототриод, точечный (точечно-контактный) фототранзистор
P 2046	point contact rectification	Spitzengleichrichtung f, Spitzenkontaktgleichrichtung f	redressement m à pointes, redressement à contact par pointes	выпрямление с помощью вентиля с точечными контактами, точечно-контактное (амплитудное) выпрямление
P 2047	point contact rectifier	Punkt[kontakt]gleichrichter m, Spitzen[kontakt]gleichrichter m, Spitzendetektor m	redresseur m à pointes, redresseur à contact par pointes	точечно-контактный выпрямитель (детектор), выпрямитель (вентиль) с точечными контактами, выпрямитель с полупроводниковым диодом
P 2048	point contact tetrode, point tetrode, point-to-point tetrode	Punktkontakttetrode f, Spitzentetrode f, Punkttetrode f	tétrode f à pointe[s]	точечный [полупроводниковый] тетрод, [полупроводниковый] тетрод с точечными контактами
P 2049	point contact transistor, point-to-point transistor	Spitzen[kontakt]transistor m, Punkt[kontakt]transistor m, Punkt[kontakt]triode f, A-Transistor m	transistor m à pointe[s], transistor ponctuel, transistor à contact	точечный полупроводниковый транзистор, полупроводниковый триод с точечным контактом
P 2050	point corona [discharge]	Spitzenkorona[entladung] f	décharge f en couronne par pointe, couronne f par pointe	коронный разряд на остроконечных электродах, точечный коронный разряд
	point corrosion	s. pitting		
	point counter	s. point counter tube <nucl.>		
	point counter of Glagolev, Glagolev['s] point counter	Pointcounter m nach Glagolev, Glagolevscher Pointcounter	compteur m de Glagolev	счетчик Глаголева
P 2051	point counter tube, point counter <nucl.>	Spitzenzählrohr n, Spitzenzähler m <Kern.>	tube m compteur à pointe [chargée], compteur m à pointe [chargée], [tube] compteur ponctuel <nucl.>	острийный счетчик <яд.>
P 2052	point defect point imperfection	Punktdefekt m, punktförmige Störstelle f, Punktstörstelle f, Punktfehlordnung f, Punktfehlstelle f, atomare (nulldimensionale) Fehlordnung (Fehlstelle) f, Eigenfehlordnung f, thermische Fehlordnung	défaut m ponctuel, défaut atomique	атомный дефект, нульмерный дефект, точечный дефект
P 2053	point density	Punktdichte f	densité f des points	густота точек
P 2054	point diagram	Punktdiagramm n	diagramme m en (par) points	диаграмма точечной записи, точечная диаграмма
P 2055	point dipole	Punktdipol m	dipôle (doublet) m ponctuel	точечный диполь
P 2056	point discharge, edge discharge	Spitzenentladung f, Punktentladung f	décharge f par pointe	разряд с острия, разряд между остриями, точечный разряд
P 2057	point discharge current	Spitzenstrom m, Spitzenentladungsstrom m	courant m de la décharge par pointe	ток с острий
P 2058	point disparity	punktuelle Disparation f, Punktdisparation f	disparité f ponctuelle	точечная диспарация
P 2059	pointed cathode	Spitzenkatode f, spitze Katode f, angespitzte Katode	cathode f à pointe, cathode pointue	острый (острийный, остроконечный, игольчатый) катод
	pointed corrosion	s. pitting		
P 2060	pointed electrode, point electrode	Spitzenelektrode f	électrode f à pointe	электрод-острие, острийный (остроконечный, игольчатый) электрод
	pointed jet flame	s. shooting flame		
P 2061	pointed lightning protector, point lightning arrester	Spitzenblitzableiter m	parafoudre m à pointe[s], paratonnerre m à pointe[s]	молниеотвод с остриями
	point effect of electrostatics	s. needle effect of electrostatics		
	point eikonal	s. eikonal		
	point electrode	s. pointed electrode		
P 2062	pointer, tongue <of the balance>	Zunge f <Waage>	aiguille f de la balance	стрелка весов
P 2063	pointer, needle <of measuring instrument>; indicator, index	Zeiger m <allg.; Meßgerät>	aiguille f <de l'appareil de mesure>; indicateur m, index m	стрелка, стрелка-указатель <измерительного прибора>, указатель
P 2064	pointer deflection, needle deflection, deflection of the needle (pointer); movement of the pointer	Zeigerausschlag m, Zeigerauslenkung f	déviation f de l'aiguille, flèche f d'aiguille	отклонение стрелки, угол отклонения стрелки, отклонение указателя, показание указателя

P 2065	**pointer galvanometer**, pointer-type galvanometer	Zeigergalvanometer n	galvanomètre m à aiguille	стрелочный гальванометр
P 2066	**pointer instrument**, pointer-type instrument, dial indicator	Zeigermeßgerät n, Zeigergerät n, Zeigerinstrument n; Ausschlagmeßgerät n, Ausschlaggerät n, Ausschlaginstrument n	appareil m de mesure à aiguille, appareil à aiguille; appareil de mesure à déviation, appareil à déviation; indicateur m à cadran	стрелочный [измерительный] прибор, прибор с визуальным отсчетом; прибор, дающий показания отклонением; измерительный прибор, дающий показания отклонением
	pointer thermometer, solid-expansion thermometer	Zeigerthermometer n	thermomètre m à dilatation de solide	стрелочный термометр, твердый термометр расширения
	pointer-type galvanometer, pointer galvanometer	Zeigergalvanometer n	galvanomètre m à aiguille	стрелочный гальванометр
	pointer-type instrument	s. pointer instrument		
P 2067	**point estimation**	Punktschätzung f	estimation f de paramètres, estimation ponctuelle	точечная оценка
P 2068	**point force**, concentrated force, single force	Einzelkraft f, Punktkraft f, konzentrierte Kraft f	force f concentrée, force isolée	сосредоточенное усилие, сосредоточенная сила
P 2069	**point function**	Punktfunktion f	fonction f de points	функция точки
P 2070	**point gauge**	Stechpegel m	pointe f limnimétrique droite	игольчатая рейка, игла для измерения уровня воды, шпицен-масштаб
	point grid, grid of points	Punktnetz n, Punktgitter n; Zahlengitter n	réseau m de points	сеть [опорных] точек; числовая решетка
P 2071	**point[-] group [of symmetry]**, point symmetry group, group <cryst.>	Punktsymmetriegruppe f, Punktgruppe f <Krist.>	groupe m ponctuel [de symétrie], classe f d'orientation <crist.>	точечная группа [симметрии]
P 2072	**point hypocentre**	Punktherd m	foyer m punctiforme	точечный очаг
P 2073	**point image**; sharp image, high-definition image <opt.>	Punktabbildung f, punktförmige Abbildung f; scharfe Abbildung; scharfes Bild n <Opt.>	image f ponctuelle; image nette <opt.>	точечное изображение; резкое изображение, четкое изображение <опт.>
	point imperfection	s. point defect		
P 2074	**pointing**	Anschneiden n, Anzielen n	pointage m; pointé m	засечка; визирование, наведение, наводка
P 2075	**pointing** <of telescope>	Einstellung f <Fernrohr>	pointage m <de la lunette>	наводка <телескопа>
P 2076	**point interaction**	Punktwechselwirkung f	interaction f ponctuelle	точечное взаимодействие
P 2077	**point-junction transistor**	Spitzen-Flächen-Transistor m	transistor m à jonction à pointes	точечно-плоскостной транзистор (полупроводниковый триод)
	point lamp	s. point-source lamp		
P 2078	**point lattice** <cryst.>	Punktgitter n <Krist.>	réseau m de points <crist.>	точечная решетка <крист.>
	point light lamp	s. point-source lamp		
	point lightning arrester	s. pointed lightning protector		
	pointlike probe, point probe	Punktsonde f, punktförmige (punktartige) Sonde f	sonde f ponctuelle	точечный зонд
	pointlike sound source, point source [of sound] <ac.>	punktförmige Schallquelle f, Punktstrahler m <Ak.>	source f ponctuelle du son, source acoustique ponctuelle <ac.>	точечный источник звука, точечный излучатель <ак.>
	pointlike source of light, point source of light	punktförmige (punktartige) Lichtquelle f, Punktlichtquelle f, Punktstrahler m	source f de lumière ponctuelle, source lumineuse ponctuelle	точечный источник света
	point load	s. concentrated load		
P 2079	**point mass**, concentrated mass, particle mass	Punktmasse f, konzentrierte Masse f	masse f ponctuelle	точечная масса
P 2080	**point mechanics**, mass point mechanics	Punktmechanik f, Massenpunktmechanik f, Mechanik f des Massenpunktes	mécanique f du point, mécanique des points matériels	механика точки, механика материальных точек
	point method	s. point technique		
P 2081	**point model**	Punktmodell n	modèle m ponctuel	точечная модель
	point of accumulation	s. accumulation point <math.>		
P 2082	**point of action [of the force]**, point of application [of the force], origin [of the force]	Angriffspunkt m, Wirkungspunkt m <Kraft>	point m d'action [de la force], point d'application [de la force], origine f de la force	точка действия [силы], точка приложения [силы]
P 2083	**point of admission (application)**	Zuführungspunkt m	point m d'amenée	точка подвода
	point of application [of the force]	s. point of action [of the force]		
	point of boiling sulphur	s. sulphur point		
P 2084	**point of branching**, front stagnation point, forward stagnation point <hydr.>	vorderer Staupunkt m <Hydr.>	point m d'arrêt amont, point d'arrêt antérieur, point de stagnation antérieur <hydr.>	точка разветвления, передняя критическая точка, передняя точка торможения <гидр.>
P 2085	**point of clearest vision** <opt.>	Blickpunkt m; Fixierpunkt m, Fixationspunkt m; Kernpunkt m, Kernstelle f <Opt.>	point m de vision fovéale <opt.>	точка фиксации, центр фиксации <опт.>
	point of closure	s. adherent point <of the set>		
	point of coalescence	s. rear stagnation point		
P 2086	**point of cold**, cold point	Kältepunkt m	point m de froid, point froid	точка холода
P 2087	**point of collision**, collision point; impact point, point of impact	Stoßpunkt m; Aufschlagpunkt m, Auftreffpunkt m; Einschlagstelle f	point m de collision; point de bombardement; point de chute; point de choc; point d'impact	точка столкновения (соударения); точка (место) удара, место падения
	point of colour, locus [of point] <in chromaticity diagram>	Farbort m, Farbpunkt m	lieu m de la couleur, point m de la couleur <dans le diagramme chromatique>	точка цветности <в графике цветностей>

	point of condensation	*s.* condensation point		
P 2088	**point of confluence**	Zusammenflußpunkt *m*	point *m* de confluent	точка слияния, точка стекания, место слияния
P 2089	**point of congelation, congealing (pour, solidi-fying, solidification) point <of oil>**	Fließpunkt *m*, Stockpunkt *m* <Öl>	point *m* de congélation, point de solidification <de l'huile>	точка застывания, точка затвердевания <масла>
	point of connection	*s.* driving point		
P 2090	**point of contact; point of tangency, tangency point; tacpoint**	Berührungspunkt *m*; Be-rührungsstelle *f*; Kontakt-punkt *m*	point *m* de contact	точка [сопри]касания, точка [со]прикосно-вения; точка контакта
	point of contraflexure (contrary flexure)	*s.* point of inflexion		
	point of contrary flexure	*s.* point of inflexion <of the curve> <math.>		
P 2091	**point of detachment**	Ablösungspunkt *m*	point *m* de décollement	точка отрыва, точка разделения потока
	point of determination	*s.* regular singularity		
P 2092	**point of discontinuity, discontinuity**	Unstetigkeitspunkt *m*, Un-stetigkeitsstelle *f*; Sprung-stelle *f*, Sprungpunkt *m*	point *m* de discontinuité, discontinuité *f*	точка разрыва, место раз-рыва (скачка), место резкого изменения па-раметра
P 2093	**point of division**	Teilpunkt *m*	point *m* de division	точка, соответствующая делению <напр. на окружности>
	point of emergency; initial point, origin; starting point <e.g. of a motion>	Anfangspunkt *m*, Ausgangs-punkt *m*	origine *f*; point *m* d'applica-tion <p. ex. d'un vecteur>; point d'émergence	начало; исходная точка; точка выхода
	point of freezing	*s.* solidification point		
	point of freezing gold, gold point, freezing point of gold	Goldpunkt *m*, Erstarrungs-punkt *m* des Goldes	point *m* d'or, point (tempé-rature *f*) de solidification de l'or	точка затвердевания золота
	point of freezing pla-tinum, platinum point, freezing point of platinum	Platinpunkt *m*, Erstarrungs-punkt *m* des Platins	point *m* de platine, point (température *f*) de solidi-fication du platine	точка затвердевания пла-тины
	point of freezing silver	*s.* silver point		
	point of growth, growth point <math.>	Wachstumspunkt *m* <Math.>	point *m* de croissance <math.>	точка роста <матем.>
	point of impact	*s.* impact point		
	point of indetermination	*s.* irregular singularity		
P 2094	**point of inflexion, point of contraflexure, point of contrary flexure, point of zero moments**	Momentennullpunkt *m*	point *m* d'inflexion	нулевая точка моментов
P 2095	**point of inflexion, point of contrary flexure, in-flexion point, flex point <of the curve> <math.>**	Wendepunkt *m*, Inflexions-punkt *m* erster Ordnung; Inflexionspunkt <der Kurve> <Math.>	point *m* d'inflexion <de la courbe> <math.>	точка перегиба <на <кривой> <матем.>
P 2096	**point of intersection, intersection [point], inter-secting point; intercept; piercing point**	Schnittpunkt *m*; Durchstoß-punkt *m*	point *m* de concours, point d'intersection, croisure *f*	точка пересечения
	point of libration	*s.* libration point		
P 2097	**point of measurement, measuring point; control point; measuring junction <of thermocouple>**	Meßstelle *f*, Meßort *m*, Meßpunkt *m*	point *m* de mesure, lieu *m* de mesure, place *f* de mesure	место измерения, точка измерения; место измерений; точка замера
	point of neutralization	*s.* equivalence point		
P 2098	**point of neutral stability**	Indifferenzpunkt *m*, Instabilitätspunkt *m*	point *m* d'équilibre indiffé-rent, point de stabilité neutre	точка безразличного равновесия
P 2099	**point of origin**	Ursprungspunkt *m*	point *m* d'origine	точка происхождения
	point of osculation	*s.* tacnode		
	point of reference	*s.* reference point		
	point of reflection, reflection point <el.>	Stoßstelle *f* <El.>	point *m* de désadaptation, point de réflexion <él.>	[электрическая] неодно-родность; точка отраже-ния; стык, место стыка <эл.>
P 2100	**point of resonance, resonance point, resonance**	Resonanzstelle *f*, Resonanz-punkt *m*, Resonanz *f*	point *m* de résonance, résonance *f*	точка резонанса, резонанс
	point of return	*s.* stagnation point		
	point of saturation	*s.* saturation point		
P 2101	**point of self-intersection, self-intersection point**	Selbstdurchdringungspunkt *m*	point *m* d'auto-intersection	узловая точка, точка самопересечения
P 2101a	**point of sight**	Hauptpunkt *m*, Augen-punkt *m* <Perspektive>	point *m* de vue	главная точка <перспек-тивы>
	point of solidification	*s.* solidification point		
	point of source, source point, source	Quellpunkt *m*; Quellstelle *f*	source *f*, point *m* de source	источник, точка источ-ника
	point of sublimation, temperature of subli-mation, sublimation temperature (point)	Sublimationstemperatur *f*, Sublimationspunkt *m*, Sbp.	température *f* de subli-mation, point *m* de sublimation	температура сублимации (возгонки), точка субли-мации (возгонки)
P 2102	**point of support, sup-porting point; fulcrum <of lever>**	Stützpunkt *m*, Unterstüt-zungspunkt *m*; Einspann-stelle *f*	point *m* d'appui	точка опоры, точка при-ложения силы; место закрепления
P 2103	**point of suspension, fulcrum of suspension, suspension point**	Aufhängepunkt *m*	point *m* de suspension, point d'attache	закрепленная точка, точка закрепления
P 2104	**point of symmetry, symmetry point <meteo., cryst.>**	Symmetriepunkt *m* <Meteo., Krist.>	point *m* de symétrie <météo., crist.>	точка симметрии <метео., крист.>
	point of tangency	*s.* point of contact		

	English	German	French	Russian
P 2105	point of the compass	s. point		
	point of the dummy scale	Zapfenpunkt m	point m de la ligne de correspondance	точка немой шкалы
	point of transition	s. transition point <aero., hydr.>		
	point of zero moments	s. point of inflexion		
	point photodiode	s. point contact photodiode		
	point phototransistor, point contact phototransistor	Punktkontakt-Phototransistor m, Spitzen-phototransistor m, Punkt-phototransistor m	phototransistor m à pointe	точечный полупроводниковый фототриод, точечный (точечно-контактный) фототранзистор
	point-plate type of discharge	s. point-to-plane discharge		
P 2106	point pole, magnetic point pole	Punktpol m, magnetischer Punktpol	pôle m [magnétique] ponctuel	точечный [магнитный] полюс
P 2107	point probe, pointlike probe	Punktsonde f, punktförmige (punktartige) Sonde f	sonde f ponctuelle	точечный зонд
	point projection [electron] microscope	s. field emission microscope		
	point projection microscope	s. shadow projection microscope		
P 2108	point projection microscopy, shadow projection microscopy, shadow microscopy	Schattenmikroskopie f, Elektronenschattenmikroskopie f	microscopie f de projection, microscopie à pénombre	теневая электронная микроскопия, теневая микроскопия
	point record	s. point recording		
P 2109	point recorder, chopper bar recorder, chopped bar recorder, hoop drop recorder, dot recorder, dotting recorder	Fallbügelschreiber m, Punktschreiber m	enregistreur m par points	точечный самопишущий прибор, самопишущий прибор с точечной записью, точечный самописец, самописец с падающей дужкой
P 2110	point recording, point record	Punktaufzeichnung f, Punktregistrierung f, Punktschrieb m	enregistrement m par points	точечная регистрация, точечная запись
	point set, set (assemblage) of points	Punktmenge f	ensemble m de points	точечное множество, множество точек
P 2111	point-shapedness	Punktförmigkeit f	ponctualité f	точечность
P 2112	point singularity	Punktsingularität f	singularité f ponctuelle	точечная особенность
P 2113	point slope method, Euler['s] method <math.>	Polygonzugverfahren n <Math.>	méthode f d'Euler <math.>	метод ломаных, метод Эйлера <матем.>
	point source, point source of sound, pointlike sound source <ac.>	punktförmige Schallquelle f, Punktstrahler m <Ak.>	source f ponctuelle du son, source acoustique ponctuelle <ac.>	точечный источник звука, точечный излучатель <ак.>
P 2114	point source, point source of radiation	punktförmige (punktartige) Strahlungsquelle f, punktförmige Quelle f, Punktquelle f	source f ponctuelle [du rayonnement]	точечный источник [излучения], точечный излучатель
P 2115	point-source lamp, point light lamp, point lamp, punctiform lamp	Punktlichtlampe f, Punktlampe f, Punktstrahllampe f	lampe f ponctuelle (punctiforme, à source de lumière ponctuelle)	точечная лампа
P 2116	point-source model	Punktquellenmodell n	modèle m à source ponctuelle	модель с точечным источником
P 2117	point source of light, pointlike source of light	punktförmige (punktartige) Lichtquelle f, Punktlichtquelle f, Punktstrahler m	source f de lumière ponctuelle, source lumineuse ponctuelle	точечный источник света
	point source of radiation	s. point source		
P 2118	point source of sound, pointlike sound source, point source <ac.>	punktförmige Schallquelle f, Punktstrahler m <Ak.>	source f ponctuelle du son, source acoustique ponctuelle <ac.>	точечный источник звука, точечный излучатель <ак.>
P 2119	point-source photometry	Punktphotometrie f	photométrie f de sources ponctuelles	фотометрия точечных источников
P 2120	point spectrum, discrete spectrum <math.>	Punktspektrum n, diskretes Spektrum n <Math.>	spectre m ponctuel, spectre discret <math.>	точечный спектр, дискретный спектр <матем.>
P 2120a	point spread function	Punktverwaschungsfunktion f	fonction f d'étendue des points	функция размаха точек
P 2121	point-surface transformation	Punkt-Flächen-Transformation f	transformation f point-surface	преобразование точка-поверхность
P 2122	point symmetric	punktsymmetrisch	à (de, par) symétrie ponctuelle	точечно-симметричный
P 2123	point symmetry	Punktsymmetrie f	symétrie f ponctuelle	точечная симметрия
	point symmetry group, point[-] group [of symmetry], group <cryst.>	Punktsymmetriegruppe f, Punktgruppe f <Krist.>	groupe m ponctuel [de symétrie], classe f d'orientation <crist.>	точечная группа [симметрии]
P 2124	point technique, point method, point-by-point method	Punktverfahren n, Punktmethode f, Punkt-für-Punkt-Methode f	méthode f des points	точечный метод [расчета]
	point tetrode	s. point contact tetrode		
	point-to-plane arrester	s. point-to-plane spark gap		
P 2125	point-to-plane discharge, point-plate type of discharge	Spitze-Platte-Entladung f	décharge f entre pointe et électrode plane	разряд между острием и плоскостью (плоским электродом)
	point-to-plane gap	s. point-to-plane spark gap		
P 2126	point-to-plane spark gap, point-to-plane gap, point-to-plane arrester	Spitzen-Platten-Funkenstrecke f, Spitzen-Platten-Funkenstrecke f, Spitze-Platte-Entladungsstrecke f, Spitze-Platte-Zündstrecke f	éclateur m pointe-plan, entrode f pointe-plan	искровой промежуток между острием и плоским электродом
	point-to-point arrester	s. point-to-point gap		
P 2127	point-to-point discharge	Spitze-Spitze-Entladung f	décharge f entre pointes	разряд между остриями

P 2128	point-to-point gap, point-to-point spark gap, point-to-point arrester	Spitze-Spitze-Funkenstrecke f, Spitze-Spitze-Entladungsstrecke f, Spitze-Spitze-Zündstrecke f	éclateur m pointe-pointe, entrode f pointe-pointe	искровой промежуток между остриями
	point-to-point tetrode	s. point contact tetrode		
	point-to-point transistor	s. point contact transistor		
P 2129	point transformation <math.>	Punkttransformation f, Punktabbildung f <Math.>	transformation f ponctuelle <math.>	точечное преобразование <матем.>
	point-type suspension, needle-type suspension	Spitzenlagerung f, Nadellagerung f	suspension f par pointes	установка между остриями, подвеска на острие, опора на кернах, керновая опора
P 2130	point under consideration, field point, test point, station	Aufpunkt m	point m de mesure, point attiré, point potentié, point d'observation, point donné	заданная точка, точка наблюдения, точка измерения; точка, в которой определяется; точка фиксирования
P 2131	point vortex	Punktwirbel m	tourbillon m ponctuel	точечный вихрь
	point vortex, potential vortex, free vortex	freier Wirbel m, abgehender Wirbel	tourbillon m libre, onde f de bord de fuite	свободный вихрь
P 2132	pointwise discontinuous	punktweise unstetig	discontinu par points	точечно разрывный
P 2133	poise, P	Poise n, P	poise m, Po, P	пуаз, из, P
	Poiseuille equation	s. Poiseuille['s] formula		
P 2134	Poiseuille flow, Poiseuille pipe flow	Poiseuille-Strömung f, Poiseuillesche Strömung f, Hagen-Poiseuille-Strömung f, Poiseuillesche Rohrströmung f	écoulement m de Poiseuille, écoulement liquide du type Poiseuille, mouvement m de Poiseuille, mouvement à la Poiseuille	поток по Пуазейлю, пуазейлевское течение
P 2135	Poiseuille['s] formula, Poiseuille[-Hagen] law, Poiseuille equation, Hagen-Poiseuille law, Hagen-Poiseuille equation	Hagen-Poiseuillesches Gesetz n, Hagen-Poiseuillesche Gleichung f, Poiseuillesches Gesetz, Poiseuillesche Gleichung, Poiseuille-Hagensches Gesetz, Poiseuille-Gesetz n, Poiseuillesche Formel f	loi f de Poiseuille, loi de Hagen-Poiseuille	закон Пуазейля, закон Гагена-Пуазейля
	Poiseuille pipe flow	s. Poiseuille flow		
	Poiseuille velocity profile, parabolic velocity profile	parabolisches Geschwindigkeitsprofil n	profil m parabolique de vitesse	параболический профиль скоростей
P 2136	poison, poisoning agent, toxicant, toxic agent	Gift n, Giftstoff m, toxischer Stoff m	poison m, toxique m, agent m toxique	яд, ядовитое вещество, ядовито действующий агент, отрава, отравляющее вещество, токсическое вещество
P 2137	poison <nucl.>	Gift n <Kern.>	poison m <nucl.>	вредный поглотитель нейтронов, яд <яд.>
P 2138	poisoning effect, poisonous effect	Vergiftungseffekt m	effet m d'empoisonnement	отравляющее действие
P 2138a	poisoning factor	Vergiftungsfaktor m, Vergiftungskoeffizient m, Gefährdungsfaktor m	coefficient m d'empoisonnement	коэффициент отравления
	poisoning of catalyst	s. catalyst poisoning		
	poisoning of cathode, cathode contamination (poisoning)	Katodenvergiftung f, Vergiftung f der Katode	empoisonnement m de la cathode	отравление катода
P 2139	poisoning of the nuclear reactor [by fission products], fission product poisoning, neutron poison effect, neutron poisoning	Vergiftung f des Reaktors [mit Spaltprodukten]	empoisonnement m du réacteur nucléaire [par les produits de fission]	отравление ядерного реактора [продуктами деления]
P 2140	poisoning overshoot	Vergiftungsüberschlag m	empoisonnement m brutal	переотравление
	poison of enzyme, substance poisoning an enzyme; enzyme inactivator; enzyme inhibitor	Fermentgift n, Fermenthemmstoff m, Fermentinhibitor m	inactivateur m d'un enzyme, inhibiteur m d'un enzyme	ингибитор энзима, инактиватор энзима
	poisonous effect, poisoning effect	Vergiftungseffekt m	effet m d'empoisonnement	отравляющее действие
P 2141	Poisson['s] adiabatic [line]	Poissonsche Adiabate f	adiabatique f de Poisson	адиабата Пуассона
P 2142	Poisson-Boltzmann equation	Poisson-Boltzmann-Gleichung f	équation f de Poisson-Boltzmann	уравнение Пуассона-Больцмана
P 2143	Poisson['s] bracket[s], classical Poisson bracket[s]	Poisson-Klammer f, Poissonsche Klammer f, Poissonscher Klammerausdruck m, Poissonsches Klammersymbol n, klassische Poisson-Klammer f	parenthèse f de Poisson, parenthèse de Poisson classique	скобка Пауссона, скобки Пуассона, классические скобки Пуассона
	Poisson bracket[s] in quantum mechanics, quantum Poisson bracket[s]	quantenmechanische Poisson-Klammer[n fpl] f, quantentheoretische Poisson-Klammer[n]	parenthèse f de Poisson en mécanique quantique	квантовые скобки Пуассона, обобщение классических скобок Пуассона в квантовой механике
	Poisson['s] constant	s. Poisson['s] ratio		
	Poisson['s] differential equation	s. Poisson['s] equation		
P 2144	Poisson['s] diffraction	Poissonsche Beugung f	diffraction f de Poisson	пуассонова дифракция, дифракция Пуассона
P 2145	Poisson distribution [law]	Poisson-Verteilung f, Poissonsche Verteilung f, Verteilung von Poisson	distribution f de Poisson, distribution poissonnienne, loi f de Poisson	распределение Пуассона, пуассоновское распределение, закон распределения Пуассона
P 2146	Poisson effect	Poisson-Effekt m, Polsterwirkung f	effet m Poisson	эффект Пуассона

P 2147	**Poisson['s] equation,** Poisson's differential equation	Poissonsche Gleichung (Differentialgleichung, Potentialgleichung) *f*, Poisson-Gleichung *f*, Laplace-Poissonsche Gleichung (Differentialgleichung)	équation *f* de Poisson, formule *f* de Poisson, équation de d'Alembert, équation non homogène de Poisson, équation à second membre de Poisson	уравнение Пуассона
P 2148	**Poisson['s] equation of state**	Poissonsche Zustandsgleichung *f*	équation *f* d'état de Poisson	уравнение состояния Пуассона
P 2149	**Poisson['s] formula**	Poissonsche Formel *f*	formule *f* de Poisson	формула Пуассона
P 2150	**Poisson['s] integral [formula]**	Poissonsches Integral *n*; Poissonsche Integralformel *f*	intégrale *f* de Poisson	интеграл Пуассона
P 2151	**Poisson-Jacobi identity**	Poisson-Jacobische Identität *f*	identité *f* de Poisson, identité indiquée par Poisson	тождество Пуассона
P 2152	**Poisson['s] kinematic equations**	Poissonsche kinematische Kreiselgleichungen *fpl*	relations *fpl* cinématiques de Poisson	кинематические соотношения Пуассона
	Poisson['s] law	*s.* Poisson['s] relation		
P 2153	**Poisson['s] matrix**	Poisson-Matrix *f*	matrice *f* de Poisson	матрица Пуассона
	Poisson['s] number	*s.* Poisson['s] ratio		
P 2153a	**Poisson [probability] paper**	Poisson-Papier *n*, Poissonsches Wahrscheinlichkeitspapier *n*	abaque *m* de la loi de Poisson	пуассоновская [вероятностная] бумага
P 2154	**Poisson process**	Poissonscher Prozeß *m*, Poisson-Prozeß *m*	processus *m* de Poisson	пуассоновский процесс, процесс Пуассона
P 2155	**Poisson['s] ratio,** Poisson['s] constant, Poisson['s] number, transverse contraction	Poissonsche Zahl (Konstante) *f*, Poisson-Zahl *f*, Poisson-Konstante *f*, Quer[kontraktions]zahl *f*, Poissonsche Querzahl *f*, Poissonscher Modul *m*, Poissons Modul *m*, Querkontraktionskoeffizient *m*	rapport (coefficient) *m* de Poisson, coefficient de contraction transversale [de Poisson], constante *f* (nombre *m*) de Poisson, rapport de la contraction transversale à la dilatation longitudinale	коэффициент Пуассона, коэффициент поперечного сужения, коэффициент поперечного сжатия, коэффициент поперечной деформации, постоянная Пуассона, модуль Пуассона
P 2156	**Poisson['s] relation [between pressure and density],** adiabatic equation, Poisson['s] law	Adiabatengleichung *f*, Adiabatengesetz *n*, Poissonsche Gleichung *f*, Poissonsches Gesetz *n*	équation *f* de Laplace, équation des adiabatiques, équation d'adiabatique [en coordonnées de Clapeyron], loi *f* de Poisson	уравнение адиабаты [Пуассона], уравнение Пуассона, закон Пуассона
	Poisson['s] spot, bright spot of Poisson, Arago['s] spot	Poissonscher Fleck *m*, Aragoscher Fleck	tache *f* de Poisson, tache d'Arago	пятно Пуассона, пятно Араго
P 2157	**Poisson['s] sum[mation] formula**	Poissonsche Summationsformel *f*, Poissonsche Summenformel *f*	formule *f* sommatoire de Poisson	формула суммирования Пуассона, формула Пуассона
P 2158	**Poisson['s] theorem**	Satz *m* von Poisson, Poissonscher Satz, Poissonsches Theorem *n*	théorème *m* fondamental de Poisson, théorème de Poisson	теорема Пуассона
P 2159	**polanret microscope, polanret system**	Polanretmikroskop *n*, „polanret"-Mikroskop *n*	microscope *m* « polanret », système *m* « polanret »	микроскоп системы «поланрет»
P 2160	**Polanyi machine, Polanyi tensile test[ing] machine**	Polanyischer Apparat *m*, Polanyischer Zugapparat *m*	machine *f* de Polanyi	машина для испытания на разрыв Полани
P 2161	**polar,** polar line <math.>	Polare *f* <Math.>	polaire *f* <math.>	поляра <матем.>
	polar addition, ionic (heterolytic) addition	ionische (polare, heterolytische) Addition *f*	addition *f* ionique (polaire, hétérolytique)	ионное (гетеролитическое) присоединение
P 2162	**polar angle,** vectorial angle	Polarwinkel *m*	angle *m* polaire	полярный угол
	polar angle, amplitude, argument, arg <of a complex number>	Argument *n*, arg, arc <komplexe Zahl>	amplitude *f*, argument *m*, arg <d'un nombre complexe>	полярный угол, аргумент <комплексного числа>
	polar aurora, polar lights aurora <pl.: aurorae>	Polarlicht *n*, polare Aurora *f*	aurore *f* polaire, aurore	полярное сияние
P 2163	**polar axis,** hour axis <astr.>	Stundenachse *f*, Pol[ar]achse *f*, Rektaszensionsachse *f* <Astr.>	axe *m* horaire, axe polaire <astr.>	полярная ось, часовая ось <астр.>
P 2164	**polar axis,** polaxis <math.; cryst.>	Polarachse *f* <Math.; Krist.>; Nullstrahl *m* <Math.>	axe *m* polaire <math.; crist.>	полярная ось <матем.; крист.>
P 2165	**polar band**	Polarbande *f*	bande *f* polaire	полярная полоса, радиально-сходящаяся полоса перистых облаков
P 2166	**polar blackout,** no-echo condition	Langzeitschwund *m* in Polargegenden, Polverdunklung *f*, Polarblackout *m*	évanouissement *m* de longue durée dans les régions polaires, évanouissement brutal polaire	длительное замирание в полярных областях, полярное замирание
	polar bond	*s.* electrovalent bond		
P 2167	**polar cap [of Mars]**	Polkappe *f* [des Mars]	calotte *f* polaire [du Mars]	полярная шапка [Марса]
P 2168	**polar circle**	Polarkreis *m*	cercle *m* polaire	полярный круг
	polar circle diagram, Smith chart, circle diagram of Smith, polar impedance chart	Smith-Diagramm *n*, Smithsches Diagramm *n*, Kreisdiagramm *n* nach Smith	diagramme *m* circulaire de Smith, diagramme de Smith	диаграмма Смита, круговая (полярная) диаграмма полных сопротивлений
	polar compound, ionic compound, heteropolar compound	Ionenverbindung *f*, ionogene (heteropolare, polare) Verbindung *f*	composé *m* ionique (hétéropolaire, polaire), combinaison *f* ionique	ионное (гетерополярное, полярное) соединение
P 2169	**polar continental air**	kontinentale Polarluft *f*	air *m* polaire continental	континентальный полярный воздух, полярный континентальный воздух
	polar co-ordinate oscillograph	*s.* cycloscope		

P 2170	polar co-ordinate oscillographic tube, polar co-ordinate tube	Polarkoordinatenröhre f, Polarkoordinaten-Oszillographenröhre f	tube m oscillographique à coordonnées polaires, tube à coordonnées polaires	циклографная электронно-лучевая трубка, электроннолучевая трубка с полярными координатами
	polar co-ordinate oscilloscope	s. cycloscope		
P 2171	polar co-ordinate recorder	Polarkoordinatenschreiber m, Polardiagramm-schreiber m, Polar-schreiber m	enregistreur m de diagrammes polaires, enregistreur en coordonnées polaires	полярно-координатный самопишущий прибор, самопишущий прибор для записи в полярных координатах
	polar co-ordinates	s. spherical co-ordinates		
P 2172	polar co-ordinates [in the plane], plane polar co-ordinates	Polarkoordinaten fpl [in der Ebene], ebene Polarkoordinaten	coordonnées fpl polaires [dans le plan], coordonnées polaires planes	полярные координаты [на плоскости], плоские полярные координаты
	polar co-ordinate tube	s. polar co-ordinate oscillographic tube		
	polar corona, corona <of polar aurora>	Polarlichtkrone f, Korona f, Polarlichtfächer m	couronne f <d'aurore>	корона «полярного сияния»
	polar crystal, ionic crystal	Ionenkristall m, polarer Kristall m	cristal m ionique, cristal polaire	ионный кристалл, полярный кристалл
P 2173	polar curve <of the airfoil>	Polare f, [Lilienthalsches] Polardiagramm n <Tragflügel>	polaire f <de l'aile>	полярная диаграмма, поляра [крыла], поляра Лилиенталя
P 2174	polar curve <math.>	Polarkurve f, Polkurve f <Math.>	courbe f polaire <math.>	полярная кривая <матем.>
	polar day, midnight Sun	Mitternachtssonne f, Polartag m	Soleil m de minuit, jour m polaire	полночное Солнце, полярный день
P 2175	polar decomposition	polare Zerlegung f	décomposition f polaire	полярное разложение
P 2176	polar diagram	Polardiagramm n, Darstellung f in Polar-koordinaten	diagramme m polaire	полярная диаграмма, диаграмма в полярных координатах
	polar diagram [of antenna]	s. radiation pattern		
	polar diagram of luminous flux	s. luminous-flux distribution		
	polar diagram of luminous intensity	s. light distribution curve		
	polar displacement	s. polar motion		
	polar distance, north polar distance, co-declination, P.D., PD	Poldistanz f, Polabstand m, Nordpolabstand m, Polardistanz f	distance f polaire, co-déclinaison f, distance du nord polaire	полярное расстояние <светила>
	polar drift	s. polar motion		
P 2177	polar equation	Polargleichung f	équation f polaire	полярное уравнение
P 2178	polar facula	polare Sonnenfackel (Fackel) f, Polarfackel f	facule f polaire	полярный факел
	polar flattening of the Earth	s. flattening of the Earth		
P 2179	polar form	Polarform f	forme f polaire	полярная форма
P 2180	polar front	Polarfront f	front m polaire	полярный фронт
P 2181	polar group	polare Gruppe f	groupe m polaire	полярная группа
P 2182	polarimeter, polaristrobometer	Polarimeter n, Polaristro-bometer n	polarimètre m, polari-strobomètre m	поляриметр, поляристро-бометр
P 2183	polarimetry	Polarimetrie f, Polaro-metrie f, Messung f der Drehung der Polari-sationsebene; Unter-suchung f mit Hilfe von polarisiertem Licht	polarimétrie f	поляриметрия, поляро-метрия
	polar impedance chart, Smith chart, polar circle diagram, circle diagram of Smith	Smith-Diagramm n, Smithsches Diagramm n, Kreisdiagramm n nach Smith	diagramme m circulaire de Smith, diagramme de Smith	диаграмма Смита, кру-говая (полярная) диа-грамма полных сопротивлений
	polar indicator	s. polarity indicator		
	Polaris	s. Polar Star		
P 2184	polariscopy	Polariskopie f, Nachweis m der Polarisation	polariscopie f	полярископия
	polariser, polarizer	Polarisator m	polariseur m	поляризатор
	polaristrobometer	s. polarimeter		
P 2185	polariton	Polariton n, kleines Polaron n	polariton m	поляритон
P 2186	polarity	Polarität f; Polung f	polarité f, polarisation f	полярность, поляризация
	polarity alternation	s. alternation of polarity		
	polarity formula	s. electronic formula		
P 2187	polarity indicating lamp, pole indicating lamp	Polsuchlampe f	lampe f indicatrice de polarité	лампа для определения полярности
P 2188	polarity indicator, pole tester, pole (polar, sign) indicator, pole finder	Polsucher m, Polprüfer m, Pol[aritäts]anzeiger m, Stromrichtungsanzeiger m	indicateur m de polarité, indicateur du sens de courant	указатель полярности, индикатор полярности, указатель направления тока
	polarity reversal	s. alternation of polarity		
	polarity reversing switch	s. pole-changing switch		
	polarity test paper	s. pole finding paper		
P 2189	polarizability, electric polarizability	Polarisierbarkeit f, elektrische Polarisier-barkeit f	polarisabilité f, polari-sabilité électrique	поляризуемость, электри-ческая поляризуемость
	polarizability catas-trophe, spontaneous polarization	spontane Polarisation f, spontane Polarisierung f	polarisation f spontanée	спонтанная поляризация, самопроизвольная поляризация
P 2190	polarizability ellipsoid	Polarisierbarkeitsellipsoid n	ellipsoïde m des polarisabili-tés	эллипсоид поляризуе-мости

	polarizability of the molecule	*s.* molecular polarizability		
P 2191	**polarizability tensor**, tensor of electric polarizability	Polarisierbarkeitstensor *m*, Tensor *m* der elektrischen Polarisierbarkeit	tenseur *m* de la polarisabilité [électrique]	тензор поляризуемости, тензор электрической поляризуемости
P 2192	**polarizable electrode**	polarisierbare Elektrode *f*	électrode *f* polarisable	поляризуемый (поляризующийся) электрод
P 2193	**polarization**	Polarisation *f*, Polarisierung *f*	polarisation *f*	поляризация
	polarization	*s. a.* electrolytic polarization		
	polarization	*s. a.* polarization vector <el.>		
	polarization [brought about] by atomic and electronic movement	*s.* "displacement polarization"		
P 2193a	**polarization by deformation**	Deformationspolarisation *f*, Polarisation *f* bei Deformation	polarisation *f* par déformation	деформационная поляризуемость
	polarization by distortion	*s.* piezoelectric effect		
P 2194	**polarization by double refraction**	Doppelbrechungspolarisation *f*, Polarisation *f* durch Doppelbrechung	polarisation *f* par biréfringence	поляризация при двойном лучепреломлении
P 2195	**polarization by exchange**, exchange polarization	Austauschpolarisation *f*	polarisation *f* par [l'interaction d']échange	поляризация за счет обменного взаимодействия
P 2196	**polarization by reflection**	Reflexionspolarisation *f*, Polarisation *f* durch Reflexion	polarisation *f* par réflexion	поляризация при отражении, поляризация отражением
P 2197	**polarization by refraction**	Brechungspolarisation *f*, Polarisation *f* durch Brechung	polarisation *f* par réfraction	поляризация при преломлении, поляризация преломлением
P 2197a	**polarization by scattering**	Streuungspolarisation *f*, Polarisation *f* durch Streuung	polarisation *f* par diffusion	поляризация при рассеянии
P 2197b	**polarization capacitance**	Polarisationskapazität *f*	capacité *f* de polarisation	поляризационная емкость
P 2198	**polarization cell**	Polarisationszelle *f*, Polarisationselement *n*	élément *m* de polarisation, élément polarisateur	поляризационный элемент
P 2199	**polarization charge**, bound charge	Polarisationsladung *f*	charge *f* de polarisation, charge liée	связанный заряд
	polarization charge density	*s.* density of polarization charge		
P 2200	**polarization condenser**	Polarisationskondensor *m*	condenseur *m* à polarisation	поляризационный конденсор
P 2201	**polarization current**, polarizing current <el.chem.>	[elektrolytischer] Polarisationsstrom *m* <El.Chem.>	courant *m* de polarisation <él.chim.>	поляризационный ток, ток поляризации <эл.хим.>
	polarization current	*s. a.* displacement current		
P 2202	**polarization curve** <el.chem.>	Polarisationskurve *f* <El.Chem.>	courbe *f* de polarisation <él.chim.>	кривая поляризации, поляризационная кривая <эл.хим.>
P 2203	**polarization degree**, degree (proportion) of polarization	Polarisationsgrad *m*	degré *m* de polarisation, proportion *f* de polarisation	степень поляризации, коэффициент поляризации
P 2204	**polarization diagram**, polarization function of Mie scattering	Polarisationsdiagramm *n*, Polarisationsfunktion *f* der Mie-Streuung	diagramme *m* de polarisation, fonction *f* de polarisation	диаграмма поляризации, функция поляризации в теории Ми
P 2205	**polarization diversity**	Polarisationsdiversity *f*; Polarisationsmehrfachempfang *m*, Polarisationsdiversityempfang *m*	diversité *f* de polarisation; réception *f* en diversité de polarisation	разнесение по поляризации; разнесенный по поляризации прием
P 2206	**polarization effect [in ionic conduction]**	Polarisationseffekt *m* [bei Ionenleitung]	effet *m* de polarisation [des ions]	явление поляризации [ионов], поляризационный эффект
P 2207	**polarization efficiency**	Polarisationsausbeute *f*	efficacité *f* (rendement *m*) de polarisation	эффективность (выход) поляризации
	polarization electromotive force	*s.* polarization potential <el.chem.>		
P 2208	**polarization ellipse**	Polarisationsellipse *f*	ellipse *f* de polarisation	эллипс поляризации
P 2209	**polarization ellipsoid**, ellipsoid of polarization	Polarisationsellipsoid *n*	ellipsoïde *m* de polarisation	эллипсоид поляризации
P 2210	**polarization energy**	Polarisationsenergie *f*	énergie *f* de polarisation	поляризационная энергия
	polarization error	*s.* night effect <el.>		
P 2211	**polarization factor**, Thomson factor	Polarisationsfaktor *m*, Thomson-Faktor *m*, Thomsonscher Faktor *m*	facteur *m* de polarisation, facteur de Thomson	поляризационный фактор, фактор Томсона
P 2212	**polarization fading**	Polarisationsschwund *m*, Polarisationsfading *n*	évanouissement *m* de polarisation	поляризационное замирание
	polarization field, reaction field in the dielectric structure	Polarisationsbereich *m*, Polarisationsfeld *n*	champ *m* de polarisation, domaine *m* de polarisation locale	область локальной поляризации, поле поляризации
	polarization filter, polarizing filter, polarizer	Polarisationsfilter *n*	filtre *m* polarisant, filtre de polarisation, écran *m* polarisateur, polariseur *m*	поляризующий [свето-] фильтр, поляризационный светофильтр
P 2213	**polarization foil**; polaroid [filter]	Polarisationsfolie *f*; Polaroidfilter *n*, Polaroid *n*	filtre *m* polarisant pelliculaire, polariseur *m* pelliculaire, polaroïde *m*	поляризационная пленка; полароид
P 2214	**polarization force**	Polarisationskraft *f*	force *f* de polarisation	поляризационная сила, сила поляризации
	polarization function of Mie scattering, polarization diagram	Polarisationsdiagramm *n*, Polarisationsfunktion *f* der Mie-Streuung	diagramme *m* de polarisation, fonction *f* de polarisation	диаграмма поляризации, функция поляризации в теории Ми

	English	German	French	Russian
P 2215	**polarization helioscope**	Polarisationshelioskop n	hélioscope m à polarisation	поляризационный гелиоскоп
P 2216	**polarization index**	Polarisationsindex m	indice m de polarisation	показатель поляризации
P 2217	**polarization interaction of molecules**	Polarisationswechsel-wirkung f der Moleküle	interaction f de polarisation des molécules	поляризационное взаимодействие молекул
	polarization inter-ference filter	s. Lyot filter		
P 2218	**polarization loss**	Polarisationsverlust m	perte f par (due à la) polarisation	поляризационная потеря
P 2219	**polarization-magnetization [four-] tensor**, four-tensor of dielectric polarization and magnetization intensity	Polarisations-Magneti-sierungs-Tensor m, Polarisations-Magneti-sierungs-Vierertensor m, Vierertensor m der Polarisation und Magnetisierung	quadritenseur m polarisation diélectrique — intensité d'aimantation, [quadri]tenseur polari-sation-aimantation	четырехмерный тензор поляризации и на-магничивания, 4-тензор поляризации и на-магничивания, тензор поляризации и на-магничивания
	polarization microscope	s. polarizing microscope		
P 2220	**polarization microscopy**	Polarisationsmikroskopie f	microscopie f à polarisation	поляризационная микро-скопия, наблюдение под поляризационным микроскопом
P 2221	**polarization modulation**	Polarisationsmodulation f	modulation f de polarisation	поляризационная модуля-ция, модуляция враще-нием плоскости поляри-зации
	polarization of dielectric	s. dielectric polarization <el.>		
P 2222	**polarization of fluores-cence, polarization of fluorescence radia-tion (light)**, polarized fluorescence	polarisierte Fluoreszenz f, Polarisation f der Fluo-reszenzstrahlung, Polarisa-tion des Fluoreszenzlichts	fluorescence f polarisée, polarisation f du rayonne-ment fluorescent, polari-sation de la radiation fluorescente	поляризованная флуоре-ресценция, поляризация флуоресцентного свечения (излучения, света)
	polarization of free space, polarization of vacuum, vacuum polarization	Polarisation f des Vakuums, Vakuumpolarisation f	polarisation f du vide	поляризация вакуума
	polarization of lumines-cence light (radiation)	s. polarized luminescence		
	polarization of vacuum	s. polarization of free space		
P 2223	**polarization operator**	Polarisationsoperator m	opérateur m polarisation	поляризационный оператор
P 2224	**polarization-optical tensometry**	polarisationsoptische Tenso-metrie f (Untersuchung f von Spannungszuständen)	tensométrie f par polarisa-tion [optique], étude f de tensions par polarisation optique	поляризационно-опти-ческий метод исследо-вания напряжений
P 2225	**polarization optics**, optics of polarized light	Polarisationsoptik f	optique f de la lumière polarisée	оптика поляризационного света
P 2226	**polarization ovaloid**	Polarisationsovaloid n	ovaloïde m de polarisation	овалоид поляризации
P 2227	**polarization parameter**	Polarisationsparameter m	paramètre m de polarisation	параметр поляризации
P 2228	**polarization photometer**	Polarisationsphotometer n	photomètre m de polarisation	поляризационный фото-метр
P 2229	**polarization photometry**	Polarisationsphotometrie f	photométrie f de polarisation	поляризационная фото-метрия
P 2230	**polarization plateau**, ionization plateau, Fermi plateau	Fermi-Plateau n	plateau m de Fermi	плато Ферми
	polarization potential, Hertzian vector, Hertz vector	Hertzscher Vektor m, [elektrisches] Polarisa-tionspotential n, Hertz-sches Potential n	vecteur m de Hertz, potentiel m de polarisa-tion	вектор Герца, поляриза-ционный потенциал, потенциал Герца
P 2231	**polarization potential**, polarization voltage, polarization e.m.f., polarization electro-motive force <el.chem.>	Polarisationsspannung f, Polarisationspotential n, Polarisations-EMK f <El. Chem.>	potentiel m de polarisation, tension f de polarisation, force f électromotrice de polarisation, f. é. m. de polarisation <él.chim.>	поляризационное на-пряжение, напряжение поляризации, электро-движущая сила поляризации, э. д. с. поляризации, поляри-зационный потенциал <эл.хим.>
	polarization prism, polarizing prism	Polarisationsprisma n	prisme m polarisateur	поляризационная призма
	polarization pyrometer	s. Wanner pyrometer		
P 2231a	**polarization resistance**	Polarisations[wirk]wider-stand m	résistance f de polarisation	поляризационное сопроти-вление, сопротивление поляризации
P 2232	**polarization rotator**	Polarisationsdreher m	dispositif m de rotation de polarisation	волноводная секция, изменяющая поляри-зацию волн
P 2233	**polarization rule**	Polarisationsregel f	loi f de polarisation	правило поляризации
P 2234	**polarization spectacles**, polarizing spectacles	Polarisationsbrille f	verres mpl de polarisation	поляризационные очки
P 2235	**polarization tensor**	Polarisationstensor m	tenseur m de polarisation	тензор поляризации
P 2236	**polarization vector** <nucl.>	Polarisationsvektor m <Kern.>	vecteur m polarisation <nucl.>	вектор поляризации <яд.>
	polarization vector	s. a. dielectric polarization		
	polarization voltage, bias voltage, biasing voltage, bias <el.>	Vorspannung f <El.>	tension f de polarisation, polarisation f <él.>	напряжение смещения, смещение <эл.>
	polarization voltage	s. a. polarization potential		
P 2237	**polarization volume density**, volume density of polarization	Polarisationsdichte f [pro Volumeneinheit], Volum[en]dichte f der Polarisation, Volum[en]-polarisationsdichte f	densité f cubique de polarisation, densité volumique de polarisation	объемная плотность поляризации, плот-ность поляризации на единицу объема
P 2238	**polarization wave**	Polarisationswelle f	onde f de polarisation	поляризационная волна, волна поляризации

P 2238a	polarized ammeter	Strommesser m mit Nullstellung in der Skalenmitte, Strommesser mit beidseitigem Ausschlag	ampèremètre m polarisé	дву[x]сторонний амперметр
P 2239	polarized atomic bond, mixed bond	gemischte Bindung f, polarisierte Atombindung f	liaison f atomique polarisée, liaison mixte	смешанная связь, поляризованная атомная связь
P 2240	polarized fluorescence, polarization of fluorescence, polarization of fluorescence radiation (light)	polarisierte Fluoreszenz f, Polarisation f der Fluoreszenzstrahlung, Polarisation des Fluoreszenzlichts	fluorescence f polarisée, polarisation f du rayonnement fluorescent, polarisation de la radiation fluorescente	поляризованная флуоресценция, поляризация флуоресцентного свечения (излучения, света)
P 2241	polarized luminescence, polarization of luminescence light (radiation)	polarisierte Lumineszenz f, Polarisation f der Lumineszenzstrahlung, Polarisation des Lumineszenzlichts	luminescence f polarisée, polarisation f du rayonnement luminescent, polarisation de la radiation luminescente	поляризованная люминесценция, поляризация люминесцентного свечения (излучения, света)
P 2242	polarizer, polariser	Polarisator m	polariseur m	поляризатор
	polarizer, polarizing filter, polarization filter	Polarisationsfilter n	filtre m polarisant, filtre de polarisation, écran m polarisateur, polariseur m	поляризующий [свето-] фильтр, поляризационный светофильтр
	polarizing angle	s. Brewster angle		
P 2243	polarizing apparatus	Polarisationsapparat m	appareil m de polarisation	поляризационный прибор
	polarizing capacity, polarizing power	Polarisationsvermögen n, Polarisationsfähigkeit f, polarisierende Wirkung f	pouvoir m polarisateur	поляризационная способность, способность поляризировать, поляризующее действие
	polarizing combination	s. polarizing equipment		
P 2243a	polarizing constant	Polarisationskonstante f	constante f de polarisation	поляризационная постоянная (константа)
	polarizing current, polarization current <el.chem.>	Polarisationsstrom m, elektrolytischer Polarisationsstrom <El.Chem.>	courant m de polarisation <él.chim.>	поляризационный ток, ток поляризации <эл.хим.>
P 2244	polarizing device (equipment), polarizing combination	Polarisationseinrichtung f	dispositif (équipement) m de polarisation	поляризационное устройство
P 2245	polarizing filter, polarization filter, polarizer	Polarisationsfilter n	filtre m polarisant, filtre de polarisation, écran m polarisateur, polariseur m	поляризующий [свето-] фильтр, поляризационный светофильтр
P 2246	polarizing-filter analyzer, filter analyzer	Filteranalysator m	analyseur m à filtre de polarisation	анализатор с поляризационным фильтром
P 2247	polarizing interferometer	Polarisationsinterferometer n	interféromètre m polarisant	поляризационный интерферометр
P 2248	polarizing microscope, polarization microscope	Polarisationsmikroskop n	microscope m à polarisation	поляризационный микроскоп
P 2249	polarizing optical system, polarizing optics	Polarisationsoptik f	système m optique de polarisation	поляризационно-оптическая система
	polarizing potential, polarizing voltage	polarisierende Spannung f	tension f polarisante	поляризующее напряжение
P 2250	polarizing power, polarizing capacity	Polarisationsvermögen n, Polarisationsfähigkeit f, polarisierende Wirkung f	pouvoir m polarisateur	поляризационная способность, способность поляризировать, поляризующее действие
P 2251	polarizing prism, polarization prism	Polarisationsprisma n	prisme m polarisateur	поляризационная призма
	polarizing pyrometer	s. Wanner pyrometer		
	polarizing spectacles, stereo-visor	Stereobetrachtungsbrille f, Stereobrille f	lunettes fpl à verres polarisés	очки для рассматривания стереоскопических снимков
	polarizing spectacles	s. a. polarization spectacles		
P 2252	polarizing spectrometer	Polarisationsspektrometer n	spectromètre m à (de) polarisation	поляризационный спектрометр
P 2253	polarizing vertical condenser, polarizing vertical illuminator	Polarisationsopakilluminator m	condenseur m vertical polarisateur, condenseur vertical à polarisation	поляризационный вертикальный конденсор, поляризационный опакиллюминатор
P 2254	polarizing voltage, polarizing potential	polarisierende Spannung f	tension f polarisante	поляризующее напряжение
P 2255	polar lights, polar aurora, aurora <pl.: aurorae>	Polarlicht n, polare Aurora f	aurore f polaire, aurore	полярное сияние
	polar line	s. polar		
	polar maritime air, maritime polar air	maritime Polarluft f, polare Meeresluft f	air m polaire maritime	морской полярный воздух, полярный морской воздух
P 2256	polar mode	polare Mode f, polarer Schwingungstyp m	mode m polaire	полярный вид (тип) колебаний
P 2257	polar mode oscillation	polare Schwingung f	oscillation f polaire	полярное колебание
P 2258	polar molecule, dipole molecule	polares Molekül n, Dipolmolekül n	molécule f polaire, molécule dipolaire	полярная молекула, дипольная молекула
P 2259	polar moment of inertia	polares Trägheitsmoment (Moment) n, Binetsches Trägheitsmoment, Trägheitsmoment in bezug auf einen Punkt, Trägheitsmoment bei Drehung	moment m d'inertie par rapport à un point, moment d'inertie polaire [de la section transversale], moment central d'inertie	полярный момент инерции [сечения], центробежный момент инерции, момент инерции относительно точки
P 2260	polar moment of inertia of the line, moment of inertia of the line with respect to a point	polares Linienträgheitsmoment n	moment m d'inertie polaire de la ligne, moment d'inertie de la ligne par rapport à un point	полярный момент инерции линии, момент инерции линии относительно точки

P 2261	**polar moment of resistance,** polar resisting moment	polares Widerstands-moment *n*	moment *m* de résistance polaire	полярный момент сопротивления
P 2262	**polar motion,** movement (shifting) of the pole, polar wandering (drift, displacement, shift), wandering of [the] pole	Polbewegung *f*, Pol-schwankung *f*, Pol-wanderung *f*, Pol-verschiebung *f*, Pol-verlagerung *f*	mouvement *m* du pôle, déplacement *m* du pôle	движение полюса, пере-мещение полюса
P 2263	**polar night**	Polarnacht *f*	nuit *f* polaire	полярная ночь
P 2264	**polarogram**	Polarogramm *n*, polaro-graphische Strom-Spannungs-Kurve *f*	polarogramme *m*	полярограмма, кривая полярографии
	polarographic technique	*s.* polarography		
P 2265	**polarographic wave**	polarographische Stufe *f*, polarographische Welle *f*	onde *f* polarographique	полярографическая волна
P 2266	**polarography,** polaro-graphic technique	Polarographie *f*	polarographie *f*	полярография
	polaroid	*s.* polarization foil		
	polaroid	*s.* polaroid material		
	Polaroid camera	*s.* Polaroid-Land camera		
	polaroid filter	*s.* polarization foil		
P 2267	**Polaroid-Land camera,** one-step photographic camera, Polaroid camera, Land camera	Landsche Ein-Minuten-Kamera *f*, Polaroid-Land-Kamera *f*, Polaroid-Kamera *f*	caméra *f* Polaroïde-Land, caméra-minute *f*, caméra Polaroïde	камера с фотокомплектом «момент», фотокомплект «момент»
P 2268	**polaroid material,** polaroid	polaroides Material *n*, Polaroid *n*	matériel *m* polaroïde, polaroïde *m*	полироидный материал, поляроид
P 2269	**polaron**	Polaron *n*	polaron *m*	полярон
P 2270	**polar plane**	Polarebene *f*	plan *m* polaire	полярная плоскость
	polar potentiometer	*s.* polar type alternating-current potentiometer		
P 2271	**polar projection**	polständige (normale, polare) Projektion *f*, polständiger (normaler, polarer) Entwurf *m*	projection *f* polaire	полярная проекция
P 2272	**polar radius**	Polradius *m*, Polhalb-messer *m*	rayon *m* polaire	полярный радиус
P 2273	**polar radius of gyration (interia)**	polarer Trägheitsradius *m*	rayon *m* de giration po-laire, rayon central de giration, rayon polaire du moment quadratique	полярный радиус инер-ции
P 2274	**polar ray,** plume ‹of the solar corona›	Polarstrahl *m* ‹Sonnenkorona›	rayon *m* polaire ‹de la cou-ronne solaire›	полярный луч ‹солнечной короны›
	polar resisting moment, polar moment of resistance	polares Widerstands-moment *n*	moment *m* de résistance polaire	полярный момент сопротивления
P 2275	**polar semi-axis**	polare Halbachse *f*, Polarhalbachse *f*	demi-axe *m* polaire	полярная полуось
	polar sequence, north polar sequence	Polsequenz *f*, Nord-polarsequenz *f*, Polfolge *f*	séquence *f* polaire	Северный Полярный Ряд, полярный ряд
	polar shift	*s.* polar motion		
	polar solid angle, terminal angle	Endecke *f* ‹Krist.›; Polarecke *f*, Polecke *f*	angle *m* terminal, angle du sommet du cristal	полярный (конечный) угол, конечная (полярная) вершина
	polar space, elliptic space	elliptischer Raum *m*	espace *m* elliptique	эллиптическое пространство
	polar space	*s. a.* adjoint space		
P 2276	**Polar Star,** Polaris, pole-star, Stella Polaris	Polarstern *m*, Nord[pol]-stern *m*, Polaris *f*, α Ursae Minoris, α UMi	Polaire *f*, étoile *f* Polai re, étoile α Petit Ourse, étoile α Ursae Minoris	Полярная звезда
	polar surface of light distribution	*s.* solid of light distribution		
P 2277	**polar telescope**	Polteleskop *n*, Polfernrohr *n*	lunette *f* polaire	полярная труба
P 2278	**polar triangle,** astronomical (parallactic) triangle, triangle of position, navigational triangle	Poldreieck *n*, Polardreieck *n*, nautisches (parallakti-sches, astronomisches) Dreieck *n*	triangle *f* de position, triangle polaire (parallactique, supplé-mentaire, astronomique)	полярный (параллакти-ческий, астрономи-ческий, позиционный, навигационный) тре-угольник
P 2279	**polar type alternating-current potentiometer, polar type poten-tiometer,** polar type a.c. potentiometer, polar potentiometer	Phasenschieberkompen-sator *m*, Wechselstrom-kompensator *m* mit ein-facher Vergleichs-spannung, phasen-schiebender Wechsel-stromkompensator, Polarkoordinaten[-Wechselstrom]kompen-sator *m*, Polarkompen-sator *m*	potentiomètre *m* de courant alternatif du type coordon-nées polaires, potentio-mètre de courant alternatif polaire, potentiomètre polaire	полярно-координатный потенциометр [перемен-ного тока], полярный потенциометр
P 2280	**polar vector**	polarer (translatorischer) Vektor *m*, Schubvektor *m*, Richtungsvektor *m*	vecteur *m* polaire, vecteur pur	полярный вектор
	polar voltage	*s.* pole voltage		
	polar wandering	*s.* polar motion		
P 2281	**polar year**	Polarjahr *f*	année *f* polaire	полярный год
	polaxis, polar axis ‹math.; cryst.›	Polarachse *f* ‹Math.; Krist.›; Nullstrahl *m* ‹Math.›	axe *m* polaire ‹math.; crist.›	полярная ось ‹матем.; крист.›
P 2282	**Pol['s] differential equation / Van der,** Van der Pol['s] equation, differential equation of Van der Pol	van der Polsche Differen-tialgleichung *f*, van der Polsche Gleichung *f*	équation *f* différentielle de van der Pol, équation de van der Pol	дифференциальное уравнение Ван-дер-Поля, уравнение Ван-дер-Поля
P 2283	**Poldi hardness [number]**	Poldi-Härte *f*	dureté *f* de Poldi	твердость по Польди

P 2284	**Poldi hardness tester**	Poldi-Hammer *m*, Poldi-Härteprüfgerät *n*	appareil *m* de Poldi, appareil d'essai de Poldi	прибор [для испытания на твердость по] Польди
P 2285	**pole** <gen.; also of polar curve>	Pol *m* <allg.; auch des Polarkoordinatensystems>	pôle *m* <gén.; aussi de la courbe polaire>	полюс <общ.; также полярной кривой>
P 2286	**pole** <of the analytic function>	Pol *m*, Polstelle *f*, außerwesentlich singuläre Stelle *f* <analytische Funktion>	pôle *m*, singularité *f* polaire <de la fonction analytique>	полюс <аналитической функции>
P 2287	**pole arc**, real pole arc	Polbogen *m*, tatsächlicher Polbogen	arc *m* polaire, arc polaire réel	[действительная] полюсная дуга
P 2288	**pole arc-to-pole pitch ratio**	Polbedeckungsfaktor *m*	rapport *m* arc polaire / pas polaire	коэффициент использования (покрытия) полюса
P 2289	**pole change**, pole changing, reversing <el.>	Polumschaltung *f* <El.>	reversement *m* des pôles; commutation *f* du nombre des pôles <él.>	переключение полюсов, реверсирование; переключение числа полюсов <эл.>
	pole change	*s. a.* alternation of polarity		
	pole changer	*s.* pole-changing switch		
	pole changing	*s.* alternation of polarity		
	pole changing	*s. a.* pole change <el.>		
P 2290	**pole-changing switch**, pole changer, pole reverser, current reverser, polarity reversing switch, reversing switch, commutator switch	Polwechselschalter *m*, Polwechsler *m*, Umpolschalter *m*; Polumschalter *m*; Polwender *m*; Polwendeschalter *m*, Wendeschalter *m*, Umkehrschalter *m*	inverseur *m* de polarité, inverseur, commutateur *m* inverseur	переключатель полярности (полюсов); преобразователь полярности, реверсирующий переключатель, реверсор, переключатель для реверсирования
P 2291	**pole dislocation**	Polversetzung *f*	dislocation-pôle *f*	полюсная дислокация
P 2292	**pole effect**	Poleffekt *m*, Polaritätseffekt *m*, Elektrodeneffekt *m*	effet *m* de polarité	электродный эффект, эффект полярности
P 2293	**pole face**	Polfläche *f*	face *f* polaire	лобовая (рабочая) поверхность полюса
	pole face	*s.* pole piece face		
	pole face	*s. a.* pole piece		
	pole face leakage	*s.* pole leakage		
P 2294	**pole figure**	Polfigur *f*	figure *f* de pôles	полюсная фигура
	pole finder	*s.* polarity indicator		
P 2295	**pole finding paper**, pole paper, pole test paper, polarity test paper	Polreagenzpapier *n*, Polsuchpapier *n*, Polpapier *n*	papier *m* indicateur de polarité, papier indicateur des pôles	[реактивная] полюсная бумага, бумага для определения полярности (знака полюсов)
	pole float	*s.* staff float		
P 2296	**pole gap**, gap between poles	Pollücke *f*	espace *m* entre les pôles	промежуток между полюсами, впадина между полюсами
	pole gap	*s. a.* magnet gap		
	pole indicating lamp, polarity indicating lamp	Polsuchlampe *f*	lampe *f* indicatrice de polarité	лампа для определения полярности
	pole indicator	*s.* polarity indicator		
P 2297	**pole leakage**, pole piece leakage, pole face leakage	Polstreuung *f*	dispersion *f* polaire	рассеяние полюсного башмака
P 2298	**poleless magnet**	polloser Magnet *m*	aimant *m* sans pôles	бесполюсный магнит
	pole of cold	*s.* cold pole		
P 2299	**pole of ecliptic**	Pol *m* der Ekliptik, ekliptikaler Pol, Ekliptikpol *m*	pôle *m* de l'écliptique	полюс эклиптики
P 2300	**pole of inaccessibility**	Unzugänglichkeitspol *m*, Pol *m* der Unzugänglichkeit	pôle *m* d'inaccessibilité	полюс недоступности
	pole of magnetic dip	*s.* magnetic dip pole		
P 2301	**pole of the axis of rotation**	Pol *m* der Bewegung	pôle *m* [du mouvement]	полюс оси вращения
	pole of zone, zone pole	Zonenpol *m*	pôle *m* de la zone	полюс зоны
	pole paper	*s.* pole finding paper		
P 2302	**pole piece**, pole tip, pole shoe, pole face	Polschuh *m*, Magnetpolschuh *m*, Magnetschenkel *m*; Polschuhrand *m*	pièce *f* polaire, cosse *f*, épanouissement *m* polaire	полюсный наконечник, магнитный наконечник, полюсный башмак
P 2303	**pole piece face**, pole face	Polschuhfläche *f*, Polschuh-Stirnfläche *f*	face *f* de la pièce polaire	лобовая поверхность полюсного башмака
	pole piece factor, pole shoe factor	Polschuhfaktor *m*	coefficient *m* de la pièce polaire	коэффициент полюсного башмака
	pole piece leakage, pole leakage, pole face leakage	Polstreuung *f*	dispersion *f* polaire	рассеяние полюсного башмака
P 2304	**pole piece lens**, pole piece magnetic lens	Polschuhlinse *f* [nach E. Ruska], magnetische Polschuhlinse	lentille *f* à pièces polaires, lentille magnétique à pièces polaires	магнитная линза с полюсными наконечниками
P 2305	**pole pitch**	Polteilung *f*	pas *m* polaire	полюсное деление, полюсный шаг
	pole plate, attraction plate <bio.>	Polkappe *f* <Bio.>	calotte *f* polaire <bio.>	полярная пластинка <био.>
	Pol['s] equation / Van der	*s.* Pol['s] differential equation / Van der		
	pole reversal	*s.* alternation of polarity		
	pole reverser	*s.* pole-changing switch		
	pole shoe	*s.* pole piece		
P 2306	**pole shoe factor**, pole piece factor	Polschuhfaktor *m*	coefficient *m* de la pièce polaire	коэффициент полюсного башмака
P 2306a	**pole sphere**	Polkugel *f*	sphère *f* des pôles	сфера полюсов
	pole-star	*s.* Polar Star		

P 2307	pole strength	s. magnetic pole strength		
	pole term	Polterm m	terme m de pôle	полюсный член
	pole tester	s. polarity indicator		
	pole test paper	s. pole finding paper		
P 2308	pole tip	Polspitze f, Polschuhspitze f, Polhorn n	corne f polaire	полюсный выступ
	pole tip	s. a. pole piece		
P 2309	pole voltage, polar voltage	Polspannung f, magnetische Polspannung	tension f de pôle[s]	напряжение на полюсах
P 2310	poleward migration of prominence	polwärtige Wandering f der Protuberanz	mouvement m vers les pôles des protubérances	смещение к полюсам протуберанцев
P 2311	pole wheel, field rotor	Schenkelpolläufer m, Polrad n	roue f polaire	явнополюсный ротор, ротор с выступающими (явно выраженными) полюсами, индуктор
P 2312	Poley['s] method	Poleysche Methode f, Poley-Verfahren n	méthode f de Poley	метод Полея
P 2313	pole-zero configuration, location of poles and zeros	P-N-Verteilung f, P-N-Bild n, Pol-Nullstellen-Verteilung f, Pol-Null-stellen-Bild n	configuration f des pôles et des racines	расположение корней и полюсов
P 2314	polhode, polhodie, moving centrode, moving curve of instantaneous centres <mech.>	Polhodie f, Pol[hodie]kurve f, Gangpolkurve f, Polbahn f, Poloide f, bewegte Zentrode f (Polkurve, Momentanzentrenkurve f), Zentrode <Mech.>	polhodie f, centrode f roulante <méc.>	полодия, полоида, подвижная центроида <мех.>
	polhode (polhodie) cone	s. moving cone of instantaneous axes		
P 2315	poling	Polen n		дразнение
	poling	s. a. alternation of polarity		
	polished sample (section)	s. metallographic specimen		
P 2316	polished section, polished surface	Anschliff m	taille f	аншлиф, полировка
P 2317	pollen analysis; panynological analysis, spore analysis	Pollenanalyse f; Sporenanalyse f	analyse f pollinique (panynologique), analyse au pollen, analyse par pollen; analyse aux spores, analyse par spores	спорово-пыльцевой анализ, палинологический анализ; пыльцевой анализ; споровый анализ
P 2317a	pollen diagram	Pollendiagramm n	diagramme m pollinique	пыльцевая диаграмма
P 2318	pollen tube	Pollenschlauch m	utricule m de pollen	пыльцевая трубочка
P 2319	pollination	Bestäubung f; Einstauben n; Einstäuben n; Stäuben n	pollination f	опыление, опыливание; пыление
P 2319a	pollutant, contaminant	Verschmutzer m, Verunreiniger m, Verunreinigung f	pollutant m, contaminant m	загрязняющее вещество, загрязнитель
P 2319b	pollution, contamination	Verschmutzung f, Verunreinigung f	pollution f, contamination f	загрязнение
	pollution of air (the atmosphere)	s. atmospheric pollution		
P 2320	poloidal field, poloidal magnetic field, poloidal part of the magnetic field	poloidales Feld n, poloidaler Teil m des magnetischen Feldes, Poloidfeld n	champ m poloïdal, partie f poloïdale du champ magnétique	полоидальное поле, полоидальная часть магнитного поля
P 2321	poloidal mode	poloidale Mode f, poloidaler Typ (Wellentyp) m	mode m poloïdal	полоидальный вид, полоидальный тип
	poloidal part of the magnetic field	s. poloidal field		
P 2322	polology, determination of the residues of poles of the scattering matrix	Pollogie f, Bestimmung f der Residuen der Streumatrixpole	pollogie f	полюсология, полюсологический подход, полология
P 2323	Pol relaxation oscillation / Van der	van der Polsche Kippschwingung f	oscillation f de relaxation de Van der Pol	релаксационное колебание Ван-дер-Поля
P 2324	polyad	Polyade f	polyade f	полиада
	polyaddition	s. addition polymerization		
	polyaddition product, addition product	Polyaddukt n, Polyadditionsprodukt n	produit m d'addition, produit de polyaddition	продукт присоединения
P 2325	Pólya['s] distribution, Pascal['s] distribution, negative binomial [series] distribution	Pascalsche Verteilung f, negative Binomialverteilung f, Pólya-Verteilung f, Pascal-Verteilung f	distribution f de Pólya, distribution de Pascal, distribution binomiale négative	распределение Полиа, распределение Паскаля, отрицательное биномиальное распределение
P 2326	polyampholyte	Polyampholyt m	polyampholyte m	полиамфолит
P 2327	polychroism, pleochroism, pleochromatism, polychromatism, dispersion of polarization	Pleochroismus m, Polychroismus m	pléochroïsme m	плеохроизм
	polychromatic	s. heterogeneous <of radiation>		
P 2328	polychrom[at]ic	polychrom, vielfarbig	polychrome	многоцветный
P 2329	polycondensate, polycondensation product	Polykondensat n, Polykondensationsprodukt n	polycondensat m	поликонденсат, продукт поликонденсации
P 2330	polycondensation, condensation polymerization, C-polymerization	Polykondensation f	polycondensation f	поликонденсация
	polycondensation product	s. polycondensate		
P 2331	polyconic projection	polykonischer Entwurf m, polykonische Projektion f	projection f polyconique	поликоническая проекция
P 2332	polycrystal	Vielkristall m, Polykristall m, Kristallhaufwerk n, Vielling m, Sammelkristall m, Kristallvielling m, Mehrkristall m, Haufwerk n	polycristal m	поликристалл

P 2333	polycrystalline aggregat	polykristallines Aggregat n	agrégat m polycristallin	поликристаллический агрегат
	polycyclic	s. multinuclear		
P 2334	polydictiality	Polydiktyalität f	polydictialité f	полидиктиальность
P 2335	polydisperse, heterodisperse	polydispers, heterodispers	polydispersé, polydisperse, hétérodispersé	полидисперсный, гетеродисперсный
P 2336	polydispersity	Polydispersität f	polydispersité f, polydispersion f	полидисперсность
P 2336a	polydomain particle	Mehrbereichsteilchen n, Vielbereichsteilchen n	particule f de la dimension de plusieurs domaines, paricule polydomaine	многодоменная частица
P 2337	polydynamic	polydynamisch	polydynamique	полидинамический
P 2338	polyelectrode	Polyelektrode f	polyélectrode f	полиэлектрод
P 2339	polyelectrolyte solution	Polyelektrolytlösung f	solution f du polyélectrolyte	раствор полиэлектролита
P 2340	polyelectron	Polyelektron n	polyélectron m	полиэлектрон
	polyelectronic atom, multi-electron atonm	Mehrelektronenatom n; Vielelektronenatom n	atome m polyélectronique, atome multiélectronique, atom à plusieurs électrons	многоэлектронный атом
	poly-electron spectrum, multi-electron spectrum, many-electron spectrum	Mehrelektronenspektrum n; Vielelektronenspektrum n	spectre m polyélectronique, spectre multiélectronique	многоэлектронный спектр
	polyenergetic	s. heterogeneous		
P 2341	polyenergid cell	polyenergide Zelle f	cellule f polyénergide	полиэнергидная клетка
P 2342	polyfluorochromatism	Polyfluorochromie f	polyfluorochromatisme m	полифлуорохроматизм
P 2342a	polyfunctional	polyfunktionell	polyfonctionnel	полифункциональный
P 2343	polygenetic	polygen[etisch]	polygène, polygénique	полигенный, состоящий из разных материалов
P 2344	polygonal connection, polygon connection	Vieleckschaltung f, Polygonschaltung f	montage m en polygone, connexion f polygonale	соединение многоугольником (в многоугольник)
P 2345	polygonal method, polygonation, polygonometry; minor control; traversing, traverse geo.>	Polygon[is]ierung f, Polygon[zug]verfahren n, Polygon[zug]methode f, Polygonometrie f <Geo.>	polygonation f, polygonisation f, polygonométrie f <géo.>	полигонометрия, полигонометрический способ, способ полигонного (полигонометрического) хода <гео.>
P 2346	polygonal mirror	Spiegelpolygon n, Vieleckspiegel m	miroir m polygonal	многогранное зеркало, зеркальный барабан
	polygonal mirror	s. a. mirror wheel		
P 2347	polygonal soil	Polygon[al]boden m	sol m polygonal	полигональная почва
	polygonation	s. polygonal method		
P 2348	polygon circumscribed about a circle	Tangentenvieleck n eines Kreises, umschriebenes Vieleck n	polygone m circonscrit au cercle	описанный многоугольник
	polygon connection	s. polygonal connection		
P 2348a	polygon growth	Polygonwachstum n	croissance f polygonale	полигонный рост
P 2349	polygonization <cryst.>	Polygonisation f, Polygonisierung f <Krist.>	polygonisation f <crist.>	полигонизация <крист.>
P 2350	polygon mapping, Schwarz-Christoffel polygon mapping, Schwarz-Christoffel transformation	Polygonabbildung f, Schwarz-Christoffelsche Abbildung f (Polygonabbildung) f	représentation f de Schwarz-Christoffel	отображение Шварца-Кристоффеля, полигональное отображение
P 2351	polygon of forces, force polygon, load polygon	Kräfteeck n, Kräftepolygon n, Kräftevieleck n, Krafteck n, Kraftpolygon n	polygone m des forces	силовой многоугольник, многоугольник сил, многоугольник нагружающих сил
	polygon of stresses	s. stress polygon		
	polygon of vectors, vector polygon	Vektorpolygon n	polygone m des vecteurs, polygone de Varignon	многоугольник векторов, полигон векторов
P 2352	polygonometry <math.>	Polygonometrie f <Math.>	polygonométrie f <math.>	полигонометрия, геометрия (измерение) многоугольников <матем.>
	polygonometry	s. a .polygonal method		
P 2353	polyharmonic equation	polyharmonische Gleichung f, polyharmonische Differentialgleichung f	équation f de Laplace itérée, équation polyharmonique	полигармоническое уравнение
P 2354	polyharmonic function	polyharmonische Funktion f	fonction f polyharmonique, fonction de Laplace itérée	полигармоническая функция
P 2355	polyhedral diffusion of flame	polyedrische Diffusion f der Flamme, Vielflächendiffusion f der Flamme	diffusion f polyédrique de la flamme	полиэдрическая диффузия пламени
P 2356	polyhedral flame	polyedrische Flamme f, Vielflächenflamme f	flamme f polyédrique	полиэдрическое пламя
P 2357	polyhedral group	Polyedergruppe f	groupe m polyédrique	полиэдрическая группа, группа многогранника
P 2358	polyhedral projection	Polyederprojektion f, Polyederentwurf m, Polyederabbildung f, preußische Polyederprojektion	projection f polyédrique	многогранная проекция
P 2359	polyhedrometry	Polyedrometrie f	polyédrométrie f	полиэдрометрия
P 2360	polyhedron	Polyeder n, Vielflach n, Vielflächner m	polyèdre m, surface f polyédrique	многогранник, полиэдр
P 2360a	polyhomoeity, polyhomogeneity	Polyhomoität f, Polyhomogenität f	polyhomogénéité f	полигомогенность
P 2361	polyion	Polyion n	polyion m	полиион
P 2362	polymer, polymeric compound, polymeride	Polymer[e] n	polymère m	полимер
P 2363	polymer-analogue, analogous polymeric compound	Polymeranalog[e] n	polymère-analogue m	полимер-аналог
P 2364	polymer chain	Polymerenkette f	chaîne f polymérique	полимерная цепь
P 2364a	polymer degradation, depolymerization	Depolymerisation f	dépolymérisation f	деполимеризация

	English	German	French	Russian
P 2365	**polymer-homologue,** homologous polymeric compound	Polymerhomolog[e] n	polymère-homologue m	полимер-гомолог
P 2366	**polymer-homologue range**	polymerhomologe Reihe f	série f des homologues polymères	полимергомологический ряд
	polymeric compound, polymeride	s. polymer		
P 2367	**polymerism**	Polymerie f	polymérie f	полимерия, полимерность
P 2368	**polymer-isomer**	Polymerisomer[e] n	polymère-isomère m	полимер-изомер
P 2369	**polymer-isomeric**	polymerisomer	polymère-isomère, polymère-isomérique	полимер-изомерный
	polymerizate	s. polymerization product		
	polymerization accelerator (catalyst)	s. initiator		
	polymerization inhibitor	s. polymerization retarder		
P 2370	**polymerization product, polymerizate**	Polymerisat n, Polymerisationsprodukt n	polymérisat m, polymérisé m, produit m de polymérisation	полимеризат, продукт полимеризации
P 2371	**polymerization regulator**	Polymerisationsregler m	régulateur m de polymérisation	регулятор полимеризации
P 2372	**polymerization retarder,** polymerization inhibitor	Polymerisationsinhibitor m, Inhibitor m [der Polymerisation]	inhibiteur m de polymérisation, retardateur m de polymérisation	замедлитель полимеризации, ингибитор полимеризации
P 2373	**polymeter**	Polymeter n	polymètre m	полиметр
P 2374	**polymict**	polymikt	polymicte	имеющий более одного координационного числа
P 2375	**polymolecularity**	Polymolekularität f	polymolécularité f	полимолекулярность
	polymolecular layer, multilayer, multimolecular layer	Mehrfachschicht f, mehrfachmolekulare (multimolekulare, polymolekulare) Schicht f	couche f multiple, couche polymoléculaire	многомолекулярный слой, полимолекулярный слой, мультислой
P 2376	**polymorphic transformation**	polymorphe Umwandlung f	transformation f polymorphe	полиморфный переход, полиморфное превращение
P 2377	**polymorphism,** polymorphy	Polymorphie f, Polymorphismus m, Heteromorphie f, physikalische Isomerie f	polymorphisme m, polymorphie f	полиморфизм, полиморфия
P 2378	**polymorphism of motional variance**	Bewegungspolymorphie f	polymorphie f de mouvement	полиморфизм движения
P 2379	**polymorphism under pressure**	Polymorphie f unter Druck, Druckpolymorphie f	polymorphisme m sous pression	полиморфизм при высоких давлениях
	polymorphy	s. polymorphism		
	polynary alloy, multicomponent alloy	Mehrstofflegierung f, polynäre Legierung f	alliage m à plusieurs composants, alliage multiple (polynaire)	многокомпонентный сплав, полинарный сплав
	polynary system, multicomponent system	Mehrstoffsystem n, polynäres System n	système m multiple (à plusieurs composants), système polynaire	многокомпонентная система, полинарная система
P 2380	**polynomial,** integral rational function	Polynom n, ganze rationale Funktion f	polynôme m, polynôme entier, polynome m	многочлен, полином
	polynomial distribution	s. multinomial distribution		
P 2381	**polynomial expansion**	polynomische Entwicklung f, Polynomialentwicklung f	développement m multinomial	полиномиальное разложение
P 2381a	**polynomial function**	Polynomfunktion f	fonction f polynomiale (polynôme), fonction polynôme f	полиномиальная функция
P 2381b	**polynomial in several variables,** multinomial	Polynom n in mehreren Variablen	polynôme m à plusieurs variables	многочлен от нескольких переменных
P 2382	**polynomial method**	Polynommethode f	méthode f des polynômes	метод полиномов, метод многочленов
P 2382a	**polynomial regression**	polynomische Regression f	régression f polynomiale	полиномиальная регрессия
P 2383	**polynomial ring**	Polynomring m	algèbre f de polynômes, anneau m de[s] polynômes	кольцо полиномов (многочленов)
	polynuclear	s. multinuclear		
	polynucleate	s. polynuclear		
	polyode [valve]	s. multielectrode tube		
P 2384	**polyopia**	Mehrfachsehen n, Polyopie f	polyopie f	полиопия
P 2385	**polyphase current**	Mehrphasenstrom m, mehrphasiger Wechselstrom m, Mehrphasenwechselstrom m	courant m polyphasé	многофазный ток
P 2386	**polysalt**	Polysalz n	polysel m, sel m polymérique	полисоль, полимерная соль
	polyslip, multiple slip	Mehrfachgleitung f, Mehrfachgleitprozeß m	glissement m multiple	множественное скольжение, скольжение по нескольким плоскостям
	polysulfide polymer (rubber)	s. elastothiomer		
P 2387	**polysynthetic twin,** repeated twin, multiple twin <cryst.>	polysynthetischer (polysymmetrischer) Zwilling m, Wiederholungszwilling f <Krist.>	macle f polysynthétique, macle répétée, macle multiple <crist.>	полисинтетический двойник <крист.>
P 2388	**polytrope,** polytropic curve, polytropic line <therm.>	Polytrope f <Therm.>	polytrope f, ligne f polytropique <therm.>	политропа <тепл.>
	polytrope	s. a. polytropic curve <math.>		

P 2389	**polytropic atmosphere**	polytrope Atmosphäre f	atmosphère f polytropique	политропная атмосфера
P 2390	**polytropic change,** polytropic process	polytrop[isch]e Zustandsänderung f, polytropreversible Zustandsänderung, polytroper Prozeß (Vorgang) m	transformation f polytropique	политропический процесс, политропный процесс
P 2391	**polytropic curve,** polytropic line, polytrope <math.>	polytropische Kurve f, polytropische Linie f, Polytrope f <Math.>	courbe f polytropique, ligne f polytropique, polytrope f <math.>	политропическая кривая (линия), политропная кривая (линия), политропа <матем.>
	polytropic curve	s. polytropic <therm.>		
P 2392	**polytropic exponent,** coefficient of polytropy	Polytropenexponent m, Exponent m der Polytrope, Ordnung f der Polytrope	exposant m de la polytrope, exposant polytropique	показатель политропы, показатель политропического процесса
P 2392a	**polytropic gas ball (sphere)**	polytrope Gaskugel f, Gaskugel der Polytropenklasse	sphère f de gaz polytropique	политропическая газовая сфера
P 2392b	**polytropic index**	Polytropenindex m, Klasse f der Polytrope	indice m polytropique, indice de la polytrope	индекс политропы
	polytropic line	s. polytrope <therm.>		
	polytropic line	s. polytropic curve <math.>		
	polytropic process	s. polytropic change		
P 2393	**polytropic relation,** equation of the polytropic line	Polytropenbeziehung f, Polytropengleichung f, Gleichung f der Polytrope	équation f de la ligne polytropique	уравнение политропы, политропический закон
P 2394	**polytypism** <cryst.>	Polytypie f <Krist.>	polytypisme m <crist.>	политипизм <крист.>
P 2395	**polyvalent,** multivalent, quantivalent, plurivalent <chem.>	mehrwertig, mehrbindig, polyvalent, vielwertig, multivalent <Chem.>	polyvalent, multivalent <chim.>	многовалентный, поливалентный <хим.>
P 2395a	**polywater,** superwater, anomalous water	Polywasser n, Superwasser n, anomales (polymeres, überschweres) Wasser n, Derjagin-Wasser n	polyeau f, eau f anormale (polymère)	поливода, полимерная (аномальная) вода
	pomeranchon	s. pomeranchukon		
P 2396	**Pomeranchuk effect**	Pomerantschuk-Effekt m	effet m Pomerantchouk	эффект Померанчука
P 2397	**pomeranchukon,** Pomeranchuk particle, **Pomeranchuk pole,** pomeranchon, vacuon	Pomerantschukon n, Pomerantschuk-Teilchen n, Pomerantschuk-Pol m, Vakuon n	pomérantchoukon m, particule f de Pomerantchouk, pôle m de Pomerantchouk, vacuon m	померанчукон, частица Померанчука, полюс Померанчука, вакуумный полюс, вакуон
P 2398	**Pomeranchuk['s] theorem**	Pomerantschuk-Theorem n, Pomerantschuksches Theorem n, Theorem von Pomerantschuk	théorème m de Pomerantchouk	теорема Померанчука
	Pomp and Siebel draw widening test, Pomp and Siebel test, Siebel and Pomp test	Tiefziehweitungsversuch m [nach Pomp und Siebel], Pomp-Siebelscher Tiefziehweitungsversuch	essai m Pomp et Siebel, essai Siebel et Pomp	испытание по Помпу и Зибелю
P 2399	**pond**	Weiher m	étang m	малое озеро, озерцо, зарастающее озеро, пруд
	pond	s. a. gramme-weight		
	ponderability, heaviness, ponderosity	Schwere f	lourdeur f, pondérabilité f	весомость
P 2400	**ponderable,** weighable	wägbar	pondérable	весомый, взвешиваемый
	ponderable mass	s. heavy mass		
P 2401	**ponderator**	Ponderator m	pondérateur m	пондератор
P 2402	**ponderomotive action,** ponderomotive effect	ponderomotorische Wirkung f	action f pondéromotrice, effet m pondéromoteur	пондеромоторное действие
	ponderomotive equations	s. Lorentz equations of motion		
P 2403	**ponderomotive force**	ponderomotorische Kraft f	force f pondéromotrice	пондеромоторная сила
P 2404	**ponderomotive force density**	ponderomotorische Kraftdichte f	densité f de force pondéromotrice	плотность пондеромоторной силы
P 2405	**ponderomotive four-force**	ponderomotorische Viererkraft f	force f quadruple pondéromotrice, quadriforce f pondéromotrice	пондеромоторная четырехмерная сила, пондеромоторная 4-сила
P 2406	**ponderomotive interaction of currents**	ponderomotorisch-magnetische Wirkung f von Strömen	interaction f pondéromotrice des courants	пондеромоторное взаимодействие токов
	ponderomotive law; equation of motion	Bewegungsgleichung f	équation f de mouvement	уравнение движения
	ponderomotive wattmeter, radiation-pressure wattmeter	Strahlungsdruck-Leistungsmesser m, Strahlungsdruck-Wattmeter m	wattmètre m à pression de radiation	пондеромоторный ваттметр
	ponderosity, heaviness, ponderability	Schwere f	lourdeur f, pondérabilité f	весомость
P 2407	**pond for nuclear reactor,** cooling pond, stillpot	Brennelemente-Abklingbehälter m, Abklingbehälter m für Brennelemente, Brennelemente-Lagerbehälter m, Lagerbehälter m für Brennelemente	piscine f de désactivation, bassin m de stockage [des cartouches], bassin de refroidissement	бассейн для хранения тепловыделяющих элементов, бассейн-хранилище [тепловыделяющих элементов], охлаждающий бассейн, охладительный бассейн (резервуар)
P 2408	**ponor,** catavothre	Flußschwinde f, Schlundloch n, Ponor m, Katavothre f	catavothre f	понор, катавотра
P 2408a	**Pontryagin['s] maximum principle**	Pontrjaginsches Maximumprinzip n	principe m [du] maximum de Pontryagin	принцип максимума Понтрягина
	pool, temporary waters	temporäres (periodisches) Gewässer n, Tümpel m	eaux fpl temporaires, mare f	временные (сезонные) воды, разводье, лужа, бочаг
P 2409	**pool** <bio.>	Pool m <Bio.>	fonds m, « pool » m <bio.>	резервуар <био.>
	pool, reach <hydr.>	Haltung f <Hydr.>	bief m <hydr.>	бьеф <гидр.>

P 2409a	pool boiling heat transfer	Wärmeübergang m beim Sieden unter freier Konvektion	transfert m de la chaleur par ébullition en réservoir	перенос тепла при [интенсивным] кипением в большом объеме
P 2409b	pooled error	zusammengefaßter Fehler m	erreur f combinée	ошибка группировки
	Poole['s] formula	s. Poole['s] relation		
P 2409c	Poole-Frenkel effect (field-assisted association)	Poole-Frenkel-Effekt m	effet m Poole-Frenkel	эффект Пуля-Френкеля
	pool reactor	s. swimming pool reactor		
P 2410	Poole['s] relation, Poole['s] formula	Poolesche Beziehung f, Poolesche Regel f	relation f de Poole, formule f de Poole	правило Пуля, формула Пуля
P 2410a	pooling of classes (data) <stat.>	Zusammenfassung f von Daten <Stat.>	réunion f de classes (données) <stat.>	группировка данных <стат.>
P 2411	poor conductor, bad conductor	schlechter Leiter m	mauvais conducteur m, conducteur mauvais, corps m à faible conductibilité électrique	плохой проводник
P 2412	poor heat conductor	schlechter Wärmeleiter m	corps m à faible conductibilité calorifique	плохой проводник тепла
P 2413	poor visibility	schlechte Sicht f	mauvaise visibilité f	плохая видимость
	P operator	s. Dyson['s] chronological operator		
P 2414	poppet valve	Durchgangsventil n	soupape f droite, soupape ordinaire	проходной вентиль, проходной клапан
	poppet valve	s. a. disk valve		
P 2415	population <of the level>, level population	Besetzung f [des Niveaus]	population f [du niveau], peuplement m [du niveau]	населенность [уровня], заселенность [уровня], заполненность [уровня], степень заполнения
	population, stellar population, star population <astr.>	Sternpopulation f, Population f <Astr.>	population f stellaire, population <astr.>	звездное население, население, составляющая [галактики] <астр.>
P 2416	population <stat.; gen.>; parent population, universe	Population f <Stat.; allg.>, Grundgesamtheit f, Gesamtheit f <Stat.>	population f <stat.; gén.>; population parente, univers m <stat.>	популяция, [генеральная] совокупность <стат.>; население <общ.>
P 2417	population I, population I of Baade, stellar population I	Population f I [nach Baade], Feldpopulation f	population f stellaire du type I, population I [selon Baade]	население типа I Галактики [по Бааде]
P 2418	population II, population II of Baade, stellar population II	Population f II [nach Baade], Kernpopulation f	population f stellaire du type II, population II [selon Baade]	население типа II Галактики [по Бааде]
P 2419	population density	Besetzungsdichte f	densité f de population, population f volumique	плотность населенности, заселенность
P 2420	population excess	Überschußbesetzung f	excès m de population, population f excessive	избыточная населенность
P 2421	population inversion	Besetzungsinversion f	inversion f de population [des niveaux énergétiques]	инверсия населенности [уровней]
	population mean	s. mathematical expectation		
	population I of Baade	s. population I		
	population II of Baade	s. population II		
	population I of the Galaxy	s. disk population		
	population II of the Galaxy	s. halo population		
P 2422	porcelain	Porzellan n	porcelaine f	фарфор
P 2423	pore	Pore f	pore m	пора, скважина
	pore	s. a. Smekal defect		
P 2424	pore conduction; pore conductivity	Porenleitung f; Porenleitfähigkeit f	conduction f par les pores; conductibilité f par les pores	поровая проводимость
P 2424a	pore fluid anelasticity, consolidation	Porenflüssigkeitsanelastizität f, Fließverfestigung f	consolidation f, anélasticité f du liquide des pores	затвердевание, неупругость жидкости пор
P 2425	pore size distribution	Porengrößenverteilung f	distribution f de taille des pores	распределение пор по размерам, распределение размеров пор
P 2426	pore space; void space	Porenraum m	espace m poreux	пористое пространство; пространство пор, полость пор
P 2427	pore volume	Porenvolumen n, Porenanteil m, Porenraum m, Gesamtporenvolumen n, Hohlraumvolumen n, Porosität f, GPV, PV	volume m poreux	объем пор, объемная пористость
P 2428	porometry	Porenmessung f	porométrie f	порометрия
P 2429	porosimeter, porosity apparatus	Porositätsmesser m	porosimètre m	порозиметр, прибор для определения пористости
P 2430	porosity	Porosität f; Porigkeit f	porosité f	пористость; ноздреватость; скважность
	porosity	s. a. porosity factor		
	porosity apparatus	s. porosimeter		
P 2431	porosity factor, porosity	Porenziffer f, Porositätszahl f, Porositätsgrad m, Porositätskoeffizient m, Porosität f	coefficient m de porosité, porosité f	коэффициент пористости, пористость
P 2432	porous; spongy, sponge	porös, porig; schwammig, schwammartig	poreux; spongieux	пористый; ноздреватый; скважистый; губчатый
	porous barrier	s. porous partition		
	porous diaphragm, porous membrane	poröse Membran f	membrane f poreuse, diaphragme m poreux	пористая мембрана, пористый фильтр
	porous diaphragm	s. a. porous partition		
P 2433	porous diffusion	Porendiffusion f	diffusion f poreuse	диффузия через пористую перегородку

	porous electrode, diffusion electrode	Diffusionselektrode *f*	électrode *f* poreuse	пористый электрод
P 2434	**porous membrane,** porous diaphragm	poröse Membran *f*	membrane *f* poreuse, diaphragme *m* poreux	пористая мембрана, пористый фильтр
P 2435	**porous partition,** porous barrier, porous wall; porous diaphragm	poröse Wand *f*, poröse Zwischenwand *f*, poröse Trennwand *f*	paroi *f* poreuse, cloison *f* poreuse, barrière *f* poreuse	пористая перегородка
P 2436	**porous structure**	Porenstruktur *f*, poröse Struktur *f*	structure *f* poreuse	пористая структура
	porous wall	*s.* porous parition		
P 2437	**porphyropsin**	Porphyropsin *n*, Sehviolett *n*	porphyropsine *m*	порфиропсин
P 2438	**Porro-Koppe principle,** principle of Porro and Koppe; Porro['s] principle	Porro-Koppesches Prinzip *n*, Porro-Koppe-Prinzip *n*, Prinzip von Porro-Koppe; Porro-Prinzip *n*, Porrosches Prinzip	principe *m* de Porro et Koppe; principle de Porro	принцип Порро-Коппе; принцип Порро
	Porro-Koppe type [of] plotting machine, stereoplanegraph, stereoplanigraph	Stereoplanigraph *m*	stéréoplanigraphe *m*	стереопланиграф
	Porro['s] principle	*s.* Porro-Koppe principle		
P 2439	**Porro['s] prism [system],** Porro['s] system <of the first *or* second kind>	Porro-Prismensystem *n*, Porro-System *n*, Porro-Prisma *n* (erster *oder* zweiter Art)	prisme *m* de Porro, système *m* de Porro, combinaison *f* de Porro <de première *ou* deuxième espèce>	призма Порро, призменная система Порро, система Порро <первого или второго рода>
P 2440	**port** <el.>	Tor *n* <El.>	porte *f* <él.>	вывод <эл.>
	port	*s. a.* orifice		
P 2441	**portable, portative;** field	tragbar; Feld-	portatif	переносный, портативный; полевой
P 2442	**portable,** package	transportabel, ortsbeweglich <im Betrieb ortsfest, aber ab- und an anderer Stelle wieder aufbaubar>	transportable	транспортабельный, съемный
P 2443	**portable calorimeter**	tragbares Kalorimeter *n*, Handkalorimeter *n*	calorimètre *m* portatif	переносный калориметр
P 2444	**portable instrument**	tragbares Meßgerät (Gerät, Instrument) *n*	appareil *m* [de mesure] portatif	переносный [измерительный] прибор
P 2445	**portable photogrammetric chamber,** portable precision chamber	Handkammer *f*, Handmeßkammer *f*	chambre *f* photogrammétrique portable	ручная фотограмметрическая камера, ручная измерительная камера, ручная камера
P 2446	**portable photometer,** universal photometer	tragbares Photometer *n*, Universalphotometer *n*	photomètre *m* portatif, photomètre universale	переносный фотометр, универсальный фотометр
	portable precision chamber	*s.* portable photogrammetric chamber		
	portal, outlet, outcome	Austrittsöffnung *f*, Ausflußöffnung *f*, Ablaßöffnung *f*	ouverture *f* d'échappement, orifice *m* d'écoulement, orifice de décharge	выходное отверстие, выпускное отверстие
	portative	*s.* portable		
P 2447	**port basin wave**	Hafen[becken]welle *f*	onde *f* du bassin de port	волна в гавани, волна портового бассейна
P 2448	**Porter-Thomas distribution**	Porter-Thomas-Verteilung *f*	distribution *f* de Porter-Thomas	распределение Портера-Томаса
P 2449	**Portevin-Le Chatelier effect**	Portevin-le-Chatelier-Effekt *m*	effet *m* Portevin-Le Chatelier	эффект Портевена-Ле-Шателье
	porthole	*s.* orifice		
P 2450	**portrait attachment (lens)**	Porträtlinse *f*	lentille (bonnette) *f* à portrait	портретная линза
	posistor	= positive temperature coefficient thermistor		
P 2451	**position**	Stellung *f*, Stand *m*, Lage *f*	position *f*	положение
	position, place <of a star>	Ort *m* [eines Gestirns], Position *f* [eines Gestirns], Sternort *m*	position *f* [d'une étoile]	позиция [звезды], место [звезды], положение [звезды]
P 2452	**position,** line of application	Trägergerade *f* <Vektor>	droite *f* portante, support *m* <du vecteur>	прямая-носитель, несущая прямая <вектора>
	position	*s. a.* place		
	position adjustment	*s.* positioning		
P 2453	**positional astronomy**	Positionsastronomie *f*	astronomie *f* de position	позиционная астрономия
P 2454	**positional error,** positioning error	Lageeinstellungsfehler *m*	erreur *f* de positionnement	ошибка установки в положение, погрешность установки в положение
	positional micrometer, position micrometer	Positions[faden]mikrometer *n*	micromètre *m* de position	позиционный микрометр
P 2455	**position angle**	Positionswinkel *m*	angle *m* de position	позиционный угол
	position at rest	*s.* position of rest		
P 2456	**position catalogue**	Positionskatalog *m*	catalogue *m* de positions	позиционный каталог [звездных положений]
P 2457	**position circle,** circle of position	Positionskreis *m*	cercle *m* de position	позиционный круг
	position co-ordinates	*s.* space co-ordinates		
P 2458	**position correlation**	Lagekorrelation *f*	corrélation *f* de position	позиционная корреляция
	position determination	*s.* localization		
P 2459	**position effect** <bio.>	Positionseffekt *m*, Lagewirkung *f* <Bio.>	effet *m* de position <bio.>	действие положения
P 2459a	**positioner**	Stellungsregler *m*, Positioner *m*	positionneur *m*	позиционер, регулятор положения
	position error	*s.* offset <control>		
	position-exchange force; exchange force; platzwechsel force	Austauschkraft *f*; Platzwechselkernkraft *f*	force *f* d'échange	обменная сила
	position factor	*s.* Coddington position factor		

	English	German	French	Russian
P 2460	**position finder,** location finder, locator	Ortungsgerät n, Ortungsinstrument n; Ortungsanlage f	appareil m de repérage, chercheur m de position, positionneur m, détecteur m de position	локатор
	position finding	s. localization		
	position fixing	s. localization		
P 2461	**position function,** function of the position [of the point], local function	Ortsfunktion f, Koordinatenfunktion f	fonction f de lieu, fonction de position, fonction des coordonnées	функция координат, функция точки, функция единичного вектора
P 2462	**position head,** geometrical head, gravity head	wirkliche Höhe f, Höhenlage f	hauteur f au-dessus d'un niveau, cote f, altitude f	высота положения, нивелировочная высота
P 2463	**positioning,** position adjustment	Lageeinstellung f; Positionierung f	positionnement m, ajustage m de position	установка в заданное положение, установка в определенном положении; управление положением
	positioning element	s. final control element		
	positioning error	s. positional error		
P 2464	**position isomer,** place isomer	Stellungsisomer n	isomère m de position	изомер положения
	position-isomeric, place-isomeric	stellungsisomer	isomérique de position	изомерный по положению
P 2465	**position isomerism,** place isomerism, substitutional isomerism	Stellungsisomerie f, Positionsisomerie f, Substitutionsisomerie f, Ortsisomerie f	isomérie f de position	изомерия положения
P 2466	**position line,** Sumner line	Positionslinie f, Standlinie f	ligne f de position	линия положения, позиционная линия
P 2467	**position micrometer,** positional micrometer	Positions[faden]mikrometer n	micromètre m de position	позиционный микрометр
	position of equilibrium, equilibrium position	Gleichgewichtslage f, Ruhelage f	position f d'équilibre	положение равновесия, равновесие системы
	position of extinction, extinction position	Auslöschungsstellung f	position f d'extinction	положение затемнения
	position of level	s. level position		
P 2468	**position of rest,** position at rest, rest position; normal position; home position; settled position; zero position	Ruhelage f, Ruhestellung f	position f de repos	положение покоя; неподвижное положение
P 2469	**position operator**	Ortsoperator m, Koordinatenoperator m	opérateur m de position, observable m de position	оператор координат, оператор положения
P 2470	**position-sensitive,** sensitive to position	ageempfindlich	sensible à la position	чувствительный к положению
	position variable	s. space variable		
	position vector, radius vector <pl.: radii vectores>	Radiusvektor m, Ortsvektor m, Fahrstrahl m, Polstrahl m, Leitstrahl m	rayon m vecteur, rayon-vecteur m, vecteur m de position	радиус-вектор, вектор-радиус
P 2471	**positivation**	Positivierung f	positivation f	позитивирование, позитивация
P 2472	**positive;** positive image	Positiv n, photographisches Positiv; Positivbild n	positif m, épreuve (copie) f positive; image f [photographique] positive	позитив, фотоотпечаток; позитивное изображение
P 2473	**positive,** electrically positive; positively charged <el.>	positiv, elektrisch positiv; positiv [auf]geladen <El.>	positif, électriquement positif; positogène, positivement chargé <él.>	положительный, электрически положительный; положительно заряженный <эл.>
	positive arc flame	s. positive flame		
P 2474	**positive beta particle,** β+ particle	positives Beta-Teilchen n, β+-Teilchen n	particule f béta positive, particule β+	положительная бета-частица, β+-частица
	positive branch	s. R-branch		
	positive catalyst	s. accelerator <chem.>		
P 2475	**positive clamping**	Positivklemmung f, positive Klemmung f	blocage m positif [de niveau]	положительная фиксация, положительное фиксирование, положительная привязка
P 2476	**positive column**	positive Säule f, Glimmsäule f, Säule f der Glimmentladung, Entladungsrumpf m	colonne f positive	положительный столб
	positive conductor, positive wire, plus wire	positiver Leiter m. Plusleiter m, positive Leitung f, Plusleitung f, Plusdraht m	fil m positif, ligne f positive, conducteur m positif	положительный провод, соединенный с положительным полюсом батареи провод
P 2477	**positive contact**	zwang[s]läufiger Kontakt m	contact m positif	положительный контакт
	positive correlation, direct correlation	positive Korrelation f	corrélation f directe (positive)	положительная (прямая) корреляция
P 2478	**positive definite**	positiv[-]definit	positif (positivement) défini, défini positif	положительно определенный
P 2479	**positive density,** PD	Positivschwärzung f, Positivdichte f	densité f du positif, densité optique du positif	оптическая плотность позитива, почернение позитива
P 2480	**positive developer**	Positiventwickler m	révélateur m pour positifs, révélateur positif	позитивный проявитель
P 2481	**positive displacement pump**	mechanische Pumpe f	pompe f volumétrique	объемный вакуумный насос
	positive distortion	s. pin[-]cushion distortion		
	positive electricity	s. vitreous electricity		
	positive electron, positron, anti-electron, antiparticle of electron, e+	Positron n, positives Elektron n, Antielektron n, Antiteilchen n des Elektrons, e+	positon m, électron m positif, anti-électron m, antiparticule f de l'électron, positron m, e+	позитрон, положительный электрон, антиэлектрон, античастица электрона, e+

P 2482	**positive element of telephoto lens**	Telepositiv n	élément m positif du téléobjectif	телепозитив
P 2483	**positive emulsion**	Positivemulsion f	émulsion f positive	позитивная фотоэмульсия (эмульсия)
P 2484	**positive excess**	positiver Überschuß m	excédent m positif, excès m positif	положительный избыток
	positive eyepiece, Ramsden eyepiece, Ramsden magnifier	Ramsdensches Okular n, positives Okular, Okular nach Ramsden, Ramsden-Okular n	oculaire m de Ramsden, oculaire positif	окуляр Рамсдена, положительный окуляр
P 2485	**positive feedback,** feedforward	Mitkopplung f, positive Rückkopplung f; Aufschaltung f	réaction f positive, feedback m positif	положительная обратная связь
	positive field, positive sequence field	Mitfeld n	champ m direct, champ positif	поле прямой последовательности [фаз]
P 2486	**positive flame,** positive arc flame, anodic flame, Beck flame, Beck arc flame	positive (anodische) Flamme f, Anodenflamme f, Beck-Flamme f	flamme f positive, flamme anodique, flamme de Beck	положительное пламя, анодное пламя, пламя Бека, пламя дуги Бека
P 2487	**positive frequency part**	Teil m mit positiven Frequenzen	partie f à fréquences positives	положительно-частотная часть
	positive glow	s. anode glow		
P 2488	**positive-going pulse,** positive pulse	positiver Impuls m, Plusimpuls m, Positivimpuls m	impulsion f positive	положительный импульс
	positive-grid oscillator	s. retarding-field oscillator		
P 2489	**positive hole,** hole, electron hole, electron vacancy, vacant electron site, vacancy	Defektelektron n, [positives] Loch n, [positives] Elektronenloch n, Mangelelektron n, Löcherelektron n, [positives] Ersatzelektron n, Elektronenleerstelle f, Elektronenfehlstelle f, Lückenelektron n	trou m électronique, trou, trou positif, lacune f électronique, lacune, lacune positive, électron m en défaut, loge f	электронная дырка, дырка, положительная дырка, незанятый электронами уровень, незаполненный электронный уровень, электронная вакансия
	positive image	s. positive		
P 2490	**positive-ion oscillation,** ion oscillation	Ionenschwingung f, Schwingung f der positiven Ionen	oscillation f des ions [positifs], oscillation ionique	колебание положительных ионов, ионное колебание
P 2491	**positive ion vacancy,** cation vacancy	Kationenleerstelle f, Kationenfehlstelle f, Kationenlücke f	lacune (vacance) f cationique, lacune d'un ion positif	катионная дырка, катионная вакансия
	positive lens, convergent lens, converging lens	Sammellinse f, Positivlinse f	lentille f convergente, lentille positive	собирающая (собирательная, положительная) линза
	positive limb, positive terminal	Plusklemme f, positive Klemme f, Pluspol m	borne f positive	положительный токоотвод, положительная клемма, положительный (плюсовый) зажим
	positively charged	s. positive <el.>		
	positive meniscus, converging meniscus; concavo-convex lens	sammelnder (positiver) Meniskus m; konkavkonvexe Linse f	ménisque m convergent; lentille f concave-convexe	собирающий (положительный) мениск; вогнуто-выпуклая линза
P 2492	**positive mu-meson, positive muon,** μ⁺-meson	positives Myon n, positives My-Meson n, My-plus-Meson n, μ⁺-Meson n	méson m mu positif, muon m positif, méson μ⁺	положительный мюон, μ⁺-мезон, положительный мю-мезон
P 2493	**positive-negative process, positive-negative technique**	Positiv-Negativ-Verfahren n, Positiv-Negativ-Prozeß m	méthode f positive-négative, procédé m positif-négatif	позитивно-негативный метод, позитивно-негативный процесс
	positive parity, even parity, parity +1	gerade Parität f, Parität +1, positive Parität	parité f paire, parité positive	положительная четность, четное состояние
P 2494	**positive polarity,** reciprocal polarity	Pluspolung f, positive (reziproke) Polung f, positive Polarität f	polarité f positive, polarité réciproque	положительная полярность, обратная полярность
P 2495	**positive pole,** plus	Pluspol m, positiver Pol m, Plus n	pôle m positif, plus m	положительный полюс, плюс
	positive pressure, superpressure, superatmospheric pressure, overpressure	Überdruck m, Mehrdruck m	surpression f, pression f positive, pression de surcharge	давление выше атмосферного, сверхбарометрическое (избыточное, излишнее) давление
	positive pressure gauge, overpressure gauge	Überdruckmanometer n, Überdruckmesser m	manomètre m de pression positive	манометр избыточного давления
P 2496	**positive pressure head,** head of pressure above atmospheric	Überdruckhöhe f	hauteur f de la pression effective	высота положительного давления
P 2497	**positive pressure wave** <hydr.>	primäre Druckwelle f <Hydr.>	onde f positive d'aval <hydr.>	волна положительного инерционного давления <гидр.>
P 2498	**positive process**	Positivprozeß m, Positivverfahren n	procédé m positif, obtention f des images positives, développement m positif	позитивный процесс
	positive pulse	s. positive-going pulse		
P 2499	**positive ray,** canal ray	positiver Strahl m, Kanalstrahl m	rayon m positif, rayon canal	каналовый луч, положительный луч
	positive-ray method, canal-ray method	Kanalstrahlmethode f	méthode f des rayons canaux (positifs)	метод каналовых лучей
	positive reactance	s. inductive reactance <el.>		
P 2500	**positive refraction**	positive Brechung f	réfraction f positive	положительное преломление; положительная рефракция <ак.>
	positive rotation	s. dextrorotation		
P 2501	**positive semidefinite**	positiv semidefinit	positif (positivement) semidéfini, semi-défini positif	положительно полуопределенный

P 2502	**positive sequence component**	Mitkomponente *f*	composante *f* directe	[симметричная] составляющая прямой последовательности [фаз]
P 2503	**positive sequence current [component]**	Mitstrom *m*	composante *f* directe du courant	составляющая тока прямой последовательности [фаз], ток прямой последовательности [фаз]
P 2504	**positive sequence field,** positive field	Mitfeld *n*	champ *m* direct, champ positif	поле прямой последовательности [фаз]
P 2505	**positive sequence impedance**	Mitimpedanz *f*, Mitscheinwiderstand *m*, mitläufige Impedanz *f*, Impedanz des mitläufigen Feldes	impédance *f* directe	полное (кажущееся) сопротивление прямой последовательности [фаз], сопротивление прямой последовательности [фаз]
P 2506	**positive sequence reactance**	Mitreaktanz *f*, Mitblindwiderstand *m*, mitläufiger Blindwiderstand *m*, Blindwiderstand des mitläufigen Feldes	réactance *f* directe	реактанс (реактивность, реактивное сопротивление) прямой последовательности [фаз]
P 2507	**positive sequence system,** positive system	Mitsystem *n*	système *m* positif	система прямой последовательности [фаз]
P 2508	**positive sequence voltage [component]**	Mitspannung *f*, mitläufige Spannung *f*	composante *f* directe de la tension	составляющая напряжения прямой последовательности [фаз], напряжение прямой последовательности [фаз]
P 2509	**positive skewness** **positive stability** **positive system**	positive Schiefe *f* s. stable equilibrium s. positive sequence system	dissymétrie *f* positive	положительная асимметрия
P 2510	**positive terminal,** positive limb	Plusklemme *f*, positive Klemme *f*, Pluspol *m*	borne *f* positive	положительный токоотвод, положительная клемма, положительный (плюсовый) зажим
P 2511	**positive wire,** plus wire, positive conductor	positiver Leiter *m*, Plusleiter *m*, positive Leitung *f*, Plusleitung *f*, Plusdraht *m*	fil *m* positif, ligne *f* positive, conducteur *m* positif	положительный провод, соединенный с положительным полюсом батареи провод
P 2512	**positivity wave**	Positivitätswelle *f*	onde *f* de positivité	волна положительности
P 2513	**positron,** positive electron, anti-electron, antiparticle of electron, e+	Positron *n*, positives Elektron *n*, Anti-elektron *n*, Antiteilchen *n* des Elektrons, e+	positon *m*, électron *m* positif, anti-électron *m*, antiparticule *f* de l'électron, positron *m*, e+	позитрон, положительный электрон, анти-электрон, античастица электрона, e+
P 2513a	**positron camera**	Positronenkamera *f*	caméra (chambre) *f* positonique	позитронная камера
P 2514	**positron capture**	Positroneneinfang *m*, β-Einfang *m*	capture *f* positonique (d'un positon)	захват позитрона, позитронный захват
P 2515	**positron decay, positron disintegration,** β+-decay	β+-Zerfall *m*, Positronenzerfall *m*	désintégration *f* positogène, désintégration avec émission de positons, désintégration β+	позитронный распад, β+-распад
	positron-electron annihilation **positron-electron collision**	s. electron-positron pair annihilation Positron-Elektron-Stoß *m*	collision *f* positon-électron	позитрон-электронное столкновение, столкновение позитрона с электроном
P 2516				
P 2517	**positron-electron pair,** electron-positron pair, electron pair, e+e− pair, twin electron <nucl.>	Positron-Elektron-Paar *n*, Elektron-Positron-Paar *n*, e+e−-Paar *n*, Elektronenpaar *n*, Elektronenzwilling *m* <Kern.>	paire *f* électron-positon, paire positon-électron, paire e+e− <nucl.>	электроно-позитронная пара, позитроно-электронная пара, пара e+e− <яд.>
P 2518	**positron emission,** β+ emission; positron radiation, β+ radiation	Positronenemission *f*, β+-Emission *f*; Positronenstrahlung *f*, β+-Strahlung *f*	émission (radiation) *f* de positons, émission β+, radiation β+; rayonnement *m* de positons, rayonnement β+	испускание позитронов; позитронное излучение, β+-излучение
P 2519	**positron emitter,** positron radiator	Positronenstrahler *m*, β+-Strahler *m*	émetteur *m* de positons	излучатель позитронов, позитронный излучатель
P 2520	**positronium, Ps**	Positronium *n*	positonium, positronium *m*	позитроний
P 2521	**positronium molecule**	Positroniummolekül *n*	molécule *f* de positonium	молекула позитрония
P 2522	**positronium triplet**	Positroniumtriplett *n*	triplet *m* positonien	позитрониевый триплет
	positron radiation **positron radiator**	s. positron emission s. positron emitter		
P 2523	**positron spectrum,** β+ spectrum	Positronenspektrum *n*, β+-Spektrum *n*	spectre *m* positonique, spectre de particules β+	спектр позитронов, спектр β+-частиц
P 2524	**Posnow number**	Posnow-Zahl *f*, Posnowsche Kennzahl *f*	nombre *m* de Posnow	критерий Поснова
P 2525	**possible displacement**	mögliche Verrückung *f*	déplacement *m* possible, déplacement virtuel compatible avec les liaisons	возможное перемещение
P 2526	**possible velocity,** virtual velocity, velocity compatible with the constraints	virtuelle Geschwindigkeit *f*	vitesse *f* virtuelle	возможная скорость, виртуальная скорость

P 2527	**Possio['s] equation**	Possiosche Integral-gleichung f	équation f de Possio	[интегральное] уравне-ние Поссио
	post	s. terminal pillar		
	post-accelerating electrode, post-accelerator electrode, intensifier electrode, intensifier ring, second gum electrode	Nachbeschleunigungs-elektrode f	électrode f de post-accélération, électrode post-accélératrice	послеускоряющий элек-трод, подсвечивающий электрод, электрод послеускорения (последующего ускоре-ния)
	postalloy diffusion	s. outdiffusion		
P 2528	**post[-]amplifier**	Nachverstärker m	post-amplificateur m	послеусилитель
P 2529	**post-buckling behaviour**	Nachbeulverhalten n	comportement m après le flambage	поведение после вспучивания
P 2530	**postdeflection,** post-deflection focusing	Nachfokussierung f, Nachablenkung f	postfocalisation f	послефокусировка, фокусировка после отклонения пучка, последующая фокуси-ровка, послеотклонение
P 2531	**post[-]deflection acceleration,** p.d.a. <in cathode-ray tube>	Nachbeschleunigung f <Elektronenstrahlröhre>	postaccélération f, accélé-ration f supplémentaire <dans le tube cathodique>	ускорение после отклоне-ния, послеускорение пучка [электронов], последующее ускорение [пучка] <в электрон-нолучевой трубке>
	postdeflection focusing	s. postdeflection		
P 2532	**postelectron emission**	Postelektronenemission f, abklingende Nach-emission f	émission f de post-électron[s]	послеэлектронная эмиссия, послеэлек-тронное испускание
P 2533	**Postel-Mercator projection**	Postel-Mercator-Projektion f, Postel-Mercator-Entwurf m, Postel-Mercatorscher Entwurf m	projection f Postel-Mercator	проекция Постеля-Меркатора
	postemphasis, de-emphasis	Deakzentuierung f, Deemphasis f	désemphasage m, désaccentuation f	коррекция предыскаже-ния, обратная коррекция, коррекция верхних частот
	posterior-anterior view, PA view, PA projection anterior projection, frontal projection	Projektion f von hinten nach vorn	vue f PA, projection f PA, vue postéro-antérieure, projection antérieure (frontale)	заднепередняя проекция
P 2534	**posterior chamber** <of eye>	hintere Augenkammer f, Hinterkammer f	chambre f postérieure <de l'œil>	задняя камера <глаза>
	posterior probability	s. inverse probability		
	posterior projection, AP view, AP pro-jection, anterior-posterior view, dorsal projection	Projektion f von vorn nach hinten	vue f AP, projection f AP, vue antéro-postérieure, projection postérieure (dorsale)	переднезадняя проекция
P 2535	**posterization, posterizing**	Isohelieverfahren n, Isohelie f	méthode f d'isohélies	метод изогелий
P 2536	**post-exposure,** flashing	Nachbelichtung f	seconde pose f contrôlée, postlumination f, lumination f auxiliaire	последующая экспозиция, впечатывание
P 2537	**post-frontal situation**	postfrontale Lage f	situation f post-frontale	зафронтальное положение
P 2538	**post interaction**	Nachumordnungswechsel-wirkung f, Wechsel-wirkung f nach Um-ordnung	interaction f après le regroupement	взаимодействие после перегруппировки
P 2539	**post-maximum**	Postmaximum n	postmaximum m	время после максимума; послемаксимум
P 2540	**post mortem [routine]**	Post-mortem-Pronramm n	analyse f post-mortem	программа вывода со-держимого накопи-теля, отладочная про-грамма вывода после останова, диагности-ческая программа
P 2541	**post[-]multiplication, post[-]multiplying,** right multiplication	Multiplikation f von rechts	post-multiplication f, multi-plication f à droite	умножение справа, обыч-ный порядок умно-жения, умножение с обычным порядком, умножение начиная справа
	post-nova, ex-nova <pl.: ex-novae, post-novae>	Postnova f, Exnova f <pl.: Postnovae, Exnovae>	postnova f <pl.: postnovae>	бывшая новая [звезда], экс-новая [звезда]
	post-nova spectrum, ex-nova spectrum	Postnovaspektrum n	spectre m de la postnova	спектр бывшей новой
	post-nova state, ex-nova state	Postnovazustand m	état m postnova	состояние бывшей новой
P 2542	**postsynaptic**	postsynaptisch	postsynaptique	постсинаптический
P 2543	**postulate**	Postulat n	postulat m, postulatum m	постулат, требование
	postulate of coherency, coherency postulate, Weyl['s] postulate	Kohärenzpostulat n, Weylsches Postulat n	postulat m de cohérence, postulat de Weyl	требование когерентности, постулат Вейля
P 2544	**postulate of homogeneity**	Homogenitätspostulat n, Weltpostulat n	postulat m d'homogénéité	требование однородности, постулят однородности
P 2545	**postulate of relativity of inertia,** mathe-matical postulate of relativity of inertia	Postulat n der Relativität der Trägheit, mathema-tisches Postulat der Relativität der Trägheit	postulat m de la relativité de l'inertie, postulat mathématique de la relativité de l'inertie	[математический] посту-лат относительности инерции, требование относительности инерции
P 2546	**postulates of Einstein's theory of relativity**	Relativitätspostulate npl	postulats mpl de la relativité	постулаты Эйнштейна
P 2547	**postulation**	Postulieren n	postulation f	постулирование

	English	German	French	Russian
P 2548	**pot**, electrolytic cell (couple)	Elektrolysezelle f, Elektrolysiergefäß n, Elektrolysegefäß n, elektrolytische Zelle f	cellule f d'électrolyse, vase m électrolytique	ячейка электролизера, ячейка электролитической ванны, электролитическая ячейка
	potassium-argon dating (method), argon method, K-Ar method, ^{40}K-^{40}Ar method	Argonmethode f, Kalium-Argon-Methode f, Argon-Kalium-Methode f	méthode f potassium-argon, méthode d'argon	аргоновый метод определения абсолютного геологического возраста, калий-аргоновый метод
P 2549	**potassium pump**	Kaliumpumpe f	pompe f de potassium	калиевый насос
	potency	s. power <math.>		
P 2549a	**potential**	Potential n	potentiel m	потенциал
P 2550	**potential**	Potential-; potentiell	potentiel	потенциальный
	potential, irrotational	wirbelfrei, Potential-, drehungsfrei, rotationsfrei, rotorlos	irrotationnel, potentiel	безвихревой, безроторный, потенциальный
	potential	s. a. potential function		
	potential	s. a. voltage <el.>		
P 2551	**potential barrier**, barrier, potential hill, potential wall; potential threshold	Potentialwall m, Potentialbarriere f, Potentialberg m; Potentialschwelle f	barrière f de potentiel, barrière; colline f de potentiel; seuil m de potentiel	потенциальный барьер, барьер; потенциальный порог
	potential barrier at the contact, contact potential barrier	Kontaktpotentialwall m	barrière f de potentiel au contact [de deux corps]	контактный потенциальный барьер [на границе двух тел]
P 2552	**potential barrier model**, barrier model	Potentialwallmodell n	modèle m de la barrière de potentiel	модель потенциального барьера
	potential-barrier penetration probability	s. penetration probability		
	potential box	s. sharp cornered potential well		
	potential box	s. a. square well potential		
	potential circuit	s. voltage circuit		
	potential cone	s. potential funnel		
	potential correction, dynamic error	vorübergehende Regelabweichung f	erreur f dynamique	динамическая ошибка, ошибка слежения
	potential curve; potentiel-energy curve <of the molecule>	Potentialkurve f; Potentialverlauf m	courbe f d'énergie potentielle [de la molécule]; courbe de potentiel	потенциальная кривая
P 2553	**potential density**	potentielle Dichte f	densité f potentielle	потенциальная плотность
P 2554	**potential determining ion**	potentialbestimmendes Ion n	ion m déterminant le potentiel	потенциалопределяющий ион
P 2555	**potential diagram**, voltage diagram, vector diagram of voltage <el.>	Spannungsdiagramm n, Spannungsbild n <El.>	diagramme m des potentiels, diagramme des tensions <él.>	векторная диаграмма напряжений, диаграмма напряжений <эл.>
P 2556	**potential difference**	Potentialunterschied m, Potentialdifferenz f	différence f de potentiel	разность потенциалов
	potential difference, diffusion potential difference, diffusion voltage <semi.>	Diffusionsspannung f <Halb.>	différence f de potentiel de diffusion <semi.>	диффузионная разность потенциалов <полу.>
	potential difference	s. a. voltage		
	potential distribution [curve], distribution of potential	Potentialverteilung f, Potentialverteilungskurve f, Potentialverlauf m	distribution f du potentiel, courbe f de distribution du potentiel	распределение потенциала, кривая распределения потенциала
	potential divider, voltage divider, potentiometer	Spannungsteiler m, Potentiometer n	diviseur (réducteur) m de tension, potentiomètre m	делитель напряжения, потенциометр
P 2557	**potential drop**, potential fall, decline in potential, drop (fall) of potential; voltage drop (loss)	Potentialabfall m, Potentialfall m; Spannungsabfall m, Spannungsfall m	chute f de potentiel; chute de tension	падение потенциала (напряжения), спад напряжения
P 2558	**potential energy**	potentielle Energie f, Energie der Lage, Lageenergie f, Macht f, Spannungsenergie f, Potential n	énergie f potentielle	потенциальная энергия
	potential energy	s. a. energy content		
	potential energy <of elastic body>	s. a. total strain energy		
P 2559	**potential-energy curve** <of the molecule>; potential curve	Potentialkurve f; Potentialverlauf m	courbe f d'énergie potentielle [de la molécule]; courbe de potentiel	потенциальная кривая
	potential energy of deformation	s. total strain energy		
	potential energy of deformation per unit volume	s. specific strain energy		
P 2559a	**potential energy of stress**	potentielle Spannungsenergie f	énergie f potentielle de tension	потенциальная энергия напряжения
	potential energy of the deformed body	s. total strain energy		
	potential energy per unit volume	s. specific strain energy		
P 2560	**potential-energy surface**	Potentialfläche f [des Moleküls]	surface f d'énergie potentielle [de la molécule]	потенциальная поверхность [молекулы]
	potential equalization, equalization (compensation) of potential[s]	Potentialausgleich m	égalisation f de potentiel[s], compensation f de potentiel[s]	выравнивание потенциалов, уравнение потенциалов

	English	German	French	Russian
	potential equation	s. Laplace['s] differential equation		
	potential fall	s. potential drop		
P 2561	potential fall region (zone), region (zone) of potential fall	Fallraum m, Fallgebiet n	zone (région) f de chute de tension	область (зона) падения потенциала
	potential field	s. irrotational field		
P 2562	potential flow, potential motion, irrotational flow, irrotational motion	Potentialströmung f, wirbelfreie Strömung f, drehungsfreie Strömung, Potentialbewegung f, wirbelfreie Bewegung f, drehungsfreie Bewegung	mouvement m irrotationnel (potentiel, non tourbillonnaire), écoulement m irrotationnel (potentiel, non tourbillonnaire), courant m irrotationnel	потенциальное (безвихревое, независихревое) течение, потенциальное (безвихревое, невихревое) движение, потенциальный (безвихревой) поток
	potential force	s. conservative force		
P 2563	potential function, potential, harmonic function <math.>	Potentialfunktion f, Potential n, harmonische Funktion f	fonction f potentielle, potentiel m, fonction harmonique	потенциальная функция, потенциал, гармоническая функция
	potential function of Airy, Airy['s] stress function	Airysche Spannungsfunktion f, Potentialfunktion f von Airy, Airy-Spannungsfunktion f	fonction f des contraintes d'Airy, fonction de tension d'Airy	функция напряжений [Эри], потенциальная функция Эри
	potential function of Muskhelishvili	s. Muskhelishvili potential		
	potential function of Urey-Bradley-Simanouti	s. Urey-Bradley-Simanouti['s] potential function		
P 2564	potential funnel, potential cone	Potentialtrichter m; Spannungstrichter m	entonnoir m de potentiel, cône m de (du) potentiel	потенциальная воронка, «воронка» (конус) потенциала; «воронка» напряжения [вокруг «заземлителя»]
P 2565	potential gradient, voltage gradient	Potentialgradient m, Gradient m des Potentials, Spannungsgradient m, Potentialgefälle n, Spannungsgefälle n, negative Feldstärke f	gradient m de potentiel, gradient de tension	градиент потенциала, электрический градиент, градиент напряжения
P 2566	potential gradient in the air, electric potential atmosphere gradient	luftelektrisches Potentialgefälle n, luftelektrischer Potentialgradient m, atmosphärisches Spannungsgefälle n, elektrische Feldstärke f in der Atmosphäre, luftelektrische Feldstärke f, Luftfeldstärke f	gradient m de potentiel dans l'air, gradient de potentiel dans l'atmosphère	градиент электрического потенциала атмосферы, атмосферно-электрический градиент потенциала
	potential head, elevation head, geodesic head, elevation <hydr.>	Ortshöhe f <Hydr.>	altitude f <hydr.>	геометрическая высота, нивелирная высота <гидр.>
	potential hill	s. potential barrier		
	potential hole	s. potential well		
	potential image	s. electric image		
	potential independent of isobaric spin, neutral potential	neutrales Potential n	potentiel m neutre, potentiel non dépendant du spin isotopique	нейтральный потенциал; потенциал, независящий от изотопического спина
P 2567	potential internal energy	innere potentielle Energie f	énergie f potentielle interne	внутренняя потенциальная энергия
	potential in the air, electric potential in the air	luftelektrisches Potential n	potentiel m électrique dans l'air, potentiel dans l'air	атмосферно-электрический потенциал, электрический потенциал в воздухе
	potentiality, irrotationality <of vector field>	Wirbelfreiheit f, Drehungsfreiheit f <Vektorfeld>	irrotationnalité f <du champ vectoriel>	безвихревость, потенциальность <векторного поля>
P 2568	potential jump, potential step	Potentialsprung m	discontinuité f (saut m) de potentiel	скачок потенциала
	potential limiting, voltage limiting	Spannungsbegrenzung f	limitation f de tension [électrique]	ограничение напряжения
P 2568a	potential line, potential wire	Potentialleitung f	ligne f (fil m) de potentiel	потенциальный провод, [калиброванный] провод для цепи напряжения
	potential line	s. a. equipotential line		
P 2569	potential loop, antinode of potential	Spannungsbauch m	ventre (antinœud) m de tension	пучность напряжения
P 2570	potential matrix	Potentialmatrix f	matrice f de potentiel	потенциальная матрица
	potential motion	s. potential flow		
P 2571	potential node, node of potential	Spannungsknoten m	nœud m de tension	узел напряжения
	potential of central forces, central potential	Zentralpotential n, zentrales Potential n, Potential der Zentralkräfte	potentiel m central, potentiel des forces	потенциал центральных сил, центральный потенциал
	potential of discontinuity, discontinuity potential	Unstetigkeitspotential n	potentiel m de discontinuité	потенциал разрыва, потенциал разрывности
	potential of equilibrium, equilibrium potential	Gleichgewichtspotential n	potentiel m d'équilibre	равновесный потенциал
	potential of Majorana forces, Majorana potential, space-exchange potential	Majorana-Potential n, Ortsaustauschpotential n, Potential n der Majorana-Kräfte	potentiel m des forces de Majorana, potentiel de Majorana	потенциал сил Майорана

	English	German	French	Russian
	potential of nuclear forces, nuclear potential	Kernkraftpotential n, Potential n der Kernkräfte, Kernpotential n	potentiel m nucléaire, potentiel des forces nucléaires	ядерный потенциал, потенциал ядерных сил
P 2572	potential of rotation, rotation potential	Rotationspotential n	potentiel m rotatoire	вращательный потенциал
P 2573	potential of simple layer	Potential n der einfachen Schicht	potentiel m [spécial] de simple couche	потенциал простого слоя
	potential of the diffusion force	s. diffusion potential		
P 2574	potential of the inter-molecular forces, intermolecular potential	Potential n der zwischen-molekularen Kräfte, zwischenmolekulares (intermolekulares) Potential, Intermole-kularpotential n	potentiel m des forces intermoléculaires, potentiel intermoléculaire	потенциал межмолекуляр-ных сил, потенциал междумолекулярных сил
	potential of thermal diffusion, thermal diffusion potential	Thermodiffusionspotential n	potentiel m de diffusion thermique	потенциал термодиффу-зии, термодиффузион-ный потенциал
P 2574a	potential operator	Potentialoperator m	opérateur m de potentiel	оператор потенциала
P 2575	potentialoscope, poten-tialscope	Potentialoskop n	potentieloscope m	потенциалоскоп
	potential pit (pot)	s. potential well		
P 2575a	potential probe <geo.>	Potentialsonde f, Kollektor m, Ausgleicher m, Elek-trode f <Geo.>	sonde f électrique <géo.>	электрический зонд <гео.>
	potential rate of evaporation, evaporativ-ity, evaporating capacity	Verdunstungsvermögen n	pouvoir m évaporant	испаряемость, испари-тельная способность
P 2576	potential relief	Potentialgebirge n	relief m potentiel, relief de potentiel	потенциальный рельеф
	potential relief	s. a. latent electrical image		
P 2577	potential rise	Potentialanstieg m	accroissement m du potentiel	повышение (возрастание, увеличение) потенциала
P 2578	potential scattering	Potentialstreuung f, äußere (potential-elastische) Streuung f, Kernpotentialstreuung f	diffusion f potentielle	потенциальное рассеяние внешнее рассеяние
P 2579	potential scattering cross-section, cross-section for potential scattering	Potentialstreuquerschnitt m, Wirkungsquerschnitt m für (der) Potential-streuung	section f efficace de diffusion potentielle	сечение потенциального рассеяния
P 2580	potential scattering length	Potentialstreulänge f	longueur f de diffusion potentielle	длина потенциального (внешнего) рассеяния
	potentialscope	s. potentialoscope		
	potential series	s. electrochemical series		
P 2581	potential stability	potentielle Stabilität f	stabilité f potentielle	потенциальная устойчи-вость
	potential step	s. potential jump		
	potential surface	s. equipotential surface <also el.>		
P 2582	potential temperature	potentielle Temperatur f	température f potentielle	потенциальная температура
P 2583	potential theory	Potentialtheorie f	théorie f du potentiel, théorie des potentiels	теория потенциала
P 2584	potential theory / by (in, of, using)	potentialtheoretisch	par (de, à, en, utilisant) la théorie du potentiel	потенциальной теорией (теории), в потенциаль-ной теории
	potential threshold	s. potential barrier		
	potential transformer, voltage transformer, shunt transformer	Spannungswandler m, Spannungsumsetzer m	transformateur m de tension (potentiel), transformateur shunt	трансформатор напряже-ния
	potential trough	s. potential well		
P 2585	potential variability	potentielle (kryptische) Variabilität f	variabilité f potentielle	потенциальная изменчи-вость
	potential vector, irrotational vector	wirbelfreier Vektor m, Potentialvektor m, wirbel-freies Vektorfeld n	vecteur m irrotationnel, vecteur potentiel	безвихревой вектор, потенциальный вектор
P 2586	potential vector field	Vektorpotentialfeld n	champ m de potentiel vecteur	потенциальное векторное поле
	potential vortex, irrotational vortex	Potentialwirbel m	tourbillon m [de] potentiel	потенциальный вихрь
	potential vortex, free vortex, point vortex	freier Wirbel m, abgehen-der Wirbel	tourbillon m libre, onde f de bord de fuite	свободный вихрь
	potential wall	s. potential barrier		
P 2587	potential well, potential trough, potential pot (pit), potential hole potential hole	Potentialtopf m, Potential-senke f, Potentialtrog m, Topfpotential n; Potentialmulde f	puits m de potentiel, cuvette f de potentiel	потенциальная яма; потенциальный ров
P 2588	potential well depth, well depth, depth of the potential well	Tiefe f des Potentials (Poten-tialtopfs), Stärke f des Potentials, Potential[topf]-tiefe f, Topftiefe f, Potentialstärke f, Tiefe der Mulde (Energiemulde), Walltiefe f	profondeur f du puits de potentiel	глубина потенциальной ямы, глубина ямы
	potential well model, well model	Potentialtopfmodell n	modèle m du puits de potentiel	модель потенциальной ямы
P 2589	potential-well resonance	Potentialkastenresonanz f, Potentialtopfresonanz f	résonance f de puits de potentiel	резонанс потенциальной ямы
P 2590	potential well with rounded edges	Potentialtopf m, Potential-kasten m mit abge-rundeten Ecken <Gauß-, Yukawa- oder Expo-nential-Potentialtopf>	cuvette f de potentiel, puits m de potentiel	потенциальная яма с закругленными краями

	English	German	French	Russian
	potential wire	s. potential line		
P 2591	potentiometer, balance-type potentiometer, compensator <el.>	Kompensator m, kompensierendes Potentiometer n, Kompensationsapparat m, Kompensationsgerät n <El.>	potentiomètre m, compensateur m <él.>	компенсатор, потенциометр <эл.>
	potentiometer	s. a. voltage divider		
P 2592	potentiometer circuit	Potentiometerschaltung f, Spannungsteilerschaltung f	circuit m potentiométrique	потенциометрическая схема, схема (цепь) потенциометра; схема делителя напряжения
	potentiometer method (principle)	s. Poggendorff['s] compensation method		
P 2593	potentiometer recorder, recording potentiometer	Kompensograph m, Kompensationsschreiber m, selbsttätiger Kompensator m als Registrierinstrument; Kompensationsbandschreiber m, Kompensationsstreifenschreiber m, Potentiometerschreiber m	enregistreur m potentiométrique, potentiomètre m enregistreur	самопишущий [автоматический] компенсатор; компенсационный самописец (измерительный самопишущий прибор), компенсограф; самопишущий (записывающий, регистрирующий) потенциометр
P 2594	potentiometer-type resistor	ohmscher Spannungsteiler m, Teilerwiderstand m; Potentiometerwiderstand m	résistance f potentiométrique	омический делитель напряжения; сопротивление потенциометра
P 2595	potentiometer-type rheostat	ohmscher Steller m, Potentiometerregler m	rhéostat m potentiométrique	потенциометрический реостат (регулятор)
	potentiometric analysis	s. potentiometry		
P 2596	potentiometric pressure gauge, rheostatic pressure gauge	potentiometrisches Manometer n, rheostatisches Manometer	manomètre m potentiométrique, manomètre rhéostatique	потенциометрический манометр
P 2597	potentiometric titration; potentiometry; electrometric titration; pH titration; potentiometric analysis, electrometric analysis	Potentiometrie f; potentiometrische Titration f; potentiometrische Analyse f, potentiometrische Maßanalyse f	potentiométrie f, titrage m potentiométrique; titrage électrométrique; analyse f potentiométrique, analyse électrométrique	потенциометрия; потенциометрическое (электрометрическое) титрование; pH-метрическое титрование; потенциометрический (электрометрический) анализ
P 2598	potentiostat	Potentiostat m	potentiostat m	потенциостат, стабилизатор потенциала [электрода]
P 2599	potentiostatic method, potentiostatic technique	potentiostatisches Verfahren n	méthode f potentiostatique	потенциостатический метод
P 2599a	pot experiment	Gefäßversuch m	expérience f (essai m) en vases	опыт в сосудах
	pot-hole, crater <geo.>	Kolk m, Strudelloch n, Strudeltopf m, Strudelkessel m	poche f [d'érosion]	вымоина, промоина, воронка размыва, подвалье, исполинов котел
P 2600	Potier['s] diagram	Potier-Diagramm n	diagramme m de Potier	диаграмма Потье
P 2601	Potier['s] triangle	Potiersches Dreieck n, Potier-Dreieck n	triangle m de Potier	треугольник Потье
P 2602	pot magnet, pot-type magnet, pot-type electromagnet	Topfmagnet m; Kernmagnet m	électro-aimant m à culasse en forme de pot, aimant m à culasse en forme de pot, électro-aimant boîteux, aimant boîteux, électro-aimant en forme de pot, aimant en forme de pot	горшкообразный [электро]магнит, [электро]магнит горшкообразного (горшкового) типа, броневой электромагнит горшкового типа, цилиндрический электромагнит
	pot magnet	s. a. shell-type magnet		
P 2603	potometer	Potometer n, Potetometer n	potomètre m	потометр
P 2604	Potsdam standard filter	Potsdamer Normalfilter n	filtre m étalon de Potsdam	потсдамский нормальный фильтр
P 2605	Potsdam system	Potsdamer Schweresystem n	système m de Potsdam	потсдамская система
P 2606	potted capacitor	Becherkondensator m	condensateur m en cuve métallique, condensateur enrobé	конденсатор в корпусе (металлической коробчатой оболочке)
P 2607	potted circuit	vergossene Schaltung f	circuit m surmoulé	залитый [специальным компаундом] контур, залитая цепь (схема)
P 2608	potted measuring transformer, pot-type measuring transformer	Topfmeßwandler m	transformateur m de mesure en pot	измерительный трансформатор горшкового типа
	Potter-Bucky [grid]	s. moving grid		
P 2609	potting	Vergießen n, Verguß m, Ausgießen n	surmoulage m, enrobage m	заливка [компаундом], герметизация
P 2610	potting compound	Vergußmasse f, Ausgußmasse f	masse f [isolante] de remplissage, matière f [isolante] de scellement, masse de scellement	заливочная масса, компаунд
P 2611	pot-type capacitor	Topfkondensator m	condensateur m en pot, condensateur boîteux	горшковый конденсатор
P 2612	pot-type core, cylindrical core	Topfkern m	pot m de bobinage, noyau m cylindrique	горшковый (горшковидный) сердечник, сердечник горшкообразного типа

	English	German	French	Russian
	pot-type electro-magnet (magnet)	s. pot magnet		
	pot-type measuring transformer, potted measuring transformer	Topfmeßwandler m	transformateur m de mesure en pot	измерительный транс-форматор горшкового типа
P 2613	**Pouillet pyrheliometer**	Pouillet-Pyrheliometer n	pyrhéliomètre m de Pouillet	пиргелиометр Пуйе
P 2614	**Poulsen arc**	Poulsenscher Lichtbogen m, Poulsen-Bogen m	arc m Poulsen	дуга Поульсена
	Poulsen transmitter, arc transmitter	Poulsen-Sender m, Licht-bogensender m	émetteur m à arc, émetteur Poulsen	дуговой передатчик (радиопередатчик), передатчик (радио-передатчик) Поульсена
	poultice corrosion	s. subsurface corrosion		
P 2615	**Pound and Rebka['s] experiment**	Pound-Rebkascher Versuch m, Versuch von Pound und Rebka	expérience f de Pound et Rebka	опыт Паунда и Ребка
P 2615a	**Pound-Cranshaw experiment**	Pound-Cranshawscher Versuch m	expérience f de Pound-Cranshaw	опыт Паунда-Крэншоу [с гравитационным сдвигом частот]
P 2616	**Pound-Knight oscillator**	Pound-Knight-Oszillator m	oscillateur m de Pound et Knight	генератор Паунда и Найта, генератор Паунда-Найта
P 2617	**Pound-Knight spectrometer**	Pound-Knight-Spektrometer n	spectromètre m de Pound et Knight	спектрометр Паунда-Найта
P 2618	**Pourbaix diagram**	Pourbaix-Diagramm n	diagramme m de Pourbaix	диаграмма Пурбэ
	pouring into another vessel	s. decantation <chem.>		
	pour point; point of congelation, congealing point, solidifying (solid-ification) point <of oil>	Stockpunkt m, Fließpunkt m <Öl>	point m de congélation, point de solidification <de l'huile>	точка застывания, точка затвердевания <масла>
	powder camera, X-ray powder camera	Debye-Scherrer-Kammer f, Pulverbeugungskammer f	chambre f [de] Debye-Scherrer, montage m Debye-Scherrer	дебаевская камера, порошковая камера
P 2619	**powder cathode**	Sinterkatode f, Pulver-glühkatode f	cathode f en poudre agglomérée	спекшийся катод
	powder density	s. apparent density		
	powder diagram	s. Debye-Scherrer pattern		
P 2620	**powder diffraction**	Beugung f am Pulver, Pulverbeugung f	diffraction f par poudre	дифракция на порошке
	powder diffraction method, powder diffractometry	s. Debye-Scherrer method		
	powdered core	s. dust core		
P 2621	**powdered-core variom-eter**	Massekernvariometer n	variomètre m à noyau aggloméré	вариометр с порошковым сердечником
P 2622	**powdered crystal,** crystal powder	Kristallpulver n	poudre f microcristallisée, poudre cristalline	кристаллический порошок
	powdered-crystal method [of X-ray diffraction]	s. Debye-Scherrer method		
	powdered-crystal pattern (photograph)	s. Debye-Scherrer pattern		
P 2623	**powdering, pulverization,** pulverizing	Pulverisieren n	pulvérisation f	превращение (измельче-ние) в порошок, порошкование
	powdering	s. a. rubbing		
P 2624	**powder magnet**	Pulvermagnet m	aimant m en poudre [agglomérée]	порошковый магнит
P 2625	**powder metallurgy**	Pulvermetallurgie f, Metallkeramik f, Sintermetallurgie f	métallurgie f des poudres	порошковая металлур-гия, металлокерамика
	powder method	s. Debye-Scherrer method		
	powder pattern	s. Bitter figure		
	powder pattern (photograph)	s. Debye-Scherrer pattern		
	powder photography	s. Debye-Scherrer method		
	powdery avalanche	s. dry snow avalanche		
P 2626	**powdery sand**	Mehlsand m, mehlfeiner Sand m; Schluff[sand] m	sable m vasard, vasard m	пылеватый песок, иловатый песок
P 2627	**Powell band**	Powellscher Streifen m	bande f de Powell	полоса Поуэлла (Пауэлла)
P 2628	**power,** capacity	Leistungsvermögen n, Kapazität f, Leistung f	puissance f, capacité f	мощность
P 2629	**power,** useful energy, energy	Nutzenergie f, nutzbare Energie f	énergie f utilisable	полезная энергия
	power, length strength parameter <of electronic lens>	Lichtstärke f <Elektronenlinse>	force f lumineuse <de la lentille électronique>	светосила <электронной линзы>
P 2630	**power** <of optical system, telescope>	Leistung f <optisches System, Fernrohr>	puissance f <du système optique, télescope>	сила увеличения <оптической системы, телескопа>
P 2631	**power** <math.>	Potenz f <Math.>	puissance f <math.>	степень <матем.>
P 2632	**power,** potency; cardinal, cardinal number; cardinality <math.>	Mächtigkeit f; Kardinal-zahl f <Math.>	puissance f; nombre m cardinal; cardinalité f <math.>	мощность; кардинал[ьное число], количественное число <матем.>
P 2633	**power** <mech.>	Leistung f <Mech.>	puissance f <méc.>	мощность <мех.>
P 2634	**power** <stat.>	Macht f <Stat.>	puissance f <stat.>	мощность [критерия] <стат.>
	power	s. a. focal power <opt.>		
	power	s. a. active power <el.>		
	power absorption	s. consumption		
P 2635	**power amplification,** power gain	Leistungsverstärkung f	amplification f en puissance, gain m en puissance	усиление по мощности, усиление мощности

	power amplification coefficient, power amplification ratio, power gain	Leistungsverstärkungsfaktor m, Leistungsverstärkung f	gain m en puissance, facteur m d'amplification en puissance	коэффициент усиления по мощности, коэффициент усиления мощности
	power at the terminals, terminal power	Klemmenleistung f, Klemmleistung f	puissance f aux bornes	мощность на зажимах, мощность на клеммах
P 2636	**power capacitor**	Leistungskondensator m	condensateur m de puissance	силовой (сильноточный) конденсатор
P 2637	**power coefficient**	Leistungsbedarfszahl f	coefficient m de puissance	коэффициент мощности
P 2638	**power coefficient [of reactivity]**	Leistungskoeffizient m [der Reaktivität]	coefficient m de puissance [de la réactivité]	мощностной коэффициент [реактивности]
	power conservation law	s. law of conservation of power		
	power consumption	s. consumption <el.>		
P 2639	**power control rod**	Leistungsregelstab m, Regelstab m	barre f de réglage, barre de commande de puissance	стержень регулирования мощности, регулирующий стержень, управляющий уровень мощности стержень
P 2640	**power conversion**	Leistungsumsetzung f, Leistungsumwandlung f	conversion f de puissance	преобразование мощности
	power conversion	s. a. transformation of energy		
P 2641	**power converter**	Leistungswandler m, Leistungsumsetzer m, Leistungskonverter m	convertisseur m de puissance	преобразователь мощности, преобразователь большой мощности
P 2642	**power current,** heavy current	Starkstrom m	courant m fort, courant force	сильный ток
	power delivery	s. actual output		
	power demand	s. consumption <el.>		
P 2643	**power density**	Leistungsdichte f	puissance f volumique, densité f de puissance	мощность, отнесенная к единице объема; мощность на единицу объема; плотность мощности
	power density spectrum	s. power spectrum <el.>		
	power detector	s. anode detector		
P 2644	**power directive coefficient**	Leistungsrichtfaktor m	coefficient (facteur) m de directivité en puissance	коэффициент направленности по мощности
	power directivity pattern, power pattern	Leistungsrichtdiagramm n	diagramme m directivité-puissance	диаграмма направленности по мощности
P 2645	**power divider**	Leistungteiler m	diviseur m de puissance	делитель мощности
	powered flight, active flight, rocket flight	Antriebsflug m, Treibflug m	vol m actif, partie f propulsée du vol, vol avec moteur en marche	активный полет, полет с включенным (работающим) двигателем, активный участок полета
P 2646	**power equalizer**	Echofalle f	égaliseur m de puissance	выравниватель мощности
P 2647	**power excursion**	Leistungsexkursion f, plötzlicher Leistungsanstieg m; Leistungsdurchgang m	excursion f de puissance	разгон по мощности
	power extraction, taking (removal, extraction) of power	Leistungsentnahme f; Leistungsentzug m	prise f de puissance, extraction f de puissance, prélèvement m de puissance	отбор мощности, съем мощности
P 2648	**power factor** <el.>	Leistungsfaktor m, Wirkfaktor m <El.>	facteur m de puissance, coefficient m de puissance <él.>	коэффициент мощности <эл.>
P 2649	**power-factor indicator, power-factor meter,** phase meter, phasometer	Leistungsfaktormesser m, Phasenmesser m, Phasenmeßgerät m, Phasenanzeiger m, $\cos \varphi$-Messer m	phasemètre m, cosomètre m	фазометр, измеритель коэффициента мощности, указатель косинуса фи
P 2650	**power flow**	Leistungsfluß m	flux m de puissance	поток мощности (энергии)
	power flow per unit area	s. energy flux density <gen., el.>		
P 2651	**power fluctuation** <el.>	Leistungsschwankung f, Leistungspendelung f, Leistungsschwebung f <El.>	fluctuation f de puissance <él.>	колебание мощности, качание мощности <эл.>
	power fluctuation	s. power noise <of reactor>		
	power fluctuation	s. a. current fluctuation		
	power frequency converter, inverter, converter, frequency converter <el.>	Umrichter m <El.>; Umkehrrohr n	convertisseur m de fréquence <él.>	ионный преобразователь [частоты] <эл.>
P 2652	**powerful test**	trennscharfer Test m	test m puissant	мощный критерий
P 2652a	**power function** <math.>	Potenzfunktion f <Math.>	fonction f puissance <math.>	степенная функция <матем.>
P 2653	**power function** <stat.>	Schärfefunktion f, Machtfunktion f, Gütefunktion f, Powerfunktion f <Stat.>	fonction f [de] puissance <stat.>	функция мощности <стат.>
P 2654	**power gain,** power amplification ratio, power amplification coefficient	Leistungsverstärkungsfaktor m, Leistungsverstärkung f	gain m en puissance, facteur m d'amplification en puissance	коэффициент усиления по мощности, коэффициент усиления мощности
	power gain, power amplification	Leistungsverstärkung f	amplification f en puissance, gain m en puissance	усиление по мощности, усиление мощности
	power gain	s. a. aerial gain		
	power generation	s. energy generation		
	power input	s. consumption		
P 2655	**power klystron,** high-power klystron	Leistungsklystron n, Hochleistungsklystron n	klystron m de puissance	мощный клистрон
P 2656	**power law**	Potenzgesetz n	loi f exponentielle	степенной закон
P 2657	**power law filter,** exponential filter	Potenzfilter n	filtre m exponentiel	экспоненциальный фильтр

P 2658	power law of distribution	Potenzverteilung f, Potenzverteilungsgesetz n	loi f exponentielle de distribution	степенной закон распределения, степенное распределение
P 2659	power law spectrum, power spectrum	Potenzspektrum n	spectre m exponentiel	степенной спектр
	power level, sound power level, acoustic power level <ac.>	Schalleistungspegel m	niveau m de puissance sonore, niveau de puissance acoustique	уровень звуковой мощности, уровень мощности звука
P 2660	power level <nucl., meas.>	Leistungspegel m <Kern., Meß.>; Leistungshöhe f, Leistungsniveau n <Kern.>	niveau m de puissance <nucl., mes.>	уровень мощности <яд., изм.>
	power level of the reactor, power of the reactor, reactor power, reactor power level	Leistung f des Reaktors, Reaktorleistung f	puissance f du réacteur [nucléaire], puissance de la pile, puissance neutronique du réacteur	мощность реактора
P 2661/2	power limiting	Leistungsbegrenzung f	limitation f de puissance	ограничение мощности
P 2663	power line	Starkstromleitung f	ligne f de courant fort, ligne d'énergie	линия сильного тока, силовая линия
P 2664	power-line frequency, line frequency, mains frequency, [power] supply frequency	Netzfrequenz f	fréquence f de secteur	частота сети, частота напряжения сети, сетевая частота
	power line hum, alternating-current (mains line) hum; hum; ripple	Brumm m, Brummen n; Netzbrumm m, Netzbrummen n	ronflement m [dû au courant alternatif]	шум, гудение, пульсация фон сети (питания), фон переменного тока
P 2665	power loop <of oscillograph>	Leistungsmeßschleife f, Leistungsschleife f <Lichtstrahloszillograph>	boucle f de puissance <de l'oscillographe>	вибратор мощности <светолучевого осциллографа>
P 2666	power magnetron	Hochleistungsmagnetron n	magnétron m à puissance	мощный магнетрон
P 2667	power matching	Leistungsanpassung f	adaptation f de puissance	согласование мощности
P 2667a	power meter	Leistungsmesser m. Leistungsmeßgerät n s. a. wattmeter	puissancemètre m	измеритель мощности
P 2668	power noise, power fluctuation <of reactor>	Leistungsrauschen n, Leistungsschwankung f <Reaktor>	bruit m de puissance, fluctuation f de puissance <du réacteur>	шум мощности реактора, флуктуация мощности реактора
	power of adsorption, adsorption ability, adsorption capacity	Adsorptionsfähigkeit f	pouvoir m d'adsorption	адсорбционная способность
P 2669	power of capacitor	Kondensatorleistung f	puissance f du condensateur	мощность конденсатора
	power of force	s. power <mech.>		
	power of ten	s. tenth power		
P 2670	power of the continuum / having (of) the, continuum infinite	von der Mächtigkeit des Kontinuums, kontinuumsmächtig	de puissance de continu	континуальный, мощность которого континуум
P 2671	power of the point	Potenz f [des Punktes]	puissance f [du point]	степень [точки]
P 2672	power of the pulse, pulse power	Impulsleistung f, Impulsstoßleistung f, Leistung f je Impuls	puissance f de l'impulsion	мощность в импульсе
P 2673	power of the reactor, power level of the reactor, reactor power, reactor power level	Leistung f des Reaktors, Reaktorleistung f	puissance f du réacteur [nucléaire], puissance de la pile, puissance neutronique du réacteur	мощность реактора
P 2674	power of the test <stat.>	Trennschärfe f des Tests, Teststärke f, Strenge f des Tests <Stat.>	puissance f du test <stat.>	мощность критерия <стат.>
	power operation, power regime	Leistungsbetrieb m	régime m de puissance	мощностной режим, работа в мощностном режиме
P 2675	power oscillation <of reactor>	Leistungsschwingung f <Reaktor>	écart m (oscillation f) de puissance <du réacteur>	колебание мощности <реактора>
	power output, output power, output	Ausgangsleistung f, Output m; Leistungsabgabe f, abgegebene Leistung f s. a. actual output	puissance f de sortie	выходная мощность, мощность на выходе; отдаваемая мощность
P 2676	power pack, power unit, power supply unit, mains unit, feed equipment, feed power pack	Netz[anschluß]teil m (n), Netzanschlußgerät n, Netzgerät n; Speisegerät n; Stromversorgungsgerät n	bloc m (boîte f, unité f) d'alimentation; groupe m électrogène	блок питания [от сети], устройство питания, агрегат питания; питающее устройство
P 2677	power pattern, power directivity pattern	Leistungsrichtdiagramm n	diagramme m directivité-puissance	диаграмма направленности по мощности
P 2678	power per unit area	Leistung f je Oberflächeneinheit (Flächeneinheit), Flächendichte f der Leistung; Leistungsbelag m	puissance f par unité de surface, puissance superficielle	мощность на единицу площади, поверхностная мощность
	power pile	s. power reactor		
P 2679	power plant	Energieerzeugungsanlage f	installation f de production d'énergie	энергетическая установка, энергосиловая установка
	power producer	s. power reactor		
	power production	s. energy generation		
P 2680	power range	Leistungsbereich m; Ausgleichbereich m	domaine m de puissance	часть пускового режима реактора, характеризующаяся изменением мощности
P 2681	power reactor, power pile, power producer	Leistungsreaktor m, Energiereaktor m; Kraftwerk[s]reaktor m; Antriebsreaktor m	réacteur m de puissance	энергетический реактор
P 2682	power recorder	Leistungsschreiber m; linearer Leistungsschreiber	enregistreur m de puissance; enregistreur linéaire de puissance	самописец (самопишущий измеритель, регистратор; линейный самописец) мощности

ID	English	German	French	Russian
P 2683	**power rectifier**	Netzgleichrichter m, Hochstromgleichrichter m, Leistungsgleichrichter m	redresseur m de puissance	силовой выпрямитель, мощный выпрямитель
P 2684	**power regime,** power operation	Leistungsbetrieb m	régime m de puissance	мощностной режим, работа в мощностном режиме
	power requirement	s. consumption <el.>		
P 2685	**power series**	[beständig (überall) konvergente] Potenzreihe f	série f de (en) puissances	[всюду сходящийся] степенной ряд
P 2686	**power source,** source of power; source of energy, energy source	Energiequelle f; Energieträger m; Kraftquelle f	source f d'énergie	источник энергии
	power source, source of current, current source	Stromquelle f	source f de courant	источник тока, источник питания
	power spectrum, power law spectrum	Potenzspektrum n	spectre m exponentiel (puissance)	степенной спектр
P 2687	**power spectrum,** power density spectrum <el.>	Leistungsspektrum n, Leistungsdichtespektrum n, Spektraldichte f [der Leistung] <El.>	spectre m de puissance <él.>	спектр мощности, спектральное распределение плотности <эл.>
	power stroke, working stroke	Arbeitstakt m, Verbrennungstakt m	cycle m de travail, cycle de fonctionnement	рабочий цикл, рабочий ход, такт сгорания
P 2688	**power supply,** electric supply, current supply, supply <el.>	Stromversorgung f; Leistungseinströmung f; Hilfsenergie f <El.>	alimentation f [en courant] électrique; alimentation en puissance <él.>	электроснабжение, электропитание, питание электрической энергии; подвод мощности, приток мощности; энергия питания; источник питания <эл.>
P 2689	**power supply,** mains supply, mains electricity supply, mains connection <el.>	Netzanschluß m <El.>	raccordement m au secteur, alimentation-secteur f, alimentation f sur secteur alternatif, alimentation à partir du réseau <él.>	присоединение к сети, выключение в электрическую сеть, питание от сети, сетевое питание <эл.>
	power supply frequency, [power-]line frequency, mains frequency, supply frequency	Netzfrequenz f	fréquence f de secteur	частота сети, частота напряжения сети, сетевая частота
	power supply unit	s. power pack		
P 2690	**power theorem**	Leistungstheorem n	théorème m de puissance	теорема мощности
P 2691	**power thyratron**	Hochleistungsthyratron n	thyratron m de puissance	мощный тиратрон
P 2692	**power transfer factor,** response to power	Leistungsübertragungsfaktor m	facteur m de transfert de puissance	коэффициент передачи мощности
P 2693	**power triangle**	Leistungsdreieck n	triangle m de puissance	треугольник мощностей (мощности)
	power unit	s. power pack		
	Poynting analyzer	s. Poynting polarimeter		
P 2694	**Poynting effect**	Poynting-Effekt m	effet m Poynting	эффект Пойнтинга
P 2695	**Poynting polarimeter,** Poynting analyzer	Poyntingsches Polarimeter n, Polarimeter von Poynting	polarimètre m de Poynting	поляриметр Пойнтинга
P 2696	**Poynting-Robertson effect**	Poynting-Robertson-Effekt m	effet m Poynting-Robertson	эффект Пойнтинга-Робертсона
P 2697	**Poynting['s] theorem**	Poyntingscher Satz m, Energiesatz m der Elektrodynamik, Poyntingsches Gesetz n	théorème m de Poynting	теорема Умова-Пойнтинга
P 2698	**Poynting-Thomson body,** anelastic material, Thomson['s] body	Poynting-Thomson-Körper m, [Poynting-]Thomsonscher Körper m, anelastische Substanz f	corps m [de] Poynting-Thomson, corps [de] Thomson	тело Пойнтинга-Томсона, тело Томсона
	Poynting['s] vector	s. energy flux density <gen., el.>		
	ppb, p.p.b.	s. part per billion		
	p-p interaction, protonproton interaction	Proton-Proton-Wechselwirkung f, p-p-Wechselwirkung f	interaction f proton-proton, interaction p-p	протон-протонное взаимодействие, взаимодействие протонов с протонами, pp-взаимодействие
P 2699	**p-p junction,** p-p⁺ junction	pp-Übergang m, pp-Schicht f, pp⁺-Übergang m	jonction f p-p, jonction p-p⁺	дырочно-дырочный переход, p-p^+-переход
	ppm, p.p.m.	s. part per million		
	PPM	s. pulse-position modulation		
	p-position, para-position	para-Stellung f, p-Stellung f	position f para, para-position f, p-position f	пара-положение, p-положение
	p-p range, proton-proton range	Proton-Proton-Reichweite f, p-p-Reichweite f	parcours m proton-proton	протон-протонный пробег
P 2700	**PP ray,** PP wave, longitudinal wave once-reflected downwards at the Earth's outer surface	PP-Welle f, einfach reflektierte Longitudinalwelle f	onde f PP, onde longitudinale réfléchie une fois	однократно отраженная продольная волна, волна PP
P 2701	**p process**	p-Prozeß m	processus (procédé) m p	p-процесс
	P-product, Dyson['s] chronological product	P-Produkt n, Dysonsches Produkt n	produit m chronologique [de première espèce], produit ordonné de Dyson, produit chronologiquement ordonné	P-произведение, хронологическое произведение Дайсона
	PP wave	s. PP ray		
P 2702	**practical efficiency**	praktischer Wirkungsgrad m	efficacité f pratique, rendement m pratique	практический коэффициент полезного действия, практический к.п.д.
P 2703	**practical electromotive series,** practical potential series	praktische Spannungsreihe f	série f des tensions pratique, tableau m de tensions pratique	практический ряд напряжений, практический ряд потенциалов
P 2704	**practical enthalpy**	praktische Enthalpie f	enthalpie f pratique	практическая энтальпия

	English	German	French	Russian
P 2705	practical entropy	praktische Entropie *f*	entropie *f* pratique	практическая энтропия
	practical geodesy	*s.* surveying		
	practical grade	*s.* engineering-grade		
	practical potential series, practical electromotive series	praktische Spannungsreihe *f*	série *f* des tensions pratique, tableau *m* de tensions pratique	практический ряд напряжений, практический ряд потенциалов
P 2706	practical resolving power	praktisches Auflösungsvermögen *n*	pouvoir *m* de résolution pratique	практическая разрешающая способность
P 2707	practical system of units, practical units system	praktisches Einheitensystem *n*, praktisches Maßsystem *n*	système *m* pratique d'unités, système d'unités pratiques	практическая система единиц
P 2708	practical unit	praktische Einheit *f*, praktische Maßeinheit *f*	unité *f* pratique	практическая единица
	practical units system	*s.* practical system of units		
P 2709	Prager['s] function	Pragersche Funktion *f*	fonction *f* de Prager	функция Прагера
P 2710	Prager['s] [theory of] plasticity	Pragersche Plastizitätstheorie *f*	théorie *f* de plasticité de Prager	теория пластичности Прагера
	Prandtl['s] analogy	*s.* soap film analogy		
P 2711	Prandtl angle	Prandtlscher Winkel *m*	angle *m* de Prandtl	угол Прандтля
P 2712	Prandtl[-] body, elastic-plastic body	Prandtlscher Körper *m*, elastisch-plastischer Körper, elastisch-plastische Substanz *f*	matière *f* élasto-plastique, corps *m* élasto-plastique	тело Прандтля
P 2713	Prandtl['s] boundary layer	Prandtlsche Grenzschicht *f*	couche-limite *f* de Prandtl	пограничный слой Прандтля
P 2714	Prandtl['s] boundary layer approximation	Prandtlsche Grenzschichtnäherung *f*	approximation *f* de Prandtl	приближение Прандтля
P 2715	Prandtl['s] boundary layer equations	Prandtlsche Grenzschichtgleichungen *fpl*, [Prandtlsche] Grenzschicht-Differentialgleichungen *fpl*	équations *fpl* de Prandtl, équations de la couche limite dites de Prandtl	уравнения Прандтля, уравнения течения несжимаемой жидкости в пограничном слое Прандтля
	Prandtl['s] boundary layer theory, Prandtl['s] theory of boundary layer	Prandtlsche Grenzschichttheorie *f*	théorie *f* de Prandtl, théorie de la couche limite dite de Prandtl	теория Прандтля
	Prandtl-Busemann characteristic line diagram	*s.* characteristic diagram		
P 2716	Prandtl-Busemann graphical procedure	Prandtl-Busemannsches graphisches Verfahren *n*	méthode *f* [graphique] de Prandtl-Busemann	графический метод Прандтля-Буземана
	Prandtl['s] correspondence rules	*s.* Prandtl-Glauert law		
P 2717	Prandtl['s] equation [for the circulation]	Prandtlsche Tragflügelgleichung (Integralgleichung, Integro-Differentialgleichung, Zirkulationsgleichung) *f*	équation *f* de Prandtl [établie pour la circulation]	уравнение Прандтля [для циркуляции]
P 2718	Prandtl-Glauert law, Prandtl-Glauert rule, Prandtl['s] correspondence rules	Prandtl-Glauertsche Regel *f*, Prandtlsche Korrespondenzregeln *fpl*	approximation *f* de Prandtl-Glauert, règle *f* de Prandtl-Glauert	правило Прандтля-Глауэрта, соотношение Прандтля-Глауэрта, правило подобия Прандтля-Глауэрта
	Prandtl group	*s.* Prandtl-No.		
P 2718a	Prandtl['s] jet spectrum	Prandtlsches Strahlenbild *n*	spectre *m* des jets de Prandtl	спектр струй по Прандтлю
P 2719	Prandtl['s] lifting line theory, simple lifting line theory	Prandtlsche Theorie *f* der tragenden Linie, Prandtlsche (einfache) Traglinientheorie *f*	théorie *f* de Prandtl [de l'aile portante], théorie simple des lignes portantes	теория несущей линии Прандтля
	Prandtl-Meyer expansion	*s.* Prandtl-Meyer flow		
P 2720	Prandtl-Meyer flow, Prandtl-Meyer expansion, centred expansion fan	Prandtl-Meyersche Expansion (Strömung, Eckenströmung) *f*, Prandtl-Meyer-Expansion *f*, Prandtl-Meyer-Strömung *f*, Prandtlcher Expansionskeil (Aussdehnungskeil) *m*	détente *f* de Prandtl-Meyer, écoulement (mouvement) *m* de Prandtl-Meyer	веер разрежения Прандтля-Мейера, течение [расширения] Прандтля-Мейера, клин (волна) разрежения Прандтля, клин (волна) расширения Прандтля
P 2721	Prandtl-Meyer function	Prandtl-Meyersche Funktion *f*	fonction *f* de Prandtl-Meyer	функция Прандтля-Мейера
P 2722	Prandtl-Meyer wave	Meyer-Prandtlsche Welle *f*, Meyer-Prandtl-Welle *f*	onde *f* de Meyer-Prandtl	волна расширения Мейера-Прандтля
	Prandtl['s] mixing length, mixing length	[Prandtlscher] Mischungsweg *m*, [Prandtlsche] Mischungslänge *f*	parcours *m* de mélange, longueur *f* de mélange [de Prandtl], hauteur *f* de mélange	путь смешения, путь (длина) перемешивания, путь смешивания
P 2723	Prandtl-No., Prandtl['s] number, Prandtl group, Pr	Prandtl-Zahl *f*, Prandtlsche Kennzahl *f*, Prandtlsche Zahl *f*, Pr	nombre *m* de Prandtl, P, Pr	число Прандтля, критерий Прандтля, безразмерный комплекс Прандтля, Pr
P 2724	Pandtl['s] relation <for shock waves>	Prandtlsche Beziehung *f* <Stoßwellen>	relation *f* de Prandtl <pour les ondes de choc>	соотношение Прандтля (Майера) <для ударных волн>
P 2725	Prandtl-Reuss body, Prandtl-Reuss material	Prandtl-Reußscher Körper *m*	corps *m* de Prandtl-Reuss	тело Прандтля-Рейсса
P 2726	Prandtl-Reuss equations, Reuss equations	Prandtl-Reußsche (Reußsche) Gleichungen *fpl*	équations *fpl* de Prandtl-Reuss, équations de Reuss	уравения Прандтля Рейсса, уравнения-Рейсса
	Prandtl-Reuss material	*s.* Prandtl-Reuss body		
P 2727	Prandtl-Reuss theory, Reuss['] theory	Prandtl-Reußsche Theorie *f*, Reußsche Theorie	théorie *f* de Prandtl-Reuss	теория пластичности Рейсса
P 2728	Prandtl['s] rule	Prandtlsche Regel *f*	règle *f* de Prandtl	правило Прандтля

P 2729	Prandtl['s] theory of boundary layer, Prandtl['s] boundary layer theory	Prandtlsche Grenzschicht-theorie f	théorie f de Prandtl, théorie de la couche limite dite de Prandtl	теория Прандтля
	Prandtl['s] torsion function, torsion (warping) function	Torsionsfunktion f, Prandtlsche Torsions-funktion f	fonction f de torsion de Prandtl, fonction de Prandtl	функция кручения [Прандтля]
P 2730	Prandtl['s] tube	Prandtlsches Staurohr n, Prandtl-Rohr n, Prandtl-sches Rohr n, Stau-gerät n [nach Prandtl], Staurohr n [nach Prandtl]	tube m de Prandtl, trompe f de Prandtl, sonde f de Prandtl, tube de Pitot	трубка Прандтля, трубка Пито-Прандтля, ком-бинированная трубка Пито-Прандтля, приемник воздушного давления, ПВД
P 2730a	Prandtl-Vandrey['s] law	Prandtl-Vandreysches Fließ-gesetz n, Fließgesetz nach Prandtl-Vandrey	loi f de Prandtl-Vandrey	закон Прандтля-Вандрея
P 2731	Pratt-Hayford isostatic system, Pratt-Hayford system	Isostasie f nach Pratt [Hayford]; isostatisches System n nach Pratt[-Hayford]	système m isostatique de Pratt[-Hayford]	гипотеза изостазии Пратта; изостатическая система по Пратту
P 2732	P ray, P wave, longitudinal wave <geo.>	P-Welle f, Longitudinal-welle f <Geo.>	onde f longitudinale, onde P <géo.>	продольная волна, волна P, сейсмическая волна типа P <гео.>
P 2733	pre-absorption	Vorabsorption f	préabsorption f	предварительное поглощение
P 2734	preacceleration	Vorbeschleunigung f	préaccélération f	предварительное ускоре-ние, предускорение
P 2735	preaccelerator, preinjector	Vorbeschleuniger m, Vorinjektor m	préaccélérateur m, préinjecteur m	форинжектор, преду-скоритель
	pre[-]accentuation	s. pre[-]emphasis		
P 2736	pre-adaptation	Voradaptation f	préadaptation f, adaptation f primaire	предварительная адаптация
P 2737	preag[e]ing, artificial ag[e]ing	Voralterung f, künstliche Alterung f, Alterungs-vorbehandlung f	vieillissement m préalable, vieillissement prélimi-naire, prévieillissement m, vieillissement artificiel	искусственное старение, предварительное старение; тренировка <напр. катода>
	pre[-]amp	s. pre[-]amplifier		
P 2738	pre[-]amplifier, pre[-]amp; head amplifier	Vorverstärker m, Anfangs-stufenverstärker m; Kopfverstärker m	pré[-]amplificateur m, pré[-]ampli m; ampli-ficateur m de tête	предварительный усилитель, предусили-тель
P 2739	pre-amplifier stage	Vorverstärkerstufe f	étage m de préamplifica-tion, étage pré-amplificateur	каскад предварительного усиления; первая ступень усилителя
	pre-annealing, preliminary annealing	Vorglühen n	recuit m préalable	предварительный отжиг
	preassigned	s. pre[-]set		
P 2740	pre bombardment analysis	Vorbestrahlungsanalyse f	analyse f avant l'irradiation	предварительный анализ перед облучением
P 2741	pre-breakdown current, pre-breakdown electric current	Vordurchschlagstrom m	courant de pré-rupture, courant électrique de pré-rupture	предпробивной ток
P 2742	preceding spot, p-spot, leading sunspot, leading spot, leader, western spot	P-Fleck m, vorangehender Fleck m	tache f de tête, tache ouest	ведущее пятно, головное пятно, западное пятно
P 2743	precession; precessional motion	Präzession f; Präzessions-bewegung f	précession f; mouvement m de précession	прецессия; прецессион-ное движение
P 2744	precessional constant, Newcomb['s] precession constant, Newcomb['s] constant	Newcombsche Präzessions-konstante f, Newcomb-sche Konstante f, Präzessionskonstante f	constante f de précession [de Newcomb], constante de Newcomb	постоянная прецессии [Ньюкома], постоянная Ньюкома
	precessional motion	s. precession		
P 2745	precession camera [of Buerger]	Buergerscher Retigraph m	chambre f de précession de Buerger, rétigraphe m à précession, rétigraphe de Buerger	прецессионная [рент-геновская] камера, камера прецессии, камера прецессии Бургера, камера Бургера, камера фото-графирования обрат-ной решетки, КФОР
P 2745a	precession cone	Präzessionskegel m	cône m de précession	конус прецессии
P 2746	precession magnet, precessor	Präzessionsmagnet m, Spinpräzessionsmagnet m	aimant m de précession	магнит [спиновой] прецессии, прецессион-ный магнит
P 2747	precession of orbit	Präzession f der Bahn, Bahnpräzession f	précession f d'orbite	прецессия орбиты
P 2748	precession of the equinoxes	Vorrücken n der Tagund-nachtgleichen, Ver-lagerung, (Verschiebung, Präzession) f der Äqui-noktialpunkte, allgemeine Präzession	précession f des équinoxes	предварение (прецессия) равноденствий
P 2749	precession time	Präzessionszeit f	période f de précession	период прецессии
	precessor, precession magnet	Präzessionsmagnet m, Spinpräzessionsmagnet m	aimant m de précession	магнит [спиновой] пре-цессии, прецессионный магнит
P 2749a	prechamber	Vorkammer f	préchambre f	форкамера
P 2750	precipitability, settle-ability	Fällbarkeit f, Ausfällbar-keit f	précipitabilité f	осаждаемость, оседаемость способность осаждаться
P 2751	precipitable water	ausfällbares Wasser n	eau f précipitable	осаждаемая вода
P 2752	precipitant, precipitator, precipitating agent	Fällungsmittel n, Fällmittel n, Fällungsreagens n	précipitant m	осаждающее вещество, осадитель; выпавшая (выпадающая, выделив-шаяся, выделяющаяся) фаза

P 2753	precipitate, deposit, precipitation [product] <chem.>	Niederschlag m, Präzipitat n, Fällprodukt n, Ausfällung f, Bodensatz m; Ausscheidung f <Chem.>	précipité m, dépôt m, précipitation f <chim.>	осадок <хим.>
	precipitating	s. precipitation <chem.>		
	precipitating agent	s. precipitant		
	precipitating alloy, precipitation-hardening alloy	Ausscheidungslegierung f	allage m de précipitation	сплав с выделением, сплав с осаждением
P 2754	precipitating fusion, bottom fusion	niederschlagendes Schmelzen n, Niederschlagsschmelzen n	fusion f précipitante	осадительная плавка
P 2755	precipitation <in electrolysis>	Abscheidung f, Ausscheidung f <Elektrolyse>	précipitation f <électrolytique>	осаждение, выделение, сепарация <электролизом>
	precipitation; demixing; separation; segregation <of emulsion>	Entmischung f, Zerfall m <Gemisch>	démixtion f; ségrégation f; séparation f <du mélange>	разделение, расслоение, расслаивание <смеси>; распад
P 2755a	precipitation, separation <of vacancy>	Ausscheidung f <Leerstelle>	précipitation f <de la vacance>	выделение, осаждение <вакансии>
P 2756	precipitation, precipitating, deposition <chem.>	Fällung f; Ausfällung f; Präzipitieren n; Ausfallen n; Fallen n; Niederschlagen n, Niederschlag m <Chem.>	précipitation f <chim.>	осаждение <хим.>
P 2757	precipitation, atmospheric precipitation, rainfall <meteo.>	Niederschlag m, atmosphärischer Niederschlag <Meteo.>	précipitations fpl, précipitations atmosphériques <météo.>	атмосферные осадки, осадки <метео.>
	precipitation	s. a. precipitate <chem.>		
	precipitation	s. a. segregation <met.>		
P 2758	precipitation analysis, volumetric precipitation analysis	Fällungsanalyse f, Fällungsmaßanalyse f, Gewichtsanalyse f	analyse f par précipitation	анализ осаждением, анализ методом осаждения
	precipitation enthalpy	s. precipitation heat		
P 2759	precipitation fractionation	Fällungsfraktionierung f	fractionnement m par précipitation	фракционирование осаждением
	precipitation gauge	s. rain gauge		
	precipitation hardening, age-hardening, dispersion hardening	Aushärtung f, Ausscheidungshärtung f, Altershärtung f	durcissement m structural, durcissement par vieillissement, durcissement par précipitation	дисперсионное твердение, структурное твердение, старение, облагораживание
P 2760	precipitation-hardening alloy, precipitating alloy	Ausscheidungslegierung f	alliage m de précipitation	сплав с выделением, сплав с осаждением
P 2761	precipitation heat; precipitation enthalpy	Fällungswärme f; Fällungsenthalpie f	chaleur f de précipitation; enthalpie f de précipitation	теплота осаждения; энтальпия осаждения
P 2762	precipitation index	Niederschlagsfaktor m	indice m des précipitations	фактор осадков
P 2763	precipitation polymerization	Fällungspolymerisation f	polymérisation f à précipitation	полимеризация в растворе с осаждением полимера
P 2764	precipitation potential	Abscheidungspotential n	potentiel m de précipitation	потенциал осаждения
	precipitation product	s. precipitate		
	precipitation recorder	s. rain gauge		
P 2765	precipitation rule <of Fajans or Hahn>	Fällungsregel f <Fajans>; Fällungssatz m, Fällungsregel <Hahn>, Hahnsche Fällungsregel	règle f de précipitation <de Fajans ou de Hahn>	правило осаждения <Фаянса или Гана>
P 2766	precipitation titration	Fällungstitration f	titrage m par précipitation, titrage à précipitation	титрирование осаждением, титрование с осаждением
	precipitator	s. precipitant		
P 2767	precise level, precise levelling instrument	Präzisionsnivellier[instrument] n, Feinnivellier n	niveau m de précision	прецизионный нивелир
P 2768	precise levelling, precision levelling	Präzisionsnivellement n, Feinnivellement n, Feineinwägung f	nivellement m précis	точное (прецизионное) нивелирование, точная нивелировка
	precise levelling instrument	s. precise level		
P 2769	precision balance	Präzisionswaage f, Feinwaage f	balance f de précision	точные весы
	precision gauge block	s. end block		
P 2770	precision instrument, precision measuring instrument, precision meter, high-accuracy instrument	Präzisionsmeßgerät n, Präzisions[meß]instrument n, Präzisionsgerät n, Feinmeßgerät n	appareil m de mesure de précision, instrument m de mesure de précision, instrument de précision [pour mesurer]	прецизионный [измерительный] прибор; точный [измерительный] прибор, измерительный прибор высокого класса точности
	precision levelling	s. precise levelling		
P 2771	precision magnifier, measuring magnifier, scale magnifying glass	Feinmeßlupe f, Meßlupe f	loupe f de précision. loupe f de mesure	прецизионная лупа, измерительная лупа
	precision measuring instrument	s. precision instrument		
	precision meter	s. precision instrument		
P 2772	precision micrometer eyepiece	Feinmeßokular n	oculaire-micromètre m de précision	точный (прецизионный) измерительный окуляр
	precision mirror instrument, mirror-type precision instrument	Spiegelfeinmeßgerät n	appareil m de précision à miroir	прецизионный прибор с зеркальным отсчетом
	precision of image	s. image sharpness		
	precision of measurement	s. accuracy of measurement		
P 2773	precision screw	Feinmeßschraube f	vis f de précision	прецизионный винт

P 2774	**precision theodolite**	Feinmeßtheodolit *m*, Präzisionstheodolit *m*, Sekundentheodolit *m*	théodolite *m* de précision	прецизионный теодолит
P 2775	**precleaning**	Vorreinigung *f*	nettoyage *m* préalable, nettoyage préliminaire	предварительная очистка
	precompression; supercharging	Vorverdichtung *f*	surcharge *f*; pré-compression *f*	наддув; предварительное сжатие
P 2776	**precondensation,** preliminary condensation	Vorkondensation *f*	précondensation *f*, condensation *f* préalable	предварительная конденсация, предконденсация
P 2776a	**preconduction current**	Vor[entladungs]strom *m*	courant *m* de prédécharge	предразрядный ток
P 2777	**precorrosion,** preliminary corrosion	Vorkorrosion *f*	précorrosion *f*, corrosion *f* préalable	предварительная корро-зия
P 2778	**precursor** <bio.>	Vorstufe *f*, Precursor *m* *m* <Bio.>	précurseur *m* <bio.>	предшественник <био.>
P 2779	**precursor,** fore-runner <géo.>	Vorläufer *m* <Geo.>	avant-coureur *m*, précurseur *m*, signe *m* précurseur <géc.>	предвестник <гео.>
	precursor	*s. a.* delayed neutron emitter <nucl.>		
	precursor	*s. a.* predecessor		
P 2779a	**predawn enhancement**	Vordämmerungsver-stärkung *f*	renforcement *m* pré-crépusculaire	предсумеречное усиление
P 2780	**predecessor** <math.>; precursor, progenitor <nucl.>	Vorgänger *m*	prédécesseur *m* <math.>; précurseur *m*	предшественник <яд.; матем.>; предшеству-ющий элемент <матем.>
P 2781	**pre-deflection**	Vorablenkung *f*; Voraus-lenkung *f*	prédéviation *f*, déviation *f* préliminaire	предварительное отклонение
	predesigned	*s.* pre[-]set		
P 2782	**predetermination,** prediction	Vorausbestimmung *f*, Vorausberechnung *f*, Vorherberechnung *f*	prédétermination *f*, prédiction *f*	предопределение, предвычисление, предварительное вычисление
P 2783	**predetermination** <bio.>	Prädetermination *f* <Bio.>	prédétermination *f* <bio.>	предопределение <био.>
	predetermined	*s.* pre[-]set		
P 2784	**predetonation;** preknock	vorzeitige Detonation *f*	prédétonation *f*, détonation *f* prématurée	предварительная детонация, преддетона-ция
P 2785	**predicate** <math.>	Attribut *n*, Prädikat *n* <Math.>	prédicat *m* <math.>	предикат, сказуемое <матем.>
P 2786	**predicate calculus,** functional calculus, quantification theory, predicate logic	Prädikatenkalkül *m*, Funktionenkalkül *m*, Attributenkalkül *n*, Rela-tionenkalkül *n*, Prädika-tenlogik *f*, Quantoren-logik *f*	calcul *m* des prédicats, calcul des relations, logique *f* des prédicats, logique fonc-tionnelle	исчисление предикатов, логика предикатов
	predicated variable, regressor, determining variable, explanatory (cause) variable	Regressor *m*; Einflußgröße *f*	variable *f* explicative	независимая переменная в уравнении регрессии
P 2786a	**predictand** <meteo.>	Vorhersageelement *n.* <Meteo.>	élément *m* de prévision <météo.>	прогнозируемый элемент <метео.>
	predictand	*s.* regressand		
	predicted value	*s.* theoretical value		
P 2787	**predictibility**	Vorhersagbarkeit *f*	prédictibilité *f*	предсказуемость
P 2788	**predicting filter**	Filter *n* mit Vorhalt	filtre *m* prédicteur	фильтр с упреждением, упреждающий фильтр
	prediction	*s.* predetermination		
P 2789	**prediction;** forecast, forecasting; prognosis, prognostication	Vorhersage *f*, Voraussage *f*, Prognose *f*	prévision *f*, pronostic *m*; prédiction *f*	прогноз, предсказание
	prediction, lead <control>	Vorhalt *m* <Regelung>	avance *f*, prédiction *f* [dans le temps] <réglage>	упреждение, предварение <регулирование>
	prediction	*s. a.* theoretical value		
	prediction function	*s.* predictor		
P 2790	**prediction theory**	Vorhersagetheorie *f*	théorie *f* de la prévision, théorie de la prédiction [statistique]	теория прогнозирования, теория прогнозов, теория предсказания
P 2790a	**predictor,** prediction function	Prädiktor *m*, Vorhersage-funktion *f*	fonction *f* de prévision	прогнозирующая функция
P 2791	**predischarge**	Vorentladung *f*	prédécharge *f*	предразряд, предвари-тельный разряд
P 2792	**predischarge pulse**	Vorentladungsimpuls *m*	impulsion *f* de prédécharge	предразрядный импульс
	predischarge vorticity equation; vorticity equation	Wirbelgleichung *f*; Vorticitygleichung *f* <Geo.>	équation *f* de tourbillon	уравнение вихря
P 2793	**predissociation**	Prädissoziation *f*	prédissociation *f*	предиссоциация, преддиссоциация
P 2794	**predissociation limit**	Prädissoziationsgrenze *f*, Prädissoziationsschwelle *f*	seuil *m* de prédissociation	граница предиссоциации, порог предиссоциации
P 2795	**predissociation time**	Prädissoziationszeit *f*	temps *m* de prédissociation	время предиссоциации
P 2796	**predominance**	Überwiegen *n*, Übergewicht *n*, Vorherrschen *n*	prédominance *f*	преобладание
	predominant mode	*s.* dominant mode <of waveguide>		
P 2797	**Predvodytelev number**	Predwodytelew-Zahl *f*, Predwodytelewsche Kennzahl *f*	nombre *m* de Predvodytelev	критерий Предводи-телева
P 2798	**pre-echo,** leading echo	Vorecho *n*	préécho *m*	опережающее эхо

P 2799	**pre[-]emphasis,** pre[-]accentuation, accentuation	Preemphasis *f*, Akzentuierung *f*, Vorverzerrung *f*	préemphasage *m*, préaccentuation *f*, accentuation *f*, préélévation *f*	предварительная коррекция, предкоррекция, коррекция по входу, подчеркивание высоких частот, подъем высоких звуковых частот
	preevacuation pump	*s.* forepump		
P 2800	**pre-existent, pre-existing**	präexistent	préexistant	предварительно существующий
P 2801	**pre-expansion saturation**	Sättigung *f* vor der Expansion	saturation *f* avant l'expansion	насыщение перед расширением
P 2801a	**preexponential [factor]**	präexponentieller Faktor *m*; Proportionalitätsfaktor *m*, exponentieller Vorfaktor *m* <Exponentialgesetz>	facteur *m* pré-exponentiel	предэкспоненциальный множитель (фактор)
	pre-exponential factor	*s. a.* frequency factor <in the Arrhenius equation>		
P 2802	**pre-exposure,** preliminary [uniform] exposure, extra exposure, prefogging	Vorbelichtung *f*	prélumination *f*	предварительная экспозиция; первичная экспозиция
P 2802a	**preference region**	Entscheidungsbereich *m*	région *f* de préférence	область предпочтения
P 2802b	**preference relation**	Präferenzbeziehung *f*	relation *f* de préférence	предпочтительное соотношение
P 2802c	**preference zone**	Entscheidungszone *f*	zone *f* de préférence	область (зона) предпочтения
P 2803	**preferential absorption**	bevorzugte Absorption *f*, Vorzugsabsorption *f*	absorption *f* préférentielle	преимущественное поглощение
	preferential direction	*s.* preferred orientation		
P 2804	**preferential recombination**	Vorzugsrekombination *f*, bevorzugte Rekombination *f*	recombinaison *f* préférentielle	преимущественная рекомбинация
	preferential solvation	*s.* selective solvation		
P 2805	**preferred axis,** privileged axis	Vorzugsachse *f*, bevorzugte Achse *f*, Hauptachse *f*	axe *m* privilégié, axe préférentiel, axe préféré	преимущественная ось, выделенная ось
	preferred direction	*s.* preferred orientation		
	preferred direction of magnetization	*s.* easy direction of magnetization		
P 2806	**preferred orientation,** privileged direction, preferred direction, preferential direction; high-preferred orientation, h.p.o.	bevorzugte Orientierung (Richtung) *f*, Vorzugsorientierung *f*, Vorzugsrichtung *f*, Hauptrichtung *f*	orientation *f* préférentielle, orientation privilégiée, direction *f* privilégiée, direction préférentielle	преимущественная ориентация, преимущественная направленность, преобладающее направление; предварительная ориентировка <гео.>
P 2807	**preferred orientation / with,** textured	mit Textur, texturbehaftet, vorzugsgerichtet, texturiert	texturé, à orientation privilégiée	текстурированный, текстурованный
P 2808	**preferred plane**	Vorzugsebene *f*	plan *m* privilégié	преимущественная плоскость
P 2808a	**prefield lens**	Vorfeldlinse *f*	lentille *f* de l'avant-champ	предполевая линза
P 2809	**prefilter,** first filter	Vorfilter *n*	préfiltre *m*, premier filtre *m*	фильтр для предварительной (грубой) очистки; предфильтр <респиратора>; форфильтр <фот.>
	prefix, pre-pulse, prepulse <tv.>	Vorlaufimpuls *m*; Vorimpuls *m*; Vorläufer *m*; Frühimpuls *m* <Fs.>	préimpulsion *f* <tv.>	предварительный импульс, первоначальный импульс <тв.>
P 2810	**prefix used in the metric system**	Dezimalvorsatz *m*, Dezimalpräfix *n*, Vorsatz *m* zur Bildung eines Vielfachen oder Teiles von metrischen Einheiten	préfix *m* du système métrique, préfix du système décimal	десятичная приставка
P 2811	**prefocusing,** preliminary focusing	Vorfokussierung *f*	préfocalisation *f*, première focalisation *f*, préconcentration *f*	предварительная фокусировка
P 2812	**prefocusing lens**	Vorsammellinse *f*	lentille *f* de préfocalisation	линза предварительной фокусировки
P 2813	**pre-focus lamp**	Prefocuslampe *f*	lampe *f* à filament centré	лампа с фиксированным положением светового центра
	prefogging	*s.* pre-exposure		
	prefolded filter	*s.* folded filter		
P 2814	**preformed precipitate**	vorgefällter Niederschlag *m*	précipité *m* préformé	предварительно полученный осадок
P 2815	**prefrontal fog**	Vorfrontennebel *m*	brouillard *m* préfrontal	предфронтальный туман
P 2816	**prefrontal situation**	präfrontale Lage *f*	situation *f* préfrontale	предфронтальное положение
P 2817	**p-region**	p-leitende Zone *f*, p-leitender Bereich *m*, p-Gebiet *n*, p-Zone *f*, p-Schicht *f*	région *f* p	область с дырочной (положительной) проводимостью, дырочная область, p-область
P 2818	**preheating**	Vorwärmung *f*; Vorerhitzung *f*, Vorerwärmung *f*; Anwärmung *f*, Anheizung *f*	préchauffage *m*, chauffage *m* préalable	предварительный нагрев, предварительный подогрев, подогрев
P 2819	**preheating** <el.>	Vorheizung *f* <El.>	préchauffage *m* <él.>	подогрев, предварительный нагрев, предварительный подогрев <эл.>
	preheat[ing] time	*s.* warm-up time		
	prehension	*s.* hold-back		
	prehistory, history	Vorgeschichte *f*	histoire *f* antérieure	предыстория

	English	German	French	Russian
	preimage, inverse image, antecedent <math.>	Urbild *n*, Original *n* <Math.>	image *f* réciproque (inverse, anticipée), antécédent *m* <math.>	прообраз, оригинал <матем.>
	preinjector, preaccelerator	Vorbeschleuniger *m*, Vorinjektor *m*	préaccélérateur *m*, préinjecteur *m*	форинжектор, предускоритель
	preionization	s. autoionization		
P 2820	**pre-ionized channel**	vorionisierter Kanal *m*	canal *m* préionisé, canal autoionisé	предыонизированный канал
	prejudicial resistance	s. parasite drag		
P 2821	**preliminary alloy**	Vorlegierung *f*	alliage *m* préalable	предварительный сплав
P 2822	**preliminary annealing**, pre-annealing	Vorglühen *n*	recuit *m* préalable	предварительный отжиг
	preliminary condensation, precondensation	Vorkondensation *f*	précondensation *f*, condensation *f* préalable	предварительная конденсация, предконденсация
	preliminary corrosion, precorrosion	Vorkorrosion *f*	précorrosion *f*, corrosion *f* préalable	предварительная коррозия
	preliminary data, tentation data	vorläufige Werte *mpl*	données *fpl* préliminaires	предварительные данные
P 2823	**preliminary dispersion**	Grobzerlegung *f*, Vorzerlegung *f*	dispersion *f* préliminaire	предварительная дисперсия
P 2824	**preliminary dose**	Vordosis *f*	dose *f* préliminaire	предварительная доза
P 2825	**preliminary experiment**	Vorversuch *m*	expérience *f* préliminaire	предварительный опыт, предварительный эксперимент
	preliminary exposure	s. pre-exposure		
	preliminary focussing	s. prefocusing		
P 2826	**preliminary glow** <opt.>	Vorglühen *n* <Opt.>	lueur *f* préalable <opt.>	предварительное свечение <опт.>
P 2827	**preliminary investigation**, preliminary study	Voruntersuchung *f*	étude *f* préliminaire	предварительное исследование
P 2828	**preliminary mechanical magnification**	mechanische Vorvergrößerung *f*, Vorvergrößerung [nach Menzel]	grandissement *m* mécanique préalable	предварительное механическое увеличение
	preliminary melting, premelting	Vorschmelzen *n*	préfusion *f*	предплавление
P 2829	**preliminary membrane**	Vormembran[e] *f*	membrane *f* préalable	предварительная мембрана
	preliminary strain	s. prestrain		
	preliminary study, preliminary investigation	Voruntersuchung *f*	étude *f* préliminaire	предварительное исследование
P 2830	**preliminary test**, preliminary trial	Vorprüfung *f*, Vorprobe *f*, Vorversuch *m*	essai *m* préliminaire	предварительное испытание
P 2831	**preliminary twist**	Vordrall *m*	tors *m* préliminaire, torsion *f* préliminaire	предварительная закрутка
	preliminary uniform exposure	s. pre-exposure		
	preliminary vacuum	s. fore-vacuum		
P 2832	**preliminary work hardening**	Vorverfestigung *f*	consolidation *f* préliminaire	предварительное упрочнение
P 2833	**preload**, minor load, initial load	Vorlast *f*	précharge *f*, charge *f* préliminaire	предварительная нагрузка
P 2834	**preload Rockwell hardness test**, minor load Rockwell hardness test	Vorlast-Härteprüfung *f*	essai *m* Rockwell à charge préliminaire	определение твердости по Роквеллу с применением предварительной нагрузки
P 2835	**premature separation**	vorzeitige Trennung *f*	séparation *f* prématurée	преждевременное отделение
P 2836	**pre-maximum**	Prämaximum *n*	prémaximum *m*	время до максимума; домаксимум
P 2837	**premelting**, preliminary melting	Vorschmelzen *n*	préfusion *f*	предплавление
	premise	s. supposition		
P 2838	**premodification** <num. math.>	Vorwegänderung *f* <num. Math.>	préparation *f* <math. num.>	предварительная привязка <числ. матем.>
P 2839	**pre[-]multiplication**, pre[-]multiplying, left multiplication	Multiplikation *f* von links	pré[-]multiplication *f*, multiplication *f* à gauche	умножение слева, умножение начиная слева
P 2840	**pre-nova** <pl.: pre-novae>	Pränova *f*, Praenova *f* <pl.: Praenovae>	prénova *f* <pl.: prénovae>	звезда в состоянии, предшествующем новой, новая до вспышки
P 2841	**pre-nova state**	Pränovazustand *m*	état *m* prénova	состояние, предшествующее новой
P 2842	**pre[-]onset streamer**	Sprühvorgänger *m* [der Koronaentladung], Streamer *m* vor der Zündung	streamer *m* prédépart	начальный стример
P 2843	**pre[-]oscillation**	Vorschwingung *f*	préoscillation *f*	предгенерационное явление
	preoscillation current, starting current	Anschwingstrom *m*	courant *m* initial, courant de préoscillation	ток во времени нарастания колебаний
P 2844	**preoscillation phenomenon**	Anschwingerscheinung *f*	préoscillation *f*, phénomène *m* de préoscillation	предгенерационное явление; явление нарастания колебаний
P 2845	**preoscillation time**	Anschwingzeit *f*	période *f* de préoscillation	время нарастания колебаний
P 2846	**preparation**; lining-up	Herstellung *f*, Bereitung *f*, Präparation *f*, Vorbereitung *f*	préparation *f*	изготовление, приготовление, подготовление, подготовка
P 2847	**preparation**	Präparat *n*	préparation *f*	препарат
P 2848	**preparation**, batch, charge, trial solution <chem.>	Ansatz *m*	préparation *f*	составление, исследуемый раствор
P 2849	**preparation of labelled compounds**, synthesis of isotopically labelled compounds	Markierungssynthese *f*	préparation *f* de composés marqués, synthèse *f* des molécules marquées, synthèse du traceur	синтез меченых молекул, синтез меченого соединения; введение индикатора

№	English	German	French	Russian
P 2850	preparation technique	Präpariertechnik f	technique f de préparation	техника (метод) приготовления
P 2851	preparative electrophoresis	präparative Elektrophorese f	électrophorèse f préparative	препаративный электрофорез
	preparatory treatment; pretreatment; prior processing	Vorbehandlung f; Vorbearbeitung f	prétraitement m, traitement m préliminaire (préalable); préparation f	предварительная обработка, подготовка
	preplanetary cloud, protoplanetary cloud	Urwolke f	nuage m protoplanétaire	допланетное облако
P 2851a	prepolarized	vorpolarisiert	prépolarisé	предварительно поляризованный
	p representation, momentum representation	Impulsdarstellung f, p-Darstellung f	représentation f des impulsions, p-représentation f	импульсное представление, p-представление
P 2852	pre-pulse, prepulse, prefix <tv.>	Vorlaufimpuls m; Vorimpuls m; Vorläufer m; Frühimpuls m <Fs.>	préimpulsion f <tv.>	предварительный импульс, первоначальный импульс <тв.>
P 2853	prerelativistic	vorrelativistisch	prérelativiste	дорелятивистский
P 2854	prerelativistic region	nichtrelativistischer Bereich	domaine m non relativiste	нерелятивистская область
	prerequisite	s. supposition		
P 2855	prerosion facet	Prärosionsfläche f	facette f de prérosion	грань предварительной коррозии
P 2856	presbyopia	Alterssichtigkeit f, Weitsichtigkeit f, Presbyopie f	presbythie f, presbythisme m	старческая дальнозоркость, пресбиопия
	prescribed	s. pre[-]set		
	pre-selected pulse count	s. preset count		
P 2857	preselection <el.>	Vorwahl f <El.>	présélection f <él.>	предыскание <эл.>
P 2858	preselection <el.>	Vorselektion f <El.>	sélectivité f initiale <él.>	предварительная избирательность <эл.>
	presence	s. residence		
P 2859	presentation time	Präsentationszeit f	temps m de présentation	время предявления
	preservation; storage; holding in storage; hold-up; keeping	Lagerung f; Aufbewahrung f, Lagerhaltung f	conservation f; emmagasinage m; stockage m	выдерживание, хранение, сохранение
	preservation of angles	s. isogonality <math.>		
	preserving the separation, distance-preserving	abstandstreu; zwischenstandstreu	conservant la distance	сохраняющий расстояние, сохраняющий промежуток, равнопромежуточный
P 2860	pre[-]set, given, predetermined, prescribed, preassigned, predesigned, specified	vorgewählt; voreingestellt; vorgegeben	préaffiché; préétabli; donné [à l'avance]	заданный, назначенный, данный
	pre-set, semi-fixed	veränderbar zur einmaligen Einstellung	semi-fixe	полупеременный
	pre-set adjustment, pre-set control; presetting	Voreinstellung f; Vorwahl f; Vorwahleinstellung f	préaffichage m; préréglage m; préajustement m	предварительная установка
P 2861	pre-set capacitor	veränderbarer Kondensator m [zur einmaligen Einstellung]	condensateur m semi-fixe	полупеременный конденсатор
	pre-set control	s. pre-set adjustment		
P 2862	preset count, preset pulse rate, pre-selected pulse count	vorgewählte (voreingestellte) Impulszahl f, vorgewählte Anzahl f von Impulsen; Impuls[zahl]vorwahl f	compte m préaffiché, précompte m	заданное количество отсчетов (импульсов), заранее установленное количество импульсов, заданное число импульсов
	preset counting	s. preset pulse counting		
P 2863	preset diaphragm	Vorwahlblende f	diaphragme m présélectif	диафрагма предварительной установки, диафрагма предварительного выбора
P 2864	preset parameter	Vorwegparameter m	paramètre m préfixé	стационарный параметр, предварительно задаваемый свободный параметр
P 2865	preset pulse counting, preset counting	Zählung (Messung) f mit Impulsvorwahl	mesure f en précompte	счет заранее заданного числа импульсов
	preset pulse rate	s. preset count		
P 2866	preset shutter	Spannverschluß m; Spannblende f	obturateur m à armement préalable	заводной затвор
P 2867	preset time	vorgegebene Zeit[spanne] f; vorgewählte Zeit f, voreingestellte Zeit[spanne]; Zeitvorwahl f	temps m préaffiché, temps donné	назначенное время; заданное время; заранее установленное время, предварительный выбор времени [измерения]
P 2868	preset time counting	Zählung f mit Zeitvorwahl, Messung f mit Zeitvorwahl	mesure f en temps préaffiché	счет в течение заранее заданного промежутка времени
P 2869	presetting; preset adjustment, preset control	Voreinstellung f; Vorwahl f; Vorwahleinstellung f	préaffichage m; préréglage m; préajustement m	предварительная установка
P 2870	pre[-]shaping	Vorformung f	pré-mise f en forme	предварительное формирование
	presolar nebula, primeval nebula, solar nebula	Nebelscheibe f, Urnebel m <Ursonne>	nébuleuse f primitive	досолнечная туманность
P 2871	pre[-]spark	Vorfunke m	préétincelle f	предыскра, предварительная искра
P 2872	pressductor	Preßduktor m	pressductor m, pressducteur m	прессдуктор
P 2872a	pressed density	Preßdichte f	densité f de la poudre pressée	плотность при давлении прессования
P 2873	pressed-glass base	Preßglassockel m, Preß[glas]fuß m, Preßteller m, Preßnapf m	culot m moulé	цоколь из прессованного стекла
P 2874	pressing	Pressen n; Verpressen n; Preßformung f	pressage m	прессование, прессовка

	English	German	French	Russian
	pressing screw, screw press, thumb-screw	Druckschraube f	vis f de pression	винтовой пресс
P 2875	**press pump,** pressure pump, force pump	Druckpumpe f	pompe f foulante, pompe de compression	нагнетательный насос
P 2875a	**pressure**	Druck m	pression f	давление; сжатие
P 2876	**pressure,** tension <of vapour>	Druck m, Spannung f <Dampf>	pression f, tension f <de la vapeur>	упругость, давление <пара>
	pressure	s. a. voltage <el.>		
P 2877	**pressure accumulator**	Druckspeicher m	accumulateur m de pression	аккумулятор давления
	pressure altimeter, barometric altimeter, height measuring barometer	barometrischer Höhenmesser m, Höhenbarometer n	baromètre m altimétrique, altimètre m	анероид-высотомер, барометр-высотомер, альтиметр, барометрический высотомер
P 2878	**pressure amplitude,** sound pressure amplitude	Schalldruckamplitude f, Druckamplitude f	amplitude f de pression	амплитуда давления
P 2878a	**pressure angle** <at pitch point>, angle of pressure	Eingriffswinkel m, Eingrifflinienwinkel m <Zahnrad>; Druckwinkel m	angle m de pression	угол давления, угол зацепления
	pressure area	s. surface of contact		
P 2879	**pressure atomization**	Druckzerstäubung f	atomisation f pneumatique, pulvérisation f sous pression	пневматическое распыление, распыление под давлением
P 2880	**pressure balance**	Druckwaage f	balance f pour mesurer la pression d'un fluide	весы для определения давления
	pressure below atmospheric	s. underpressure		
	pressure box	s. pressure vessel		
P 2881	**pressure broadening**	Druckverbreiterung f	élargissement m par (sous) pression	уширение давлением (под действием давления, спектральных линий вследствие давления)
P 2881a	**pressure build-up test**	Druckanstiegsverfahren n	essai m à augmentation de pression	испытание методом накопления давления
	pressure cell	s. pressure vessel		
P 2882	**pressure chamber**	Druckkammer f; Druckraum m	chambre f de pression; chambre de compression	камера для калибровки приемников, камера сжатия (повышенного давления), напорная камера; барокамера, гермокамера
P 2883	**pressure-chamber loudspeaker,** pneumatic loudspeaker	Druckkammerlautsprecher m, Kompressorlautsprecher m, pneumatischer Lautsprecher m	haut-parleur m pneumatique; haut-parleur à chambre de compression	пневматический громкоговоритель
P 2884	**pressure coefficient**	Druckkoeffizient m, Druckbeiwert m	coefficient m de pression	коэффициент давления, нагнетательный (барометрический) коэффициент
	pressure coefficient, C_p, E, Euler['s] number	Eulersche Zahl f, Eu	nombre m d'Euler, Eu	число (критерий) Эйлера, Eu; безразмерный комплекс Эйлера, E
P 2885	**pressure coefficient,** coefficient of increase of pressure, stress coefficient	Spannungskoeffizient m, Druckkoeffizient m	coefficient m d'augmentation de pression, coefficient d'augmentation des pressions normales [par la température]	термический коэффициент давления, коэффициент давления, термический коэффициент упругости, коэффициент упругости
	pressure coefficient of clock, barometer error of clock	druckbedingter Gang m der Uhr, barometrischer Fehler m der Uhr	erreur f barométrique de la pendule	барометрическая погрешность хода часов
P 2886	**pressure coefficient of reactivity**	Druckkoeffizient m der Reaktivität	coefficient m de pression de la réactivité	нагнетательный (барометрический) коэффициент реактивности
P 2887	**pressure coefficient of resistance**	Druckkoeffizient m des Widerstandes	coefficient m de pression de la résistance	нагнетательный (барометрический) коэффициент сопротивления
	pressure curve, pressure diagram	Druckdiagramm n, Druckkurve f, Drucklinie f	diagramme m de compression	эпюра давления, эпюра (кривая) давлений
P 2888	**pressure deep drawing**	Fließpressen n	estampage m à froid sous haute pression	выдавливание
P 2889	**pressure deficiency**	s. underpressure		
	pressure-defined chamber	Kammer f für veränderlichen Druck, druckgesteuerte (durch Druckänderung gesteuerte) Kammer	chambre f à pression variable	камера, режим которой регулируется изменением давления
P 2890	**pressure-density integral**	Druckfunktion f, Druckintegral n	intégrale f de pression	интеграл давления, интеграл $\int_{p_0}^{p} \frac{dp}{\varrho(p)}$
P 2891	**pressure deterioration of the luminescence**	Druckzerstörung f der Lumineszenz	détérioration f de la luminescence sous pression	разрушение люминесценции под давлением
P 2892	**pressure diagram,** pressure curve	Druckdiagramm n, Druckkurve f, Drucklinie f	diagramme m de compression	эпюра давления, эпюра (кривая) давлений
	pressure differential	s. differential pressure		
P 2893	**pressure diffusion**	Druckdiffusion f, Diffusion f infolge Druckunterschieds	diffusion f par suite de différence de pression	диффузия вследствие разности давлений
	pressure displacement	s. pressure shift		

P 2894	**pressure distribution curve [over the aerofoil section]**	Profildruckverteilungskurve f	courbe f de la répartition de pressions le long de la corde du profil	распределение давления по профилю
P 2895	**pressure drag,** compression resistance, pressure resistance	Druckwiderstand m	résistance f de pression	сопротивление сжатию, сопротивление напору, сопротивление давлению
	pressure drag, normal-pressure drag <aero.>	Druckwiderstand m <Aero.>	traînée (résistance) f de pression <aéro.>	сопротивление давления <аэро.>
P 2896	**pressure drop**	Druckabfall m; Druckverlust m	chute f de pression	перепад давления; падение давления
	pressure drop	s. a. pressure jump		
P 2897	**pressure due to gravity,** gravity pressure, pressure due to the own weight	Schweredruck m	pression f due à la pesanteur	давление, вызванное силой тяжести
	pressure due to shrinkage, contraction (shrinkage) pressure	Schrumpfdruck m	pression f de serrage, pression due au retrait	усадочное давление
	pressure due to the own weight, pressure due to gravity, gravity pressure	Schweredruck m	pression f due à la pesanteur	давление, вызванное силой тяжести
P 2897a	**pressure elasticity**	Druckelastizität f	élasticité f de compression	упругость при сжатии
P 2898	**pressure energy**	Druckenergie f	énergie f de pression	энергия давления
P 2899	**pressure ensemble**	„pressure ensemble" n	« pressure ensemble » m, ensemble m sous pression	«ансамбль с давлением»
P 2900	**pressure equalizer**	Druckausgleicher m	égalisateur m de pression	выравниватель давления, регулятор давления
P 2901	**pressure equation**	Druckgleichung f	équation f de pression	уравнение для давления, интеграл Коши-Лагранжа
P 2902	**pressure field**	Druckfeld n	champ m de pression	поле давления, поле давлений; барическое поле <гео.>
P 2903	**pressure figure**	Druckfigur f	figure f de pression	фигура давления
P 2904	**pressure filter**	Druckfilter n	filtre m à pression	фильтр, работающий под давлением; нагнетательный фильтр
P 2905	**pressure float technique**	Schwebemethode f mit Druckvariation (Variation des Druckes)	méthode f de flottaison à variation de la pression	флотационный метод с изменением давления
P 2906	**pressure flow**	Druckströmung f	écoulement m sous pression	течение под давлением
P 2907	**pressure fluctuation**	Druckschwankung f	fluctuation f de pression	флуктуация давления, колебание давления
P 2908	**pressure force,** compressive force	Druckkraft f; Kompressionskraft f	force f de compression, sollicitation f de traction, poussée f	сжимающая сила, напор, сила давления, сжимающее усилие
	pressure front, shock front, shock [surface]	Stoßfront f, Stoßwellenfront f	front m de choc, front d'onde de choc	фронт ударной волны
	pressure gas	s. pressurized gas		
P 2909	**pressure gauge,** pressure meter, pressure-measuring device, manometer, gauge	Druckmesser m, Manometer n	manomètre m	манометр
P 2910	**pressure-gradient microphone,** velocity microphone, velocity sensitive detector of sound	Druckgradientenempfänger m, Druckgradient[en]mikrophon n, Geschwindigkeitsempfänger m, Geschwindigkeitsmikrophon n, Schnelleempfänger m, Schnellemikrophon n, geschwindigkeitsempfindlicher Schalldetektor m	capteur m de gradient de pression, capteur de gradient de vitesse, capteur de vitesse, capteur de vélocité, microphone m à gradient de pression, microphone à vitesse	микрофон с градиентом давления, микрофон градиента давления, скоростной микрофон, скоростной приемник, приемник с градиентом давления, датчик градиента давления, микрофон-приемник градиента давления
	pressuregraph	s. pressure recorder		
	pressure head	s. dynamic pressure		
	pressure head	s. static head		
	pressure head coefficient, velocity head coefficient	Staudruckbeiwert m	coefficient m de pression dynamique, coefficient d'énergie cinétique	коэффициент скоростного напора
	pressure increase	s. pressure rise		
	pressure-induced nuclear reaction, pycnonuclear reaction	druckinduzierte Kernreaktion f, pyknonukleare Reaktion f	réaction f pycnonucléaire, réaction nucléaire provoquée par la pression	вызванная давлением ядерная реакция
P 2911	**pressure-induced spectrum**	druckinduziertes Spektrum n	spectre m induit par [la] pression	индуцированный давлением спектр
P 2912	**pressure-induced whisker**	Druckwhisker m	whisker m formé sous pression	нитевидный кристалл, полученный под давлением
	pressure inside	s. internal pressure		
	pressure intensity, static pressure, actual pressure	statischer Druck m, ruhender Druck, Ruhedruck m	pression f statique	статическое (полное) давление, давление покоя (торможения)
P 2913	**pressure ionization,** ionization by pressure	Druckionisation f	ionisation f par pression	ионизация давлением (вследствие давления)
P 2914	**pressure jump,** pressure drop	Drucksprung m	discontinuité f (saut m) de pression	скачок давления, скачок уплотнения
	pressure level, sound pressure level, S.P.L.	Schalldruckpegel m, Schallpegel m	niveau m de pression acoustique (sonore)	уровень звукового давления
P 2915	**pressure line,** pipe under pressure; high-pressure pipe line	Druckleitung f; Hochdruckleitung f	conduite f (tuyautage m, tuyauterie f) sous pression, conduite (tuyautage) à pression; conduite sous haute pression	нагнетательный трубопровод, напорный трубопровод, нагнетательная линия; трубопровод высокого давления
P 2915a	**pressure line,** thrust line, line of thrust	Eingriffslinie f <Zahnrad>; Drucklinie f	ligne f de pression[s]	линия зацепления; линия давления
	pressure line	s. a. thrust line		

	English	German	French	Russian
P 2916	**pressure load,** pressure (compressive, compression) stress, compressive (compression) loading, compression	Druckbelastung f, Druckbeanspruchung f	effort m de compression	сжимающее напряжение (усилие), сжимающая нагрузка, напряжение при сжатии
	pressure loss, loss of pressure	Druckverlust m	perte f de pression	потеря давления; потерянное давление
	pressure maximum, maximum pressure	Druckmaximum n, Druckberg m; Höchstdruck m, Maximaldruck m	maximum m de pression, pression f maximum	максимум давления, максимальное давление; бугор давлений; барический гребень
	pressure measurement of height	s. barometric measurement of altitude		
	pressure-measuring device, pressure meter, pressure gauge, manometer, gauge	Druckmesser m, Manometer n	manomètre m	манометр
P 2917	**pressure microphone** <el.>	Druckmikrophon n, Druckempfänger m <El.>	microphone m à pression, microphone m mû par la pression, capteur m de pression <él.>	микрофон[-приемник] давления, микрофонный приемник с изменяющимся при сжатии сопротивлением <эл.>
	pressure minimum, minimum pressure	Druckminimum n, Drucktal n, Mindestdruck m	minimum m de pression, pression f minimum	минимальное давление, минимум давления
	pressure of light, light pressure	Lichtdruck m <Phys.>	pression f de la lumière	давление света, световое давление
	pressure of melting, melting pressure	Schmelzdruck m	pression f de fusion	давление плавления; давление таяния
P 2918	**pressure of mountain mass,** pressure of rock, rock pressure	Gebirgsdruck m	pression f régnant dans le roc, pression des terrains, pression du terrain, poussée f	горное давление, давление горных пород
	pressure of one atmosphere	s. standard pressure <760 Torr>		
	pressure of rock	s. pression of mountain mass		
	pressure of sound radiation	s. acoustic radiation pressure		
P 2919	**pressure of the column**	Säulendruck m	pression f de la colonne	давление столба
P 2920	**pressure on bearing, pressure on support,** bearing pressure	Auflagerdruck m, Auflagedruck m; Stützdruck m, Lagerdruck m	pression f sur support, pression d'appui, pression sur les surfaces d'appui	опорное давление, давление на опору, давление на опорной поверхности, давление в опоре
	pressure outside, exterior pressure	äußerer Druck m, Außendruck m	pression f extérieure	внешнее давление
P 2920a	**pressure permeation**	Druckpermeation f	perméation f sous pression	проникновение под давлением
P 2921	**pressure-plate anemometer; Wild['s] pressure plate anemometer,** pendulum anemometer	Winddruckmesser m, Winddruckplatte f; Wildsche Stärketafel (Windstärketafel, Tafel) f, Windstärketafel nach Wild, Wildscher Windmesser m, Wildsches Anemometer n, Pendelanemometer n	anémomètre m à plaque de pression; anémomètre de Wild, anémomètre à pendule, plaque f de pression	маятниковый анемометр; измеритель скорости ветра во флюгере Вильда; доска Вильда, флюгер Вильда; анемометр Вильда
	pressure propagation, transmission of pressure, pressure transmission	Druckfortpflanzung f, Druckübertragung f	transmission f des pressions, propagation f des pressions	передача давления, распространение давлений
	pressure pump, press pump, force pump	Druckpumpe f	pompe f foulante, pompe de compression	нагнетательный насос
P 2922	**pressure receptor** <bio.>	Druckrezeptor m, Druckempfänger m <Bio.>	pressorécepteur m, barorécepteur m <bio.>	прессорецептор <био.>
P 2923	**pressure recorder,** pressuregraph, recording manometer, manograph	Registriermanometer n, Druckschreiber m, Manograph m, registrierendes Manometer n	manométrographe m, manomètre m enregistreur	манометр-регистратор, самопишущий (регистрирующий) манометр, манограф, самописец давлений
P 2924	**pressure recovery**	Druckrückgewinn m	récupération f de pression	восстановление давления
P 2925	**pressure-reducing valve,** reducing valve	Reduzierventil n, Druck[ver]minderungsventil n, Druckminderventil n	soupape f de réduction, soupape d'étranglement, détendeur m	редукционный клапан, редуктор давления
P 2926	**pressure relief, pressure relieving,** decompression	Druckentlastung f	décompression f, décharge f (soulagement m) de pression	разгрузка от давления, устранение (снятие) давления, декомпрессия
	pressure resistance	s. pressure drag		
	pressure response	s. sound-pressure transmission factor <ac.>		
P 2927	**pressure rise,** pressure increase, increase of pressure, elevation of pressure	Druckerhöhung f, Drucksteigerung f; Druckanstieg m	augmentation f de pression, accroissement m de la pression	увеличение давления, повышение давления; рост давления, возрастание давления
	pressure-sealed	s. pressure-tight		
P 2928	**pressure sensitivity**	Druckempfindlichkeit f	sensibilité f à la pression	нагнетательная чувствительность
	pressure sensitivity	s. a. sound-pressure transmission factor <ac.>		
P 2929	**pressure shift,** pressure displacement	Druckverschiebung f	déplacement m sous pression	смещение под действием давления, смещение спектральных линий вследствие давления
	pressure shock, compression shock, shock	Verdichtungsstoß m	choc m de compression, choc	скачок уплотнения
	pressure side, lower surface, high pressure surface <of the airfoil>	Flügelunterseite f, Unterseite f <des Flügels>	intrados m	нижняя поверхность крыла

P 2930	pressure side, delivery side <of the pump>	Druckseite *f* [der Pumpe]	côté *m* de refoulement [de la pompe]	нагнетательная сторона [насоса], выход насоса
	pressure spectrum level, spectrum pressure level	Schalldruckpegel *m* je Hertz Bandbreite	niveau *m* spectral élémentaire	спектральный уровень давления, уровень спектральной плотности
	pressure stress, compressive stress	Druckspannung *f*, Kompressionsspannung *f*	contrainte *f* (tension *f*, effort *m*) de compression	сжимающее напряжение, напряжение (усилие) сжатия, сжимающее усилие
	pressure stress	*s. a.* pressure load		
	pressure surface	*s.* piezometric surface		
	pressure surface contour	*s.* piezometric line		
	pressure tank	*s.* pressure vessel		
	pressure tendency	*s.* barometric tendency		
P 2931	pressure tensor	Drucktensor *m*	tenseur *m* des pressions, tenseur de pression	тензор давления
P 2931a	pressure test	Druckprüfung *f*	essai *m* sous pression	испытание под давлением
	pressure test	*s. a.* proof test		
	pressure thermomechanical effect	*s.* thermomechanical effect		
P 2931b	pressure-tight, pressure-sealed	druckdicht	étanche à la pression	герметический, герметичный
P 2932	pressure transducer	Druckwandler *m*	transducteur *m* de pression	устройство для преобразования давления
	pressure transmission	*s.* transmission of pressure		
P 2933	pressure tube, force pipe	Druckrohr *n*	tube *m* de force	труба высокого давления
	pressure tube, impact tube (pipe) <meas.>	Staurohr *n*, Staudruckrohr *n*, Staudruckmesser *m*; Staudruckfahrtmesser *m* <Meß.>	tube *m* de pression dynamique <mes.>	пневмометрическая (гидрометрическая, динамическая, скоростная) трубка <изм.>
P 2934	pressure-tube anemograph	Druckrohranemograph *m*; Staudruckanemograph *m*	anémographe *m* manométrique	манометрический анемограф, анемограф Дайнса
P 2935	pressure-tube anemometer	Druckrohranemometer *n*; Staudruckanemometer *n*, Staurohrwindmesser *m*	anémomètre *m* manométrique	манометрический анемометр, аэродинамический анемометр
P 2935a	pressure tube reactor	Druckröhrenreaktor *m*	réacteur *m* à tubes sous pression	реактор канального типа
P 2936	pressure twin, compressive twin	Kippzwilling *m*, Druckzwilling *m*, Gleitzwilling *m*	macle *f* de pression, macle de glissement	двойник, возникающий в результате воздействия давления; сжимаемый двойник
P 2937	pressure-type cornice	Druckwächte *f*	corniche *f* de neige du type pression	
P 2938	pressure-type Van de Graaff accelerator	Hochdruck-Van-de-Graaff-Generator *m*, Drucktankgenerator *m*, Van-de-Graaff-Hochdruckgenerator *m*	accélérateur *m* van de Graaff sous haute pression	генератор Ван-де-Граафа высокого давления
P 2939	pressure valve	Druckventil *n*	soupape *f* de compression	нагнетающий клапан, нагнетательный вентиль
P 2940	pressure vessel, high-pressure vessel, pressure tank; pressure cell, pressure box	Druckgefäß *n*, Druckbehälter *m*, Drucktank *m*; Hochdruckbehälter *m*, Hochdruckgefäß *n*, Hochdrucktank *m*	récipient *m* sous pression, récipient pour hautes pressions	бак (резервуар, сосуд) высокого давления; напорный резервуар, напорный бак
	pressure viscosity	*s.* bulk viscosity		
P 2941	pressure-volume diagram of fluids, Andrews diagram	Andrews-Diagramm *n*	diagramme *m* d'Andrews	диаграмма объем-давление для жидкостей и газов
	pressure-volume-temperature relation, equation of state, state equation, characteristic equation <therm.>	Zustandsgleichung *f* <Therm.>	équation *f* d'état, loi *f* d'état, équation caractéristique <therm.>	уравнение состояния <тепл.>
P 2942	pressure water	gespanntes Wasser *n*	eau *f* sous pression	напорная вода
P 2943	pressure wave	Druckwelle *f*	onde *f* de pression	волна давления
P 2944	pressurized gas, pressure gas, compressed gas	Druckgas *n*, Preßgas *n*	gaz *m* sous pression, gaz pressurisé, gaz comprimé	сжатый газ, газ под давлением
P 2945	pressurized water reactor, PWR	Druckwasserreaktor *m*, druckwassergekühlter Reaktor *m*, PWR	réacteur *m* (pile *f*) à l'eau sous pression, pile à l'eau pressurisée (surpressée)	реактор, охлаждаемый водой под давлением; реактор с водой под давлением; водо-водяной реактор
P 2946	pressurizer	Druckerzeuger *m*	générateur *m* de pression, pressuriseur *m*	генератор давления
	pressurizer	*s. a.* surge tank <therm.>		
P 2947	Preston['s] law (rule)	Prestonsche Regel *f*	loi *f* de Preston	правило Престона, закон Престона
P 2948	prestrain	Vorverformung *f*	déformation *f* préalable (préliminaire)	предварительная деформация
P 2949	prestrain, preliminary strain	Vorbeanspruchung *f*	sollicitation *f* préalable (préliminaire), effort *m* (charge *f*) préalable	предварительное усилие (напряжение), предварительная нагрузка
P 2950	prestress, prestressing, pretensioning <mech.>	Vorspannung *f* <Mech.>	précontrainte *f*; prétension *f* <méc.>	предварительное натяжение (напряжение); закалка <мех.>
P 2951	prestressed <mech.>	vorgespannt <Mech.>	précontraint, précomprimé <méc.>	предварительно напряженный <мех.>
P 2952	prestressed glass	Einscheibensicherheitsglas *n*, vorgespanntes Glas (Sicherheitsglas) *n*.	verre *m* de sécurité précontraint, verre précontraint	предварительно напряженное безосколочное стекло

	English	German	French	Russian
	prestressing	s. prestress <mech.>		
	prestressing	s. a. Bauschinger effect		
P 2953	pre-sub[script]	linker unterer Index m	indice m inférieur gauche	левый нижний индекс
	presumption	s. supposition		
P 2954	pre-super[script]	linker oberer Index m	indice m supérieur gauche	левый верхний индекс
	presupposition	s. supposition		
P 2955	presynaptic	präsynaptisch	présynaptique	пресинаптический
P 2956	pretensioning	s. prestress <mech.>		
P 2956	pretreatment; preparatory treatment; prior processing	Vorbehandlung f; Vorbearbeitung f	prétraitement m, traitement m préliminaire (préalable); préparation f	предварительная обработка, подготовка
P 2957	pretrigger, pre-triggering pulse (signal)	Vortriggerimpuls m	impulsion f de pré-déclenchement	предваряющий звуковой импульс
	pre-vacuum pump	s. forepump		
	prevailing wind; dominant wind	vorherrschender Wind m; herrschender Wind	vent m régnant	преобладающий ветер; господающий ветер
	Prévost filter, rotatory dispersion filter	Rotationsdispersionsfilter n [von Prévost]	filtre m de Prévost, filtre à dispersion rotatoire	фильтр Прево; светофильтр, действующий на принципе вращательной дисперсии
P 2958	Prévost['s] law	Prévostsches Gesetz n, Prévostscher Satz m	loi f de Prévost	закон Прево
P 2959	Prévost line	Prévost-Burkhardtsche Gerade f	droite f de Prévost	прямая Прево
P 2960	Prévost['s] theory [of exchange], Prévost['s] theory of heat exchange	Prévostsche Theorie f	théorie f de Prévost	теория Прево
P 2961	Prey['s] reduction	Preysche Reduktion f	réduction f de Prey	редукция Прая
P 2961a	Price current meter	Price-Flügel m	moulinet (courantomètre) m de Price	вертушка Прайса
P 2962	Prigogine['s] equation	Gleichung f von Prigogine, Prigoginesche Gleichung, Prigogine-Gleichung f	équation f de Prigogine	уравнение Пригожина
P 2963	Prigogine['s] theorem [of minimum entropy production], principle of minimum production of entropy	Prigogine-Theorem n, Satz m (Theorem n) von Prigogine, Prinzip m der minimalen Entropieproduktion	théorème m de Prigogine, principe m de la production minimale (minimum) d'entropie	теорема Пригожина, принцип минимума порождения энтропии, принцип минимального образования энтропии
	primage; water content <of steam>	Wassergehalt m; Wasserhaltigkeit f	teneur f en eau	содержание воды; водность <напр. тумана, облака>
	primary, primary (initial, original) particle, progenitor	Primärteilchen n, Primäres n	particule f primaire, primaire f, particule primordiale (origine)	первичная частица, исходная частица
	primary, matching stimulus, instrumental stimulus	Meßvalenz f	stimulus de comparaison, stimulus primaire instrumental	основной цвет [колориметра]
	primary	s. a. primary component		
	primary	s. a. primary winding		
	primary	s. a. reference stimulus		
	primary aberration	s. first-order aberration		
P 2964	primary acoustical radiator	primärer Schallstrahler m	émetteur m acoustique primaire	первичный звуковой (акустический) излучатель, первичный звукоизлучатель
P 2965	primary back reaction	primäre Rückreaktion f	réaction f inverse primaire	первичная обратная реакция
P 2966	primary beam	Primärstrahl m, Primärstrahlenbündel n	faisceau m primaire, faisceau m direct, rayon m primaire	первичный пучок, первичный луч
P 2967	primary cell	Primärelement n, Primärzelle f	pile f primaire, élément m galvanique primaire	первичный элемент, элемент одноразового действия
	primary circuit	s. primary coolant circuit		
P 2968	primary cleavage; parallel (bedding) cleavage	primäre Schieferung f; Parallelschieferung f	clivage m primaire; clivage en parallèle, schistosité f de stratification	первичный кливаж, первичная сланцеватость; параллельный кливаж, параллельная сланцеватость, кливаж (сланцеватость) напластования, слоистость; отдельность, параллельная напластования, сланцеватость
P 2969	primary colour, basic colour, fundamental colour	Urfarbe f, Grundfarbe f, Primärfarbe f	couleur f primordiale (primaire, basique), lumière f primaire	первоначальный цвет, основной цвет, первичный цвет
P 2970	primary component, primary <of binary star>	Hauptkomponente f, Hauptstern m <Doppelsternsystem>	étoile (composante) f principale <d'une binaire>	главная (центральная) звезда, главный компонент <двойной>
	primary component [of cosmic radiation]	s. primary cosmic radiation		
P 2971	primary condensate, first condensate	Vorkondensat n	premier condensat m (produit m de condensation)	предконденсат, форконденсат
P 2972	primary coolant circuit, primary circuit <of reactor>	erster Kreislauf (Kühlkreislauf) m, Primärkreis m, Primärkreislauf m, Primärkühlkreis[lauf] m <Reaktor>	circuit m primaire de refroidissement, circuit primaire <du réacteur nucléaire>	первичный контур охлаждения, первичный контур [охладителя], перичный цикл <реактора>

№	English	German	French	Russian
P 2973	**primary cosmic radiation [component]**, **primary cosmic rays**, primary component [of cosmic radiation]	Primärkomponente *f* [der kosmischen Strahlung], Primärstrahlung *f*, kosmische Primärstrahlung, Nukleonenstrahlung *f*, primäre Komponente *f* [der kosmischen Strahlung]	rayonnement *m* (radiation *f*) cosmique primaire, composante *f* primaire [du rayonnement cosmique], rayons *mpl* cosmiques primaires	первичное космическое излучение, первичная компонента [космического излучения], первичные космические лучи
	primary creep	*s.* transient creep		
	primary dark space	*s.* Aston's dark space		
	primary element	*s.* sensitive element		
P 2974	**primary emission**	Primäremission *f*, Primärstrahlung *f*	émission *f* primaire, radiation *f* primaire	первичная эмиссия, первичное испускание (излучение)
P 2975	**primary emitter**, primary radiator	Primärstrahler *m*	émetteur *m* primaire	первичный излучатель
P 2976	**primary etching**	Primärätzung *f*, Seigerungsätzung *f*	attaque *f* primaire	первичное травление
P 2977	**primary extinction**	primäre Extinktion (Löschung) *f*	extinction *f* primaire	первичная экстинкция
	primary fission yield, independent fission yield	primäre Spalt[produkt]ausbeute *f*, Fragmentausbeute *f*	rendement *m* de fission primaire	непосредственный выход [продуктов] деления
	primary focus	*s.* meridian focal line		
	primary frequency, fundamental frequency, basic frequency	Grundfrequenz *f*, Fundamentalfrequenz *f*	fréquence *f* fondamentale	основная частота, частота первой гармоники
P 2978	**primary hydration**, chemical hydration	primäre Hydratation *f*, chemische Hydratation	hydratation *f* primaire, hydratation chimique	первичная (ближняя, химическая) гидратация
P 2979	**primary inductance**	Primärinduktanz *f*, induktive Primärreaktanz *f*, induktiver Blindwiderstand *m* auf der Primärseite, primärseitiger induktiver Blindwiderstand, Primärinduktion *f*	inductance *f* primaire, self-induction *f* au primaire	первичная индуктивность, индуктивность первичной обмотки
P 2980	**primary ionization**	primäre Ionisation (Ionisierung) *f*, Primärionisation *f*, Primärionisierung *f*	ionisation *f* primaire	первичная ионизация
P 2981	**primary ionizing event**, initial ionizing event	primäres Ionisationsereignis *n*	événement *m* primaire (initial) d'ionisation	акт первичной ионизации, первичный акт ионизации
P 2982	**primary ion pair**, initial (original) ion pair	primäres Ionenpaar *n*	paire *f* d'ions primaire (primordiale)	первичная (начальная, исходная) пара ионов
	primary light source	*s.* primary source ⟨of light⟩		
	primary material (matter)	*s.* ylem		
P 2983	**primary maximum**, principal maximum	Hauptmaximum *n* ⟨Lichtkurve⟩	maximum *m* primaire ⟨de la courbe d'éclat⟩	главный максимум ⟨световой кривой⟩
	primary meter, [international] prototype meter, metre des archives	Urmeter *n*	mètre *m* des archives, mètre étalon, mètre primaire	метр-прототип, нормальный метр, эталонный метр
P 2984	**primary mirror**, objective mirror ⟨of telescope⟩	Hauptspiegel *m* ⟨Fernrohr⟩	grand miroir *m* ⟨du télescope⟩	главное зеркало ⟨телескопа⟩
P 2985	**primary natural radionuclide**	primäres natürliches Radionuklid *n* ⟨$T_{1/2} > 10^8$ a⟩	radionucléide *m* naturel primaire	первичный естественный радиоизотоп
P 2986	**primary optic axis**, optic binormal, optic axis, line of single normal velocity, axis of single wave velocity	Binormale *f*, primäre optische Achse *f*, Achse der [optischen] Isotropie der dielektrischen Verschiebung	binormale *f*, axe *m* optique primaire	бинормаль, оптическая ось второго (2-го) рода
P 2987	**primary particle**, primary, initial (original) particle, progenitor	Primärteilchen *n*, Primäres *n*	particule *f* primaire, primaire *f*, particule primordiale (origine)	первичная частица, исходная частица
P 2988	**primary photochemical process**	photochemischer Primärprozeß *m*, photochemische Primärreaktion *f*	processus *m* photochimique primaire, réaction *f* photochimique primaire	первичный фотохимический акт (процесс), первичная фотохимическая реакция
P 2989	**primary photocurrent**, **primary photoelectric current**	lichtelektrischer (photoelektrischer) Primärstrom *m*, primärer Photostrom *m*	photocourant *m* primaire, courant *m* photoélectrique primaire	первичный фототок, первичный фотоэлектрический ток
	primary quantity	*s.* fundamental quantity		
P 2990	**primary radiation**	Primärstrahlung *f*, primäre Strahlung *f*	rayonnement *m* primaire, radiation *f* primaire	первичное излучение
	primary radiator, primary emitter	Primärstrahler *m*	émetteur *m* primaire	первичный излучатель
P 2991	**primary rainbow**	Hauptregenbogen *m*	arc-en-ciel *m* primaire	главная радуга
	primary recrystallization texture	*s.* recrystallization texture		
P 2992	**primary rock**, protogeneous rock, original rock	primäres Gestein *n*, Primärgestein *n*, Grundgebirge *n*, kristallines Gebirge *n*, Kristallin *n*; Urgebirge *n*; Urgestein *n*	roche *f* primitive (primaire, protogène, originaire)	первичная [горная] порода, протогенная [горная] порода, коренная (древняя) горная порода
P 2993	**primary salt effect**	primärer Salzeffekt *m*, Primärsalzeffekt *m*	effet *m* de sel primaire	первичный солевой эффект
	primary solid solution	*s.* terminal solid solution		
P 2993a	**primary solvation**	primäre (chemische) Solvatation *f*	solvatation *f* primaire (chimique)	первичная (ближняя, химическая) сольватация

P 2994	primary source <of light>, primary light source, self-luminous object; self-luminous surface; self-luminous substance	Primärlichtquelle f; Selbstleuchter m, Erstleuchter m; Selbststrahler m, Eigenstrahler m, selbstleuchtendes Objekt n, selbstleuchtende Fläche f	source f primaire [de lumière]; objet m autoluminescent; surface f autoluminescente	первичный источник света; самосветящийся объект; самосветящаяся поверхность
P 2995	primary source of alternating current [with zero intrinsic admittance]	Wechsel-Urstromquelle f	source f primaire de courant alternatif [à admittance intrinsèque zéro]	первоначальный источник переменного тока [с нулевой внутренней проводимостью]
	primary specific ionization	s. probable specific ionization		
P 2996	primary spectrum, first-order spectrum	Primärspektrum n, Spektrum n erster Ordnung	spectre m primaire, spectre de premier ordre	первичный спектр, спектр первого порядка
	primary spectrum	s. a. chromatic aberration		
P 2997	primary standard, fundamental standard	Urnormal n, Urmaß n, Primärnormal n, Primärstandard m	étalon m prototype, étalon primaire	первоначальный эталон, эталон-прототип, основной (первичный) эталон, первоначальная мера, мера-прототип, основная мера, первичная образцовая мера
P 2998	primary standard [of light source], primary standard of light, luminous standard	Lichtstärkenormal n, Einheitslichtquelle f, Primärstandard m, Lichtstandard m, Primärnormal n, Lichteinheit f	étalon m primaire [de la source lumineuse], étalon primaire de lumière	первичный световой эталон
P 2999	primary standard X-ray ionization chamber	Faßkammer f	grande chambre f d'ionisation	большая ионизационная камера
P 3000	primary titre	Urtiter m	titre m primaire	основной (исходный) титр
	primary titrimetric standart substance	s. titrimetric standard substance		
	primary tone	s. fundamental tone		
P 3001	primary triangulation	Haupttriangulation f, Triangulation f erster (I.) Ordnung	triangulation f fondamentale, triangulation primordiale	основная триангуляция, триангуляция первого (I-го) класса
	primary unit	s. fundamental unit		
P 3002	primary valence, primary valency, main valency, principal valency, chief valence	Hauptvalenz f	valence f primaire	главная валентность
P 3003	primary valence bond	Hauptvalenzbindung f	liaison f de valence primaire	главная валентная связь
	primary valence chain, chain of primary valencies	Hauptvalenzkette f	chaîne f de valences primaires	цепь главных валентностей
P 3004	primary valence force	Hauptvalenzkraft f	force f de valence primaire	главная валентная сила, сила главной валентности
P 3005	primary valency	s. primary valence		
	primary wave, P-wave	Primärwelle f, P-Welle f	onde f primaire, onde P	первичная волна, Р-волна
P 3006	primary winding, primary	Primärwicklung f, primärseitige Wicklung f	enroulement m primaire, primaire m	первичная обмотка
	prime, prime number <math.>	Primzahl f <Math.>	nombre m premier [rationnel] <math.>	простое число <матем.>
P 3007	prime, accent, unison <ac.>	Prime f <Ak.>	prime f <ac.>	унисон, прима <ак.>
P 3008	prime, accent <sign of operation in math.>	Strich m <Operationszeichen in der Math.>	prime f <signe d'opération en math.>	штрих, прим <знак операции в матем.>
P 3009	primed quantity, accented quantity	gestrichene Größe f	quantité f primée	величина со штрихом
	prime focus, Newtonian focus	Newton-Fokus m, Primärfokus m	foyer m newtonien, foyer primaire	главный (прямой, первичный, ньютоновский) фокус, фокус Ньютона
	prime meridian	s. zero meridian		
P 3010	prime number, prime <math.>	Primzahl f <Math.>	nombre m premier [rationnel] <math.>	простое число <матем.>
	primer	s. initial detonating agent		
P 3011	primeval nebula, solar nebula, presolar nebula	Nebelscheibe f, Urnebel m <Ursonne>	nébuleuse f primitive	досолнечная туманность
	primeval ocean	s. primitive ocean		
P 3012	prime vertical	Erster Vertikal m	premier vertical m	первый вертикал
	priming	s. bias voltage		
	priming explosive	s. initial detonating agent		
	priming grid voltage	s. grid-bias voltage		
P 3013	primitive, simple <of lattice>	primitiv, einfach <Gitter>	primitif, simple <du réseau>	примитивный, простой <о решетке>
	primitive	s. a. antiderivative		
P 3014	primitive atom	Uratom n	atome m primitif	первоначальный атом
P 3014a	primitive axis	primitive Achse f	axe m primitif	примитивная ось
	primitive cell	s. unit cell <cryst.>		
P 3015	primitive continent, primordial continent	Urkontinent m	continent m primitif, continent primordial	первобытный материк
	primitive element, primordial element	Urelement n	élément m primordial, élément primitif	исходный элемент
P 3016	primitive elementary cell	primitive Elementarzelle f	cellule f élémentaire primitive	примитивная элементарная ячейка
P 3017	primitive idempotent [element]	primitive Idempotente f	idempotent m primitif	примитивный идемпотент
	primitive lattice	s. simple lattice		

	primitive material (matter)	s. ylem		
P 3018	**primitive ocean,** primordial ocean, primeval ocean	Urozean m, Urmeer n	mer f primitive (primordiale), océan m primitif (primordial)	первобытный океан
P 3019	**primitive period,** fundamental period	primitive Periode f	période f primitive (principale)	основной период
P 3020	**primitive period parallelogram,** fundamental periodic parallelogram	Periodenparallelogramm n, Fundamentalparallelogramm n, Elementarparallelogramm n	parallélogramme m des périodes	основной параллелограмм периодов, параллелограмм периодов
P 3021	**primitive sublattice**	primitives Untergitter n	sous-réseau m primitif	простая подрешетка
	primordial continent, primitive continent	Urkontinent m	continent m primitif, continent primordial	первобытный материк
P 3022	**primordial element,** primitive element	Urelement n	élément m primordial, élément primitif	исходный элемент
P 3023	**primordial magma,** parental magma	Urmagma n, Stammagma n, Ausgangsmagma n	magme m générateur	родоначальная магма, начальная магма, материнская магма, первичная магма, исходная магма, глубинная магма
	primordial ocean	s. primitive occan		
	primordial plasma	s. ylem		
P 3024	**principal angle of incidence**	Haupteinfallswinkel m	angle m d'incidence principal	главный угол падения
	principal axis of index ellipsoid, principal direction of oscillation	Hauptschwingungsrichtung f, Hauptachse f des Indexellipsoids	direction f principale d'oscillation, axe m principal de l'ellipsoïde des indices	главное направление колебания, главная ось оптической индикатрисы
P 3025	**principal axis of inertia**	Hauptträgheitsachse f, Trägheitshauptachse f	axe m principal d'inertie	главная ось инерции, ось инерции, главная полуось эллипсоида инерции
	principal axis of permittivity, dielectric principal axis	dielektrische Hauptachse f	axe m diélectrique principal, axe principal de permittivité	диэлектрическая главная ось
P 3026	**principal axis of polarization,** principal polarization axis	Polarisationshauptachse f	axe m principal de polarisation	главная ось поляризации, главная ось овалоида поляризации
P 3027	**principal axis of strain**	Hauptdilatationsachse f, Hauptachse f des Verformungszustandes (Formänderungszustandes, Verzerrungszustandes)	axe m de l'ellipsoïde des déformations	главная ось деформации, главная ось деформаций, ось эллипсоида деформаций
P 3028	**principal axis of stress,** principal stress axis, stress axis	Hauptachse f des Spannungszustandes, Hauptspannungsachse f, Spannungshauptachse f	axe m de l'ellipsoïde des contraintes, axe de l'ellipsoïde des tensions	главная ось напряженного состояния, главная ось напряжений
P 3029	**principal[-] axis transformation**	Hauptachsentransformation f	transformation f des axes principaux	преобразование (приведение) к главным осям
P 3030	**principal bending moment**	Hauptbiegemoment n	moment m de flexion principal, moment fléchissant principal	главный изгибающий момент
	principal component of strain	s. principal strain		
	principal component of stress, principal stress	Hauptspannung f	tension f principale, contrainte f principale; effort m principal	главное напряжение
P 3031	**principal conjunctive normal form**	ausgezeichnete (kanonische) konjunktive Normalform f	forme f conjonctive canonique	совершенная конъюнктивная нормальная форма
P 3032	**principal co-ordinate system**	Hauptachsensystem n	système m des axes principaux	система главных осей
P 3033	**principal curvature**	Hauptkrümmung f	courbure f principale	главная кривизна
	principal deformation	s. principal strain		
P 3034	**principal diagonal,** leading diagonal, [main] diagonal	Hauptdiagonale f; Hauptschräge f	diagonale f principale	главная диагональ, первая диагональ
	principal dilatation	s. principal strain		
P 3035	**principal direction,** principal direction of dilation (strain), principal strain direction	Hauptdilatationsrichtung f, Hauptrichtung f [der Verzerrung], Hauptverzerrungsrichtung f	direction f principale [de déformation], direction principale de dilatation	главное направление деформации
	principal direction of curvature	s. direction of principal curvature <math.>		
	principal direction of dilation	s. principal direction		
P 3036	**principal direction of glide**	Hauptgleitrichtung f	direction f de glissement principal	главное направление скольжения
P 3037	**principal direction of oscillation,** principal axis of index ellipsoid	Hauptschwingungsrichtung f, Hauptachse f des Indexellipsoids	direction f principale d'oscillation, axe m principal de l'ellipsoïde des indices	главное направление колебания, главная ось оптической индикатрисы
	principal direction of strain	s. principal direction		
P 3038	**principal direction of stress,** principal stress direction	Hauptspannungsrichtung f, Haupt[achsen]richtung f des Spannungszustandes	direction f de tension principale	направление главных осей напряжений
P 3039	**principal disjunctive normal form**	ausgezeichnete disjunktive Normalform f, kanonische alternative Normalform f	forme f disjonctive canonique	совершенная дизъюнктивная нормальная форма
	principal elongation	s. principal strain		
P 3039a	**principal E plane**	Hauptschwingungsebene f des [elektrischen] Feldstärkevektors	plan m principal du vecteur champ électrique	главная плоскость колебаний вектора напряженности электрического поля

	English	German	French	Russian
	principal equation	*s.* fundamental equation		
	principal extension	*s.* principal strain		
P 3039b	**principal extension ratio**, principal strain ratio	Hauptdehnungsverhältnis *n*	rapport *m* des dilatations (déformations) principales	отношение главных удлинений (деформаций)
P 3040	**principal flux**, useful flux	Nutzfluß *m*, Hauptfluß *m*	flux *m* principal, flux utile	полезный [магнитный] поток, основной поток
P 3041	**principal focal length**	Hauptbrennweite *f*	longueur *f* focale principale	главное фокусное расстояние
P 3042	**principal focus**	Hauptbrennpunkt *m*	foyer *m* principal	главный фокус
P 3043	**principal function [of Hamilton]**, Hamilton's principal function, action integral	[Hamiltonsche] Prinzipalfunktion *f*, [zeitabhängige] Wirkungsfunktion *f*, Wirkungsintegral *n*, extremaler Abstand *m*, geodätische Distanz *f*, Hamiltons Hauptfunktion *f*	fonction *f* principale [d'Hamilton], intégrale *f* d'action	главная функция [Гамильтона], функция действия, интеграл действия, действие по Гамильтону
P 3044	**principal glide system**	Hauptgleitsystem *n*	système *m* principal [de glissement]	главная система скольжения
P 3045	**principal group** <math.>	Frattini-Gruppe *f*, Hauptgruppe *f*, Φ-Untergruppe *f* <Math.>	groupe *m* principal <math.>	главная группа <матем.>
	principal horizon point, principal point of horizon	Haupthorizontalpunkt *m*	point *m* principal de l'horizon	главная горизонтальная точка
P 3046	**principal horizontal [line]**	Haupthorizontale *f*	horizontale *f* principale	главная горизонталь
P 3047	**principal horizontal plane**	Haupthorizontalebene *f*	plan *m* horizontal principal	главная горизонтальная плоскость
P 3048	**principal ideal**	Hauptideal *n*	idéal *m* principal (monogène)	главный идеал
P 3049	**principal ideal ring**, PIR, P.I.R.	Hauptidealring *m*	anneau *m* principal (à idéaux principaux)	кольцо (область) главных идеалов
P 3050	**principal inductance**, useful inductance	Hauptinduktivität *f*, Nutzinduktivität *f*	inductance *f* principale (utile)	основная (полезная) индуктивность
P 3051	**principal invariant** <of tensor>	Hauptinvariante *f* <Tensor>	invariant *m* principal <du tenseur>	главный инвариант <тензора>
	principal lobe, main lobe, major [radiation] lobe, antenna major lobe	Hauptlappen *m*, Hauptkeule *f*, Hauptzipfel *m*, Hauptmaximum *n* <Richtdiagramm>	lobe *m* principal	главный лепесток диаграммы направленности
	principal maximum	*s.* primary maximum		
P 3052	**principal minor**	Hauptminor *m*, Hauptunterdeterminante *f*; Hauptabschnittsdeterminante *f*	mineur *m* principal, sousdéterminant *m* principal	главный минор, диагональный минор, главный диагональный минор
	principal mode	*s.* dominant mode <of waveguide>		
	principal mode	*s.* principal wave		
P 3053	**principal moment of inertia**	Hauptträgheitsmoment *n*	moment *m* principal d'inertie, moment d'inertie principal	главный момент инерции
P 3054	**principal motion** <turbulence>	Hauptbewegung *f* <Turbulenz>	mouvement *m* principal <turbulence>	главное движение <турбулентность>
	principal net of the flow, Mach net	Hauptnetz *n* der Strömung, Machsches Netz *n*	réseau *m* de Mach, réseau principal de l'écoulement	сетка Маха, главная сетка течения
P 3055	**principal normal; principal normal [unit] vector**; unit principal normal [vector], unit first normal [vector]; vector of principal normal	Hauptnormale *f*; Hauptnormalenvektor *m*	normale *f* principale; vecteur *m* normal principal, vecteur de la normale principale	главная нормаль; [единичный] вектор главной нормали
P 3056	**principal part**	Hauptteil *m*; meromorpher Teil *m* <Math.>	partie *f* principale; partie irrégulière, partie de gauche <math.>	главная часть <матем.>
P 3057	**principal permittivity**	Hauptdielektrizitätskonstante *f*	permittivité *f* principale	главная диэлектрическая проницаемость
P 3058	**principal plane**, unit plane <opt.>	Hauptebene *f* <Opt.>	plan *m* principal <opt.>	главная плоскость <опт.>
	principal plane	*s. a.* principal section <cryst., opt.>		
P 3059	**principal plane of flexure** <of beam>	Hauptebene *f*, Hauptbiegeebene *f* <Balken>	plan *m* principal de flexion <de la poutre>	главная плоскость <балки>
P 3060	**principal plane of glide**	Hauptgleitebene *f*	plan *m* de glissement principal	главная плоскость скольжения
P 3061	**principal plane of incidence**	Haupteinfallsebene *f*	plan *m* d'incidence principal	главная плоскость падения
P 3062	**principal plane of inertia**	Hauptträgheitsebene *f*	plan *m* principal d'inertie	главная плоскость инерции
	principal plane of symmetry, principal symmetry plane	Hauptsymmetrieebene *f*	plan *m* principal de symétrie, plan de symétrie principal	главная плоскость симметрии, плоскость симметрии первого порядка
P 3063	**principal point** <of aerophotogram>	Hauptpunkt *m*, Bildhauptpunkt *m* <Luftmeßbild>	point *m* principal <de l'aérophoto>	главная точка аэрофотоснимка
P 3064	**principal point**, Gauss point <opt.>	Hauptpunkt *m* <Opt.>	point *m* principal <opt.>	главная точка <опт.>
P 3065	**principal point of horizon**, principal horizon point	Haupthorizontalpunkt *m*	point *m* principal de l'horizon	главная горизонтальная точка
P 3066	**principal point triangulation**	Hauptpunkttriangulation *f*, Bildhauptpunkttriangulation *f*	triangulation *f* du point principal	фототриангуляция из главной точки
	principal polarization axis, principal axis of polarization	Polarisationshauptachse *f*	axe *m* principal de polarisation	главная ось поляризации, главная ось овалоида поляризации

P 3067	**principal pole**	Hauptpol *m*	pôle *m* principal	главный [магнитный] полюс
P 3068	**principal quantum number,** total (main, first) quantum number	Hauptquantenzahl *f*	nombre *m* quantique principal	главное :вантовое число
	principal radius of curvature	*s.* radius of principal curvature		
P 3069	**principal ray,** chief ray \<opt.\>	Hauptstrahl *m* \<Opt.\>	rayon *m* principal \<opt.\>	главный луч \<опт.\>
P 3070	**principal refractive index**	Hauptbrechungsindex *m*	indice *m* de réfraction principal, indice principal de réfraction	главный показатель преломления
P 3071	**principal section; principal section plane,** principal plane, plane of principal section \<cryst., opt.\>	Hauptschnitt *m*; Hauptschnittebene *f* \<Krist., Opt.\>	section *f* principale; plan *m* de section principale \<crist., opt.\>	главное сечение; плоскость главного сечения \<крист., опт.\>
P 3072	**principal series**	Hauptserie *f*, Prinzipalserie *f*	série *f* principale	главная серия
P 3073	**principal shear[ing] stress**	Hauptschubspannung *f*	tension *f* de cisaillement principale	главное сдвигающее напряжение, главное касательное напряжение
P 3074	**principal shock**	Hauptstoß *m*; Hauptwelle *f*	choc *m* principal	главный толчок
	principal solution, fundamental solution	Grundlösung *f*, Fundamentallösung *f*, Fundamentalintegral *n*	solution *f* fondamentale, solution élémentaire	фундаментальное решение
P 3075	**principal spectrum** \<of nova\>	Hauptspektrum *n* \<Nova\>	spectre *m* principal \<de la nova\>	главный спектр \<новой\>
P 3076	**principal strain,** principal stretch[ing] (extension, dilatation, deformation, elongation, component of strain)	Hauptdehnung *f*, Hauptdilatation *f*, Hauptverlängerung *f*, Hauptstreckung *f*, Hauptverformung *f*	dilatation *f* principale, déformation *f* principale, allongement *m* principal	главное удлинение, главная деформация
	principal strain direction	*s.* principal direction		
	principal strain ratio	*s.* principal extension ratio		
P 3077	**principal stress,** principal component of stress	Hauptspannung *f*	tension *f* principale, contrainte *f* principale; effort *m* principal	главное напряжение
	principal stress axis, principal axis of stress, stress axis	Hauptachse *f* des Spannungszustandes, Hauptspannungsachse *f*, Spannungshauptachse *f*	axe *m* de l'ellipsoïde des contraintes, axe de l'ellipsoïde des tensions	главная ось напряженного состояния, главная ось напряжений
	principal stress direction	*s.* principal direction of stress		
P 3078	**principal stress moment**	Hauptwiderstandsmoment *n*	moment *m* de résistance	главный момент сопротивления
P 3078a	**principal stress ratio**	Hauptspannungsverhältnis *n*	rapport *m* des tensions principales	отношение главных напряжений
	principal stress trajectory	*s.* trajectory of principal stresses		
	principal stretch[ing]	*s.* principal strain		
P 3079	**principal surface** \<opt.\>	Hauptfläche *f* \<Opt.\>	surface *f* principale \<opt.\>	главная поверхность \<опт.\>
P 3080	**principal surface tension**	Hauptoberflächenspannung *f*	tension *f* superficielle principale	главное поверхностное натяжение
P 3081	**principal symmetry plane,** principal plane of symmetry	Hauptsymmetrieebene *f*	plan *m* principal de symétrie, plan de symétrie principal	главная плоскость симметрии, плоскость симметрии первого порядка
P 3082	**principal tensile stress**	Hauptzugspannung *f*	contrainte *f* de traction principale	главное растягивающее напряжение
P 3083	**principal trajectory** \<of tensor field\>	Haupttrajektorie *f* \<Tensorfeld\>	trajectoire *f* principale \<du champ de tenseurs\>	главная траектория \<тензорного поля\>
	principal valency	*s.* primary valence		
P 3084	**principal value** \<of analytical function\>	Hauptwert *m*, Hauptzweig *m* \<analytische Funktion\>	détermination *f* principale \<de la fonction analytique\>	главное значение \<аналитической функции\>
	principal value	*s. a.* eigenvalue \<of a matrix\>		
	principal value of the integral, Cauchy's principal value	Cauchyscher Hauptwert *m*, Hauptwert [des Integrals]	valeur *f* principale de Cauchy, valeur principale de l'intégrale	главное значение интеграла [по Коши], главное значение Коши
P 3085	**principal vanishing point**	Hauptfluchtpunkt *m*; Hauptverschwindungspunkt *m*	point *m* de fuite principal	главная точка схода
P 3086	**principal vector**	Hauptvektor *m*	vecteur *m* principal	присоединенный [собственный] вектор, корневой вектор
P 3087	**principal velocity of light**	Hauptlichtgeschwindigkeit *f*	vitesse *f* principale de [la] lumière, vitesse de lumière principale	главная скорость света
P 3088	**principal vertical [line]**	Hauptvertikale *f*	verticale *f* principale	главная вертикаль
P 3089	**principal vertical plane**	Hauptvertikalebene *f*	plan *m* vertical principal	главная вертикальная плоскость
P 3090	**principal wave,** transverse electromagnetic wave, TEM-wave, principal mode, transverse electromagnetic mode, TEM mode	TEM-Welle *f*, transversalelektromagnetische Welle (Mode) *f*, transversale elektromagnetische Welle, TEM-Mode *f*, Lecher-[Typ-]Welle *f*, L-[Typ-]Welle *f*, Leitungswelle *f*	mode *m* T. EM., onde *f* T. EM., onde transversale électromagnétique, mode transversal électromagnétique, onde principale, onde (mode) de Lecher, onde électromagnétique transversale	*EH*-волна, волна смешанного типа, волна типа ТЕМ, поперечная электромагнитная волна, волна Лехера
	principle of action, action principle	Wirkungsprinzip *n*	principe *m* d'action	принцип действия
	principle of action and reaction	*s.* Newton['s] third law		

P 3091	principle of balayage	„balayage"-Prinzip n	principe m de balayage	принцип выметания
	principle of Blackmann and Putter	s. Blackmann-Putter['s] principle		
	principle of Carathéodory	s. principle of inaccessibility		
P 3092	principle of causality, causality (causal) principle	Kausalitätsprinzip n, Kausalprinzip n, Kausalgesetz n	principe m de causalité	принцип причинности
P 3093	principle of charged particle coherent acceleration, charged particle principle of coherent acceleration	Prinzip n der kohärenten Beschleunigung geladener Teilchen	principe m de l'accélération cohérente de particules chargées	принцип когерентного ускорения заряженных частиц
	principle of choice	s. axiom of choice		
P 3094	principle of complementarity, complementarity principle	Komplementaritätsprinzip n	principe m de complémentarité, doctrine f de complémentarité	принцип дополнительности, принцип комплементарности
	principle of conservation of angular momentum	s. angular momentum conservation law		
P 3095	principle of conservation of areas, integral of areas, law of areas, Kepler['s] second law, Kepler['s] area law	Flächensatz m, zweites Keplersches Gesetz n	principe (théorème) m des aires, loi (intégrale, équation) f des aires, deuxième loi de Kepler	интеграл площадей, закон площадей, закон постоянства секториальной скорости, второй закон Кеплера
	principle of conservation of areas	s. a. angular momentum conservation law		
	principle of conservation of density-in-phase, Liouville['s] theorem, Liouville['s] principle <stat.>	Liouvillescher Satz m, Liouville-Boltzmannscher Satz	théorème m de Liouville	теорема Лиувилля
	principle of conservation of electric charge	s. law of conservation of charge		
	principle of conservation of linear momentum	s. momentum conservation law		
	principle of conservation of mass (matter)	s. law of conservation of mass		
	principle of conservation of momentum	s. angular momentum conservation law		
	principle of conservation of momentum	s. momentum conservation law		
	principle of conservation of parity	s. law of conservation of parity		
	principle of continuity, continuity equation, equation of continuity	Kontinuitätsgleichung f	loi f de continuité, équation f de continuité	уравнение непрерывности, уравнение неразрывности; уравнение сплошности <мех. сплошных сред>
	principle of continuity of path	s. ergodic hypothesis		
P 3096	principle of continuity of states	Prinzip n der Kontinuität der Zustände	principe m de la continuité des états	принцип непрерывности состояний
	principle of correspondence	s. correspondence principle		
	principle of corresponding states	s. theorem of corresponding states		
P 3097	principle of detailed balance, principle of detailed balancing, principle of microscopic reversibility	Prinzip n des detaillierten Gleichgewichts, Prinzip vom detaillierten Gleichgewicht, Prinzip der mikroskopischen Reversibilität (Umkehrbarkeit)	principe m du bilan détaillé, principe des bilans détaillés, principe (hypothèse f) de la réversibilité microscopique	принцип детального равновесия, принцип микроскопической обратимости
P 3098	principle of dissipation, Clausius-Duhem inequality	Dissipationsprinzip n, Clausius-Duhemsche Ungleichung f	principe m de dissipation, inégalité f de Clausius-Duhem	принцип рассеяния, неравенство Клаузиуса-Дюгема
	principle of duality, duality principle	Dualitätsprinzip n	principe m de dualité	принцип двойственности
	principle of economy, economy principle	Sparsamkeitsregel f [von Pauling]	principe m d'économie	принцип экономии [элементов структуры]
	principle of entropy increase	s. second law		
	principle of equipartition [of energy]	s. law of equipartition [of energy]		
	principle of equipresence, equipresence principle	Äquipräsenzprinzip n, Prinzip n der Äquipräsenz	principe m d'équiprésence	
	principle of equivalence [of mass and energy]	s. equivalence of mass and energy principle		
	principle of general covariance, covariance principle	Kovarianzprinzip n, Prinzip n der allgemeinen Kovarianz	principe m de covariance	принцип ковариантности, принцип общей ковариантности
	principle of gradual construction	s. aufbauprinciple		
P 3099	principle of hydrodynamic images, method of hydrodynamic images, method of images [in hydrodynamics]	Prinzip n der hydrodynamischen Bilder, Methode f der hydrodynamischen Bilder	principe m des images hydrodynamiques, méthode f des images hydrodynamiques	метод (принцип) гидродинамических изображений, метод изображений в гидродинамике
P 3100	principle of inaccessibility, inaccessibility axiom [of Carathéodory], Carathéodory['s] axiom of inaccessibility, principle of Carathéodory, Carathéodory['s] principle	Carathéodorysches Unerreichbarkeitsaxiom n, Unerreichbarkeitsaxiom [von Carathéodory], [Carathéodorysches] Prinzip n der adiabatischen Unerreichbarkeit	principe m de Carathéodory	принцип адиабатической недостижимости [Каратеодори], принцип Каратеодори

	English	German	French	Russian
	principle of increase of entropy	s. second law		
	principle of indeterminacy	s. indeterminacy principle		
	principle of indistinguishability, indistinguishability principle	Ununterscheidbarkeitsprinzip n	principe m d'indiscernabilité	принцип неразличимости
P 3101	**principle of interchange**	Austauschprinzip n	principe m d'interchange	принцип эквивалентности, принцип взаимозаменяемости
P 3102	**principle of irritability**	Gesetz n der spezifischen Energien	loi f des énergies spécifiques, loi de Müller	закон удельных энергий
	principle of Lagrange and d'Alembert	s. Lagrange-d'Alembert principle		
P 3103	**principle of least action**, least action principle	Prinzip n der kleinsten Wirkung (Aktion), Prinzip der stationären Wirkung	principe m de la moindre action, principe d'action stationnaire	принцип наименьшего действия, принцип стационарного действия
	principle of least action	s. a. Hamilton['s] principle		
	principle of least action [of Maupertuis]	s. Maupertuis['] principle		
P 3104	**principle of least constraint**, principle of the least constraint <mech.>	Gaußsches Prinzip n [des kleinsten Zwanges], Prinzip des kleinsten Zwanges, Prinzip vom kleinsten Zwang <Mech.>	principe m de la moindre contrainte [de Gauss] <méc.>	принцип наименьшего принуждения, принцип Гаусса <мех.>
P 3105	**principle of least curvature**, Hertz['] principle	Prinzip n der geradesten Bahn, [Hertzsches] Prinzip der kleinsten Krümmung, Hertzsches Prinzip [der geradesten Bahn]; Prinzip der kürzesten Bahn	principe m de Hertz	принцип Герца, принцип наименьшей кривизны, принцип прямейшего пути
P 3106	**principle of least proper time**, principle of stationary proper time, Fermat['s] principle of least proper time, Fermat['s] principle in relativity	[Fermatsches] Prinzip n der stationären Eigenzeit, Prinzip der stationären Weltlinie, relativistisches Fermatsches Prinzip	principe m du temps propre stationnaire, principe du moindre temps propre, principe de Fermat relativiste	релятивистский принцип Ферма, принцип Ферма в теории относительности
	principle of least squares	s. least squares method		
	principle of least time	s. Fermat['s] principle		
P 3107	**principle of least work**, theorem of minimum potential energy, theorem of minimum energy, principle of potential energy, principle of minimum strain energy, minimum potential energy theorem, theorem of minimum potential	Prinzip n der kleinsten Formänderungsarbeit, Satz m von Menabrea, Satz vom Minimum der potentiellen Energie, Minimalprinzip n für die Verschiebungen eines elastischen Körpers	théorème m de Menabrea, principe m du travail minimum, principe du moindre travail	начало наименьшей работы, принцип наименьшей потенциальной энергии [упругих деформаций]
	principle of Le Chatelier [and Braun]	s. Le Chatelier['s] principle		
P 3108	**principle of linear momentum**, momentum theorem, momentum equation, momentum law, theorem of momentum <mech., hydr.>	Impulssatz m	théorème m de la projection de la quantité de mouvement, théorème des projections des quantités de mouvement, théorème des quantités de mouvement projetées, principe m d'impulsions	закон количества движения, теорема импульсов, теорема импульса
P 3109	**principle of linear superposition**	Prinzip n der linearen Überlagerung	principe m de la superposition linéaire	принцип линейного наложения, принцип линейной суперпозиции
	principle of mass-energy equivalence	s. principle of equivalence		
	principle of material frame indifference, material [frame-]indifference principle	Unabhängigkeit f der Materialgleichungen vom Beobachter, Prinzip n der Bezugsindifferenz	principe m de l'indifférence matérielle	принцип материальной индифферентности [Труселла и Тупина]
	principle of Maupertuis	s. Maupertuis['] principle		
P 3110	**principle of maximum work**, maximum work principle	Prinzip n der maximalen Arbeit	principe m de travail maximum, principe de travail maximal	принцип наибольшей работы
	principle of microscopic reversibility	s. principle of detailed balancing		
	principle of minimum, minimum principle	Minimumprinzip n; Minimalprinzip n <Math., Mech.>	principe m du minimum	принцип минимума
P 3111	**principle of minimum dissipation of energy**	Prinzip n der minimalen Energiedissipation	principe m de la dissipation minimale (minimum) d'énergie	принцип минимальной диссипации энергии, принцип минимального рассеяния энергии
P 3112	**principle of minimum dissipation of entropy**	Prinzip n der minimalen Entropiedissipation	principe m de la dissipation minimale (minimum) d'entropie	принцип минимальной диссипации энтропии, принцип минимального рассеяния энтропии
P 3113/4	**principle of minimum entropy**, minimum entropy principle	Prinzip n der minimalen Entropie	principe m de l'entropie minimale, principe de l'entropie minimum	принцип минимальной энтропии
	principle of minimum production of entropy	s. Prigogine['s] theorem		
	principle of minimum strain energy	s. principle of least work		

P 3115	principle of minimum virtual mass	Prinzip n der minimalen virtuellen Masse	principe m de la masse virtuelle minimale	принцип минимальной присоединенной массы
P 3116	principle of mobile equilibrium	Prinzip n des fließenden Gleichgewichts	principe m de l'équilibre mobile	принцип подвижного равновесия
	principle of Montigny, Montigny['s] principle	Montignysches Prinzip n, Prinzip n von (nach) Montigny	principe m de Montigny	принцип Монтиньи
	principle of operation	s. mode of operation <of apparatus>		
	principle of parallel flow, parallel[-] flow principle	Gleichstromprinzip n	principe m des courants parallèles	принцип прямотока, принцип прямого тока
P 3117	principle of parting limits, Tammann['s] principle	Tammannsches Prinzip n, Tammann-Prinzip n	principe m de Tammann	принцип пределов (границ) устойчивости, принцип Таммана
	principle of Pascal	s. Pascal['s] law		
P 3118	principle of phase stability, phase-focusing principle	Prinzip n der Phasenstabilität (selbständige Phasenstabilisierung)	principe m de stabilité de phase	принцип автофазировки
	principle of Porro and Koppe	s. Porro-Koppe principle		
	principle of potential energy	s. principle of least work		
	principle of quasi-continuity, quasi-continuity equation	Quasikontinuitätsgleichung f	équation f de quasi-continuité, loi f de quasi-continuité	уравнение квазинепрерывности (квазинеразрывности)
	principle of Rayleigh and Jeans, Rayleigh-Jeans['] principle	Rayleigh-Jeanssches Prinzip n, Prinzip von Rayleigh und Jeans	principe m de Rayleigh et Jeans, principe de Rayleigh-Jeans	принцип Рэлея и Джинса, принцип Рэлея-Джинса
	principle of reciprocity, reciprocity principle	Reziprozitätsprinzip n	principe m de réciprocité	принцип взаимности
	principle of reflection	s. Schwarz['s] reflection principle		
P 3119	principle of relativity, principle of reversibility, relativity principle	Relativitätsprinzip n, Prinzip n der Relativität	principe m de relativité	принцип относительности
	principle of reversibility	s. principle of reciprocity		
P 3119a	principle of reversibility [of the path of rays]	Prinzip n (Satz m von) der Umkehrbarkeit [des Strahlenganges]; Umkehrbarkeit f des Strahlenganges	principe m de la réversibilité [de la marche des rayons]	принцип обратимости [световых лучей]
	principle of similarity	s. similarity principle		
	principle of solidification	s. Stevin['s] principle		
	principle of special relativity	s. Einstein['s] principle of special relativity		
P 3120	principle of stationary phase, stationary phase method	Methode f der stationären Phase	méthode f de la phase stationnaire	метод стационарной фазы
	principle of stationary proper time	s. principle of least proper time		
P 3121	principle of superposition, superposition principle, superimposition principle, superposition theorem, law of superposition	Superpositionsprinzip n, Prinzip n der ungestörten Superposition, Überlagerungsprinzip n, Superpositionssatz m, Unabhängigkeitsprinzip n	principe m de superposition, principe de la superposition des effets, loi f de superposition	принцип наложения, принцип суперпозиции, закон суперпозиции
	principle of the conservation of energy	s. energy conservation law		
P 3122	principle of the inertia of energy	Prinzip n von der Trägheit der Energie	principe m de l'inertie de l'énergie	принцип инерции энергии
	principle of the least action [of Maupertuis]	s. Maupertuis['] principle		
	principle of the least constraint	s. Le Chatelier['s] principle		
	principle of the least constraint	s. principle of least constraint		
	principle of the lever	s. lever principle		
	principle of the maximum, maximum principle; maximum-modulus principle	Maximumprinzip n; Prinzip n vom Maximum, Satz m vom Maximum	principe m du maximum, théorème m du maximum, principe du module maximum	принцип максимума; принцип экстремума, теорема максимума; принцип максимума модуля
	principle of the parallelogram of forces, parallelogram law	Parallelogrammregel f, Parallelogrammgesetz n, Satz m vom Parallelogramm der Kräfte	règle f du parallélogramme [des forces], loi f du parallélogramme [des forces]	правило параллелограмма [сил]
	principle of the successive building up of atoms	s. aufbauprinciple		
	principle of the unattainability of the absolute zero	s. third law		
P 3123	principle of transfer	Übertragungsprinzip n	principe m de corrélation	принцип перенесения
	principle of uncertainty	s. uncertainty principle		
P 3124	principle of using travelling waves, surf-riding principle, surfing principle <acc.>	Wellenreiterprinzip n, Verwendung f von fortschreitenden Wellen <Beschl.>	principe m de l'utilisation d'ondes progressives <dans les accélérateurs linéaires>	принцип применения бегущих волн <в линейных ускорителях>
	principle of vinylogy, vinylogy	Vinylogieprinzip n	vinylogie f	винилогия, принцип винилогии

P 3125	**principle of virtual displacement (work),** virtual work principle	Prinzip *n* der virtuellen Arbeit (Verrückungen, Verschiebung, Verschiebungen, Geschwindigkeiten); Fouriersche Erweiterung *f* des Prinzips der virtuellen Arbeit, Fouriersches Prinzip <bei einseitigen Bindungen>	principe *m* du travail virtuel, principe des travaux virtuels, principe des déplacements virtuels, principe des vitesses virtuelles, méthode *f* du travail virtuel, théorème *m* du travail virtuel	принцип виртуальных перемещений, принцип возможных перемещений, принцип виртуальной работы, начало возможной работы
	principle of Zorn	s. Zorn['s] lemma		
P 3126	**printed board,** [printed] circuit board, printed wiring board	Leiterplatte *f*	plaque *f* à câblage imprimé	плата с печатным монтажом, плата с напечатанной (печатной) схемой
P 3127	**printed circuit**	gedruckte Schaltung *f*	circuit *m* imprimé, montage *m* imprimé, montage à circuit imprimé	печатная схема, металлизированная схема, печатный монтаж
	printed circuit (wiring) board	s. printed board		
P 3128	**printer,** print-out device; data printer	Drucker *m*, Druckwerk *n*; Datendrucker *m*, Datenausdrucker *m*, Wertedrucker *m*	imprimante *f*, imprimant *m* <de données>	печатающее устройство [для автоматической записи измеряемых значений]
P 3129	**printing,** printing[-] out	Ausdrucken *n*, Drucken *n*	impression *f*, enregistrement *m*	печатание <результатов>
P 3130	**printing** <phot.>	Kopieren *n* <Phot.>	tirage *m* [des copies], séance *f* de tirage, copie *f* <phot.>	печатание, печать, копирование, копировка <фот.>
P 3131	**printing mask,** mask, shutter mask	Maske *f*, Abdeckmaske *f*, Abdeckblende *f*, Kopiermaske *f*	cache *m*, masque *m*	маска, кашета, каше; маска-рамочка
	printing method	s. replica method		
	printing[-] out, printing	Ausdrucken *n*, Drucken *n*	impression *f*, enregistrement *m*	печатание <результатов>
P 3132	**printing-out,** copying on printing-out paper <phot.>	Auskopieren *n*, Auskopierprozeß *m* <Phot.>	tirage *m* de copies sur papier à image apparente <phot.>	печатание на дневной бумаге <фот.>
	printing reader	s. chart recorder		
P 3133	**printometer**	Printometer *n*	imprimomètre *m*	устройство для печатания показаний прибора
	print-out device	s. printer		
P 3134	**print-out effect**	„print-out"-Effekt *m*, Auskopiereffekt *m*	effet *m* de tirage, tirage *m* [d'émulsions photographiques]	аристотипный эффект
P 3135	**prior interaction**	Vorumordnungswechselwirkung *f*, Wechselwirkung *f* vor Umordnung	interaction *f* avant regroupement	взаимодействие до перегруппировки
P 3136	**priority** <math.>	Prioritätsordnung *f* <Math.>	priorité *f* <math.>	порядок очередности, первоочередность <матем.>
P 3137	**priority coefficient**	Vorrangkoeffizient *m*	coefficient *m* de priorité	коэффициент приоритета
	prior probability	s. a priori probability		
	prior processing, pretreatment; preparatory treatment	Vorbehandlung *f*; Vorbearbeitung *f*	prétraitement *m*, traitement *m* préliminaire, traitement préalable; préparation *f*	предварительная обработка, подготовка
P 3138	**prism antenna,** pyramidal antenna	Reusenantenne *f*, Reusendipol *m*, Reusendipolantenne *f*	antenne *f* en cage, antenne cylindrique (prismatique)	цилиндрический диполь, цилиндрическая антенна
P 3139	**prismatic astrolabe,** prismatic transit instrument	Prismenastrolabium *n* [von Danjon]	astrolabe *m* à prisme, instrument *m* de passage à prisme	отражательный пассажный инструмент [Данжона], призменная астролябия
P 3140	**prismatic beta spectrometer**	Prismen-Beta-Spektrometer *n*, Prismen-β-Spektrometer *n*	spectromètre *m* bêta à prisme[s]	призменный бета-спектрометр
	prismatic class	s. monoclinic holohedry		
P 3141	**prismatic compass**	Prismenkompaß *m*; Prismenbussole *f*	boussole *f* prismatique	призматический компас; призматическая буссоль
P 3142	**prismatic compensator,** prism compensator	Prismenkompensator *m*	compensateur *m* à prisme	призматический компенсатор
P 3143	**prismatic dislocation,** prismatic loop	prismatische Versetzung *f*	dislocation *f* prismatique	призматическая дислокация
	prismatic dispersion	s. dispersion <opt.>		
P 3144	**prismatic eyepiece,** ocular prism	Okularprisma *n*	prisme *m* oculaire	окулярная призма
P 3145	**prismatic lens**	prismatisches Brillenglas *n*	verre *m* prismatique	призматическое стекло
	prismatic loop	s. prismatic dislocation		
P 3146	**prismatic punching [of single crystals]**	prismatisches Stanzen *n* [von Einkristallen]	perforation *f* prismatique [de monocristaux]	призматическое штампование [монокристаллов]
P 3147	**prismatic sextant**	Prismenkreis *m*	sextant *m* prismatique (à prismes)	призматический секстан[т]
	prismatic spectrograph	s. prism spectrograph		
	prismatic spectrometer, prism spectrometer	Prismenspektrometer *n*	spectromètre *m* à prisme[s]	призменный спектрометр
	prismatic spectroscope, prism spectroscope	Prismenspektroskop *n*	spectroscope *m* à prisme[s]	призменный спектроскоп

	English	German	French	Russian
	prismatic spectrum	s. prism spectrum		
	prismatic square	s. prism square		
	prismatic stereoscope, Brewster stereoscope	Prismenstereoskop n [nach Brewster], Brewstersches Prismenstereoskop, Brewsters Stereoskop n	stéréoscope m de Brewster, stéréoscope à prisme[s], stéréoscope prismatique	стереоскоп Брюстера призматический стереоскоп
	prismatic transit instrument	s. prismatic astrolabe		
P 3148	prismatoid	Prismatoid n, Trapezoidalkörper m, Körperstumpf m	prismatoïde m	призматоид
	prismatometer, prismometer	Prismometer n, Prismatometer n	prismomètre m, prismatomètre m	призмометр, призматометр
	prism compensator, prismatic compensator	Prismenkompensator m	compensateur m à prisme	призматический компенсатор
P 3149	prism dioptre	Prismendioptrie f, pdpt	dioptrie f prismatique	призматическая диоптрия
	prism dispersing system, dispersing system with prism	Prismenspektralapparat m, Prismenapparat m	appareil m dispersif à prisme	спектральный прибор с призмой, призменный спектральный прибор
	prism of the first order, protoprism	Protoprisma n, Prisma n erster Art	protoprisme m	протопризма
P 3150	prismoid	Prismoid n	prismoïde m	призмоид; призматоид, основания которого имеют равное число сторон
	prismoidal formula [of areas]	s. Simpson's rule		
P 3151	prismometer, prismatometer	Prismometer n, Prismatometer n	prismomètre m, prismatomètre m	призмометр, призматометр
P 3152	prism photometer	Prismenphotometer n	photomètre m à prisme[s]	призматический фотометр
P 3153	prism spectrograph, prismatic spectrograph	Prismenspektrograph m	spectrographe m à prisme[s]	призменный спектрограф
P 3154	prism spectrometer, prismatic spectrometer	Prismenspektrometer n	spectromètre m à prisme[s]	призменный спектрометр
P 3155	prism spectroscope, prismatic spectroscope	Prismenspektroskop n	spectroscope m à prisme[s]	призменный спектроскоп
	prism spectrum, dispersion spectrum, prismatic spectrum	Dispersionsspektrum n, Brechungsspektrum n, Prismenspektrum n, prismatisches Spektrum n	spectre m de dispersion, spectre prismatique	дисперсионный спектр, призматический (призменный) спектр
P 3156	prism square, prismatic square	Prismeninstrument n; Prismenkreuz n, Doppelprisma n, Kreuzprisma n, Winkelprisma n	équerre f à prisme[s]; équerre optique prismatique	[двух]призменный эккер, двойная призма
P 3157	prism telescope	Prismenfernrohr n	lunette f à prismes, télescope m à prismes	призматический телескоп, призматическая зрительная трубка
P 3158	prism-type beam splitter	Prismenstrahlteiler m	dispositif m dédoubleur à prisme, prisme m dédoubleur de faisceau, dédoubleur m de faisceau à prisme, prisme séparateur de faisceau	призменный делитель пучка, расщепляющая пучок призма
	privileged axis, preferred axis	Vorzugsachse f, bevorzugte Achse f, Hauptachse f	axe m privilégié, axe préférentiel, axe préféré	преимущественная ось, выделенная ось
	privileged direction	s. preferred orientation		
P 3159	probabilistic	wahrscheinlichkeitstheoretisch; probabilistisch	probabiliste, au calcul des probabilités	[теоретико-]вероятностный
P 3160	probability	Wahrscheinlichkeit f; Erwartung f	probabilité f	вероятность
P 3161/2	probability amplitude	Wahrscheinlichkeitsamplitude f	amplitude f de probabilité	амплитуда вероятности
	probability a posteriori	s. inverse probability		
	probability a priori	s. a priori probability		
	probability calculus	s. probability theory		
	probability convergence	s. convergence in probability		
P 3163	probability current	Wahrscheinlichkeitsstrom m	courant m de probabilité	поток вероятности, ток вероятности
P 3164	probability current density	Wahrscheinlichkeitsstromdichte f	densité f de courant de probabilité	плотность потока вероятности
	probability curve	s. error curve		
P 3165	probability density, probability density function, density function, probability function, distribution density, relative frequency function	Wahrscheinlichkeitsdichte f, Verteilungsdichte f, Dichtefunktion f, Dichte f der Wahrscheinlichkeit	densité f de probabilité (distribution, répartition), densité, probabilité f différentielle, fonction f des probabilités élémentaires, fonction des densités, loi f [élémentaire] de probabilité	плотность вероятности, плотность распределения, плотность математического ожидания, дифференциальный закон распределения, закон распределения, функция плотности
P 3166	probability density distribution [of electrons]	Wahrscheinlichkeitsdichteverteilung f [der Elektronen]	distribution f de la densité de probabilité [des électrons]	плотность вероятности распределения [электронов]
	probability density function	s. probability density		
P 3167	probability distribution	Wahrscheinlichkeitsverteilung f	répartition f de probabilité, distribution f de probabilité	распределение вероятностей
	probability distribution function	s. distribution function		

	English	German	French	Russian
	probability factor, steric factor	sterischer Faktor m, Wahrscheinlichkeitsfaktor m	facteur m stérique, facteur de probabilité	стерический фактор, вероятностный фактор
P 3168	probability field, probability space	Wahrscheinlichkeitsfeld n, Wahrscheinlichkeitsraum m	champ m de probabilité, champ des probabilités, espace m de probabilité, espace probabilisé	случайное поле, поле вероятностей, вероятностное пространство
	probability for exceeding	s. exceeding probability		
P 3168a	probability frequency function, frequency function	Häufigkeitsfunktion f, Wahrscheinlichkeitshäufigkeitsfunktion f	fonction f de fréquence	функция плотности
P 3169	probability function	Wahrscheinlichkeitsfunktion f	fonction f de probabilité	функция вероятностей
P 3170	probability function	s. a. probability density		
	probability integral	Wahrscheinlichkeitsintegral n	intégrale f de probabilité, probabilité f intégrale	интеграл вероятности
P 3171	probability law, law of probability	Wahrscheinlichkeitsgesetz n	loi f de probabilité	вероятностный закон, закон вероятности
	probability matrix	s. stochastic matrix		
P 3172	probability measure	Wahrscheinlichkeitsmaß n	mesure f de probabilité	вероятностная мера, мера вероятности
P 3173	probability model	Wahrscheinlichkeitsmodell n	modèle m de probabilité, modèle probabiliste	вероятностная модель
P 3174	probability net	Wahrscheinlichkeitsnetz n	diagramme m à échelle fonctionnelle de probabilité cumulée	вероятностная сетка
P 3175	probability of attachment, probability of a collision leading to attachment	Anlagerungswahrscheinlichkeit f	probabilité f d'attachement <d'un électron>	вероятность прилипания [электрона]
P 3176	probability of binary collisions	Zweierstoßwahrscheinlichkeit f	probabilité f de collisions binaires	вероятность бинарных столкновений
P 3177	probability of collision, collision probability, collision rate	Stoßwahrscheinlichkeit f	probabilité f de choc, probabilité de collision	вероятность столкновения (соударения)
P 3178	probability of collision (hit, impact) <radiobiology>	Trefferwahrscheinlichkeit f <Strahlenbiologie>	probabilité f de choc, probabilité de coup <radiobiologie>	вероятность удара, вероятность столкновения <радиобиология>
P 3179	probability of interception	Abfangwahrscheinlichkeit f	probabilité f de collection	вероятность улавливания [электронов]
P 3180	probability of ionization, ionization probability	Ionisationswahrscheinlichkeit f, Ionisierungswahrscheinlichkeit f	probabilité f d'ionisation	вероятность ионизации
P 3180a	probability of occurrence [of event]	Eintrittswahrscheinlichkeit f, Wahrscheinlichkeit f für das Eintreten [eines Ereignisses]	probabilité f de l'événement	вероятность [наступления] события; вероятность возникновения (появления)
	probability of presence	s. probability to find a particle at a given place		
	probability of recombination, recombination probability, recombination rate	Rekombinationswahrscheinlichkeit f	probabilité f de recombinaison	вероятность рекомбинации
P 3181	probability of state	Zustandswahrscheinlichkeit f, Wahrscheinlichkeit f des Zustandes	probabilité f de l'état	вероятность состояния
P 3182	probability of survival	Überlebenswahrscheinlichkeit f	probabilité f de survie	вероятность выживания
	probability of tunnelling	s. penetration probability		
P 3183	probability paper	Wahrscheinlichkeitspapier n	papier m à échelle fonctionnelle de probabilité [cumulée]	вероятностная бумага
	probability ratio test	s. likelihood ratio test		
P 3183a	probability sampling	Wahrscheinlichkeits-Stichprobenverfahren n	échantillonnage m probabiliste	вероятностный выборочный метод
P 3184	probability statement	Wahrscheinlichkeitsaussage f	jugement m de probabilité, jugement probabiliste	вероятностное утверждение
P 3185	probability table	Wahrscheinlichkeitstabelle f	tableau m de probabilités	таблица вероятностей
P 3186	probability theory, theory of probabilities (chances) probability calculus, calculus of probability (probabilities)	Wahrscheinlichkeitsrechnung f, Wahrscheinlichkeitstheorie f	calcul m des probabilités	теория вероятностей, теория вероятности; исчисление вероятностей, расчет вероятности
P 3187	probability to find a particle at a given place, probability of presence	Aufenthaltswahrscheinlichkeit f	probabilité f de présence, probabilité de trouver une particule	вероятность нахождения, вероятность наличия, вероятность найти частицу в определенном месте
P 3188	probability unit, probit	Probit n	probit m	пробит
	probability viewpoint	Wahrscheinlichkeitsgesichtspunkt m	point m de vue probabiliste	вероятностная точка зрения
P 3188a	probability wave	Wahrscheinlichkeitswelle f	onde f de probabilité	волна вероятности
P 3189	probable error	wahrscheinlicher Fehler m	erreur f probable	вероятная погрешность
P 3190	probable specific ionization, primary specific ionization	primäre spezifische Ionisation f, spezifische Primärjonisation f, wahrscheinliche spezifische Ionisierung (Ionisation) f <je Längeneinheit der Spur>	ionisation f linéique primaire, ionisation spécifique probable	первичная удельная ионизация, вероятная удельная ионизация
P 3191	probe, feeler, sound, sonde	Sonde f; Fühler m; Taster m; Spürgerät n	sonde f, sondeur m; appareil m contrôleur; essayeur m	зонд; щуп; пробник

	probe; sensing head; scanning head	Tastkopf m	tête f à sonde	головка щупа, зондирующая (зондовая) головка
	probe	s. a. measuring head		
P 3192	probe antenna	Sondenantenne f, Tastantenne f	antenne-sonde f, antenne f sonde (de sonde)	антенна-зонд, зондовая антенна
	probe electrode	s. sounding electrode		
P 3193	probe extraction, extraction by means of a probe	Sondenextraktion f	extraction f par sonde	вытягивание ионов с помощью зонда
	probe head	s. measuring head		
P 3194	probe-induced distortion (interference)	Sondenstörung f	distorsion f provoquée par la sonde	искажение вследствие введения зонда
P 3195	probe microphone	Sondenmikrophon n	microphone m sonde, sonde f microphonique	акустический зонд
	probe polarograph, sampling polarograph	Tastpolarograph m	polarographe m à sonde	зондовый полярограф
P 3196	probe tip	Sondenspitze f	fin (pointe) f de la sonde	конец зонда
	probe[-type] voltmeter, diode probe-type voltmeter	Taströhrenvoltmeter n, Tastvoltmeter n	voltmètre m électronique à sonde	ламповый вольтметр, снабженный щупом, (пробником)
P 3197	probing	Sondierung f	sondage m	зондирование, зондаж, прощупывание
	probing, sounding, plumbing	Lotung f	sondage m	измерение (промер) глубин лотом, лотирование
P 3198	probit, probability unit	Probit n	probit m	пробит
P 3199	probit analysis	Probitanalyse f	analyse f par probits	пробит-анализ
P 3200	probit method, probit technique, probit transformation	Probittransformation f, Probitmethode f, Probit n	transformation f des probits, méthode f des probits	преобразование пробитов, метод пробитов
P 3201	problem involving edges, diffraction problem involving edges	Kantenproblem n, Kantenbeugungsproblem n	problème m de diffraction sous présence des arêtes	задача дифракции в наличии краев
	problem of Boussinesq [and Cerruti]	s. Boussinesq['s] problem		
P 3201a	problem of fixed detachment	Kielwasserablösung[sproblem n] f	problème m du sillage	проблема отрыва (отделения) спутного следа
P 3202	problem of moments, moment problem	Momentenproblem n	problème m des moments	задача моментов
P 3202a	problem of moving punch, moving punch problem	Problem n des bewegten Stempels, Problem der bewegten Stanzlinie	problème m du poinçon mobile	проблема подвижного пуансона
	problem of n bodies, n-body problem	n-Körper-Problem n	problème m des n corps	задача n тел
P 3203	problem of principal axes (axis)	Hauptachsenproblem n	problème m des axes principaux	задача главных осей
	problem of random walk, random walk problem	Irrfahrtsproblem n	problème m de marche aléatoire	задача случайного блуждания
P 3204	problem of Schwarzschild, Schwarzschild['s] problem	Schwarzschildsches Problem n	problème m de Schwarzschild	задача Шварцшильда
P 3205	problem of smooth detachment, prow problem	Bugwellenproblem n, Bugwellenablösungsproblem n	problème m de la proue	задача носовой волны
	problem of the halfspace	s. Boussinesq['s] problem		
	problem of the plane	s. Boussinesq['s] problem		
P 3206	problem of three bodies, three-body problem	Dreikörperproblem n	problème m de[s] trois corps	задача трех тел, проблема трех тел
	problem of two bodies	s. two-body problem		
P 3207	Proca['s] equation[s]	Procasche Gleichung[en fpl] f	équation f de Proca; équations fpl de Proca	уравнение Прока; уравнения Прока
	procedural bias	s. error of approximation		
	procedure; process; technique, method	Verfahren n; Technik f; Methode f	procédé m; méthode f	метод; способ; техника; прием
	proceeding	s. run <of process>		
P 3208	process; reaction	Prozeß m; Vorgang m; Reaktion f	processus m; procédé m; procès m; réaction f	процесс; акт; реакция
P 3209	process; procedure; technique, method	Verfahren n; Technik f; Methode f	procédé m; méthode f	метод; способ; техника; прием
P 3210	process annealing, intermediate annealing	Zwischenglühung f	recuit m intermédiaire	промежуточный отжиг
P 3211	process camera	Reproduktionskamera f	chambre f à trois corps, chambre de reproduction, chambre-laboratoire f	фоторепродукционная камера, репродукционная камера
	process chart	s. flow chart <num. math.>		
P 3212	process computer; on-line computer	Prozeßrechner m, Prozeßrechenanlage f; On-line-Rechner m	calculateur m (calculatrice f) de procédés, calculatrice pour la conduite des processus industriels	анализатор процессов, вычислительная машина для управления производственными процессами
P 3213	processing; working; handling; treatment	Verarbeitung f	traitement m; consommation f	[промежуточная] обработка; переработка; технология; выработка <стекла>
P 3214	processing, treatment, treating, working, machining <mech.>	Behandlung f; Bearbeitung f <Mech.>	traitement m [sur machine], travail m [méc.]	обработка <мех.>
	processing	s. a. evaluation <of dates>		
P 3215	process instrumentation and control engineering	BMSR-Technik f; Betriebs-Meß-, -Steuer- und -Regelungstechnik f		[тепло]технический контроль, и автоматическое регулирование, ТТК и АР
	process of interchange [of sites]	s. interchange process		

P 3216	**process of measurement,** measurement process, measuring process	Meßprozeß *m*, Meßvorgang *m*	processus *m* de mesure	процесс измерения
P 3217	**process of vision,** vision process	Sehvorgang *m*	processus *m* visuel, processus *m* de vision	зрительный процесс, зрительный акт
P 3218	**process time**	Prozeßzeit *f*, Verfahrenszeit *f*	temps *m* du procédé, durée *f* du procédé	время процесса, продолжительность процесса
P 3218a	**Procopiu effect**	Procopiu-Effekt *m*	effet *m* Procopiu	эффект (явление) Прокопью
	producer; generator	Generator *m*; Erzeuger *m*; Sender *m*	générateur *m*; génératrice *f*	генератор
	producer	*s. a.* manufacturer		
	producing reactor	*s.* production reactor		
	product, outer product, general product <of tensors>	[allgemeines] Tensorprodukt *n*, direktes Produkt *n* <Tensoren>	produit *m* général <de tenseurs>	тензорное произведение
	product detector, ring demodulator	Produktgleichrichter *m*, Ringdemodulator *m*	démodulateur *m* en anneau	кольцевой (балансный) детектор, балансный демодулятор
P 3218b	**product deviation**	Produktabweichung *f*	produit *m* des écarts	отклонение произведения
P 3219	**production,** formation, creation, generation, birth	Bildung *f*, Erzeugung *f*, Generation *f*	formation *f*, création *f*, génération *f*	образование, рождение, происхождение, генерация, генерирование
P 3220	**production,** manufacturing, manufacture	Herstellung *f*, Gewinnung *f*, Fertigung *f*, Erzeugung *f*, Darstellung *f*; Produktion *f*	production *f*	получение, производство
	production; causing; effecting; inducing, induction	Verursachen *n*, Bewirken *n*, Bedingen *n*, Hervorrufen *n*; Auslösung *f*; Erzeugung *f*	cause *f*; induction *f*; production *f*; provocation *f*	вызывание; наведение; причина
	production <of the line>	*s.* lengthening		
P 3221	**production cross-section,** creation (generation, formation) cross-section, cross-section for production (creation, generation, formation)	Wirkungsquerschnitt *m* für (der) Bildung, Wirkungsquerschnitt für (der) Erzeugung, Erzeugungs[wirkungs]querschnitt *m*, Bildungs[wirkungs]querschnitt *m*	section *f* efficace de production, section efficace de génération, section efficace de création, section efficace de formation	сечение образования, сечение рождения
P 3222	**production of cold,** refrigeration	Kälteerzeugung *f*	production *f* de (du) froid	получение (производство) холода
P 3223	**production of entropy,** entropy production, rate of entropy production	Entropieerzeugung[sdichte] *f*, Entropieproduktion[sdichte] *f*	génération (création, production) *f* d'entropie, vitesse *f* de production d'entropie	производство энтропии, скорость возникновения энтропии
	production of heat	*s.* generation of heat		
P 3224	**production of light,** technique of light production	Lichterzeugung *f*, Leuchttechnik *f*	production *f* de la lumière	производство света
P 3225	**production of poles,** creation of poles	Polerzeugung *f*	création (formation) *f* de pôles, production *f* de pôles	образование полюсов
	production of the line	*s.* lengthening		
	production operator, creation (emission) operator	Erzeugungsoperator *m*	opérateur *m* création, créateur *m*	оператор рождения, оператор образования
P 3226	**production rate,** creation rate, formation rate, birth-rate <nucl.>	Erzeugungsrate *f*, Erzeugungsgeschwindigkeit *f*, Bildungsrate *f* <Kern.>	taux *m* (vitesse *f*) de production, taux (vitesse) de création, taux (vitesse) de formation <nucl.>	скорость рождения, скорость образования, рождаемость <яд.>
P 3227	**production reactor,** producing reactor, production-type reactor	Produktionsreaktor *m* <Reaktor zur Erzeugung von Brutstoffen oder Radionukliden>	réacteur *m* de production, réacteur producteur, pile *f* de production, pile productrice	производящий реактор, реактор для производства, производственный реактор
	production reactor, plutonium[-producing] reactor, production-type reactor	Produktionsreaktor *m* <zur Plutoniumgewinnung>, Plutoniumerzeugungsreaktor *m*	réacteur *m* de production de plutonium, réacteur plutonigène	реактор для производства плутония
P 3228	**production spectrum**	Erzeugungsspektrum *n*	spectre *m* de la génération	спектр генерированных частиц, спектр генерации
	production-type reactor	*s.* production reactor		
P 3229	**productive evaporation**	produktive Verdunstung *f*	évaporation *f* productive	производительное испарение
P 3230	**productiveness** <of sound generator> <ac.>	Ergiebigkeit *f* <Ak.>	rendement *m* <ac.>	дебит <ак.>
	productivity, output; efficiency; efficacy; performance	Leistungsfähigkeit *f*, Leistung *f*, Produktionsleistung *f*, Produktivität *f*	productivité *f*, productibilité *f*	производительность; отдача; выработка
P 3231	**productivity [of neutrons],** neutron productivity	Produktivität *f* [von Neutronen], Neutronenproduktivität *f*	productivité *f* [de neutrons], productibilité *f* [de neutrons]	производительность [нейтронов]
P 3232	**productivity of source**	Quell[en]ergiebigkeit *f*, Ergiebigkeit (Schüttung) *f* der Quelle, Quell[en]schüttung *f*	débit *m* de la source	дебит источника
P 3232a	**product moment,** joint moment	Produktmoment *n*	moment *m* mixte	смешанный момент
P 3233	**product-moment correlation**	Maßkorrelation *f*, Produkt-Moment-Korrelation *f* [nach Bravais und Pearson], Produktmomentkorrelation *f* [nach Bravais und Pearson]	corrélation *f* de Bravais-Pearson	корреляция Браве-Пирсона, корреляция Пирсона

№	English	German	French	Russian
	product-moment correlation coefficient	s. Bravais correlation coefficient		
P 3234	product nucleus <e.g. of fission>	Produktkern m, Endkern m <z. B. der Spaltung>	noyau m produit <p. ex. de fission>	ядро-продукт, результирующее ядро <напр. деления>
	product of electrolysis, electrolysate	Elektrolyseprodukt n	produit m d'électrolyse	продукт электролиза
P 3235	product of inertia, centrifugal moment	Deviationsmoment n, Zentrifugalmoment n, Trägheitsprodukt n	produit m d'inertie, moment m de déviation, moment centrifuge	произведение инерции, центробежный момент [инерции]
	product of metabolism; metabolite	Stoffwechselprodukt n; Metabolit m	produit m métabolique; métabolite f	продукт обмена веществ, продукт метаболизма; метаболит
P 3236	product particle	Produktteilchen n	particule f produite	частица-продукт, результирующая частица
P 3237	product rule, quantity of stimulus rule, hyperbola rule, reciprocity rule (law) <bio.>	Reizmengengesetz n, Produktgesetz n, Hyperbelgesetz n <Bio.>	règle (loi) f du produit, règle (loi) de la quantité du stimulus, règle de l'hyperbole <bio.>	закон количества раздражителя, закон произведения <био.>
	product rule	s. a. Teller-Redlich product rule		
P 3238	product space	Produktraum m	espace m produit	произведение пространств
P 3239	product transformation	Produkttransformation f	transformation f produit	произведение преобразований
P 3240	profile chart; profile curve; profile record; profilogram	Profilbild n; Profilkurve f; Profilschrieb m, Profilogramm n	carte f de profil; courbe f de profil; profilogramme m	контурный план; профильная кривая, кривая профиля; профилограмма
P 3241	profile coefficient	Profilbeiwert m	coefficient m du profil	коэффициент профиля
	profile curve	s. profile chart		
P 3242	profile drag, ideal drag	Profilwiderstand m	résistance f de profil	профильное сопротивление
P 3243	profile flow	Profilumströmung f, Profilströmung f	écoulement m autour du profil	обтекание профиля
P 3244	profile gauge	Profillehre f	gabarit m	фасонный калибр
P 3245	profile Goettingen	Göttinger Profil n, Profil Göttingen	profil m Gœttingen	профиль крыла лаборатории Геттинген
	profile mean line	s. skeleton line		
P 3246	profile nose; aerofoil profile nose, aerofoil border of attack	Profilnase f	nez m du profil	носик профиля, нос профиля
P 3247	profile of equilibrium, equilibrium profile	Gleichgewichtsprofil n, Normalprofil n; Normalgefällskurve f <Geo.>	profil m d'équilibre	профиль равновесия, нормальный профиль; кривая равновесия
	profile of the [spectral] line	s. line profile		
	profile of wind [velocity], wind profile, profile of wind	Windprofil n, Windgeschwindigkeitsprofil n	profil m de vent, profil de la vitesse du vent	профиль ветра, профиль скорости ветра
P 3248	profile plane	Profilebene f	plan m de profil	профильная плоскость, плоскость профиля
P 3249	profile projector, shadow outline projector, contour projector	Profilprojektor m	projecteur m de profil	проектор для проверки профилей, профильный проектор, проекционный профиломер, микропроектор
	profile record	s. profile chart		
P 3249a	profile scanner	Profilscanner m	dispositif m de balayage en profil	профильный сканер (скэнер)
	profile testing meter	s. profilometer		
	profiling; shaping	Formgebung f; Formung f; Profilierung f	formation f; profilage m; façonnage m	оформление; придание формы; обработка; формование; профилирование
	profilogram	s. profile chart		
P 3250	profilometer; profile testing meter; talysurf; roughometer	Rauhigkeits[tiefen]messer m; Profilmeßgerät n, Profilmesser m, Profilometer n	profilomètre m, rugosimètre m	микропрофиломер; профиломер, профиломер
P 3251	profundal	Profundal n	profundal m	профундаль
	progenitor, precursor <nucl.>; predecessor <math.>	Vorgänger m	précurseur m; prédécesseur m <math.>	предшественник <яд.; матем.>; предшествующий элемент <матем.>
	progenitor	s. a. primary particle		
	progeny	s. daughter		
	prognosis, prognostication; prediction; forecast, forecasting	Vorhersage f, Voraussage f, Prognose f	prévision f, pronostic m; prédiction f	прогноз, предсказание
	prognosis formula, prognostic formula	Prognoseformel f	formule f prognostique	прогностическая формула
	prognostication	s. prognosis		
P 3252	prognostic formula, prognosis formula	Prognoseformel f	formule f prognostique	прогностическая формула
P 3253	program <US>, programme, routine <num. math.>	Programm n	programme m	программа
	programme composition; programming	Programmierung f; Programmherstellung f, Programmfertigung f	programmation f	программирование; составление программ[ы]
	programme[d] control	s. sequential control		
	programme[d] control	s. time schedule control		
P 3254	programme parameter	Jeweils-Parameter m, Programmparameter m	paramètre m de (du) programme	свободный параметр, задаваемый непосредственно перед обращением к подпрограмме; программный параметр

P 3255	**programme register,** control register	Programmspeicher *m*	mémoire *f* (accumulateur *m*) de programme[s], mémoire émettrice	накопитель программ (команд), программное запоминающее устройство
P 3256	**programming;** programme composition	Programmierung *f*; Programmherstellung *f*, Programmfertigung *f*	programmation *f*	программирование; составление программ[ы]
P 3257	**progression** <math.> **progression**	Progression *f* <Math.> *s.* series <math.>	progression *f* <math.>	прогрессия <матем.>
P 3258	**progression of bands,** band progression	Bandenserie *f*	progression *f* de bandes	продольная серия [Деландра] <v″ = const>; поперечная серия [Деландра] <v′ = const>; последовательность полос
P 3259	**progressive error**	progressiver (sich fortpflanzender, fortschreitender) Fehler *m*	erreur *f* progressive	прогрессивная (ходовая, поступательная) ошибка
P 3259a	**progressive freezing**	normales Erstarren *n*, gerichtetes Erstarren	solidification *f* progressive (normale)	направленная кристаллизация
P 3260	**progressive load[ing],** stepwise loading, loading in steps, gradually applied load	stufenweise Belastung *f*; stufenweise aufgebrachte Last *f*	multiple augmentation *f* de charge; charge *f* progressive	ступенчатое возрастание нагрузки; ступенчато возрастающая нагрузка
	progressive motion	*s.* translational movement		
P 3261	**progressive nutation**	progressive Nutation *f*	nutation *f* progressive	прямая нутация
P 3261a	**progressive phosphorescence**	progressive Phosphoreszenz *f*	phosphorescence *f* progressive	прогрессивная фосфоресценция
P 3262	**progressive precession**	progressive Präzession *f*	précession progressive	прямая прецессия
	progressive reducer	*s.* superproportional reducer		
P 3263	**progressive series of greys,** series of greys, grey series, grey scale	Graureihe *f*, Grauleiter *f*, Grauskala *f*, unbunte Reihe *f*, Grauwertskala *f*	série *f* [progressive] de gris, échelle *f* de gris [neutres], graduation *f* de gris, gamme *f* de[s] gris	серая шкала, нейтрально-серая шкала, шкала серых тонов; градация серых тонов, шкала градаций
	progressive wave	*s.* advancing wave		
P 3264	**prohibition of intercombinations,** forbiddenness of combination, [inter]combination law <of spectral terms>	Interkombinationsverbot *n*, Interkombinationsregel *f*, Kombinationsverbot *n*	interdiction *f* d'intercombinaisons, interdiction de combinaison <de termes spectraux>	запрет комбинации спектральных термов, интеркомбинационный запрет
P 3265	**projected angle**	projizierter Winkel *m*, Winkelprojektion *f*	angle *m* projeté	проекция угла
P 3266	**projected scale**	Projektionsskala *f*, Projektionsskale *f*, projizierte Skala (Skale) *f*; projektive Skala (Skale), projektive Leiter *f*	échelle *f* projetée	проекционная шкала
P 3267	**projected-scale instrument**	Projektionsskaleninstrument *n*, Projektionsskalenmeßgerät *n*	appareil *m* à échelle projetée	измерительный прибор с проекцией шкалы
P 3268	**projectile,** missile	Projektil *n*, Geschoß *n*	projectile *m*	брошенное (летящее) тело, снаряд
	projectile	*s. a.* bombarding particle		
	projectile blast	*s.* projectile report		
P 3269	**projectile motion**	Wurfbewegung *f*	mouvement *m* du projectile	движение метанного тела
P 3269a	**projectile report (sound),** projectile blast	Geschoßknall *m*	détonation *f* du projectile	звук снаряда
P 3270	**projecting,** projection, reproduction; demonstration <opt.>	Projizieren *n*, Projektion *f*, Wiedergabe *f*; Werfen *n*, Wurf *m* <Opt.>	projection *f*, reproduction *f*, passage *m* en projection, démonstration *f* <opt.>	проектирование, проецирование, проицирование, проекция; показ; отбрасывание; демонстрация <опт.>
	projecting beam (cone)	*s.* projecting ray		
	projecting lens, projection lens	Projektionslinse *f*; Projektiv *n*, Projektivlinse *f* <Elektronenmikroskop>	lentille *f* de projection	проекционная линза
P 3271	**projecting ray;** projecting (projection) beam; projection (projecting) cone, ray of projection	Projektionsstrahl *m*; Projektionskegel *m*	rayon *m* de projection; faisceau *m* de projection; cône *m* de projection	проектирующий (проекционный) луч; проекционный (проектирующий) конус
	projecting schlieren method, shadow schlieren method; schlieren scanning technique	Schattenschlierenverfahren *n*, Schattenschlierenmethode *f*	méthode *f* des stries à projection	проекционная теневая фотография, теневая фотография, [проекционный] теневой метод
	projection; component <math.>	Komponente *f*; Bild *n*; Projektion *f* <Math.>	composante *f*; projection *f* <math.>	компонента; составляющая; слагающая; компонент; проекция <матем.>
P 3272	**projection,** throw, cast <mech.>	Wurf *m*; Werfen *n* <Mech.>	projection *f*, jet *m* <méc.>	метание, бросание; бросок <мех.>
	projection	*s. a.* overhang		
	projection	*s. a.* projecting <opt.>		
P 3273	**projection adaptometer**	Projektionsadaptometer *n* [von Novack-Wetthauer]	adaptomètre *m* de projection	проекционный адаптометр
	projection apparatus	*s.* projector		
	projection area; projection surface	Projektionsfläche *f*	surface *f* de projection; aire *f* de projection	поверхность проекции; площадь проекции
	projection beam (cone)	*s.* projecting ray		
P 3274	**projection eyepiece,** photo[-]eyepiece	Projektionsokular *n*, Projektiv *n*, Photookular *n*, mikrophotographisches Okular *n*	photo-oculaire *m*, oculaire *m* de projection	фотоокуляр, проекционный окуляр
P 3275	**projection factor**	Projektionsfaktor *m*	facteur *m* de projection	проектирующий множитель

	English	German	French	Russian
	projection lamp \<US\>, projector lamp	Lichtwurflampe f, Projektionslampe f \<Typen: A, B, C, K, L, O, S, T\>	lampe f de projection, lampe pour projection de lumière, lampe pour projecteur	проекционная лампа, прожекторная лампа
P 3276	projection lens, projecting lens	Projektionslinse f; Projektiv n, Projektivlinse f \<Elektronenmikroskop\>	lentille f de projection	проекционная линза
P 3277	projection lens, projection objective	Projektionsobjektiv n, Projektiv n	objectif m de projection	проекционный объектив
P 3278	projection microscope	Projektionsmikroskop n	microscope m de (à) projection	проекционный микроскоп
	projection objective	s. projection lens		
P 3279	projection of shadow, shadow projection (casting)	Schattenwurf m, Schattenprojektion f	projection f d'ombre	проекция тени
P 3280	projection of solid angle	Raumwinkelprojektion f	projection f d'angle solide	проекция телесного угла
P 3281	projection operator, projector \<qu.\>	Projektionsoperator m, Projektor m, Projektion f \<Qu.\>	opérateur m de projection, projecteur m \<qu.\>	проекционный (проектирующий) оператор, оператор проектирования, проектор \<кв.\>
P 3282	projection optical system, projection optics, optical system of (for the) projection	Projektionsoptik f, Wiedergabeoptik f, Projektionsspiegelsystem n	optique f (système m optique) du projecteur, optique de projection, système de projection optique	проекционная оптика, оптическая система проектора, воспроизводящая оптическая система
P 3283	projection optimeter	Projektionsoptimeter n	optimètre m de projection	проекционный оптиметр
	projection picture, screen picture	Projektionsbild n	image f d'écran, image de projection	проектируемое изображение, изображение в проекции
	projection plane, plane of projection, picture plane \<of perspective projection\>	Bildtafel f, Bildebene f, Projektionsebene f \<der Perspektive\>	plan m de projection, plan image \<de la projection perspective\>	плоскость проекции, плоскость изображения перспективы
P 3284	projection printing	Vergrößerungskopieren n	tirage m par agrandissement	проекционная печать, увеличивающая печать
P 3285	projection screen, screen; cinema screen	Projektionsschirm m; Bildwand f, Projektionswand f; Leinwand f, Leinwandschirm m	écran m de projection, écran; écran de toile	проекционный экран, экран, киноэкран
P 3286	projection surface; projection area	Projektionsfläche f	surface f de projection; aire f de projection	поверхность проекции; площадь проекции
P 3287	projection X-ray microscope	Röntgenschattenmikroskop n	microscope m [électronique] à ombre à rayons X	рентгеновский проекционный микроскоп, проекционный рентгеновский микроскоп
P 3288	projection X-ray microscopy	Röntgenschattenmikroskopie f	microscopie f [électronique] à ombre à rayons X	рентгеновская проекционная микроскопия, проекционная рентгеновская микроскопия
P 3289	projective co-ordinates; projective co-ordinate system, set of projective co-ordinates, projective system [of co-ordinates]	projektive Koordinaten fpl; projektives Koordinatensystem n	coordonnées fpl projectives; système m de coordonnées projectives, système projectif [de coordonnées]	проективные координаты; система проективных координат, проективная система [координат]
	projective distillation	s. molecular distillation		
P 3290	projective field theory	projektive Feldtheorie f, fünfdimensionale Feldtheorie	théorie f projective des champs, théorie du champ projective	проективная теория поля
P 3291	projective group	projektive Gruppe f	groupe m projectif	группа проективности
P 3292	projective mensuration, projective metric determination	projektive (Cayleysche, Cayley-Kleinsche) Maßbestimmung f	détermination f métrique projective	проективное мероопределение
P 3293	projective plane	projektive Ebene f	plan m projectif	проективная плоскость
	projective relation, projectivity, projective transformation	Projektivität f, projektive Abbildung (Transformation, Verwandtschaft) f	projectivité f, transformation f homographique, relation f projective	проективность, проективное отображение, проективное соответствие
P 3294	projective relativity	projektive (fünfdimensionale) Relativitätstheorie f	théorie f de la relativité projective	проективная теория относительности
P 3295	projective space	projektiver Raum m	espace m projectif (arguésien)	проективное пространство
	projective system [of co-ordinates]	s. projective co-ordinates		
P 3296	projective transformation, projectivity, projective relation	Projektivität f, projektive Abbildung (Transformation, Verwandtschaft) f	projectivité f, transformation f homographique, relation f projective	проективность, проективное отображение, проективное соответствие
P 3297	projector, projection apparatus	Bildwerfer m, Projektor m, Projektionsgerät n, Projektionsapparat m, Bildwurfgerät n	projecteur m, appareil m de projection, lanterne f de projection	проекционный аппарат, проектор, проекционный прибор, проектирующий прибор; проекционный фонарь
P 3298	projector; search light	Scheinwerfer m	projecteur m; phare m	прожектор; фара; осветитель
	projector	s. a. projection operator \<qu.\>		
P 3299	projector arc lamp, arc lamp of the projector	Projektionsbogenlampe f	lampe f de projection à arc, lampe à arc du projecteur	проекционная дуговая лампа
P 3300	projector lamp, projection lamp \<US\>	Lichtwurflampe f, Projektionslampe f \<Typen: A, B, C, K, L, O, S, T\>	lampe f de projection, lampe pour projection de lumière, lampe pour projecteur	проекционная лампа, прожекторная лампа

	English	German	French	Russian
P 3301	**projector lamp**	Scheinwerferlampe f, Lichtwurflampe f C	lampe-phare f	прожекторная лампа, лампа-фара
P 3302	**prolate,** oblong	verlängert, gestreckt; länglich	allongé, oblong	вытянутый, продолгова-тый; удлиненный
	prolate basin <geo.>, oblong basin	Wanne f <Geo.>	bassin m oblong <géo.>	ванна, продолговатая мульда <гео.>
	prolate ellipsoid [of revolution], prolate spheroid, ovary ellipsoid	verlängertes Rotations-ellipsoid n, gestrecktes Rotationsellipsoid	ellipsoïde m de révolution allongé	вытянутый эллипсоид
	prolate-spherical co-ordinates	s. prolate spheroidal co-ordinates		
P 3303	**prolate spheroid,** prolate ellipsoid [of revolution], ovary ellipsoid	verlängertes Rotations-ellipsoid n, gestrecktes Rotationsellipsoid	ellipsoïde m de révolution allongé	вытянутый эллипсоид
P 3304	**prolate spheroidal co-ordinates,** prolate-spherical co-ordinates	verlängert-rotations-elliptische (gestreckt-rotationselliptische) Koordinaten fpl, Koordinaten des ver-längerten (gestreckten) Rotationsellipsoids	coordonnées fpl de l'ellipsoïde de révolution allongé	вырожденные эллип-соидальные вытянутые координаты, коорди-наты вытянутого сфероида, вытянутая сфероидальная система координат
P 3305	**prolate top**	verlängerter Kreisel m, gestreckter Kreisel	toupie f allongée	вытянутый волчок
	prolongation; lengthening; pro-duction [of the line], pro-traction of the line	Verlängerung f	rallongement m; allonge-ment m; prolongement m	удлинение; продолжение [линии]
P 3306	**prolonged development**	Langzeitentwicklung f	développement m pro-longé, développement lent	удлиненное проявление
P 3307	**prominence,** solar prominence, solar surge	Protuberanz f, Sonnen-protuberanz f	protubérance f [solaire]	протуберанец, солнечный протуберанец
P 3308	**prominence eyepiece**	Protuberanzenokular n	oculaire m à protubérances	окуляр для наблюдения протуберанцев
P 3309	**prominence knot,** knot of the prominence	Protuberanzenknoten m	nœud m de la protubérance	узел протуберанца
P 3310	**prominence spectroscope**	Protuberanzenspektroskop n	spectroscope m à pro-tubérances	протуберанец-спектро-скоп
P 3311	**prominence streamer,** streamer of the prominence	Protuberanzenfaden m, Faden m der Protuberanz	filet m protubérantiel, jet m protubérantiel	струя протуберанца, лента протуберанца
P 3312	**promoted electron**	begünstigtes (angehobenes, an der Molekülbildung beteiligtes) Elektron n	électron m amorcé	промовированный электрон, электрон с увеличенным квантовым числом
P 3313	**promoter,** promotor <chem.>	synergetischer Verstärker m, Aktivator m, Promotor m <Chem.>	promoteur m <chim.>	промотор, активатор <хим.>
P 3314	**promotion**	Begünstigung f; Anheben n	promotion f	облегчение; промовирова-ние; стимулирование; перевод, переход <в высшую зону>
P 3315	**promotion of quantum number**	Zunahme f der Quanten-zahl bei Molekül-bildung	promotion f (amorce-ment m) du nombre quantique	увеличение квантового числа при образовании молекулы
	promotor	s. promoter		
P 3316	**prompt,** promptly born <e.g. of neutron, gamma ray>	prompt, momentan, nicht-verzögert <z. B. Neu-tron, γ-Quant>	instantané, immédiat <p. ex. du neutron, du rayon gamma>	мгновенный <напр. о нейт-троне, о гамма-кванте>
	prompt coincidence curve, prompt curve	Promptkurve f, prompte Kurve f, Promptkoin-zidenzkurve f	courbe f de coïncidence instantanée, courbe de coïncidences instantanées	кривая мгновенных совпадений
P 3317	**prompt counting rate**	Promptzählrate f	taux m de comptage instantané	мгновенная скорость счета
P 3318	**prompt[-] critical**	prompt[-] kritisch	critique instantané	мгновенно[-] крити-ческий, критический по мгновенным ней-тронам
P 3319	**prompt criticality**	promptkritischer Zustand m, prompte Kritizität f	criticalité f instantanée	мгновенная критичность
P 3320	**prompt curve,** prompt coincidence curve	Promptkurve f, prompte Kurve f, Promptkoin-zidenzkurve f	courbe f de coïncidence instantanée, courbe de coïncidences instantanées	кривая мгновенных совпадений
	prompt fission neutron	s. prompt neutron		
	promptly born	s. prompt		
P 3321	**prompt multiplication**	prompte Multiplikation f	multiplication f instantanée	размножение на мгновен-ных нейтронах
P 3322	**prompt neutron,** prompt fission neutron	promptes Neutron (Spaltneutron) n, Prompt-neutron n	neutron m instantané [de fission]	мгновенный нейтрон [деления]
P 3323	**prompt neutron fraction**	Anteil m der Prompt-neutronen (prompten Neutronen)	fraction f de neutrons instantanés; taux m de neutrons instantanés <en pourcentage>	доля мгновенных ней-тронов
P 3324	**prompt-subcritical,** delayed-supercritical	prompt[-]unterkritisch, verzögert[-]überkritisch	sous-critique instantané, surcritique différé	мгновенно-подкрити-ческий, подкрити-ческий по мгновенным нейтронам, сверхкрити-тический (надкрити-ческий) по запазды-вающим нейтронам

P 3325	**prompt-supercritical**	prompt[-]überkritisch	surcritique instantané	мгновенно-сверхкритический, мгновенно-надкритический, сверхкритический (надкритический) по мгновенным нейтронам
P 3326	**prong** <of the emulsion star>	Arm *m*, Zacken *m* <Zertrümmerungsstern>	rayon *m*, faisceau *m*, dent *f* <de l'étoile nucléaire>	луч [ядерной звезды], лучевой след [частицы]
	pronged, toothed, spiked, indented	zackig, gezackt	dentelé, denté	зубчатый, с зубцами
	prong hoe	s. cock[-]pit		
P 3327	**prong-type ammeter,** clip-on (hook-on) ammeter	Zangenstrommesser *m*, Anlegerstrommesser *m*, Anlegeamperemeter *n*	ampèremètre *m* à pince	амперметр, подключенный к токоизмерительным клещам, токоизмерительные клещи
P 3328	**prong-type instrument, prong-type measuring instrument**	Zangenmeßgerät *n*, Zangengerät *n*, Zangeninstrument *n*, Zangenanleger *m*	appareil *m* de mesure à pince, appareil à pince	измерительные клещи, клещевой [измерительный] прибор, цанговый [измерительный] прибор
P 3329	**prong-type measuring transformer**	Zangenstromwandler *m*, Zangenwandler *m*	transformateur *m* [de mesure] à pince	токоизмерительные клещи
P 3330	**prong-type wattmeter**	Zangenleistungsmesser *m*, Zangenwattmeter *n*	wattmètre *m* à pince	ваттметр, подключенный к токоизмерительным клещам
P 3331	**Prony brake**	Pronyscher Zaum *m*, Bremszaum *m*, Bremsdynamometer *n*	frein *m* de Prony	тормоз Прони, тормозной динамометр, зажим Прони
	proof	s. detection		
P 3332	**proof,** demonstration <math.>	Beweis *m*	démonstration *f*, preuve *f*	доказательство
	proof	s. a. testing		
	proof	s. a. tight		
P 3333	**proof against water jets**	spritzwassergeschützt; spritzwassersicher, spritzwasserdicht	étanche aux jets d'eau	струезащищенный, защищенный от попадания водяных брызг, брызгозащищенный, брызгонепроницаемый
	proof by reductio ad absurdum	s. indirect proof		
	proofing	s. leak test		
P 3334	**proof of existence**	Existenzbeweis *m*	démonstration *f* d'existence	доказательство существования
	proof plate	s. optical test chart		
P 3335	**0.2% proof stress,** 0.2% yield strength	Zweizehnteldehngrenze *f*, Zweizehntelfließgrenze *f*, $\sigma_{0,2}$-Grenze *f*, 0,2-Dehngrenze *f*, 0,2-Grenze *f*, Nullzweidehngrenze *f*	limite *f* conventionnelle d'élasticité $\sigma_{0,2}$, limite apparente d'élasticité $\sigma_{0,2}$	условный предел текучести (прочности) при растяжении $\sigma_{0,2}$
P 3335a	**proof test,** pressure test	Abdrückversuch *m*	essai *m* sous pression	испытание под давлением
P 3336	**propagating wave,** divergent (diverging) wave	auslaufende Welle *f*, fortlaufende Welle	onde *f* divergente, onde sortante	расходящаяся [от источника] волна
P 3337	**propagation;** spread <in>	Ausbreitung *f*, Fortpflanzung *f* <in>	propagation *f* <dans>	распространение <в, через>
	propagation coefficient	s. propagation constant		
	propagation coefficient	s. wavelength constant		
P 3338	**propagation constant,** propagation factor, propagation coefficient <of the line>; transfer constant, transmission constant <of the network>	Ausbreitungskonstante *f*, Fortpflanzungskonstante *f*, Ausbreitungsfaktor *m*, Ausbreitungskoeffizient *m* <Leitung>; [komplexes] Übertragungsmaß *n*, Übertragungskonstante *f* <Vierpol>	constante *f* de propagation, facteur *m* de propagation, coefficient *m* de propagation <de la ligne>; constante de transfert, constante de transmission <du quadripôle>	постоянная распространения, коэффициент распространения <линии>; постоянная передачи, коэффициент передачи <четырехполюсника>
	propagation constant	s. a. wavelength constant		
	propagation factor	s. propagation constant <of the line>		
	propagation factor	s. a. wavelength constant		
	propagation function	s. quantum Green['s] function <qu.>		
P 3339	**propagation kernel**	Ausbreitungskern *m*	noyau *m* de propagation	функция влияния для распространения, ядро для распространения
P 3340	**propagation of error[s],** error propagation	Fehlerfortpflanzung *f*	propagation *f* des erreurs	распространение случайных ошибок, преобразование ошибок
	propagation of flames, flame propagation, flame spread, spread of flames	Flammenausbreitung *f*, Flammenfortpflanzung *f*	propagation *f* de la flamme	распространение пламени
P 3341	**propagation of heat,** heat propagation	Wärmeausbreitung *f*, Wärmefortpflanzung *f*, Wärmefortleitung *f*	propagation *f* de la chaleur, propagation de l'énergie thermique	распространение тепла
P 3342	**propagation of pressure**	Druckausbreitung *f*, Druckfortpflanzung *f*	propagation (transmission) *f* de pression	распространение давления
	propagation of the nerve impulse	s. nerve conduction		
P 3343	**propagation of the tide,** tide propagation	Gezeitendehnung *f*	propagation *f* de la marée	распространение приливa
	propagation of wave	s. wave propagation		
P 3344	**propagation rate of the crack,** rate of crack propagation	Vordringgeschwindigkeit *f* des Risses	vitesse *f* de propagation de la fissure	скорость распространения трещины

	English	German	French	Russian
	propagation reaction	s. chain growth		
P 3345	**propagation theorem,** error propagation theorem (law), law of the propagation of errors	[Gaußsches] Fehlerfortpflanzungsgesetz n, Fehlerfortpflanzungsgesetz von Gauß	loi f de propagation des erreurs	закон (формула) распространения случайных ошибок
	propagation vector	s. circular wave vector		
P 3346	**propagation velocity,** velocity of propagation (transmission), speed of propagation, spread velocity, rate of spread	Ausbreitungsgeschwindigkeit f, Fortpflanzungsgeschwindigkeit f	vitesse f de propagation, célérité f, célérité de propagation, vitesse de progression	скорость распространения
	propagation velocity	s. a. phase velocity		
	propagation velocity of pulses	s. pulse propagation velocity		
P 3347	**propagator**	Propagator m, Feynmanscher Propagator	propagateur m, fonction f de propagation [de Feynman]	пропагатор, функция распространения [Фейнмана]
P 3348	**propane chamber, propane-filled bubble chamber**	Propanblasenkammer f, Propankammer f	chambre f de bulles à propane	пропановая камера
	proparaclase, transcurrent fault, cross fault	Querverwerfung f	faille f transversale, décrochement m transversal, faille orthogonale, proparaclase m	поперечный сброс, сброс вкрест простирания, пропараклаз
P 3349	**propellant,** fuel, rocket fuel	Treibstoff m, Raketentreibstoff m	propergol m, propellant m, combustible m de propulsion [des fusées]	реактивное (ракетное) топливо, топливо ракеты
	propellant, propellent	s. motive power		
P 3350	**propeller,** impeller, airscrew	Propeller m, Luftschraube f, Saugschraube f, Flügelschraube f	propulseur m, hélice f [propulsive], hélice aérienne, aéro-propulseur m	[толкающий] воздушный винт, гребной винт, винт, пропеллер
	propeller blade	s. blade		
P 3351	**propeller effect (modulation),** rotor modulation	Propellermodulation f, Propellereffekt m	modulation f par hélice	модуляция винтом, эффект винта
P 3352	**propeller turbine,** fixed-blade turbine, turbo-prop [drive]	Propellerturbine f; Turboproptriebwerk n, Propeller-Gasturbinentriebwerk n, Propellerturbinentriebwerk n	turbine f à hélice, turbohélice f, turbomoteur m à hélice, turbopropulseur m	винтовая (пропеллерная, жесткокопастная, жесткокрылоная) турбина; турбовинтовой двигатель, ТВД
	propeller-type current meter	s. hydrometric vane <hydr.>		
P 3353	**propeller-type flowmeter, propeller-type [fluid] meter,** screwtype flowmeter, screwtype [fluid] meter, velocity [flow]meter, vaned (lobed) flowmeter	Flügelradzähler m; Flügelradmengenmesser m	compteur m à ailettes	расходомер с крыльчаткой; водомер с крыльчаткой; гидрометрическая вертушка с винтообразной крыльчатой
	propelling force	s. propelling power		
	propelling nozzle	s. jet nozzle		
	propelling power, thrust, thrust power, propelling force, repulsive (forward) thrust, push	Schub m, Schubkraft f, Vortriebskraft f, Vortrieb m	poussée f, force f propulsive	тяга, реактивная тяга, сила тяги, сила отрицательного сопротивления, распор, реактивная движущая сила [тяга]
	propensity	s. tendency		
	proper action variable	s. proper phase integral		
P 3354	**proper angle variable**	eigentliche Winkelvariable f	variable f angulaire propre	собственная угловая переменная
P 3355	**proper boundary value problem**	echtes Randwertproblem n	problème m aux limites propre	собственная краевая задача
	proper double refringence, structure double refraction, structure birefringence	Eigendoppelbrechung f, Strukturdoppelbrechung f, Texturdoppelbrechung f	biréfringence f propre, biréfringence de structure	структурное двойное лучепреломление, собственное двойное лучепреломление
P 3356	**proper existence**	Eigenexistenz f	existence f propre	собственное существование
P 3357	**proper field,** eigenfield	Eigenfeld n	champ m propre	собственное поле
P 3358	**proper frame of reference**	Eigenbezugssystem n	système m de référence propre	собственная система координат, собственная система отсчета
	proper function, eigenfunction, characteristic function	Eigenfunktion f, Eigenlösung f, Eigenelement m, Eigenvektor m	fonction f propre; fonction fondamentale <spectr.>	собственная функция
P 3359	**proper length**	Eigenlänge f, Ruhlänge f, Ruhelänge f	longueur f propre	собственная длина, длина покоя
P 3360	**proper limit**	eigentlicher Grenzwert m	limite f propre	собственный предел
P 3361	**proper Lorentz group,** gr p of restricted homogeneous Lorentz transformations	eigentliche Lorentz-Gruppe f, homogene orthochrone Lorentz-Gruppe ohne Spiegelungen	groupe m [homogène] propre de Lorentz	собственная лоренцовая группа, собственная группа Лоренца
P 3362	**properly nilpotent element,** proper nilpotent element, root element	eigentlich nilpotentes Element n, Wurzelgröße f	élément m proprement nilpotent	собственно нильпотентный элемент
	proper mass, rest[-] mass, mass at rest	Ruhemasse f, Ruhmasse f	masse f au repos	масса покоя
	proper mass, self mass, intrinsic mass <qu.>	Selbstmasse f, Eigenmasse f <Qu.>	masse f propre, masse intrinsèque <qu.>	собственная масса <кв.>
	proper moment, eigenmoment	Eigenmoment n	moment m propre	собственный момент
P 3363	**proper motion,** characteristic motion <of stars, of sunspots>	Eigenbewegung f <Sterne, Sonnenflecke>	mouvement m propre <des étoiles, des taches solaires>	собственное движение <звезд, солнечных пя­тен>

	English	German	French	Russian
P 3364	**proper motion in declination**	Eigenbewegung f in Deklination	mouvement m propre en déclinaison	собственное движение по склонению
P 3365	**proper motion in right ascension**	Eigenbewegung f in Rektaszension	mouvement m propre en ascension droite	собственное движение по прямому восхождению
	proper nilpotent element, properly nilpotent element, root element	eigentlich nilpotentes Element n, Wurzelgröße f	élément m proprement nilpotent	собственно нильпотентный элемент
	proper number	s. eigenvalue <of a matrix>		
	proper orthogonal group, rotation[s] group	Drehgruppe f, Drehungsgruppe f, eigentliche orthogonale Gruppe f	groupe m des rotations, groupe de rotation[s]	группа вращений, группа вращения, собственно[-] ортогональная группа
P 3366	**proper orthogonal mapping (transformation)**	eigentlich orthogonale Abbildung f, eigentliche orthogonale Transformation f	transformation f proprement orthogonale	собственно-ортогональное преобразование, собственное ортогональное преобразование
	proper orthogonal matrix	s. rotation matrix		
P 3367	**proper phase**	Eigenphase f	phase f propre	собственная фаза
P 3368	**proper phase integral,** proper action variable	eigentliche Wirkungsvariable f	intégrale f de phase propre	собственный фазовый интеграл
	proper power, self-power	Eigenleistung f	puissance f propre	собственная мощность
	proper radiation, self-radiation	Eigenstrahlung f	auto-radiation f, radiation f propre	собственное излучение
P 3369	**proper rate** <of clock>	Eigenganggeschwindigkeit f	marche f propre	собственная скорость хода
P 3370	**proper rearrangement,** proper transposition	echte Umlagerung f, Umlagerung im engeren Sinn	regroupement m propre, transposition f propre	собственная перегруппировка
	proper rotation	s. eigenrotation		
	proper state, characteristic state, eigenstate	Eigenzustand m	état m propre	собственное состояние
P 3371	**proper symmetry**	Eigensymmetrie f	symétrie f propre	собственная симметрия
P 3372	**proper time**	Eigenzeit f	temps m propre (d'action)	собственное время
P 3373	**proper time element**	Eigenzeitelement n	élément m de temps propre	элемент собственного времени
P 3374	**proper time unit**	Eigenzeiteinheit f	unité f de temps propre	единица собственного времени
P 3375	**proper transformation**	eigentliche Transformation f	transformation f propre	собственное преобразование
	proper transposition, proper rearrangement	echte Umlagerung f, Umlagerung im engeren Sinn	regroupement m propre, transposition f propre	собственная перегруппировка
	property of being orthotomic, orthotomy	Orthotomie f	orthotomie f	ортотомность, ортотомия
P 3375a	**property tensor**	Eigenschaftstensor m	tenseur m des propriétés	тензор свойств
P 3376	**property to oscillate**	Schwingfähigkeit f	propriété f oscillatoire	колебательность
	proper value	s. eigenvalue		
	proper value problem	s. eigenvalue problem		
	proper variable	s. physical variable		
	proper vector, eigenvector; latent vector, characteristic vector, model column	Eigenvektor m	vecteur m propre	собственный вектор
P 3377	**proper velocity;** natural velocity	Eigengeschwindigkeit f	vitesse f propre	собственная скорость
	proper volume of ion, eigenvolume of the ion, ion eigenvolume, ion proper volume	Ioneneigenvolumen n, Eigenvolumen n des Ions	volume m propre d'ion	собственный объем иона
P 3378	**prophage**	Prophage f	prophage m	профаг
P 3379	**proportion**	Proportion f, Verhältnis n, Verhältnisanteil m	proportion f	пропорция
	proportion	s. a. mixture proportion		
	proportion	s. a. ratio		
P 3380	**proportional;** directly proportional	proportional, verhältnisgleich; direkt proportional	proportionnel; directement proportionnel	пропорциональный; прямо пропорциональный
P 3381	**proportional action,** proportional input	Proportionalverhalten n, P-Verhalten n; Proportionaleinfluß m, P-Einfluß m, proportionale Einwirkung f	action f proportionnelle, action P., action de régulation proportionnelle	пропорциональное воздействие, воздействие по координате
	proportional-action control	s. proportional control		
	proportional-action controller	s. proportional controller		
	proportional amplifier	s. linear amplifier		
P 3382	**proportional and derivative action**	Proportional-Differential-Verhalten n, PD-Verhalten n; PD-Einfluß m, Proportional-Differential-Einfluß m	action f proportionnelle et par dérivation, action P. D.	воздействие по координате и по производной
P 3383	**proportional and derivative action controller,** derivative proportional controller, P.D. controller	PD-Regler m, Proportionalregler m mit Differentialeinfluß, Proportionalregler mit Vorhalt	régulateur m à action proportionnelle et dérivée, régulateur P. D.	пропорциональный регулятор с упреждением (предварением), статический регулятор [с воздействием] по производной
P 3384	**proportional and integral action**	Proportional-Integral-Verhalten n, PI-Verhalten n, Proportional-Integral-Einfluß m, PI-Einfluß m, proportionale und integrale Einwirkung f, PI-Einwirkung f	action f proportionnelle et par intégration, action P. I., action de régulation proportionnelle et par intégration	пропорциональное и интегрирующее воздействие, воздействие по координате и по интегралу

P 3385	**proportional band** \<control\>	Proportional[itäts]bereich m, P-Bereich m \<Regelung\>	gamme f de proportionnalité \<réglage\>	диапазон пропорциональности, область пропорциональности \<в регулировании\>
P 3386	**proportional chamber,** proportional ionization chamber	Proportionalionisationskammer f	chambre f [d'ionisation] proportionnelle	пропорциональная ионизационная камера
P 3387	**proportional compasses,** proportional dividers \<US\>	Reduktionszirkel m, Proportionalzirkel m	compas m de réduction	пропорциональный (делительный) циркуль
P 3388	**proportional control,** proportional-action control, proportional position control, P. control, static control	P-Regelung f, Proportionalregelung f, statische Regelung f	régulation f proportionnelle (P.), réglage m proportionnel (P.), réglage flottant à vitesse proportionnelle, régulation (réglage) à action proportionnelle, régulation (réglage) statique	пропорциональное регулирование, статическое регулирование, регулирование по координате
P 3389	**proportional controller,** proportional-action controller, proportional position controller, P. controller, static controller, static regulator	Proportionalregler m, P-Regler m, statischer Regler m	régulateur m proportionnel, régulateur à action proportionnelle, régulateur à commande proportionnelle, régulateur P., régulateur statique	пропорциональный регулятор, статический регулятор, регулятор по координате
P 3390	**proportional counter [tube]; proportional counting system**	Proportionalzählrohr n; Proportionalzähler m \<Zählrohr + Elektronik\>	tube m compteur proportionnel, compteur m proportionnel; ensemble m de comptage proportionnel	пропорциональный счетчик
P 3391	**proportional derivative control,** derivative proportional control, P.D. control	PD-Regelung f, Proportionalregelung f mit Differentialeinfluß (Vorhalt)	régulation f proportionnelle et dérivée (par dérivation), réglage m proportionnel et dérivé (par dérivation), régulation P. D., réglage P. D.	пропорциональное регулирование с упреждением (предварением), статическое регулирование [с воздействием] по производной
	proportional dividers \<US\>	s. proportional compasses		
P 3392	**proportional feedback**	starre (statische) Rückführung f	contre-réaction f serrée (forte)	жесткая (статическая) обратная связь
P 3393	**proportional-flow weir,** Sutro weir	Sutro-Überfall m, Überfall m nach Sutro	déversoir m de Sutro	водослив Сутро
	proportional frequency	s. relative frequency		
	proportional input	s. proportional action		
P 3394	**proportional, integral, and derivative action**	Proportional-Integral-Differential-Verhalten n, PID-Verhalten n; PID-Einfluß m, Proportional-Integral-Differential-Einfluß m, PID-Einwirkung f	action f proportionnelle, par dérivation et par intégration; action P. I. D.	воздействие по координате, по производной и по интегралу
P 3395	**proportional integral control,** proportional plus reset control, P.I. control	PI-Regelung f, Proportional-Integral-Regelung f	régulation f proportionnelle et intégrale (par intégration), réglage m proportionnel et intégral (par intégration), régulation P. I., réglage P. I.	пропорционально-интегральное регулирование, изодромное регулирование, регулирование по координате и интегралу
P 3396	**proportional integral control[ler],** proportional plus reset control[ler], P.I. control[ler]	PI-Regler m, Proportional-Integral-Regler m, Regler m mit vorübergehender Statik; Isodromregler m	régulateur m proportionnel et intégral (par intégration), régulateur P. I.	пропорционально-интегральный регулятор, регулятор по координате и интегралу; изодромный регулятор
	proportional integral derivative control[ler]	s. derivative proportional integral controller		
P 3397	**proportional intensification** \<phot.\>	multiplikative (proportionale) Verstärkung f \<Phot.\>	renforcement m proportionnel \<phot.\>	пропорциональное усиление \<фот.\>
	proportional ionization chamber, proportional chamber	Proportionalionisationskammer f	chambre f proportionnelle, chambre d'ionisation proportionnelle	пропорциональная ионизационная камера
	proportionality coefficient	s. factor of proportionality		
	proportionality constant (factor)	s. factor of proportionality		
P 3398	**proportional[ity] limit,** limit of proportionality, proportional limit	Proportionalitätsgrenze f [im Hookeschen Gesetz], elastische Proportionalitätsgrenze, Gleichmaß[dehn]grenze f	limite f de proportionnalité, limite proportionnelle	предел пропорциональности
	proportional plus reset control[ler]	s. proportional integral control[ler]		
	proportional position control[ler]	s. proportional control[ler]		
P 3399	**proportional reducer,** true scale reducer	proportionaler Abschwächer m	faiblisseur m proportionnel, affaiblisseur m proportionnel	пропорциональный ослабитель, ослабитель пропорционального действия
P 3399a	**proportional region**	Intervall n der Proportionalität, Hookescher Bereich m	région f proportionnelle, intervalle m proportionnel	область пропорциональности, область упругости
P 3400	**proportional region** \<of the counter\>	Proportionalbereich m \<des Zählrohrs\>	région f proportionnelle (de proportionnalité) \<du tube compteur\>	область пропорциональности \<счетчика\>
	proportional to time	s. linear in time		
P 3401	**proportioning;** dimensioning; sizing; choice of parameters; design	Dimensionierung f, Bemessung f	dimensionnement m; sélection f des paramètres.	определение [геометрических] размеров; расчет размеров; определение параметров

	English	German	French	Russian
	proportioning	s. a. dosage		
	proportion of polarization, polarization degree, degree of polarization	Polarisationsgrad m	degré m de polarisation, proportion f de polarisation	степень поляризации, коэффициент поляризации
	proposition, assertion <math.>	Behauptung f <Math.>	assertion f <math.>	утверждение; положение, требующее доказательства <матем.>
	proposition	s. a. statement		
P 3402	propositional calculus, propositional logic, theory of propositions, sentential calculus (logic)	Aussagenlogik f, Aussagenkalkül m	logique f propositionnelle, logistique f, calcul m propositionnel	логика высказываний, исчисление высказываний
P 3403	proposition variable	Aussagenvariable f, Wahrheitswertvariable f	variable f propositionnelle	пропозициональная переменная
	propulsion	s. forward movement		
	propulsive jet	s. ram jet		
	prospecting, search	Erkundung f, Lagerstättensuche f, Prospektion f, Schürfung f	prospection f	поиски, разведка, изыскания, шурфование, шурфовка, проходка шурфов
P 3404	prospecting geophysics	Erkundungsgeophysik f	géophysique f de prospection	разведочная геофизика
P 3405	prospective current <of the circuit>	Netzkurzschlußstrom m	courant m propre <du circuit>	ток короткого замыкания в сети
P 3406	pros-position	pros-Stellung f	position f pros, prosposition f	*прос*-положение, 2,7-положение
P 3407	prosthetic group	prosthetische Gruppe f, Wirkgruppe f	groupement (groupe) m prosthétique	простетическая группа
P 3407a	protactinide	Protaktinid n, Protactinid n	protactinide m	протактинид
P 3408	protanomalous vision	Protanomalie f, Rotschwäche f	protanomalie f, vision f protanomale	протаномалия, протаномальное зрение
P 3409	protanopia, red blindness	Protanopie f, Rotblindheit f	protanopie f, daltonisme m portant sur le rouge	протанопия, слепота на красный свет
P 3410	protected, semi-enclosed <of instrument>	geschützt <Gerät>	protégé, de type protégé <de l'appareil>	защищенный, защищенного типа <о приборе>
P 3411	protected group	geschützte Gruppe f	groupe[ment] m blindé	защищенная группа
P 3412	protection <against, from>	Schutz m <gegen, vor>	protection f <contre>	защита <от>; предохранение; охрана; ограждение
	protection against lightning, lightning protection	Blitzschutz m	protection f contre la foudre	молниезащита, грозозащита
	protection against radiations	s. radiation protection		
	protection against shock hazard, shock-hazard protection, contact protection <el.>	Berührungsschutz m	protection f contre les contacts	защита от прикосновения
	protection against X-radiation, X-ray protection	Röntgen[strahlen]schutz m, Schutz m gegen (vor) Röntgenstrahlung	protection f contre les rayons X	защита от действия рентгеновских лучей
P 3413	protection factor	Schutzfaktor m	coefficient m de protection	защитный фактор (коэффициент)
P 3414	protection of sol	Solschutz m	protection f du sol	защита золя
	protection potential	s. protective potential		
	protection survey, health (radiation) monitoring, radiation survey	Strahlenschutzüberwachung f	contrôle m de protection, contrôle de rayonnements [ionisants], contrôle radiologique	радиационный контроль, дозиметрический контроль, радиологический контроль
	protection voltage	s. protective potential		
	protective action	s. protective effect		
P 3415	protective atmosphere, protective (inert) medium, inert atmosphere	Schutz[gas]atmosphäre f, Inertgasatmosphäre f; Schutzgaspolster n	atmosphère f protectrice, milieu m protecteur	защитная атмосфера (среда), атмосфера защитного (инертного) газа
	protective barrier	s. protective wall		
P 3416	protective cap, lens cap (lid, cover, guard)	Schutzkappe f, Objektivdeckel m	capuchon m protecteur [d'objectif], couvercle (bouchon) m d'objectif	крышка <для объектива>, крышка объектива
P 3417	protective clothing	Schutzkleidung f, Überkleidung f	vêtements mpl de sûreté (protection)	защитная спецодежда (одежда), защитный костюм
P 3418	protective coating	Schutzüberzug m	barrière f protectrice	защитное покрытие
P 3419	protective colloid	Schutzkolloid n	colloïde m protecteur	защитный коллоид
	protective compound	s. protective material		
P 3420	protective crust, crust	Kruste f, Schutzrinde f	croûte f, écorce f protectrice	корка, защитная корка
	protective effect, protective action	Schutzwirkung f, Schutzeffekt m	effet m protecteur (de protection), action f protectrice (protective)	защитное действие, защитный (предохранительный) эффект, защитная роль
P 3421	protective film, protective layer, cover film	Schutzschicht f	couche (pellicule) f protectrice	защитный слой, предохранительный слой, защитная пленка
P 3422	protective gap, spill gap	Schutzfunkenstrecke f	éclateur m de protection	защитный искровой промежуток, защитный разрядник
	protective gas; inert gas	inertes Gas n, Inertgas n; Schutzgas n	gaz m inerte; gaz de protection, gaz protecteur	инертный газ; защитный газ
P 3423	protective gloves	Schutzhandschuhe mpl	gants mpl protecteurs	защитные перчатки
	protective layer	s. protective film		
P 3424	protective material, protective compound (substance)	Schutzstoff m	matériel m protecteur, matière f protectrice	защитный материал, защитное вещество, протектор
	protective medium	s. protective atmosphere		
P 3424a	protective potential, protection potential (voltage)	Schutzpotential n, Schutzspannung f	potentiel m (tension f) de protection	защитный потенциал, защитное напряжение

	protective reactance coil, current-limiting reactor	Strombegrenzungsdrossel f, Kurzschlußdrossel f	inductance f de protection contre les surintensités	токоограничительный реактор
P 3425	protective resistance; protective resistor	Schutzwiderstand m	résistance f de protection	защитное (предохранительное, разрядное) сопротивление
	protective screen (shield), shield, shielding	Abschirmung f, Schild m, Schutzschirm m, Schirm m	bouclier m, blindage m; écran m protecteur, écran	защита, защитный экран, экран
P 3426	protective solution	Schutzlösung f	solution f protectrice	защитный раствор
	protective substance	s. protective material		
	protective tube housing	s. X-ray tube housing		
	protective value	s. lead equivalent		
P 3427	protective wall, radiation protective wall, protective barrier	Strahlenschutzwand f, Schutzwand f	mur m de protection [contre les rayonnements], barrière f de protection contre les rayonnements ionisants, écran m protecteur	защитная стена, защитный барьер, барьер, защитный экран; защитная перегородка
P 3427a	protein coat, protein shadow	Proteinhülle f	enveloppe f protéinique	протеиновая (белковая) оболочка (тень)
P 3428	protein metabolism	Eiweißstoffwechsel m	cycle m des protides, métabolisme m protidique	белковый обмен
	protein shadow	s. protein coat		
	protic acid	s. proton donor		
	protic base	s. proton acceptor		
	protium, light hydrogen, ¹H	leichter Wasserstoff m, Protium n, ¹H	hydrogène m léger, protium m, ¹H	легкий водород, протий, ¹H
P 3429	proto-arctic	Urarktik f	protoarctique m	протоарктика
P 3430	protoatmosphere, initial atmosphere	Uratmosphäre f, Protoatmosphäre f	protoatmosphère f, atmosphère f initiale	протоатмосфера, первоначальная атмосфера
P 3431	protocol of the experiment, record of the experiment; test protocol, test record	Versuchsprotokoll n	protocole m expérimental, rapport m d'expérience; rapport d'essai	протокол опыта; протокол испытания
P 3432	protogalaxy	Protogalaxis f, Urgalaxis f, Urnebel m	protogalaxie f	протогалактика
	protogeneous rock	s. primary rock		
P 3432a	protogenic solvent	protogenes Lösungsmittel n	solvant m protogène	протогенный растворитель
P 3433	protolysis, protolytic reaction	Protolyse f, protolytische Reaktion f	protolyse f, réaction f protolytique	протолиз, протолитическая реакция
P 3434	protolysis constant	Protolysekonstante f	constante f de protolyse	константа протолиза
P 3435	protolyte	Protolyt m	protolyte m	протолит
P 3436	protolytic equilibrium	protolytisches Gleichgewicht n	équilibre m protolytique	протолитическое равновесие
	protolytic reaction, protolysis	Protolyse f, protolytische Reaktion f	protolyse f, réaction f protolytique	протолиз, протолитическая реакция
P 3437	protomagmatic	protomagmatisch	protomagmatique	протомагматический
P 3438	proton, p	Proton n, p	proton m, p	протон, p
P 3439	proton accelerator	Protonenbeschleuniger m	accélérateur m de protons	протонный ускоритель
P 3440	proton acceptor, emprotid, proton base, prot[on]ic base, base [according to Brønsted]	Protonenakzeptor m, Emprotid n, Proton[en]base f, Base f [im Sinne von Brønsted]	accepteur m de proton, emprotide m, base f [protonique]	акцептор протона, эмпротид, протонное основание, основание
	proton acid	s. proton donor		
P 3441	proton activity, proton radioactivity	Protonenaktivität f	radioactivité (activité) f protonique	протонная радиоактивность (активность)
P 3442	proton affinity	Protonenaffinität f	affinité f protonique (des protons)	протонное сродство, сродство к протону
	proton base	s. proton acceptor		
P 3443	proton beam; proton ray; H ray	Protonenstrahl m, Protonenstrahlenbündel n, Protonenbündel n; H-Strahl m	faisceau m de protons, faisceau protonique; rayon m de protons, rayon protonique; rayon H	пучок протонов, протонный пучок; луч протонов, протонный луч
P 3443a	proton binding capacity	Protonenbindungsvermögen n	pouvoir m liant de protons	способность схватываться протон
P 3444	proton binding energy	Bindungsenergie f des Protons, Protonenbindungsenergie f	énergie f de liaison du proton	энергия связи протона
P 3445	proton bremsstrahlung	Protonenbremsstrahlung f	rayonnement m de freinage protonique, freinage m protonique	протонное тормозное излучение
P 3446	proton cloud	Protonenwolke f	nuage m de protons	протонное облако
P 3447	proton component	Protonenkomponente f	composante f protonique	протонная компонента
P 3448	proton cross-section, cross-section for protons	Protonen[wirkungs]querschnitt m, Wirkungsquerschnitt m für Protonen	section f efficace des (pour les) protons, section efficace protonique	протонное сечение, сечение для протонов
P 3448a	proton decay	Protonenzerfall m	désintégration f protonique	протонный распад
P 3449	proton-deuteron collision	Proton-Deuteron-Stoß m, p,d-Stoß m	choc m proton-deutéron, collision f proton-deutéron	протон-дейтеронное столкновение, столкновение между протонами и дейтонами, столкновение протонов с дейтонами
P 3450	proton donor, dysprotid, proton acid, prot[on]ic acid, acid [according to Brønsted]	Protonendonator m, Dysprotid n, Proton[en]säure f, Säure f [im Sinne von Brønsted]	donneur m de proton, dysprotide m, acide m [protonique]	донор протона, диспротид, протонная кислота, кислота

P 3451	proton-electron hypothesis, proton-electron theory	Proton-Elektron-Hypothese f, Protonen-Elektronen-Hypothese f, Proton-Elektron-Theorie f, Protonen-Elektronen-Theorie f	hypothèse f proton-électron, théorie f proton-électron	протоно-электронная гипотеза, протоно-электронная теория
P 3452	proton-electron model	Proton-Elektron-Modell n, Protonen-Elektronen-Modell n	modèle m proton-électron [du noyau]	протоно-электронная модель
	proton-electron theory	s. proton-electron hypothesis		
P 3453	proton emitter, proton radiator	Protonenstrahler m	émetteur m de protons, proto-émetteur m, radiateur m à protons	излучатель протонов
P 3454	proton evaporation	Protonenverdampfung f	évaporation f de protons	испарение протонов [из ядра]
P 3455	proton excess	Protonenüberschuß m	excédent m de protons	избыток протонов
P 3456	proton fission, proton-induced fission, p, f reaction	protoneninduzierte (protonenausgelöste) Spaltung f, Spaltung (Kernspaltung f) durch ein Proton, (p, f)-Prozeß m, (p, f)-Reaktion f	fission f provoquée par les protons, fission par les protons, réaction f (p, f), processus m (p, f)	деление ядра, вызванное протонами; деление ядра протонами, (p, f)-реакция, (p, f)-процесс
P 3456a	proton flare	Protonenfackel f, Protonenflare f	éruption f protonique, flare m protonique	протонная вспышка
P 3457	proton-gamma resonance, (p, γ) resonance	Proton-Gamma-Resonanz f, (p, γ)-Resonanz f	résonance f proton-gamma, résonance (p, γ)	резонанс реакции (p, γ)
P 3458	proton group	Protonengruppe f	groupe m de protons	группа протонов, протонная линия
	proton-induced fission	s. proton fission		
P 3459	proton linac (linear) accelerator	Linearbeschleuniger m für Protonen, Protonenlinearbeschleuniger m	accélérateur m linéaire de protons	протонный линейный ускоритель
P 3460	proton-magic	mit magischer Protonenzahl	à nombre magique de protons	с магическим числом протонов
	proton magnetic moment, magnetic moment of the proton	magnetisches Moment n des Protons	moment m magnétique du proton, moment magnétique protonique	магнитный момент протона
P 3461	proton magnetic resonance, ^{1}H magnetic resonance, PMR	magnetische Protonenresonanz f, proton[en]-magnetische Resonanz f, PMR	résonance f magnétique protonique, RMP, R. M. P.	протонный магнитный резонанс, ПМР
P 3462	proton magnetometer, proton precession[al] magnetometer, nuclear precession magnetometer	Kernpräzessionsmagnetometer n, Proton[en]präzessionsmagnetometer n, Präzessionsmagnetometer n	magnétomètre m à précession nucléaire	ядерный прецессионный магнитометр, магнитометр протонной прецессии
P 3463	proton mass, mass of the proton	Protonenmasse f, Masse f des Protons	masse f protonique, masse du proton	масса протона
P 3464	proton microscope	Protonenmikroskop n	microscope m protonique	протонный микроскоп
P 3465	proton-neutron [exchange] force	Proton-Neutron-Kraft f, Proton-Neutron-Austauschkraft f	force f proton-neutron, force d'interchange proton-neutron	протон-нейтронная сила, протон-нейтронная обменная сила
	proton-neutron hypothesis	s. proton-neutron theory		
P 3466	proton-neutron model [of the nucleus]	Proton-Neutron-Modell n [des Atomkerns], Protonen-Neutronen-Modell n [des Atomkerns]	modèle m proton-neutron [du noyau]	протоно-нейтронная модель [ядра]
P 3467	proton-neutron reaction, (p,n) reaction, (p,n) process	Proton-Neutron-Reaktion f, Proton-Neutron-Prozeß m, (p,n)-Reaktion f, (p,n)-Prozeß m	réaction f proton-neutron, processus m proton-neutron, réaction [du] type (p,n), réaction p,n, processus p,n	протон-нейтронная реакция, протон-нейтронный процесс, реакция (p,n)
P 3468	proton-neutron theory, proton-neutron hypothesis	Protonen-Neutronen-Theorie f, Proton-Neutron-Theorie f, Protonen-Neutronen-Hypothese f, Proton-Neutron-Hypothese f	théorie f proton-neutron, hypothèse f proton-neutron	протоно-нейтронная теория, протоно-нейтронная гипотеза
	proton number	s. atomic charge <nucl.>		
P 3469	protonogram	Protonogramm n, Protonenbeugungsaufnahme f	protonogramme m	протонограмма
P 3470	protonosphere	Protonosphäre f	protonosphère f	протоносфера
P 3471	proton peak	Protonenlinie f, Protonenpeak m	pic m (ligne f, raie f) protonique	протонная линия, протонный максимум
P 3472	proton precession	Protonenpräzession f, Protonpräzession f	précession f protonique (du proton)	протонная прецессия, прецессия протона
	proton precessional magnetometer	s. proton magnetometer		
P 3473	proton precession frequency	Proton[en]präzessionsfrequenz f	fréquence f de précession protonique	частота протонной прецессии
P 3474	proton projection operator	Protonenprojektionsoperator m	opérateur m de projection du proton	проекционный оператор протона
P 3475	proton-proton chain	Proton-Proton-Kette f	chaîne f proton-proton	протон-протонная цепь реакций
P 3476	proton-proton cross-section	Wirkungsquerschnitt m für (der) Proton-Proton-Wechselwirkung, Proton-Proton-Wechselwirkungsquerschnitt m, Proton-Proton-Querschnitt m	section f efficace proton-proton	сечение протон-протонного взаимодействия

P 3477	**proton-proton force**	Proton-Proton-Kraft f	force f proton-proton	протон-протонная сила, протоно-протонная сила
P 3478	**proton-proton interaction, p-p interaction**	Proton-Proton-Wechselwirkung f, p-p-Wechselwirkung f	interaction f proton-proton, interaction p-p	протон-протонное взаимодействие, взаимодействие протонов с протонами, pp-взаимодействие
P 3479	**proton-proton range, p-p range**	Proton-Proton-Reichweite f, p-p-Reichweite f	parcours m proton-proton	протон-протонный пробег
P 3480	**proton-proton reaction, H-H reaction, H process**	Proton-Proton-Reaktion f, H-H-Reaktion f, H-Prozeß m, Wasserstoffzyklus m, Wasserstoffprozeß m, Wasserstoffreaktion f	réaction f en chaîne proton-proton, réaction proton-proton, réaction H-H, procédé m H-H, procédé H, processus m H	протон-протонная реакция, протонная реакция, H-процесс
P 3481	**proton-proton scattering**	Proton-Proton-Streuung f, p-p-Streuung f, (p,p′)-Prozeß m	diffusion f proton-proton	рассеяние протонов на протонах, протон-протонное рассеяние, pp-рассеяние
	proton radiator, proton emitter	Protonenstrahler m	émetteur m de protons, proto-émetteur m, radiateur m à protons	излучатель протонов
	proton radioactivity, proton activity	Protonenaktivität f	radioactivité (activité) f protonique	протонная радиоактивность (активность)
	proton radius, electrostatic radius <of nucleus>	elektrostatischer Radius m, Protonenradius m	rayon m électrostatique, rayon protonique	электростатический радиус, протонный радиус <ядра>
	proton ray	s. proton beam		
P 3482	**proton recoil**	Protonenrückstoß m	recul m du proton, recul protonique	отдача протона
P 3482a	**proton recoil counter [tube]**	Rückstoßprotonenzählrohr n, Protonenrückstoßzählrohr n	tube m compteur à protons de recul	счетчик протонов отдачи
P 3483	**proton recoil detector**	Rückstoßprotonendetektor m, Protonenrückstoßdetektor m	détecteur m à protons de recul	детектор протонов отдачи
P 3484	**proton recoil scintillation counter**	Rückstoßprotonen-Szintillationszähler m, Protonenrückstoß-Szintillationszähler m	compteur m (détecteur m, tube m compteur) à scintillations à protons de recul	сцинтилляционный счетчик протонов отдачи
P 3485	**proton resonance**	Protonenresonanz f	résonance f protonique, résonance de protons	протонный резонанс
P 3486	**proton resonance frequency**	Protonenresonanzfrequenz f	fréquence f de résonance protonique	частота протонного резонанса
P 3487	**proton space charge**	Protonenraumladung f	charge f spatiale protonique	пространственный протонный заряд
P 3488	**proton spectrometer**	Protonenspektrometer n	spectromètre m pour protons, spectromètre à protons, spectromètre protonique	протонный спектрометр
P 3489	**proton spectrum**	Protonen[energie]spektrum n	spectre m protonique	энергетический спектр протонов
P 3490	**proton spin**	Protonenspin m	spin m du proton	спин протона
P 3491	**proton state**	Protonzustand m	état m protonique	протонное состояние, состояние протона
P 3491a	**proton storm**	Protonensturm m	orage m protonique	протонная буря
P 3492	**proton stripping**	Protonenstripping n, Herausreißen n eines Protons <aus dem Atomkern>	stripage m d'un proton, cassure f en vol d'un proton	срыв протона, стриппинг протона
	proton synchrotron	s. heavy-particle synchrotron		
	proton target; hydrogen target	Wasserstofftarget n; Protonentarget n	cible f en hydrogène; cible à protons	водородная мишень; протонная мишень
	proton transfer reaction, hydrogen atom transfer [reaction]	Protonentransferreaktion f, Wasserstoffatom-Transferreaktion f	réaction f de transfert d'un atome de l'hydrogène, réaction de transfert d'un proton	фотоперенос протона, реакция фотопереноса протона
P 3493	**proton transition**	Protonenübergang m	transition f protonique	протонный переход
P 3494	**proton wave**	Protonenwelle f	onde f protonique	протонная волна
P 3495	**proton wavelength**	Protonenwellenlänge f	longueur f d'onde du proton	длина протонной волны
P 3495a	**protophilic solvent**	protophiles Lösungsmittel n	solvant m protophile	протофильный растворитель
P 3496	**protoplanet**	Urplanet m, Protoplanet m	protoplanète f	протопланета
P 3497	**protoplanetary cloud, preplanetary cloud**	Urwolke f	nuage m protoplanétaire	допланетное облако
P 3498	**protoplasmic bridge**	Protoplasmabrücke f	pont m protoplasmique	протоплазматический мостик
P 3499	**protoplasmic colloid**	Plasmakolloid n	colloïde m protoplasmique	коллоид протоплазмы
P 3500	**protoplasmic droplet**	Plasmatröpfchen n	goutte f cytoplasmique	цитоплазматическая капля
P 3501	**protoplasmic potential**	Protoplasmapotential n	potentiel m protoplasmique	протоплазматический потенциал
P 3502	**protoplasmic streaming, plasma streaming**	Plasmaströmung f, Protoplasmaströmung f	courant m cytoplasmique	протоплазматический ток
P 3503	**protoplasmic surface, plasma boundary layer <bio.>**	Plasmagrenzschicht f <Bio.>	couche f cytoplasmique <bio.>	протоплазматический слой <био.>
P 3504	**protoplasm in connection with the wall**	wandständiges Protoplasma n	protoplasma m le long de la paroi	итоплазма в пристеночном положении, пристеночная цитоплазма
P 3505	**protoprism, prism of the first order, unit prism**	Protoprisma n, Prisma n erster Art	protoprisme m	протопризма
P 3506	**protopyramid, pyramid of the first order, unit pyramid**	Protopyramide f, Pyramide f erster Art	protopyramide f	протопирамида

P 3507	**protosatellite**	Urmond *m*, Protomond *m*	protosatellite *m*	протоспутник
P 3508	**protostar**	Protostern *m*, Urstern *m*	proto-étoile *f*	протозвезда, зарождающаяся звезда
P 3509	**protostellar**	protostellar	protostellaire	протозвездный
P 3510	**protosun**	Ursonne *f*, Protosonne *f*	protosoleil *m*, soleil *m* primitif	протосолнце
P 3511	**prototropic work**	prototroper Arbeitsaufwand *m*	travail *m* prototrope	прототропная работа
P 3512	**prototropy**	Prototropie *f*	prototropie *f*	прототропия
P 3513	**prototype**	Prototyp *m*, Urmuster *n*, Urtyp *m*	prototype *m*	прототип
	prototype meter, international prototype meter, mètre des archives, primary meter	Urmeter *n*	mètre *m* des archives, mètre étalon, mètre primaire	метр-прототип, нормальный метр, эталонный метр
P 3514	**prototype of kilogramme**	Kilogrammprototyp *m*	kilogramme-étalon *m*	эталон килограмма, прототип килограмма
P 3515	**prototype of metre**	Meterprototyp *m*	mètre-étalon *m*	эталон метра
	protracted irradiation (treatment)	s. protraction [of dose]		
P 3516	**protraction [of dose]**, dose protraction, protracted treatment, protracted irradiation	Protrahierung *f* [der Dosis], Dosisprotrahierung *f*, protrahierte Bestrahlung *f*, Coutardsche Bestrahlung	étalement *m* de la dose, prolongation *f* de la dose, protraction *f* de la dose, irradiation *f* étalée, irradiation prolongée	растягивание дозы, непрерывное облучение при малой мощности дозы, продолжительное облучение, продолжительная терапия, протрагирование дозы
	protraction of the line	s. lengthening		
	protractor	s. angle protractor		
	protractor	s. contact goniometer		
P 3517	**protractor ocular head**, eyepiece goniometer, goniometer (goniometric) eyepiece	Goniometerokular *n*, Winkelmeßokular *n*, Okulargoniometer *n*	oculaire *m* goniométrique	окулярный гониометр, окуляр-гониометр
	protrusion	s. bulging		
P 3518	**Prött['s] formula**	Pröttsche Näherungsformel (Formel) *f*	formule *f* de Prött	формула Претта
P 3519	**Prött temperature**	Prött-Temperatur *f*, Pröttsche Temperatur *f*	température *f* de Prött	температура Претта
	protuberance	s. prominence		
	proustide	s. daltonide		
P 3520	**Prout['s] hypothesis**	Proutsche Hypothese *f*	hypothèse *f* de Prout	гипотеза Праута (Проута)
P 3521	**provable**	beweisbar	démontrable	доказуемый
	provisional mean	s. working mean		
	prow problem, problem of smooth detachment	Bugwellenproblem *n*, Bugwellenablösungsproblem *n*	problème *m* de la proue	проблема носовой волны
	proximity	s. vicinity		
P 3522	**proximity effect**	Nahewirkung *f*, Naheffekt *m*	effet *m* de proximité	эффект близости, близостный эффект
P 3523	**proximity theory**, Faraday's theory	Nahewirkungstheorie *f*, Faradaysche Nahewirkungstheorie	théorie *f* de l'effet de proximité, théorie de Faraday	теория близкодействия, теория Фарадея
	PR unit, photofluorograph[ic unit], photoroentgen unit	Schirmbildgerät *n*, Röntgenschirmbildgerät *n*	appareil *m* de radiophotographie	флуорограф, флюорограф
P 3523a	**Prym['s] function**	Prymsche Funktion *f*	fonction *f* de Prym	функция Прима
P 3524	**pseudo acidity**	Pseudoacidität *f*	pseudo-acidité *f*	псевдокислотность
	pseudoadiabat	s. moist adiabat		
	pseudoadiabatic	s. moist adiabatic		
	pseudoadiabatic line	s. moist adiabat		
P 3525	**pseudo-allelism**	Pseudoallelie *f*	pseudo-allélisme *m*	псевдоаллелизм
P 3526	**pseudoanalytic function**	pseudoanalytische Funktion *f*	fonction *f* pseudo-analytique	псевдоаналитическая функция
P 3527	**pseudo-anomaly coefficient**, coefficient of pseudo-anomaly	Pseudoanomaliekoeffizient *m*	coefficient *m* de la pseudo-anomalie	коэффициент псевдоаномалии
P 3528	**pseudo-anomaly potential**	Pseudoanomaliepotential *n*	potentiel *m* de la pseudo-anomalie	потенциал псевдоаномалии
P 3529	**pseudoantagonism**	Pseudoantagonismus *m*	pseudo-antagonisme *m*	псевдоантагонизм
P 3530	**pseudoatom**	Pseudoatom *n*	pseudo-atome *m*	псевдоатом
P 3531	**pseudo-axisymmetric flow of the first <second> kind**	pseudorotationssymmetrische Strömung *f* erster <zweiter> Art	mouvement *m* pseudo de révolution de première <deuxième> espèce	псевдоосесимметричное течение первого <второго> рода
P 3532	**pseudobalance**, symbolic balance <of the bridge>	Pseudoabgleich *m* <Brücke>	pseudo-équilibrage *m* [du pont], équilibrage *m* symbolique [du pont]	псевдоуравновешивание [мостика]
P 3533	**pseudo basicity**	Pseudobasizität *f*	pseudo-basicité *f*	псевдоосновность
P 3534	**pseudo Brewster angle**	pseudo-Brewsterscher Winkel *m*, Pseudo-Brewster-Winkel *m*	angle *m* pseudo-brewstérien	ложный угол Брюстера
P 3535	**pseudocatalysis**	Pseudokatalyse *f*	pseudocatalyse *f*	псевдокатализ
P 3536	**pseudocatenoid**	Pseudokatenoid *n*	pseudo-caténoïde *f*	псевдокатеноид
P 3537	**pseudocavitation**	Pseudokavitation *f*	pseudo-cavitation *f*	псевдокавитация
P 3538	**pseudo[-]cirrus**	Pseudocirrus *m*, Pseudozirrus *m*	pseudo-cirrus *m*, faux cirrus *m*	ложный циррус, ложное перистое облако, перистое ложное облако
P 3539	**pseudocleavage**, false cleavage	Pseudoschieferung *f*	pseudo-clivage *m*, clivage *m* faux	ложный кливаж, псевдокливаж; ложная сланцеватость
P 3540	**pseudocolloid**	Pseudokolloid *n*	pseudo-colloïde *m*	псевдоколлоид
P 3541	**pseudocombination**, dummy combination	Scheinkombination *f*, Scheinbehandlung *f*	pseudo-combinaison *f*	псевдокомбинация, условная комбинация
	pseudo co-ordinate, non-holonomic co-ordinate, quasi co-ordinate	nichtholonome Koordinate *f*, Pseudokoordinate *f*, Quasikoordinate *f*	coordonnée *f* non holonomique, pseudo-coordonnée *f*, quasi-coordonnée *f*	неголономная координата, квазикоордината, псевдокоордната

	English	German	French	Russian
P 3542	pseudocritical temperature	pseudokritische Temperatur *f*	température *f* pseudo-critique	псевдокритическая температура
P 3543	pseudocritical volume	pseudokritisches Volumen *n*	volume *m* pseudo-critique	псевдокритический объем
P 3544	pseudocrystal, pseudo-crystallite	Pseudokristall *m*	pseudo-cristal *m*	псевдокристалл, ложный кристалл, псевдокристаллит
P 3545	pseudo-damping	Pseudodämpfung *f*	pseudo-amortissement *m*	псевдозатухание
P 3546	pseudodipolar coupling	Pseudodipolkopplung *f*, pseudodipolare Kopplung *f*	couplage *m* pseudo-dipolaire	псевдодипольная связь
	pseudodipolar effect (interaction)	s. pseudodipole effect		
P 3547	pseudo dipole-dipole interaction	Pseudo-Dipol-Dipol-Wechselwirkung *f*	pseudo-interaction *f* dipôle-dipôle	ложное диполь-дипольное взаимодействие
P 3548	pseudodipole effect, pseudodipolar effect, pseudodipolar interaction	Pseudodipolwechselwirkung *f*, pseudodipolare Wechselwirkung *f*, Pseudodipoleffekt *m*	interaction *f* pseudo-dipolaire, effet *m* pseudo-dipolaire	псевдодипольное взаимодействие
P 3549	pseudodislocation <geo.>	Pseudodislokation *f*, Pseudostörung *f* <Geo.>	pseudodislocation *f* <géo.>	псевдодислокация <гео.>
P 3549a	pseudo[-]effect	Scheinwirkung *f*; Pseudoeffekt *m*	pseudo-effet *m*	псевдоэффект
P 3550	pseudoelliptic integral	pseudoelliptisches Integral *n*	intégrale *f* pseudo-elliptique	псевдоэллиптический интеграл
P 3551	pseudo-equilibrium	Pseudogleichgewicht *n*	pseudo-équilibre *m*	псевдоравновесие
P 3552	pseudo-equilibrium process	Pseudogleichgewichtsprozeß *m*	processus *m* pseudo-équilibré	псевдоравновесный процесс
P 3553	pseudo-Euclidean metric	pseudoeuklidische Metrik *f*	métrique *f* pseudo-euclidienne	псевдоевклидова метрика
P 3554	pseudo-Euclidean space	pseudoeuklidischer Raum *m*	espace *m* pseudo-euclidien	псевдоевклидово пространство
P 3555	pseudo *E*-wave	Pseudo-*E*-Welle *f*	onde *f* pseudo-*E*	ложная *E*-волна, псевдо-*E*-волна
P 3556	pseudo-exact solution	pseudoexakte Lösung *f*	solution *f* pseudo-exacte	псевдоточное решение
P 3557	pseudo exchange interaction	Pseudoaustauschwechselwirkung *f*	pseudo-interaction *f* d'échange	ложное обменное взаимодействие
P 3558	pseudo-fading	Pseudofading *n*, Pseudoschwund *m*	pseudo-fading *m*	псевдозамирание, псевдофединг
P 3559	pseudo four-tensor, pseudo 4-tensor	Pseudovierertensor *m*	pseudo-tenseur *m* quadri-dimensionnel	четырехмерный псевдотензор
P 3560	pseudo-frequency	Pseudofrequenz *f*	pseudofréquence *f*	частота затухающих колебаний
	pseudofront, apparent front, false front	Scheinfront *f*	front *m* apparent, pseudo-front *m*	мнимый (фиктивный, ложный) фронт, псевдофронт
P 3561	pseudogel	Pseudogel *n*	pseudo-gel *m*	псевдогель
P 3562	pseudogley	Pseudogley *m*, gleyartiger (marmorierter) Boden *m*, Staunässegley *m*, nasser (wechselfeuchter) Waldboden *m*	pseudogley *m*	псевдоглей
P 3562a	pseudo g-value	Pseudo-*g*-Wert *m*	valeur *f* pseudo-*g*	псевдо-*g*-фактор
P 3563	pseudoharmonic function	pseudoharmonische Funktion *f*	fonction *f* pseudoharmonique	псевдогармоническая функция
	pseudoharmonic oscillation, pseudoharmonic vibration, non-linear vibration, non-linear oscillation	nichtlineare Schwingung *f*, pseudoharmonische Schwingung	oscillation (vibration) *f* non linéaire, vibration des systèmes à caractéristiques non linéaires, oscillation (vibration) pseudoharmonique	нелинейное колебание, псевдогармоническое колебание
P 3564	pseudo Hermitian symmetry	Pseudo-Hermite-Symmetrie *f*, pseudo-Hermitesche Symmetrie *f*	symétrie *f* pseudo-hermitique	псевдо-эрмитова симметрия
P 3565	pseudo-high vacuum	Pseudohochvakuum *n*	pseudo haut vide *m*, vide pseudo-haut	псевдовысокий вакуум
P 3566	pseudohomogeneous	pseudohomogen	pseudohomogène	псевдогомогенный
P 3567	pseudo *H*-wave	Pseudo-*H*-Welle *f*	onde *f* pseudo-*H*	ложная *H*-волна, псевдо-*H*-волна
P 3568	pseudoimage	Pseudobild *n*	pseudo-image *f*	псевдоизображение, ложное изображение
P 3569	pseudo instruction, pseudo-order	symbolischer Befehl *m*, Pseudobefehl *m*	pseudo-instruction *f*, pseudo-ordre *m*, ordre *m* symbolique	псевдокоманда, символическая команда
P 3570	pseudo-integral equation	Pseudointegralgleichung *f*	équation *f* pseudo-intégrale	псевдоинтегральное уравнение
P 3571	pseudo-isochromatic plate	pseudoisochromatische Farbtafel (Tafel) *f*	plaque *f* (tableau *m*) pseudo-isochromatique	псевдоизохроматическая таблица
P 3572	pseudoisomerism	Pseudoisomerie *f*	pseudo-isomérie *f*	псевдоизомерия
	pseudo-labile	s. moist-labile		
P 3573	pseudolaminar flow	pseudolaminare Strömung *f*	mouvement *m* pseudo-laminaire, écoulement *m* pseudo-laminaire	псевдоламинарное течение
P 3574	pseudo lens, pinhole	Loch *n* <Lochkamera>	sténopé *m*	отверстие <стенопа>; булавочный прокол
P 3575	pseudo-lineal motion	pseudolineale Bewegung *f*	mouvement *m* pseudo-unidimensionnel	псевдо-одномерное движение
P 3576	pseudo-Maxwellian molecular force	pseudo-Maxwellsche Molekularkraft *f*	force *f* moléculaire pseudo-maxwellienne	псевдо-максвелловская молекулярная сила
P 3577	pseudo Maxwellian molecule	pseudo-Maxwellsches Molekül *n*	molécule *f* pseudo-maxwellienne	псевдо-максвелловская (псевдо-максвеллова) молекула
P 3578	pseudomerism	Pseudomerie *f*	pseudomérie *f*	псевдомерия

P 3579	pseudo-monocrystal, pseudo single crystal	Pseudoeinkristall m	pseudo-monocristal m	псевдомонокристалл
P 3580	pseudomonotropy	Pseudomonotropie f	pseudo-monotropie f	псевдомонотропия
	pseudomorph (crystal), pseudomorphous crystal	pseudomorpher Kristall m, Afterkristall m	cristal m pseudomorphe	псевдоморфный кристалл
	pseudomorphism	s. pseudomorphosis		
P 3581	pseudomorphism [of crystals], pseudomorphy, crystal pseudomorphism	Pseudomorphie f, Kristall-pseudomorphie f	pseudomorphie f [des cristaux]	псевдоморфизм [кристаллов]
P 3582	pseudomorphosis, pseudomorphism	Pseudomorphose f, Kristall-pseudomorphose f, After-kristallbildung f	pseudomorphose f	псевдоморфоза, псевдоморфизм
P 3583	pseudomorphous crystal, pseudomorph [crystal]	pseudomorpher Kristall m, Afterkristall m	cristal m pseudomorphe	псевдоморфный кристалл
	pseudomorphy	s. pseudomorphism		
	pseudo-order, pseudo instruction	symbolischer Befehl m, Pseudobefehl m	pseudo-instruction f, pseudo-ordre m, ordre m symbolique	псевдокоманда, символическая команда
P 3584	pseudo parallel	pseudoparallel	pseudo-parallèle	псевдопараллельный
	pseudo-parallel displacement	s. parallel displacement <of vectors>		
P 3585	pseudoperiod	Pseudoperiode f	pseudo-période f	псевдопериод, период затухающих колебаний
P 3586	pseudoperiodic quantity	pseudoperiodische Größe f	grandeur f pseudo-périodique	псевдопериодическая величина
	pseudoplane flow	s. pseudoplane motion		
P 3587	pseudoplane motion; pseudoplane flow <of the first, second kind>	pseudoebene Bewegung f; pseudoebene Strömung f <erster, zweiter Art>	mouvement m pseudo-plan <de première, deuxième espèce>	псевдоплоское движение; псевдоплоское течение, псевдоплоский поток <первого, второго рода>
P 3588	pseudoplastic fluid	pseudoplastische Flüssigkeit f	fluide m pseudo-plastique	псевдопластическая жидкость
P 3589	pseudoplasticity	Pseudoplastizität f	pseudo-plasticité f	псевдопластичность
P 3590	pseudopotential	Pseudopotential n	pseudo-potentiel m	псевдопотенциал
P 3591	pseudopotential temperature	pseudopotentielle Temperatur f	température f pseudo-potentielle	псевдопотенциальная температура
	pseudopsy, optical illusion	geometrisch-optische Wahrnehmungsverzerrung f, [geometrisch-]optische Täuschung f	illusion f optique, pseudopsie f	обман зрения, оптический обман, оптическая иллюзия
	pseudoquadrupolar effect (interaction), pseudoquadrupole effect	Pseudoquadrupolwechselwirkung f, Pseudoquadrupoleffekt m	interaction f (effet m) pseudo-quadripolaire	псевдоквадрупольное взаимодействие
P 3592	pseudoquadrupole	Pseudoquadrupol m	pseudoquadripôle m	псевдоквадруполь
P 3593	pseudoquadrupole effect, pseudoquadrupolar effect (interaction)	Pseudoquadrupolwechselwirkung f, Pseudoquadrupoleffekt m	interaction f (effet m) pseudo-quadripolaire	псевдокрадрупольное взаимодействие
P 3594	pseudoracemate	Pseudorazemat n, pseudorazemische Verbindung f	pseudo-racémate m	псевдорацемический смешанный кристалл
P 3595	pseudorandom function	Pseudozufallsfunktion f	fonction f pseudo-aléatoire	псевдослучайная функция
P 3596	pseudorandom number	Pseudozufallszahl f	nombre m pseudo-aléatoire	псевдослучайное число
P 3597	pseudorandom sequence	Pseudozufallsfolge f	séquence f pseudo-aléatoire	псевдослучайная последовательность
P 3598	pseudoregular precession	pseudoreguläre Präzession f	précession f pseudo-régulière	псевдорегулярная прецессия
P 3599	pseudoscalar, pseudoscalar quantity	Pseudoskalar m, pseudoskalare Größe f	pseudo-scalaire f, grandeur f pseudoscalaire, scalaire m de deuxième espèce	псевдоскаляр, псевдоскалярная величина
P 3600	pseudoscalar coupling	pseudoskalare Kopplung f	couplage m pseudo-scalaire	псевдоскалярная связь
P 3601	pseudoscalar coupling constant	pseudoskalare Kopplungskonstante f	constante f de couplage pseudo-scalaire	псевдоскалярная константа связи
	pseudoscalar effect	s. pseudoscalar interaction		
P 3602	pseudoscalar field; pseudoscalar potential field	pseudoskalares Feld n, Pseudoskalarfeld n; pseudoskalares Potentialfeld n	champ m pseudo-scalaire; champ de potentiel pseudo-scalaire	псевдоскалярное поле, ps-поле; псевдоскалярное потенциальное поле
P 3603	pseudoscalar interaction, pseudoscalar effect	pseudoskalare Wechselwirkung f, Pseudoskalarwechselwirkung f, Pseudoskalareffekt m	interaction f pseudo-scalaire, effet m pseudo-scalaire	псевдоскалярное взаимодействие
P 3604	pseudoscalar meson theory, pseudoscalar theory	pseudoskalare Mesonentheorie (Mesonenfeldtheorie) f, pseudoskalare Theorie f	théorie f mésique pseudo-scalaire, théorie pseudo-scalaire	псевдоскалярная мезонная теория, псевдоскалярная теория
P 3605	pseudoscalar potential <of nuclear forces>	pseudoskalares Potential n [der Kernkräfte]	potentiel m pseudo-scalaire [des forces nucléaires]	псевдоскалярный потенциал [ядерных сил]
	pseudoscalar potential field	s. pseudoscalar field		
	pseudoscalar quantity	s. pseudoscalar		
	pseudoscalar theory	s. pseudoscalar meson theory		
P 3606	pseudoscopic effect, pseudoscopic phenomenon	pseudoskopische Erscheinung f, pseudoskopischer Effekt m, pseudostereoskopischer Eindruck m	effet m pseudoscopique, phénomène m pseudoscopique	псевдоскопическое явление, псевдоскопический эффект
P 3607	pseudoscopy	Pseudoskopie f, Tiefenverkehrung f, tiefenverkehrte Wiedergabe f	pseudoscopie f	псевдоскопия
	pseudo single crystal	s. pseudo-monocrystal		

	English	German	French	Russian
	pseudo solarization, Sabattier effect <phot.>	Sabattier-Effekt *m*, Sabattier-Bildumkehrung *f* <Phot.>	effet *m* Sabattier, pseudo-solarisation *f* <phot.>	явление (эффект) Сабатье, псевдосоляризация <фот.>
P 3608	pseudo[-]solution	Pseudolösung *f*	pseudo-solution *f*	псевдораствор
P 3609	pseudosphere, pseudospherical surface	Pseudosphäre *f*, pseudosphärische Fläche *f*	pseudo-sphère *f*, surface *f* pseudo-sphérique	псевдосфера, псевдосферическая поверхность
P 3610	pseudospherical space	pseudosphärischer Raum *m*	espace *m* pseudosphérique	псевдосферическое пространство
	pseudospherical surface	s. pseudosphere		
P 3610a	pseudostable state	pseudostabiler Zustand *m*	état *m* pseudo-stable	псевдоустойчивое состояние
P 3611	pseudostationary boundary layer	pseudostationäre Grenzschicht *f*	couche *f* limite pseudostationnaire	псевдостационарная граница раздела, псевдостационарный пограничный слой
	pseudostereoscopic effect	s. stroboscopic effect		
P 3612	pseudo[-]stress	Pseudospannung *f*	pseudo-tension *f*	псевдонапряжение
P 3613	pseudo[-]symmetry	Pseudosymmetrie *f*	pseudo-symétrie *f*; pseudo-mériédrie *f*	псевдосимметрия; псевдомероэдрия
P 3614	pseudotemperature	Pseudotemperatur *f*	pseudo-température *f*	псевдотемпература
P 3615	pseudotensor	Pseudotensor *m*	pseudo-tenseur *m*	псевдотензор
P 3616	pseudo tensor density	Pseudotensordichte *f*	densité *f* quasi tensorielle	псевдотензорная плотность
P 3617	pseudo-thermostatics	Pseudothermostatik *f*	pseudo-thermostatique *f*	псевдотермостатика
P 3618	pseudotime	Pseudozeit *f*	pseudotemps *m*	псевдовремя
P 3619	pseudotopotaxis	Pseudotopotaxis *f*	pseudo-topotactisme *m*	псевдотопотаксис
P 3620	pseudo-turbulent flow; pseudo-turbulent motion	pseudoturbulente Bewegung *f*; pseudoturbulente Strömung *f*	mouvement *m* pseudoturbulent, écoulement *m* pseudoturbulent	псевдотурбулентное движение; псевдотурбулентное течение, псевдотурбулентный поток
P 3621	pseudo[-]twin	Pseudozwilling *m*	pseudo-macle *m*, pseudomacle *m*	псевдодвойник, ложный двойник
P 3622	pseudo-unimolecular reaction	pseudomonomolekulare Reaktion *f*	réaction *f* pseudo-monomoléculaire	псевдоодномолекулярная реакция
P 3623	pseudo-unitary	pseudounitär	pseudo-unitaire	псевдоунитарный
P 3624	pseudo[]variable [star], improper variable [star], extrinsic variable [star]	Pseudoveränderlicher *m*, uneigentlicher Veränderlicher *m*	pseudovariable *f*, variable *f* impropre, variable extrinsèque	псевдопеременная [звезда]
	pseudovector	s. axial vector		
P 3625	pseudovector coupling, axial coupling, axial vector coupling	pseudovektorielle Kopplung *f*, Pseudovektorkopplung *f*, Axialvektorkopplung *f*, axiale Kopplung	couplage *m* pseudovectoriel, couplage axial, couplage par vecteur axial	псевдовекторная связь, аксиально-векторная связь, аксиальная связь
	pseudovector effect	s. pseudovectorial interaction		
P 3626	pseudovectorial field; pseudovectorial potential field	pseudovektorielles Feld *n*, Pseudovektorfeld *n*; pseudovektorielles Potentialfeld *n*	champ *m* pseudovectoriel; champ de potentiel pseudovectoriel	псевдовекторное поле, *pv*-поле; псевдовекторное потенциальное поле
P 3627	pseudovectorial interaction, pseudovector interaction, pseudovector effect, axial vector interaction, axial interaction	pseudovektorielle Wechselwirkung *f*, Pseudovektorwechselwirkung *f*, Pseudovektoreffekt *m*, Axialvektorwechselwirkung *f*, axiale Wechselwirkung	interaction *f* pseudovectorielle, effet *m* pseudo-vectoriel, interaction axiale, interaction par vecteur axial	псевдовекторное взаимодействие, аксиальное взаимодействие, аксиально-векторное взаимодействие
P 3628	pseudovectorial potential <of nuclear forces>	pseudovektorielles Potential *n* [der Kernkräfte], Pseudovektorpotential *n* [der Kernkräfte]	potentiel *m* pseudovectoriel [des forces nucléaires]	псевдовекторный потенциал [ядерных сил]
	pseudovectorial potential field	s. pseudovectorial field		
	pseudovector interaction	s. pseudovectorial interaction		
P 3629	pseudovelocity of sound	Pseudoschallgeschwindigkeit *f*	pseudo-vitesse *f* du son	псевдоскорость звука
P 3629a	pseudo-wet-bulb temperature	Pseudofeuchttemperatur *f*	température *f* pseudo-humide	температура псевдоточки росы
	pseudo-zero point, symbolic zero	Pseudonullpunkt *m*	zéro *m* symbolique	ложный нуль, ложная нулевая точка
	psi-function, digamma function	Digammafunktion *f*, [Gaußsche] Psi-Funktion *f*, Gaußsche Ψ-Funktion, Ψ-Funktion	fonction *f* digamma, fonction psi	дигамма-функция, пси-функция
P 3630	p-s-n rectifier	psn-Gleichrichter *m*	redresseur *m* à jonction p-s-n	полупроводниковый вентиль с *p-s-n*-переходом
P 3631	psophometer, noise [measuring] meter <el.>	Geräusch[spannungs]messer *m*, Psophometer *n* <El.>	psophomètre *m*, bruitomètre *m* <él.>	псофометр <эл.>
	psophometer filter, psophometric filter	Psophometerfilter *n*, A-Filter *n*	filtre *m* psophométrique	псофометрический фильтр
P 3632	psophometric electromotive force, psophometric e.m.f.	Geräusch-EMK *f*, geräuschelektromotorische Kraft *f*	force *f* électromotrice psophométrique, f. e. m. psophométrique	псофометрическая электродвижущая сила, псофометрическая эдс.
P 3633	psophometric filter, psophometer filter	Psophometerfilter *n*, A-Filter *n*	filtre *m* psophométrique	псофометрический фильтр
	psophometric voltage	s. noise voltage <el.>		
	p-spot	s. preceding spot		
P 3634	psychoacoustics, psychological acoustics	Psychoakustik *f*, psychologische Akustik *f*	psycho-acoustique *f*, acoustique *f* psychologique	психологическая акустика, психоакустика, психофизиология слухового восприятия

P 3635	psychokinesis	Psychokinese f	psychocinétique f	психокинетика
	psychological acoustics	s. psychoacoustics		
P 3636	psycho-physics	Psychophysik f	psychophysique f	психофизика
P 3637	psychrometer, wet- and dry-bulb psychrometer (hygrometer, thermometer), evaporation psychrometer	Psychrometer n, Verdunstungsfeuchtigkeitsmesser m	psychromètre m, psychromètre ventilé	психрометр
	psychrometer constant, psychrometric constant	Psychrometerkonstante f	constante f psychrométrique	психрометрическая постоянная, постоянная психрометра
	psychrometer difference, psychrometric difference, depression of wet bulb, wet-bulb temperature difference, wet-bulb depression	psychrometrische Differenz (Temperaturdifferenz) f, Psychrometerdifferenz f	différence f psychrométrique	психрометрическая разность
	psychrometer equation, psychrometric formula, wet- and dry-bulb hygrometer equation	Psychrometerformel f, psychrometrische Gleichung f	formule f psychrométrique, équation f psychrométrique	психрометрическая формула
P 3638	psychrometric chart, psychrometric table	Psychrometertafel f, Psychrometertabelle f, psychrometrische Tafel (Tabelle) f	tableau m psychrométrique, table f psychrométrique	психрометрическая таблица
P 3639	psychrometric constant, psychrometer constant	Psychrometerkonstante f	constante f psychrométrique	психрометрическая постоянная, постоянная психрометра
	psychrometric difference	s. psychrometer difference		
	psychrometric formula	s. psychrometer equation		
	psychrometric table	s. psychrometric chart		
	P symbol of time ordering	s. Dyson['s] chronological operator		
P 3640	Ptolemaic system	Ptolemäisches Weltsystem (System) n	système m de Ptolémée, système ptolémaïque	система Птолемея
P 3641	p-type, p-conducting	p-leitend, p-, p-Typ-, defektleitend	à conduction par trous (lacunes), type p, p	с дырочной проводимостью
P 3642	p-type conduction (conductivity), hole conduction	Defekt[elektronen]leitung f, p-[Typ-]Leitung f, Mangelleitung f, Löcherleitung f, Lückenleitung f, Leerstellenleitung f, Ersatzleitung f, Akzeptorenleitung f, Störstellenleitung f vom p-Typ	conduction f par trous, conduction par lacunes, conduction par défaut, conductibilité f par trous, conductibilité par lacunes	дырочная проводимость, дырочная электропроводность
	p-type conductivity	s. hole conductivity		
	p-type conductor	s. p-type semiconductor		
	p-type impurity	s. acceptor		
P 3643	p-type ionic conduction	Ionenmangelleitung f, Ionendefektleitung f	conduction f par défaut d'ions	ионная проводимость типа p
P 3644	p-type ionic conductor	Ionenmangelleiter m, Ionendefektleiter m	semi-conducteur m par défaut d'ions, semiconducteur ionique type p	ионный полупроводник типа p
P 3645	p-type metallic conduction	metallische Defektelektronenleitung f	conduction f métallique type p	металлическая дырочная проводимость
P 3646	p-type semiconductor, hole semiconductor, p-type conductor	p-Halbleiter m, Defekt[halb]leiter m, p-Leiter m, p-Typ-Halbleiter m, Störstellenhalbleiter m vom p-Typ, Löcherhalbleiter m, Oxydations[halb]leiter m, Mangel[halb]leiter m, Fehlstellenhalbleiter m	semi-conducteur m par défaut d'électrons, semiconducteur aux centres p, semi-conducteur type p	примесный дырочный полупроводник, дырочный полупроводник, полупроводник с дырочной проводимостью, полупроводник типа p
P 3646a	puff <bio.>	Puff m <pl.: Puffs>; Balbiani-Ring m <Bio.>	puff m <bio.>	пафф <био.>
	puffing	s. decrepitation		
	puffy wind	s. choppy wind		
P 3647	Puiseux['] series [expansion]	Puiseux-Entwicklung f; Puiseux-Reihe f	développement m (série f) de Puiseux	обобщенный степенной ряд
P 3648	Pulfrich effect, Pulfrich stereoeffect	Pulfrichscher Stereoeffekt m, Pulfrich-Effekt m	effet m Pulfrich, stéréo-effet m Pulfrich	явление Пульфриха, [стерео]эффект Пульфриха
	Pulfrich photometer, step photometer	Pulfrich-Photometer n, Stufenphotometer n	photomètre m de Pulfrich, écran m sensitométrique	ступенчатый фотометр, фотометр Пульфриха
P 3649	Pulfrich refractometer	Pulfrich-Refraktometer n, Refraktometer n für Chemiker	réfractomètre m de Pulfrich	рефрактометр Пульфриха
	Pulfrich stereoeffect	s. Pulfrich effect		
	pull, pulling; traction; drawing; tug; drag	Ziehen n, Zug m, Fortziehen n; Schleppen n	traction f; traînage m	тяга; буксирование
	pull; tension; pulling; traction	Ziehen n, Zug m, Auseinanderziehen n	tension f; traction f; tirage m; étirage m	растяжение; растягивание; вытягивание
	pull	s. a. suction <aero.>		
	pull	s. a. tensile force		
P 3650	pull drive	Zugmittelgetriebe n		механизм натяжения
P 3651	pulled crystal	gezogener Kristall m, Ziehkristall m	cristal m tiré, cristal par tirage	тянутый кристалл, вытянутый кристалл
	pulled junction, grown junction	gezogener Übergang m	jonction f par tirage, jonction tirée (préparée par tirage)	выращенный переход, вытянутый переход, тянутый переход
	puller airscrew	s. tractor airscrew		
P 3652	pulley; roller; wheel	Rolle f; Scheibe f; Rad n	poulie f; roue f	ролик; колесо

P 3653	**pulley [block], pulley hoist, pulley tackle,** assembly (block, compound, tackle) pulley, block and tackle, block, tackle, treble block <mech.>	Flaschenzug *m*, Rollenzug *m*, Seilrollenzug *m*, Klobenzug *m*, Kloben *m* <Mech.>	moufles *fpl*, moufle *f*, palan *m*, poulie *f* mouflée, poulie multiple <méc.>	полиспаст, [сложный] блок, тали, шкив <мех.>
	pull force	*s.* tensile force		
	pull-in	*s.* frequency pulling		
	pull-in effect	*s.* pulling effect <el.>		
	pulling	*s.* frequency pulling		
	pulling	*s.* pull		
	pulling capacitance	*s.* capacitance connected in series for pulling the resonance frequency of a crystal oscillator		
P 3654	**pulling effect,** pulling phenomenon, pull-in effect; backlash <el.>	Mitnahmeeffekt *m*, Mitnahmeerscheinung *f*, Mitzieheffekt *m*, Zieherscheinung *f* <El.>	effet *m* d'entraînement, phénomène *m* d'étirement, phénomène d'entraînement, phénomène de traînage <él.>	явление (эффект) затягивания [частоты], эффект синхронизации, явление (эффект) увлечения [частоты] <эл.>
P 3655	**pulling figure**	Frequenzziehwert *m*, Belastungsverstimmung *f*	indice *m* de glissement [aval] de fréquence, indice d'entraînement de fréquence	величина затягивания [частоты], коэффициент (степень) затягивания частоты
	pulling force	*s.* tensile force		
	pulling into tune	*s.* frequency pulling		
	pulling method	*s.* pulling of crystals		
P 3656	**pulling of crystals,** [single-]crystal pulling, pulling technique, pulling method, growing from the melt [of crystals]	Ziehen *n* von Kristallen [aus der Schmelze], Kristallziehen *n*, Kristallziehverfahren *n*	cristallisation *f* progressive, tirage *m* de cristaux, méthode *f* de tirage de cristaux	вытягивание [моно]кристаллов [из расплава], метод вытягивания [моно]кристаллов [из расплава]
P 3657	**pulling on whites**	Nachziehen *n*, Fahnennachziehen *n*, Weißdehnung *f*	noir *m* après blanc	продолжение изображения, черное продолжение, [черная] тянучка, черное после белого
P 3658	**pulling oscillator**	Mitziehoszillator *m*	oscillateur *m* entraîné	синхронизируемый генератор, ведомый генератор
	pulling phenomenon	*s.* pulling effect <el.>		
	pulling range	*s.* pull-in range		
	pulling stress	*s.* stretching strain		
	pulling technique	*s.* pulling of crystals		
	pulling technique of Czochralski	*s.* Czochralski['s] method		
P 3659	**pull-in range,** pulling range; hold range; retention range; lock-in range, locking range; interception range	Mitnahmebereich *m*; Synchronisierbereich *m*, Synchronisierungsbereich *m*, Synchronisationsbereich *m*; Haltebereich *m*; Einspringbereich *m*; Fangbereich *m*	plage *f* (domaine *m*, gamme *f*) d'entraînement [de fréquence], plage de [conservation de la] synchronisation, bande *f* de synchronisation, plage (domaine, gamme) d'accrochage, plage d'attrapage, plage de conservation [de la synchronisation]	область затягивания (увлечения) [частоты], область синхронизации, диапазон (полоса синхронизации, диапазон (область) захватывания
P 3660	**pull-in range [of the klystron]**	Ziehbereich *m* [des Klystrons]	plage *f* d'étirement en fréquence [du klystron], plage d'entraînement de fréquence [du klystron]	область затягивания частоты [клистрона]
	pulsar	*s.* pulsating radiofrequency source		
	pulsatance, pulsation <especially el.>; angular frequency, radian frequency	Kreisfrequenz *f*, Winkelfrequenz *f*	fréquence *f* angulaire, fréquence de rotation; pulsation *f* <en particulier él.>	угловая частота, круговая частота, циклическая частота
P 3661	**pulsating**	*s.* pulsed		
	pulsating arc, PA	pulsierender Bogen *m*	arc *m* pulsant, PA	пульсирующая дуга
	pulsating bending strength	*s.* fatigue strength under repeated bending stress[es] in one direction		
	pulsating body, pulsator <hydr.>	Pulsator *m*, pulsierender Körper *m* <Hydr.>	pulsateur *m*, corps *m* pulsant, corps pulsatoire <hydr.>	пульсатор, пульсирующее тело <гидр.>
P 3662	**pulsating current,** pulsing (pulsed, pulse) current	pulsierender Strom *m*, Impulsstrom *m*, Impulsfolgestrom *m*	courant *m* pulsé, courant pulsatoire, courant ondulé	пульсирующий ток, слабо пульсирующий ток
P 3663	**pulsating current, pulsating direct current**	pulsierender Gleichstrom *m*, Schwellstrom *m*	courant *m* pulsatoire, courant pulsé	пульсирующий ток [одного направления]
	pulsating fatigue strength under bending stress[es]	*s.* fatigue strength under repeated bending stress[es] in one direction		
P 3664	**pulsating flow,** pulsating motion	pulsierende Strömung *f*, pulsierende Bewegung *f*	mouvement *m* pulsatoire, écoulement *m* pulsatoire	пульсирующее течение (движение), пульсирующий поток
P 3665	**pulsating load,** pulsating strain, load varying between zero and maximum positive strain	Schwellbeanspruchung *f*, schwellende (pulsierende) Beanspruchung *f*, Schwellbelastung *f*, schwellende (pulsierende) Belastung *f*	charge *f* pulsatoire, effort *m* pulsatoire, effort ondulé	пульсирующая нагрузка, знакопостоянная [периодическая] нагрузка, пульсирующий (асимметричный, отнулевый) цикл

	English	German	French	Russian
	pulsating magnetic field, pulsed magnet field, pulsed magnet power	Impulsmagnetfeld *n*, pulsierendes Magnetfeld *n*	champ *m* magnétique pulsatoire, champ magnétique pulsant (pulsé)	импульсное магнитное поле, пульсирующее магнитное поле
	pulsating motion	s. pulsating flow		
P 3666	**pulsating radio[-frequency] source,** pulsar	Pulsar *m*, pulsierende Radioquelle *f*, pulsierender Radiostern *m*	radiosource *f* pulsante	пульсирующий источник радиоизлучения, пульсар
P 3667	**pulsating star**	pulsierender Stern *m*; Pulsationsveränderlicher *m*	étoile *f* pulsante, variable *f* pulsante	пульсирующая звезда, пульсирующая переменная [звезда]
	pulsating strain	s. pulsating load		
P 3668	**pulsating stress,** stress varying from zero to maximum, one-way stress, zero alternating stress	schwellende Spannung *f*, Schwellspannung *f*	tension *f* pulsatoire, tension en cycle pulsatoire	пульсирующее напряжение, напряжение при пульсирующем цикле
P 3669	**pulsating surface**	pulsierende Fläche *f*	surface *f* pulsante	пульсирующая поверхность
	pulsating voltage	s. ripple voltage		
P 3670	**pulsating vortex**	pulsierender Wirbel *m*	tourbillon *m* pulsatoire	пульсирующий вихрь
	pulsation, pulsing; ripple	Pulsation *f*, Pulsieren *n*, Pulsung *f*, Pulsion *f*; Tröpfeln *n* <HF-Oszillator>	pulsation *f*	пульсация; мелкая пульсация; пульсирование
	pulsation	s. a. pulsatance		
P 3671	**pulsation instability**	Pulsationsinstabilität *f*	instabilité *f* pulsationnelle	пульсационная неустойчивость
P 3671a	**pulsation theory**	Pulsationstheorie *f*	théorie *f* de pulsation	теория пульсации
	pulsative	s. pulsed		
P 3672	**pulsator,** pulsating body <hydr.>	Pulsator *m*, pulsierender Körper *m* <Hydr.>	pulsateur *m*, corps *m* pulsant, corps pulsatoire <hydr.>	пульсатор, пульсирующее тело <гидр.>
	pulsatory	s. pulsed		
P 3673	**pulsatron,** pulse tube	Pulsatron *n*, Impulsröhre *f*	pulsatron *m*	пульсатрон, импульсная лампа, двойной триод для импульсных схем
P 3674	**pulse** <bio.>	Puls *m* <Bio.>	pouls *m* <bio.>	пульс <био.>
P 3675	**pulse,** impulse, surge <gen., el.>	Impuls *m*, Stoß *m* <allg., El.>; Anstoß *m*	impulsion *f*; bouffée *f* <gén., él.>	импульс, толчок <общ., эл.>
	pulse, count, counter pulse, counting pulse, counting impulse, c <nucl.>	Impuls *m*, Zählstoß *m*, Zählerimpuls *m*, Zählimpuls *m*, Imp. <Kern.>	coup *m*, impulsion *f* [du compteur], impulsion de comptage, c <nucl.>	отсчет, импульс [счетчика], счетный импульс, имп. <яд.>
	pulse	s. a. pulsed		
P 3676	**pulse alternating current**	Stoßwechselstrom *m*	courant *m* d'impulsion alternatif, courant alternatif d'impulsion	ударный переменный ток, импульсный переменный ток
P 3677	**pulse amplifier,** impulse amplifier; pulse repeater	Impulsverstärker *m*	amplificateur *m* d'impulsions; répétiteur *m* d'impulsions	усилитель импульсов, импульсный усилитель; импульсный повторитель, повторитель импульсов
P 3678	**pulse amplitude,** pulse height, pulse elevation	Impulshöhe *f*, Impulsamplitude *f*, Impulsgröße *f*; Impulshöchstwert *m*, Impulsscheitelwert *m*	amplitude *f* d'impulsion, hauteur *f* d'impulsion, élévation *f* d'impulsion	величина импульса, амплитуда импульса
	pulse-amplitude analyzer	s. amplitude analyzer		
	pulse-amplitude discriminator	s. discriminator		
P 3679	**pulse-amplitude modulation,** PAM	Pulsamplitudenmodulation *f*, Impulsamplitudenmodulation *f*, PAM	modulation *f* d'impulsions en amplitude	амплитудно-импульсная модуляция, АИМ
	pulse-amplitude selector	s. pulse selector		
P 3680	**pulse-amplitude spectrum,** pulse height spectrum	Impulshöhenspektrum *n*, Impulsamplitudenspektrum *n*, Amplitudenspektrum *n* [der Impulse], Impulsspektrum *n*	spectre *m* d'amplitudes [des impulsions], spectre des amplitudes d'impulsions	амплитудный спектр [импульсов], амплитудно-импульсный спектр
	pulse at break, break impulse, break pulse	Öffnungsimpuls *m*, Abreißimpuls *m*	impulsion *f* de coupure, impulsion de déconnexion, impulsion de rupture	импульс размыкания, импульс при размыкании [цепи]
P 3681	**pulse bandwidth,** pulse spectrum bandwidth	Impulsbandbreite *f*, Pulsbandbreite *f*, Breite *f* des Impulsspektrums (Pulsspektrums)	largeur *f* de bande de l'impulsion	ширина полосы импульса
P 3682	**pulse base,** base of the pulse	Impulsbasis *f*, Impulsfuß *m*, Basis *f* <Impuls>	base *f* d'impulsion	основание импульса
	pulse capacitance, surge capacitance	Stoßkapazität *f*	capacité *f* impulsionnelle	импульсная емкость
P 3683	**pulse centre**	Impulsmitte *f*	centre *m* d'impulsion	середина импульса
	pulse chamber, pulse (counting) ionization chamber, pulse[-type] chamber	Impulsionisationskammer *f*, zählende Ionisationskammer *f*, Zählkammer *f*	chambre *f* [d'ionisation] compteuse	импульсная [ионизационная] камера
	pulse clipper	s. clipper		
P 3684	**pulse clipping,** pulse stripping	Impulsbegrenzung *f*, Impulsbeschneidung *f*	limitation *f* d'impulsions, écrêtage *m* des impulsions	ограничение [амплитуды] импульсов, подрезывание импульсов

	English	German	French	Russian
P 3685	**pulse-code modulation,** PCM, pulse-number modulation	Pulscodemodulation f, Pulskodemodulation f, Pulszahlmodulation f, Impulscodemodulation f, Impulskodemodulation f, Impulszahlmodulation f, PCM	modulation f d'impulsions codées (en nombre), modulation impulsive à code, modulation codée (par impulsions codées), modulation par codes (nombre) d'impulsions	кодово-импульсная модуляция, КИМ
	pulse column, pulsed (pulsing)column	Pulsatorkolonne f, Impulskolonne f, Pulskolonne f	colonne f pulsée (pulsatoire), colonne à pulsation	пульсирующая колонка, импульсная колонка
P 3686	**pulse-controlled time-of-flight spectrometer**	Impulslaufzeitspektrometer n, impulsgetastetes Laufzeitspektrometer n	spectromètre m à temps de parcours contrôlé par les impulsions	импульсный спектрометр по времени пролета
P 3687	**pulse correction,** pulse regeneration	Impulsentzerrung f, Impulsverbesserung f	régénération f d'impulsions	корректирование импульсов, исправление импульсов
P 3688	**pulse corrector**	Impulskorrektor m	correcteur m du flanc d'impulsions	корректор фронта импульса, схема коррекции фронтов импульса
P 3689	**pulse counter (counting assembly),** pulse counting unit, [radiation] counting assembly, [radiation] counting unit, [radiation] counter, radioactive radiation counter (counting assembly) <nucl.>	Zähler m, Zählgerät n, Impulszähler m Impulszählgerät n, Strahlungszähler m, Strahlungszählgerät n, Kernstrahlungszähler m, Kernstrahlungszählgerät n, Impulszählanlage f, Zählanlage f <Kern.>	ensemble m de comptage, ensemble de mesure à impulsion, compteur m [d'impulsions] <nucl.>	счетчик [импульсов], счетчик радиоактивного излучения, счетчик частиц излучения, счетчик ядерных излучений, счетчик импульсов, счетное устройство [импульсов] <яд.>
	pulse counting channel, counting channel, channel	Zählkanal m, Impulszählkanal m, Kanal m	canal m de comptage [d'impulsions], canal	счетный канал, канал счета [импульсов], считающий канал, канал
P 3690	**pulse counting circuit,** counting circuit	Impulszählschaltung f, Zählschaltung f	circuit m de comptage [d'impulsions], circuit pour comptage [d'impulsions]	схема для счета импульсов, импульсная счетная схема, счетная схема
	pulse counting technique, counting technique	Zähltechnik f, Impulszähltechnik f	méthode f de comptage [d'impulsions]	метод счета [импульсов]
	pulse counting unit	s. pulse counter <nucl.>		
	pulse current, surge current	Stoßstrom m, Impulsstrom m, Impulsfolgestrom m	courant m de choc, courant d'impulsion	импульсный ток, ударный ток
	pulse current	s. a. pulsating current		
	pulse current generator, impulse current generator, surge current generator	Stoßstromgenerator m, Stoßstromerzeuger m	générateur m de courant d'impulsion	генератор импульсного тока
P 3691	**pulse curve**	Impulskurve f	profil m d'impulsion	импульсная кривая, кривая импульса; кривая, описывающая форму импульса
	pulse cyclotron	s. pulsed cyclotron		
P 3692	**pulsed;** pulse-operated; pulse; pulsating; pulsive; pulsative; pulsatory	Impuls-, Puls-, Stoß-, gepulst, pulsierend, impulsartig [betrieben], impulsbetrieben; impulsförmig	en impulsion[s], opéré en impulsion[s]; pulsé; pulsatoire; pulsant	мигающий; импульсный, в импульсном режиме, работающий в импульсном режиме; пульсирующий; в виде импульсов, импульсообразный
P 3693	**pulsed beam**	Impulsstrahl m	faisceau m pulsé (pulsatoire), faisceau impulsionnel	импульсный пучок
P 3694	**pulsed beam current**	Impulsstrahlstrom m	courant m pulsé du faisceau	импульсный ток пучка
P 3695	**pulsed column,** pulse column, pulsing column	Pulsatorkolonne f, Impulskolonne f, Pulskolonne f	colonne f pulsée, colonne à pulsation	пульсирующая колонка, импульсная колонка
P 3696	**pulsed combustion**	Pulsverbrennung f	combustion f en impulsion	импульсное горение
	pulsed current; pulsed flow <hydr.>	Impulsströmung f; Impulsstrom m <Hydr.>	écoulement m pulsé; courant m pulsé <hydr.>	импульсное течение; импульсный поток <гидр.>
	pulsed current	s. a. pulsating current		
P 3697	**pulsed cyclotron,** pulse cyclotron, pulse-operated cyclotron	Impulszyklotron n, Zyklotron n mit Impulsbetrieb	cyclotron m pulsé, cyclotron en impulsion	мигающий циклотрон, импульсный циклотрон; циклотрон, работающий в импульсном режиме
	pulsed discharge	s. impulsive discharge		
P 3698	**pulsed discharge lamp,** pulsed gas-discharge lamp	Impulslampe f, Impulsentladungslampe f	lampe f à gaz raréfié pulsée, lampe à décharge impulsionnelle	импульсная газоразрядная лампа
P 3699	**pulsed discharge tube**	Impulsentladungsrohr n	tube m à décharge impulsionnelle	трубка импульсного разряда
P 3700	**pulse decay**	Impulsabfall m, Flankenabfall m	affaiblissement m d'impulsion, amortissement m de l'impulsion	спадание (затухание, исчезновение) импульса
P 3701	**pulse decay time**	Impulsabfallzeit f, Impulsabklingzeit f	durée f d'affaiblissement d'impulsion, durée (temps m) de relâchement	время спадания (затухания) импульса
P 3702	**pulse deflection;** pulse sweep	Impulsauslenkung f	déviation f d'impulsions; balayage m d'impulsions	отклонение импульса; развертка импульс
P 3703	**pulse delay line**	Impulsverzögerungsleitung f	ligne f à retard des impulsions	линия задержки импульсов
	pulsed emission	s. pulsed radiation		
P 3704	**pulsed emission of the cathode**	Impulsemission f der Katode	émission f par impulsions de la cathode, émission impulsive de la cathode	импульсная эмиссия катода
P 3705	**pulsed excitation**	Impulsanregung f	excitation f en impulsions	импульсное возбуждение
P 3706	**pulsed flow;** pulsed current <hydr.>	Impulsströmung f; Impulsstrom m <Hydr.>	écoulement m pulsé; courant m pulsé <hydr.>	импульсное течение; импульсный поток <гидр.>
	pulsed frequency	s. pulse recurrence frequency		

	pulsed gas-discharge lamp, pulsed discharge lamp	Impulslampe f, Impulsentladungslampe f	lampe f à gaz raréfié pulsée, lampe à décharge impulsionnelle	импульсная газоразрядная лампа
P 3707	**pulse diagram**, pulse-response diagram; pulse scheme	Impulsdiagramm n, Impulsschaubild n, Impulsplan m; Impulsschema n	diagramme m d'impulsions, schéma m d'impulsions	импульсная диаграмма; импульсная схема
	pulse-differentiating stage, pulse differentiator	Impulsdifferenzierstufe f	étage (dispositif) m de différentiation d'impulsions	каскад дифференцирования импульсов
P 3708	**pulse differentiation**	Impulsdifferenzierung f, Impulsdifferentiierung f	différentiation f d'impulsions	дифференцирование импульсов
P 3709	**pulse differentiator**, pulse-differentiating stage	Impulsdifferenzierstufe f	étage (dispositif) m de différentiation d'impulsions	каскад дифференцирования импульсов
	pulse direction finding, impulse direction finding, impulse radar, pulsed (pulse) radar	Impulspeilverfahren n, Impulspeilung f, Impulsradar n	radiogoniométrie f à impulsions, goniométrie f à impulsions	метод импульсной пеленгации, импульсная пеленгация
	pulse discharge	s. impulsive discharge		
P 3710	**pulse distortion**	Impuls[form]verzerrung f, Impulsverformung f	distorsion f d'impulsion	искажение формы импульса, искажение импульса
	pulse dividing, pulse-rate division, repetition-rate division, skip keying, count-down	Impulsteilung f, Impulsfrequenzteilung f	division f de fréquence d'impulsions	деление частоты повторения (следования) импульсов, деление частоты импульсов
	pulse dividing circuit	s. scaling circuit		
P 3711	**pulsed klystron**, pulse klystron	Impulsklystron n	klystron m pulsé	импульсный клистрон, клистрон импульсного действия
P 3712	**pulsed laser**, pulse-type laser	Impulslaser m, Laser m mit Impulsanregung	laser m pulsé	импульсный оптический генератор, оптический генератор в импульсном режиме, импульсный квантовый генератор оптического диапазона, импульсный лазер
	pulsed light source	s. pulsed source of light		
P 3713	**pulsed magnet field**, pulsed magnet power, pulsating magnetic field	Impulsmagnetfeld n, pulsierendes Magnetfeld n	champ m magnétique pulsatoire, champ magnétique pulsant (pulsé)	импульсное магнитное поле, пульсирующее магнитное поле
P 3714	**pulsed magnetron**	Impulsmagnetron n, Impulsmagnetfeldröhre f	magnétron m pulsé	импульсный магнетрон
P 3715	**pulsed maser**, pulse-type maser	Impulsmaser m, Maser m mit Impulsanregung.	maser m pulsé	импульсный квантовый усилитель, квантовый усилитель импульсного излучения, импульсный мазер
P 3716	**pulsed neutron experiment**	Neutronenimpulsexperiment n	expérience f pulsée	импульсный опыт (эксперимент)
P 3717	**pulsed neutron source**	Impulsneutronenquelle f, gepulste Neutronenquelle f	source f de neutrons pulsatoire (pulsée)	пульсирующий источник нейтронов
P 3718	**pulsed operation**, pulse operation	Impulsbetrieb m	fonctionnement m pulsatoire (en impulsion[s], pulsé), marche f en impulsion[s], marche pulsée	импульсный режим [работы]
	pulsed oscillation, pulse-shaped oscillation	Impulsschwingung f, impulsförmige Schwingung f	oscillation f en forme d'impulsions	импульсовидное (импульсное) колебание, колебание в виде импульсов
P 3719	**pulsed oscillograph**, pulsed oscilloscope, surge oscillograph	Impulsoszillograph m, Impulsoszilloskop n	oscilloscope (oscillographe) m d'impulsions	импульсный осциллограф, импульсный осциллоскоп
	pulsed radar, pulse radar	Pulsradar n	radar m à impulsions	импульсная радиолокационная станция
P 3720	**pulsed radar**	s. a. pulse direction finding		
	pulsed radiation, pulse radiation, pulsing radiation; pulsed emission, pulse emission, pulsing emission	Impulsstrahlung f, pulsierende Strahlung f; Impulsemission f, pulsierende Emission f	rayonnement m pulsé, radiation f pulsée, rayonnement (radiation) en impulsions; émission f pulsée (impulsive, en impulsions; des impulsions)	импульсное излучение; импульсная эмиссия; эмиссия импульсов
	pulsed radiolysis	s. pulse radiolysis		
P 3721/2	**pulsed reactor**	Impulsreaktor m, Pulsreaktor m	réacteur m pulsé, réacteur opéré en impulsions	импульсный реактор, мигающий реактор
P 3723	**pulsed source of light**, pulsed light source	Impulslichtquelle f, pulsierende Lichtquelle f	source f lumineuse à impulsions, source de lumière pulsée, source pulsée de lumière	импульсный источник света, пульсирующий источник света
	pulse[-] duct	s. pulse jet		
P 3724	**pulse duration**; pulse length; pulse width	Impulsdauer f, Flankendauer f; Impulsbreite f; Impulslänge f; Impulszeit f	durée f d'impulsion; largeur f d'impulsion	длительность импульса, продолжительность импульса; ширина импульса; длина импульса
P 3725	**pulse-duration modulation**, pulse-width modulation, pulse-length modulation, pulse-time modulation, time modulation, PWM	Pulslängenmodulation f, Pulsdauermodulation f, Pulsbreitenmodulation f, Impulsbreitenmodulation f, Impulsdauermodulation f, Impulslängenmodulation f, Zeitmodulation f, Impulszeitmodulation f, Pulszeitmodulation f, Einsatz[punkt]modulation f, PLM, PDM	modulation f par impulsions à largeur variable, modulation de largeur d'impulsions, modulation de durée, modulation par temps d'impulsion, modulation de temps, modulation temporelle	широтно-импульсная модуляция, импульсная модуляция по длительности, импульсная модуляция по длительности импульсов, времениая импульсная модуляция, временная модуляция, ШИМ
	pulse duration ratio	s. pulse width-repetition ratio		

	pulse duty factor	s. pulse width — repetition ratio		
	pulsed voltage	s. ripple voltage		
P 3726	pulse echo meter	Impulsechomesser m	échomètre m à impulsions	импульсный прибор для измерения отраженных сигналов
P 3727	pulse-echo method, pulse-sounding method	Impuls-Echo-Verfahren n; Impulsecholotung f, Impulslotung f	méthode f de sondage à impulsions	метод импульсного зондирования, импульсный метод зондирования, метод отраженных импульсов; импульсное зондирование (эхолотирование)
	pulse elevation	s. pulse amplitude		
	pulse emission	s. pulsed radiation		
	pulse energy, energy of the pulse	Impulsenergie f, Impulsarbeit f	énergie f de l'impulsion	энергия в импульсе
	pulse excitation, impact (shock, repulse, impulse) excitation <of oscillation>	Stoßanregung f, Stoßerregung f <Schwingung>	excitation f par impulsion, excitation par choc, percussion f <de l'oscillation>	ударное возбуждение, возбуждение ударом, импульсное возбуждение <колебаний>
P 3728	pulse firing	Impulszündung f	allumage m en impulsion[s]	импульсное зажигание
	pulse forming	s. pulse shaping		
	pulse-forming amplifier	s. shaping amplifier		
P 3729	pulse-frequency modulation	Pulsfrequenzmodulation f, Impulsfrequenzmodulation f, PFM	modulation f d'impulsions en fréquence	частотно-импульсная модуляция, модуляция по частоте импульсов, ЧИМ
P 3730	pulse front, front of the pulse, edge of the pulse	Impulsflanke f, Impulsfront f, Flanke f des Impulses	front m d'impulsion, flanc m d'impulsion	фронт импульса
	pulse function, impulse function	Stoßfunktion f, Impulsfunktion f, Nadelfunktion f	fonction f impulsionnelle, fonction d'impulsion	импульсная функция, ударная функция
	pulse generating device	s. impulse generator		
P 3731	pulse generation	Impulserzeugung f, Impulsbildung f	production f d'impulsions, génération f d'impulsions	генерирование (генерация) импульсов, образование импульсов, импульсообразование
	pulse generator, synchronizing pulse generator, clock generator, clock multivibrator	Taktgeber m, Impulsgeber m	générateur m d'impulsions, horloge f	датчик тактов, тактовый датчик, датчик тактовых импульсов
	pulse generator	s. a. impulse generator		
P 3732	pulse group	Impulsgruppe f	groupe m d'impulsions	группа импульсов
	pulse height, pulse amplitude, pulse elevation	Impulshöhe f, Impulsamplitude f, Impulsgröße f; Impulshöchstwert m, Impulsscheitelwert m	amplitude f d'impulsion, hauteur f d'impulsion, élévation f d'impulsion	величина импульса, амплитуда импульса
	pulse height analyzer	s. pulse-amplitude analyzer		
P 3733	pulse-height clipping, amplitude clipping	Impulsamplitudenbegrenzung f, Impulshöhenbegrenzung f	limitation f d'amplitude [d'impulsions]	ограничение амплитуды импульсов
	pulse-height discriminator	s. discriminator		
	pulse height selector	s. pulse selector		
	pulse height spectrum	s. pulse-amplitude spectrum		
P 3734	pulse height-to-time converter	Amplitude-Zeit-Wandler m, Amplitude-Zeit-Konverter m, Impulshöhe-Zeit-Konverter m, AZ-Wandler m	convertisseur m amplitude-temps	амплитудно-временной преобразователь
	pulse interval	s. pulse separation		
P 3735	pulse interval analyzer, interval analyzer, time sorter	Impulsintervallanalysator m, Intervallanalysator m	analyseur m d'intervalles des impulsions, analyseur d'intervalles	анализатор интервалов [между импульсами]
	pulse-interval modulation, pulse-separation modulation, pulse-spacing modulation	Pulsabstandsmodulation f, Impulsabstandsmodulation f	modulation f par impulsions à intervalle variable, modulation de l'intervalle d'impulsions	импульсная модуляция по интервале, модуляция по интервале между импульсами
P 3736	pulse ionization chamber, pulse[-type] chamber, counting ionization chamber	Impulsionisationskammer f, zählende Ionisationskammer f, Zählkammer f	chambre f [d'ionisation] compteuse	импульсная [ионизационная] камера
P 3737	pulse jet, pulse[-] duct, intermittend (resonant) jet	Verpuffungsstrahltriebwerk n, Verpuffungsstrahlrohr n, Pulsostrahlrohr n; Schmidt[-Argus]-Rohr n	pulsoréacteur m, jet m de pulsation	пульсирующий воздушно-реактивный двигатель, ПуВРД
	pulse klystron	s. pulsed klystron		
	pulse length; pulse duration; pulse width	Impulsdauer f, Flankendauer f; Impulsbreite f; Impulslänge f; Impulszeit f	durée f d'impulsion; largeur f d'impulsion	длительность импульса, продолжительность импульса; ширина импульса; длина импульса
	pulse length modulation	s. pulse-duration modulation		
P 3738	pulse limiting rate	Impulsbegrenzungsmaß n	taux m d'écrêtage d'impulsions	степень ограничения импульсов, предельная частота повторения импульсов
P 3739	pulse line	Impulsleitung f	ligne f à impulsions	импульсная линия; импульсная цепь
P 3740	pulse magnetization, impulse magnetization	Stoßmagnetisierung f	aimantation f par impulsion	импульсное намагничивание
P 3741	pulse meter	Impulsmesser m, Impulsmeßgerät n	mesureur m d'impulsions	измеритель импульсов, импульсомер
P 3742	pulse mixer; pulse mixing circuit	Impulsmischer m; Impulsmischschaltung f	mélangeur m d'impulsions; circuit m mélangeur d'impulsions	смеситель импульсов; схема смешивания импульсов
P 3743	pulse mixing	Impulsmischung f	mélange m d'impulsions	смешение (смешивание) импульсов

	pulse mixing circuit	s. pulse mixer		
P 3744	**pulse mode**	Impulsart f	mode m d'impulsion	вид импульса, тип импульса
P 3745	**pulse modulation**	Pulsmodulation f, Impulsmodulation f	modulation f d'impulsions, modulation par impulsions, modulation par « tout ou rien »	импульсная модуляция
P 3746	**pulse modulator,** impulser, pulser	Impulsmodulator m	modulateur m d'impulsions, modulateur par impulsions, pulseur m	импульсный модулятор
	pulse noise, impulse noise	Impulsrauschen n	bruit m impulsionnel	импульсный шум
	pulse-number modulation, pulse-code modulation, PCM	Pulscodemodulation f, Pulskodemodulation f, Pulszahlmodulation f, Impulscodemodulation f, Impulskodemodulation f, Impulszahlmodulation f, PCM	modulation f d'impulsions codées (en nombre), modulation impulsive à code, modulation codée (par impulsions codées), modulation par codes (nombre) d'impulsions	кодово-импульсная модуляция, КИМ
	pulse of current	s. impulse of current		
P 3747	**pulse of particles,** particle pulse	Teilchenimpuls m	bouffée f de particules	импульс корпускулярного излучения, импульс частиц
	pulse of tension (voltage)	s. impulse of voltage		
	pulse of waves	s. wave train		
P 3748	**pulse onset**	Impulseinsatz m	commencement m de l'impulsion	начало импульса
	pulse-operated	s. pulsed		
	pulse-operated cyclotron, pulsed cyclotron, pulse cyclotron	Impulszyklotron n, Zyklotron n mit Impulsbetrieb	cyclotron m pulsé, cyclotron en impulsion	мигающий циклотрон, импульсный циклотрон; циклотрон, работающий в импульсном режиме
	pulse operation	s. pulsed operation		
P 3749	**pulse oscillator,** impulse oscillator	Impulsoszillator m	oscillateur m d'impulsions	импульсный генератор, генератор импульсов
P 3750	**pulse overexcitation**	Stoßübererregung f	surexcitation f par impulsion	импульсное перевозбуждение
P 3751	**pulse overlap**	Impulsüberlagerung f, Impulsüberlappung f, Impulsüberschneidung f	chevauchement m d'impulsions, recoupement (recouvrement) m des impulsions	перекрытие импульсов, наложение импульсов
P 3752	**pulse-overlap converter,** pulse-overlap time converter	Impulsüberlappungskonverter m, Zeitkonverter m nach dem Impulsüberlappungsprinzip	convertisseur m de temps à recouvrement des impulsions	преобразователь времени с перекрытием импульсов
P 3753	**pulse-overlap principle**	Impulsüberlappungsprinzip n	principe m du recouvrement des impulsions	принцип перекрытия импульсов
	pulse-overlap time converter	s. pulse-overlap converter		
P 3754	**pulse passage**	Impulsdurchgang m	passage m d'impulsions	прохождение импульсов
P 3755	**pulse period,** pulse repetition period, repetition period	Impulsperiode f, Periode f des Impulses, Taktperiode f; Tastperiode f <bei periodischen Impulsfolgen>	période f d'impulsions, période des impulsions, période de répétition [des impulsions], période de récurrence	период повторения [импульсов], период следования [импульсов], период импульсов, импульсный период, тактный период
	pulse phase	s. pulse position		
	pulse-phase modulation	s. pulse-position modulation		
P 3756	**pulse-phase spectrum,** phase spectrum of the pulse	Impulsphasenspektrum n, Phasenspektrum n des Impulses, Spektrum n der Impulsphasen	spectre m de phase de l'impulsion	фазовый спектр импульса
P 3757	**pulse polarography**	Pulspolarographie f	polarographie f impulsionnelle (par impulsion)	импульсная полярография
P 3758	**pulse position,** impulse position, pulse (impulse) phase	Impulslage f, Impulsphase f	position f d'impulsion, phase f d'impulsion	положение импульса, фаза импульса
P 3759	**pulse-position modulation,** displacement modulation, pulse-phase modulation, PPM	Pulslagemodulation f, Pulslagenmodulation f, Impulslagenmodulation f, Pulsphasenmodulation f, Impulsphasenmodulation f, PPM	modulation f d'impulsions en position (phase), modulation par déplacement d'impulsions, modulation d'espacement d'impulsions, M. I. P.	фазово-импульсная модуляция, фазовая импульсная модуляция, ФИМ
	pulse power, power of the pulse	Impuls[stoß]leistung f, Leistung f je Impuls	puissance f de l'impulsion	мощность в импульсе
P 3760	**pulse propagation velocity,** propagation velocity of pulses, pulse velocity, velocity of the pulse	Impulsausbreitungsgeschwindigkeit f, Impulslaufgeschwindigkeit f, Impulsgeschwindigkeit f	vitesse f de propagation de l'impulsion, vitesse de l'impulsion	скорость распространения импульса, скорость импульса
	pulser, impulser, impulse sender (exciter), pulse sender	Impulsgeber m	impulseur m, pulseur m	датчик импульсов; импульсный прерыватель
	pulser	s. a. pulse modulator		
P 3761	**pulse radar,** pulsed radar	Pulsradar n	radar m à impulsions	импульсная радиолокационная станция
	pulse radar	s. a. pulse direction finding		
	pulse radiation	s. pulsed radiation		
P 3761a	**pulse radiolysis,** pulsed radiolysis	Pulsradiolyse f, Impulsradiolyse f	radiolyse f impulsionnelle	импульсный радиолиз
	pulse rate, impulsing rate; counting rate	Zählrate f, Zählgeschwindigkeit f; Impulsdichte f, Impulsrate f	taux m de comptage, cadence f de comptage, taux d'impulsions	скорость счета, число отсчетов в единицу времени; частота импульсов

№	English	German	French	Russian
	pulse rate	s. a. pulse recurrence frequency		
	pulse-rate divider, repetition-rate divider	Impulsteiler m, Impulsfrequenzteiler m	diviseur m de fréquence d'impulsions	делитель частоты повторения импульсов
P 3762	pulse-rate division, pulse dividing, repetition-rate division, skip keying, count-down	Impulsteilung f, Impulsfrequenzteilung f	division f de fréquence d'impulsions	деление (следования) импульсов, деление частоты импульсов
	pulse ratio	s. pulse width—repetition ratio		
P 3763	pulse recorder	Impulsschreiber m; Pulsschreiber m	enregistreur m d'impulsions, impulsographe m	регистратор импульсов, импульсограф, самописец импульсов, импульсный самописец
P 3764	pulse recurrence frequency, recurrence (pulse repetition) frequency, [pulse-]repetition rate, recurrence rate, pulsed frequency, pulse rate, p.r.f.	Impuls[folge]frequenz f, Impulshäufigkeit f, Impulswiederholungsfrequenz f, Wiederholungsfrequenz f, Folgefrequenz f, Impulstaktfrequenz f, Taktfrequenz f	fréquence f (taux m) de répétition [des impulsions]	частота повторения [импульсов], частота следования [импульсов], тактовая частота, скорость повторения [импульсов]
P 3765	pulse reflection method	Impulsreflexionsverfahren n, Impulsrückstrahlverfahren n	méthode f de réflexion des impulsions, méthode des impulsions réfléchies	метод отраженных импульсов
	pulse regeneration, pulse correction	Impulsentzerrung f, Impulsverbesserung f	régénération f d'impulsions	корректирование импульсов, исправление импульсов
	pulse repeater	s. pulse amplifier		
	pulse repetition frequency	s. pulse recurrence frequency		
P 3766	pulse repetition frequency range, range of pulse repetition frequency	Impulsbereich m	gamme f des fréquences de répétition des impulsions	диапазон частот повторения импульсов
	pulse repetition period	s. pulse period		
	pulse-repetition rate	s. pulse recurrence frequency		
	pulse response	s. unit[-] impulse response		
	pulse-response diagram, pulse diagram; pulse scheme	Impulsdiagramm n, Impulsschaubild n, Impulsplan m; Impulsschema n	diagramme m d'impulsions, schéma m d'impulsions	импульсная диаграмма; импульсная схема
P 3767	pulse restoration	Impulserneuerung f, Impulswiederherstellung f	restitution f d'impulsions, rétablissement m des impulsions	восстановление [формы] импульсов
P 3768	pulse rise time	Impulsanstiegszeit f, Flankenanstiegszeit f	temps m de montée de l'impulsion	время нарастания импульса, длительность фронта импульса
	pulse scaling circuit, scaling circuit	Untersetzerschaltung f, Zählschaltung f, Impulsuntersetzerschaltung f	circuit m d'échelle, circuit échelle, échelle f	пересчетная схема, схема пересчета [импульсов]
	pulse scheme	s. pulse-response diagram		
P 3769	pulse selection	Impulsauswahl f; Impulsaussiebung f; Impulssiebung f	sélection f d'impulsions	отбор импульсов
P 3770	pulse selector, pulse-amplitude selector, pulse height selector	Impulshöhenselektor m, Impulsamplitudenselektor m, Amplitudenselektor m, Impulsselektor m, Impulssieb n	sélecteur m d'amplitude [des impulsions], sélecteur [de la hauteur] d'impulsions, séparateur m d'amplitude	амплитудный селектор [импульсов]
	pulse sender	s. pulser		
	pulse sending, impulsing, pulsing, impulse sending	Impulsgebung f, Impulsgabe f	excitation f d'impulsions, émission f d'impulsions	посылка импульсов, подача импульсов
P 3771	pulse separation	Impulstrennung f; Impulsabtrennung f	séparation f des impulsions	разделение импульсов; отделение импульсов; отделение синхронизирующих импульсов
P 3772	pulse separation, pulse spacing, pulse-to-pulse interval, pulse interval, interpulse interval	Impulsabstand m, Impulsintervall n, Impulspause f, Impulslücke f	intervalle m d'impulsions, distance f entre impulsions	период повторения импульсов; [между]импульсный интервал, интервал между [соседними] импульсами, промежуток времени между импульсами, межимпульсная пауза, пробел, шаг импульсов
P 3773	pulse-separation modulation, pulse-spacing modulation, pulse-interval modulation	Pulsabstandsmodulation f, Impulsabstandsmodulation f	modulation f par impulsions à intervalle variable, modulation de l'intervalle d'impulsions	импульсная модуляция по интервале, модуляция по интервалу между импульсами
P 3774	pulse separation stage, pulse separator	Impulstrennstufe f; Impulsabtrennstufe f	séparateur m d'impulsions, trieur m de coups, trieuse f de tops, étage m trieur, étage de séparation des impulsions	каскад отделения (разделения) импульсов, импульсный селектор, селектор (разделитель) импульсов
	pulse sequence	s. pulse train		
	pulse series	s. pulse train		
P 3775	pulse shape	Impulsform f; Impulsfigur f	forme f d'impulsion	форма импульса
P 3776	pulse-shaped oscillation, pulsed oscillation	Impulsschwingung f, impulsförmige Schwingung f	oscillation f en forme d'impulsions	импульсовидное (импульсное) колебание, колебание в виде импульсов
	pulse shaper	s. shaping unit		

P 3777	**pulse shaping,** pulse forming	Impulsform[geb]ung f	formation f des impulsions	форм[ир]ование импульсов
	pulse shaping circuit (stage)	s. shaping unit		
P 3778	**pulse slope,** pulse (edge) steepness, edge slope, slope (steepness) of edge	Impulsflankensteilheit f, Flankensteilheit f, Impulssteilheit f	raideur f du front (flanc) d'impulsion, raideur de front de l'impulsion	крутизна фронта импульса
	pulse sound, impulse ultrasound (sound), pulse ultrasound	Impulsschall m	son m impulsionnel, ultra-son m impulsionnel	импульсный звук, импульсный ультразвук
	pulse-sounding method	s. pulse-echo method		
	pulse spacing	s. pulse separation		
	pulse-spacing modulation, pulse-separation modulation, pulse-interval modulation	Pulsabstandsmodulation f, Impulsabstandsmodulation f	modulation f par impulsions à intervalle variable, modulation de l'intervalle d'impulsions	импульсная модуляция по интервале, модуляция по интервале между импульсами
P 3779	**pulse spectrograph**	Impulsspektrograph m	spectrographe m d'impulsions, spectrographe à impulsions	импульсный спектрограф, анализатор спектра импульсов
P 3780	**pulse spectrum,** impulse spectrum <el.>	Impulsspektrum n <El.>	spectre m d'impulsion <él.>	импульсный спектр, спектр импульса <эл.>
	pulse spectrum bandwidth, pulse bandwidth	Impulsbandbreite f, Pulsbandbreite f, Breite f des Impulsspektrums (Pulsspektrums)	largeur f de bande de l'impulsion	ширина полосы импульса
P 3781	**pulse spike,** spike of the pulse	Impulsspitze f	pointe f dans l'impulsion	острие на импульсе, всплеск на импульсе
	pulse steepness	s. pulse slope		
	pulse step function	s. unit[-] impulse response		
	pulse strength, strength of the impulse, impulse strength	Impulsstärke f, Fläche f unter der Impulskurve	intensité f d'impulsion	интенсивность импульса
P 3782	**pulse stretcher**	Impulsdehner m	dispositif m d'étalement des impulsions	устройство для растягивания импульсов
P 3783	**pulse stretching**	Impulsdehnung f; Impulsbasisverlängerung f; Impulsverbreiterung f, Impulsverlängerung f	étalement m d'impulsion	растягивание импульса, растяжение импульсов, удлинение (уширение) импульса
	pulse stripping	s. pulse clipping		
	pulse sweep; pulse deflection	Impulsauslenkung f	déviation f d'impulsions; balayage m d'impulsions	отклонение импульса; развертка импульса
	pulse synchronization, pulse timing	Impulstastung f; Impulssynchronisierung f	synchronisation f par signaux pulsés	импульсная синхронизация, синхронизация импульсов; импульсная манипуляция
	pulse tail, tail of the pulse	Impulsabfall m, Impulsschwanz m; Nachleuchtschleppe f	queue f de l'impulsion, traîne f de l'impulsions, traînage m d'impulsion	«хвост» импульса
	pulse test[ing], impulse test (testing)	Impulsprüfverfahren n; Impuls-Echo-Prüfung f	essai m par (aux) impulsions	импульсное испытание, импульсный метод испытания
P 3784	**pulse tilt,** pulse top, top [of the pulse], horizontal part of the pulse	Impulsdach n, Dach n	partie f horizontale [de l'impulsion]	горизонтальная часть [импульса], плоская часть [импульса], верхушка импульса
	pulse tilt	s. a. tilt <of pulse>		
	pulse-time modulation	s. double modulation		
	pulse-time modulation	s. pulse-width modulation		
	pulse time ratio	s. pulse width-repetition ratio		
P 3785	**pulse timing,** pulse synchronization	Impulstastung f; Impulssynchronisierung f	synchronisation f par signaux pulsés	импульсная синхронизация, синхронизация импульсов; импульсная манипуляция
	pulse top	s. pulse tilt		
	pulse-to-pulse interval	s. pulse separation		
P 3786	**pulse train,** impulse train, train of impulses (waves), wave train, [im]pulse sequence, [im]pulse series, series of [im]pulses	Impulsfolge f, Impulsreihe f; Impulsserie f	train m d'impulsions, série f d'impulsions	последовательность импульсов, серия импульсов, ряд импульсов, посылка импульсов, импульсная посылка
	pulse train	s. a. wave train		
P 3787	**pulse transformer**	Impulstransformator m, Impulsumspanner m, Impulsumformer m, Impulsumsetzer m, Impulsübertrager m, Impulswandler m	transformateur m pour impulsions	импульсный трансформатор
P 3788	**pulse transmission** <el.>	Impulsübertragung f <El.>	transfert m d'impulsions, transmission f d'impulsions <él.>	импульсная передача, повторение (перенос, передача) импульсов <эл.>
P 3789	**pulse triggering**	Impulsauslösung f, Impulsanregung f; Impulsanstoß m	excitation f des impulsions	запуск (возбуждение) импульсов, импульсный запуск, импульсное возбуждение
	pulse tube, pulsatron	Pulsatron n, Impulsröhre f	pulsatron m	пульсатрон, импульсная лампа, двойной триод для импульсных схем
	pulse-type chamber, pulse (counting) ionization chamber, pulse chamber	Impulsionisationskammer f, zählende Ionisationskammer f, Zählkammer f	chambre f [d'ionisation] compteuse	импульсная [ионизационная] камера
	pulse-type laser	s. pulsed laser		

	pulse-type maser	s. pulsed maser		
	pulse ultrasound	s. pulse sound		
	pulse velocity	s. pulse propagation velocity		
	pulse voltage	s. ripple voltage		
	pulse voltage generator, impulse voltage generator, surge voltage generator	Stoßspannungsgenerator m, Stoßspannungserzeuger m, Stoßspannungsanlage f	générateur m de tension d'impulsion	генератор импульсного напряжения
P 3790	pulse wave ‹bio.›	Pulswelle f ‹Bio.›	onde f pulsatile ‹bio.›	пульсовая волна ‹био.›
P 3791	pulse-wave velocity	Pulswellengeschwindigkeit f	vitesse f de propagation du pouls	скорость пульсовой волны
	pulse width; pulse duration; pulse length	Impulsdauer f, Flankendauer f; Impulsbreite f; Impulslänge f; Impulszeit f	durée f d'impulsion; largeur f d'impulsion	длительность импульса, продолжительность импульса; ширина импульса; длина импульса
P 3792	pulse width-amplitude converter, pulse width-to-amplitude converter	Impulsbreite-Impulshöhe-Konverter m, Impulsbreiten-Impulshöhen-Wandler m	convertisseur m largeur-amplitude d'impulsion	преобразователь длительность-амплитуда
P 3793	pulse-width clipping, width clipping	Impulsbreitenbegrenzung f	limitation f de durée [d'impulsions]	ограничение длительности импульсов
P 3794	pulse-width control	Impulsbreitenregelung f; Impulsbreitenverfahren n	commande f (réglage m) de durée [d'impulsions]	регулировка длительности импульса
	pulse-width modulation	s. pulse-duration modulation		
P 3795	pulse width-repetition ratio, pulse duration (time) ratio, pulse ratio, mark-to-space ratio, pulse duty factor; duty cycle	Impulskennziffer f, Impuls[leistungs]verhältnis n; Tastverhältnis n, Impulstastverhältnis n, Schaltverhältnis n, Impulsschaltververhältnis n, Impuls[breiten]verhältnis n, Impuls-Pause-Verhältnis n	facteur m d'utilisation [des impulsions], coefficient m d'utilisation [des impulsions], coefficient de remplissage du signal impulsionnel, taux m d'impulsions, cycle m de travail, « duty cycle » m, brièveté f d'impulsions	коэффициент заполнения [импульсов], коэффициент импульсного заполнения, обратная скважность, обратный коэффициент скважности; коэффициент усреднения [импульсов]
	pulse width-to-amplitude converter	s. pulse width-amplitude converter		
P 3796	pulsing, pulsation; ripple	Pulsation f, Pulsieren n, Pulsung f, Pulsion f; Tröpfeln n ‹HF-Oszillator›	pulsation f	пульсация; мелкая пульсация; пульсирование
	pulsing, impulsing, impulse sending, pulse sending	Impulsgebung f, Impulsgabe f	excitation f d'impulsions, émission f d'impulsions	посылка импульсов, подача импульсов
	pulsing column	s. pulsed column		
	pulsing current	s. pulsating current		
	pulsing emission (radiation)	s. pulsed radiation		
	pulsing voltage	s. ripple voltage		
	pulsive	s. pulsed		
P 3797	pulsometer pump	Pulsometer n, Pulsometerpumpe f	pompe f à pulsomètre, pulsomètre m	пульсометр ‹тип насоса›
	pulverization	s. powdering		
	pulverization	s. rubbing		
	pulverizer	s. atomizer		
	pulverizing	s. powdering		
P 3798	pulverulence	Pulverförmigkeit f, pulverförmiger Zustand m	pulvérulence f	порошковатость, порошкообразность, порошковидное состояние
P 3799	pump	Pumpe f	pompe f; pompeuse f	насос; помпа
	pump, pump source, pumping source	Pumpquelle f	source f de pompage	источник накачки (подкачки)
P 3800	pumpability	Pumpfähigkeit f	pompabilité f	способность к перекачке, перекачиваемость ‹техн.›; способность к накачке (подкачке)
P 3800a	pumpage, pumping action	Pumpwirkung f, Pumpen n	action f de pompage, pompage m	действие качания, качание
	pumpage	s. a. pump capacity		
P 3801	pump assembly, pumping system, vacuum pump system	Pumpstand m, Pump[en]system n, Vakuumpump[en]system n, Pump[en]anlage f	système m des pompes [à vide], pomperie f, installation f de pompage	насосный агрегат, откачное устройство; блок насосов
	pump capacity, exhausting power, delivery of pump, pumping capacity, pumpage	Saugleistung f, Förderleistung f, Pumpleistung f	capacité f de la pompe, capacité f de pompage, débit m [de la pompe]	производительность [насоса], мощность насоса
P 3802	pump current, pumping current	Pumpstrom m	courant m de pompage	ток накачки, ток подкачки
P 3803	pump energy, pumping energy	Pumpenergie f	énergie f de pompage	энергия накачки (подкачки)
P 3804	pump frequency, pumping frequency	Pumpfrequenz f	fréquence f de pompe	частота накачки (подкачки), частота возбуждения ‹в квантовом усилителе›
P 3805	pumping, pumping over, pumpover	Durchpumpen n, Umpumpen n, Pumpen n ‹durch Rohre›, Umwälzung f durch Pumpen; Überpumpen n	pompage m	качание насосом; накачивание; перекачивание, перекачка ‹насосом›; прокачка
P 3806	pumping ‹maser›	Pumpen n ‹Molekularverstärker›	pompage m ‹maser›	накачка, подкачка, подсветка ‹в квантовых усилителях›
	pumping action	s. pumpage		

	English	German	French	Russian
	pumping capacity	s. pump capacity		
	pumping current, pump current	Pumpstrom m	courant m de pompage	ток накачки, ток подкачки
P 3806a	**pumping device,** pumping unit, pump light reflector	Pumpanordnung f	dispositif m de pompage, illuminateur m	осветитель
	pumping energy, pump energy	Pumpenergie f	énergie f de pompage	энергия накачки (подкачки)
	pumping frequency	s. pump frequency		
	pumping intensity, pump intensity	Pumpintensität f	intensité f de pompage	интенсивность накачки (подкачки)
P 3807	**pumping lamp,** pump lamp	Pumplampe f	lampe f de pompage	лампа накачки (подкачки)
	pumping lead	s. exhaust tube		
P 3808	**pumping light**	Pumplicht n	lumière f de pompage	свет накачки (подкачки)
	pumping out	s. evacuation		
	pumping over	s. pumping		
P 3809	**pumping power**	Pump[en]leistung f, Pumpenantriebsleistung f, Antriebsleistung f der Pumpe, der Pumpe zugeführte Energie f	puissance f de pompage	мощность привода насоса, мощность насоса, энергия на перекачку
	pumping power, pump power <of parametric amplifier>	Pumpleistung f <Reaktanzverstärker>	puissance f de pompage <de l'amplificateur paramétrique>	мощность накачки, мощность подкачки <параметрического усилителя>
P 3810	**pumping pressure**	Förderdruck m der Pumpe	pression f de pompage	напор, давление подачи, давление в системе подачи
P 3811	**pumping resistance**	Pumpwiderstand m	résistance f au pompage	сопротивление откачки
P 3812	**pumping scheme**	Pumpdiagramm n, Pumpschema n	schéma m de pompage	схема накачки (подкачки)
	pumping source, pump source, pump	Pumpquelle f	source f de pompage	источник накачки (подкачки)
	pumping speed	s. exhaustion rate		
	pumping stem	s. exhaust tube		
	pumping system	s. pump assembly		
	pumping transition, pump transition	Pumpübergang m	transition f pompée	переход под воздействием энергии накачки
	pumping unit	s. pumping device		
	pumping voltage, pump voltage	Pumpspannung f	tension f de pompage	напряжение накачки (подкачки)
P 3813	**pump intensity,** pumping intensity	Pumpintensität f	intensité f de pompage	интенсивность накачки (подкачки)
	pump lamp, pumping lamp	Pumplampe f	lampe f de pompage	лампа накачки (подкачки)
	pump light reflector	s. pumping device		
	pumpover	s. pumping		
P 3814	**pump power,** pumping power <of parametric amplifier>	Pumpleistung f <Reaktanzverstärker>	puissance f de pompage <de l'amplificateur paramétrique>	мощность накачки, мощность подкачки <параметрического усилителя>
P 3815	**pump source,** pumping source, pump	Pumpquelle f	source f de pompage	источник накачки (подкачки)
	pump speed	s. exhaustion rate		
P 3816	**pump transition,** pumping transition	Pumpübergang m	transition f pompée	переход под воздействием энергии накачки
	pump-turbine	s. rotodynamic pump		
	pump-type dispenser; syphon, siphon	Heber m; Saugheber m, Ansaugheber m; Stechheber m	siphon m, syphon m	сифон, сифонная труба, сифонный трубопровод, ливер, левер; пульсометр
P 3817	**pump voltage,** pumping voltage	Pumpspannung f	tension f de pompage	напряжение накачки (подкачки)
P 3818	**pump with working fluid**	Treibmittelpumpe f	pompe f à fluide moteur	насос с рабочей жидкостью
P 3819	**punch**	Ziehstempel m; Stempel m, Patrize f; Stanze f	estampe f	штамп; пробойник
P 3820	**punch card, punched card**	Lochkarte f	carte f perforée, carte mécanographique	перфокарта, перфорационная карта
P 3820a	**punched tape**	Lochstreifen m; Lochband n	bande f perforée	перфолента, перфорированная лента
	punched tape storage	s. paper tape storage		
P 3821	**punching, perforation;** sprocket hole	Lochung f; Perforation f; Stanzloch n	perforation f	перфорация; пробивание отверстий
P 3822	**punching**	Stanzen n	estampage m, découpage m	штамповка
	punch-through	s. breakdown		
P 3823	**punch-through effect,** punch-through from collector to emitter	Kollektor-Emitter-Durchbruch m, Kollektor-Emitter-Durchschlag m, „punch-through"-Effekt m	claquage m collecteur-émetteur, effet m de perforation	пробой коллектор-эмиттер, эффект пробоя
P 3824	**punctiform flashing,** aventurization	Aventurisieren n	aventurisation f	сверкание
	punctiform lamp	s. point-source lamp		
P 3825	**punctual image**	punktuelle Abbildung f	image f ponctuelle	пунктуальное изображение
P 3826	**punctum proximum,** near point of clear vision	Nahpunkt m, punctum n proximum; Nahpunkt im engeren Sinne, manifester Nahpunkt	punctum m proximum, point m le plus proche de vision distincte, point proche	ближняя точка; точка, находящаяся на расстоянии наилучшего зрения
P 3827	**punctum proximum of convergence**	Konvergenznahpunkt m, Fusionsnahpunkt m	punctum m proximum de convergence	ближняя точка слияния

P 3828	**punctum remotum,** far point of clear vision <opt.>	Fernpunkt *m*, punctum *n* remotum; Fernpunkt im engeren Sinne, manifester Fernpunkt <Opt.>	punctum *m* remotum, point *m* le plus éloigné qu'il peut voir, P.R. <opt.>	дальняя точка <опт.>
	puncture	s. breakdown		
P 3829	**puncture of the [X-ray] tube**	Durchschlag *m* der Röntgenröhre, Röhrendurchschlag *m*	percement *m* de l'ampoule	пробой трубки
	puncture voltage	s. breakdown voltage		
P 3830	**Pungs choke**	Pungs-Drossel *f*	bobine *f* de Pungs	дроссель Пунгса
P 3831	**pupil** <of the optical instrument>	Pupille *f* <optisches Instrument>	pupille *f* <de l'instrument optique>	зрачок <оптического прибора>
P 3832	**pupil aberration**	Pupillenaberration *f*	aberration *f* pupillaire	зрачковая аберрация
P 3833	**pupil function**	Pupillenfunktion *f*	fonction *f* de pupille	зрачковая функция
P 3834	**pupillary aperture**	Pupillenweite *f*; Pupillenöffnung *f*	ouverture *f* pupillaire	отверстие зрачка
P 3835	**pupillary reflex**	Lichtreaktion *f* (Lichtreflex *m*) der Pupille, Pupillarreflex *m*, Pupillenreflex *m*	réflexe *m* pupillaire	зрачковый рефлекс
	Pupin cable	s. coil-loaded cable		
	Pupin coil, loading coil	Pupin-Spule *f*	bobine *f* de charge, bobine Pupin	пупиновская катушка, катушка Пупина
	pupinization, loading <of a line>, coil loading	Bespulung *f*, Pupinisierung *f*	pupinisation *f*	пупинизация
	pupinization section	s. loading coil section		
	pupinized cable	s. coil-loaded cable		
P 3836	**pure bending,** simple bending (flexure), pure flexure	reine Biegung *f*	flexion *f* pure (simple)	чистый изгиб
P 3837	**pure beta emitter,** beta emitter only	reiner Beta-Strahler *m*	émetteur *m* bêta pur	чистый бета-излучатель, излучатель только бета-частиц
	pure carbon, homogeneous carbon, plain carbon, retort carbon	Homogenkohle *f*, Reinkohle *f*, Retortenkohle *f*, Reindochtkohle *f*	charbon *m* homogène, charbon de cornue	однородный уголь, уголь низкой интенсивности, чистый (простой, ретортный) уголь
P 3838	**pure case;** maximum observation	reiner Fall *m* <Weyl>; Maximalbeobachtung *f* <Dirac>	cas *m* pur; observation *f* maximale	чистый случай; максимальное наблюдение
	pure dilatational strain, uniform dilatation, dilatational strain	gleichförmige Dilatation *f*, reine Volumenänderung *f*	changement *m* de volume, dilatation *f* pure	чистая объёмная деформация, объёмная деформация
P 3839	**pure element,** monoisotopic element, anisotopic (simple) element	Reinelement *n*, isotopenreines (monoisotopisches, anisotopes) Element *n*	élément *m* pur, élément monoisotopique	чистый элемент, одноизотопный элемент
P 3840	**pure ensemble**	reine Gesamtheit *f*	ensemble *m* pur	чистый ансамбль
	pure flexure	s. pure bending		
	pure imaginary	s. purely imaginary		
	pure kinematics	s. kinematics		
P 3841	**purely elastic**	rein elastisch	purement élastique	чисто упругий
P 3842	**pureley imaginary,** pure imaginary	rein imaginär	purement imaginaire, imaginaire pur	чисто мнимый
	pure material, pure substance	Reinstoff *m*	matériel *m* pur, substance *f* pure	чистое вещество, чистый материал
P 3843	**pure metal**	Reinmetall *n*	métal *m* pur	чистый металл
	pureness	s. purity <gen.>		
	pure non-dilatational strain, non-dilatational strain, change of shape	[reine] Gestalt[s]änderung *f*, Deformation *f* ohne Volumenänderung	changement *m* [pur] de forme	деформация без изменения объёма, изменение формы
P 3844	**pure number,** dimensionless number	reine Zahl *f*, unbenannte Zahl, dimensionslose Zahl	nombre *m* adimensionnel	безразмерное число
P 3845	**pure pitch**	reine Stimmung *f*	gamme *f* pure	чистый строй
	pure purples	s. purple boundary		
P 3846	**pure rolling**	reines Rollen *n*	roulement *m* pur	чистое качение
	pure rotation spectrum, rotation spectrum, rotational spectrum	Rotationsspektrum *n*, reines Rotationsspektrum	spectre *m* de rotation [pure], spectre rotationnel	вращательный спектр, ротационный спектр, чисто вращательный спектр
	pure semiconductor	s. simple semiconductor		
P 3847	**pure shearing stress**	reiner Schubspannungszustand *m*	cisaillement *m* pur, effort *m* exclusivement tangentiel	чистый сдвиг
P 3848	**pure state** <qu.>	reiner Zustand *m* <Qu.>	état *m* pur <qu.>	чистое состояние <кв.>
P 3849	**pure strain**	reine Dehnung *f*, reine (eigentliche) Deformation *f*	déformation *f* pure (longitudinale, irrotationnelle)	чистая деформация
P 3850	**pure stress**	reiner Spannungszustand *m*	tension *f* pure	чистое напряжение (напряжённое состояние)
P 3851	**pure substance,** pure material	Reinstoff *m*	matériel *m* pur, substance *f* pure	чистое вещество, чистый материал
P 3852	**pure tone**	reiner Ton *m*	son *m* simple	чистый тон
P 3853	**purification;** cleansing <chem.>	Reinigung *f* <Chem.>	purification *f* <chim.>	очистка, очищение, освобождение от посторонних примесей <хим.>
	purification of water	s. water purification		
P 3854	**purity,** chemical purity <chem.>	Reinheit *f*, chemische Reinheit <Chem.>	pureté *f*, pureté chimique <chim.>	чистота, химическая чистота <хим.>
P 3854a	**purity;** cleanliless; cleanness; pureness <gen.>	Sauberkeit *f*, Reinheit *f* <allg.>	propreté *f*; netteté *f*; pureté *f* <gén.>	чистота, беспримесность <общ.>
	purity discrimination; saturation discrimination	Farbsättigungs-Unterscheidungsvermögen *n*, Farbsättigungs-Unterschiedsempfindlichkeit *f*	discrimination *f* de saturation; discrimination de pureté	различимость насыщенности [цветов]

№	English	German	French	Russian
P 3855	purity of colour, colour purity	Farbreinheit f, Reinheit f der Farbe	pureté f de la couleur	чистота цвета
P 3856	purity of tone	Reinheit f des Tones, Tonreinheit f	fidélité f du son	чистота звука
P 3857	**Purkinje effect**, Purkinje phenomenon, Purkinje shift	Purkinje-Phänomen n, Purkinje-Effekt m <korrekt: Purkýně-Phänomen>	effet m Purkinje, phénomène m de Purkinje	явление Пуркине, явление Пуркинье, эффект Пуркин[ь]е, феномен Пуркин[ь]е
P 3858	**Purkinje image**, Purkinje-Sanson['s] image	Purkinje-Bildchen n, Purkinje-Sanson-Bildchen n	image f de Purkinje [-Sanson]	феномен Пуркине[-Сансона], изображение Пуркине[-Сансона]
	Purkinje phenomenon	s. Purkinje effect		
	Purkinje-Sanson['s] image	s. Purkinje image		
P 3859	**Purkinje-Sanson['s] image formed by the cornea**	Reflexbild n der Hornhaut	image f de Purkinje[-Sanson] formée par la cornée	феномен (изображение) Пуркине[-Сансона], образующийся (образующееся) роговой оболочкой
P 3860	**Purkinje-Sanson['s] image formed by the crystalline lens**	Linsenbildchen n, Spiegelbildchen n der Linse	image f de Purkinje[-Sanson] formée par le cristallin	феномен (изображение) Пуркине[-Сансона], образующийся (образующееся) хрусталиком
	Purkinje shift	s. Purkinje effect		
P 3861	**purling**	Rieseln n	ruissellement m; roulement m	полив; орошение
P 3862	**purple**	Purpurfarbe f, Purpur m	pourpre m	пурпурная цветность
P 3863	**purple boundary**, pure purples, colour stimuli on the purples	Purpurgerade f, Purpurlinie f	ligne f des pourpres, ligne de pourpre	линия пурпурных цветностей, линия насыщенных пурпуровых цветов
P 3864	**purple light**	Purpurlicht n	lueur f pourprée, lumière f pourprée	пурпурный свет, пурпуровый свет <при сумерках>
P 3865	**purple spot**	Purpurfleck m	tache f pourprée	пурпурное пятно <при сумерках>
P 3866	**purple twilight**	Purpurdämmerung f	crépuscule m pourpré	пурпурные сумерки
P 3866a	**purposive sampling**	bewußte Auswahl f	choix m à dessein	целенаправленный выбор
	push; impact; shock; percussion; stroke; blow; shove; impulse	Schlag m, Stoß m, Anstoß m	impact m; choc m; percussion f; heurt m, frappe f; coup m	удар, толчок
	push	s. a. thrust		
	pushing ahead	s. pushing forward		
P 3867	**pushing figure**	Stromverstimmung f, Stromverstimmungsmaß n	indice m de glissement en amont de fréquence	электронное смещение частоты <магнетрона>; величина ухода частоты <генератора>
	pushing forward, driving, drifting, pushing ahead <geo.>	Vortrieb m <Geo.>	avancement m <géo.>	проходка, подвигание <гео.>
	pushing forward	s. a. forward movement		
	pushing of frequency	s. frequency drift		
P 3868	**push moraine**	Staumoräne f, Stauchmoräne f	moraine f de poussée	напорная морена, морена напора
P 3869	**push-pull [amplifier]**, balanced [valve] amplifier, paraphase amplifier	Gegentaktverstärker m	amplificateur m push-pull, amplificateur symétrique	двухтактный (пушпульный) усилитель, парафазный усилитель
	push-pull arrangement	s. push-pull circuit		
	push-pull cascade	s. push-pull circuit		
P 3870	**push-pull circuit (connection)**, push-pull arrangement (system, connection, stage, cascade)	Gegentaktschaltung f, Gegentaktstufe f	push-pull m, montage m push-pull, circuit m en push-pull, cascade f en push-pull	двухтактная (пушпульная) схема, парафазная схема, двухтактный (пушпульный) каскад
	push-pull demodulator	s. full-wave rectifier		
	push-pull detector	s. full-wave rectifier		
	push-pull mode, push-pull wave, wave in opposition of phase, wave in the push-pull mode	Gegentaktwelle f	onde f en opposition de phase, mode m en push-pull	противофазная волна
	push-pull modulation, balanced modulation	Gegentaktmodulation f	modulation f à deux cadences, modulation en push-pull	двухтактная (балансная) модуляция, модуляция по двухтактной схеме
	push-pull output, balanced output, symmetric output	symmetrischer Ausgang m, Gegentaktausgang m	sortie f symétrique, sortie en push-pull	симметричный выход, двухтактный выход
	push-pull stage (system)	s. push-pull circuit		
P 3871	**push-pull wave**, wave in opposition of phase, [wave in the] push-pull mode	Gegentaktwelle f	onde f en opposition de phase, mode m en push-pull	противофазная волна
	push-push amplifier	s. parallel-tube amplifier		
	putting into operation, commissioning, start-up, starting	Inbetriebnahme f; Inbetriebsetzung f	mise f en exploitation, mise en marche, mise en fonctionnement	пуск в эксплуатации, запуск, пуск в ход
	***p*-vector**	s. multivector <math.>		
	P.V. filter, panchromatic filter, panchromatic vision filter	Panfilter n, panchromatisches Filter n	filtre m panchromatique, filtre pour pellicule panchromatique	панхроматический фильтр, светофильтр для панхроматической эмульсии
	P-wave, primary wave	Primärwelle f, P-Welle f	onde f primaire, onde P	первичная волна, P-волна
	P wave, P ray, longitudinal wave <geo.>	P-Welle f, Longitudinalwelle f <Geo.>	onde f longitudinale, onde P <géo.>	продольная волна, волна P, сейсмическая волна типа P <гео.>
	pycnometer	s. pyknometer		
P 3872	**pycnometric determination of density**	pyknometrische Dichtemessung f	mesure f pycnométrique de densité	пикнометрическое измерение плотности

P 3873	pycnonuclear reaction, pressure-induced nuclear reaction	druckinduzierte Kernreaktion f, pyknonukleare Reaktion f	réaction f pycnonucléaire, réaction nucléaire provoquée par la pression	вызванная давлением ядерная реакция
P 3874	pygmaean star, pygmean star, pygmy, pygmy star	Pygmäenstern m	pygmée f, étoile f pygmée	звезда-пигмей, пигмей
P 3875	pygmy cap	Zwergsockel m	culot m nain, culot type E 10	цоколь типа лилипут (E 10), цоколь миниатюрной лампы
P 3876	pygmy current meter	Kleinflügel m, Mikroflügel m	micromoulinet m	флюктометр, малогабаритная вертушка, вертушка типа «малютка»
P 3877	pygmy galaxy	Pygmägalaxis f	galaxie f pygmée	галактика-пигмей
P 3878	pygmy lamp, miniature bulb (lamp)	Zwerglampe f, Zwergglühlampe f	lampe f miniature	миниатюрная лампа, миниатюрная лампочка
P 3878a	pygmy resonance	Zwergresonanz f	résonance f pygmée	малюсенький резонанс
	pygmy star	s. pygmy		
P 3879	pyknometer, pycnometer, weighing (density) bottle, [specific] gravity bottle	Pyknometer n, Wägefläschchen n, Wägeflasche f, Meßflasche f, Tarierfläschchen n	pycnomètre m, picnomètre m, flacon m à densité, flacon à mesurer la densité	пикнометр
	pyod	s. thermocouple		
	pyramidal antenna, prism antenna	Reusenantenne f, Reusendipol m, Reusendipolantenne f	antenne f en cage, antenne cylindrique (prismatique)	цилиндрический диполь, цилиндрическая антенна
	pyramidal class	s. hemimorphic hemihedry of the orthorhombic system		
	pyramidal class	s. paramorphic hemihedry of the hexagonal system		
	pyramidal class	s. paramorphic hemihedry of the tetragonal system		
P 3880	pyramidal error	Pyramidalfehler m	erreur f pyramidale	пирамидальная ошибка (погрешность), ошибка на пирамидальность
	pyramidal hemimorphic class	s. tetartohedry of the hexagonal system		
	pyramidal hemimorphic class	s. tetartohedry of the tetragonal system		
P 3881	pyramidal horn, quasi-pyramidal horn [waveguide]	Pyramidentrichter m, Pyramidenhorn n, Reusenstrahler m	cornet m pyramidal, pavillon m pyramidal	пирамидальный рупор
	pyramidal octahedron, triakisoctahedron, trisoctahedron	Pyramidenoktaeder n, Triakisoktaeder n, Trisoktaeder n	trigone-trioctaèdre m, octaèdre m pyramidal	тригон[-]триоктаэдр, тригоноктаэдр, пирамидальный октаэдр, триакисоктаэдр
P 3882	pyramidal plane	Pyramidalebene f	plan m pyramidal	пирамидальная плоскость
	pyramidal system	s. tetragonal crystal system		
	pyramidal tetrahedron, triakistetrahedron, tristetrahedron	Pyramidentetraeder n, Triakistetraeder n, Tristetraeder n	trigone-tritétraèdre m, tétraèdre m pyramidal	тригон[-]тритетраэдр, тригонтетраэдр, пирамидальный тетраэдр, триакистетраэдр
	pyramid of the first order, protopyramid	Protopyramide f, Pyramide f erster Art	protopyramide f	протопирамида
P 3883	pyramid of vicinal faces	Pyramide f von Vizinalflächen	vicinaloïde m	вицинальная пирамида, вицинал
P 3884	pyramid of visual rays, visual ray pyramid	Sehstrahlpyramide f	pyramide f des rayons visuels	пирамида лучей зрения
P 3885	pyranometer with blackened surfaces	Schwarzflächenpyranometer n	pyranomètre m à surfaces noires	пиранометр с черными поверхностями
P 3886	pyranometry	Pyranometrie f, Globalstrahlungsmessung f	pyranométrie f	пиранометрия
P 3887	pyrgeometer	Pyrgeometer n	pyrgéomètre m	пиргеометр
P 3888	pyrheliometer	Pyrheliometer n, Sonnenstrahlungsmesser m	pyrhéliomètre m	пиргелиометр
P 3889	pyrheliometric scale	Pyrheliometerskala f	échelle f pyrhéliométrique	пиргелиографическая шкала
P 3890	pyrheliometry	Aktinometrie f, Pyrheliometrie f	pyrhéliométrie f	пиргелиометрия
	pyriform, pearshaped	birnenförmig	piriforme	грушевидный
	pyritohedral class	s. paramorphic hemihedry of the regular system		
	pyritohedron	s. pentadodecahedron		
P 3891	pyroacoustic loudspeaker	pyroakustischer Lautsprecher m	haut-parleur m pyroacoustique	пироакустический громкоговоритель
P 3892	pyrocaloric effect	pyrokalorischer Effekt m	effet m pyrocalorique	пирокалорический эффект, пирокалорическое явление
P 3892a	pyrocarbon, pyrographite	Pyrographit m	pyrocarbone m, pyrographite m	пирографит
P 3893	pyroceram[ic]	Vitrokeram n; Pyroceram n; Sitall n	pyrocérame m	ситалл; стеклокерамика, стеклокристаллический материал; пирокерам
P 3894	pyroconductivity	Heißleitfähigkeit f	pyroconductibilité f	пиропроводимость
P 3895	pyroelectric	Pyroelektrikum n	pyro-électrique m	пироэлектрик
P 3896	pyroelectric coefficient, pyroelectric constant	pyroelektrischer Koeffizient m, pyroelektrische Konstante f	coefficient m pyro-électrique, constante f pyro-électrique	пироэлектрическая константа (постоянная), пироэлектрический коэффициент
P 3897	pyroelectric current	pyroelektrischer Strom m	courant m pyro-électrique	пироэлектрический ток
P 3898	pyroelectric effect	pyroelektrischer Effekt m	effet m pyro-électrique	пироэлектрический эффект, пироэлектрическое явление
P 3899	pyroelectricity	Pyroelektrizität f	pyro-électricité f	пироэлектричество

	English	German	French	Russian
	pyrogenetic	s. pyrogenic		
	pyrogenetic decomposition	s. pyrolysis		
P 3900	pyrogenic, pyrogenetic	pyrogen	pyrogène, pyrogéné, pyrogénique, pyrogénétique	пирогенный, пирогенетический
	pyrographite	s. pyrocarbon		
P 3900a	pyrohydrolysis	Pyrohydrolyse f	pyrohydrolyse f	пирогидролиз
P 3901	pyrolysis; pyrogenetic decomposition	Pyrolyse f; Brenzreaktion f, Brenzen n	pyrolyse f; pyrogénation f, décomposition f pyrogénée	пиролиз; пирогенетическое разложение
P 3901a	pyrolysis [gas] chromatography	Pyrolyse[gas]chromatographie f	chromatographie f [gazeuse] à pyrolyse	пиролизная [газовая] хроматография, пиролитическая хроматография, хроматография с контролируемым пиролизом
P 3902	pyromagnetism	Pyromagnetismus m	pyromagnétisme m	пиромагнетизм
P 3903	pyrometallurgy	Pyrometallurgie f, Trockenmetallurgie f, Schmelzflußmetallurgie f, trockenes Verfahren n <Met.>	pyrométallurgie f	пирометаллургия
P 3904	pyrometamorphism	Pyrometamorphose f; Pyrometamorphismus m	pyrométamorphisme m; pyrométamorphose f	пирометаморфизм, пироморфизм
P 3905	pyrometasomatism	Pyrometasomatose f	pyrométasomatisme m	пирометасоматизм
P 3906	pyrometer	Pyrometer n; Hochtemperaturmeßgerät n, Hitzemesser m, Hitzemeßgerät n	pyromètre m	пирометр
	pyrometer	s. a. radiation pyrometer		
	pyrometer cone	s. pyrometric cone		
	pyrometer in protection tube <US>	s. pyrometric rod		
P 3907	pyrometer probe, thermometer probe	Temperaturfühler m	sonde f pyrométrique, sonde thermométrique	температурный зонд (щуп), термощуп
	pyrometer [protecting] tube	s. pyrometric rod		
P 3908	pyrometric cone, pyrometer cone, pyroscope, fusible cone, fusion cone, melting cone, sentinel pyrometer; Seger cone; Orton cone <US>	pyrometrischer Kegel m, Schmelzkegel m, Schmelzkörper m, Brennkegel m; Seger-Kegel m, SK; Orton-Kegel m	cône m pyrométrique (pyroscopique), pyroscope m, cône (corps m) fusible, cône de contrôle de température; montre f Seger, montre [fusible] de Seger	пирометрический конус, пироскопический конус, пироскоп, плавкий конус; конус Зегера, пирамидка Зегера; конус Ортона
P 3909	pyrometric cone equivalent, softening point of the pyrometric cone, P.C.E.	Kegelfallpunkt m	point m de ramollissement du cône pyrométrique, équivalent m du cône pyrométrique	температура размягчения пирометрического конуса, огнеупорность по пирометрическому конусу
P 3910	pyrometric rod, sheathed pyrometer, pyrometer in protection tube <US>, pyrometer [protecting] tube, thermometer tube	Pyrometerstab m, Pyrometerrohr n, Fühler m, Temperaturfühler m mit Schutzrohr	canne f pyrométrique	трубка пирометра, защитная трубка для термопары, температурный зонд с предохранительной трубкой
P 3911	pyrometry	Pyrometrie f, Hochtemperaturmessung f	pyrométrie f	пирометрия
P 3912	pyromorphous	pyromorph	pyromorphe	пироморфный
	pyrophoric; self-inflammable, self-igniting, self-ignitable; hypergolic	selbstentzündlich, selbstentflammbar; pyrophor; selbstzündend	pyrophorique; hypergolique	самовоспламеняющийся; пирофорный
P 3913	pyrophorus	Pyrophor m, selbstzündender Stoff m	pyrophore m	самовозгоряющееся на воздухе вещество, самовоспламеняющееся (пирофорное) вещество, пирофор
P 3913a	pyroreaction	Pyroreaktion f	pyroréaction f	пиреакция
	pyroscope	s. pyrometric cone		
P 3914	pyrosol	Pyrosol n	pyrosol m	пирозоль
P 3915	pyrosphere	Pyrosphäre f	pyrosphère f	пиросфера
	pyrotron	s. mirror machine		
P 3916	pyrradio	Pyrradio n	pyrradio m	пиррадио
P 3917	pyrylium salt	Pyryliumsalz n	sel m de pyrylium	соль пирилия, пирилиевый соль, соль пироксония
P 3918	Pythagorean comma	pythagoreisches Komma n	comma m pythagoricien	пифагорова (пифагорейская) комма
P 3919	Pythagorean gamut, Pythagorean scale	pythagoreische Tonleiter f; pythagoreische Stimmung f	échelle f pythagoricienne, gamme f pythagoricienne	пифагорова гамма, пифагоров (пифагорейский) строй (пифагорейский лад

Q

Q 1	**Q,** Q factor, quality factor, factor of quality, factor of merit <of resonant circuit, cavity resonator, coil, capacitor>; coil constant, figure of merit	Gütefaktor m Güte f, bezogene Güte, Q-Faktor m, Güte Q <Resonanzkreis, Hohlraumresonator, Spule, Kondensator>; Gütewert m, Q-Wert m <Hohlraumresonator>; Spulengüte f, Spulenkonstante f; Kreisgüte f	facteur m de qualité, facteur Q, Q-facteur m, Q, coefficient m de qualité <du circuit résonant, de la cavité résonnante, de la bobine, du condensateur>; constante f de bobine	добротность, коэффициент добротности (качества) <колебательного контура, объёмного резонатора, катушки, конденсатора>; постоянная катушки; добротность контура
Q 2	**Q band** <25.5—40 or 22—33 or 36—46 Gc/s>	Q-Band n <25,5 — 40 oder 22 ⋯ 33 oder 36 ⋯ 46 GHz>	gamme f Q [de fréquences], bande f Q [de fréquences] <25,5—40 ou 22—33 ou 36—46 Gc/s>	диапазон Q [частот] <25,5 ÷ 40 или 22 ÷ 33 или 36 ÷ 46 Ггц>

Q 3	**Q-branch,** zero branch \<opt.>	Q-Zweig *m*, Nullzweig *m* \<Opt.>	branche *f* Q, branche nulle \<opt.>	Q-ветвь, нулевая ветвь \<опт.>
	Q bridge, differential bridge [of Jaumann], Jaumann differential bridge	Jaumann-Brücke *f*, Differentialmeßbrücke *f* nach Jaumann	pont *m* différentiel [de Jaumann], pont de Jaumann	дифференциальный мост [Яумана], мост Яумана
	Q-disk, A band, anisotropic band, A segment	Q-Streifen *m*, anisotrope Querscheibe (Schicht) *f* \<Muskel>	disque *m* sombre	темная полоса, темный диск, Q-диск
	Q factor	*s.* Q		
	Q factor modulation	*s.* Q-switch[ing]		
Q 4	**Q meter, Q-meter**	Gütemesser *m*, Gütefaktormesser *m*, Gütefaktormeßgerät *n*, Q-Meter *n*	acuimètre *m*, Q[-] mètre *m*	куметр, Q-метр, измеритель добротности
Q 5	**q-number**	*q*-Zahl *f*	*q*-nombre *m*	*q*-число
Q 6	**Q-number theory**	Theorie *f* der Q-Zahlen, Q-Zahlen-Theorie *f*	théorie *f* des nombres Q	теория Q-чисел
Q 7	**q-process**	q-Prozeß *m*	processus *m* q	q-процесс
	q-representation	*s.* co-ordinate representation		
Q 8	**Q-switch[ing] [process],** quality (Q) factor modulation	Gütemodulation *f*, Gütewertmodulation *f*, Q-Wert-Modulation *f*	modulation *f* de qualité (facteur Q) [de la cavité résonnante]	модуляция добротности [объемного резонатора]
Q 9	**quad, quadded cable**	Vierer *m*, Viererseil *n*	ligne *f* combinée de quatre fils, câble *m* combiné de quatre fils, quarte *f*	четверка [жил кабеля]
Q 10	**quadrangle connection**	Viereckschaltung *f*	montage *m* en rectangle	соединение четырехугольником
Q 11	**quadrangle grid,** quadrangular grid	Vierecksnetz *n*	réseau *m* de quadrilatéraux	сеть четырехугольников
Q 12	**quadrangular prism**	vierseitiges Prisma *n*, Vierkantprisma *n*	prisme *m* quadrangulaire, prisme quadrilatère	четырехугольная призма
Q 13	**quadrant**	Quadrant *m*; Viertelkreis *m*; Viertelebene *f*	quadrant *m*; quart *m* de cercle; quart du plan	квадрант; четверть круга; четверть плоскости
Q 14	**quadrantal [deviation],** quadrantal error, quadrantal in form	Viertelkreisfehler *m*, Quadrantfehler *m*	déviation *f* quadrantale, erreur *f* quadrantale	четвертная (квадрантная) радиодевиация, квадрантная ошибка, квадрантальная ошибка (погрешность)
Q 15	**quadrant electrometer**	Quadrantelektrometer *n*, Quadrantenelektrometer *n*, Quadrant[en]voltmeter *n*	électromètre *m* à quadrants	квадрантный электрометр
Q 16	**quadrant instrument (meter),** square-scale instrument (meter), square-dial instrument (meter)	Quadrantinstrument *n*, Quadratinstrument *n*	appareil *m* de mesure quadratique, appareil de mesure à échelle carrée, appareil à quadrants	квадратный [измерительный] прибор, измерительный прибор с угловым расположением шкалы
Q 17	**quadrant system [of units]**	Quadrantsystem *n*	système *m* quadratique [des unités]	квадрантная система единиц
Q 18	**quadrant unit**	Quadranteinheit *f*, Q.E.	unité *f* quadratique	квадрантная единица
	quadrate	*s.* quadrature \<astr.>		
	quadratically convergent Newton-Raphson process	*s.* Newton-Raphson method		
	quadratically integrable, square-integrable, square-summable	quadratisch integrierbar, quadratisch integrabel	de carré sommable, de carré intégrable	интегрируемый с квадратом
	quadratically integrable function, normalizable function	normierbare Funktion *f*, quadratisch integrierbare Funktion	fonction *f* normable, fonction de carré sommable	нормируемая функция, интегрируемая с квадратом функция
Q 19	**quadratic Doppler effect,** Doppler effect of the second order	Doppler-Effekt *m* zweiter Ordnung, quadratischer Doppler-Effekt	effet *m* Doppler quadratique, effet Doppler de second ordre	эффект Доплера второго порядка, квадратический эффект Доплера
Q 19a	**quadratic effect,** quadratic response	quadratische Wirkung *f*	effet *m* (réponse *f*) quadratique	квадратичный отклик (эффект)
Q 20	**quadratic form,** quadric quantic, quadric	quadratische Form *f*	forme *f* quadratique, quadrique *f*	квадратичная форма
Q 21	**quadratic group,** Klein['s] [quadratic] group, Klein['s] four-group (4-group), four-group, 4-group, vierer group \<math.>	Kleinsche Vierergruppe *f*, Vierergruppe [von Klein] \<Math.>	groupe *m* quadratique, groupe de Klein, Vierergruppe *f* [de Klein], groupe du rectangle \<math.>	четверная группа, группа Клейна \<матем.>
Q 22	**quadratic intermodulation factor**	quadratischer Differenztonfaktor *m*, Differenztonfaktor erster Ordnung, quadratischer Intermodulationsfaktor *m*	facteur *m* d'intermodulation quadratique	квадратический коэффициент взаимной модуляции
	quadratic matrix	*s.* square matrix		
	quadratic mean	*s.* root mean square		
Q 23	**quadratic piezoelectric effect**	quadratischer piezoelektrischer Effekt *m*	effet *m* piézo-électrique quadratique, effet piézo-électrique de second ordre	квадратический пьезоэлектрический эффект, пьезоэлектрический эффект второго порядка
Q 24	**quadratic prism,** Newton['s] prism	Newton-Prisma *n*	prisme *m* quadratique (de Newton)	призма квадратного сечения [Ньютона]
	quadratic response	*s.* quadratic effect		
	quadratic system	*s.* tetragonal crystal system		
	quadratic yield condition	*s.* Mises yield condition		
Q 25	**quadrature,** quartile [aspect], quadrate, tetragon \<astr.>	Quadratur *f*, Quadraturstellung *f*, Geviertschein *m*, Quadratschein *m* \<Astr.>	quadrature *f* \<astr.>	квадратура, квадратный аспект \<астр.>

	English	German	French	Russian
Q 26	quadrature <math.>	Quadratur f <Math.>	quadrature f <math.>	квадратура <матем.>
Q 27	quadrature <phase>, phase quadrature, quadrature shift	90°-Phasenverschiebung f, Phasenverschiebung f um 90°, Phasenquadratur f	quadrature f [de phase]	фазовый сдвиг на 90°, сдвиг по фазе на 90°, квадратура фаз, разность фаз на 90°, фазы со сдвигом на 90°
	quadrature / in, in phase quadrature	[um] 90° phasenverschoben	en quadrature [de phase]	сдвинутый по фазе на 90°
	quadrature in time, time quadrature	zeitliche Verschiebung f um 90°, zeitliche 90°-Verschiebung f	quadrature f dans le temps	сдвиг во времени на 90°
	quadrature shift	s. quadrature		
	quadric, quadratic form, quadric quantic	quadratische Form f	forme f quadratique, quadrique f	квадратичная форма
Q 28	quadric, quadric surface, conicoid <nondegenerate case>	Quadrik f, Fläche f zweiter Ordnung; Hyperfläche f zweiter Ordnung	quadrique f, surface f du second ordre	квадрика, поверхность второго порядка
	quadric of elongation, elongation quadric, strain quadric	Elongationsfläche f, Tensorfläche (quadratische Form) f des Elongationstensors	quadrique f des allongements	поверхность удлинений
	quadric of stress, stress quadric, surface of tension, deflection surface	Spannungsfläche f, Tensorfläche (quadratische Form) f des Spannungstensors	quadrique f des contraintes, quadrique des tensions [normales], quadrique directrice	поверхность напряжений
	quadric of stretching, stretching quadric	Streckungsfläche f, Tensorfläche (quadratische Form) f des Streckungstensors	quadrique f des prolongements	поверхность растяжений
	quadric of the tensor, tensor quadric	Tensorfläche f, Tensorellipsoid n, quadratische Form f des Tensors	quadrique f représentative du tenseur, quadrique du tenseur	поверхность тензора, тензорный эллипсоид; квадратичная форма тензора
	quadric quantic	s. quadric		
	quadric surface	s. quadric		
Q 29	quadrielectron	Quadrielektron n	quadriélectron m	квадриэлектрон
	quadrillé paper	s. squared paper		
	quadripole	s. four-terminal network		
Q 30	quadripole amplifier	Vierpolverstärker m	amplificateur m quadripolaire	четырехполюсный усилитель
	quadripole attenuation	s. image attenuation factor		
	quadripole determinant, characteristic determinant of the four-terminal network	Vierpoldeterminante f	déterminant m caractéristique du quadripôle, déterminant du quadripôle	характеристический определитель четырехполюсника, определитель четырехполюсника
	quadripole equations	s. characteristic relations of the two-terminal-pair network		
	quadripole matrix	s. characteristic matrix of the two-terminal-pair network		
	quadripole phase factor, image phase constant, image phase factor	Vierpolwinkelmaß n, Vierpolphasenfaktor m, Vierpolphasenkonstante f	constante f de déphasage du quadripôle, constante de phase du quadripôle, déphasage m sur images	[собственная] фазовая постоянная четырехполюсника, фазная постоянная четырехполюсника, [характеристический] фазный коэффициент, четырехполюсника, коэффициент фазы четырехполюсника
	quadripole propagation factor	s. image transfer constant		
	quadripole relations	s. characteristic relations of the two-terminal-pair network		
	quadrode	s. tetrode		
Q 31	quadruped, tetrapod, four nuple, 4-nuple, vierbein	Vierbein n	tétrapode m	тетрада, четыре-репер, 4-репер
Q 32	quadruple	Quadrupel n	quadruple m	четверка
Q 33	quadruple bond, quadruple link[age], eight-electron bond	Vierfachbindung f, Achtelektronenbindung f	liaison f quadruple, liaison à huit électrons	четверная связь, восьми-электронная связь
Q 34	quadruple coincidence	Vierfachkoinzidenz f, Viererkoinzidenz f	coïncidence f quadruple	четырехкратное совпадение
	quadruple link[age]	s. quadruple bond		
Q 35	quadruple point	Quadrupelpunkt m, Vierfachpunkt m	point m quadruple, quadruple point	четверная точка
Q 36	quadruple scattering	Vierfachstreuung f	diffusion f quadruple	четырехкратное рассеяние
Q 36a	quadruple serial photogrammetric camera	Vierfach-Reihenmeßkammer f	chambre f aérophotogrammétrique quadruple	счетверенная маршрутная камера
Q 37	quadruplet	Quadruplett n	quadruplet m	квадруплет
Q 38	quadruplet, quadruplet lens	Vierlinser m, Quadruplet n, vierlinsiges Objektiv n	objectif m à quatre lentilles, quadruplet m	четырехлинзовый объектив
Q 39	quadruplet splitting	Quadruplettaufspaltung f	décomposition f en quadruplet	квадруплетное расщепление
	quadrupolar absorption	s. quadrupole absorption		
Q 40	quadrupolar field, quadrupole field	Quadrupolfeld n	champ m quadripolaire	квадрупольное поле
Q 41	quadrupolarization	Quadrupolarisation f	quadripolarisation f	квадруполяризация
Q 42	quadrupole	Quadrupol m	quadripôle m, quadrupôle m	квадруполь
Q 43	quadrupole absorption, quadrupolar absorption	Quadrupolabsorption f	absorption f quadripolaire (par quadripôle)	квадрупольное поглощение
Q 44	quadrupole antenna	Quadrupolantenne f	antenne f quadripôle (quadripolaire)	антенна-квадруполь, квадрупольная антенна
Q 45	quadrupole broadening	Quadrupolverbreiterung f	élargissement m quadripolaire [de la raie]	квадрупольное расширение [линии]

Q 46	quadrupole coupling	Quadrupolkopplung *f*	couplage *m* quadripolaire	квадрупольная связь
Q 47	quadrupole coupling constant	Quadrupolkopplungs-konstante *f*	constante *f* de couplage quadripolaire	константа (постоянная) квадрупольной связи
Q 48	quadrupole electric absorption	elektrische Quadrupol-absorption *f*	absorption *f* par quadripôle électrique	квадрупольное электри-ческое поглощение
Q 49	quadrupole excitation	Quadrupolanregung *f*	excitation *f* quadripolaire (par quadripôle)	квадрупольное возбужде-ние
	quadrupole field	*s.* quadrupolar field		
Q 50	quadrupole force	Quadrupolkraft *f*	force *f* quadripolaire	квадрупольная сила
Q 51	quadrupole frequency, frequency of quadrupole transition	Quadrupolübergangs-frequenz *f*, Quadrupol-frequenz *f*	fréquence *f* de la transition quadripolaire	частота квадрупольного перехода
Q 52	quadrupole hyperfine structure	Quadrupolhyperfein-struktur *f*	structure *f* hyperfine quadripolaire	квадрупольная сверхтон-кая структура
Q 53	quadrupole interaction	Quadrupolwechselwirkung	interaction *f* quadripolaire, interaction quadripolaire	квадрупольное взаимо-действие
	quadrupole interaction energy, energy of quadrupole interaction	Quadrupolwechsel-wirkungsenergie *J*, Quadrupolenergie *f*	énergie *f* de l'interaction quadripolaire	энергия квадрупольного взаимодействия, энер-гия взаимодействия квадруполя
Q 54	quadrupole lens	Quadrupollinse *f*	lentille *f* quadripolaire, lentille quadripolaire	квадрупольная линза
Q 55	quadrupole molecule	Quadrupolmolekül *n*	molécule *f* quadripolaire	квадрупольная молекула
Q 56	quadrupole moment	Quadrupolmoment *n*	moment *m* quadripolaire, moment du quadripôle	квадрупольный момент
Q 57	quadrupole moment tensor	Quadrupolmomenttensor *m*	tenseur *m* du moment quadripolaire	тензор квадрупольного момента
	quadrupole oscillation	*s.* quadrupole vibration		
Q 58	quadrupole potential	Quadrupolpotential *n*	potentiel *m* quadripolaire (du quadripôle)	квадрупольный потен-циал, потенциал квадруполя
Q 59	quadrupole precession	Quadrupolpräzession *f*	précession *f* quadripolaire	квадрупольная прецессия
Q 60	quadrupole-quadrupole coupling	Quadrupol-Quadrupol-Kopplung *f*	couplage *m* quadripôle-quadripôle	квадруполь-квадруполь-ная связь, связь между квадруполями
Q 61	quadrupole radiation	Quadrupolstrahlung *f*	rayonnement *m* quadri-polaire (quadripolaire, par quadripôle)	квадрупольное излучение
Q 62	quadrupole resonance	Quadrupolresonanz *f*	résonance *f* quadripolaire	квадрупольный резонанс
Q 63	quadrupole resonance spectrometer, quadru-pole spectrometer	Quadrupolresonanz-spektrometer *n*, Quadru-polspektrometer *n*, Kern-quadrupolresonanzspek-trometer *n*	spectromètre *m* à résonance quadripolaire, spectro-mètre quadripôle (quadripôle)	спектрометр с квадру-польным резонансом, квадрупольный спектрометр
Q 64	quadrupole source	Quadrupolquelle *f*	source *f* quadripolaire	квадрупольный источник
	quadrupole spectrom-eter	*s.* quadrupole resonance spectrometer		
Q 65	quadrupole spectrum	Quadrupolspektrum *n*	spectre *m* quadripolaire	квадрупольный спектр
Q 66	quadrupole splitting	Quadrupolaufspaltung *f*	décomposition *f* (dédou-blement *m*) quadripolaire	квадрупольное расщеп-ление
Q 67	quadrupole state	Quadrupolzustand *m*	état *m* quadripolaire	квадрупольнöе состояние
Q 68	quadrupole transition	Quadrupolübergang *m*	transition *f* quadripolaire	квадрупольный переход
Q 69	quadrupole vibration, quadrupole oscillation	Quadrupolschwingung *f*	vibration *f* quadripolaire (du quadripôle), oscilla-tion *f* quadripolaire (du quadripôle)	квадрупольное коле-бание, колебание квадруполя
Q 70	quadrupole wave	Quadrupolwelle *f*	onde *f* quadripolaire	квадрупольная волна
Q 71	quad twisting	Viererverseilung *f*	câblage *m* par quartes	четверочная скрутка, скрутка кабеля четверками
Q 71a	quake; quiver[ing]; tremor; trembling	Beben *n*; Zittern *n*	tremblement *m*, frémisse-ment *m*	трясение
Q 72	qualimeter, penetrom-eter, penetration meter, radiochrometer	Qualitätsmesser *m*, Quali-meter *n*, Penetrometer *n*, Penetrationsmesser *m*, Strahlungshärtemesser *m* <für Röntgenstrahlen>	qualimètre *m*, pénétro-mètre *m*	квалиметр, пенетрометр
Q 73	qualitative spectral analysis	qualitative Spektralanalyse *f*	analyse *f* spectrale qualitative	качественный спектраль-ный анализ
	qualitative variability	*s.* alternative variability <stat.>		
	quality, hue <of colour>	Farbton *m*, Ton *m* [der Farbe], Qualität *f* <Farbe>	tonalité *f* [chromatique], teinte *f*, qualité *f* <de la couleur>	цветовой тон, тон [цвета], цветовой оттенок
Q 74	quality control	Qualitätskontrolle *f*	contrôle *m* de la qualité	контроль качества, ка-чественный контроль
Q 75	quality factor <of amplifier>	Gütefaktor *m* <Verstärker>	facteur *m* de qualité <de l'amplificateur>	добротность <усилителя>
Q 76	quality factor, QF <radiobiology>	Qualitätsfaktor *m*, Bewer-tungsfaktor *m*, F, QF <Strahlenbiologie>	facteur *m* de qualité, FQ <radiobiologie>	коэффициент качества излучения, фактор качества, ФК <радиобиология>
	quality factor	*s. a.* Q		
	quality factor modula-tion	*s.* Q-switch[ing]		
Q 77	quality of radiation, radiation quality	Strahlenqualität *f*, Qualität *f* der Strahlung, Strah-lungsqualität *f*; Röntgen-strahlenhärte *f*	qualité *f* de rayonnement	качество излучения; жесткость рентгенов-ских лучей
	quality of sound, timbre of sound, tone colour (quality); tone <el.>	Klangfarbe *f*, Tonfarbe *f*, Farbe *f* des Klangs	timbre *m* [du son]; tonalité *f*, sonalité *f* <él.>	тембр звука, звуковая окраска, окраска звука
	quality of transmission	*s.* sound transmission quality		

Q 77a	quantal phenomenon	s. quantum phenomenon		
	quantal response	Alternativreaktion f	réponse f par tout ou rien	альтернативный исход
Q 78	quantameter	Quantameter n	quantamètre m	квантаметр
Q 79	quantasome	Quantasom n	quantasome m	квантасома
	quantic	s. form <math.>		
	quantic	s. quantum theoretical		
Q 80	quantification <math.>	Quantifizierung f <Math.>	quantification f <math.>	квантификация, навешивание кванторов <матем.>
	quantification theory	s. predicate calculus		
Q 81	quantifier, quantor, operator	Quantifikator m, Quantor m, [prädikatenlogischer] Funktor m	quantificateur m	квантор
Q 82	quantile	Quantil n	quantile m	квантиль
	quantimeter	s. dosimeter		
Q 83	quantimetric point	quantimetrischer Punkt m	point m quantimétrique	квантиметрическая точка
Q 84	quantitative spectral analysis	quantitative Spektralanalyse f	analyse f spectrale quantitative	количественный спектральный анализ
	quantitative variability continuous variability, fluctuating variability	kontinuierliche (fluktuierende, quantitative) Variabilität f	variabilité f continue, variabilité quantitative, variabilité fluctuante	количественная (непрерывная, флуктуирующая) изменчивость
Q 85	quantity, physical quantity, physical magnitude	Größe f, physikalische Größe; Größenart f	grandeur f, grandeur physique	величина, физическая величина
	quantity	s. a. lightness <of surface colour>		
	quantity concept, concept of physical quantity	[physikalischer] Größenbegriff m, Begriff m der physikalischen Größe	concept m de la grandeur physique	понятие физической величины
Q 86	quantity in the formula, formula quantity	Formelgröße f	quantité f dans la formule	формульная величина
	quantity measured	s. measured quantity		
Q 87	quantity of action, action quantity, action magnitude	Wirkungsgröße f	grandeur f d'action	величина действия
	quantity of electricity	s. charge <el.>		
Q 88	quantity of heat, amount of heat, heat quantity	Wärmemenge f, Wärme f	quantité f de chaleur	количество тепла, количество теплоты, теплота
Q 89	quantity of illumination, exposure <quantity> <opt., phot.>	Belichtung f <Größe> <Opt., Phot.>; Exposition f <Größe> <Phot.>	quantité f d'éclairement, éclairement m, lumination f <grandeur> <opt., phot.>	количество освещения <величина> <опт., фот.>
	quantity of information	s. information content		
Q 90	quantity of light, luminous energy	Lichtmenge f, Lichtarbeit f	quantité f de lumière, énergie f lumineuse	световая энергия, количество световой энергии, количество света
	quantity of magnetism	s. magnetic charge		
	quantity of motion	s. momentum <mech.>		
	quantity of radiant energy	s. radiant energy		
	quantity of radiation	s. radiant exposure		
	quantity of radiation	s. a. radiant energy		
	quantity of reflux; reflux <chem.>	Rückfluß m, Rücklauf m, Phlegma n <Chem.>	reflux m; flegme m, phlegme m; quantité f de reflux <chim.>	флегма; орошение; рефлюкс; расход орошения <хим.>
Q 91	quantity of sound field, sound field quantity, acoustic[al] quantity	Schallfeldgröße f, Schallgröße f	grandeur f du champ acoustique, grandeur acoustique	характеризующая звуковое поле величина, параметр звукового поля
Q 92	quantity of steam	Dampfgehalt m	teneur f en vapeur	паросодержание
Q 93	quantity of stimulus, stimulation quantity	Reizmenge f	quantité f de stimulus	количество раздражителя
	quantity of stimulus rule	s. product rule		
Q 94	quantity to be controlled <control>	Wirkungsgröße f; Auslösegröße f <Regelung>	grandeur f d'action, grandeur contrôlée <réglage>	величина действия <регулирование>
Q 95	quantity to be measured; measurable variable, measurand	Meßgröße f, zu messende Größe f	grandeur f à mesurer	измеряемая величина
	quantity weighed	s. amount weighed		
	quantivalent	s. polyvalent <chem.>		
Q 96	quantization	Quantelung f <Phys.>; Quantisierung f <El., Phys.>	quantification f	квантование
Q 97	quantization circuit, quantizing circuit	Quantisierungsschaltung f	circuit (montage) m de quantification	схема квантования сигнала
Q 98	quantization noise, quantizing noise	Quantisierungsrauschen n	bruit m de quantification	шум квантования [сигнала]
Q 99	quantization rule	Quantelungsregel f, Quantelungsvorschrift f, Quantisierungsregel f	règle f de quantification	правило квантования
Q 100	quantized field, quantum field	gequanteltes Feld n, Quantenfeld n	champ m quantifié	квантованное поле, квантовое поле
	quantized field theory	s. quantum field theory		
	quantized frequency, quantum frequency	Quantenfrequenz f, gequantelte Frequenz f	fréquence f quantique (quantifiée)	квантованная частота
Q 101	quantized law	Quantengesetz n, gequanteltes Gesetz n	loi f quantifiée	квантовый закон, квантованный закон
	quantized oscillator	s. quantum oscillator		
	quantizing circuit, quantization circuit	Quantisierungsschaltung f	circuit (montage) m de quantification	схема квантования сигнала

	English	German	French	Russian
	quantizing noise, quantization noise	Quantisierungsrauschen n	bruit m de quantification	шум квантования [сигнала]
Q 102	**quantometer**	Quantometer n	quantomètre m	квантометр, прибор для полуавтоматического спектроскопического анализа
	quantometer	s. a. ballistical galvanometer		
	quantor	s. quantifier		
	quantor of existence, existential quantifier, existential operator	Partikularisator m, Existentialoperator m, Existenzquantor m	quantificateur m existentiel (spécial, petit), signe m d'existence	квантор существования
	quantor of generality	s. generality quantifier		
Q 103	**quantrol**	Quantrol m	quantrol m	квантроль
Q 104	**quantum** <pl: quanta>	Quant n, Quantum n <pl.: Quanten>	quantum m <pl.: quanta>	квант
	quantum	s. a. photon		
Q 104a	**quantum acoustics**	Quantenakustik f	acoustique f quantique	квантовая акустика
	quantum amplifier	s. maser		
	quantum annihilation	s. photon annihilation		
Q 105	**quantum biology**	Quantenbiologie f	biologie f quantique	квантовая биология
Q 106	**quantum character;** quantum structure; quantum property	Quanteneigenschaft f; Quantencharakter m; quantenhafte Natur (Struktur) f	structure f (caractère m; nature f; propriété f) quantique	квантовое свойство; квантовый характер; квантовая структура, квантовое строение
Q 107	**quantum chemistry**	Quantenchemie f	chimie f quantique	квантовая химия
Q 108	**quantum condition**	Quantenbedingung f	condition f quantique	квантовое условие
	quantum counter	s. photon counter		
Q 108a	**quantum crystal**	Quantenkristall m	cristal m quantique	квантовый кристалл
Q 109	**quantum defect**	Quantendefekt m	défaut m quantique	квантовый дефект
	quantum defect, Rydberg correction [term]	Rydberg-Korrektion f	correction f de Rydberg	поправка Ридберга
Q 110	**quantum efficiency,** photochemical yield, photochemical quantum yield, quantum yield	Quantenausbeute f, photochemische Quantenausbeute, photochemische Ausbeute f	rendement m photochimique, rendement quantique <en photochimie>	фотохимический выход, квантовый выход <в фотохимии>
Q 111	**quantum efficiency** <of luminescence>, energy quantum efficiency, quantum yield [of luminescence], luminescence efficiency	Quantenausbeute f [der Lumineszenz], Lumineszenzausbeute f; Lichtausbeute f, Leuchtwirkungsgrad m	rendement m de luminescence (lumière), rendement quantique [de la luminescence], quantité f de lumière [de la luminescence]	световой выход [люминесценции], выход света [при люминесценции], квантовый выход [люминесценции]
	quantum efficiency [of photoelectric effect]	s. a. photoelectric efficiency		
Q 112	**quantum electrodynamic correction**	quantenelektrodynamische Korrektion f	correction f quantoélectrodynamique	квантово-электродинамическая коррекция (поправка)
Q 113	**quantum electrodynamics**	Quantenelektrodynamik f	électrodynamique f quantique	квантовая электродинамика
Q 114	**quantum electronics**	Quantenelektronik f	électronique f quantique	квантовая электроника
Q 115	**quantum energy,** energy content of quanta	Quantenenergie f	énergie f quantique, énergie des quanta	энергия квантов, квантовая энергия
	quantum field, quantized field	gequanteltes Feld n, Quantenfeld n	champ m quantifié	квантованное поле, квантовое поле
Q 116	**quantum field theory,** quantum theory of wave fields, quantum theory of field[s], quantized field theory	Quantenfeldtheorie f, Quantentheorie f der Wellenfelder	théorie f des quanta du champ, théorie des quanta des champs [d'ondes]	квантовая теория полей, квантовая теория волновых полей, квантовая теория поля
Q 117	**quantum fluctuation** [of radiation]	Quantenfluktuation f [der Strahlung]	fluctuation f quantique [du rayonnement]	квантовая флуктуация [излучения]
Q 118	**quantum fluid**	Quantenflüssigkeit f	fluide m quantique	квантовая жидкость
Q 119	**quantum flux density**	Quantenflußdichte f, Quantenstromdichte f	densité f de flux de quanta, densité de flux quantique	плотность потока квантов, плотность квантового потока
Q 120	**quantum frequency,** quantized frequency	Quantenfrequenz f, gequantelte Frequenz f	fréquence f quantique (quantifiée)	квантованная частота
Q 120a	**quantum frequency converter**	Quantenfrequenzwandler m	convertisseur m quantique de fréquence	квантовый преобразователь частоты
Q 121	**quantum geometrodynamics**	Quantengeometrodynamik f	géométrodynamique f quantique	квантовая геометродинамика
Q 122	**quantum Green['s] function,** Green['s] function [in quantum field theory], propagation function <qu.>	quantenfeldtheoretische Greensche Funktion f, Greensche Funktion [in der Quantentheorie der Wellenfelder], Ausbreitungsfunktion f <Qu.>	fonction f de Green [quantique], fonction de Green en théorie quantique des champs, fonction de propagation <qu.>	квантовая функция Грина, функция Грина [в квантовой теории поля], гриновская функция, функция распространения <кв.>
	quantum H-theorem, quantum mechanical H-theorem	quantenmechanisches H-Theorem n	H-théorème m quantique	квантовомеханическая H-теорема
	quantum jump (leap)	s. quantum transition		
Q 123	**quantum level**	Quantenniveau n	niveau m quantique	квантовый уровень
Q 124	**quantum limit,** end radiation, maximum frequency, limiting frequency <of continuous X-rays>	kurzwellige Grenzfrequenz f, Frequenz f der kurzwelligen Grenze	limite f quantique, fréquence f limite des rayons X continus	частота коротковолновой границы
Q 124a	**quantum magnetometer with free precession**	Quantenmagnetometer n mit freier Präzession	magnétomètre m quantique avec précession libre	квантовый магнитометр со свободной прецессией
Q 125	**quantum mechanical aspect**	quantenmechanisches Bild n, quantenmechanische Darstellung f	aspect m quantomécanique	квантовомеханическое представление

Q 126	quantum mechanical ensemble	quantenmechanische Gesamtheit f	ensemble m quantique	квантовый (квантовомеханический) ансамбль
Q 127	quantum mechanical H-theorem, quantum H-theorem	quantenmechanisches H-Theorem n	H-théorème m quantique	квантовомеханическая H-теорема
	quantum mechanical oscillator	s. quantum oscillator		
Q 128	quantum mechanical resonance	quantenmechanische Resonanz f	résonance f quantique	квантовомеханический резонанс
Q 129	quantum mechanics	Quantenmechanik f; quantenmechanische Theorie f	mécanique f quantique	квантовая механика; квантовомеханическая теория
	quantum mole, einstein, E	Einstein n, E	einstein m, E	эйнштейн
Q 129a	quantum noise	Quantenrauschen n	bruit m quantique	квантовый шум
Q 130	quantum number	Quantenzahl f	nombre m quantique	квантовое число
	quantum number of the total angular momentum	s. inner quantum number		
	quantum of acoustic wave energy	s. phonon		
	quantum of action	s. Planck['s] constant		
Q 130a	quantum of energy, energy quantum	Energiequant n	quantum m d'énergie	квант энергии
	quantum of gravitational radiation, graviton, gravitino, gravitational quantum, gion	Graviton n, Gravitationsquant n, Gravitino n, Quant n des Gravitationsfeldes	graviton m, gravitino m, quantum m de gravitation	гравитон, гравитино, квант гравитационного поля, квант тяготения
	quantum of light	s. photon		
Q 131	quantum optics	Quantenoptik f	optique f quantique	квантовая оптика
Q 132	quantum orbit; quantum path	Quantenbahn f	orbite f quantique	квантовая орбита, квантованная орбита
Q 133	quantum oscillator, quantized (quantum mechanical) oscillator	Quantenoszillator m, quantenmechanischer Oszillator m	oscillateur m quantique (quantifié)	квантовый (квантованный, квантовомеханический осциллятор)
	quantum oscillator	s. a. maser oscillator		
	quantum path	s. quantum orbit		
Q 134	quantum phenomenon, quantal phenomenon	Quantenerscheinung f, Quantenphänomen n	phénomène m quantique	квантовое явление
Q 135	quantum physics	Quantenphysik f	physique f quantique	квантовая физика
Q 136	quantum Poisson bracket[s], Poisson bracket[s] in quantum mechanics	quantenmechanische Poisson-Klammer[n fpl] f, quantentheoretische Poisson-Klammer[n]	parenthèse f de Poisson en mécanique quantique	квантовые скобки Пуассона, обобщение классических скобок Пуассона в квантовой механике
Q 137	quantum postulate	Quantenpostulat n	postulat m quantique	постулат о квантовании
Q 138	quantum potential	Quantenpotential n	potentiel m quantique	квантовый потенциал
	quantum property	s. quantum character		
Q 139	quantum radiation	Quantenstrahlung f	rayonnement m quantique	квантовое излучение
Q 140	quantum requirement	Quantenbedarf m	besoin m quantique	квантовая потребность
Q 140a	quantum size effect, QSE	Quanteneffekt m der Abmessungen	effet m quantique de taille	квантовый эффект размеров
Q 141	quantum state	Quantenzustand m, gequantelter Energiezustand m	état m quantique	квантовое [энергетическое] состояние
Q 142	quantum[-] statistical	quantenstatistisch	quantostatistique, de (à, par, en) statistique quantique	квантово[-]статистический
Q 143	quantum statistics	Quantenstatistik f	statistique f quantique	квантовая статистика
	quantum structure	s. quantum character		
Q 144	quantum theoretical, quantum	quantentheoretisch, Quanten-	de (à, par, en, utilisant la) théorie quantique, quantothéorique	квантовотеоретический, квантовый
Q 145	quantum theory, old quantum theory	Quantentheorie f, ältere Quantenmechanik f	théorie f des quanta, théorie quantique	квантовая теория
Q 146	quantum theory of chemical bond	quantenmechanische Bindungstheorie f, Quantentheorie f der chemischen Bindung	théorie f des quanta de la liaison chimique	квантовая теория химической связи
Q 147	quantum theory of dispersion	Quantentheorie f der Dispersion, quantenmechanische Dispersionstheorie f	théorie f des quanta de la dispersion	квантовая теория дисперсии
	quantum theory of field[s]	s. quantum field theory		
	quantum theory of light	s. Einstein['s] hypothesis of light quanta		
Q 148	quantum theory of solids	Quantentheorie f der Leitfähigkeit (Festkörper), Quantentheorie der Elektronenleitung [in Festkörpern]	théorie f des quanta des solides, théorie des quanta de la conductibilité [électronique]	квантовая теория твердых тел, квантовая теория проводимости
	quantum theory of wave fields	s. quantum field theory		
Q 149	quantum transition; quantum jump, quantum leap	Quantenübergang m, quantenmechanischer Übergang m; Quantensprung m	transition f quantique; saut m quantique	квантовый переход
Q 150	quantum voltage	Quantenspannung f	tension f quantique	квантовое напряжение
Q 151	quantum weight	Quantengewicht f	poids m quantique	квантовый вес
	quantum yield	s. quantum efficiency		
Q 151a	quaquaversal structure	quaquaversale Struktur f	structur f quaquaversale	квакваверзальное залегание
Q 152	quark	Quark n <pl.: Quarks>	quark m	кварк

Q 153	quark model	Quarkmodell n	modèle m des quarks	модель кварков
Q 153a	quarter-chord point, quarter point [of chord]	Viertelpunkt m, Viertelspunkt m	point m à 25% de corde, foyer m du profil [d'aile]	фокус хорды (профиля крыла, крылового профиля), точка на четверти хорды
Q 154	quarter of the period, quarter period	Viertelperiode f	quart m de la période	четверть периода
	quarter point [of chord]	s. quarter-chord point		
Q 155	quarter wave, quarter wavelength	Viertelwelle f, Viertelwellenlänge f	quart m d'onde	четверть длины волны, четвертьволновая длина
Q 156	quarter-wave accelerator	Viertelwellenbeschleuniger m	accélérateur m [à un] quart d'onde	четвертьволновый ускоритель
Q 157	quarter-wave antenna, quarter-wave dipole, λ/4 antenna, λ/4 dipole	Viertelwellen[längen]antenne f, Viertelwellen[längen]dipol m, Lambda-Viertel-Antenne f, Lambda-Viertel-Dipol m, λ/4-Antenne f, λ/4-Dipol m	antenne f quart d'onde, dipôle m quart d'onde, antenna λ/4, dipôle λ/4	четвертьволновая антенна, четвертьволновый вибратор
Q 158	quarter-wave choke, λ/4 choke	Viertelwellen[längen]drossel f, λ/4-Drossel f	bobine f quart d'onde, bobine λ/4	четвертьволновый дроссель
	quarter wave compensator	s. quarter-wave plate compensator		
	quarter-wave dipole	s. quarter-wave antenna		
Q 159	quarter-wave layer, quarter wavelength layer, λ/4 layer	Viertelwellen[längen]schicht f, Lambda-Viertel-Schicht f, λ/4-Schicht f	couche f quart d'onde, couche λ/4	четвертьволновый слой
	quarter wavelength, quarter wave	Viertelwelle f, Viertelwellenlänge f	quart m d'onde	четверть длины волны, четвертьволновая длина
	quarter wavelength layer	s. quarter-wave layer		
	quarter-wavelength line	s. quarter-wave line		
	quarter-wavelength plate	s. quarter-wave plate		
	quarter-wavelength radiator	s. quarter-wave radiator		
Q 160	quarter-wave line, quarter-wavelength line, λ/4 line	Viertelwellen[längen]leitung f, Lambda-Viertel-Leitung f, λ/4-Leitung f	ligne f quart d'onde, ligne λ/4	четвертьволновая линия
Q 161	quarter-wave plate, quarter-wavelength plate, λ/4 plate, Venetian blind	Viertelwellen[längen]plättchen n, λ/4-Wellenlängenplättchen n, λ/4-Plättchen n, λ/4-Blättchen n, Lambda-Viertel-Plättchen n, Lambda-Viertel-Blättchen n, Viertelwellenplatte f, Viertelwellen[längen]blättchen n, Viertelundulationsblättchen n	lame f quart d'onde, lame λ/4, feuillet m quart d'onde, feuillet λ/4	четвертьволновая пластинка, пластинка в четверть волны, пластинка λ/4
Q 162	quarter-wave plate compensator, quarter wave compensator, De Sénarmont compensator (polarimeter, polariscope), elliptic (Sénarmont) compensator	elliptischer Kompensator m, De-Sénarmont-Kompensator m, Kompensator (Polarimeter n) nach de Sénarmont, [de] Sénarmontscher Kompensator	compensateur m de de Sénarmont, compensateur elliptique, polarimètre m de de Sénarmont, polariscope m de de Sénarmont	компенсатор де Сенармона, компенсатор с пластинкой λ/4, эллиптический компенсатор, поляриметр де Сенармона
Q 163	quarter-wave radiator, quarter-wavelength radiator, λ/4 radiator	Viertelwellen[längen]strahler m, Lambda-Viertel-Strahler m, λ/4-Strahler m	émetteur m quart d'onde, émetteur λ/4	четвертьволновый излучатель
Q 164	quarter-wave transformer, one-quarter wave skirt	Viertelwellenumformer m	transformateur m quart d'onde	четвертьволновый трансформатор
Q 165	quartet	Quartett n	quartet m	квартет
Q 166	quartic [curve]	Quartik f, Kurve f vierter Ordnung	quartique f, courbe f quartique (d'ordre 4)	кривая четвертого порядка
	quartic equation, biquadratic equation, equation of the fourth degree	biquadratische Gleichung f, Gleichung vierten Grades	équation f bicarrée, équation de quatrième ordre	биквадратное уравнение, уравнение четвертой степени
Q 167	quartile	Quartil n	quartile m	квартиль
	quartile [aspect]	s. quadrature <astr.>		
Q 168	quartz balance	Quarzwaage f	balance f à quartz	кварцевые весы
	quartz calibrator, crystal calibrator	Quarzeichgenerator m, Quarzeichoszillator m, Quarzeicher m	calibreur m piézo-électrique	кварцевый калибратор
Q 169	quartz clock, crystal-controlled clock	Quarzuhr f	horloge f à quartz	кварцевые часы
	quartz-[crystal-]controlled oscillator	s. crystal-controlled oscillator		
	quartz-crystal oscillator	s. oscillating quartz		
	quartz-crystal oscillator	s. crystal-controlled oscillator		
	quartz-crystal resonator	s. crystal resonator		
	quartz-crystal-stabilized oscillator	s. crystal-controlled oscillator		
Q 170	quartz-crystal subaqueous microphone	Unterwasser-Quarzmikrophon n	microphone m sous-marin à quartz, microphone subaquatique à quartz	подводный микрофон на кварцевом кристалле, кварцевый приемный гидрофон

Q 171	quartz-fibre electrometer	Quarzfadenelektrometer n	électromètre m à fibre de quartz	электрометр с кварцевой нитью
Q 172	quartz-fibre manometer	Quarzfadenmanometer n	manomètre m à fibre de quartz	манометр с кварцевой нитью
Q 173	quartz fibre type direct reading dosemeter	Quarzfadendosimeter n mit Direktablesung	dosimètre m type fibre de quartz à lecture directe	дозиметр непосредственного отсчета с кварцевой нитью
Q 174	quartz filter; crystal filter, piezoelectric filter	Filterquarz m, Quarzfilter n; Kristallfilter n, piezoelektrisches Filter n	filtre m à quartz; filtre à cristal, filtre piézo-électrique	кварцевый фильтр; пьезоэлектрический фильтр
Q 175	quartz-fluorite achromat[e], quartz-fluorite lens	Quarz-Flußspat-Achromat m (n), Quarz-Fluorit-Achromat m (n), Quarz-Flußspat-Linse f	achromat m à quartz-fluorite, lentille f à quartz-fluorite	флюоритово-кварцевый объектив-ахромат; объектив-ахромат, составленный из флюоритовой и кварцевой линз
	quartz glass lamp	s. quartz lamp		
Q 176	quartz-glass pyrheliometer, silica pyrheliometer	Quarzglaspyrheliometer n	pyrhéliomètre m à verre de quartz	пиргелиометр из кварцевого стекла
Q 177	quartz-glass thermometer, quartz thermometer	Quarzthermometer n, Quarzglasthermometer n	thermomètre m en verre de quartz, thermomètre en quartz	кварцевый термометр, термометр из кварцевого стекла
Q 178	quartz horizontal force magnetometer, quartz horizontal magnetometer, Q.H.M.	Quarz-Horizontalmagnetometer n, Quarzfaden-Horizontalintensitätsmagnetometer n, QHM	magnétomètre m horizontal à fil de quartz, QHM	кварцевый Н-магнитометр, кварцевый горизонтальный магнитометр
Q 178a	quartz iodine lamp <US>, tungsten iodine lamp	Jodglühlampe f, Quarz-Jodglühlampe f	lampe f à l'iode	йодная лампа
Q 179	quartz lamp, quartz mercury lamp, quartz glass lamp	Quarzlampe f, Quarz-Quecksilber[dampf]-lampe f, Quarzglaslampe f	lampe f de quartz [à mercure]	кварцевая лампа, ртутно-кварцевая лампа
Q 180	quartz-lens method	Quarzlinsenmethode f [von Rubens und Wood]	méthode f de la lentille en quartz	метод кварцевой линзы
	quartz magnetometer, quartz-thread magnetometer	Quarzfadenmagnetometer n, Quarzmagnetometer n	magnétomètre m à fil de quartz	кварцевый магнитометр, магнитометр с кварцевой нитью
	quartz mercury lamp	s. quartz lamp		
Q 181	quartz mirror	Quarzspiegel m	miroir m de (en) quartz	кварцевое зеркало
	quartz oscillator	s. quartz-controlled oscillator		
Q 182	quartz piezoelectric transducer, quartz pressure transducer	Quarzdruckgeber m, Quarzdruckmeßdose f	capteur m piézo-électrique à quartz	[пьезоэлектрический] датчик давления с кварцевыми пластинами
Q 183	quartz plate	Quarzplatte f, Quarzplättchen n	lame (plaque) f de quartz	кварцевая пластина (пластинка)
	quartz pressure transducer	s. quartz piezoelectric transducer		
	quartz resonator	s. piezoelectric resonator		
Q 184	quartz spectrophotometer	Quarz-Spektralphotometer n, Quarzspektrophotometer n	spectrophotomètre m à [optique en] quartz	кварцевый спектрофотометр
Q 185	quartz spring balance, McBain-Bakr quartz spring balance	Quarzfederwaage f	balance f à ressort de quartz	кварцевые пружинные весы Мак-Бэна-Бакра
	quartz-stabilized oscillator	s. crystal controlled oscillator		
	quartz thermometer	s. quartz-glass thermometer		
Q 186	quartz-thread magnetometer, quartz magnetometer	Quarzfadenmagnetometer n, Quarzmagnetometer n	magnétomètre m à fil de quartz	кварцевый магнитометр, магнитометр с кварцевой нитью
Q 187	quartz-thread pendulum	Quarzfadenpendel n, Quarzpendel n	pendule m à fibre (fil) de quartz	маятник с кварцевой нитью, кварцевый маятник
	quartz transducer	s. ultrasonic quartz transducer		
Q 188	quartz ultraviolet, quv, QUV	Quarzultraviolett n	ultraviolet m de quartz	ультрафиолетовая кварцевая область [спектра]
Q 189	quartz wedge	Quarzkeil m	coin m de (en, à) quartz	кварцевый клин
Q 190	quartz-wedge compensator, Michel-Lévy compensator	Quarzkeilkompensator m [nach Michel-Lévy], Michel-Lévy-Kompensator m	compensateur m à coin de quartz, compensateur de Michel-Lévy	компенсатор Мишеля-Леви
Q 191	quartz wind	Quarzwind m	vent m de quartz	акустический ветер, звуковой ветер, «кварцевый» ветер
	quartz Z-magnetometer	s. Schelting magnetometer		
Q 192	quasag[e], quasistellar galaxy, interloper, blue stellar object, Q.S.G., B.S.O.	Quasage f, Quasag m, quasistellare Galaxis f, Interloper m, blaues Objekt (Sternchen) n, QSG, BSO	quasage f, galaxie f quasi stellaire, objet m stellaire bleu, objet bleu	квазизвездная галактика, квазаг
Q 193	quasar, quasistellar radio source, quasistellar source, quasistellar object, superstar, Q.S.S.	Quasar m, quasistellare Radioquelle (Quelle) f, quasistellares Objekt n, echter Radiostern m, Superstern m, QSS	quasar m, radio[-]source f quasi stellaire, source f quasi stellaire, objet m quasi stellaire	квазар, квазизвездный радиоисточник, квазизвездный источник, квазизвездный объект, квазизвезда, сверхзвезда
Q 194	quasi-adiabatic	quasiadiabatisch	quasi adiabatique	квазиадиабатический, квазиадиабатный
	quasi-atomic model	s. shell model		
Q 195	quasibarotropic	quasibarotrop	quasi barotrope	квазибаротропный
Q 196	quasi-bound state	quasigebundener Zustand m	état m quasi lié	квазисвязанное состояние
Q 197	quasi-Cartesian system [of co-ordinates]	quasikartesisches Koordinatensystem n	système m de coordonnées quasi cartésiennes	квазидекартова система [координат]

Q 198	quasi[-]chemical approximation	quasichemische Näherung f	approximation f quasi chimique	квазихимическое приближение
Q 199	quasi[-]chemical equation	quasichemische Gleichung f	équation f quasi chimique	квазихимическое уравнение
	quasi[-]classical approximation [of Wentzel-Kramers-Brillouin [-Jeffreys]]	s. W.K.B. approximation		
Q 200	quasi-closed system	quasiabgeschlossenes System n	système m quasi fermé	квазизамкнутая система (подсистема)
Q 201	quasi-coincidence	Quasikoinzidenz f	quasi-coïncidence f	квазисовпадени
Q 202	quasiconductor	Quasileiter m	quasi-conducteur m	квазипроводник
Q 203	quasiconformal mapping, quasiconformal representation	quasikonforme Abbildung f	représentation f presque conforme, transformation f quasi conforme	квазиконформное отображение, обобщенное конформное отображение
Q 204	quasi constant	quasikonstant	quasi (presque) constant	квазипостоянный
Q 205	quasi continuity equation, principle of quasi-continuity	Quasikontinuitätsgleichung f	équation f de quasi-continuité, loi f de quasi-continuité	уравнение квазинепрерывности (квазинеразрывности)
Q 206	quasi-continuous	quasistetig	quasi continu	квазинепрерывный
Q 207	quasi-continuous laser	quasikontinuierlicher Laser m	laser m quasi continu	лазер квазинепрерывного действия
Q 208	quasi-continuous spectrum, quasi-continuum	Quasikontinuum n, quasikontinuierliches Spektrum n	spectre m quasi continu, quasi-continu m	квазинепрерывный спектр, квазиконтинуум
Q 209	quasiconventional electric circuit, quasiconventional circuit	quasikonventioneller Stromkreis m	circuit m électrique quasi conventionnel, circuit quasi conventionnel	квазиобычный электрический контур, квазиобычная электрическая цепь
	quasi co-ordinate, non-holonomic co-ordinate, pseudo co-ordinate	nichtholonome Koordinate f, Pseudokoordinate f, Quasikoordinate f	coordonnée f non holonomique, pseudo-coordonnée f, quasi-coordonnée f	неголономная координата, квазикоордината, псевдокоордината
Q 210	quasi-crystal	Quasikristall m	quasi[-]cristal m	квазикристалл
Q 211	quasi-crystalline	quasikristallin	quasi cristallin, quasi-cristallin, quasi cristallisé	квазикристаллический
Q 212	quasidielectric	Quasidielektrikum n	quasi[-]diélectrique m	квазидиэлектрик
Q 213	quasi-diffusion propagation	Quasidiffusionsausbreitung f	propagation f en quasi-diffusion	квазидиффузионное распространение
Q 214	quasi-elastic force quasi-elastic oscillation	quasielastische Kraft f s. quasi-elastic vibration	force f quasi élastique	квазиупругая сила
Q 215	quasi-elastic scattering	quasielastische Streuung f	diffusion f quasi élastique	квазиупругое рассеяние
Q 216	quasi-elastic spectrum	quasielastisches Spektrum n	spectre m quasi élastique	квазиупругий спектр
Q 217	quasi-elastic vibration, quasi-elastic oscillation	quasielastische Schwingung f	vibration (oscillation) f quasi élastique	квазиупругое колебание
Q 217a	quasi-emulsifier	Quasiemulgator m	quasi-émulsifiant m	квазиэмульгатор
Q 218	quasi-equilibrium	Quasigleichgewicht n	quasi-équilibre m	квазиравновесие
Q 219	quasi-equilibrium distribution	Quasigleichgewichtsverteilung f	distribution f quasi équilibrée	квазиравновесное распределение
Q 220	quasi-ergodic hypothesis	Quasi-Ergodenhypothese f	hypothèse f quasi[-]ergodique	квазиэргодическая гипотеза
Q 221	quasi[-] Fermi level, imref <US>	Quasi-Fermi-Niveau n, Quasi-Fermi-Kante f	pseudo-niveau (quasi-niveau) m de Fermi, niveau m quasi fermien	квазиуровень Ферми
Q 222	quasi[-] Fermi potential	Quasi-Fermi-Potential n	pseudo-potentiel (quasi-potentiel) m de Fermi, potentiel m quasi fermien	квазипотенциал Ферми
Q 223	quasi-free electron	quasifreies Elektron n	électron m quasi libre	квазисвободный электрон
Q 224	quasigeoid	Quasigeoid n	quasi-géoïde m	квазигеоид
Q 225	quasi-geostrophic flow	quasigeostrophische Strömung f	courant (mouvement) m quasi géostrophique	квазигеострофическое течение
Q 226	quasi-geostrophic wind	quasigeostrophischer Wind m	vent m quasi géostrophique	квазигеострофический ветер
Q 227	quasi harmonic oscillation, quasi-harmonic vibration, vibration of systems with variable characteristics	quasiharmonische Schwingung f	oscillation (vibration) f quasi harmonique. vibration des systèmes à caractéristiques élastiques variables	квазигармоническое колебание
Q 228	quasi-heterogeneous	quasiheterogen	quasi hétérogène	квазигетерогенный
Q 229	quasi-homogeneous	quasihomogen	quasi homogène	квазигомогенный, квазиоднородный
Q 230	quasi-homopolar approximation quasi-hydrostatic approximation (assumption)	quasihomöopolare Näherung f s. hydrostatic approximation	approximation f quasi homéopolaire	квазигомеополярное приближение
Q 231	quasi-isothermal	quasiisotherm	quasi isothermique	квазиизотермический
Q 232	quasilinear equation	quasilineare Gleichung f	équation f presque linéaire	квазилинейное уравнение
Q 233	quasilinear plasma theory, quasilinear theory of plasma	quasilineare Theorie f [des Plasmas], quasilineare Plasmatheorie f	théorie f du plasma quasi linéaire	квазилинейная теория плазмы
Q 234	quasi-longitudinal propagation	quasilongitudinale Ausbreitung f	propagation f quasi longitudinale	квазипродольное распространение
Q 235	quasi-Lorentz gas	Quasi-Lorentz-Gas n	quasi-gaz m de Lorentz	квазигаз Лоренца, квазилоренц-газ
Q 236	quasi-Markovian process	quasi-Markoffscher Prozeß	processus m quasi markovien	квазимарковский процесс
Q 237	quasi maximum field	Quasimaximumfeld n	champ m quasi maximum	квазимаксимальное поле
Q 238	quasi minimum field	Quasiminimumfeld n	champ m quasi minimum	квазиминимальное поле
Q 239	quasi-Minkowski case	quasi-Minkowskischer Fall m	cas m quasi minkowskien	квазислучай Минковского
Q 240	quasimolecular model [of nucleus] quasimolecule	s. unified model Quasimolekül n	quasi-molécule f	квазимолекула

Q 241	**quasi[-]momentum,** crystal momentum	Quasiimpuls *m*, Kristall-impuls *m*	quasi-impulsion *f*	квазиимпульс
Q 242	**quasi-monochromatic oscillation**	quasimonochromatische Schwingung *f*	oscillation *f* quasi mono-chromatique	квазимонохромати́ческое колебание
Q 243	**quasi[-]neutrality**	Quasineutralität *f*	quasi-neutralité *f*	квазинейтральность
Q 244	**quasi-neutral plasma**	quasineutrales Plasma *n*	plasma *m* quasi neutre	квазинейтральная плазма
Q 245	**quasinilpotent operator**	eigenwertfreier Operator *m*, quasinilpotenter Operator	opérateur *m* quasinilpotent	квазинильпотентный оператор
Q 246	**quasi-normalized**	quasinormiert	quasi normalisé	квазинормированный
Q 247	**quasi-ohmic contact**	quasiohmscher Kontakt *m*	contact *m* quasi ohmique	квазиомический контакт
Q 248	**quasi-optical propagation**	quasioptische Ausbreitung *f*	propagation *f* quasi optique	квазиоптическое распро-странение
Q 249	**quasi-optical visibility**	quasioptische Sicht *f*	visibilité *f* quasi optique	квазиоптическая види-мость
Q 250	**quasiparticle of the superconductor,** normal electron	Quasiteilchen *n* des Supra-leiters, Normalelektron *n*	quasi-particule *f* du supra-conducteur, électron *m* normal	квазичастица в сверхпро-воднике, «нормальный» электрон
	quasiparticle tunnel current, single-particle tunnel current	Einteilchentunnelstrom *m*, Quasiteilchen-Tunnel-strom *m*	courant *m* tunnel des quasi-particules	туннельный ток квази-частиц
	quasiparticle tunnelling, single-particle tunnelling	Einteilchentunnelung *f*, Quasiteilchentunnelung *f*	traversée *f* de la barrière de potentiel par les quasi-particules	туннельное прохождение через барьер квази-частиц
Q 251	**quasiperiodical oscil-lation**	quasiperiodische Schwin-gung *f*	oscillation *f* quasi périodique	квазипериодическое колебание
Q 252	**quasi-periodic function**	quasiperiodische Funktion *f*	fonction *f* quasi périodique	квазипериодическая функция
Q 253	**quasi-permanent**	quasipermanent	quasi permanent	квазиперманентный
Q 253a	**quasi-plane stress**	quasiebener Spannungs-zustand *m*	tension *f* quasi plane, quasi-tension *f* plane, quasi-T. P.	квазиплоское напряжен-ное состояние
Q 254	**quasi-probability**	Quasiwahrscheinlichkeit *f*	quasi-probabilité *f*	квазивероятность
	quasipyramidal horn [waveguide], pyramidal horn	Pyramidentrichter *m*, Pyra-midenhorn *n*, Reusen-strahler *m*	cornet *m* pyramidal, pavillon *m* pyramidal	пирамидальный рупор
Q 255	**quasi[-] racemate,** partial racemate	Quasirazemat *n*, quasi-razemische Verbindung *f*, partielles Razemat *n*	quasi-racémate *m*, racémate *m* partiel	квазирацемат, неполный рацемат
Q 255a	**quasi random sampling**	bedingte Zufallsauswahl *f*	échantillonnage *m* quasi probabiliste	квазислучайный выбор
	quasi range	s. partial range		
Q 256	**quasi-rigid molecule**	quasistarres Molekül *n*	molécule *f* quasi rigide	квазижесткая молекула
Q 257	**quasi-saturation**	Quasisättigung *f*	quasi-saturation *f*	квазинасыщение
Q 258	**quasi[-] shock wave**	Quasistoßwelle *f*	quasi-onde *f* de choc	квазиударная волна
Q 258a	**quasi single mode laser**	Quasieinfrequenzlaser *m*	oscillateur *m* laser en fréquence quasi unique	квазиодночастотный оптический кванто-вый генератор
Q 259	**quasi-solid**	quasifest	quasi solide	квазитвердый
Q 260	**quasi-stable state**	quasistabiler Zustand *m*	état *m* quasi stable	квазистабильное состоя-ние
	quasi-standing wave	s. quasi-stationary wave		
Q 261	**quasi[-]static[al]**	quasistatisch, quasistationär	quasi statique, quasi[-]réver-sible	квазистатический
Q 262	**quasistatic deformation**	quasistatische Deformation *f*	déformation *f* quasi statique	квазистатическая дефор-мация
Q 263	**quasistatic process;** equilibrium process	quasistatischer Prozeß *m*; Gleichgewichtsprozeß *m*	procès *m* quasi statique; pro-cès équilibré, procès d'équilibre	квазистатический (квази-равновесный) процесс; равновесный процесс
Q 264	**quasistatic transition**	quasistatischer Übergang *m*	transition *f* quasi statique	квазистатический переход
Q 265	**quasistationarity**	Quasistationarität *f*	quasi-stationnarité *f*	квазистационарность
Q 266	**quasi-stationary current,** quasi-stationary state of current	quasistationärer Strom *m*	courant *m* quasi stationnaire	квазистационарный ток
Q 267	**quasi-stationary diffusion**	quasistationäre Diffusion *f*	diffusion *f* quasi stationnaire	квазистационарная диффузия
Q 268	**quasi-stationary discharge**	quasistationäre Entladung *f*	décharge *f* quasi stationnaire	квазистационарный разряд
Q 269	**quasi-stationary level**	quasistationäres Niveau *n*	niveau *m* quasi stationnaire	квазистационарный уровень
Q 270	**quasi-stationary oscillation**	quasistationäre Schwingung *f*	oscillation *f* quasi station-naire	квазистационарное колебание
Q 271	**quasi-stationary state,** quasi-steady state	quasistationärer Zustand *m*	état *m* quasi stationnaire	квазистационарное состояние
	quasi-stationary state of current, quasi-stationary current	quasistationärer Strom *m*	courant *m* quasi stationnaire	квазистационарный ток
Q 272	**quasi-stationary wave,** quasi-standing wave	quasistationäre Welle *f*, quasistehende Welle	onde *f* quasi stationnaire	вынужденная стоячая волна, квази-стоячая волна
Q 273	**quasi-steady flow**	quasistationäre Strömung *f*	mouvement (écoulement, courant) *m* quasi station-naire	квазистационарное течение
	quasi-steady state	s. quasi-stationary state		
	quasistellar galaxy	s. quasag[e]		
	quasistellar object (radio source, source)	s. quasar		
	quasisymmetric top, nearly symmetric top	quasisymmetrischer Kreisel *m*	toupie *f* quasi symétrique	почти симметричный вол-чок, квазисимметрич-ный волчок
Q 274	**quasi-symmetry**	Quasispiegelung *f*	quasi-symétrie *f*	квазисимметрия
Q 275	**quasitensor**	Quasitensor *m*	quasi-tenseur *m*	квазитензор
Q 276	**quasithermodynamic theory**	quasithermodynamische Theorie *f*	théorie *f* quasi thermo-dynamique	квазитермодинамическая теория

	English	German	French	Russian
	quasi T-mode	s. quasi transverse wave		
Q 277	**quasi-transverse propagation**	quasitransversale Ausbreitung f	propagation f quasi transversale	квазипоперечное распространение
Q 278	**quasi transverse wave, quasi T-wave**, quasi T-mode	Quasi-T-Welle f, Quasi-T-Mode f	onde f quasi transversale, mode m quasi transversal	квазипоперечная волна, квазипоперечный вид (тип) волн
Q 279	**quasiviscous creep, quasiviscous flow**, constant-rate creep, steady-state creep, steady creep, kappa flow, stationary (settled, secondary) creep	stationäres Kriechen n, quasiviskoses Kriechen, quasiviskoses Fließen n, stationäres Fließen, zweites Kriechstadium n, zweiter Bereich m der Kriechkurve	fluage m quasi visqueux, fluage stationnaire	установившаяся ползучесть, квазивязкая текучесть, квазивязкий поток, вторая (установившаяся) стадия ползучести
Q 280	**quasi[-]wave**	Quasiwelle f	quasi-onde f	квазиволна
Q 281	**quaternary** <chem.; met.>	quaternär; Vierstoff-; quartär	quaternaire	четвертичный; четверный
Q 282	**quaternary** <math.>	quaternär <Math.>	quaternaire <math.>	кватернарный <матем.>
Q 283	**quaternary combination band**	Vierfachkombinationsbande f	bande f de combinaison quaternaire	четверная составная полоса
Q 284	**quaternion**	Quaternion f	quaternion m	кватернион
Q 285	**quench capacitor**, quenching capacitor	Löschkondensator m	condensateur m d'extinction	искрогасительный конденсатор; дугогасительный конденсатор
	quench circuit	s. quenching circuit		
Q 285a	**quench correction**	Quenchkorrektion f, Quenchkorrektur f	correction f pour l'[effet d']extinction	поправка на эффект тушения
	quench cracking	s. cold cracking		
	quenched frequency, quench[ing] frequency	Pendelfrequenz f	fréquence f de découpage	частота срыва колебаний
	quenched gap	s. quenched spark gap		
Q 286	**quenched spark**; contact-breaking spark	Löschfunken m, Löschfunke m, Wienscher Funken m; Abreißfunken m, Abreißfunke m	étincelle f étouffée (soufflée; d'arrachement, d'interruption, de rupture)	гасимая искра, затухающая искра; искра при размыкании, искра размыкания
Q 287	**quenched spark gap**; quenched gap	Löschfunkenstrecke f, tönende Funkenstrecke f, Tonfunkenstrecke f	éclateur m (entrode f) à étincelles étouffées	искрогасящий разрядник, разрядник Вина (с гашением искры)
Q 288	**quenched spark system, quenched spark transmitter**	Löschfunkensender m, tönender Funkensender m	émetteur m à étincelles étouffées	радиопередатчик с искрогасящим разрядником, искровой передатчик затухающих колебаний
Q 288a	**quench effect** <of fluorescence> <nucl.>	Quencheffekt m, Tilgungseffekt m, Löscheffekt m	effet m d'extinction <de la fluorescence> <nucl.>	эффект тушения (гашения) <флуоресценции> <яд.>
	quencher	s. quenching agent		
Q 289	**quench frequency**, quenched (quenching) frequency	Pendelfrequenz f	fréquence f de découpage	частота срыва колебаний
Q 290	**quench hardening**, isothermal quenching	Abschreckhärtung f, Umwandlungshärtung f	durcissement m par trempe	твердение при закалке, упрочнение при закалке
Q 291	**quenching**, extinction <of discharge>	Löschung f <Entladung>	extinction f, coupage m, coupure f <de la décharge>	гашение, погасание <разряда>
Q 292	**quenching** <of luminescence>	Tilgung f, Löschung f <Lumineszenz>; Quenchen n <Kern.>	extinction f <de la luminescence>	тушение <люминесценции>
Q 293	**quenching**, chilling <met.>	Abschrecken n <Met.>	trempe f, refroidissement m brusque (rapide), choc m thermique <mét.>	закалка, закаливание, закал, быстрое охлаждение <мет.>
Q 294	**quenching absorption**	auslöschende Absorption f	absorption f éteignante	гасящее поглощение
Q 295	**quenching agent**, quencher	Löschzusatz m, Löschmittel n <Zählrohr>	agent m de coupure, gaz m d'étouffement, addition f d'extinction	гасящая добавка, гасящая газовая добавка, гасящая примесь
Q 296	**quenching centre**	Löschzentrum n, Tilgungszentrum n	centre m d'extinction	центр гашения (тушения, поглощения)
Q 297	**quenching circuit**, quench circuit	Löschschaltung f, Löschkreis m	circuit coupeur, circuit de coupage, circuit de coupure	гасящая схема, схема гашения [счетчика]; гасящий контур, гасящая цепь, цепь гашения
Q 298	**quenching coil**	Löschdrossel f	bobine f d'extinction	дугогасительная катушка; искрогасительная катушка
	quenching crack, cold crack, hardening crack	Kaltriß m, Härteriß m, Riß m beim Erkalten	crique f à froid, crique de trempe, fissure f par la trempe	холодная трещина, закалочная трещина, трещина охлаждения
Q 299	**quenching effect**	Löscheffekt m, Löschwirkung f	effet m d'extinction; effet de suppression <d'ondes>	эффект гашения; эффект подавления <волн>
	quenching frequency	s. quench frequency		
Q 300	**quenching gas**	Löschgas n	gaz m de coupage, gaz d'étouffement	гасящий газ
Q 301	**quenching of orbital angular momenta**	Einfrieren n der Bahndrehimpulse (Bahnmomente), Quenching n, „quenching" n	congélation f des moments angulaires orbitaux	замораживание орбитальных моментов количества движения
Q 302	**quenching of photoconductivity**	Löschung f der Photoleitfähigkeit; Tilgung f der Photoleitfähigkeit	extinction f de la photoconductibilité	гашение фотопроводимости
	quenching of sparks, spark quenching	Funkenlöschung f	extinction (suppression) f des étincelles	искрогашение, гашение искр
	quenching of spin	s. spin quenching		
	quenching pulse	s. quench pulse		
Q 303	**quenching spectrum**, quench spectrum	Tilgungsspektrum n	spectre m d'extinction	спектр тушения, спектр гашения
Q 304	**quench pulse**, quenching pulse; reset pulse	Löschimpuls m	impulsion f d'extinction; impulsion d'effacement	импульс гашения, гасящий импульс; импульс стирания, стирающий импульс

	quench spectrum	s. quenching spectrum		
	Quetelet fringe	s. interference of diffracted light		
	queue, waiting line	Warteschlange f	file f d'attente	очередь
	queu[e]ing problem, waiting line problem	Warteschlangenproblem n	problème m d'attente	задача теории очередей, задача на ожидание
Q 305	**queu[e]ing process**	Wartezeitprozeß m	processus m d'attente	процесс очереди
Q 306	**queu[e]ing theory**, theory of queues, waiting line theory	Bedienungstheorie f, Massenbedienungstheorie f, Warteschlangentheorie f, Theorie f der Warteschlangen	théorie f des files d'attente	теория очередей, теория массового обслуживания, теория обслуживания
	quick-access storage (store)	s. rapid-access memory		
	quick analysis, rapid analysis	Schnellanalyse f, Schnellbestimmung f, Rapidanalyse f, Expreßanalyse f	analyse f rapide	экспресс-анализ, экспрессный анализ
	quick corrosion test, accelerated corrosion test, rapid corrosion test	Schnellkorrosionsversuch m	essai m de corrosion accéléré	ускоренный метод коррозионных испытаний
Q 307	**quick flashing light**	Funkelfeuer n	feu m scintillant	быстрочередующийся проблесковый огонь
	quick-motion camera	s. time-lapse camera		
	quick-motion effect (method)	s. low-speed photography		
Q 308	**quick start lamp**, rapid start lamp	Schnellstartlampe f	lampe f fluorescente à allumage instantané	люминесцентная лампа с мгновенным зажиганием
	quick test	s. accelerated test		
	quiescent carrier; suppressed carrier	unterdrückter Träger m	porteuse f supprimée	подавленная несущая
	quiescent current	s. resting current		
	quiescent nucleus, resting stage nucleus <bio.>	Ruhekern m <Bio.>	noyau m de repos <bio.>	ядро покоя <био.>
Q 309	**quiescent point**	statischer Arbeitspunkt m	point m de repos (régime statique, fonctionnement statique)	точка покоя
Q 310	**quiescent prominence**, hedgerow prominence	ruhende Protuberanz f	protubérance f quiescente	спокойный протуберанец
Q 311	**quiescent reading**	Ruheausschlag m	déviation f au repos	отклонение покоя
Q 312	**quiescent value**	Ruhewert m	valeur f au repos	величина, относящаяся к состоянию покоя
Q 313	**quiescent volcano**, dormant volcano, dead volcano	untätiger Vulkan m	volcan m en repos	бездействующий вулкан, потухший вулкан
Q 314	**quiet**, calm, undisturbed	ruhig, ungestört	calme, non perturbé	спокойный, невозмущенный
	quiet, magnetically quiet, magnetically calm, calm <geo.>	magnetisch ruhig, ruhig <Geo.>	calme [magnétique], magnétiquement calme, magnéto-calme <géo.>	магнитно-спокойный, спокойный, невозмущенный <гео.>
Q 315	**quiet arc**, calm arc	ruhig leuchtender Bogen m, ruhiger Bogen	arc m calme	спокойная дуга
Q 316	**quiet day**	ruhiger Tag m	jour m calme	спокойный день [без магнитных возмущений]
Q 316a	**quietest day**	ruhigster Tag m	jour m le plus calme	самый спокойный день
Q 317	**quiet polar light**, calm polar light	ruhiges Polarlicht n, ruhige Polarlichtform f	aurore f polaire calme, lumière f polaire calme	спокойное полярное сияние, спокойная форма полярного сияния
Q 318	**quiet sun**, undisturbed sun	ruhige Sonne f	soleil m calme	спокойное (невозмущенное) Солнце
	quilo	s. kilogramme		
Q 319	**Quincke balance**	Quincke-Waage f, Quinckesche Waage f	balance f de Quincke	весы Квинке
Q 319a	**Quincke effect**	Quincke-Effekt m	effet m Quincke	эффект Квинке
Q 320	**Quincke['s] method**	Quinckesche Steighöhenmethode (Methode) f	méthode f de Quincke	метод Квинке
Q 321	**Quincke tube**	Interferenzrohr n [nach Quincke], Quinckesches Interferenzrohr (Resonanzrohr n), Quincke-Rohr f	tube m de Quincke	трубка Квинке, труба Квинке
Q 322	**quinhydrone electrode (half-cell)**	Chinhydronelektrode f	électrode (demi-cellule) f à la quinhydrone	хингидронный электрод
Q 323	**quintet**	Quintett n	quintet m	квинтет
Q 323a	**quintile**	Quintil n	quintile m	квинтиль
Q 324	**quintuple point**	Quintupelpunkt m, Fünffachpunkt m	point m quintuple	пятикратная точка
Q 325	**quintuplet**	Quintuplett n	quintuplet m	квинтуплет
	quiver[ing]	s. quake		
Q 325a	**quota sampling**	Quoten-Stichprobenverfahren n	échantillonnage (sondage) m par la méthode des quota	выбор по группам
Q 326	**quotient field**, fraction field	Quotientenkörper m	corps m des fractions	поле (тело) отношений
	quotient group, factor[-] group, difference group	Faktorgruppe f, Restklassengruppe f, Differenzgruppe f	groupe m quotient, groupe facteur	фактор-группа, факторгруппа
	quotient meter	s. ratio[-] meter		
Q 327	**quotient ring**	Quotientenring m	anneau m des fractions (quotients)	кольцо отношений (частных)
Q 328	**Q value**, [nuclear] reaction energy, energy of the nuclear reaction <nucl.>	Q-Wert m, Energie[-tönung] f der Kernreaktion, Reaktionsenergie f <Kern.>	valeur f Q, Q, énergie f de la réaction [nucléaire] <nucl.>	значение Q, Q, энергия (значение энергии) ядерной реакции <яд.>

Q 329	**Q₁₀ value**	Q_{10}-Wert m	valeur f Q_{10}	значение Q_{10}, температурный коэффициент Q_{10}
	Q wave, Love wave, Love's wave	Love-Welle f, Lovesche Welle f, Q-Welle f	onde f de Love, onde Love, onde Q	волна Лява, волна Лава (Лёве), поверхностная волна Лява Q

R

R 1	**Raabe['s] ratio test, Raabe['s] test [for convergence]**	Raabesches Kriterium n	règle f de Duhamel, critère m de Raabe-Darboux-Duhamel	признак сходимости Раабе
R 2	**rabbit,** shuttle	Rohrpostbüchse f, Bestrahlungskapsel f	furet m, cartouche-furet f, cartouche f, « rabbit » m	пневмопочта, контейнер для облучаемой пробы
	rabbit channel, pneumatic post, pneumatic tube[-installation]	Rohrpostkanal m, Rohrpost f, Bestrahlungskanal m im Reaktor	tube m pneumatique	канал пневмопочты, пневматический канал облучения
R 3	**Rabi['s] method,** magnetic resonance method	Molekularstrahlresonanzmethode f, Rabi-Verfahren n, Rabi-Methode f, Methode f der magnetischen Resonanz, Methode von Rabi	méthode f de la résonance magnétique, méthode de Rabi	магнитный резонансный метод [Раби], метод Раби
R 4	**Racah coefficient,** Racah function	Racah-Koeffizient m, Racahscher Dreieckskoeffizient m	coefficient m de Racah	коэффициент Рака
R 5	**Racah coupling,** j-L coupling	Racah-Kopplung f, jL-Kopplung f	couplage m de Racah, couplage (J, L)	связь Рака, i-L связь
	Racah function	s. Racah coefficient		
R 6	**race-finish photography**	Zielphotographie f	photographie f de fin [de courses], contrôle m photographique des arrivées de courses	фотосъёмка финишей
R 7	**racemate,** racemoid, racemic substance; racemic compound	Razemat n, Racemat n, razemisches Gemisch n; razemische Verbindung f	racémate m, racémoïde m, mélange m racémique (inactif par compensation, inactif dédoublable), racémique m; composé m racémique	рацемат, рацемическая смесь; рацемическое соединение
	racemation	s. racemization		
	racemic compound	s. racemate		
R 8	**racemic conglomerate**	razemisches Konglomerat n	conglomérat m racémique	рацемический конгломерат
R 9	**racemic form (modification)**	razemische (nichtdrehende) Form f, razemische Modifikation f	forme (modification) f racémique	рацемическая форма [соединения], рацемическая модификация
	racemic substance	s. racemate		
R 10	**racemization,** racemation	Razemisation f, Razemisierung f, optische Inaktivierung f, Racemisation f	racémisation f	рацемизация
R 11	**racemization heat,** heat of racemization	Razemisierungswärme f	chaleur f de racémisation	теплота рацемизации
	racemoid	s. racemate		
R 12	**race[-]track**	„race track" f, Rennbahn f	piste f, race-track m	рейстрек, круговая орбита (траектория) с прямолинейными промежутками
R 13	**racetrack synchrotron,** synchrotron with straight sections	„racetrack"-Synchrotron n, Rennbahnsynchrotron n, Synchrotron n mit geradlinigen Beschleunigungsstrecken	synchrotron m à racetrack (piste), synchrotron à sections droites (rectilinéaires)	синхротрон с прямолинейными [ускоряющими] промежутками, рейстрек
	raceway	s. supply pipe		
R 14	**rack**	Zahnstange f	crémaillère f	зубчатая рейка
R 15	**rack-and-pinion,** rack-and-pinion drive (gear, movement), rack gear[ing]	Zahntrieb m, Zahnstangenantrieb m, Zahnstangentrieb m	engrenage m à crémaillère, train m d'engrenages	зубчатый привод, привод зубчатой рейкой, кремальера
	rack assembly	s. plug-in unit		
	rack gear[ing]	s. rack-and-pinion		
	rack wheel	s. pawl and ratchet motion		
R 16	**rad,** rad unit, rd	Rad n, rad-Einheit f, rd, rad	rad m, unité f rad, rd	рад, $рад$, $р∂$, rad, rd
R 17	**radan, Radan system**	RADAN-System n, Radan-System n	système m RADAN, système Radan, Radan m	система радионавигации «Радан»
R 18	**radar,** radio detecting (detection) and ranging, radiolocation; radio-position finding	Radar n (m); Funkmeßverfahren n; Rückstrahlmeßverfahren n; Rückstrahlortung f; Funkortung f	radar m, radiolocation f	радиолокация; определение местоположения по радионавигационным приборам
R 19	**radar,** radar device (apparatus, set, equipment), radiolocator; radio position finder; radar station	Funkmeßgerät n, Funkmeßanlage f, Radaranlage f, Radargerät n; Funkortungsgerät n, Radarstation f	radar m, appareil m radar, radiodétecteur m	радиолокатор, радиолокационная станция (установка), радар
R 20	**radar antenna**	Radarantenne f	antenne f de radar (radiodétection)	радиолокационная антенна
	radar apparatus	s. radar		

R 21	**radar astronomy**	Radarastronomie f	astronomie f radar	радиолокационная астрономия; астрономия, использующая метод радиолокационных наблюдений
R 22	**radar beacon,** ramark, raymark	Radarbake f	phare m radar	радиолокационная станция-маяк, радиолокационный маяк-ответчик
R 23	**radar beam,** radar ray	Radarstrahl m	faisceau m radar	радиолокационный луч, луч радиолокационной станции
	radar chaff	s. windows		
R 24	**radar chart**	Lagebild n, Lagekarte f, elektronische Lagekarte	carte f électronique, carte radar	радиолокационная карта, радиолокационный планшет, планшет
R 25	**radar coverage**	Radarbedeckung f, Radarüberdeckung f	couverture f du radar, couverture radar	радиолокационное перекрытие, зона обзора радиолокационной станции
R 26	**radar coverage diagram,** coverage diagram	Radarbedeckungsdiagramm n, Bedeckungsdiagramm n, Überdeckungsdiagramm n	diagramme m de couverture [radar], diagramme de détection par radar, diagramme d'exploration [du radar]	диаграмма обнаружения радиолокационной станции, диаграмма зон обнаружения, диаграмма видимости
R 27	**radar detection**	Radarerfassung f	détection f par radar, radiodétection f	радиолокационное обнаружение; радиолокационный захват; радиолокационный контакт
	radar device	s. radar		
	radar direction finder	s. direction finder		
	radar display	s. radar screen picture		
	radar display panel	s. plan-position indicator		
	radar dome	s. radome		
	radar echo, radar response; radio echo	Radioecho n; Radarecho n	écho m radio-électrique; écho [de] radar	радиоэхо; радиолокационный отраженный сигнал
R 27a	**radar echo cross-section,** target radar (scattering) cross-section, equivalent echoing area	Rückstrahlquerschnitt m, Radarquerschnitt m, [äquivalente] Echofläche f	section f efficace radar, section radar	эффективное сечение рассеяния цели, эквивалентная отражающая поверхность [объекта], радиолокационное сечение <б>; эффективная отражающая поверхность
R 28	**radar engineering**	Radartechnik f, Funkmeßtechnik f, Rückstrahlmeßtechnik f	technique f [de] radar	радиолокационная техника
R 28a	**radar equation**	Radargleichung f	équation f du radar	[основное] уравнение радиолокации
	radar equipment	s. radar		
R 29	**radar height finding**	Radarhöhenmessung f	mesure f de hauteur [par le] radar	радиолокационное измерение высоты
R 30	**radar horizon**	Radarhorizont m	horizon m radar	горизонт радиолокационной станции, радиолокационный горизонт
	radar indication	s. radar screen picture		
	radar jamming	s. radar perturbation		
	radar measurement of wind	s. radar wind measurement		
R 31	**radar meteorology**	Radarmeteorologie f	météorologie f par radar	радиолокационная метеорология
	radar observation	s. radio-echo observation		
R 31a	**radar perturbation,** radar jamming	Funkmeßstörung f, Radarstörung f	perturbation f radar	радиолокационная помеха
R 32	**radar perturbation by ropes (windows),** window jamming	Verdüppelung f, Düppelung f; Düppelstörung f, Folienstörung f	perturbation f due aux bandelettes métallisées antiradar	создание помех при помощи фольговых (металлизированных) лент; дипольная помеха
R 33	**radar range**	Radarreichweite f	portée f de radar	дальность действия радиолокационной станции
	radar ray	s. radar beam		
	radar response	s. radio echo		
R 33a	**radar scatterometry**	[Radar-]Streuechomessung f	mesure f d'échos diffusés	измерение рассеянного эха
	radarscope, radar screen	s. plan-position indicator <radar>		
R 34	**radar screen picture;** radar display; radar indication	Radarschirmbild n, Radarbild n; Radaranzeige f	image f radar; indication f radar	радиолокационное изображение, изображене на экране радиолокатора; радиолокационная индикация
	radar set	s. radar		
R 35	**radar sounding balloon,** wind sounding balloon for radar wind measurement	Windradarballon m	ballon-sonde m pour la mesure radar du vent	радиолокационный шар-пилот
	radar station	s. radar		
R 36	**radar wind measurement,** radar measurement of wind	Windpeilung f, Radarwindmessung f, Windmessung f mit Radar	mesure f radar du vent, mesure du vent par le radar	радиолокационное измерение ветра

	English	German	French	Russian
R 37	**radechon, radechon storage device, radechon storage tube,** barrier[-] grid storage tube	Sperrgitter[speicher]röhre *f*, Signalspeicherröhre *f* mit Streuelektronen-Sperrgitter, Radechon *n*	tube *m* d'emmagasinage à grille d'arrêt, tube cathodique à mémoire à grille de barrage, radéchon *m*, tube *m* à mémoire à grille-barrière	запоминающая электроннолучевая трубка с барьерной сеткой, радехон, радекон
	rad equivalent man	*s.* rem unit		
R 38	**radial**	radial	radial	радиальный
R 39	**radial,** radiate	strahlenförmig	radial, radiaire, en rayons	лучеобразный, лучистый, радиальный
	radial; starlike, star-shaped	sternförmig	en forme d'étoile, en étoile	звездчатый; звездообразный; радиальный
	radial, sagittal, equatorial <opt.>	sagittal, äquatorial, felgenrecht, Sagittal-, Äquatoreal-, Äquatorial- <Opt.>	sagittal, équatorial, radial <opt.>	сагиттальный, экваториальный <опт.>
R 40	**radial acceleration**	Radialbeschleunigung *f*	accélération *f* radiale	радиальное ускорение, ускорение по радиусу
	radial-axial turbine	*s.* Francis turbine		
R 41	**radial-beam tube**	Radialstrahlröhre *f*	tube *m* à faisceau radial	радиально-лучевая лампа
R 42	**radial betatron frequency,** radial focusing frequency; radial oscillations frequency	Radialfrequenz *f* [der Betatronschwingungen]	fréquence *f* des oscillations bêtatron[iques] radiales; fréquence des oscillations radiales	частота радиальных бетатронных колебаний; частота радиальных колебаний
R 43	**radial betatron oscillation**	radiale Betatronschwingung *f*	oscillation *f* bêtatron (bêtatronique) radiale	радиальное бетатронное колебание
R 44/5	**radial cross-section**	Radialschnitt *m*; Spiegelschnitt *m*	section *f* radiale, coupe *f* radiale	лучевой разрез, радиальный разрез
	radial cylinder rotating pump	*s.* rotary multiplate vacuum pump		
R 46	**radial derivative**	radiale Ableitung *f*, Ableitung in Richtung des Radius[vektors]	dérivée *f* radiale	радиальная производная
R 46a	**radial distortion,** radial image distortion	Bildzerdehnung *f*, Zerdehnung *f*	distorsion *f* radiale	радиальная дисторсия
R 47	**radial distribution function**	radiale Verteilungsfunktion *f*	fonction *f* de distribution radiale	радиальная функция распределения
R 48	**radial eigenfunction**	radiale Eigenfunktion *f*, Radialeigenfunktion *f*	fonction *f* propre radiale	радиальная собственная функция
R 49	**radial electron density**	Radialelektronendichte *f*	densité *f* radiale d'électrons, densité électronique radiale, nombre *m* volumique radial d'électrons	радиальная плотность электронов, радиальная электронная плотность
R 50	**radial expansion**	Radialausdehnung *f*, radiale Ausdehnung *f*	expansion *f* radiale	радиальное расширение
R 51	**radial extension**	radiale Verlängerung *f*	extension *f* radiale	радиальное удлинение
R 52	**radial extent**	radiale Ausdehnung *f*	étendue *f* radiale	радиальная протяженность
R 53	**radial-flow turbine**	Radialturbine *f*	turbine *f* radiale	радиальная турбина
	radial focus	*s.* sagittal focus		
	radial focusing frequency	*s.* radial betatron frequency		
R 54	**radial grounding-system**	Strahlenerde *f*, Strahlenerder *m*	prise *f* de terre en étoile	лучевой заземлитель
	radial image distortion	*s.* radial distortion		
R 55	**radially homogeneous field**	radialhomogenes Feld *n*	champ *m* radialement homogène	радиально однородное поле
R 56	**radially symmetric**	radialsymmetrisch	radialement symétrique	радиально-симметричный, симметричный по радиусу
R 57	**radial mode**	Radialmode *f*, Radialschwingung *f*, Radialschwingungstyp *m*	mode *m* radial	радиальный вид [колебаний]
R 58	**radial motion**	Radialbewegung *f*	mouvement *m* radial	радиальное движение
R 59	**radial net**	Zentralsystem *n*, Radialsystem *n*	réseau *m* radial, système *m* radial	радиальная сеть
R 60	**radial network,** star network, tandem network	Sternnetz *n*, sternförmiges Netzwerk *n*, Sternglied *n*	réseau *m* en étoile, réseau radial	радиальный многополюсник
	radial nomogram, radiant nomogram	Strahlentafel *f*, Radiantentafel *f*, Strahlennomogramm *n*, Radiantennomogramm *n*	nomogramme *m* radiaire, nomogramme radial, nomogramme en rayons	лучистая номограмма, радиальная номограмма
	radial oscillations frequency	*s.* radial betatron frequency		
	radial-phase oscillation, [radial-]synchrotron oscillation	Synchrotronschwingung *f*	oscillation *f* synchrotron, oscillation synchrotronique	радиально-фазовое колебание, синхротронное колебание
R 61	**radial point** <of aerophotogram>	Radialpunkt *m* <Luftmeßbild>	point *m* radial <de l'aérophoto>	радиальная точка <аэрофотоснимка>
R 62	**radial quantum number**	radiale Quantenzahl *f*, Radialquantenzahl *f*	nombre *m* quantique radial	радиальное квантовое число
	radial ridge	*s.* radial sector		
	radial-ridge cyclotron, radial-sector cyclotron, Thomas[-type] cyclotron, Thomas-shim cyclotron	Isochronzyklotron *n* nach Thomas, ThomasZyklotron *n*, Radialsektorzyklotron *n*	cyclotron *m* de Thomas, cyclotron aux secteurs radiaux	циклотрон Томаса, радиально-секторный циклотрон
	radial-ridge synchrotron	*s.* FFAG radial-ridge synchrotron		
R 63	**radial sector,** radial ridge, straight-ridge sector	Radialsektor *m*	secteur *m* radial	радиальный сектор
	radial-sector cyclotron	*s.* radial-ridge cyclotron		

	English	German	French	Russian
R 64	**radial-sectored field,** Thomas['] field	Radialsektorfeld *n*, Thomas-Feld *n*	champ *m* dû aux secteurs radiaux, champ de Thomas	поле, создаваемое радиальными секторами
	radial-sector synchrotron	*s.* FFAG radial-ridge synchrotron		
	radial structure, ray structure, radiate structure	Strahlenstruktur *f*, strahlenförmige Struktur *f*, strahlenförmiger Aufbau *m*	structure *f* de rayons, structure radiaire	лучистая структура, лучевая структура
R 65	**radial symmetry**	Radialsymmetrie *f*; Radiärsymmetrie *f* <Bio.>	symétrie *f* radiaire	радиальная симметрия
	radial-synchrotron oscillation	*s.* radial-phase oscillation		
R 66	**radial triangulation**	Radialtriangulation *f*	triangulation *f* radiale	радиалтриангуляция
R 67	**radial triangulator**	Radialtriangulator *m*	triangulateur *m* radial	радиалтриангулятор
R 68	**radial velocity,** line-of-sight velocity <of star>	Radialgeschwindigkeit *f* <Himmelskörper>	vitesse *f* radiale <d'une étoile>	лучевая скорость, радиальная скорость <звезды>
R 69	**radian,** radian unit, rad	Radiant *m*, Radian *m*, rad	radian *m*, rad	радиан, *рад*
R 70	**radiance,** irradiance, radiant intensity per unit area, luminosity, radiancy	Strahldichte *f*, Strahlendichte *f*, Strahlungsdichte *f*	luminance *f* énergétique, radiance *f*	лучистость, энергетическая яркость
	radiance	*s. a.* radiant flux		
	radiance	*s. a.* luminosity		
	radiance	*s. a.* radiant intensity		
R 70a	**radiance factor**	Remissionsgrad *m*, Strahldichtefaktor *m*	facteur (coefficient) *m* de luminance énergétique	энергетический коэффициент яркости
	radiance temperature	*s.* radiation temperature		
	radiance temperature	*s. a.* black-body temperature		
	radiancy	*s.* radiance		
	radiancy	*s. a.* total radiant energy		
	radian frequency, angular frequency; pulsatance, pulsation <especially el.>	Kreisfrequenz *f*, Winkelfrequenz *f*	fréquence *f* angulaire (de rotation); pulsation *f* <en particulier él.>	угловая частота, круговая частота, циклическая частота
R 71	**radian length**	Bogenlänge *f*	longueur *f* en radians	длина в радианах
R 72	**radian measure,** circular measure	Bogenmaß *f*	mesure *f* d'arc	дуговая мера, радианная мера
	radiant, meteor radiant <of meteor stream>	Radiant *m*, Ausstrahlungspunkt *m*, Radiationspunkt *m* <Meteorstrom, Meteor>	point *m* radiant, radiant *m*, radiante *f* <d'un essaim météorique>	метеорный радиант, радиант <метеорного потока>
	radiant absorption	*s.* radiation absorption		
	radiant centre, radiating centre, radiative centre	Strahlungszentrum *n*, strahlendes Zentrum *n*	centre *m* rayonnant	излучающий центр
R 73	**radiant density**	Radiantendichte *f*	densité *f* des radiants	плотность радиантов
R 74	**radiant efficiency,** radiating efficiency <of radiation source>	Strahlungsausbeute *f* [der Strahlungsquelle]	rendement *m* énergétique [de la source de rayonnement]	[энергетический] коэффициент полезного действия [источника излучения]
R 75	**radiant emittance,** emittance, radiant exitance	spezifische Ausstrahlung *f*, Ausstrahlung	émittance (exitance) *f* énergétique, émittance *f*, radiance *f*	энергетическая светимость [в точке поверхности], излучательность, плотность излучения, излучательная способность
R 76	**radiant energy,** quantity of radiant energy, radiated (radiating, radiation, radiative) energy, energy (quantity) of radiation, radiation	Strahlungsenergie *f*, Strahlungsmenge *f*, Strahlungsenergiemenge *f*, Strahlungsarbeit *f*	quantité *f* d'énergie rayonnante, énergie rayonnante	энергия излучения, лучистая энергия, количество лучистой энергии
R 77	**radiant energy density,** radiant energy per unit volume, energy density of radiation, radiation [energy] density	Strahlungsdichte *f*, Energiedichte *f* der Strahlung, Strahlungsenergiedichte *f*, Bestrahlungsdichte *f*, spezifische Strahlungsintensität *f*	densité *f* d'énergie de rayonnement, énergie *f* rayonnante par unité de volume, énergie rayonnante volumique, densité de l'énergie rayonnante	объемная плотность энергии излучения, плотность лучистой энергии
	radiant energy flux	*s.* radiant flux		
	radiant energy per unit volume	*s.* radiant energy density		
	radiant exitance	*s.* radiant emittance		
R 77a	**radiant exposure,** energy exposure, irradiation, quantity of radiation <quantity>	Bestrahlung *f* <Bestrahlungsstärke × Zeit, Größe>	exposition *f* énergétique, irradiation *f*, quantité *f* de rayonnement <grandeur>	энергетическая экспозиция, энергетическое количество освещения, количество облучения <величина>
R 78	**radiant flux,** radiant power, radiance, radiant energy flux [of radiation], radiation [energy] flux, flux of radiation (radiant energy)	Strahlungsfluß *m*, Strahlungsleistung *f*, Strahlungsenergiefluß *m*, Energiefluß *m* [der Strahlung]	flux *m* énergétique [de rayonnement], puissance *f* rayonnante (de rayonnement, de flux énergétique), flux d'énergie [rayonnée], flux d'énergie du rayonnement	поток излучения, мощность потока излучения, лучистый поток, поток лучистой энергии, поток энергии излучения
R 79	**radiant flux [surface] density,** flux density [of radiation], radiosity	Strahlungsflußdichte *f*, Strahlungsleistungsdichte *f*, Strahlungsstromdichte *f*	densité *f* de flux énergétique, densité de puissance rayonnante, flux *m* énergétique surfacique	[поверхностная] плотность потока излучения, энергетическая светность (светимость, освещенность), плотность лучистого потока
R 80	**radiant gas**	strahlendes Gas *n*	gaz *m* rayonnant	излучающий газ

R 81	**radiant heat,** radiating heat, radiation heat	Strahlungswärme *f*, strahlende Wärme *f*	chaleur *f* rayonnante, chaleur de rayonnement	лучистая теплота, лучистое тепло, теплота лучеиспускания
R 82	**radiant heat flow rate**	Strahlungswärmestrom *m*	flux *m* thermique rayonnant	лучистый тепловой поток
	radiant heat interchange, interchange of radiant heat	Strahlungswärmeaustausch *m*	échange *m* de chaleur rayonnante	лучистый теплообмен
R 83	**radiant intensity,** radiance, luminous [energy] intensity, luminous power	Strahlstärke *f*	intensité *f* énergétique [de rayonnement]	энергетическая сила излучения (света), сила излучения [источника в некотором направлении]
	radiant intensity	*s. a.* intensity of radiation		
	radiant intensity per unit area	*s.* radiance		
	radiant law, law of radiation, radiation law, radiation formula	Strahlungsgesetz *n*, Strahlungsformel *f*	loi *f* de (du) rayonnement, formule *f* de (du) rayonnement	закон излучения, формула излучения
R 84	**radiant nomogram,** radial nomogram	Strahlentafel *f*, Radiantentafel *f*, Strahlennomogramm *n*, Radiantennomogramm *n*	nomogramme *m* radiaire, nomogramme radial, nomogramme en rayons	лучистая номограмма, радиальная номограмма
R 85	**radiant of meteor shower,** shower radiant	Stromradiant *m*	radiant *m* de l'essaim météorique	радиант метеорного потока
R 86	**radiant position**	Lage (Position) *f* des Radianten	position *f* du radiant	положение радианта
	radiant power	*s.* radiant flux		
	radiant reflectance	*s.* total reflection factor		
	radiant sensitivity	*s.* sensitivity to radiation		
	radiant spectral absorptivity, spectral absorption factor, spectral absorptance <US>	spektraler Absorptionsgrad *m*, spektrales Absorptionsvermögen *n*	facteur *m* spectral d'absorption, absorptivité *f* spectrale	спектральный коэффициент поглощения, поглощательная способность для данной частоты
	radiant surface	*s.* emitting surface		
R 87	**radiant total absorptance, radiant total absorptivity,** total absorptance, total absorptivity <opt.>	totaler Absorptionsgrad *m*, totales Absorptionsvermögen (Strahlungsabsorptionsvermögen) *n* <Opt.>	absorptivité *f* rayonnante totale, absorbance *f* totale <opt.>	полный коэффициент поглощения <опт.>
	radiant total reflectance	*s.* total reflection factor		
	radian unit	*s.* radian		
	radiate, radial	strahlenförmig	radial, radiaire, en rayons	лучеобразный, лучистый, радиальный
	radiated energy	*s.* radiant energy		
	radiated field, radiation field	Strahlungsfeld *n*, Strahlenfeld *n*	champ *m* de rayonnement, champ rayonné (de radiation)	поле излучения
	radiate packing, chord packing <chem.>	Strahlenkörper *m*	garnissage *m* radiaire	хордовая насадка
	radiate structure, ray structure, radial structure	Strahlenstruktur *f*, strahlenförmige Struktur *f*, strahlenförmiger Aufbau *m*	structure *f* de rayons, structure radiaire	лучистая структура, лучевая структура
	radiating body	*s.* source of radiation		
	radiating capacity	*s.* emissivity		
R 88	**radiating centre,** radiant centre, radiative centre	Strahlungszentrum *n*, strahlendes Zentrum *n*	centre *m* rayonnant	излучающий центр
	radiating dipole, active dipole, driven dipole	Strahlungsdipol *m*, strahlender Dipol *m*, Dipolstrahler *m*	dipôle *m* actif, dipôle rayonnant, dipôle alimenté	активный вибратор, активный диполь, излучающий диполь
	radiating efficiency, radiant efficiency <of radiation source>	Strahlungsausbeute *f* [der Strahlungsquelle]	rendement *m* énergétique [de la source de rayonnement]	[энергетический] коэффициент полезного действия [источника излучения]
R 89	**radiating element**	Strahlerelement *n*, Strahlungselement *n*	élément *m* rayonnant, élément radiant	излучающий элемент
	radiating energy	*s.* radiant energy		
	radiating heat, radiant heat, radiation heat	Strahlungswärme *f*, strahlende Wärme *f*	chaleur *f* rayonnante, chaleur de rayonnement	лучистая теплота, лучистое тепло, теплота лучеиспускания
	radiating power	*s.* emissivity		
	radiating surface; heatabsorbent surface; cooling surface	Kühlfläche *f*, Abkühlungsfläche *f*, Abkühlungsoberfläche *f*	surface *f* réfrigérante, surface de refroidissement, surface de réfrigération	поверхность охлаждения, охлаждающая поверхность
	radiating surface	*s. a.* emitting surface		
	radiating term, radiation term	Strahlungsterm *m*, Strahlungsglied *n*	terme *m* de rayonnement	радиационный член, лучистый член
R 90	**radiation**	Strahlung *f*	rayonnement *m*, radiation *f*	излучение; радиация; радиационное излучение
	radiation, irradiation <upon>	Einstrahlung *f*	irradiation *f*	облучение
	radiation	*s. a.* emission		
	radiation	*s. a.* radiant energy		
	radiation	*s. a.* radio-frequency <astr.>		
R 91	**radiation absorption,** absorption of radiation, radiant absorption	Strahlungsabsorption *f*, Strahlenabsorption *f*	absorption *f* des rayonnements	поглощение излучения, лучепоглощение, абсорбция излучения
R 92	**radiation accident**	Strahlungsunfall *m*, Strahlenunfall *m*	accident *m* d'intolérance	лучевое поражение
R 93	**radiation annealing**	Strahlungsausheilung *f*, Bestrahlungserholung *f*, Strahlungserholung *f*, Strahlenausheilung *f*	recuit *m* par irradiation, recuit nucléaire	отжиг облучением, радиационный отжиг

	English	German	French	Russian
R 94	**radiation antidamping,** radiation oscillation antidamping	Strahlungsantidämpfung f, Strahlungsaufschauk[e]lung f, Strahlungsanfachung f	amorçage m de l'oscillation par rayonnement, amorçage par rayonnement	радиационная раскачка [колебаний], антизатухание
	radiation attenuation, attenuation, attenuation of radiation	Schwächung f [der Strahlung], Strahlenschwächung f, Strahlungsschwächung f	atténuation f [du rayonnement]	ослабление [излучения]
	radiation background	s. natural background radiation		
R 95	**radiation balance**	Strahlungsbilanz f; Strahlungshaushalt m, Strahlenhaushalt m <Meteo.>	bilan m de rayonnement	радиационный баланс, лучистый баланс
R 96	**radiation balance,** radio balance, Callendar radio balance, radiobalance	Strahlungswaage f [nach Callendar]	balance f de rayonnement, radiobalance f	радиовесы, радиационные весы, калориметр Кэллендера [для измерения солнечного излучения]
	radiation balance in the atmosphere	s. radiation balance of the Earth		
R 97	**radiation balance meter**	Strahlungsbilanzmesser m	appareil m à mesurer le bilan de rayonnement	измеритель радиационного баланса
R 98	**radiation balance of the Earth,** radiation balance in the atmosphere	Strahlungshaushalt m der ·Atmosphäre (Erde)	bilan m du rayonnement de la Terre	радиационный баланс атмосферы, лучистый баланс атмосферы
	radiation beam angular width, radiation beam divergence	s. beam divergence		
	radiation belt	s. Allen radiation belt / Van		
R 99	**radiation biochemistry**	Strahlenbiochemie f, Strahlungsbiochemie f	radiobiochimie f	радиационная биохимия, радиобиохимия
	radiation-biological effect, radiobiological effect, radiobiological action	strahlenbiologischer Effekt m, strahlenbiologische Wirkung f	effet m radiobiologique, action f radiobiologique	радиобиологический эффект, радиобиологическое действие
R 100	**radiation biology,** radiobiology	Strahlenbiologie f, Strahlungsbiologie f, Radiobiologie f	radiobiologie f	радиационная биология, радиобиология
	radiation blocker, chemical protector, radiation protector	Strahlenschutzstoff m, chemischer Strahlenschutz [-stoff] m, Strahlenblocker m	radioprotecteur m, protecteur m chimique	радиозащитное вещество, химическое средство защиты от облучения
	radiation broadening	s. natural broadening		
R 101	**radiation burn**	Strahlenverbrennung f, Strahlungsverbrennung f	brûlure f due au[x] rayonnement[s], brûlure par irradiation	лучевой ожог, радиационный ожог
R 102	**radiation burst**	Strahlungsstoß m	irruption f de rayons, sursaut m de rayonnement	вспышка излучения
	radiation burst	s. a. radio burst		
R 103	**radiation calorimeter**	Strahlungskalorimeter n	calorimètre m à radiation (rayonnement)	радиационный калориметр
	radiation capture	s. radiation diffusion		
R 103a	**radiation catalysis,** radiation-induced catalysis	Strahlungskatalyse f	catalyse f par rayonnement	радиационный катализ
R 103b	**radiation channel**	Strahlungsmeßkanal m, Strahlungsüberwachungskanal m	chaîne f de contrôle du rayonnement	измерительный канал для [контроля] излучения
	radiation characteristic (chart)	s. radiation pattern		
R 104	**radiation-chemical equilibrium**	strahlenchemisches Gleichgewicht n	équilibre m radiochimique	радиационно-химическое равновесие
	radiation-chemical protection	s. chemical protection against radiation		
	radiation-chemical yield	s. G-value		
R 105	**radiation chemistry**	Strahlenchemie f, Strahlungschemie f; Kernstrahlenchemie f, Kernstrahlungschemie f; Radiationschemie f, Iochemie f, Io-chemie f	radiochimie f, chimie f sous rayonnement, chimie sous radiation	радиационная химия
R 106	**radiation climate**	Strahlungsklima n	climat m de rayonnement, climat solaire	радиационный климат
R 107	**radiation cold**	Strahlungskälte f	froid m de rayonnement	радиационный холод
R 108	**radiation condition,** outgoing radiation condition; "ausstrahlungsbedingung", Sommerfeld['s] radiation condition	Ausstrahlungsbedingung f; Ausstrahlungsbedingung von Sommerfeld, Sommerfeldsche Ausstrahlungsbedingung	condition f de radiation; condition de radiation de Sommerfeld	условие излучения, условие исходящего излучения; условие излучения Зоммерфельда
R 108a	**radiation conductivity**	Strahlungsleitfähigkeit f	conductibilité f par rayonnement	проводимость за счет излучения
R 109	**radiation constant**	Strahlungskonstante f	constante f de rayonnement	постоянная излучения, постоянная лучеиспускания
R 110	**radiation content**	Strahlungsinhalt m	potentiel m radiatif	радиационное содержание радиоактивного вещества
R 111	**radiation contrast**	Strahlungskontrast m	contraste m de rayonnement	контрастность излучения
	radiation control	s. radiation monitoring		
	radiation conversion, conversion of radiation	Strahlungsumwandlung f, Strahlungswandlung f	conversion f de rayonnement	преобразование радиации, преобразование излучения
R 112	**radiation converter**	Strahlungswandler m, Strahlungsumformer m	convertisseur m de rayonnement	преобразователь излучения

	English	German	French	Russian
R 113	**radiation cooling,** cooling by radiation	Strahlungskühlung f	refroidissement m par rayonnement	охлаждение за счет излучения, охлаждение излучением, радиационное (лучевое) охлаждение
R 114	**radiation cooling** <meteo.>	Strahlungsabkühlung f <Meteo.>	refroidissement m par rayonnement, refraîchissage m par rayonnement <météo.>	радиационное выхолаживание, выхолаживание (охлаждение) за счет лучеиспускания <метео.>
	radiation correction, radiative correction	Strahlungskorrektion f, Strahlungskorrektionsterm m	correction f de rayonnement	радиационная поправка
R 115	**radiation corrosion,** radiation-induced corrosion, corrosion due to radiation [effect]	Strahlungskorrosion f	corrosion f due aux rayonnements, corrosion sous l'effet des rayonnements, corrosion sous rayonnement	коррозия под действием излучения
	radiation counter, counter, counter tube, counting tube <nucl.>	Zählrohr n, Zähler m, Strahlungszählrohr n <Kern.>	tube m compteur, compteur m <nucl.>	счетчик [заряженных частиц], счетная трубка <яд.>
	radiation counter (counting assembly, counting unit)	s. pulse counter <nucl.>		
	radiation coupled element	s. parasitic element		
	radiation-coupled reflector	s. parasitic reflector <el.>		
R 116	**radiation coupling**	Strahlungskopplung f	couplage m par rayonnement	связь за счет излучения, связь через излучение, радиационная связь, связь посредством радиации (излучения)
R 117	**radiation coupling resistance**	Strahlungskopplungswiderstand m	résistance f de couplage par rayonnement	сопротивление связи за счет излучения
R 118	**radiation cross[-]linking,** radiation-induced cross linking	Strahlenvernetzung f, Strahlungsvernetzung f	réticulation f sous l'action des rayonnements	радиационная сшивка, сшивка под действием облучения, образование поперечных связей под действием облучения
	radiation curve, Milankovitch['s] curve	Strahlungskurve f [von Milankovitch]	ligne (courbe) f de Milankovitch, courbe de rayonnement	кривая радиации, кривая излучения
R 119	**radiation cytology**	Strahlenzytologie f, Strahlungszytologie f	radiocytologie f	радиационная цитология, радиоцитология
R 120	**radiation damage**	Strahlungsschaden m, Strahlenschaden m, Bestrahlungsschaden m	dégât m par rayonnements, dommage m par rayonnements, défaut m dû à l'irradiation, défaut dû aux rayonnements, lésion f par irradiation	радиационное (лучевое) повреждение, повреждение в результате облучения, повреждение ионизирующим излучением
R 121	**radiation damage**	s. a. radiation injury		
	radiation damping, radiation oscillation damping	Strahlungsdämpfung f	affaiblissement m de (dû au, par) rayonnement, amortissement m par (de, dû au) rayonnement, amortissement radiatif	радиационное затухание [колебаний], затухание излучением, затухание вследствие излучения
R 122	**radiation danger zone**	strahlungsgefährdete Zone f	zone f de rayonnement dangereux	зона радиационной опасности
	radiation decomposition	s. radiolysis		
	radiation density	s. radiant energy density		
	radiation density constant	s. Stefan-Boltzmann constant		
R 123	**radiation destruction,** radiation-induced destruction	Strahlungsabbau m, Strahlenabbau m	destruction f par l'irradiation, destruction sous (par) rayonnements	радиационная деструкция
	radiation detecting instrument, radiation detector	s. detector		
	radiation diagram	s. radiation pattern		
	radiation diffusion, imprisonment of resonance radiation, [resonance] radiation trapping (capture)	Strahlungsdiffusion f, Resonanzstrahlungseinfang m	diffusion f de rayonnement [de résonance], piégeage m de rayonnement	радиационное рассеяние, пленение (диффузия) резонансного излучения
	radiation disease	s. radiation sickness		
R 124	**radiation divider**	Strahlungsteiler m	diviseur m de radiation, diviseur du rayonnement	делитель излучения
R 125	**radiation dosage,** radiation dose	Bestrahlungsdosis f; Strahlungsdosis f, Strahlendosis f	dose f d'irradiation; dose de rayonnement, dose de radiation	доза облучения; доза излучения
	radiation dose meter	s. dosimeter		
R 126	**radiation effect,** action of radiation	Strahlen[ein]wirkung f, Strahlungs[ein]wirkung f, Strahlungseffekt m, Strahleneffekt m	effet m des rayonnements, action f des rayonnements	действие излучений; действие облучения; воздействие излучений
R 127	**radiation efficiency [of antenna]**	Wirkungsgrad m der Sendeantenne (Antenne, Strahlung), Strahlungswirkungsgrad m, Strahlungsleistung f der Antenne	rendement m de radiation [de l'antenne]	коэффициент полезного действия антенны, отдача антенны
	radiation emissive surface	s. emitting surface		

R 128	**radiation-energetic parallax**	strahlungsenergetische Parallaxe *f*	parallaxe *f* de l'énergie de rayonnement	радиационно-энергетический параллакс
	radiation energy	*s.* radiant energy		
	radiation energy density	*s.* radiant energy density		
	radiation energy flux	*s.* radiant flux		
R 129	**radiation entropy**	Strahlungsentropie *f*	entropie *f* de rayonnement	радиационная (лучистая) энтропия, энтропия излучения
	radiation equilibrium	*s.* radiative equilibrium		
R 130	**radiation excitation**	Strahlungsanregung *f*, Strahlenanregung *f*, Anregung *f* durch [elektromagnetische] Strahlung	excitation *f* par rayonnement, excitation radiative, excitation par radiation	радиационное возбуждение, возбуждение излучением
R 131	**radiation-exposed**, exposed; irradiated	strahlenexponiert, bestrahlt; strahlenbelastet	exposé aux rayonnements; soumis aux rayonnements ionisants; radio-exposé; irradié	подвергающийся лучевым воздействиям, облученный
R 132	**radiation factor**	Strahlungsfaktor *m*	facteur *m* de rayonnement	коэффициент излучения
R 133	**radiation field**, radiated field	Strahlungsfeld *n*, Strahlenfeld *n*	champ *m* de rayonnement, champ rayonné (de radiation)	поле излучения
R 134	**radiation field**, irradiation (exposure) field	Bestrahlungsfeld *n*, Strahlungsfeld *n*	champ *m* d'irradiation, champ irradié	поле облучения
	radiation field	*s. a.* distant field		
R 135	**radiation field method**, **radiation field technique**	Strahlungsfeldmethode *f*, Strahlenfeldmethode *f*	méthode *f* du champ rayonné	метод поля излучения
R 136	**radiation filter**	Strahlungsfilter *n*, Strahlenfilter *n*	filtre *m* de rayonnements, filtre de radiation	лучевой фильтр
	radiation fluctuation, fluctuation in radiation	Strahlungsschwankung *f*	fluctuation *f* de rayonnement, fluctuation en rayonnement	радиационная флуктуация, радиационное колебание, колебание интенсивности радиации
	radiation flux	*s.* radiant flux		
R 137	**radiation fluxmeter**	Strahlungsflußmesser *m*, Flußmesser *m*	fluxmètre *m* [de rayonnement], appareil *m* de mesure du flux énergétique	измеритель потока излучения
R 138	**radiation fog**	Strahlungsnebel *m*	brouillard *m* de rayonnement	радиационный туман
	radiation formula, law of radiation, radiation law, radiant law	Strahlungsgesetz *n*, Strahlungsformel *f*	loi *f* de (du) rayonnement, formule *f* de (du) rayonnement	закон излучения, формула излучения
R 139	**radiation frost**	Strahlungsfrost *m*	gelée *f* de rayonnement	радиационный заморозок
R 140	**radiation genetics**	Strahlengenetik *f*, Strahlungsgenetik *f*	radiogénétique *f*, génétique *f* radiative (de rayonnement, des radiations)	радиационная генетика
R 141	**radiation hardening**, hardening of the radiation	Strahlenhärtung *f*, Strahlungshärtung *f*	durcissement *m* du spectre de rayonnement	жесчение излучения, увеличение жесткости излучения
	radiation hardness	*s.* penetrating power		
R 142	**radiation hazard**, radio-hazard	Strahlungsrisiko *n*, Strahlenrisiko *n*, Strahlengefährdung *f*, Strahlungsgefährdung *f*	risque *m* d'irradiation, dangers *mpl* pour la santé publique [dus aux rayonnements ionisants]	радиационная опасность, опасность (риск) лучевого поражения, опасность радиационного поражения
	radiation heat, radiant heat, radiating heat	Strahlungswärme *f*	chaleur *f* rayonnante, chaleur de rayonnement	лучистая теплота, лучистое тепло, теплота лучеиспускания
R 143	**radiation heating**	Strahlungsaufheizung *f*; Strahlungserwärmung *f*	chauffage *m* par rayonnement	лучистый нагрев, лучистое нагревание, радиационный нагрев, нагрев[ание] облучением
	radiation height	*s.* effective height of the antenna		
R 144	**radiation hygiene**	Strahlungshygiene *f*, Strahlenhygiene *f*	radiohygiène *f*	радиационная гигиена
	radiation impedance	*s.* sound radiation impedance <ac.>		
R 145	**radiation indicator**	Strahlungsindikator *m*, Strahlungsanzeiger *m*, Strahlenindikator *m*, Strahlenanzeiger *m*	indicateur *m* de rayonnement	указатель излучений, индикатор излучений
	radiation-induced catalysis	*s.* radiation catalysis		
	radiation-induced corrosion	*s.* radiation corrosion		
	radiation-induced cross linking	*s.* radiation cross[-] linking		
R 146	**radiation-induced defect**	strahlungserzeugte Fehlstelle *f*, strahlungsinduzierte Fehlordnung *f*	défaut *m* provoqué par les rayonnements	дефект, вызванный облучением
	radiation-induced destruction	*s.* radiation destruction		
R 147	**radiation-induced embrittlement**	strahlungsinduzierte Versprödung *f*, Strahlungsversprödung *f*, Strahlenversprödung *f*	fragilisation *f* sous l'action des rayonnements	радиационное охрупчивание
R 148	**radiation-induced growth**	Strahlungswachstum *n*, Wachstum *n* infolge Bestrahlung	grandissement *m* dû à l'irradiation, grandissement par rayonnement	радиационный рост
	radiation-induced lesion	*s.* radiation injury <bio.>		
	radiation-induced mutation	*s.* radiomutation		

	radiation-induced (radiation-initiated) polymerization	*s.* radiation polymerization		
R 149	**radiation initiation**	Strahleninitiierung *f*, Strahlungsinitiierung *f*	initiation *f* par l'irradiation, initiation par (sous) rayonnement	радиационное инициирование
R 150	**radiation injury**, radiation [-induced] lesion, radiation damage <bio.>	Bestrahlungsschaden *m*, Strahlenaffektion *f*, Strahlenschaden *m*, Strahlenschädigung *f* <Bio.>	lésion *f* due aux rayonnements, radiolésion *f*, lésion par irradiation, dommage *m* par rayonnement <bio.>	радиационное поражение, лучевое поражение, поражение в результате облучения <био.>
	radiation instrument	*s.* measuring assembly		
	radiation intensity, intensity of radiation	Strahlungsintensität *f*, Intensität *f* der Strahlung, Intensität, Strahlenintensität *f*	intensité *f* de rayonnement, intensité de radiation	интенсивность излучения, интенсивность радиации
R 151	**radiation interchange factor**	Strahlungsaustauschfaktor *m*	facteur *m* d'interchange de l'énergie rayonnante	коэффициент обмена энергией излучением
R 152	**radiation inversion**	Strahlungsinversion *f*	inversion *f* de radiation (rayonnement)	радиационная инверсия
R 153	**radiation ionization**	Strahlungsionisation *f*	ionisation *f* par rayonnement	ионизация [электромагнитным] излучением
	radiation law, law of radiation, radiant law, radiation formula	Strahlungsgesetz *n*, Strahlungsformel *f*	loi *f* de (du) rayonnement, formule *f* de (du) rayonnement	закон излучения, формула излучения
	radiation leakage	*s.* leakage		
	radiation length	*s.* cascade unit		
	radiation lesion	*s.* radiation injury <bio.>		
	radiationless capture, non-radiative capture	strahlungsloser (nichtstrahlender) Einfang *m*	capture *f* non radiative	нерадиационный (безызлучательный) захват
	radiationless recombination	*s.* non-radiative recombination		
R 154	**radiationless transition**, non-radiative transition, Auger transition	strahlungsloser Übergang *m*, Auger-Übergang *m*	transition *f* non radiative, transition Auger (sans radiation)	безызлучательный переход, нерадиационный переход, оже-переход, переход Оже
R 155	**radiation loss**, radiative loss	Strahlungsverlust *m*	perte *f* par rayonnement, perte par radiation, perte radiative	потеря на излучение, радиационная потеря
R 156	**radiation magnetization**	Strahlungsmagnetisierung *f*	aimantation *f* par (sous) rayonnement	радиационное намагничивание
R 157	**radiation maze**, radiation trap, maze	Abschirmungslabyrinth *n*, Eingangslabyrinth *n*, Strahlungsschleuse *f*, Strahlenschleuse *f*	chicane *f*, entrée *f* à labyrinthe	лабиринтный вход [для предотвращения облучения], лабиринтный шлюз
	radiation measurement, radiometry	Radiometrie *f*, Strahlungsmessung *f*, Strahlenmessung *f*	radiométrie *f*, mesure *f* des rayonnements	радиометрия, измерение излучений
	radiation measuring assembly (instrument)	*s.* measuring assembly		
	radiation measuring technique	*s.* technique of radiation measurement		
	radiation meter	*s.* measuring assembly		
R 158	**radiation microbiology**, radiomicrobiology	Strahlenmikrobiologie *f*, Strahlungsmikrobiologie *f*, Radiomikrobiologie *f*	radiomicrobiologie *f*	радиационная микробиология, радиомикробиология
R 159	**radiation monitor**, monitor, radiation monitoring instrument, monitoring instrument, radiation survey meter, survey meter, survey instrument <nucl.>	Strahlenüberwachungsgerät *n*, Strahlungsüberwachungsgerät *n*, Überwachungs[meß]gerät *n*, Überwachungsinstrument *n*, Kontrollgerät *n*, Kontrollinstrument *n*, Kontroll- und Überwachungsgerät *n*, Strahlungskontrollgerät *n*, Strahlenkontrollgerät *n*, Monitor *m*; Warngerät *n*, Strahlungswarngerät *n*, Strahlenwarngerät *n* <Kern.>	moniteur *m* [de rayonnement], appareil *m* d'inspection et surveillance, appareil de surveillance, contrôleur *m* [de radiations], appareil de contrôle, instrument *m* de surveillance, instrument de contrôle <nucl.>	контрольный дозиметр, контрольный прибор, контрольноизмерительный прибор, прибор для контроля уровня излучения, монитор; дозиметр с предупредительным сигналом, сигнальный прибор, прибор для сигнализации о вредном излучении <яд.>
R 160	**radiation monitoring**; radiation survey (surveillance); radiation control	Strahlungskontrolle *f*, Strahlenkontrolle *f*; Strahlungsüberwachung *f*, Strahlenüberwachung *f*; Strahlungswarnung *f*, Strahlenwarnung *f*	contrôle *m* du niveau de rayonnement; surveillance *f* du niveau de rayonnement; signalisation *f* d'alarme, signalisation d'avertissement	контроль уровня излучения; предупредительная сигнализация излучения
	radiation monitoring	*s. a.* health monitoring		
	radiation monitoring instrument	*s.* radiation monitor		
	radiation morbidity, radiation sickness	Strahlenkrankheit *f*; Strahlenkater *m*	mal *m* des rayons, mal des rayonnements, maladie *f* des irradiations	лучевая болезнь, лучевое заболевание
R 161	**radiation of energy**, energy radiation	Energieabstrahlung *f*, Energieausstrahlung *f*; Energiestrahlung *f*	rayonnement *m* d'énergie, radiation (émission) *f* d'énergie	излучение энергии; энергетическое излучение
	radiation of heat	*s.* heat radiation		
R 162	**radiation of sound**, sound radiation, sound projection, acoustic radiation	Schallstrahlung *f*, akustische Strahlung *f*; Schallabstrahlung *f*, Schallausstrahlung *f*, Schallaussendung *f*	rayonnement *m* acoustique, projection *f* du son	излучение звука, звукоизлучение, звуковое излучение, проекция звука, звукопроекция
	radiation oscillation antidamping	*s.* radiation antidamping		

	radiation oscillation damping	s. radiation damping		
R 163	**radiation pattern,** directive pattern, directional pattern, directional response pattern, lobe pattern, space pattern, radiation chart, radiation diagram, directional characteristic, radiation characteristic; polar diagram [of antenna], directional diagram	Richtcharakteristik f, Richtungscharakteristik f; Richtdiagramm n, Richtungsdiagramm n; Strahlungsdiagramm n; Richtkennlinie f; Richtkennfläche f, räumliche Richtungscharakteristik f; Strahlungscharakteristik f, Strahlungskennlinie f	caractéristique f de radiation, caractéristique directive (directionnelle, de rayonnement); diagramme m directif, diagramme directionnel [de rayonnement], diagramme de rayonnement, diagramme d'émission; diagramme polaire [de rayonnement]; diagramme de directivité [de l'antenne], diagramme (indicatrice f) d'antenne	диаграмма направленности; характеристика направленности; полярная диаграмма направленности
R 164	**radiation physicist,** radiological physicist	Strahlungsphysiker m, Strahlenphysiker m	radiophysicien m, physicien m du rayonnement	физик-радиолог
R 165	**radiation physics**	Strahlungsphysik f, Strahlenphysik f	physique f des rayonnements	физика излучений
R 165a	**radiation polymerization,** radiation-induced (radiation-initiated) polymerization	Strahlungspolymerisation f, Strahlenpolymerisation f	radiopolymérisation f, polymérisation f sous rayonnement	радиационная полимеризация
R 166	**radiation potential**	Strahlungspotential n, Strahlenpotential n	potentiel m de rayonnement	потенциал излучения
R 167	**radiation pressure**	Strahlungsdruck m	pression f de rayonnement, pression de radiation	лучистое (радиационное) давление, давление излучения
	radiation pressure [in acoustics], radiation pressure in sound	s. acoustic radiation pressure		
R 168	**radiation-pressure wattmeter,** ponderomotive wattmeter	Strahlungsdruck-Leistungsmesser m, Strahlungsdruck-Wattmeter n	wattmètre m à pression de radiation	пондеромоторный ваттметр
R 169	**radiation processing,** radiation treatment	Strahlenbehandlung f, Bestrahlung f	traitement m par l'irradiation; traitement par le rayonnement	радиационная обработка, обработка излучением; обработка облучением
R 170	**radiation-proof;** ray[-]proof	strahlungssicher, strahlungsgeschützt, strahlensicher, strahlengeschützt	protégé contre les rayonnements	защищенный от излучений
R 171	**radiation protection,** protection against radiations; radiological protection	Strahlenschutz m	protection f contre les effets des rayonnements ionisants, protection contre les rayonnements (rayons); protection radiologique (contre l'irradiation), radioprotection f	защита от излучений, защита от облучения, противорадиологическая защита; радиологическая защита
	radiation protective wall	s. protective wall		
	radiation protector	s. radiation blocker		
R 171a	**radiation pump**	Strahlungspumpe f	pompe f à radiation (rayonnement)	радиационный насос
R 172	**radiation pyrometer,** optical pyrometer, heat radiation pyrometer, pyrometer	Strahlungspyrometer n, Strahlenpyrometer n, optisches Pyrometer n, Pyrometer	pyromètre m à rayonnement (radiation), pyromètre optique, pyromètre	радиационный пирометр; оптический пирометр, пирометр
	radiation quality, quality of radiation	Strahlenqualität f, Qualität f der Strahlung, Strahlungsqualität f; Röntgenstrahlenhärte f	qualité f de rayonnement	качество излучения; жесткость рентгеновских лучей
	radiation quantum, photon, quantum	Photon n, Strahlungsquant n, Quant n	photon m, quantum m de rayonnement, quantum	фотон, квант излучения, квант
R 173	**radiation reaction,** radiative reaction	Strahlungsrückwirkung f, Strahlungsreaktion f; Strahlungsbremsung f	réaction f de rayonnement, freinage m de rayonnement	лучистое торможение, лучистое трение, радиационное трение, торможение излучением, реакция излучения
	radiation reaction force, reaction force, damping term	Strahlungsreaktionskraft f, Lorentzsche Dämpfungskraft f, Strahlungsrückwirkung f, Strahlungsbremsung f	force f de freinage lorentzienne, freinage m de rayonnement	сила лучистого торможения, сила лучистого трения
	radiation receiver (receptor), receptor [of radiation]	Strahlungsempfänger m	récepteur m [de rayonnement]	приемник излучения, приемник радиации
R 174	**radiation recoil**	Strahlungsrückstoß m	recul m par rayonnement	радиационная отдача, отдача излучением, отдача вследствие излучения
	radiation recombination	s. radiative recombination		
	radiation resistance	s. characteristic acoustic impedance		
	radiation resistance	s. a. radioresistance		
R 175	**radiation resistance [of the antenna] <el.>**	Strahlungswiderstand m [der Antenne] <El.>	résistance f de rayonnement [de l'antenne], résistance de radiation [de l'antenne] <él.>	сопротивление излучения [антенны] <эл.>
R 176	**radiation safety**	Strahlungssicherheit f, Strahlensicherheit f	sécurité f radiologique	радиационная безопасность
R 177	**radiation selection**	Strahlenselektion f, Strahlungsselektion f	sélection f par irradiation, sélection sous (par) rayonnement, radiosélection f	радиационная селекция, лучевая селекция

R 178	radiation sensitivity	s. sensitivity to radiation		
	radiation shield, radiation shielding	Strahlungsabschirmung f, Strahlenabschirmung f, Strahlenschutz m, Strahlenschild m, Strahlungsschild m	dispositif m de protection, blindage m, bouclier m	защита от излучений, радиационная защита
R 179	radiation sickness, radiation disease, radiation morbidity	Strahlenkrankheit f; Strahlenkater m	mal m des rayons (rayonnements), maladie f des irradiations	лучевая болезнь, лучевое заболевание
	radiation source	s. source of radiation		
	radiation stability	s. radioresistance		
R 180	radiation standard, standard radiation source, standard source of radiation	Strahlungsnormallampe f, Strahlungsnormal n	étalon m de rayonnement, source f étalon de rayonnement	эталонный источник излучения, эталон излучения
	radiation stop; beam limiting, limitation of the beam	Strahlbegrenzung f; Strahlenbegrenzung f; Bündelbegrenzung f	limitation f du faisceau; limitation du rayonnement	ограничение пучка; диафрагмирование излучения; ограничение излучения
R 181	radiation stream	Strahlungsstrom m	courant m de rayonnement	радиационный поток
R 182	radiation streaming, streaming; channel[l]ing effect, channel[l]ing <nucl.>	Strahlungstransport m durch Kanäle; Kanalisierungseffekt m, Kanalisierung f, Kanaleffekt m; Kanalverlust m <Kern.>	effet m de canalisation, canalisation f <nucl.>	прохождение излучения по каналам; эффект канализирования, каналовый эффект; потери вследствие наличия каналов <яд.>
R 183	radiation sum	Strahlungssumme f	somme f de rayonnement, somme radiative	сумма радиации, радиационная сумма
	radiation surface	s. emitting surface		
R 184	radiation surplus	Strahlungsüberschuß m	excès m de rayonnement	избыток излучения (радиации)
	radiation surveillance	s. radiation monitoring		
	radiation survey, radiation monitoring, health monitoring, protection survey	Strahlenschutzüberwachung f	contrôle m de protection, contrôle des rayonnements [ionisants], contrôle radiologique	радиационный контроль, дозиметрический контроль, радиологический контроль
	radiation survey	s. a. radiation monitoring		
	radiation survey meter	s. radiation monitor		
R 185	radiation temperature; brightness temperature, luminance temperature, radiance temperature	Strahlungstemperatur f; Luminanztemperatur f	température f de (du) rayonnement, température de la radiation; température de brillance (luminance)	радиационная температура, температура излучения; яркостная температура
R 186	radiation tensor	Strahlungstensor m	tenseur m de rayonnement, tenseur de radiation	тензор излучения
R 187	radiation term, radiating term	Strahlungsterm m, Strahlungsglied n	terme m de rayonnement	радиационный член, лучистый член
R 188	radiation therapy, radiotherapy; therapeutic radiology	Strahlentherapie f	radiothérapie f; thérapie f par rayonnement	лучевая терапия, радиотерапия
R 189	radiation thermocouple	Strahlungsthermoelement n	thermocouple m à rayonnement (radiation)	радиационная термопара
	radiation thermometer	s. black-bulb thermometer		
	radiation tolerance	s. tolerance dose		
R 190	radiation transmission	Strahlungsdurchgang m, Strahlendurchgang m	transmission f du rayonnement	прохождение излучения
	radiation transparent	s. transparent		
R 191	radiation transport, radiative transfer <through>	Strahlungstransport m <durch>	transfert (transport) m du rayonnement <à travers>	прохождение излучения, перенос излучения <через>
	radiation trap	s. radiation maze		
	radiation trapping	s. radiation diffusion		
	radiation treatment, radiation processing	Strahlenbehandlung f, Bestrahlung f	traitement m par l'irradiation; traitement par le rayonnement	радиационная обработка, обработка излучением; обработка облучением
R 192	radiation tube	Strahlungsröhre f	tube m de rayonnement	трубка излучения
R 193	radiation type of weather, radiation-type weather	Strahlungswetterlage f, Strahlungswetter n	temps m du type « rayonnement »	радиационный тип погоды
	radiation unit	s. cascade unit		
	radiation vector	s. energy flux density <el.>		
R 194	radiation width	Strahlungsbreite f, Gamma-Breite f	largeur f radiative <du niveau d'énergie>	радиационная ширина [уровня]
R 195	radiation zone, far zone, distant zone, wave zone, Fraunhofer['s] zone, Fraunhofer['s] region	Wellenzone f, Fernzone f, Strahlungszone f, Fraunhofersche Zone f, Fraunhofersches Gebiet n	zone f d'onde, zone [de] Fraunhofer	волновая зона, зона излучения, зона Фраунгофера
	radiation zone	s. a. Allen radiation belt / Van		
R 196	radiative capture	Strahlungseinfang m, strahlender Einfang m, (x,γ)-Prozeß m <x = n,p usw.>	capture f radiative	радиационный захват; захват, сопровождающийся гамма-излучением
R 197	radiative capture cross-section, cross-section for radiative capture	Strahlungseinfangquerschnitt m, Wirkungsquerschnitt m für Strahlungseinfang, Wirkungsquerschnitt des Strahlungseinfangs, Strahlungseinfang-Wirkungsquerschnitt m; Wirkungsquerschnitt der (für die) (n,y)-Reaktion	section f efficace de capture radiative	сечение радиационного захвата

	English	German	French	Russian
	radiative centre, radiating centre, radiant centre	Strahlungszentrum n, strahlendes Zentrum n	centre m rayonnant	излучающий центр
	radiative collision	s. inelastic collision		
R 198	radiative correction, radiation correction	Strahlungskorrektion f, Strahlungskorrektionsterm m	correction f de rayonnement	радиационная поправка
	radiative energy	s. radiant energy		
R 199	radiative envelope	Gashülle f im Strahlungsgleichgewicht	enveloppe f radiative	оболочка, находящаяся в лучистом равновесии
R 200	radiative equilibrium, radiation equilibrium	Strahlungsgleichgewicht n; Gleichgewichtsstrahlung f	équilibre m radiatif, équilibre de rayonnement	лучистое (радиационное, излучательное, лучевое) равновесие, равновесие излучения (лучеиспускания); равновесное излучение
	radiative frequency shift	s. Lamb-Retherford shift		
	radiative heat exchange (transfer, transmission)	s. heat transfer by radiation		
R 201	radiative inelastic scattering	strahlende unelastische Streuung f	diffusion f inélastique radiative	радиационное неупругое рассеяние
R 202	radiative inelastic scattering cross-section, cross-section for radiative inelastic scattering	Wirkungsquerschnitt m für strahlende unelastische Streuung, Wirkungsquerschnitt der strahlenden unelastischen Streuung	section f efficace de diffusion inélastique radiative	сечение радиационного неупругого рассеяния
R 203	radiative layer	Strahlungszone f	zone f radiative	излучающий слой
	radiative loss, radiation loss	Strahlungsverlust m	perte f par rayonnement, perte par radiation, perte radiative	потеря на излучение, радиационная потеря
	radiative mechanism, luminescence (luminous) mechanism	Leuchtmechanismus m [der Lumineszenz]	mécanisme m de luminescence, mécanisme lumineux	механизм люминесценции
	radiative power	s. emissivity		
	radiative reaction	s. radiation reaction		
R 204	radiative recombination, radiation recombination	Zweierstoß[-Strahlungs]-rekombination f, strahlende Rekombination f, Strahlungsrekombination f, Rekombination im Zweierstoß	recombinaison f radiative	рекомбинация, сопровождающаяся излучением; рекомбинация с излучением, радиационная рекомбинация
R 205	radiative temperature gradient	Temperaturgradient m bei Strahlungsgleichgewicht	gradient m radiatif de température	градиент температуры при лучистом равновесии
	radiative transfer, radiation transport <through>	Strahlungstransport m <durch>	transfert (transport) m du rayonnement <à travers>	прохождение излучения, перенос излучения <через>
	radiative transfer [of heat]	s. heat transfer by radiation		
R 206	radiative transition	strahlender Übergang m, Strahlungsübergang m, Übergang mit Gamma-Emission	transition f radiative	радиационный переход, излучательный переход, переход с испусканием гамма-кванта
R 207	radiative transition probability (rate)	Strahlungsübergangswahrscheinlichkeit f	probabilité f de transition radiative	вероятность радиационного перехода
R 208	radiator <of spectrometer>	Erzeugerplatte f, Radiator m <Spektrometer>	radiateur m <du spectromètre>	радиатор, радиаторная пластина <спектрометра>
R 209	radiator, emitter <nucl.>	Strahler m <Kern.>	émetteur m <nucl.>	излучатель, распадчик <яд.>
	radiator for comparison, reference (comparison) radiator	Vergleichsstrahler m	radiateur m de comparaison, radiateur-étalon m	излучатель сравнения, эталонный излучатель
R 210	radical <math., chem.>; rest <chem.>	Radikal n <Math., Chem.>; Rest m <Chem.>	radical m <math., chim.>; reste m <chim.>	радикал <матем., хим.>; группа, остаток <хим.>
R 211	radical addition, homolytic addition	radikalische (homolytische) Addition f	addition f radicalique (homolytique)	гомолитическое присоединение
R 212	radical axis	Potenzlinie f, Chordale f, Radikalachse f; Potenzachse f	axe m radical	радикальная ось
R 213	radical centre	Potenzpunkt m	centre m radical	радикальный центр
R 214	radicaloid, inactive radical	Radikaloid n, inaktives Radikal n	radicaloïde m, radical m inactif	радикалоид, неактивный радикал
R 215	radical plane	Potenzebene f	plan m radical	радикальная плоскость
R 216	radical reaction	Radikalreaktion f <insbesondere die Reaktion: $H_2O \rightarrow H^{\cdot} + OH^{\cdot}$>	réaction f de radicaux	реакция радикального типа, реакция с участием свободных радикалов
R 217	radical rearrangement, radical transposition	radikalische Umlagerung f	regroupement m radicalique	радикальная перегруппировка
R 218	radical sign	Wurzelzeichen n	signe m radical, radical m	знак корня, радикал, знак радикала
	radical transposition	s. radical rearrangement		
R 219	radicand	Radikand m	nombre m placé sous le radical; radicande m, quantité (expression, fonction) f sous le radical	подкоренное выражение, подрадикальное выражение; подкоренное число
R 219a	radioacoustics	Radioakustik f	acoustique f radiophonique, radio-acoustique f	радиоакустика
R 220	radioactinium, RdAc, 227Th	Radioaktinium n, Radioactinium n, RdAc, 227Th	radioactinium m, RdAc, 227Th	радиоактиний, RdAc, 227Th
	radioactivation, activation <nucl.>	Aktivierung f <Kern.>	radioactivation f, activation f <nucl.>	радиоактивация, активация <яд.>; активирование <яд.>

	radioactivation analysis	s. activation analysis		
R 221	**radioactive aerosol**	radioaktiver Schwebstoff m, radioaktives Aerosol n	aérosol m radioactif	радиоактивный аэрозоль
R 222	**radioactive age**	radioaktives (radiogenes) Alter n	âge m radioactif	радиоактивный возраст
	radioactive age determination	s. radioactive dating		
	radioactive battery	s. atomic battery		
	radioactive carbon	s. radiocarbon		
R 223	**radioactive chain product,** member of a radioactive chain	Glied n einer radioaktiven Zerfallsreihe	membre m d'une famille radioactive	член радиоактивного семейства
R 224	**radioactive clock**	„radioaktive" Uhr f <Zeitbestimmung auf Grund des radioaktiven Zerfalls>	chronomètre m radioactif, horloge f radioactive	радиоактивные часы
	radioactive colloid, radio[-]colloid	radioaktives Kolloid n, Radiokolloid n	radiocolloïde m, colloïde m radioactif	радиоактивный коллоид, радиоколлоид
R 225	**radioactive contamination,** contamination, radiocontamination	Kontamination f, radioaktive Verseuchung f, Verseuchung	contamination f, contamination radioactive	загрязнение [радиоактивными веществами], радиоактивное загрязнение, заражение [радиоактивными веществами], радиоактивное заражение; зараженность
R 226	**radioactive dating,** radioactive age determination	radioaktive Altersbestimmung f, radioaktive Zeitmessung f, absolute Altersbestimmung	datation f radioactive, datation absolue, datation, datation isotopique, datation par les isotopes, détermination f de l'âge radioactif	определение возраста по содержанию радиоактивного вещества, абсолютное определение возраста, определение возраста изотопным методом, изотопное датирование, датирование методом изотопных индикаторов
R 227/8	**radioactive decay,** decay of radioactivity, activity decay	Aktivitätsabfall m, Aktivitätsabnahme f	décroissance f radioactive	спад активности, уменьшение активности
	radioactive decay	s. a. decay <nucl.>		
	radioactive decay constant	s. decay constant		
	radioactive decay law	s. radioactive disintegration law		
R 229	**radioactive deposit,** active deposit	radioaktiver Niederschlag m; radioaktive Ablagerung f	dépôt m actif, dépôt radioactif	радиоактивное отложение, радиоактивный осадок (налет)
	radioactive disintegration	s. decay		
	radioactive disintegration	s. radioactive decay		
	radioactive disintegration constant	s. decay constant		
	radioactive disintegration law	s. law of radioactive disintegration		
R 230	**radioactive displacement law,** displacement law of radioactive disintegration, Soddy-Fajans displacement law, displacement law [of Soddy and Fajans]	radioaktives Verschiebungsgesetz n, Verschiebungssatz m von Soddy und Fajans, radioaktive Verschiebungssätze mpl von Fajans und Soddy, radioaktiver (Soddy-Fajansscher) Verschiebungssatz, Soddy-Fajanssches Verschiebungsgesetz	loi f de déplacement radioactif, loi du déplacement de Soddy-Fajans	закон смещения Содди-Фаянса, закон радиоактивного смещения, закон смещения для радиоактивных веществ
	radioactive dry deposit, dry deposit (fallout)	trockener Fallout m, Fallout außerhalb der Niederschläge	dépôt m radioactif sec	сухое выпадение, сухое радиоактивное выпадение
R 231	**radioactive effluent**	flüssiges oder gasförmiges radioaktives Abfallprodukt n, radioaktiver Abfall m <flüssig oder gasförmig>	effluent m radioactif	жидкие или газовые радиоактивные отходы
	radioactive emanation, [active] emanation, radioactive noble gas	Emanation f, radioaktives Edelgas n	émanation f, émanation [radio]active, gaz m noble radioactif	эманация, радиоактивный редкий газ
	radioactive emanation, emanation	Emanation f, Emanieren n; Ausströmen n radioaktiver Gase; Ausstrahlung f radioaktiver Gase	émanation f, émanation radioactive	эманирование, эманация, излучение
	radioactive emanation	s. a. radon <element>		
R 232	**radioactive equilibrium**	radioaktives Gleichgewicht n	équilibre m radioactif	радиоактивное равновесие
	radioactive fall-out	s. fall-out		
	radioactive family	s. disintegration series <nucl.>		
	radioactive family of actinium	s. actinium family		
	radioactive family of neptunium	s. neptunium family		
	radioactive family of radium	s. uranium series		
	radioactive family of thorium	s. thorium family		

	English	German	French	Russian
	radioactive family of uranium	s. uranium series		
	radioactive family of uranium-actinium	s. actinium family		
	radioactive family of uranium-radium	s. uranium series		
	radioactive gamma-rays	s. gamma rays		
R 233	radioactive half-life, half-life, period, physical half-life <nucl.>	Halbwert[s]zeit f [des radioaktiven Zerfalls], radioaktive Halbwertzeit f, physikalische Halbwertzeit <Kern.>	période f radioactive, période de demi-vie (demi-transformation), demi-période f, période de la désintégration [radioactive]; période [de demi-vie] physique <nucl.>	период (время) полураспада, период [радиоактивного распада]; физический период [полураспада], радиоактивный период <яд.>
R 234	radioactive heat, radiogenic heat	radiogene Wärme f, radioaktive Wärme	chaleur f radiogénique (de le radioactivité, de désintégration radioactive, radioactive)	теплота радиоактивного распада, радиогенная теплота, радиогенное тепло
	radioactive indicator	s. radioactive tracer		
	radioactive inspection [of materials]	s. radiographic testing of materials		
	radioactive isotope of carbon	s. radiocarbon		
	radioactive noble gas, [active] emanation, radioactive emanation	Emanation f, radioaktives Edelgas n	émanation f, émanation [radio]active, gaz m noble radioactif	эманация, радиоактивный редкий газ
R 235/6	radioactive nucleus, unstable nucleus, decaying nucleus	radioaktiver Kern m, instabiler Kern, zerfallender Kern	noyau m radioactif, noyau instable, noyau désintégrant	радиоактивное (неустойчивое, нестабильное, распадающееся) ядро
R 237	radioactive preparation	radioaktives Präparat n	préparation f radioactive	радиоактивный препарат
R 238	radioactive purity	radioaktive Reinheit f	pureté f radioactive	радиоактивная чистота
R 239	radioactive radiation	radioaktive Strahlung f	rayonnement m radioactif, radiation f radioactive	радиоактивное излучение
	radioactive radiation counter (counting assembly)	s. pulse counting assembly <nucl.>		
	radioactive radiation in the lower atmosphere	s. atmospheric radioactive radiation		
	radioactive rainout	s. rainout		
R 240	radioactive relationship	radioaktive Verwandtschaft f	filiation f radioactive	радиоактивное соотношение
R 241	radioactive relay	Isotopenrelais n, „radioaktives" Relais n; Strahlenschranke f, Strahlungsschranke f	relais m radioactif	радиоактивное реле
	radioactive series	s. disintegration series		
R 242	radioactive source, radioactivity source, source <nucl.>	Quelle f, Strahlungsquelle f, Aktivitätsquelle f; radioaktives Präparat n, Präparat <Kern.>	source f de radioactivité, source radioactive, source <nucl.>	радиоактивный источник, источник <яд.>
	radioactive standard	s. radioactivity standard		
R 243	radioactive tracer, radiotracer, radioactive indicator, radioindicator, tracer <nucl.>	radioaktiver Tracer (Indikator) m, radioaktives Leitisotop n, Radiotracer m, Radioindikator m, Leitisotop, Tracer <Kern.>	indicateur m radioactif, traceur m radioactif, radio-indicateur m, radiotraceur m, indicateur, traceur <nucl.>	радиоактивный индикатор, радиоиндикатор <яд.>
	radioactive transformation (transmutation)	s. decay <of atomic nucleus>		
	radioactive unit	s. radioactivity unit		
	radioactive waste	s. atomic waste		
	radioactivity	s. activity <nucl.>		
	radioactivity meter, activity meter	Aktivitätsmesser m	activimètre m, radioactivimètre m	измеритель активности, измеритель радиоактивности
	radioactivity of air	s. airborne radioactivity		
	radioactivity source	s. radioactive source		
	radioactivity standard	s. standard source		
R 244	radioactivity unit, radioactive unit	Aktivitätseinheit f, Einheit f der Aktivität (Radioaktivität), radioaktive Einheit	unité f de l'activité (la radioactivité), unité radioactive	единица радиоактивности, единица активности, радиоактивная единица
R 245	radio[-]altimeter	Radioecholot n, Radiohöhenmesser m, Funkhöhenmesser m, Funkecholot n	radio[-]altimètre m, altimètre m radio-électrique, radiosonde f [altimétrique]	радиовысотомер, радиоальтиметр, высотомерный радиозонд
	radio amplification by stimulated emission of radiation	s. raser		
R 245a	radioassay	Aktivitätsbestimmung f, Aktivitätsanalyse f; Radioassay m	analyse f de la radioactivité, dosage m de l'activité	анализ радиоактивности
	radioastronomic interferometer	s. radio interferometer <astr.>		
R 246	radio astronomy, radioastronomy	Radioastronomie f	radioastronomie f, radio-astronomie f	радиоастрономия
R 246a	radio aurora	Radioaurora f	aurore f radio-électrique, radio-aurore f	радиосияние
R 247	radioautogram, radioautograph, autoradiogram, autoradiograph <US>	Autoradiogramm n, autoradiographische Aufnahme f, Autoradiographie f	autoradiogramme m, radio-autogramme m, autoradiographe m, radio-autographe m	радиоавтограмма, авторадиограмма, радиоавтограф, авторадиограф[ический снимок]
R 248	radioautography, autoradiography <US>	Autoradiographie f, Radioautographie f	autoradiographie f, radio-autographie f	радиоавтография, авторадиография; радиоавтографирование, авторадиографирование

	English	German	French	Russian
	radio[]balance	s. radiation balance		
	radio balloon, radiosonde, radiometeorograph, radio wind flight, rawin	Radiosonde f, Funksonde f, Aerosonde f, Radiometeorograph m	radiosonde f	радиозонд, радиометеорограф
R 249	**radiobeacon**, beacon ‹el.›	Funkbake f; Radiobake f; Funkfeuer n ‹El.›	radiophare m, radiobalise f ‹él.›	радиомаяк ‹эл.›
	radio[-] bearing **radiobearing**	s. bearing s. bearing		
R 250	**radiobiochemistry**	Radiobiochemie f	biochimie f radioactive	радиобиохимия
R 251	**radiobiological action (effect)**, radiation-biological effect	strahlenbiologischer Effekt m, strahlenbiologische Wirkung f	effet m radiobiologique, action f radiobiologique	радиобиологический эффект, радиобиологическое действие
R 252	**radiobiological sensitive volume [of the cell]**, sensitive volume [of the cell], sensitive region [of the cell], target ‹radiobiology›	strahlenempfindlicher Bereich m [der Zelle], strahlenempfindliches Volumen n [der Zelle], empfindlicher Bereich [der Zelle], empfindliches Volumen [der Zelle], Treff[er]bereich m, Treffvolumen n ‹Strahlenbiologie›	volume m sensible radiobiologique, volume sensible [de la cellule], région f sensible [de la cellule], partie f sensible [de la cellule] ‹radiobiologie›	чувствительный объём [ячейки], чувствительное пространство [ячейки], чувствительная область [ячейки], область чувствительности [ячейки] ‹в радиобиологии›
R 253	**radiobiology**	Radiobiologie f	biologie f radioactive, radiobiologie f	радиобиология
	radiobiology	s. a. radiation biology		
R 254	**radiobuoy**	Funkboje f	radiobouée f	радиобуй
R 255	**radio burst [on the Sun]**, radio noise burst [on the Sun], solar noise burst, radiation burst, burst, radio outburst [on the Sun], radio noise outburst [on the Sun], solar noise outburst	Strahlungsausbruch m [auf der Sonne] [im Radiofrequenzbereich], Radiostrahlungsausbruch (Radiofrequenzausbruch) m [der Sonne], Strahlungsstoß m, kurzzeitiger Strahlungsstoß, Burst m, Outburst m	sursaut m radioélectrique [du Soleil], grand sursaut radioélectrique [du Soleil], éruption f radioélectrique [du Soleil], outburst m, burst m, explosion f radioélectrique [du Soleil]	радиовсплеск (радиовспышка) [на Солнце], солнечная радиовспышка, всплеск радиоизлучения [на Солнце], всплеск, большой всплеск радиоизлучения [на Солнце], выброс солнечного радиоизлучения
R 256	**radiocarbon**, ^{14}C; radioactive carbon; radioactive isotope of carbon	Radiokohlenstoff m, ^{14}C; radioaktiver Kohlenstoff m; radioaktives Kohlenstoffisotop n, radioaktives Isotop n des Kohlenstoffs	radiocarbone m, ^{14}C; carbone m radioactif; isotope m radioactif du carbone	радиоуглерод, ^{14}C; радиоактивный углерод; радиоактивный изотоп углерода
R 257	**radiocarbon age**	Kohlenstoffalter n, ^{14}C-Alter n	âge m par radiocarbone	геологический возраст, определяемый по содержанию радиоактивного углерода
R 258	**radiocarbon dating**, radiocarbon method, carbon method, ^{14}C dating	Altersbestimmung f nach dem ^{14}C-Gehalt, ^{14}C-Datierung f, Kohlenstoffmethode f, Radiokohlenstoffmethode f, ^{14}C-Methode f, Radiokohlenstoffdatierung f, Radiocarbonmethode f	datation f par le radiocarbone, méthode f du carbone, méthode du radiocarbone	определение возраста по содержанию радиогенного углерода, радиоуглеродное определение возраста, определение возраста при помощи радиоактивного углерода
R 259	**radiochemical purity**	radiochemische Reinheit f	pureté f radiochimique	радиохимическая чистота
R 260	**radiochemistry**	Radiochemie f	chimie f radioactive, radiochimie f	радиохимия
R 261	**radiochromatogram**, radiochromatograph	Radiochromatogramm n	radiochromatogramme m	радиохроматограмма
R 262	**radiochromatography**	Radiochromatographie f	radiochromatographie f	радиохроматография
	radio-cinematography	s. roentgen cinematography		
	radiochrometer	s. qualimeter		
R 263	**radio[-]colloid**, radioactive colloid	radioaktives Kolloid n, Radiokolloid n	radiocolloïde m, colloïde m radioactif	радиоактивный коллоид, радиоколлоид
	radiocontamination	s. radioactive contamination		
	radio crystallography, X-ray crystallography	Röntgenkristallographie f, Röntgenstrahlenkristallographie f	cristallographie f aux (par les) rayons X, radiocristallographie f	рентгеновская кристаллография, радиокристаллография
	radio crystallography	s. a. X-ray crystallographic analysis		
R 264	**radiode**	Radiumkapsel f	capsule f à radium	капсула для радия
	radio detecting (detection) and ranging	s. radar		
	radio direction	s. bearing		
R 265	**radio direction finder**, radio[-]goniometer	Funkpeiler m, Radiogoniometer n, Funkpeilgerät n, Radiopeilgerät n, Goniometerpeilanlage f	radio[-]goniomètre m	радиопеленгатор, радиогониометр
	radio disturbance	s. radio[-]interference		
R 266	**radio echo**; radar echo, radar response	Radioecho n; Radarecho n	écho m radio-électrique; écho [de] radar	радиоэхо; радиолокационный отражённый сигнал
R 267	**radio echo observation**; radar observation	Radioechomethode f, Radio-Echo-Methode f; Radarbeobachtung f	observation f par radar	радионаблюдение, наблюдение радиоэха, радиолокационное наблюдение, метод радионаблюдения (радиоэха)
R 268	**radioeclipse**	Radiofinsternis f, Radioverfinsterung f	radio-éclipse f	радиозатмение
R 269	**radioecology**	Radioökologie f	radio[-]écologie f	радиоэкология
R 270	**radioelectric effect**	radioelektrischer Effekt m	effet m radio-électrique	радиоэлектрический эффект
	radioelectric wave	s. radio wave		
R 270a	**radio-electromotive force**, radio-e.m.f.	Hochfrequenz-EMK, HF-elektromotorische Kraft f	force f électromotrice radiofréquence, radio-f. e. m.	радио-электродвижущая сила, радио-э. д. с.

	radioelectronics	s. radiofrequency unit		
	radio-e.m.f.	s. radio-electromotive force		
	radio emission	s. radio-frequency <astr.>		
	radioexamination	s. fluoroscopy		
R 271	**radio fade-out,** sudden ionospheric disturbance, Dellinger effect <US>, sudden short wave fade-out, [Dellinger] fade-out, S.I.D., S.S.W.F.	[Mögel-]Dellinger-Effekt m, Kurzwellentotalschwund m, Fade-out n, Sonneneruptionseffekt m im Kurzwellenbereich, plötzliche Ionosphärenstörung f	perturbation f ionosphérique à début brusque, perturbation ionosphérique subite, évanouissement m des ondes courtes	внезапное ионосферное возмущение, эффект Делинджера, эффект Мэгель-Делинджера
R 272	**radio[-]frequency,** R.F., r.f.	Funkfrequenz f, Radiofrequenz f	radiofréquence f, R.F.	радиочастота
	radio-frequency, R.F., r.f.; high frequency, H.F., h.f., HF	Hochfrequenz f, HF	haute fréquence f, H.F.; radiofréquence f, R.F.	высокая частота, ВЧ; радиочастота
R 273/4	**radio-frequency accelerator,** R.F. accelerator	Hochfrequenzbeschleuniger m, HF-Beschleuniger m	accélérateur m à haute fréquence, accélérateur H.F.	высокочастотный ускоритель
R 275	**radio-frequency alternating-current voltage,** R.F. a-c voltage	Hochfrequenz-Wechselspannung f, HF-Wechselspannung f	tension f alternative de haute fréquence, tension alternative H.F.	переменное напряжение высокой частоты
R 276	**radio-frequency band,** R.F. band	Hochfrequenzband n, HF-Band n	bande f des hautes fréquences, bande H.F.	полоса высоких частот
R 277	**radio-frequency bandwidth,** R.F. bandwidth	Hochfrequenzbandbreite f, HF-Bandbreite f	largeur f de bande à haute fréquence, largeur de bande H.F.	ширина полосы высоких частот
	radio-frequency bunching, phase grouping, bunching, phase bunching	Phasenbündelung f	groupement m en phase, bunching m en phase	фазовая группировка [частиц], фазовое группирование [частиц], группирование по фазе
R 278	**radio-frequency capture,** radio-frequency particle capture, R.F. capture	Hochfrequenzeinfang m, HF-Einfang m	capture f haute fréquence, capture H.F.	высокочастотный захват [частиц]
	radio-frequency conductivity, high-frequency (H.F., R.F.) conductivity	Hochfrequenzleitfähigkeit f, HF-Leitfähigkeit f	conductibilité f pour les hautes fréquences, conductibilité H.F.	проводимость на высоких частотах
R 279	**radio frequency connection,** R.F. connection	Hochfrequenzanschluß m, HF-Anschluß m	connexion f haute fréquence, connexion H.F.	высокочастотное соединение
R 280	**radio-frequency degassing,** R.F. degassing	Hochfrequenzentgasung f, HF-Entgasung f	dégazage m par haute fréquence, dégazage H.F.	высокочастотная дегазация, дегазация высокочастотным магнитным полем
R 281	**radio-frequency discharge,** R.F. discharge	Hochfrequenz[-Gas]entladung f, HF-Entladung f, HF-Gasentladung f	décharge f à haute fréquence, décharge H.F.	высокочастотный разряд
R 282	**radio-frequency electronics,** R.F. electronics	Hochfrequenzelektronik f, HF-Elektronik f	électronique f aux hautes fréquences, électronique H.F.	высокочастотная электроника
R 283	**radio-frequency energy,** high-frequency energy, R.F. energy, H.F. energy	Hochfrequenzenergie f, HF-Energie f	énergie f haute fréquence, énergie H.F.	энергия тока высокой частоты; энергия поля высокой частоты
R 284	**radio-frequency field strength,** R.F. field strength	Hochfrequenzfeldstärke f, HF-Feldstärke f	intensité f du champ haute fréquence, intensité du champ H.F., champ m [à] haute fréquence, champ H.F.	напряженность высокочастотного поля, напряженность поля высокой частоты
R 285	**radio-frequency gas tube,** R.F. gas tube	Hochfrequenz[-Gas]entladungsröhre f, HF-Gasentladungsröhre f, HF-Entladungsröhre f	tube m à décharge à haute fréquence, tube à décharge H.F.	высокочастотная газоразрядная лампа
R 286	**radio-frequency glow discharge tube, radio-frequency glow tube,** R.F. glow tube	Hochfrequenzröhre f, Hochfrequenzglimmröhre f, HF-Röhre f, HF-Glimmröhre f	lampe f à lueur (effluves) à haute fréquence, lampe à lueur H.F., lampe à effluves H.F.	высокочастотная лампа тлеющего разряда
R 287	**radio-frequency heat,** r.f. heat	Hochfrequenzwärme f, HF-Wärme f	chaleur f d'échauffement haute fréquence, chaleur d'échauffement H.F.	тепло высокочастотного нагрева
R 288	**radio-frequency high-voltage generator,** R.F. high-voltage generator	Hochfrequenz-Hochspannungsgenerator m, HF-Hochspannungsgenerator m	générateur m de haute tension à haute fréquence, générateur de haute tension H.F.	высокочастотный генератор высокого напряжения
R 289	**radio-frequency leakage,** R.F. leakage	Hochfrequenzstreuung f, HF-Streuung f	fuite f pour les hautes fréquences, fuite H.F.	утечка по высокой частоте; утечка токов высокой частоты; утечка энергии высокой частоты
R 290	**radio-frequency linear accelerator,** R.F. linac	Hochfrequenz-Linearbeschleuniger m, HF-Linearbeschleuniger m	accélérateur m linéaire à haute fréquence, accélérateur linéaire H.F.	высокочастотный линейный ускоритель, линейный ускоритель высокой частоты
R 291	**radio-frequency lowpass filter,** R.F. low-pass filter	Hochfrequenzsperre f, HF-Sperre f; Hochfrequenzsperrkette f, HF-Sperrkette f	filtre m d'arrêt des hautes fréquences, filtre d'arrêt H.F.	заграждающий высокие частоты фильтр, фильтр нижних частот
R 292	**radio-frequency magnetic mirror,** high-frequency magnetic mirror, R.F. magnetic mirror	[magnetischer] Hochfrequenzspiegel m, Hochfrequenzpfropfen m, HF-Spiegel m, HF-Pfropfen m	miroir m magnétique à haute fréquence, miroir magnétique H.F.	высокочастотная магнитная пробка
	radio-frequency mass spectrometer	s. high-frequency mass spectrometer		

	English	German	French	Russian
R 293	**radio-frequency oscillation,** high-frequency oscillation, R.F. oscillation, H.F. oscillation	Hochfrequenzschwingung f, HF-Schwingung f	oscillation f à haute fréquence, oscillation H.F.	высокочастотное колебание
	radio-frequency particle capture, radio-frequency capture, R.F. capture	Hochfrequenzeinfang m, HF-Einfang m	capture f haute fréquence, capture H.F.	высокочастотный захват [частиц]
	radio-frequency permeability, high-frequency permeability, H.F. permeability, R.F. permeability	Hochfrequenzpermeabilität f, HF-Permeabilität f	perméabilité f pour les hautes fréquences, perméabilité à haute fréquence, perméabilité H.F.	магнитная проницаемость на высоких частотах
R 293a	**radio-frequency physics,** radiophysics	Hochfrequenzphysik f, HF-Physik f	radiophysique f, physique f des (à) hautes fréquences	радиофизика, физика высоких частот
R 294	**radio-frequency pulse,** R.F. pulse, wave impulse	Hochfrequenzimpuls m, HF-Impuls m, Wellenstoß m, Wellenimpuls m	impulsion f à haute fréquence, impulsion H.F., radio-impulsion f	радиоимпульс, высокочастотный импульс
R 295	**radio-frequency pump power,** R.F. pump power	Hochfrequenz-Pumpleistung f, HF-Pumpleistung f	puissance f de pompage à haute fréquence, puissance de pompage H.F.	мощность накачки высокой частоты
R 295a	**radio-frequency radiation,** radio radiation, radio emission <astr.>	Radiofrequenzstrahlung f, Radiostrahlung f <Astr.>	rayonnement m radio-électrique, rayonnement radio, rayonnement hertzien, radio-rayonnement m <astr.>	радиоизлучение, излучение в радиодиапазоне <астр.>
R 296	**radio-frequency radiation,** R.F. radiation	hochfrequente Strahlung f, Hochfrequenzstrahlung, HF-Strahlung f, Radiofrequenzstrahlung f	radiation f de haute fréquence, radiation H.F., radiation de radiofréquence, radiation R.F.	высокочастотное (радиочастотное) излучение
R 297	**radio-frequency radiation of perturbed Sun**	gestörte Sonnenstrahlung f, Radiofrequenzstrahlung f der gestörten Sonne	rayonnement m radio-électrique du Soleil perturbé	радиоизлучение возмущенного Солнца
R 298	**radio-frequency radiation of quiet Sun**	ungestörte Sonnenstrahlung f, Radiofrequenzstrahlung f der ruhigen Sonne	rayonnement m radio-électrique du Soleil calme (non perturbé)	радиоизлучение невозмущенного Солнца
R 298a	**radio-frequency range,** R.F. range	Funkfrequenzbereich m; Radiofrequenzbereich m; Hochfrequenzbereich m, HF-Bereich m	gamme f radio-électrique; gamme de hautes fréquences, gamme H.F.; gamme hertzienne	диапазон радиочастот, радиодиапазон
R 299	**radio-frequency signal generator,** R.F. signal generator	Hochfrequenzmeßsender m, HF-Meßsender m	générateur m de signaux à haute fréquence, générateur de signaux H.F.	высокочастотный сигнал-генератор
	radio-frequency source	s. radio source		
R 300	**radio-frequency spectrograph,** R.F. spectrograph	Hochfrequenzspektrograph m, HF-Spektrograph m, Radiofrequenzspektrograph m	spectrographe m à haute fréquence, spectrographe H.F.	радиочастотный спектрограф, радиоспектрограф, высокочастотный спектрограф
R 301	**radio-frequency spectrometer,** R.F. spectrometer	Hochfrequenzspektrometer n, HF-Spektrometer n, Radiofrequenzspektrometer n	spectromètre m à haute fréquence, spectromètre H.F.	радиоспектрометр, радиочастотный спектрометр, высокочастотный спектрометр, ВЧ-спектрометр
R 302	**radio-frequency spectroscopy,** R.F. spectroscopy	Hochfrequenzspektroskopie f, HF-Spektroskopie f, Radiofrequenzspektroskopie f	spectroscopie f à haute fréquence, spectroscopie H.F., spectroscopie hertzienne	радиоспектроскопия, радиочастотная спектроскопия, спектроскопия высокочастотных излучений
R 303	**radio-frequency spectrum,** R.F. spectrum	Hochfrequenzspektrum n, HF-Spektrum n, Radiofrequenzspektrum n, Funkfrequenzspektrum n	spectre m de haute fréquence, spectre de radiofréquence, spectre R. F., spectre H.F., spectre radio-électrique	высокочастотный спектр, радиочастотный спектр, спектр радиочастот (радиоволн, радиоизлучения)
R 304	**radio-frequency susceptibility,** R.F. susceptibility	Hochfrequenzsuszeptibilität f, HF-Suszeptibilität f	susceptibilité f pour les hautes fréquences, susceptibilité à haute fréquence, susceptibilité H.F.	восприимчивость на высоких частотах
R 305	**radio-frequency time-of-flight spectrometer,** time-of-flight radio-frequency spectrometer, R.F. time-of-flight spectrometer, time-of-flight R.F. spectrometer	Hochfrequenz-Laufzeitspektrometer n, HF-Laufzeitspektrometer n	spectromètre m à temps de vol haute fréquence, spectromètre à temps de vol H.F.	высокочастотный спектрометр по времени пролета
	radio-frequency titration	s. high-frequency titration		
R 306	**radio-frequency transconductance,** R.F. transconductance	Hochfrequenzsteilheit f, HF-Steilheit f	transconductance f pour les hautes fréquences, transconductance à haute fréquence, transconductance H.F.	крутизна характеристики на высоких частотах
R 307	**radio-frequency transparent,** R.F. transparent	hochfrequenzdurchlässig, HF-durchlässig	transparent pour les hautes fréquences, transparent H.F.	пропускающий высокие частоты
	radio-frequency two-wire line	s. Lecher system		
R 308	**radio-frequency unit,** R.F. unit, electronics, radioelectronics	Hochfrequenzteil m, HF-Teil m, Elektronikteil m	bloc m à haute fréquence, bloc H.F., bloc radio-électrique	радиоэлектронный (высокочастотный) блок, блок с радиотехникой, высокочастотная часть, радиотехническая схема
R 309	**radio[-]galaxy,** radio nebula	Radiosternsystem n, Radiogalaxis f, Radiogalaxie f	radio-galaxie f, radiogalaxie f	радиогалактика, радиотуманность

R 310	**radiogenic**	radiogen, radioaktiven Ursprungs, durch radioaktiven Zerfall entstanden	radiogénique	радиогенный, радиоактивного происхождения
	radiogenic heat	s. radioactive heat		
R 310a	**radiogeodesy**	Radiogeodäsie f	radiogéodésie f	радиогеодезия
	radio[-]goniometer, radio direction finder	Funkpeiler m, Radiogoniometer n	radio[-]goniomètre m	радиопеленгатор, радиогониометр
	radiogoniometry	s. bearing		
R 311	**radiogram,** radio message	Funkspruch m	radiogramme m	радиограмма
	radiogram	s. a. radiograph		
R 312	**radiograph,** radiogram, roentgenogram, roentgenograph, X-ray picture (photograph, image), X-rayogram, exograph	Röntgenbild n, Röntgenogramm n, Röntgenaufnahme f	radiogramme m, radiographie f, rœntgenographie f, rœntgenogramme m, photographie (image) f radiographique	рентгенограмма, рентгеноснимок, рентгеновский снимок
	radiograph, X-ray apparatus (machine), roentgen apparatus (machine)	Röntgenapparat m, Röntgengerät n	appareil m à rayons X, appareil radiologique	рентгеновский аппарат, рентгеновская установка
	radiograph	s. a. screen photograph		
R 313	**radiographic contrast**	Röntgenkontrast m	contraste m radiographique	рентгеновский контраст
R 314	**radiographic detail**	Röntgendetail n	détail m radiographique	радиографическая деталь
	radiographic emulsion, X-ray emulsion, roentgenographic emulsion	Röntgenemulsion f	émulsion f radiographique	рентгеновская эмульсия
R 315	**radiographic film,** X-ray film	radiographischer Film m, Röntgenfilm m	film m radiographique, pellicule f radiographique	радиографическая (рентгеновская) пленка, пленка для радиографии (рентгенографии)
	radiographic materials testing	s. radiographic testing of materials		
	radiographic paper; X-ray paper	Röntgenpapier n; Radiographiepapier n	papier m radiographique	рентгеновская бумага
R 316	**radiographic plate,** X-ray plate	Röntgenplatte f	plaque f radiographique	рентгеновская пластинка
	radiographic source, X-ray source	Röntgenstrahlenquelle f, Röntgenstrahl[ungs]quelle f, Röntgenstrahler m, Röntgenquelle f	source f de rayons X, source X, source radiographique	источник рентгеновских лучей
R 317	**radiographic stereometry,** X-ray stereometry	Röntgenstereometrie f	stéréométrie f radiographique (aux rayons X)	рентгеностереометрия
R 318	**radiographic stereoscopy,** X-ray stereoscopy	Röntgenstereoskopie f	stéréoscopie f radiographique, stéréoscopie aux rayons X	рентгеностереоскопия, радиостереоскопия
R 318a	**radiographic testing of materials,** radiographic materials testing radiomateriology; [radioactive inspection (of materials)]	[zerstörungsfreie] Werkstoffprüfung f mittels Strahlung, radiographische Werkstoffprüfung f; Durchstrahlungsprüfung f mittels Radiographie, [zerstörungsfreie] Werkstoffprüfung mittels radioaktiver Strahlung	examen m radiographique [des matériaux], essai m radiographique [des matériaux], contrôle m radiographique, contrôle (recherche f des défauts des matériaux) au moyen de rayons	радиографическая дефектоскопия, радиодефектоскопия, лучевая дефектоскопия; дефектоскопия радиоактивными материалами
R 319	**radiography**	Radiographie f	radiographie f	радиография; радиографирование
	radiography	s. a. roentgenography		
	radiography by gamma-rays	s. gammagraphy		
R 320	**radiohalation, radiohalo**	Radiohalo m	radiohalo m	радиоореол
	radiohazard	s. radiation hazard		
R 321	**radioheliogram**	Radioheliogramm n	radiohéliogramme m	радиогелиограмма
R 321a	**radioimmunoassay**	radioimmunologische Bestimmung f	dosage m radio-immuno-logique	радиоиммунологическое определение
	radioindicator	s. radioactive tracer <nucl.>		
R 322	**radio[-]interference,** radio disturbance; radio jamming	Funkstörung f, Rundfunkstörung f, Radiostörung f	parasites mpl, perturbation f radiophonique, radio-interférence f	радиопомеха, радиоинтерференция
R 323	**radio[-]interferometer,** radioastronomic interferometer, interferometer <astr.>	Radiointerferometer n, Interferenzsystem n, Interferenzantennensystem n, Interferometer n <Astr.>	radio-interféromètre m, interféromètre m à réseau (antennes multiples), interféromètre <astr.>	радиоинтерферометр, интерферометр <астр.>
R 324	**radio-isophot**	Radioisophote f, Isophote f der Radiofrequenzstrahlung	isophote f radio-électrique	радиоизофота, изофота радиоизлучения
	radioisotope battery	s. atomic battery		
	radioisotope device (gauge)	s. radioisotope instrument		
R 324a	**radioisotope-excited X-ray fluorescence analysis,** isotope-excited X-ray fluorescence analysis	Radioisotopen-Röntgenfluoreszenzanalyse f, Röntgenfluoreszenzanalyse f mit Anregung durch Radionuklidquelle, isotopenangeregte (radionuklidangeregte) Röntgenfluoreszenzanalyse	analyse f par fluorescence X à excitation par rayonnement radioactive, analyse par fluorescence X excitée par radionucléide	рентгено-радиометрический анализ, [радио]изотопный рентгеновский флуоресцентный анализ
	radioisotope generator	s. isotopic generator		
R 324b	**radioisotope instrument,** radioisotope gauge (meter, device)	Radioisotopenmeßgerät n, Isotopenmeßgerät n	appareil (équipement, instrument) m de mesure par rayonnement ionisant	[радио]изотопный [измерительный] прибор
	radioisotope lamp	s. radionuclide lamp		
	radioisotope meter	s. radioisotope instrument		
R 325	**radioisotope production,** isotope production	Isotopenherstellung f, Isotopenproduktion f, Herstellung f radioaktiver Isotope, Radioisotopenproduktion f	production f des radioisotopes, production des isotopes	получение радиоизотопов, получение изотопов

	English	German	French	Russian
	radioisotope thermo-electric generator, RTG	s. thermoelectric battery		
	radio jamming	s. radio[-]interference		
R 326	radiolead, $^{210}_{82}$Pb, RaD	Radioblei n, RaD, $^{10}_{82}$Pb	radioplomb m, RaD, $^{210}_{82}$Pb	радиосвинец, RaD, $^{210}_{82}$Pb
	radio lens, lens antenna	Linsenantenne f	antenne f à leutille, radiolentille f	линзовая антенна, радиолинза
	radiolocation	s. radar		
	radiolocator	s. radar		
R 327	radiological consultation report	Röntgenbefund m	compte-rendu m d'examen radiologique	результат рентгеновского исследования
	radiological physicist, radiation physicist	Strahlungsphysiker m, Strahlenphysiker m	radiophysicien m, physicien m du rayonnement	физик-радиолог
R 328	radiological physics	radiologische Physik f, physikalische Radiologie f	physique f radiologique, radiologie f physique	радиологическая физика, физическая радиология
	radiological protection	s. radiation protection		
R 329	radiological safety officer	Strahlenschutzbeauftragter m, Verantwortlicher m für die Strahlenschutzüberwachung, Strahlenschutzobmann m, qualifizierter Sachverständiger m	responsable m de la radioprotection	сотрудник службы радиационной безопасности, дозиметрист
R 330	radiology	Radiologie f, Strahlenkunde f, Lehre f von den Strahlungen <insbesondere den radioaktiven und Röntgenstrahlungen>	radiologie f	радиология
	radiology, medical radiology	medizinische Radiologie f, Radiologie	radiologie f médicale, radiologie	медицинская радиология, радиология
R 331	radiolucent, radiotransparent	röntgenstrahlendurchlässig, durchgängig für Röntgenstrahlen	transparent aux rayons X	рентгенопросвечивающий, рентгенопроницаемый, проницаемый для рентгеновских лучей, пропускающий рентгеновские лучи
R 332	radioluminescence	Radiolumineszenz f	radioluminescence f	радиолюминесценция
R 333	radiolysis, radiation decomposition, decomposition by radiation	Radiolyse f, Strahlendissoziation f, Strahlenzersetzung f, strahlenchemische Zersetzung f, Zersetzung infolge Strahleneinwirkung, Strahlungsdissoziation f, Strahlungszersetzung f	radiolyse f, décomposition f chimique sous l'effet des rayonnements [ionisants], décomposition par (sous) rayonnements, décomposition par l'irradiation	радиолиз, разложение под действием излучений, радиационное разложение, радиационная диссоциация, диссоциация под действием излучения
	radiomagnitude	s. radiometric stellar magnitude		
	radiomateriology	s. radiographic testing of materials		
R 334	radiomaximograph	Radiomaximograph m	radiomaximographe m	радиомаксимограф, прибор для измерения напряженности поля атмосферных помех
	radio message	s. radiogram		
	radiometallography	s. X-ray metallography		
R 335	radio meteor	Radiometeor n	radio-météore m	метеор, наблюденный при помощи радиосредств; радиометеор
	radiometeorograph, radiosonde, radio balloon, radio wind flight, rawin	Radiosonde f, Funksonde f, Aerosonde f, Radiometeorograph m	radiosonde f	радиозонд, радиометеорограф
R 335a	radiometeorology	Radiometeorologie f	radiométéorologie f, météorologie f électronique	радиометеорология
R 335b	radiometer, fluxmeter	Radiometer n; Strahlungs[fluß]messer m; Strahlenmesser m	radiomètre m	радиометр
	radiometer	s. a. measuring assembly		
R 336	radiometer action, radiometric effect	Radiometereffekt m, Radiometerwirkung f	effet m (action f) radiométrique	радиометрический эффект
R 337	radiometer gauge, radiometer-vacuum-meter, radiometric gauge	Radiometer-Vakuummeter n, absolutes Vakuummeter n	radiomètre-vacuomètre m, manomètre m radiométrique	радиометрический манометр
R 337a	radiometer vane	Radiometerflügel m	palette (aile) f du radiomètre	вертушка (крыло) радиометра
R 338	radiometric adsorption analysis	radiometrische Adsorptionsanalyse f	analyse f par adsorption radiométrique	радиометрический адсорбционный анализ
R 339	radiometric assay, radiometric determination	radiometrische Bestimmung f	détermination f (dosage m) radiométrique	радиометрическое определение
	radiometric effect	s. radiometer effect		
R 340	radiometric force	Radiometerkraft f	force f radiométrique	радиометрическая сила
	radiometric gauge	s. radiometer gauge		
	radiometric instrument	s. measuring assembly		
	radiometric magnitude	s. radiometric stellar magnitude		
R 340a	radiometric materials testing, transmission radiometric materials testing	radiometrische Werkstoffprüfung f, Durchstrahlungsprüfung f <Nachweis durch Zählrohr, Ionisationskammer oder Szintillationszähler>	examen (essai) m radiométrique des matériaux	радиометрическая дефектоскопия, ионизационная дефектоскопия

R 341	radiometric stellar magnitude, radiometric magnitude, radiomagnitude	Radiohelligkeit f, radiometrische Helligkeit f <eines Gestirns>	magnitude f stellaire radiométrique, magnitude radiométrique, radio-magnitude f, magnitude radio-électrique	радиометрическая звездная величина, радиометрическая величина [звезды], радиовеличина [звезды], относительная радиоизлучательная способность, радиосветимость
R 342	radiometry, radiation measurement	Radiometrie f, Strahlungsmessung f, Strahlenmessung f	radiométrie f, mesure f des rayonnements	радиометрия, измерение излучений
	radiomicrobiology, radiation microbiology	Strahlenmikrobiologie f, Strahlungsmikrobiologie f, Radiomikrobiologie f	radiomicrobiologie f	радиационная микробиология, радиомикробиология
R 343	radiomimetic	Radiomimetikum n, Ruhekerngift n	radiomimétique m	радиомиметическое вещество, радиомиметик
R 344	radiomutation, radiation-induced mutation, mutation due to radiation	strahlungsbedingte (strahlungsinduzierte) Mutation f, Mutation als Folge einer Strahleneinwirkung	radiomutation f, mutation f due aux rayonnements	радиомутация; мутация, вызванная излучениями
R 345	radionavigation	Funknavigation f, Funkortung f	radionavigation f	радионавигация
	radio nebula, radio[-] galaxy	Radiosternsystem n, Radiogalaxis f, Radiogalaxie f	radio-galaxie f, radiogalaxie f	радиогалактика, радиотуманность
	radio noise burst [on the Sun]	s. radio burst		
	radio noise field intensity, perturbing field strength	Störfeldstärke f	intensité f du champ perturbateur	напряженность поля помех, сила поля помех, сила искажающего поля
	radio noise outburst [on the Sun]	s. radio noise burst [on the Sun]		
R 345 a	radionuclide lamp, radioisotope lamp	Radionuklidlampe f	lampe f radioisotopique	радиоизотопная лампа
R 346	radio observation	Radiobeobachtung f	observation f radio-électrique, observation radio-astronomique	радионаблюдение, радиоастрономическое наблюдение
	radio orientation	s. bearing		
	radio outburst [on the Sun]	s. radio burst		
R 347	radiopacity	Strahlenundurchlässigkeit f, Strahlungsundurchlässigkeit f; Schattengebung f	radioopacité f	непроницаемость (непрозрачность) для излучения
R 348	radiopaque	strahlungsundurchlässig, strahlenundurchlässig <speziell für radioaktive und Röntgenstrahlen>; schattengebend	radioopaque, opaque aux rayonnements	непроницаемый (непрозрачный) для излучения, лученепроницаемый; непроницаемый для рентгеновских лучей
	radiopaque medium, opaque medium	Kontrastmittel n, Röntgenkontrastmittel n	substance f radio-opaque, milieu m radio-opaque	рентгеноконтрастный препарат; контрастная масса; вещество, непроницаемое для [рентгеновских] лучей
R 349	radiophotoluminescence	Radiophotolumineszenz f	radiophotoluminescence f	радиофотолюминесценция
R 350	radiophysics radiophysics	Funkphysik f s. a. radio-frequency physics	radiophysique f	радиофизика
	radio position finder	s. radar		
	radio position finding	s. radar		
	radio radiation	s. radio-frequency <astr.>		
	radio-receiver aerial	s. receiving aerial		
	radio-receiver antenna	s. receiving aerial		
R 351	radioresistance, radiation stability, radiation resistance, resistance to radiation	Strahlungsbeständigkeit f, Strahlenbeständigkeit f, Strahlungsfestigkeit f, Strahlenfestigkeit f, Strahlungsstabilität f, Strahlenstabilität f; Strahlungsresistenz f, Strahlenresistenz f, Widerstandsfähigkeit f gegen Bestrahlung f <Bio.>	résistance f aux rayonnements, radiorésistance f, immunité f aux rayonnements, stabilité f sous rayonnement, stabilité sous irradiation	стойкость к облучению (воздействию облучения); устойчивость под облучением; устойчивость против облучения; стойкость к излучению (воздействию излучения, радиации), радиационная стойкость, радиостойкость; радиорезистентность
R 352	radio scintillation, scintillation of radio source, scintillation of radio star	Szintillieren n der Radioquelle, Radioszintillation f	radioscintillation f, scintillation f de la radiosource	радиомерцание, мерцание радиоисточника, мерцание радиозвезды
	radioscope	s. fluoroscope		
	radioscopy	s. fluoroscopy		
	radiosensitivity	s. sensitivity to radiation		
R 353	radiosensitization	Strahlungssensibilisierung f, Strahlensensibilisierung f, Sensibilisierung f als Folge einer Strahlenwirkung	radiosensibilisation f	радиосенсибилизация
R 354	radio shadow	Funkschatten m	zone f de silence, zone morte, zone d'ombre	радиотень, зона молчания (тени), мертвая зона

R 355	**radio silence**	Funkstille f	radiosilence f, silence f en T.S.F.	радиомолчание
	radiosity	s. radiant flux density		
R 356	**radiosonde, radiometeorograph, radio balloon, radio wind flight, rawin**	Radiosonde f, Funksonde f, Aerosonde f, Radiometeorograph m	radiosonde f	радиозонд, радиометеорограф
R 356a	**radiosorption luminescence**	Radiosorptionslumineszenz f	luminescence f sous radiosorption	радиосорбционная люминесценция
R 357	**radio-sounding technique**	Radiosondenverfahren n, Radiosondenmethode f	méthode f de radiosondage	метод радиозондирования
R 358	**radio source**, radio-frequency source, source of radio-frequency radiation, radio star	Radioquelle f, diskrete Radioquelle, Radiostern m	radiosource f, source f [d'émission] radio-électrique, étoile f radio[-électrique], radio[-]étoile f	радиоисточник, радиозвезда, источник радиоизлучения, дискретный источник радиоизлучения
R 359	**radio-spectrograph, radio spectrograph**, radio-wave spectrograph	Radiospektrograph m, Radiowellenspektrograph m, Radiostrahlungsspektrograph m	radio-spectrographe m, spectrographe m radio-électrique (à ondes radio-électriques)	радиоспектрограф
R 360	**radio-spectrometer, radio spectrometer, radio-spectroscope, radio spectroscope**, radio-wave spectrometer, radio-wave spectroscope	Radio[wellen]spektrometer n, Radio[wellen]spektroskop n, Radiostrahlungsspektrometer n, Radiostrahlungsspektroskop n	radio-spectromètre m, radio-spectroscope m, spectromètre m radio-électrique, spectroscope m radio-électrique	радиоспектрометр, радиоспектроскоп
	radio star	s. radio source		
	radio surface wave	s. surface wave		
	radiosusceptibility	s. sensitivity to radiation		
R 360a	**radiosynthesis**	Strahlungssynthese f, Strahlensynthese f, Radiosynthese f	radiosynthèse f	радиационный синтез
R 361	**radio telescope, radio-telescope**	Astropeiler m, Radioteleskop n	radio[-]télescope m, astro[-]goniomètre, radiophare m	радиотелескоп
R 362	**radio[ ]theodolite**	Radiotheodolit m, Höhenwinkelpeiler m	radiothéodolite m	радиотеодолит
	radiotherapy, radiation therapy; therapeutic radiology	Strahlentherapie f	radiothérapie f, thérapie f par rayonnement	лучевая терапия, радиотерапия
R 363	**radiothermo-luminescence**	Radiothermolumineszenz f	radiothermoluminescence f	радиотермолюминесценция
R 364	**radiothorium, RdTh, [228]Th**	Radiothorium n, Radiothor n, RdTh, [228]Th	radiothorium m, RdTh, [228]Th	радиоторий, RdTh, [228]Th
R 364a	**radiotoxicity**	Radiotoxizität f	radiotoxicité f	радиотоксичность
	radiotracer	s. radioactive tracer		
R 365	**radio transmitter**	Sender (Kleinst-Kurzwellensender) m der Radiosonde, Radiosender m	émetteur m de la radiosonde, radio-transmetteur m, radio-émetteur m	радиопередатчик
	radiotransparent	s. radiolucent		
R 366	**radio wave**	Funkwelle f, Radiowelle f	onde f radio-électrique, onde radio, radio-onde f	радиоволна
	radio wave amplification by stimulated emission of radiation	s. raser		
	radio-wave spectrograph	s. radio-spectrograph		
	radio-wave spectrometer (spectroscope)	s. radio-spectrometer		
	radio wind flight, radiosonde, radiometeorograph, radio balloon, rawin	Radiosonde f, Funksonde f, Aerosonde f, Radiometeorograph m	radiosonde f	радиозонд, радиометеорограф
R 367	**radiowindow** <of Earth's atmosphere>	Radiofenster n <der Erdatmosphäre>	radio-fenêtre f, fenêtre f radio-électrique <de l'atmosphère de la Terre>	радио-окно, окно в радиодиапазоне <атмосферы Земли>
R 368	**radium age**	Radiumalter n, geologisches Alter n nach der Radiummethode	âge m de radium	возраст по радию, геологический возраст, определяемый по содержанию радия
	radium emanation, radon, [222 86]Rn, [222 86]Em <nuclide>	Radiumemanation f, Radon n, [222 86]Rn <Nuklid>	émanation f de radium, radon m, [222 86]Rn, [222 86]Em <nucléide>	эманация радия, радон, [222 86]Rn <изотоп>
R 369	**radium equivalent**	Radiumäquivalent n, Radium-Gammaäquivalent n, Radium-Gammagleichwert m	équivalent m de (en) radium	радиевый эквивалент
	radium family	s. uranium series		
R 370	**radium G, [206 82]Pb, RaG**, uranium lead, radium lead	Radium n G, Uranblei n, Radiumblei n, [206 82]Pb, RaG	radium m G, plomb m d'uranium, plomb de radium, [206 82]Pb, RaG	радий G, урановый свинец, радиевый свинец, [206 82]Pb, RaG
R 371	**radium G method**, uranium lead method, RaG method, [206]Pb method <of radioactive dating>	Radium-G-Methode f, Uranbleimethode f, RaG-Methode f, [235U]-[206]Pb-Methode f <der Altersbestimmung>	méthode f uranium-plomb, méthode de radium G, méthode du plomb d'uranium, méthode de RaG, méthode du [206]Pb <de la datation>	метод радия G, метод уранового свинца, метод RaG, метод [206]Pb <определения абсолютного возраста>
	radium lead	s. radium G		
R 372	**radium needle**, radium seed	Radiumnadel f, Radiumkapillare f, Radium-seed f	aiguille f de radium, aiguille radiofère	радиевая игла
	radium radioactive series	s. radium series		
	radium seed	s. radium needle		
	radium series	s. uranium series		

	English	German	French	Russian
R 373	**radium standard**	Radiumstandard *m*, Radium-Standardpräparat *n*; Radiumnormal *n*, radioaktiver Stromstandard *m*	étalon *m* de radium, source *f* étalon de radium	радиевый эталон, радиевый эталонный источник
	radius at bend	*s.* radius of curvature		
R 374	**radius effect**	Radiuseffekt *m*	effet *m* du rayon	влияние радиуса
	radius mounting [of grating]	*s.* Rowland mounting		
	radius of action	*s.* reach		
R 375	**radius of convergence**	Konvergenzradius *m*	rayon *m* de convergence	радиус сходимости
R 376	**radius of curvature, radius at bend**	Krümmungsradius *m*, Krümmungshalbmesser *m*, Radius *m* der ersten Krümmung, Biegungsradius *m*	rayon *m* de courbure	радиус кривизны
R 377	**radius of gyration, radius of inertia, gyration radius**	Trägheitsradius *m*, Trägheitsarm *m*, Trägheitshalbmesser *m*, Gyrationsradius *m*	rayon *m* de giration, rayon d'inertie, bras *m* d'inertie	радиус инерции (гирации, вращения), ларморов радиус, приведенный радиус [вращения]
	radius of gyration of the atom	*s.* gyration radius of atom		
	radius of inertia	*s.* radius of gyration		
	radius of nuclear reaction channel, channel radius	Kanalradius *m*, Radius *m* des Reaktionskanals	rayon *m* du canal [de la réaction nucléaire], rayon de la voie de réaction	радиус канала [реакции]
R 378	**radius of principal curvature,** principal radius of curvature	Hauptkrümmungsradius *m*	rayon *m* de courbure principal	радиус главной кривизны
	radius of second curvature	*s.* radius of torsion		
R 379	**radius of the core of a section <mech.>**	Kernradius *m* <Stab> <Mech.>	rayon *m* du noyau central <méc.>	радиус ядра сечения <мех.>
	radius of the ionic atmosphere	*s.* Debye length		
R 380	**radius of the profile nose**	Profilnasenradius *m*, Radius *m* der Profilnase	rayon *m* de courbure du nez de profil	радиус кривизны носика профиля
	radius of the universe, world radius	Weltradius *m*	rayon *m* de l'univers	радиус вселенной
	radius of torsion, torsion radius, radius of second curvature	Windungsradius *m*, Torsionsradius *m*, Schmiegungsradius *m*, Radius *m* der zweiten Krümmung	rayon *m* de torsion, rayon de la deuxième courbure	радиус кручения, радиус второй кривизны
	radius of visibility	*s.* visibility		
	radius of vision	*s.* line of vision		
R 381	**radius parameter**	Radiusparameter *m*	paramètre *m* de rayon	параметр радиуса
R 382	**radius vector** <*pl.*: radii vectores>, position vector	Radiusvektor *m*, Ortsvektor *m*, Fahrstrahl *m*, Polstrahl *m*, Leitstrahl *m*	rayon *m* vecteur, rayon-vecteur *m*, vecteur *m* de position	радиус-вектор, вектор-радиус
	radlux, rlx	= 1.005 lx		
R 383	**rad meter**	Radmesser *m* <in Rad geeichtes Dosimeter>	radmètre *m*	радметр
R 384	**Radok['s] solution**	Radoksche Lösung *f*	solution *f* de Radok	решение Радока
R 385	**radome,** radar dome	Antennenverkleidung *f*, Radarhaube *f*, Radom *n*, Radardom *m*, Funkmeßhaube *f*, Radarnase *f*	radome *m*, capot *m* aérodynamique, capot de protection <de l'antenne>	обтекатель антенны, защитный кожух антенны
R 386	**radon,** radium emanation, $^{222}_{86}$Rn, $^{222}_{86}$Em <nuclide>	Radiumemanation *f*, Radon *n*, $^{222}_{86}$Rn <Nuklid>	émanation *f* de radium, radon *m*, $^{222}_{86}$Rn, $^{222}_{86}$Em <nucléide>	эманация радия, радон, $^{222}_{86}$Rn <изотоп>
R 386a	**radon,** emanon, emanium, [radioactive] emanation, $_{86}$Rn, $_{86}$Em <element>	Radon *n*, Emanation *f*, $_{86}$Rn, $_{86}$Em <Element>	radon *m*, émanation *f*, $_{86}$Rn, $_{86}$Em <élément>	радон, эманация, $_{86}$Rn, $_{86}$Em <элемент>
R 387	**radon needle, radon seed**	Radonhohlnadel *f*, Radonseed *f*	aiguille *f* de radon, sémence *f* à radon	радоновая игла; полая игла, содержащая радон; радоновое зерно
R 388	**radphot,** rph = 10⁴ lx	Radphot *n*, rph = 10^4 lx	radphot *m*, rph = 10^4 lx	радфот, *рф*, rph = 10^4 *лк*
R 389	**radstilb,** rsb = 1 sb	Radstilb *n*, rsb = 1 sb	radstilb *m*, rsb = 1 sb	радстильб, *рсб*, rsb = 1 *сб*
	rad unit, rad, rd	Rad *n*, rad-Einheit *f*, rd, rad	rad *m*, unité *f* rad, rd	рад, *рад*, *рд*, rad, rd
	radwaste	*s.* atomic waste		
R 390	**Raether['s] condition, Raether['s] criterion**	Raethersche Bedingung *f*, Raether-Bedingung *f*, Raether-Kriterium *n*	condition *f* de Raether, critère *m* de Raether	условие Ретера
R 391	**rafted ice, rafting ice**	Schiebeeis *n*	glace *f* en piles	наслоенный лед, подсов
R 392	**ragged cloud,** fractus [form]	zerrissene Wolke *f*, Fractusform *f*, Fractowolke *f*	nuage *m* fragmenté, nuage déchiqueté, fractus *m*	разорванное облако
	RaG method	*s.* radium G method		
R 393	**rag of cloud,** ribbon (wisp) of cloud, cloud rag (ribbon, wisp)	Wolkenfetzen *m*	lambeau *m* de nuage	обрывок облака, клочок облака
R 394	**raie blanche,** RB	weiße Linie *f*, „raie blanche" *f*, RB	raie *f* blanche, RB	белая линия
	raie ultime, sensitive (persistent, distinctive) line, letzte linie	letzte Linie *f*, Restlinie *f*, beständige Linie, Nachweislinie *f*	raie *f* ultime	последняя линия, остаточная линия
	railing phenomenon, palisade phenomenon, fence phenomenon	Staketenphänomen *n*	phénomène *m* des estacades, phénomène des palisades	феномен палисадов

R 395	**rain and snow**, mixed rain and snow	Regen *m* mit Schnee, Schneeregen *m*, Regenschnee *m*, Schlack[er]-schnee *m*, Schlack *m*	pluie *f* et neige *f* mêlées, neige et pluie mêlées	дождь со снегом, снег с дождем, мокрый снег
R 396	**rain band**	Regenbande *f*	bande *f* due à la pluie	дождевая полоса ‹полоса поглощения в видимом солнечном спектре, вызываемая водяными парами, содержащимися в атмосфере›
R 397	**rainbow angle**	Regenbogenwinkel *m*	angle *m* d'arc-en-ciel	радужный угол
R 398	**rainbow display**, colour rainbow display	Regenbogenfarbmuster *n*	image *f* d'arc-en-ciel	изображение радуги
R 399	**rainbow expansion**	Regenbogenentwicklung *f*	développement *m* en « termes d'arc-en-ciel »	«радужное разложение»
R 400	**rainbow integral of Airy**, Airy['s] [rainbow] integral	Airys[ches] Regenbogenintegral *n*, Regenbogenintegral von Airy, Airysches Integral *n*	intégrale *f* d'Airy, intégrale de l'arc-en-ciel d'Airy	интеграл Эри
R 401	**rainbow scattering approximation**, Ford-Wheeler approximation	Ford-Wheeler-Näherung *f*, Ford-Wheelersche Näherung *f*	approximation *f* de Ford-Wheeler	приближение Форда-Уилера
R 402	**rainbow term** **rainbow theory of Airy**, Airy['s] rainbow theory	Regenbogenterm *m* Regenbogentheorie *f* von Airy, Airysche Theorie *f* des Regenbogens	« terme *m* d'arc-en-ciel » théorie *f* de l'arc-en-ciel d'Airy	«радужный член» теория радуги Эри
R 403	**rain climate** **rain cloud**	Regenklima *n* s. nimbus	climat *m* de pluie	дождливый климат
R 404	**rain clutter**	Regenecho *n*	écho *m* de pluie	эхо-сигнал от дождя, [радиолокационное] отражение от дождя, помеха от дождя
	rain day	s. rainy day		
R 404a	**rain erosion**; [jet] impingement attack (corrosion)	Regenerosion *f*; Tropfenschlagerosion *f*; Tropfenschlagkavitation *f*	attaque (érosion) *f* par impact de jet	ударная эрозия (коррозия), ударное разрушение; эрозия, возникающая от удара струи
R 405	**rain erosion** **rain factor**	s. a. rainwash ‹geo.› Regenfaktor *m*	facteur *m* de pluie	фактор (коэффициент) дождя
	rainfall, precipitation, atmospheric precipitation ‹meteo.› **rainfall**	Niederschlag *m*, atmosphärischer Niederschlag ‹Meteo.› s. a. height of precipitation	précipitations *fpl*, précipitations atmosphériques ‹météo.›	атмосферные осадки, осадки ‹метео.›
R 405a	**rainfall distribution coefficient**	Niederschlagsverteilungskoeffizient *m*, Regenverteilungskoeffizient *m*	coefficient *m* de répartition des précipitations	коэффициент распределения дождя
R 406	**rainfall frequency**	Regenhäufigkeit *f*	fréquence *f* des pluies	повторяемость дождей, частота дождей
	rainfall intensity **rainfall recorder**	s. rate of rainfall s. rain gauge		
R 407	**rain gauge**, pluviometer, udometer, ombrometer, hyetometer, precipitation gauge (recorder), rainfall recorder	Niederschlags[mengen]-messer *m*, Regenmesser *m*, Hyetometer *n*, Pluviometer *n*, Ombrometer *n*, Udometer *n*	pluviomètre *m*, ombromètre *m*, hyetomètre *m*	плювиометр, дождемер; осадкомер
R 407a	**rain[ ]gauge bucket**	Niederschlagsmessergefäß *n*, Regenmessergefäß *n*, Meßgefäß *n* des Regenmessers	cuvette *f* du pluviomètre	дождемерное ведро
	rain height **rain-like condensation**, dropwise condensation, weeping-out	s. height of precipitation Tröpfchenkondensation *f*, Tropfenkondensation *f*, Kondensation *f* in Tropfenform	condensation *f* sous forme de gouttes	капельная конденсация
R 407b	**rain making**	Regenerzeugung *f*	formation *f* artificielle de pluie	вызывание искусственного дождя
R 408	**rainout**, radioactive rainout	Fallout *m* mit (in) den Niederschlägen, mit den Niederschlägen ausgewaschener Fallout, [mit dem Regen] ausgewaschener Fallout	dépôt *m* radioactif précipité	выпавшееся с дождем выпадение, выпавшееся с дождем радиоактивное выпадение
R 409	**rainout activity**	mit dem Regen ausgewaschene Aktivität *f*, Aktivität des ausgewaschenen Fallout	activité *f* des dépôts précipités	вымывавшаяся с дождем радиоактивность
	rain[-]proof **rain shadow**	s. drip-proof Regenschatten *m*	ombre *f* de pluie	дождевая тень; область, защищенная от осадков
R 410				
R 411	**rain squall**	Regenbö *f*	rafale *f* de pluie	дождевой шквал, шквал с дождем
R 411a	**rainwash**, rain erosion ‹geo.›	Regenauswaschung *f*, Regenerosion *f* ‹Geo.›	érosion *f* pluviale ‹géo.›	дождевая эрозия; эрозия, вызванная дождем ‹гео.›
R 412	**rainy day**, rain day	Regentag *m*	jour *m* pluvieux	дождливый день, день с осадками
R 413	**raised table**	gehobene Tafel *f*	paroi *f* soulevée, côté *m* soulevé, toit *m* remonté	поднятое крыло, верхнее крыло
R 414	**raising** ‹of an index›	Heraufziehen *n*, Heben *n* ‹Index›	montée *f* de bas en haut ‹d'un indice›, faire *m* passer un indice de bas en haut	поднятие ‹индекса›

	English	German	French	Russian
R 415	raising <to, into>; lifting <to, into>; hoisting <to>	Heben n, Hebung f	élévation f	подъем, поднятие, восхождение, повышение
R 416	raising and lowering <of indices>, building an isomer <math.>	Herauf- und Herunterziehen n <Indizes>	faire m passer des indices de bas en haut et de haut en bas	жонглирование <индексами>, поднятие и опускание значков <у тензора>
	raising of temperature, temperature rise, rise of (in) temperature	Temperaturerhöhung f, Temperatursteigerung f	augmentation f de la température, élévation f de la température	повышение температуры, увеличение температуры
	raising of the boiling point	s. elevation of the boiling point		
R 417	raising of water level by the effect of wind	Windstau m	relèvement m du plan d'eau sous l'effet du vent	ветровой подпор (нагон), подъем воды под действием ветра
R 418	raising to a power	Erhebung f (Erheben n) in eine Potenz, Potenzieren n	élévation f (élèvement m) à une puissance	возведение в степень
R 419	Raman[-] active	Raman-aktiv, ramanaktiv	actif en Raman	активный в спектре комбинационного рассеяния, активный в комбинационном спектре
R 420	Raman and Nath's formula	Raman-Nathsche Formel f	formule f de Raman et Nath	формула Рамана-Ната
R 421	Raman band	Raman-Bande f	bande f de Raman	полоса комбинационного рассеяния света, полоса [спектра] Рамана
R 422	Raman effect	Raman-Effekt m, Smekal-Raman-Effekt m, Raman-Smekal-Effekt m, Kombinationsstreuung f des Lichtes	effet m Raman	комбинационное рассеяние света, эффект Ландсберга-Мандельштама-Рамана, эффект Рамана, раман-эффект, КРС, КР
	Raman-effect maser	s. Raman maser		
R 423	Raman[-] inactive	Raman-inaktiv, raman-inaktiv	inactif en Raman	неактивный в спектре комбинационного рассеяния, неактивный в комбинационном спектре
R 424	Raman-Laval theory	Raman-Lavalsche Theorie f	théorie f de Raman-Laval	теория Рамана-Лаваля
R 425	Raman line	Raman-Linie f	raie f de Raman	линия комбинационного рассеяния [света], линия [спектра] Рамана
R 426	Raman maser, Raman-effect maser	Raman-Maser m, Raman-Effekt-Maser m	maser m à effet Raman	мазер на комбинационном рассеянии, рамановский мазер
R 427	Raman quantometer	Raman-Quantometer n	quantomètre m de Raman	квантометр Рамана
	Raman rotational spectrum, rotational Raman spectrum	Rotations-Raman-Spektrum n, Raman-Rotationsspektrum n	spectre m rotationnel de Raman, spectre de Raman rotationnel	вращательный (ротационный) спектр комбинационного рассеяния [света]
R 428	Raman scattered light	Ramansches Streulicht n	lumière f diffusée par effet Raman	свет комбинационного рассеяния
R 429	Raman scattering	Raman-Streuung f, unelastische Streuung f	diffusion f [de] Raman	комбинационное рассеяние [света], рамановское рассеяние
R 429a	Raman shift	Raman-Verschiebung f	décalage (déplacement) m [de] Raman	смещение комбинационного рассеяния [света], рамановское смещение
R 430	Raman spectrograph	Raman-Spektrograph m	spectrographe m de Raman	спектрограф комбинационного рассеяния света, спектрограф Рамана, рамановский спектрограф
R 431	Raman spectrometer	Raman-Spektrometer n	spectromètre m de Raman	спектрометр (установка) для наблюдения комбинационного рассеяния света, рамановский спектрометр, раман-спектрометр
R 432	Raman spectroscopy	Raman-Spektroskopie f	spectroscopie f Raman	спектроскопия комбинационного рассеяния света, рамановская спектроскопия, раман-спектроскопия
R 433	Raman spectrum	Raman-Spektrum n	spectre m de Raman, spectre Raman	спектр комбинационного рассеяния [света], рамановский спектр, спектр Рамана, раман-спектр
	Raman vibrational spectrum	s. vibrational Raman spectrum		
	ramark, radar beacon, raymark	Radarbake f	phare m radar	радиолокационная станция-маяк, радиолокационный маяк-ответчик
	ramification, branching; bifurcation; furcation, forking	Verzweigung f; Verästelung f, Aufspaltung f, Aufzweigung f; Gabelung f; Gabelteilung f	ramification f, embranchement m, branchement m; dérivation f; bifurcation f; dédoublement m	разветвление; раздваивание, раздвоение, вилка, надвое
R 434	ram jet, propulsive jet	Staustrahltriebwerk n, Staustrahlrohr n. Lorin-Rohr n, Staurohr n	statoréacteur m, stato-machine f	прямоточный (бескомпрессорный) воздушно-реактивный двигатель, ПВРД
	rammability; compactibility <of the material>	Verdichtbarkeit f, Verdichtungsfähigkeit f <Material>	compacité f, compactabilité f <de la matière>	уплотняемость <материала>
R 435	Ramo['s] theorem	Theorem n (Satz m) von Ramo, Ramoscher Satz	théorème m de Ramo	теорема Рамо

R 436	ramp [function]	Rampenfunktion f	fonction f rampe, fonction-rampe f, fonction en rampe, rampe f	функция вида $f(x) = 0$ при $x \leqq 0$ и $f(x) = \alpha x$, $\alpha x > 0$ при $x \geqq 0$; «рамповая» функция
	ramp voltage, sawtooth voltage	Sägezahnspannung f	tension f en dents de scie	пилообразное напряжение
	Ramsauer effect, Ramsauer-Townsend effect	Ramsauer-Effekt m	effet m Ramsauer, effet Ramsauer-Townsend	эффект Рамзауэра
R 437	Ramsauer-Townsend collision cross-section, total effective cross-section for electronic collisions	Wirkungsquerschnitt m gegenüber langsamen Elektronen, Gesamtwirkungsquerschnitt m für Stöße langsamer Elektronen im Gas, Ramsauer-Stoßquerschnitt m, Ramsauer-Querschnitt m, Ramsauer-Streuquerschnitt m	section f efficace totale pour les électrons lents, section efficace de Ramsauer-Townsend	полное эффективное сечение столкновения медленных электронов, полное эффективное сечение рассеяния для медленных электронов
R 438	Ramsauer-Townsend collision [mean] free path, mean free path of low energy electrons moving through a gas	mittlere freie Weglänge f langsamer Elektronen im Gas, Ramsauer Weglänge f	libre parcours m moyen pour les électrons lents	длина свободного пробега медленных электронов в газе
R 439	Ramsauer-Townsend effect, Ramsauer effect	Ramsauer-Effekt m	effet m Ramsauer, effet Ramsauer-Townsend	эффект Рамзауэра
	Ramsay['s] two-field method, two-field method [of Ramsay]	Zweifeldermethode f [von Ramsay], Ramsaysche Zweifeldermethode	méthode f des deux champs [de Ramsay]	метод двух полей [Рамзая]
R 440	Ramsay-Young['s] rule	Ramsay-Youngsche Regel f	règle f de Ramsay-Young	правило Рамзая-Юнга, правило Рэмзи-Юнга
R 441	Ramsden circle	s. exit pupil		
	Ramsden dynameter	Dynameter n nach Ramsden, Ramsdensches Dynameter	dynamètre m de Ramsden	динаметр Рамсдена
R 442	Ramsden eyepiece, Ramsden magnifier, positive eyepiece	Ramsdensches (positives) Okular n, Okular nach Ramsden, Ramsden-Okular n	oculaire m de Ramsden, oculaire positif	окуляр Рамсдена, положительный окуляр
R 442a	Ramsey['s] degenerate phase	Ramseysche Degenerationsphase f (degenerierte Phase f)	phase f dégénérée de Ramsey	вырожденная фаза Рамсея
R 443	Ramsey['s] hypothesis	Ramseysche Hypothese f	hypothèse f de Ramsey	гипотеза Рамзея (Рэмзи)
R 444	random, accidental, chance	zufällig, Zufalls-, zufallsbedingt	aléatoire, fortuit, au (par) hasard, accidentel	случайный
	random	s. a. randomly distributed		
R 445	random action	zufällige (stochastische) Einwirkung f	essai m aléatoire, jauge f	случайное воздействие
R 446	random chain model	statistisches Kettenmodell n	modèle m de chaîne aléatoire	модель случайной цепи
	random coincidence, spurious (accidental, chance) coincidence	zufällige Koinzidenz f, Zufallskoinzidenz f	coïncidence f fortuite, coïncidence accidentelle	случайное совпадение
R 446a	random deviate (deviation)	Zufallsabweichung f	écart m aléatoire	случайное отклонение
R 447	random distribution, random partition	ungeordnete (statistisch ungeordnete, zufällige, regellose) Verteilung f, Zufallsverteilung f	répartition f désordonnée, distribution f désordonnée, distribution de hasard, répartition hasard	беспорядочное распределение, хаотическое распределение, случайное распределение
	random error, sampling (accidental) error, unbiased error	zufälliger (unregelmäßiger) Fehler m, Zufallsfehler m	erreur f fortuite (accidentelle, aléatoire)	случайная ошибка, случайная погрешность
	random flight	s. disordered motion		
R 448	random fluctuation, accidental fluctuation	zufällige Schwankung f, Zufallsschwankung f	fluctuation f aléatoire (accidentelle, fortuite)	случайная флуктуация, беспорядочная флуктуация, случайное колебание
R 449	random function	Zufallsfunktion f, statistische Funktion f	fonction f aléatoire, fonction éventuelle	случайная функция
	random-incidence response, random sensitivity <of microphone>	Empfindlichkeit f im diffusen Schallfeld	efficacité (réponse) f omnidirectionnelle <du microphone>	чувствительность в диффузном поле <микрофона>
	randomization	s. randomizing		
R 449a	randomization test, Fisher-Pitman test, permutation test	Permutationstest m, Randomisationstest m, Fisher-Pitman-Test m	test m de permutation, test de Fisher-Pitman	критерий перестановки (подстановки, Фишера-Питмана, рандомизации)
R 450	randomized block	randomisierter Block m	bloc m randomisé, bloc au hasard, bloc avec répartition au hasard	случайный блок, рандомизированный блок
R 451	randomizing, randomization	Chaotisierung f; Randomisation f, zufällige Anordnung f	chaotisation f; randomisation f, arrangement m (disposition f) au hasard	рандомизация; хаотизация; разупорядочение
R 452	randomly distributed, random	zufällig (statistisch, regellos) verteilt, zufallsverteilt	distribué au hasard	беспорядочно распределенный
	random motion	s. disordered motion		
	random motion of the molecules	s. molecular motion		
R 453	randomness; stochasticity	Zufälligkeit f, Zufallscharakter m, zufälliger Charakter m, Stochastizität f, Regellosigkeit f	hasard m; nature f aléatoire; désordre m; chaoticité f; stochasticité f, propriété f d'être aléatoire	хаотичность, беспорядочность, неупорядоченность; случайность; стохастичность
	random noise, noise, fluctuation noise, statistical noise <of thermionic valve>	Rauschen n, statistisches Rauschen <Elektronenröhre>	bruit m [de fluctuation], bruit non pondéré, bruit chaotique <du tube électronique>	шум, [хаотический] флуктуационный шум, хаотический шум <электронной лампы>

	English	German	French	Russian
R 454	random number	Zufallszahl f	nombre m aléatoire, nombre au hasard	случайное число
R 455	random orientation	regellose (zufällige, nicht-bevorzugte) Orientierung f	orientation f au hasard, orientation non préférée	беспорядочное распределение
	random partition	s. random distribution		
R 455a	random phase approximation, RPA	RPA-Näherung f, Näherung f der zufallsverteilten Phasen	approximation f des phases distribuées au hasard	приближение несогласованных фаз
	random process	s. stochastic process		
R 456	random pulse	Zufallsimpuls m, wahlloser (regelloser, zufälliger) Impuls m	impulsion f aléatoire	случайный (беспорядочный, хаотический) импульс
R 457	random pulse generator	Zufallsimpulsgenerator m	générateur m d'impulsions stochastiques (aléatoires)	генератор случайных импульсов
	random sample	s. sample <stat.>		
R 458	random sampling (selection)	zufällige Stichprobenentnahme f, Zufallsauswahl f	échantillonnage (sondage) m au hasard	случайный выбор
R 459	random sensitivity, random-incidence response <of microphone>	Empfindlichkeit f im diffusen Schallfeld	efficacité (réponse) f omni-directionnelle <du microphone>	чувствительность в диффузном поле <микрофона>
R 460	random storm wave	Schlagwelle f	démontée f, battée f	толчея, сулой; беспорядочная [штормовая] волна
R 461	random train of pulses	Zufallsfolge f von Impulsen, Zufallsimpulsfolge f	suite f d'impulsions stochastiques (aléatoires), train m d'impulsions stochastiques (aléatoires)	последовательность случайных импульсов
R 462	random variable, stochastic variable, chance variable, variate	Zufallsvariable f, Zufallsveränderliche f, Zufallsgröße f, zufällige Größe f, stochastische Variable f, aleatorische Größe f, Variate f	aléatoire f, variable f aléatoire, variable stochastique, variate f, aléa m numérique	случайная величина, случайная переменная величина, случайная переменная, стохастическая величина, стохастическая переменная
R 463	random walk, walk	Irrfahrt f, zufällige (stochastische) Irrfahrt, zufällige Schrittfolge f, Zufallsbewegung f	marche f (trajet m, cheminement m) aléatoire, marche au hasard, promenade f aléatoire, errance f [aléatoire], va-et-vient m	случайное блуждание, блуждание
R 464	random walk problem, problem of random walk	Irrfahrtsproblem n	problème m de marche aléatoire	задача случайного блуждания
	Raney catalyst, skeleton catalyst, skeletal catalyst	Skelettkatalysator m, Legierungsskelettkatalysator m; Raney-Katalysator m	catalyseur m en squelette; catalyseur de Raney	скелетный катализатор, сплавной катализатор; катализатор Ренея
R 465	range, range of particle	Reichweite f <Teilchen>; Grenzdicke f <β-Teilchen>	parcours m; portée f <de la particule>	пробег [частицы]
R 466	range, interval, region <gen.>	Intervall n, Bereich m, Gebiet n	intervalle m, domaine m, gamme f	интервал, область
	range, range of values, range of the function, codomain, set of values <math.>	Wertevorrat m; Wertebereich m, Nachbereich m, Bildbereich m, Gegenbereich m <Math.>	contre[-]domaine m, ensemble m d'arrivée, ensemble de valeurs <math.>	область (совокупность, множество) значений, множество (область) изменения; запас значений <матем.>
R 467	range, variability <stat.>	Variationsbreite f, Spannweite f, Schwankungsbreite f <Stat.>	amplitude f de variation, étendue f, variabilité f <stat.>	размах варьирования, широта распределения, изменчивость, мера изменчивости <стат.>
	range	s. a. domain <math.>		
	range	s. a. effective range		
	range	s. a. region <gen.>		
R 467a	rangeability	Stellverhältnis n	amplitude f de réglage	амплитуда регулировки
	range determination, range finding, range-finding; telemetry; measurement of distance	Entfernungsmessung f, Entfernungsbestimmung f	mesure f de distances, télémétrie f, télémétrage m, télémesure f	дальнометрия, измерение (определение) дальности, дистанциометрия, измерение (определение) расстояний
R 468	range distribution, range spectrum	Reichweitenspektrum n, Reichweitenverteilung f	spectre m (distribution f) des parcours	спектр пробегов, распределение пробегов
R 469	range[-] energy relation	Reichweite-Energie-Beziehung f, Energie-Reichweite-Beziehung f	relation f parcours-énergie	соотношение пробег-энергия, зависимость пробега от энергии
R 469	range extension, extension of effective part [of scale]	Bereichserweiterung f, Meßbereicherweiterung f, Erweiterung f des Meßbereichs	extension f de gamme [de mesure]	расширение диапазона [измерений]
R 470	range-extension factor	Umrechnungsfaktor m der Anzeigewerte bei Bereichserweiterung	facteur m de l'extension de gamme	коэффициент расширения диапазона
R 471	rangefinder, optical rangefinder, ranger, [optical] telemeter, [optical] distance meter	[optischer] Entfernungsmesser m, Distanzmesser m, Telemeter n; Abstandsmesser m	télémètre m, télémètre optique	дальномер, оптический дальномер
	rangefinder groundglass	s. reflex-prism split image rangefinder		
	rangefinder of the double observer type	s. long-baseline rangefinder		
R 472	rangefinder wedge	Meßkeil m	prisme m télémétrique	измерительная призма; мерный клин, измерительный клин
R 473	range finding, range-finding, ranging, range determination, telemetry; measurement of distance	Entfernungsmessung f, Entfernungsbestimmung f	mesure f de distances, télémétrie f, télémétrage m, télémesure f	дальнометрия, измерение (определение) дальности, дистанциометрия, измерение (определение) расстояний

	English	German	French	Russian
	range-finding telescope	s. filament rangefinder		
R 474	**range formula,** transmission range formula	Reichweitenformel f	formule f de la portée de transmission	формула дальности
R 475	**range mark**	Entfernungsmarke f	marque f de distance	метка дальности
R 476	**range of action** <math.>	Wirkungsbereich m <Math.>	région f d'action <math.>	область действия <матем.>
R 477	**range of adaptation**	Adaptationsbreite f	amplitude f d'adaptation	предел приспособления
R 478	**range of alternating stresses,** alternating stress amplitude	Wechselbereich m	intervalle m des contraintes alternées, gamme f des contraintes alternées, amplitude f des contraintes alternées	интервал изменения знакопеременной нагрузки, полная амплитуда знакопеременной нагрузки, размах знакопеременной нагрузки
R 479	**range of alternating tensile stress**	Zugschwellbereich m	intervalle m des efforts de traction alternés	интервал долговременных циклических растягивающих нагрузок с нижним пределом $\geqq 0$
	range of application	s. limits of validity		
	range of audibility	s. frequency range of hearing		
	range of audiofrequency	s. audio frequency range		
	range of boiling	s. boiling range		
	range of change	s. range of variation		
	range of contrast, contrast range	Kontrastumfang m	gamme f de contraste	диапазон контрастности, контрастность
	range of definition	s. domain <math.>		
	range of dependence, domain of dependence, dependency area	Abhängigkeitsgebiet n, Abhängigkeitszone f, Abhängigkeitsbereich m	domaine m de dépendance, domaine de détermination	область зависимости
	range of extra-high (extremely high) frequency	s. extra-high frequency range		
	range of hearing	s. frequency range of hearing		
	range of high frequency	s. high frequency range		
	range of hurling	s. range of the projection		
	range of integration, region of integration	Integrationsgebiet n, Integrationsbereich m, Integrationsgrenzen fpl	aire f d'intégration; volume m d'intégration; limites fpl d'intégration	область интегрирования, пределы интегрирования
R 480	**range of linearity,** linear range, linear operation limits	Linearitätsbereich m	gamme f linéaire, domaine m linéaire, gamme (domaine, intervalle m) de variation linéaire	область (диапазон) линейного изменения, область линейной зависимости, линейная область
	range of low frequency	s. low frequency range		
	range of luminance, luminance range, brightness range	Helligkeitsumfang m	gamme f de luminance, gamme de brillance, gamme de luminosité	пределы изменения яркости, диапазон яркости
	range of measurements	s. measuring range		
	range of medium frequencies	s. medium frequency range		
	range of modulation, drive range, range of uniform control, control range	Aussteuerbereich m, Aussteuerungsbereich m, Aussteuerungsumfang m	gamme f de modulation, plage f de modulation	линейный участок модуляционной характеристики; диапазон модуляции
R 481	**range of partial radiation**	Teilstrahlungsbereich m	gamme f de radiation partielle	диапазон частичного излучения
	range of particle	s. range		
	range of pulse repetition frequency, pulse repetition frequency range	Impulsbereich m	gamme f des fréquences de répétition des impulsions	диапазон частот повторения импульсов
R 482	**range of sensitivity,** sensitive region <of counter>	empfindlicher Bereich m, Ansprechbereich m <Zählrohr>	région f sensible, gamme f de sensibilité <du tube compteur>	диапазон чувствительности, диапазон реагирования <счетчика>
R 483	**range of sensitivity;** latitude <of an emulsion>	Empfindlichkeitsbereich m	gamme f de sensibilité; latitude f de rapidité <de l'émulsion>	диапазон чувствительности
	range of sight	s. visibility		
	range of subject contrast	s. subject range		
	range of superhigh frequency	s. superhigh frequency range		
R 484	**range of temperature,** temperature range (interval, band)	Temperaturbereich m, Temperaturgebiet n, Temperaturintervall n	domaine (intervalle) m de température, gamme f des températures	область (интервал, диапазон, зона) температур, температурная зона (область), температурный интервал (диапазон)
	range of the function	s. range <math.>		
	range of the instrument	s. range		
R 485	**range of the projection,** range of throw, range of hurling, throwing range, cast	Wurfweite f	portée f [de projection]	дальность броска, дальность метания; дальность забрасывания; дальнобойность
	range of the spectrum	s. spectral region		
R 486	**range of the Yukawa potential**	Reichweite f des Yukawa-Potentials	portée f (rayon m d'action) du potentiel de Yukawa	радиус действия потенциала Юкавы
	range of throw	s. range of the projection		
	range of tide, tidal range; amplitude of tide	Gezeitenhub m, Tidenhub m, Tidenstieg m	marnage m [de marée], amplitude f des marées, différence f de niveau à marée haute et basse	подъем прилива, амплитуда прилива, высота приливов; величина прилива
	range of ultra-high frequency	s. ultra-high frequency range		
	range of uniform control	s. range of modulation		
	range of validity	s. domain <math.>		
	range of validity	s. a. limits of validity		
	range of values	s. range <math.>		

R 487	range of variation, range of change	Variationsbereich m, Änderungsbereich m, Schwankungsbereich m	gamme f de variation (changement), gamme d'excursion, intervalle m de variation (changement)	область изменения, диапазон вариаций (изменения, колебаний), интервал колебаний, диапазон (интервал) отклонения
	range of very high frequency	s. very high frequency range		
	range of very low frequency	s. very low frequency range		
	range of visibility (vision)	s. visibility		
	ranger	s. rangefinder		
R 488	range reduction	Reichweitenverkürzung f	réduction f de la portée	уменьшение дальности
R 489	range spectrum, range distribution	Reichweitenspektrum n, Reichweitenverteilung f	spectre m (distribution f) des parcours	спектр пробега, распределение пробегов
R 490	range straggling	Reichweitenstreuung f	fluctuation f de parcours	разброс пробегов, страгглинг
R 491	range straggling parameter	Reichweitenstreuparameter m .	paramètre m de fluctuation de parcours	параметр разброса пробегов, параметр страгглинга
R 492	range switching, band switching	Umschaltung f des Meßbereichs, Bereich[s]umschaltung f	commutation f de gammes	переключениедиапазонов; переключение шкал
R 492a	range test	Spannweitentest m	test m d'amplitude	критерий размаха
R 493	range-velocity relation [-ship]	Reichweite f in Abhängigkeit von der Geschwindigkeit, Reichweite-Geschwindigkeit[s]-Beziehung f	relation f parcours-vitesse	зависимость пробега от скорости
R 494	range-viewfinder, single-window range-viewfinder, combined rangefinder and viewfinder, combined view and range finder, measuring viewfinder	Meßsucher m, Universalmeßsucher m	viseur-télémètre m, viseur-télémètre universel, télémètre-viseur m	видоискатель-дальномер, универсальный дальномер
	ranging	s. range finding		
R 495	ranging pole	Visierstab m		визирка, вешка
R 496	rank; grade <of matrix> <math.>	Rang m; Rangzahl f <Math.>	rang m <math.>	ранг <матем.>
R 497	rank, order, degree, valence <of tensor>	Stufe f <Tensor>, Tensorstufe f	ordre m, valence f <du tenseur>	ранг, валентность <тензора>
R 497a	rank concordance coefficient	Rangkonkordanzkoeffizient m	coefficient m de concordance des rangs	коэффициент рангового соответствия
R 497b	rank correlation	Rangkorrelation f	corrélation f des rangs	ранговая корреляция
	rank correlation coefficient	s. coefficient of rank correlation		
	°Rank	s. degree Rankine		
R 498	Rankine balance	Rankine-Waage f, Rankinesche Waage f	balance f de Rankine	весы Ранкина
R 499	Rankine body	Rankinescher Festkörper m, Rankine-Körper m	solide m de Rankine	твердое тело Ранкина
R 500	Rankine cycle, Clausius-Rankine cycle	Rankine-[Clausius-]Prozeß m, Rankine[-Clausius]-scher Kreisprozeß m, Clausius-Rankine-Prozeß m, Clausius-Rankinescher Kreisprozeß	cycle m de Rankine	паротурбинный цикл, цикл Ранкина, цикл Ренкина, паросиловой цикл, цикл Клаузиуса-Ранкина
R 501	Rankine-Dupré['s] equation, Rankine-Dupré['s] formula	Rankine-Duprésche Gleichung f	relation f de Rankine-Dupré, équation f de Rankine-Dupré	уравнение Ранкина-Дюпре
R 502	Rankine-Hugoniot curve, Hugoniot curve, Hugoniot	[Rankine-]Hugoniot-Kurve f, dynamische Adiabate f, Rankine-Hugoniotsche Kurve f	adiabatique f dynamique d'Hugoniot, adiabatique dynamique, courbe f d'Hugoniot	кривая Гюгоньо, адиабата Гюгоньо, ударная адиабата
R 503	Rankine-Hugoniot equation (law, relation[s])	Rankine-Hugoniotsche Gleichung f, Rankine-Hugoniot-Gleichung f	relations fpl de Rankine-Hugoniot	соотношение Гюгоньо
R 504	Rankine scale, Rankine temperature scale	Rankine-Skala f; Rankine-Skale f	échelle f [de] Rankine, échelle de température de Rankine	шкала Ранкина, шкала Ренкина, температурная шкала Ранкина
R 505	Rankine['s] theory, maximum stress theory	Theorie f der Maximalbelastung, Theorie von Rankine, Rankinesche Theorie	théorie f d'effort maximum, théorie de Rankine	теория максимального напряжения, теория Ранкина, теория Ренкина
R 506	Rankine vortex	Rankinescher Wirbel m, Rankine-Wirbel m	tourbillon m de Rankine	вихрь Ранкина
	Ranque-Hilsch vortex tube	s. Hilsch tube		
R 507	R-antisymmetric case, F-case	R-antisymmetrischer Fall m, F-Fall m	cas m R-antisymétrique, cas F	R-антисимметричный случай, F-случай
R 508	Ranvier node, node of Ranvier	Ranvierscher Schnürring (Schnürknoten) m	étranglement (nœud) m de Ranvier	перехват Ранвье
R 509	Rao['s] formula	Raosche Formel f	formule f de Rao	формула Рао
R 510	Raoult['s] absorption coefficient, Raoult['s] coefficient of absorption	Raoultscher Absorptionskoeffizient m	coefficient m d'absorption de Raoult	коэффициент поглощения Рауля
R 511	Raoult['s] law	Raoultsches Gesetz n, Raoults Gesetz	loi f [tonométrique] de Raoult, formule f de Raoult	закон Рауля
	rapid	s. rapids		

R 512	**rapid-access memory, rapid-access storage, rapid-access store,** rapid store, fast-access storage (store, memory), fast storage (store), high-speed storage (store), quick-access storage (store)	Schnellspeicher *m*	mémoire *f* à accès rapide, mémoire rapide, mémoire à grande vitesse d'accès, mémoire à court temps d'accès	быстродействующее запоминающее устройство, запоминающее устройство с малым временем выборки
R 513	**rapid analysis,** quick analysis	Schnellanalyse *f*, Schnellbestimmung *f*, Rapidanalyse *f*, Expreßanalyse *f*	analyse *f* rapide ,	экспресс-анализ, экспрессный анализ
R 514	**rapid change of weather;** snap, break-up in the weather, sudden break in weather	Wettersturz *m*; Umschlagen *n* des Wetters, Wetterumschlag *m*	changement *m* subit du temps	резкая перемена погоды, резкое изменение синоптического положения, резкое изменение погоды; полная перемена погоды
	rapid corrosion test, accelerated (quick) corrosion test	Schnellkorrosionsversuch *m*	essai *m* de corrosion accéléré	ускоренный метод коррозионных испытаний
R 515	**rapid developer**	Rapidentwickler *m*, Schnellentwickler *m*	révélateur *m* rapide	быстроработающий (быстрый) проявитель
R 516	**rapid emulsion**	Rapidemulsion *f*	émulsion *f* rapide	быстроработающая [фото]эмульсия
	rapid flow	s. shooting flow <hydr.>		
	rapidity	s. speed <of the emulsion>		
	rapidity of action	s. responsiveness		
	rapidity of convergence, speed of convergence	Güte *f* der Konvergenz, Konvergenzgeschwindigkeit *f*	rapidité *f* de la convergence, vitesse *f* de convergence	порядок сходимости, быстрота (скорость) сходимости
	rapidity of diffusion	s. diffusion rate		
R 517	**rapid magnetic balance**	Rapidfeldwaage *f*	balance *f* magnétique rapide	экспрессные магнитные весы
R 518	**rapid river**	reißender Strom *m*	fleuve *m* rapide	бурный (стремительный) поток, стремнина, быстроток
R 519	**rapids,** rapid, shoot, chute, riffle <of river>	Stromschnelle *f*, Katarakt *m*, Gefällsteile *f* <Fluß>	rapide *m*, chute *f* <de la rivière>	быстрина, стремнина, пороги, порожистый участок <реки>
	rapid sequence camera	s. high-speed camera		
	rapid start lamp, quick start lamp	Schnellstartlampe *f*	lampe *f* fluorescente à allumage instantané	люминесцентная лампа с мгновенным зажиганием
	rapid store	s. rapid-access memory		
	rapid test	s. accelerated test		
	rapid test	s. a. short cut test		
	rapid wind lever camera, lever wind camera	Schnellaufzugkamera *f*	chambre *f* à armement rapide par levier	камера с рычагом для завода затвора
R 520	**rare earth** <compound>	Seltenerde *f*, Seltene Erde *f*, seltene Erde <Verbindung: Oxid eines Seltenerdmetalls>	terre *f* rare <composé>	редкая земля <соединение>
	rare earth	s. a. rare-earth element		
R 521	**rare-earth element, rare-earth metal,** rare earth, REE	Seltenerdmetall *n*, Metall *n* der Seltenerden (Seltenen Erden), Seltenerdelement *n*, Element *n* der Seltenen Erden, Seltenes Erdmetall *n*, Seltene (seltene) Erde *f*, SEE	élément *m* de terres rares, métal *m* de terres rares, terre *f* rare	редкоземельный элемент РЗЭ
R 522	**rarefaction** <of gas>	Verdünnung *f* <Gas>	raréfaction *f* <du gaz>	разрежение <газа>
R 523	**rarefaction** <of gas>	Verdünnungsgrad *m* <Gas>	mesure *f* de la raréfaction <du gaz>	разреженность, степень вакуума <газа>
	rarefaction	s. a. evacuation		
	rarefactional shock	s. rarefaction shock		
R 524	**rarefactional wave,** rarefaction wave, wave of rarefaction, expansion wave, dilatation[al] wave <aero., hydr.>	Verdünnungswelle *f*, Verdünnungslinie *f* <Aero., Hydr.>	onde *f* de raréfaction, onde de décompression, onde de dépression, onde de détente <aéro., hydr.>	волна разрежения, волна растяжения, волна расширения <аэро., гидр.>
R 525	**rarefaction shock,** rarefactional shock, dilatational shock, shock of rarefaction	Verdünnungsstoß *m*	choc *m* de raréfaction, choc de dilatation	удар разрежения, скачок разрежения
	rarefaction wave	s. rarefactional wave		
R 526	**rarefied air**	verdünnte Luft *f*, Verdünnungsluft *f*; Höhenluft *f*	air *m* raréfié	разреженный воздух
	rarefied gas dynamics	s. superaerodynamics		
R 526a	**rare gas,** inert gas, noble gas, helium group gas	Edelgas *n*	gaz *m* rare, gaz noble, gaz inerte	инертный газ, благородный газ
R 527	**rare-gas configuration**	Edelgaskonfiguration *f*	configuration *f* du gaz rare	конфигурация редкого газа
	rare-gas lightning arrester, lightning protector	Luftleerblitzableiter *m*	parafoudre *m* à gaz rare	безвоздушный молниеотвод
R 528	**Rasch-Hinrichsen formula, Rasch-Hinrichsen relation**	Rasch-Hinrichsensche Formel (Beziehung) *f*	formule *f* de Rasch-Hinrichsen	формула Раша и Гинрихсена
R 529	**Raschig ring, Raschig tube**	Raschig-Ring *m*	anneau *m* de Raschig	кольцо Рашига, насадочное кольцо Рашига

	English	German	French	Russian
R 530	**raser**, [radio] wave amplification by stimulated emission of radiation	Raser *m*	raser *m*	разер, квантовый генератор радиодиапазона
R 531	**Rasmussen étalon**, wedge-shaped étalon	Keiletalon *m* [nach Rasmussen]	étalon *m* Rasmussen, coin *m* étalon	клиновидный эталон
	raster	*s.* screen		
	raster microscope	*s. a.* scanning electron microscope		
R 532	**raster microscope**, screen microscope	Rastermikroskop *n*	microscope *m* à balayage, microscope de trame	растровый микроскоп
	raster optics, grid optics	Rasteroptik *f*	optique *f* des treillis (réseaux)	растровая оптика
	raster scan microscope	*s.* scanning electron microscope		
R 533	**raster therapy**	Rastertherapie *f*	thérapie *f* par grille	растровая терапия
R 534	**ratchet**	Ratsche *f*	cliquet *m*, entraînement à friction	храповой механизм
R 535	**ratcheting**, ratchetting, ratchet mechanism	Verklinkung *f*	encliquetage *m*	сцепление, зацепление, зещепление, защелкивание, блокировка
R 536	**ratcheting**, ratchetting <nucl.>	„ratcheting" *n* <Kern.>	rochetage *m* <nucl.>	ослабление связи между топливом и оболочкой тепловыделяющего элемента <яд.>
	ratchet mechanism	*s.* ratcheting		
	ratchet motion	*s.* ratchet wheel drive		
	ratchet oscillation	*s. a.* relaxation oscillation		
R 537	**ratchet time base**	Sperrzeitbasis *f*	balayage *m* différé, balayage retardé	развертка с задержкой, задержанная развертка
	ratchetting	*s.* ratcheting		
	ratchet wheel, pawl wheel	Sperrad *n*	roue *f* à cliquet (chien)	храповое колесо
	ratchet wheel drive, pawl and ratchet motion, ratchet motion, rack wheel	Zahngesperre *n*, Klinkengesperre *n*, Klinkenschaltwerk *n*, Zahnklinkenschaltwerk *n*	encliquetage *m* à rochet, roue *f* à rochet	храповик с собачкой, храповой затвор, зубчатый затвор (останов, тормоз)
R 538/9	**rate**, time rate	Geschwindigkeit *f*; Häufigkeit *f*; Rate *f*	vitesse *f*; taux *m*	скорость
	rate <of clock>	*s.* rate of clock		
	rate	*s. a.* ratio		
	rate	*s. a.* thermodynamic flux		
	rate	*s. a.* derivative <math.>		
R 540	**rate action**, rate response, response to the derivative, derivative action	Vorhaltwirkung *f*, D-Einfluß *m*, D-Verhalten *n*	action *f* par dérivation, action dérivée, action D., action de régulation par dérivation	воздействие по производной, действие упреждения, действие предварения
R 541	**rate-action control**, derivative-action control, derivative (rate, differential) control	Regelung *f* mit Differential[quotienten]einfluß (Differential-[quotienten]aufschaltung), Regelung mit Vorhalt, Differentialregelung *f*, D-Regelung *f*, differenzierend wirkende Regelung	régulation *f* [à action] dérivée, régulation par dérivation, réglage *m* à action dérivée, commande *f* différentielle	регулирование с предварением, регулирование с воздействием по производной [от] отклонения, регулирование по производной (скорости изменения регулируемого параметра)
R 542	**rate-action controller**, derivative-action controller, derivative controller	Regler *m* mit Differential[quotienten]einfluß, Regler mit Vorhalt, Differentialregler *m*, D-Regler *m*, Regler mit Differential[quotienten]aufschaltung, differenzierend wirkender Regler	régulateur *m* à action dérivée	регулятор с предварением, регулятор с воздействием по производной [от] отклонения, регулирование по производной (скорости изменения регулируемого параметра)
R 543	**rate constant**, specific reaction rate, specific rate <chem.>	Geschwindigkeitskonstante *f* [der Reaktion], Reaktions[geschwindigkeits]konstante *f*, spezifische Reaktionsgeschwindigkeit *f* <Chem.>	constante *f* de vitesse [de la réaction chimique], vitesse *f* de réaction spécifique <chim.>	константа скорости [реакции], константа скорости химической реакции <хим.>
	rate control	*s.* rate-action control		
	rate controlling step	*s.* rate-determining step		
	rate burden	*s.* rated power [output]		
R 544	**rate-determining step**, rate-controlling step <in a chemical reaction>	geschwindigkeitsbestimmender Schritt *m* <der chemischen Reaktion>, limitierende Zwischenreaktion *f*	étape *f* régulatrice [de la vitesse de la réaction], étape [cinétique] déterminante	стадия, определяющая скорость реакции; лимитирующая стадия <химической реакции>
R 545	**rated impedance**	Nennbürde *f*	impédance *f* de précision	номинальное кажущееся сопротивление нагрузки <в омах>; номинальная нагрузка <в вольтамперах>
	rated output	*s.* rated power [output]		
R 546	**rated phase angle**	Fehlwinkelgrenze *f*	déphasage *m* nominal	номинальный угол погрешности
	rated power, design power, demand power	Solleistung *f*	puissance *f* calculée	расчетная мощность, заданная мощность
	rated power [output], nominal power, rated output, rated burden, rating	Nennleistung *f*, Nominalleistung *f*	puissance *f* nominale, puissance *f* de précision	номинальная мощность

R 547	rated primary current	primärer Nennstrom m, Nennprimärstrom m	courant m nominal primaire	номинальный первичный ток, номинальный ток первичной обмотки (стороны)
R 548	rated primary voltage	primäre Nennspannung f, Nennprimärspannung f	tension f nominale primaire	номинальное первичное напряжение
R 549	rated ratio error	Übersetzungsfehler-grenze f	erreur f nominale de rapport	номинальная погрешность трансформации
R 550	rated short-circuit current, thermal short-time current rating <US>	thermischer Grenzstrom m, thermischer Kurz-schlußstrom m	courant m de court-circuit nominal	предельный ток термической устойчивости
R 551	rated temperature-rise current <of an instrument>	maximal zulässiger Betriebsstrom m <Meßgerät>	courant m d'échauffement <d'un appareil>	максимально допустимый рабочий ток <прибора>
	rated temperature-rise voltage	s. nominal circuit voltage <of an instrument>		
	rated value, rating, nominal value	Nennwert m, Nominal-wert m	valeur f nominale	номинальная величина, номинальное значение, номинал; номинальный параметр <реле>
	rate equation	s. balance equation <el.>		
	rate growing	s. rate growth <cryst.>		
R 552	rate-grown junction	stufengezogener Übergang m, stufengezogener pn-Übergang m	jonction f tirée par gradins, jonction par tirage alternant	тянутый по ступеням переход
R 553	rate growth, rate growing <cryst.>	Stufenziehverfahren n, Stufenziehen n <Krist.>	tirage m alternant, tirage par gradins <crist.>	метод наращивания <крист.>, ступенчатое вытягивание кристаллов
R 554	rate gyro[scope]	Kreisel m mit zwei Freiheitsgraden	gyroscope m à deux degrés de liberté	гироскоп с двумя степенями свободы
	rate[ ]meter	s. counting-rate meter		
R 555	rate method of cooling	Abkühlung f mit konstanter Geschwindigkeit	refroidissement m à vitesse constante	охлаждение с постоянной скоростью
R 556	rate of adaptation	Adaptationszeit f	période f d'adaptation	период адаптации глаза
R 557	rate of advance, advancing rate	Voreilgeschwindigkeit f	vitesse f d'avance	скорость опережения, скорость предварения
	rate of angular motion	s. angular speed		
	rate of ascent	s. rate of climb		
	rate of burn-up	s. rate of depletion		
	rate of change	s. time rate of change		
	rate of climb, climbing speed, climbing velocity, ascending velocity, rate of ascent	Steiggeschwindigkeit f, Aufstiegsgeschwindigkeit f	vitesse f ascensionnelle	скорость подъема, скорость набора высоты
R 558	rate of clock	Uhrgang m, täglicher Gang m [der Uhr]; Gangge-schwindigkeit f <Uhr>	marche f de l'horloge	ход часов; скорость хода <часов>
	rate of combustion; velocity of combustion [reaction], speed of combustion, burning velocity	Verbrennungsgeschwindigkeit f, Brenngeschwindigkeit f	vitesse f de combustion	скорость горения, скорость сгорания; скорость сжигания
R 559	rate of cooling	kalorimetrische Abküh-lungsgeschwindigkeit f	vitesse f calorimétrique de refroidissement	калориметрическая скорость охлаждения
	rate of crack propa-gation, propagation rate of the crack	Vordringgeschwindigkeit f des Risses	vitesse f de propagation de la fissure	скорость распространения трещины
R 560	rate of cubical dilatation, rate of cubical expansion	Raumdehnungsgeschwin-digkeit f	vitesse f de dilatation cubique	скорость относительного объемного расширения, линейный инвариант тензора скоростей деформаций
R 561	rate of decay, decay rate	Abklinggeschwindigkeit f <Schwingung; Lumines-zenz>; Zerfallsgeschwin-digkeit f <Lumineszenz>	taux m de déclin <de la luminescence>; taux de décroissance, vitesse f d'évanouissement <de l'oscillation>	скорость затухания
	rate of decay	s. a. disintegration rate <nucl.>		
	rate of deformation	s. rate of strain		
	rate[-]of[-]deformation tensor	s. a. rate-of-strain tensor		
R 562/3	rate of depletion, rate of burn up <nucl.>	Abbrandgeschwindigkeit f <Kern.>	vitesse f de consommation <nucl.>	скорость выгорания <яд.>
	rate of descent	s. rate of fall		
	rate of descent	s. descent velocity		
	rate of diffusion	s. diffusion rate		
	rate of discharge	s. discharge <per unit time>		
	rate of discharge	s. a. discharge rate <of liquid>		
	rate of disintegration	s. disintegration rate <nucl.>		
	rate of entropy pro-duction	s. production of entropy		
	rate of evacuation	s. exhaustion rate <of pump>		
R 564	rate of evaporation, evaporation coefficient, coefficient of evaporation	Verdunstungsgeschwindig-keit f, Verdunstungs-kennzahl f, Verdunstungs-koeffizient m; Verdamp-fungskoeffizient m, Ver-dampfungswert m, Ver-dampfungszahl f	coefficient m d'évaporation	скорость испарения, коэффициент испарения (парообразования); удельная паропроизво-дительность

	rate of evaporation, evaporation (evaporative, vaporization) rate, rate of vaporization	Verdampfungsgeschwindigkeit *f*; Verdunstungsgeschwindigkeit *f*	vitesse *f* de vaporisation, vitesse d'évaporation	скорость испарения
	rate of fall, velocity of fall, velocity (rate) of descent, falling speed	Fallgeschwindigkeit *f*	vitesse *f* de chute	скорость падения
	rate of fission, fission rate	Spaltrate *f*, Spalthäufigkeit *f*, Spaltungen *fpl* pro Zeiteinheit	taux *m* de fission, nombre *m* des fissions par unité de temps	скорость деления, интенсивность деления
R 565	**rate of flame propagation,** speed of flame propagation, flame speed (velocity), ignition velocity (rate), combustion (burning) velocity <US>	Zündgeschwindigkeit *f*, Flammenfortpflanzungsgeschwindigkeit *f*, Flammen[ausbreitungs]geschwindigkeit *f*, Verbrennungsgeschwindigkeit *f*, Brenngeschwindigkeit *f*	vitesse *f* de propagation de la flamme, vitesse de déflagration, vitesse de combustion	скорость распространения пламени, скорость распространения фронта пламени, скорость воспламенения, скорость горения
R 566	**rate of flow,** intensity of flow, flow rate, flow; rate of flux; throughput	Durchsatz *m*, Durchfluß *m*, Durchflußstärke *f*, Stoffstrom *m*, Mengenstrom *m*, Belastung *f*, Durchgang *m*, Durchlauf *m*	débit *m*	расход, количество
	rate of flow	*s. a.* flow rate		
	rate of flow of energy across unit area	*s.* energy flux density		
	rate of flux	*s.* rate of flow		
	rate of gain	*s.* absolute growth rate <stat.>		
R 567	**rate of gas flow,** gas flow rate, flow rate of the gas	Gasströmungsgeschwindigkeit *f*, Gasstrom *m*	vitesse *f* du flux (courant) gazeux, flux (courant) *m* gazeux, flux (courant) de gaz	скорость газового потока, скорость течения газа, поток газа, газовый поток
R 568	**rate of grain boundary diffusion**	Korngrenzendiffusionsgeschwindigkeit *f*	vitesse *f* de migration du joint	скорость диффузии по границам зерен
R 569	**rate of growth,** growth rate, growth velocity <cryst.; bio.>	Wachstumsgeschwindigkeit *f*, Wachstumsrate *f* <Krist.>; Wachstumsschnelligkeit *f* <Bio.>	vitesse *f* de croissance, taux *m* de croissance <crist.; bio.>	скорость роста <крист.>; темп роста <био.>
R 570	**rate of growth** <math.>	Wachstumsgeschwindigkeit *f* <Math.>	vitesse *f* de croissance <math.>	скорость возрастания [функции] <матем.>; норма роста
R 571	**rate of heat flow,** thermal transmission, specific rate of heat flow, heat flow [rate], flow of heat, thermal flow (flux), heat flux, flux of heat, heat current	Wärmestrom *m*, Wärmefluß *m*	flux *m* thermique, flux calorifique, flux de chaleur	тепловой поток, теплопоток, поток тепла, ток тепла
R 572	**rate of heat removal**	Wärmeabführungsgeschwindigkeit *f*	vitesse *f* de soustraction de la chaleur	скорость теплоотвода
	rate of increase	*s.* absolute growth rate <stat.>		
	rate of leakage	*s.* leak rate		
	rate of mass flow	*s.* mass flow		
R 573	**rate of motion (movement)** <bio.>	Bewegungsgeschwindigkeit *f* <Bio.>	vitesse *f* de mouvement <bio.>	скорость движения <био.>
	rate of nucleation	*s.* nucleation rate		
R 574	**rate of percolation**	Sickerdurchflußstärke *f*, Sickermenge *f*	débit *m* de percolation	расход просачивания на единицу сечения, инфильтрационный расход
R 575	**rate of rainfall,** rainfall intensity	Niederschlagsintensität *f*, Niederschlagsstärke *f*, Niederschlagsmenge *f* pro Zeiteinheit; Regenintensität *f*, Regenstärke *f*, Regenspende *f*, Regendichte *f*	intensité *f* des précipitations; intensité de pluie	интенсивность осадков; интенсивность дождя
	rate of reaction, reaction rate (velocity) <chem.>	Reaktionsgeschwindigkeit *f* <Chem.>	vitesse *f* de la réaction <chim.>	скорость реакции <хим.>
	rate of recombination	*s.* recombination rate		
	rate of response, speed of response <el.>	Reaktionsgeschwindigkeit *f*, Ansprechgeschwindigkeit *f* <El.>	vitesse (rapidité) *f* de réponse, vitesse (rapidité) de réaction <él.>	скорость реагирования системы, скорость (быстрота) реакции, скорость (быстрота) срабатывания <эл.>
	rate of runoff	*s.* specific flow		
R 576	**rate of sedimentation,** settling rate, velocity of settling	Sedimentationsgeschwindigkeit *f*, Sinkgeschwindigkeit *f* [bei der Sedimentation]	vitesse *f* de sédimentation	[массовая] скорость седиментации, скорость оседания, скорость осаждения
	rate of shear	*s.* shearing		
R 577	**rate of shooting stars,** hourly rate of meteors, number of meteors per hour, frequency of meteors	Häufigkeit *f* der Meteore, Anzahl *f* der Meteore pro Stunde	nombre *m* horaire des météores, nombre horaire, fréquence *f* horaire, fréquence des météores	часовое число [метеоров]
	rate of speed; acceleration	Beschleunigung *f*	accélération *f*	ускорение
	rate of spontaneous mutation, spontaneous frequency <of mutations>	Spontanhäufigkeit *f*, Spontanrate *f* <von Mutationen>, Spontanmutationsrate *f*	taux *m* de mutation spontanée	доля самопроизвольных мутаций, частота самопроизвольных мутаций
	rate of spread	*s.* propagation velocity		

'R 578	**rate of star deaths**, rate of stellar extinction, stellar extinction rate	Sternsterberate f	taux m de mort des étoiles	скорость умирания звезд
R 579	**rate of star formation**, star formation rate	Sternentstehungsrate f	taux m de formation des étoiles	скорость звездообразования
	rate of stellar extinction	s. rate of star deaths		
R 580	**rate of strain**, rate of deformation, [plastic] strain rate, deformation rate, speed of deformation; strain velocity; stress rate	Formänderungsgeschwindigkeit f, Verform[ungs]geschwindigkeit f, Verzerrungsgeschwindigkeit f, Deformationsgeschwindigkeit f; Fließgeschwindigkeit f, Umform[ungs]geschwindigkeit f; Spannungsgeschwindigkeit f; Anstrengungsgeschwindigkeit f, Beanspruchungsgeschwindigkeit f	vitesse f de déformation; vitesse de sollicitation, vitesse d'effort	скорость деформации, скорость деформирования; скорость нагрузки
R 581	**rate of strain field**	Deformationsgeschwindigkeitsfeld n	champ m de vitesses de déformation	поле скоростей деформации
	rate of strain hardening	s. rate of work hardening		
R 582	**rate-of-strain tensor**, rate[-] of [-]deformation tensor	Formänderungsgeschwindigkeitstensor m, Deformations[geschwindigkeits]tensor m, Verformungsgeschwindigkeitstensor m, Verzerrungsgeschwindigkeitstensor m	tenseur m de[s] vitesses de déformation	тензор скоростей деформации (деформаций)
R 583	**rate of stream flow** <hydr.>	Wasserführung f <Hydr.>	module m absolu, abondance f [absolue], décharge f <hydr.>	расход воды; водоносность <гидр.>
	rate of vaporization	s. rate of evaporation		
	rate of vertical descent	s. descent velocity		
	rate of volume flow	s. volume flow		
	rate of work hardening	s. work-hardening coefficient		
	rate response	s. rate action		
	rate time	s. derivative-action time		
	rating, end scale value, maximum scale value	Meßbereichsendwert m, Meßbereichendwert m	limite f de l'étendue, limite du domaine de mesure	предел области измерения, предел диапазона измерений
R 584	**rating**, rated value, nominal value	Nennwert m, Nominalwert m	valeur f nominale	номинальная величина, номинальное значение, номинал; номинальный параметр <реле>
	rating	s. a. rated power		
	rating	s. a. valuation		
	rating curve	s. discharge rating curve		
R 584a	**ratio**, rate, proportion	Verhältnis n, Verhältniszahl f	rapport m	отношение
R 585	**ratio accuracy**	Verhältnisgenauigkeit f	précision f de rapport	точность по отношению, точность отношения
R 586	**ratio arm bridge circuit**	Verhältnisarm-Brückenschaltung f	circuit m en pont à bras de rapport, pont m à bras de rapport	измерительный мост с плечом отношения, мостовая схема с плечом отношения
	ratio between the principal specific heats	s. ratio of the specific heats		
R 587	**ratio control**	Verhältnisregelung f	réglage m du rapport	регулирование соотношений
R 588	**ratio detector**	Ratiodetektor m, Verhältnisgleichrichter m, Verhältnisdetektor m	détecteur m de rapport	детектор отношения (отношений), дробный детектор
R 589	**ratio error**	Übersetzungsfehler m <in %>, prozentualer Übersetzungsfehler	erreur f de rapport	погрешность трансформации <в %>
R 589a	**ratio estimator**	Verhältnisschätzung f, Quotientenschätzung f	estimateur m par quotient	оценка в виде отношения
R 590	**ratio[-]meter; ratiometer movement;** logometer, quotient meter	[dynamometrischer] Quotientenmesser m, Quotientmesser m; Quotientenstrommesser m; Drehspul-Quotientenmesser m, Kreuzspulinstrument n, T-Spulinstrument n, Quotientenmesser mit Drehpulsystem, Kreuzfeldinstrument n; Quotientenmeßwerk n; Kreuzspulmeßwerk n; Drehspul-Quotientenmeßwerk n; T-Spulmeßwerk n, T-Spul-Meßwerk n, T-Spul-Quotientenmeßwerk n	logomètre m, quotientmètre m; équipage m du logomètre, équipage logométrique	логометр, измеритель отношения тока, динамометрический электроизмерительный прибор с двумя катушками, измерительный прибор со скрещенными катушками, измерительный прибор с двумя скрещивающимися катушками; логометр с T-образной рамкой; электроизмерительный прибор с двумя катушками под прямым углом; измерительный механизм логометра
	rational formula	s. structural formula		
R 591	**rational function**	[gebrochen] rationale Funktion f	fonction f rationnelle, fraction f rationnelle, expression f rationnelle	дробно-рациональная функция, рациональная дробь (функция)
	rational integer	s. integer		
	rationality law	s. law of rational indices		
	rationalized form	s. rationalized notation		

	English	German	French	Russian
R 592	**rationalized m.k.s. coulomb system [of units]**	MKSQ-System n, Meter-Kilogramm-Sekunde-Coulomb-System n	système m M.K.S.Q. [d'unités], MKSQ-système m	система МКСК, система единиц МКСК, система метр-килограмм-секунда-кулон
R 593	**rationalized notation,** rationalized form	rationale Schreibweise f, rationale Form f	notation f rationnelle, forme f rationnelle	рационализованная форма
R 594	**rationalized system [of units]**	rationales Einheitensystem (Maßsystem, System) n	système m rationnel [d'unités]	рационализованная система [единиц]
R 595	**rationalized unit**	rationale Einheit f, rationale Maßeinheit f	unité f rationnelle, unité rationalisée	рационализованная единица
	rationalized unit	s. a. absolute unit		
R 596	**ratio network**	Verhältnisnetzwerk n	réseau m de rapport	многополюсник отношения
R 597	**ratio of bearing contact area,** ratio of contact area, [bearing] contact area ratio, bearing contact area percentage	Traganteil m	aire f de contact en pourcent, rapport m de l'aire de contact	доля площади контактной поверхности, площадь контактной поверхности опоры в процентах
	ratio of components	s. mixture proportion		
	ratio of concentration	s. distribution coefficient		
	ratio of concentrations, concentration ratio	Konzentrationsverhältnis n	proportion f de la concentration	соотношение концентраций
	ratio of contact area	s. ratio of bearing contact area		
R 598	**ratio of contraction of volume,** cubic contraction	kubische Kontraktion f, kubische Zusammenziehung f	contraction f cubique	объемное сжатие, относительное объемное сжатие
	ratio of reduction	s. reduction ratio		
R 599	**ratio of similitude**	Ähnlichkeitsverhältnis n	rapport m de similitude	коэффициент подобия
	ratio of the lens aperture, aperture ratio, relative aperture <of objective>	Öffnungsverhältnis n, relative Öffnung f, [geometrisch-optische] Lichtstärke f <Objektiv>	ouverture f relative <de l'objectif>	относительное отверстие, относительная апертура, светосила <объектива>
R 600	**ratio of the specific heat at constant pressure to that at constant volume, ratio of the specific heat capacities, ratio of the specific heats,** ratio between the principal specific heats, specific heat ratio, heat capacity ratio, adiabatic exponent, adiabatic index, gamma	Verhältnis n der spezifischen Wärmen, Verhältnis der spezifischen Wärmekapazitäten, Adiabatenexponent m	rapport m des chaleurs massiques, rapport des chaleurs spécifiques, indice m adiabatique, gamma m	коэффициент удельной теплоемкости, отношение удельных теплоемкостей, показатель адиабаты
	ratio of the windings, turns ratio, winding ratio	Windungs[zahl]verhältnis n, Windungsübersetzung f	rapport m d'enroulement	отношение витков
	ratio of transmission	s. transmission ratio		
	ratio of verniers, vernier ratio	Nonienverhältnis n	rapport m des verniers	отношение верньеров; отношение нониусов
R 601	**ratio of voltage division,** voltage division ratio	Spannungsteilungsverhältnis n	rapport m de division de tension	кратность (отношение, коэффициент) деления напряжения
R 602	**ratio resistor**	Verhältniswiderstand m	résistance f de rapport	сопротивление плеча отношения [измерительного моста]
	ratio test	s. Cauchy['s] ratio test		
R 603	**ratran, ratran system**	RATRAN-System n, Ratran-System n	système m RATRAN, système Ratran, Ratran m	система радионавигации «Ратран»
R 604	**Raubitschek curve**	Raubitschek-Kurve f	courbe f de Raubitschek	кривая Раубичека
R 605	**Rau['s] spectrum of freezing nuclei**	Rausches Gefrierkernspektrum n	spectre m des noyaux de congélation de Rau	спектр ядер замерзания Pay
	rawin, radiosonde, radiometeorograph, radio balloon, radio wind flight	Radiosonde f, Funksonde f, Aerosonde f, Radiometeorograph m	radiosonde f	радиозонд, радиометеорограф
R 605a	**raw moment,** unadjusted moment	unbereinigtes Moment (Stichprobenmoment) n	moment m non corrigé	момент без поправки на группировку
	ray, half-line <math.>	Halbgerade f, Strahl m <Math.>	semi-droite f, demi-droite f <math.>	полупрямая, луч <матем.>
R 606	**ray,** ray[-] trajectory <opt.>	Strahl m <Opt.>	rayon m <opt.>	луч <опт.>
	ray	s. a. lunar ray		
R 607	**ray aberration**	Strahlaberration f	aberration f du rayon	аберрация луча
R 608	**ray acoustics**	Schallstrahlenmethode f, Schallstrahlenverfahren n	méthode f des rayons acoustiques	лучевая акустика
	ray acoustics	s. a. geometric acoustics		
R 609	**ray analysis**	Strahlanalyse f	analyse f par rayons	лучевой анализ, метод лучевого анализа
	ray cone	s. cone of light rays		
R 610	**ray direction,** direction of ray, direction of Poynting vector	Strahlrichtung f, Richtung f des Poyntingschen Vektors	direction f de rayon, direction du vecteur de Poynting	направление луча, направление вектора Умова-Пойнтинга
	ray ellipsoid, Fresnel['s] ellipsoid	Fresnelsches Ellipsoid (Ausbreitungsellipsoid) n, Strahlenellipsoid n	ellipsoïde m de Fresnel, ellipsoïde de rayons	эллипсоид Френеля
R 611	**ray equation**	Strahlengleichung f, Strahlgleichung f	équation f du rayon	уравнение луча
	ray from image point	s. image ray		
	ray from object point, object ray	Dingstrahl m	rayon m objet, rayon du point-objet	луч от точки объекта

	English	German	French	Russian
R 612	ray index	Strahlenindex m	indice m de rayon	лучевой показатель
R 613	rayl	Rayl n	rayl m	рэйл
R 614	Rayleigh ampere balance, Rayleigh balance	Stromwaage f nach Rayleigh, Rayleighsche Stromwaage, Rayleigh-Stromwaage f	balance f électrodynamique de Rayleigh, balance de Rayleigh	ампер-весы Рэлея, весы Рэлея
	Rayleigh and Jansen['s] method	s. Rayleigh-Jansen approach		
	Rayleigh and Jeans['] law	s. Rayleigh-Jeans['] law		
R 615	Rayleigh['s] approximation	Rayleighsche Näherung f; Rayleighscher Grenzfall m <Beugung>	approximation f de Rayleigh	приближение Рэлея
R 616	Rayleigh atmosphere	Rayleigh-Atmosphäre f, Luftsphäre f	atmosphère f de Rayleigh	атмосфера с рэлеевским рассеянием, атмосфера с рассеянием Рэлея
	Rayleigh balance	s. Rayleigh ampere balance		
R 617	Rayleigh constant	Rayleigh-Konstante f, Rayleighsche Konstante f	constante f de Rayleigh	постоянная Рэлея
R 618	Rayleigh criterion, Rayleigh number, Ra	Rayleigh-Zahl f, Rayleighsche Kennzahl (Zahl) f, Ra	nombre m de Rayleigh, critère m de Rayleigh, Ra	число Рэлея, критерий Рэлея, Ra
R 619	Rayleigh['s] criterion [for (of) resolution (resolving power)]	Rayleighsches Auflösungskriterium (Kriterium) n, Rayleigh-Kriterium n, Lambda-Viertel-Kriterium n, [Rayleighsches] $\lambda/4$-Kriterium n; Rayleighsche Lambda-Viertel-Regel f, Rayleighsche $\lambda/4$-Regel f, Viertelwellenlängenregel f	critère m de Rayleigh [pour le pouvoir résolvant]	критерий Рэлея [для разрешающей способности]
	Rayleigh['s] criterion of stability, Rayleigh['s] stability criterion	Rayleighsches Stabilitätskriterium n	critère m de stabilité de Rayleigh	критерий устойчивости Рэлея
R 620	Rayleigh cross-section, Rayleigh scattering cross-section, cross-section for Rayleigh scattering	Rayleigh-Streuquerschnitt m, Wirkungsquerschnitt m für (der) Rayleigh-Streuung	section f efficace de Rayleigh, section efficace de diffusion Rayleigh	сечение рэлеевского рассеяния
R 621	Rayleigh curve	Rayleighsche Kurve f	courbe f de Rayleigh	кривая Рэлея
R 622	Rayleigh disk	Rayleigh-Scheibe f, Rayleighsche Scheibe f, Schallreaktionsrad n	disque m de Rayleigh	диск Рэлея
	Rayleigh['s] dissipation function [of hydrodynamics]	s. viscous dissipation function <hydr.>		
R 623	Rayleigh distillation	Rayleigh-Destillation f, Rayleighsches Destillierverfahren n	distillation f de Rayleigh	рэлеевская дистилляция
R 624	Rayleigh distribution	Rayleighsche Verteilung f, Rayleigh-Verteilung f	distribution f de Rayleigh	рэлеевское распределение, распределение Рэлея
R 625	Rayleigh['s] equation [of group waves]	Rayleighsche Gleichung f [für die Gruppengeschwindigkeit], Rayleigh-Gleichung f	équation f de Rayleigh [pour la vitesse de groupe]	уравнение Рэлея [для групповой скорости]
	Rayleigh flow, diabatic flow	diabatische Strömung f	écoulement m diabatique	диабатическое течение
R 626	Rayleigh['s] formula <for distillation>	Rayleigh-Formel f, Rayleigh-Beziehung f, Rayleighsche Formel (Beziehung) f <Destillation>	formule f de Rayleigh [pour la distillation]	формула Рэлея [для дистилляции]
R 627	Rayleigh['s] formula <el.>	Rayleighsche Formel f <El.>	formule f de Rayleigh <él.>	формула Рэлея <эл.>
R 628	Rayleigh-Gans['] approximation	Rayleigh-Ganssche Näherung f	approximation f de Rayleigh-Gans	приближение Рэлея-Ганса
R 629	Rayleigh['s] integral equations	Rayleighsche Integralgleichungen fpl	équations fpl intégrales de Rayleigh	интегральные уравнения Рэлея
R 630	Rayleigh interferometer, Rayleigh refractometer	Interferometer n nach Rayleigh-Haber-Löwe, Rayleigh-[Haber-Löwe-] Interferometer n, Grubengasinterferometer n, Rayleigh-Refraktometer n	interféromètre m de Rayleigh, réfractomètre m de Rayleigh	интерферометр Рэлея, интерференционный рефрактометр Рэлея, рефрактометр Рэлея
R 631	Rayleigh-Jansen approach (method), Rayleigh and Jansen['s] method	Rayleigh-Jansensche Methode f	méthode f de Rayleigh-Jansen	метод Рэлея-Янсена
R 632	Rayleigh-Jeans['] equation (formula, law), Rayleigh-Jeans['] radiation formula, Jeans['] [radiation] law, Rayleigh and Jeans['] law	[Rayleigh-]Jeanssches Strahlungsgesetz n, Rayleigh-Jeanssche Strahlungsformel f, Strahlungsformel (Strahlungsgesetz) von Rayleigh und Jeans, Rayleigh-Jeanssche Formel f, Gesetz n von Rayleigh-Jeans	loi f de Rayleigh-Jeans, loi de rayonnement de Jeans, formule f de lord Rayleigh et Jeans, formule de Rayleigh-Jeans, approximation f de Rayleigh-Jeans	закон излучения Рэлея-Джинса, закон Рэлея-Джинса, закон луче-испускания Джинса
R 633	Rayleigh-Jeans['] principle, principle of Rayleigh and Jeans	Rayleigh-Jeanssches Prinzip n, Prinzip von Rayleigh und Jeans	principe m de Rayleigh et Jeans, principe de Rayleigh-Jeans	принцип Рэлея и Джинса, принцип Рэлея-Джинса
	Rayleigh-Jeans['] radiation formula	s. Rayleigh-Jeans['] equation		
R 634	Rayleigh['s] law, Rayleigh['s] scattering formula	Rayleighsches Gesetz n, Rayleighsche Streuformel f, $1/\lambda^4$-Gesetz n von Rayleigh	loi f de Rayleigh [de diffusion]	закон Рэлея [для рассеяния]

R 635	**Rayleigh['s] law** <for ferromagnetics>	Rayleighsches Gesetz n, Rayleigh-Gesetz n <für Ferromagnetika>	loi f de Rayleigh [pour les ferromagnétiques]	закон намагничивания Рэля, универсальный параболический закон намагничивания
R 636	**Rayleigh limit [for spherical aberration]**	Rayleigh-Grenze f, Lambda-Viertel-Grenze f, λ/4-Grenze f	limite f de Rayleigh	рэлеевская граница, рэлеева граница
R 637	**Rayleigh line**	Rayleigh-Linie f	raie f de Rayleigh, ligne f de Rayleigh	линия рэлеевского рассеяния, рэлеева (рэлеевская) линия, несмещенная линия
R 638	**Rayleigh loop**	Rayleigh-Schleife f, Rayleighsche Schleife f	boucle f de Rayleigh	рэлеевская петля, петля гистерезиса в области Рэля
R 638a	**Rayleigh mass scattering coefficient,** mass attenuation coefficient for coherent scattering	Massenschwächungskoeffizient m für kohärente Streuung, Rayleigh-Massenstreukoeffizient m	coefficient m d'atténuation massique (par unité d'épaisseur) correspondant à la diffusion cohérente, coefficient de diffusion Rayleigh massique	массовый коэффициент рэлеевского (когерентного) рассеяния
	Rayleigh number	s. Rayleigh criterion		
R 639	**Rayleigh pression**	Rayleighscher Schallstrahlungsdruck m	pression f de Rayleigh	давление Рэля
R 640	**Rayleigh['s] principle**	Rayleighsches Prinzip n, Prinzip von Rayleigh	principe m de Rayleigh	принцип Рэля
R 641	**Rayleigh['] quotient**	Rayleighscher Quotient m	quotient m de Rayleigh	отношение Рэля
	Rayleigh refractometer	s. Rayleigh interferometer		
R 642	**Rayleigh region**	Rayleigh-Bereich m, Rayleighscher Bereich m	région f de Rayleigh, zone f de Rayleigh	область Рэля
R 643	**Rayleigh-Ritz['] method,** Rayleigh-Ritz-Weinstein['s] method	Methode f von Rayleigh-Ritz, Rayleigh-Ritz[-Weinstein]sche Methode	méthode f de Rayleigh-Ritz[-Weinstein]	метод Рэля-Ритца[-Вайнштейна]
	Rayleigh-Ritz method	s. a. Ritz['] method		
	Rayleigh-Ritz principle	s. Ritz['] method		
	Rayleigh-Ritz-Weinstein['s] method	s. Rayleigh-Ritz['] method		
	Rayleigh scatter	s. Rayleigh scattering		
R 644	**Rayleigh scattered radiation**	Rayleighsche Streustrahlung f	rayonnement m diffusé de Rayleigh	рассеянное излучение Рэля
R 645	**Rayleigh scattering** <of light>, Rayleigh scatter	Rayleigh-Streuung f, Luftstreuung f, Rayleighsche Streuung f (Lichtstreuung f, diffuse Reflexion f), elastische (kohärente, klassische) Streuung	diffusion f de Rayleigh	рэлеевское рассеяние, рассеяние Рэля, диффузное рассеяние Рэля
R 646	**Rayleigh scattering coefficient**	Rayleigh-Streukoeffizient m, Rayleighscher Streukoeffizient m, Luftstreukoeffizient m	coefficient m de diffusion de Rayleigh	коэффициент рэлеевского рассеяния, коэффициент рассеяния Рэля
	Rayleigh scattering cross-section	s. Rayleigh cross-section		
	Rayleigh['s] scattering formula, Rayleigh['s] law	Rayleighsches Gesetz n, Rayleighsche Streuformel f, 1/λ4-Gesetz n von Rayleigh	loi f de Rayleigh [de diffusion]	закон Рэля [для рассеяния]
R 647	**Rayleigh scattering function**	Rayleighsche Streufunktion f	fonction f de diffusion de Rayleigh	функция рассеяния Рэля
R 648	**Rayleigh['s] scattering ratio**	Rayleighsches Streuverhältnis n	rapport m de Rayleigh	отношение Рэля
	Rayleigh-Schrödinger perturbation theory	s. time-independent perturbation theory		
R 649	**Rayleigh['s] series**	Rayleigh-Reihe f, Rayleighsche Reihe f	série f de Rayleigh	ряд Рэля
R 650	**Rayleigh['s] stability criterion,** Rayleigh['s] criterion of stability	Rayleighsches Stabilitätskriterium n	critère m de stabilité de Rayleigh	критерий устойчивости Рэля
R 651	**Rayleigh['s] surface**	Rayleighsche Fläche f	surface f de Rayleigh	рэлеева поверхность, поверхность Рэля
R 652	**Rayleigh['s] transformation**	Rayleigh-Transformation f, Rayleighsche Transformation f	transformation f de Rayleigh	преобразование Рэля
R 653	**Rayleigh wave,** surface wave of the Rayleigh type	Rayleigh-Welle f, Rayleighsche Welle (Oberflächenwelle) f, Oberflächenwelle Rayleighscher Art, R-Welle f	onde f de Rayleigh, onde de lord Rayleigh	волна Рэля
	raymark, radar beacon, ramark	Radarbake f	phare m radar	радиолокационная станция-маяк, радиолокационный маяк-ответчик
R 654	**ray of light,** light ray	Lichtstrahl m	rayon m lumineux	луч света, световой луч
	ray of projection	s. projecting ray		
	ray of reference	s. reference ray		
R 655	**ray of sound,** sound ray, acoustic ray, sonic ray	Schallstrahl m	rayon m [d'onde] sonore, jet m sonique	звуковой луч
R 656	**ray of the funicular polygon**	Seilstrahl m	rayon m du polygone funiculaire	луч веревочного многоугольника
	ray optics, geometrical optics	geometrische Optik f, Strahlenoptik f	optique f géométrique	геометрическая оптика, лучевая оптика
R 657	**ray pole** <geo.>	Strahlenpol m <Geo.>	pôle m de rayons, pôle radiaire <géo.>	лучистый полюс <гео.>
	rayproof	s. radiation-proof		

	English	German	French	Russian
R 658	**ray space**	Strahlenraum *m*	espace *m* des rayons	пространство лучей
R 659	**ray structure**, radiate structure, radial structure	Strahlenstruktur *f*, strahlenförmige Struktur *f*, strahlenförmiger Aufbau *m*	structure *f* de rayons, structure radiaire	лучистая структура, лучевая структура
R 660	**ray surface**, ray velocity surface, wave surface	Strahlenfläche *f*, Wellenfläche *f*	surface *f* de rayon, surface des vitesses de rayon, surface d'onde	лучевая поверхность, поверхность лучевых скоростей, поверхность волны
R 661	**ray tracing**, tracing of the rays	Strahlengangsbestimmung *f*	traçage (cheminement) *m* des rayons	определение траекторий лучей
	ray[-] trajectory, ray <opt.>	Strahl *m* <Opt.>	rayon *m* <opt.>	луч <опт.>
	ray[-] trajectory, path of rays, run of rays; trace of rays <US>	Strahlengang *m*, Strahlenverlauf *m*, Strahlenweg *m*, Strahlenbahn *f*	marche *f* (trajectoire *f*, trajet *m*, cheminement *m*) des rayons	ход лучей, путь лучей, траектория лучей
R 662	**ray vector**	Strahlvektor *m*	vecteur *m* de rayon, rayon *m* vecteur	вектор луча
R 663	**ray velocity**, energy velocity, velocity of energy transmission	Strahlengeschwindigkeit *f*, Geschwindigkeit *f* der Energiefortpflanzung, Energie[transport]-geschwindigkeit *f*	vitesse *f* de rayon, vitesse d'énergie, vitesse de transport de l'énergie	лучевая скорость, скорость передачи энергии
	ray velocity surface	s. ray surface		
	ray velocity surface	s. a. elementary wave		
R 664	**Razin effect, Razin-Zytovich effect**	Razin-Effekt *m*, Razin-Zytowitsch-Effekt *m*	effet *m* Razin, effet Razin-Tsytovitch	эффект Разина[-Цитовича], явление Разина[-Цитовича]
R 665	**R band** <26.5—40 Gc/s>	R-Band *n* <26,5···40 GHz>	gamme *f* R [de fréquences], bande *f* R [de fréquences] <26,5—40 Gc/s>	диапазон R [частот] <26,5÷40 *Ггц*>
	RBE dose, relative biological effectiveness dose <radiobiology>	RBW-Dosis *f*, biologische Äquivalenzdosis *f* <Strahlenbiologie>	dose *f* d'efficacité biologique relative, dose E.B.R. <radiobiologie>	биологическая доза излучения <радиобиология>
R 666	**R-branch**, positive branch	R-Zweig *m*, positiver Zweig *m*	branche *f* R, branche positive	R-ветвь, положительная ветвь
	R-C ...	s. resistance-capacitance ...		
R 667	**R Corona Borealis-type star**	R Coronae Borealis-Stern *m*, R Coronae-Veränderlicher *m*	variable *f* du type R Coronae Borealis	звезда типа R Северной Короны
R 668	**reabsorption**	Reabsorption *f*; Rückresorption *f*	réabsorption *f*	повторное поглощение, реабсорбция, обратное всасывание
R 669	**reach**, stretch <of the river>	Stromstrecke *f*, Flußstrecke *f*, Flußabschnitt *m*, Wasserstrecke *f* [des Flusses]	tronçon *m* [de la rivière]	участок реки
R 670	**reach**, pool <hydr.>	Haltung *f* <Hydr.>	bief *m* <hydr.>	бьеф <гидр.>
R 670a	**reach**; radius of action	Reichweite *f*; Wirkungsradius *m*, Aktionsradius *m*	portée; rayon *m* d'action	дальность действия; радиус действия
	reach [of sight]	s. visibility		
R 671	**reactance**, effective reactance, reactive impedance	Blindwiderstand *m*, Reaktanz *f*	réactance *f*	реактивное сопротивление, безваттное сопротивление, реактанс, реактанц, реактивность
	reactance amplification	s. parametric amplification		
	reactance amplifier, parametric amplifier, mavar <mixer amplification by variable reactance>	parametrischer Verstärker *m*, Reaktanzverstärker *m*, Mavar *m*	amplificateur *m* paramétrique, amplificateur à réactance	параметрический усилитель, квантовый параметрический усилитель
	reactance-capacitance coupling, complex coupling	komplexe Kopplung *f*, induktiv-kapazitive Kopplung	couplage *m* complexe, couplage réactance-capacité	индуктивно-емкостная связь, сочетание индуктивной и емкостной связи
R 672	**reactance circuit**	Stromkreis *m* mit Blindwiderstand, Reaktanzkreis *m*	circuit *m* avec réactance	цепь с реактивностью, реактивная цепь, реактивный контур
	reactance current	s. reactive current		
R 673	**reactance diode**	Reaktanzdiode *f*, parametrische Diode *f*	diode *f* à réactance, diode paramétrique	реактивный диод, параметрический диод
R 674	**reactance four-terminal network**, reactance quadripole	Reaktanzvierpol *m*	quadripôle *m* réactif	реактивный четырехполюсник, четырехполюсник с реактивным сопротивлением
R 675	**reactance function**	Reaktanzfunktion *f*	fonction *f* de réactance	функция реактивности
R 676	**reactance matrix**	Reaktanzmatrix *f*	matrice *f* de réactance	матрица реактивного сопротивления, матрица реактивности (реактанса)
R 677	**reactance meter**	Reaktanzmesser *m*	réactancemètre *m*	прибор для измерения реактивного сопротивления, измеритель реактивного сопротивления
	reactance modulator tube	s. reactance valve		
	reactance output	s. reactive power		
	reactance quadripole	s. reactance four-terminal network		
	reactance theorem [of Foster]	s. Foster['s] reactance theorem		
	reactance tube	s. reactance valve		
R 678	**reactance two-terminal network**	Reaktanzzweipol *m*	dipôle *m* réactif	реактивный двухполюсник, двухполюсник с реактивным сопротивлением

R 679	**reactance valve;** reactance tube, reactance modulator tube	Reaktanzröhre f, Blindröhre f, Blindleistungsröhre f, Impedanzröhre f	tube m à réactance [modulateur]	реактивная [электронная] лампа; реактивная модуляторная лампа
R 680	**reactance voltage,** leakage (stray) voltage	Streuspannung f, Reaktanzspannung f	tension f de réactance, tension réactive	напряжение рассеяния, реактивное напряжение
R 681	**reactant; reacting agent, reacting substance;** reagent	Reaktionsteilnehmer m, Reaktionspartner m, Reaktant m; Reagens n, Reaktionsmittel n	agent m réagissant, agent m réactif, réactif m	компонент, участвующий в реакции; вещество, участвующее в реакции; вещество, вступающее в реакцию; реагирующее вещество; реагент
	reaction	s. process		
R 682	**reaction,** retroaction, reactive effect <also el.>	Rückwirkung f, Reaktion f	réaction f, rétroaction f	обратное действие, обратное влияние, реакция
	reaction, countereffect, counteraction <mech.>	Gegenwirkung f, Reaktion f, „reactio" f <Mech.>	contre-action f, réaction f <méc.>	противодействие, реакция <мех.>
R 683	**reaction,** reaction of constraints, reactive force, constraining (restraining, restraint) force <mech.>	Zwangskraft f, Reaktionskraft f, Führungskraft f <Mech.>	force f de liaison, réaction f [des contraintes] <méc.>	реакция связей, реакция связи, сила реакции связи, пассивная сила, реакция <мех.>
	reaction	s. a. feedback <el.>		
	reaction accelerator	s. accelerator		
	reaction apparatus	s. chemical reactor		
R 684	**reaction capacitance,** reflected capacitance	Rückwirkungskapazität f	capacité f de réaction [interne]	емкость, создающая проводимость обратного действия; емкость обратной связи, емкость обратного действия
R 685	**reaction chain,** reaction sequence	Reaktionskette f, Reaktionsfolge f	chaîne f de réactions	реакционная цепь, цепь реакций
R 686	**reaction channel,** reaction species <nucl.>	Reaktionskanal m, Reaktionsweg m, Kanal m der Reaktion <Kern.>	canal m (voie f, chemin m) de la réaction, espèce f de réaction <nucl.>	канал реакции <яд.>
	reaction coil	s. reactor		
R 687	**reaction conductance;** grid-anode conductance <of thermionic valve>; feedback admittance	Rückwirkungsleitwert m	conductance f de réaction [interne]; admittance f de réaction [interne]	проводимость реакции, проводимость обратного действия; полная проводимость обратной связи
R 688	**reaction constant**	Reaktionskonstante f	constante f de la réaction	константа (постоянная) реакции
R 689	**reaction co-ordinate**	Reaktionskoordinate f	coordonnée f de réaction	реакционная координата
	reaction coupling	s. feedback		
R 690	**reaction cross-section,** nuclear reaction cross-section, cross-section for the reaction, cross-section for the nuclear reaction, cross-section for the nuclear process	Reaktionsquerschnitt m, Wirkungsquerschnitt m der (für die) Reaktion, Wirkungsquerschnitt der (für die) Kernreaktion, Wirkungsquerschnitt des Kernprozesses, Wirkungsquerschnitt für den Kernprozeß, Reaktionswirkungsquerschnitt m, Kernreaktions[wirkungs]querschnitt m	section f efficace de la réaction [nucléaire], section efficace du processus nucléaire	сечение реакции, сечение для реакции, эффективное сечение реакции, эффективное сечение для реакции, сечение ядерной реакции, сечение ядерного процесса
R 691	**reaction dynamics**	Reaktionsdynamik f	dynamique f de réaction, dynamique des réactions [chimiques]	динамика реакции, динамика химических реакций
	reaction energy	s. Q value <nucl.>		
	reaction enthalpy, enthalpy of reaction	Reaktionsenthalpie f, Reaktionswärme f bei konstantem Druck	enthalpie f de réaction, enthalpie de la réaction [chimique]	энтальпия реакции
R 692	**reaction equation,** reaction formula, equation of the reaction, formula of the reaction	Reaktionsgleichung f	équation f de la réaction, formule f de la réaction	уравнение реакции, формула реакции
	reaction field, Onsager['s] reaction field	Reaktionsfeld n [von Onsager]	champ m de réaction [d'Onsager]	реакционное поле [Онсагера]
R 693	**reaction field** <cryst.>	Rückwirkungsfeld n <Krist.>	champ m de réaction <crist.>	составляющая внутреннего поля в кристалле, вызванная поляризацией среды; поле реакции <крист.>
R 694	**reaction field in the dielectric structure,** polarization field	Polarisationsbereich m, Polarisationsfeld n	champ m de polarisation, domaine m de polarisation locale	область локальной поляризации, поле поляризации
R 695	**reaction force,** radiation reaction force, damping term	Strahlungsreaktionskraft f, Lorentzsche Dämpfungskraft f, Strahlungsrückwirkung f, Strahlungsbremsung f	force f de freinage lorentzienne, freinage m de rayonnement	сила лучистого торможения, сила лучистого трения
	reaction force	s. a. restoring force <mech.>		
	reaction formula	s. reaction equation		
R 696	**reaction-free four-terminal network**	rückwirkungsfreier Vierpol m, Trennvierpol m	quadripôle m sans réaction	разделительный четырехполюсник, четырехполюсник без обратного действия, четырехполюсник одностороннего действия

	reaction fusion	*s.* reaction melting		
R 696a	**reaction gas chromatography**	Reaktionsgaschromatographie *f*	chromatographie *f* gazeuse à réaction	реакционная газовая хроматография
	reaction heat	*s.* heat effect		
R 697	**reaction impedance,** reflected impedance	Rückwirkungswiderstand *m*, übertragener Scheinwiderstand *m*	résistance (impédance) *f* de réaction [interne], impédance insérée	сопротивление реакции, внесенное полное сопротивление
R 698	**reaction isobar,** isobar of reaction, Van 't Hoff reaction isobar	Reaktionsisobare *f*, van't Hoffsche Reaktionsisobare, Gleichung *f* der Reaktionsisobaren, van't Hoffsche Gleichung	isobare *f* de réaction [de Van't Hoff], équation *f* de l'isobare de réaction	уравнение изобары реакции, уравнение Вант-Гоффа, изобара реакции
R 699	**reaction isochore,** isochore of reaction, van 't Hoff [reaction] isochore	Reaktionsisochore *f*, van't Hoffsche Reaktionsisochore, Gleichung *f* der Reaktionsisochoren	isochore *f* de la réaction [de Van't Hoff], équation *f* de l'isochore de réaction	уравнение изохоры реакции, изохора реакции
	reaction isotherm	*s.* law of mass action		
R 700	**reaction[-] kinetic,** kinetic <chem.>	reaktionskinetisch, kinetisch <Chem.>	cinétique <chim.>	кинетический, реакционно-кинетический <хим.>
R 701	**reaction kinetics,** kinetics of reaction, chemical kinetics	Reaktionskinetik *f*, chemische Reaktionskinetik, chemische Kinetik *f*	cinétique *f* de réaction, cinétique des réactions [chimiques], cinétique chimique	кинетика реакции, химическая кинетика
	reactionless	*s.* passive <chem.>		
	reactionlessness, inactivity, inertness <chem.>	chemische Trägheit *f*, Reaktionsträgheit *f*, Inaktivität *f* <Chem.>	inertie *f* chimique <chim.>	химическая инертность, реакционная инертность <хим.>
	reaction limit, limit of reaction	Reaktionsgrenze *f*	limite *f* réactionnelle	предел реакции
R 702	**reaction mass**	Reaktionsmasse *f*	masse *f* de réaction	реакционная масса
R 703	**reaction melting,** reaction fusion	Reaktionsschmelzen *n*	fusion *f* à réaction	реакционное плавление, реакционная плавка
	reaction of constraints	*s.* reaction <mech.>		
R 704	**reaction of first <zero; second; n-th; higher> order,** first-order reaction	Reaktion *f* erster <nullter; zweiter; *n*-ter; höherer> Ordnung	réaction *f* de premier <deuxième *ou* second; *n*-ième; plus haut> ordre; réaction d'ordre un <zéro; deux; *n*>	реакция первого <нулевого; второго; *n*-ого; высшего> порядка
	reaction of (n,p) type	*s.* (n,p) reaction		
	reaction of the third order, trimolecular reaction, termolecular reaction	trimolekulare Reaktion *f*, Reaktion dritter Ordnung	réaction *f* trimoléculaire, réaction de troisième ordre	тримолекулярная реакция, реакция третьего порядка
	reaction order, order of reaction, order of chemical reaction	Reaktionsordnung *f*, Ordnung *f* der Reaktion	ordre *m* de la réaction [chimique], ordre de réaction	порядок реакции
R 705	**reaction overpotential;** reaction polarization	Reaktionsüberspannung *f*; Reaktionspolarisation *f*	surtension *f* de réaction; polarisation *f* de réaction	реакционное перенапряжение; реакционная поляризация
	reaction paper	*s.* indicator paper		
	reaction polarization	*s.* reaction overpotential		
	reaction pressure, backpressure, back pressure, counterpressure	Gegendruck *m*	contre-pression *f*, réaction *f*	противодавление, обратное давление, реакция давления, реакция
R 706	**reaction principle**	Rückstoßprinzip *n*	principe *m* de réaction	реактивный принцип, принцип реактивного движения
	reaction proceeding directly	*s.* direct interaction type of reaction <nucl.>		
R 707	**reaction propulsion;** rocket propulsion; jet propulsion	Strahlantrieb *m*; Düsenantrieb *m*; Raketenantrieb *m*	propulsion *f* à réaction; propulsion par (à) fusée; propulsion par (à) jet	реактивная тяга; реактивный привод; струйная тяга, тяга струи; струйный привод
R 708	**reaction rate,** rate of reaction, reaction velocity <chem.>	Reaktionsgeschwindigkeit *f* <Chem.>	vitesse *f* de la réaction <chim.>	скорость реакции <хим.>
	reactions at the supports	*s.* support reactions		
	reaction sequence, reaction chain	Reaktionskette *f*, Reaktionsfolge *f*	chaîne *f* de réactions	реакционная цепь, цепь реакций
	reaction species	*s.* reaction channel		
R 709	**reaction stage (step)**	Reaktionsschritt *m*; Reaktionsstufe *f*; Reaktionsstadium *n*	étape *f* de la réaction; stade *m* de la réaction	стадия реакции; ступень реакции
R 710	**reaction threshold,** threshold of the reaction	Reaktionsschwelle *f*, Schwellenenergie *f* der Reaktion	seuil *m* de la réaction	порог реакции, энергетический порог реакции
	reaction time; response time; time of the onset of the excitation <bio.>	Reaktionszeit *f*	temps *m* de réaction	время реакций
R 711	**reaction turbine,** Parsons turbine	Überdruckturbine *f*, Reaktionsturbine *f*, Parsons-Turbine *f*	turbine *f* à réaction, turbine Parsons	[паровая] реактивная турбина, напорно-струйная турбина, избыточная турбина, турбина Парсонса
	reaction velocity	*s.* reaction rate <chem.>		
	reaction wheel	*s.* Segner['s] water wheel		
R 712	**reaction width**	Reaktionsbreite *f*	largeur *f* de la réaction	ширина реакции
	reaction yield, nuclear reaction yield	Ausbeute *f* der Kernreaktion, Reaktionsausbeute *f*	rendement *m* de la réaction nucléaire, rendement de réaction	выход ядерной реакции, выход реакции
	reaction zone	*s.* core <of reactor>		

	English	German	French	Russian
R 713	**reactivation**; reconstruction, reconstruction of plasma structure <bio.>	Reaktivierung f	réactivation f	реактивация, повторная активация, вторичное приведение в действие; регенерация; восстановление
R 714	**reactive** <chem.>	reaktionsfähig <Chem.>	réactif <chim.>	реакционноспособный <хим.>
	reactive, wattless, idle <el.>	Blind-, wattlos, leistungslos <El.>	réactif, déwatté <él.>	реактивный, безваттный, не потребляющий мощности <эл.>
	reactive admittance	s. reaction conductance		
	reactive coil	s. choke		
R 715	**reactive component**, wattless (idle, imaginary) component	Blindanteil m, Blindkomponente f, Imaginärteil m einer komplexen elektrischen Größe, wattlose Komponente f, Wattloskomponente f	composante f réactive (déwattée)	реактивная составляющая
R 716	**reactive current**, wattless current, idle current, imaginary current, reactance current	Blindstrom m, wattloser Strom m, Wattlosstrom m	courant m réactif, courant déwatté	реактивный ток
	reactive effect	s. reaction <also el.>		
R 717	**reactive element**	Blindelement n	élément m réactif	реактивный элемент
R 718	**reactive-energy meter**, var-hour meter, wattless component meter	Blindverbrauchszähler m, Blindwattstundenzähler m	varheuremètre m, compteur m d'énergie réactive	счетчик варчасов, счетчик реактивной энергии
R 718a	**reactive evaporation**	reaktive Aufdampfung f	évaporation (métallisation) f réactive	реактивное распыление
R 719	**reactive factor** <el.>	Blindfaktor m, Blindleistungsfaktor m <El.>	facteur m de réactivité, facteur réactif <él.>	коэффициент реактивности <эл.>
R 720	**reactive feedback**, wattless feedback	Blindrückkopplung f, Blindstromrückkopplung f	réaction f réactive	реактивная обратная связь
R 721	**reactive force**	Rückwirkungskraft f	force f réactive	реактивная сила
	reactive force	s. a. reaction <mech.>		
	reactive impedance	s. reactance		
R 722	**reactive load** <el.>	Blindlast f, Blindbelastung f <El.>	charge f réactive <él.>	реактивная нагрузка <эл.>
R 723	**reactive mixture**	Treibstoffgemisch n	mélange m réactif	реактивная смесь, топливная смесь
	reactiveness	s. reactivity <chem.>		
	reactive permeability	s. imaginary part of complex permeability		
R 724	**reactive power**, wattless (idle, imaginary) power, reactive volt-amperes, blind power	Blindleistung f, wattlose Leistung f, Wattlosleistung f	puissance f réactive, puissance déwattée	реактивная мощность
R 725	**reactive voltage**, wattless (idle, imaginary) voltage, reactance power	Blindspannung f, wattlose Spannung f, Wattlosspannung f	tension f réactive, tension déwattée	реактивное напряжение
	reactive volt[-]ampere	s. var		
	reactive volt-amperes	s. reactive power		
R 726	**reactive wave**	rückwirkende Welle f	onde f réactive (de réaction)	реактивная волна
R 726a	**reactivity**, reactiveness <chem.>	Reaktionsfähigkeit f, Reaktionsvermögen n, Reaktivität f <Chem.>	réactivité f, capacité f réactionnelle <chim.>	реакционная способность, реактивность <хим.>
R 727	**reactivity** <of reactor>	Reaktivität f <Reaktor>	réactivité f <du réacteur>	реактивность <реактора>
R 728	**reactivity balance**	Reaktivitätsbilanz f	bilan m de la réactivité	баланс реактивности
R 729	**reactivity coefficient**	Reaktivitätskoeffizient m	coefficient m de réactivité	коэффициент реактивности
R 730	**reactivity density**, multiplication density	Reaktivitätsdichte f	réactivité f volumique, densité f de réactivité	плотность реактивности
R 730a	**reactivity equivalent**	Reaktivitätsäquivalent n	équivalent m en réactivité	эквивалентная реактивность
R 731	**reactivity excess**	Reaktivitätsüberschuß m, überschüssige Reaktivität f, Überschußreaktivität f	excédent m de réactivité, réactivité f excédentaire (soustraite), excès m de réactivité	избыточная реактивность, избыток реактивности
	reactivity fluctuation	s. reactivity noise		
R 732	**reactivity meter**	Reaktivitätsmesser m	réactimètre m	прибор для измерения реактивности, измеритель реактивности
R 733	**reactivity noise**, reactivity fluctuation	Reaktivitätsrauschen n, Reaktivitätsschwankung f	bruit m (fluctuation f) de la réactivité	шум реактивности, флуктуация реактивности
R 734	**reactivity oscillation**	Reaktivitätsoszillation f	oscillation f de réactivité	колебание (осцилляция) реактивности
	reactivity oscillator	s. reactor oscillator		
	reactivity temperature coefficient, temperature coefficient of reactivity	Temperaturkoeffizient m der Reaktivität, Reaktivitäts-Temperaturkoeffizient m	coefficient m de température de la réactivité	температурный коэффициент реактивности
	reactor, chemical reactor, reaction apparatus <chem.>	chemischer Reaktor m, Reaktor, Reaktionsapparat m <Chem.>	réacteur m chimique, réacteur, appareil m de réactions <chim.>	химический реактор, реактор, реакционный аппарат <хим.>
R 735	**reactor**, reactor (reaction) coil <el.>	Reaktanzspule f, Reaktanz f <El.>	bobine f de réactance <él.>	реактивная катушка, реактор <эл.>
R 736	**reactor**, nuclear reactor, pile, nuclear pile, chain-reacting pile <nucl.>	Reaktor m, Kernreaktor m, Pile m <Kern.>	réacteur m, réacteur nucléaire, pile f, pile nucléaire <nucl.>	реактор, ядерный реактор <яд.>
R 737	**reactor activation**, pile activation	Reaktoraktivierung f, Pileaktivierung f, Aktivierung f im Kernreaktor	activation f dans le réacteur [nucléaire]	активация в ядерном реакторе

R 738	**reactor behaviour**	Reaktorverhalten *n*, Reaktorbetriebsverhalten *n*, Reaktorbetriebsregime *n*	comportement *m* du réacteur [nucléaire], régime *m* du réacteur [nucléaire]	режим реактора, поведение реактора
R 738a	**reactor calculation;** reactor computation	Reaktorberechnung *f*	calcul *m* du réacteur	расчет реактора
	reactor coil	*s.* reactor ⟨el.⟩		
	reactor computation	*s.* reactor calculation		
R 739	**reactor coolant,** coolant, cooling agent ⟨of reactor⟩	Kühlmittel *n* ⟨Reaktor⟩	fluide *m* de refroidissement, fluide caloporteur ⟨du réacteur⟩	теплоноситель ⟨реактора⟩
	reactor cooled and moderated by ordinary water	*s.* water-water reactor		
	reactor core	*s.* core ⟨of reactor⟩		
	reactor coupling	*s.* choke coupling		
R 740	**reactor design,** reactor planning	Reaktorprojektierung *f*; Reaktorplanung *f*	étude *f* du réacteur; projet *m* du réacteur	проектирование реактора; планирование реактора
	reactor-emitted radiation	*s.* reactor radiation		
R 741	**reactor envelope,** reactor shell	Reaktormantel *m*	enveloppe *f* de réacteur	оболочка реактора
	reactor fluctuation, pile noise, reactor noise, pile fluctuation	Reaktorrauschen *n*, Rauschen *n* des Reaktors	bruit *m* du réacteur, fluctuation *f* du réacteur	шум реактора, флуктуация реактора
R 742	**reactor-grade**	reaktorrein	nucléairement pur	ядерно[-]чистый
R 743	**reactor lattice,** core lattice	Reaktorgitter *n*	réseau *m* [du réacteur], réseau multiplicateur	решетка реактора, решетка активной зоны реактора
	reactor neutron, nuclear pile neutron, pile neutron	Reaktorneutron *n*	neutron *m* du réacteur, neutron de la pile	нейтрон из реактора, нейтрон реактора, котельный нейтрон
	reactor neutron spectrum	*s.* pile spectrum		
	reactor noise	*s.* [nuclear] reactor fluctuation		
	reactor oscillator, [nuclear] pile oscillator, reactivity oscillator	Reaktoroszillator *m*, Pile-oszillator *m*	oscillateur *m* de pile, oscillateur de réacteur	реакторный осциллятор
	reactor period	*s.* period		
	reactor period meter	*s.* period meter		
	reactor planning	*s.* reactor design		
R 744	**reactor plant**	Reaktoranlage *f*	ensemble *m* du réacteur, ensemble de la pile	реакторная установка
	reactor poison, nuclear poison, neutron poison	Reaktorgift *n*, Neutronengift *n*, starker Neutronenabsorber *m*	poison *m* nucléaire, poison du réacteur [nucléaire]	вещество, отравляющее реактор; шлак
	reactor power, reactor power level, power of the reactor, power level of the reactor	Leistung *f* des Reaktors, Reaktorleistung *f*	puissance *f* du réacteur [nucléaire], puissance de la pile, puissance neutronique du réacteur	мощность реактора
R 745	**reactor purity**	Reaktorreinheit *f*	pureté *f* pour le réacteur	чистота для реактора
	reactor radiation, pile radiation, pile-emitted radiation, reactor-emitted radiation	Reaktorstrahlung *f*	rayonnement *m* du réacteur	излучение реактора, излучение из реактора; радиационное излучение из реактора
R 746	**reactor runaway,** runaway of the reactor	Reaktordurchgang *m*, Durchgang *m* (Durchgehen *n*) des Reaktors	emballement *m*, emballement du réacteur [nucléaire]	разгон реактора, неуправляемый разгон реактора
	reactor shell, reactor envelope	Reaktormantel *m*	enveloppe *f* de réacteur	оболочка реактора
R 747	**reactor shielding**	Reaktorabschirmung *f*	blindage *m* du réacteur [nucléaire]	защита ядерного реактора, защита реактора
	reactor shut-down, shut-down of the reactor	Abschaltung (Außerbetriebsetzung, Stillsetzung) *f* des Reaktors	arrêt *m* du réacteur	выключение реактора, остановка реактора
R 748	**reactor simulator**	Reaktorsimulator *m*	simulateur *m* de réacteur	симулятор реактора, [электронная] модель реактора
	reactor spectrum	*s.* pile spectrum		
	reactor tank	*s.* reactor vessel		
	reactor time constant	*s.* period		
R 749	**reactor vessel,** reactor tank, core tank	Reaktordruckgefäß *n*; Reaktorgefäß *n*, Reaktorbehälter *m*	caisson *m* de réacteur, cuve *f* de réacteur, récipient *m* de réacteur	корпус реактора, бак реактора, сосуд реактора
	read	*s.* read off		
R 750	**Read diode**	Read-Diode *f*	diode *f* de Read	диод Рида
R 751	**reader lens,** reading magnifier	Leseglas *n*, Ableselupe *f*	loupe *f* de lecture	лупа для отсчета (производства отсчетов)
R 752	**readily volatile,** easily volatilized	leichtflüchtig	très volatil	легколетучий
R 753	**read-in**	Einlesen *n*	enregistrement *m*	запись
R 754	**reading**	Ablesung *f*; Stand *m* ⟨Meß.⟩	lecture *f*	отсчет [показаний]; снятие показаний
R 755	**reading,** readout ⟨of storage⟩	Lesen *n*, Abfragen *n* ⟨Speicher⟩	lecture *f* ⟨de la mémoire⟩	считывание ⟨записанной информации⟩, запрашивание, опрашивание
	reading magnifier	*s.* reader lens		
R 756	**reading micrometer**	Ablesemikrometer *n*	micromètre *m* de lecture	отсчетный микрометр
R 757	**reading microscope,** reading-off microscope	Ablesemikroskop *n*; Schätzmikroskop *n*, Strichmikroskop *n*	microscope *m* de lecture	шкаловый (отсчетный) микроскоп, микроскоп для отсчета (производства отсчетов); микроскоп-оценщик; штриховой микроскоп

	English	German	French	Russian
R 758	reading microscope with optical flat	Planglasmikroskop n	microscope m de lecture à lame à faces parallèles	отсчетный микроскоп с плоскопараллельной пластинкой
	reading-off microscope	s. reading microscope		
	reading of the barometer, barometer reading, barometric height	Barometerstand m	indication f barométrique, hauteur f barométrique, hauteur du baromètre	уровень барометра, барометрическая высота, показание барометра
	reading on the dry-bulb thermometer	s. dry-bulb reading		
	reading on the wet-bulb thermometer	s. wet-bulb temperature		
R 759	reading telescope	Ablesefernrohr n	télescope m de lecture	отсчетный телескоп, оптический верньер
R 760	readjustment	Nachjustierung f; Nachstellung f; Nachregulierung f, Nachregelung f	réajustage m	доюстировка; исправление установки; дополнительная (повторная) регулировка, последующее (уточняющее) регулирование, подрегулировка; доведение; выверка
R 761	Read['s] model	Readsches Modell n	modèle m de Read	модель Рида
R 762	read off, read, take readings	ablesen, eine Ablesung vornehmen	faire une lecture, lire	отсчитывать, снимать (замечать) показания прибора, производить (делать, брать) отсчет
	readout	s. reading <of storage>		
	reagent	s. reactant		
	real; true, veritable	real; echt, wahr, tatsächlich, wirklich, absolut	réel, vrai, véritable	реальный; истинный, действительный
R 763	real <math.>	reell <Math.>	réel <math.>	вещественный, действительный <матем.>
R 764	real circuit, side circuit, physical circuit (line)	Stammleitung f	circuit m réel	основная цепь, физическая цепь, основная линия
R 765	real component, active component, effective component	Wirkkomponente f, Wattkomponente f, Wirkanteil m, Wirkwert m	composante f réelle, composante active, composante wattée, composante efficace	активная составляющая
	real component	s. a. real part		
R 765a	real correction	Realkorrektion f	correction f pour l'état réel	поправка на реальное состояние
	real crystal	s. imperfect crystal		
	real current, active current, wattful current	Wirkstrom m, Wattstrom m	courant m actif, courant watté, courant réel	активный ток, активная составляющая тока
R 766	real displacement	wirkliche Verrückung f, wirkliche Verschiebung f	déplacement m réel	истинное смещение
	real element, active element, in-phase element	Wirkelement n	élément m actif, élément en phase, élément réel	активный элемент
R 766a	real gas, imperfect gas	reales Gas n, Realgas n	gaz m réel (imparfait)	реальный газ
R 767	real height [of reflection], true height [of reflection]	tatsächliche Reflexionshöhe f	hauteur f réelle [de couche ionisée]	действительная высота [ионизированного слоя], истинная высота [ионизированного слоя]
R 767a	real horizon	natürlicher Horizont m	horizon m réel (naturel)	естественный горизонт
R 768	real image	reelles (auffangbares, wirkliches) Bild n	image f réelle, image efficace	действительное изображение
R 769	realization function	Realisierungsfunktion f	fonction f de réalisation	функция реализации
R 770	real lattice	Realgitter n, reales Gitter n	réseau m réel	реальная решетка
R 771	real liquid	reale Flüssigkeit f, wirkliche Flüssigkeit	liquide m naturel, liquide réel	реальная жидкость
R 772	real part	Realteil m	partie f réelle	действительная (вещественная) часть
R 773	real part of complex permeability	Reiheninduktivitätspermeabilität f, Realteil m der komplexen Permeabilität	partie f réelle de la perméabilité complexe	упругая (консервативная) проницаемость, вещественная часть комплексной магнитной проницаемости
	real part of the admittance, effective conductance	Wirkleitwert m, Wirkanteil m des komplexen Gesamtleitwertes, Parallelwirkleitwert m	conductance f [effective], partie f réelle de l'admittance	активная проводимость, действующая проводимость, вещественная часть полной проводимости
	real pole arc, pole arc	Polbogen m, tatsächlicher Polbogen	arc m polaire, arc polaire réel	[действительная] полюсная дуга
	real power	s. active power <el.>		
	real power	s. actual power		
	real resistance	s. resistance <el.>		
R 774	real-to-random ratio	Verhältnis n der echten Impulse zu den zufälligen	rapport m des coups réels et parasites	отношение числа действительных отсчетов к случайным
	real value	s. actual value <meas.>		
R 775	real-valued function	reelle Funktion f	fonction f réelle	действительная функция
	real value indication	s. indication of absolute value		
	real voltage	s. active voltage		
	ream	s. stria <in glass>		
R 776	rear depth of field, backward depth of field	Hintertiefe f, rückwärtige Tiefe f	limite f postérieure de la profondeur de champ	задний предел глубины резкости, задняя граница глубины резкости
	rear diaphragm, back diaphragm	Hinterblende f	diaphragme m postérieur	задняя диафрагма
	rear lens	s. back lens		
	rear lobe	s. side lobe		
R 777	rear principal point, image principal point, internal perspective centre	Bildhauptpunkt m, bildseitiger (hinterer) Hauptpunkt m	point m principal image, point principal postérieur	задняя главная точка

R 778	rear projection	Durchprojektion f	projection f par transparence	рирпроекция, проекция на просвет, сквозная проекция
R 779	rearrangement; transposition; permutation <gen.>	Umlagerung f, Verlagerung f; Umordnung f; Umstellung f; Umsetzung f; Vertauschung f <allg.>	réarrangement m; regroupement m; interversion f; transposition f; permutation f; substitution f <gén.>	перегруппировка; перестановка; подстановка; изменение порядка; перераспределение; перемена <общ.>
R 780	rearrangement, reorganization, transposition, transformation <chem.>	Umlagerung f, Umgruppierung f <Chem.>	regroupement m, transposition f <chim.>	перегруппировка, перегруппирование, перестройка <хим.>
R 781	rearrangement, shuffling <math.>	Umordnung f <Math.>	réarrangement m <math.>	перестановка, перегруппировка <матем.>
R 782	rearrangement collision	Umordnungsstoß m, Umlagerungsstoß m	collision f de réarrangement, choc m de réarrangement	столкновение с перегруппировкой; соударение, приводящее к перегруппировке
R 783	rearrangement reaction, transposition reaction	Umlagerungsreaktion f	réaction f de regroupement, réaction de transposition	реакция перегруппировки
R 784	rearrangement structure	Umordnungsstruktur f	structure f de regroupement	структура перегруппировки
R 785	rearranging operator	Anordnungsoperator m; Umordnungsoperator m	opérateur m de réarrangement	оператор перегруппировки
R 786	rear side of the cyclone, back side of the cyclone	Zyklonenrückseite f, Zyklonenrücken m	derrière m du cyclone, revers m du cyclone, dos m du cyclone	тыл циклона
	rear silver coating (surfacing)	s. mirror lining		
R 787	rear stagnation point, point of coalescence <hydr., aero.>	Abflußpunkt m, hinterer Staupunkt m <Hydr., Aero.>	point m d'arrêt aval, point de stagnation postérieur, point d'arrêt postérieur <hydr., aéro.>	точка схода, задняя критическая точка, задняя точка торможения <гидр., аэро.>
	rear vergence, image vergence, back vergence	bildseitige Vergenz f, Bildvergenz f	vergence f image, vergence postérieure	задняя вергенция, вергенция изображения
R 788	reasons of symmetry / for, for symmetry sake	aus Symmetriegründen	par raison de symétrie, à cause de la symétrie	по условиям симметрии, в силу симметрии
R 788a	re[-]attachment of boundary layer	Wiederanlegen n der Grenzschicht	rattachement m de la couche limite	повторное присоединение пограничного слоя
R 789	re[-]attachment of flow, flow re-attachment	Wiederanlegen n der Strömung	recollement m	повторное присоединение потока, восстановление безотрывного обтекания
R 790	re[-]attachment of the jet, jet re[-]attachment	Wiederanlegen n des Strahles	recollement m de la lame	повторное прилегание струи, подсасывание струи, прижатие струи
R 791	Réaumur scale	Réaumur-Skala f; Réaumur-Skale f	échelle f Réaumur	шкала Реомюра
R 792	rebounce	Prellschlag m	choc m à rebond	удар с отдачей
R 793	rebound, height of rebound	Rückprallhöhe f, Rücksprunghöhe f	hauteur f de rebondissement	высота отскакивания (отскока)
R 794	rebound, recoil, kickback	Rückprall m, Zurückprallen n, Rückspringen n, Zurückspringen n, Zurückschnellen n; Abprall m, Springen n, Sprung m; Zurückprellen n; Rückfederung f	rebond m, rebondissement m, recul m, bond m	отскок, отскакивание; подскакивание; эластичная отдача; отражение; дребезжание
R 794a	rebound, repercussion, kickback, recursion	Rückstoß m, Rückschlag m	recul m, choc m en arrière, coup m en arrière	откат[ка], реакционный удар, реакция
R 795	rebound elasticity, impact elasticity	Rückprallelastizität f, Rücksprungelastizität f, Sprungelastizität f, Stoßelastizität f	élasticité f de rebondissement, élasticité au choc	эластичность по отскоку, упругий отскок; упругость, определяемая по отскоку, ударная упругость
R 796	rebound hardness	Rückprallhärte f, Rücksprunghärte f	dureté f de rebondissement	твердость по методу отскока шарика
R 797	rebound hardness test, rebound test <techn.>	Rückprallhärteprüfung f, Rücksprunghärteprüfung f, Stoßversuch m, Rückprallversuch m <Gummi> <Techn.>	essai m par rebondissement <techn.>	испытание (определение) твердости методом отскока, метод отскока, испытание на твердость методом отскока <техн.>
	rebuttal, refutation	Widerlegung f, Gegenbeweis m	réfutation f, contre-épreuve f	опровержение
R 798	recalescence	Rekaleszenz f, Wärmeabgabe f beim Durchgang durch den Haltepunkt	récalescence f	рекалесценция, выделение тепла при прохождении через точку превращения
R 799	recalescence curve, cooling curve	Abkühlungskurve f	courbe f de refroidissement (récalescence)	кривая охлаждения
R 800	recalescence point, critical point of recalescence, transformation point on cooling, Ar point	Haltepunkt m der Abkühlungslinie, Haltepunkt bei der Abkühlung, kritischer Punkt m bei der Abkühlung	point m de récalescence, point critique de récalescence	критическая точка при охлаждении
R 801	recalibration, secondary calibration; restandardization; re-graduation	Nacheichung f; Umeichung f; Neueichung f	ré[-]étalonnage m, re-jaugeage m, recalibrage m, étalonnage m secondaire, jaugeage m secondaire, calibrage m secondaire, recalibration f	повторная (дополнительная, последующая) калибровка; последующая (позднейшая) поверка, поверка, последующая градуировка, проверка калибровки, выверка заново, повторное эталонирование, перекалибровка, переградуировка

	English	German	French	Russian
	recapture	s. retrapping		
	receding	s. backstreaming		
	receding motion of the nebulae	s. recession of the nebulae		
	receipt	s. reception <el.>		
R 802	receiver	Empfänger m, Empfangsgerät n	récepteur m; capteur m	приемник, приемный аппарат
R 803	receiver	Hörer m	écouteur m	[телефонная] слуховая трубка
R 804	receiver, receiving vessel <of the still>	Vorlage f <Chem.>	récipient m [de la cornue]	приемник, сборник <хим.>
	receiver	s. a. flask		
R 805	receiver cap (earpiece)	Hör[er]muschel f, Muschel f des Hörers	pavillon m [de récepteur]	раковина, слуховая раковина
R 806	receiver of the vacuum apparatus	Vakuumvorlage f	récipient m de l'appareil à vide	приемник вакуум-аппарата
	receiving	s. reception <el.>		
R 807	receiving aerial (antenna), radio-receiver aerial (antenna), wave collector	Empfangsantenne f, Rezeptor m; Empfängerantenne f	antenne f réceptrice, antenne de réception	приемная антенна
	receiving vessel	s. receiver <of the still>		
	recemented glacier, reconstructed glacier, romanic glacier	regenerierter Gletscher m	glacier m régénéré	возрожденный ледник, регенерированный ледник
	receptacle	s. flask		
R 808	reception, receipt, receiving <el.>	Empfang m; Aufnahme f <El.>	réception f <él.>	прием <эл.>
R 809	reception; perception <bio.>	Rezeption f; Perzeption f: Erregung f; Induktion f <Bio.>	réception f; perception f <bio.>	восприятие; возбуждение <био.>; перцепция
R 810	reception diagram	Empfangsdiagramm n, Empfangsantennendiagramm n	diagramme m directif de l'antenne de réception, diagramme [directionnel] de réception	диаграмма направленности приемной антенны, диаграмма направленности на прием
	reception potential	s. receptor potential		
R 811	receptor <of radiation>, radiation receptor, radiation receiver	Strahlungsempfänger m	récepteur m [de rayonnement]	приемник излучения, приемник радиации
R 812	receptor <bio.>	Rezeptor m <Bio.>	récepteur m <bio.>	рецептор <био.>
R 813	receptoric	rezeptorisch	récepteur	восприимчивый
R 814	receptor potential, reception potential	Rezeptorpotential n, Generatorpotential n	potentiel m de réception, potentiel générateur	генераторный потенциал, рецепторный потенциал
	recess, pit, depression, indent[ation]	Aussparung f, Ausschnitt m, Vertiefung f, Höhlung f, Einbuchtung f	creux m, cavité f; approfondissement m	выемка, впадина, углубление; ниша; выточка; вырез, прорезь
	recession, retreat, regression <geo.>	Regression f, Rückzug m, Rückgang m, Zurückgehen n, Zurückweichen n <Geo.>	régression f, retrait m <géo.>	отступление, отступание <ледника, моря>; регрессия <моря> <гео.>
	recessional moraine, retreatal moraine	Rückzugsmoräne f	moraine f de récession	стадиальная морена, морена отступания; морена, отложенная во время отступления
	recessional period, period of recession; stage of retreat	Rückzugsperiode f, Rückzugsstadium n	période f de régression (retrait); stade m de retrait (régression)	период отступления
R 815	recession curve, normal recession curve, recession hydrograph, draw-down curve <hydr.>	Senkungskurve f, Senkungslinie f <Hydr.>	courbe f de régression [normale], courbe de débit de régression, courbe de tarissement (décrue) <hydr.>	кривая спада <гидр.>
	recession curve	s. a. depletion curve <hydr.>		
	recession hydrograph	s. recession curve <hydr.>		
	recession of the galaxies	s. recession of the nebulae		
R 816	recession of the nebulae, receding motion of the nebulae, recession of the galaxies, flight of the nebulae	Nebelflucht f, Fluchtbewegung f der Sternsysteme	récession f des galaxies, fuite f des galaxies	разбегание галактик, удаление галактик
R 817	recessivity	Rezessivität f	récessivité f	рецессивность
	recharge, charge exchange, umladung, recharging, reversal of charge	Umladung f, Trägerumladung f, Trägerumwandlung f; Ladungsaustausch m	échange m de charge, « umladung » f, renversement m de la charge [électrique]	перезарядка; обмен зарядами
R 818	recharge, recharging <of secondary cell>	Nachladung f; Wiederaufladung f <Sammler>	rechargement m, recharge f <de batterie>	подзарядка, дозарядка, дополнительная зарядка, перезарядка, повторная зарядка <батарей>
	recharge term, charge exchange term	Umladungsterm m	terme m d'échange de charge	член перезарядки
	recharging	s. recharge		
	recharging	s. a. recharge <of secondary cell>		
R 819	recharging current	Wiederaufladestrom m	courant m de recharge	ток дополнительной зарядки, ток повторной зарядки
R 820	recharging time constant	Umladungszeitkonstante f, Umladezeitkonstante f	constante f de temps de recharge	постоянная времени перезарядки
R 821	recipient	Rezipient m	récipient m	колокол <воздушного насоса>; рабочая камера, камера <вакуумного насоса>

	reciprocal action, mutual [inter]action; interaction	Wechselwirkung f; wechselseitige Beeinflussung f, gegenseitige Wechselwirkung, Wechselspiel n	interaction f; interaction mutuelle, action f mutuelle, action réciproque	взаимодействие; действие обмена; результат обмена
R 822	reciprocal axes	reziproke Achsen fpl	axes mpl réciproques	обратные оси
R 823	reciprocal base vectors, reciprocal basis, inverse basis	reziproke Basis f, Basisvektoren mpl des reziproken Gitters	base f réciproque, vecteurs mpl de base réciproque	обратный базис, базисные векторы обратной решетки
R 824	reciprocal constringence, dispersive (dispersing) power	relative Dispersion f	constringence f réciproque	обратное число Аббе, относительная дисперсия
	reciprocal depreciation factor	s. maintenance factor		
	reciprocal dispersive power, constringence Abbé number	Abbesche Zahl f, Abbe-Zahl f	constringence f, nombre m d'Abbé	число Аббе, коэффициент дисперсии
	reciprocal ellipsoid	s. index ellipsoid		
R 825	reciprocal equation	reziproke Gleichung f	équation f réciproque	возвратное уравнение
	reciprocal force diagram	s. force diagram		
R 826	reciprocal four-terminal network, reciprocal network	umkehrbarer Vierpol m, übertragungssymmetrischer Vierpol	quadripôle m réciproque	обратимый четырехполюсник
R 827/8	reciprocal lattice, dual lattice	reziprokes Gitter n, Reziprokgitter n, Dualgitter n, duales Gitter	réseau m réciproque, réseau de Fourier, réseau dual	обратная решетка
	reciprocal matrix	s. inverse matrix <of the matrix>		
	reciprocal network	s. reciprocal four-terminal network		
	reciprocal of amplification factor	s. penetrance		
R 829	reciprocal of heat-transfer coefficient, heat-transfer resistance	Wärmeübergangswiderstand m	coefficient m de transfert de la chaleur inverse, résistance f au transfert de la chaleur	обратная величина коэффициента теплообмена (теплоотдачи), сопротивление теплоотдаче (теплообмену)
R 830	reciprocal of heat-transmission coefficient, heat-transmission resistance	Wärmedurchgangswiderstand m	coefficient m de transmission de la chaleur inverse, résistance à la transmission de chaleur	обратная величина коэффициента теплопередачи, сопротивление теплопередачи
	reciprocal of screen grid amplification	s. shielding factor <el.>		
R 831	reciprocal of the distance of punctum remotum from eye	Fernpunktsrefraktion f, Fernpunktsbrechwert m, Fernpunktsbrechkraft f	distance f réciproque du punctum remotum à l'œil	обратная величина расстояния от глаза до дальней точки
	reciprocal of the notch [fatigue] factor	s. reduced factor of stress concentration		
	reciprocal of Young's modulus	s. coefficient of linear extension		
R 831a	reciprocal paper	Reziprokpapier n	papier m [à échelle fonctionnelle] réciproque	обратная бумага
R 832	reciprocal phase space	reziproker Phasenraum m	espace m de phase réciproque	обратное фазовое пространство
	reciprocal polarity, positive polarity	Pluspolung f, positive (reziproke) Polung f, positive Polarität f	polarité f positive, polarité réciproque	положительная полярность, обратная полярность
R 832a	reciprocal ratio, inverse ratio	umgekehrtes Verhältnis n	rapport m inverse	обратное отношение, отношение обратных величин
R 833	reciprocal relation	Reziprozitätsbeziehung f	relation f de réciprocité	соотношение взаимности
	reciprocal relations, Maxwell['s] relations (equations) <therm.>	Maxwellsche Beziehungen fpl, Maxwellsche Relationen fpl <Therm.>	relations fpl de Maxwell, relations dites de Maxwell <therm.>	уравнения Максвелла <тепл.>
	reciprocal sentence, dual sentence	dualisierte Aussage f	énonce f dualisée	двойственное предложение
R 834	reciprocal space <cryst.>	reziproker Raum m, dualer Raum	espace m réciproque, dual m	обратное пространство
	reciprocal spiral, hyperbolic spiral	hyperbolische Spirale f	spirale f hyperbolique	гиперболическая спираль
R 835	reciprocal strain ellipsoid	reziprokes Verzerrungsellipsoid (Deformationsellipsoid) n	ellipsoïde m de dilatation (tension réciproque)	обратный эллипсоид напряжений
	reciprocal theorem	s. reciprocity theorem <el.>		
	reciprocal theorem in classical elasticity theory	s. Betti['s] reciprocal theorem		
	reciprocal to the resistance, resistance-reciprocal	widerstandsreziprok	inverse à la résistance	обратный сопротивлению
	reciprocal transmission matrix	s. transfer matrix		
R 836	reciprocal trihedral	reziprokes Dreibein n, adjungiertes Dreibein	trièdre m réciproque	обратный триэдр
R 837	reciprocal vector, inverse lattice vector	reziproker Vektor m, inverser Gittervektor m	vecteur m réciproque	обратный вектор, вектор обратной решетки
	reciprocating compressor, [reciprocating] piston compressor	Kolbenkompressor m, Kolbenverdichter m	compresseur m à piston	поршневой компрессор
	reciprocating device, inversor, reversing device <math., opt.>	Inversor m	inverseur m	инверзор
	reciprocating grid	s. moving grid		

R 838	reciprocating motion, to-and-fro motion, back-and-forth motion	hin- und hergehende Bewegung f, Hin- und Herbewegung f, Hin-undherbewegung f, Hin- und Hergang m; Vor- und Rückwärts-bewegung f; Wechsel-bewegung f; Gegen-bewegung f	mouvement m de va-et-vient	возвратно-поступатель-ное движение
	reciprocating piston compressor	s. reciprocating compressor		
R 838a	reciprocating piston type [flow]meter	Hubkolbenzähler m	compteur m [d'eau] à piston [à mouvement de va-et-vient]	расходомер (водомер) с возвратно-поступа-тельным поршнем
	reciprocating pump, piston pump, piston air pump	Kolbenpumpe f, Stiefel-pumpe f; Hubkolben-pumpe f; Kolbenluft-pumpe f	pompe f à piston, pompe alternative (à pistons alternatifs)	поршневой насос
	reciprocation theorem	s. reciprocity theorem		
R 839	reciprocity calibration	Reziprozitätseichung f	calibrage m par la méthode de réciprocité	градуировка методом взаимности
R 840	reciprocity coefficient, reciprocity parameter	Reziprozitätsparameter m	coefficient m de réciprocité	коэффициент взаимности
R 841	reciprocity condition	Reziprozitätsbedingung f	condition f de réciprocité	условие взаимности
	reciprocity failure	s. toe		
	reciprocity failure	s. a. Schwarzschild effect		
	reciprocity law	s. Bunsen-Roscoe rec-iprocity law		
	reciprocity law	s. a. product rule <bio.>		
	reciprocity[-] law failure	s. Schwarzschild effect		
	reciprocity parameter	s. reciprocity coefficient		
R 842	reciprocity principle, principle of reciprocity (reversibility)	Reziprozitätsprinzip n	principe m de réciprocité	принцип взаимности
	reciprocity principle	s. a. reciprocity theorem		
	reciprocity relations	s. Onsager equations		
	reciprocity rule	s. product rule <bio.>		
R 843	reciprocity theorem; reciprocation theorem <in electric field theory>; reciprocal theorem, electric[al] network reci-procity theorem, reci-procity principle	Reziprozitätssatz m <El.; Kern.; Mech.; Opt.; Rel.; Therm.>; Rezi-prozitätstheorem n <El., speziell der Vierpol-theorie und der drahtlosen Telegraphie; Kern.>; Re-ziprozitätsgesetz n <der Beugung>; Um-kehrsatz m, Umkehrungs-satz m <der Vierpol-theorie>	théorème m de réciprocité, principe m de récipro-cité, relation f de réci-procité	теорема взаимности, принцип взаимности
	reciprocity theorem of Maxwell and Betti	s. Betti['s] reciprocal theorem		
	recirculated air; circulating air	Umluft f	air m circulant	циркуляционный воздух
R 844	recirculation	Rückführung f; Wieder-einführung f	recirculation f, recyclage m	рециркуляция, повтор-ная циркуляция, воз-вращение в цикл; рециркуляционный цикл
R 845	recirculation coefficient	Umlaufverhältnis n, Umwälzverhältnis n	coefficient m de recircula-tion	коэффициент рецир-куляции
R 846	Recknagel disk	Recknagelsche Scheibe f	disque m de Recknagel	диск Рекнагеля
R 847	reclosing	Wiedereinschaltung f	réenclenchement m	повторное включение
R 848	recoil	Rückstoß m	recul m	отдача
	recoil	s. a. rebound		
	recoil / without	s. recoilless		
	recoil chemistry	s. hot-atom chemistry		
R 849	recoil counter	Rückstoßzählrohr n; Rückstoßzähler m	compteur m (tube m compteur) des noyaux de recul	счетчик ядер отдачи
R 850	recoil electron	Rückstoßelektron n	électron m de recul	электрон отдачи
R 851	recoil energy	Rückstoßenergie f	énergie f de recul	энергия отдачи
R 852	recoil force	Rückstoßkraft f	force f de recul	реактивная сила, сила отдачи
	recoil impulse, impulse of recoil	Rückstoßimpuls m	impulsion f de recul	импульс отдачи, реактив-ный импульс
	recoiling nucleus	s. recoil nucleus		
R 853	recoil ionization	Rückstoßionisation f, Rückstoßionisierung f	ionisation f par recul	ионизация при отдаче, ионизация за счет отда-чи
R 854	recoil labelling	Rückstoßmarkierung f	marquage m par recul	мечение отдачей
R 855	recoil length	Rückstoßlänge f, Rückstoßspurlänge f	longueur f de la trace de recul	длина следа отдачи, длина отдачи
R 856	recoilless, without recoil	rückstoßfrei	sans recul	без отдачи
R 857	recoil mean free path, mean free path for recoil	[mittlere freie] Rück-stoßweglänge f, Rück-stoßlänge f, mittlere freie Weglänge f für Rückstoß	libre parcours m moyen de recul	[средняя] длина свобод-ного пробега для от-дачи, средний свобод-ный пробег отдачи
R 858	recoil nucleus, recoiling nucleus	Rückstoßkern m	noyau m de recul	ядро отдачи
R 859	recoil particle	Rückstoßteilchen n	particule f de recul	частица отдачи
R 860	recoil phenomenon	Rückstoßerscheinung f	phénomène m de recul	явление отдачи
R 861	recoil range	Rückstoßreichweite f	parcours m de recul	пробег вследствие отдачи
R 862	recoil rays	Rückstoßstrahlung f	rayons mpl de recul	лучи отдачи

R 863	recoil spectrum	Rückstoßspektrum n, Energiespektrum n der Rückstoßkcrne	spectre m de recul	спектр ядер отдачи
R 864	recoil streamer	Rückstoßstreamer m	streamer m de recul	стример отдачи
R 865	recoil synthesis	Rückstoßsynthese f	synthèse f par recul	синтез отдачей
R 866	recoil track	Spur f des Rückstoß-teilchens, Rückstoß-teilchenspur f, Rückstoß-bahn f	trace f de la particule de recul	след частицы отдачи
R 867	recoil vector	Rückstoßvektor m	vecteur m de recul	вектор отдачи
R 868	recombination	Rekombination f, Wieder-vereinigung f, Wieder-verbindung f	recombinaison f	рекомбинация, повторное соединение, воссоеди-нение
	recombination appa-ratus	s. recombiner		
	recombination at walls, wall recombination	Wandrekombination f	recombinaison f sur (à) la paroi	рекомбинация на стенке, рекомбинация в стен-ках
R 869	recombination coefficient, coefficient of recombination	Rekombinationskoeffizient m, Rekombinations-beiwert m, Wiederver-einigungskoeffizient m, Vereinigungskoeffizient m	coefficient m de recombi-naison	коэффициент рекомбина-ции, коэффициент вос-соединения
R 870	recombination continuum	Rekombinationskon-tinuum n	continuum m de recombi-naison	рекомбинационный континуум
R 871	recombination cross-section, cross-section for recombination	Rekombinationsquerschnitt m, Wirkungsquerschnitt m für (der) Rekombi-nation, Rekombinations-wirkungsquerschnitt m	section f efficace de recombinaison	сечение рекомбинации
R 872	recombination fraction, recombination value <bio.>	Rekombinationswert m, Rekombinationspro-zentsatz m, Rekombi-nationszahl f <Bio.>	taux m de recombinaison <bio.>	доля рекомбинации, скорость рекомбина-ции <био.>
R 873	recombination law, dissipation law, law of recombination	Wiedervereinigungsgesetz n, Rekombinationsgesetz n	loi f de recombinaison	закон рекомбинации, закон воссоединения
	recombination light	s. recombination radiation		
R 874	recombination prob-ability, probability of recombination, recom-bination rate	Rekombinationswahr-scheinlichkeit f	probabilite f de recombi-naison	вероятность рекомбина-ции
R 875	recombination radiation, recombina-tion light; free-bound radiation	Rekombinationsstrahlung f, Rekombinationsleuchten n, Wiedervereinigungs-leuchten n; Frei-Gebunden-Strahlung f	rayonnement m (lumière f, luminescence f) de re-combinaison; rayonne-ment libre-lié	рекомбинационная люминесценция, ре-комбинационное излу-чение, рекомбинацион-ное свечение; свободно-связанное излучение
R 876	recombination rate, rate of recombination	Rekombinationsgeschwin-digkeit f, Wiederver-einigungsgeschwindigkeit f; Rekombinationsrate f, Rekombinationsquote f	vitesse f de recombinaison	скорость рекомбинации
	recombination rate	s. a. recombination prob-ability		
	recombination rate on the semiconductor surface	s. surface recombination rate		
R 876a	recombination resist-ance	Rekombinationswider-stand m	résistance f de recombi-naison	рекомбинационное сопро-тивление
R 877	recombination theory	Rekombinationstheorie f	théorie f de recombinaison	рекомбинационная теория
R 878	recombination time	Rekombinationszeit f	temps m de recombinaison	рекомбинационное время
R 879	recombination trap	Rekombinationshaftstelle f, Rekombinationstrap m, Rekombinationsfalle f	piège m de recombinaison	рекомбинационная ловушка, центр рекомбинации
	recombination value	s. recombination fraction <bio.>		
	recombination velocity on the semiconductor surface	s. surface recombination rate		
R 880	recombiner [system], recombination apparatus	Rekombinationsanlage f, Rekombinations-apparat m	installation f (appareil m, pot m) de recombinaison	рекомбинатор
	recommendation	s. recommended value		
R 881	recommended value, recommendation	Richtwert m; empfohlener Wert m	valeur f recommendée, recommendation f	ориентировочное значе-ние, ориентировочная величина; контрольное значение, контрольная величина; рекомендуе-мое значение
R 882	reconcilable, homotopic	homotop	homotopique	гомотопный, гомотопи-ческий
R 883	reconstructed glacier, recemented glacier, romanic glacier	regenerierter Gletscher m	glacier m régénéré	возрожденный ледник, регенерированный ледник
	reconstruction [of plasma structure]	s. reactivation <bio.>		
R 884	re-conversion	Rückmischung f; Rück-umwandlung f	reconversion f	обратное смешение
R 885	recooling	Rückkühlung f	refroidissement m par recirculation, recircula-tion f, recyclage m	оборотное охлаждение, охлаждение по замкнутому циклу, циркуляционное охлаждение

R 886	re-cooling	Wiederabkühlung *f*	rerefroidissement *m*	повторное охлаждение
R 887	record	Schrieb *m*	enregistrement *m*	запись
R 888	record, record of sound, recording, recording of sound, sound record[ing] <ac.>	Tonaufnahme *f*, Schallaufnahme *f*, Aufnahme *f*; Schallaufzeichnung *f*; Tonaufzeichnung *f*; Schallspeicherung *f*, Tonspeicherung *f* <Ak.> *s. a.* recording	enregistrement *m* sonore (du son), enregistrement des sons, enregistrement phonique, prise *f* de son, prise sonore (phonique) <ac.>	звукозапись, запись звука <ак.>
	record			
R 889	recorder, recording device, recording instrument, recording meter, graph recorder, logger, graphic instrument; plotter	[selbst]registrierendes Meßgerät *n*, Schreiber *m*, Schreibgerät *n*, Meß[wert]schreiber *m*, [selbst]schreibendes Meßgerät, registrierendes Gerät (Instrument) *n*, Registriergerät *n*, Registrierinstrument *n*, Registrierapparat *m*, Selbstschreiber *m*; Kurvenschreiber *m*; Plotter *m*, Zeichengerät *n*	appareil *m* enregistreur, enregistreur *m*, autoscripteur *m* [de mesures]	самописец, самопишущий прибор [для записи измеряемого значения], самопишущий измерительный прибор, записывающий прибор, регистрирующий прибор, регистрирующий измерительный прибор, регистратор, регистрирующий аппарат; построитель кривых, графопостроитель
R 889a	recorder connection	Schreiberanschluß *m*	connexion *f* (raccord *m*, raccordement *m*) pour (de) l'enregistreur	подключение самопишущего прибора
	recorder strip (tape)	*s.* record sheet		
R 890	recording, record, registration, registering; plotting <of the curve>	Registrierung *f*; Schreiben *n*; Aufzeichnung *f*, Zeichnung *f*; Aufnahme *f* <Kurve>	enregistrement *m*; établissement *m* d'un diagramme	регистрация; запись; составление; снятие <характеристики>; построение <кривой>; нанесение <на график>
	recording, derivation <of bioelectrical currents>	Ableitung *f* <bioelektrischer Ströme>	dérivation *f* <des courants bio-électriques>	отведение <биоэлектри­ческих токов>
	recording	*s. a.* record		
	recording altimeter	*s.* altigraph		
	recording anemometer	*s.* anemograph		
R 891	recording balloon, registering balloon	Registrierballon *m*	ballon *m* enregistreur	регистрирующий шарзонд, шар-зонд (шаровой зонд с авторегистирующими приборами
R 892	recording camera; moving pictures camera	Registrierkamera *f*, Aufnahmekamera *f*	caméra *f* enregistrice, chambre *f* enregistrice	регистрирующая камера, регистрирующая фотокамера
	recording device	*s.* recorder		
	recording dynamometer, dynamograph	Dynamograph *m*, Registrierdynamometer *n*	dynamographe *m*, dynamomètre *m* enregistreur	динамограф, динамометр-самописец, регистрирующий динамометр
	recording electronic potentiometer	*s.* electronic potentiometer recorder		
R 893	recording fork	Schreibstimmgabel *f*	diapason *m* enregistreur	камертон-самописец, самопишущий камертон
	recording gauge	*s.* limnigraph		
	recording infra-red spectrometer	*s.* infra-red spectrophotometer		
	recording instrument	*s.* recorder		
	recording manometer	*s.* pressure recorder		
R 894	recording maximum meter	Maxigraph *m*, Maximumschreiber *m*, Höchstleistungsschreiber *m*	compteur *m* enregistreur à maximum	регистрирующий максимальный счетчик
	recording meter	*s.* recorder		
	recording of sound	*s.* recording <ac.>		
	recording ombrometer	*s.* recording pluviometer		
	recording on magnetic tape	*s.* magnetic recording		
	recording oscillometer	*s.* vibrograph		
R 895	recording paper, record paper	Registrierpapier *n*	papier *m* d'enregistrement	бумага для регистрации, регистрирующая бумага, диаграммная бумага
R 896	recording period, recording time, period of recording	Registrierzeit *f*, Schreibzeit *f*, Schreibdauer *f*	période *f* d'enregistrement, durée *f* d'enregistrement	период регистрации, период записи, продолжительность регистрации, время записи
	recording pluviometer	*s.* pluviograph		
	recording potentiometer	*s.* potentiometer recorder		
	recording rain gauge	*s.* pluviograph		
R 897	recording spectrum analyzer	Spektrenleser *m*	analyseur *m* enregistreur de spectres	регистрирующий спектральный анализатор
R 898	recording speed, writing speed, tracing speed; writing rate	Registriergeschwindigkeit *f*, Schreibgeschwindigkeit *f*	vitesse *f* d'enregistrement, vitesse d'écriture	скорость записи, скорость регистрации; скорость развертки
R 899	recording spot	Schreibfleck *m*	tache *f* [d'enregistrement]	пятно на экране осциллоскопа
	recording thermometer	*s.* thermograph		
	recording time	*s.* recording period		
	recording torsiometer (torsion meter)	*s.* torsiograph		
	recording transmission-measuring set, level recorder <el.>	Pegelschreiber *m* <El.>	enregistreur *m* de niveau <él.>	самопишущий указатель уровня, самописец уровней <эл.>

	recording ultra-violet spectrometer	s. ultra-violet spectro-photometer		
R 900	recording variometer, variograph	registrierendes Variometer n, Registriervariometer n, Variograph m	variomètre m enregistreur, variographe m	вариометр-самописец, самопишущий (регистрирующий) вариометр, вариограф
	recording vibration meter, vibrograph, vibration recorder, vibration recording apparatus	schreibender Schwingungsmesser m, Schwingungsschreiber m, Vibrograph m	vibrographe m, appareil m pour enregistrer les vibrations	виброграф, самопишущий измеритель вибраций, прибор для записи вибраций (колебаний)
R 901	recording visibility meter	Sichtschreiber m	enregistreur m de visibilité	самописец видимости
	record of sound	s. record		
	record of the experiment, test record; protocol of the experiment, test protocol	Versuchsprotokoll n	protocole m expérimental, rapport m d'expérience; rapport d'essai	протокол опыта; протокол испытания
	record paper	s. recording paper		
R 901a	record sheet (strip, tape), recorder strip (tape)	Registrierstreifen m, Schreibstreifen m	bande f d'enregistrement, bande enregistreuse, feuille f d'enregistreur, feuille de diagramme	лента для регистрации (записи), лента самописца, диаграммная лента
	recoverable strain work	s. strain work		
R 902	recoverable work	wiedergewinnbare Arbeit f	travail m récupérable, travail à récupérer	возвращаемая работа
R 903	recovering of the backward resistance [in a junction]	Wiederherstellung f des Sperrwiderstandes [des Übergangs]	rétablissement m de la résistance inverse [de la jonction]	восстановление обратного сопротивления перехода
R 904	recovery; return; reinstatement <of defects>; restoration	Erholung f <Krist.>; Wiederherstellung f	rétablissement m; restauration f; retour m à l'état précédent, régénération f; guérison f, convalescence f	восстановление; возврат, возвращение; отдых
R 905	recovery; recuperation	Rückgewinnung f; Wiedergewinnung f; Bergung f	récupération f	регенерация; рекуперация; возвращение, возврат; спасение; восстановление
	recovery; regeneration <bio., geo., meteo., phot., el.>	Regeneration f; Regenerierung f <Bio., Geo., Meteo., Phot., El.>	régénération f <bio., géo., météo., phot., él.>; restauration f <bio.>	регенерация, регенерирование; восстановление <био., гео., метео., фот., эл.>
R 906	recovery[-] creep, recovery flow	Rückdehnung f, Kriecherholung f, Erholungskriechen n, Erholungsfließen n	fluage m de convalescence	обратная ползучесть, восстановление упругости <анэластичность>
R 907	recovery curve	Erholungskurve f; Ausheilungskurve f	courbe f de convalescence	кривая восстановления
R 908	recovery effect	Erholungseffekt m, Erholungserscheinung f	effet m de régénération	эффект восстановления, явление восстановления
R 909	recovery factor	Rückgewinnungsfaktor m, Rückgewinnungsgrad m, Rückgewinn[ungs]ziffer f, Rückgewinn[ungs]zahl f	facteur m de régénération	коэффициент возврата, степень регенерации
	recovery flow	s. recovery[-] creep		
	recovery of mechanical properties, mechanical recovery	mechanische Erholung f	restauration f des propriétés mécaniques	механический возврат
R 910	recovery of shape	Rückformung f	restitution f de forme	восстановление формы
	recovery power	s. regenerative power		
R 911	recovery rate	Erholungsgeschwindigkeit f	vitesse f de restauration	скорость восстановления (возврата)
R 912	recovery temperature	Erholungstemperatur f, „recovery"-Temperatur f	température f de rétablissement	температура отдыха (восстановления)
R 913	recovery time <el.>	Erholungszeit f, Erholzeit f, Wiederherstellungszeit f, innere Totzeit f <El.>	temps m de restitution (récupération, rappel), temps (durée f) de rétablissement, temps de retour <él.>	время восстановления <эл.>
R 914	recovery time <semi.>	Sperrverzögerung f, Relaxationszeit f <Halb.>	durée f de rétablissement, temps m de récupération (réparation) <semi.>	время восстановления <полу.>
R 915	recovery time constant	Erholungszeitkonstante f	constante f de temps de rétablissement	постоянная времени восстановления
R 916	recovery voltage	wiederkehrende Spannung f, Wiederkehrspannung f	tension f de rétablissement	восстанавливающееся напряжение после короткого замыкания
R 917	recrystallization, crystallographic reorientation	Umkristallisation f, Umkristallisierung f; Rekristallisation f	recristallisation f	перекристаллизация; рекристаллизация
R 918	recrystallization annealing	Rekristallisationsglühen n	recuit m de cristallisation	рекристаллизационный отжиг
R 919	recrystallization centre, recrystallization nucleus	Rekristallisationszentrum n, Rekristallisationskeim m, Rekristallisationskern m	centre m de recristallisation, noyau m de recristallisation	центр рекристаллизации, центр перекристаллизации
R 920	recrystallization in hot-worked material	Warmrekristallisation f	recristallisation f à température élevée	рекристаллизация при повышенной температуре
	recrystallization nucleus	s. recrystallization centre		
R 921	recrystallization temperature	Rekristallisationstemperatur f, Rekristallisationsschwelle f	température f de recristallisation	температура перекристаллизации (рекристаллизации)

R 922	**recrystallization texture**, primary recrystallization texture	Rekristallisationstextur *f*	texture *f* de recristallisation	текстура [пе]рекристаллизации; текстура, образующаяся при рекристаллизации металлов
R 923	**recrystallization twin**, annealing twin	Rekristallisationszwilling *m*	macle *f* de recristallisation	двойник перекристаллизации
R 924	**rectangular conductor**, square-section[al] conductor, rectangular-section conductor, conductor of rectangular (square) section	Rechteckleiter *m*, Leiter *m* mit rechteckigem Querschnitt	conducteur *m* à section rectangulaire, conducteur rectangulaire	прямоугольный провод[ник], провод прямоугольного сечения, проводник прямоугольного сечения
R 925	**rectangular co-ordinates**; right-angled co-ordinates	rechtwinklige Koordinaten *fpl*; Rechteckkoordinaten *fpl*	coordonnées *fpl* rectangulaires	прямоугольные координаты
	rectangular co-ordinate system, grid <geo.>	Gitternetz *n*, Gitter *n*, Gauß-Krüger-Koordinaten *fpl*, Gauß-Krügersche Koordinaten *fpl* (Meridianstreifen *mpl*) <Geo.>	réseau *m*, système *m* de coordonnées rectangulaires <géo.>	прямоугольная координатная сетка на карте <гео.>
R 926	**rectangular distance from equator**	Hochwert *m*, rechtwinkliger Abstand *m* vom Äquator <Gauß-Krüger-System>	distance *f* rectangulaire de l'équateur	прямоугольное расстояние от экватора
R 927	**rectangular distance from mean meridian**	Rechtswert *m*, rechtwinkliger Abstand *m* vom Mittelmeridian <Gauß-Krüger-System>	distance *f* rectangulaire du méridien moyen	прямоугольное расстояние от среднего меридиана
	rectangular distribution	*s.* equipartition		
	rectangular ferrite, square-loop ferrite, rectangular loop ferrite	Rechteckferrit *m*	ferrite *f* à hystérésis rectangulaire	феррит с прямоугольной петлей гистерезиса <намагничивания>
R 928	**rectangular formula**	Rechteckformel *f*	méthode (formule) *f* des rectangles	формула прямоугольников
R 929	**rectangular function**	Rechteckfunktion *f*	fonction *f* rectangulaire	прямоугольная функция
	rectangular hyperbola, equilateral (equiangular) hyperbola	gleichseitige Hyperbel *f*	hyperbole *f* équilatère	равнобочная гипербола, равносторонняя гипербола
	rectangularity	*s.* perpendicularity		
	rectangular loop ferrite	*s.* rectangular ferrite		
R 930	**rectangular-notch weir**, rectangular weir	Rechtecküberfall *m*, rechteckiger Überfall *m*; Rechteckwehr *n*	déversoir *m* rectangulaire	водослив с прямоугольным вырезом (отверстием), прямоугольный водослив [с тонкой стенкой], водослив прямоугольного сечения; измерительный прямоугольный водослив
R 931	**rectangular parallelepiped**, rectangular solid, cuboid, right parallelepiped, block <math.>	Quader *m*, rechtwinkliges Parallelepiped[on] *n* <Math.>	parallélépipède *m* rectangle, cuboïde *m*, bloc *m* <math.>	прямоугольный параллелепипед, брус, кирпич, трипрямоугольник, кубоид; блок <матем.>
	rectangular partition	*s.* equipartition		
	rectangular pulse	*s.* square-wave pulse		
	rectangular-section conductor	*s.* rectangular conductor		
R 932	**rectangular sheet lines**	Rechteckkarte *f*	coupure *f* rectangulaire, carte *f* à coupure rectangulaire	прямоугольная карта
	rectangular solid	*s.* rectangular parallelepiped <math.>		
R 933	**rectangular symmetry**	rechtwinklige Symmetrie *f*, Rechtecksymmetrie *f*	symétrie *f* rectangulaire	прямоугольная симметрия
	rectangular wave	*s.* square wave		
	rectangular weir	*s.* rectangular-notch weir		
R 934	**rectifiable** <math.>	rektifizierbar <Math.>	rectifiable <math.>	спрямляемый <матем.>
R 935	**rectificate**	Rektifikat *n*	rectificat *m*	ректификат, ректификационный продукт
R 936	**rectification**, countercurrent distillation <chem.>	Rektifikation *f*, Gegenstromdestillation *f* <Chem.>	rectification *f*, distillation *f* à contre-courant <chim.>	ректификация, противоточная дистилляция <хим.>
R 937	**rectification**; detection; demodulation <el.>	Gleichrichtung *f*, Gleich-Demodulation *f*; Demodulation *f*, Rückmodelung *f*, Rückumsetzung *f* <El.>	redressement *m*; détection *f*; démodulation *f* <él.>	выпрямление; детектирование; демодуляция <эл.>
R 938	**rectification** <math.>	Rektifikation *f*, Rektifizierung *f* <Math.>	rectification *f* <math.>	спрямление <матем.>
	rectification	*s. a.* equalization		
	rectification	*s. a.* erection <of image> <opt.>		
	rectification by barrier layer	*s.* barrier-layer rectification		
R 939	**rectification coefficient**, rectification constant <of diode>	Richtkonstante *f*	coefficient *m* (constante *f*) de détection	постоянная выпрямления
	rectification coefficient	*s. a.* rectification ratio		
R 940	**rectification column**	Rektifizierkolonne *f*, Rektifikationskolonne *f*	colonne *f* de rectification	ректификационная колонна
	rectification constant	*s.* rectification coefficient		
	rectification effect	*s.* valve action		
	rectification efficiercy	*s.* rectification ratio		

R 941	**rectification of aerial photograph**	Luftbildentzerrung f	redressement m de photographie aérienne	трансформирование аэрофотоснимка
R 941a	**rectification ratio,** rectification coefficient; rectification efficiency, efficiency of rectification, valve ratio	Richtverhältnis n; Gleichrichterfaktor m, Richtfaktor m, Gleichrichtungskoeffizient m; Gleichrichterwirkungsgrad m, Richtwirkungsgrad m	coefficient m de détection; rendement m de détection	коэффициент выпрямления (детектирования)
R 942	**rectified aerial photograph**	entzerrtes Luftbild n	photographie f aérienne redressée	трансформированный аэрофотоснимок
R 943	**rectified current**	Richtstrom m	courant m redressé	выпрямленный ток
R 943a	**rectified diffusion**	rektifizierte Diffusion f	diffusion f redressée (rectifiée)	выпрямленная диффузия
R 944	**rectified voltage**	Richtspannung f	tension f rectifiée (redressée)	выпрямленное напряжение
R 945	**rectifier,** rectifying column, rectifying section; upper part of the rectifying column <chem.>	Rektifiziersäule f, Rektifikationssäule f, Rektifikator m, Rektifizierer m, Rektifizierkolonne f, Austauschsäule f, Trennsäule f, Rektifikationsteil m, Rektifizierteil m; Verstärkungssäule f <Chem.>	section f de rectification <chim.>	ректификационная часть [колонны]; концентрационная колонна, укрепляющая колонна, верхняя часть колонны <хим.>
R 946	**rectifier;** detector; demodulator <el.>	Gleichrichter m; Hochfrequenzgleichrichter m, HF-Gleichrichter m; Demodulator m, Hochfrequenzdemodulator m, HF-Demodulator m <El.>	redresseur m; détecteur m; démodulateur m <él.>	выпрямитель; детектор; демодулятор <эл.>
R 947	**rectifier,** transformation apparatus, transforming camera, direct optical type of plotting machine, direct optical type plotting machine <opt.>	Entzerrungsgerät n; Umbildegerät n, Umbildungsgerät n, Umbildungsapparat m <Opt.>	redresseur m, appareil m de redressement, photoredresseur m <opt.>	[фото]трансформатор, преобразующий прибор, прибор для преобразования изображений, оптический трансформатор аэроснимков, аэрофотограмметрический оптический трансформатор <опт.>
	rectifier	s. a. rectifying device <el.>		
	rectifier cell	s. photovoltaic cell		
R 948	**rectifier diode;** detector diode	Richtdiode f	diode f redresseuse; diode détectrice, diode de détection	выпрямительный [полупроводниковый] диод; детекторный [полупроводниковый] диод, приемный детектор
R 949	**rectifier instrument**	Gleichrichterinstrument n, Gleichrichter[meß]gerät n, Meßgleichrichter m, Meßgerät n mit Gleichrichter	appareil m à redresseur	[электро]измерительный прибор с выпрямителем, детекторный электроизмерительный прибор
R 950	**rectifier load resistance,** load resistance of the rectifier; directional resistance	Richtwiderstand m	résistance f de charge du détecteur	сопротивление нагрузки выпрямителя
	rectifier photocell	s. photovoltaic cell		
R 951	**rectifier tube,** rectifying tube, rectifier (detecting) valve, detector tube (valve), valve [tube] <el.>	Gleichrichterröhre f, Gleichrichterrohr n, Ventilröhre f, Ventilrohr n, [elektrisches] Ventil n, Gleichrichterventil n <El.>	tube m redresseur, valve f redresseuse, valve, tube détecteur, redresseuse f, lampe f détectrice, détectrice f, soupape f <él.>	выпрямительная лампа, детекторная лампа, [электрический] вентиль, вентиль выпрямителя <эл.>
R 952	**rectifier valve,** rectifying (detecting) valve, valve of the rectifier	Gleichrichterventil n, Ventil n des Gleichrichters	élément m redresseur, valve (soupape) f du redresseur	вентиль выпрямителя, выпрямительный вентиль
	rectifier valve	s. a. rectifier tube <el.>		
R 953	**rectifying action,** rectifying effect <of transistors>	Gleichrichtereffekt m, Gleichrichterwirkung f, Gleichrichtereffekt m, Gleichrichtungseffekt m, Richteffekt m <Transistoren>	effet m détecteur (redresseur) <de transistors>	выпрямительное (выпрямляющее, детекторное) действие <транзисторов>
	rectifying column	s. rectifier		
R 954	**rectifying contact**	Gleichrichterkontakt m	contact m redresseur, contact rectifiant	выпрямляющий контакт
	rectifying crystal, detecting crystal	Detektorkristall m	cristal m détecteur	детекторный кристалл
R 955	**rectifying device,** rectifier <el.>	Richtleiter m, Richtungsleiter m <El.>	dispositif m redresseur, redresseur m <él.>	[полупроводниковый] выпрямитель, выпрямительное устройство <эл.>
	rectifying effect	s. rectifying action		
	rectifying electrode, blocking (barrier, unidirectional) electrode	sperrende Elektrode f, Sperrelektrode f	électrode f de blocage, électrode d'arrêt, électrode unidirectionnelle	запирающий электрод; электрод, наложенный на запирающий слой
R 956	**rectifying four-terminal network**	Richtvierpol m	quadripôle m dirigé	вентильный четырехполюсник
R 957	**rectifying junction,** unidirectional junction, blocking junction	sperrender Übergang m, Gleichrichterübergang m	jonction f redresseuse (rectifiante, unidirectionnelle, d'arrêt)	выпрямляющий переход, блокирующий переход, блокировочный переход
R 958	**rectifying plane**	rektifizierende Ebene f	plan m rectifiant	выпрямляющая плоскость
R 958a	**rectifying plate,** rectifying tray	Rektifizierboden m	plateau m de rectification (rectificateur)	тарелка ректификационной колонны
R 959	**rectifying point diode**	Richtleiterspitzendiode f	diode f redresseuse à pointe	выпрямительный точечный диод

	rectifying section	s. rectifier <chem.>		
	rectifying tray	s. rectifying plate		
	rectifying tube	s. rectifier tube <el.>		
	rectifying valve, rectifier valve, detecting valve, valve of the rectifier	Gleichrichterventil n, Ventil n des Gleichrichters	élément m redresseur, valve f du redresseur, soupape f du redresseur	вентиль выпрямителя, выпрямительный вентиль
	rectilinear, free from distortion, orthoscopic	verzeichnungsfrei, rektolinear, orthoskopisch, tiefenrichtig	sans distorsion, rectilinéaire, orthoscopique	без дисторсии, бездисторсионный, свободный от дисторсии, ортоскопический; противодисторсионный
	rectilinear diameter law of Cailletet and Mathias	s. Cailletet-Mathias law		
R 960	rectilinear manipulator	Koordinatenmanipulator m	manipulateur m rectiligne	координатный манипулятор
R 961	rectilinear motion, straight line motion, motion in a straight line	geradlinige Bewegung f	mouvement m rectiligne	прямолинейное движение
	rectilinear neutral wedge, straight-line wedge	gerader Keil m, gerader Graukeil m	coin m rectiligne, coin neutre rectiligne	прямолинейный клин, прямолинейный нейтральный клин
R 962	rectilinear scanning, zone scanning	Streifenabtastung f	analyse (exploration) f par bandes, analyse (exploration) rectilinéaire	прямолинейное развертывание, развертка на прямолинейные строки
R 963	rectisorption	Rektisorption f	rectisorption f	ректисорбция
	recuperation; recovery	Rückgewinnung f; Wiedergewinnung f; Bergung f	récupération f	регенерация; рекуперация; возвращение, возврат; спасение; восстановление
R 964	recuperation <therm.>	Rekuperation f <Therm.>	récupération f <therm.>	рекуперация <тепл.>
R 965	recuperation of current, regeneration of current	Stromrückgewinnung f, Rückgewinnung (Rückführung) f der elektrischen Energie	récupération f du courant, récupération d'énergie électrique	возврат тока, рекуперация электроэнергии
R 966	recuperator	Rekuperator m, Wärmeaustauscher m ohne Zwischenspeicherung	récupérateur m, échangeur m de chaleur à récupération	рекуператор
	recurrence	s. return		
	recurrence formula	s. recursion formula		
	recurrence frequency	s. pulse recurrence frequency		
	recurrence frequency [of periodic pulses]	s. repetition frequency		
R 966a	recurrence interval	Wiederholungsintervall n	intervalle m de répétition (récurrence)	интервал повторения (повторяемости)
	recurrence paradox [of Zermelo], Zermelo['s] recurrence paradox, wiederkehreinwand	Zermeloscher Wiederkehreinwand m, Wiederkehreinwand [von Zermelo]	paradoxe m de Zermelo, objection f de Zermelo	парадокс Цермело
	recurrence period, repetition period	Wiederholungszeit f	période f de répétition, période de récurrence	период повторения
	recurrence rate, repetition rate	Tastgeschwindigkeit f	taux m de répétition (récurrence)	скорость повторения импульсов
	recurrence rate	s. recurrence frequency		
	recurrence relation	s. recursion formula		
	recurrence theorem [of Poincaré], Poincaré['s] recurrence theorem	Poincaréscher Wiederkehrsatz m, Wiederkehrsatz [von Poincaré]	théorème m [de retour] de Poincaré, théorème du « retour »	теорема Пуанкаре, теорема Пуанкаре-Каратеодори о возвращении, теорема возвращения [Пуанкаре]
R 967	recurrence time	Wiederkehrzeit f	temps m de récurrence	время возврата, время возвращения <в исходное положение>
	recurrent	s. recursive <math.>		
R 968	recurrent event	rekurrentes Ereignis n, wiederkehrendes Ereignis	événement m récurrent	рекуррентное событие
R 969	recurrent network	Vierpolkette f	réseau m récurrent, chaîne f de quadripôles	цепочечная схема, цепная схема
R 970	recurrent nova, repeated nova, permanent nova	wiederkehrende Nova f, periodisch wiederkehrende Nova, Novula f <pl:. Novulae>	nova f récurrente	повторная новая [звезда], повторно вспыхивающая новая [звезда]
R 971	recurrent pulses, repetitive pulse, repetition pulse, periodic pulse train	Puls m, periodische Impulsreihe f, periodisch wiederkehrender Impuls m, rhythmische Impulse mpl, Impulsrhythmus m	impulsions fpl à répétition périodique, impulsions répétées (itératives), train m d'impulsions périodiques	периодически повторяющиеся импульсы, периодическая последовательность импульсов
	recursion	s. rebound		
	recursion	s. a. return		
R 972	recursion formula, recurrence formula, recurrence relation	Rekursionsformel f	relation f de récurrence, formule f de récurrence	рекуррентная (рекурсивная) формула, возвратное уравнение, рекуррентное соотношение
R 973	recursive, recurrent <math.>	rekursiv <Math.>	par récurrence, récurrent, récursif <math.>	рекурсивный, рекуррентный, возвратный <матем.>
R 974	recursive function	rekursive Funktion f	fonction f récurrente (récursive)	рекурсивная функция, возвратная функция
R 974 a	recurvation, recurvature, recurvity	Umbiegen n	recourbure f; replissement m	загиб, загибание [назад]; загнутость
R 975	recycling, reuse	Rückführung f; Wiedereinsetzen n; Wiederverwendung f, Wiederverwertung f	recyclage m <p. ex. du combustible>; réutilisation f	повторное использование <напр. регенерированного топлива>; рециркуляция, рисайклинг, возвращение на повторную переработку

	red blindness, protanopia	Protanopie f, Rotblindheit f	protanopie f, daltonisme m portant sur le rouge	протанопия, слепота на красный свет
R 976	**red content [of radiation]**	Rotgehalt m [der Strahlung]	teneur f en rouge [du rayonnement]	содержание красных лучей [в излучении]
	red degradation, degradation to[wards] the red	Rotabschattierung f	dégradation f au rouge, dégradation rouge	красное оттенение
	reddening of the skin, erythema, skin erythema	Erythem n, Hautrötung f	érythème m [cutané]	эритема
	red dwarf, dwarf red star	roter Zwerg m	naine f rouge	красная звезда-карлик, красный карлик
R 977	**redevelopment,** photographic redevelopment	Umentwicklung f, photographische Umentwicklung	redéveloppement m, développement m répété	перепроявление
	re-development, second development	Nachentwicklung f	redéveloppement m, développement m secondaire	дополнительное проявление
R 978	**Redfield['s] theory** <of relaxation>	Redfieldsche Relaxationstheorie (Theorie) f	théorie f de Redfield <de la relaxation>	теория [релаксации] Редфильда
R 979	**red giant**	roter Riese m	géante f rouge	красный гигант
	red glow	s. red heat		
R 980	**red-green fog**	Rotgrünschleier m	voile m rouge et vert	красно-зеленая вуаль
R 981	**red-green shadow**	Rotgrünschatten m, Rot-Grün-Schatten m	ombre f rouge-verte	красно-зеленая тень
R 982	**red hardness**	Rotglühhärte f, Rotglühhärte f, Rotwarmhärte f	dureté f au chaud	твердость при красном калении, красностойкость
R 983	**red heat,** red glow	Rotglut f	ignition f, chaude f rouge, chaleur f rouge	красное каление, красный накал, краснокалильный жар
	rediffusion <of electrons>	s. backscattering		
R 984	**redistillation;** repeated distillation, cohobation	Redestillation f; Umdestillieren n; wiederholte (mehrfache) Destillation f	redistillation f; distillation f répétée	повторная перегонка, повторная дистилляция; редистилляция
R 985	**redistribution**	Neuverteilung f, Umverteilung f	redistribution f	перераспределение
R 986	**red lamp**	Rotlampe f, Rotlichtlampe f	lampe f [pour l'éclairage en lumière] rouge	красная лампочка
	Redlich-Teller product rule	s. Teller-Redlich product rule		
	red magnitude, red stellar magnitude	Rothelligkeit f <Gestirn>	magnitude f stellaire rouge, magnitude rouge	фотокрасная звездная величина, фотокрасная величина [звезды]
R 987	**redox chain,** oxidation-reduction chain	Redoxkette f	pile f à oxydo-réduction	окислительно-восстановительная цепь
	redox electrode, oxidation-reduction electrode	Redoxelektrode f	électrode f redox, électrode d'oxydation-réduction	окислительно-восстановительный электрод, редокс-электрод
	redox equilibrium, oxidation reduction-equilibrium	Redoxgleichgewicht n, Reduktions-Oxydations-Gleichgewicht n	équilibre m oxydation-réduction	окислительно-восстановительное равновесие, равновесие редокс-процесса
	redox exchanger	s. redox ion exchanger		
	redox fuel cell, oxidation-reduction fuel cell	Redox-Brennstoffelement n	pile f à combustible à oxydo-réduction, pile de combustion à oxydo-réduction	окислительно-восстановительный топливный элемент
	redox indicator	s. oxidation-reduction indicator		
	redox ion exchanger, oxidation-reduction ion exchanger, redox exchanger	Redoxaustauscher m, Redox-Ionenaustauscher m	échangeur m d'ions redox, échangeur d'ions à oxydation-réduction	окислительно-восстановительный ионообменник (ионит), редокс-ионит
	redoxite	s. redox resin		
R 988	**redox meter**	Redoxmeter n	redoxmètre m	редоксметр
R 988a	**redoxogram**	Redoxogramm n	redoxogramme m	редоксограмма
	redox potential	s. oxidation-reduction potential		
	redox process	s. oxidation-reduction process		
	redox reaction	s. oxidation-reduction reaction		
R 988b	**redox resin,** redoxite	Redoxharz n, Redoxit m	résine f oxydo-réduction, résine redox	редоксионит, окислительно-восстановительная обменная смола
	redox system, oxidation-reduction system	Redoxsystem n, Reduktions-Oxydations-System n	système m d'oxydo-réduction, système redox	окислительно-восстановительная система, редокс-система
	redox titration	s. oxidimetry		
	red rainbow, twilight rainbow	Dämmerungsregenbogen m, roter Regenbogen m	arc-en-ciel m crépusculaire, arc-en-ciel rouge	сумеречная радуга, красная радуга
	red response	s. red sensitivity		
	redresser	s. rectifier <el.>		
R 989	**redressment,** reestablishment; unsqueezing, spreading <opt.>	Entzerrung f <Opt.>	redressement m; restitution f <opt.>	трансформирование; исправление искажений <опт.>
R 990	**red-sensitive plate**	Rotplatte f, rotempfindliche Platte f	plaque f sensible au (à la lumière) rouge	пластинка, чувствительная к красному свету
R 991	**red sensitivity,** sensitivity to red light, red response	Rotempfindlichkeit f	sensibilité f au (à la lumière) rouge; rapidité f au rouge <de la pellicule>	чувствительность к красному свету, красночувствительность
R 992	**red separation,** magenta separation	Rotauszug m, Rotfilterauszug m	sélection f rouge (magenta); négatif m de sélection obtenu sous le filtre vert	пурпурное частичное изображение, пурпурное цветоделенное изображение
	red-shaded	s. degraded to the red		

R 993	**red shift,** cosmological red-shift, Hubble['s] red-shift (effect)	Rotverschiebung *f*, kosmologische Rotverschiebung, Hubble-Effekt *m*	red[-] shift *m*, déplacement *m* des raies [cosmiques] vers le rouge, décalage *m* [cosmologique] vers le rouge, effet *m* Hubble	[метагалактическое] красное смещение, космологическое красное смещение, эффект Хаббла (Хэббла)
R 994	**red-short,** hot-short, hot-brittle	warmbrüchig, rotbrüchig	rouverin, cassant à chaud	красноломкий, горячеломкий
	red shortness	*s.* hot shortness		
R 995	**red solar radiation,** long-wave solar radiation	Rotstrahlung *f* der Sonne	rayonnement *m* solaire rouge, rayonnement solaire à ondes longues	красная (длинноволновая) радиация Солнца, красное излучение Солнца
R 996	**red stellar magnitude,** red magnitude	Rothelligkeit *f* <Gestirn>	magnitude *f* stellaire rouge, magnitude rouge	фотокрасная звездная величина, фотокрасная величина [звезды]
	reduced area [of sunspots], corrected area [of sunspots]	korrigierte Fleckenfläche *f*	aire *f* corrigée [des taches solaires]	площадь пятен, исправленная за перспективное искажение
R 997	**reduced buckling length,** free length ,modified length	[reduzierte] Knicklänge *f*, freie Knicklänge	longueur *f* libre de flambage, longueur réduite	приведенная длина при продольном изгибе, приведенная длина [стержня]
R 998	**reduced cofactor**	Kofaktor *m*, dividiert durch die Determinante; reduzierter Kofaktor	cofacteur *m* réduit	приведенное алгебраическое дополнение
	reduced depression [of the freezing point]	*s.* reduced lowering [of the freezing point]		
R 999	**reduced difference [of the thermodynamic function]**	reduzierte Differenz *f* [der thermodynamischen Funktion]	différence *f* réduite [de la fonction thermodynamique]	приведенная разность [термодинамической функции]
R 999 a	**reduced distribution function**	reduzierte Verteilungsfunktion *f*	fonction *f* de distribution réduite	приведенная функция распределения
	reduced elevation [of the boiling point]	*s.* reduced rising [of the boiling point]		
R 1000	**reduced equation of state**	reduzierte Zustandsgleichung *f*	équation *f* d'état réduite, équation réduite d'état	приведенное уравнение состояния
R 1001	**reduced equilibrium constant**	reduzierte Gleichgewichtskonstante *f*	constante *f* d'équilibre réduite	приведенная константа химического равновесия
R 1002	**reduced eye**	reduziertes Auge *n*	œil *m* réduit	приведенный глаз
R 1003	**reduced factor of stress concentration,** fatigue stress concentration factor, fatigue notch (strength reduction) factor, notch [fatigue] factor; reciprocal of the notch [fatigue] factor	Kerbwirk[ungs]zahl *f*, Kerbeinflußzahl *f*, Kerbziffer *f*, Kerbfaktor *m*	coefficient *m* de concentration des contraintes	коэффициент концентрации напряжений в надрезе, действительный коэффициент концентрации напряжений
R 1003 a	**reduced focal length**	reduzierte Brennweite *f*	distance *f* focale réduite	приведенное фокальное расстояние
R 1004	**reduced hodograph**	reduzierte Laufzeitkurve *f*	hodographe *m* réduit	приведенный годограф
	reduced impedance	*s.* normalized impedance		
R 1005	**reduced isotopic spin**	reduzierter Isospin *m*	spin *m* isotopique réduit	приведенный изобарический спин
R 1006	**reduced length [of pendulum],** equivalent length of pendulum, length of the equivalent simple pendulum, length of the simple equivalent pendulum	reduzierte Pendellänge *f*, korrespondierende Pendellänge	longueur *f* du pendule simple synchrone	приведенная длина маятника, приведенная длина физического маятника
	reduced level width, reduced width [of neutron level], reduced neutron width	reduzierte Breite *f* [des Neutronenniveaus], reduzierte Niveaubreite (Neutronenbreite) *f*	largeur *f* réduite, largeur réduite de niveau, largeur neutronique réduite	приведенная ширина [нейтронного уровня], приведенная нейтронная ширина
	reduced lifetime	*s.* comparative life		
R 1007	**reduced lowering [of the freezing point],** reduced depression [of the freezing point]	reduzierte Gefrierpunktserniedrigung *f*	abaissement *m* réduit [du point de congélation]	приведенное понижение [температуры замерзания]
R 1008	**reduced luminance**	reduzierte Leuchtdichte *f*	luminance *f* réduite	приведенная яркость
R 1009	**reduced mass**	reduzierte Masse *f*	masse *f* réduite	приведенная масса
R 1010	**reduced model**	verkleinertes Modell *n*	maquette *f*, modèle *m* réduit	макет, пространственное изображение в уменьшенных размерах
	reduced modulus [of elasticity], double modulus, modulus of inelastic buckling	Knickmodul *m* [nach Kármán], Knickzahl *f*, Kármánscher Knickmodul	module *m* réduit d'élasticité	приведенный модуль упругости
R 1011	**reduced moment of inertia,** fictitious moment of inertia	reduziertes Trägheitsmoment *n*	moment *m* d'inertie fictif, moment d'inertie réduit	приведенный момент инерции
	reduced neutron width	*s.* reduced width		
R 1012	**reduced partial width**	reduzierte Partialbreite *f*	largeur *f* partielle réduite	парциальная приведенная ширина [уровня]
R 1013	**reduced particle momentum**	reduzierter Teilchenimpuls *m*	impulsion *f* réduite de la particule	приведенный импульс частицы
R 1014	**reduced particle velocity,** reduced velocity	reduzierte (bezogene) Geschwindigkeit *f*	vitesse *f* réduite	приведенная скорость частицы
R 1015	**reduced partition function ratio**	reduziertes Zustandssummenverhältnis *n*	rapport *m* réduit des fonctions de partition	приведенное отношение сумм по состояниям
R 1016	**reduced period**	reduzierte Schwingungsperiode *f*	période *f* réduite	приведенный период [колебаний]

	reduced Planck['s] formula (law)	s. reduced radiation law		
R 1017	reduced pressure	reduzierter Druck m	pression f réduite, pression étalée	приведенное давление
R 1018	reduced print	Verkleinerungskopie f	copie f réduite	уменьшенный [фото-] отпечаток
R 1019	reduced radiation law, reduced Planck['s] law, reduced Planck['s] formula	reduzierte [Plancksche] Strahlungsformel f, reduzierte Plancksche Strahlungsgleichung f, reduziertes [Plancksches] Strahlungsgesetz n	formule f de Planck réduite, loi f de Planck réduite	приведенная формула Планка
R 1019a	reduced range	reduzierte Reichweite f	parcours m réduit	приведенный пробег
R 1020	reduced representation	reduzierte Darstellung f	représentation f réduite	представление в приведенной форме
R 1021	reduced rising [of the boiling point], reduced elevation [of the boiling point]	reduzierte Siedepunktserhöhung f	élévation f réduite [du point d'ébullition]	приведенное повышение [температуры кипения]
R 1022	reduced scale, small scale, reduction scale, scale of reduction; reduction ratio	Verkleinerungsmaßstab m, Verjüngungsmaßstab m, Reduktionsmaßstab m	échelle f réduite, échelle de réduction	масштаб уменьшения, уменьшенный масштаб, редукционный масштаб
	reduced stress tensor	s. stress deviator		
R 1022a	reduced temperature	reduzierte Temperatur f	température f réduite	приведенная [к уровню моря] температура
R 1022b	reduced troland	reduziertes Troland n	troland m réduit	приведенный троланд
R 1023	reduced variable [of state] <therm.>	reduzierte Zustandsgröße f, reduzierte Variable f <Therm.>	variable réduite <therm.>	приведенный параметр, приведенная переменная <тепл.>
	reduced velocity, reduced particle velocity	reduzierte (bezogene) Geschwindigkeit f	vitesse f réduite	приведенная скорость частицы
R 1024	reduced vergency	reduzierte Vergenz f <Vergenz, dividiert durch den Brechungsindex>	proximité f, vergence f réduite	приведенная вергенция
R 1024a	reduced volume	reduziertes Volumen n	volume m réduit	приведенный объем
	reduced wave equation, Helmholtz['s] equation, wave equation	Helmholtzsche Gleichung f, Helmholtzsche Schwingungsgleichung f	équation f de Helmholtz	уравнение Гельмгольца
	reduced wave impedance	s. normalized impedance		
R 1025	reduced width [of neutron level], reduced neutron width, reduced level width	reduzierte Breite f [des Neutronenniveaus], reduzierte Niveaubreite (Neutronenbreite) f	largeur f réduite, largeur réduite de niveau, largeur neutronique réduite	приведенная ширина [нейтронного уровня], приведенная нейтронная ширина
R 1025a	reduced Young['s] modulus	reduzierter Elastizitätsmodul m	module m d'élasticité réduit, module d'Young réduit	приведенный модуль упругости [первого рода]
R 1026	reducer, photographic reducer, reducing agent	Abschwächer m, photographischer Abschwächer	affaiblisseur m [photographique], faiblisseur (réducteur) m [photographique]	ослабитель, фотографический ослабитель
	reducer	s. a. reducing apparatus		
	reducer	s. a. reducing agent		
	reducer	s. a. reduction gear		
R 1027	reducibility, reducibleness <chem.; math.>	Reduzierbarkeit f <Chem.; Math.>	réductibilité f <chim.; math.>	восстанавливаемость <хим.>; приводимость, сводимость <матем.>
R 1028	reducible class, reducible crystal class	reduzible Kristallklasse f	classe f [cristallographique] réductible	приводимый кристаллографический класс
	reducibleness	s. reducibility <chem.; math.>		
R 1029	reducible representation	reduzible Darstellung f	représentation f réductible	приводимое представление
	reducing	s. reduction		
R 1030	reducing ability; reducing power	Reduktionsfähigkeit f; Reduktionsvermögen n	pouvoir m réducteur, pouvoir oxydo-réducteur	восстанавливающая способность; восстановительная способность
R 1031	reducing agent, reductant, reductive agent, reducer	Reduktionsmittel n, Reduktor m	agent m réducteur, réducteur m, électronat m	восстановитель, восстанавливающее вещество, редуктор
	reducing agent	s. a. reducer		
R 1032	reducing apparatus, reducer; reduction printer	Verkleinerungsapparat m, Verkleinerungsgerät n, Verkleinerer m	réducteur m, appareil m réducteur	[фото-]уменьшитель, уменьшительный аппарат (прибор)
R 1033	reducing atmosphere, reducing environment	reduzierende Atmosphäre f, Reduktionsatmosphäre f	atmosphère f réductrice	восстановительная атмосфера, восстановительная газовая среда
R 1034	reducing attachment	Verkleinerungsaufsatz m	attachement m de réduction	уменьшительная насадка
R 1035	reducing flame	Reduktionsflamme f	flamme f réductrice	восстановительное пламя
R 1036	reducing fusion	reduzierendes Schmelzen n, Reduktionsschmelzen n	fusion f réductrice	восстановительная плавка
	reducing power	s. reducing ability		
R 1037	reducing resistor	Abschwächungswiderstand m	résistance f atténuatrice, résistance d'atténuation	ослабляющее сопротивление, гасящее сопротивление
	reducing transformer	s. step-down transformer		
	reducing valve, pressure-reducing valve	Reduzierventil n, Druck-[ver]minderungsventil n, Druckminderventil n	soupape f de réduction, soupape d'étranglement, détendeur m	редукционный клапан, редуктор давления
	reductant	s. reducing agent		
	reductio ad absurdum proof	s. reduction ad absurdum proof		

R 1038	**reduction,** lowering, lessening, diminishing, diminution	Herabsetzung *f*, Verkleinerung *f*, Verminderung *f*, Verringerung *f*, Abschwächung *f*, Schwächung *f*, Reduktion *f*, Reduzierung *f*	réduction *f*, diminution *f*, décroissance *f*	понижение, снижение, уменьшение, сокращение, редуцирование, ослабление
	reduction; simplification; idealization	Vereinfachung *f*; Idealisierung *f*;	simplification *f*; réduction *f*; idéalisation *f*	упрощение; сокращение; идеализация
R 1039	**reduction** \<math., astr., geo.\>	Reduktion *f*, Reduzierung *f* \<Math., Astr., Geo.\>; Zurückführung *f* \<Math.\>	réduction *f* \<math., astr., géo.\>	приведение \<матем., астр., гео.\>; сведение \<матем.\>
R 1040	**reduction,** chemical reduction \<chem.\>; electronation \<el.chem.\>	Reduktion *f*, chemische Reduktion \<Chem.\>	réduction *f* [chimique] \<chim.\>	[до]восстановление \<хим.\>
	reduction, speed reduction \<mech.\>	Untersetzung *f* \<Mech.\>	réduction *f*, démultiplication *f* \<méc.\>	понижение, редукция, редуцирование, демультипликация \<мех.\>
	reduction, photographic reduction \<phot.\>	photographische Verkleinerung *f*, Verkleinerung \<Phot.\>	réduction *f* photographique, réduction, \<phot.\>	фотографическое уменьшение, фотоуменьшение, уменьшение \<фот.\>
R 1041	**reduction** \<phot.\>	Abschwächung *f* \<Phot.\>	affaiblissement *m*, réduction *f* \<de l'intensité ou du contraste\>, atténuation *f* \<du contraste\> \<phot.\>	ослабление \<интенсивности или контрастов\>, смягчение \<контрастов\> \<фот.\>
	reduction	s. a. concentration \<by evaporation\> \<chem.\>		
	reduction	s. a. diminution		
	reduction ad absurdum proof, reductio ad absurdum proof, proof by reduction ad absurdum, indirect proof, indirect demonstration	indirekter Beweis *m*, Widerspruchsbeweis *m*	démonstration *f* indirecte (par réduction à l'absurde), raisonnement *m* par l'absurde	косвенное доказательство, доказательство от противного, доказательство приведением к нелепости (абсурд, противоречию)
R 1042	**reduction affinity**	Reduktionsaffinität *f*	affinité *f* de réduction	восстановительное сродство
	reduction affinity per unit charge	s. reduction potential		
	reduction coefficient	s. reduction factor \<el.; meas.; opt.\>		
	reduction coefficient	s. a. reduction factor		
R 1043	**reduction cone**	Reduktionskegel *m*	cône *m* de réduction	восстановительный конус
R 1044	**reduction current**	Reduktionsstrom *m*	courant *m* de réduction	ток восстановления
R 1045	**reduction electric tension,** reduction voltage	Reduktionsspannung *f*	tension *f* [électrique] de réduction	восстановительное [электрическое] напряжение
R 1046	**reduction equilibrium**	Reduktionsgleichgewicht *n*	équilibre *m* de réduction	восстановительное равновесие
R 1046a	**reduction factor,** reduction coefficient, conversion factor (coefficient)	Umrechnungsfaktor *m*	facteur *m* de conversion, facteur de réduction, coefficient *m* de conversion	переводной (переходный) коэффициент, коэффициент перехода (перевода); переводной (переходный) множитель
	reduction factor, diminishing factor	Verkleinerungsfaktor *m*	coefficient *m* de réduction, coefficient de diminution	коэффициент уменьшения
R 1047	**reduction factor** \<of dipole element\>	Schlankheitsverhältnis *n*, Schlankheitsgrad *m* \<Dipol\>	facteur *m* de réduction \<du dipôle\>	коэффициент утолщения \<диполя\>
	reduction factor, velocity factor, velocity rate, \<of the line or antenna\>	Verkürzungsfaktor *m*; Leitungsverkürzungsfaktor *m*; Antennenverkürzungsfaktor *m*	facteur *m* de réduction \<de la ligne ou de l'antenne\>	коэффициент укорочения \<линии или антенны\>
R 1048	**reduction factor** \<chem.\>	Reduktionsfaktor *m* \<Chem.\>	facteur *m* de réduction \<chim.\>	фактор восстановления, восстановительный фактор, восстанавливаемость \<хим.\>
R 1049	**reduction factor** \<el.; meas.; opt.\>; reduction coefficient \<meas.\>; spherical reduction factor \<opt.\>	Reduktionsfaktor *m* \<El.; Meß.; Opt.\>	facteur *m* de réduction, coefficient *m* de réduction \<él.; mes.; opt.\>	коэффициент экранирования [кабеля] \<эл.\>; отношение горизонтальной силы света к среднесферической \<опт.\>; коэффициент приведения \<изм.\>
R 1049a	**reduction factor** \<hydr.\>	Reduktionsfaktor *m*, Reduktionsbeiwert *m* \<Hydr.\>	coefficient *m* de réduction \<hydr.\>	редукционный коэффициент, коэффициент редукции \<гидр.\>
R 1050	**reduction gear[ing],** reductor, reducer	Reduziergetriebe *n*, Reduktionsgetriebe *n*, Untersetzungsgetriebe *n*, Untersetzer *m*, Getriebe *n*	engrenage *m* réducteur, réducteur *m*, réduction *f*	редукторная передача, редукционная передача, понизительный редуктор, редуктор
	reduction in area	s. reduction of crosssectional area		
R 1050a	**reduction in load**	Last[ab]senkung *f*	abaissement *m* (diminution *f*) de la charge	снижение (уменьшение) нагрузки
	reduction in volume	s. decrease in volume		
	reduction of area	s. reduction of crosssectional area		
	reduction of area in tension, necking in tension	Brucheinschnürung *f*, Bruchquerschnittsverminderung *f*	striction *f* de rupture	сужение при разрыве, сужение после разрушения, шейка разрыва

	reduction of contrast, contrast reduction	Kontrastminderung f	réduction f de contraste, atténuation f de contraste	уменьшение контрастности
R 1051	reduction of cross-sectional area, reduction of (in) area, percentage reduction [of cross-sectional area]	Einschnürung f, Querschnittsverminderung f, Querschnittsabnahme f, Abnahme f [des Querschnitts]	contraction f, réduction f de section	[относительное] сокращение площади поперечного сечения, [относительное] сужение площади поперечного сечения
	reduction of cross-section per pass	s. reduction per pass		
R 1052	reduction of fading	Schwundminderung f	réduction f d'évanouissements	уменьшение замираний
R 1053	reduction of gravity	Reduktion f der Schwerewerte	réduction f de gravité	приведение измерений силы тяжести
R 1054	reduction of observations <astr., geo.>	Reduktion f der Beobachtungsdaten <Astr., Geo.>	réduction f des observations <astr., géo.>	обработка наблюдений <астр., гео.>
	reduction of pressure, lowering of pressure	Druckerniedrigung f, Druckabsenkung f, Druckminderung f, Druckreduzierung f	abaissement m de pression	понижение давления
R 1055	reduction of the damping; deattenuation; regeneration, regenerative amplification	Dämpfungsreduktion f	réduction f de l'amortissement; régénération f	регенерация, уменьшение затухания, устранение затухания
	reduction of volume	s. decrease in volume		
R 1056	reduction-oxidation index, oxidation-reduction index, oxidation-reduction value, O/R value	Redoxindex m, O/R-Wert m	indice m réduction-oxydation, indice oxydation-réduction, valeur f O/R	окислительно-восстановительный показатель, показатель окисления-восстановления
	reduction-oxidation reaction	s. oxidation-reduction reaction		
R 1057	reduction per pass, reduction of cross-section per pass	Stichabnahme f	réduction f de section à passe, réduction à passe	обжатие за пропуск
R 1058	reduction potential, reduction affinity per unit charge	Reduktionspotential n	potentiel m de réduction	восстановительный потенциал
	reduction printer	s. reducing apparatus		
R 1059	reduction printing [process]	Verkleinerungskopieren n	tirage m par réduction	уменьшающая печать, печать с уменьшением
R 1060	reduction ratio, ratio of reduction <mech.>	Untersetzung f, Untersetzungsverhältnis n <Mech.>	rapport m de réduction (démultiplication) <méc.>	понижающее передаточное число, редукционное число, понижающее передаточное отношение <мех.>
	reduction ratio	s. a. fineness of grinding		
	reduction ratio	s. a. reduced scale		
R 1061	reduction reaction	Reduktionsreaktion f	réaction f de réduction	реакция восстановления
	reduction scale	s. reduced scale		
R 1062	reduction to <ecliptic; equator; horizon>	Reduktion f auf <die Ekliptik; den Äquator; den Horizont>	réduction f à <l'écliptique; l'équateur; l'horizon>	приведение к <эклиптике; экватору; горизонту>
R 1063	reduction to sea level	Reduktion f auf den Meeresspiegel, Reduktion auf Normalnull	réduction f au niveau de la mer	приведение к уровню моря, приведение к нулю
	reduction to zenith, zenith reduction	Zenitreduktion f	réduction f zénithale, réduction au zénith	приведение к зениту, зенитная редукция
	reduction voltage	s. reduction electric tension		
	reductive agent	s. reducing agent		
	reductor	s. reduction gear		
	reduite	s. convergent <e.g. nth, of a continued fraction>		
R 1064	redundance, redundancy, information redundance	Redundanz f, Informationsüberschuß m	redondance f [d'information], surabondance f [d'information]	избыточность [информации], общее резервирование
R 1065	redundant bar, redundant member <mech.>	überzähliger Stab m	barre f surabondante (redondante), membre m surabondant	избыточный стержень
R 1066	redundant information	redundante (überschüssige) Information f, Überschußinformation f	information f redondante (surabondante)	избыточная информация
	redundant member	s. redundant bar		
R 1067	red variable [star]	roter Veränderlicher m	variable f rouge, étoile f variable rouge	красная переменная [звезда]
R 1068	Redwood-second, Rs, RI	Redwood-Sekunde f, Redwood-Zahl f, Redwood-I-Sekunde f, Rs, RI	Redwood-seconde f, seconde f Redwood, Rs, RI	секунда Редвуда, градус Редвуда, "R
R 1068a	Redwood <No. 1 or No. 2> viscometer	Redwood-Viskosimeter n	viscosimètre m de Redwood	вискозиметр Редвуда
	re-echo, echo, resounding, reverberation; woolliness	Widerhall m	retentissement m, répercussion f	гулкость, отзвук
	reed; tongue; tag	Zunge f	anche f; languette f; lame f	язычок; пластинка; лепесток
	reed	s. a. reed pipe		
	reed comb, set of elastic reeds	Zungenkamm m	peigne f de lames vibrantes	набор упругих пластин, гребенка язычков
R 1069	reed frequency	Zungenfrequenz f	fréquence f de la lame vibrante	частота вибрационного язычка
	reed frequency meter, reed indicator	s. reed-type frequency meter		

	English	German	French	Russian
R 1070	reed pipe, tongue pipe, reed	Zungenpfeife f	tuyau m à anche	язычковая труба
R 1071	reed-type frequency meter, [tuned-]reed frequency meter, vibrating-reed frequency meter, vibrating-reed instrument, reed indicator, Frahm frequency meter	Zungenfrequenzmesser m, Frahm-Frequenzmesser m, Zungenfrequenzindikator m, Zungeninstrument n, Frahmscher Zungenfrequenzmesser	fréquencemètre m vibratoire, fréquencemètre à lames vibrantes, appareil m à lames vibrantes	вибрационный (язычковый) частотомер, электромагнитный резонансный [язычковый] частотомер, резонансный электромагнитный частотомер, вибрационный индикатор, частотомер Фрама
R 1072	reed-type musical instrument <ac.>	Zungeninstrument n <Ak.>	instrument m à anches	язычковый [музыкальный] инструмент
R 1073	reed vibration, vibration of reed	Zungenvibration f, Zungenschwingung f	vibration f de la lame; vibration de l'anche	вибрация язычка, вибрация упругой пластинки
R 1074	re-emission	Reemission f	réémission f	переизлучение
R 1075	re-emission probability (rate)	Reemissionswahrscheinlichkeit f	probabilité f de réémission	вероятность переизлучения
R 1076	re-enrichment	Wiederanreicherung f, Neuanreicherung f	réenrichissement m	повторное обогащение
R 1077	reentering angle, re-entrant [angle], reflex angle	einspringender Winkel m	angle m rentrant	входящий угол
R 1078	re-entrant cavity	H-Resonator m	résonateur m de Parry	H-резонатор, проходной резонатор
R 1079	re-entry <into the atmosphere>	Wiedereintritt m [in die Atmosphäre], Wiedereintauchen n [in die Atmosphäre]	rentrée f [dans l'atmosphère]	возвращение [в атмосферу], возврат [в плотные слои атмосферы], вход (вхождение) в плотные слои атмосферы
R 1079	re-entry angle	Wiedereintrittswinkel m, Wiedereintauchwinkel m, Eintauchwinkel m	angle m de rentrée	угол входа в плотные слои атмосферы
R 1080	re-entry path (trajectory) <into the atmosphere>	Wiedereintauchbahn f, Eintauchbahn f, Wiedereintrittsbahn f <Rakete in die Erdatmosphäre>	trajectoire f de rentrée [dans l'atmosphère]	траектория входа [в плотные слои атмосферы], путь входа [в плотные слои атмосферы]
R 1081	re-entry velocity	Wiedereintrittsgeschwindigkeit f	vitesse f de rentrée	скорость возвращения в атмосферу, скорость вхождения в плотные слои атмосферы
	re-establishing force	s. restoring force		
	reestablishment	s. redressment		
	re-examination	s. testing		
R 1082	reextraction, back washing, back-wash, stripping <US>	Rückextraktion f, Reextraktion f	réextraction f	реэкстракция
R 1083	reference absorber	Vergleichsabsorber m	absorbeur m de référence, absorbeur de comparaison	образцовый (сравнительный) поглотитель, поглотитель сравнения
R 1084	reference arrow	Bezugspfeil m, Zählpfeil m	flèche f de référence	знак стремления
R 1085	reference black level	Schwarzbezugswert m	niveau m de noir type, niveau de noir étalon	исходный (эталонный, опорный) уровень черного
R 1086	reference branch	Vergleichszweig m	branche f de référence	уравновешивающая ветвь [измерительного моста]
R 1087	reference capacitance, comparison capacitance	Vergleichskapazität f, Bezugskapazität f	capacité-étalon f, capacité f de comparaison (référence)	образцовая емкость, сравниваемая емкость
R 1088	reference capacitor, capacitor for comparison	Vergleichskondensator m	condensateur m de comparaison, condensateur de référence	уравнительный конденсатор
R 1089	reference chord, mean aerodynamic chord	Bezugssehne f	corde f de référence, corde moyenne aérodynamique (standard)	исходная (расчетная) хорда, хорда профиля оперения; средняя аэродинамическая хорда, СДХ
R 1090	reference damping	Vergleichsdämpfung f	affaiblissement (amortissement) m de référence	сравнительное затухание
	reference datum	s. null plane		
R 1091	reference direction	Bezugsrichtung f	direction f de référence	направление отсчета
R 1092	reference electrode, comparison electrode, reference half-cell	Bezugselektrode f, Normalelektrode f, Vergleichselektrode f	électrode f de référence, électrode de comparaison	электрод сравнения, эталонный электрод, сравнительный электрод
R 1093	reference ellipsoid, comparison ellipsoid, ellipsoid of comparison	Referenzellipsoid n, Bezugsellipsoid n, Vergleichsellipsoid n; Referenzsphäroid n	ellipsoïde m de référence, ellipsoïde de comparaison	эллипсоид относимости (приведения), референц-эллипсоид, условная уровненная поверхность, сравнительный эллипсоид, эллипсоид сравнения
R 1094	reference eyepiece, comparison eyepiece, eyepiece for comparison	Vergleichsokular n	oculaire m de référence, oculaire de comparaison	образцовый (эталонный, сравнительный) окуляр, окуляр сравнения
	reference frame	s. frame of reference		
	reference half-cell	s. reference electrode		
R 1695	reference horizon	Vergleichshorizont m, Bezugshorizont m	horizon m de référence	нормальный горизонт, основа
	reference inductance, comparison inductance	Vergleichsinduktivität f	inductance-étalon f, inductance f de comparaison (référence)	образцовая индуктивность, сравниваемая индуктивность
	reference input	s. command variable		
	reference input <US>	s. set level		
R 1096	reference input element, set point adjuster, setting device	Stelleinrichtung f, Sollwerteinsteller m	dispositif m de changement de la valeur de référence [de consigne]	задатчик

R 1097	reference line	Bezugslinie *f*	ligne *f* de référence	линия отсчета, отсчетная линия, реперная линия, опорная линия
	reference mark; height mark	Höhenmarke *f*, Höhenkote *f*	marque *f* de niveau, repère *m* d'altitude, repère de nivellement, marque de référence	высотная отметка (марка), высотный репер; относительная высотная отметка
R 1098	reference mark; index mark	Strichmarke *f*	trait *m* de repère	штриховая метка, штриховая отметка
R 1099	reference moment [of the colour]	Eichmoment *n* [der Farbe]	moment *m* de référence [de la couleur]	опорный момент [цвета]
R 1100	reference plane, plane of reference	Bezugsebene *f*, Referenzebene *f*	plan *m* de référence	плоскость отсчета, исходная плоскость
R 1101	reference point, point of reference, fixed (set) point	Bezugspunkt *m*; Festpunkt *m*	point *m* de référence, point de repère (contrôle)	исходная точка, точка отсчета (сравнения, относительности), репер, условная точка, опорный пункт, опорная (постоянная, поверочная) точка
R 1102	reference prism, comparison prism	Vergleichsprisma *n*	prisme *m* de référence (comparaison)	образцовая (эталонная, сравнительная) призма
	reference radiation source	s. standard source		
R 1103	reference radiator, comparison radiator, radiator for comparison	Vergleichsstrahler *m*	radiateur *m* de comparaison, radiateur-étalon *m*	излучатель сравнения, эталонный излучатель
R 1104	reference ray, ray of reference, comparison ray	Bezugsstrahl *m*, Vergleichsstrahl *m*, Vergleichslichtstrahl *m*	rayon *m* de référence, rayon de comparaison	опорный луч, луч отсчета, сравниваемый световой луч
	reference resistance, comparison (comparative) resistance	Vergleichswiderstand *m*	résistance-étalon *f*, résistance *f* de comparaison (référence)	образцовое (сравниваемое; поверяемое) сопротивление
	reference schliere, standard schliere, normal schliere	Normalschliere *f*	strie *f* étalon, strie normale	стандартный шлир, стандартная свиль, нормальный шлир, нормальная свиль
	reference solution, comparison solution	Vergleichslösung *f*	solution *f* de référence (comparaison), liqueur *f* de référence (comparaison)	образцовый раствор, сравнительный раствор, эталонный раствор
	reference source [of radiation]	s. standard source		
R 1105	reference spectrum; standard spectrum	Bezugsspektrum *n*; Vergleichsspektrum *n*; Standardspektrum *n*	spectre *m* de référence, spectre étalon (type, standard)	образцовый (сравниваемый) спектр, спектр сравнения; эталонный спектр
	reference star, comparison (standard) star	Anschlußstern *m*, Vergleichsstern *m*	étoile *f* de comparaison, étoile de comparaison	звезда сравнения, опорная звезда
	reference star, guide star	Leitstern *m*, Haltestern *m*	étoile *f* guide, étoile de repère (référence)	ведущая звезда, опорная (гидирующая) звезда
R 1106	reference stimulus, unitary stimulus, primary	Primärvalenz *f*, Eichreiz *m*, Eichlicht *n*, Bezugs-Farbvalenz *f*, Bezugsfarbe *f*, Grundfarbe *f*	stimulus *m* de référence, stimulus primaire, primaire *m*	стандартный стимул, первичная валентность [цвета], эталонная валентность [цвета], исходная валентность [цвета]
R 1107	reference surface	Referenzfläche *f*, Bezugsfläche *f*	surface *f* de référence	референц-поверхность, поверхность приведения
	reference system	s. frame of reference		
	reference system at rest, rest frame	ruhendes Bezugssystem *n*, Ruhsystem *n*, Ruhesystem *n*	système *m* de référence au repos, référentiel *m* au repos, système de référence baricentrique	покоящаяся система отсчета
R 1108	reference tone	Vergleichston *m*	ton *m* de référence, ton de comparaison	сравнительный тон, тон сравнения, эталонный тон
R 1109	reference value, fiducial value	Vergleichswert *m*, Bezugswert *m*	valeur *f* de référence	сравнительная (эталонная, опорная) величина
R 1110	reference voltage, comparison voltage <el.>	Bezugsspannung *f*, Vergleichsspannung *f* <El.>	tension *f* de référence (comparaison) <él.>	опорное напряжение; напряжение сравнения <эл.>
	reference white, standard white	Normalweiß *n*, Bezugsweiß *n*	blanc *m* de référence	белый эталон, эталон белизны
	referential	s. frame of reference		
R 1111	refinement <of the mesh>, mesh refinement <math.>	Verfeinerung *f* [der Unterteilung] <Math.>	amincissement *m* [du réseau] <math.>	измельчение [сетки]; уплотнение [сетки] <матем.>
R 1112	refinement of grains, grain refinement, refining of grains, grain refining	Kornverfeinerung *f*, Kornfeinung *f*	affinage *m* (diminution *f*) du grain, réduction *f* de la taille des grains	уменьшение размера зерен; уменьшение зернистости
R 1112a	refining; displacement <chem.>	Treibprozeß *m*, Treiben *n*; Austreiben *n*; Abtreiben *n* <Chem.>	affinage *m*; déplacement *m* <chim.>	отгонка; удаление; вытеснение <хим.>
	refining of grains	s. refinement of grains		
	reflectance	s. reflection factor		
	reflectance	s. a. total reflection factor		
	reflectance	s. a. diffuse reflection factor		
R 1112b	reflectance edge	Reflexionskante *f*	discontinuité *f* de réflexion	край отражения
	reflectance factor	s. direct reflection factor		
R 1113	reflectance spectrophotometry	Reflexionsspektralphotometrie *f*	spectrophotométrie *f* de réflectance	отражательная спектрофотометрия
R 1114	reflectance spectroscopy	Reflexionsspektroskopie *f*, Remissionsspektroskopie *f*	spectroscopie *f* de réflectance	отражательная спектроскопия

	reflectance spectrum	s. diffuse reflection spectrum		
R 1115	reflected amplitude	reflektierte Amplitude f, Reflexionsamplitude f	amplitude f réfléchie	амплитуда отраженной волны; амплитуда отраженного сигнала
	reflected capacitance	s. reaction capacitance		
	reflected colour	s. surface colour		
R 1116	reflected energy	Reflexionsenergie f	énergie f d'onde réfléchie	энергия отражательной волны
	reflected fringe	s. interference fringe by reflection		
R 1117	reflected glare	Reflexblendung f, Reflexionsblendung f	éblouissement m par réflexion	слепимость от отражения, слепимость отражения, отраженная блескость
R 1118	reflected halo	gespiegelter Halo m	halo m réfléchi	отраженное гало
	reflected image, mirror image, image	Spiegelbild n	symétrique m, image f [reflétée par le miroir]	зеркальное (отраженное) изображение, изображение, зеркальное отображение
	reflected impedance	s. reaction impedance		
R 1119	reflected intensity, part of reflected intensity	reflektierte Intensität f, Bruchteil (Anteil) m der reflektierten Intensität, reflektierter Intensitätsanteil m	intensité f réfléchie, partie f de l'intensité réfléchie	отраженная интенсивность, отраженная доля интенсивности
R 1120	reflected light; direct light; incident light	reflektiertes Licht n, Reflexlicht n, Reflexionslicht n; Auflicht n; einfallendes (auffallendes) Licht n	lumière f réfléchie; lumière directe; lumière incidente	отраженный свет; падающий свет, упавший на тело свет
	reflected-light mode of microscopic viewing	s. direct-light microscopy		
R 1121	reflected pressure	Reflexdruck m	pression f réfléchie	отраженное давление
R 1122	reflected rainbow	gespiegelter Regenbogen m	arc-en-ciel m réfléchi	отраженная радуга
R 1123	reflected reactor	Reaktor m mit Reflektor, reflektierter Reaktor	réacteur m à réflecteur	реактор с отражателем
R 1123a	reflected resistance	übertragener Widerstand m, hineintransformierter Widerstand, Rückwirkwiderstand m; übertragener Wirkwiderstand m, Realteil m des Rückwirkwiderstandes	résistance f insérée, résistance introduite	вносимое (внесенное) сопротивление; внесенное активное сопротивление
R 1124	reflected tone	Reflexionston m	ton m réfléchi	отраженный тон
R 1125	reflected wave, R wave, back wave	reflektierte Welle f, R-Welle f, Reflexionswelle f, [zu]rücklaufende Welle; Spiegelwelle f	onde f réfléchie	отраженная волна
R 1126	reflected wave, indirect wave <geo.>	reflektierte Welle f, indirekte Welle <Geo.>	onde f réfléchie, onde indirecte <géo.>	отраженная волна, непрямая волна <гео.>
	reflecting ability	s. albedo		
R 1127	reflecting body, white body, white object	spiegelnder (weißer) Körper m, weißes Objekt n	corps m réfléchissant (blanc), objet m blanc	зеркальное тело, белое тело, белый объект
	reflecting coefficient	s. total reflection factor <opt.>		
R 1128	reflecting delay line	Reflexionskette f	ligne f à retard réfléchissante	линия задержки с отражением
	reflecting dichroic mirror	s. colour selective mirror		
	reflecting electron microscope	s. reflection electron microscope		
	reflecting factor	s. total reflection factor <opt.>		
R 1129	reflecting galvanometer, mirror galvanometer, reflective galvanometer	Spiegelgalvanometer n, Reflexgalvanometer n, Reflexionsgalvanometer n	galvanomètre m à miroir	зеркальный гальванометр
R 1130	reflecting goniometer, reflective goniometer	Reflexgoniometer n, Reflexionsgoniometer n, Spiegelgoniometer n, Rückstrahlungsgoniometer n; Kristallgoniometer n	goniomètre m à réflexion	отражательный гониометр
	reflecting grating	s. reflection grating		
R 1131	reflecting interference microscope	Auflicht-Interferenzmikroskop n	microscope m interférentiel à réflexion	отражательный интерференционный микроскоп
R 1132	reflecting mirror <of illuminating system>	Beleuchtungsspiegel m	miroir m réfléchissant <du système d'éclairage>	зеркало осветительной системы <микроскопа>
	reflecting-mirror telescope	s. reflecting telescope <astr.>		
	reflecting nephoscope, [mirror] nephoscope	Nephoskop; Wolkenspiegel m	néphoscope m; néphoscope à miroir	нефоскоп; зеркальный нефоскоп
	reflecting power, reflection factor, reflectivity <opt., oblique incidence>	Reflexionsvermögen n <Opt., schiefer Einfall>	pouvoir m réfléchissant (réflecteur), réflexibilité f <opt., incidence oblique>	отражательная способность <опт., косое падение>
	reflecting power	s. a. reflection factor		
R 1133	reflecting prism, totally reflecting prism, total reflection prism, reflex prism	Reflexionsprisma n, totalreflektierendes Prisma n, Totalreflexionsprisma n, Spiegelprisma n, Winkelprisma n	prisme m à réflexion [totale]	призма полного внутреннего отражения, призма-отражатель, отражающая призма, зеркальная призма

R 1134	**reflecting screen,** fill-in screen	Reflexschirm m, Reflexwand f; Aufheller m, Aufhellschirm m, Aufhellblende f	écran (panneau) m réflecteur, réflecteur m [de carton blanc]	отражательный экран, отражатель, светоотражатель, подсветка
R 1135	**reflecting square,** mitre square	Spiegelinstrument n; Winkelspiegel m; Spiegelscheibe f	équerre f à miroirs	зеркальный эккер
R 1136	**reflecting surface,** catopter	Reflexionsfläche f, reflektierende Oberfläche f; Reflektorfläche f; Abstrahlfläche f	surface f réflectrice, surface réfléchissante	отражающая поверхность
R 1137	**reflecting telescope,** reflector, [reflecting-] mirror telescope, reflection telescope <astr.>	Spiegelteleskop n, Reflektor m, Spiegelfernrohr n <Astr.>	télescope m réflecteur, réflecteur m, télescope à miroirs <astr.>	отражательный телескоп, рефлектор, зеркальный телескоп <астр.>
R 1138	**reflection,** re-radiation, re-radiation	Reflexion f, Zurückwerfung f, Rückwurf m; Rückstrahlung f, Zurückstrahlung f; Reflex m	réflexion f; réfléchissement m; rerayonnement m, reradiation f	отражение; обратное излучение; переизлучение
	reflection	s. a. direct reflection <opt.>		
	reflection	s. a. symmetry <cryst.>		
	reflection	s. a. backscattering		
R 1138a	**reflection angle,** angle of reflection	Reflexionswinkel m	angle m de réflexion	угол отражения
	reflection case, Bragg case	Bragg-Fall m	cas m de Bragg	случай Брэгга, случай отражения
	reflection characteristic; echoing characteristic	Rückstrahlcharakteristik f	caractéristique f de réflexion	характеристика отражения
R 1139	**reflection coefficient,** reflection factor, albedo <for particles, e.g. neutrons>	Albedo f, Reflexionsfaktor m, Reflexionskoeffizient m, Reflexionsvermögen n, Rückstrahl[ungs]vermögen n <für Teilchen, z. B. Neutronen>	albédo m, facteur m de réflexion, coefficient m de réflexion <pour les particules, p. ex. les neutrons>	альбедо, отражательная способность <для частиц, напр. нейтронов>
R 1140	**reflection coefficient,** acoustic[al] reflection factor, sound reflection factor, acoustical (sound) reflection coefficient, reflection coefficient for sound, acoustic[al] reflectivity, sound reflectivity <ac.>	Reflexionskoeffizient m, Schallreflexionsgrad m, Schallreflexionskoeffizient m, Schallreflexionsfaktor m, Schallrückwurfgrad m, Rückwurfgrad m <Ak.>	facteur m de réflexion [acoustique], coefficient m de réflexion [acoustique], coefficient de réflexion du son, réflectivité f acoustique <ac.>	коэффициент звукоотражения, коэффициент отражения звука, акустический коэффициент отражения <ак.>
R 1141	**reflection coefficient,** reflection factor <el.>	Reflexionskoeffizient m, Reflexionsfaktor m <El.>	coefficient m de réflexion <él.>	коэффициент отражения <эл.>
	reflection coefficient	s. a. reflection factor <opt.>		
	reflection coefficient	s. a. reflection factor <opt., normal incidence>		
	reflection coefficient	s. a. Bond['s] albedo <opt.>		
	reflection coefficient for sound	s. reflection coefficient <ac.>		
	reflection-coefficient meter	s. reflectometer		
R 1142	**reflection cone**	Reflexionskegel m	cône m de réflexion	конус отражения
R 1143	**reflection densitometer**	Reflexionsdensitometer n, Reflexionsschwärzungsmesser m	densitomètre m à réflexion	отражательный денситометр
R 1144	**reflection densitometry**	Reflexionsdensitometrie f, Reflexionsschwärzungsmessung f	densitométrie f à réflexion	отражательная денситометрия
	reflection density, external (reflection) optical density	Schwärzung (optische Dichte) f bei Reflexion, Reflexionsdichte f	densité f optique externe (par réflexion), densité de réflexion	внешняя оптическая плотность, плотность отражения, оптическая плотность по отражению
R 1145	**reflection depth,** depth of reflection	Reflexionstiefe f	profondeur f de réflexion	глубина отражения
R 1146	**reflection échelon**	Reflexionsstufengitter n, Spiegelgitter n, Spiegelflächengitter n	échelon m par réflexion, réseau m échelon par réflexion	отражательный эшелон
R 1147	**reflection echo;** returning echo	Rückstrahlecho n	écho m réfléchi	эхо-сигнал; отраженный сигнал
R 1147a	**reflection electron diffraction**	Elektronenbeugung f in Reflexion, Reflexionselektronenbeugung f	diffraction f électronique par réflexion	дифракция отраженных электронов
R 1148	**reflection electron microscope,** reflection-type electron microscope, reflection microscope, reflecting electron microscope, REM	Reflexionsmikroskop n [nach von Borries], Reflexionsübermikroskop n, Reflexionselektronenmikroskop n	microscope m électronique par (à) réflexion, microscope par (à) réflexion, microscope de réflexion	электронный микроскоп с отражением, отражательный электронный микроскоп
R 1149	**reflection electron microscopy,** reflection microscopy, electron microscopy by reflection, microscopy by reflection, REM	Reflexionselektronenmikroskopie f, Reflexionsmikroskopie f	microscopie f électronique par (à) réflexion, microscopie par (à) réflexion	электронная микроскопия в отраженном свете, наблюдение под отражательным электронным микроскопом, отражательная [электронная] микроскопия
R 1149a	**reflection experiment**	Reflexionsexperiment n	expérience f par réflexion	эксперимент на отражение
	reflection factor, Fresnel['s] reflection factor, [Fresnel['s]] reflection coefficient <opt.>	Reflexionskoeffizient m, Fresnelscher Reflexionskoeffizient, Reflexionsfaktor m <Opt.>	coefficient m de réflexion [de Fresnel], facteur m de réflexion <opt.>	коэффициент отражения [Френеля] <опт.>

R 1150	**reflection factor,** reflecting power, reflectance, reflection coefficient <opt., normal incidence>	Reflexionsgrad m, Reflexionskoeffizient m <Opt., senkrechter Einfall>	facteur (coefficient) m de réflexion, pouvoir m réflecteur, réflectance f <opt., incidence normale>	коэффициент отражения <опт., перпендикулярное падение>
R 1151	**reflection factor,** reflecting power, reflectivity <opt., oblique incidence>	Reflexionsvermögen n <Opt., schiefer Einfall>	pouvoir m réfléchissant (réflecteur), réflexibilité f <opt., incidence oblique>	отражательная способность <опт., косое падение>
	reflection factor	s. a. reflection coefficient <for particles, e.g. neutrons>		
	reflection factor	s. a. reflection coefficient <el.>		
	reflection factor	s. a. total reflection factor <opt.>		
R 1152	**reflection filter**	Reflexionsfilter n	filtre m à réflexion, filtre de type réflexion	отражательный фильтр, фильтр отражательного типа
R 1153	**reflection grating,** reflecting grating	Reflexionsgitter n	réseau m par réflexion, réseau de réflexion	отражательная решетка
R 1154	**reflection halation,** reflex halation	Reflexionslichthof m	halo m de réflexion	ореол отражения
R 1155	**reflection halo**	Spiegelhalo m, Spiegelungshalo m	halo m de (dû à la) réflexion	гало отражения; гало, вызываемое отражением; гало, возникающее вследствие отражения от граней кристаллов
R 1156	**reflection hologram**	Reflexionshologramm n	hologramme m par (de) réflexion	отражательная голограмма
R 1156a	**reflection in a point**	Spiegelung f an einem Punkt	inversion (symétrie) f par rapport à un point	симметрия (отражение) относительно точки
R 1157	**reflection in depth**	Tiefenreflexion f	réflexion f en profondeur	глубинное отражение
R 1158	**reflection in the plane,** reflection with respect to the plane	Spiegelung f an der Ebene	inversion f plane, symétrie f par rapport à un plan	симметрия (отражение) относительно плоскости
R 1159	**reflection invariance**	Spiegelungsinvarianz f, Spiegelinvarianz f	invariance f par rapport aux réflexions	инвариантность при отражении
R 1160	**reflection-invariant**	spiegelungsinvariant, spiegelinvariant	invariant par rapport aux réflexions	инвариантный при отражении
R 1160a	**reflectionless;** non-reflecting	reflexionsfrei; nichtreflektierend	sans réflexion; non réflecteur (réfléchissant)	безотражательный; неотражающий
R 1161	**reflection loss**	Reflexionsverlust m, Lichtverlust m infolge Reflexionsminderung	perte f par réflexion	потеря вследствие отражения
R 1162	**reflection matrix**	Reflexionsmatrix f	matrice f de réflexion	матрица отражения
R 1163	**reflection method** <hydr.; el.>	Spiegelungsmethode f <Hydr.; El.>	principe m des images <hydr.; él.>	метод отражения <гидр.>; метод [дифракции электронов] на отражение
	reflection microscope	s. direct-light microscope		
	reflection microscope	s. reflection electron microscope		
	reflection microscopy	s. reflection electron microscopy		
R 1164	**reflection modulation**	Modulation f des Reflexionsgrades	modulation f de réflexion	модуляция коэффициента отражения
R 1165	**reflection nebula**	Reflexionsnebel m	nébuleuse f réfléchissante (par réflexion, diffusante, à réflexion)	отражательная туманность
	reflection of heat, heat reflection	Wärmerückstrahlung f, Wärmereflexion f	réflexion f de la chaleur	отражение тепла, теплоотражение
	reflection optical density	s. reflection density		
	reflection order, order of reflection	Reflexionsordnung f, Ordnung f der Reflexion	ordre m de réflexion	порядок отражения
R 1165a	**reflection paramagnetic maser amplifier**	paramagnetischer Reflexionsquantenverstärker m	amplificateur m maser paramagnétique à réflexion	отражательный парамагнитный [квантовый] усилитель
	reflection plane, mirror plane, plane of mirror [reflection symmetry]	Spiegelebene f	plan m réflecteur, miroir m	зеркальная плоскость [симметрии]
R 1166	**reflection point,** point of reflection <el.>	Stoßstelle f <El.>	point m de désadaptation, point de réflexion <él.>	электрическая неоднородность, неоднородность; точка отражения; стык, место стыка <эл.>
R 1167	**reflection polarizer**	Reflexionspolarisator m	polariseur m de type réflexion	поляризатор отраженного типа
	reflection principle	s. Schwarz['s] reflection principle		
	reflection rainbow	s. secondary rainbow		
R 1168	**reflection shooting**	Reflexionsseismik f, Reflexionsschießen n	séismique f par réflexion, réflexion f séismique	сейсмическая разведка методом отраженных волн, сейсморазведка методом отраженных волн
R 1169	**reflection spectrum**	Reflexionsspektrum n	spectre m de réflexion	спектр отражения
R 1170	**reflection target**	Reflexionstarget n	cible f de (pour) réflexion, cible réfléchissante	мишень-отражатель
	reflection telescope	s. reflecting telescope <astr.>		
R 1171	**reflection-type cavity maser,** one-port cavity maser	Reflexionsmaser m, Einstrahlmaser m	maser m à cavité réflexe	квантовый усилитель с отражательным резонатором

	English	German	French	Russian
	reflection-type electron microscope	s. reflection electron microscope		
R 1171a	**reflection-type radiometric [materials] testing**	Reflexionsprüfung f, radiometrische Werkstoffprüfung f in Reflexion	examen m des matériaux radiométrique par réflexion	радиодефектоскопия «на отражение»
	reflection with respect to the plane	s. reflection in the plane		
R 1172	**reflection X-ray microscopy**	Reflexionsröntgenmikroskopie f	microscopie f de réflexion aux rayons X	рентгеновская отражательная микроскопия
	reflective galvanometer	s. reflecting galvanometer		
	reflective goniometer	s. reflecting goniometer		
	reflective optics	s. Schmidt['s] optical system		
R 1173	**reflectivity** <opt.>	Sättigungsreflexionsgrad m, Reflexionsgrad m <eines Körpers, dessen Schichtdicke so groß ist, daß sich eine weitere Erhöhung der Dicke auf den Wert des Reflexionsgrades nicht mehr auswirkt> <Opt.>	réflectivité f, facteur m total de réflexion d'une couche matérielle d'épaisseur telle que le facteur de réflexion ne change pas lorsqu'on augmente cette épaisseur, réflexibilité f <opt.>	отражаемость, коэффициент отражения толстого слоя <опт.>
	reflectivity	s. a. total reflection factor <opt.>		
	reflectivity, reflection factor, reflecting power <opt., oblique incidence>	Reflexionsvermögen n <Opt., schiefer Einfall>	pouvoir m réfléchissant (réflecteur), réflexibilité f <opt., incidence oblique>	отражательная способность <опт., косое падение>
	reflectogram; echogram	Echogramm n; Reflektogramm n	échogramme m; réflectogramme m	эхограмма; рефлектограмма
R 1174	**reflectometer, reflection-coefficient meter**	Reflexionsmesser m, Reflektometer n	réflectomètre m	рефлектометр
R 1174a	**reflectometer value**	Reflektometerwert m	valeur f réflectométrique	рефлектометрическая величина
R 1175	**reflector; mirror; tamper** <of reactor>	Reflektor m	réflecteur m	отражатель, рефлектор
R 1176	**reflector** <opt.; el.>	Reflektor m, Rückstrahler m <Vorrichtung zur Veränderung der räumlichen Verteilung des Lichtstroms einer Lichtquelle durch reflektierende Flächen> <Opt.>; Rückstrahler <El.>	réflecteur m <opt.; él.>	отражатель <опт.; эл.>
	reflector	s. a. reflecting telescope <astr.>		
	reflector	s. a. parasitic reflector <el.>		
R 1177	**reflector antenna**	Spiegelantenne f, Reflektorantenne f, Antenne f mit Spiegelreflektor	antenne f à réflecteur, antenne-miroir f	зеркальная антенна, антенна с отражателем
R 1178	**reflector aperture, mirror aperture**	Spiegelöffnung f	ouverture f de réflecteur, ouverture de miroir	апертура отражателя, раскрыв отражателя; отверстие рефлектора
	reflector arc lamp, mirror arc lamp	Spiegelbogenlampe f	lampe f à arc miroir	рефлекторная дуговая лампа
	reflector coating, mirror coating, coating of the mirror; mirror silvering	Spiegelbelag m, Belag m des Spiegels	couche f de métal du miroir; argenture f; tain m	покрытие зеркала
R 1179	**reflector heat, heat dissipated in the reflector**	Reflektorwärme f	chaleur f dissipée dans le réflecteur	теплота, образующаяся в отражателе реактора
R 1180	**reflector lamp**	Reflektorlampe f, Strahlerlampe f	lampe f à réflecteur	рефлекторная лампа, лампа-отражатель
R 1181	**reflector microphone**	Reflektormikrophon n	microphone m à réflecteur	микрофон с отражателем
	reflector-moderator, moderator-reflector	Moderator-Reflektor m, Reflektor-Moderator m	substance f réflectrice-retardatrice (réflectrice-modératrice), réflecteur-modérateur m	отражатель-замедлитель
R 1182	**reflector saving[s]**	Reflektorgewinn m, Reflektoreinsparung f, Reflektorersparnis f	économie f due au réflecteur	отражательная (эффективная) добавка, полезное действие отражателя, экономия отражателя
R 1183	**reflector voltage**	Reflektorspannung f	tension f de réflecteur, tension réflexe (réflectrice)	напряжение на отражателе клистрона
R 1184	**reflex** <bio.>	Reflex m <Bio.>	réflexe m <bio.>	рефлекс <био.>
	reflex	s. a. flare <phot.>		
R 1185	**reflex amplifier**	Reflexionsverstärker m	amplificateur m paramétrique réflexe	рефлексный усилитель, рефлексный (отражательный) параметрический усилитель
	reflex angle	s. reentering angle		
	reflex attachment, mirror-reflex attachment	Spiegelreflexaufsatz m, Spiegelreflexansatz m, Spiegelreflexvorsatz m	chambre f auxiliaire de visée, dispositif m reflex amovible	зеркальный насадок
R 1186	**reflex camera, mirror-reflex camera, reflex-through-the lens camera**	Spiegelreflexkamera f, Reflexkamera f	chambre f reflex, appareil m [photographique] reflex, reflex m	зеркальный фотоаппарат, камера-зеркалка, зеркальная камера
R 1187	**reflex circuit**	Reflexschaltung f	montage m réflexe, circuit m réflexe	рефлексная схема
	reflex finder	s. reflex viewfinder		
	reflex focusing device, pentaprism eye-level viewfinder	Prismeneinsatz m, Prismenaufsatz m	prisme m redresseur de visée, prisme redresseur pour visée reflex à hauteur d'œil	призменная насадка
	reflex halation	s. reflection halation		

R 1188	reflexivity <math.>	Reflexivität f <Math.>	réflexivité f <math.>	рефлексивность, рефлективность, возвратность <матем.>
R 1189	reflex klystron	Reflex[ions]klystron n, Reflexionslaufzeitröhre f, Reflexionstriftröhre f, Spiegeltriftröhre f, Spiegelklystron n	klystron m réflexe, klystron à réflecteur, klystron à réflexion, tube m de Sutton	отражательный клистрон
	reflexotation	s. improper orthogonal mapping <math.>		
R 1190	reflex printing [method]	Reflexkopierverfahren n, Reflexkopieren n	réflectographie f, cata-photographie f, reproduction f par contact en lumière réfléchie, playertypie f	рефлексная печать, рефлексный метод печати, метод рефлексной печати
	reflex prism	s. reflecting prism		
R 1191	reflex-prism split image rangefinder, groundglass rangefinder, rangefinder groundglass	Entfernungsmesser m für photographische Zwecke, Meßlupe f <Phot.>	verre m dépoli télémétrique (comportant un dispositif stigmomètre), dépoli m télémétrique	измерительная лупа <фот.>
R 1192	reflex reflection, retro-reflection	katadioptrische Reflexion f, Reflexreflexion f, Retroreflexion f <Lichtrückwurf in der Einfallsrichtung benachbarten Richtungen, unabhängig vom Einfallswinkel>	réflexion f catadioptrique, rétro[-]réflexion f	световозвращающее (катадиоптрическое) отражение
	reflex reflector, retro-reflector	Reflexreflektor m, Rückstrahler m	réflecteur (dispositif) m catadioptrique, rétro-réflecteur m	световозвращатель, катадиоптр, катафот, катадиоптрический отражатель (рефлектор)
	reflex-through-the lens camera	s. reflex camera		
R 1193	reflex viewfinder, reflex finder	Spiegelreflexsucher m, Reflexsucher m	viseur m reflex	зеркальный видоискатель; зеркальный визир, беспараллаксный визир
R 1194	reflux	Rückfluß m	reflux m	обратный поток, поток отраженных волн, отток
R 1195	reflux; phlegma; quantity of reflux <chem.>	Rückfluß m, Rücklauf m, Phlegma n <Chem.>	reflux m; flegme m, phlegme m; quantité f de reflux <chim.>	флегма; орошение; рефлюкс; расход орошения <хим.>
R 1196	reflux condenser	Rückflußkühler m	réfrigérant m à reflux	обратный холодильник
R 1197	reflux cooling, refluxing	Rückflußkühlung f	refroidissement m à reflux	охлаждение обратным холодильником
	refluxer, reflux exchanger refluxing	s. dephlegmator s. reflux cooling		
R 1198	reflux ratio, reflux-to-product ratio	Rückflußverhältnis n, Rückflußzahl f, Rücklaufverhältnis n	taux m de reflux	флегмовое число, коэффициент дефлегмации; коэффициент противотока
R 1199	reforming	Reformierung f	réformation f	переформовка
R 1200	refracted wave	gebrochene Welle f, Brechungswelle f	onde f réfractée, onde réfrangée	преломленная волна
R 1201	refracting angle	brechender Winkel m, Prismenwinkel m	angle m de réfraction	преломляющий угол, угол преломления
	refracting astrograph, lens astrograph	Linsenastrograph m	astrographe m réfracteur (à lentilles)	линзовый астрограф
R 1202	refracting edge	brechende Kante f	arête f de réfraction	преломляющая кромка
R 1203	refracting surface	brechende Fläche f, Brechfläche f	surface f de réfraction	преломляющая поверхность, поверхность преломления
	refracting telescope, refractor, lens telescope <astr.>	Refraktor m, Linsenfernrohr n, Linsenteleskop n <Astr.>	réfracteur m, lunette f <astr.>	рефрактор, телескоп-рефрактор, линзовый телескоп <астр.>
R 1204	refraction; refringence, refringency	Brechung f; Strahlenbrechung f, Strahlungsbrechung f; Refraktion f	réfraction f	преломление [лучей], лучепреломление; рефракция
R 1204a	refraction angle, angle of refraction	Brechungswinkel m, Refraktionswinkel m	angle m de réfraction	угол преломления
	refraction anomaly, anomaly in refraction	Refraktionsanomalie f	anomalie f de réfraction	рефракционная аномалия
	refraction coefficient	s. refractive index		
R 1205	refraction constant, constant of [mean] refraction, refractivity constant	Refraktionskoeffizient m, Refraktionskonstante f	constante f de réfraction	константа преломления, постоянная рефракции, коэффициент рефракции
R 1206	refraction equation, refraction formula	Refraktionsformel f	formule (équation) f de réfraction	формула рефракции
	refraction equivalent, equivalent refraction	Refraktionsäquivalent n	réfraction f équivalente, équivalent m de réfraction	эквивалентная рефракция, эквивалент рефракции
R 1207	refraction error	Refraktionsfehler m, Brechungsfehler m <Auge>	erreur f de réfraction	рефракционная ошибка, ошибка от рефракции
R 1208	refraction factor <el.>	Refraktionszahl f <El.>	facteur m de réfraction <él.>	коэффициент преломления <эл.>
	refraction formula	s. refraction equation		
R 1209	refraction halo	Brechungshalo m	halo m dû à la réfraction	гало преломления; гало, вызываемое преломлением

	English	German	French	Russian
	refraction index	s. refractive index		
R 1210	**refraction law,** law of refraction	Brechungsgesetz n	loi f de la réfraction	закон преломления
R 1211	**refraction of light**	Lichtbrechung f, Brechung (Refraktion) f des Lichtes	réfraction f de la lumière	преломление света, светопреломление; рефракция света
	refractionometer	s. optimeter		
R 1212	**refraction shooting**	Refraktionsseismik f, Refraktionsschießen n	séismique f par réfraction	сейсморазведка (сейсмическая разведка) методом преломленных волн
	refraction spectrum	s. dispersion spectrum		
	refraction table, table of refraction	Refraktionstabelle f, Refraktionstafel f	table f de réfraction	таблица рефракции
R 1213	**refraction term**	Brechungsterm m, Brechungsanteil m, Brechungsglied n	terme m de réfraction	член преломления
R 1213a	**refraction wave** <geo.>	gebrochene Welle f <Geo.>	onde f de réfraction, onde réfractée <géo.>	боковая (головная, преломленная) волна <гео.>
	refractive coefficient	s. refractive index		
R 1213b	**refractive dispersion;** **refractive dispersivity**	Brechungsdispersion f; Refraktionsdispersion f	dispersion f de réfraction	дисперсия [света] при преломлении
	refractive dispersivity	s. a. dispersivity quotient		
R 1214	**refractive index,** index of refraction, refraction index; refraction (refractive) coefficient; absolute refractive index, absolute index of refraction	Brechungsindex m, Brech[ungs]zahl f, Brechungsfaktor m, Brechungsexponent m, Brechungskoeffizient m, Brechungsvermögen n, Brechungsquotient m, Brechungsverhältnis n; absoluter Brechungsindex m; Refraktionsvermögen n	indice m de réfraction, nombre m de réfraction; indice de réfraction absolu	показатель преломления, коэффициент преломления; абсолютный показатель преломления
R 1215	**refractive index matrix**	Brechungsindexmatrix f	matrice f de l'indice de réfraction	матрица показателя преломления
R 1216	**refractive modulus**	Refraktionsmodul m	module m de réfraction	модуль коэффициента преломления
	refractive power	s. focal power <opt.>		
R 1216a	**refractivity**	Refraktivität f <n-1 oder 1-n>	réfractivité f <n-1 ou 1-n>	преломляемость
	refractivity	s. a. molecular refraction		
	refractivity constant	s. refraction constant		
R 1217	**refractometer**	Refraktometer n, Brechzahlmesser m; Augenrefraktometer n	réfractomètre m	рефрактометр
R 1218	**refractometric analysis**	refraktometrische Analyse f	analyse f réfractométrique	рефрактометрический анализ
R 1219	**refractometry**	Refraktometrie f, Brechzahlbestimmung f, Brechzahlmessung f	réfractométrie f	рефрактометрия, измерение показателей преломления
R 1220	**refractor** <opt.>	Refraktor m, Lichtbrechungskörper m <Vorrichtung zur Veränderung der räumlichen Verteilung des Lichtstroms einer Lichtquelle durch lichtbrechende Medien> <Opt.>	réfracteur m, corps m réfracteur <opt.>	преломлятель <опт.>
R 1221	**refractor,** refracting telescope, lens telescope <astr.>	Refraktor m, Linsenfernrohr n, Linsenteleskop n <Astr.>	réfracteur m, lunette f <astr.>	рефрактор, телескоп-рефрактор, линзовый телескоп <астр.>
	refractoriness	s. fireproofness		
	refractoriness	s. refractory phase <bio.>		
	refractory, refractory material, refractory brick	feuerfester Stoff (Werkstoff, Stein) m, feuerfeste Keramik f	réfractaire m, céramique f réfractaire	огнеупорный материал, огнеупор, огнеупорная керамика
R 1222	**refractory** <bio.>	refraktär <Bio.>	réfractaire, inexcitable <bio.>	рефрактерный <био.>
	refractory	s. a. fire-resistant		
	refractory	s. a. high-melting		
	refractory brick	s. refractory material		
R 1223	**refractory cathode**	hochschmelzende Katode f	cathode f [à métal] réfractaire	тугоплавкий катод
R 1224	**refractory electrode transition**	Übergang m Glimmstrom — Lichtbogen bei hochschmelzenden Elektroden	transition f lueur-arc aux électrodes réfractaires	переход от тлеющего разряда к дуге при тугоплавких электродах
R 1225	**refractory material,** refractory, refractory brick	feuerfester Stoff (Werkstoff, Stein) m, feuerfeste Keramik f	réfractaire m, céramique f réfractaire	огнеупорный материал, огнеупор, огнеупорная керамика
R 1226	**refractory period**	Refraktärzeit f, Refraktärperiode f, Refraktärphase f	période f réfractaire, phase f réfractaire	рефрактерный период, рефрактерная фаза
R 1227	**refractory phase,** refractoriness <bio.>	Refraktärstadium n, Refraktärphase f, Refraktarität f <Bio.>	stade m réfractaire, réfractarité f <bio.>	рефрактерность, рефрактерная фаза <био.>
R 1227a	**refrangibility**	Brechbarkeit f; Brechungsvermögen n, Brechungsfähigkeit f	réfrangibilité f	способность преломляться
R 1228	**refrigerant,** refrigerating agent, refrigerating medium	Kältemittel n, Kältemedium n, Kälteübertragungsmittel h, Kälteüberträger m, Kälteträger m	agent (liquide) m frigorifique, réfrigérant m, agent réfrigérant (frigorigène)	холодоноситель, хладоагент, хладагент, холодильный агент
	refrigerated finger, cold finger	Kühlfinger m	doigt m froid (à refroidissement, réfrigérant, refroidi)	холодный палец

	refrigerated trap	*s.* cold trap		
	refrigerating agent	*s.* refrigerant		
R 1229	**refrigerating capacity**	Kälteleistung *f*	puissance *f* frigorifique, capacité *f* de réfrigération	хладопроизводительность
R 1229a	**refrigerating effect**	Kühlwirkung *f*	effet *m* réfrigérant	охлаждающее действие
	refrigerating machine	*s.* refrigerator		
	refrigerating medium	*s.* refrigerant		
	refrigerating mixture, frigorific mixture, cryohydrate, freezing mixture, cryogen	Kältemischung *f*, Kryohydrat *n*	mélange *m* frigorifique, mélange réfrigérant, cryohydrate *m*	охлаждающая смесь, криогенная смесь, криогидрат
R 1230	**refrigerating plant**	Kälteanlage *f*	installation *f* frigorifique	холодильная установка
	refrigerating plant	*s. a.* refrigerator		
R 1231	**refrigerating tubing**	Kühlrohrsystem *n*	tuyauterie *f* de refroidissement, tuyauterie de réfrigération	охлаждающая трубная система, система охлаждающих батарей
	refrigeration; cooling	Kühlung *f*; Abkühlung *f*	refroidissement *m*; réfrigération *f*	охлаждение; рефрижерация
	refrigeration, production of cold	Kälteerzeugung *f*	production *f* de (du) froid	получение (производство) холода
R 1232	**refrigeration [engineering],** refrigeration technology	Kältetechnik *f*	technique *f* frigorifique, technique de froid	холодильная техника, хладотехника
R 1232a	**refrigeration cycle**	Kältekreisprozeß *m*	cycle *m* frigorifique	холодильный цикл
R 1233	**refrigeration laboratory,** low-temperature laboratory	Kältelaboratorium *n*, Tieftemperaturlaboratorium *n*	laboratoire *m* du froid, laboratoire de basses températures	лаборатория низких температур
	refrigeration machine	*s.* refrigerator		
	refrigeration technology	*s.* refrigeration engineering		
R 1234	**refrigerator,** refrigerating machine, refrigerating plant, refrigeration machine	Kältemaschine *f*; Kühlmaschine *f*; Refrigerator *m* <Kälteanlage ohne Flüssigkeitsentnahme>	machine *f* frigorifique, machine réfrigérante	холодильная машина
R 1235	**refrigerator**	Kühlschrank *m*	réfrigérateur *m*	холодильный шкаф, холодильник
	refringence, refringency	*s.* refraction		
R 1236	**refueling, refuelling;** reloading	Brennstoffwechsel *m*, Wiederbeladung *f*, Wiederbeschickung *f*, Neubeschickung *f*; Brennstoffumladung *f*	rechargement *m* du combustible [nucléaire], recharge *f* du combustible [nucléaire], échange *m* du combustible	перегрузка ядерного топлива, перегрузка топлива, перезарядка топлива, замена горючего
	refuse, rubbish	Schutt *m*	éboulis *mpl*, brèche *f* d'écroulement	каменная осыпь, осыпь, обломки горной породы, обломочные породы
	refusion, repeated melting; remelting	Umschmelzen *n*	refusion *f*; fusion *f* sans oxydation; refonte *f*	переплавка; переплавление; перетапливание; передел
R 1237	**refutation,** rebuttal	Widerlegung *f*, Gegenbeweis *m*	réfutation *f*, contre-épreuve *f*	опровержение
R 1238	**regelation,** refreezing	Regelation *f*	regel *m*, regélation *f*, régélation *f*, recongélation *f*	режеляция, смерзание, повторное замораживание (затвердевание)
R 1239	**regenerating solution**	Wiederbelebungslösung *f*	solution *f* régénératrice	регенерирующий раствор
	regeneration, reprocessing	Wiederaufarbeitung *f*, Aufarbeitung *f*, Wiederaufbereitung *f*; Rückvergütung *f*	régénération *f*, retraitement *m*, traitement *m*	переработка, регенерация; обогащение
R 1240	**regeneration;** recovery <bio., geo., meteo., phot., el.; cryst.>	Regeneration *f*; Regenerierung *f* <Bio., Geo., Meteo., Phot., El., Krist.>	régénération *f* <bio., géo., météo., phot., él., crist.>; restauration *f* <bio.>	регенерация, регенерирование; восстановление <био., гео., метео., фот., эл., крист.>
R 1241	**regeneration** <e.g. of catalyst>	Wiederbelebung *f*, Wiederauffrischung *f* <z. B. Katalysator>	régénération *f* <p. ex. du catalyseur>	регенерация, восстановление <напр. катализатора>
	regeneration	*s. a.* feedback		
	regeneration	*s. a.* reduction of the damping		
R 1242	**regeneration heat**	nachhinkende Wärme *f*	chaleur *f* retardée	теплота регенерации
	regeneration of current, recuperation of current	Stromrückgewinnung *f*, Rückgewinnung (Rückführung) *f* der elektrischen Energie	récupération *f* du courant, récupération d'énergie électrique	возврат тока, рекуперация электроэнергии
	regeneration of heat, heat regeneration	Wärmerückgewinnung *f*, Wärmerückgewinn *m*, Wärmeregeneration *f*	régénération *f* de la chaleur	регенерация тепла, возврат тепла
	regeneration power	*s.* regenerative power		
	regenerative amplification, retroactive amplification	Rückkopplungsverstärkung *f*	amplification *f* par réaction, amplification à réaction	регенеративное усиление, усиление за счет обратной связи
	regenerative amplification	*s. a.* reduction of the damping		
	regenerative circuit	*s.* feedback loop		
	regenerative converter	*s.* converter <nucl.>		
R 1242a	**regenerative detector,** self-interference audion	Rückkopplungsgleichrichter *m*	détecteur *m* auto-oscillant, détecteur à réaction	регенеративный детектор, детектор с обратной связью
R 1243	**regenerative [grid-current] detector,** self-interference audion, regenerative valve detector	Rückkopplungsaudion *n*	détecteur *m* par grille à réaction	сеточный детектор с обратной связью, регенеративный сеточный (ламповый) детектор
	regenerative loop of the circuit	*s.* feedback loop		

R 1244	**regenerative power,** regeneration power, recovery power	Regenerationsfähigkeit *f*, Regenerierfähigkeit *f*, Regenerationsvermögen *n*, Regeneriervermögen *n*, Erholungsfähigkeit *f*	pouvoir *m* régénérateur	регенерационная способность, способность регенерироваться, способность регенерирования
R 1245	**regenerative process**	regenerativer Prozeß *m*, Regenerativprozeß *m*, Regenerationsprozeß *m*	procédé *m* régénératif, processus *m* régénératif	регенеративный процесс
	regenerative reactor	*s.* converter <nucl.>		
	regenerative valve detector	*s.* regenerative [grid-current] detector		
R 1246	**regenerator,** heat regenerator, thermal regenerator	Regenerator *m*, periodisch arbeitender Wärmeaustauscher *m*, Regenerativwärmeaustauscher *m*, Wärmeregenerator *m*, Wärmespeicher *m*	régénérateur *m* [thermique], échangeur *m* de chaleur régénérateur	регенератор, регенеративный теплообменник, регенеративный подогреватель
R 1246a	**Regge cut**	Regge-Schnitt *m*	coupe *f* [de] Regge	срез Редже
R 1247	**Regge family**	Regge-Familie *f*	famille *f* de Regge	семейство Редже
R 1247a	**reggeization**	Reggeisierung *f*	reggéisation *f*	реджезация
R 1248	**reggeon**	Reggeon *n*	reggion *m*	реджион, реджеон
R 1248a	**reggeon graph**	Reggeongraph *m*	graphe *m* reggion	реджеонный график
R 1249	**Regge pole**	Regge-Pol *m*	pôle *m* de Regge	полюс Редже
R 1249a	**Regge recurrence**	Regge-Rekurrenz *f*, Regge-Wiederholung *f*	récurrence *f* de Regge	проекция Редже
R 1250	**Regge trajectory**	Regge-Trajektorie *f*, Regge-Bahn *f*	trajectoire *f* de Regge	траектория Редже, траектория полюса Редже
R 1250a	**reggistics**	Reggeistik *f*	reggistique *f*	реджистика
	regime, régime	*s.* mode of operation		
R 1251	**regime of flight**	Flugzustand *m*	régime *m* du vol	режим полета
R 1252	**regime of winds**	Windregime *n*	régime *m* des vents	режим ветров
R 1253	**regime theory**	Regimetheorie *f* [des Massentransports]	théorie *f* du régime	теория переноса ила
R 1254	**region; range; zone; sphere** <gen.>	Gebiet *n*; Bereich *m*; Zone *f*; Sphäre *f* <allg.>	zone *f*; région *f*; sphère *f* <gén.>	область; зона; сфера <общ.>
R 1255	**region,** interval, range <gen.>	Intervall *n*, Bereich *m*, Gebiet *n* <allg.>	intervalle *m*, domaine *m*, gamme *f* <gén.>	интервал, область <общ.>
	regional compensation	regionale Kompensation (Ausgleichsbewegung) *f*, großräumige Kompensation	compensation *f* régionale	региональная компенсация
	regional time, standard time, zone time	Zonenzeit *f*, Einheitszeit *f*	temps *m* de fuseau, temps zonal	поясное время, зональное время
R 1256	**region of alimentation**	Nährgebiet *n*, Nährbereich *m*	région *f* alimentaire, zone *f* d'alimentation	область питания
	region of alimentation, river basin, basin, drainage <geo.>	Einzugsgebiet *n*; Stromgebiet *n*, Flußgebiet *n* <Geo.>	bassin *m* de réception, bassin fluvial, région *f* alimentaire <géo.>	водосборный бассейн [реки], водосбор, речной бассейн
R 1257	**region of alimentation of the source (spring)** <geo.>	Quellgebiet *n* <Geo.>	bassin *m* de réception, région *f* alimentaire de la source <géo.>	водосбор источника, [водо]сборный бассейн источника <гео.>
	region of audibility	*s.* audibility zone		
R 1258	**region of barometric tendency**	Tendenzgebiet *n* [des Luftdrucks]	zone (région) *f* de tendance barométrique	область барометрической тенденции
	region of cathode fall	*s.* cathode fall region		
R 1259	**region of continuum,** region of energy continuum	Kontinuumsbereich *m*, Kontinuumsgebiet *n*, Kontinuumsteil *m* der Energieabhängigkeit des Wirkungsquerschnitts	région *f* du continu, région *f* d'énergie du continu	непрерывная область, область непрерывного спектра
R 1259a	**region of convergence,** region of fusion <opt.>	Konvergenzbereich *m*, Fusionsbereich *m* <Opt.>	région *f* de convergence, région de fusion <opt.>	область схождения, область конвергенции <опт.>
	region of convergence	*s. a.* domain of convergence		
	region of correct exposure	*s.* straight line portion of the characteristic curve		
	region of crystal	*s.* crystal domain <cryst.>		
	region of energy continuum	*s.* region of continuum		
R 1260	**region of evaporation,** evaporation zone, evaporation region	Verdampfungsteil *m*, Verdampferteil *m*, Verdampfungsgebiet *n*	zone *f* d'évaporation	испарительный участок, зона испарения, область испарения
	region of fusion	*s.* region of convergence		
	region of image reversal	*s.* region of solarization		
	region of incipient current flow	*s.* region of residual current		
R 1261	**region of integration,** range of integration	Integrationsgebiet *n*, Integrationsbereich *m*, Integrationsgrenzen *fpl*	aire *f* d'intégration; volume *m* d'intégration; limites *fpl* d'intégration	область интегрирования, пределы интегрирования
	region of intrinsic conduction	*s.* intrinsic region		
R 1262	**region of limited proportionality**	Bereich *m* begrenzter Proportionalität	zone *f* de proportionnalité limitée	область ограниченной пропорциональности
R 1263	**region of liquefaction**	Verflüssigungsbereich *m*	domaine *m* de liquéfaction	область сжижения
	region of normal exposure	*s.* straight line portion of the characteristic curve		
R 1264	**region of origin**	Ursprungsgebiet *n*	région *f* d'origine	область происхождения (захождения)
	region of overexposure	*s.* shoulder <phot., opt.>		
	region of overlap	*s.* overlap region		
R 1265	**region of partial shadow**	Halbschattengebiet *n*, Halbschatten *m*	zone *f* du pénombre	зона полутени, область полутени

	region of potential fall, potential fall region (zone), zone of potential fall	Fallraum m, Fallgebiet n	zone (région) f de chute de tension	область (зона) падения потенциала
R 1266	region of precipitation	Niederschlagsgebiet n	zone f des précipitations	область осадков, зона осадков
R 1267	region of residual current, residual current region, region of incipient current flow	Anlaufgebiet n, Anlaufstromgebiet n	région f du courant résiduel	область ускорения <при диффузии заряженных частиц>
R 1268	region of reversal and re-reversal of solarization	Zone f der Solarisation und Resolarisation	zone f de solarisation et resolarisation	область соляризации и вторичной соляризации
	region of saturated steam	s. saturated-steam region		
	region of silence	s. silent zone		
	region of single vision	s. Panum['s] area		
R 1269	region of solarization, region of image reversal, zone of solarization	Solarisationsbereich m, Solarisationszone f, Solarisationsteil m	zone f de solarisation, zone neutre de solarisation	область соляризации
R 1270	region of stability, stability region, stability domain <control>	Stabilitätsbereich m, Stabilitätsgebiet n <Regelung>	domaine m de stabilité, région f de stabilité <réglage>	область устойчивости <управление>
	region of stable orbits, stability region, stable region <acc.>	Stabilitätsbereich m, Bereich m stabiler Bahnen <Beschl.>	région f de stabilité, région des orbites stables <acc.>	область устойчивости <уск.>
R 1271	region of the infra-red spectrum, infra-red region, I.R. region	Infrarotgebiet n, Gebiet n des infraroten Spektrums, IR-Gebiet n	région f du spectre infrarouge, région infrarouge, région I. R.	область инфракрасного спектра
	region of the spectrum	s. spectral region		
R 1272	region of the ultra-violet spectrum, ultra-violet region, U.V. region	Ultraviolettgebiet n, Gebiet n des ultravioletten Spektrums, UV-Gebiet n	région f du spectre ultraviolet, région ultraviolette, région U. V.	область ультрафиолетового спектра
	region of turbulence	s. turbulent region		
	region of underexposure	s. toe		
R 1272a	register; counting mechanism, counter	Zählwerk n, Zähler m; Register n	numérateur m; mécanisme m de comptage, compteur m; régistre m	счетный механизм, счетчик; регистр
	registering	s. recording		
	registering balloon, recording balloon	Registrierballon m	ballon m enregistreur	регистрирующий шар-зонд, шар-зонд (шаровой зонд) с авторегистрирующими приборами
R 1273	registering chronograph	Registrierchronograph m	chronographe m enregistreur	пишущий хронограф
	registering siphon barometer, siphon recording barometer	Registrier-Heberbarometer n	baromètre m enregistreur à siphon	сифонный регистрирующий барометр
	register rotation, cyclic shift, rotation of register <num.math.>	zyklische Vertauschung f, zyklische Verschiebung f <num. Math.>	décalage m cyclique, déplacement m cyclique, rotation f [du régistre]; report m cyclique <math. num.>	циклический сдвиг; циклический перенос <числ. матем.>
R 1274	register ton, reg. ton	Registertonne f, RT	tonne f de registre	регистровая тонна
	registration	s. recording		
R 1275	registrogram	Registrogramm n	registrogramme m, enregistrogramme m	регистрограмма
	re-graduation	s. recalibration		
R 1276	regressand, predictand	Regressand m	variable f expliquée	зависимая переменная в уравнении регрессии
	regression, retreat, recession <geo.>	Regression f, Rückzug m, Rückgang m, Zurückgehen n, Zurückweichen n <Geo.>	régression f, retrait m <géo.>	отступление, отступание <ледника, моря>; регрессия <моря> <гео.>
	regression	s. a. fading <phot.>		
R 1277	regression <stat.>	Regression f <Stat.>	régression f <stat.>	регрессия <стат.>
	regression	s. a. regression curve		
R 1277a	regression analysis	Regressionsanalyse f	analyse f de régression	регрессионный анализ
R 1278	regression coefficient	Regressionskoeffizient m	coefficient m de régression	коэффициент регрессии
R 1279	regression curve, regression	Regressionslinie f, Ausgleichslinie f, Regressionskurve f	ligne f de régression, courbe f de régression	кривая регрессии, линия регрессии
	regression effect, Marx effect	Marx-Effekt m	effet m Marx, effet de régression	эффект Маркса
R 1280	regression equation	Regressionsgleichung f	équation f de régression	уравнение регрессии
R 1280a	regression function	Regressionsfunktion f, Ausgleichsfunktion f	fonction f de régression, fonction d'ajustement	регрессионная функция
R 1281	regression line, line of regression	Regressionsgerade f, Ausgleichsgerade f, Beziehungsgerade f, ausgleichende Gerade f	droite f de régression, droite d'estimation	линия регрессии, прямая выравнивания
	regression of latent image	s. fading <phot.>		
	regression period, period of regression	Regressionsperiode f	période f de régression	период регрессии
R 1281a	regression surface	Regressionsfläche f	surface f de régression	поверхность регрессии
R 1282	regressive erosion	rückschreitende Erosion f, regressive Erosion	érosion f régressive, érosion remontante	регрессивная (пятящаяся, отступающая) эрозия
R 1282a	regressive wave	rückschreitende (regressive) Welle f	onde f régressive	регрессивная (попятная) волна
R 1283	regressor, predicated variable, determining (cause, explanatory) variable <stat.>	Regressor m; Einflußgröße f	variable f explicative	независимая переменная в уравнении регрессии

	reg. ton	s. register ton		
R 1284	**regula falsi,** rule of false position, method of false position	Regula *f* falsi, Eingabeln *n* der Nullstelle, Sekantenverfahren *n*	règle *f* de fausse position	метод хорд, метод (способ, правило) ложного положения
	regular, holomorph, regulär <geo., math.>; regular analytic <math.>	holomorphe, regulär <Geo., Math.>; regulär analytisch <Math.>	holomorphe, régulier <géo., math.>	голоморфный, регулярный <гео., матем.>
R 1285	**regular** <math.>	regulär; regelmäßig <Math.>	régulier <math.>	регулярный; правильный <матем.>
	regular analytic	s. regular <geo., math.>		
	regular analytic function	s. holomorphic function		
R 1286	**regular astigmatism**	regelmäßiger Astigmatismus *m*, Astigmatismus regularis	astigmatisme *m* régulier	регулярный астигматизм
R 1287	**regular branch of the analytical function**	regulärer Zweig *m* der analytischen Funktion	branche *f* régulière de la fonction analytique	регулярная ветвь аналитической функции
	regular crystal[lographic] system	s. cubic system		
	regular enantiomorphy	s. enantiomorphous hemihedry of the regular system		
	regular error	s. systematic error		
R 1288	**regular extinction**	reguläre Auslöschung *f*	extinction *f* régulière	регулярное гашение
R 1289	**regular field theory**	reguläre Feldtheorie *f*	théorie *f* des champs régulière	регулярная теория поля
	regular flash	s. photoflash lamp		
R 1289 a	**regular function**	reguläre Funktion *f*	fonction *f* régulière	правильная (регулярная) функция
	regular function	s. a. holomorphic function		
R 1290	**regular galaxy,** regular nebula	regelmäßiges (reguläres) Sternsystem *n*, regelmäßiger Nebel *m*	galaxie *f* régulière, nébuleuse *f* régulière	правильная галактика, правильная туманность
	regular hemimorphy	s. hemimorphic hemihedry of the regular system		
	regular hexahedron, cube, hexahedron	Würfel *m*, regelmäßiges Sechsflach (Hexaeder) *n*, regelmäßiger Sechsflächner *m*, Hexaeder *n*	cube *m*, hexaèdre *m* régulier, hexaèdre	куб, регулярный гексаэдр, гексаэдр
	regular holohedry	s. holohedry of the regular system		
R 1291	**regularity attenuation,** [structural] return loss; echo current attenuation	Rückflußdämpfung *f*; Echodämpfung *f*	affaiblissement *m* de régularité; affaiblissement d'écho	затухание вследствие рассогласования, затухание обратного течения; затухание эха
R 1292	**regularization**	Regularisierung *f*	régularisation *f*	регуляризация
R 1293	**regularizing variable**	regularisierende Variable *f*	variable *f* régularisante	регуляризирующая переменная
	regular lattice site	s. regular site		
	regular matrix	s. invertible matrix		
R 1294	**regular multiplet,** normal multiplet	regelrechtes (reguläres, normales) Multiplett *n*, Multiplett mit normaler Termordnung	multiplet *m* régulier, multiplet normal	регулярный мультиплет, нормальный мультиплет
	regular nebula	s. regular galaxy		
	regular paramorphy	s. paramorphic hemihedry of the regular system		
R 1295	**regular part**	regulärer Teil *m*	partie *f* régulière, partie de droite	регулярная часть
R 1296	**regular point**	regulärer Punkt *m*	point *m* ordinaire, point régulier	регулярная точка
R 1297	**regular point system,** regular system of points	reguläres Punktsystem *n*	système *m* régulier de points	регулярная система точек
R 1298	**regular polygon**	regelmäßiges Vieleck *n*, reguläres Polygon *n*	polygone *m* régulier	правильный многоугольник
R 1299	**regular polyhedron**	regelmäßiges Vielflach *n*, reguläres Polyeder *n*	polyèdre *m* régulier	правильный многогранник (полиэдр)
R 1300	**regular position**	Regellage *f*; Gleichlage *f*	position *f* régulière	регулярное положение, правильное положение
R 1301	**regular position of frequencies**	Frequenz[en]gleichlage *f*, Gleichlage *f* der Frequenzen	position *f* régulière des fréquences	правильное положение частот
	regular precession, steady precession, steady precessional motion	reguläre Präzession *f*, gleichmäßige Präzession	précession *f* régulière	регулярная прецессия, регулярное прецессионное движение
	regular reflectance	s. direct reflection factor		
	regular reflection	s. direct reflection <opt.>		
	regular refraction	s. specular refraction		
R 1302	**regular representation**	reguläre Darstellung *f*	représentation *f* régulière	регулярное представление
R 1303	**regular singularity,** regular singular point, inessential singularity, point of determination <of differential equation>	außerwesentlich[e] singuläre Stelle *f*, [singuläre] Stelle der Bestimmtheit, Bestimmtheitsstelle *f*, außerwesentliche (reguläre) Singularität *f*, schwach singuläre Stelle	singularité *f* non essentielle, singularité *f* régulière	регулярная особая точка, несущественно особая точка, особая точка определенности
R 1304	**regular site,** regular lattice site	Regelgitterplatz *m*	site *m* régulier	регулярное узлие решетки
	regular system	s. cubic system		
	regular system of points	s. regular point system		
	regular tetartohedry	s. tetartohedry of the regular system		
R 1305	**regular trace**	reguläre Spur *f*	trace *f* régulière	регулярный след
	regular transmission	s. direct transmission		
	regular transmittance	s. direct transmission factor		

R 1306	**regular variable;** periodic variable	regelmäßiger Veränderlicher *m*; periodischer Veränderlicher; Pulsationsveränderlicher *m*	variable *f* régulière; variable périodique	правильная переменная [звезда], регулярная переменная [звезда]; периодическая переменная [звезда]
R 1307	**regular wave**	reguläre Welle *f*, regelmäßige Welle	onde *f* régulière	правильная волна, регулярная (нормальная) волна
	regulated condition	s. manipulated variable		
	regulated quantity	s. controlled variable		
	regulated unit	s. final control element		
	regulated variable	s. controlled variable		
R 1308	**regulated voltage,** stabilized voltage	stabilisierte Spannung *f*	tension *f* stabilisée	стабилизованное напряжение
	regulating	s. fine adjustment		
	regulating rod, fine control rod	Regelstab *m*, Feinregelstab *m*	barre *f* de pilotage, barre de réglage fin	стержень тонкой регулировки, регулирующий стержень
	regulating screw	s. setting screw		
	regulating system	s. control loop		
	regulating transformer	s. variable ratio transformer		
	regulation	s. adjustment <to>		
	regulation	s. fine adjustment		
R 1309	**regulator** <bio.; chem.>	Regulator *m* <Bio.>; Reglersubstanz *f* <Chem.>	régulateur *m* <bio.; chim.>	регулятор <био.; хим.>
R 1310	**regulatory**	regulatorisch	régulatoire	регулировочный
R 1311	**Rehbinder effect**	Rehbinder-Effekt *m*	effet *m* Rehbinder	эффект Ребиндера, адсорбционный эффект понижения прочности, адсорбционное понижение прочности
R 1311a	**Reid potential**	Reid-Potential *n*	potentiel *m* de Reid	потенциал Рейда
	re[-]ignition, after count, after discharge	Nachentladung *f*, Nachimpuls *m*, Wiederzündung *f*; Nachzündung *f*; Rückzündung *f*	décharge *f* secondaire, postdécharge *f*	послеразряд, дополнительный разряд, последующий разряд
	reignition field strength	s. reignition strength		
R 1312	**reignition of arc**	Wiederzündung *f* des Bogens	rallumage *m* de l'arc	повторное зажигание дуги
R 1313	**reignition strength** [of field], reignition field strength	Wiederzündfeldstärke *f*	intensité *f* de champ de rallumage, champ *m* de rallumage	напряженность поля повторного зажигания; напряженность поля, необходимая для повторного зажигания [дуги]
R 1314	**reignition voltage,** restriking voltage	Wiederzündspannung *f*	tension *f* de rallumage	напряжение повторного зажигания [дуги]
R 1314a	**Reiner effect**	Reiner-Effekt *m*	effet *m* Reiner	эффект Райнера
R 1315	**Reiner-Rivlin fluid**	Reiner-Rivlinsche Flüssigkeit *f*	fluide *m* de Reiner-Rivlin	жидкость Райнера-Ривлина
R 1315a	**reinforcement**	Armierung *f*, Bewehrung *f*	armature *f*; armement *m*	армировка; армирование
	reinforcement; stiffening, strengthening <mech.>	Versteifung *f*; Verstärkung *f*; Absteifung *f*; Verstrebung *f* <Mech.>	renforcement *m*; étayage *m*, étayement *m* <méc.>	жесткое крепление; усиление, укрепление; утолщение <мех.>
R 1315b	**reinforcer, reinforcing material** <mech.>	Verstärker *m*, Verstärkungsmaterial *n*, Versteifungsmaterial *n* <Mech.>	renfort *m*; agent *m* renforçant; matériel *m* renforçateur (renforçant, renforceur) <méc.>	усиливающий агент; активный наполнитель <мех.>
	reinsertion of carrier, carrier reinsertion <el.>	Trägerwellenzusatz *m*, Trägerzusatz *m* <El.>	réinjection *f* de porteuse <él.>	восстановление несущей [волны] <эл.>
	reinstatement	s. recovery		
R 1316	**Reiss microphone**	Reiß-Mikrophon *n*	microphone *m* de Reiss	микрофон Рейса
R 1317	**Reissner['s] membrane**	Reißnersche Membran *f*	membrane *f* de Reissner	рейснерова (вестибулярная) перепонка
R 1317a	**Reissner-Nordström metric**	Reißner-Nordström-Metrik *f*	métrique *f* de Reissner-Nordstrœm	метрика Райснера-Нордстрема
R 1318	**Reissner-Nordström solution**	Reißner-Nordströmsche Lösung *f*, statische kugelsymmetrische Lösung der Einstein-Maxwellschen Feldgleichungen	solution *f* de Reissner-Nordstrœm	решение Райснера-Нордстрема
	reiteration, repetition	Wiederholung *f*	répétition *f*, réitération *f*	повторение
	rejection, suppression	Unterdrückung *f*	suppression *f*, élimination *f*	подавление; заглушение; угнетение; опускание; пропуск
	rejection; blocking; interlocking, locking; cut-off; paralysis; blackout; bottoming <el.>	Sperrung *f* <El.>	blocage *m*; verrouillage *m*; barrage *m*; coupure *f*, cut-off *m* <él.>	блокировка, блокирование; запирание; заграждение; отсечка <эл.>
R 1319	**rejection** <stat.>	Verwerfen *n*, Ablehnen *n*, Abweisen *n*, Zurückweisen *n*, Rückweisen *n* <Stat.>	rejet *m* <stat.>	непринятие, отвержение; отвергание, отверг, отказ, браковка, зачеркивание <стат.>
R 1320	**rejection,** throwing-away <chem.>	Verwerfen *n* <Chem.>	rejet *m*, réjection *f* <chim.>	отбрасывание; устранение <хим.>
	rejection band	s. stop band		
	rejection circuit	s. rejector circuit		
	rejection filter, suppression filter, elimination filter, exclusion filter	Sperrfilter *n* <El.; Opt.>; Okularsperrfilter *n* <Opt.>; Sperrsieb *n* <El.>	filtre *m* de blocage, filtre d'arrêt, filtre bouchon (d'exclusion, d'élimination)	заграждающий фильтр, запирающий фильтр
R 1321	**rejection limit; rejection line** <stat.>	Ablehnungsschwelle *f*, Ablehnungsgrenze *f*; Ablehnungslinie *f* <Stat.>	limite *f* de rejet; ligne *f* de rejet, droite *f* limite de rejet <stat.>	критическая граница; критическая линия <стат.>

R 1321a	**rejection number** <stat.>	Ablehnungszahl *f*, Rückweisezahl *f* <Stat.>	nombre *m* de rejet <stat.>	критическое количество <стат.>
	rejection of heat	*s.* heat removal		
R 1322	**rejection ratio**	Unterdrückungsverhältnis *n*	coefficient *m* de réjection; facteur *m* d'adoucissement <pour l'effet de grenaille>	коэффициент подавления
	rejection region, critical region; **rejection zone** <stat.>	kritischer Bereich *m*, Ablehnungsbereich *m*; Ablehnungszone *f* <Stat.>	région *f* critique, région de rejet; zone *f* de rejet <stat.>	критическая область, область непринятия [гипотезы] <стат.>
	rejection zone	*s.* rejection region		
R 1323	**rejector circuit**, rejection (stopper) circuit, interference suppression device	Sperrkreis *m*	circuit *m* réjecteur, circuit de réjection, circuit bouchon	заградитель, заграждающий контур
	rejuvenation	*s.* contraction <of tensor> <math.>		
	rel	$= 10^8$ A/Wb		
R 1323a	**relation** <math.>	Relation *f* <Math.>	relation *f* <math.>	отношение <матем.>
R 1324	**relation; relationship; mathematical relationship**	Relation *f*; Beziehung *f*; Zusammenhang *m*	relation *f*	[со]отношение, формула; связь
	relation for the jumps, jump relation	Sprungrelation *f*	relation *f* pour les sauts	соотношение для скачков
R 1325	**relation of J. R. Mayer**, equation of Robert Mayer, Mayer['s] equation	Gleichung *f* von J. R. Mayer, Beziehung *f* von Robert Mayer, Mayersche Beziehung	formule *f* de R. Mayer, formule de Robert Mayer, relation *f* de Mayer	уравнение Майера
R 1326	**relationship** <nucl.>	radioaktive Verwandtschaft *f* <Kern.>	filiation *f* radioactive, filiation <nucl.>	радиоактивная связь, связь <яд.>
	relationship	*s. a.* relation		
R 1327	**relativation**	Relativierung *f*	relativation *f*	релятивирование
R 1328	**relative absorption coefficient**	relativer Absorptionskoeffizient *m*	coefficient *m* d'absorption relative	коэффициент относительного поглощения
	relative abundance [of isotopes]	*s.* relative isotopic abundance		
	relative abundance [of the element]	*s.* abundance of the element		
	relative abundance [of the isotope]	*s.* abundance of isotopes		
R 1329	**relative amount of wear**	Verschleißbetragsverhältnis *n*, Verschleißverhältnis *n*, Verschleißverhältniszahl *f*, Verhältniszahl *f* des Verschleißes	quantité *f* relative d'usure	относительное количество износа
R 1330	**relative aperture** <acc.>	relative Apertur *f* <Beschl.>	ouverture *f* relative <acc.>	относительная апертура <уск.>
	relative aperture	*s. a.* aperture ratio <of objective>		
	relative articulation	*s.* intelligibility		
	relative atomic weight, atomic weight	Atomgewicht *n*, relative Atommasse *f*, Atomverhältniszahl *f*	poids *m* atomique [relatif]	атомный вес, относительный атомный вес
R 1331	**relative biological effectiveness** <of the radiation>, relative biological efficiency, RBE	relative biologische Wirksamkeit *f* [der Strahlung], RBW-Faktor *m*, RBW, RBE	efficacité *f* biologique relative, facteur *m* d'efficacité biologique [relative], E. B. R., F. E. B.	относительная биологическая эффективность [излучения], ОБЭ
R 1332	**relative biological effectiveness dose**, RBE dose <radiobiology>	RBW-Dosis *f*, biologische Äquivalenzdosis *f* <Strahlenbiologie>	dose *f* d'efficacité biologique relative, dose E. B. R. <radiobiologie>	биологическая доза излучения <радиобиология>
	relative biological efficiency	*s.* relative biological effectiveness		
R 1333	**relative content**, content by per cent, percentage content	Prozentgehalt *m*, prozentualer Gehalt *m*	teneur *f* relative, teneur [pourcentuelle] <en %>	процентное содержание, содержание <в %>
R 1334	**relative curvature [of profile]**	relative Wölbung *f* [des Profils]	courbure *f* relative [de la ligne moyenne]	относительная вогнутость [средней линии профиля]
	relative density, specific gravity <relative to *or* referred to>, sp.gr.	Dichtezahl *f*, relative Dichte *f*, bezogene Dichte, Dichteverhältnis *n* <zu>	densité *f* <par rapport à>, densité relative	относительная плотность
R 1335	**relative determination**, differential determination <of star position *or* brightness>	Anschlußbeobachtung *f*	détermination *f* relative <des positions *ou* des éclats des étoiles>	относительное определение <положений *или* яркости звезд>
	relative dielectric constant	*s.* relative permittivity <of the material>		
R 1336	**relative distortion**, percentage distortion	relative Verzeichnung *f*, Verzeichnung <in %>	distorsion *f* relative, distorsion pourcentuelle	относительная (процентная относительная, процентная) дисторсия
R 1336a	**relative efficiency; relative potency**	relative Wirksamkeit *f*; Wirksamkeitsfaktor *m*, Wirksamkeitsgrad *m*	efficacité *f* relative; puissance *f* relative	относительная эффективность; относительная сила
R 1336b	**relative efficiency**, efficiency ratio; thermodynamic efficiency; diagram factor <therm.>	thermodynamischer Wirkungsgrad *m*; Ausnutzungsfaktor *m* <Therm.>; relativer Nutzeffekt *m* <Kältetechnik>	rendement *m* thermodynamique	отношение эффективностей; термодинамический коэффициент полезного действия <тепл.>

R 1337	**relative electrode potential, relative electrode tension,** electrode potential, electrode tension, single[-electrode] potential	[relatives] Elektrodenpotential n, [relative] Elektrodenspannung f, Einzelpotential n, Halbzellenpotential n, elektromotorische Kraft f der Halbzelle	potentiel m d'électrode [relatif], tension f d'électrode [relative]	электродный потенциал, относительный электродный потенциал
R 1338	**relative error;** percentage error	relativer Fehler m; prozentualer Fehler	erreur f relative; erreur pourcentuelle	относительная погрешность (ошибка); процентная погрешность (ошибка)
R 1339	**relative escape** <of thermal neutrons>	Anteil m der thermischen Neutronen, die den Reaktor verlassen	fraction f de neutrons thermiques qui s'échappent du réacteur	относительная доля тепловых нейтронов, покидающих реактор
R 1340	**relative extremum,** local extremum	relatives Extremum n, relativer Extremwert m, lokales Extremum, Extremum im Kleinen	extrémum m relatif, extrémum local	относительный экстремум, локальный экстремум
R 1340a	**relative flow**	Relativströmung f	écoulement (mouvement) m relatif	относительное течение (движение)
R 1341	**relative frame**	Relativsystem n	référentiel m relatif	относительная система
R 1342	**relative frequency**	relative Schwingungszahl (Frequenz) f	fréquence f relative	относительная частота
R 1342a	**relative frequency,** proportional frequency, frequency <stat.>	relative Häufigkeit f, Häufigkeit <Stat.>	fréquence f relative, fréquence <stat.>	относительная частота, частота <стат.>
	relative frequency function	s. probability density		
R 1343	**relative gradient**	relative Steilheit f <z. B. der Energiekurve>	gradient m relatif	относительный градиент
R 1344	**relative hardness [number],** RHN	Härtegrad m RH, relative Härte f	dureté f relative	относительная твердость
R 1345	**relative hue,** contrast hue	gebundene Farbe f, bezogene Farbe	teinte f relative (de contraste), tonalité f relative (de contraste)	относительный цветовой тон
R 1346	**relative humidity,** hygrometric state, saturation ratio, percentage of moisture	relative Feuchtigkeit (Feuchte) f, prozentuale Feuchtigkeit, Feuchtigkeitsgrad m	humidité f relative, état m hygrométrique, degré m hygrométrique	относительная влажность, влажность [в процентах], проценты влажности
	relative index of refraction	s. relative refractive index		
	relative inductivity	s. permittivity <of the material>		
R 1347	**relative intrinsic parity**	relative innere Parität f	parité f intrinsèque relative	относительная внутренняя четность
R 1348	**relative isotopic abundance,** relative abundance [of isotopes], abundance ratio [of isotopes], isotopic ratio	Isotopenhäufigkeitsverhältnis n, Häufigkeitsverhältnis n [der Isotope], Isotopenverhältnis n	rapport des teneurs [isotopiques], rapport isotopique (des isotopes), abondance f relative [isotopique], proportion f isotopique (des isotopes)	изотопное отношение, отношение количеств изотопных атомов, относительная распространенность [изотопов]
R 1349	**relative luminance factor**	Relativhelligkeit f, relative Helligkeit f	facteur m de luminance relative	коэффициент относительной яркости
R 1350	**relative luminosity,** relative luminous efficiency	Hellempfindungsgrad m, Hellempfindlichkeitsgrad m, [relative] Hellempfindlichkeit f	efficacité f lumineuse relative, visibilité f relative pour la vision photopique	относительная видность для дневного зрения
R 1351	**relative luminosity curve**	spektrale Hellempfindlichkeitskurve f	courbe f spectrale de visibilité relative	спектральная кривая относительной видности
	relative luminosity factor	s. relative luminous efficiency		
R 1352	**relative luminous efficiency,** relative luminosity factor, spectral luminous efficiency <of a monochromatic radiation of wavelength λ for photopic vision>	spektraler Hellempfindungsgrad m, spektraler Hellempfindlichkeitsgrad m, relative spektrale Hellempfindlichkeit f	efficacité f lumineuse relative, facteur m de visibilité relative, efficacité lumineuse relative spectrale <d'un rayonnement monochromatique de longueur d'onde λ pour la vision photopique>	относительная видность, относительная спектральная световая эффективность <монохроматического излучения длины волны λ для дневного зрения>, относительная спектральная чувствительность
	relative luminous efficiency	s. a. relative luminosity		
	relative luminous efficiency	s. a. photometric radiation equivalent		
	relative luminous efficiency curve	s. relative spectral luminous distribution		
R 1353	**relative luminous efficiency curve for photopic vision**	Tageswertkurve f, Hellempfindlichkeitskurve f, Zapfenkurve f	courbe f d'efficacité lumineuse relative pour la vision photopique	кривая относительной видности для дневного зрения, кривая световой адаптации
R 1354	**relative luminous efficiency curve for scotopic vision**	Dämmer[ungs]wertkurve f, Stäbchenkurve f, [spektrale] Dunkelempfindlichkeitskurve f	courbe f d'efficacité lumineuse relative pour la vision scotopique	кривая относительной видности для ночного зрения
R 1355	**relative luminous efficiency curve for the photometric standard observer**	internationale spektrale Hellempfindlichkeitskurve f, V_λ-Kurve f, V-Lambda-Kurve f	courbe f de l'efficacité lumineuse relative pour l'observateur de référence photométrique	кривая относительной видности стандартного фотометрического наблюдателя
R 1356	**relative luminous efficiency for peripheral vision**	Peripheriewert m, Wert m der spektralen Hellempfindlichkeitskurve für peripheres Sehen	efficacité f lumineuse spectrale pour la vision périphérique	относительная видность для периферического зрения

R 1357	relative luminous efficiency of a monochromatic radiation of wavelength λ for scotopic vision	Dämmer[ungs]wert m, [spektrale] Dämmerempfindlichkeit f, [spektrale] Dunkelempfindlichkeit f, spektraler Dunkelempfindungsgrad (Dunkelempfindlichkeitsgrad, Dämmerempfindungsgrad, Dämmerempfindlichkeitsgrad) m, spektraler Hellempfindungsgrad m für Nachtsehen	efficacité f lumineuse relative d'un rayonnement monochromatique de longueurs d'onde λ pour la vision scotopique	относительная видность монохроматического излучения длины волны λ для ночного зрения
R 1358	relatively prime	relativ prim, teilerfremd	premiers entre eux	взаимно простые
R 1359	relative maximum, local maximum, maximum turning value	relatives (lokales) Maximum n, Maximum im Kleinen	maximum m relatif (local)	относительный максимум, локальный максимум
R 1360	relative minimum, local minimum, minimum turning value	relatives (lokales) Minimum n, Minimum im Kleinen	minimum m relatif (local)	относительный минимум, локальный минимум
	relative molecule mass	s. molecular weight		
R 1361	relative motion	Relativbewegung f, relative Bewegung f	mouvement m relatif	относительное движение
R 1362	relative orientation	relative (gegenseitige) Orientierung f	orientation f relative	взаимное ориентирование
R 1363	relative permeability, magnetic constant	Permeabilitätszahl f, relative [magnetische] Permeabilität f, relative Induktionskonstante f	perméabilité f relative	относительная магнитная проницаемость
R 1364	relative permittivity, relative dielectric constant, dielectric constant <of the material>	relative Dielektrizitätskonstante f, Dielektrizitätszahl f, DK-Zahl f, Elektrisierungszahl f, Dielektrizität f	permittivité f relative, perméabilité (constante) f diélectrique relative <du milieu>	относительная диэлектрическая проницаемость <вещества>
	relative plateau slope, plateau slope	Plateauanstieg m, Plateauneigung f, Plateausteigung f	pente f [relative] de palier, pente [relative] de plateau	относительный наклон плато, наклон плато
	relative potency	s. relative efficiency		
R 1365	relative pump[ing] speed	relative Sauggeschwindigkeit f [der Pumpe]	débit m relatif [de la pompe]	относительная быстрота откачки [насоса]
	relative pumping speed	s. exhaustion rate		
R 1366	relative quantity; dimensionless quantity; abstract number	bezogene Größe f, relative Größe, dimensionlose Größe, Dimensionslose f, Verhältnisgröße f, dimensionlose Variable (Größe, Zahlengröße) f; reine Zahl f, unbenannte Zahl (Größe)	grandeur f relative, grandeur (quantité f) adimensionnelle, quantité relative (sans dimensions), variable f adimensionnelle (sans dimensions); nombre m abstrait	относительная величина, безразмерная величина, безразмерное отношение; неименованное число
R 1367	relative rate of growth	relative (spezifische) Wachstumsgeschwindigkeit f	vitesse f de croissance relative	относительная скорость возрастания
R 1368	relative refractive index, relative index of refraction	Brechungsverhältnis n, relativer Brechungsindex m, Verhältnis n der Brechungsindizes zweier Medien	indice m de réfraction relatif [du second milieu par rapport au premier], quotient m des indices absolus de deux milieux	относительный показатель преломления, отношение абсолютных показателей преломления двух сред
	relative response	s. relative sensitivity		
	relative retardation of optical paths	s. difference of path <of rays>		
R 1368a	relative sensitivity; relative response	relative Empfindlichkeit (Ansprechempfindlichkeit) f	sensibilité f relative; réponse f relative	относительная чувствительность
R 1369	relative specific ionization	relative spezifische Ionisation f <bezogen auf die spezifische Ionisation im Medium bei 15 °C und 760 Torr>	ionisation f spécifique relative	относительная удельная ионизация
R 1370	relative specific weight, relative weight	Wichtezahl f, Relativgewicht n, relatives Gewicht n	poids m spécifique relatif, poids relatif	относительный удельный вес, относительный вес
R 1371	relative spectral energy distribution, relative spectral power distribution	Strahlungsfunktion f, relative spektrale Strahlungsverteilung (Energieverteilung) f	répartition f spectrale relative d'énergie	спектральное относительное распределение энергии, относительное спектральное распределение энергии
R 1372	relative spectral luminous distribution, relative luminous efficiency curve	[spektrale] Augenempfindlichkeitskurve f, Kurve f der spektralen Augenempfindlichkeit, spektrale Empfindlichkeitskurve f [des Auges]	courbe f de l'efficacité lumineuse relative	кривая относительной видности
	relative spectral power distribution	s. relative spectral energy distribution		
R 1373	relative speed of wind, relative velocity of wind	relative Windgeschwindigkeit f	vitesse f relative du vent	относительная скорость ветра
	relative sunspots number	s. Wolf number		
	relative tensor of unit weight, relative tensor of weight unity, tensor density	Tensordichte f	densité f tensorielle	тензорная плотность
	relative thickness of the aerofoil, thickness [chord] ratio	relative Profildicke f, relative Dicke f [des Profils]	épaisseur f relative [du profil]	относительная толщина [профиля]

R 1374	relative trigonometric parallax	relative Parallaxe f	parallaxe f relative	относительный параллакс
R 1375	relative unit	Relativeinheit f, relative Einheit f	unité f relative	относительная единица
	relative velocity of wind	s. relative speed of wind		
	relative weight	s. relative specific weight		
R 1376	relativistic	relativistisch	relativiste	релятивистский
R 1377	relativistic aberration <of beam of charged particles>	relativistische Ablenkung (Aberration) f <Teilchenstrahl>	aberration f relativiste <du faisceau de particules chargées>	релятивистская аберрация <пучка заряженных частиц>
R 1378	relativistic accelerator	relativistischer Beschleuniger m	accélérateur m relativiste	релятивистский ускоритель
R 1379	relativistic advance of perihelion, relativistic motion of perihelion	relativistische Periheldrehung (Perihelbewegung) f	avance f (mouvement m) relativiste du périhélie	релятивистское движение перигелия
R 1380	relativistic catastrophe	relativistische Katastrophe f	catastrophe f relativiste	релятивистская катастрофа
R 1381	relativistic composition of velocities, velocity addition formula in special relativity	relativistisches (Einsteinsches) Additionstheorem n der Geschwindigkeiten	transformation f des vitesses relativiste, loi f de composition des vitesses en relativité	теорема сложения скоростей Эйнштейна
	relativistic contraction	s. Lorentz contraction		
R 1382	relativistic correction; relativity correction	relativistische Korrektion f; Relativitätskorrektion f	correction f relativiste	релятивистская поправка
R 1383	relativistic covariance, Lorentz covariance	relativistische Kovarianz f	covariance f relativiste	релятивистская (лоренцова) ковариантность, лоренц-ковариантность, ковариантность Лоренца
	relativistic cyclotron	s. relativistic particle cyclotron		
R 1384	relativistic deflection of light, Einstein displacement [of light], Einstein['s] light deflection, gravitational aberration [of light], Einstein effect	relativistische Ablenkung f des Lichts, relativistische Lichtablenkung f, Lichtkrümmung f (Krümmung f von Lichtstrahlen) im Schwerefeld, Lichtablenkung (Ablenkung der Lichtstrahlen) im Schwerefeld, Gravitationsaberration f	déviation f relativiste des rayons lumineux, déviation des rayons lumineux par le champ de gravitation, aberration f gravitationnelle, aberration de gravitation	релятивистское отклонение луча света, отклонение луча света в гравитационном поле, эйнштейновское отклонение света, отклонение света в гравитационном поле, гравитационное отклонение света, аберрация света от тяготения
R 1385	relativistic dynamics	relativistische Dynamik f, Relativitätsdynamik f	dynamique f relativiste	релятивистская динамика
R 1386	relativistic electrodynamics	relativistische Elektrodynamik f, Relativitätselektrodynamik f	électrodynamique f relativiste	релятивистская электродинамика
R 1387	relativistic hydrodynamics	relativistische Hydrodynamik f, Relativitätshydrodynamik f	hydrodynamique f relativiste	релятивистская гидродинамика
R 1388	relativistic increase, relativistic rise	relativistischer Anstieg m; relativistischer Zuwachs m	augmentation f relativiste; croissance f relativiste	релятивистское нарастание
	relativistic invariance, Lorentz invariance	Lorentz-Invarianz f	invariance f de Lorentz, invariance relativiste	лоренц-инвариантность, релятивистская инвариантность, лоренцова инвариантность, инвариантность относительно преобразований Лоренца
	relativistic isochronous cyclotron	s. AVF cyclotron		
R 1389	relativistic mass	relativistische Masse f, Impulsmasse f, Masse f der Bewegung	masse f relativiste	релятивистская масса
	relativistic mass equation	s. expression for the variation of mass with velocity		
R 1390	relativistic mass increase	relativistische Massenzunahme f, relativistischer Massenzuwachs m	augmentation f relativiste de masse, augmentation de la masse avec la vitesse	релятивистское возрастание массы
R 1391	relativistic mechanics, relativity mechanics	relativistische Mechanik f, Relativitätsmechanik f	mécanique f relativiste	релятивистская механика
	relativistic motion of perihelion	s. relativistic advance of perihelion		
R 1392	relativistic neutron	relativistisches Neutron n <E_{kin} > 20 MeV>	neutron m relativiste, neutron ultra-rapide	релятивистский нейтрон, сверхбыстрый нейтрон
R 1393	relativistic particle cyclotron, relativistic cyclotron	relativistisches Zyklotron n	cyclotron m relativiste	релятивистский циклотрон
R 1394	relativistic quantum mechanics	relativistische Quantenmechanik f	mécanique f quantique relativiste	релятивистская квантовая механика
R 1395	relativistic region	relativistischer Bereich m	domaine m relativiste	релятивистская область
	relativistic rise	s. relativistic increase		
	relativistic Schrödinger equation, Klein-Gordon equation, Fock-Klein-Gordon equation	Klein-Gordon-Gleichung f, relativistische Schrödinger-Gleichung f	équation f de Klein et Gordon, équation de Klein-Gordon	уравнение Клейна-Гордона, уравнение Клейна-Фока-Гордона
R 1396	relativistic thermodynamics	relativistische Thermodynamik f, Relativitätsthermodynamik f	thermodynamique f relativiste	релятивистская термодинамика
	relativistic variation of mass with velocity, variation of mass with velocity	Massenveränderlichkeit f, relativistische Massenveränderlichkeit	variation f de la masse [relativiste]	релятивистское изменение массы, изменяемость массы, зависимость массы от скорости
R 1397	relativity	Relativität f	relativité f	относительность, релятивизм
	relativity	s. a. relativity theory		

	relativity correction	s. relativistic correction		
	relativity displacement of spectral lines	s. gravitational red-shift		
	relativity mechanics	s. relativistic mechanics		
	relativity precession	s. Thomas precession		
	relativity principle, principle of relativity	Relativitätsprinzip n, Prinzip n der Relativität	principe m de relativité	принцип относительности
R 1398	**relativity theory,** theory of relativity, relativity	Relativitätstheorie f	théorie (loi) f de la relativité	теория относительности
R 1398a	**relaxation**	Relaxation f <Rückkehr in den Normalzustand nach Abschaltung eines Spannungsfeldes>	relaxation f	релаксация; рассасывание
R 1399	**relaxation, sweep** <el.>	Kippung f, Kippen n <El.>	relaxation f, balayage m, basculement m <él.>	релаксация; развертка; качание; опрокидывание <эл.>
R 1400	**relaxation, relaxation method [of Southwell]** <math.>	Relaxationsmethode f [von Southwell], Maschenverfahren n, Relaxation f; Relaxationsmethode nach Gauß-Southwell <Math.>	relaxation f, méthode f de relaxation [de Southwell] <math.>	релаксационный метод, релаксационный прием <матем.>
R 1401	**relaxation, relaxing, relieving of stress, release from tension** <mech.>	Erschlaffung f; Entspannung f; Relaxation f <Mech.>	relaxation f <méc.>	расслабление, ослабление [напряженности], снятие напряжения, снятие внутренних напряжений <мех.>
	relaxation	s. a. relaxation function		
R 1402	**relaxation[al] absorption**	Relaxationsabsorption f	absorption f à relaxation	релаксационное поглощение
R 1403	**relaxational dispersion, relaxation dispersion**	Relaxationsdispersion f	dispersion f de relaxation	релаксационная дисперсия
R 1404	**relaxation amplitude,** sweep amplitude	Kippamplitude f, Ablenk[ungs]weite f	amplitude f de [l'oscillation de] relaxation	амплитуда релаксационного колебания, амплитуда развертки
R 1405	**relaxation behaviour**	Relaxationsverhalten n	comportement m à l'égard de la relaxation, comportement de relaxation	релаксационное поведение
	relaxation body	s. relaxing medium		
R 1406	**relaxation circuit,** sweep circuit	Kippkreis m	circuit m de relaxation, circuit relaxateur	релаксационная схема; схема (цепь) развертки; опрокидывающий (феррорезонансный) контур
R 1407	**relaxation coefficient**	Relaxationskoeffizient m	coefficient m de relaxation	коэффициент последействия, ядро (коэффициент) релаксации
R 1407a	**relaxation constant**	Relaxationskonstante f	constante f de relaxation	константа (постоянная) релаксации
R 1408	**relaxation diagram,** sweep diagram, sweep characteristic	Kippdiagramm n, Kippkennlinie f	diagramme m de relaxation, caractéristique f de relaxation	диаграмма релаксационных колебаний, диаграмма развертки, характеристика релаксационных колебаний
	relaxation dispersion	s. relaxational dispersion		
	relaxation distance	s. relaxation length		
	relaxation effect	s. relaxation phenomenon		
R 1409	**relaxation equation**	Relaxationsgleichung f	équation f de relaxation	релаксационное уравнение, уравнение релаксации
	relaxation freezing-in, dynamic freezing-in	dynamisches Einfrieren n, Relaxationseinfrieren n	solidification f dynamique	релаксационное стеклование
R 1410	**relaxation frequency,** sweep frequency	Kippfrequenz f; Relaxationsfrequenz f; Sägezahnfrequenz f	fréquence f de relaxation	частота релаксационных колебаний, релаксационная частота; частота релаксации
R 1411	**relaxation function,** relaxation	Relaxationsfunktion f	fonction f de relaxation	релаксационная функция
R 1412	**relaxation generator,** sweep generator, relaxation (sweep) oscillator, scanning generator	Kipp[schwingungs]generator m, Kippschwinger m; Kipp[schwingungs]gerät n; Kippspannungserzeuger m; Kippstromerzeuger m; Kipp[schwingungs]oszillator m	générateur m d'oscillations de relaxation, générateur de relaxation, oscillateur m de relaxation, relaxateur m	генератор релаксационных колебаний, релаксационный генератор, генератор развертки, осциллятор развертки, релаксатор
R 1413	**relaxation length,** relaxation distance <of radiation>	Relaxations[weg]länge f, Relaxationsstrecke f	longueur f de relaxation	длина релаксации
R 1414	**relaxation loss**	Relaxationsverlust m	perte f de relaxation	релаксационная потеря
R 1415	**relaxation matrix**	Relaxationsmatrix f	matrice f de relaxation	матрица релаксации
R 1416	**relaxation method** <math.>	Relaxationsmethode f, Korrektionsverfahren n, Korrekturverfahren n	méthode f de relaxation, algorithme m de relaxation	метод релаксаций, метод поправок
	relaxation method [of Southwell]	s. relaxation <math.>		
R 1417	**relaxation modulus**	Relaxationsmodul m	module m de relaxation	релаксационный модуль, модуль релаксации
	relaxation of deformation	s. strain relaxation		
	relaxation of muscle, muscular relaxation	Muskelerschlaffung f, Erschlaffung f des Muskels	relaxation f musculaire, décontraction f [du muscle], relâchement m [du muscle]	мышечная релаксация, расслабление [мышца]
	relaxation of strain	s. strain relaxation		
	relaxation of stress, stress relaxation	Spannungsrelaxation f	relaxation f de tensions	релаксация напряжений

R 1418	relaxation oscillation, ratched oscillation	Kippschwingung f, Relaxationsschwingung f	oscillation f de relaxation, oscillation à déferlement	релаксационное колебание
	relaxation oscillator	s. relaxation generator		
R 1419	relaxation part	relaxierender Anteil m, Relaxationsanteil m	partie f relaxante	релаксационная часть
R 1420	relaxation period	Kipperiode f; Sägezahnperiode f; Kippschwingungsdauer f	période f des oscillations de relaxation	период релаксационных колебаний
R 1421	relaxation phase	Erschlaffungsphase f	phase f de relaxation	фаза расслабления
R 1422	relaxation phenomenon; relaxation effect	Relaxationserscheinung f; Kipperscheinung f	phénomène m de relaxation	релаксационное явление; релаксационный эффект, эффект релаксации; явление опрокидывания
R 1423	relaxation polarization	Relaxationspolarisation f	polarisation f de relaxation	релаксационная (тепловая) поляризация
R 1424	relaxation spectrum	Relaxationsspektrum n	spectre m de relaxation	релаксационный спектр, спектр релаксации
R 1425	relaxation strength	Relaxationsstärke f	force f de relaxation	сила релаксации
R 1426	relaxation theory [of elasticity], theory of relaxation	Relaxationstheorie f [der Elastizität]	théorie f de la relaxation élastique	теория релаксации [упругости]
R 1427	relaxation time, natural time	Relaxationszeit f, Zeitkonstante f; Abklingzeit f; Einstellzeit f; Erholungszeit f	temps m de relaxation, période f de relaxation	время релаксации, период релаксации
R 1428	relaxation time, time of relaxation	Kippzeit f	période f [des oscillations] de relaxation, temps m de relaxation	период релаксационных колебаний, время успокоения
	relaxation time constant, sweep time constant	Kippzeitkonstante f	constante f de temps de relaxation, constante de temps de balayage	постоянная времени релаксации; постоянная времени развертки
R 1429	relaxation time tensor	Relaxationszeittensor m	tenseur m du temps de relaxation	тензор времени релаксации
R 1429a	relaxation transition	Relaxationsübergang m	transition f à relaxation	релаксационный переход
	relaxed modulus of elasticity	s. longitudinal modulus of elasticity		
R 1429b	relaxed state of accommodation	Akkommodationsruhelage f	état m relaxé d'accommodation	релаксационное состояние аккомодации
	relaxing	s. relaxation <mech.>		
	relaxing gel, elastic sol, Lethersich body, Jeffreys body	elastisches Sol n, Lethersischer (Jeffreysscher) Körper, m, relaxierendes Gel n	sol m élastique, gel m relaxant, corps m de Lethersich, corps de Jeffreys	упругий соль, релаксирующий гель
R 1430	relaxing medium, relaxation body	relaxierendes Medium n, relaxierender Körper m, Relaxationskörper m	milieu m relaxant, corps m relaxant	релаксирующая среда, релаксирующее тело
R 1431	relay amplifier	Relaisverstärker m	amplificateur m à relais	усилитель релейного действия, релейный усилитель
R 1432	relay chain, relay line	Relaisstrecke f, Relaiskette f, Relaislinie f	chaîne f de relais	радиорелейная линия
R 1433	relay core	Relaiskern m	noyau m du relais, noyau d'induit	сердечник реле
R 1434	relay group	Relaissatz m, Relaisgruppe f	groupe m de relais	группа реле, комплект реле
	relay line	s. relay chain		
R 1435	relay-operated controller, indirect[-action] controller, controller with power amplification	Regler m mit Hilfsenergie, indirekter (indirekt wirkender, mittelbarer, mittelbar wirkender) Regler	régulateur m indirect, régulateur à action indirecte, régulateur avec amplification de puissance	регулятор непрямого действия
	relay release time	s. release time of relay		
R 1436	relay station satellite	Relaissatellit m	station f relais spatiale	ретрансляционная станция на космическом объекте, спутник с радиорелейной станцией
	relay-type recording instrument	s. instrument with locking device		
	relay valve	s. cold-cathode valve		
R 1437	relay with sequence action	Stufenrelais n; sequentielles Relais n	relais m à action séquentielle	ступенчатое реле; многопозиционное реле
R 1438	release; liberation; setting free; disengagement	Freisetzung f; Freiwerden n; Auslösung f; Ablösung f; Abgabe f; Entbindung f	libération f; dégagement m; enlèvement m; évacuation f	освобождение; высвобождение; выделение; выбивание; вылет; выпуск; отпуск
R 1439	release	Freigabe f	dégagement m	деблокировка, отпирание; дезарретирование; отпуск[ание]
	release, drop out, releasing <of relay>	Abfallen n, Abfall m	décolletage m, mise f au repos	отпускание, отпадание, возврат после действия
R 1440	release; tripping; clearing <el.>	Auslösung f <El.>	déclenchement m <él.>	размыкание; разобщение; расцепление; отключение; освобождение; выпадение; отбой <эл.>
	release agent	s. abherent		
R 1441	release current	Auslösestrom m, Auslösestromstärke f	courant m de déclenchement	ток расцепления, ток отключения, размыкающий ток
R 1442	release current <of relay>	Abfallstrom m <Relais>	courant m de relâchement <relais>	ток отпускания <реле>

R 1443	released heat	freigesetzte Wärme f, erzeugte Wärme	chaleur f dégagée	выделившаяся теплота
	release from tension	s. relaxation <mech.>		
R 1443a	release into atmosphere	Auswurf m in die Atmosphäre	rejet m (projection f) dans l'atmosphère, rejet d'effluents atmosphériques	выброс в атмосферу, выбрасывание в атмосферу
	release of elastic stresses	s. elastic relaxation		
	release of heat	s. heat release		
	release of oscillations	s. excitation of oscillations		
	release of radiation	s. emission		
	release pulse	s. initiating pulse		
	release time	s. releasing time		
R 1444	release time of relay, relay release time	Relaisabfallzeit f, Abfallzeit f des Relais, Abklingzeit f <Relais>	temps m de décollage (relâchement), temps d'ouverture <relais>	время отпускания реле, время отпадания <реле>
	releasing	s. release <of relay>		
R 1445	releasing time, release time, lag of release	Auslösezeit f	délai m de déclenchement, temporisation f	время отключения (разобщения, размыкания, расцепления)
R 1446	reliability; dependability [in service], use reliability, reliability of operation	Zuverlässigkeit f, Verläßlichkeit f; Betriebssicherheit f, Sicherheit f [des Betriebes]	fiabilité f; sécurité f de fonctionnement (service), sûreté f de fonctionnement (marche), fonctionnement m sans panne (défaut[s])	надежность, безотказность; эксплуатационная надежность; безопасность эксплуатации
	reliability, degree of reliability	Sicherheitsgrad m, Zuverlässigkeitsgrad m	degré m de fiabilité	степень надежности
R 1447	reliability engineering	Zuverlässigkeitstechnik f <Technik der Vorhersage, Kontrolle, Messung und Analyse von Versagensphänomenen>	technique f de fiabilité	техника контроля, измерения и анализа явлений отказов; техника надежности
R 1448	reliability gain	Zuverlässigkeitsgewinn m	gain m de fiabilité	выигрыш надежности
R 1449	reliability of contact	Kontaktsicherheit f	sûreté f de contact	надежность контакта
	reliability of operation	s. reliability		
R 1450	relic	Relikt n	reliquat m	реликт, остаток
R 1451	relic radiation	Reliktstrahlung f	radiations[-] reliques f pl	реликтовое излучение
R 1452	relief	Relief n; Betragsfläche f	relief m	рельеф; поверхность модуля
R 1452a	relief	Relief n, Hochbild n, Geländemodell n	relief m	модель поверхности, рельеф
	relief	s. a. relieving		
R 1453	relief annealing, stress relief annealing, destrengthening annealing	Spannungsfreiglühen n	recuit m de détente	отжиг для снятия внутренних (остаточных) напряжений, отжиг для снятия напряжений
R 1454	relief condenser	Reliefkondensor m	condenseur m à relief	рельефный конденсор
R 1455	relief curve	Entlastungskurve f	courbe f de décharge	кривая разгрузки
R 1456	relief effect	Reliefeffekt m, Reliefwirkung f	effet m relief	рельефный эффект
R 1457	relief image, matrix <phot.>	Reliefbild n, Reliefgelatinebild n <Phot.>	image f en relief [dans la gélatine], image de gélatine durcie, image gélatinée en creux <phot.>	рельефное изображение, рельефное желатиновое изображение <фот.>
R 1458	relief map	Reliefkarte f	carte f en relief	рельефная карта
R 1459	relief telescope	Relieffernrohr n	lunette f à relief	рельефный телескоп
R 1460	relieving, relief; removal of the load; unloading	Entlastung f	décharge f	разгрузка, снятие нагрузки
	relieving of stress	s. relaxation <mech.>		
R 1461	Rellich['s] theorem	Rellichscher Satz m, Satz von Rellich	théorème m de Rellich	теорема Реллиха
	reloading	s. refueling		
	reluctance, magnetic resistance	magnetischer Widerstand m, Reluktanz f	résistance f magnétique, réluctance f	магнитное сопротивление, релюктанц
R 1462	reluctivity	spezifischer magnetischer Widerstand m, reziproke Permeabilität f	réluctance f spécifique, résistance f magnétique spécifique	удельное магнитное сопротивление, магнитная сопротивляемость
	rem	s. rem unit		
R 1463	remagnetization; alternating magnetization; reversal of magnetization, magnetic reversal; rotary magnetization	Ummagnetisierung f	inversion f d'aimantation, renversement m d'aimantation	перемагничивание, перемагничение
	remagnetization energy (work)	s. hysteresis energy		
R 1464	remainder, remainder term <math.>	Restglied n, Rest m <Math.>	reste m, terme m résiduel <math.>	остаточный член, остаток <матем.>
	remaining austenite, residual austenite	Restaustenit m	austénite f résiduelle	остаточный аустенит
	remaining current	s. residual current		
	remanence; after-effect, memory effect	Nachwirkung f, Nachwirkungseffekt m, Nachwirkungserscheinung f	persistance f, rémanence f	последействие, явление последействия
R 1465	remanence, magnetic remanence; remanent (residual) magnetization, residual induction, remanent induction <B_r>	Remanenz f; remanente Magnetisierung f, Restmagnetisierung f; remanente Induktion f, Restinduktion f, Remanenzinduktion f, nachwirkender Teil m der Induktion; Remanenzwert m, Restmagnetismus m	rémanence f; aimantation f rémanente (résiduelle); induction f rémanente, induction résiduelle; magnétisme m résiduel	остаточная намагниченность; остаточная индукция, остаточная магнитная индукция; остаточный магнетизм

	remanence coefficient, coefficient of remanent induction, remanent induction coefficient	Nachwirkungsbeiwert *m*	indice *m* de rémanence	коэффициент последействия
R 1466	remanence loss, loss of remanent induction, residual loss	Nachwirkungsverlust *m*	perte *f* par rémanence	потеря от последействия
R 1467	remanence point	Remanenzpunkt *m*	point *m* de rémanence	точка на кривой намагничивания, соответствующая остаточной индукции
R 1468	remanent; residual	remanent, bleibend, zurückbleibend; Rest-	rémanent; résiduel	остаточный
	remanent elongation	s. residual elongation		
	remanent induction	s. remanence		
	remanent induction coefficient	s. remanence coefficient		
R 1469	remanent magnetic field, residual [magnetic] field	remanentes Magnetfeld *n*, [magnetisches] Restfeld *n*	champ *m* magnétique rémanent, champ [magnétique] résiduel	остаточное магнитное поле, остаточное поле
R 1470	remanent magnetism, residual magnetism	remanenter Magnetismus *m*, Restmagnetismus *m*	magnétisme *m* rémanent, magnétisme résiduel	остаточный магнетизм
R 1471	remanent magnetism of ships	halbflüchtiger (remanenter) Schiffsmagnetismus *m*	magnétisme *m* rémanent des navires	остаточный магнетизм судов
	remanent magnetization, residual magnetization	remanente Magnetisierung *f*	aimantation *f* rémanente, aimantation résiduelle	остаточное намагничивание
	remanent magnetization	s. a. remanence		
R 1472	remanent permeability	Nachwirkungspermeabilität *f*	perméabilité *f* de rémanence	остаточная магнитная проницаемость
R 1473	remelting; refusion, repeated melting	Umschmelzen *n*	refusion *f*; fusion *f* sans oxydation; refonte *f*	переплавка; переплавление; перетапливание; передел
	remnants of the supernova [explosion]	s. supernova remnants		
R 1473a	remodulation <el.>	Ummodulation *f*, Modulationsübertragung *f*, Umsteuerung *f* <El.>	remodulation *f* <él.>	повторная модуляция, преобразование <эл.>
	remote action	s. action at a distance		
	remote control	s. telecontrol		
	remote control	s. remote operation		
R 1474	remote control engineering; remote control technique	Fernwirktechnik *f*	technique *f* de télécommande	техника телеуправления
	remote handling	s. remote operation		
R 1475	remote handling device (equipment, tool); long-handed tool	Fernbedienungsgerät *n*, Fernbedienungswerkzeug *n*; Gerät *n* mit verlängertem Griff	dispositif *m* de télémanipulation, outil *m* de télémanutention; outil à manette prolongée	прибор (приспособление для) дистанционного управления; инструмент с удлиненной ручкой
R 1476	remote-indicating instrument, remote indicator	fernanzeigendes Gerät *n*, Gerät mit Fernanzeige, Fernanzeiger *m*	téléindicateur *m*, indicateur *m* à distance, appareil à téléindication	дистанционный указывающий прибор, дистанционный показатель
	remote instrument	s. telemeter		
	remote manipulation	s. remote operation		
R 1477	remote manipulator	fernbedienter Greifer *m*, Fernmanipulator *m*	télémanipulateur *m*	дистанционный манипулятор
	remote measurement	s. telemetering		
	remote metering	s. telemetering		
R 1478	remote operation, remote control, remote handling, remote manipulation	Fernbedienung *f*; Fernbetätigung *f*	télécommande *f*, commande *f* à distance, télémanipulation *f*, télémanutention *f*, manipulation (manutention) *f* à distance	дистанционное обслуживание (управление), телеуправление, управление на расстоянии, дистанционное манипулирование
	remote radiation field	s. distant field		
	remote thermometer, telethermometer, distance thermometer	Fernthermometer *n*	téléthermomètre *m*, thermomètre *m* à distance	телетермометр, дистанционный термометр
R 1479	remote transfer; remote transmission; long-distance transmission	Fernübertragung *f*	transfert *m* à distance; transmission *f* à distance	дистанционный перенос; дистанционная передача, телепередача; дальняя передача
	remous	s. swirl		
	remous	s. a. wake		
R 1480	removable singularity (singular point)	hebbare Singularität *f*, hebbare singuläre Stelle *f*	fausse singularité *f*	устранимая особая точка, устранимая особенность
R 1481	removal, removing, disposal	Beseitigung *f*, Entfernung *f*	élimination *f*	удаление; устранение; снятие
R 1482	removal, removing <of heat>	Abfuhr *f*, Abführung *f*, Abfluß *m*; Ableitung *f*; Entzug *m*; Entnahme *f* <Wärme>	enlèvement *m*, évacuation *f* <de chaleur>	съем, отвод, отдача <теплоты>
	removal, displacement, dislocation, shifting, shift	Verschiebung *f*, Verlagerung *f* <allg.>	déplacement *m*, décalage *m* <gén.>	смещение, перемещение, сдвиг <общ.>
	removal	s. a. detachment <of an electron>		
R 1483	removal cross-section, group removal cross-section	Removalquerschnitt *m*, „removal“-Querschnitt *m*, Ausscheidquerschnitt *m*	section *f* efficace d'extraction [de groupe], section efficace d'enlèvement	сечение выведения
R 1484	removal of after-heat	Restwärmeabfuhr *f*	enlèvement *m* de la chaleur résiduelle	расхолаживание <реактора>

	removal of heat	s. heat removal		
	removal of power, taking (extraction) of power, power extraction	Leistungsentnahme f; Leistungsentzug m	prise f de puissance, extraction f (prélèvement m) de puissance	отбор мощности, съем мощности
R 1485	removal of the ions from the cloud chamber	Absaugen n der [störenden] Ionen aus der Nebelkammer, Ausräumen n der Ionen aus der Nebelkammer, Reinigung f der Nebelkammer von [störenden] Ionen	débarrassement m des ions de la chambre à nuage, effacement m des ions de la chambre à nuage	очистка рабочего объема камеры Вильсона от ионов
	removal of the load	s. relieving		
	removal of water	s. dehydration <chem.>		
R 1486	removal theory	Removaltheorie f, „removal"-Theorie f, Ausscheidtheorie f	théorie f d'extraction, théorie d'enlèvement, théorie de « removal »	теория выведения
R 1487	remove by transformation, eliminate by transformation	wegtransformieren	éliminer par transformation	оттрансформировать
	removing	s. removal		
	removing	s. a. removal <of heat>		
	removing of dust	s. dedusting		
R 1488	rem unit, rem; roentgen equivalent, man; rad equivalent man	Rem n, rem-Einheit f, biologisches Röntgenäquivalent n; biologisches Radäquivalent n; rem	équivalent m biologique du rœntgen, rœntgen m équivalent-tissu, ret; équivalent biologique du rad; unité f rem, rem	биологический эквивалент рентгена, единица бэр, *бэр*, rem; биологический эквивалент рада, единица бэрад, *бэрад*
	rendering astatic, astatization, astatizing	Astasierung f	astatisation f, opération f rendant astatique	астазирование; компенсирование земного поля <гео.>
	rendering soluble	s. conversion into a soluble form		
	rendering visible, visualization	Sichtbarmachung f	visualisation f	визуализация, создание видимости
	rendezvous, space rendezvous	Rendezvous m [im Raum], Raumrendezvous n	rendez-vous m [dans l'espace]	рандеву, встреча, сближение, сбор <в космическом пространстве>
	rendezvous-compatible orbit	s. rendezvous orbit		
R 1489	rendezvous maneuver	Rendezvousmanöver n	manœuvre m de rendez-vous	маневр, обеспечивающий встречу (рандеву)
R 1490	rendezvous orbit, rendezvous-compatible orbit	Rendezvousbahn f	orbite f de rendez-vous	орбита встречи космических аппаратов, орбита рандеву, орбита сближения
R 1491	rendezvous technique	Rendezvoustechnik f	technique f des rendez-vous	техника рандеву, техника встреч, техника сближений
	rending	s. rupture <mech.>		
	rendition of contrast, contrast rendition	Kontrastwiedergabe f	reproduction f des contrastes	контрастное воспроизведение, воспроизведение контраста
R 1492	renewal theory	Erneuerungstheorie f	théorie f de renouvellement	теория восстановления
R 1493	Renner effect	Renner-Effekt m	effet m Renner	эффект Реннера
R 1493 a	Renninger effect, umweganregung	Renninger-Effekt m, Umweganregung f	effet m Renninger	эффект Реннингера
R 1494	renormalizability	Renormierbarkeit f	rénormalisabilité f	перенормируемость
R 1495	renormalizable theory	renormierbare Theorie f	théorie f rénormalisable	перенормируемая теория
R 1496	renormalization	Renormierung f	rénormalisation f	перенормировка
	renormalization of charge, charge renormalization	Ladungsrenormierung f	rénormalisation f de charge	перенормировка заряда
	renormalization of mass, mass renormalization	Massenrenormierung f, Renormierung f der Masse	rénormalisation f de la masse	перенормировка массы
R 1497	renormalization rule	Renormierungsregel f	règle f de rénormalisation	правило перенормировки
R 1498	re-occupation, repopulation	Umbesetzung f	repopulation f	переполнение
	reorganization, rearrangement, transposition, transformation <chem.>	Umlagerung f, Umgruppierung f <Chem.>	regroupement m, transposition f <chim.>	перегруппировка, перегруппирование, перестройка <хим.>
R 1499	reorientational motion of the domains	Reorientierungsbewegung f der Domänen	mouvement m de réorientation des domaines	переориентировочное движение доменов
R 1499 a	reorientation energy	Reorientierungsenergie f	énergie f de réorientation	энергия переориентации
	reorientation of spin	s. spin flip		
	rep	s. roentgen equivalent, physical		
R 1499 b	reparametrization	Reparametrisierung f	réparamétrisation f	репараметризация
R 1499 c	repeatability	Wiederholbarkeit f	répétabilité f, répétitivité f	повторность
	repeatability, reproducibility	Reproduzierbarkeit f; Präzision f <Stat.>	reproductibilité f	воспроизводимость, повторяемость
R 1499 d	repeatability coefficient	Wiederholbarkeitskoeffizient m	coefficient m de répétabilité	коэффициент повторности
	repeated; multiple, manifold <math.; gen.>	mehrfach, vielfach <Math.; allg.>	multiple <math., gén.>	кратный, множественный; многократный <матем.; общ.>
R 1500	repeated dissolution, re-solution	wiederholtes Lösen n, Umlösen n; Wiederauflösung f	dissolution f répétée, dissolution réitérée	повторное растворение; обратное растворение
	repeated distillation, cohobation; redistillation	Redestillation f; Umdestillieren n; wiederholte Destillation f, mehrfache Destillation	redistillation f; distillation f répétée	повторная перегонка, повторная дистилляция; редистилляция

R 1501	**repeated hardening crack,** crack due to multiple hardening	Vielhärtungsriß *m*	fissure *f* due au chauffage répété	трещина от многократного нагрева
	repeated load	*s.* repeated stress		
	repeated-load impact test, impact endurance test	Vielschlagversuch *m*	essai *m* de fatigue aux chocs répétés	испытание на усталость при повторных ударах
	repeated-load torsional fatigue testing machine	*s.* torsion vibration testing machine		
	repeated mapping	*s.* multiple mapping		
	repeated melting; remelting; refusion	Umschmelzen *n*	refusion *f*; fusion *f* sans oxydation; refonte *f*	переплавка; переплавление; перетапливание; передел
	repeated nova, recurrent nova, permanent nova	wiederkehrende Nova *f*, periodisch wiederkehrende Nova, Novula *f* <*pl.:* Novulae>	nova *f* récurrente	повторная новая [звезда], повторно вспыхивающая новая [звезда]
R 1502	**repeated quenching hardenability test**	Vielhärtungsversuch *m*	essai *m* de trempabilité par trempes répétées	испытание на прокаливаемость при повторной закалке
R 1503	**repeated root,** multiple root	mehrfache Nullstelle *f*; mehrfache Wurzel *f*	zéro *m* multiple; racine *f* multiple	кратный корень
	repeated solidification; resolidification	Wiedererstarrung *f*, Wiederverfestigung *f*; wiederholte Erstarrung *f*	resolidification *f*	возвращение (возврат) в твердое состояние, повторное затвердевание
	repeated solution, multiple solution	mehrfache Lösung *f*	solution *f* multiple, solution répétée	кратное (множественное, повторное) решение
R 1504	**repeated stress,** repeated load	Schwellbeanspruchung *f*	sollicitation *f* répétée, effort *m* répété, sollicitation ondulée, effort ondulé, effort pulsatoire	знакопостоянная нагрузка, знакопостоянное усилие, пульсирующая нагрузка, пульсирующее усилие, повторная нагрузка, повторное усилие, отнулевая нагрузка, отнулевое усилие
	repeated transformation	*s.* multiple mapping		
	repeated twin	*s.* polysynthetic twin <cryst.>		
R 1505	**repeater;** follower <el.>	Verstärker *m* <El.>	répéteur *m*, répétiteur *m* <él.>	повторитель; трансляционный усилитель, усилительный пункт; ретранслятор, ретрансляционная станция <эл.>
R 1506	**repeater [coil],** repeating coil, repeater transformer, transformer of ratio 1:1	Übertrager *m*	transformateur *m* de rapport 1:1	трансформатор с коэффициентом трансформации 1:1, переходный (линейный) трансформатор
R 1507	**repeater compass**	Tochterkompaß *m*	répétiteur *m*	репитер, компас-репитер, повторитель гироскопического компаса, вторичный компас
R 1508	**repeater distance**	Verstärkerfeldlänge *f*, Verstärkerabstand *m*	distance *f* entre deux répétiteurs	длина усилительного участка
R 1509	**repeater section**	Verstärkerfeld *n*	section *f* de répétition	усилительный участок
	repeater transformer	*s.* repeater [coil]		
R 1510	**repeating back**	Vielfachansatz *m*	multiplicateur *m*	мультипликатор
	repeating coil	*s.* repeater [coil]		
	repeating theodolite, double-centre theodolite	Repetitionstheodolit *m*, Repetiertheodolit *m*	théodolite *m* répétiteur	повторительный теодолит
	repellent force	*s.* repelling force		
R 1511	**repeller,** ion repeller <of mass spectrometer>	Repeller *m*, Repellerplatte *f*, Ionenrepeller *m* <Massenspektrometer>	répulseur *m* [d'ions] <du spectromètre de masse>	отражатель [ионов], рефлектор [ионов] <масс-спектрометра>
R 1512	**repeller electrode**	Reflektorelektrode *f*	électrode *f* de répulsion, électrode réflectrice	отражательный электрод
	repelling force, force of repulsion, repulsive force, repellent force	Abstoßungskraft *f*, abstoßende Kraft *f*; Repulsivkraft *f*	force *f* répulsive, force de répulsion	сила отталкивания, отталкивающая сила
	repelling force of magnet	*s.* magnetic repulsion		
	repercussion	*s.* rebound		
R 1513	**repetition,** reiteration	Wiederholung *f*	répétition *f*, réitération *f*	повторение
	repetition	*s.* repetition method		
	repetition	*s. a.* replicated experiment		
R 1514	**repetition frequency [of periodic pulses],** recurrence frequency [of periodic pulses], sequence repetition rate	Tastfrequenz *f*, Wiederholungsfrequenz *f* [periodischer Impulsfolgen]	fréquence *f* (taux *m*) de répétition des impulsions périodiques, fréquence de récurrence [des impulsions], taux de récurrence [des impulsions]	частота повторения периодических импульсов, частота следования периодических импульсов
R 1515	**repetition interval**	Tastintervall *n*	intervalle *m* de répétition	период следования (повторения) периодических импульсов
	repetition method, method by repetition [of measurement of angles], repetition	repetitionsweise Winkelmessung *f*, Repetitionswinkelmessung *f*, Repetition *f*	méthode *f* par répétition [de mesure des angles], répétition *f*	измерение углов способом повторений, способ повторений, метод повторений
R 1516	**repetition period,** recurrence period	Wiederholungszeit *f*	période *f* de répétition, période de récurrence	период повторения
	repetition period	*s. a.* pulse period		
	repetition pulse	*s.* recurrent pulses		
	repetition rate	*s.* pulse recurrence frequency		

R 1517	**repetition rate,** recurrence rate	Tastgeschwindigkeit *f*	taux *m* de répétition (récurrence)	скорость повторения импульсов
R 1518	**repetition rate,** check-back frequency, return question frequency	Rückfragehäufigkeit *f*	fréquence *f* de répétitions	количество (частота) повторений
R 1519	**repetition-rate divider,** pulse-rate divider	Impulsteiler *m*, Impulsfrequenzteiler *m*	diviseur *m* de fréquence d'impulsions	делитель частоты повторения импульсов
	repetition-rate division, pulse-rate division, pulse dividing, skip keying, count-down	Impulsteilung *f*, Impulsfrequenzteilung *f*	division *f* de fréquence d'impulsions	деление частоты повторения (следования) импульсов, деление частоты импульсов
R 1520	**repetitive computer**	repetierender Rechner (Analogrechner) *m*	calculateur *m* analogique répétitif	счетнорешающее устройство с периодизацией решения
R 1521	**repetitive error**	Wiederholungsfehler *m*	erreur *f* répétitive	повторяющаяся погрешность, повторяемая погрешность
R 1522	**repetitive measurement**	Wiederholungsmessung *f*	mesure *f* répétitive	повторное измерение
	repetitive pulse	*s.* recurrent pulses		
R 1522a	**Repetti discontinuity**	Repettische Diskontinuitätsfläche *f*, Repetti-Diskontinuität *f*	discontinuité *f* de Repetti	граница (поверхность раздела) Репетти
	replaced by an isotope, isotopically replaced (substituted), substituted by an isotope	isotopensubstituiert	substitué (remplacé) par l'isotope, isotopiquement substitué (remplacé)	изотопически замещенный, изотопно[-]замещенный, замещенный изотопом
	replacement, substitution	Austausch *m*, Ersatz *m*, Ersetzung *f*, Substitution *f*, Substituierung *f*	substitution *f*, remplacement *m*	замещение, замена
	replacement, substitution <chem.>	Substitution *f* <Chem.>	substitution *f*, remplacement *m* <chim.>	замещение <хим.>
	replacement, interchangeable <of a meter>	austauschbar, auswechselbar, Austausch- <Gerät>	interchangeable <d'un appareil>	взаимозаменяемый, сменный <о приборе>
	replacement	*s. a.* metasomatosis <geo.>		
R 1523	**replacement collision**	Austauschstoß *m*	collision *f* à remplacement	обменное столкновение, замещающее столкновение
	replacement diagram (scheme), equivalent circuit (network)	Ersatz[schalt]bild *n*; Ersatzschaltung *f*;Ersatz[strom]kreis *m*	circuit *m* équivalent, schéma *m* équivalent	эквивалентная схема, схема замещения; эквивалентный контур
R 1523a	**replacement pseudomorphism**	Veränderungspseudomorphose *f*	pseudomorphose *f* par substitution	псевдоморфоза замещением
	replacement tube; equivalent tube, equivalent valve	Ersatzröhre *f*; Austauschröhre *f*	tube *m* équivalent	эквивалентная лампа; заменяющая лампа
R 1524	**replay unit;** reproducing apparatus	Wiedergabegerät *n*; Wiedergabeeinrichtung	reproducteur *m*; appareil *m* de reproduction	воспроизводящий прибор, прибор (устройство для) воспроизведения, воспроизводящее устройство
	replenishment of charge carriers	*s.* carrier replenishment		
R 1525	**replica,** surface replica	Oberflächenabdruck *m*, Abdruck *m*	réplique *f*, copie *f* <de surfaces>	отпечаток, копия, реплика <поверхности>; оттиск поверхностных микронеровностей
R 1525a	**replica grating**	Gitterkopie *f*	copie *f* de réseau	копия решетки
R 1526	**replica method,** replica technique, surface replica method, printing method, model[l]ing	Abdruckverfahren *n*, Abdrucktechnik *f*	méthode *f* des répliques (copies), technique *f* d'empreinte	метод отпечатка, метод реплик, метод оттисков
R 1526a	**replicated experiment (run), replication,** parallel experiment, repetition	Parallelversuch *m*, Parallele *f*, Wiederholung *f*	expérience *f* répétée, répétition *f*	повторный эксперимент (опыт), повторение, репликация
R 1527	**repolarization**	Umpolarisierung *f*; Repolarisation *f*	répolarisation *f*	переполяризация; реполяризация
	repopulation, re-occupation	Umbesetzung *f*	repopulation *f*	переполнение
R 1527a	**report** <ac.>	Knall *m* <Ak.>	détonation *f*, éclat *m* <ac.>	взрыв <ак.>
R 1528	**reprecipitation**	Umfällung *f*	réprécipitation *f*	переосаждение, вторичное осаждение
R 1529	**representation** <in terms of> <math., qu.>	Darstellung *f* <Math., Qu.>	représentation *f* <math., qu.>	представление <матем., кв.>
	representation, mapping, map <math.>	Abbildung *f* <Math.>	représentation *f*, application *f* <math.>	отображение <матем.>
R 1530	**representation module (space),** space of representation	Darstellungsmodul *m*, Darstellungsraum *m*	module (espace) *m* de la représentation	модуль представления
R 1531	**representative**	Repräsentant *m*; Darsteller *m* <Qu.>	représentant *m*	представитель
R 1532	**representative**	repräsentativ	représentatif	репрезентативный, представляющий, представительный
R 1533	**representative ensemble**	repräsentative Gesamtheit *f*, repräsentatives Ensemble *n*	ensemble *m* représentatif	представительный ансамбль
R 1534	**representative point**	repräsentativer Punkt *m*	point *m* représentatif	представляющая точка; изобразительная точка
	representative point, phase point	Phasenpunkt *m*, Phasenbildpunkt *m*	point *m* de phase	фазовая точка, представляющая точка
R 1535	**representative region**	Repräsentabilitätsbereich *m*	région *f* représentative	репрезентативная область
R 1536	**representative sample**	repräsentative Stichprobe *f*	échantillon *m* représentatif	представительная выборка
R 1537	**repressor**	Repressor *m*	represseur *m*	репрессор

R 1538	**reprocessing,** regeneration	Wiederaufarbeitung f, Aufarbeitung f, Wiederaufbereitung f; Rückvergütung f	régénération f, retraitement m, traitement m	переработка, регенерация, обогащение
	reprocessing of irradiated fuel, fuel reprocessing	Brennstoff-Wiederaufarbeitung f, Wiederaufarbeitung f des bestrahlten Kernbrennstoffs	traitement m du combustible [irradié]	обработка облученного ядерного топлива, регенерация облученного ядерного топлива
R 1539	**reproducibility,** repeatability	Reproduzierbarkeit f; Präzision f <Stat.>	reproductibilité f	воспроизводимость, повторяемость
	reproducing apparatus	s. replay unit		
	reproducing characteristic, playback characteristic, reproduction curve	Wiedergabecharakteristik f, Wiedergabekurve f	caractéristique f de reproduction, courbe f de reproduction	характеристика верности воспроизведения, характеристика воспроизведения
	reproducing head	s. pick-up <ac.>		
	reproduction	s. projecting <opt.>		
	reproduction curve	s. reproducing characteristic		
R 1540	**reproduction equalizer**	Wiedergabeentzerrer m	détimbreur m	схема коррекции искажения при воспроизведении
	reproduction factor	s. multiplication factor		
	reproduction fidelity	s. fidelity [of reproduction]		
R 1541	**reproduction of surface features,** surface reproduction	Oberflächenabbildung f	reproduction de la surface	изображение поверхности
R 1542	**reproduction property**	Reproduktionseigenschaft f, Multiplikationseigenschaft f	propriété f de régénération	способность к воспроизводству
R 1543	**reproportionation,** synproportionation	Synproportionierung f	conmutation f, synmutation f	конмутация, синмутация, синпропорционирование
R 1544	**reptation effect**	Reptationseffekt m	effet m de reptation	эффект рептации
	repulse excitation, impact (shock, impulse, pulse) excitation <of oscillation>	Stoßanregung f, Stoßerregung f <Schwingung>	excitation f par impulsion, excitation par choc, percussion f <de l'oscillation>	ударное возбуждение, возбуждение ударом, импульсное возбуждение <колебаний>
R 1545	**repulsion**	Abstoßung f; Repulsion f	répulsion f	отталкивание
R 1546	**repulsion coefficient**	Abstoßungskoeffizient m	coefficient m de répulsion	коэффициент отталкивания
	repulsion energy	s. repulsive energy		
R 1547	**repulsion motor**	Repulsionsmotor m	moteur m à répulsion	репульсионный [электро-] двигатель
	repulsion potential	s. repulsive potential		
R 1548	**repulsion-type instrument**	Repulsionsmeßgerät n, Repulsionsinstrument n, Repulsionsgerät n	appareil m de mesure à répulsion	измерительный прибор репульсионного типа, измерительный прибор с электрической пружиной
R 1549	**repulsive centre,** centre of repulsion	abstoßendes Zentrum n, Abstoßungszentrum n	centre m de répulsion	центр отталкивающих сил, центр отталкивания
R 1549a	**repulsive energy,** repulsion energy	Abstoß[ungs]energie f	énergie f de répulsion	энергия отталкивания
	repulsive force, force of repulsion, repelling force, repellent force	Abstoßungskraft f, abstoßende Kraft f; Repulsivkraft f	force f répulsive, force de répulsion	сила отталкивания, отталкивающая сила
R 1550	**repulsive force** <of comet>	Repulsivkraft f <beim Kometen>	force f répulsive (de répulsion) <de la comète>	отталкивательная сила, сила отталкивания <кометы>
	repulsive force of magnet	s. magnetic repulsion		
R 1551	**repulsive potential,** repulsion potential	Abstoßungspotential n	potentiel m de répulsion	потенциал отталкивания
	repulsive thrust	s. thrust		
	rep unit; roentgen equivalent, physical; rep	rep-Einheit f, Rep n, physikalisches Röntgenäquivalent n, rep	équivalent m physique du roentgen, unité f rep, rep	физический эквивалент рентгена, фэр, реп
R 1551a	**required frequency,** ideal frequency	Sollfrequenz f	fréquence f nominale	номинальная частота, заданная (назначенная) частота
	required frequency	s. a. velocity rating		
	required position, desired position, nominal position	Sollstellung f	position f donnée, position nominale	заданное положение
R 1552	**required room (volume),** volume (room, space) requirement	Raumbedarf m	besoin m en volume, encombrement m	потребное пространство, потребный объем, потребность пространства (объема)
	requirement	s. demand		
R 1553	**requirement of store locations**	Speicherplatzbedarf m	besoin m des locations de mémoire	габарит запоминающего устройства
R 1553a	**requirements,** demand	Bedarf m	besoin m, besoins mpl, exigence f	потребность
R 1554	**re-radiation**	Wiederausstrahlung f, Wieder[ab]strahlung f	reradiation f, rerayonnement m	обратное излучение, повторное излучение
	re[-]radiation	s. a. reflection		
R 1555	**re-radiation error**	Wiederausstrahlungsfehler m	erreur f due à la reradiation	погрешность, обусловленная обратным излучением
R 1556	**rerecording; dubbing,** mixing <of sound>	Mischen n, Mischung f <Ton>, Tonmischung f	réenregistrement m, rerecording m; mixage m <de son>	перезапись [звука], звукомонтаж; микширование [звука]
R 1557	**re-reversal of solarization**	negative Solarisation f	solarisation f négative	вторая соляризация
R 1558	**re-run point,** roll-back point	Wiederhol[ungs]punkt m	point m de répétition	точка повторения
R 1559	**re-run routine,** roll-back routine	Wiederholungsprogramm n, Wiederholprogramm n	programme m de répétition	повторяющаяся программа
R 1560	**Résal['s] theorem,** theorem of Résal	Résalscher Satz m	théorème m de Résal	теорема Резаля

	research mass spectrometer, special purpose mass spectrometer	Massenspektrometer n für Forschungszwecke, Forschungs-Massenspektrometer n	spectromètre m de masse à des fins spéciales	масс-спектрометр для научно-исследовательских работ
	research of high atmosphere, altitude research	Höhenforschung f	recherche f d'altitudes, recherche des hauteurs, recherche de la haute atmosphère	высотные исследования, исследования верхних слоев атмосферы
R 1561	**research reactor**	Forschungsreaktor m	réacteur m (pile f) de recherche, réacteur pour recherches scientifiques, pile d'expérience, pile expérimentale, pile-expérience f	экспериментальный реактор, реактор для экспериментальных научно-исследовательских работ
R 1562	**research rocket,** sounding rocket	Forschungsrakete f, Raketensonde f	fusée f d'exploration, fusée sonde, fusée de sondage	исследовательская ракета, экспериментальная ракета, ракета-зонд, зондирующая ракета
	réseau, network [of stations] <geo.>	Stationsnetz n <Geo.>	réseau m [des stations] <géo.>	станционная сеть, сеть станций <гео.>
R 1563	**resection**	Rückwärtseinschneiden n, Rückwärtseinschnitt m	relèvement m	обратная засечка
R 1564	**resequent river**	resequenter Fluß m	rivière f reséquente	ресеквентная река
R 1565	**reservation, reserve,** restriction	Vorbehalt m	réserve f, restriction f	оговорка
R 1565a	**reserve**	Reserve f	réserve f	запас, резерв
R 1565b	**reserve buoyancy**	Auftriebsreserve f, Hilfsauftrieb m, Hilfsschwimmkraft f	poussée f de réserve	избыточная (резервная) плавучесть
	reserve factor, stand-by power factor	Reservefaktor m	facteur m de réserve	коэффициент резерва
R 1565c	**reserve of clock rate**	Gangreserve f	réserve f de marche	запас (резерв) хода часов
R 1566	**reservoir,** storage reservoir, storage work	Speicher m, Wasserspeicher m; Rückhaltebecken n; Staubecken n; Stauraum m; Stausee m	retenue f, bassin m de retenue, réservoir m	водохранилище, водоем; объем запруженной воды
	reservoir	s. a. flask		
	reservoir barometer	s. reservoir mercury barometer		
R 1567	**reservoir capacity**	Wehrstauraum m, Speicherinhalt m, Stauvolumen n	capacité f de retenue	объем подпертого бьефа, объем водохранилища
	reservoir mercury barometer, cistern barometer, reservoir (cup, bulb) barometer	Gefäßbarometer n, Gefäß-Quecksilberbarometer n	baromètre m à cuvette	чашечный барометр, чашечный ртутный барометр
R 1568	**reset, resetting; set[ ]back**	Rückstellung f; Rücksetzung f; Rückfall m	remise f, retour m	возврат (приведение) в исходное положение
R 1569	**reset, resetting** <of counter>	Löschung f, Rückstellung f <Zählwerk>	remise f à l'état vierge, remise à zéro <du compteur>	очищение, гашение показаний, погасание показаний, сброс <счетчика>
	reset pulse; quench pulse, quenching pulse	Löschimpuls m	impulsion f d'extinction; impulsion d'effacement	импульс гашения, гасящий импульс; импульс стирания, стирающий импульс
R 1570	**reset time,** resetting time, restoring time	Rückstellzeit f	temps m de retour, durée f de retour	время возврата [в исходное положение]
	reset time, integral action time, resetting time	Nachstellzeit f, Nachlaufzeit f, Nachgebezeit f	durée f de flottement	время изодрома
	resetting	s. reset		
R 1571	**resetting characteristic**	Rückfallkurve f	caractéristique f de retour	характеристика возврата [в исходное положение]
R 1572	**resetting device**	Rückstellvorrichtung f, Rückstelleinrichtung f	réarmement m d'accrochage, dispositif m de réarmement d'accrochage	возвратное приспособление
R 1573	**resetting interval**	Rückstellintervall n	intervalle m de reposition	интервал возврата [в исходное положение]
R 1574	**resetting ratio**	Rückgangsverhältnis n	pourcentage m de retour	коэффициент возврата
R 1575	**resetting time** <of relay>	Rückfallzeit f, Rückgangszeit f, Rücklaufzeit f <Relais>	temps m de retour <du relais>	время возврата [в исходное положение] <реле>
	resetting time	s. a. reset time		
	resetting to zero	s. zero adjustment		
R 1576	**resetting value** <of relay>	Rückgangswert m, Rückfallwert m <Relais>	valeur f de retour <du relais>	параметр возврата <реле>
R 1577	**reshaping of pulse**	Rückformung f, Rückbildung f <Impuls>	réformation f de l'impulsion	переформирование, формирование снова <импульса>
R 1578	**residence,** presence, lingering	Verweilen n, Aufenthalt m	résidence f, attardement m	пребывание, нахождение, выдержка
	residence	s. a. residence time		
R 1578a	**residence half-life**	Verweilhalbwertzeit f	demi-vie f de résidence, période f de demi-résidence	период полувыпадения
R 1579	**residence time,** residence, holding time, hold-up time; detention time <e.g. in the plant>	Verweilzeit f; Aufenthaltszeit f; Durchlaufzeit f; Haltezeit f <z. B. in der Anlage>	durée f (temps m) de résidence; période f d'attardement, temps m d'attardement <p. ex. dans l'usine>	время (длительность) пребывания; время выдержки; время нахождения; время движения; время обработки; время воздействия <напр. в установке>
R 1580	**residence time distribution (spectrum)**	Verweilzeitspektrum n, Verweilzeitverteilung f	distribution f (répartition f, spectre m) de la durée de résidence	спектр времени пребывания, распределение времени пребывания

	residual; remanent	remanent, bleibend, zurückbleibend; Rest-	rémanent; résiduel	остаточный
R 1581	**residual aberration** \<opt.\>	Restfehler m, Restaberration f \<Opt.\>	aberration f résiduelle \<opt.\>	остаточная аберрация \<опт.\>
R 1582	**residual activity**	Restaktivität f	[radio]activité f résiduelle	остаточная [радио-] активность
R 1582a	**residual activity method,** method of residual activity	Restaktivitätsmethode f	méthode f de l'activité résiduelle	метод остаточной активности
R 1583	**residual affinity**	Restaffinität f	affinité f résiduelle	остаточное сродство
	residual air [volume]	s. residual volume \<bio.\>		
R 1584	**residual austenite,** remaining (retained) austenite	Restaustenit m	austénite f résiduelle	остаточный аустенит
R 1585	**residual block**	Rumpfscholle f	bloc m résiduel	остаточная глыба
	residual bond	s. Waals bond / Van der		
R 1586	**residual central intensity**	Restintensität f im Linienkern	intensité f résiduelle centrale	центральная остаточная интенсивность
R 1587	**residual charge**	Restladung f, Rückstandsladung f	charge f résiduelle	остаточный заряд
	residual charge pattern [recording the image in xerography]	s. latent electric[al] image		
R 1588	**residual conductivity**	Restleitfähigkeit f	conductibilité f résiduelle	остаточная проводимость
R 1588a	**residual correlation**	Restkorrelation f	corrélation f résiduelle	остаточная корреляция
R 1589	**residual coupling**	Restkopplung f	couplage m résiduel	остаточная связь
R 1590	**residual crystallization**	Restkristallisation f	cristallisation f résiduelle	остаточная кристаллизация
R 1591	**residual current** \<of diode\>, initial current of emission	Anlaufstrom m	courant m résiduel \<de la diode\>, courant initial de l'émission	остаточный ток \<диода\>, начальный ток эмиссии
R 1592	**residual current,** remaining current, capacitance current, non-faradaic current; leakage current \<of electrolytic capacitor\>	Reststrom m, nicht-faradischer Strom m	courant m résiduel, courant non faradique; courant de fuite \<pour les condensateurs électrolytiques\>	остаточный ток, нефарадеевский ток, ток заряжения; послезарядный ток, ток утечки \<в электролитических конденсаторах\>
R 1593	**residual current law,** initial current law (curve)	Anlaufstromgesetz n, Anlaufstromkurve f	loi f de courant résiduel, loi de courant initial de l'émission	закон [изменения] начального (пускового) тока, пусковая токовая характеристика
	residual current region, region of residual current, region of incipient flow	Anlaufgebiet n, Anlaufstromgebiet n	région f du courant résiduel	область ускорения \<при диффузии заряженных частиц\>
R 1594	**residual depth; residual layer**	Resttiefe f; Restschichtdicke f	profondeur f résiduelle	остаточная глубина
	residual deviation	s. zero variation		
R 1595	**residual dislocation loop**	Restversetzungsschleife f	boucle f résiduelle de dislocations	остаточная петля дислокаций
R 1596	**residual elongation,** remanent (permanent, persisting) elongation	Restdehnung f; bleibende Dehnung f	allongement m résiduel, allongement rémanent, allongement permanent	остаточное удлинение
R 1596a	**residual error**	Restfehler m	erreur f résiduelle	остаточная ошибка
	residual field	s. remanent magnetic field		
R 1597	**residual-field method [of materials testing]**	Stromimpulsmethode f	méthode f du champ résiduel	токоимпульсный метод
	residual force	s. Waals['s] force / Van der		
R 1598	**residual fraction,** tail fraction, tails \<chem.\>	Nachlauf m, Rückstandsfraktion f \<Chem.\>	fraction f résiduelle, résidu m \<chim.\>	хвостовая фракция, хвостовой погон, последняя фракция, последний погон \<хим.\>
R 1599	**residual gas**	Restgas n, Gasrest m	gaz m résiduel	остаточный газ
	residual gas pressure	s. residual gas pressure		
R 1600	**residual hardness**	Resthärte f	dureté f résiduelle	остаточная жесткость воды
R 1601	**residual head**	Restgefälle n	pente f résiduelle	остаточный напор
R 1602	**residual heat capacity,** after-heat, residue heat \<therm.\>	Restwärme f \<Therm.\>	chaleur f résiduelle \<therm.\>	остаточное тепло \<тепл.\>
	residual image	s. afterimage		
	residual induction	s. remanence		
R 1603	**residual interaction**	Restwechselwirkung f	interaction f résiduelle	остаточное взаимодействие
	residual layer	s. residual depth		
R 1604	**residual liquid**	Restschmelze f	liquide m résiduel	остаточный расплав
	residual loss	s. remanence loss		
	residual machining stress	s. internal stress		
	residual magnetic field	s. remanent magnetic field		
	residual magnetism, remanent magnetism	remanenter Magnetismus m, Restmagnetismus m	magnétisme m rémanent, magnétisme résiduel	остаточный магнетизм
R 1605	**residual magnetization,** remanent magnetization	remanente Magnetisierung f, Restmagnetisierung f	aimantation f rémanente, aimantation résiduelle	остаточное намагничивание
	residual magnetization	s. a. remanence		
R 1606	**residual pressure,** residual gas pressure	Restdruck m	pression f résiduelle	остаточное давление
	residual radiation	s. residual rays		
R 1607	**residual range**	Restreichweite f	parcours m résiduel (résiduaire), portée f résiduelle	остаточный пробег

R 1608	**residual rays,** rest-strahlen, residual radiation	Reststrahlen *mpl*, Reststrahlbanden *fpl*, Reststrahlung *f*	rayons *mpl* résiduels (restants), rayonnement *m* restant (résiduel), radiation *f* restante (résiduelle)	остаточные лучи, остаточное излучение
R 1608a	**residual resistance** <el.; hydr.>	Restwiderstand *m* <El.; Hydr.>	résistance *f* résiduelle <él.; hydr.>; résistance de rencontre <hydr.>	остаточное сопротивление <эл.; гидр.>
R 1609	**residual ripple**	Restwelligkeit *f*	ondulation *f* résiduelle	остаточная волнистость (пульсация)
R 1610	**residual spectrum** <math.>	Restspektrum *n*, Residualspektrum *n* <Math.>	spectre *m* résiduel <math.>	остаточный спектр <матем.>
R 1611	**residual strain**	Restverformung *f*, Restdeformation *f*	déformation *f* résiduelle	остаточная деформация
	residual stress	*s.* internal stress		
R 1611a	**residual thermal radiation**	Restwärmestrahlung *f*	rayonnement *m* thermique résiduel	остаточное тепловое излучение
	residual valence	*s.* partial valence		
	residual valency	*s.* partial valence		
R 1611b	**residual variance**	Restvarianz *f*	variance *f* résiduelle	остаточная дисперсия
R 1612	**residual voltage** <el.>; discharge voltage <US <of surge diverter> <el.>	Restspannung *f* <El.>	tension *f* résiduelle <él.>	остаточное напряжение <эл.>
R 1613	**residual voltage at zero field,** zero-field residual voltage	Nullfeldrestspannung *f*	tension *f* résiduelle dans le champ zéro	остаточное напряжение при нулевом поле
R 1614	**residual volume,** residual air volume; residual air <bio.>	Residualvolumen *n*; Residualluft *f*, Restluft *f* <Bio.>	volume *m* résiduel, volume d'air résiduel; air *m* résiduel <bio.>	остаточный объём; остаточный воздух <био.>
R 1615	**residue**	Rückstand *m*; Schlamm *m*	résidu *m*	остаток; отстой
R 1616	**residue** <math.>	Residuum *n* <Math.>	résidu *m* <math.>	вычет, резидуум <матем.>
	residue	*s. a.* rest <chem.>		
R 1617	**residue class,** residue system, coset <of ring> <math.>	Restklasse *f* <eines Rings> <Math.>	classe *f*, classe résiduelle (latérale) <de l'anneau> <math.>	класс вычетов <кольца> <матем.>
R 1618	**residue[-] class field,** residue field, field of residue classes	Restklassenkörper *m*	corps *m* résiduel (des restes), corps (champ *m*) quotient	поле [классов] вычетов, фактор-поле
R 1619	**residue[-] class ring,** residue ring, factor ring, difference ring	Restklassenring *m*, Faktorring *m*, Differenzring *m*	anneau *m* quotient, anneauquotient *m*, anneau résiduaire (des classes résiduelles)	кольцо [классов] вычетов, фактор-кольцо
	residue field	*s.* residue[-] class field		
	residue heat	*s.* residual heat capacity		
	residue of combustion, combustion residue	Verbrennungsrückstand *m*	résidu *m* de combustion	остаточный продукт сгорания
R 1620	**residue of ignition**	Glührückstand *m*	résidu *m* au feu, résidu d'ignition, résidu de recuit	остаток от (после) прокаливания
	residue ring	*s.* residue[-] class ring		
R 1621	**residue series**	Residuenreihe *f*	série *f* de résidus	ряд вычетов
	residue system	*s.* residue class <math.>		
	residue theorem	*s.* Cauchy['s] residue theorem		
R 1622	**residue wave,** term of the residue series	Residuenwelle *f*	terme *m* de la série de résidus	член ряда вычетов
R 1623	**resilience**	Nachgiebigkeit *f*, reziproke Steifigkeit *f*, Auslenkung / Kraft *f*; Federkraft *f*; Schnellkraft *f*	résilience *f*	эластичность, податливость, резильянс; упругая деформация
	resilience	*s. a.* notch impact strength		
R 1624	**resilience per unit volume**	[mittlere] spezifische Formänderungsarbeit (Formänderungsenergie) *f*, Energiedichte *f*	résilience *f* par unité de volume	средняя удельная работа деформации <при разрыве *или* до предела упругости>
	resilient suspension	*s.* spring suspension		
	resin-bond laminated fabric	*s.* laminate		
	resinoid	*s.* thermosetting resin		
R 1624a	**resinous electricity,** negative electricity	Harzelektrizität *f*, harzelektrischer Zustand *m*, negative Elektrizität *f*	électricité *f* résineuse, électricité négative	«смоляное» электричество, отрицательное электричество; избыток электронов
R 1625	**resin state**	Harzzustand *m*	état *m* résinique	смолообразное состояние
	resistance, drag, frontal resistance, aerodynamic drag (resistance), resistance to air flow <aero.>	Widerstand *m* [in Richtung der Strömung], Strömungswiderstand *m*, Rücktrieb *m* <Aero.>	traînée *f*, résistance *f* frontale, résistance propre, résistance <aéro.>	лобовое сопротивление, аэродинамическое сопротивление, сопротивление <аэро.>
R 1626	**resistance,** electric[al] resistance <el.>	Widerstand *m*, elektrischer Widerstand <El.>	résistance *f*, résistance électrique <él.>	сопротивление, электрическое сопротивление <эл.>
R 1627	**resistance,** active resistance, effective alternating-current resistance, effective resistance, real resistance <el.>	[Wechselstrom-]Wirkwiderstand *m*, Gleichstromwiderstand *m*, Resistanz *f*, reeller Wechselstromwiderstand *m*, Echtwiderstand *m* <El.>	résistance *f*, résistance active <él.>	активное сопротивление <эл.>
R 1628	**resistance,** stability, resistivity <gen.>	Festigkeit *f*, Widerstandsfähigkeit *f*, Widerstand *m*, Resistenz *f*, Beständigkeit *f*; Sicherheit *f* <allg.>	résistance *f*, stabilité *f* <gén.>	устойчивость, стойкость, сопротивление, сопротивляемость <общ.>
	resistance	*s. a.* hydraulic resistance		

	English	German	French	Russian
	resistance	s. a. strength		
	resistance, ohmic, resistive <el.>	ohmsch, ohmisch <El.>	ohmique, résistif, par résistance <El.>	омический, активный <эл.>
R 1629	resistance accelerometer	Widerstandsbeschleunigungsmesser m	accéléromètre m à résistance	акселерометр с реостатным преобразователем
R 1630	resistance alloy	Widerstandslegierung f	alliage m pour les résistances	сплав с высоким электрическим сопротивлением, сплав [высокого] сопротивления
R 1631	resistance amplifier, resistance-capacitance, (R-C) coupled amplifier	Widerstandsverstärker m, widerstandsgekoppelter Verstärker m, Verstärker mit RC-Kopplung, RC-Verstärker m	amplificateur m à résistances (résistance-capacité), amplificateur à couplage par résistance	усилитель на сопротивлениях, реостатный усилитель, усилитель с реостатно-емкостной связью
R 1632	resistance box	Widerstandskasten m [für Meßzwecke], Widerstandssatz m	boîte f de résistances, boîtier m de résistances	магазин сопротивлений, ящик сопротивлений
	resistance box with plugs, plug resistance, plug rheostat, plug resistance box	Stöpselwiderstand m, Stöpselrheostat m, Widerstandskasten m [mit Stöpseln]	boîte f de résistances à fiches, résistance f à fiches	штепсельный магазин сопротивлений, штепсельный реостат
R 1633	resistance branch, ohmic branch	ohmscher Zweig m, Widerstandszweig m	branche f résistive (ohmique, de résistance)	активная ветвь, омическая ветвь, ветвь сопротивления
R 1634/5	resistance bridge	Wirkbrücke f, Wirkwiderstandsbrücke f, Widerstandsbrücke f, Widerstandsmeßbrücke f	pont m de résistances	мост активных сопротивлений, измерительный мост с активными сопротивлениями в плечах, мостовая схема с активными сопротивлениями в плечах; мост для измерения сопротивлений
	resistance-capacitance coupled amplifier	s. resistance amplifier		
R 1636	resistance-capacitance coupling, R-C coupling, resistance-capacity coupling <of thermionic valves>	Widerstandskopplung f, RC-Kopplung f, R/C-Kopplung f, Widerstands-Kondensator-Kopplung f, Widerstands-Kapazitäts-Kopplung f <Röhren>	couplage m par résistance-capacité, couplage résistance-capacité, couplage R. C. <de tubes électroniques>	резистивно-емкостная связь, реостатно-емкостная связь, RC-связь <электронных ламп>
	resistance-capacitance element	s. resistance-capacitance network		
R 1637	resistance-capacitance high pass, R-C high pass	RC-Hochpaß m	filtre m passe-haut à résistance-capacité, filtre passe-haut R.C.	резистивно-емкостный фильтр верхних частот, RC-фильтр верхних частот
R 1638	resistance-capacitance ladder filter, R-C ladder filter	RC-Filter n, RC-Siebschaltung f	filtre m [à] résistance-capacité, filtre R.C.	резистивно-емкостный фильтр, RC-фильтр
R 1639	resistance-capacitance line, R-C line, Thomson line	RC-Leitung f, Thomson-Leitung f	ligne f à résistance-capacité, ligne R.C., ligne de Thomson	резистивно-емкостная линия, RC-линия, линия Томсона
R 1640	resistance-capacitance low pass, R-C low pass	RC-Tiefpaß m	filtre m passe-bas à résistance-capacité, filtre passe-bas R.C.	резистивно-емкостный фильтр нижних частот, RC-фильтр нижних частот
R 1641	resistance-capacitance network, R-C network (section), resistance-capacitance section (element), R-C element	RC-Glied n; RC-Netzwerk n	élément m résistance-capacité, élément à résistance-capacité, élément R.C.	резистивно-емкостное звено, RC-звено; резистивно-емкостная цепь, RC-цепь
R 1642	resistance-capacitance oscillator, R-C oscillator	RC-Generator m, RC-Oszillator m	oscillateur m résistance-capacité, oscillateur à résistance-capacité, oscillateur R.C.	резистивно-емкостный генератор, RC-генератор, генератор с резистивными и емкостными элементами
R 1643	resistance-capacitance phase-angle bridge, R-C phase-angle bridge	RC-Phasenbrücke f	pont m de phase à résistance-capacité, pont de phase R. C.	резистивно-емкостный фазовый мост[ик], RC-фазовый мост[ик]
	resistance-capacitance section	s. resistance-capacitance network		
	resistance-capacity coupling	s. resistance-capacitance coupling		
R 1644	resistance characteristic, resistive profile, resistivity profile <el.>	Widerstandskennlinie f, Widerstandsprofil n, Widerstandskurve f <El.>	caractéristique f de résistance, diagramme m de résistance <él.>	характеристика сопротивления <эл.>
R 1645	resistance circuit, resistive circuit	ohmscher Kreis m	circuit m résitif, circuit ohmique	активная (омическая) цепь, активный (омический) контур
R 1646	resistance coefficient <el.>	Widerstandskoeffizient m <El.>	coefficient m de résistance <él.>	коэффициент сопротивления <эл.>
R 1647	resistance coefficient, coefficient of resistance, resistance number, friction factor, hydraulic friction factor, Darcy['s] coefficient <hydr.>	Widerstandsbeiwert m, Beiwert m des Widerstandes, Strömungswiderstandsbeiwert m, [hydraulische] Widerstandszahl f, hydraulischer Reibungskoeffizient m, Widerstandsziffer f; Rohrwiderstandsziffer f <Hydr.>	coefficient m de résistance, coefficient de perte de charge [linéaire] <hydr.>	коэффициент гидродинамического сопротивления, коэффициент гидравлического сопротивления, коэффициент сопротивления; коэффициент сопротивления трубы <гидр.>

	resistance collector	s. resistance commutator		
R 1648	resistance column	Widerstandssäule f	colonne f de résistances	столб сопротивлений
R 1649	resistance commutator, resistance collector, resistive commutator (collector)	Widerstandsstromwender m, Widerstandskollektor m, Widerstandskommutator m	commutateur m à résistance, collecteur m à résistance	коллектор с включенными ступенями сопротивления
R 1650	resistance controller, rheostatic controller	Widerstandsregler m; Kontroller m	régulateur m à résistance, régulateur rhéostatique	регулятор с сопротивлением, реостатный регулятор
	resistance coupling	s. direct coupling		
	resistance derivative, aerodynamic derivative, partial air force	partielle Ableitung f von aerodynamischen Kräften <oder Momenten>	dérivée f de résistance, derivée aérodynamique	аэродинамическая производная
	resistance divider	s. resistance voltage divider		
	resistance drag	s. parasite drag		
R 1651	resistance during charge, charging resistance; charging resistor	Ladewiderstand m, Aufladewiderstand m	résistance f de charge	зарядное сопротивление; сопротивление в цепи заряда; реостат для зарядки
R 1652	resistance feedback	Widerstandsrückkopplung f	réaction f par résistance, réaction apériodique	обратная связь сопротивлением
	resistance gauge	s. resistance pressure gauge		
	resistance gauge	s. a. resistance strain gauge		
R 1653	resistance head, drag head	Widerstandshöhe f	hauteur f de perte de charge due à la résistance	высота напора, потерянного на сопротивление; высота сопротивления
	resistance-inductance-capacitance bridge	s. universal bridge		
	resistance-inductance element	s. resistance-inductance network		
R 1654	resistance-inductance network, R-L network (section), resistance-inductance section (element), R-L element	RL-Glied n; RL-Netzwerk n	élément m résistance-inductance, élément à résistance-inductance, élément R. L.	звено с сопротивлениями и индуктивностями, RL-звено; цепь с сопротивлениями и индуктивностями, RL-цепь
R 1655	resistance-inductance phase-angle bridge, R-L phase-angle bridge	RL-Phasenbrücke f	pont m de phase à résistance-inductance, pont de phase R. L.	фазовый мост[ик] с сопротивлением и индуктивностью, RL-фазовый мост[ик]
	resistance-inductance section	s. resistance-inductance network		
	resistance in humid state, resistance in wet state	Naßfestigkeit f	résistance f dans l'état humide	прочность (крепость) во влажном состоянии
R 1655a	resistance instrument	Widerstandsgerät n, Widerstandsinstrument n	appareil (dispositif) m à résistance	резистивный прибор
	resistance in the cold state	s. cold resistance		
	resistance in the dark	s. dark resistance		
R 1656	resistance in wet state, resistance in humid state	Naßfestigkeit f	résistance f dans l'état humide	прочность (крепость) во влажном состоянии
	resistance lamp	s. barretter		
R 1657	resistanceless motion	widerstandsfreie Bewegung f	mouvement m sans résistance	движение без сопротивления
	resistance limit	s. tensile yield strength		
R 1658	resistance line	Widerstandsgerade f	droite f de résistance, ligne f de résistance	прямая (линия) сопротивления; нагрузочная прямая, прямая нагрузочного сопротивления
R 1659	resistance line <mech.>	Stützlinie f <Mech.>	ligne f d'appuis, ligne de résistance <méc.>	линия опор <мех.>
	resistance loss	s. ohmic loss		
R 1660	resistance matrix <of four-terminal network>	Widerstandsmatrix f, W-Matrix f, r-Matrix f <Vierpol>	matrice f de résistance <du quadripôle>	матрица сопротивления <четырехполюсника>
R 1661	resistance net	Widerstandsnetz n	réseau m de résistance	сеть сопротивления, сетка сопротивления
R 1662	resistance noise	Widerstandsrauschen n	bruit m propre de la résistance	шум сопротивления
	resistance number	s. resistance coefficient		
	resistance of air; aerodynamic drag (resistance), drag; air resistance, windage	Luftwiderstand m	résistance f aérodynamique; résistance de l'air	сопротивление воздуха [движению тела], воздушное сопротивление
	resistance of grid circuit	s. grid resistance		
	resistance of materials, strength of materials	Materialfestigkeit f	résistance f des matériaux	сопротивление материалов
	resistance operator	s. impedance <el.>		
R 1663	resistance per unit length	Widerstandsbelag m	résistance f linéique, résistance linéaire	погонное сопротивление, сопротивление на единицу длины
R 1664	resistance-pressure curve	Widerstand[s]-Druck-Kurve f	courbe f résistance-pression	кривая зависимости сопротивления от давления
R 1665	resistance pressure gauge, resistance gauge	Widerstandsmanometer n	manomètre m à résistance	манометр с реостатным преобразователем; манганиновый манометр
	resistance pyrometer	s. resistance thermometer		
R 1666	resistance ratio arm	Widerstandsverhältnisarm m	bras m de rapport des résistances	плечо отношения сопротивлений
R 1667	resistance-reciprocal, reciprocal to the resistance	widerstandsreziprok	inverse à la résistance	обратный сопротивлению

R 1668	resistance reciprocity	Widerstandsreziprozität *f*	réciprocité *f* de la résistance	обратимость сопротивления
	resistance standard	*s.* standard resistance		
R 1669	**resistance star**	Widerstandsstern *m*	étoile *f* de résistances	звезда сопротивлений
R 1670	**resistance strain gauge,** resistance wire strain gauge, [wire] resistance gauge	Widerstandsdehnungsmeßstreifen *m*, Widerstandsdehnungsmesser *m*; Widerstandsklebstreifen *m*; Draht-Dehnungsmeßstreifen *m*, Drahtdehnungsmesser *m*	jauge *f* de tension (contraintes) à résistance [électrique], extensomètre *m* à résistance [électrique], extensomètre à fil [résistant]	тензодатчик омического сопротивления, проволочный тензодатчик (датчик сопротивления)
R 1671	**resistance temperature coefficient,** temperature coefficient of resistance	Temperaturkoeffizient *m* des [elektrischen] Widerstandes, linearer Temperaturkoeffizient des [elektrischen] Widerstands, Widerstands-Temperaturkoeffizient *m*, Widerstandstemperaturbeiwert *m*	coefficient *m* de température de la résistance	температурный коэффициент сопротивления
R 1672	**resistance thermometer,** resistance pyrometer, thermometer resistor	Widerstandsthermometer *n*, elektrisches Thermometer *n* (Widerstandsthermometer), Widerstandspyrometer *n*	thermomètre *m* à résistance [électrique], pyromètre *m* à résistance [électrique], résistance *f* pyrométrique	термометр сопротивления
R 1673	**resistance thermometer of phosphor-bronze,** phosphor-bronze thermometer	Widerstandsthermometer *n* aus Phosphorbronze *f*, Phosphorbronzethermometer *n*	thermomètre *m* à bronze phosphoreux	бронзовый термометр
R 1674	**resistance thermometry**	Widerstandsthermometrie *f*	thermométrie *f* à résistance; pyrométrie *f* à résistance	измерение температур при помощи термометра сопротивления
	resistance to abrasion	*s.* wear resistance		
	resistance to air flow	*s.* resistance <aero.>		
R 1675	**resistance to alternating current**	Wechselstromfestigkeit *f*	résistance *f* à l'action du courant alternatif	стойкость к действию переменного тока
	resistance to arc, arc resistance	Lichtbogenfestigkeit *f*, Lichtbogensicherheit *f*	résistance *f* à l'arc	дугостойкость
	resistance to bending [strain]	*s.* bending strength		
	resistance to bending [strain]	*s. a.* resistance to flexure		
	resistance to buckling, cross breaking strength, buckling strength	Knickfestigkeit *f*	résistance *f* au flambage, résistance à la flexion par compression axiale	сопротивление продольному изгибу, прочность при продольном изгибе
R 1676	**resistance to climatic changes**	Klimabeständigkeit *f*	résistance *f* aux intempéries	стойкость к климатическим изменениям
R 1677	**resistance to cold,** cold resistance; cold hardiness <bio.>	Kältefestigkeit *f*, Kältebeständigkeit *f*; Kälteresistenz *f* <Bio.>	résistance *f* au froid	морозостойкость, морозоустойчивость, холодостойкость, холодоустойчивость
	resistance to compression	*s.* compressive strength		
R 1678	**resistance to contraction,** resistance to shrinking	Schrumpffestigkeit *f*	résistance *f* au rétrécissement	безусадочность, стойкость к усадке, сопротивление усадке
	resistance to corrosion	*s.* corrosion resistance		
	resistance to creep	*s.* limiting creep stress		
R 1679	**resistance to deformation,** deformation resistance	Umform[ungs]widerstand *m*, Verformungswiderstand *m*; Formänderungswiderstand *m*	résistance *f* à la déformation	сопротивление деформации
	resistance to diffusion	*s.* diffusion resistance <bio.>		
R 1680	**resistance to displacement,** displacement resistance	Verschiebungswiderstand *m*	résistance *f* au déplacement	сопротивление при сдвиге, сопротивление сдвигу (смещению)
	resistance to elongation	*s.* tensile yield strength		
R 1681	**resistance to flexure,** resistance to bending [strain[	Biegungswiderstand *m*, Biegewiderstand *m*	résistance *f* à la flexion	сопротивление изгибу
	resistance to flow	*s.* hydraulic resistance <hydr.>		
R 1682	**resistance to glow**	Glimmfestigkeit *f*	résistance *f* de l'isolation à la lueur	устойчивость изоляции к свечению
	resistance to heat	*s.* heat resistance		
R 1683	**resistance to heat cracking**	Warmrißbeständigkeit *f*, Wärmerißbeständigkeit *f*	résistance *f* à la formation de fissures de température	стойкость против трещинообразования при нагреве
	resistance to impact	*s.* impact strength		
	resistance to liquid flow	*s.* hydraulic resistance		
R 1684	**resistance to low temperature**	Tieftemperaturbeständigkeit *f*, Tieftemperaturfestigkeit *f*	résistance *f* aux basses températures	устойчивость к действию низких температур
	resistance to oscillations	*s.* dynamic strength		
	resistance to radiation	*s.* radioresistance		
	resistance to rupture	*s.* tensile strength		
	resistance to shaking	*s.* vibration resistance		
	resistance to shear[ing]	*s.* shear strength		
	resistance to shock	*s.* impact strength		
	resistance to shrinking	*s.* resistance to contraction		
R 1685	**resistance to sliding (slip),** sliding resistance	Gleitwiderstand *m*	résistance *f* au glissement	сопротивление скольжению
	resistance to spreading	*s.* diffusion resistance		
	resistance to stretching	*s.* tensile yield strength		

R 1686	resistance to surge voltage, surge voltage resistance	Stoßspannungsfestigkeit f	résistance f à la tension de choc	импульсная прочность, прочность по отношению к импульсному напряжению
	resistance to switching [operations]	s. switching resistance		
	resistance to tearing	s. tensile strength		
	resistance to torsion	s. torsional strength		
	resistance to torsional vibration	s. torsional endurance strength at alternating load		
	resistance to twist[ing]	s. torsional strength		
	resistance to vibration[s]	s. vibration resistance		
	resistance to vibrations	s. dynamic strength		
	resistance to wear	s. wear resistance		
R 1687	resistance transducer, variable-resistance transducer, resistance transformer	Widerstandsgeber m, Widerstandsumformer m, Widerstandssender m; Drahtwiderstandsgeber m, Drahtwiderstandsumformer m	traducteur m de résistance, capteur m à résistance	датчик (преобразователь) сопротивления, резистивный датчик; реостатный датчик (преобразователь сопротивления)
R 1688	resistance transformation, impedance transformation	Widerstandswandlung f, Widerstandstransformation f; Widerstandsumformung f, Widerstandsumwandlung f, Widerstandsübersetzung f	transformation f de résistances	преобразование сопротивлений
	resistance transformer	s. resistance transducer		
R 1689	resistance-type mercury barograph	Quecksilberwiderstandsbarograph m	barographe m à mercure à résistance	ртутный барограф сопротивления
R 1690	resistance-type pressure pick-up	Widerstandsdruckgeber m	capteur m de pression à résistance	датчик давления с реостатным преобразователем
R 1691	resistance vacuummeter	Widerstandsvakuummeter n, Widerstandsvakuummesser m	vacuomètre m à résistance [électrique]	вакуумметр с термосопротивлением
R 1692	resistance voltage divider, resistance divider	ohmscher Spannungsteiler m	diviseur m de tension à résistances	омический делитель [напряжения], реостатный делитель [напряжения], делитель напряжения на сопротивлениях, делитель на омических сопротивлениях
R 1692a	resistance wave	Widerstandswelle f	onde f de résistance	волна сопротивления
R 1693	resistance winding	Widerstandswicklung f; ohmsche Wicklung f	enroulement m non inducteur	безындуктивная (безындукционная) обмотка, обмотка сопротивления
R 1694	resistance wire	Widerstandsdraht m	fil m pour les résistances électriques, fil de résistance, fil résistant	проволока высокого омического сопротивления, реостатная проволока
	resistance wire strain gauge	s. resistance strain gauge		
R 1695	resistant; resistive	fest, resistent, widerstandsfähig, beständig	résistant	устойчивый, стойкий, прочный; резистивный, имеющий сопротивление, способный сопротивляться
R 1695a	resistant group	resistente Gruppe f	groupe m résistant	устойчивая группа
	resistant to atmospheric conditions (corrosion)	s. weatherproof		
	resistant to fire	s. fire-resistant		
	resistant to heat	s. fire-resistant		
	resistant to heat	s. heat-proof		
	resistant to overvoltage, overvoltage-proof, self-protecting	überspannungsfest, überspannungssicher	résistant aux surtensions	стойкий при перенапряжениях, с повышенной изоляционной прочностью
R 1696	resistant to swelling	quellbeständig, quellfest	résistant au gonflement	ненабухающий
	resistant to tropic climate	s. tropicalized		
R 1697	resistant to twist[ing], torsion-resistant	torsionsfest, verdrehfest, verdrehungsfest	résistant à la torsion	не подвергающийся скручиванию
	resistant to weathering	s. weatherproof		
	resisting moment (torque)	s. section modulus		
	resistive, ohmic, resistance <el.>	ohmsch, ohmisch <El.>	ohmique, résistif, par résistance <él.>	омический, активный <эл.>
	resistive	s. a. resistant		
R 1698	resistive arm [of the bridge]	Widerstandsarm m [der Brücke]	bras m résistif [du pont]	плечо сопротивления [моста]
	resistive circuit	s. resistance circuit		
	resistive collector (commutator)	s. resistance commutator		
	resistive component, active (ohmic) component	Wirkstromkomponente f, ohmsche Komponente f	composante f active (résistive, ohmique)	активная (резистивная, омическая) составляющая
	resistive coupling	s. resistance coupling <of circuit>		
	resistive drop	s. ohmic drop		
	resistive drop in potential	s. ohmic drop		
	resistive drop of voltage	s. ohmic drop		
R 1699	resistive element	Widerstandselement n	élément m résistif, élément de résistance	элемент сопротивления

R 1700	**resistive film,** resistive layer	Widerstandsschicht f, Widerstandsfilm m	couche f résistive, pellicule f résistive, film m résistif	резистивный слой, слой сопротивления, сопротивление в виде тонкого слоя, пленочное сопротивление
	resistive force, friction[al] force, force of friction <mech.>	Reibungskraft f; Inhärenzkraft f <Mech.>	force f de frottement <méc.>	сила трения <мех.>
	resistive heating	s. ohmic heating		
R 1701	**resistive instability**	Instabilität f bei Anwesenheit eines Stromes, stromkonvektive Instabilität	instabilité f résistive	токово-конвективная неустойчивость
	resistive layer	s. resistive film		
	resistive load	s. active load		
	resistive load reaction, active load reaction	Wirklastrückwirkung f, Wirklaststoß m	réaction f de charge active (résistive)	реакция активной нагрузки
R 1702	**resistive loss**	Wirkverlust m, Wirkabfall m; Wirkarbeitsverlust m, Wirkleistungsverlust m	perte f résistive	активная потеря; потеря активной энергии, потеря активной мощности
	resistive polarization	s. ohmic overpotential		
	resistive profile	s. resistivity profile <el.>		
R 1702a	**resistive transition**	Widerstandsübergang m	transition f résistive	резистивный переход
R 1703	**resistive variable**	ohmsche Variable f	variable f résistive	резистивная (омическая) переменная
R 1704	**resistivity,** volume resistivity, specific resistance (resistivity), unit resistance	spezifischer [elektrischer] Widerstand m	résistivité f, résistance f spécifique	удельное [электрическое сопротивление, сопротивляемость
	resistivity, resistance, stability <gen.>	Festigkeit f, Widerstandsfähigkeit f, Widerstand m, Resistenz f, Beständigkeit f; Sicherheit f <allg.>	résistance f, stabilité f <gén.>	устойчивость, стойкость, сопротивление, сопротивляемость <общ.>
	resistivity coefficient for tension	s. tension coefficient of resistivity		
	resistivity profile, resistance characteristic, resistive profile <el.>	Widerstandskennlinie f, Widerstandsprofil n, Widerstandskurve f <El.>	caractéristique f de résistance, diagramme m de résistance <él.>	характеристика сопротивления <эл.>
R 1705	**resistor**	Widerstand m, Widerstandsgerät n <Bauteil>	résistance f <composant>	резистор, сопротивление, прибор омического сопротивления <для включения в цепь>
R 1706	**resistor block**	Widerstandsblock m	bloc m de résistance	блок сопротивления
R 1707	**resistor matrix**	Widerstandsmatrix f	matrice f de résistances	сетка резисторов, сетка сопротивлений, матрица сопротивлений
R 1708	**resistor-quenched counter circuit**	Zählrohrlöschschaltung f mit [hohem] Außenwiderstand	circuit m coupeur du tube compteur utilisant une [haute] impédance externe	схема гашения счетчика с помощью сопротивления
	resistor with high positive coefficient of temperature, cold conductor	Kaltleiter m	conducteur m à froid, résistance f à haut coefficient positif de température	сопротивление (термо-резистор) с большим положительным температурным коэффициентом
R 1709	**resistron**	Resistron n	résistron m	резистрон
R 1710	**resnatron**	Resnatron n, Resnotron n	resnatron m	реснатрон
R 1711	**resolidification;** repeated solidification	Wiedererstarrung f, Wiederverfestigung f; wiederholte Erstarrung f	resolidification f	возвращение (возврат) в твердое состояние, повторное затвердевание
R 1711a	**resoluble**	wiederlöslich, resolubel	résoluble	повторно растворяющийся
R 1712	**resolution,** resolving, decomposition, vector resolution <of the vector into its components>	Zerlegung f <des Vektors in seine Komponenten>, Komponentenzerlegung f	décomposition f, partition f <du vecteur en composantes>	разбиение, разбивка, разложение <вектора в его составляющих>
R 1712a	**resolution** <chromatography>	Trennschärfe f, Auflösung f, Trenngüte f, Resolution f <Chromatographie>	résolution f, précision f de séparation <chromatographie>	разрешающая способность <хроматография>
	re-solution, repeated dissolution	wiederholtes Lösen n, Umlösen n; Wiederauflösung f	dissolution f répétée, dissolution réitérée	повторное растворение; обратное растворение
	resolution	s. a. resolving power		
R 1713	**resolution function**	Auflösungsfunktion f	fonction f de résolution	разрешенная функция, функция разрешения
	resolution in depth	s. resolving power in depth		
	resolution limit, limit of resolution	Auflösungsgrenze f	limite f de résolution	предел разрешения
R 1714	**resolution of force[s],** decomposition of force[s]	Zerlegung f der Kraft, Kraftzerlegung f; Kräftezerlegung f	décomposition f de force[s]	разложение сил[ы], разбиение сил[ы]
	resolution of the edges	s. edge acuity		
R 1714a	**resolution sensitivity**	Auflösungsempfindlichkeit f	sensibilité f de résolution	чувствительность разрешения
	resolution time, resolving time	Auflösungszeit f	temps m de résolution	разрешающее время
R 1715	**resolvability,** solvability, solubility <math.>	Lösbarkeit f; Auflösbarkeit f <Math.>	résolubilité f, solubilité f <math.>	разрешимость, разрешаемость <матем.>
R 1716	**resolvability,** separability, separableness <opt.; math.>	Auflösbarkeit f, Trennbarkeit f <Opt.; Math.>	résolubilité f, séparabilité f <opt.; math.>	разрешаемость, разделимость <опт.; матем.>
	resolved binary; detached binary	getrennter Doppelstern m, getrenntes System n; aufgelöster Doppelstern	binaire f détachée, binaire séparée, double f séparée, double détachée, double résolue	разделенная двойная [звезда], разрешенная двойная [звезда]

R 1717	**resolvent**	Resolvente *f*	résolvante *f*, transformation *f* résolvante	резольвента
R 1718	**resolvent kernel**	lösender Kern *m*, Resolvente *f* ‹Integralgleichung›	noyau *m* résolvant	разрешающее ядро, ядро резольвенты
R 1719	**resolvent set** **resolver** **resolving**	Resolventenmenge *f* *s.* peptizing agent *s.* resolution ‹of the vector into its components›	ensemble *m* résolvant	резольвентное множество
	resolving limit	*s.* resolution limit		
R 1720	**resolving of binary star,** detachment of binary	Auflösung *f* (Trennung *f* der Komponenten) des Doppelsterns	résolution *f* de la binaire, détachement *m* de la binaire	разрешение двойной звезды, разделение компонентов двойной
R 1721	**resolving power; resolution,** definition	Auflösungsvermögen *n*; Auflösung *f*	pouvoir *m* séparateur (de séparation, de résolution, résolvant, de définition); résolution *f*, définition *f*; solubilité *f*	разрешающая способность; разрешение
R 1722	**resolving power,** chromatic resolving power ‹of grating›	Auflösungsvermögen *n*, Auflösungskraft, Trennschärfe *f* ‹Beugungsgitter›	pouvoir *m* séparateur ‹du réseau›	разрешающая способность ‹дифракционной решетки›
R 1723	**resolving power in depth,** depth resolving power; resolution in depth, depth resolution	Tiefenauflösungsvermögen *n*; Tiefenauflösung *f*	pouvoir *m* résolvant en profondeur; résolution *f* en profondeur	разрешающая способность по глубине; разрешение по глубине
	resolving power of coincidence system, coincidence resolving power	Koinzidenzauflösungsvermögen *n*, Auflösungsvermögen *n* des Koinzidenzsystems	pouvoir *m* de résolution du montage à coïncidences	разрешающая способность схемы совпадений
R 1724	**resolving time,** resolution time	Auflösungszeit *f*	temps *m* de résolution	разрешающее время
R 1725	**resolving time correction,** dead time correction	Totzeitkorrektion *f*	correction *f* de temps de résolution, correction de temps mort	поправка на мертвое время, поправка на разрешающее время
	resonance, point of resonance, resonance point	Resonanzstelle *f*, Resonanzpunkt *m*, Resonanz *f*	point *m* de résonance, résonance *f*	точка резонанса, резонанс
R 1726	**resonance,** resonance state ‹of fundamental particles›	Resonanz *f*, Resonanzzustand *m*, Resonanzteilchen *n* ‹Elementarteilchen›	résonance *f*, état *m* de résonance ‹des particules fondamentales›	резонансное состояние, резонанс ‹элементарных частиц›
	resonance, mesomerism, structural resonance ‹Chem.›	Mesomerie *f*, Strukturresonanz *f*, Resonanz *f* ‹Chem.›	mésomérie *f*, résonance *f* structurale, résonance ‹chim.›	мезомерия, структурный резонанс, резонанс ‹хим.›
	resonance	*s. a.* resonant vibration		
R 1727	**resonance absorber**	Resonanzabsorber *m*	absorbeur *m* par résonance, absorbeur résonnant	резонансный поглотитель
R 1728	**resonance absorption,** resonant absorption	Resonanzabsorption *f*	absorption *f* par résonance, absorption résonnante	резонансное поглощение
R 1729	**resonance absorption cross-section,** cross-section for resonance absorption	Resonanzabsorptionsquerschnitt *m*, Wirkungsquerschnitt *m* für (der) Resonanzabsorption, Resonanzabsorptions-Wirkungsquerschnitt *m*	section *f* efficace d'absorption par résonance	сечение резонансного поглощения
R 1730	**resonance absorption energy**	Resonanzabsorptionsenergie *f*	énergie *f* d'absorption par résonance	энергия резонансного поглощения
R 1731	**resonance absorption integral**	Resonanzintegral *n* der Absorption, Resonanzabsorptionsintegral *n*	intégrale *f* de résonance d'absorption	резонансный интеграл поглощения
R 1732	**resonance absorption spectrum**	Resonanzabsorptionsspektrum *n*	spectre *m* d'absorption par résonance	спектр резонансного поглощения
R 1733	**resonance acceleration**	Resonanzbeschleunigung *f*	accélération *f* par résonance	резонансное ускорение
R 1734	**resonance accelerator**	Resonanzbeschleuniger *m*	accélérateur *m* de résonance	резонансный ускоритель
R 1735	**resonance activation**	Resonanzaktivierung *f*	activation *f* par résonance	резонансная активация
R 1736	**resonance activation cross-section,** cross-section for resonance activation	Resonanzaktivierungsquerschnitt *m*, Wirkungsquerschnitt *m* für (der) Resonanzaktivierung, Resonanzaktivierungs-Wirkungsquerschnitt *m*	section *f* efficace d'activation par résonance	сечение резонансной активации
R 1737	**resonance activation integral**	Resonanzintegral *m* der Aktivierung, Resonanzaktivierungsintegral *n*	intégrale *f* de résonance d'activation	резонансный интеграл активации
	resonance amplifier, tuned amplifier	abgestimmter Verstärker *m*, selektiver Spannungsverstärker *m*, Resonanzverstärker *m*	amplificateur *m* accordé, amplificateur à résonance	резонансный усилитель
R 1738	**resonance amplitude**	Resonanzamplitude *f*	amplitude *f* de résonance	резонансная амплитуда
	resonance band	*s.* resonance region		
	resonance box	*s.* resonant cavity		
	resonance bridge	*s.* distortion bridge		
R 1739	**resonance broadening,** self-broadening	Resonanzverbreiterung *f*, Kopplungsverbreiterung *f*, Selbstverbreiterung *f*	élargissement *m* par résonance, auto-élargissement *m*	резонансное (собственное) уширение
R 1740	**resonance capacitor transformer**	kapazitiver Spannungswandler *m* in Resonanzschaltung	transformateur-condensateur *m* à résonance	резонансный конденсаторный трансформатор [напряжения]
R 1741	**resonance capture** **resonance capture cross-section**	Resonanzeinfang *m* *s.* resonance cross-section	capture *f* de (par) résonance	резонансный захват
R 1742	**resonance capture integral**	Resonanzintegral *n* des Einfangs, Resonanzeinfangintegral *n*	intégrale *f* de résonance de capture	резонансный интеграл захвата

	English	German	French	Russian
R 1743	resonance catastrophe	Resonanzkatastrophe f	catastrophe (divergence) f de résonance	резонансная катастрофа
	resonance cavity	s. resonant cavity		
	resonance chamber	s. resonant cavity		
	resonance chamber	s. a. cavity resonator		
	resonance circuit, resonant (resonating) circuit	Resonanz[strom]kreis m	circuit m résonnant (de résonance)	резонансный контур, резонансная цепь
R 1744	resonance condition	Resonanzbedingung f	condition f de résonance	условие резонанса, резонансное условие
R 1745	resonance conductance	Resonanzleitwert m	conductance f de résonance	резонансная активная проводимость
R 1745a	resonance correction	Resonanzentzerrung f	correction f par résonance	резонансная коррекция искажений
	resonance covibration	s. resonant vibration		
R 1746	resonance criterion	Resonanzkriterium n	critère m de résonance	критерий резонанса
R 1747	resonance cross-section, resonance capture cross-section, cross-section for resonance capture	Resonanzeinfangquerschnitt m, Wirkungsquerschnitt m für Resonanzeinfang, Resonanzeinfang-Wirkungsquerschnitt m	section f efficace de résonance, section efficace de capture de résonance	сечение резонансного захвата, резонансное сечение
R 1748	resonance curve	Resonanzkurve f	courbe f de résonance	резонансная кривая, кривая резонанса
R 1749	resonance detector	Resonanzdetektor m	détecteur m de résonance	резонансный детектор
R 1750	resonance doublet	Resonanzdublett n	doublet m de résonance	резонансный дублет
	resonance effect, resonance phenomenon, R. effect	Resonanzerscheinung f, Resonanzeffekt m	phénomène (effet) m de résonance	явление резонанса, резонансное явление
R 1751	resonance electron	Resonanzelektron n	électron m de résonance	резонансный электрон
R 1752	resonance energy; resonance stabilization energy	Resonanzenergie f	énergie f de résonance	резонансная энергия
R 1753	resonance energy <chem.>	Mesomerieenergie f, Resonanzenergie f <Chem.>	énergie f de résonance <chim.>	энергия резонанса <хим.>
R 1754	resonance escape	Vermeiden n des Resonanzeinfangs, Resonanzflucht f	échappement m de résonance, échappement à la capture par résonance	избежание резонансного захвата
R 1755	resonance escape probability	Bremsnutzung f, Resonanzdurchlaßwahrscheinlichkeit f, Durchlaßwahrscheinlichkeit f, Resonanzentkommwahrscheinlichkeit f, Resonanzfluchtfaktor m, Bremsnutzfaktor m	facteur m antitrappe, probabilité f d'échappement de résonance, probabilité antitrappe, probabilité d'échapper à la capture par résonance, probabilité de fuite de neutrons	вероятность избежания резонансного захвата
R 1756	resonance exchange of charge	Resonanzumladung f	échange m de charge par résonance	резонансная перезарядка
R 1757	resonance excitation	Resonanzanregung f	excitation f par résonance	резонансное возбуждение
R 1757a	resonance fatigue testing	Resonanzschwingprüfung f, Resonanzschwingversuch m, Resonanz-Dauerschwingprüfung f	essai m de fatigue par résonance	испытание на усталость методом резонансных колебаний
R 1758	resonance field	Resonanzfeld n	champ m de résonance	резонансное поле
R 1759	resonance fission	Resonanzspaltung f	fission f par résonance	резонансное деление
R 1760	resonance fission integral	Resonanzintegral n der Spaltung, Resonanzspaltungsintegral n	intégrale f de résonance de fission	резонансный интеграл деления
R 1761	resonance fluorescence; resonance radiation, resonant radiation	Resonanzfluoreszenz f; Resonanzstrahlung f, Resonanzleuchten n, Resonanzlicht n; Linienresonanz f	fluorescence f de résonance; rayonnement m de résonance, radiation f de résonance	резонансная флуоресценция; резонансное излучение (испускание); резонансная люминесценция
R 1762	resonance flux	Resonanzfluß m, Resonanzneutronenfluß m	flux m de [neutrons de] résonance	поток резонансных нейтронов
R 1763	resonance foil	Resonanzsonde f	feuille f de résonance	резонансная фольга
	resonance frequency, resonant frequency	Resonanzfrequenz f	fréquence f de résonance	резонансная частота, частота резонанса
	resonance frequency meter; resonance wave[-]meter	Resonanzwellenmesser m; Resonanzfrequenzmesser m, Phasensprungfrequenzmesser m	ondemètre m à résonance; fréquencemètre m à résonance	резонансный волномер; резонансный частотомер, частотомер по схеме с резонансным контуром
R 1764	resonance heating	Resonanzaufheizung f	chauffage m par résonance	резонансный нагрев, резонансное нагревание
R 1764a	resonance hybride	Resonanzhybrid n	hybride m de résonance	резонансный гибрид
R 1764b	resonance indicator	Resonanzanzeiger m, Resonanzröhre f	indicateur m de résonance	индикатор резонанса
R 1765	resonance induction	Resonanzinduktion f	induction f de résonance	резонансная индукция
	resonance in ferrimagnetic materials, ferrimagnetic resonance	ferrimagnetische Resonanz f	résonance f ferrimagnétique	ферримагнитный резонанс
R 1766	resonance instrument, resonance-type instrument	Resonanzgerät n, Resonanzmeßgerät n, Resonanzmesser m, Resonanzinstrument n	appareil m de mesure à résonance, appareil de résonance	резонансный прибор, измерительный резонансный прибор, измерительный прибор резонансного типа; вибрационный электроизмерительный прибор
R 1767	resonance integral, nuclear resonance integral	[gewöhnliches] Resonanzintegral n, Resonanzintegral für unendliche Verdünnung	intégrale f de résonance	резонансный интеграл
R 1768	resonance interaction	Resonanzwechselwirkung f	interaction f de résonance	резонансное взаимодействие

	English	German	French	Russian
R 1769	**resonance isolator,** resonant isolator	Resonanzisolator m	isolateur m à résonance	резонансное развязывающее устройство, резонансный разъединитель
R 1770	**resonance lamp,** resonance valve	Resonanzlampe f	lampe f à résonance	резонансная лампа
R 1771	**resonance level**	Resonanzniveau n	niveau m de résonance	резонансный уровень
R 1772	**resonance line** <opt.>	Resonanzlinie f <Opt.>	raie f de résonance <opt.>	резонансная линия [спектра] <опт.>
	resonance line	s. a. resonance peak		
R 1773	**resonance loss**	Resonanzverlust m	perte f due à la résonance	резонансная потеря
R 1774	**resonance magnetometer**	Resonanzmagnetometer n	magnétomètre m à résonance	резонансный магнитометр
	resonance method	s. valence bond theory <chem.>		
R 1775	**resonance moment**	Resonanzmoment n	moment m de résonance	резонансный момент
R 1776	**resonance neutron**	Resonanzneutron n	neutron m de résonance	резонансный нейтрон
R 1777	**resonance overlap**	Resonanzüberlagerung f, Überdeckung f der Resonanzniveaus	superposition f de résonances	наложение резонансов
R 1778	**resonance overvoltage**	Resonanzüberspannung f	surtension f à résonance	перенапряжение при резонансе, резонансное перенапряжение
R 1779	**resonance parameter**	Resonanzparameter m	paramètre m de résonance	параметр резонанса
	resonance passage	s. resonance penetration		
R 1780	**resonance peak,** resonance line	Resonanzpeak m, Resonanzspitze f, Resonanzmaximum n, Resonanzlinie f	crête f de résonance, pic m de résonance	резонансный пик, резонансный максимум
R 1781	**resonance penetration,** resonance passage	durch Resonanz ermöglichtes Eindringen n [in den Kern], Resonanzdurchgang m	pénétration f par résonance	резонансное проникновение
R 1782	**resonance phenomenon,** resonance effect, R. effect	Resonanzerscheinung f, Resonanzeffekt m	phénomène (effet) m de résonance	явление резонанса, резонансное явление
R 1783	**resonance photon**	Resonanzphoton n	photon m de résonance	резонансный фотон
	resonance point, point of resonance, resonance	Resonanzstelle f, Resonanzpunkt m, Resonanz f	point m de résonance, résonance f	точка резонанса, резонанс
R 1784	**resonance potential,** first critical potential	Resonanzpotential n, erstes kritisches Potential n, Resonanzspannung f	potentiel m de résonance, premier potentiel critique	резонансный потенциал, первый критический потенциал
R 1785	**resonance proton**	Resonanzproton n	proton m de résonance	резонансный протон
R 1785a	**resonance quenching**	Resonanzlöschung f	extinction f par résonance	резонансное гашение
	resonance radiation	s. resonance fluorescence		
	resonance radiation capture (trapping)	s. imprisonment of resonance radiation		
R 1786	**resonance Raman effect**	Resonanz-Raman-Effekt m	effet m Raman de résonance	резонансное комбинационное рассеяние [света]
R 1787	**resonance ratio,** peak value of magnification	Resonanzüberhöhung f der Amplitude	facteur m de résonance, facteur (coefficient m) de surtension à la résonance	добротность контура при резонансе, добротность при резонансе
R 1788	**resonance reactor**	Resonanzneutronenreaktor m, Resonanzreaktor m	réacteur m à neutrons de résonance	реактор на резонансных нейтронов
R 1789	**resonance region;** resonance band	Resonanzbereich m, Resonanzgebiet n; Resonanzband n	région f (domaine m) des énergies de résonance, région (domaine) de résonance; bande f de résonance	резонансная область, область резонанса; область нейтронного резонанса; полоса резонанса
	resonance relay	s. vibrating relay		
R 1790	**resonance resistance**	Resonanzwiderstand m	résistance f de résonance	резонансное сопротивление, сопротивление при резонансе
R 1791	**resonance scattering,** nuclear resonance scattering, resonant scattering, nuclear resonant scattering, internal scattering; compound-elastic scattering, elastic scattering with formation of compound nucleus	Resonanzstreuung f, Kernresonanzstreuung f, innere Streuung f; compoundelastische Streuung (Resonanzstreuung), [elastische] Zwischenkernstreuung f, elastische Streuung über den Compoundkern, elastische Streuung über das Compoundkernstadium, elastische Streuung mit Zwischenkernbildung	diffusion f résonnante, diffusion de résonance, diffusion par résonance [nucléaire], diffusion interne; diffusion élastique avec formation d'un noyau composé	резонансное рассеяние, ядерное резонансное рассеяние, внутреннее рассеяние; упругое рассеяние, проходящее через стадию составного ядра; упругое рассеяние с образованием составного ядра
R 1792	**resonance scattering cross-section,** nuclear resonance scattering cross-section, cross-section for resonance scattering	Resonanzstreuquerschnitt m, Wirkungsquerschnitt m für (der) Resonanzstreuung	section f efficace de diffusion par résonance [nucléaire]	сечение [ядерного] резонансного рассеяния
R 1793	**resonance scattering integral**	Resonanzintegral n der Streuung, Resonanzstreuintegral n	intégrale f de résonance de diffusion	резонансный интеграл рассеяния
R 1794	**resonance series**	Resonanzserie f	série f de résonance	резонансная серия
R 1795	**resonance shape**	Resonanzkurvenform f	forme f de la courbe de résonance	форма резонансной кривой
	resonance sharpness, sharpness of resonance	Resonanzschärfe f, Schärfe f der Resonanz	acuité f de résonance	острота резонанса

	English	German	French	Russian
R 1796	resonance sharpness, sharpness of resonance, sharpness of tuning, magnification factor, selectivity of [the] resonance ‹el.›	Resonanzschärfe f, Resonanzüberhöhung f, reziproke Dämpfung f, Güte f des Schwingkreises ‹El.›	acuité f de résonance, surtension f de circuit, facteur m de surtension ‹él.›	острота резонанса; коэффициент усиления контура, коэффициент резонанса, коэффициент передачи на резонансной частоте, добротность контура ‹эл.›
R 1797	resonance sieve	Resonanzsieb n	crible m à résonance	резонансный грохот, резонансное сито
R 1798	resonance spectrum	Resonanz[en]spektrum n	spectre m de résonance	резонансный спектр
	resonance stabilization energy; resonance energy	Resonanzenergie f	énergie f de résonance	резонансная энергия
	resonance state, resonance ‹of fundamental particles›	Resonanzzustand m, Resonanz f ‹Elementarteilchen›, Resonanzteilchen n	résonance f, état m de résonance ‹des particules fondamentales›	резонансное состояние, резонанс ‹элементарных частиц›
R 1799	resonance structure, resonant (resonating) structure	Resonanzstruktur f	structure f de résonance	резонансная структура
	resonance theory	s. valence bond theory ‹chem.›		
	resonance theory [of Helmholtz]	s. Helmholtz['] place theory		
	resonance tone, resonant tone	Resonanzton m	son m de résonance, ton m de résonance	резонансный тон
R 1800	resonance transfer	Resonanzübertragung f [der Anregung]	transfert m par résonance	резонансный перенос [возбуждения]
R 1800a	resonance transfer collision	Resonanzübertragungsstoß m	collision f de transfert par résonance	столкновение с резонансным переносом
R 1801	resonance transfer theory [of sensitization]	Resonanzübertragungstheorie f [der Sensibilisierung]	théorie f du transfert par résonance [de la sensibilisation]	теория резонансного переноса [возбуждения]
	resonance-type instrument	s. resonance instrument		
	resonance valve, resonance lamp	Resonanzlampe f	lampe f à résonance	резонансная лампа
R 1802	resonance velocity	Resonanzgeschwindigkeit f	vitesse f de résonance	резонансная скорость
	resonance vibration	s. resonant vibration		
	resonance voltage	s. resonant voltage		
R 1803	resonance wave	Resonanzwelle f	onde f de résonance	резонансная волна
R 1804	resonance wavelength	Resonanzwellenlänge f	longueur f d'onde de résonance	длина резонансной волны
R 1805	resonance wave[-]meter; resonance frequency meter	Resonanzwellenmesser m; Resonanzfrequenzmesser m, Phasensprungfrequenzmesser m	ondemètre m à résonance; fréquencemètre m à résonance	резонансный волномер; резонансный частотомер, частотомер по схеме с резонансным контуром
	resonance width	s. resonant width		
	resonance yield, yield of resonance radiation	Resonanzausbeute f, Resonanzfluoreszenzausbeute f, Resonanzstrahlungsausbeute f	rendement m de rayonnement de résonance	выход резонансного излучения
	resonant absorption	s. resonance absorption		
R 1805a	resonant absorption following Coulomb excitation, RACE	Resonanzabsorption f nach Coulomb-Anregung	absorption f résonnante (par résonance) suivant l'excitation coulombienne	резонансное поглощение после кулоновского возбуждения
R 1806	resonant angular frequency	Resonanzkreisfrequenz f	fréquence f angulaire de résonance	резонансная круговая частота
R 1807	resonant cavity, resonance cavity, cavity, cavity resonator, resonator, resonance chamber (box)	Resonanzhohlraum m, Resonanzkammer f, Resonanzkörper m, Resonanzkasten m, resonierender Hohlraum m, Resonator[raum] m	cavité f résonatrice, cavité résonnante, résonateur m, résonateur à volume	объемный резонатор, резонатор, резонирующая камера
R 1808	resonant cavity, coaxial resonant cavity	Topfkreis m, Topfresonator m, Topf m; Schwingkammer f, Schwingtopf m ‹Mehrkreistriftröhre›	cavité f résonnante, résonateur m à cavité (volume), circuit m coaxial (en pot)	объемный резонатор, объемный контур
	resonant cavity frequency meter	s. cavity wavemeter		
R 1809	resonant-cavity maser [amplifier], cavity maser, resonator maser amplifier	Hohlraummaser[verstärker] m, Resonatormaser m, Resonatorquantenverstärker m	maser m à cavité, amplificateur m maser à résonateur (cavité)	резонаторный квантовый усилитель, квантовый усилитель с резонатором, резонаторный мазер
	resonant-cavity parametric amplifier, cavity-type parametric amplifier	parametrischer Verstärker m mit Hohlraumresonator	amplificateur m paramétrique à cavités [résonnantes]	параметрический усилитель с объемными резонаторами, параметрический усилитель резонаторного типа
R 1810	resonant cavity tube	Hohlraumresonatorröhre f	tube m à cavité résonnante	лампа с объемным контуром
	resonant cavity wavemeter	s. cavity wavemeter		
R 1811	resonant circuit, resonance (resonating) circuit	Resonanz[strom]kreis m	circuit m résonnant (de résonance)	резонансный контур, резонансная цепь
R 1812	resonant circuit with distributed parameters, distributed resonant circuit, Lecher circuit	Leitungskreis m, Lecher-Kreis m, Resonanzkreis m mit verteilten Parametern	circuit m résonnant distribué, circuit résonnant avec constantes distribuées (réparties)	резонансный контур с распределенными параметрами

№	English	German	French	Russian
	resonant covibration	s. resonant vibration		
	resonant diaphragm	s. resonant iris		
R 1813	resonant feeder	abgestimmte Speiseleitung f	alimentateur m accordé (adapté), feeder m adapté (accordé)	настроенный фидер, согласованный фидер
R 1814	resonant frequency, resonance frequency	Resonanzfrequenz f	fréquence f de résonance	резонансная частота, частота резонанса
	resonant iris	s. resonant window		
	resonant isolator	s. resonance isolator		
	resonant jet	s. pulse jet		
R 1815	resonant length	Resonanzlänge f	longueur f de résonance	резонансная длина
R 1816	resonant line <el.>	Resonanzleitung f <El.>	ligne f résonnante, ligne accordée <él.>	резонансная линия, резонансный провод <эл.>
R 1817	resonant mode, resonator mode	Resonatormode f, Resonatorschwingung f, Resonatorwelle f	mode m résonnant	резонансный вид [колебаний], резонаторный вид [колебаний]
R 1818	resonant motion	Resonanzbewegung f	mouvement m résonnant	резонансное движение
	resonant radiation	s. resonance fluorescence		
R 1819	resonant rise <of oscillation>	Aufschauklung f <Schwingung>	amorçage m <d'une oscillation>	раскачка, раскачивание, нарастание амплитуды, возбуждение <колебаний>
	resonant scattering	s. resonance scattering		
R 1820	resonant shunt	Resonanznebenschluß m	shunt m résonnant	резонансный шунт
	resonant structure	s. resonance structure		
R 1821	resonant system	Resonanzsystem n; Mitschwingungssystem n	système m résonnant (de résonance)	резонансная система
R 1822	resonant tone, resonance tone	Resonanzton m	son m de résonance, ton m de résonance	резонансный тон
R 1823	resonant transformer, tuned transformer	Resonanztransformator m, abgestimmter Transformator m	transformateur m accordé, transformateur à résonance	резонансный трансформатор, настроенный трансформатор
R 1824	resonant vibration, resonance vibration, resonance, covibration, resonance (resonant) co-vibration	Resonanzschwingung f, Resonanz f; Mitschwingung f; Resonanzerschütterung f; Mittönen n	vibration f de résonance, résonance f	резонансное колебание, резонансное качание, резонанс
R 1825	resonant voltage, resonance voltage	Resonanzspannung f	tension f de résonance	резонансное напряжение, напряжение резонанса, напряжение при резонансе
	resonant width	s. resonance width		
R 1826	resonant window, resonant iris (diaphragm)	Resonanzblende f	diaphragme m résonnant	резонансная диафрагма
R 1827	resonate	resonieren; mitschwingen	résonner	резонировать
	resonating circuit	s. resonant circuit		
	resonating structure	s. resonance structure		
	resonator	s. resonant cavity		
	resonator	s. a. cavity resonator		
	resonator magnetron	s. magnetron		
	resonator maser amplifier	s. resonant-cavity maser		
	resonator mode	s. resonant mode		
	resonator theory	s. Helmholtz['] place theory <of hearing>		
	resonon, Fermi resonance	Fermi-Resonanz f, Resonon n	résonance f fermienne, résonance de Fermi, résonon m	фермиевский резонанс, ферми-резонанс, резонон
R 1828	resonoscope	Resonoskop n	résonoscope m	резоноскоп
R 1829	resorption	Resorption f, Aufsaugen n, Aufnahme f	résorption f	всасывание; ресорбция, резорбция; обратное (повторное) поглощение, рассасывание; поглощение
R 1830	resorptivity	Resorptionsvermögen n; Resorptionsfähigkeit f; Resorbierbarkeit f	pouvoir m de résorption	всасывающая способность
	resounding	s. echo		
R 1831	respiration	Atmung f, Respiration f	respiration f	дыхание
R 1832	respiration inhibitor	Atmungsinhibitor m, Atmungsgift n, Atemgift n	inhibiteur m de la respiration	дыхательный ингибитор
R 1833	respiratory quotient	respiratorischer Quotient m, Atmungsquotient m, RQ	quotient m respiratoire [de Pflüger], Q.R.	дыхательный коэффициент, ДК
	responding speed	s. responsiveness <meas.>		
R 1834	response, actuation	Ansprechen n	réponse f	срабатывание, ответ, реагирование
R 1835	response	Antwort f, Reaktion f; Wirkung f	réponse f	реакция [на воздействие], отклик, ответная реакция
R 1836	response, response curve	Ganglinie f; Gangkurve f	courbe f de réponse, réponse f	кривая изменения хода, кривая хода
	response, pick up <of relay>	Ansprechen n; Anziehen n <Relais>	mise f au travail <du relais>	действие; срабатывание; реагирование; трогание; втягивание <реле>
R 1837	response <bio.>	Reizantwort f <Bio.>	réponse f <bio.>	ответная реакция <био.>
	response, sensitivity <electro-acoustics>	Empfindlichkeitsübertragungsfaktor m <Elektroakustik>	efficacité f, réponse f <électro-acoustique>	чувствительность <электроакустика>
	response	s. a. response curve <el.>		
	response	s. a. behaviour		
	response	s. a. counter efficiency		
	response	s. a. frequency response		
R 1838	response curve	Wirkungskurve f	courbe f de réponse	кривая отклика

	English	German	French	Russian
R 1839	response curve, response <in the pass-band> <el.>	Durchlaßkurve f <El.>	courbe f de réponse du filtre, courbe de transmission <él.>	кривая пропускания <эл.>
	response curve	s. a. response		
	response curve	s. a. sensitivity curve		
	response function	s. contrast transmission function		
	response limit	s. threshold of sensitivity		
	response of the counter	s. counter efficiency		
R 1839a	response surface <bio.; stat.>	Wirkungsfläche f <Bio.; Stat.>	surface f de réponse <bio.; stat.>	поверхность отклика <био.; стат.>
	response threshold	s. threshold of sensitivity		
R 1840	response time; actuation time	Ansprechzeit f	temps m de réaction, temps de réponse	время срабатывания, время реагирования, время прихода в действие
R 1841	response time; reaction time, time of the onset of the excitation <bio.>	Reaktionszeit f	temps m de réaction	время реакций
	response time	s. a. sluggishness		
R 1842	response time to within 5%	95%-Zeit f	temps m de réponse à 5%	
R 1843	response to current	Stromübertragungsfaktor m, Strömungsübertragungsfaktor m	réponse f au courant	чувствительность по току
	response to power, power transfer factor	Leistungsübertragungsfaktor m	facteur m de transfert de puissance	коэффициент передачи мощности
	response to the derivative	s. rate action		
	response to voltage <transducer>; voltage transformation factor	Spannungsübertragungsmaß n; Spannungsübertragungsfaktor m <elektroakustischer Wandler>	facteur m de transformation de la tension; réponse f à la tension <transducteur émetteur>	коэффициент передачи напряжения; чувствительность по напряжению <преобразователя>
	response vector locus	s. transfer locus		
R 1844	responsiveness, responsivity, speed of response, mobility resistance, responding speed, rapidity of action <meas.>	Reaktionsfähigkeit f, Ansprechgeschwindigkeit f <Meß.>	réponsibilité f, rapidité f de réponse (fonctionnement) <mes.>	скорость реагирования прибора, отзывчивость прибора, обратное время успокоения прибора, скорость срабатывания, быстродействие <изм.>
	responsiveness, responsivity	s. a. sensitivity <of instrument, organ>		
R 1844a	rest; residue; group <chem.>	Rest m; Gruppe f <Chem.>	reste m; groupe m <chim.>	остаток; группа <хим.>
	rest	s. a. radical <math.; chem.>		
	rest	s. a support		
R 1845	rest / at, non-moving, motionless, fixed	in Ruhe, ruhend, fest, bewegungslos, unbewegt	au repos, en repos, sans mouvement, fixe	покоящийся, в состоянии покоя, неподвижный, без движения
	restandardization	s. recalibration		
R 1846	rest charge density, rest density of charge	Ruhladungsdichte f, Ruheladungsdichte f, Ruhdichte (Ruhedichte) f der Ladung	densité f de charge au repos	плотность заряда покоя
R 1847	rest contact, resting (break) contact, break, normal contact; normally closed contact, normally closed interlock <US>, N.C. contact	Ruhekontakt m, Öffnungskontakt m, Öffner m	contact m de repos, contact à ouverture	нормально замкнутый контакт, размыкающий контакт, контакт покоя, контакт размыкания
	rest current	s. resting current		
	rest density	s. rest mass density		
	rest density of charge	s. rest charge density		
R 1848	rest energy	Ruhenergie f, Ruheenergie f	énergie f au repos, énergie en repos	энергия покоя
R 1849	rest energy operator, operator of rest energy	Ruhenergieoperator m, Ruheenergieoperator m	opérateur m de l'énergie au repos	оператор энергии покоя
R 1850	rest frame, reference system at rest	ruhendes Bezugssystem n, Ruhsystem n, Ruhesystem n	système m de référence au repos, référentiel m au repos; système de référence baricentrique	покоящаяся система отсчета
R 1851	restimulation, reversal of tonus	Stimmungsänderung f, Umstimmung f; Verstimmung f	restimulation f	перестройка
	resting contact	s. rest contact		
R 1852	resting current; closed-circuit current, rest (static, quiescent) current	Ruhestrom m	courant m de repos; courant en circuit fermé	ток покоя; замкнутый ток
R 1853	resting potential, rest (no-signal) potential <bio.>	Ruhepotential n, Ruhespannung f, Bestandpotential n <Bio.>	potentiel m de repos <bio.>	потенциал покоя, стационарный потенциал <био.>
R 1854	resting stage	Ruhestadium n	stade m de repos	стадия покоя
R 1855	resting stage nucleus, quiescent nucleus <bio.>	Ruhekern m <Bio.>	noyau m de repos <bio.>	ядро покоя <био.>
	rest injury potential, injury potential at rest	Verletzungsruhepotential n	potentiel m de lésion (démarcation) au repos	демаркационный потенциал покоя
	restitution apparatus	s. aerocartograph		
R 1856	restitution coefficient, coefficient of restitution, restoration coefficient, impact coefficient, collision coefficient <mech.>	Wiederherstellungskoeffizient m, Restitutionskoeffizient m, Rückkehrkoeffizient m, Stoßkoeffizient m, Stoßzahl f, Kollisionszahl f, Stoßbeiwert m <Mech.>	coefficient m de restitution <méc.>	коэффициент восстановления, коэффициент удара <мех.>

	English	German	French	Russian
R 1857	**restitution from aerial photographs,** plotting from aerial photographs; interpretation of aerial photographs	Luftbildauswertung *f*; Luftbildinterpretation *f*	restitution *f* des photographies aériennes	обработка аэрофотоснимков; дешифрирование аэроснимков
R 1858	**restitution nucleus** <bio.> **restitutive force**	Restitutionskern *m* <Bio.> s. restoring force	noyau *m* de restitution <bio.>	ядро восстановления <био.>
R 1859	**rest[-] mass,** proper mass, mass at rest	Ruhemasse *f*, Ruhmasse *f*	masse *f* au repos	масса покоя
R 1860	**rest mass density,** rest density	Ruh[e]massendichte *f*, Ruh[e]dichte *f*; Kesseldichte *f*, Gesamtdichte *f* <Gasströmung>	densité *f* de masse au repos, densité au repos	плотность массы покоя, плотность покоя
	restoration **restoration coefficient**	s. recovery s. restitution coefficient		
R 1860a	**restoration constant,** control constant	Rückstellungskonstante *f*	constante *f* de rappel	постоянная возвращения
R 1860b	**restoration time**	Wiederherstellungszeit *f*	temps *m* de rétablissement (restauration)	время восстановления
R 1861	**restoring force,** reaction force, directing force, directive force, directional force, elastic constant, versorial force, reestablishing (restitutive) force, restoring force coefficient <mech.>	Richtgröße *f*, Direktionskraft *f*, Richtkraft *f*, Rückstellkraft *f*, Richtvermögen *n*, Steifigkeit *f* <Mech.>	force *f* de rétablissement, force directrice, force de rappel <méc.>	постоянная квазиупругой силы, коэффициент упругости сил, направляющая (восстанавливающая, возвращающая) сила, направленное действие, усилие возврата. коэффициент возвращающей силы, жесткость <мех.>
R 1862	**restoring force / without** **restoring force coefficient** **restoring moment** **restoring moment**	richtkraftfrei, richtkraftlos s. restoring force s. restoring torque s. a. righting moment	sans force de rétablissement	безмоментный
	restoring time, reset time, resetting time	Rückstellzeit *f*	temps *m* de retour, durée *f* de retour	время возврата [в исходное положение]
R 1863	**restoring torque,** restoring (directing) moment <meas.>	Richtmoment *n*, Rückstellmoment *n*, Rückstellung *f*, Rückführ[ungs]moment *n*, Winkelrichtgröße *f*, Direktionsmoment *n*, Richtgröße *f*, Drehstarre *f*, Richtkraft *f*, Direktionskraft *f*, Rückdrehmoment *n* <Meß.>	couple *m* directeur, couple antagoniste, moment *m* directeur <mes.>	противодействующий момент, направляющий момент, момент возврата <изм.>
R 1864	**rest point**	Ruhepunkt *m*	point *m* de repos	точка покоя, точка равновесия
R 1865	**rest position,** off-position <e.g. of relay>	Ruhestellung *f*, „Aus"-Stellung *f* <z. B. Relais>	position *f* de repos <p. ex. du relais>	положение покоя, начальное состояние, холостое (нейтральное, исходное) положение <напр. реле>
	rest position **rest potential**	s. a. position of rest s. resting potential		
R 1866	**restraining** <phot.>	Verzögerung *f*, Hemmung *f*, Entwicklungsverzögerung *f* <Phot.>	retardation *f* <phot.>	торможение проявления <фот.>
R 1867	**restraining bath,** retardation bath **restraining condition** **restraining force** **restraint** **restraint force**	Verzögerungsbad *n* s. constraint <mech.> s. reaction <mech.> s. restriction s. reaction <mech.>	bain *m* retardateur	тормозящая ванна
R 1867a	**restricted Bayes['] solution**	eingeschränkte Bayessche Lösung *f*	solution *f* restreinte de Bayes	ограниченное байссово решение
R 1868	**restricted cosmological principle** **restricted diffusion chromatography** **restricted linear collision stopping power**	eingeschränktes kosmologisches Prinzip *n* s. gel chromatography s. linear energy transfer	principe *m* cosmologique restreint	ограниченный космологический принцип
R 1869	**restricted motion**	unfreie (gebundene, eingeschränkte) Bewegung *f*	mouvement *m* restreint	несвободное движение
R 1870	**restricted problem,** restricted three body problem	eingeschränktes Dreikörperproblem *n*, „problème restreint" *n*, restringiertes (asteroidisches) Dreikörperproblem, eingeschränktes (restringiertes) Problem *n* Poincarés	problème *m* restreint	ограниченная задача [трех тел], ограниченная круговая задача трех тел
R 1870a	**restricted solubility** **restricted theory of relativity** **restricted three body problem**	beschränkte Löslichkeit *f* s. special relativity s. restricted problem	solubilité *f* limitée	ограниченная растворимость
R 1871	**restriction,** limitation, restraint **restriction** **restriction**	Einschränkung *f*, Beschränkung *f*, Begrenzung *f* s. a. constraint <mech.> s. a. reservation	restriction *f*, limitation *f*	ограничение; сужение; сокращение
R 1872	**restriction of free rotation,** restriction of internal rotation **restrictor**	Rotationsbehinderung *f*, Rotationshinderung *f*, Rotationshemmung *f* s. throat <of flow>	limitation *f* de rotation libre, limitation de rotation interne	пространственное затруднение при вращении
	restriking voltage, reignition voltage **restriking voltage** **reststrahlen**	Wiederzündspannung *f* s. a. transient voltage s. residual rays	tension *f* de rallumage	напряжение повторного зажигания [дуги]

R 1873	**reststrahlen energy**	Reststrahlenenergie f, Reststrahlenergie f	énergie f des rayons résiduels	энергия остаточных лучей
R 1874	**reststrahlen frequency**	Reststrahlenfrequenz f, Reststrahlfrequenz f	fréquence f des rayons résiduels	частота остаточных лучей
R 1875	**reststrahlen method,** method of residual rays	Reststrahlenmethode f [von Rubens], Reststrahlmethode f	méthode f des rayons résiduels (restants)	метод остаточных лучей
R 1876	**rest temperature,** temperature at rest	Ruhetemperatur f	température f au repos	температура покоя
R 1877	**resublimation**	Umsublimieren n, Umsublimation f; Resublimation f, Bidestillation f	résublimation f	повторная сублимация (возгонка), двойная возгонка
R 1878	**resultant,** eliminant <math.>	Resultierende f, Resultante f <Math.>	résultante f <math.>	равнодействующая, результант <матем.>
R 1879	**resultant,** net force, resultant force <mech.>	resultierende Kraft f, Resultierende f, Resultante f <Mech.>	résultante f des forces, résultante de translation, force f résultante (unique) <méc.>	равнодействующая, результирующая сила <мех.>
	resultant	s. a. convolution integral		
R 1880	**resultant acceleration,** net acceleration	Gesamtbeschleunigung f, resultierende Beschleunigung f	accélération f résultante, accélération composite	результирующее ускорение
	resultant damping, net damping; total damping	Gesamtdämpfung f; resultierende Dämpfung f	affaiblissement m total; affaiblissement résultant (composite)	полное затухание; суммарное (результирующее) затухание
	resultant force	s. resultant <mech.>		
R 1881	**resultant magnetic field,** resulting (compound, net) magnetic field	resultierendes Magnetfeld n, Gesamtmagnetfeld n, zusammengesetztes Magnetfeld	champ m magnétique résultant, champ magnétique composite	результирующее магнитное поле, равнодействующее магнитное поле
	resultant moment of momentum, total angular momentum	Gesamtdrehimpuls m	moment m angulaire (cinétique) total, moment total	полный момент количества движения
R 1882	**resultant motion,** compound motion	resultierende Bewegung f	mouvement m résultant (composite)	результирующее движение
	resultant torque	s. resulting torque		
	resultant vector, single vector, sum of the system of vectors	Einzelvektor m, resultierender Einzelvektor	vecteur m unique, résultante f générale (de translation)	главный вектор
R 1883	**resultant velocity,** net velocity	resultierende Geschwindigkeit f	vitesse f résultante	равнодействующая скорость
R 1884	**resulting aerodynamic force,** total aerodynamic force	aerodynamische Resultante f, resultierende aerodynamische Kraft f	résultante f aérodynamique	полная аэродинамическая сила, результирующая аэродинамическая сила
	resulting magnetic field	s. resultant magnetic field		
R 1885	**resulting sound**	resultierender Ton m	son m résultant	результирующий тон
R 1886	**resulting torque,** resultant torque, net torque	Gesamtdrehmoment n, resultierendes Drehmoment n	couple m résultant (composite), maître-couple m	результирующий (суммарный) момент вращения
	result measured	s. result of measurement		
R 1887	**result of measurement,** measurement (measured) result, result measured, test result; experimental result	Meßergebnis n, Meßresultat n; Versuchsergebnis n	résultat m de mesure, résultat mesuré; résultat d'expérience	результат измерения, измеренный результат; результат опыта; результат испытания
R 1888	**resymmetrization**	Umsymmetrierung f	resymétrisation f	пересимметризация, пересимметрирование
	retained austenite	s. residual austenite		
	retaining dam (dike)	s. dam <hydr.>		
	retardant	s. inhibitor <chem.>		
R 1889	**retardation**	Retardierung f; Retardation f <Bio.>	retardation f	запаздывание, замедление
	retardation	s. a. braking <mech.>		
	retardation	s. a. deceleration <mech.>		
	retardation	s. a. difference of path <of rays>		
	retardation	s. a. time lag		
	retardation age	s. slowing-down time		
	retardation angle; angle of lag, lag angle	Nacheilwinkel m, Nacheilungswinkel m; Verzögerungswinkel m	angle m de retard	угол отставания; угол запаздывания
	retardation bath, restraining bath	Verzögerungsbad n	bain m retardateur	тормозящая ванна
R 1890	**retardation coil,** filter coil	Siebdrossel f, Siebspule f	bobine f de filtrage, self f de filtrage	разделительный дроссель, дроссель фильтра
R 1891	**retardation effect**	Retardierungseffekt m	effet m de retard[ation]	эффект запаздывания
R 1892	**retardation factor**	Retardierungsfaktor m	facteur m de retard[ation]	коэффициент замедления
	retardation field circuit [scheme]	s. retarding-field oscillator		
R 1893	**retardation function**	Retardationsfunktion f	fonction f de retardation	функция последействия
	retardation of phase	s. phase lagging		
	retardation potential	s. retarding potential		
R 1893a	**retardation pressure**	Verzögerungsdruck m	pression f de décélération	тормозное давление
	retardation spectrum, bremsspectrum, bremsstrahlung spectrum	Bremsspektrum n, Bremsstrahlungsspektrum n, Bremskontinuum n	spectre m [du rayonnement] de freinage, spectre de bremsstrahlung	спектр тормозного излучения, тормозящий спектр
R 1894	**retardation spectrum** <in viscoelasticity>	Retardierungsspektrum n, Retardationsspektrum n <Viskoelastizität>	spectre m de retard[ation] <de visco-élasticité>	спектр запаздывания, спектр замедления <в вязкоупругости>
R 1895	**retardation time**	Retardierungszeit f, Retardationszeit f	temps m de retard[ation]	время запаздывания
R 1896	**retarded argument**	nacheilendes Argument n	argument m retardé	запаздывающий аргумент
	retarded control	s. threshold control		

	retarded echo, delayed echo	Nachecho n	écho m retardé	запаздывающее эхо, запаздывающий отраженный сигнал
	retarded elasticity	s. delayed elasticity		
R 1897	retarded field	retardiertes Feld n	champ m retardé	запаздывающее поле
	retarded field triode	s. retarding field tube		
R 1898	retarded Green function, retarded propagation function	retardierte Greensche Funktion f, retardierte Ausbreitungsfunktion f	fonction f de Green retardée, fonction de propagation retardée	запаздывающая функция Грина; двухвременная запаздывающая функция Грина, запаздывающая двухвременная функция Грина
R 1899	retarded motion	verzögerte Bewegung f	mouvement m retardé	замедленное движение
R 1900	retarded potential	retardiertes Potential n	potentiel m retardé	запаздывающий потенциал
	retarded propagation function	s. retarded Green function		
R 1901	retarded solution	retardierte Lösung f	solution f retardée	запаздывающее решение
R 1902	retarded time	retardierte Zeit f	temps m retardé	ретардированное время
R 1903	retarded wave	retardierte Welle f	onde f retardée	запаздывающая волна
	retarder	s. inhibitor <chem.>		
	retarding electrode	s. decelerating electrode		
R 1904	retarding field	Bremsfeld n, Verzögerungsfeld n	champ m retardateur (inversé, de freinage; décélérateur, ralentisseur)	тормозящее поле, замедляющее поле, запаздывающее поле
	retarding field oscillations	s. Barkhausen-Kurz oscillations		
R 1905	retarding-field oscillator, positive-grid oscillator, Barkhausen[-Kurz] oscillator; Barkhausen-Kurz oscillator circuit, retardation field circuit [scheme]	Bremsfeldgenerator m; Barkhausen-Kurz-Schaltung f, Bremsfeldschaltung f	montage m Barkhausen	генератор Баркгаузена-Курца, генератор на лампе с тормозящим полем; схема на лампе с тормозящим полем
R 1905a	retarding field potential	Bremsfeldspannung f	potentiel m du champ retardateur	потенциал тормозящего поля
R 1906	retarding field tube, brake-field tube, retarded field triode	Bremsfeldröhre f, Barkhausen-Kurz-Röhre f	tube m à champ retardateur (inversé), tube de Barkhausen-Kurz	[электронная] лампа с тормозящим полем
R 1907	retarding force	Bremskraft f	force f de freinage	тормозящая сила
R 1908	retarding lens, stopping lens	Verzögerungslinse f	lentille f de décélération	замедляющая линза
R 1909	retarding moment	Verzögerungsmoment n	moment m retardateur, moment ralentisseur	замедляющий момент, тормозящий момент
R 1909a	retarding parachute, deceleration parachute	Bremsfallschirm m	parachute m de freinage, parachute frein	тормозной [посадочный] парашют
	retarding potential, stopping (retardation) potential	Bremspotential n, Bremsspannung f; Verzögerungspotential n	potentiel m d'arrêt, potentiel de freinage	тормозящий потенциал, задерживающий потенциал, тормозное напряжение
	retarding potential method	s. Lenard['s] method of opposing field		
	retarding torque, braking moment, brake torque	Bremsmoment n	moment m de freinage	тормозящий момент
R 1909b	retentate	Retentat n	rétentat m, rétenté m	ретентат, удержанное вещество
	retention, hold-back, hold-up	Zurückhaltung f, Retention f	rétention f	удерж[ив]ание
R 1910	retention <quantity>	Retention f, Rückhaltegrad m <Größe>	rétention f <grandeur>	удержание <величина>
R 1911	retention analysis	Retentionsanalyse f	analyse f de rétention	ретенционный анализ
R 1911a	retention band	Retentionsband n	bande f de rétention	полоса удержания
	retention coefficient, initial body retention <bio.>	Retentionsfaktor m <Bio.>	taux m de rétention, coefficient m de rétention <bio.>	коэффициент удержания <био.>
	retention factor, R_f value, R_f	R_f-Wert m, R_f, Verzögerungsfaktor m	facteur m de rétention, facteur R_f, valeur f R_f, R_f	коэффициент R_f, значение R_f, R_f, относительная скорость передвижения на бумаге
R 1911b	retention index, Kovats index, RI	Retentionsindex m [nach Kovats], Kovats-Index m	indice m de rétention [de Kovats]	индекс удерживания
	retention power	s. retentivity <bio.>		
	retention range	s. hold range		
R 1912	retention time	Retentionszeit f, Rückhaltezeit f	temps m de rétention	время удерживания
	retention time, maximum retention time; storage time <num. math.>	Speicherzeit f, Speicherungszeit f, Speicherdauer f <num. Math.>	temps m d'emmagasinage; temps d'accumulation <math. num.>; temps d'intégration des signaux	время накопления, время хранения [накопленных сигналов], время запоминания <числ. матем.>
R 1913	retention volume	Retentionsvolumen n, Rückhaltevolumen n	volume m de rétention	удерживаемый объем
R 1914	retentiveness, true remanence	wahre Remanenz f	rémanence f vraie, rétentivité f	остаточная индукция, полученная при намагничивании до насыщения разомкнутой цепи
R 1915	retentivity, magnetic retentivity, apparent remanence	scheinbare Remanenz f	rémanence f apparente	остаточная индукция, полученная в точке пересечения линии среза с кривой намагничивания
R 1916	retentivity, retention power <bio.>	Retentionsvermögen n <Bio.>	pouvoir m de rétention <bio.>	удерживающая способность <био.>
	retentivity	s. a. remanence		
	retentivity of vision	s. persistence of vision		

	Retgers['] law, law of Retgers	Retgerssches Gesetz *n*	loi *f* de Retgers	закон (правило) Ретгерса
	reticular structure, cellular network, grid structure	Netzstruktur *f*, Netzverband *m*	structure *f* réticulaire	сетчатая структура, сетчатое строение
R 1917	**reticulation** <of the emulsion>	Netzstruktur *f*, Netzstrukturbildung *f*, Netzbildung *f* <der Emulsion>, Runzelkorn *n*	réticulation *f* <de l'émulsion, du film>	ретикуляция, образование сетчатой структуры; сетчатая структура <в эмульсии>
R 1918	**reticule [of the oscilloscope]**	Vorsatzskale *f*, Vorsatzskala *f* <Oszillograph>	réticule *m* [de l'oscilloscope]	приставная шкала [осциллоскопа]
R 1919	**retinal image**	Netzhautbild *n*	image *f* rétinienne	изображение на сетчатке
R 1920	**retinene**	Retinen *n*, Sehgelb *n*, Indikatorgelb *n*	rétinène *m*	ретинен
R 1921	**retinula cell**	Retinulazelle *f*	rétinule *f*	ретинула
R 1922	**retort**	Retorte *f*	cornue *f*	реторта
	retort	*s. a.* flask		
	retort carbon, homogeneous carbon, plain carbon, pure carbon	Homogenkohle *f*, Reinkohle *f*, Retortenkohle *f*, Reindochtkohle *f*	charbon *m* homogène, charbon de cornue	однородный уголь, уголь низкой интенсивности, чистый (простой, ретортный) уголь
R 1923	**retort graphite**	Retortengraphit *m*	graphite *m* de cornue	реторный графит
R 1924	**retrace** <cathode-ray tubes; tv.; relaxation oscillations>	Rücklauf *m* <Elektronenstrahlröhren; Fs.; Kippschwingungen>	retour *m* <tubes cathodiques; tv.; oscillations de relaxation>	обратный ход, возврат <электроннолучевые лампы; тв.; релаксационные колебания>
R 1924a	**retrace blanking**	*s.* blanking		
R 1924a	**retrace interval (period, time),** return period	Rücklaufzeit *f*	temps *m* de retour	время (продолжительность) обратного хода
R 1925	**retractile spring**	Abreißfeder *f*, Rückzugfeder *f*	ressort *m* de rappel	возвратная пружина, работающая на растяжение; оттягивающая пружина, пружина отвода
	retraction stress, shrinkage stress, cooling stress, stress due to shrinkage	Schrumpfspannung *f*, Schwindungsspannung *f*	tension *f* de retrait, tension due au retrait	усадочное (стягивающее) напряжение, стягивающее усилие, напряжение сжатия
R 1926	**retransformation;** reverse transformation	Zurückverwandlung *f*, Rückverwandlung *f*	transformation *f* inverse, retransformation *f*	обратное превращение, обратное преобразование
R 1927	**retranslation, retransmission**	Weiterleitung *f*, Weitergabe *f*	retransmission *f*	ретрансляция, передача
R 1928	**retrapping,** recapture	„retrapping" *n*, Wiedereinfangen *n*, Wiedereinfang *m*	repiégeage *m*	повторный захват, повторное захватывание
R 1929	**retreat,** recession, regression <geo.>	Regression *f*, Rückzug *m*, Rückgang *m*, Zurückgehen *n*, Zurückweichen *n* <Geo.>	régression *f*, retrait *m* <géo.>	отступление, отступание <ледника, моря>; регрессия <моря> <гео.>
	retreat	*s. a.* shrinkage		
R 1930	**retreatal moraine,** recessional moraine	Rückzugsmoräne *f*	moraine *f* de récession	стадиальная морена, морена отступания; морена, отложенная во время отступления
	retreatment	*s.* rework[ing]		
R 1930a	**retrieval** <of stored information>	Wiederauffindung *f* <gespeicherter Information>	rappel *m*; recouvrement *m* <de l'information>	поиск; вызов <информации>
R 1930b	**retrieval** <of distorted information>	Wiederherstellung *f* <verzerrter Information>	rétablissement *m* <d'information déformée>	воспроизведение, восстановление <искаженной информации>
	retroaction, reaction, reactive effect <also el.>	Rückwirkung *f*, Reaktion *f*	réaction *f*, rétroaction *f*	обратное действие, обратное влияние, реакция
	retroaction	*s.* feedback		
R 1931	**retroactive amplification,** regenerative amplification	Rückkopplungsverstärkung *f*	amplification *f* par réaction, amplification à réaction	регенеративное усиление, усиление за счет обратной связи
R 1932	**retroactive tube (valve),** retroactor [tube]	Rückkopplungsröhre *f*	tube *m* de réaction	лампа обратной связи
	retrodiffused, backward diffused	zurückdiffundiert, rückdiffundiert	rétrodiffusé	диффундированный обратно
	retrodiffusion	*s.* backscattering		
R 1933	**retrodirective illumination**	Beleuchtung *f* mit der Lichtquelle auf der Kameraseite	éclairage *m* rétrodirectif	освещение с источником на стороне фотокамеры
	retrodirective mirror	*s.* corner cube		
R 1934	**retrograde**	rückläufig, retrograd	rétrograde	обратный; ретроградный; попятный; возвратный
R 1935	**retrograde condensation of the second kind,** isobaric retrograde condensation	retrograde Kondensation *f* zweiter Art, isobare retrograde Kondensation	condensation *f* rétrograde de seconde espèce, condensation rétrograde isobarique	обратная конденсация второго рода, изобарическая обратная конденсация
R 1936	**retrograde evaporation,** retrograde vaporization	retrograde Verdampfung *f*	vaporisation *f* rétrograde	обратное испарение
R 1937	**retrograde image**	rückläufige Abbildung *f*	image *f* rétrograde	попятное (обратное) изображение
R 1938	**retrograde motion,** retrogression <astr.>	rückläufige (retrograde) Bewegung *f*; Rückläufigkeit *f* <Astr.>	mouvement *m* rétrograde, rétrogradation *f* <astr.>	попятное движение, обратное движение <астр.>
R 1939	**retrograde nutation**	retrograde Nutation *f*	nutation *f* rétrograde	обратная нутация
R 1940	**retrograde precession**	retrograde Präzession *f*	précession *f* rétrograde	обратная прецессия
	retrograde rocket	*s.* braking rocket		
	retrograde vaporization	*s.* retrograde evaporation		
R 1941	**retrograde vernier**	vortragender Nonius *m*	vernier *m* rétrograde	обратный верньер

	English	German	French	Russian
R 1942	retrograde-vision Daubresse prism, retrograde-vision tetrahedral prism	rücksichtiges Umkehrprisma n, Tetraeder-Umkehrprisma n, rücksichtiges Daubresse-Prisma n	prisme m de Daubresse à vision rétrograde, prisme tétraédrique à vision rétrograde	четырехгранная призма обратного видения
	retrogression	s. retrograde motion <astr.>		
	retrogression of temperature	s. temperature drop		
R 1942a	retrogressive wave	rückschreitende (zurücklaufende) Welle f	onde f régressive	попятная волна, возвратная волна
R 1943	retron	Retron n <γ-Spektrometer>	retron m	ритрон
R 1943a	retro-reflecting material	Reflexstoff m	matière f rétroréfléchissante	световозвращающий материал
R 1943b	retro-reflecting optical unit	Rückstrahloptik f	optique f rétroréfléchissante	световозвращающая оптическая система
	retro-reflection	s. reflex reflection		
R 1944	retro-reflector, reflex reflector	Reflexreflektor m, Rückstrahler m	réflecteur m (dispositif f) catadioptrique, rétro-réflecteur m	световозвращатель, катадиоптрический отражатель (рефлектор), катадиоптр, катафот
	retrorocket	s. braking rocket		
R 1945	retrosection	Rückkehrschnitt m	rétrosection f	прорез, рассечение
R 1946	return; recurrence; recursion	Umkehr f, Rückkehr f; Wiederkehr f; Rekursion f, Rekurrenz f	retour m; récurrence f	возврат, возвращение; отвод
	return	s. a. return line <el.>		
	return	s. a. recovery		
R 1947	return albedo	Rückkehralbedo f	albédo m rentrant	альбедо возврата
	return circuit	s. return line <el.>		
	return coefficient	s. return factor		
	return conductor	s. return line <el.>		
	return current	s. reverse (inverse) current		
R 1948	return earthquake, return tremor	Wiederkehrbeben n	tremblement m de terre de retour, tremblement de terre répété	повторное землетрясение, возвращающееся землетрясение
R 1949	return energy <el.>	Rückfluß m <El.>	énergie f de réaction, énergie de réflexion <él.>	обратное течение энергии, обратная энергия <эл.>
R 1950	return factor, return coefficient	Rückflußfaktor m, Rückflußkoeffizient m	facteur (coefficient) m de régularité	коэффициент обратного течения
	return flow	s. backstreaming		
R 1951	return-flow channel [of wind tunnel]	Umkehrkanal m [des Windtunnels]	tunnel m de retour	обратный канал [аэродинамической трубы]
R 1952	return-flow wind tunnel, closed[-circuit] wind tunnel, closed tunnel, wind tunnel of closed-circuit type, wind tunnel with continuous closed circuit	Windkanal m mit Rückführung, geschlossener Windkanal, Rundlaufkanal m, Umlaufwindkanal m, Umlaufkanal m, Ringkanal m	soufflerie f à retour [guide], soufflerie à circuit fermé, soufflerie fermée	аэродинамическая труба с обратным каналом, аэродинамическая труба замкнутого типа, замкнутая аэродинамическая труба
	returning echo; reflection echo	Rückstrahlecho n	écho m réfléchi	эхо-сигнал; отраженный сигнал
R 1953	return line, return circuit, return conductor, return <el.>	Rückleitung f, Rückleiter m <El.>	ligne f de retour, conducteur m de retour <él.>	обратный провод, обратная цепь [тока], обратная линия <эл.>
	return line	s. a. return pipe [line] <techn.>		
	return line	s. a. return trace		
	return loss, regularity attenuation, structural return loss; echo current attenuation	Rückflußdämpfung f; Echodämpfung f	affaiblissement m de régularité; affaiblissement d'écho	затухание вследствие рассогласования, затухание обратного течения; затухание эха
	return loss	s. a. balance attenuation		
	return loss measuring set, impedance unbalance measuring set	Fehlerdämpfungsmesser m, Nachbildungsmesser m, Nachbildmesser m	équilibromètre m	измеритель небаланса, измеритель потерь от небаланса линии
R 1954	return of the comet	Wiederkehr f des Kometen	retour m de la comète, réapparition f de la comète	возвращение кометы
	return period	s. retrace interval		
R 1955	return pipe [line], return line <techn.>	Rücklaufleitung f, Rückleitung f <Techn.>	conduite f de retour <techn.>	обратный (возвратный, отводящий, рециркуляционный) трубопровод, трубопровод возврата (рециркуляции), обратная линия <техн.>
	return question frequency	s. repetition rate		
R 1956	return spring	Rückstellfeder f; Rückholfeder f	ressort m de retour	возвратная (возвращающая, обратная) пружина, пружина возврата [в исходное положение]
R 1957	return stroke, main stroke <of lightning>	Hauptentladung f, Rückentladung f, Aufwärtsblitz m <Blitz>	coup m de retour <de la foudre>	главная (обратная) стадия молнии
R 1958	return stroke channel, leader channel	Blitzkanal m, Entladungskanal m des Blitzes	canal m de la foudre	канал лидера, канал молнии, канал грозового разряда
R 1958a	return trace, return line <cathode-ray tubes; tv.; relaxation oscillations>	Rücklauflinie f, Rücklaufspur f <Elektronenstrahlröhren; Fs.; Kippschwingungen>	trace (trajectoire) f de retour <tubes cathodiques, tv., oscillations de relaxation>	след обратного хода <электроннолучевые лампы; тв.; релаксационные колебания>
	return tremor	s. return earthquake		
	return voltage	s. inverse voltage		
R 1959	return wave	wiederkehrende Welle f, Wiederkehrwelle f	onde f de retour, onde se propageant en sens contraire	возвратная волна, возвращающаяся волна
R 1960	reunion <bio.>	Reunion f <Bio.>	réunion f <bio.>	воссоединение <био.>

R 1961	**reuse**	s. recycling		
	Reuss approximation	Reuß-Näherung f, Reuß-sche Näherung f	approximation f de Reuss	приближение Рейса
	Reuss equations, Prandtl-Reuss equations	Prandtl-Reußsche (Reuß-sche) Gleichungen fpl	équations fpl de Prandtl-Reuss, équations de Reuss	уравнения Прандтля-Рейсса, уравнения Рейсса
	Reuss['] theory, Prandtl-Reuss theory	Prandtl-Reußsche Theorie f, Reußsche Theorie f	théorie f de Prandtl-Reuss	теория пластичности Рейсса
R 1962	**reverberant sound, re-verberation,** lingering sound (tone)	Nachhall m, Hall m	réverbération f	реверберация, отражение; звонкость, гулкость
	reverberation	s. a. echo		
R 1963	**reverberation chamber,** reverberation room (en-closure), echo (diffusion, sound) room	Hallraum m, Echoraum m, Nachhallraum m	chambre f de réverbération, chambre à écho	реверберационная (гулкая, диффузная, звонкая) камера, эхо-камера, комната эха
R 1964	**reverberation character-istic (curve),** echoing characteristic	Nachhallkurve f, Nachhall-charakteristik f	courbe f de réverbération	кривая реверберации, характеристика отраже-ния
	reverberation enclosure	s. reverberation chamber		
R 1965	**reverberation method**	Hallraumverfahren n	méthode f de réverbération	реверберационный метод
	reverberation period	s. reverberation time		
	reverberation room	s. reverberation chamber		
R 1966	**reverberation time,** reverberation period	Nachhallzeit f, Nachhall-dauer f	durée f de réverbération	время реверберации, про-должительность звуча-ния (реверберации)
R 1967	**reversal,** reversion, reversing	Spiegelumkehrung f, Spie-gelverkehrung f, Rever-sion f, Umkehr[ung] f; Seitenverkehrung f	renversement m, réversion f	обращение, реверсия
R 1968	**reversal** <of direction>	Umkehrung f der Richtung, Richtungsumkehrung f, Richtungsumkehr f, Richtungswechsel m, Wechsel m der Richtung; Umschlagen n <um 180°>; Umwendung f	inversion f [de la direction]	перемена направления [на обратное], смена напра-вления, изменение на-правления
	reversal	s. a. reversal of motion		
	reversal	s. a. improper orthogonal mapping		
	reversal	s. a. reverse run		
R 1969	**reversal development**	Umkehrentwicklung f	développement m par inversion	проявление с обращением
R 1970	**reversal film**	Umkehrfilm m	film m (pellicule f) inversible, invisible m	пленка с обращением, обратимая (реверсив-ная) пленка
	reversal of charge, charge exchange, umladung, recharging, recharge	Umladung f, Trägerum-ladung f, Träger-umwandlung f; Ladungs-austausch m	échange m de charge, « umladung » f, ren-versement m de la charge [électrique]	перезарядка; обмен зарядами
	reversal of charge, charge reversal	Ladungsumkehr f, Ladungsumkehrung f	retour m de charge, inversion f de charge	зарядовая инверсия
R 1971	**reversal of current**	Stromumkehr[ung] f	changement m de direction du courant	реверсирование (измене-ние направления) тока
R 1972	**reversal of damping,** compensation of damping; partial reversal of damping, partial compensation of loss	Entdämpfung f	compensation f d'atténua-tion, compensation de pertes; compensation partielle d'atténuation, compensation partielle de pertes	компенсация затухания (потерь); уменьшение затухания, частичная компенсация затухания (потерь)
	reversal of magnetization	s. remagnetization		
R 1973	**reversal of motion,** reversal <el.>	Umsteuerung f, Um-kehrung f [der Dreh-richtung], Umkehr f [der Drehrichtung], Drehrichtungsumkehr f, Bewegungsumkehr f, Reversierung f <El.>	renversement m de marche, inversion f de marche, reversement m <él.>	реверсирование, реверс, изменение направления движения хода, переключение на обратный ход <эл.>
	reversal of photographic image	s. solarization		
	reversal of polarity	s. alternation of polarity		
R 1974	**reversal of sign,** sign reversal, change of sign	Umkehrung f des Vor-zeichens, Vorzeichen-wechsel m, Vorzeichen-umkehr f, Vorzeichen-änderung f	inversion f du signe, changement m de signe	обращение знака, пере-мена знака, изменение знака
	reversal of spectral (spectrum) line, spec-tral line reversal	Linienumkehr f, Umkehr (Umkehrung) f der Spektrallinie	renversement m de la raie du spectre, inversion f de la raie spectrale	обращение линии [спектра]
R 1975	**reversal of the main geomagnetic field,** main geomagnetic field reversal	Umkehr f des geo-magnetischen Haupt-feldes	reversement m du champ géomagnétique principal	обращение главного геомагнитного поля
	reversal of tonus, restimulation	Stimmungsänderung f; Um-stimmung f; Verstim-mung f	restimulation f	перестройка
	reversal of wind	s. sudden change of the wind		
	reversal plate	s. reversal type plate		
	reversal point	s. stagnation point		
R 1976	**reversal process[ing]** <phot.>	Umkehrprozeß m, Direkt-Positiv-Prozeß m <Phot.>	procédé m d'inversion, traitement m par inver-sion, mécanisme m de l'in-version en positif <phot.>	процесс обращения <фот.>

1422

		English	German	French	Russian
		reversal reaction	s. reverse reaction		
		reversal spectrum	s. inversion spectrum		
		reversal stage	s. inverter stage		
		reversal threshold	s. reverse threshold		
R 1977		reversal transfer process	Umkehrübertragung f, Umkehrübertragungsverfahren n	inversion-transfert f, procédé m d'inversion-transfert	процесс обратимого переноса
R 1978		reversal type plate, reversal plate	Umkehrplatte f	plaque f inversible	обратимая пластинка, пластинка с обращением, реверсивная пластинка
		reverse, mirror-symmetric, specular	spiegel[bild]symmetrisch, spiegelbildlich, spiegelverkehrt, spiegelrecht	à miroir-symétrie, inverse, à symétrie par réflexion	зеркально-симметричный, зеркальноотраженный, зеркальный
R 1979		reverse <the telescope>	durchschlagen <das Fernrohr>	retourner <la lunette>	перевести <зрительную трубу>
R 1980		reverse bearing	Rückenpeilung f	relèvement m inverse	обратный пеленг
R 1981		reverse bend[ing] test, to-and-fro test	Hin- und Herbiegeversuch m, Umbiegeversuch m	essai m de cintrage	испытание на перегиб, испытание на гиб с перегибом
R 1982		reverse bias, reverse biasing potential, cut-off bias[ing potential]	Sperrvorspannung f, Vorspannung f in Sperrrichtung	polarisation f inverse, polarisation en sens inverse	обратное (отрицательное) смещение, смещение с обратным знаком, смещение запирания
R 1983		reverse characteristic; turn-off characteristic, blocking characteristic	Sperrcharakteristik f, Sperrkennlinie f	caractéristique f de blocage, caractéristique d'arrêt	характеристика запирающего слоя, характеристика запирающей области
R 1984		reverse collector voltage	Kollektorsperrspannung f	tension f inverse du collecteur	обратное коллекторное напряжение
R 1985		reverse creep	Zurückkriechen n	fluage m inverse	обратная текучесть
R 1986		reverse current, inverse (return) current; stray emission current [of thermionic valve]; back stream [of electrons]	Rückstrom m <El.>	courant m de retour <él.>	обратный ток, ток обратного направления <эл.>
R 1987		reverse current, countercurrent, counter current	Gegenstrom m	courant m opposé, courant inverse, contre-courant m	встречный ток, противоток, ток противоположного направления, противодействующий ток, ток при противовключении
R 1988		reverse current; back current, cut-off current <semi.>	Sperrstrom m; Rückstrom m, Rückwärtsstrom m <Halb.>	courant m inverse; courant réfléchi; courant dans le sens non conducteur <semi.>	обратный ток, ток в непропускном (обратном, запорном) направлении; противодействующий ток; встречный ток; блокирующий ток <полу.>
R 1989		reverse current density	Sperrstromdichte f	densité f de courant inverse	плотность обратного тока
R 1990		reverse current gain	Rückstromverstärkung f	gain m en courant inverse	усиление обратного тока; коэффициент усиления по обратному току
R 1991		reversed base current	Absaugstrom m	courant m de base inverse	обратный ток базы (основания)
		reversed bending fatigue test, alternating bending test	Wechselbiege[dauer]versuch m, Wechselbiegeprüfung f	essai m de fatigue par flexions alternées	испытание на переменный изгиб
R 1991a		reversed Carnot cycle	umgekehrter Carnotscher Kreisprozeß m	cycle m de Carnot inversé	обратный цикл Карно
R 1992		reversed cyclotron	umgekehrtes Zyklotron n	cyclotron m renversé	обратный циклотрон
		reversed fatigue strength	s. fatigue strength		
		reversed fault	s. overfault <geo.>		
		reversed fold	s. inverted fold		
		reversed grid current	s. reverse grid current		
R 1993		reverse direction, backward direction, back direction, high-resistance direction <semi.>	Sperrichtung f <Halb.>	sens m d'arrêt, sens de blocage, sens de non-conduction, sens non conducteur, direction f bloquante <semi.>	непропускное (непроводящее, обратное, запорное, запертое) направление, направление тока через большое сопротивление, блокируемое направление <полу.>
		reversed phase, opposite phase, antiphase, [phase] opposition	Gegenphase f	phase f opposée, antiphase f, opposition f [de phase]	противофаза, противоположная фаза, обратная фаза
		reversed phase technique	s. reverse-phase chromatography		
R 1994		reversed right to left, left-to-right reversed, inverted right to left, right-to-left (laterally) inverted, laterally transposed, side-inverted <of image>	seitenverkehrt, rückwendig; seitenvertauscht, gespiegelt <Bild>	inversé, renversé de gauche à droite, retourné de gauche à droite <de l'image>	зеркальный, зеркально обращенный, обращенный справа налево или слева направо <об изображении>
R 1995		reversed stress	umgekehrte Beanspruchung f	tension f à revers	знакопеременное напряжение
R 1996		reversed top to bottom, top-to-bottom reversed (inverted), inverted top to bottom <of image>	höhenverkehrt; höhenvertauscht <Bild>	renversé de haut en bas, retourné de haut en bas <de l'image>	обращенный сверху вниз или снизу вверх <об изображении>
		reversed upside-down	s. upside-down		

R 1997	reverse emitter current, inverse emitter current	Emitterrückstrom m	courant m d'émetteur inverse	обратный ток эмиттера
R 1998	reverse feedback, inverse feedback, negative feedback, degenerative feedback, countercoupling	Gegenkopplung f, negative Rückkopplung f	réaction f négative (inverse, en sens opposé), contre-réaction f, contre-couplage m, antiréaction f, feedback m négatif, réalimentation f négative	отрицательная обратная связь, противосвязь
	reverse flow	s. backstreaming		
R 1999	reverse flow theorem	Reziprozitätssatz m der Tragflügeltheorie	théorème m de la réciprocité des écoulements	теорема обратимости течений
	reverse fluctuation, fluctuation in reverse direction	Rückwärtsschwankung f	fluctuation f inverse	флуктуация в обратном направлении, обратная флуктуация
R 1999a	reverse frontal technique	Technik f mit umgekehrten Fronten	technique f à fronts renversés (inversés)	метод с обращенными фронтами
R 2000	reverse grid current, reversed (inverse) grid current, backlash	Gitterrückstrom m, negativer Gitterstrom m	courant m de grille inverse	обратный сеточный ток, обратный ток сетки
R 2001	reverse grid voltage, inverse grid voltage, inverse grid potential, back-lash potential	Gittergegenspannung f	tension f inverse de grille	обратное напряжение на сетке
R 2002	reverse half-cycle	Sperrhalbperiode f	demi-cycle m d'arrêt, demi-cycle de barrage, demi-période f d'arrêt, demi-période de barrage	полупериод запирания, полупериод блокировки
R 2003	reverse isotopic dilution analysis	umgekehrte Isotopenverdünnungsanalyse f	analyse f par dilution isotopique inversée	анализ методом обратного изотопного разбавления
R 2003a	reverse osmosis, hyperfiltration	umgekehrte Osmose f, Hyperfiltration f	osmose f inversée, hyperfiltration f	обратный осмос, обращение осмоса, гиперфильтрация
R 2004	reverse-phase chromatography, reversed phase technique <of chromatography>	Verteilungschromatographie f (Chromatographie f, Technik f) mit Phasenumkehr[ung], Phasenumkehrungstechnik f, Phasenumkehr f, Umkehrphasenchromatographie f <der Chromatographie>	chromatographie f à phases renversées (inversées), méthode f des phases renversées, méthode du contraste de phase <de la chromatographie>	метод обращенной фазы, хроматография с обращенными фазами, обратнофазная (обращеннофазная) хроматография <хроматографии>
	reverse potential	s. inverse voltage <el.>		
R 2005	reverse power	Rückleistung f, Rücklaufleistung f, Rückwatt npl	puissance f de retour	обратная мощность
R 2006	reverse printing	Kontern n	tirage m d'une épreuve retournée	печатание через основу
R 2007	reverser	Richtungswender m; Umkehreinrichtung f	réverseur m, système m inverseur	реверсор, реверсирующее (реверсивное) устройство, реверс
R 2008	reverse reaction, reversal reaction	umgekehrte Reaktion f, Umkehrreaktion f	réaction f inverse	обратная реакция
	reverse reaction	s. a. back reaction		
	reverse resistance	s. back resistance		
	reverse rotation	s. turn back		
R 2009	reverse-rotation method	Rückarbeitsverfahren n	mesure f différentielle de rendement	метод взаимной нагрузки, метод возвратной работы [для определения к. п. д.]
	reverse short-circuit current, backward short-circuit current	Rückwärts-Kurzschlußstrom m	courant m de court-circuit inverse, courant de court-circuit dans le sens non conducteur	ток короткого замыкания в обратном направлении, обратный ток короткого замыкания
R 2009a	reverse strain	Zurückfließen n, Rückwärtsverformung f	déformation f inverse	обратная деформация
R 2010	reverse threshold, reversal threshold	Schwelle f der Umkehrreaktion, Umkehrschwelle f	seuil m de la réaction inverse	порог обратной реакции
	reverse torsion	s. turn back		
	reverse transconductance, revertive conductance, revertive transconductance	Rückwärtssteilheit f, Rücksteilheit f	conductance f interne dans le sens inverse, pente f de caractéristique dans le sens inverse	крутизна характеристики в обратном направлении
	reverse transfer impedance, backward transfer impedance	Leerlaufkernwiderstand m rückwärts; Übertragungswiderstand m rückwärts	impédance f de transfert inverse	сопротивление обратной передачи
	reverse transformation; retransformation	Zurückverwandlung f, Rückverwandlung f	transformation f inverse, retransformation f	обратное превращение, обратное преобразование
R 2011	reverse-vision prism	Rücksichtprisma n	prisme m à vision inverse	призма обратного зрения
	reverse voltage, inverse voltage <semi.>	Sperrspannung f, Grenzspannung f <Halb.>	tension f inverse, tension opposée <semi.>	обратное напряжение <полу.>
R 2012	reverse voltage transfer	Spannungsrückwirkung f	réaction f de tension	реакция напряжения
R 2013	reversibility	Reversibilität f, Umkehrbarkeit f	réversibilité f	обратимость; реверсивность
R 2014	reversibility	Umsteuerbarkeit f	réversibilité f	реверсивность, возможность обратного хода
R 2015	reversibility coefficient	Reversibilitätskoeffizient m	coefficient m de réversibilité	коэффициент обратимости

	English	German	French	Russian
	reversibility paradox [of Loschmidt], Loschmidt['s] reversibility paradox, umkehreinwand	Loschmidtscher Umkehreinwand m, Umkehreinwand von Loschmidt	paradoxe m de Loschmidt, objection f de Loschmidt	парадокс Лошмидта
R 2016	reversible	reversibel, umkehrbar	réversible; par voie réversible	обратимый; реверсивный; реверсируемый
R 2017	reversible adiabatic change of state	reversibel adiabatische Zustandsänderung f, Zustandsänderung ohne Wärmezufuhr	changement m d'état adiabatique réversible	обратимое адиабатическое изменение состояния
	reversible adsorption	s. physisorption		
R 2018	reversible boundary movement, reversible displacement of the Bloch wall	reversible Wandverschiebung f	déplacement m réversible de la paroi [des domaines magnétiques]	обратимое смещение границы [доменов]
R 2019	reversible cell, reversible electrical cell	reversible Kette f, umkehrbares Element n, reversibles [galvanisches] Element	pile f réversible, élément m réversible	обратимая цепь, обратимый [гальванический] элемент
R 2019a	reversible colloid	reversibles Kolloid n	colloïde m réversible	обратимый коллоид
	reversible counter	s. bidirectional counter		
	reversible displacement of the Bloch wall	s. reversible boundary movement		
	reversible electrical cell	s. reversible cell		
R 2020	reversible electrode	reversible Elektrode f, umkehrbare Elektrode	électrode f réversible	обратимый (реверсивный, неполяризуемый) электрод
R 2021	reversible emulsion	Umkehremulsion f	émulsion f inversible (autopositive, positive directe)	обратимая эмульсия
	reversible film	s. reversal film		
R 2022	reversible level, reversion (reversible spirit) level	Reversionslibelle f, Umkehrlibelle f, Wendelibelle f	niveau m réversible	реверсионный (оборотный, двусторонний, поворотный, перекладной, перекладывающийся) уровень
R 2023	reversible motor	Umkehrmotor m, Reversiermotor m, Wendemotor m	moteur m réversible	реверсивный [электро]двигатель
R 2024	reversible pendulum	Reversionspendel n, Umkehrpendel n	pendule m réversible, pendule de réversion	оборотный маятник
R 2025	reversible permeability	reversible (umkehrbare) Permeabilität f	perméabilité f réversible	обратимая (реверсивная) магнитная проницаемость
R 2026/7	reversible relative potential at zero current, equilibrium inner electrical potential	Gleichgewichts-Galvani-Potential n, Gleichgewichts-Galvani-Spannung f, Gleichgewichts-Potentialdifferenz f, Einzelpotential n	potentiel m électrique interne d'équilibre	равновесный гальвани-потенциал
	reversible spirit level	s. reversible level		
R 2028	reversible turbine	Kehrturbine f	turbine f réversible	реверсивная турбина
R 2029	reversing <el.>	Reversierung f <El.>	renversement m <él.>	реверсирование, реверс, изменение направления движения на обратное <эл.>
	reversing	s. a. reversal		
	reversing	s. a. pole change <el.>		
R 2030	reversing bath	Umkehrbad n	bain m d'inversion, bain inverseur	обращающая ванна, ванна для обращенного проявления; обращающий раствор
R 2031	reversing circuit	Umkehrschaltung f, Umkehrungsschaltung f; Wendeschaltung f	circuit m inverseur, circuit d'inversion, montage m réversible (d'inversion)	реверсирующая схема, схема реверсирования, реверсивное переключение
R 2031a	reversing contact breaker	Pendelunterbrecher m	interrupteur m vibrant	вибрационный [электромеханический] прерыватель
	reversing device	s. reciprocating device <math., opt.>		
R 2032	reversing layer <of the chromosphere>	umkehrende Schicht f <Chromosphäre>	couche f d'inversion <de la chromosphère>	обращающий слой <хромосферы>
R 2033	reversing mirror	Umkehrspiegel m	miroir m de retournement	поворотное зеркало, отражающее зеркало, оборачивающее зеркало
	reversing pole	s. commutating interpole		
R 2034	reversing prism, image reversing prism, Dove (Delaborne-Dove) prism	Reversionsprisma n, Dove-Prisma n, Dovesches Reflexionsprisma n, Amici-Prisma n, Wendeprisma n, Umkehrprisma n nach Dove	prisme m de renvoi, prisme réflecteur de Dove, prisme de Dove, prisme en queue d'aronde	реверсионная призма, реверсивная призма, призма Дове
	reversing prism	s. a. image erecting prism		
	reversing switch	s. pole-changing switch		
	reversing telescope	s. image erecting telescope		
R 2035	reversing thermometer, sea-water thermometer	Kippthermometer n, Tiefsee[kipp]thermometer n, Tiefenthermometer n, Tiefwasserthermometer n, Umkehrthermometer n, Umkippthermometer n	thermomètre m à renversement	опрокидывающийся термометр, глубоководный термометр, глубоководный морской термометр
	reversion	s. reversal		

	reversion right to left	s. lateral inversion of image		
R 2036	**revertive conductance, revertive transconductance**, reverse transconductance	Rückwärtssteilheit f, Rücksteilheit f	conductance f interne dans le sens inverse, pente f de caractéristique dans le sens inverse	крутизна характеристики в обратном направлении
R 2037	**revolution**, rotation	Umdrehung f	révolution f; circonvolution f; rotation f; circumduction f	обращение, вращение, поворот
R 2038	**revolution**, turn	Umdrehung f, Tour f, U	tour m, révolution f	оборот, об
R 2039	**revolution** <around, round>, **circling** <round>, **circumrotation; orbiting**	Umlaufen n <um einen Zentralkörper>; Umkreisen n, Kreisen n <um>; Umfliegen n <auf einer geschlossenen Bahn>	révolution f, orbe m; tournement m <autour de>; vol m orbital	обращение <вокруг>, описывание круговой траектории; полет по орбите, орбитальный полет
R 2040	**revolution** <astr.>	Umlauf m, Bahnumlauf m, Revolution f <Astr.>	révolution f <astr.>	обращение; цикл обращения по орбите <астр.>
	revolutionary motion	s. a. orogenesis		
	revolution <geo.>	s. orbiting		
	revolution counter (indicator)	s. speedometer		
	revolution of Earth, Earth's revolution	Erdumlauf m, Erdrevolution f	révolution f de la Terre	период обращения Земли
	revolution period	s. rotation period		
	revolution solid, body of revolution (rotation), solid of revolution (rotation)	Rotationskörper m, Drehkörper m, Umdrehungskörper m	corps m de révolution, solide m de révolution, révoloïde m	тело вращения
R 2041	**revolutions per minute**, number of revolutions per minute, turns per minute, rpm, r.p.m., revs per min	Umdrehungen fpl je Minute, U/min	nombre m de révolutions par minute, révolutions fpl par minute, tours mpl par minute, r. p. m., R.P.M., tr/min	число оборотов в минуту, об/мин
	revolutions per unit time	s. speed		
	revolving crystal	s. rotating crystal		
	revolving diaphragm	s. rotating diaphragm		
	revolving disk monochromator	s. rotating-disk monochromator		
	revolving dome	s. rotating dome		
	revolving eyepiece head	s. eyepiece turret		
	revolving fatigue [testing] machine	s. rotary-bending fatigue testing machine		
R 2041 a	**revolving field machine**, rotating-field-type machine, internal (inner) pole machine	Innenpolmaschine f	machine f à pôles intérieurs	машина с внутренними полюсами
	revolving mirror	s. rotating mirror		
	revolving nosepiece (objective changer)	s. turret head		
R 2042	**revolving prism**, rotating prism	rotierendes Prisma n	prisme m tournant	вращающаяся призма
	revolving storm	s. tropical cyclone		
R 2043	**rework[ing]**, retreatment	Umarbeitung f; Nachbearbeitung f	retraitement m	повторная обработка, переработка
	rewriting, transformation, conversion <of the equation> <math.>	Umformung f, Umschreibung f <der Gleichung> <Math.>	transformation f, conversion f <de l'équation> <math.>	преобразование, превращение, переписание <формулы> <матем.>
R 2044	**reyn** <= 68.947×10^3 P>	Reyn n <= $68,947 \cdot 10^3$ P>	reyn <= $68,947 \times 10^3$ P>	рейн <= $68,947 \times 10^3$ пуаз>
R 2045	**Reynolds['] analogue (analogy)**	Reynoldssche Analogie f	analogie f de Reynolds, similitude f dite de Reynolds	аналогия Рейнольдса, подобие по Рейнольдсу
R 2046	**Reynolds analogy factor**	Reynoldsscher Analogiefaktor m	facteur m d'analogie de Reynolds	коэффициент аналогии Рейнольдса, коэффициент подобия по Рейнольдсу
R 2047	**Reynolds['] boundary layer**	Reynoldssche Grenzschicht f	couche f limite de Reynolds	смазочный (пограничный) слой Рейнольдса
R 2048	**Reynolds['] criterion [of turbulence]**	Reynoldssches Kriterium (Turbulenzkriterium) n, Turbulenzkriterium	critère m de Reynolds	критерий [турбулентности] Рейнольдса, уравнение Рейнольдса
	Reynolds' experiment, dye experiment	Farbfadenversuch m, Reynoldsscher Farbfadenversuch	expérience f à jets colorés, expérience de Reynolds	опыт с окрашенными струйками, опыт Рейнольдса
	Reynolds group	s. Reynolds-No		
	Reynolds law of similarity, Reynolds scale law	Reynoldssches Ähnlichkeitsgesetz n	loi f de [la] similitude de Reynolds, loi de Reynolds	закон подобия Рейнольдса
R 2049	**Reynolds-No, Reynolds number**, Reynolds parameter, Reynolds group, Re, R	Reynolds-Zahl f, Reynoldssche Kennzahl f, Reynoldssche Zahl f, Re-Zahl f, Re-Wert m, Re, R	nombre m de Reynolds, Re, R	число Рейнольдса, критерий Рейнольдса, безразмерный комплекс Рейнольдса, Re, R
R 2050	**Reynolds number for boundary layer thickness**	Grenzschicht-Reynolds-Zahl f, Reynolds-Zahl f für Grenzschichtdicke	nombre m de Reynolds de la couche limite	число Рейнольдса для пограничного слоя
	Reynolds parameter	s. Reynolds-No		
R 2051	**Reynolds percolation number**	Reynoldssche Durchsickerungszahl f	nombre m de percolation de Reynolds	число просачивания Рейнольдса
R 2051 a	**Reynolds['] rule**	Reynoldssche Modellregel f	règle f de Reynolds	правило Рейнольдса, Re = const
R 2052	**Reynolds scale law**, Reynolds law of similarity	Reynoldssches Ähnlichkeitsgesetz n	loi f de [la] similitude de Reynolds, loi de Reynolds	закон подобия Рейнольдса

R 2053	**Reynolds['] slip**	Reynoldssche Gleitung f	glissement m de Reynolds	рейнольдсово проскаль-зывание [при трении качения]
R 2054	**Reynolds stress, Reynolds turbulent shear stress, eddy stress**	Reynoldssche Spannung f, Reynolds-Spannung f, turbulente Scheinschub-spannung f, [turbulente] Scheinreibung f, Turbu-lenzreibung f	tension f de Reynolds, ten-sion moyenne de turbu-lence	напряжение Рейнольдса
R 2055	**Reynolds['] stress tensor**	Tensor m der turbulenten Scheinreibung, Reynolds-scher Spannungstensor m	tenseur m des tensions moyennes de turbulence	тензор напряжений Рейнольдса
	Reynolds turbulent shear stress	s. Reynolds stress		
R 2056	**re-zeroing**	Zurückstellen n auf Null	remise f à zéro	повторная установка на нуль
	R.F.	s. radio-frequency		
R 2056a	**R_s factor, spreading factor**	R_s-Wert m, R_s	facteur m R_s, valeur f R_s, R_s	коэффициент R_s, значе-ние R_s, R_s
R 2057	**rhabdom**	Rhabdom n	rhabdome m	рабдом, [центральная] зрительная палочка [фасеточного глаза]
R 2058	**rhabdomere**	Rhabdomer n	rhabdomère m	рабдомер, светочувстви-тельная палочка [фасе-точного глаза]
R 2059	**rhe <= 1/P>**	Rhe n, rhe <= 1/P>	rhé m <= 1/P>	ре, обратный пуаз <1/пуаз>
R 2060	**rhegmaglypt, piezoglypt**	Rhegmaglypte f	piézoglypte m	регмаглипт, пьезоглипт
R 2060a	**rheidity <geo.>**	Rheidität f <Geo.>	rhéidité f <géo.>	реидность <гео.>
R 2061	**rheochord**	Rheochord n	rhéocorde f	реохорд, струнный реостат
R 2061a	**rheodynamics**	Rheodynamik f	rhéodynamique f	реодинамика
R 2062	**rheoelectric analogy**	rheoelektrische Analogie f	analogie f rhéoélectrique	электромеханическая аналогия, реоэлектри-ческая аналогия
R 2063	**rheogoniometer [of Weissenberg and Roberts], cone-and-plate rheogoniometer**	Rheogoniometer n [von Weissenberg], Rheo-goniometer von Weissen-berg und Roberts, Weis-senbergsches Rheogonio-meter	rhéogoniomètre m [de Weissenberg et Roberts]	реогониометр [Вайсен-берга-Робертса]
R 2064	**rheogram**	Rheogramm n	rhéogramme m	реограмма
R 2065	**rheograph**	Rheograph m [nach Abraham]	rhéographe m [d'Abraham]	реограф [Абрагама]
R 2066	**rheological equation, rheologic formula**	rheologische Gleichung f	équation f rhéologique	реологическое уравнение состояния
R 2067	**rheology**	Rheologie f, Fließkunde f	rhéologie f	реология, наука о теку-чести
	rheometer	s. current meter		
R 2068	**rheometry**	Rheometrie f	rhéométrie f	реометрия, реологическое измерение
	rheonomic	s. time-dependent <mech.>		
R 2069	**rheonomic constraint, constraint dependent on the time**	rheonome Bedingung f, rheonome Bedingungs-gleichung f, zeitabhängige Bedingung	liaison f dépendant du temps, liaison rhéonome, contrainte f rhéonome	нестационарная связь, реономная связь
	rheonomous	s. time-dependent <mech.>		
R 2070	**rheopectic**	rheopektisch	rhéopectique	реопектический
R 2071	**rheopexy**	Rheopexie f, Fließverfesti-gung f, thixogene Koagulation f	rhéopexie f	реопексия, обратная тик-сотропия [в потоке], обратный тиксотропии эффект [в потоке]
R 2072	**rheospectrometer**	Rheospektrometer n	rhéospectromètre m	реоспектрометр
	rheostat	s. variable resistor		
	rheostatic controller, resistance controller	Widerstandsregler m; Kontroller m	régulateur m à résistance, régulateur rhéostatique	регулятор с сопротивле-нием, реостатный регу-лятор
	rheostatic pressure gauge, potentiometric pressure gauge	potentiometrisches Mano-meter n, rheostatisches Manometer	manomètre m potentio-métrique, manomètre rhéostatique	потенциометрический манометр
	rheostriction [effect]	s. pinch effect		
R 2073	**rheotaxic**	rheotaktisch	rhéotactique, rhéotaxique	реотактичный
R 2074	**rheotaxis**	Rheotaxis f	rhéotaxie f, rhéotactisme m	реотаксис
	rheotron	s. betatron		
R 2075	**rheotropic**	rheotrop	rhéotrope, rhéotropique	реотропический
R 2076	**rheotropism**	Rheotropismus m	rhéotropisme m	реотропизм
	rhexis, fragmentation <bio.>	Fragmentation f, Chromo-somenfragmentation f, Rhexis f <Bio.>	fragmentation f chromo-somique (des chromo-somes), fragmentation <bio.>	фрагментация [хромосом], рексис
	rhm unit, roentgen per hour at one metre, roentgen-hour-metre, rhm	Röntgen n pro Stunde in einem Meter Abstand [von der Strahlungs-quelle], rhm-Einheit f, rhm	roentgen m par heure à un mètre, R/h à 1 m	рентген в час на расстоя-нии 1 м
	rho, rho unit	rho-Einheit f, Rho n, rho	unité f rho, rho m, rho	ро, единица ионной дозы po
R 2077	**rho-dominant model**	rho-dominantes Modell n	modèle m dominant rho	ро-доминантная модель
R 2078	**rhodopsin, visual purple**	Rhodopsin n, Sehpurpur m	rhodopsine f, pourpre m rétinien, pourpre visuel	родопсин, зрительный пурпур
R 2079	**rhombic antenna, diamond-shaped antenna, Bruce antenna**	Rhombusantenne f, Rauten-antenne f, Bruce-Antenne f	antenne f en losange, antenne rhombique, antenne Bruce	ромбическая антенна
R 2080	**rhombic bisphenoid**	rhombisches Bisphenoid (Tetraeder) n	tétraèdre m rhombique	ромбический тетраэдр

	English	German	French	Russian
R 2081	rhombic crystal system, rhombic system, ortho-rhombic crystal system, orthorhombic system	rhombisches Kristallsystem (System) n, orthorhom-bisches Kristallsystem (System), prismatisches Kristallsystem (System)	système m rhomboïdal, système orthorhombique, système terbinaire, système rhombique	ромбическая сингония, ромбическая система, орторомбическая синго-ния, орторомбическая система
	rhombic dodecahedron	s. rhombododecahedron		
R 2082	rhombic prism	Rhomboidprisma n, rhom-bisches Prisma n	prisme m rhomboïdal, prisme rhombique	призма ромб, ромб, ромбическая призма
R 2083	rhombic sphenoid	rhombisches Sphenoid n	sphénoïde m rhombique	ромбический сфеноид
	rhombic system	s. rhombic crystal system		
R 2084	rhombododecahedron, granatohedron, rhombic dodecahedron	Rhombendodekaeder n, Granatoeder n	rhombododécaèdre m, dodécaèdre m rhomboïdal	гранатоэдр, ромбический додекаэдр, ромбо-додекаэдр
	rhombohedral class	s. rhombohedral crystal class		
	rhombohedral class	s. a. rhombohedral holo-hedry		
R 2085	rhombohedral crystal class, rhombohedral class	rhomboedrische Klasse (Kristallklasse, Symme-trieklasse) f, paramorphe Hemiedrie f des rhom-boedrischen Systems	classe f rhomboédrique, hémiédrie f centrée [du système] rhomboédrique	ромбоэдрический вид симметрии
R 2086	rhombohedral crystal system, rhombohedral system, trigonal crystal system, trigonal system	rhomboedrisches Kristall-system (System) n, rhom-boedrische Abteilung f des hexagonalen Systems, trigonales Kristallsystem (System)	système m rhomboédrique, système ternaire, système trigonal	ромбоэдрическая синго-ния, ромбоэдрическая система, тригональная сингония, тригональная система
	rhombohedral enantio-morphy	s. trigonal holoaxial class		
	rhombohedral hemi-morphic class, rhom-bohedral hemimorphy	s. hemimorphic hemihedry of the rhombohedral class		
R 2087	rhombohedral holo-hedry, holohedry of the rhombohedral system, ditrigonal scalenohedry, rhombohedral class, hexagonal-scalenohedral [crystal] class, holohedral class of the trigonal system, dihexagonal alternating class	rhomboedrische Hemiedrie f, Holoedrie f des rhom-boedrischen Systems, ditrigonal-skalenoedrische Klasse f, ditrigonal skale-noedrische Klasse	holoédrie f du système ter-naire (rhomboédrique), holoédrie ternaire (rhomboédrique), classe f bitrigonale scalénoédri-que, classe plan-axiale du système trigonal, classe holoèdre du système ternaire	дитригонально-скалено-эдрический класс (вид симметрии)
	rhombohedral system	s. rhombohedral crystal system		
	rhombohedral tetarto-hedry	s. trigonal pyramidal [crystal] class		
	rhombohedral tetarto-hedry	s. hexagonal tetartohedry of the second sort <rhombo-hedral system>		
R 2088	rhombohedron	Rhomboeder n, Räuten-flächner m	rhomboèdre m	ромбоэдр
	rhomboid	s. deltoid		
R 2089	rho-meson, rho-reso-nance, ϱ meson, ϱ-resonance	Rho-Meson n, ϱ-Meson n, Rho-Resonanz f, ϱ-Resonanz f	méson m rho, méson ϱ, rho-résonance, ϱ-réso-nance f	ро-мезон, ϱ-мезон, ро-резонанс, ϱ-резонанс
R 2090	rho unit, rho	rho-Einheit f, Rho n, rho	unité f rho, rho m, rho	ро, единица ионной дозы, ро
R 2091	rhumb, point < = 11° 15′>	Strich m, nautischer Strich, < = 11°15′>	rumb m, rhumb m < = 11°15′>	румб < = 11°15′>
R 2092	rhumb, point [of the com-pass], wind reference number	Windstrich m, Windziffer f	aire f [de vent], rumb m, rhumb m	румб ветра
	rhumb line, Rhumb line, loxodrome [curve], loxo-dromic line (curve, spiral) <on Earth>	Loxodrome f, Kursgleiche f, Schieflaufende f, Rhumblinie f	loxodromie f, ligne f loxodromique	локсодромия, локсодрома
R 2093	rH value, rH	rH-Wert m, rH	rH m, valeur f rH	показатель окислительно-восстановительного потенциала, логарифм обратной величины упругости восстанавли-вающего водорода, rH
R 2094	rhythmical growth	rhythmisches Wachstum n	croissance f rythmée	ритмический рост
R 2095	rhythmical potential	rhythmisches Potential n	potentiel m rythmique	ритмический потенциал
R 2096	rhythmic light	Taktfeuer n	feu m rythmé	проблесковый огонь
	rhythmic precipitation	s. periodic precipitation		
	rhythmic source; periodic source	periodisch fließende Quelle f; episodisch fließende Quelle; Hungerquelle f	source f périodique; source rythmique; source rémit-tante	периодический источник, периодически дейст-вующий источник; ритмический источник
R 2097	rhythmic time signals	rhythmische Zeitzeichen npl, Koinzidenzzeit-zeichen npl	signaux mpl horaires rythmés	ритмические сигналы времени
R 2098	Riabouchinsky cavity	Riabouchinskyscher Hohl-raum m	cavité f de Riabouchinsky	полость Рябушинского
R 2099	Riabouchinsky flow	Riabouchinskysche Strömung f	écoulement m de Riabou-chinsky	течение Рябушинского
R 2100	Riabouchinsky['s] model	Riabouchinskysches Modell n	modèle m de Riabouchinsky	модель Рябушинского
R 2101	Riabouchinsky['s] solution	Riabouchinskysche Lösung f	solution f de Riabouchinsky	решение Рябушинского
R 2102	ria coast	Riasküste f, Riaküste f, Trichterbuchtenküste f	côte f à rias	риасовый берег, берег риасового типа
R 2102a	rib, frame, timber	Spant m, Spante f	couple m	шпангоут

	English	German	French	Russian
R 2102b	ribbed shell	Rippenschale f	enveloppe f à nervures	ребристая оболочка
R 2103	ribbing, finning	Berippung f; Verrippung f	nervurage m	оребрение; укрепление при помощи ребер, снабжение ребрами
R 2104	ribbon, ribbon of stacking fault	Stapelfehlerband n	ruban m, ruban de faute	полоса (лента) дефектов упаковки
R 2105	ribbon antenna, tape antenna	Bandantenne f	antenne f en ruban	ленточная антенна
R 2106	ribbon lightning	Bandblitz m	éclair m en forme de ruban	ленточная молния, лентообразная молния
R 2107	ribbon loudspeaker, band loudspeaker, ribbon-type dynamic speaker	Bändchenlautsprecher m, Bandlautsprecher m	haut-parleur m à ruban, haut-parleur magnéto-dynamique	ленточный громкоговоритель, ленточный динамический громкоговоритель
R 2108	ribbon microphone, ribbon-type velocity microphone, tape microphone	Bandmikrophon n, Bändchenmikrophon n	microphone m à ruban, microphone de vitesse, microphone à bande	ленточный микрофон
	ribbon of cloud	s. rag of cloud		
	ribbon of stacking fault	s. ribbon		
	ribbon-type dynamic speaker	s. ribbon loudspeaker		
	ribbon-type velocity microphone	s. ribbon microphone		
R 2108a	ribosomal ribonucleic acid, ribosomal RNA, ribosome RNA, rRNA	ribosomale Ribonukleinsäure f, ribosomale RNS, rRNS	acide m ribonucléique ribosomal, ARN ribosomal, rARN, rRNA	рибосомная рибонуклеиновая кислота, рибосомная РНК, рРНК
R 2109	ribosome	Ribosom n, Pallade-Granulum n, RNS-Protein-Granulum n, Ribonukleo-Protein-Granulum n	ribosome m	рибосома
	ribosome RNA	s. ribosomal ribonucleic acid		
R 2109a	Riccati-Bloch function	Riccati-Blochsche Funktion f	fonction f de Riccati-Bloch	функция Риккати-Блоха
	Riccati['s] equation, differential equation of Riccati	[allgemeine] Riccatische Differentialgleichung f	équation f de Riccati	уравнение Риккати, уравнение Рикатти
R 2110	Riccati['s] equation	spezielle Riccatische Gleichung f	équation f de Riccati	специальное уравнение Риккати
R 2111	Ricci calculus, absolute differential calculus, tensor calculus	Ricci-Kalkül m, absoluter Differentialkalkül m	calcul m de Ricci, calcul différentiel absolu	исчисление Риччи
R 2112	Ricci coefficient	Ricci-Koeffizient m	coefficient m de Ricci	коэффициент Риччи
R 2113	Ricci['s] equation, Ricci['s] identity	Riccische Gleichung f, Identität f von Ricci	identité f de Ricci	тождество Риччи
	Ricci['s] lemma	s. Ricci['s] theorem		
R 2114	Ricci['s] tensor, Einstein['s] tensor	Ricci-Tensor m, Einstein-Tensor m	tenseur m de Ricci, tenseur d'Einstein	тензор Риччи, тензор Эйнштейна
R 2115	Ricci['s] theorem, Ricci['s] lemma	Satz m von Ricci, Lemma n von Ricci	théorème m de Ricci	теорема Риччи
R 2116	Ricco['s] law	Riccoscher Satz m	loi f de Ricco	закон Рикко
	Rice-Kellogg loudspeaker, electrodynamic loudspeaker [of Rice-Kellogg]	elektrodynamischer Lautsprecher m [nach Rice-Kellogg], Lautsprecher nach Rice-Kellogg, Rice-Kelloggscher Lautsprecher	haut-parleur m électro-dynamique [de Rice-Kellogg], haut-parleur de Rice-Kellogg	электродинамический громкоговоритель [по Рейсу-Келлогу]
R 2117	Richardson and Dushman['s] equation, Richardson-Dushman['s] equation, Richardson-Dushman['s] formula, Richardson['s] equation	Richardson-Dushmansche Gleichung (Formel) f, Richardson-Gleichung f, Richardsonsche Gleichung (Formel), Richardsonsches Gesetz n	formule f de Richardson et Dushman, formule de Richardson, loi f de Richardson[-Dushman], équation f de Richardson [-Dushman]	формула Ричардсона-Дэшмана, уравнение термоэлектронной эмиссии
	Richardson effect	s. thermionic emission		
	Richardson[-Einstein-De-Haas] effect	s. a. Einstein-de Haas effect		
R 2118	Richardson['s] equation	Richardson-Gleichung f, Richardsonsche Gleichung f, Richardsonsches Gesetz n, Richardsonsche Formel f	loi f de Richardson, formule f de Richardson, équation f de Richardson	формула Ричардсона
	Richardson['s] equation	s. a. Richardson and Dushman['s] equation		
R 2119	Richardson['s] law of dispersion	Richardsonsches Dispersionsgesetz n	loi f de dispersion de Richardson	закон дисперсии Ричардсона
R 2120	Richardson['s] number, Richardson['s] similarity number, stratification parameter, Ri	Richardsonsche Zahl f, Richardson-Zahl f, Richardsonsche Ähnlichkeitszahl f, dimensionslose Schichtungsgröße f, Ri	nombre m [de la similitude] de Richardson, Ri	число [подобия] Ричардсона, Ri
R 2121	Richardson plot	Richardsonsche Gerade f	caractéristique f de Richardson	график Ричардсона, прямая Ричардсона
	Richardson['s] similarity number	s. Richardson['s] number		
R 2122	Richards['] rule	Richardssche Regel f, Richardssches Gesetz n, Gesetz von Richards	règle f de Richards	правило Ричардса
R 2123	Richartz compensator, Richartz double half-shade analyzer, Richartz halfshade analyzer	Richartz-Kompensator m, Kompensator (Halbschattenanalysator) m von Richartz	compensateur m de Richartz	компенсатор Рихарца
	rich in contrast, contrasty, high-contrast	kontrastreich	contrasté, de grand contraste, de haut contraste	контрастный, с высокой контрастностью

R 2124	Richter lag, diffusion after-effect, diffusion magnetic after-effect	Diffusionsnachwirkung f, Richtersche Nachwirkung f, Richter-Nachwirkung f	rémanence f de Richter, rémanence f (viscosité f magnétique) de diffusion, effet m magnétique postérieur de diffusion	диффузионная магнитная вязкость, магнитная вязкость по Рихтеру, [магнитное] последействие по Рихтеру
R 2124a	Richter magnitude	Richtersche Magnitude f, M_L	magnitude f de Richter	магнитуда Рихтера (по Рихтеру)
R 2124b	ricochet	Abprall m, Abprallen n, Rikoschett n	ricochet m	рикошет[ирование], отскок рикошетом
	riddle; sieve, screen	Sieb n	tamis m, crible m	грохот; сетка; сито; решето
	riddlings	s. screenings		
R 2125	rider, jockey weight	Reiter m, Reiterchen n, Reitergewicht n, Aufsetzgewicht n	cavalier m	гиря-рейтер, рейтер, гусарик
R 2126	ridged waveguide	gefurchter Hohlleiter m	guide m d'ondes à cannelures	гребенчатый волновод
R 2127	ridge of high pressure	Hochdruckbrücke f, Hochdruckrücken m	crête f anticyclonique, dorsale f anticyclonique	гребень высокого давления, гребень повышенного давления, барический гребень
R 2128	ridge prism, roof prism; Amici prism	Dachkantprisma n, Dachprisma n; Amici-Prisma n	prisme-en-toit m, prisme m en toit; prisme d'Amici	крышеобразная призма, призма с крышей; прямоугольная призма с крышей, призма Амичи
R 2129	Rieffler clock	Rieffler-Uhr f, Riefflersche Uhr f	horloge f de Rieffler	часы Рифлера
R 2130	Rieffler pendulum	Rieffler-Pendel n	pendule m de Rieffler	маятник Рифлера
R 2131	Riegels['] factor	Riegels-Faktor m	facteur m de Riegels	коэффициент Ригельса
R 2131a	Riegger circuit (discriminator)	Riegger-Kreis m	circuit (discriminateur) m de Riegger	схема Риггера, дискриминатор по схеме Риггера
R 2131b	Riegger gauge	Riegger-Vakuummeter n	manomètre m de Riegger	вакуумметр Риггера
R 2132	Riegler coefficient	Riegler-Faktor m	coefficient m de Riegler	коэффициент Риглера
R 2133	Riehl effect	Riehl-Effekt m	effet m Riehl	эффект Риля
R 2134	Rieke diagram	Rieke-Diagramm n	diagramme m de Rieke	диаграмма Рике, нагрузочная диаграмма по Рике
R 2135	Riemann-Christoffel curvature tensor, Riemann-Christoffel symbol, Riemann-Christoffel tensor [of the first kind], [covariant] curvature tensor, four-index symbol	Krümmungstensor m, Riemannscher (Riemann-Christoffelscher) Krümmungstensor m, Riemann-Christoffelscher Tensor m, Vierindizessymbol n	tenseur m de Riemann-Christoffel, tenseur de courbure	тензор кривизны, тензор Римана-Кристоффеля
	Riemann-Christoffel three-index symbol	s. Christoffel symbol		
R 2136	Riemann['s] differential equation, Riemann-Papperitz equation, Papperitz['s] equation	Riemannsche (Papperitzsche) Differentialgleichung f	équation f différentielle de Riemann	дифференциальное уравнение Римана
R 2137	Riemann['s] equation	Riemannsche Gleichung f	équation f de Riemann	уравнение Римана
R 2138	Riemann['s] function	Riemannsche Funktion f	fonction f de Riemann	функция Римана
	Riemann-Hilbert problem, coupling problem	Kopplungsproblem n, Riemann-Hilbert-Problem n	problème m de couplage, problème de Riemann-Hilbert	задача связи, задача Римана-Гильберта
R 2139	Riemannian curvature	Riemannsche Krümmung f, Riemannsches Krümmungsmaß n, Büschelinvariante f der Krümmung	courbure f riemannienne	риманова кривизна
R 2140	Riemannian domain	Riemannsches Gebiet n, Riemannscher Raum m	domaine m de Riemann, domaine riemannien	риманова область
R 2141	Riemannian geometry	Riemannsche Geometrie f	géométrie f riemannienne, géométrie de Riemann	риманова геометрия
R 2142	Riemannian metric	Riemannsche Metrik f	métrique f riemannienne	метрика Римана, риманова метрика
R 2143	Riemannian space	Riemannscher Raum m; Riemannsche Mannigfaltigkeit f	espace m de Riemann, espace riemannien; variété f de Riemann	риманово пространство; пространство Римана; риманово многообразие
R 2144	Riemannian surface, Riemann['s] surface	Riemannsche Fläche f	surface f de Riemann, surface riemannienne	риманова поверхность
R 2145	Riemann['s] integral	Riemannsches Integral n	intégrale f riemannienne (de Riemann, au sens de Riemann)	интеграл Римана
R 2146	Riemann invariant	Riemannsche Invariante f	invariant m de Riemann	инвариант Римана
R 2147	Riemann-Lebesgue theorem	Riemann-Lebesguesches Lemma n, Riemann-Lebesguesches Fundamentallemma n, Riemann-Lebesguescher Satz m, Satz von Riemann-Lebesgue	théorème m de Riemann-Lebesgue	теорема Римана-Лебега
R 2148	Riemann['s] localization theorem	Riemannscher Lokalisationssatz m, Lokalisationssatz von Riemann	théorème m de localisation de Riemann	теорема локализации Римана
R 2149	Riemann['s] mapping theorem, Riemann['s] theorem	Riemannscher Abbildungssatz m, Riemannscher Hauptsatz m, Riemannscher Fundamentalsatz m, Hauptsatz (Fundamentalsatz) der konformen Abbildung; Koebe-Poincarésches Grenzkreistheorem n	théorème m fondamental de la représentation conforme	основная теорема теории конформных отображений, теорема Римана о конформных отображениях

	Riemann-Papperitz equation	s. Riemann['s] differential equation		
	Riemann relations	s. Cauchy-Riemann differential equations		
R 2150	**Riemann sphere,** complex sphere	Riemannsche Zahlenkugel f, Zahlenkugel	sphère f de Riemann	числовая сфера, сфера Римана
R 2151	**Riemann-Stieltjes integral**	Riemann-Stieltjessches Integral n	intégrale f Riemann-Stieltjes	интеграл Римана-Стильтьеса
R 2152	**Riemann sum,** integral sum	Integralsumme f	somme f de Riemann	интегральная сумма
	Riemann['s] surface, Riemannian surface	Riemannsche Fläche f	surface f de Riemann, surface riemannienne	риманова поверхность
	Riemann['s] theorem	s. Riemann['s] mapping theorem		
R 2153	**Riemann['s] theorem,** Green['s] theorem for $n = 2$	Gaußsche Integralformel f im Fall $n = 2$, Greensche Integralformel, Integralformel von Green, Riemannsche Integralformel, Riemannsche Formel f, Gaußscher Integralsatz m im Fall $n = 2$	formule f de Riemann	формула Римана
R 2154	**Riemann wave**	Riemannsche Stoßwelle (Welle) f	onde f de Riemann, onde riemannienne	римановская волна, простая волна
R 2155	**Riemann zeta function,** zeta function	Riemannsche Zeta-Funktion f	fonction f zéta [de Riemann]	дзета-функция [Римана]
	rieseliconoscope	s. photo-electron-stabilized photicon		
	Riesz-Fischer['s] theorem	s. Fischer-Riesz theorem		
	Riesz representation theorem [for Hilbert spaces]	s. Fischer-Riesz theorem		
	riffle	s. rapids <of river>		
	riffle	s. a. ripple mark		
	riffle	s. a. ripple		
	rifle telescope	s. sighting telescope		
R 2156	**rift [valley];** fault-line valley	Rift n; Verwerfungstal n; Klufttal n, Spaltental n	vallée f de faille	рифт, рифтовая долина, сбросовая долина, тектоническая долина
R 2157	**Righi['s] formula**	Righische Formel f, Formel von Righi	formule f de Righi	формула Риги
R 2158	**Righi-Leduc coefficient**	Righi-Leduc-Koeffizient m	coefficient m de Righi-Leduc	коэффициент (постоянная явления) Риги-Ледюка
R 2159	**Righi-Leduc effect,** Leduc effect	Righi-Leduc-Effekt m	effet m Righi-Leduc	явление Риги-Ледюка, эффект Риги-Ледюка
	right-angled prism, right prism <opt.>	rechtwinkliges Prisma n <Opt.>	prisme m rectangle <opt.>	прямая призма, прямоугольная призма <опт.>
R 2160	**right-angle mirror**	Rechtwinkelspiegel m	miroir m rectangulaire	прямоугольное зеркало
R 2161	**right-angle mirror interferometer**	Winkelspiegelinterferometer n	interféromètre m à miroirs sous angles droits	[модифицированный] интерферометр Майкельсона с прямоугольными зеркалами
	right-angle mirror square, crossed-mirror square	Spiegelkreuz n; Kreuzspiegel m	équerre f à miroirs croisés [sous angle droit]	двузеркальный эккер
R 2162	**right ascension,** R. A.	Rektaszension f, gerade Aufsteigung f, AR	ascension f droite	прямое восхождение
	right ascension circle	s. hour circle		
R 2163	**right circular cylinder,** cylinder, roller	gerader Kreiszylinder m, Walze f, Zylinder m	cylindre m circulaire droit, cylindre	прямой круговой цилиндр, цилиндр
R 2164	**right[-hand] derivative,** derivative on the right	rechtsseitige Ableitung f	dérivée f à droite	производная справа, правосторонняя (правая) производная
R 2165	**right-handed,** dextrogyric, dextrorse <techn.>	rechtsgängig, rechtsdrehend, Rechts[-]; rechtsläufig; rechtswendig <Techn.>	dextrogyre, [avec pas] à droite <techn.>	правовращающий, правого вращения <техн.>
R 2166	**right-handed circular[ly polarized],** clockwise circularly polarized	zirkular rechtspolarisiert, rechtszirkular [polarisiert], rechtsdrehend zirkular polarisiert, rechtspolarisiert zirkular	à polarisation circulaire dans le sens de rotation droit, polarisé circulairement dans le sens de rotation droit, circulaire droit	поляризованный по правому кругу, кругово поляризованный с правым направлением вращения, правый круговой, правокруговой
R 2167	**right-handed circular polarization**	zirkulare Rechtspolarisation f, rechtszirkulare Polarisation f	polarisation f circulaire droite	правокруговая поляризация, правая круговая поляризация, круговая правая поляризация
R 2168	**right-handed co-ordinate system,** right-handed system [of co-ordinates], right system [of co-ordinate axes]	Rechtssystem n, rechtshändiges Koordinatensystem n, rechtshändiges System n	système m dextrogyre, système droit [des axes de coordonnées], système de rotation à droit, système rétrograde [de coordonnées]	правовращающая система [координат], правая система [координат], правая координатная система
R 2169	**right-handed cycle,** clockwise process	Rechtsprozeß m	cycle m droit, cycle à rotation droite	правовращающийся цикл, цикл правого вращения, правый цикл
R 2170	**right-handed elliptic[ally polarized],** clockwise elliptically polarized	elliptisch rechtspolarisiert, rechtselliptisch [polarisiert], rechtsdrehend elliptisch polarisiert, rechtspolarisiert elliptisch	à polarisation elliptique dans le sens de rotation droit, elliptiquement polarisé dans le sens de rotation droit, elliptique droit	поляризованный по правому эллипсу, эллиптически поляризованный с правым направлением вращения, правый эллиптический, правоэллиптический

R 2171	**right-handed elliptical polarization**	elliptische Rechtspolarisation f, rechtselliptische Polarisation f	polarisation f elliptique droite	правая эллиптическая поляризация, эллиптическая правая поляризация
	right-handed helix	s. right-twisted helix		
R 2172	**right-handed polarization, dextropolarization**	Rechtspolarisation f, rechtshändige Polarisation f	polarisation f droite	правая поляризация
R 2173	**right-handed polarized, clockwise polarized**	rechtspolarisiert, rechtsdrehend polarisiert, rechtshändig polarisiert	polarisé (à polarisation) dans le sens de rotation droit	правополяризованный, поляризованный с правым направлением вращения
	right-handed quartz	s. dextrorotatory quartz		
	right-handed screw[ing]	s. right-twisted helix		
	right-handed system [of co-ordinates]	s. right-handed co-ordinate system		
	right-handed twist	s. right-hand twist		
	right-hand helix	s. right-twisted helix		
	right-hand lay, right-hand[ed] twist	Rechtsdrall m	torsion f à droite	правая крутка, правая свивка
R 2174	**right-hand limit, limit on the right**	rechtsseitiger Grenzwert m, rechtsseitiger Limes m	limite f à droite	предел справа, правосторонний предел, правый предел
R 2175	**right-hand rule, Fleming['s] [second] rule**	Dreifingerregel f der rechten Hand, Rechte-Hand-Regel f; Flemingsche Dreifingerregel f, Flemingsche Regel f; Dynamoregel f	règle f de la main droite; règle de Fleming	правило правой руки, правило трех пальцев правой руки; правило Флеминга; правило «динамо»
	right-hand screw	s. right-twisted helix		
	right-hand screw rule	s. corkscrew rule		
R 2176	**right-hand side, right side, right member <of the equation>**	rechte Seite f <Gleichung>	partie f droite, second membre m <de l'équation>	правая часть, правая сторона <уравнения>
R 2177	**right-hand twist, right-handed twist, right-hand lay**	Rechtsdrall m	torsion f à droite	правая крутка, правая свивка
R 2177a	**righting moment, restoring moment <aero.>**	aufrichtendes (rückdrehendes) Moment n, Aufrichtmoment n, Rückdrehmoment n, Rückführmoment n <Aero.>	moment m redresseur, moment de redressement, moment de rappel <aéro.>	восстанавливающий момент, выпрямляющий момент <аэро.>
R 2178	**right inverse**	Rechtsinverses n	inverse f de droite, inverse f à droite	правый обратный элемент, обратный справа
R 2179	**right-left asymmetry**	Rechts-Links-Asymmetrie f	asymétrie f droite-gauche	право-левая асимметрия
R 2180	**right-left ratio [of scattered particles]**	Rechts-Links-Streuverhältnis n, Rechts-Links-Verhältnis n	rapport m droit/gauche [des particules diffusées]	отношение числа частиц, рассеянных вправо и влево
	right member	s. right-hand side		
	right multiplication	s. post[-]multiplication		
R 2181	**rightness, truth, trueness; correctness <num. math.>**	Richtigkeit f <num. Math.>	exactitude f, justesse f; correction f <math. num.>	истинность, истина; правильность <числ. матем.>
	right parallelepiped	s. rectangular parallelepiped		
R 2182	**right prism <math.>**	gerades Prisma n <Math.>	prisme m droit <math.>	прямая призма <матем.>
R 2183	**right prism, right-angled prism <opt.>**	rechtwinkliges Prisma n <Opt.>	prisme m rectangle <opt.>	прямая призма, прямоугольная призма <опт.>
	right side, right-hand side <of the equation>	rechte Seite f <Gleichung>	partie f droite <de l'équation>	правая часть, правая сторона <уравнения>
R 2184	**right-skew distribution, distribution skew on the right**	rechtsschiefe Verteilung f, linkssteile Verteilung	distribution f dissymétrique vers le droit	асимметричное справа распределение
	right system [of co-ordinate axes]	s. right-handed co-ordinate system		
	right-to-left inverted	s. reversed right to left		
R 2185	**right-twisted helix, right-hand[ed] helix, dextrorse helix, right-twisted screw, right-hand[ed] screw, right-handed screwing**	Rechtsschraube f	hélice f dextrorsum, hélice à torsion droite, hélice à torsion dextre, hélicoïde m droit	винтовая линия правого вращения, завитая вправо винтовая линия, вправо завитая винтовая линия, правовинтовая линия, правая винтовая линия
	right-twisted screw	s. right-twisted helix		
R 2186	**rigid**	starr; rig	rigide	жесткий; недеформируемый, неизменяемый
	rigid arch	s. hingeless arch		
R 2187	**rigid body; Euclidean solid, Euclid solid <rheology>**	starrer Körper m	corps m rigide, système m invariable, solide m indéformable, corps solide	жесткое тело, твердое тело
R 2188	**rigid-body displacement**	Starrkörperverschiebung f	déplacement m rigide	жесткое смещение
	rigid body pendulum, physical pendulum, compound pendulum	physisches Pendel n, physikalisches Pendel n, Starrkörperpendel n, zusammengesetztes Pendel	pendule m physique, pendule composé	физический маятник, сложный маятник
	rigid boundary surface	s. sound-hard boundary		
R 2189	**rigid dynamics**	Dynamik f starrer Körper	dynamique f des corps rigides	динамика жесткого тела
R 2190	**rigid fixing, built-in mounting <of beam>**	starre Einspannung f, festes Klemmlager n <Balken>	encastrement m <de la poutre>	заделка <балки>
R 2191	**rigidity**	Starrheit f, Starre f, Righeit f, elastische Widerstandsfähigkeit f	rigidité f	жесткость
	rigidity; stiffness, inflexibility	Steifigkeit f, Steifheit f, Steife f	raideur f, rigidité f	жесткость, несгибаемость
	rigidity	s. a. shape elasticity		
	rigidity	s. a. shear modulus		
	rigidity <of the spring>	s. a. spring constant		
	rigidity coefficient	s. stiffness coefficient		

1 2192	**rigidity matrix**	Starrheitsmatrix f	matrice f de rigidité	матрица жесткости
	rigidity modulus	s. shear modulus		
	rigidity number	s. stiffness coefficient		
R 2193	**rigidity of the plate,** flexural rigidity of the plate, plate rigidity	Platten[biegungs]steifigkeit f, Biegungssteifigkeit (Biegesteifigkeit, Steifigkeit) f der Platte	rigidité f de la plaque, rigidité en flexion de la plaque	жесткость пластинки [при изгибе], жесткость изгиба пластинки, цилиндрическая жесткость [пластинки]
R 2194	**rigidity parameter**	Steifigkeitsparameter m	paramètre m de rigidité	параметр жесткости
R 2194a	**rigid joint,** stiff joint	starrer (steifer) Knoten m, Steifknoten m	nœud m rigide	жесткий узел
R 2195	**rigid model;** Frank-Van der Merwe mechanism <cryst.>	Modell n der starren Teilchen; Frank-van-der-Merwe-Mechanismus m <Krist.>	modèle m rigide; mécanisme m de Frank-Van der Merwe <crist.>	жесткая модель, модель жестких частиц; механизм Франка-Ван-дер-Мерве <крист.>
R 2196	**rigid motion**	starre Bewegung f	mouvement m rigide	жесткое движение, жесткое смещение
R 2197	**rigid-perfectly plastic**	starr-idealplastisch	rigide-idéalement plastique	жестко-идеально пластический
8	**rigid-plastic approximation**	starr-plastische Näherung f	approximation f rigide-plastique	жестко-пластическое приближение
	rigid-plastic body	s. St. Venant body		
R 2199	**rigid plastic theory**	starr-plastische Theorie f	théorie f rigide-plastique	жестко-пластическая теория
	rigid point of support, fixed bearing	fester Stützpunkt m	appui m fixe	неподвижная опора
R 2200	**rigid rotating frame**	starres rotierendes Bezugssystem n	repère (référentiel) m rigide en rotation	жесткая вращающаяся система отсчета
R 2201	**rigid rotation**	starre Drehung f, starre Rotation f	rotation f rigide	жесткое вращение, вращение неизменяемой системы
R 2202	**rigid rotator**	starrer Rotator m	rotor m rigide	жесткий ротатор
	rigid sphere gas (model)	s. hard-sphere [lattice] gas		
	rigorous cold, severe cold	strenge Kälte f; strenger Frost m	froid m rigoureux, froid vif, froid sévère	суровый мороз, сильный мороз, сильный холод
R 2203	**rigorous solution,** strict solution, exact solution	strenge Lösung f, exakte Lösung	solution f rigoureuse (stricte), solution (intégrale f) exacte	строгое решение, точное решение
R 2204	**rill, rille,** groove, furrow, cleft <on the Moon's surface>	Rille f <auf der Mondoberfläche>	rainure f, sillon m, crevasse f, fissure f <de la surface lunaire>	разлом, трещина, борозда <лунной поверхности>
R 2205	**rill erosion,** concentrated wash	Rillenspülung f	érosion f en rainures	желобчатая эрозия
	rim; boundary, bound; limit, limitation; margin	Grenze f; Begrenzung f; Rand m; Berandung f	limite f; borne f; frontière f; limitation f	граница; предел; край; закраина
	rim angle, angle of contact, contact angle, wetting angle, angle of capillarity, boundary angle	Kontaktwinkel m, Randwinkel m, Grenzwinkel m, Benetzungswinkel m	angle m de raccordement, angle de capillarité	краевой угол [смачивания], угол смачивания
R 2206	**rime [ice]**	Rauhfrost m, Rauheis n, Anraum m	givre m dur	твердый налет, аморфная изморозь, аморфные замерзшие капли
R 2207	**Rimlock-base tube (valve), Rimlock tube (valve)**	Rimlock-Röhre f	tube m Rimlock, tube à culot Rimlock	электронная лампа типа «Римлок», лампа типа «Римлок»
	rim ray	s. marginal ray		
	rim vortex	s. tip vortex		
R 2208	**ring**	Ring m	anneau m; bague f; boucle f	кольцо; петля
	ring, cycle, nucleus <chem.>	Ring m, Kern m, Zyklus m	cycle m, noyau m, anneau m	цикл, ядро, кольцо
R 2209	**ring** <math.>	Ring m <Math.>	anneau m <math.>	кольцо <матем.>
	ring	s. a. torus		
	ring / 22°-	s. halo of 22°		
	ring / 46°-	s. halo of 46°		
	ring A, outer ring	äußerer Ring m, A-Ring m	anneau m extérieur, anneau A	внешнее кольцо, кольцо A
R 2210/1	**ring antenna,** ring dipole, hula-loop antenna	Ringdipol m, Ringantenne f, Ringdipolantenne f	antenne f en cerceau	кольцевой диполь, антенна-кольцо, кольцевая антенна
R 2212	**ring armature**	Ringanker m, Grammescher Ring m	armature f en anneau, armature annulaire	кольцевой якорь
	ring B, inner ring	Innenring m, B-Ring m	anneau m intérieur, anneau B	внутреннее кольцо, кольцо B
R 2213	**ring balance, ring balance manometer,** tilting-ring manometer	Ringwaage f, Ringwaage[n]manometer n, Kreisrohrmanometer n, Kreismikromanometer n	tore m pendulaire, manomètre m à tore pendulaire, balance f annulaire	кольцевые весы, кольцевой дифференциальный манометр, кольцевой манометр
	ring C, crape ring, crepe ring, gauze ring, dusky ring	Kreppring m, Florring m, C-Ring m	anneau m de crêpe, anneau C	креповое кольцо, кольцо C, дымчатое кольцо
R 2214	**ring cleavage,** ring scission (opening), cleavage of the ring, scission (opening) of the ring	Ringspaltung f, Spaltung f des Rings, Aufspaltung f der Ringstruktur, Ringöffnung f	scission f de l'anneau, scission du cycle, décyclisation f	разрыв кольца, размыкание кольца, расщепление цикла
	ring closure	s. cyclization		
R 2215	**ring-core magnetometer**	Ringkernmagnetometer n	magnétomètre m à noyaux toroïdaux	магнетометр с кольцевыми сердечниками
	ring current; circular current; circulating current	Ringstrom m; Kreisstrom m	courant m annulaire; courant circulaire	кольцевой ток; круговой ток; замкнутый ток
R 2216	**ring demodulator,** product detector	Produktgleichrichter m, Ringdemodulator m	démodulateur m en anneau	кольцевой (балансный) детектор, балансный демодулятор

R 2217	ring diffusion	Ringdiffusion f	diffusion f annulaire	кольцевая диффузия
	ring dipole	s. ring antenna		
	ring discharge	s. toroidal discharge		
R 2218	ring electron	Ringelektron n	électron m annulaire	кольцевой электрон
R 2219	Ringer['s] solution	Ringer-Lösung f	liquide m de Ringer, milieu m de Ringer	раствор Рингера, рингеровский раствор
R 2220	ring focus	Ringfokus m	foyer m annulaire	кольцевой фокус
R 2220a	ring-focus diaphragm	Ringfokusblende f	diaphragme m à foyer annulaire	диафрагма с кольцевым фокусом
R 2220b	ring-focus [X-ray] tube	Ringfokus[-Röntgen]röhre f	ampoule f (tube m à rayons X) à foyer annulaire	рентгеновская трубка с кольцевым фокусом
	ring formation, cyclization, ring closure	Zyklisierung f, Ringschluß m, Ringbildung f	cyclisation f, formation f d'anneau	циклизация, замыкание цикла, образование цикла, образование кольца
R 2220c	ring fracture	Ringbruch m, Kreisbruch m	cassure f annulaire	кольцевой разлом
	ring function, toroidal function	Ringfunktion f, toroidale Funktion f, Torusfunktion f	fonction f toroïdale (torique, annulaire)	тороидальная функция
	ring furnace	s. ring oven		
R 2220d	ring graph	Ringgraph m	graphe m en anneau, graphe annulaire	кольцевой граф[ик]
R 2221	ring grating	Ringgitter n	réseau m annulaire	кольцевая решетка
R 2222	ring halo, ring-shaped halo <opt.>	Ringhalo m, Hof m, Ring m <Opt.>	halo m annulaire <opt.>	кольцеобразное гало, кольцо <опт.>
R 2223	ring hybrid [junction]	Ringverzweigung f, Ringgabel f, Ringverbindung f	jonction f hybride annulaire	кольцевое гибридное соединение (устройство)
	ring kiln	s. ring oven		
R 2223a	ring laser	Ringlaser m, optischer Ringquantengenerator m	laser m à anneau	кольцевой лазер (оптический квантовый генератор)
R 2224	Ringleb flow	Ringlebsche Strömung f	écoulement m de Ringleb	течение Ринглеба
R 2225	Ringleb nozzle	Ringlebsche Düse f	tuyère f de Ringleb	сопло Ринглеба
	ring-like eclipse, annular eclipse	ringförmige Finsternis f	éclipse f annulaire	кольцеобразное затмение
R 2226	ring mirror	Ringspiegel m	miroir m annulaire, miroir en anneau	кольцевое зеркало
R 2227	ring mirror [condenser], convergent ring mirror	Ringspiegelkondensor m, sammelnder Ringspiegel m, Ringspiegel, Spiegelkondensor m	condenseur m à miroir annulaire, miroir m annulaire convergent	конденсор с кольцевым зеркалом
R 2227a	ring mirror lens	Ringspiegellinse f	lentille f à miroir annulaire	линза с кольцевым зеркалом
R 2227b	ring molecule	Ringmolekül n	molécule f annulaire	кольцевая молекула
	ring mountain	s. lunar crater		
R 2228	ring nebula	Ringnebel m	nébuleuse f annulaire	кольцевая туманность
	ring of matrices	s. matrix algebra		
R 2229	ring of smoke	Rauchring m	anneau m de fumée	кольцо дыма
	ring opening	s. ring cleavage		
R 2230	ring oven, ring furnace, ring kiln	Ringofen m	four m annulaire, « ring oven » m	кольцевая печь
R 2231	ring radiator	Ringstrahler m	radiateur m annulaire	кольцевой излучатель
	ring resonator	s. toroidal resonator		
	ring scaler	s. ring scaling circuit		
R 2232	ring scaling circuit; ring scaler	rückgekoppelte Untersetzerschaltung (Zählschaltung) f, Ringschaltung f; Untersetzer m in Ringschaltung, Ringzähler m	circuit m d'échelle en anneau; échelle f de comptage en anneau, échelle en anneau	кольцевая пересчетная схема; кольцевое пересчетное устройство
	ring scission	s. ring cleavage		
R 2233	ring seal	Ringdichtung f	joint m à anneau, joint à bague	кольцевое уплотнение, уплотнение кольцом
	ring-shaped halo	s. ring halo <opt.>		
	ring shift	s. cyclic shift		
R 2234	ring shooting	Ringschießen n, Ringseismik f	prospection f séismique par tirs multiples en anneau	сейсмическая разведка с расстановкой сейсмографов по радиусам окружности
	ring slot	s. annulus <techn.>		
R 2235	ring spherometer	Ringsphärometer n	sphéromètre m en anneau	кольцевой сферометр
	ring structure	s. ring texture		
	ring surface	s. torus		
R 2236	ring texture, ring structure	Ringfaserstruktur f, Ringfasertextur f	texture (structure) f annulaire	кольцевая структура
	ring to infinity	s. fringe of equal inclination		
	ring transformer	s. toroidal-core transformer		
R 2237	ring vibrator	Ringschwinger m	vibrateur m annulaire	кольцевой вибратор
R 2238	ring vortex	Ringwirbel m	tourbillon m annulaire	кольцевой (кругообразный, круговой) вихрь
R 2239	rinsing	Spülung f	rinçage m	размыв, намыв; промывка, промывание; продувка
	rinsing, washing, watering <of photographic layers>	Wässerung f, Auswässerung f <photographischer Schichten>	lavage m, rinçage m <de couches photosensibles>	промывка, промывание <фотографических слоев>
	rinsing roller	s. eddy motion of the water particles		
	rinsing water, wash water, washing water, washings	Waschwasser n, Spülwasser n	eau f de lavage	промывочная вода, промывная вода, вода для промывки
R 2240	riometer	Riometer n	riomètre m	риометр

	English	German	French	Russian
R 2241	rip current	Ripströmung f, Uferströmung f <Inlandsee>	courant m d'origine complexe	разрывное течение
R 2242	ripening, cooking <of the emulsion>, maturing	Reifung f [der Emulsion]	maturation f [de l'émulsion]	созревание [эмульсии]
	ripple; riffle; corrugation	Riffelung f, Rippelung f; Riefelung f; Wellung f; Faltung f	riflage m; gaufrage m, gaufre f	рифление; гофрирование, гофрировка; тиснение
	ripple, waviness	Welligkeit f	ondulation f	волнистость
	ripple; pulsing, pulsation	Pulsation f, Pulsieren n, Pulsung f, Pulsion f; Tröpfeln n <HF-Oszillator>	pulsation f	пульсация; мелкая пульсация; пульсирование
	ripple; hum; alternating-current (mains line) hum, power line hum	Brumm m, Brummen n; Netzbrumm m, Netzbrummen n	ronflement m [dû au courant alternatif]	шум, гудение, пульсация; фон сети, фон переменного тока, фон питания
	ripple, capillary waves, ripples; rippling; ruffle	Kapillarwellen fpl, Kräuselwellen fpl, Rippelwellen fpl, Krauswellen fpl, Rippeln fpl, Riffeln fpl; Kräuselung f	ondes fpl capillaires, rideaux mpl; ride f	капиллярные волны, волны ряби; рябь; рифель
R 2242a	ripple	Magnetisierungsverteilung f, Magnetisierungsripple n, Ripple n	répartition f d'aimantation, « ripple » m [d'aimantation]	распределение намагничивания
R 2243	ripple <of rectifier>	Welligkeit f [des Gleichrichters], Oberwelligkeit f	ondulation f [du redresseur]	фон [выпрямителя]
R 2244	ripple cloud	Schäfchenwolke f, Lämmerwolke f	nuage m ondulé, mouton m	высококучевое волнистое облако, барашек
R 2244a	ripple contrast	Ripplekontrast m, Kontrastübertragung f des Magnetisierungsripple	contraste m du « ripple » [d'aimantation]	контрастность распределения намагничивания
	ripple crest	s. crest [of the wave]		
R 2245	ripple current, surge current <el.>	Wellenstrom m, Rippelstrom m, Kräuselstrom m <El.>	courant m pulsé <él.>	[слабо] пульсирующий ток, волнистый ток; ток, вызванный волной перенапряжения <эл.>
	rippled sea	s. rippling sea		
	ripple factor, ripple ratio, hum factor, hum level	Brummabstand m, Brummfaktor m, Brummspannungsverhältnis n	coefficient m de ronflement	коэффициент пульсации
R 2246	ripple filter	Stromreiniger m, Stromglätter m, Welligkeitsfilter n	filtre m d'ondulation, filtre de lissage, filtre d'épuration	сглашивающий фильтр <уменьшающий пульсации выпрямленного тока>
R 2247	ripple-filter choke, smoothing choke	Überlappungsdrossel [-spule] f, Glättungsdrossel f, Beruhigungsdrossel f	bobine f (self m) de filtre du redresseur; self de filtrage, self d'aplatissement, bobine de lissage	сглаживающая дроссельная катушка, сглаживающий дроссель, сглаживающий пульсации дроссель
R 2248	ripple frequency	Pulsationsfrequenz f; Tröpfelfrequenz f <HF-Oszillator>	fréquence f d'ondulation	частота пульсаций, частота пульсации
R 2249	ripple mark, riffle	Rippelmarke f; Wellenmarke f, Wellenfurche f; Windrippeln fpl	ripple-mark m, ride f	знак ряби, волноприбойный знак; песчаная рябь
	ripple ratio	s. ripple factor		
	ripples	s. capillary waves		
R 2250	ripple voltage, ripple potential	Brummspannung f; Welligkeitsspannung f	tension f de ronflement; tension d'ondulation	напряжение фона; напряжение пульсаций, пульсирующее напряжение
R 2251	ripple voltage, surge voltage, pulsating (pulsing, pulsed, pulse) voltage <el.>	Rippelspannung f, Kräuselspannung f, Wellenspannung f, pulsierende Spannung f, Impulsspannung f, Stoßspannung f <El.>	tension f pulsée, tension pulsatoire (ondulée, de choc, d'impulsion) <él.>	слабо пульсирующее напряжение, пульсирующее напряжение, импульсное напряжение, ударное напряжение <эл.>
	rippling	s. capillary waves		
R 2252	rippling, rips, lumpy sea	Kabbelung f, Kabbelsee f, kabbelige See f	démontée f; battée f	толчея; сулой <моря>
R 2253	rippling sea, rippled sea	gekräuselte See f, sehr ruhige See <Stärke 1>	mer f clapoteuse	море, покрытое рябью; очень спокойное море <1 балл, волны высотой до 0,50 м>
	rips	s. rippling		
R 2254	rise <of star>	Aufgang m <Gestirn>	lever m <d'une étoile>	восход, восхождение <звезды>
	rise	s. a. increase		
	rise	s. a. launch		
	rise	= difference of ordinates		
	rise in temperature	s. rise of temperature		
R 2255	rise of field, field raising	Feldaufbau m, Aufbau m des Feldes	accroissance f du champ	нарастание поля
R 2256	rise of luminescence [intensity]	Anklingung f der Lumineszenz, Aufbau m der Lumineszenz, Lumineszenzaufbau m	croissance f de l'intensité de la luminescence, croissance de la luminescence	рост интенсивности люминесценции
	rise of temperature, temperature rise, rise in temperature, raising of temperature	Temperaturerhöhung f, Temperatursteigerung f	augmentation f de la température, élévation f de la température	повышение температуры, увеличение температуры
	rise of temperature	s. a. temperature increase		
R 2257	rise of the pulse [front]	Impulsanstieg m, Flankenanstieg m	montée f de l'impulsion, montée du flanc [d'impulsion]	нарастание фронта [импульса], нарастание импульса

	rise of zero	*s.* secular rise of zero		
R 2258	**rise time, build-up time**	Anlaufzeit *f*	temps *m* de démarrage (montée), temps d'accroissement, durée *f* d'établissement	период разгона, время нарастания
R 2259	**rise time** <of luminescence>	Anklingzeit *f*, Aufbauzeit *f* <Lumineszenz>	temps *m* d'établissement <de la luminescence>	время нарастания интенсивности люминесценции
	rise time	*s.* build-up time <of oscillation>		
R 2260	**rise time, build-up time, building-up time, time response** <e.g. of pulse>	Anstiegszeit *f*; Aufbauzeit *f* <z. B. Impuls>	temps *m* de montée, période *f* de montée, temps de croissance <p. ex. de l'impulsion>	время нарастания
	rise time <of nuclear reactor>	*s.* period		
	rise-time distortion	*s.* phase distortion		
	rising	*s.* increase		
	rising branch, ascending branch, rising portion <of a curve>	aufsteigender (ansteigender) Ast *m*	branche *f* ascendante, branche montante	восходящая ветвь
	rising of the boiling point	*s.* elevation of the boiling point		
	rising portion	*s.* rising branch		
	rising prominence, ascending prominence	aufsteigende Protuberanz *f*	protubérance *f* ascendante	поднимающийся протуберанец
R 2261	**rising-sun magnetron**	„rising-sun"-Magnetron *n*, Sonnenstrahlmagnetron *n*, Magnetron *n* vom Typ „rising sun"	magnétron *m* à cavités intercalaires, magnétron « soleil levant », magnétron « rising-sun »	разнорезонаторный магнетрон, магнетрон типа «восходящее солнце», магнетрон разнорезонаторного лопаточного типа
R 2262	**risk** <of the first kind *or* I type risk *or* type I risk *or* K-risk, of the second kind *or* II type risk *or* type II risk *or* β-risk, of the third kind *or* III type risk *or* type III risk>	Risiko *n*, Wagnis *n* <erster *oder* 1., zweiter *oder* 2., dritter *oder* 3. Art>	risque *m*, aléa *m* <de première, deuxième *ou* troisième espèce>	риск <первого, второго *или* третьего рода>
R 2263	**risk function**	Risikofunktion *f*	fonction *f* de risque	функция риска
R 2263a	**risk point**	Risikopunkt *m*	point *m* de risque	точка риска
R 2264	**Risley prism**	Risley-Prisma *n*, Risleysches Prisma *n*	prisme *m* de Risley	призма Ризлея
	Ritchie photometer	*s.* Ritchie wedge photometer		
R 2265	**Ritchie prism**	Ritchie-Prisma *n*	dièdre *m* de Ritchie	призма Ритчи
R 2266	**Ritchie wedge**	Ritchie-Keil *m*	coin *m* de Ritchie	клин Ритчи, клин Ричи
R 2267	**Ritchie wedge photometer, Ritchie photometer**	Ritchie-Photometer *n*	photomètre [à coin] de Ritchie	фотометр Ритчи
R 2268	**Ritter['s] method [of sections], method of sections**	Rittersches Schnittverfahren (Momentenverfahren) *n*, Ritterscher Schnitt *m*	méthode *f* de Ritter, méthode des sections [de Ritter]	метод Риттера, способ Риттера, метод сечений [Риттера]
R 2269	**Ritter section**	Ritterscher Schnitt *m*	section *f* de Ritter	сечение Риттера
R 2270	**Rittmann['s] hypothesis**	Rittmannsche Hypothese *f*, Hypothese von Rittmann	hypothèse *f* de Rittmann	гипотеза Риттмана
	Ritz['] combination principle	*s.* combination principle		
R 2271	**Ritz['] formula**	Ritzsche Serienformel *f*	formule *f* de Ritz	формула Ритца
R 2272	**Ritz['] hypothesis**	Ritzsche Hypothese *f*	hypothèse *f* de Ritz	баллистическая гипотеза Ритца, гипотеза Рица
R 2273	**Ritz['] method, Rayleigh-Ritz method, Rayleigh-Ritz principle**	Ritzsches Verfahren *n*, Ritzsche Variationsmethode *f*, Verfahren (Methode *f*, Variationsmethode) von Ritz	méthode *f* de Ritz	метод Ритца
	river / up the, up-stream	stromaufwärts, stromauf, gegen die Strömung	[en] amont	вверх по течению, выше по течению, вверх по реке, против течения
R 2274	**river basin, basin, region of alimentation, drainage** <geo.>	Einzugsgebiet *n*; Stromgebiet *n*, Flußgebiet *n* <Geo.>	bassin *m* de réception, bassin fluvial, région *f* alimentaire <géo.>	водосборный бассейн [реки], водосбор, речной бассейн
R 2275	**river bed sinuosity**	Laufentwicklung *f*, Flußentwicklung *f*	sinuosité *f* du lit	извилистость русла
	river discharge (flow, runoff), flow of the river <geo.>	Abfluß *m*, Abflußmenge *f*; Wasserführung *f* <Fluß> <Geo.>	débit *m* [de la rivière], écoulement *m* [de la rivière] <géo.>	сток [реки], речной сток; водоносность <реки> <гео.>
R 2275a	**river pattern** <cryst.>	„river pattern" *n* <Krist.>	rivière *f* <crist.>	речная картина <крист.>
R 2275b	**Rivlin-Ericksen tensor**	Rivlin-Ericksenscher Tensor *m*	tenseur *m* de Rivlin-Ericksen	тензор Ривлина-Эриксена
	RKKY interaction	= Ruderman-Kittel-Kasuya-Yosida interaction		
	R-L element (network)	*s.* resistance-inductance network		
	R-L phase-angle bridge, resistance-inductance phase-angle bridge	RL-Phasenbrücke *f*	pont *m* de phase à résistance-inductance, pont de phase R. L.	фазовый мост[ик] с сопротивлением и индуктивностью, RL-фазовый мост[ик]
	R-L section	*s.* resistance-inductance network		
	R matrix, derivative matrix	R-Matrix *f*, „derivative matrix" *f*, Hilfsmatrix *f*	R-matrice *f*, matrice *f* dérivée, « derivative matrix » *f*	R-матрица, вспомогательная матрица
	r-meter	*s.* roentgen meter		
	r.m.s.	*s.* root-mean-square		
	roaming electron	*s.* stray electron		

	English	German	French	Russian
R 2276	roaring <of wind> roaring roaring flame	Heulen n, Tosen n <Wind> s. a. drone <ac.> s. blue flame	mugissement m <du vent>	вой, рев <ветра>
R 2277	roaring forties	brave Westwinde mpl, heulende Vierziger mpl	« roaring forties » mpl, quarantaines fpl mugissantes	«ревущие сороковые» широты, постоянные западные ветры
R 2278	roast[ing]	Rösten n	rôtissage m, grillage m	обжиг
R 2278a	Robert['s] law	Robertsches Gesetz n	loi f de Robert	закон Роберта
R 2279	Robertson line element	Robertsonsches Linienelement n	élément m linéaire de Robertson	элемент длины Робертсона, линейный элемент Робертсона
R 2279a	Robertson-Walker metric	Robertson-Walker-Metrik f	métrique f de Robertson-Walker	метрика Робертсона-Уокера
R 2280	Roberts-von Hippel method	Hippel-Robertssches Meßverfahren n	méthode f de Roberts—von Hippel	метод Робертса—фон Гиппеля
R 2281	Robin['s] law	Robinsches Gesetz n	loi f de Robin	закон Робина
R 2282	Robin['s] problem, third boundary value problem <of the Laplace equation>	Robinsches Problem n	problème m de Robin	задача Робина
	Robinson bridge, Wien-Robinson bridge	Robinson-Brücke f, Wien-Robinson-Brücke f	pont m de Wien-Robinson, pont de Robinson	[частотнозависимый] мост Вина-Робинсона, мост Робинсона
R 2283	Robinson cup anemometer	Robinsonsches Schalenkreuzanemometer n, Robinsonscher Windmesser m	anémomètre m de Robinson, anémomètre à coquilles de Robinson	чашечный анемометр Робинсона, анемометр Робинсона
R 2783a	Robinson-Dadson equal loudness contour, S.P.L. (sound pressure level) equal loudness contour	Robinson-Dadson-Kurve f, Kurve f gleicher Lautstärke [nach Robinson und Dadson]	courbe f de Robinson-Dadson	кривая равной громкости по Робинсону-Дэдсону
R 2284	Robitzsch bimetallic actinometer, bimetallic actinometer, Michelson actinometer	Bimetallaktinometer n, Robitzsch-Aktinometer n, Michelson-Aktinometer n	actinomètre m de Robitzsch, actinomètre m bimétallique, actinomètre de Michelson	актинометр Робича, актинометр Михельсона, биметаллический актинометр [Михельсона]
R 2285	Robitzsch bimetallic pyranograph, bimetallic pyranograph	Bimetallpyranograph m, Robitzsch-Pyranograph m	pyranographe m de Robitzsch, pyranographe bimétallique	пиранограф Робича, биметаллический пиранограф
R 2286	Robitzsch diagram, Robitzsch plot	Robitzsch-Diagramm n	diagramme m de Robitzsch	диаграмма Робича
R 2287	robot	Roboter m; Robotgreifer m	robot m	робот; робот-захват
R 2288	robust test <stat.>	widerstandsfähiger (robuster) Test m <Stat.>	test m robuste <stat.>	устойчивый критерий <стат.>
R 2289/90	Roche distance, Roche['s] limit	Rochesche Distanz f, Rochesche Grenze f, Roche-Radius m	distance f de Roche, limite f de Roche	предел Роша, расстояние (длина) Роша
R 2291	Rochelle salt, Seignette salt, sodium potassium tartrate, KNaC₄H₄O₆	Seignettesalz n, Rochellesalz n, Kaliumnatriumtartrat n, KNaC₄H₄O₆ [4·H₂O]	sel m de Seignette, sel de Rochelle, tartrate m sodicopotassique, KNaC₄H₄O₆	сегнетова соль, виннокислый калий-натрий, K-Na винно-кислый, KNaC₄H₄O₆
R 2291a	Roche model roche moutonnée	Roche-Modell n, Rochesches Modell n s. bump <geo.>	modèle m de Roche	модель Роша
R 2292	Rochon [prism]	Rochon-Prisma n, Doppelprisma n nach Rochon	prisme m de Rochon	призма Рошона, двойная призма Рошона
R 2293	rock awash rock basin, glacial basin	blinde Klippe f Gletschertopf m	brisant m marmite f, poche f	подводная скала ледниковый котел
R 2294	rocket dynamics	Raketendynamik f	dynamique f des fusées	динамика ракет, ракетодинамика
R 2295	rocket engine, rocket motor	Raketenmotor m, Raketentriebwerk n, Raketenantrieb m	moteur-fusée m; moteur m de fusée, moteur à réaction	реактивный двигатель ракеты, ракетный двигатель, двигатель ракеты
R 2296	rocket flight	Raketenflug m	fuséonautique f, vol m avec fusée	полет ракеты
	rocket flight, active flight, powered flight	Antriebsflug m, Treibflug m	vol m actif, partie f propulsée du vol, vol avec moteur en marche	активный полет, полет с включенным (работающим) двигателем, активный участок полета
	rocket fuel rocket motor rocket propulsion; reaction propulsion; jet propulsion	s. propellant s. rocket engine Strahlantrieb m; Düsenantrieb m; Raketenantrieb m	propulsion f à réaction; propulsion par (à) fusée; propulsion par (à) jet	реактивная тяга; реактивный привод; струйная тяга, тяга струи; струйный привод
R 2297	rocket research, rocketry	Raketenforschung f	recherche f aux fusées	ракетные исследования, экспериментальные исследования ракетным методом
R 2298	rocket sounding	Raketenaufstieg m, Raketensondierung f	sondage m par fusées	ракетное зондирование, взлет ракеты
	rocket stage, stage of the rocket	Stufe f der Rakete, Raketenstufe f, Raketeneinheit f	étage m de fusée	ступень ракеты
R 2299	rocking, rocking vibration	Nickschwingung f, ebene Pendelschwingung f, Pendelschwingung f <Molekül>; Nickbewegung f	rotation f plane, vibration f de rotation [plane]	деформационное колебание поперечно к плоскости молекулы, маятниковое колебание, качание, покачивание
	rocking, pitch, pitching, plunging <hydr.>	Stampfen n, Stampfbewegung f <Hydr.>	tangage m <hydr.>	килевая качка, тангаж <гидр.>
	rocking beam, beam, scale beam	Waagebalken m	fléau m, arbre m, traversin f, branche f [de la balance]	коромысло [весов], балансир
R 2300	rocking beam oscillator	Waagebalkenoszillator m	oscillateur m balance, oscillateur-balance m	генератор с коромыслом

R 2301	**rocking cell**, Castner-Kellner cell	Schaukelzelle f [nach Castner und Kellner], Castner-Kellner-Zelle f	cellule f basculante, cellule électrolytique de Castner et Kellner	качающийся электролизер, электролизер Кастнера-Кельнера
R 2302	**rocking curve** ‹in X-ray reflection from single crystals›	Schwenkkurve f, „rocking"-Kurve f ‹Röntgenkristallreflexion›	courbe f oscillante ‹en réflexion des rayons X par cristaux›	колеблющаяся кривая ‹в дифракции рентгеновских лучей›
R 2303	**rocking mirror**	Pendelspiegel m	miroir m à rotation plane, miroir pendulaire	маятниковое зеркало, вибрирующее зеркало
	rocking suspension	s. pendulum suspension		
	rocking vibration	s. rocking		
R 2304	**rock magnetism**	Gesteinsmagnetismus m	magnétisme m des roches	магнетизм горных пород
R 2305	**rock mechanics**, mechanics of the rocks	Felsmechanik f, Gesteinsmechanik f	mécanique f des roches	механика горных пород
R 2306	**rock movement**	Gebirgsbewegung f	mouvement m des roches	движение горных пород
R 2307	**rockoon**	Raketenstart m vom Ballon aus	lancement m de la fusée d'un ballon porteur	запуск ракеты с аэростата
	rock pressure	s. pressure of mountain mass		
	rock slide	s. soil slide		
R 2308	**rock stream**, stone stream	Schuttstrom m	courant m rocheux	каменный поток, курум
R 2309	**Rockwell hardness [number]**, Rockwell number, RHN, R ‹R_A; B; C; D; E; F, G, H; K; L; M, N, P; R; S; T; V; W; X or Y›	Rockwell-Härte f, Härtewert m nach Rockwell, HR ‹HR A, . . ., HR Y›	dureté f Rockwell, dureté de Rockwell, R ‹R_{A; . . . ; Y}›	твердость по Роквеллу, R ‹R_{A, . . . , Y}›
R 2310	**Rockwell hardness test**, Rockwell test, Rockwell method [of hardness testing]	Rockwell-Härteprüfung f, Härteprüfung f nach Rockwell, Rockwell-Verfahren n	essai m de dureté Rockwell, essai Rockwell	испытание на твердость по Роквеллу, способ Роквелла
R 2311	**Rockwell hardness tester**	Rockwell-Härteprüfgerät n, Rockwell-Härteprüfmaschine f	machine f d'essayer la dureté Rockwell	прибор для определения твердости по Роквеллу, пресс Роквелла
	Rockwell method [of hardness testing]	s. Rockwell hardness test		
	Rockwell number	s. Rockwell hardness		
	Rockwell test	s. Rockwell hardness test		
R 2312	**Rocky-Point effect**, flash arc	„Rocky-Point"-Effekt m	effet m « Rocky-Point »	эффект Рокки-Пойнт, внезапное возрастание пространственного заряда вследствие неоднородностей поверхности катода лампы
	rod, bar of circular section	Rundstab m; Stange f	barre f de section circulaire	стержень круглого сечения, круглый стержень (брусок); штанга
R 2313	**rod** ‹in the reactor›	Stab m ‹im Reaktor›	barre f ‹dans le réacteur›	стержень ‹в реакторе›
R 2314	**rod** ‹of the eye›	Stäbchen n ‹Auge›	bâtonnet m ‹de l'œil›	палочка ‹глаза›
R 2315	**rod, bar; column** ‹mech.›	Stab m ‹Mech.›	barre f ‹méc.›	стержень ‹мех.›
	rod birefringence	s. rod double refraction		
	rod dilatometer	s. rod-type dilatometer		
R 2315a	**rod double refraction**, rod birefringence	Stäbchendoppelbrechung f	biréfringence f par les particules en forme de baguettes	двойное лучепреломление на палочкообразных частицах
R 2315b	**rod-drop experiment**	Stabfallversuch m	expérience f à rejet des barres	эксперимент (опыт) по сбросу стержней
R 2316	**rod dynamometer**, rod-type dynamometer	Stangendynamometer n	dynamomètre m à tige	штанга-динамометр, штанговый динамометр
	rod float	s. staff float		
R 2317	**rod gauge**, end gauge	Stichmaß n	calibre m [de perçage]	штихмас, нормальный стержневой калибр, стержневой калибр
	rod graduated on both sides	s. double-sided staff		
R 2318	**rod lattice**	Stabgitter n	réseau m de (à, en) barres, réseau de barreaux	стержневая решетка, решетка из стержней
	rod mirror	s. rod reflector		
R 2319	**rod of inertia**, inertia rod	Trägheitsstab m	barre f d'inertie	инерционный стержень, замедляющее коромысло
R 2320	**rod-plate spark gap**	Stab-Platte-Funkenstrecke f, Elektrodenanordnung f Stab–Platte	distance f explosive du type tige–plaque, éclateur m de type barreau–disque	[искровой] промежуток стержень–плоскость
	rod radiator	s. dielectric rod antenna		
R 2321	**rod reflector**, rod mirror	Stabreflektor m	réflecteur (miroir) m cylindrique	цилиндрический отражатель (рефлектор)
R 2322	**rod resistance; rod resistor**	Stabwiderstand m	résistance f en barre (tige)	стержневое сопротивление, сопротивление стержневого типа
R 2323	**Rodrigues['] formula, Rodriguez['] formula**	Rodriguessche Formel f	formule f de Rodrigues, formules fpl d'Olinde Rodrigues	формула Родрига
R 2324	**rod-shaped** ‹bio.›	stäbchenförmig ‹Bio.›	en forme de baguette (bâtonnet) ‹bio.›	палочкообразный ‹био.›
R 2325	**rod-shaped fuel element**, rod-type fuel element ‹of the reactor›	stabförmiges Brennelement n, Stabelement n ‹Reaktor›	élément m combustible de forme cylindrique, élément combustible en barre ‹du réacteur›	тепловыделяющий элемент стержневого типа, стержневой тепловыделяющий элемент ‹в реакторе›
R 2326	**rod-shaped tube, rod-shaped valve**	Stabröhre f, Außengitterröhre f, Außensteuerröhre f	tube m bâton	электронная лампа с внешней сеткой, лампа с внешней сеткой
R 2327	**rod-suspended current meter**	Stangenflügel m, Stangenmeßflügel m	moulinet m à tige, moulinet sur tige rigide	штанговая вертушка, вертушка на штанге

R 2328	**rod thermometer**	Stabthermometer n	thermomètre m à tige	стержневой (палочковый) термометр; термометр со шкалой, нанесенной на капилляр
R 2329	**rod-type dilatometer,** rod dilatometer	Stabdehnungsmesser m	dilatomètre m à tige	стержневой дилатометр
	rod-type dynamometer	s. rod dynamometer		
	rod-type fuel element	s. rod-shaped fuel element		
R 2330	**rod-type suspension insulator**	Langstabisolator m	isolateur m à fût massif, isolateur à longue tige, isolateur Langstab	изолятор стержневого типа, стержневой изолятор, длинностержневой изолятор
	Roemer['s] method, Römer['s] method, method of Olaf Roemer	Methode f von Olaf (Ole, Olaus) Römer, Römers Methode	méthode f de Rœmer, méthode d'Olaf Römer	метод Ремера
R 2331	**roentgen,** roentgen unit, R-unit, R, r	Röntgen n, Röntgeneinheit f, R-Einheit f, R, r	röntgen m, rœntgen m, unité f R, R, r	рентген, p, R, r
	roentgen apparatus, X-ray apparatus, X-ray machine, roentgen machine, radiograph	Röntgenapparat m, Röntgengerät n	appareil m à rayons X, appareil radiologique	рентгеновский аппарат, рентгеновская установка
R 2332	**roentgen cinematography,** X-ray cinematography, cineradiography, radio-cinematography, X-ray movies	Röntgenkinematographie f; Bioröntgenographie f	cinématographie f aux rayons X, radiocinématographie f, cinéradiographie f	рентгенокинематография, рентгеновская кинематография; рентгенокиносъемка
R 2333	**roentgen equivalent,** equivalent röntgen	Röntgenäquivalent n	équivalent m du rœntgen, rœntgen m équivalent-tissu, ret; rœntgen-équivalent m	эквивалент рентгена, рентген-эквивалент
	roentgen equivalent, man	s. rem unit		
R 2334	**roentgen equivalent, physical;** physical roentgen equivalent; rep unit, rep	rep-Einheit f, Rep n, physikalisches Röntgenäquivalent n, rep	équivalent m physique du roentgen, équivalent du roentgen physique, unité f rep, rep	физический эквивалент рентгена, фэр, физический рентген-эквивалент, rep
	roentgen-hour-metre	s. roentgen per hour at one metre		
	roentgenization	s. X-ray irradiation		
R 2335	**roentgen kymograph,** kymograph	Röntgenkymograph m, Kymograph m; Kymographion n	kymographe m à rayons X, kymographe	рентгеновский кимограф, кимограф
	roentgen machine	s. roentgen apparatus		
	roentgenmateriology	s. X-ray test		
R 2336	**roentgen meter,** roentgenometer, r-meter	Röntgenmeter n, Röntgenmeßgerät m, r-Meter n	rœntgenmètre m, r-mètre m	рентгенметр
	roentgen microspectrography, X-ray microspectrography	Röntgenmikrospektrographie f	microspectrographie f aux rayons X	рентгеномикроспектрография, рентгеновская микроспектрография
R 2337	**roentgenofluorescence,** X-ray fluorescence	Röntgenfluoreszenz f	rœntgenofluorescence f, fluorescence f de rayons X	рентгенофлуоресценция, рентгеновская флуоресценция
	roentgenogram	s. radiograph		
	roentgenograph	s. radiograph		
	roentgenographic emulsion, X-ray emulsion, radiographic emulsion	Röntgenemulsion f	émulsion f radiographique	рентгеновская эмульсия
R 2338	**roentgenography,** radiography; X-ray photography	Röntgenographie f, Roentgenaufnahme f, Röntgenaufnahmeverfahren n; Röntgenphotographie f	rœntgenographie f, radiographie f; photographie f radiographique (rœntgenographique, aux rayons X)	рентгенография; рентгеносъемка; рентгеновская фотография
R 2339	**roentgenology**	Röntgenologie f, Röntgenstrahlenkunde f, Röntgenkunde f, Röntgenlehre f	rœntgenologie f	рентгенология
R 2340	**roentgenoluminescence,** X-ray luminescence	Röntgenlumineszenz f	rœntgenoluminescence f	рентгенолюминесценция
	roentgenomateriology	s. X-ray test		
	roentgenometer	s. roentgen meter		
	roentgenometer, ionometer	Röntgenstrahlintensitätsmesser m, Ionometer n	ionimètre m, ionomètre m	рентгенметр
	roentgenoscope	s. fluoroscope		
	roentgenoscopy	s. fluoroscopy		
R 2341	**roentgen per hour at one metre,** roentgen-hour-metre, rhm unit, rhm	Röntgen n pro Stunde in einem Meter Abstand [von der Strahlungsquelle], rhm-Einheit f, rhm	rœntgen m par heure à un mètre, R/h à 1 m	рентген в час на расстоянии 1 м
	roentgen photogrammetry, X-ray photogrammetry	Röntgenphotogrammetrie f	photogrammétrie f radiographique (aux rayons X)	рентгенофотограмметрия, рентгеновская фотограмметрия
	Roentgen (roentgen) radiation (rays)	s. X-rays		
R 2342	**roentgen spectrum,** X-ray spectrum	Röntgenspektrum n	spectre m des rayons X	рентгеновский спектр, спектр рентгеновских лучей
	roentgen tube, Roentgen tube, Röntgen tube, X-ray tube	Röntgenröhre f, Röntgenlampe f	tube m à rayons X, tube de Rœntgen, ampoule f	рентгеновская трубка, трубка Рентгена
	roentgen unit, roentgen, R-unit, R, r	Röntgen n, Röntgeneinheit f, R-Einheit f, R, r	röntgen m, rœntgen m, unité f R, R, r	рентген, p, R, r
R 2343	**Rogallo['s] wing**	Rogallo-Flügel m	aile f de Rogallo	[гибкое] крыло Рогалло
R 2344	**Roget['s] spiral**	Rogetsche Spirale f, Roget-Spirale f	hélice f de Roget	спираль Роже
	Rogowski coil, pick-up coil, Rogowski loop	Rogowski-Spule f, Rogowski-Gürtel m, Rogowski-Spannungsmesser m	bobine f de Rogowski, ceinture f de Rogowski	пояс Роговского, гибкий магнитный потенциалометр

	English	German	French	Russian
R 2345	**Rogowski factor**	Rogowski-Faktor *m*	coefficient (facteur) *m* de Rogowski	коэффициент Роговского
	Rogowski loop	*s.* Rogowski coil		
	roll	*s. a.* bank <aero.>		
	roll	*s. a.* eddy motion of the water particles		
	roll	*s. a.* rumbling		
	roll	*s. a.* rolling <hydr.>		
R 2346	**rollability,** rolling property	Walzbarkeit *f*	susceptibilité *f* d'être laminé, propriété *f* d'être laminé	способность к прокатке, способность к вальцеванию, вальцуемость
	roll-back point, re-run point	Wiederholpunkt *m*, Wiederholungspunkt *m*	point *m* de répétition	точка повторения
	roll-back routine, re-run routine	Wiederholungsprogramm *n*, Wiederholprogramm *n*	programme *m* de répétition	повторяющаяся программа
R 2347	**roll bonding**	Verbindung *f* durch Walzen, Walzverbindung *f*	colaminage *m*	соединение прокаткой, соединение развальцовкой
R 2348	**roll cloud,** roller <meteo.>	Böenwalze *f*, Wolkenwalze *f*, Walze *f*, Wulstcumulus *m*, Wolkenwall *m*; Böenkragen *m*, Wolkenkragen *m* <Meteo.>	bourrelet *m* [d'orage] <météo.>	облачный вал; шкваловый ворот[ник], грозовой ворот[ник] <метео.>
R 2349	**rolled-up vortex sheet**	sich aufrollende Wirbelfläche *f*	nappe *f* tourbillonnaire en cornets	свернувшаяся вихревая пелена
	roller; pulley; wheel	Rolle *f*; Scheibe *f*; Rad *n*	poulie *f*; roue *f*	ролик; колесо
	roller	*s.* roll cloud <meteo.>		
	roller	*s. a.* right circular cylinder		
	roller	*s. a.* ground roll		
R 2349a	**roller bearing** <mech.>	Rollen[auf]lager *n* <Mech.>	appui *m* à rouleaux <méc.>	цилиндрическая подвижная опора <мех.>
	roller dam	*s.* roller weir		
R 2350	**roller fading**	Seegangschwund[effekt] *m*	évanouissement *m* dû au roulis, fading *m* dû au roulis	замирание радиосигналов, связанное с качкой корабля
	roller-type bridge	*s.* roller-type measuring bridge		
R 2351	**roller-type capacitor,** wrapped capacitor	Wickelkondensator *m*	condensateur *m* bobiné, condensateur *m* enroulé	рулонный конденсатор
R 2352	**roller-type measuring bridge,** roller-type bridge	Walzenbrücke *f*, Walzenmeßbrücke *f*	pont *m* à rhéocorde cylindrique	[измерительный] мост с цилиндрическим реохордом
R 2353	**roller weir,** roller dam, cylindrical barrage	Walzenwehr *n*, Trommelwehr *n*, zylindrisches Wehr *n*, Zylinderwehr *n*	barrage *m* à cylindre	цилиндрическая (вальцовая) плотина, плотина с вальцовыми затворами; вальцовый затвор
R 2354	**Rolle['s] theorem**	Satz *m* von Rolle, Rollescher Satz (Mittelwertsatz *m*)	théorème *m* de Rolle	теорема Ролля
	Rollin film	*s.* helium film		
R 2355	**rolling;** roll; rolling motion (movement) <hydr.>	Schlingern *n*, Schlingerbewegung *f*, Pivotieren *n*, Rollen *n*, Rollbewegung *f* <Hydr.>	roulis *m* <hydr.>	бортовая (боковая) качка, виляние, рысканье; колебательное движение, колебание, качание, шатание <гидр.>
R 2356	**rolling,** rolling motion (movement) <mech.>	Rollen *n*, Rollbewegung *f*, Wälzen *n*, wälzende Bewegung *f* <Mech.>	roulement *m*, mouvement *m* de roulement <méc.>	качение, движение качения <мех.>
R 2357	**rolling** <techn.>	Walzen *n*, Auswalzen *n* <Techn.>	laminage *m* <techn.>	прокатка, прокатывание; вальцевание, пропуск через вальцы <техн.>
	rolling	*s. a.* bank <aero.>		
R 2358	**rolling angle**	Wälzwinkel *m*	angle *m* de roulement	угол качения
R 2359	**rolling anisotropy**	Walzanisotropie *f*	anisotropie *f* par laminage, anisotropie due au laminage	анизотропия вследствие прокатки
	rolling ball test	*s.* hardness test using rolling balls		
R 2360	**rolling circle,** moving circle, generating circle	Wälzkreis *m*, Rollkreis *m*	cercle *m* de roulement, cercle roulant, cercle mobile	начальная (катящаяся) окружность; окружность качания
R 2361	**rolling cone**	Wälzkegel *m*	cône *m* de roulement	начальный конус; конус качения
	rolling direction, direction of rolling	Walzrichtung *f*	direction *f* de laminage	направление прокатки
R 2362	**rolling friction**	Rollreibung *f*, rollende Reibung *f*; Wälzreibung *f*, wälzende Reibung	frottement *m* de roulement	трение качения, трение второго рода
R 2363	**rolling friction torque,** moment of rolling friction	Rollreibungsmoment *n*	couple *m* du frottement de roulement	момент трения качения
R 2364	**rolling grid,** rolling screen	Rollblende *f*	grille *f* roulante	решетка на катках, диафрагма на катках
R 2365	**rolling line**	Wälzgerade *f*	droite *f* de roulement	начальная прямая; прямая качения
	rolling load	*s.* live load		
R 2366	**rolling moment**	Rollmoment *n*	moment *m* de roulis	момент крена, кренящий момент, поперечный момент, момент относительно продольной оси

	English	German	French	Russian
R 2367	**rolling moment coefficient,** coefficient of rolling moment; **heeling moment coefficient,** coefficient of heeling moment	Rollmomentenbeiwert m ‹Flugzeug›; Krängungsmomentenbeiwert m ‹Schiff›; Längsneigungsmomentenbeiwert m	coefficient m de moment de roulis	коэффициент момента крена, коэффициент поперечного аэродинамического момента, коэффициент кренящего момента
	rolling motion (movement)	s. rolling ‹mech.›		
	rolling motion (movement)	s. rolling ‹hydr.›		
R 2368	**rolling of eye**	Augenrollen n, Rollbewegung f des Auges, Rollen n des Auges	roulement m de l'œil	вращение [глазом]
R 2369	**rolling pendulum**	Rollpendel n	pendule m à roulement	катящийся маятник, маятник качения
R 2370	**rolling pressure**	Umformungswiderstand m beim Walzen, Walzdruck m, Walzwiderstand m	pression f de laminage	сопротивление [деформации при] прокатке, давление при прокатке, давление на прокатные валки
	rolling property	s. rollability		
R 2371	**rolling resistance**	Rollwiderstand m	résistance f de (au) roulement	сопротивление качению
	rolling screen	s. rolling grid		
R 2372	**rolling surface**	Wälzfläche f, Wälzbahn f, Wälzebene f	surface f de roulement	начальная поверхность, начальная плоскость; поверхность качения
R 2373	**rolling texture,** texture resulting from rolling	Walztextur f	texture f de laminage	текстура прокатки, текстура проката; текстура, образующаяся при прокатке
R 2374	**rolling-up** ‹of vortex›	Aufrollen n ‹Wirbel›	enroulement m, déroulement m ‹du tourbillon›	свертывание ‹вихри›
R 2375	**rolling wear,** wear by rolling [motion]	Rollverschleiß m, rollender Verschleiß m	usure f par roulement	износ при качении, изнашивание при качении
R 2376	**roll wave**	Rollwelle f, rollende Welle f, Roller m	onde f roulante	катящаяся волна, волна типа периодического бора
	Roman balance	s. Roman steelyard		
	romanic glacier, reconstructed glacier, recemented glacier	regenerierter Gletscher m	glacier m régénéré	возрожденный ледник, регенерированный ледник
	Roman steelyard, steel[-]yard, steelyard balance, Roman balance	Laufgewichtsdynamometer n, Laufgewichtswaage f, Schnellwaage f	balance f romaine, romaine f, balance à poids mobile	безмен, весы с подвижным грузом
R 2377	**Römer['s] method,** Roemer['s] method, method of Olaf Roemer	Methode f von Olaf (Ole, Olaus) Römer, Römers Methode	méthode f de Rœmer, méthode d'Olaf Römer	метод Ремера
R 2378	**Ronchi grating**	Ronchi-Gitter n	réseau m de Ronchi	решетка Ронки
R 2379	**Ronchi test**	Verfahren n nach Ronchi, Ronchi-Verfahren n, Ronchi-Test m	méthode f de Ronchi, épreuve f de Ronchi	метод Ронки, метод испытания Ронки
	röntgen	s. roentgen		
R 2380	**Röntgen current**	Röntgen-Strom m	courant m de Rœntgen	ток Рентгена
R 2381	**Röntgen effect**	Röntgen-Effekt m	effet m Rœntgen	эффект Рентгена
R 2382	**Röntgen-Eichenwald['s] experiment**	Röntgen-Eichenwald-Versuch m, Röntgen-Eichenwaldscher Versuch m, Versuch von Röntgen und Eichenwald	expérience f de Rœntgen et Eichenwald	опыт Рентгена и Эйхенвальда
	Röntgen radiation (rays)	s. X-rays		
	Röntgen tube	s. roentgen tube		
R 2383	**roof photometer,** Dach photometer, Trotter and Weber photometer	Dachphotometer n, Trotter-Weber-Photometer n	photomètre m de Trotter-Weber, photomètre en toit	фотометр Троттера-Вебера, фотометр с крышей
	roof prism	s. ridge prism		
R 2384	**roof weir**	Dachwehr n	barrage m en toit	крышевидный затвор, затвор «дахвер»
R 2385	**room**	Raum m	salle f, local m, chambre f	помещение, камера
R 2386	**room acoustics,** architectural acoustics; acoustics of buildings	Raumakustik f	acoustique f architecturale, acoustique des salles	архитектурная акустика, акустика помещений; акустика зданий
R 2386a	**room constant** ‹ac.›	Raumkonstante f ‹Ak.›	constante f du local ‹ac.›	постоянная помещения ‹ак.›
R 2387	**room illumination**	Raumbeleuchtung f	éclairage m d'ambiance (ambiant, général, de salle, du local)	освещение помещения
R 2388	**room index** ‹opt.›	Raumindex m ‹Opt.›	indice m du local, indice de salle (forme) ‹opt.›	показатель (индекс) помещения ‹опт.›
R 2389	**room noise**	Raumgeräusch n, Saalgeräusch n	bruit m de la salle, bruit parasite d'ambiance	шум помещения, шум зала, комнатный шум; местный эффект
	room requirement	s. required volume		
R 2390	**room scattering**	Raumstreuung f, Wandstreuung f	diffusion f par les parois	рассеяние от стен [помещения]
R 2391	**room temperature,** normal room temperature, ordinary temperature, R.T.	Raumtemperatur f, Zimmertemperatur f	température f de l'intérieur, température ambiante, température ordinaire	комнатная температура, температура в помещении, температура помещения

	English	German	French	Russian
R 2392	**room-temperature ageing (hardening)**, ageing at room temperature, age hardening at room temperature, age hardening by cold work[ing] <of metals>	Kalthärtung *f*, Kaltverfestigung *f* <Metalle>	durcissement *m* à froid <des métaux>	старение при комнатной температуре, дисперсионное твердение при комнатной температуре; твердение при наклепе, упрочнение наклепом <металлов>
R 2393	**room utilization factor**, utilance	Raumwirkungsgrad *m*	utilance *f*, facteur *m* d'utilisation du local	коэффициент использования светильника (светового потока)
R 2394	**root** <geo.>	Wurzel *f*, Deckenwurzel *f* <Geo.>	racine *f* [de charriage] <géo.>	корень шарьяжа, корень покрова <гео.>
	root deviation	*s.* standard deviation		
R 2395	**root diagram**, Dynkin diagram, chromosome <math.>	Dynkin-Diagramm *n*, Wurzeldiagramm *n* <Math.>	diagramme *m* de Dynkin <math.>	диаграмма Дынкина <матем.>
R 2396	**rooted tree** <math.>	Wurzelbaum *m* <Math.>	arbre *m* à racine <math.>	дерево с корнем <матем.>
	root element, properly nilpotent element, proper nilpotent element	eigentlich nilpotentes Element *n*, Wurzelgröße *f*	élément *m* proprement nilpotent	собственно нильпотентный элемент
	root element	*s. a.* nilpotent element		
R 2397	**root locus**	Wurzelort *m*, Wurzelhodograph *m*	lieu *m* des pôles, lieu des racines, lieu d'Evans	корневой годограф
R 2398	**root locus analysis (method, technique)**, Evans['] root-locus method, Evans['] method, method of Evans	Wurzelort[s]verfahren *n*, Wurzelort[s]methode *f*, Evanssche Methode *f*, Evans-Methode *f*	méthode *f* du lieu des racines, méthode d'Evans, méthode topographique	метод корневого годографа
R 2399	**root-mean-square**, root-mean-square value, root-sum-square [value], r.m.s. value, r.s.s. value, r.m.s., quadratic mean	quadratischer Mittelwert *m*, quadratisches Mittel *n*, Quadratmittel *n*	moyenne *f* quadratique, valeur *f* moyenne quadratique	среднее квадратичное [значение], среднеквадратичное [значение]
	root-mean-square current	*s.* current root-mean-square		
	root-mean-square deviation	*s.* standard deviation		
R 2400	**root-mean-square distance**, mean square distance	mittlerer quadratischer Abstand *m*, quadratisch gemittelter Abstand	distance *f* moyenne quadratique	среднее квадратичное расстояние, среднеквадратичное расстояние
R 2401	**root-mean-square error**, standard error, least mean square error, mean error; mean square error <US>	mittlerer Fehler *m*, mittlerer quadratischer Fehler, quadratischer Fehler, Standardfehler *m*, Normalfehler *m*, Unsicherheitsmaß *n*, Quadratfehler *m*; mittleres Fehlerquadrat *n*	erreur *f* quadratique moyenne, erreur moyenne, erreur standard; carré *m* moyen des erreurs, moyenne *f* du carré de l'erreur	среднеквадратичная ошибка, среднеквадратичная погрешность, средняя квадратичная ошибка, средняя квадратичная погрешность, средняя погрешность, средняя ошибка; средний квадрат ошибки, среднее квадрата ошибки
R 2402	**root-mean-square fluctuation**	mittlere quadratische Schwankung *f*, mittlere [statistische] Schwankung	fluctuation *f* quadratique moyenne	среднеквадратичная флуктуация, средняя квадратичная флуктуация
	root-mean-square of the deviation	*s.* standard deviation <stat.>		
R 2403	**root-mean-square sound pressure**, mean square sound pressure, effective sound pressure	effektiver Schalldruck *m*, Effektivwert *m* des Schalldrucks	pression *f* sonore efficace, pression acoustique efficace	среднеквадратичное звуковое давление
R 2404	**root-mean-square speed**; root-mean-square velocity, mean square velocity; effective velocity	mittlere quadratische Geschwindigkeit *f*, mittlere Geschwindigkeit; Effektivgeschwindigkeit *f*, effektive Geschwindigkeit	vitesse *f* moyenne quadratique, vitesse quadratique moyenne; vitesse efficace	среднеквадратичная скорость, средняя квадратичная скорость; эффективная скорость
	root-mean-square value, [mean] effective value, mean square value, r.m.s. value <el.>	Effektivwert *m*, quadratischer Mittelwert *m* <der Wechselgröße> <El.>	valeur *f* efficace <él.>	[среднее] эффективное значение, действительное значение <эл.>
	root-mean-square value	*s. a.* root-mean-square		
	root-mean-square value of current	*s.* current root-mean-square		
	root-mean-square velocity	*s.* root-mean-square speed		
	root-mean-square voltage, voltage root-mean-square, voltage r.m.s., r.m.s. voltage	Effektivwert *m* der Spannung, Effektivspannung *f*, effektive Spannung *f*	valeur *f* efficace de tension	эффективное значение напряжения, действительное значение напряжения
R 2405	**root-mean-square voltmeter**, r.m.s. voltmeter	Effektivwertmesser *m*, Effektivwertzeiger *m*, Effektiv[wert]voltmeter *n*	voltmètre *m* de valeurs efficaces	измеритель эффективного значения [напряжения]
	root of the notch, notch groove, groove of the notch, base of the notch	Kerbgrund *m*	base *f* de l'entaille	основание надреза
R 2406	**root of unity**	Einheitswurzel *f*	racine *f* de l'unité	корень из единицы
R 2406a	**Roots blower**	Roots-Gebläse *n*	soufflerie *f* de Roots, vent *m* de Roots	воздуходувка Рутса

R 2407	**Roots pump, Roots-type pump**	Roots-Pumpe f, Millitorr-pumpe f, Feinvakuum-pumpe f, Wälzkolben-pumpe f	pompe f de Roots, pompe Roots	двухроторный вакуумный насос, насос Рутса, роторно-щелевой насос
	root-sum-square [value]	s. root-mean-square		
	root test	s. Cauchy['s] nth root test		
R 2407a	**rope friction,** friction of the rope	Umschlingungsreibung f, Seilreibung f	frottement m du câble; frottement de la corde	трение каната, трение троса
R 2407b	**rope pulley, rope sheave**	Seilrolle f; Seilscheibe f	poulie f à câble	канатный шкив, канатный блок
	ropes	s. windows <radar>		
	rope tension	s. tension relief		
	ropiness	s. viscidity		
R 2408	**Rösch colour solid**	Farbkörper m nach Rösch, Röschscher Farbkörper	solide m de couleurs de Rœsch	цветовое тело Реша
R 2409	**rose**	Rosenkurve f, Rhodanee f	rose f, rosette f	роза
R 2410	**Rose-Gorter method**	Rose-Gortersche Methode f, Rose-Gorter-Methode f	méthode f de Rose et Gorter	метод Розе-Гортера
R 2411	**Rosenberg generator**	Rosenberg-Maschine f, Rosenberg-Generator m, Rosenbergscher Querfeldgenerator m	générateur m, génératrice f (générateur, machine f) de Rosenberg	генератор Розенберга, генератор постоянного тока с поперечным полем
R 2412	**Rosenbluth['s] formula**	Rosenbluth-Formel f	formule f de Rosenbluth	формула Розенблута
R 2413	**Rosenbluth potential**	Rosenbluth-Potential n	potentiel m de Rosenbluth	потенциал Розенблута
R 2414	**Rosen['s] function**	Rosen-Funktion f	fonction f de Rosen	функция Розена
R 2415	**Rose ring**	Rose-Ring m, Shimring m [nach Rose]	anneau m de Rose	шиммирующее кольцо, кольцо Розе
R 2416	**rosette**	Rosette f	rosace f, rosette f	розетка
R 2417	**rosette curve**	Rosettenkurve f	courbe f en rosette	кривая в виде розетки [с несколькими лепестками]
R 2418	**rosette orbit, rosette shaped path**	Rosettenbahn f	orbite f en rosette	кривая в виде розетки, розеточная орбита [электрона]
R 2418a	**Roshko model**	Roshkosches Modell n	modèle m de Roshko	модель Рошко
	Rossby chart (diagram)	s. Rossby plot		
R 2419	**Rossby number,** Ro	Rossby-Zahl f, Rossbysche Kennzahl f, Rossbysche Zahl f, Ro	nombre m de Rossby, Ro	число Россби, Ro
R 2420	**Rossby parameter**	Rossbyscher Parameter m	paramètre m de Rossby	параметр Россби
R 2421	**Rossby plot,** Rossby diagram (chart)	Rossby-Diagramm n	diagramme m de Rossby	диаграмма Россби
R 2422	**Rossby wave**	Rossby-Welle f	onde f de Rossby	волна Россби, длинная волна западного переноса
R 2423	**Rosseland['s] mean**	Mittelwert m nach Rosseland, Rosselandsches Mittel n	moyenne f de Rosseland	среднее по Росселянду, среднее Росселянда
R 2424	**Rosseland mean absorption coefficient**	mittlerer Absorptionskoeffizient m nach Rosseland	coefficient m d'absorption moyen de Rosseland	средний коэффициент поглощения Росселянда
R 2424a	**Rossi alpha experiment**	Rossi-alpha-Experiment n	expérience f alpha de Rossi	альфа-эксперимент Росси
R 2425	**Rossi alpha probability**	Rossi-alpha-Wahrscheinlichkeit f	probabilité f alpha de Rossi	альфа-вероятность Росси
R 2426	**Rossi circuit**	Rossi-Schaltung f, Koinzidenzschaltung f nach Rossi	montage m à coïncidence Rossi	схема совпадений Росси, схема Росси
	Rossi curve	s. Rossi transition curve		
R 2427	**Rossi-Forel [intensity] scale,** scale of Rossi and Forel	Rossi-Forel-Skala f, Rossi-Forelsche Skala f, Skala von Rossi und Forel	échelle f [d'intensité] de Rossi et Forel, échelle [d'intensité] de Rossi-Forel	шкала [интенсивности] Росси и Фореля
	Rossini calorie, thermochemical calorie, cal$_{thermochem}$	thermochemische Kalorie f, Rossini-Kalorie f, cal$_{thermochem}$	calorie f thermochimique, calorie de Rossini, cal$_{thermochim}$	термохимическая калория, калория Россини, кал$_{термохим}$
R 2428	**Rossi shower**	Rossi-Schauer m	gerbe f de Rossi	ливень Росси
R 2429	**Rossi transition curve,** Rossi curve	Rossi-Kurve f	courbe f de Rossi	кривая Росси
R 2430	**Ross['] lens system, Ross['] system [of lenses]**	Linsenkorrektionssystem n [nach Ross], Ross-Linsensystem n, Rosssches Linsensystem n	système m de Ross, système de lentilles de Ross	линзовая система Росса, система Росса
	rot	s. rotor <math.>		
	rotable antenna	s. rotating antenna		
	rotamer	s. conformation isomer		
R 2431	**rotameter,** flowrator <US>	Schwebekörper-Durchflußmesser m, Durchflußmesser m mit Schwebekörper, Schwimmkörper-Durchflußmesser m, Schwimmer[durchfluß]messer m, Schwimmerverbrauchsmesser m; Rotamesser m, Rotameter m	débitmètre m à flotteur, spiromètre m, rotamètre m, gyromètre m	ротаметр, поплавковый расходомер
	rotary air pump	s. rotary pump		
	rotary alternating axis	s. rotation-reflection axis		
	rotary antenna	s. rotating antenna		
R 2432	**rotary-beam antenna**	Drehrichtstrahler m, „rotary-beam"-Antenne f	antenne f à faisceau tournant; antenne directive rotative	антенна с вращающимся лучом, антенна с вращающейся диаграммой направленности; вращающаяся антенна направленного действия, вращающаяся направленная антенна

R 2433	rotary-bending fatigue test	Umlaufbiegeversuch m	essai m de fatigue par rotation	испытание на изгиб при вращении
R 2434	rotary-bending fatigue testing machine, rotation (revolving) fatigue [testing] machine	Umlaufbiegemaschine f	machine f pour l'essai de fatigue par rotation	машина для испытания на усталость с вращающимся образцом
	rotary capacitor	s. rotating capacitor <acc.>		
R 2435	rotary compressor	Rotationskompressor m, Rotationsverdichter m, Umlaufverdichter m	compresseur m rotatif	ротационный компрессор, коловратный компрессор
	rotary condenser <acc.>	s. rotating capacitor		
R 2436	rotary converter, motor-converter, single-armature (synchronous) converter, genemotor <US>	Einankerumformer m, rotierender (umlaufender) Umformer m, Drehumformer m, Umformer	commutatrice f, convertisseur m [rotatif] à induit unique, convertisseur rotatif	одноякорный преобразователь, вращающийся преобразователь
	rotary current	s. three-phase current		
	rotary discharger	s. rotary spark gap		
R 2437	rotary disk shutter	Flügelblende f	obturateur m à pales	дисковый обтюратор
	rotary disk shutter; rotary (rotating) shutter; rotating disk (disk-type) shutter	Umlaufverschluß m; Umlaufblende f, umlaufende Blende f	obturateur m rotatif	обтюратор, вращающийся обтюратор; вращающийся затвор
	rotary dispersion	s. rotatory dispersion		
	rotary field	s. rotating field		
	rotary flow	s. rotational flow		
	rotary force	s. torsional force		
	rotary gap	s. rotary spark gap		
	rotary gas pump	s. rotary pump		
R 2437a	rotary inertia, rotational inertia	Rotationsträgheit f, Drehungsträgheit f; Drehwucht f	inertie f rotationnelle (de rotation)	вращательная инерция, инерция вращения
R 2438	rotary inversion, rotoinversion, rotation-inversion	Drehinversion f	rotation-inversion f	инверсионный поворот
	rotary inversion axis	s. rotation-inversion axis		
	rotary magnetization	s. remagnetization		
R 2439	rotary mercury pump, mercury rotating pump	Gaedesche Kapselpumpe f, Kapselpumpe, Gaede-Kapselpumpe f, rotierende Quecksilberpumpe (Quecksilber-luftpumpe) f	pompe f rotative à mercure	ртутный насос Геде, ртутный вращательный вакуумный насос, ротационный ртутный насос, капсюльный насос
	rotary mirror, rotating mirror	Drehspiegel m; rotierender Spiegel m	miroir m pivotant, miroir tournant	поворотное зеркало, вращающее зеркало
R 2440	rotary motion, rotary movement, rotational motion, motion of rotation, rotatory motion	Drehbewegung f, Rotationsbewegung f, drehende Bewegung f	mouvement m rotatoire (rotationnel, rotatif, de rotation, de révolution)	вращательное движение
	rotary motion	s. a. orbital motion		
R 2441	rotary motion of the Earth, Earth's rotation, rotation of the Earth	Erddrehung f, Erdrotation f, Erdumdrehung f, Erdumschwung m	rotation f de la Terre, rotation du globe	вращение Земли, суточное вращение Земли
	rotary movement	s. rotary motion		
R 2441a	rotary multiplate vacuum pump, radial cylinder rotating pump, sliding vane pump	rotierende Mehrschieberpumpe f	pompe f rotative multi-palette	вращательный многопластинчатый вакуумный насос
R 2442	rotary oil [air] pump, rotary oil vacuum pump	rotierende Öl[luft]pumpe f, Rotations-Ölluftpumpe f, Rotationsölpumpe f	pompe f rotative à [joint d']huile	вращательный (ротационный) масляный насос, объемный вращательный насос с масляным уплотнением
	rotary oscillation	s. torsional vibration		
	rotary piston engine, Wankel engine	Wankel-Motor m, Kreiskolbenmotor m	moteur m Wankel, moteur à piston rotatif	ротативно-поршневой двигатель Ванкеля, двигатель Ванкеля
R 2443	rotary piston pump, rotary reciprocating pump	Umlaufkolbenpumpe f; Drehkolbenpumpe f, Wälzpumpe f	pompe f rotative réciproque, pompe rotative-alternative, pompe à piston rotatif, pompe à piston tournant	пластинчато-статорный насос с пластиной в виде поршня, ротационно-поршневой насос, ротационный [поршневой] насос, насос с вращающимся поршнем, коловратный насос
	rotary polarization	s. optical activity		
R 2444	rotary potentiometer	Drehpotentiometer n	potentiomètre m variable	переменный потенциометр
R 2445	rotary power	Drehvermögen n	pouvoir m de rotation	вращающая способность
R 2446	rotary pump, rotary air pump, rotary vacuum pump; rotary gas pump	rotierende Luftpumpe (Vakuumpumpe, Pumpe) f, Rotations[vakuum]-pumpe f, Rotations-luftpumpe f	pompe f rotative, pompe à rotation, pompe rotative à vide	вращательный [вакуум-] насос, вращательный вакуумный насос, ротационный [вакуум-] насос, коловратный насос
	rotary pump	s. a. rotodynamic pump		
	rotary reciprocating pump	s. rotary piston pump		
R 2446a	rotary reflection <cryst.>	Drehspiegelung f, Element n der zusammengesetzten Symmetrie <Krist.>	réflexion-rotation f, symétrie f alterne <crist.>	зеркальный поворот <крист.>
	rotary reflection	s. a. improper orthogonal mapping <math.>		
R 2447	rotary rheostat	Drehwiderstand m	rhéostat m rotatif	кольцевой реостат, реостат с вращающимся по кругу контактом

	English	German	French	Russian
R 2448	rotary seal	rotierende Dichtung f	joint m rotatoire (rotatif, tournant)	вращающееся уплотнение
R 2449	rotary shutter	Rotationsverschluß m	obturateur m à guillotine simple circulaire	дисковый затвор
R 2450	rotary shutter, rotating shutter; rotary (rotating) disk shutter, rotating disk-type shutter	Umlaufverschluß m; Umlaufblende f, umlaufende Blende f; Verschlußblende f; Sektorblende f	obturateur m rotatif; obturateur rotatif à disque	обтюратор, вращающийся обтюратор; вращающийся затвор
	rotary shutter	s. a. sector shutter		
R 2451	rotary slide valve vacuum pump, rotary sliding vane type compressor, rotary vane pump, mechanical backing pump	Drehschieberpumpe f, Drehschiebervakuumpumpe f, Kapselpumpe f	pompe f à palettes, pompe rotative à palettes, pompe à vide [à tiroir rotative, pompe [rotative] à obturateur tournant	пластинчато-роторный насос, ротационно-крыльчатый насос
R 2452	rotary spark gap, rotary gap, rotary discharger	Abreißfunkenstrecke f, Stoßfunkenstrecke f, umlaufende (rotierende) Funkenstrecke f, Taktfunkenstrecke f	éclateur m tournant, éclateur à électrodes tournantes, entrode f tournante	вращающийся разрядник, вращающийся искровой разрядник, вращающийся искровой промежуток
	rotary stream, counter[-]current	Neerstrom m	remous m	прибрежное подсасывающее течение; контртечение, противное течение
R 2453	rotary swash plate pump, swash plate pump, wobble pump	Taumelscheibenpumpe f, Wobbelpumpe f	pompe f à disque oscillant, pompe [rotative] à piston oscillant	насос с качающейся шайбой
R 2454	rotary vacuum filter	Vakuumdrehfilter n, rotierendes Vakuumfilter n, Rotationsvakuumfilter n	filtre m tournant à vide, filtre à vide rotatif	вращающийся вакуум-фильтр
	rotary vacuum pump	s. rotary pump		
	rotary-vane anemometer	s. vane anemometer		
	rotary vane magnetometer	s. Gulf magnetometer		
	rotary vane pump	s. rotary slide valve vacuum pump		
	rotary vibration	s. torsional vibration		
	rotary viscometer	s. rotational viscometer		
R 2455	rotary voltmeter	Rotationsvoltmeter n	voltmètre m rotatoire	вращательный вольтметр, роторный вольтметр
	rotatable, swivel, swivelling	schwenkbar	pivotant, rotatif	поворотный, отклоняемый, откидной
	rotatable direction finder	s. rotating-reflector direction finder		
R 2456	rotating[-] anode [X-ray] tube	Drehanodenröhre f	tube m à anode tournante (rotative), tube avec anticathode tournante	[рентгеновская] трубка с вращающимся анодом
R 2457	rotating antenna, rotary antenna, rotable antenna	rotierende Antenne f, Drehantenne f, Rotationsantenne f; drehbare Antenne	antenne f rotative, antenne pivotante, antenne tournante	вращающаяся антенна, поворотная антенна
	rotating antenna direction finder	s. rotating-reflector direction finder		
R 2458	rotating beam	umlaufender Leitstrahl m	faisceau m de guidage tournant	вращающийся [ведущий] луч
R 2459	rotating bending, bending with rotating bar	Umlaufbiegebeanspruchung f, Umlaufbiegung f	flexion f rotative	вращательный изгиб, прогиб при вращении
R 2460	rotating biplate	drehende Doppelplatte f, drehende Halbschattenplatte f; Halbschattenapparat m mit drehender Doppelplatte	lame f à pénombre tournant le plan de polarisation, plaque f tournant le plan de polarisation	полутеневая пластинка, вращающая плоскость поляризации
R 2461	rotating capacitor, rotary capacitor, rotary condenser <acc.>	rotierender Kondensator m <Beschl.>	condensateur m tournant <acc.>	вращающийся конденсатор, вариатор <уск.>
R 2462	rotating coil, moving coil	Rotationsspule f; Drehspule f	bobine f tournante (mobile)	вращающаяся катушка
R 2463	rotating co-ordinate system, rotating system of co-ordinates	rotierendes Koordinatensystem n	système m de coordonnées en rotation	вращающаяся система координат
R 2463a	rotating crystal, revolving crystal	Drehkristall m	cristal m tournant	вращающийся кристалл
R 2464	rotating crystal diagram	Drehkristallaufnahme f	diagramme m de cristal tournant, rétigramme m de rotation	рентгенограмма вращения
	rotating crystal method	s. Bragg's rotating crystal method		
	rotating-cup anemometer	s. cup anemometer		
R 2465	rotating cylinder viscometer	Drehzylinderviskosimeter n	viscosimètre m à cylindre rotatif	вискозиметр с вращающимся цилиндром
R 2466	rotating diaphragm, revolving diaphragm	Revolverblende f; Blendenrevolver m	diaphragme m revolver (rotatif, tournant)	револьверная диафрагма
R 2467	rotating directional diagram	umlaufendes Richtdiagramm n	diagramme m directionnel tournant	вращающаяся диаграмма направленности
R 2468	rotating-disk column	Drehscheibenkolonne f	colonne f rotatoire à disques	вращательная колонка дискового типа
R 2469	rotating-disk monochromator, revolving disk monochromator	Drehscheibenmonochromator m	monochromateur m à disques tournants	монохроматор с вращающимися дисками
R 2470	rotating-disk phosphoroscope	Drehscheibenphosphoroskop n	phosphoroscope m à disque tournant	однодисковый фосфороскоп
	rotating disk[-type] shutter	s. rotary shutter		

	rotating-disk vacuum gauge	s. Langmuir manometer		
R 2470a	rotating dome, revolving dome	Drehkuppel f	coupole f tournante (mobile)	вращающийся купол
R 2471	rotating field, rotary field	rotierendes Feld n, Drehfeld n, Rotationsfeld n, umlaufendes Feld	champ m tournant	вращающееся поле, вращполе
R 2472	rotating field antenna	Drehfeldantenne f	antenne f à champ tournant	антенна с вращающимся полем, антенна с полем круговой поляризации
R 2473	rotating field instrument	Drehfeldinstrument n, Drehfeldmeßgerät n	appareil m à champ tournant	измерительный прибор по принципу вращающегося магнитного поля
R 2473a	rotating-field oscillation	Drehfeldschwingung f	oscillation f du champ tournant	колебание вращающегося [магнитного] поля
	rotating-field-type machine	s. revolving field machine		
	rotating lobe meter	s. lobed impeller meter		
	rotating magnetic field, magnetic rotating field	magnetisches Drehfeld n	champ m magnétique tournant	вращающееся магнитное поле
R 2474	rotating mirror, rotary mirror, revolving mirror; rotating reflector	Drehspiegel m; rotierender Spiegel m	miroir m pivotant, miroir tournant	поворотное зеркало, вращающее зеркало
R 2475	rotating-mirror camera	Drehspiegelkamera f, Drehspiegel-Schmierkamera f	caméra f à miroir tournant	камера с поворотными зеркалами
	rotating-mirror oscillograph	s. loop oscillograph		
R 2476	rotating-mirror photometer <with one mirror>	Spiegelapparat m [nach Brodhun]	photomètre m à miroir tournant	распределительный фотометр с одним вращающимся зеркалом
R 2477	rotating-mirror photometer <with two mirrors>	Doppelspiegelphotometer n, Doppelspiegelapparat m von (nach) Brodhun-Martens, Drehspiegelphotometer n, Photometer n mit rotierenden Spiegeln, Martens-Brodhunscher Doppelspiegelapparat	photomètre m à miroirs tournants	распределительный фотометр [с двумя вращающимися зеркалами]
	rotating mirrors method	s. Foucault's method		
R 2478	rotating potentiometer	Umlaufpotentiometer n	potentiomètre m à rotation [continue]	вращающийся (многооборотный) потенциометр
	rotating prism, revolving prism	rotierendes Prisma n	prisme m tournant	вращающаяся призма
R 2479	rotating rack	Schwenkrahmen m	cadre m pivotant	поворотная рамка
R 2480	rotating radome	Rotodom n, rotierende Antennenverkleidung f	radome m pivotant, radome tournant	вращающийся обтекатель антенны
	rotating reflector	s. rotating mirror		
R 2481	rotating-reflector direction finder, rotatable (rotating antenna) direction finder	Drehrahmenpeiler m, Peiler m mit Drehrahmen	radiogoniomètre m à cadre mobile	радиопеленгатор с вращающейся рамочной антенной, пеленгатор с поворотной рамкой
R 2482	rotating Reynolds number, rotation Reynolds number	Rotations-Reynolds-Zahl f	nombre m de Reynolds de rotation	вращательное (ротационное) число Рейнольдса
R 2483	rotating rigid frame	rotierendes starres Bezugssystem n	référentiel (repère) m rigide en rotation	жесткая вращающаяся система отсчета
R 2484	rotating sector, rotating shutter, sector disk	rotierender Sektor m; rotierende Sektorscheibe f, Scheibe f <Lichtschwächung, speziell zur Bestimmung der Geschwindigkeit von Meteoren>	obturateur m rotatif à disque; obturateur tournant, secteur m tournant	вращающийся сектор, вращающийся обтюратор
R 2485	rotating shutter	Drehverschluß m, Revolververschluß m	fermeture f rotatoire, serrure f tournante	вращающийся затвор
	rotating shutter	s. a. rotary shutter		
	rotating shutter	s. a. rotating sector		
	rotating system of co-ordinates, rotating co-ordinate system	rotierendes Koordinatensystem n	système m de coordonnées en rotation	вращающаяся система координат
	rotating tensor, rotation tensor <math.>	Versor m, Drehungsaffinor m, Drehtensor m, Drehungstensor m, Rotator m <Math.>	tenseur m de rotation <math.>	вращающийся тензор <матем.>
	rotating the plane of polarization anti-clockwise	s. laevogyric		
	rotating the plane of polarization clockwise	s. dextrogyric		
R 2486	rotating vector	Drehvektor m, momentaner Winkelgeschwindigkeitsvektor m <Mech.>; umlaufender Zeiger m, rotierender Vektor m <El.>	vecteur m rotation; vecteur tournant	вращающийся вектор
	rotating viscometer gauge	s. Langmuir manometer		
R 2487	rotating-wave approximation	Näherung f der rotierenden Welle	approximation f de l'onde tournante	приближение вращающейся волны
	rotating wheel anemograph	s. vane anemograph		
	rotating wheel anemometer	s. vane anemometer		
	rotating wheel method	s. Fizeau['s] method		

R 2488	**rotation**; circumgyration <about a free axis>	Rotation f, Drehung f; Rotieren n	rotation f; circongiration f	вращение
	rotation, revolution	Umdrehung f	révolution f; rotation f; circumduction f	обращение, вращение, поворот
	rotation	s. curl <of the vector field>		
R 2489	**rotation about a point**, rotation around a point, spherical rotation	Drehung (Rotation) f um einen Punkt, sphärische Rotation	rotation f autour d'un point, rotation sphérique	вращение вокруг (около) точки, сферическое вращение
R 2490	**rotational absorption line**	Rotationsabsorptionslinie f	raie f d'absorption due à la rotation, raie d'absorption rotationnelle	вращательная линия поглощения
R 2491	**rotational absorption spectrum**	Rotationsabsorptionsspektrum n	spectre m rotationnel d'absorption, spectre d'absorption de rotation	вращательный спектр поглощения, ротационный спектр поглощения
R 2492	**rotational acceleration**, acceleration due to rotation	Rotationsbeschleunigung f, Drehbeschleunigung f	accélération f due à la rotation	ускорение вследствие отклоняющей силы вращения Земли
	rotational acceleration	s. a. angular acceleration		
R 2493	**rotational analysis**	Analyse f der Rotationsspektren, Rotationsanalyse f	analyse f des spectres de rotation	анализ молекулярных спектров вращения
	rotational axis	s. axis of rotation		
R 2494	**rotational band**, rotation band	Rotationsbande f	bande f rotationnelle (de rotation), bande due à la rotation	вращательная полоса, ротационная полоса
R 2495	**rotational band spectrum**	Rotationsbandenspektrum n	spectre m rotationnel de bandes, spectre de rotation de bandes	вращательный (ротационный) полосатый спектр, полосатый вращательный спектр
	rotational-band temperature	s. rotational temperature		
R 2496	**rotational broadening [of spectral line]**	Rotationsverbreiterung f	élargissement m par rotation, élargissement [de la raie spectrale] dû à la rotation	расширение линии вследствие вращения
	rotational characteristic temperature	s. rotational temperature		
	rotational compliance, mechanical rotational compliance	Torsionsfederung f	élasticité f de torsion	вращательная податливость
R 2497	**rotational constant**	Rotationskonstante f	constante f de rotation	вращательная постоянная, постоянная вращения, ротационная константа
R 2498	**rotational degree of freedom**	Rotationsfreiheitsgrad m	degré m de liberté de rotation	вращательная степень свободы
R 2499	**rotational diffusion**	Rotationsdiffusion f	diffusion f de rotation, diffusion rotationnelle	вращательная диффузия
R 2500	**rotational diffusion coefficient**	Rotationsdiffusionskonstante f	coefficient m de diffusion rotationnelle	коэффициент вращательной диффузии
R 2501	**rotational distortion**	Drehungsverzeichnung f; Rotationsverzerrung f; Bildzerdrehung f, Zerdrehungsfehler m	distorsion f de rotation	вращательная дисторсия
R 2501 a	**rotational eigenfunction**	Rotationseigenfunktion f	fonction f propre rotationnelle	вращательная собственная функция
R 2502	**rotational electromotive force**, rotational e.m.f.	Rotationsspannung f, Rotations-EMK f	force f électromotrice rotationnelle (de rotation), f. e. m. de rotation	электродвижущая сила вращения, э. д. с. вращения
R 2503	**rotational energy**, rotation energy, energy of rotation; angular kinetic energy	Rotationsenergie f	énergie f de rotation, énergie rotationnelle	энергия вращения, вращательная энергия
	rotational energy level	s. rotational level		
R 2504	**rotational entropy**	Rotationsentropie f	entropie f de (due à la) rotation	вращательная энтропия
	rotational excitation	s. rotational state excitation		
R 2505	**rotational fault**	Scharnierverwerfung f	faille f rotatoire (à charnière)	шарнирный сброс, сброс скручивания
R 2506	**rotational field**, curl field, vortex field, field of vorticity, eddy field, circuital field, circuital vector field	Wirbelfeld n, Drehfeld n	champ m rotationnel, champ tourbillonnaire, champ de tourbillon	вихревое поле
R 2507	**rotational fine structure**	Rotationsfeinstruktur f	structure f fine due à la rotation, structure fine de rotation, structure fine rotationnelle	вращательная тонкая структура, ротационная тонкая структура
R 2508	**rotational flattening**	Rotationsabplattung f	aplatissement m rotationnel (dû à la rotation)	сплющивание вследствие вращения, вращательное сжатие; сплюснутость вследствие вращения
R 2509	**rotational flow**, vortex-type flow, vortex flow, vortical (rotary) flow; vortex motion, eddy motion, eddying whirl, whirl	Wirbelströmung f, drehungsbehaftete Strömung f, Drehströmung f, Rotationsströmung f, Kreisströmung f; Wirbelstrom m; Wirbelbewegung f	écoulement m rotationnel, écoulement tourbillonnaire; effluent m rotationnel; mouvement m rotationnel, mouvement tourbillonnaire	вихревое течение, вращающееся течение, круговое течение; вихревой поток
R 2510	**rotational freedom**	Rotationsfreiheit f	liberté f de rotation	вращательная свобода, свобода вращения
R 2511	**rotational frequency**	Rotationsfrequenz f	fréquence f de rotation	частота вращения
	rotational frequency	s. a. rotational speed		
R 2512	**rotational Hamiltonian**	Rotations-Hamilton-Operator m, Rotationsanteil m des Hamilton-Operators	hamiltonien m rotationnel, hamiltonien de rotation	вращательный гамильтониан

	English	German	French	Russian
R 2513	**rotational heat [capacity]**	Rotationswärme f	chaleur f rotationnelle (de rotation), chaleur due à la rotation	вращательная теплота, теплота от вращения молекул
R 2513a	**rotational homogenization**	Rotationshomogenisierung f	homogénéisation f sous (par) rotation	гомогенизация вращением
R 2514	**rotational hysteresis,** rotation hysteresis, rotational magnetic hysteresis	Rotationshysterese f, drehende Hysterese f, magnetische Hysteresis f bei rotierender Probe	hystérésis f rotationnelle (de rotation)	вращательный [магнитный] гистерезис, гистерезис магнитного вращения
	rotational impedance	s. mechanical rotational impedance		
	rotational inertia	s. rotary inertia		
	rotational inertia	s. a. torque		
R 2515	**rotational instability**	Rotationsinstabilität f	instabilité f rotationnelle	ротационная неустойчивость
R 2516	**rotational invariance**	Dreh[ungs]invarianz f, Rotationsinvarianz f	invariance f rotatoire	вращательная инвариантность
	rotational isomer	s. conformation isomer		
R 2517/8	**rotational-isomeric**	rotationsisomer	isomérique par conformation	вращательноизомерный, поворотноизомерный
R 2519	**rotational isomerism;** molecular dissymmetry due to hindered rotation	Rotationsisomerie f, Konformationsisomerie f, Konstellationsisomerie f; Atropisomerie f	isomérie f de rotation, isomérie rotationnelle	поворотная изомерия, вращательная изомерия; атропоизомерия
R 2520	**rotational isotope effect**	Rotationsisotopieeffekt m	effet m isotopique rotationnel (de rotation), effet isotopique dû à la rotation [des molécules]	изотопический эффект вследствие вращения [молекул], вращательный изотопический эффект
R 2521	**rotational level,** rotational energy level	Rotationsniveau n, Rotationsenergieniveau n	niveau m de rotation, niveau énergétique de rotation, niveau rotationnel	вращательный [энергетический] уровень, ротационный [энергетический] уровень
	rotational level	s. a. rotational term		
R 2522	**rotational level diagram (scheme),** rotational term diagram, rotational term scheme	Rotationstermschema n, Rotationsniveauschema n	tableau m des termes (niveaux) rotationnels (de rotation), diagramme m des termes de rotation	схема вращательных уровней, схема вращательных термов
R 2523	**rotational line**	Rotationslinie f	raie f de rotation, raie rotationnelle, raie due à la rotation	вращательная линия, ротационная линия
R 2524	**rotationally symmetric,** rotational-symmetric	rotationssymmetrisch, drehsymmetrisch, kreissymmetrisch	à symétrie de révolution	вращательно-симметричный, вращательной симметрии
R 2525	**rotationally symmetric field**	rotationssymmetrisches Feld n	champ m de révolution	осесимметричное поле, поле вращательной симметрии
R 2526	**rotationally symmetric stress,** axially symmetric stress [distribution]	rotationssymmetrischer Spannungszustand m	champ m de contrainte uniaxial	осесимметричное напряженное состояние, кругосимметрическое напряженное состояние
	rotational magnetic hysteresis	s. rotational hysteresis		
	rotational mechanical impedance	s. mechanical rotational impedance		
	rotational mechanical reactance	s. mechanical rotational reactance		
	rotational mechanical resistance	s. mechanical rotational resistance		
R 2527	**rotational moment,** rotation moment <of molecules; of the Earth>	Rotationsmoment n <der Moleküle; der Erde>	moment m de rotation <des molécules; de la Terre>	момент вращения, вращающий момент <молекул; Земли>
	rotational moment	s. a. torque		
	rotational motion	s. rotary motion		
R 2528	**rotational partition function**	Rotationszustandssumme f, Rotationsanteil m der Zustandsfunktion (Zustandssumme)	fonction f de partition rotationnelle (de rotation)	вращательная сумма по состояниям, вращательная часть суммы по состояниям
	rotational quantum number	s. secondary quantum number		
R 2529	**rotational Raman spectrum,** Raman rotational spectrum	Rotations-Raman-Spektrum n, Raman-Rotationsspektrum n	spectre m rotationnel de Raman, spectre de Raman rotationnel	вращательный (ротационный) спектр комбинационного рассеяния [света]
	rotational reactance	s. mechanical rotational reactance		
R 2530	**rotational relaxation**	Rotationsrelaxation f	relaxation f rotationnelle (due à la rotation, de rotation)	вращательная релаксация
	rotational resistance	s. mechanical rotational resistance		
R 2530a	**rotational resonance interaction**	Rotationsresonanzwechselwirkung f	interaction f par résonance rotationnelle	вращательное резонансное взаимодействие
	rotational spectrum, rotation spectrum, pure rotation spectrum	Rotationsspektrum n, reines Rotationsspektrum	spectre m de rotation [pure], spectre rotationnel	вращательный спектр, ротационный спектр, чисто вращательный спектр
	rotational speed	s. speed [of rotation]		
	rotational speed	s. angular speed		
R 2530b	**rotational stabilization**	Rotationsstabilisierung f	stabilisation f rotationnelle	вращательная стабилизация
R 2531	**rotational state**	Rotationszustand m	état m de rotation, état rotationnel	вращательное состояние, ротационное состояние

R 2532	**rotational state excita-** tion, rotational excitation	Rotationsanregung f	excitation f du niveau de rotation, excitation rotationnelle, excitation rotative	возбуждение вращательного уровня, ротационное возбуждение, вращательное возбуждение
R 2533	**rotational structure**	Rotationsstruktur f	structure f due à la rotation, structure de rotation, structure rotationnelle	вращательная структура, ротационная структура, вращательное строение, ротационное строение
R 2533a	**rotational sum rule**	Rotationssummenregel f	règle f des sommes rotationnelles	правило вращательных сумм
	rotational-symmetric	s. rotationally symmetric		
R 2534	**rotational symmetry**	Rotationssymmetrie f, Drehsymmetrie f, Drehungssymmetrie f	symétrie f de révolution	симметрия вращения
R 2535	**rotational temperature,** rotation (rotational-band, rotational characteristic) temperature, temperature from the rotation spectrum	Rotationstemperatur f, aus dem Rotationsspektrum bestimmte Temperatur f, charakteristische Rotationstemperatur	température f rotationnelle (de rotation)	вращательная температура
R 2536	**rotational term,** rotational level	Rotationsterm m	terme m de rotation, terme rotationnel, niveau m de rotation, niveau rotationnel	вращательный терм, ротационный терм, вращательный уровень, ротационный уровень
	rotational term diagram **rotational term scheme**	s. rotational level diagram s. rotational level diagram		
R 2537	**rotational therapy,** rotation therapy	Rotationstherapie f, Therapie f mit Rotationsbestrahlung; Therapie mit rotierender Strahlungsquelle; Therapie mit rotierendem Behandlungstisch bei fester Strahlungsquelle	cyclothérapie f, rotothérapie f, radiothérapie f rotatoire, radiothérapie par rotation; rœntgenothérapie f rotatoire	ротационная радиотерапия, ротационная терапия
R 2538	**rotational trans-** form[ation]	Rotationstransformation f, magnetische Transformation f der Querschnittsebene, Rotationsformation f	transformation f rotationnelle	вращательное (ротационное) преобразование
R 2539	**rotational transition**	Rotationsübergang m	transition f rotationnelle (de rotation)	ротационный переход, вращательный переход
R 2540	**rotational variable** [star]	Rotationsveränderlicher m	variable f rotationnelle, étoile f variable rotationnelle	вращающаяся переменная [звезда]
R 2540a	**rotational variation in** light	Rotationslichtwechsel m	variation f d'éclat sous (de) rotation	вращательное изменение блеска
R 2541	**rotational viscometer,** rotation (rotary) viscometer, drag-torque viscometer	Rotationsviskosimeter n, Rotationszylinderviskosimeter n, Drehviskosimeter n	viscosimètre m à rotation	ротационный вискозиметр, вискозиметр ротационного типа, вращающийся вискозиметр
R 2542	**rotational wave** **rotational wave**	Wirbelwelle f s. a. shear wave	onde f rotationnelle	вихревая волна
R 2543	**rotational wave function**	Rotationswellenfunktion f	fonction f d'onde de rotation, fonction d'onde rotationnelle	вращательная волновая функция
R 2544	**rotation and stretching,** rotation-stretching	Drehstreckung f	rotation f et allongement m, rotation-allongement	растяжение с поворотом, растяжение с вращением
R 2545	**rotation anemometer** **rotation around a point** **rotation axis** **rotation[-] axis**	Rotationsanemometer n s. rotation about a point s. axis of rotation s. axis of symmetry <cryst.>	anémomètre m à rotation	анемометр с вертушкой
	rotation band, rotational band **rotation by magnet-** ization	Rotationsbande f s. Einstein-de Haas effect	bande f rotationnelle (de rotation), bande due à la rotation	вращательная полоса, ротационная полоса
R 2546	**rotation camera**	Drehkristallkammer f	chambre f à (pour) cristal tournant, appareil m à cristal tournant	камера вращения
	rotation centre **rotation diagram**	s. centre of rotation s. rotation pattern		
	rotation double refraction, double refraction due to rotation	Rotationsdoppelbrechung f	biréfringence f de rotation, biréfringence due à la rotation	двойное лучепреломление при вращении [молекул], двойное преломление при вращении [молекул]
R 2547	**rotation dynamometer**	Rotationsdynamometer n	dynamomètre m à rotation	вращательный динамометр, динамометр вращения
R 2548	**rotation effect** **rotation energy** **rotation fatigue** [testing] machine, rotary-bending fatigue testing machine	Rotationseffekt m s. rotational energy Umlaufbiegemaschine f	effet m de rotation machine f pour l'essai de fatigue par rotation	эффект вращения машина для испытания на усталость с вращающимся образцом
	rotation frequency **rotation group,** rotations group, proper orthogonal group **rotation hysteresis**	s. rotational speed Drehgruppe f, Drehungsgruppe f, eigentliche orthogonale Gruppe f s. rotational hysteresis	groupe m des rotations, groupe de rotation[s]	группа вращений, группа вращения, собственно[-]ортогональная группа
R 2549				
R 2550	**rotation hysteresis** integral	Rotationshystereseintegral n, Rotationshysteresisintegral n	intégrale f de la hystérésis de rotation	интеграл вращательного гистерезиса

R 2551	**rotation inductor**	Rotationserdinduktor *m*, Rotationsinduktor *m*	inducteur *m* de rotation, inclinomètre *m* de rotation	ротационный индуктор, ротационный индукционный инклинатор
R 2551a	**rotation-invariant**, invariant under rotation	dreh[ungs]invariant, rotationsinvariant	invariant à l'égard de rotation	инвариантный по отношению к вращению
	rotation-inversion	*s.* rotary inversion		
R 2551b	**rotation-inversion axis**, rotoinversion axis, axis of rotary inversion, axis of rotation-inversion, rotary inversion axis	Drehinversionsachse *f*, Inversionsachse *f*	axe *m* de rotation-inversion, axe de symétrie inverse, axe d'inversion	инверсионная ось [симметрии]
	rotation-inversion axis	*s. a.* rotation-reflection axis		
R 2552	**rotation irradiation**	Rotationsbestrahlung *f*	irradiation *f* rotative [cyclique]	ротационное облучение
R 2553	**rotation magnetism**	Rotationsmagnetismus *m*	magnétisme *m* de rotation	вращательный магнетизм
R 2554	**rotation matrix**, proper orthogonal matrix	Rotationsmatrix *f*, Drehungsmatrix *f*	matrice *f* de rotation, matrice rotationnelle	вращательная матрица
	rotation method	*s.* rotating crystal method		
	rotation moment	*s.* rotational moment		
	rotation of molecules	*s.* molecular rotation		
	rotation of polarization plane	*s.* rotation of the plane of polarization		
	rotation of register, cyclic shift, register rotation <num.math.>	zyklische Vertauschung *f*, zyklische Verschiebung *f* <num.Math.>	décalage *m* cyclique, déplacement *m* cyclique, rotation *f* [du registre]; report *m* cyclique <math. num.>	циклический сдвиг, циклический перенос <числ. матем.>
	rotation of the Earth, rotary motion of the Earth, Earth's rotation	Erddrehung *f*, Erdrotation *f*, Erdumdrehung *f*, Erdumschwung *m*	rotation *f* de la Terre, rotation du globe	вращение Земли, суточное вращение Земли
R 2555	**rotation of the plane of polarization**, rotation of polarization plane	Polarisationsdrehung *f*, Drehung *f* der Polarisationsebene	rotation *f* du plan de polarisation	вращение плоскости поляризации, поворот плоскости поляризации
R 2556	**rotation of transport**	Führungsrotation *f*	rotation *f* d'entraînement	переносное вращение
R 2557	**rotation parallax**	Rotationsparallaxe *f*	parallaxe *f* de rotation	вращательный параллакс
R 2558	**rotation pattern**, rotation diagram	Rotationsdiagramm *n*	diagramme *m* de diffraction à cristal tournant, cristallogramme *m* à cristal tournant	рентгенограмма вращения
R 2559	**rotation period**, period of rotation, rotation time, time of one revolution, period of revolution, revolution period	Umdrehungszeit *f*, Umdrehungsperiode *f*, Umdrehungsdauer *f*; Rotationsperiode *f*, Rotationszeit *f*; Umlauf[s]zeit *f*, Umlauf[s]periode *f*, Umlauf[s]dauer *f*	période *f* de rotation, durée *f* de rotation, période *f* de révolution, durée de révolution, temps *m* de révolution	период вращения, период оборота, период обращения, время вращения, время оборота, время обращения, время цикла
R 2560	**rotation photograph**, X-ray rotation photograph, rotating crystal diagram	Drehkristallaufnahme *f*, Drehaufnahme *f*	diagramme *m* de cristal tournant, rétigramme *m* de rotation, photographie *f* radioscopique à cristal tournant	рентгенограмма вращения
	rotation potential, potential of rotation	Rotationspotential *n*	potentiel *m* rotatoire	вращательный потенциал
	rotation quantum number	*s.* secondary quantum number		
R 2561	**rotation-reflection axis**, rotation-inversion axis, rotoflection axis, rotoinversion axis, axis of rotary inversion, [symmetry] axis of the second sort, rotary inversion (alternating) axis, gyroide	Drehspiegelungsachse *f*, Drehspiegelachse *f*, Symmetrieachse *f* zweiter Art, Drehinversionsachse *f*, Gyroide *f*	axe *m* de rotation-réflexion (réflexion-rotaton, rotation-inversion, symétrie inverse), gyroïde *f*	зеркально-поворотная ось, зеркальная ось [симметрии], ось зеркальной симметрии, инверсионная ось [симметрии], гироида
	rotation Reynolds number, rotating Reynolds number	Rotations-Reynolds-Zahl *f*	nombre *m* de Reynolds de rotation	вращательное (ротационное) число Рейнольдса
	rotation group	*s.* rotation group		
R 2562	**rotation shell**	Rotationsschale *f*	enveloppe *f* de révolution	оболочка вращения
R 2563	**rotation spectrum**, rotational spectrum, pure rotation spectrum	Rotationsspektrum *n*, reines Rotationsspektrum	spectre *m* de rotation [pure], spectre rotationnel	вращательный спектр, ротационный спектр, чисто вращательный спектр
	rotation speed	*s.* rotational speed		
	rotation speed	*s.* velocity of rotation		
	rotation-stretching	*s.* rotation and stretching		
R 2564	**rotation tensor**, rotating tensor <math.>	Versor *m*, Drehungsaffinor *m*, Drehtensor *m*, Drehungstensor *m*, Rotator *m* <Math.>	tenseur *m* de rotation <math.>	вращающийся тензор <матем.>
	rotation temperature	*s.* rotational temperature		
	rotation therapy	*s.* rotational therapy		
	rotation time	*s.* rotation period		
R 2565	**rotation transformation** <cryst.>	Rotationsumwandlung *f* <Krist.>	transformation (transition) *f* rotationnelle <crist.>	изменение структуры решетки при поворотах атомных групп <крист.>
R 2566	**rotation twin**	Rotationszwilling *m*	macle *f* de rotation	двойник вращения
R 2567	**rotation vector**	Rotationsvektor *m*	vecteur *m* de rotation	вектор вращения
	rotation-vibration band	*s.* vibration-rotation band		
	rotation-vibration constant, vibration-rotation constant	Rotationsschwingungskonstante *f*	constante *f* de rotation-vibration	вращательно-колебательная постоянная

	English	German	French	Russian
	rotation-vibration energy, vibration-rotation energy	Rotationsschwingungs-energie f	énergie f de rotation-vibration	вращательно-колебатель-ная энергия
	rotation-vibration interaction, vibration-rotation interaction	Rotationsschwingungs-wechselwirkung f	interaction f de rotation-vibration	вращательно-колебатель-ное взаимодействие
	rotation-vibration spectrum	s. vibration-rotation spectrum		
	rotation viscometer	s. rotational viscometer		
R 2568	**rotative component of motion** <cryst.>	rotativer Bestandteil m der Bewegung <Krist.>	composante f rotative du mouvement <crist.>	вращательная составляю-щая движения <крист.>
	rotative speed	s. speed		
R 2569	**rotator** <mech.>	Rotator m <um eine freie Achse beweglicher Kör-per> <Mech.>	rotator m, rotor m <méc.>	ротатор <мех.>
R 2570	**rotatory dispersion,** [optical] rotary disper-sion, dispersion of rotation	Rotationsdispersion f	dispersion f rotatoire, dispersion de rotation	дисперсия вращения, вращательная диспер-сия, ДВ
R 2571	**rotatory dispersion filter,** Prévost filter	Rotationsdispersionsfilter n [von Prévost]	filtre m de Prévost, filtre à dispersion rotatoire	фильтр Прево; свето-фильтр, действующий на принципе враща-тельной дисперсии
R 2572	**rotatory inertia**	rotatorische Trägheit f	inertie f rotorique	инерция вращения
	rotatory motion	s. rotary motion		
	rotatory polarization	s. optical activity		
	rotatory power	s. optical rotatory power <quantity>		
R 2573	**rotaversion**	cis-trans-Umwandlung f	rotaversion f, transformation f cis-trans	взаимное превращение *цис-* и *транс-*форм
R 2574	**Rothe['s] method**	Rothe-Verfahren n, Rothe-sches Verfahren n	méthode f de Rothe	метод Роте
R 2575	**Rothery['s] rule**	Rotherysche Regel f	règle f de Rothery	правило Розери
R 2575a	**Roth['s] theorem**	Rothsche Beziehung f	théorème m de Roth	теорема Рота
R 2576	**rotodynamic pump,** rotary pump, impeller pump; centrifugal pump; turbo-pump, turbine pump, pump-turbine	Kreiselpumpe f, Drall-pumpe f, rotodynamische Pumpe f; Zentrifugal-pumpe f; Schleuderpumpe f; Axialpumpe f; Turbo-pumpe f	pompe f centrifuge, pompe rotodynamique; turbo-pompe f	центробежный насос; тур-бонасос; турбиновидный насос; турбонасосный агрегат, ТНА
	rotoflection axis	s. rotation-reflection axis		
	rotoinversion, rotation-inversion, rotary inver-sion	Drehinversion f	rotation-inversion f	инверсионный поворот
	rotoinversion axis	s. rotation-inversion axis		
R 2577	**roton**	Roton n, Rotationsquant n	roton m	ротон
R 2578	**roton part**	Rotonenanteil m	partie f rotonique	ротонная часть
R 2579	**rotor** <el.>	Läufer m, Rotor m <El.>	roteur m, rotor m <él.>	ротор <эл.>
	rotor	s. a. curl <of the vector field>		
	rotor	s. a. runner		
	rotor modulation, pro-peller modulation, pro-peller effect	Propellermodulation f, Propellereffekt m	modulation f par hélice	модуляция винтом, эффект винта
	rotor ship, Flettner ship	[Flettnersches] Rotorschiff n, Flettner-Schiff n	navire m à rotors [de Flett-ner], navire de Flettner, bateau m Flettner	роторный корабль [Флет-нера], роторное судно [Флетнера]
	rotor wheel	s. runner		
	rottenness <of steel>; brittleness; breakability; fragility; friability; shortness; crackiness	Sprödigkeit f, Brüchigkeit f, Zerbrechlichkeit f	fragilité f	хрупкость, ломкость
R 2580	**Rouché['s] theorem**	Satz m von Rouché	théorème m de Rouché	теорема Руше
R 2581	**rough,** hydraulically rough <hydr.>	rauh, hydraulisch rauh <Hydr.>	rugueux, hydrauliquement rugueux <hydr.>	шероховатый, гидравли-чески шероховатый <гидр.>
	rough adjustment, coarse adjustment, coarse setting (control)	Grobeinstellung f	réglage m approximatif (gros), réglage grossier	грубая (приблизительная) установка, грубая регу-лировка
	rough-and-ready rule	s. rough rule		
	rough atomic weight, mass number, nuclear (nucleon) number, A	Massenzahl f, Nukleonen-zahl f, A, M	nombre m de masse, nombre atomique, A	массовое число, A
R 2582	**rough calculation,** computation	Überschlagsrechnung f	supputation f	ориентировочный расчет, упрощенное (предвари-тельное, дополнитель-ное) вычисление, при-ближенный расчет
	roughened	s. rough-surfaced		
R 2583	**roughening**	Aufrauhung f	rendre rugueux	шерохование, шероховка; придание шерохова-тости
R 2584	**roughening** <num. math.>	Aufrauhung f, Aufrau-h[ungs]erscheinung f <num. Math.>		разбалтывание, явление «разбалтывания» <числ. матем.>
	roughing pump	s. forepump		
R 2585	**rough landing,** hard landing	harte Landung f	descente f dure, descente brutale; atterrissage m dur, atterrissage brutal	жесткая посадка, грубая посадка
	rough law regime	s. rough regime		
R 2586	**roughness;** rugosity; asperity	Rauheit f, Rauhigkeit f; Rauhigkeitserhebung f	rugosité f, aspérité f, rudesse f	шероховатость, неров-ность

R 2587	roughness coefficient, coefficient of roughness, roughness factor, degree of roughness, rugosity coefficient	Rauhigkeitszahl f, Rauheitszahl f, Rauhigkeitsbeiwert m, Rauheitsbeiwert m, Rauhigkeitskoeffizient m, Rauheitskoeffizient m, Rauhigkeitsfaktor m, Rauheitsfaktor m, Rauhigkeitsgrad m, Rauheitsgrad m, Rauhigkeitswert m, Rauheitswert m, Rauhwert m	coefficient m de rugosité, coefficient d'aspérité	коэффициент (фактор) шероховатости
R 2588	roughness element	Rauhigkeitselement n	élément m de rugosité, élément d'aspérité	элемент шероховатости
	roughness factor	s. roughness coefficient		
	roughness height, height of roughness	Rauhigkeitshöhe f	hauteur f de rugosité, hauteur d'aspérité	высота шероховатости
R 2588a	roughness Reynolds number	Rauhigkeits-Reynolds-Zahl f, Rauhigkeits-kennzahl f, für die einzelne Rauhigkeit charakteristische Reynolds-Zahl f	nombre m de Reynolds formé avec la rugosité uniforme	число Рейнольдса, опре-деляющим параметром которого является вы-сота элемента шерохо-ватости; параметр шероховатости
R 2589	roughness spectrum	Rauheitsspektrum n, Rauhigkeitsspektrum n	spectre m de rugosité, spectre d'aspérité	спектр шероховатости
	roughometer; profilom-eter; profile testing meter; talysurf	Rauhigkeitstiefenmesser m, Rauhigkeitsmesser m; Profilmeßgerät n, Profil-messer m, Profilometer n	profilomètre m, rugosimètre m	микропрофилометр; про-филометр, профиломер
R 2589a	rough regime, rough law regime, completely rough regime	vollkommen rauher Be-reich m, vollkommen ausgebildete Rauhigkeits-strömung f	régime m de l'écoulement turbulent rugueux, écoulement m turbulent (hydrauliquement) rugueux	область полной шерохо-ватости
	rough rule	s. rule of thumb		
R 2590	rough sea, angry sea, pecky sea	grobe See f, ziemlich grobe See, ziemlich hoher Wellengang m, ziemlich hohe Wellen fpl <Stärke 5>	houle f assez forte, mer f houleuse	бурное море, среднее вол-нение <5 баллов, волны высотой 2,0 ÷ 3,5 м>
R 2591	rough service lamp	stoßfeste Lampe f	lampe f résistant aux chocs, lampe antichoc	вибростойкая лампа
R 2591a	rough-surfaced, roughened	aufgerauht	à surface rugueuse, rendu rugueux	шероховатый, с шерохо-ватой поверхностью
R 2592	rough vacuum	Grobvakuum n	vide m gros	низкий вакуум
R 2593	roulette <math.>	Rollkurve f, Roulette f <Math.>	roulette f <math.>	рулета <матем.>
	round angle	s. perigon		
R 2594	round bracket, paren-thesis <math.>	[runde] Klammer f <Math.>	parenthèse f <math.>	[круглая] скобка, простая скобка <матем.>
R 2595	round-coil instrument, round-coil measuring instrument	Rundspulinstrument n	appareil m de mesure à bobine ronde	измерительный прибор с круглой катушкой
R 2596	round edgewise pattern instrument	Rundprofilinstrument n	appareil m de mesure à profil bombé	круглопрофильный [из-мерительный] прибор
	round filter, circular filter	Rundfilter n	filtre m circulaire, filtre rond	круглый фильтр; круглый свето-фильтр
R 2597	rounding, rounding off, roundoff	Rundung f <Math.>	arrondi[ssement] m <math.>	округление <матем.>
R 2598	rounding down	Abrundung f, Rundung f nach unten, Abrunden n	arrondissement m au nombre inférieur, arrondissement par défaut, arrondissement m	округление снизу, окру-гление с недостатком
R 2599	rounding error, round-off error	Rundungsfehler m	erreur f d'arrondi	ошибка (погрешность) округления, погреш-ность за счет округле-ний
	rounding off	s. rounding <math.>		
R 2600	rounding-off upward, rounding-up	Aufrundung f, Rundung f nach oben, Aufrunden n	arrondissement m vers le haut, arrondissement au nombre supérieur, arron-dissement par excès	округление сверху, окру-гление с избытком
	rounding rule, rule of rounding	Rundungsregel f	règle f d'arrondi[ssement]	правило округления
	rounding-up	s. rounding-off upward		
R 2601	round-looking scan[ning]	Rundsuchbetrieb m	balayage m (exploration f, recherche f) circulaire	круговой обзор простран-ства, круговой поиск
R 2602	round of angles	Richtungssatz m	tour m	прием направлений
	roundoff	s. rounding <math.>		
	round-off error	s. rounding error		
R 2603	round window	rundes Fenster n	fenêtre f ronde	круглое окно
R 2604	Rouse number	Rousesche Zahl f	nombre m de Rouse	число Рауза
R 2605	Rousseau diagram	Rousseau-Diagramm n	diagramme m de Rousseau	диаграмма Руссо
	route, traffic channel	Leitweg m	voie f d'acheminement, trajet m	путь прохождения, напра-вление прохождения; путь для направления
	Routh['s] criterion [of stability]	s. Routh-Hurwicz criterion		
R 2606	Routh['s] equations	Routhsche Gleichungen fpl, Routhsche Bewegungs-gleichungen fpl	équations fpl de Routh	уравнения Рауса

	English	German	French	Russian
R 2607	**Routh-Hurwicz criterion,** Routh['s] criterion [of stability], stability criterion of Routh	Routhsches Stabilitätskriterium n, Stabilitätskriterium nach Routh, Routh-Stabilitätskriterium n, Routh-Kriterium n, Routhsches Kriterium n, Kriterium von Routh	critère m de Routh, critère m de stabilité de Routh	критерий Рауса
R 2608	**Routhian function**	Routhsche Funktion f, Routh-Funktion f	fonction f de Routh	функция Рауса
R 2609	**Routh method,** ignoration of co-ordinates	Routhsche Methode f	méthode f de Routh	метод Рауса
R 2609a	**Routh['s] rule**	Routhsche Regel f	règle f de Routh	правило Рауса
R 2610	**routine,** computer (machine) programme	Maschinenprogramm n	programme m de la calculatrice (machine)	программа [для] вычислительной машины
	routine	s. a. programme <num. math.>		
R 2611	**routine analysis**	Routineanalyse f	analyse f normale, analyse régulière	регулярный (нормальный) анализ; серийный (массовый) анализ
	routing control	s. routing guidance		
R 2612	**routing guidance,** routing control	Leitwegführung f, Leitweglenkung f, Leitwegsteuerung f	acheminement m automatique	автоматическое направление прохождения
R 2613	**row** <cryst.>	Punktreihe f <Krist.>	rangée f <crist.>	ряд [точек] <крист.>
R 2614	**Rowe osmometer**	Osmometer n nach Rowe, Rowe-Osmometer n	osmomètre m de Rowe	осмометр Роу
	row index, line index	Zeilenindex m	indice m de la ligne	индекс строки
	Rowland arrangement [of reflection grating]	s. Rowland mounting [of diffraction grating]		
R 2615	**Rowland bridge**	Rowland-Brücke f	pont m de Rowland	мост Роуланда (Роулэнда)
R 2616	**Rowland circle**	Rowland-Kreis m	cercle m de Rowland	круг Роуланда
R 2616a	**Rowland effect**	Rowland-Effekt m	effet m Rowland	эффект Роуланда
R 2617	**Rowland['s] experiment**	Rowlandscher Versuch m, Versuch von Rowland	expérience f de Rowland	опыт Роуланда
R 2618	**Rowland ghosts**	Rowland-Geister mpl	ghosts mpl de Rowland	духи Роуланда
R 2619	**Rowland grating mounting, Rowland mounting [of diffraction grating],** Rowland arrangement [of reflection grating], radius mounting [of grating]	Rowlandsche Gitteraufstellung f	montage m de Rowland[du réseau de diffraction], montage à radius [du réseau]	установка решетки по Роуланду, установка решетки Роуланда
R 2619a	**Rowland wavelength system**	Rowlandsches Wellenlängensystem n	système m des longueurs d'ondes de Rowland	система длин волн Роуланда
R 2620	**row matrix,** single-row matrix, row vector, single-row vector	Zeilenmatrix f, Zeilenvektor m	matrice f ligne, matrice-ligne f, matrice à une ligne, matrice uniligne, vecteur-ligne m, vecteur m ligne	матрица-строка, строчная матрица, вектор-строка, строчный вектор
	row of dipoles	s. dipole row		
	row of dislocations, dislocation row	Versetzungsreihe f	file f de dislocations	строй дислокаций, ряд дислокаций
	row of vortices, vortex row, single row of vortices	Wirbelreihe f	file f tourbillonnaire	вихревая цепочка, ряд вихрей
R 2621	**row rank**	Zeilenrang m	rang m défini par les lignes de la matrice	строчный ранг
	row vector	s. row matrix		
R 2622	**Rozhdestvensky interferometer**	Roshdestwenski-Interferometer n	interféromètre m de Rozhdestvenski	интерферометр Рождественского
R 2623	**Rozhdestvensky['s] method,** crochet method	Hakenmethode f [von Roshdestwenski], Methode f von Roshdestwenski	méthode f de Rozhdestvenski, méthode des crochets [de Rozhdestvenski]	метод крюков [Рождественского]
R 2624	**r process,** fast process, fast neutron capture, capture of neutrons on a fast time scale <astr.>	r-Prozeß m, schneller Prozeß m, schneller Neutroneneinfang m <Astr.>	processus m r, processus rapide, procédé m r, procédé rapide, capture f rapide de neutrons <astr.>	r-процесс, быстрый захват нейтронов <астр.>
R 2625	**R region**	R-Gebiet n	région f R	R-область
R 2626	**RR Lyrae star, RR Lyrae variable,** cluster[-type] variable [star], short-period Cepheid	RR Lyrae-Stern m, Haufenveränderlicher m, Antalgolstern m	variable f [du type] RR Lyrae, variable d'amas, céphéide f à courte période, étoile f [du type] RR Lyrae	звезда типа RR Лиры, переменная звезда-типа скоплений, короткопериодическая цефеида, анталголь, цефеида типа RR Лиры
R 2627	**R-shower**	R-Schauer m, Mesonenschauer m mit Kernverdampfung	gerbe f R	мезонный ливень с ядерным испарением
R 2628	**R-symmetric case,** D-case	R-symmetrischer Fall m, D-Fall m	cas m symétrique en R, cas D	R-симметричный случай, D-случай
R 2629	**rubber,** vulcanized rubber, vulcanizate	Gummi m, vulkanisierter Kautschuk m, Vulkanisat n	gomme f, gomme vulcanisée, caoutchouc m vulcanisé, vulcanisat m	резина, вулканизованный каучук, вулканизованная резина, вулканизат
R 2630	**rubber ball,** india-rubber ball	Gummiball m	balle f élastique	резиновый мяч
R 2631	**rubber bulb**	Gummiball m, Gummiblase f	poire f en caoutchouc, poire pneumatique	резиновая груша
	rubber elasticity	s. rubberlike elasticity		
R 2632	**rubber[-]like,** rubbery	gummiähnlich; kautschukähnlich, kautschukartig; gummielastisch	gommeux; caoutchouteux	резиноподобный; каучукоподобный, каучукообразный
R 2633	**rubber-like elasticity,** rubber elasticity	Gummielastizität f	élasticité f [de] gomme	резиноподобная упругость, упругость резины

R 2634	**rubber membrane model**, membrane model	Gummimodell *n*, Gummimembranmodell *n*, Membranmodell *n*	modèle *m* de la membrane de caoutchouc, modèle de membrane	модель резиновой диафрагмы (мембраны), резиновая модель <для определения потенциала>
R 2635	**rubber softness standard**	Weichheitszahl *f*, Gummihärte *f*	degré *m* de déformation élastique	показатель мягкости
R 2636	**rubber-tissue model**	Gummituchmodell *n*, Gummimodell *n*, Gummihautmodell *n*	modèle *m* du tissu caoutchouté	модель прорезиненной ткани
	rubbery	s. rubber[-]like		
R 2637	**rubbing**; grating; smearing; wiping	Reiben *n*; Wischen *n*	frottement *m*	натирание; вытирание
R 2638	**rubbing** <to powder>, grinding [to powder], grinding-down; triturating, mincing, powdering, pulverization	Zerreibung *f*, Zerstoßung *f*, Pulverisierung *f*	trituration *f*; porphyrisation *f*; pilage *m*; broyage *m*, broiement *m*	растирание; истирание; толчение
	rubbing contact	s. wiping contact		
R 2639	**rubbish**, refuse	Schutt *m*	éboulis *mpl*, brèche *f* d'écroulement	каменная осыпь, осыпь, обломки горной породы, обломочные породы
	rubble, clastic rock	Trümmergestein *n*, klastisches Sedimentgestein *n*	roche *f* agrégée, roche clastique	кластическая порода, обломочная порода
R 2640	**rubble**, rubble-stone	Schotter *m*	blocage *m*, blocaille *f*	щебень, щебенка; галька
	rubble	s. a. boulder <geo.>		
	rubble-stone, rubble	Schotter *m*	blocage *m*, blocaille *f*	щебень, щебенка; галька
	Ruben cell, Ruben-Mallory cell	Ruben-Mallory-Element *n*, Ruben-Mallory-Zelle *f*, Quecksilberoxidzelle *f*	pile *f* de Ruben-Mallory, pile de Ruben	окисно-ртутный элемент
R 2641	**Ruben-Mallory cell**, Ruben cell	Ruben-Mallory-Element *n*, Ruben-Mallory-Zelle *f*, Quecksilberoxidzelle *f*	pile *f* de Ruben-Mallory, pile de Ruben	окисно-ртутный элемент
R 2642	**Rubens['] flame tube**	Rubenssches Flammenrohr *n*	tube *m* de flamme de Rubens	жаровая труба Рубенса
R 2643	**Rubens['] thermopile**	Rubenssche Thermosäule *f*	thermopile *f* de Rubens	термобатарея (термостолбик) Рубенса
R 2644	**ruby laser**, ruby optical maser	Rubinlaser *m*	laser *m* à rubis	квантовый генератор на рубине; квантовый генератор оптического диапазона, в котором в качестве активного вещества используется кристалл рубина
R 2645	**ruby maser**	Rubinmaser *m*	maser *m* à rubis	квантовый усилитель на рубине; квантовый усилитель, в котором активным веществом служит рубин
	ruby optical maser	s. ruby laser		
R 2645a	**Rudstam['s] formula**	Rudstamsche Formel *f*	formule *f* de Rudstam	формула Рудстама
R 2645b	**Rudzki['s] transformation**	Rudzki-Transformation *f*	transformation *f* de Rudzki	преобразование Рудзкого
R 2646	**Rue cell / De la**	De-la-Rue-Element *n*	élément *m* de de la Rue, pile *f* de de la Rue	элемент де ля Рю
	ruffle	s. ripple		
	rugged, ruggedized; shockresistant, shockproof	stoßfest	résistant aux chocs, protégé contre les chocs, antichoc	ударостойкий, ударопрочный, импульснопрочный, вибропрочный, вибростойкий
	ruggedization	s. hardening <of electronic tube>		
R 2647	**ruggedness**, sturdiness, solidity, stability <gen.>	Stabilität *f*, Festigkeit *f*, Dauerhaftigkeit *f*, Solidität *f*; Robustheit *f* <allg.>	solidité *f*, durabilité *f*, stabilité *f* <gén.>	прочность, стойкость, массивность; выносливость <общ.>
	rugosity	s. roughness		
	rugosity	s. a. unevenness		
	rugosity coefficient	s. roughness coefficient		
	Ruhmkorff['s] [induction] coil	s. inductorium		
R 2648	**rule**, ruler	Lineal *n*, fester Maßstab *m*	règle *f*	линейка
	rule, measuring rule, comparing rule	Maßstab *m*, Maßstablineal *n*	règle *f* à échelle, règle divisée	масштабная линейка, масштаб
	rule, jointing-rule, straight-edge	Richtlatte *f*; Richtscheit *n*	latte *f* de mesure, jalon *m*	правило; наугольник; винкель; путевой шаблон с уровнем, [поверочная] линейка
	rule/8-N	s. Hume-Rothery rule		
R 2649	**ruled diffraction grating**, ruled grating	Strichgitter *n*, Liniengitter *n*	réseau *m* de traits, réseau ligné	штриховая [дифракционная] решетка
R 2650	**ruled function**	Regelfunktion *f*; Funktion *f*, die höchstens Unstetigkeiten erster Art hat	fonction *f* réglée	правильная функция
	ruled grating	s. ruled diffraction grating		
	ruled paper	s. scale paper		
R 2651	**ruled surface** <math.>	Regelfläche *f*, geradlinige Fläche *f* <Math.>	surface *f* réglée <math.>	линейчатая поверхность <матем.>
	rule of alligation, alligation	Mischungsrechnen *n*	calcul *m* de mélange	расчет по правилу смешения, правило смешения, правило товарищества
	rule of composition	s. law of composition		
	rule of eight	s. octet rule		
	rule of false position, regula falsi, method of false position	Regula *f* falsi, Eingabeln *n* der Nullstelle, Sekantenverfahren *n*	règle *f* de fausse position	метод хорд, метод (способ, правило) ложного положения

ID	English	German	French	Russian
R 2652	rule of maximum multiplicity	Regel f der maximalen Multiplizität	loi f de la multiplicité maximum	правило максимальной множественности (мультиплетности)
R 2653	rule of moving around	Umfahrungsregel f, Umlaufregel f, Umlaufungsregel f		правило обвода
	rule of proportion	s. rule of three f		
R 2654	rule of rounding, rounding rule	Rundungsregel f	règle f d'arrondi[ssement]	правило округления
	rule of signs, Descartes' rule of signs	DescartesscheZeichenregel f, Cartesische Zeichenregel, Harriotsche Zeichenregel	règle f [des signes] de Descartes, méthode f des variations de Descartes	правило знаков Декарта
	rule of signs	s. a. sign convention		
	rule of sums, sum rule	Summenregel f, Summensatz m	règle f des sommes, règle du total, règle de sommation	правило сумм
R 2655	rule of three, rule of proportion, golden rule	Regeldetri f, Dreisatz m	règle f de trois	тройное правило <правило решения арифметических задач, содержащих прямо или обратно пропорциональные величины>
R 2656	rule of thumb, rough rule, rough-and-ready rule, snap regula	Faustformel f, Faustregel f	formule f approximative, formule approchée	упрощенная формула для приблизительного подсчета, приближенная формула, эмпирическое (практическое) правило
	rule of triads, triad rule	Triadenregel f	règle f des triades	правило триад
	ruler	s. rule		
R 2657	ruling <of gratings>, manufacture of gratings, ruling technique	Gitterteilung f, Gitterherstellung f, Gitterschneidetechnik f	traçage m [des réseaux]	изготовление решеток, нанесение штрихов на решетку; проведение линий
	ruling	s. a. generator <of a surface>		
R 2658	ruling engine, ruling machine	Gitterteilmaschine f	dispositif m pour tracer les réseaux	делительная машина
	ruling technique	s. ruling <of gratings>		
R 2659	rumble, vibration resonance	Schüttelresonanz f	résonance f vibrationnelle	рокотание, громыхание
R 2660	rumble noise	Rumpelgeräusch n	bourdonnement m	рокотание, громыхание, грохот[анье]
R 2661	rumbling; roll <ac.>	Rollen n; Grollen n <Ak.>	grondement m <ac.>	раскаты [грома]; раскатистый звук; грохот
	rumbling	s. a. drone <ac.>		
R 2662	Rumford [photoshadow] photometer	Schattenphotometer n nach Rumford, Rumford-Photometer n	photomètre m de Rumford	теневой фотометр Румфорда
R 2662a	rump electron	Rumpfelektron n	électron m de tronc [de l'atome]	электрон остова [атома]
R 2663	run, running, motion, movement	Gang m, Lauf m	marche f, fonctionnement m, course f	ход
R 2663a	run, proceeding <of process>	Verlauf m, Ablauf m <Prozeß>	cours m, marche f <du procédé>	ход <процесса>
R 2664	run, trend <geo.>	Streichen n [der Schicht], Schichtenstreichen n <Geo.>	allongement m, direction f, étendue f, houage m <géo.>	простирание пласта <гео.>
R 2665	run <num. math.>	Lauf m <num. Math.> ≐ difference of abscissae	passage m <math. num.>	«прогон» <числ. матем.>
	run	s. a. experiment		
	run	s. a. flow <of liquid>		
	run	s. a. series of measurements		
R 2666	runaway effect [of electrons]	„runaway"-Effekt m <der Elektronen>	effet m des électrons découplés	явление ускоряемых электронов
R 2667	runaway electron	„runaway"-Elektron n	électron m découplé	ускоряемый электрон
	runaway of the reactor	s. reactor runaway		
	runaway star	s. Barnard['s] star		
	run down	s. running-out		
R 2668	run-forward time	Hinlaufzeit f	temps m de marche en avant	время прямого хода
R 2669	Runge domain	Rungesches Gebiet n	domaine m de Runge	область Рунге
R 2670	Runge-Kutta-Fehlberg method	Runge-Kutta-Fehlberg-Verfahren n, Runge-Kutta-Fehlbergsches Verfahren n	méthode f de Runge, Kutta et Fehlberg	метод Рунге-Кутта-Фельберга
R 2671	Runge-Kutta method, method of Runge and Kutta	Runge-Kutta-Verfahren n, Runge-Kuttasches Verfahren n, Verfahren von Runge und Kutta, Runge-Kutta-Methode f; Runge-Kuttasche Formeln fpl	méthode f de Runge-Kutta, méthode de Runge et Kutta	метод Рунге-Кутта
	Runge['s] method	s. Runge['s] scheme		
R 2672	Runge['s] rule	Rungesche Regel f	règle f de Runge	правило Рунге
R 2673	Runge['s] scheme, Runge['s] method	Rungesches Schema n, Rungesches Verfahren n, Runge-Verfahren n, Verfahren von Runge	méthode f de Runge	метод Рунге
R 2674	Runge['s] theorem	Approximationssatz m von Runge, Rungescher Satz m; Satz von Runge	théorème m de Runge	теорема Рунге
	R-unit, r-unit, roentgen, roentgen unit, R	Röntgen n, Röntgeneinheit f, R-Einheit f, R	röntgen m, rœntgen m, unité f R, R	рентген, p, R
R 2675	R. unit [of Solomon]	R-Einheit f [nach Solomon]	unité f R., R. [de Solomon]	R-единица [Соломона]
R 2676	runner <of water turbine>; impeller <of pump>; rotor, rotor wheel	Laufrad n, Kreiselrad n, Rotor m, Läufer m <Turbine, Pumpe>	roue f motrice, rotor m <de la turbine, pompe>	рабочее колесо <турбины, насоса>

R 2677	running, streaking <of colours>	Auslaufen n; Ineinander-laufen n; Zerfließen n <Farben>	fusion f <de couleurs>	расплывание <краски>
	running	s. a. run		
R 2678	running co-ordinate	laufende Koordinate f	coordonnée f courante	текущая координата
R 2678a	running crack	laufender Riß m	fissure f courante, crique f courante	текущая трещина
	running current	s. operating current		
	running-down	s. running-out <mech.>		
R 2679	running high	Hochgehen n	déferlement m	бушевание
R 2680	running index, variable index	Laufindex m, laufender Index m, variabler Index	indice m variable, indice courant	переменный индекс, текущий индекс
	running layer, travelling layer	laufende Schicht f	couche f mobile, couche courante	подвижной слой, текущий слой
	running mean	s. moving average		
R 2681	running modification	Jeweilsänderung f	modification f en cours de programme	оперативная привязка
	running of the colours; blending of the colours, shading[-off] of the colours	Verlaufen n der Farben	fondu m, dégradation f des couleurs	расплывание красок, расплытие красок
R 2682	running-out, running-down, run down <mech.>	Auslaufen n, Auslauf m; Nachlaufen n, Nachlauf m <Mech.>	marche f par inertie <méc.>	выбег; движение по инерции, ход по инерции; перебег <мех.>
R 2683	running-out energy, deceleration energy	Auslaufenergie f	énergie f d'inertie, énergie de ralentissement	энергия выбега
R 2684	running term <in the series formula>	Laufterm m, Laufzahl f <Serienformel>	terme m variable, terme courant <dans la formule de série>	ряд целых значений, текущий член, переменный член <напр. в формуле Бальмера>
R 2684a	running time	Rechenzeit f	temps m de calcul	время вычисления
	running to full speed	s. run-up		
	running voltage	s. burning voltage <of discharge, arc>		
	running wave	s. travelling wave		
	running without load	s. idling		
R 2685	run-off <of water>, flow of water, water flow	Abfluß m <Wasser>, Wasserabfluß m, Wasserfracht f	écoulement m [des eaux]	сток; стекание; истечение; слив; спуск; проток <воды>
	runoff <per unit time>	s. discharge		
	runoff coefficient	s. flow coefficient		
R 2686	runoff groove	Spülrinne f	rayure f (sillon m) d'écoulement	борозда смыва, борозда стока
	runoff percentage	s. flow coefficient		
	runoff per day, daily runoff	Tagesabflußmenge f, Tagesabfluß m	écoulement m journalier (par jour)	суточный сток, сток за сутки
	run of rays, path of rays, ray [-]trajectory; trace of rays <US>	Strahlengang m, Strahlenverlauf m, Strahlenweg m, Strahlenbahn f	marche f (trajectoire f, trajet m, cheminement m) des rayons	ход лучей, путь лучей, траектория лучей
R 2687	run test	Iterationstest m	test m de suites	проверка итерации
R 2688	run-up, running to full speed, start-up, starting	Hochlaufen n, Hochlauf m	mise f en marche, mise en action; mise en vitesse, accroissement m de vitesse; démarrage m	разбег, разгон; подъем числа об/мин; пуск в ход
R 2689	rupture, abruption; tearing, tear; bursting; splitting; rending <mech.>	Zerreißung f; Reißen n, Riß m; Sprungbildung f; Einreißen n <Mech.>	rupture f, déchirement m; cassure f; rompement m; fendage m <méc.>	разрыв, растрескивание; обрыв; излом; разрушение; раздирание <мех.>
	rupture, cleavage (cleave, separation) fracture	Trennungsbruch m, Trennbruch m	rupture f par clivage	излом по плоскости спайности
	rupture <el.>, breaking off	Abreißen n <El.>	rupture f <él.>	разрыв <контактов>, обрыв <дуги>
	rupture	s. a. breakdown		
	rupture; rupture area	s. fracture <mech.>		
	rupture device, tensile testing machine, tensile [strength testing] machine	Zugprüfmaschine f, Zerreißmaschine f	machine f à traction, machine d'essais à la rupture	машина для испытания на разрыв (растяжение), разрывная машина
R 2690	rupture energy	Zerreißenergie f	énergie f de rupture	энергия разрыва
	rupture line, fracture line, line of fracture	Bruchlinie f	ligne f de rupture (fracture)	линия излома
	rupture modulus	s. modulus of rupture <mech.>		
R 2691	rupture of slope, slope rupture	Gefällsbruch m, Neigungsbruch m, Neigungswechsel m	rupture f de pente	перелом наклона, изменение угла падения склона
R 2692	rupture strength, separating strength	Trennfestigkeit f, Trennwiderstand m, Trennungsfestigkeit f	résistance f à la rupture	прочность сцепления (связи); сопротивление расслаиванию; прочность на отрыв
	rupture strength	s. tensile strength		
R 2693	rupture stress	Zerreißspannung f; Bruchspannung f	tension f de rupture, effort m de rupture	разрушающее (разрывное, разрывающее, ломающее) напряжение
R 2694	rupture stress	Zerreißkraft f	effort m (sollicitation f, force f) de rupture	разрывное усилие, разрушающее усилие
	rupture work, stretching strain, work of rupture	Zerreißarbeit f	travail m de rupture	работа на растяжение, работа растяжения, работа разрыва
R 2694a	rush current	Schwellstrom m, Rushstrom m, Rush m, „rush"-Strom m	pointe f du courant d'enclenchement	пик тока при включении
	rush of current	s. impulse of current		

R 2695	**Russell-Adams phenomenon**	Russell-Adams-Phänomen n, Russell-Adams-Effekt m	effet m Russell-Adams	феномен Рассела-Адамса, явление Рассела-Адамса
R 2696	**Russell angle** **Russell diagram**	Russell-Winkel m s. Hertzsprung-Russell diagram	angle m de Russell	угол Рассела
R 2697	**Russell effect**, Vogel-Colson-Russell effect	Russell-Effekt m, Vogel-Colson-Russell-Effekt m	effet m Russell, effet Vogel-Colson-Russell	эффект Расселла (Ресселла), явление Расселла (Ресселла)
R 2698	**Russell mixture**	Russell-Mischung f, Russell-Gemisch n	mélange m de Russell	расселова смесь
R 2699	**Russell-Saunders coupling**, L-S coupling	Russell-Saunders-Kopplung f, LS-Kopplung f, „normale" Kopplung f [der Atomelektronen]	couplage m de Russell-Saunders, couplage L-S	связь Рассела-Саундерса, схема Рассела-Саундерса, нормальная связь, LS-связь, рассел-саундерсовская (ресселл-саундеровская, рассел-саундеровская, расселл-саундеровская) связь
R 2700	**Russell-Vogt theorem**	Eindeutigkeitssatz m des Sternaufbaus [nach Russell und Vogt]	théorème m de Russell-Vogt	теорема Рессел[л]а-Фохта
R 2701	**rust**	Rost m	rouille f	ржавчина
R 2702	**Rutgers['] equation**, **Rutgers['] relation**	Rutgerssche Beziehung (Formel) f	formule (équation) f de Rutgers	формула Рутгерса
R 2703	**rutherford**, rutherford unit, rd <= 27.0 μCi>	Rutherford n, Rutherford-Einheit f, rd <= 27,0 μCi>	rutherford m, unité f rutherford, rd <= 27,0 μCi>	резерфорд, $рд$, rd <= 1/(3,7 · 104) кюри>
R 2704	**Rutherford atom**	Rutherfordsches Atom n	atome m de Rutherford, atome planétaire	резерфордовский атом
R 2705	**Rutherford atom model**	Planetenmodell n [des Atoms] [nach Rutherford], Rutherfordsches Planetenmodell, Rutherfordsches Atommodell n, Atommodell von Rutherford, Lenard-Rutherfordsches Atommodell n	modèle m atomique de Rutherford, modèle de l'atome planétaire	планетарная модель [атома], планетарная модель Резерфорда
R 2706	**Rutherford-Bohr atom model**	Rutherford-Bohrsches Atommodell n	modèle m atomique de Rutherford et Bohr	модель атома Резерфорда-Бора
R 2707	**Rutherford cross-section**, Rutherford scattering cross-section	Rutherford-Streuquerschnitt m, Rutherford-Querschnitt m, Wirkungsquerschnitt m für (der) Rutherford-Streuung, Rutherford-Wirkungsquerschnitt m	section f efficace de Rutherford, section efficace de diffusion de Rutherford	сечение резерфордовского рассеяния, резерфордовское сечение
	Rutherford dispersion formula	s. Rutherford scattering formula		
R 2708	**Rutherford['s] experiment**	Versuch m von Rutherford, Rutherfordscher Streuversuch m (Versuch), Streuversuch von Rutherford	expérience f de Rutherford	опыт Резерфорда
	Rutherford formula	s. Rutherford scattering formula		
	rutherfordium	s. kurchatovium		
	Rutherford prism	s. Rutherfurd prism		
R 2709	**Rutherford scattering**	Rutherford-Streuung f, Rutherfordsche Streuung f	diffusion f de Rutherford	резерфордовское рассеяние
	Rutherford scattering cross-section	s. Rutherford cross-section		
R 2710	**Rutherford scattering formula (law, relation)**, Rutherford dispersion formula, Rutherford formula	Rutherford-Streuformel f, Rutherford-Formel f, Rutherfordsche Formel f, Rutherfordsches Streugesetz n	formule f de diffusion de Rutherford	формула Резерфорда [для рассеяния альфа-частиц], резерфордовская формула [рассеяния]
	rutherford unit	s. rutherford		
	Rutherfurd prism, compound prism	Rutherfurd-Prisma n, Compoundprisma n	prisme m de Rutherfurd, prisme compound	призма Резерфурда, компаунд-призма
R 2711	**R_f value**, retention factor, R_f	R_f-Wert m, R_f, Verzögerungsfaktor m	facteur m de rétention, facteur R_f, valeur f R_f, R_f	коэффициент R_f, значение R_f, R_f, относительная скорость передвижения на бумаге, коэффициент замедления
R 2712	**R_g value**, R_g, R_x value, R_x	R_g-Wert m, R_g, R_x-Wert m, R_x	facteur m R_g, valeur f R_g, facteur R_x, valeur R_x, R_x	коэффициент R_g, значение R_g, коэффициент R_x, значение R_x
R 2713	**RV Tauri[-type] star**	RV Tauri-Stern m	variable f du type RV Tauri	[переменная] звезда тип RV Тельца
	RW Aurigae-type star, T Tauri star, nebular variable	RW Aurigae-Stern m, T Tauri-Stern m, Nebelveränderlicher m	variable f du type T Tauri, variable du type RW Aurigae, variable nébulaire	переменная типа T Тельца, небулярная переменная [звезда]
	R wave	s. reflected wave		
R 2714	**rydberg**, Ry	Rydberg n, Ry	unité f rydberg, rydberg m, Ry	ридберг; ридбергова единица энергии; ридбергова единица частоты; Ry

R 2715	Rydberg constant; Rydberg wave number	Rydberg-Konstante f $<R_\infty>$; Rydberg-Zahl f, Rydberg-Wellenzahl f, Rydberg[-Ritz]sche Wellenzahl f <massenabhängig>	constante f de Rydberg	постоянная Ридберга
R 2716	Rydberg correction [term], quantum defect	Rydberg-Korrektion f	correction f de Rydberg	поправка Ридберга
R 2717	Rydberg equation (formula)	Rydberg-Formel f	formule f de Rydberg	формула Ридберга
R 2718	Rydberg frequency	Rydberg-Frequenz f	fréquence f de Rydberg	частота Ридберга, ридберговская частота
	Rydberg-Ritz combination principle	s. combination principle		
R 2718a	Rydberg-Schuster law	Rydberg-Schustersche Regel f	loi f de Rydberg-Schuster	закон Ридберга-Щустера
R 2719	Rydberg series	Rydberg-Serie f	série f de Rydberg	серия Ридберга
	Rydberg wave number	s. Rydberg constant		
	Ryle['s] method, phase-switching method	Phasenschaltverfahren n, Ryle-Verfahren n	méthode f à commutation de phase, méthode de Ryle	метод Райла

S

S 1	Sabathé cycle	Sabathé-Prozeß m	cycle m de Sabathé	цикл Сабатэ
S 2	Sabattier effect, pseudo solarization <phot.>	Sabattier-Effekt m, Sabattier-Bildumkehrung f <Phot.>	effet m Sabattier, pseudo-solarisation f <phot.>	явление (эффект) Сабатье, псевдосоляризация <фот.>
S 3	Sabattier['s] method	Sabattier-Verfahren n, Einplattenverfahren n	méthode f de Sabattier	метод Сабатье
S 4	sabin	Sabin n, Sabine-Einheit f	sabin m	[метрический] сэбин, открытое окно, 1 м² открытого окна
S 5	Sabine['s] formula, Sabine['s] law	Sabinesche Formel f, Sabinesches Gesetz n	loi f de Sabine, équation f de Sabine	формула Сэбина, закон Сэбина
S 6	sabouraud-noiré, Sabouraud-Noiré unit, S-N unit	Sabouraud-Noiré n, Sabouraud-Noiré-Einheit f, SN-Einheit f	sabouraud-noiré m, unité f Sabouraud-Noiré, unité S-N	сабуро-нуаре, единица Сабуро-Нуаре, S-N
S 7	sa[c]charimeter	Saccharimeter n, Zucker-polarimeter n	saccharimètre m	сахариметр
S 8	saccharometer	Saccharometer n, Zucker-waage f	saccharomètre m	сахарометр, ареометр-сахарометр
	saccharometer	s. a. saccharimeter		
S 8a	Sachs['] average	Sachs-Mittel n	moyenne f de Sachs	среднее Сакса
	Sachs['] drawing test, wedge drawing test	Keilziehversuch m [nach Kayseler-Sachs]	essai m Sachs, essai Kayseler-Sachs	испытание по Саксу, испытание на вытяжку по Саксу
S 8b	Sackur-Tetrode constant, entropy constant	Sackur-Tetrode-Konstante f, [Sackur-Tetrodesche] Entropiekonstante f	constante f de Sackur-Te-trode, constante d'en-tropie, constante de l'entropie	константа Захура-Тетро-де, постоянная Захура-Тетроде, постоянная энтропии
	sacrifice of time, time required, waste of time, loss of time	Zeitaufwand m	sacrifice m de temps	затрата времени, расход времени
S 9	sacrificing, killing	Tötung f, Abtötung f	sacrification f	умерщвление
S 10	saddle, col	Sattel m	col m	седло, седловина
S 11	saddle, saddle-shaped filling (cap) <chem.>	Sattelkörper m <Chem.>	col m <chim.>	седлообразная насадка <хим.>
	saddle	s. a. anticlinal fold <geo.>		
S 12	saddle coil	Sattelspule f	bobine f à col	отклоняющая катушка с отогнутыми лобо-выми витками, от-клоняющая катушка с отогнутыми краями
S 12a	saddle-field lens	Sattelfeldlinse f	lentille f électronique avec champ magnétique à col	линза с седлообразным полем
S 13	saddle point, hyperbolic point, col <math.>	Sattelpunkt m, hyper-bolischer Punkt m <Math.>	point m hyperbolique, col m, point m de col <math.>	точка перевала, седловая точка, седло, седловина <матем.>
	saddle point approxima-tion, saddle-point method	s. method of steepest descents		
	saddle point method	s. Fowler-Darwin method		
S 14	saddle-point singularity <of the differential equation>	Sattelpunkt m <Differentialgleichung>	col m <de l'équation différentielle>	седло <дифференциаль-ного уравнения>
	saddle-shaped cap (filling), saddle <chem.>	Sattelkörper m <Chem.>	col m <chim.>	седлообразная насадка <хим.>
S 15	saddle surface	Sattelfläche f	surface f à courbures opposées	седловая поверхность
S 16	Sadovski effect	Sadowski-Effekt m	effet m Sadovsky	эффект Садовского
S 17	safe distance, safety distance	Sicherheitsabstand m	distance f de sûreté	безопасное расстояние, безопасный промежу-ток
S 18	safe geometry	sichere Geometrie f	géométrie f sûre	безопасная геометрия
S 19	safelight filter, safelight screen, darkroom safelight filter	Dunkelkammerfilter n, Schutzfilter n	écran m de sûreté, filtre m inactinique	защитный светофильтр [для темной камеры], фотолабораторный светофильтр
	safe stress	s. permissible stress		

	English	German	French	Russian
S 20	**safety assembly**	Schutzsystem n, Sicherheitssystem n	ensemble m de sécurité	система защиты, система безопасности
	safety coefficient	s. safety factor		
	safety container	s. containment vessel		
	safety distance	s. safe distance		
S 21	**safety element**, safety member	Sicherheitsorgan n	élément m de sécurité	орган безопасности, элемент безопасности
S 22	**safety factor**, factor of safety, margin of safety, assurance coefficient, safety coefficient, FS, fs	Sicherheitsbeiwert m, Sicherheitsfaktor m, Sicherheitskoeffizient m, Sicherheitszahl f, Sicherheitsgrad m, Sicherheit f	coefficient m de sécurité, facteur m de sécurité, coefficient de sûreté	коэффициент запаса прочности [по напряжению]; коэффициент безопасности, фактор безопасности; запас прочности; коэффициент надежности
S 23	**safety factor against yielding, safety factor with respect to plastic flow**	Sicherheitsfaktor m gegen Fließen	facteur m de sécurité par rapport au fluage	коэффициент запаса прочности по пределу текучести
S 24	**safety factor with respect to rupture**	Sicherheitsfaktor m gegen Bruch	facteur m de sécurité par rapport à la rupture	коэффициент запаса прочности по пределу прочности
S 25	**safety glass**, splinterproof glass, unsplintered glass	Sicherheitsglas n, splitterfreies Glas n	verre m de sécurité, verre infrangible	безосколочное стекло, безопасное стекло, небьющееся стекло
S 26	**safety limit**	Sicherheitsgrenze f; Ungefährlichkeitsgrenze f	limite f de sécurité	граница безопасности
	safety member	s. safety element		
S 27	**safety regulation**	Sicherheitsvorschrift f; Sicherheitsbestimmung f	règle f de sécurité, réglementation f de sécurité	правило безопасности, правило техники безопасности
S 28	**safety requirements**	Sicherheitsforderungen fpl, Sicherheitsanforderungen fpl	exigences fpl du point de vue de la sécurité	требования безопасности, требования техники безопасности
S 29	**safety ring**	Sicherungsring m	anneau m de sûreté, anneau de protection, bague f de sûreté, rondelle f de sûreté	предохранительное кольцо, защитное кольцо
S 30	**safety rod**, cut-off rod; emergency shut-down rod, scram rod <US>	Sicherheitsstab m, Schnellschlußstab m, Notstab m	barre f de sécurité, barre d'arrêt d'urgence, barre d'arrêt rapide, barre d'arrêt, stoppeur m	предохранительный стержень, стоп-стержень, аварийный стержень, стержень аварийной защиты
	safety shut-down	s. emergency shut-down		
S 30a	**safety valve**	Sicherheitsventil n	soupape f de sûreté	предохранительный клапан
S 31	**safe voltage**, low voltage	Kleinspannung f	basse tension f	малое (пониженное, безопасное) напряжение
S 32	**sag**, sagitta; slack; height of the vault, camber; maximum deflection; use (height) of the shell	Durchhang m, Pfeilhöhe f; Stich m, Stichhöhe f; Bogenhöhe f	flèche f; montée f d'enveloppe	стрела прогиба, сагитта; стрела провеса, стрела провисания; прогиб; провес, провисание; стрела подъема оболочки
S 33	**sagging**, dip, dipping	Durchhängen n, Durchhang m; Durchbiegung f	fléchissement m; sagging m	провес, провисание
	sagging	s. a. untensioned		
	sagitta	s. sag		
S 34	**sagittal**, equatorial, radial <opt.>	sagittal, äquatorial, felgenrecht, Sagittal-, Äquatoreal-, Äquatorial- <Opt.>	sagittal, équatorial, radial <opt.>	сагиттальный, экваториальный <опт.>
	sagittal beam	s. sagittal pencil [of rays]		
S 35	**sagittal coma**, equatorial coma	Rinnenfehler m, sagittale Koma f, Sagittalkoma f, äquatoriale Koma	coma f sagittale, coma équatoriale	сагиттальная кома, экваториальная кома
S 36	**sagittal curvature of the image field**	sagittale Bildfeldwölbung (Bildfeldkrümmung) f, äquatoriale Bildfeldwölbung (Bildfeldkrümmung)	courbure f de champ sagittale	сагиттальная кривизна поля изображения
S 37	**sagittal fan**, sagittal pencil [of rays], equatorial fan, equatorial pencil [of rays]	Sagittalbüschel n, Äquatorealbüschel n, Äquatorialbüschel n	pinceau m sagittal, éventail m sagittal, pinceau équatorial, éventail équatorial	сагиттальный пучок [лучей], экваториальный пучок [лучей]
S 38	**sagittal focal line**, equatorial focal line	sagittale Brennlinie f, äquatoriale Brennlinie	focale f sagittale	сагиттальная (экваториальная) фокальная линия
	sagittal focal plane	s. sagittal plane <opt.>		
S 38a	**sagittal focus**, secondary focus, radial focus	sagittaler Brennpunkt m, Sagittalbrennpunkt m	foyer m sagittal	сагиттальный фокус
S 39	**sagittal image point**, equatorial image point	sagittaler (äquatorialer) Bildpunkt m	point m image sagittal (équatorial)	сагиттальная (экваториальная) точка изображения
S 40	**sagittal pencil [of rays]**, equatorial pencil [of rays], sagittal beam, equatorial beam	Sagittal[strahlen]bündel n, Äquatoreal[strahlen]bündel n, Äquatorial[strahlen]bündel n	faisceau m sagittal, pinceau m sagittal, faisceau équatorial, pinceau équatorial	сагиттальный пучок [лучей], экваториальный пучок [лучей]
	sagittal pencil [of rays]	s. sagittal beam		
S 41	**sagittal plane**, sagittal focal plane <opt.>	Sagittalebene f, Äquatorealebene f, Äquatorialebene f <Opt.>	plan m sagittal <opt.>	сагиттальная плоскость <опт.>
S 42	**sagittal ray**, equatorial ray	Sagittalstrahl m, Äquatorealstrahl m, Äquatorialstrahl m	rayon m sagittal, rayon équatorial	сагиттальный луч, экваториальный луч

S 43	sagittal section, equatorial section	Sagittalschnitt m, zweiter Hauptschnitt m, Äquatorealschnitt m, Äquatorialschnitt m	section f sagittale, section équatoriale	сагиттальное сечение, экваториальное сечение
S 44	sagitta method	Sagittamethode f	méthode f de la flèche [constante]	метод постоянной сагитты
S 45	Sagnac['s] experiment	Sagnacscher Versuch m, Sagnac-Versuch m, Versuch von Sagnac, optischer Wirbelversuch m [von Sagnac]	expérience f de Sagnac	опыт Саньяка
S 46	Saha['s] equation, Saha['s] [equilibrium] formula, Saha['s] ionization formula	Saha-Gleichung f, Saha-Formel f, Eggert-Saha-Gleichung f, Eggert-Saha-Formel f	équation f de Saha, formule f de Saha	формула Саха, уравнение Саха, формула Эггерта-Саха
S 47	Saha-Langmuir law	Saha-Langmuirsches Gesetz n	loi f de Saha-Langmuir	закон Саха-Ленгмюра
S 48	Saint Elmo['s] fire, St. Elmo['s] fire, corposant	St. Elms-Feuer n, Sankt-Elms-Feuer n, Elmsfeuer n, Saint-Elms-Feuer n, Eliasfeuer n	feu m Saint Elmo	огни св. Эльма, огни святого Эльма, огонь Эльма
	Saint-Venant	s. Venant		
S 49	Sakata model	Sakata-Modell n	modèle m de Sakata	модель Саката
S 50	Sakata particles, elementary particles of Sakata, fundamental particles of Sakata	Sakatasche Teilchen npl, Sakata-Teilchen npl, Elementarteilchen (Fundamentalteilchen) npl von Sakata	particules fpl de Sakata, particules élémentaires de Sakata, particules fondamentales de Sakata	частицы Саката
S 51	Sakata-Taketani equation	Sakata-Taketanische Gleichung f	équation f de Sakata-Taketani	уравнение Саката-Такетани
	salient	s. overhang		
S 52	salient point, break, fraction; kink, knee <of the curve>	Knick m; Knie n; Abknicken n <Kurve>	coude m, pli m; genou m <de la courbe>	излом, точка излома; зубчик; изгиб, загиб <кривой>
S 53	salification, salifying, salt formation	Salzbildung f	salification f, formation f du sel	солеобразование
	saline-water wedge	s. salt-water wedge		
S 53a	Salinger's condition	Salinger-Bedingung f	condition f de Salinger	условие Залингера
S 54	salinity; salt[i]ness; salt content; salt concentration	prozentualer Gesamtsalzgehalt m, Gesamtsalzgehalt, Salzigkeit f, Salinität f; Salzgehalt m; Salzkonzentration f	salinité f, salure f; teneur f en sel; concentration f saline	соленость, процентное содержание солей; солесодержание, содержание растворенных солей [в воде]; солеконцентрация, концентрация солей
S 55	salinity diagram	Salzgehaltdiagramm n, Salzdiagramm n	diagramme m de salinité	диаграмма солености, график солености
S 56	salinometer, halometer	Salzspindel f, Salzgehaltmesser m, Salinometer n, Salzmesser m	salinomètre m	ареометр-солемер, ареометр для рассола; солемер; солекомер
S 57	Salpeter-Bethe [two-nucleon] equation, Bethe-Salpeter equation, Bethe-Salpeter wave equation	Salpeter-Bethe-Zweinukleonengleichung f, Bethe-Salpeter-Gleichung f, Bethe-Salpeter-Wellengleichung f	équation f de Bethe-Salpeter	уравнение Бете-Солпитера, уравнение Солпитера-Бете [для двух нуклонов]
	Salpeter process	s. triple-alpha process		
S 57a	saltation <through air or water>	Feststofftransport m, Beförderung f von Feststoffen <in Sprüngen durch Luft oder Wasser>	saltation f, transport m des solides <par l'action de l'air ou de l'eau>	сальтация, перенос твердых материалов <прыжками через воду или воздух>
S 58	saltatory [nerve] conduction, saltatory transmission [of the nervous impulse], electro-saltatory transmission [of nerve impulse]	saltatorische Leitung f, saltatorische Erregungsleitung f, saltatorische Nervenleitung f	conduction f saltatoire, transmission f saltatoire, propagation f saltatoire, propagation par sauts	сальтаторная нервная проводимость
S 59	salt bath, molten-salt bath	Salzbad n	bain m salin	солевая баня (ванна); соляная баня (ванна)
S 60	salt bridge	Stromschlüssel m, Haber-Luigin-Kapillare f, Salzbrücke f	pont m de sel, pont salin	солевой мостик
	salt concentration	s. salinity		
	salt content	s. salinity		
S 61	salt crust	Salzkruste f	croûte f saline	солевая (соляная) корка
S 62	salt cryoscopy	Salzkryoskopie f	cryoscopie f de sel	солевая криоскопия
S 63	salt effect	Salzeffekt m	effet m de sel	солевой эффект
S 64	salt error	Salzfehler m	erreur f due à la salinité	ошибка за соленость, солевая ошибка
S 64a	salt exchange capacity	Salzaustauschvermögen n, Salzaustauschkapazität f	capacité f d'échange des sels	солевая обменная способность (емкость)
	salt formation	s. salification		
	saltness	s. salinity		
S 65	salting agent	Salzagens n, Salzzuschlag m	agent m salin	солеобразующий агент
S 66	salting-in	Einsalzen n	augmentation f de solubilité par addition d'un sel	всаливание, повышение растворимости путем добавления соли
S 67	salting-out, graining out	Aussalzung f	relargage m, extraction f par addition de sel	высаливание, отсаливание
S 68	salting-out agent	Aussalzer m	agent m relargant, relargant m	высаливатель, высаливающее вещество
S 69	salt isomerism	Salzisomerie f	isomérie f de sels	солевая изомерия
	saltness	s. salinity		

	English	German	French	Russian
S 70	**salt-spray [fog] test,** spray test	Salzsprühversuch m, Sprühversuch m	essai m par arrosage salin, essai de corrosion en brouillard salin	испытание в солевой камере, метод коррозионного испытания в солевом тумане
	saltus	s. step		
S 71	**salt-water wedge,** saline-water wedge	Salzwasserkeil m	coin m d'eau saline	клин соленой воды
S 72	**samarium poisoning**	Samariumvergiftung f	empoisonnement m samarium	отравление самарием
S 73	**same magnitude, but oppositely directed / of the;** opposite and equal; equal of magnitude, but opposite of sign	entgegengesetzt gleich	opposé, égal et opposé	равный по величине, но противоположный по знаку
	same polarity / having (of) the, like, having (of) the same sign	gleichnamig, gleicher Polarität, gleichen Vorzeichens	semblable, [de] même nom, [de] même polarité, [de] même signe	одноименный, равной полярности, равного знака
S 74	**same sense / in (of) the,** equidirectional, codirectional	gleichsinnig, gleichgerichtet	dans le même sens, de même sens, équidirectionnel, codirectionnel	одинакового (одного) направления, в одинаковом направлении, согласнонаправленный, равнонаправленный
	same sign / having (of) the	s. same polarity / of the		
S 75	**sample;** specimen; assay; test piece, test specimen; test component, component under examination	Probe f; Probestück n, Prüfstück n; Probekörper m, Prüfkörper m; Prüfling m; Präparat n; Untersuchungsobjekt n	échantillon m; épreuve f; éprouvette f [d'essai]; spécimen m; témoin m; pièce f à essayer	образец [для испытания]; проба; испытуемый образец; испытуемое тело
S 76	**sample, random (spot)** samples <stat.>	Stichprobe f, Probe f <Stat.>	échantillon m, épreuve f, épreuve improvisée <stat.>	выборка; контрольная проба, проба <стат.>
S 77	**sample changer**	Probenwechsler m	passeur m d'échantillons	устройство для смены проб (испытуемых образцов), автоматическое устройство для отбора проб
S 78	**sample container [with contents] <of calorimeter>,** calorimeter	Kalorimetergefäß n	vase m calorimétrique	калориметрический сосуд
S 79	**sample correlation coefficient**	empirischer Korrelationskoeffizient m	coefficient m de corrélation empirique	выборочный коэффициент корреляции
S 80	**sampled-data system,** sampling system	Tastsystem n, Impulssystem n	système m échantillonné, système à échantillonnage, sampling system m, système à données intermittentes	импульсная система
	sample drawing	s. sampling		
S 81	**sample function**	Probenfunktion f	fonction f d'épreuve	пробная функция
	sample function	s. a. statistic <stat.>		
S 82	**sample mean,** mean of sample, mean <stat.>	Stichprobenmittel[wert m] n, Mittelwert m der Stichprobe, empirischer Mittelwert, Mittel n <Stat.>	moyenne f d'échantillon[s], moyenne empirique, moyenne <stat.>	выборочное среднее, среднее <стат.>
S 82a	**sample moment**	Stichprobenmoment n	moment m estimé sur l'échantillon, moment d'échantillon	выборочный момент
S 83	**sample probability**	Stichprobenwahrscheinlichkeit f	probabilité f d'échantillon	выборочная вероятность
S 84	**sampler,** sampling system, sampling unit	Probenehmer m, Probenahmesystem n, Probenentnahmegerät n; Probenstecher m; Probenzieher m	échantillonneur m, système m d'échantillonnage, dispositif m d'échantillonnage	пробоотборник, опробыватель, прибор для взятия проб, пробоотборное устройство
S 85	**sample retreatment,** sample treatment	Umarbeitung f der Proben; Probenchemie f	[re]traitement m des échantillons	переработка образцов, обработка образцов
S 86	**sample size,** size of the sample	Umfang m der Stichprobe, Stichprobenumfang m	taille f de l'échantillon	объем выборки, численность выборочной совокупности
S 87	**sample space**	Stichprobenraum m	espace m d'échantillons	выборочное пространство, пространство выборок
	sample statistic	s. statistic <stat.>		
	sample taken by water bottle, silt sample, suspended load sample, bottle sample	Schöpfprobe f	échantillon m prélevé par la bouteille à l'eau	проба, взятая батометром
	sample treatment	s. sample retreatment		
	sample variance, empiric variance	empirische Varianz f	variance f empirique	эмпирическая дисперсия
S 88	**sampling,** taking (drawing) of samples, sample drawing	Entnahme f von Proben, Probenahme f, Probe[n]entnahme f	échantillonnage m, prise f (prélèvement m) d'échantillons	взятие образцов, взятие проб, отбор проб, опробование
S 89	**sampling <stat.>**	Stichprobenerhebung f, Erhebung (Entnahme) f von Stichproben, Stichprobenentnahme f; Ziehen n <Stat.>	échantillonnage m, prise f d'échantillons <stat.>	выбор, выборка, выборочный метод, извлечение <стат.>
S 90	**sampling [action]**	periodische Einstellung f	ajustage m périodique	периодическое действие <в регулировании>
S 90a	**sampling distribution**	Stichprobenverteilung f	distribution f d'échantillonnage	выборочное распределение

S 91	sampling error, accidental error, random error, unbiased error	zufälliger Fehler m, unregelmäßiger Fehler, Zufallsfehler m	erreur f fortuite, erreur accidentelle, erreur aléatoire	случайная ошибка, случайная погрешность
S 91a	sampling error	Stichprobenfehler m	erreur f d'échantillonnage, erreur de sondage	выборочная ошибка, ошибка выборочного обследования
S 91b	sampling fraction, sampling ration	Stichprobenanteil m, Stichprobenquote f, Auswahlsatz m	fraction f de sondage, fraction sondée, taux m de sondage	выборочная доля, выборочное отношение
S 92	sampling moment	Stichprobenmoment n, empirisches Moment n	moment m d'échantillon	выборочный момент
S 93	sampling oscilloscope	Samplingoszillograph m, „sampling"-Oszillograph m, Abtastoszillograph m	« sampling oscilloscope » m, oscilloscope (oscillographe) m à échantillonnage	стробирующий осциллоскоп, стробоскопический осциллоскоп
S 94	sampling polarograph, probe polarograph	Tastpolarograph m	polarographe m à sonde	зондовый полярограф
S 95	sampling process	Samplingprozeß m, „sampling"-Prozeß m	« sampling process » m	процесс отбора заданных значений непрерывного сигнала
	sampling ratio	s. sampling fraction		
	sampling system	s. sampled-data system		
	sampling system	s. sampler		
S 96	sampling theorem	Abtasttheorem n, Probensatz m, Samplingtheorem n, Kotelnikow-Theorem n	théorème m d'échantillonnage, théorème de Kotelnikov	теорема отсчетов, теорема квантования сигнала, теорема Котельникова
	sampling unit	s. sampler		
S 97	sampling without replacement	Ziehen n ohne Zurücklegen	échantillonnage m sans replacement	безвозвратная выборка, выборка (извлечение) без возвращения
S 98	sampling with replacement	Ziehen n mit Zurücklegen	échantillonnage m avec replacement	возвратная (повторная) выборка, выборка (извлечение) с возвращением
S 99	sandbag model [of nucleus]	Sandsackmodell n [des Atomkerns], Bohrsches Sandsackmodell	modèle m statistique du noyau dit de Bohr	статистическая модель ядра Бора
S 100	sand bath	Sandbad n	bain m de sable	песчаная баня (ванна), песочная баня
	sand devil	s. dust devil		
S 101	sand erosion	Sandschliff m, Sanderosion f	érosion f sableuse	эрозия песком; эрозия, вызываемая твердыми частицами
	sand figures	s. Chladni['s] figures		
S 102	sand heap analogy, sand hill analogy [of Nádai]	Sandhaufengleichnis n [von Nádai]	analogie f colline de sable	аналогия песочного холма Надая
S 103	sandr	Sander m, Sandr m <pl.: Sandur>; Sanderfläche f	sandre m	зандровая равнина, зандровое поле, зандра, зандр
S 104	sand roughness	Sandrauhigkeit f, Sandkornrauhigkeit f	rugosité f de sable, aspérité f de sable	песочная шероховатость
	sand spout	s. dust devil		
	sand storm	s. dust storm		
S 104a	sandwich	Schichtelement n, Sandwichelement n	élément m [en] sandwich, sandwich m	слоистый пакет, стопа [чередующихся слоев], сэндвич
	sandwich	s. a. intermediate layer		
	sandwich coil winding, pie (pie-type, interleaved) winding, disk-type winding	Scheibenwicklung f	enroulement m en galettes	галетная обмотка, дисковая обмотка, дисковая намотка
	sandwich complex	s. low-spin complex		
S 105	sandwich detector	Schichtendetektor m, Sandwichdetektor m	détecteur m en sandwich, détecteur sandwich	«слоеный детектор», многослойный детектор, сэндвичовый детектор
S 106	sandwiched source, sandwich source	Schichtenquelle f, Schichtquelle f, Sandwichquelle f	source f en sandwich, source sandwich	«слоеный» источник, многослойный источник, сэндвичовый источник
S 107	sandwiching	Schichtemulsion f, Schichtenemulsion f, Sandwichschicht f	sandwich m, émulsion f sandwich	многослойная эмульсия, многослойная фотоэмульсия
S 108	sandwiching	Zwischenlegung f, Zwischenschichtung f, Einlegung f	intercalation f, intercalage m	прослаивание, прокладывание, метод «слоенок»
S 109	sandwich irradiation	Sandwichbestrahlung f	irradiation f en sandwich	облучение ткани одновременно спереди и сзади, облучение с противоположных сторон
S 110	sandwich plate	Schichtplatte f, Schichtenplatte f, Sandwichplatte f	plaque f sandwich	многослойная пластинка, многослойная фотопластинка
	sandwich source	s. sandwiched source		
S 111	Sankey diagram	Sankey-Diagramm n	diagramme m de Sankey	диаграмма Санки, диаграмма потоков энергии
S 112	Sanson['s] net, "onion" diagram	Sanson-Netz n, Sansonsches Netz n	réseau m de Sanson, diagramme m de Sanson	сеть Сансона, диаграмма Сансона
S 112a	Sanson['s] projection	Sansonsche Projektion f	projection f de Sanson	проекция Сансона
	sapide, saponide	s. syndet		
S 113	saponification number (ratio, value)	Verseifungszahl f	indice m de saponification	число омыления, коэффициент омыления

S 114	**sarcolemma**	Sarkolemm n, Sarkolemma n	sarcolemme m	сарколемма
S 115	**sarcomere**	Sarkomer n, Myomer n	sarcomère m, case f musculaire de Krause	саркомер
S 116	**Sargent curve, Sargent diagram**	Sargent-Diagramm n, Sargent-Kurve f	courbe f (diagramme m) de Sargent	диаграмма (кривая) Сарджента
S 117	**Saros**	Sarosperiode f, Saroszyklus m, Chaldäische Periode f, Saros m	saros m	сарос
S 118	**Sarrau number**	Sarrau-Zahl f, Sarrausche Kennzahl f	nombre m de Sarrau	число Сарро
S 119	**Sarrus['] rule**	Sarrussche Regel f, Regel von Sarrus	règle f de Sarrus	правило Саррюса
	Sartorius balance, sedimentation balance	Sedimentationswaage f [nach Sartorius]	balance f de sédimentation [de Sartorius]	седиментационные весы
S 120	**Satche diagram**	Satche-Diagramm n	diagramme m de Satche	диаграмма Сатче
	satellite	s. non-diagram line		
S 121	**satellite, moon** <of a planet>	Mond m, Nebenplanet m, Satellit m, Trabant m, natürlicher Begleiter m <eines Planeten>	satellite m, lunule f <d'une planète>	спутник <планеты>
S 122	**satellite band**	Satellitenbande f	bande f satellite	полоса-спутник
S 123	**satellite branch**	Satellitenzweig m	branche f satellite	боковая (сателлитная) ветвь
	satellite carrier vehicle	s. satellite-launching rocket		
	satellite depression	s. secondary depression <meteo.>		
S 124	**satellite experiment**	Satellitenversuch m	essai m au satellite	попытка сателлитом
S 124a	**satellite geodesy**	Satellitengeodäsie f	géodésie f cosmique (à l'aide des satellites)	космическая геодезия
S 124b	**satellite geoid**	Satellitengeoid n	géoïde m determiné par l'aide d'observations des satellites	геоид, определяемый из данных наблюдения спутников
	satellite in X-ray spectrum	s. non-diagram line		
	satellite launcher	s. carrier rocket		
S 125	**satellite-launching rocket**, satellite vehicle, satellite carrier vehicle	Satellitenträgerrakete f, Trägerrakete f [für Satelliten]	fusée f satellite, fusée-porteuse f de satellites	ракета-носитель [искусственного] спутника, ракета-носитель для вывода спутника на орбиту, ракета для запуска спутника
	satellite line	s. non-diagram line		
S 126	**satellite pulse** <el.>	Begleiter m, Satellitimpuls m, Nebenimpuls m <El.>	impulsion f satellite <él.>	сопровождающий импульс, побочный импульс, подсобный импульс <эл.>
	satellite rainbow	s. secondary rainbow		
	satellite station, auxiliary point <geo.>	exzentrischer Standpunkt m <Geo.>	point m auxiliaire, station f auxiliaire, station excentrée <géo.>	внецентренная точка стояния, эксцентричная точка стояния <гео.>
	satellite vehicle	s. satellite-launching rocket		
	satellite X-ray line	s. non-diagram line		
S 127	**satelloid**	Satelloid m	satelloïde m	сателлоид, искусственный спутник с силовой установкой
S 128	**satin-etched bulb**	innenmattierter Kolben m	ampoule f satinée	колба с внутренней химической матировкой
S 128a	**saturable absorber**	selektives sättigbares Filter n	filtre m clarifiant non linéaire	нелинейный просветляющий фильтр
S 129	**saturable core**	Sättigungskern m, Saturationskern m	noyau m saturé	насыщенный (насыщающийся) сердечник
S 130	**saturable-core device (magnetometer)**, saturable-core-type magnetometer, saturated-core magnetometer, fluxgate, flux[-] gate, fluxgate magnetometer, flux gate detector	Saturationskernmagnetometer n, SK-Magnetometer n, Saturationskernsonde f, SK-Sonde f, elektromagnetische Sonde f; Förster-Sonde f	sonde f électromagnétique	магнитометр с насыщенным датчиком, магнитоиндукционный зонд, электромагнитный зонд, магнитомодулированный датчик
S 131	**saturable-core reactor**, saturable reactor; saturating reactor, saturating-core device	Sättigungsdrossel f, Sättigungskerndrossel f	bobine f à saturation; bobine à fer saturé	насыщенный дроссель, дроссель с насыщенным (насыщающимся) сердечником, дроссель насыщения (с насыщением), насыщенный реактор [с железным сердечником], реактор с подмагничиванием, катушка с насыщающимся сердечником
	saturable-core-type magnetometer	s. saturable-core magnetometer		
	saturable reactor	s. saturable-core reactor		
S 132	**saturable reactor amplifier**	Sättigungsdrosselspulenverstärker m	amplificateur m à bobine à fer saturé	усилитель с насыщенным реактором
S 132a	**saturant**	Sättigungsmittel n	agent m saturant, saturant m	насыщающее вещество
	saturate	s. saturated compound		
	saturated activity, saturation activity	Sättigungsaktivität f	activité f à saturation	активность насыщения, насыщенная активность
S 133	**saturated adiabatic lapse rate**, moist adiabatic lapse rate, wet adiabatic lapse rate, saturation-adiabatic lapse rate	feuchtadiabatischer Temperaturgradient m, feucht-adiabatisches Temperaturgefälle n	gradient m pseudo-adiabatique, gradient de l'adiabatique humide, gradient [de température] adiabatique humide	влажноадиабатический температурный градиент, влажноадиабатический градиент

S 134	**saturated adiabatic stability,** moist stability	Feuchtstabilität f, feuchtadiabatische Stabilität f	stabilité f pseudoadiabatique humide, stabilité humide	влажноустойчивость, влажноадиабатическая устойчивость
S 135	**saturated compound,** saturate	gesättigte Verbindung f	composé m saturé	насыщенное (предельное) соединение
	saturated-core magnetometer	s. saturable-core magnetometer		
S 136	**saturated diode**	Sättigungsdiode f	diode f saturée	диод в режиме насыщения, насыщенный диод
	saturated index, dummy index, umbral index, umbral suffix <of tensor>; dummy, summation dummy	Summationsindex m	indice m muet, variable f muette	индекс суммирования, указатель суммирования, немой индекс
	saturated liquid, orthobaric liquid, liquid at its bubble point	orthobare Flüssigkeit f	liquide m orthobarique	ортобарическая жидкость
S 137	**saturated steam**	Sattdampf m <Wasser>	vapeur f saturée <d'eau>	насыщенный пар <воды> насыщенный водяной пар
	saturated steam	s. a. wet steam		
S 138	**saturated vapour**	Sattdampf m, gesättigter Dampf m	vapeur f saturée, vapeur saturante	насыщенный пар
S 139	**saturated-vapour density**	Sättigungsdampfdichte f	densité f de vapeur saturée	плотность насыщенного пара
S 140	**saturated vapour pressure (tension),** saturation vapour pressure, saturation pressure, saturation vapour tension, saturation tension, vapour pressure, vapour tension	Sättigungsdampfdruck m, Sättigungsdruck m, Sättigungsspannung f, Dampfdruck m, Dampfspannung f, Tension f, Sattdampfdruck m	pression f de vapeur saturée, pression de vapeur saturante, pression de saturation, pression saturante, tension f de vapeur saturée, tension de vapeur saturante, tension de saturation, tension saturante, pression de vaporisation, pression de vapeur, pression d'ébullition, tension de vapeur	упругость насыщенного пара, давление насыщенного пара, упругость насыщенных паров, давление насыщенных паров, давление насыщения, упругость насыщения, давление пара, упругость пара
	saturating-core device	s. saturable-core reactor		
	saturating reactor	s. saturable-core reactor		
S 141	**saturation**	Sättigung f	saturation f	насыщение; насыщенность; сатурация
S 142	**saturation** <of colour>	Farbsättigung f, Sättigung f, Weißlichkeit f <Farbe>	saturation f <de la couleur>	насыщенность <цвета>
S 143	**saturation** <e.g. of the nuclear forces or of chemical bond>	Absättigung f <z. B. der Kernkräfte oder der chemischen Bindung>	saturation f <des forces nucléaires ou de la liaison chimique p. ex.>	насыщение <напр. ядер­ных сил или хими­ческой связи>
S 144	**saturation,** factor loading <stat.>	Faktorladung f, Saturation f <Stat.>	saturation f, facteur m de pondération <stat.>	факторный коэффициент, корреляция между простым фактором и переменной [в факторном анализе] <стат.>
S 145	**saturation activation**	Sättigungsaktivierung f	activation f de saturation	активирование до насыщения
S 146	**saturation activity,** saturated activity	Sättigungsaktivität f	activité f à saturation	активность насыщения, насыщенная активность
	saturation adiabat	s. moist adiabat		
	saturation-adiabatic lapse rate	s. saturated adiabatic lapse rate		
S 147	**saturation backscattering**	Rückstreusättigung f	rétrodiffusion f saturée	насыщенное обратное рассеяние
S 148	**saturation broadening**	Sättigungsverbreiterung f	élargissement m dû à la saturation	уширение за счет насыщения
S 148a	**saturation capacity**	Sättigungsvermögen n, Sättigungskapazität f	capacité f de saturation, pouvoir m de saturation	способность к насыщению
S 148b	**saturation characteristic**	Sättigungscharakteristik f, Sättigungskennlinie f	caractéristique f de saturation	характеристика насыщения
S 149	**saturation collection of ions**	Sammlung f von Ionen im Sättigungsbereich	groupement m d'ions dans un domaine saturé	собирание ионов в области насыщения
S 150	**saturation concentration**	Sättigungskonzentration f, Sättigungsgrenze f	concentration f de saturation	концентрация насыщения
S 151	**saturation current**	Sättigungsstrom m	courant m de saturation	ток насыщения
S 152	**saturation current density**	Sättigungsstromdichte f	densité f du courant de saturation	плотность тока насыщения
S 153	**saturation current law**	Sättigungsstromgesetz n	loi f du courant de saturation	закон тока насыщения
	saturation current of cathode, cathode saturation current	Katodensättigungsstrom m, Katodenergiebigkeit f	courant m de saturation de la cathode	ток насыщения катода, удельная эмиссия катода
S 154	**saturation curve**	Sättigungskurve f, Sättigungslinie f	courbe f de saturation, courbe d'équilibre des pressions de vapeur saturante, courbe de saturation-vapeur	линия насыщения, кривая насыщения
S 155	**saturation deficit,** vapour pressure deficit, undersaturation	Sättigungsdefizit n, Sättigungsmangel m, Sättigungsfehlbetrag m, Untersättigung f, Dampfhunger m	déficit m de saturation	дефицит влажности, дефицит насыщения
S 156	**saturation density,** density of saturated phase (vapour)	Sättigungsdichte f	densité f de la phase saturée, densité de saturation	плотность насыщенной фазы, плотность насыщения
S 157	**saturation discrimination;** purity discrimination	Farbsättigungs-Unterscheidungsvermögen n, Farbsättigungs-Unterschiedsempfindlichkeit f	discrimination f de saturation; discrimination de pureté	различимость насыщенности [цветов]

S 158	saturation effect	Sättigungseffekt *m*	effet *m* de saturation	эффект насыщения
S 159	saturation emission	Sättigungsemission *f*	émission *f* saturée	насыщенная эмиссия, эмиссия в режиме насыщения
S 160	saturation equilibrium	Sättigungsgleichgewicht *n*	équilibre *m* de saturation	равновесие насыщения
S 161	saturation factor	Sättigungsfaktor *m*	facteur *m* de saturation	коэффициент (фактор) насыщения
S 162	saturation field	Sättigungsfeld *n*	champ *m* à saturation	поле насыщения
S 163	saturation field intensity, saturation field strength	Sättigungsfeldstärke *f*	intensité *f* de champ à saturation, champ *m* de saturation	напряженность поля при насыщении
S 164	saturation humidity, maximum humidity [of air]	Sättigungsfeuchte *f*, maximale Luftfeuchtigkeit *f*	humidité *f* de saturation, humidité maximum d'air	влажность насыщения
S 165	saturation index, stability index	Sättigungsindex *m*	indice *m* de saturation	индекс (показатель) насыщения
S 166	saturation induction	Sättigungsinduktion *f*	induction *f* de saturation	индукция насыщения
S 167	saturation ion current	Sättigungsionenstrom *m*	courant *m* d'ions de saturation	ионизационный ток насыщения
	saturation limit	*s.* saturation point		
S 168	saturation magnetization	Sättigungsmagnetisierung *f*, [magnetische] Sättigungspolarisation *f*	aimantation *f* de saturation, magnétisation *f* de saturation	намагниченность насыщения; намагничивание до насыщения
S 169	saturation magnetostriction	Sättigungsmagnetostriktion *f*	magnétostriction *f* de saturation	магнитострикция в области технического насыщения, магнитострикция насыщения
S 170	saturation magnetostriction coefficient	Sättigungsmagnetostriktionskoeffizient *m*	coefficient *m* de magnétostriction de saturation	коэффициент магнитострикции в области технического насыщения
S 171	saturation moment	Sättigungsmoment *n*	moment *m* de saturation	момент насыщения
S 172	saturation noise	Sättigungsrauschen *n*	bruit *m* de saturation	шум насыщения
	saturation of nuclear matter, nuclear saturation	Kernsättigung *f*, Sättigung *f* der Kernmaterie	saturation *f* nucléaire, saturation de matière nucléaire	ядерное насыщение, насыщение ядерного вещества
	saturation of the shell	*s.* closure of the shell		
S 173	saturation point, saturation limit, point of saturation, limit saturation	Sättigungspunkt *m*, Sättigungsgrenze *f*	point *m* (limite *f*, capacité *f*) de saturation	точка (граница, предел, емкость) насыщения
S 174	saturation potential, saturation voltage ⟨el.⟩	Sättigungsspannung *f*, Sättigungspotential *n* ⟨El.⟩	potentiel *m* (tension *f*) de saturation ⟨él.⟩	напряжение насыщения, потенциал насыщения ⟨эл.⟩
	saturation pressure	*s.* saturated vapour pressure		
	saturation range	*s.* saturation region		
	saturation ratio	*s.* relative humidity		
S 175	saturation region; saturation range	Sättigungsgebiet *n*, Sättigungsbereich *m*	région *f* de saturation, zone *f* de saturation	область насыщения; диапазон насыщения
S 176	saturation scale	Sättigungsskala *f*, Sättigungsreihe *f*	échelle *f* de saturation	шкала насыщенности цвета; шкала постоянного усиления тонов
	saturation temperature, temperature of saturation	Sättigungstemperatur *f*, Sättigungspunkt *m*	température *f* de saturation	температура насыщения (насыщенности)
	saturation tension	*s.* saturated vapour pressure		
S 177	saturation thickness [layer]	Sättigungsdicke *f*, Sättigungsschichtdicke *f*	épaisseur *f* de saturation	толщина насыщения, толщина слоя насыщения
	saturation vapour pressure (tension)	*s.* saturated vapour pressure		
	saturation voltage	*s.* saturation potential ⟨el.⟩		
S 178	saturator	Sättiger *m*, Saturator *m*, Sättigungsapparat *m*, Saturateur *m*	saturateur *m*	сатуратор
	saturnium, Sa, St	= protactinium		
S 179	Saturn['s] ring system	Ringsystem *n* des Saturn	système *m* des anneaux de Saturne	система колец Сатурна, система сатурных колец
S 179a	Saurel['s] theorem	Saurel-Theorem *n*, Satz *m* von Saurel	théorème *m* de Saurel	теорема Сореля
S 180	sausage instability, sausage-type instability	Instabilität *f* gegen lokale (örtliche) Einschnürung, Instabilität gegen Einschnürung, „sausage"-Instabilität *f*, Würstcheninstabilität *f*	instabilité *f* en saucisse, instabilité en varices	неустойчивость по отношению к перепускам, неустойчивость по отношению к образованию шейки, сосисочная неустойчивость
	Saussure['s] hygrometer [/de], hair hygrometer	Haarhygrometer *n*	hygromètre *m* à cheveu, hygromètre à cheveu de Saussure	волосной гигрометр, волосяной гигрометр
S 181	Sauter camera	Sauter-Kammer *f*	chambre *f* de Sauter, appareil *m* de Sauter	рентгеновский гониометр Саутера
S 182	Sauter method	Sauter-Methode *f*	méthode *f* de Sauter	метод Саутера
S 183	Sautreaux['s] [inverse] method	Sautreauxsche inverse Methode *f*	méthode *f* de Sautreaux	метод Сотро
S 184	savart, Sav	Savart *n*, Sav	savart *m*, Sav	савар, *сав*
S 185	Savart [plate], Savart polariscope	Savartsche Doppelplatte (Platte) *f*, Quarzdoppelplatte *f*, Savartsches Polariskop *n*	polariscope *m* de Savart, plaque *f* de Savart, biplaque *f* de Savart	полярископ Савара, пластинка Савара
S 186	saving, gain	Einsparung *f*; Ersparnis *f*, Gewinn *m*	économie *f*	экономия
S 187	saving of time, time saving	Zeitersparnis *f*, Einsparung *f* an Zeit	économie *f* de temps, gain *m* de temps	экономия времени
S 188	sawtooth, sawtooth waveform; sawtooth pulse; sawtooth signal	Sägezahn *m*; Sägezahnimpuls *m*; Sägezahnsignal *n*, sägezahnförmiges Signal *n*	dent *f* de scie; impulsion *f* en dent de scie; signal *m* en dent de scie	пилообразный импульс; пилообразный сигнал

S 189	**sawtooth current gener-ator, sawtooth cur-rent oscillator**	Sägezahnstromgenerator m	générateur m de courant en dents de scie	генератор пилообразного (линейно нарастающего) тока
S 190	**saw-toothed oscillator, sawtooth generator,** sawtooth oscillator, sawtooth-wave generator	Sägezahngenerator m, Sägezahnoszillator m	générateur m en dents de scie, générateur de dents de scie, oscillateur m à dents de scie	генератор пилообразных сигналов, генератор пилообразных импуль-сов
	sawtooth oscillation	s. sawtooth wave		
	sawtooth oscillator	s. sawtoothed oscillator		
	sawtooth pulse (signal)	s. sawtooth		
S 191	**sawtooth voltage,** ramp voltage	Sägezahnspannung f	tension f en dents de scie	пилообразное напряжение
S 192	**sawtooth voltage gener-ator (oscillator)**	Sägezahnspannungs-generator m	générateur m de tension en dents de scie	генератор пилообразного напряжения
S 193	**sawtooth wave,** sawtooth [-wave] oscillation, saw-tooth waveform	Sägezahnschwingung f, Sägezahnwelle f	onde f en dents de scie, oscillation f en dents de scie	пилообразная волна, пилообразное колебание
	sawtooth waveform	s. sawtooth		
	sawtooth waveform	s. sawtooth wave		
	sawtooth-wave gener-ator	s. sawtooth generator		
	sawtooth-wave oscil-lation	s. sawtooth wave		
S 193a	**Saxon-Woods potential**	Saxon-Woods-Potential n	potentiel m de Saxon-Woods	потенциал Саксона-Вудса
S 194	**Sayboldt Universal Second, S.U.S., Ss**	Sayboldt-Sekunde f, Say-boldt-Zahl f, Sayboldt-Universal-Sekunde f, Ss, S.U.S.	seconde f Sayboldt, S. U. S., Ss	секунда Сейболта
S 194a	**Sayboldt viscometer**	Sayboldt-Viskosimeter m	viscosimètre m de Sayboldt	вискозиметр Сейболта (по Сейболту)
S 195	**Saytzeff['s] rule**	Saizewsche Regel f, Saizew-Regel f, Saytzeffsche Regel f, Saytzeff-Regel f	règle f de Saytzeff	правило Зайцева
S 196	**S band** <2.7 − 4 or 1.55 − 5.2 Gc/s>	S-Band n <2,7 ··· 4 oder 1,55 ··· 5,2 GHz>	gamme f S [de fréquences], bande f S [de fréquences] <2,7 − 4 ou 1,55 − 5,2 Gc/s>	диапазон S [частот] < 2,7÷ 4 или 1,55 ÷ 5,2 Гц>
S 197	**S branch**	S-Zweig m	branche f S	S-ветвь
S 198	**scalar,** scalar quantity, scalar tensor, scalar invar-iant, invariant	Skalar m, skalare Größe f, skalarer Tensor m, skalare Invariante f	scalaire m, grandeur f sca-laire; tenseur m scalaire, scalaire de première espèce	скаляр, скалярная вели-чина, скалярный тензор, тензор нулевого ранга
S 199	**scalar density,** scalar of weight unity	skalare Dichte f	densité f scalaire	скалярная плотность
	scalar electric potential, electric scalar potential	skalares elektrisches Poten-tial n	potentiel m électrique sca-laire, potentiel scalaire électrique	скалярный электрический потенциал
S 200	**scalar field,** sc field	Skalarfeld n, skalares Feld n	champ m scalaire	скалярное поле, sc-поле
	scalar invariant	s. scalar		
	scalar magnetic potential	s. magnetic scalar potential		
S 201	**scalar matrix**	skalare Matrix f, Skalar-matrix f	matrice f scalaire	скалярная матрица
	scalar of weight unity	s. scalar density		
S 202	**scalar part** <of quater-nion>	Skalarteil m, Skalar m <Quaternion>	partie f scalaire <du quaternion>	скалярная часть <кватер-ниона>
S 203	**scalar photon**	skalares Photon n	photon m scalaire	скалярный фотон, «вре-менной» фотон
S 204	**scalar potential**	skalares Potential n, Skalarpotential n	potentiel m scalaire	скалярный потенциал
S 205	**scalar product,** inner (dot) produkt	Skalarprodukt n, skalares Produkt n, inneres Pro-dukt	produit m scalaire (intérieur, contracté); produit direct <selon Gibbs>; produit algébrique <selon Car-vallo>	скалярное произведение
	scalar quantity (tensor)	s. scalar		
	scalar triple product	s. parallelepipedal product		
S 206	**scalar wave part of the Hamiltonian**	skalarer Wellenanteil m des Hamilton-Operators	partie f d'ondes scalaire du hamiltonien	скалярная волновая часть гамильтониана
S 207	**scala tympani**	scala f tympani, Pauken-treppe f, Paukenhöhle f	scala f tympani	барабанный канал, бара-банный ход
S 208	**scala vestibuli**	scala f vestibuli, Vorhof-treppe f, Vorhofhöhle f	scala f vestibuli	вестибулярный канал, вестибулярный ход
S 209	**scale**	Skala f; Skale f <Meßgerät>; Maßstab m	échelle f [graduée]	шкала; масштаб
S 210	**scale,** scale mark, grad-uation, scale division, scale graduation	Skalenteilung f, Skalen-einteilung f	échelle f, graduation f d'échelle	деление шкалы, разделе-ние шкалы; нанесение делений; градуировка
S 211	**scale,** weighing scale, pan, scale pan, weighing dish, dish [of the scales]	Waagschale f, Waageschale f	plateau m [de la balance], bassin m [de la balance]	чашка [весов], чашечка [весов]; тарелка [весов]
S 211a	**scale**	Zunder m; Sinter m; Hammerschlag m	battitures fpl, martelures fpl	окалина
	scale, gamut, tone scale, musical scale <ac.>	Tonleiter f, Tonskala f, Tonreihe f <Ak.>	échelle f musicale, échelle, gamme f <ac.>	гамма, музыкальная гамма, звуковая шкала, звукоряд <ак.>
S 212	**scale,** scaling [down] <nucl.>	Untersetzung f, Impuls-untersetzung f, Zählung f [mit Untersetzung] <Kern.>	comptage m [par échelle], démultiplication f <nucl.>	пересчет <яд.>
	scale	s. a. scales		
	scale beam	s. beam		
	scale decade	s. decade scaler		

	English	German	French	Russian
	scale division	s. scale		
	scale division	s. a. division <of the scale>		
	scale division error	s. error of division		
S 213	scaled tube	Skalenrohr n	tube m à échelle, tuyau m à échelle	трубка со шкалой
	scale end value	s. infinity		
S 214	scale error	Maßstabfehler m, Skalenfehler m	erreur f d'échelle	масштабная погрешность; погрешность, вносимая шкалой
S 214a	scale extension, scale stretching	Skalendehnung f	étalement m (extension f) de l'échelle	растягивание (растяжение) шкалы
S 215	scale factor, scale-up factor, scaling factor	Maßstabsfaktor m	facteur m de proportionnalité, facteur de similitude	масштабный коэффициент, масштабный фактор, константа подобия
S 216	scale factor, scale-up factor <num. math.>	Skalenfaktor m <num. Math.>	facteur m de réduction, facteur d'intégration <math. num.>	масштабный коэффициент, масштабный множитель <числ. матем.>
	scale formation, scaling	Kesselsteinbildung f	incrustation f	образование накипи, образование котельного камня, накипеобразование
	scale formation, scaling, formation of scale	Verzunderung f, Zunderbildung f, Zunderung f	formation f de martelures, formation de battitures, formation de scories	образование окалины, окалинообразование
S 217	scale function	Skalenfunktion f	fonction f d'échelle	функция шкалы
	scale graduation	s. division <of the scale>		
	scale graduation	s. scale		
S 218	scale height	Skalenhöhe f, Maßstabshöhe f, Maßstabhöhe f	hauteur f de référence, hauteur d'échelle, hauteur réduite, échelle f de hauteur	приведенная высота, высота однородной атмосферы, шкала высот
	scale interval	s. scale value		
S 218a	scale invariant	maßstabinvariant	invariant en changement d'échelle	инвариантный к изменению масштаба
S 219	scale length; lineal scale length; scale span	Skalenlänge f	longueur f de la graduation, longueur de l'échelle	длина шкалы
	scale magnifying glass	s. precision magnifier		
	scale mark	s. scale		
S 220	scale mean value, mean value of the scale	Skalenmittelwert m	valeur f moyenne de l'échelle	среднее значение шкалы
S 221	scale micrometer	Skalenmikrometer n	micromètre m à échelle	шкаловый микрометр
S 222	scale microscope	Skalenmikroskop n	microscope m de l'échelle	шкаловый микроскоп, микроскоп шкалы отсчета
S 223	scale model	maßstäbliches Modell n, maßstabgetreues Modell	modèle m d'échelle	масштабная модель
	scale-model flow, model flow	Modellströmung f	écoulement m à l'échelle réduite	течение в модели, модельное течение
	scale-model test[ing]; model experiment, model test[ing], model study	Modellversuch m, Versuch m am Modell	essai m sur modèle[s]	испытание на модели, модельный опыт, опыт на модели, моделирование, метод модели
S 224	scalene, scalenous; inequilateral	ungleichseitig	scalène; inéquilatéral	разносторонний, неравносторонний
	scalenohedral class	s. hemihedry of the second sort of the tetragonal system		
S 225	scalenohedron	Skalenoeder n	scalénoèdre m	скаленоэдр
	scalenous	s. scalene		
S 226	scale numbering	Skalenbezifferung f	chiffraison f [de l'échelle]	градуировка шкалы, нанесение цифр на шкалу, оцифровка шкалы
	scale of atomic masses	s. scale of atomic weights		
S 227	scale of atomic weights, scale of atomic masses, atomic weight scale	Nuklidmassenskala f, relative Atommassenskala f, Atomgewichtsskala f	échelle f des poids atomiques	шкала атомных весов
	scale-of-2^n circuit, dual scaling circuit; dual scaler	Dualuntersetzerschaltung f; Dualuntersetzer m	circuit m d'échelle de 2^n, circuit d'échelle de rapport $2^n/1$; échelle f de comptage de rapport $2^n/1$	схема пересчета на 2^n; пересчетное устройство на 2^n
	scale of 10^n circuit; decimal scaler	Dezimaluntersetzer m, 10^nfach-Untersetzer m, Zehnfachuntersetzer m	échelle f de comptage décimal, échelle décimale; circuit m d'échelle de 10^n	десятичная пересчетная схема, пересчетное устройство с пересчетом на 10^n
	scale of enlargement, enlargement scale, enlarging scale	Vergrößerungsmaßstab m	échelle f d'agrandissement, échelle d'amplification	масштаб увеличения
	scale of one hundred circuit	s. ampliscaler		
	scale of reduction	s. reduced scale		
	scale of Rossi and Forel, Rossi-Forel [intensity] scale	Rossi-Forel-Skala f, Rossi-Forelsche Skala f, Skala von Rossi und Forel	échelle f [d'intensité] de Rossi et Forel, échelle [d'intensité] de Rossi-Forel	шкала [интенсивности] Росси и Фореля
	scale of seismic intensity	s. modified Mercalli intensity scale [of 1954]		
	scale of ten circuit	s. decade scalar		
	scale of the chart, chart scale	Kartenmaßstab m, Maßstab m der Karte	échelle f de la carte	масштаб карты
	scale of the compass	s. compass card		

	English	German	French	Russian
S 228	scale of turbulence, degree of turbulence	Turbulenzlänge f, Turbulenzgrad m, Größe f der Turbulenzballen, Durchmesser m der Turbulenzkörper, Turbulenzstufe f, Turbulenzfaktor m	échelle f de [la] turbulence, degré m de turbulence	масштаб турбулентности, масштаб турбулентного движения, внутренний масштаб турбулентности
S 229	scale-of-two	Zweifachuntersetzung f, binäre Untersetzung f	comptage m par échelle de deux, échelle f de deux	пересчет на два
S 230	scale-of-two circuit	Zweifachuntersetzerschaltung f	circuit m d'échelle de deux	бинарная пересчетная схема
S 231	scale of wind force, wind scale	Windstärkeskala f, Windskala f	échelle f des forces du vent	шкала ветра, шкала силы ветра
	scale pan	s. scale		
	scale paper	s. millimetre squared paper		
	scale paper	s. a. squared paper		
S 231a	scale parameter	Skalenparameter m	paramètre m d'échelle, paramètre d'étalement	масштабный параметр
S 232	scale-preserving mapping, scale-preserving transformation	maßstab[s]treue Abbildung f, streckentreue Abbildung	transformation f conservant l'échelle	отображение с сохранением отрезков
	scale-printer	s. scaler-printer		
S 233	scaler, scaling system <nucl.>	Untersetzer m <Kern.>	échelle f de comptage, échelle <nucl.>	пересчетное устройство, пересчетная схема (установка), пересчетка, пересчет <яд.>
	scaler	s. a. frequency divider		
S 234	scale range, scale span	Skalenbereich m, Skalenumfang m	étendue f de l'échelle	диапазон шкалы, шкаловая область
S 235	scale reading	Skalenablesung f	lecture f par échelle	отсчет по шкале; показание шкалы
S 236	scaler-printer	Zähl- und Druckwerk n; Untersetzer m mit angekoppeltem Schreibgerät	échelle f de comptage imprimante, échelle imprimante	пересчетное устройство с самописцем, пересчетная схема с печатающим устройством, пересчетная схема с самописцем счетчик-принтер
	scaler tube	s. counting tube		
	scales, pair of scales <US also sing.>; balance	Waage f	balance f; pèse-produit m; bascule f	весы
S 237	scale sextant, direct-reading sextant	Skalensextant m	sextant m à échelle, sextant à lecture directe	шкаловый секстант
	scale spacing	s. scale value		
	scale span	s. scale range		
	scale span	s. scale length		
	scale stretching	s. scale extension		
S 238	scale transformation	Maßstabstransformation f, Skalentransformation f	transformation f d'échelle, changement m d'échelle	масштабное преобразование, преобразование шкалы
	scale-up factor	s. scale factor <num. math.>		
	scale-up factor	s. a. scale factor		
S 239	scale value, scale-value, scale interval (spacing), width of scale division, value of the scale division	Skalenwert m, Skw., Skalenteilwert m, Skalenintervall n, Teilstrichabstand m	intervalle m d'échelle, intervalle de la graduation, valeur f de division [de l'échelle], valeur d'échelle	цена деления шкалы, значение деления шкалы
S 240	scale with omitted zero, scale with suppressed zero	Skala f mit unterdrücktem Nullpunkt	échelle f à zéro supprimé, échelle à suppression du zéro	шкала с отсчетом не от нуля
S 241	scaling, scale formation, formation of scale	Verzunderung f, Zunderbildung f, Zunderung f	formation f de martelures, formation de battitures, formation de scories	образование окалины, окалинообразование
S 242	scaling, scale formation	Kesselsteinbildung f	incrustation f	образование накипи, образование котельного камня, накипеобразование
S 242a	scaling	Schuppenbildung f, Schuppung f, Abblättern n	écaillage m	шелушение; образование чешуек
	scaling	s. scale <nucl.>		
S 242b	scaling accelerator, fixed-orbit accelerator	Festbahnbeschleuniger m	accélérateur m à orbites semblables	ускоритель с подобными орбитами
S 243	scaling circuit, pulse scaling circuit	Untersetzerschaltung f, Zählschaltung f, Impulsuntersetzerschaltung f	circuit m d'échelle, circuit échelle, échelle f	пересчетная схема, схема пересчета [импульсов]
	scaling circuit	s. a. scaler		
	scaling down	s. scale <nucl.>		
S 244	scaling factor <nucl.>	Untersetzungsfaktor m, Untersetzung f, Zählfaktor m <Kern.>	facteur m d'échelle, facteur de démultiplication, rapport m de démultiplication <nucl.>	коэффициент пересчета <яд.>
	scaling factor	s. a. scale factor		
S 244a	scaling law	Maßstabgesetz n	loi f de similitude	закон подобия
S 245	scaling stage, frequency-divider stage, step-down stage	Untersetzerstufe f, Teilerstufe f, Frequenzteilerstufe f	étage m démultiplicateur [de fréquence], étage diviseur [de fréquence]	пересчетный каскад, каскад пересчета [импульсов]
	scaling system	s. scaler <nucl.>		
S 246	scaling unit	Untersetzereinheit f, Untersetzerblock m; Untersetzerstufe f	élément m démultiplicateur, sous-ensemble m de comptage	блок пересчета, пересчетный блок
	scall, loose rock	Lockergestein n, unverfestigtes Gestein n	roche f friable	рыхлая порода, несцементированная порода
	scallop, ear <met.>	Zipfel m, Falte f <Met.>	ondulation f, feston m <mét.>	фестон <мет.>
S 247	scalloped <met.>	zipfelförmig <Met.>	festonné, oreillé <mét.>	фестончатый, зубчатый <мет.>

S 248	**scalping**	Oberflächenhautentfernung *f*, Oberflächenschichtentfernung *f*, Oberflächenentfernung *f*	enlèvement *m* de la couche superficielle	удаление поверхностного слоя
	scan	s. scanning		
	scan base	s. time-base unit		
	scan frequency	s. scanning frequency		
S 249	**scanner,** scanning device	Abtastgerät *n*, Abtastvorrichtung *f*, Abtaster *m*, Scanner *m*	dispositif *m* d'exploration; dispositif de balayage	развертывающее устройство, развертыватель, разлагающее устройство; сканер, скэнер
S 250	**scanning,** scan, scansion; exploring; sweep, sweepout; coverage	Abtastung *f*, Scanning *n*; Überstreichung *f*	balayage *m*, balayement *m*, exploration *f*; couverture *f*	развертка, разложение, развертывание; сканирование, скэнирование; перекрытие [диапазона], развертывание; описывание
	scanning	s. a. scansion <of image>		
	scanning aperture	s. scanning diaphragm		
S 250a	**scanning beam**	Abtaststrahl *m*	faisceau *m* de balayage; faisceau explorateur; faisceau analyseur	развертывающий луч
	scanning camera	s. scintillation camera		
	scanning coils	s. deflection coils		
	scanning device	s. scanner		
S 250b	**scanning diaphragm,** scanning aperture	Abtastblende *f*; Rasterblende *f*	diaphragme *m* d'analyse (d'exploration)	развертывающая диафрагма; растровая диафрагма
S 250c	**scanning electron microscope,** scanning microscope, electron-scan[ning] microscope, raster [scan] microscope, screen microscope, stereoscanning electron microscope, stereoscan [electron] microscope, SEM	Rasterelektronenmikroskop *n*, Elektronenrastermikroskop *n*, Rastermikroskop *n*, Rasterstrahl[-Elektronen]mikroskop *n*, Elektronenstrahlraster-Sekundärelektronen-emissions-Mikroskop *n*, Stereoscanmikroskop *n*, Abtastmikroskop *n*	microscope *m* électronique à balayage, microscope à balayage [à émission secondaire], microscope électronique de trame, microscope de trame, microscope électronique à balayage stéréoscopique	растровый электронный микроскоп, электронный растровый микроскоп, сканирующий электронный микроскоп, растровый микроскоп, электронный микроскоп с пространственным развертыванием
S 250d	**scanning electron microscopy,** SEM	Rasterelektronenmikroskopie *f*	microscopie *f* électronique par balayage	растровая электронная микроскопия
S 250e	**scanning frequency,** scan frequency	Abtastfrequenz *f*, Tastfrequenz *f*, Rasterfrequenz *f*	frequence *f* analyseur (explorateur, de balayage)	частота развертки
	scanning head; sensing head; probe	Tastkopf *m*	tête *f* à sonde	головка щупа, зондирующая (зондовая) головка
	scanning microscope	s. scanning electron microscope		
	scanning oscillator	s. relaxation generator		
	scanning pitch	s. line spacing		
	scanning separation, line spacing, line advance, scanning pitch	Zeilenabstand *m*	espacement *m* de lignes	интервал между строками развертки
	scanning voltage	s. sweep voltage		
	scanning yoke	s. deflection coils		
S 251	**scan polarography**	Tastpolarographie *f*	polarographie *f* à balayage	полярография с разверткой, развертительная полярография
S 252	**scansion,** scanning, exploring; image field dissection <of image>	Bildfeldzerlegung *f*; Bildzerlegung *f*	exploration *f*, pointillage *m* <d'image>	разложение изображения, развертка изображения
	scansion	s. a. scanning		
S 253	**scatter** <el.>	Streuausbreitung *f* <El.>	propagation *f* par diffusion <él.>	распространение радиоволн за счет рассеяния, рассеянное распространение <эл.>
	scatter	s. a. scattering		
	scatter	s. spread <gen., e.g. of data>		
S 254	**scatter diagram,** dispersion diagram, aggregate of points, collection of points, bivariate point distribution <stat.>	Punktwolke *f*, Punkthaufen *m*, Punktgruppe *f*, Streubild *n*, Streuungsdiagramm *n* <Stat.>	diagramme *m* de dispersion, nuage *m* de points, nuage statistique <stat.>	диаграмма рассеивания, диаграмма разброса, группа точек, скопление точек, негруппированная корреляционная таблица
S 254a	**scatter echo**	Streuecho *n*, Scatterecho *n*	écho *m* diffus[é]	рассеянное эхо
	scattered, containing sprinklings, scattered here and there <geo.>	eingesprengt, dispers; zerstreut <Geo.>	disséminé; diffus <géo.>	вкрапленный; рассеянный [в массе] <гео.>
	scattered forward, forescattered	vorwärts[]gestreut	diffusé en avant, dispersé frontalement	рассеянный вперед
S 255	**scattered heat radiation**	Wärmestreustrahlung *f*	rayonnement *m* de la chaleur diffusé, radiation *f* de la chaleur diffusée	рассеянное тепловое излучение
	scattered here and there	s. scattered <geo.>		
S 256	**scattered light method**	Streulichtmethode *f*, Streulichtverfahren *n*	méthode *f* de la lumière diffusée	метод рассеянного света
S 257	**scattered light photometer,** stray light photometer	Streulichtphotometer *n*	photomètre *m* à lumière diffusée	фотометр с рассеянным светом
S 258	**scattered radiation,** diffuse radiation, scattered rays	Streustrahlung *f*, gestreute Strahlung *f*, diffuse Strahlung	rayonnement *m* diffus[é], rayonnement dispersé, radiation *f* diffuse, radiation diffusée	рассеянное излучение, рассеянная радиация
S 259	**scattered radiation dose**	Streustrahlungsdosis *f*	dose *f* de rayonnement diffusé	доза рассеянного излучения

	scattered rays	*s.* scattered radiation		
	scattered reflection	*s.* diffuse reflection		
	scattered refraction	*s.* diffuse refraction		
S 260	**scattered showers,** desultory precipitations	vereinzelte Niederschläge (Schauer) *mpl*	précipitations *fpl* isolées	единичные осадки
	scattered transmission	*s.* diffuse transmission		
S 261	**scatterer,** scattering material	Streukörper *m*, Streumaterial *n*, Streusubstanz *f*, Streuer *m*	diffuseur *m*, substance (matière) *f* diffusante	рассеиватель, рассеивающее вещество
S 262	**scatter fading**	Streuschwund *m*	évanouissement *m* dû à la diffusion	замирание вследствие рассеяния
S 263	**scattering,** scattering of light, scatter [of light], light scatter[ing]; diffusion [of light]	Streuung *f* [des Lichtes], Zerstreuung *f* [des Lichtes], Lichtstreuung *f*, Lichtzerstreuung *f*; Diffusion *f* [des Lichtes]	diffusion *f* [de la lumière], dispersion *f* [de la lumière], diffraction *f* [de la lumière]	рассеяние света, рассеивание света, светорассеяние; диффузия света
	scattering	*s.* diffuse reflection		
S 264	**scattering** < from, by; at *or* through an angle; into> <of radiation>	Streuung *f* <an; um; in> <Strahlung>	diffusion *f* <sur, par; dans> <du rayonnement>	рассеяние, рассеивание <на; под углом; внутри> <излучения>
	scattering	*s. a.* spread <gen., e.g. of data>		
S 265	**scattering amplitude**	Streu[ungs]amplitude *f*	amplitude *f* de diffusion	амплитуда рассеяния
S 266	**scattering amplitude matrix**	Streuamplitudenmatrix *f*	matrice *f* des amplitudes de diffusion	матрица амплитуд рассеяния
S 266a	**scattering angle,** angle of scattering	Streuwinkel *m*	angle *m* de diffusion	угол рассеяния
S 267	**scattering area**	Streufläche *f*	aire *f* de diffusion	площадь рассеяния
S 267a	**scattering area coefficient (ration)**	Streuflächenverhältnis *n*	rapport *m* de aires de diffusion	отношение площадей рассеяния
	scattering by haze particles, haze scattering	Dunststreuung *f*	diffusion *f* par les particules de brume	рассеяние света частицами сухого тумана
S 268	**scattering chamber**	Streukammer *f*	chambre *f* de diffusion	камера рассеяния
S 269	**scattering channel**	Streukanal *m*	voie *f* de diffusion	канал рассеяния
S 270	**scattering coefficient**	Streukoeffizient *m*	coefficient *m* de diffusion	коэффициент рассеяния [излучения]
	scattering coefficient [in Mie's theory], Mie scattering coefficient	Streukoeffizient *m* der Mie-Streuung, Miescher Streukoeffizient	coefficient *m* de diffusion de Mie	коэффициент рассеяния Ми
S 271	**scattering collision**	Streustoß *m*	choc *m* de diffusion	соударение, приводящее к рассеянию
	scattering cone, cone of dispersion, cone of spread, dispersing cone	Streukegel *m*, Streuungskegel *m*	cône *m* de dispersion	конус рассеяния; конус разброса
S 272	**scattering constant**	Streukonstante *f*, Streuungskonstante *f*	constante *f* de diffusion	константа (постоянная) рассеяния
S 273	**scattering continuum**	Streukontinuum *n*	continuum *m* de dispersion	континуум рассеяния
S 274	**scattering cross-section,** cross-section for scattering	Streuquerschnitt *m*, Wirkungsquerschnitt *m* für Streuung, Streuungsquerschnitt *m*, Streuwirkungsquerschnitt *m*, Streuungswirkungsquerschnitt *m*	section *f* efficace de diffusion	сечение рассеяния
S 275	**scattering ellipse**	Streuungsellipse *f*, Streuellipse *f*	ellipse *f* de diffusion	эллипс рассеяния
S 276	**scattering error**	Streufehler *m*	erreur *f* due à la diffusion	ошибка вследствие рассеяния
S 277	**scattering experiment**	Streuversuch *m*, Streuexperiment *m*	expérience *f* de diffusion	опыт по рассеянию
S 278	**scattering factor,** atomic scattering factor	Streufaktor *m*, atomarer Streufaktor	facteur *m* de diffusion [atomique]	функция атомного рассеяния
	scattering factor	*s. a.* atom form factor		
	scattering factor	*s. a.* scattering coefficient		
S 279	**scattering foil**	Streufolie *f*	feuille *f* de diffusion	рассеивающая фольга
S 280	**scattering fraction**	Streuanteil *m*	fraction *f* de diffusion	доля рассеяния
S 281	**scattering frequency**	Streufrequenz *f*	fréquence *f* de diffusion	частота рассеяния
S 282	**scattering function**	Streufunktion *f*	fonction *f* de diffusion	функция рассеяния
	scattering-in	*s.* inscattering		
S 283	**scattering indicatrix,** diffusion indicatrix, indicatrix of diffusion	Streuindikatrix *f*; Streudiagramm *n*, Streuungsdiagramm *n*, Strahlendiagramm *n*, Strahlungsdiagramm *n* <Miesche Theorie>	indicatrice *f* de diffusion, diagramme *m* de diffusion	индикатриса рассеяния
S 284	**scattering intensity,** scatter intensity	Streuintensität *f*	intensité *f* de diffusion; intensité de dissipation	интенсивность рассеяния
S 285	**scattering interaction**	Streuwechselwirkung *f*, Streuungswechselwirkung *f*	interaction *f* de diffusion	взаимодействие при рассеянии
S 286	**scattering in the centre-of-mass system**	Streuung *f* im Schwerpunktsystem, S-Streuung *f*	diffusion *f* dans le système du centre de masse	рассеяние в системе центра масс
S 286a	**scattering in the laboratory system**	Streuung *f* im Laborsystem, L-Streuung *f*	diffusion *f* dans le système du laboratoire	рассеяние в лабораторной системе
S 287	**scattering length,** Fermi intercept	Streulänge *f*	longueur *f* de diffusion	длина рассеяния
S 288	**scattering loss**	Streuverlust *m*, Streuungsverlust *m*	perte *f* par diffusion, perte de dispersion (diffusion)	потеря на рассеяние, потеря вследствие (от) рассеяния
	scattering material, scatterer	Streukörper *m*, Streumaterial *n*, Streusubstanz *f*, Streuer *m*	diffuseur *m*, substance *f* diffusante	рассеиватель, рассеивающее вещество
S 289	**scattering matrix,** S-matrix	Streumatrix *f*, S-Matrix *f*	matrice *f* de diffusion , matrice S	матрица рассеяния, матрица S [рассеяния], S-матрица

№	English	German	French	Russian
S 290	**scattering matrix,** transition matrix <el.>	Streumatrix f, Verteilungsmatrix f <El.>	matrice f de dispersion, (répartition) <él.>	матрица рассеяния <эл.>
S 291	**scattering mean free path,** mean free path for scattering	[mittlere·freie] Streuweglänge f, mittlere freie Weglänge f für Streuung, mittlerer Streuweg m	ibre parcours m moyen de diffusion	[средняя] длина свободного пробега для рассеяния, средний свободный пробег для рассеяния
	scattering of light	s. scattering		
S 292	**scattering of light by Coulomb field, scattering of light by light,** photon-photon scattering, Delbrück scattering [of photons]	Streuung f von Licht an Licht, Photon-Photon-Streuung f, Delbrück-Streuung f [von Lichtquanten], Delbrücksche Streuung	diffusion f de lumière par la lumière, diffusion photon-photon, diffusion f Delbrück [de photons]	рассеяние Дельбрюка (света светом), рассеяние фотонов фотонами, рассеяние фотона на электростатическом поле
S 293	**scattering operator,** S-operator	Streuoperator m, S-Operator m	opérateur m de diffusion, S-opérateur m	оператор рассеяния, оператор S [рассеяния]
S 294	**scattering phase**	Streuphase f	phase f de diffusion	фаза рассеяния
S 295	**scattering power**	Streuvermögen n; Zerstreuungsvermögen n	pouvoir m de diffusion, pouvoir diffusant	рассеивающая способность
S 296	**scattering problem**	Streuproblem n	problème m de diffusion	задача рассеяния
S 297	**scattering resonance**	Streuresonanz f	résonance f de diffusion	резонанс при рассеянии
S 298	**scattering stage**	Komparatortisch m für Dispersionsmessungen	table f pour les mesures de dispersion	столик для измерений рассеяния
S 299	**scattering submatrix,** S-submatrix	Streuuntermatrix f, S-Untermatrix f	sous-matrice f de diffusion, sous-matrice S	подматрица рассеяния, S-подматрица
S 300	**scattering term**	Streuterm m, Streuglied n	terme m de diffusion	член рассеяния
	scattering transmission, scatter transmission	Streustrahlübertragung f	transmission f par dispersion	передача рассеянием
S 301	**scattering vector**	Streuvektor m	vecteur m de diffusion	вектор рассеяния
S 302	**scattering volume**	Streuvolumen n	volume m de diffusion	рассеивающий объём; объём, в котором происходит рассеяние
	scatter of light	s. scattering		
S 303	**scatter transmission,** scattering transmission	Streustrahlübertragung f	transmission f par dispersion	передача рассеянием
S 304	**scatter unsharpness**	Unschärfe f infolge Streuung	flou m dû à la diffusion	нерезкость вследствие рассеяния
S 305	**scavenger**	Radikalfänger m, Scavenger m; Desoxydationsmittel n, Ladungsfänger m	élément m réagissant vite avec les radicaux, entraîneur m, intercepteur m de charge	вещество, быстро реагирующее с радикалами; раскислитель, акцептор зарядов
S 306	**scavenging <chem.>**	Scavenging n, Reinigungsfällung f <Chem.>	entraînement m, scavenging m <chim.>	удаление примесей, очистка, очистительное осаждение <хим.>
S 307	**scedastic equation**	skedastische Gleichung f	équation f scédastique	скедастическое уравнение
S 307a	**scedasticity**	Streuungsverhalten n, Skedastizität f	scédasticité f	скедастичность
S 308	**scedastic line**	skedastische Linie f	ligne f scédastique	скедастическая линия
S 308a	**scedastic transformation**	skedastische Transformation f, Varianzstabilisierung[stransformation] f	transformation f scédastique	преобразование [переменных для получения постоянной] дисперсии, скедастическое преобразование
S 309	**s-centre,** site centre	s-Zentrum n	centre m s, s-centre m	s-центр, центр s
S 310	**Schaaffs['] theory**	Schaaffssche Theorie f	théorie f de Schaaffs	теория Шафса
S 311	**Schauder's fixed point theorem**	Schauderscher Fixpunktsatz m	principe m de Schauder	теорема Шаудера [о неподвижной точке], принцип Шаудера
S 312	**Scheimpflug['s] condition**	Scheimpflug-Bedingung f	condition f de Scheimpflug	условие Шеймпфлуга
S 313	**Scheimpflug principle**	Scheimpflug-Prinzip n	principe m de Scheimpflug	принцип Шеймпфлуга
S 314	**Scheiner['s] experiment**	Scheinerscher Versuch m	expérience f de Scheiner	опыт Шайнера
	Scheiner rating, degree Scheiner	Scheiner-Grad m	degré m Scheiner	градус Шайнера, градус Шейнера
S 315	**Scheiner sensitometer**	Scheiner-Sensitometer n	sensitomètre m de Scheiner	сенситометр Шайнера
S 316	**Scheiner's halo,** Scheiner's ring	Halo m von Scheiner	halo m de Scheiner	гало Шайнера, 27-градусный круг
S 317	**Schellbach tube**	Schellbach-Rohr n	tube m de Schellbach	[водомерная] труба Шельбаха
S 318	**Schelting magnetometer,** quartz Z-magnetometer	Quarzrahmenmagnetometer n [von Schelting], Z-Quarzmagnetometer n [von Schelting], Scheltingsches Z-Quarz-magnetometer	magnétomètre m de Schelting, magnétomètre vertical à quartz	кварцевый Z-магнитометр [Шельтинга]
S 319	**schematic [circuit] diagram,** basic circuit diagram, basic diagram, circuit diagram, connection diagram, connecting diagram, cording diagram, wiring diagram, wiring layout <el.>	Stromlaufplan m, Schaltplan m <El.>	schéma m des connexions, schéma de câblage, schéma de montage, diagramme m de courants <él.>	[элементная] схема соединений, монтажная схема, коммутационная схема, принципиальная схема [коммутации], схема коммутации, схема цепей тока <эл.>
S 320	**schematic [circuit] diagram,** simplified (skeleton) diagram	Prinzipschaltbild n, Prinzipschema n, Prinzipbild n, Prinzipstromlaufbild n, Grundschaltbild n, Grundschaltung f	schéma m de principe, schéma simplifié, schéma général	принципиальная схема, упрощённая схема; принципиальная электрическая схема
S 321	**schematic eye**	schematisches Auge n	œil m schématique	схематический глаз
	scheme of terms	s. term diagram		
S 322	**Scherbius cascade**	Scherbius-Kaskade f	cascade f de Scherbius	каскад Шербиуса

S 323	**Schering-Alberti circuit**	Schering-Alberti-Schaltung f, Stromwandler-Prüf-einrichtung f von Schering-Alberti, Meßwandler-Prüfeinrichtung f nach Schering-Alberti	circuit m de Schering-Alberti	схема Шеринга-Альберти, устройство для испытания трансформаторов тока [по Шерингу-Альберти]
S 324	**Schering bridge**	Schering-Brücke f, Schering-Meßbrücke f	pont m de Schering	измерительный мост Шеринга, мост Шеринга
S 325	**Scherrer constant**	Scherrersche Konstante f	constante f de Scherrer	постоянная Шеррера, константа Шеррера
S 326	**Scherzer['s] correction**	Scherzersche Korrektur f	correction f de Scherzer	поправка Шерцера
S 327	**Schiebold camera**	Schiebold-Kammer f	chambre f (goniomètre m) de Schiebold	рентгеновский гониометр Шибольда
S 328	**Schiebold['s] method**	Schiebold-Methode f, Schieboldsche Methode f	méthode f de Schiebold	метод Шибольда
S 329	**Schiebold-Sauter goniometer**	Schiebold-Sauter-Goniometer n	goniomètre m de Schiebold-Sauter	рентгеновский гониометр Шибольда-Саутера
S 330	**Schiebold-Sauter method (technique)**	Schiebold-Sauter-Verfahren n, Schiebold-Sautersches Verfahren n	méthode f de Schiebold-Sauter	метод Шибольда-Саутера
S 331	**Schiff['s] base**	Schiffsche Base f, Azomethin n	base f de Schiff, azométhine m	основание Шиффа, шиффово основание, азометиновое соединение
	schillerization, iridescence	Schillern n	chatoiement m, chatoîment m, miroitement m, schillérisation f	мерцание, мерцающий блеск
S 332	**schiller layer**	opaleszierende Schicht f	couche f d'opalescence, couche opalescente	слой опалесценции, опалесцирующий слой
	Schilling-type effusion bottle <US>	s. effusiometer		
S 333	**schism** <ac.>	Schisma n <Ak.>	schisme m <ac.>	схизма <ак.>
	schistosity	s. cleavage <geo.>		
S 334	**schizolite,** diaschistic rock	Spaltungsgestein n, diaschistes Gestein n, Schizolith m, Ganggefolge n	roche f diaschiste, roche différenciée	порода расщепления, диасхистовая порода, шизолит
S 335	**Schläfli['s] formula**	Schläflische Formel f, Schläflische Integraldarstellung f [der Kugelfunktionen]	formule f de Schlaefli	формула Шлефли
S 336	**Schläfli['s] polynomial**	Schläflisches Polynom n	polynôme m de Schlaefli	многочлен Шлефли
S 337	**Schläfli['s] integral**	Schläflische Integraldarstellung f [der Zylinderfunktion]	intégrale f de Schlaefli	интеграл Шлефли
	Schläfli['s] integral	s. Bessel['s] integral		
S 338	**Schleiermacher['s] [hot wire] method**	Schleiermachersche Methode (Hitzdraht-methode) f	méthode f de Schleiermacher [à fil chaud]	метод Шлейэрмахера
S 339	**Schleiermacher['s] theory**	Schleiermachersche Lehre (Theorie) f	théorie f de Schleiermacher	теория Шлейэрмахера
S 340	**Schlesinger['s] criterion**	Schlesinger-Kriterium n	critère m de Schlesinger	критерий Шлезингера
S 341	**schlichtartig**	schlichtartig	quasi univalent	подобный однолистному
S 342	**schlicht function,** univalent function	schlichte (univalente, einwertige) Funktion f	fonction f univalente, fonction à un feuillet	однолистная функция
S 343	**schliere** <pl.: schlieren>; streak, smear; flow layer <geo.>	Schliere f	strie f, schliere m <pl.: schlieren>	свиль; шлир; шлировое выделение; слой течения <гео.>
S 344	**schlieren chamber,** streak camera	Schlierenkammer f	chambre f strioscopique	шлирен-камера, камера для съёмки по методу свилей
S 345	**schlieren diaphragm, schlieren edge,** schlieren slit	Schlierenblende f	diaphragme m [du microscope] strioscopique	шлирен-диафрагма, диафрагма шлирен-микроскопа
S 346	**schlieren head**	Schlierenkopf m	tête f strioscopique	головка для исследования по теневому методу
	schlieren image	s. schlieren photograph		
	schlieren image of Toepler, Toepler['s] schlieren image	Toeplersches Schlierenbild n, Schlierenbild nach Toepler	image f strioscopique de Tœpler	теневое изображение, шлирен-изображение [по методу Теплера]
S 347	**schlieren method,** striation method, striation technique; schlieren photography, streak photography, smear photography, shadow fringe test, strioscopic method	Schlierenmethode f, Schlierenverfahren n, Schlierentechnik f; Schlierenaufnahmeverfahren n, Schlierenaufnahme f	méthode f des stries, strioscopie f	теневой метод, теневая фотография; метод полос; шлирен-метод, метод свилей; съёмка по методу свилей, фотографирование по методу свилей, шлирен-съёмка
S 348	**schlieren method [in aerodynamics]**	Schlierenmethode f [der Gasdynamik]	méthode f des stries [de l'aérodynamique]	оптический метод полос [в аэродинамике]
S 349	**schlieren microscope**	Schlierenmikroskop n	microscope m strioscopique, microscope à stries	шлирен-микроскоп
S 350	**schlieren microscopy**	Schlierenmikroskopie f	microscopie f strioscopique, microscopie des stries	шлирен-микроскопия, микроскопия по методу свилей
S 351	**schlieren object**	Schlierenobjekt n	objet m aux stries	объект со свилями, шлирный объект
S 352	**schlieren optical system, schlieren optics**	Schlierenoptik f	optique f strioscopique; optique du strioscope	шлирен-оптика, оптическая система для съёмки по методу свилей
S 353	**schlieren photograph;** schlieren picture, schlieren image	Schlierenaufnahme f; Schlierenbild n	photographie f prise au strioscope, strioscopie f, image f prise au strioscope	теневой (шлирный) снимок, шлирен-снимок, снимок (фотография) методом свилей, шлиренфотография; теневое изображение, теневая (шлирная) картина

	English	German	French	Russian
	schlieren photography	s. schlieren method		
	schlieren picture	s. schlieren photograph		
	schlieren scanning technique; shadow schlieren method, projecting schlieren method	Schattenschlierenverfahren n, Schattenschlierenmethode f	méthode f des stries à projection	проекционная теневая фотография, теневая фотография, [проекционный] теневой метод
	schlieren slit	s. schlieren diaphragm		
	Schloemilch detector, electrolytic detector	elektrolytischer Detektor m, Elektrolytdetektor m, Schloemilch-Zelle f	détecteur m électrolytique, cellule f électrolytique de Schlœmilch	электролитический детектор, элемент Шлемильха
S 353a	**Schloemilch['s] expansion (series)**	Schlömilchsche Reihe f	série f de Schlœmilch	рад Шлемильха
S 353b	**Schlumberger photoclinometer**	Schlumbergerscher Neigungsmesser m	inclinomètre m de Schlumberger	клинометр (уклономер) Шлюмбергера
S 354	**Schmalcalder compass**	Schmalcalder-Bussole f	boussole f de Schmalcalder	буссоль Шмалькальдера
S 355	**Schmaltz [profile] microscope**	Oberflächenprüfgerät n nach Schmaltz, Lichtschnittprüfgerät n, Lichtschnittgerät n, Lichtschnittmikroskop n nach Schmaltz, Schmaltz-Lichtschnittmikroskop n, 45°-Lichtschnittmikroskop n	microscope m de Schmaltz [à projection de fente lumineuse]	прибор на принципе светового сечения, микроскоп Шмальца
S 355a	**Schmid['s] [law of critical shear stress], critical shear stress law of Schmid**	Schmidsches Schubspannungsgesetz n, Schubspannungsgesetz von Schmid	loi f de Schmid	закон полнейшего напряжения Шмида
	Schmidt	s. Schmidt camera		
	Schmidt balance	s. Schmidt['s] field balance		
S 356	**Schmidt camera, Schmidt telescope, Schmidt system, Schmidt**	Schmidt-Spiegel m, Schmidt-Spiegelteleskop n, Schmidt-System n	chambre f de Schmidt, télescope m de Schmidt, système m de Schmidt	камера Шмидта, телескоп [системы] Шмидта, шмидтовский телескоп, рефлектор (система) Шмидта
S 357	**Schmidt-Cassegrain camera (system, telescope), Cassegrain type of Schmidt camera**	Schmidt-Cassegrain-System n, Schmidt-Cassegrain-Spiegel m	chambre f (télescope m, système m) de Schmidt-Cassegrain	камера Шмидта-Кассегрена, телескоп системы Шмидта-Кассегрена
S 358	**Schmidt corrector plate, corrector plate**	Schmidt-Platte f, Schmidtsche Platte f, Korrektionsplatte f [nach Schmidt], Schmidtsche Korrektionsplatte	lame f correctrice [de Schmidt]	коррекционная пластина [Шмидта], коррекционная плита [Шмидта], корректирующая пластинка Шмидта
	Schmidt curve	s. Schmidt lines		
S 359	**Schmidt['s] field balance, Schmidt [vertical field] balance**	Schmidtsche Feldwaage f, Schmidt-Waage f	balance f [magnétique] de Schmidt	магнитные весы Шмидта
S 360	**Schmidt group**	Schmidt-Gruppe f	groupe m de Schmidt	группа Шмидта
S 361/2	**Schmidt['s] hypothesis**	Theorie f von O. J. Schmidt	hypothèse f de Schmidt	гипотеза О. Ю. Шмидта
S 363	**Schmidt lens**	Schmidt-Linse f	lentille f de Schmidt	линза Шмидта
S 364	**Schmidt lens, Schmidt objective**	Schmidt-Objektiv n	objectif m de Schmidt	объектив [системы] Шмидта
S 365	**Schmidt limits**	Schmidt-Grenzen fpl	limites fpl de Schmidt	пределы Шмидта
S 366	**Schmidt lines, Schmidt curve**	Schmidt-Linien fpl, Schmidt-Kurven fpl, Schmidtsche Linien fpl, Schmidt-Diagramm n	courbe f de Schmidt, lignes fpl de Schmidt	линии Шмидта
S 367	**Schmidt magnetometer, Schmidt-type magnetometer**	Schmidt-Magnetometer n, Magnetometer n vom Schmidt-Typ	magnétomètre m de Schmidt	магнитометр Шмидта
S 367a	**Schmidt['s] model [of nuclei]**	Schmidt-Modell n	modèle m de Schmidt	модель Шмидта
S 367b	**Schmidt net**	[flächentreues] Schmidtsches Netz n	réseau m de Schmidt, canevas m de Schmidt	сетка Шмидта
S 368	**Schmidt number, Sc**	Schmidt-Zahl f, Schmidtsche Kennzahl f, Schmidtsche Zahl f, Sc	nombre m de Schmidt, Sc	число Шмидта, диффузионное число Прандтля, Sc, Prд
	Schmidt objective	s. Schmidt lens		
S 369	**Schmidt['s] optical system, optical system of the Schmidt telescope, Schmidt system, Schmidt optics, reflective optics**	Schmidt-Optik f, Hohlspiegeloptik f, Schmidt-System n	système m optique de Schmidt, système de Schmidt, optique f de Schmidt	оптическая система Шмидта, система Шмидта, оптика Шмидта
	Schmidt optics	s. Schmidt['s] optical system		
	Schmidt['s] orthogonalization process	s. Gram-Schmidt orthogonalization		
S 370	**Schmidt prism**	Schmidt-Prisma n	prisme m de Schmidt	призма Шмидта
	Schmidt['s] process	s. Gram-Schmidt orthogonalization		
S 371	**Schmidt['s] rule**	Schmidtsche Doppelbindungsregel f	règle f de Schmidt	правило Шмидта
	Schmidt system	s. Schmidt['s] optical system		
	Schmidt system	s. Schmidt camera		
	Schmidt telescope	s. Schmidt camera		
S 372	**Schmidt['s] theodolite**	Theodolit m nach Adolf Schmidt, Schmidtscher Theodolit, Schmidt-Theodolit m	théodolite m de Schmidt	теодолит Шмидта
S 373	**Schmidt['s] theory [of integral equations], theory of E. Schmidt**	Schmidtsche Theorie f [der Integralgleichungen]	théorie f d'E. Schmidt, théorie de Schmidt	теория Шмидта [интегральных уравнений]

	Schmidt['s] vertical field balance	s. Schmidt['s] field balance		
	Schmidt-typemagnetometer	s. Schmidt magnetometer		
	Schmitt trigger	s. Schmitt trigger circuit		
S 374	**Schmitt trigger circuit,** Schmitt trigger	Schmitt-Trigger m, Schmitt-Triggerschaltung f	circuit m trigger de Schmitt, trigger m (basculeur m, bascule f, circuit à déclenchement) de Schmitt	спусковая схема Шмитта, триггерная схема Шмитта, триггер Шмитта
S 374a	**Schnadt specimen**	Schnadt-Probe f	éprouvette f de Schnadt	образец Шнадта
	schneidenton, edge tone	Schneidenton m; Hiebton m	ton m éolien	клиновой тон, тон свистка
S 375	**Schoenflies crystallographic notation,** Schoenflies notation	Schoenflies-Symbolik f, Schoenfliessche Bezeichnung[sweise] f	notation f [symbolique] de Schœnflies	система обозначения Шенфлиса, обозначение Шенфлиса
S 375a	**Schoenflies crystal symbol**	Schoenflies-Symbol n	notation f [symbolique] de Schœnflies	символ Шенфлиса
	Schoenflies notation	s. Schoenflies crystallographic notation		
S 375b	**Schofield's equation**	Schofieldsche Gleichung f	équation f de Schofield	уравнение Шофильда
S 376	**Scholz counter**	Scholzscher Kernzähler m, Scholz-Zähler m	compteur m de Scholz	счетчик Шольца, счетчик ядер Шольца
	Schönrock	s. Schönrock halfshade		
S 377	**Schönrock autocollimating eyepiece**	Autokollimationsokular n nach Schönrock	oculaire m autocollimateur de Schœnrock	автоколлимационный окуляр по Шенроку
S 378	**Schönrock halfshade; Schönrock prism;** Schönrock	Halbschattenapparat m nach Schönrock; Schönrock-Prisma n, Prisma n von Schönrock	dispositif m à pénombre de Schœnrock; prisme m de Schœnrock	полутеневой прибор по Шенроку, полутеневой поляризатор Шенрока; призма Шенрока
S 379	**Schönwaldt['s] rule**	Schönwaldtsche Regel f	règle f de Schönwaldt	правило Шенвальдта
	schooping	s. metal spraying		
	schoop-plating	s. metal spraying		
	Schoop process	s. metal spraying		
S 380	**Schott filter,** Schott glass	Schott-Glas n, Schott-Filter	filtre m de Schott, filtre coloré de Schott	шоттовский фильтр, цветной фильтр по Шотту
S 381	**Schott['s] formula**	Schottsche Formel f, Formel von Schott	formule f de Schott	формула Шотта
	Schott glass	s. Schott filter		
S 382	**Schottky barrier,** Schottky barrier layer	Schottkysche Randschicht f, Schottky-Barriere f	barrière f de Schottky	запорный слой Шотки
	Schottky barrier diode, hot-carrier diode	Schottky-Barriere-Diode f, Metall-Halbleiter-Diode f	diode f à porteurs chauds	диод с горячими носителями
	Schottky barrier layer	s. Schottky barrier		
S 383	**Schottky barrier model**	Schottkysches Sperrschichtmodell n	modèle m de Schottky	модель запирающего слоя Шотки
S 384	**Schottky['s] barrier theory,** Schottky['s] theory	Schottkysche Randschichttheorie f	théorie f de Schottky	теория Шотки
S 385	**Schottky defect (discorder);** vacancy-type Schottky defect, Schottky vacancy; interstitial type Schottky defect, Schottky interstitial	Schottky-Fehlordnung f, Schottky-Defekt m. Schottkysche Fehlordnung f, Schottkysche Fehlstelle f, Schottkysche Störstelle f, Schottkysche Leerstelle f, Schottky-Leerstelle f	défaut m de Schottky, désordre m de Schottky	дефект по Шотки
S 386	**Schottky doping**	Schottkysche Dotierung f	dopage m de Schottky	присадка (введение) примесей по Шотки
S 387	**Schottky effect**	Schottky-Effekt m	effet m Schottky	эффект Шотки
	Schottky effect	s. a. shot effect		
S 388	**Schottky['s] equation [of field emission]**	Schottkysche Feldemissionsgleichung f	équation f de Schottky	уравнение Шотки
S 389	**Schottky['s] formula**	Schottkysche Formel f	formule f de Schottky	формула Шотки
	Schottky interstitial	s. Schottky defect		
	Schottky-Langmuir law	s. Langmuir-Schottky law		
S 390	**Schottky['s] model**	Schottkysches Napfmodell n, Napfmodell f	modèle m de Schottky	модель Шотки
	Schottky noise	s. shot effect		
	Schottky['s] theory	s. Schottky['s] barrier theory		
S 391	**Schottky transition**	Schottky-Übergang m	transition f de Schottky	переход Шотки
	Schottky vacancy	s. Schottky defect		
S 392	**Schreiber['s] method**	kombinationsweise Winkelmessung f, Schreibersches Winkelmeßverfahren n, Winkelmeßverfahren nach Schreiber, Schreibersche Methode f	méthode f de Schreiber	измерение углов во всех комбинациях, метод Шрейбера
S 393	**Schröder [corrector] plate**	Schrödersche Platte f	lame f correctrice de Schröder	коррекционная пластина Шредера
S 393a	**Schröder-van Laar equation**	Schröder-van-Laar-Gleichung f	équation f de Schröder-van Laar	уравнение Шредера-фан Лара
S 394	**Schrödinger['s] constant**	Schrödinger-Konstante f	constante f de Schrödinger	постоянная Шредингера
S 395	**Schrödinger-Dirac equation**	Schrödinger-Dirac-Gleichung f	équation f de Schrödinger-Dirac	уравнение Шредингера-Дирака
S 396	**Schrödinger['s] equation,** Schrödinger['s] wave equation, wave equation	Schrödinger-Gleichung f, Schrödingersche Wellengleichung f, Wellengleichung	équation f de Schrödinger, équation d'onde de Schrödinger, équation d'onde	уравнение Шредингера, волновое уравнение Шредингера, волновое уравнение
S 397	**Schrödinger['s] field theory,** field theory of Schrödinger	Schrödingers rein affine Feldtheorie f, rein affine Feldtheorie [von Schrödinger]	théorie f des champs de Schrödinger	теория поля Шредингера
	Schrödinger['s] function	s. wave function		
S 398	**Schrödinger operator**	Schrödinger-Operator m	opérateur m de Schrödinger	шредингеровский оператор [энергии]

	Schrödinger picture (representation)	*s.* co-ordinate representation	
S 398a	**Schrödinger representative**	Schrödinger-Darsteller *m*	représentant *m* de Schrödinger	представитель Шредингера
	Schrödinger['s] theory of perturbation	*s.* time-independent perturbation theory	
	Schrödinger['s] wave equation	*s.* Schrödinger['s] equation	
	Schrödinger['s] wave function	*s.* wave function	
	Schrot effekt, Schroteffekt, schrot noise	*s.* shot effect	
S 399	**Schubert['s] rule**	Schubertsche Regel *f*	règle *f* de Schubert	правило Шуберта
S 400	**schubweg, displacement, displacement distance**	Schubweg *m*	« schubweg » *m*, déplacement *m*	величина смещения при сдвиге, смещение при сдвиге
S 401	**Schuler['s] clock**	Schuler-Uhr *f*	horloge *f* de Schuler	часы Шуллера
S 402	**Schuler['s] pendulum, 84 min pendulum, 84-minute[s] pendulum**	Schuler-Pendel *n*, 84-min-Pendel *n*, 84-Minuten-Pendel *n*, Schuler-Kreiselpendel *n*	pendule *m* de Schuler, pendule de période 84 min[utes]	маятник Шуллера [с периодом колебания 84 минуты], маятник с периодом колебания 84 мин
S 403	**Schuler period, 84.4-minutes period, 84.4 min period**	Schuler-Frequenz *f*, 84,4-Minuten-Periode *f*, 84,4-min-Periode *f*	période *f* Schuler [de 84,4 minutes], période de 84,4 min	период Шуллера, период Шулера, период колебания 84,4 мин[уты]
S 404	**Schuler['s] theorem**	Schulerscher Satz *m*	théorème *m* de Schuler	теорема Шуллера
S 405	**Schulz-Blaschke formula**	Schulz-Blaschkesche Formel *f*	formule *f* de Schulz-Blaschke	формула Шульца-Блашке
S 406	**Schulze-Hardy law, Schulze-Hardy rule, Hardy-Schulze rule**	Schulze-Hardysche Regel *f*	loi (règle) *f* de Schulze-Hardy	правило Шульце-Харди
S 407	**Schulz transition**	Schulz-Zerlegung *f*	transition *f* de Schulz	разложение по Шульцу
S 408	**Schumann['s] condition**	Schumannsche Durchschlagsbedingung *f*	condition *f* de Schumann	условие Шумана
S 409	**Schumann plate**	Schumann-Platte *f*	plaque *f* de Schumann	шумановская фотопластинка (пластинка)
S 410	**Schumann region**	Schumann-Gebiet *n*, Schumann-Bereich *m*, Schumann-Spektralbereich *m*, Schumann-Ultraviolett *n*	région *f* de Schumann	шумановская область, область спектра Шумана, область спектра Шумана
S 411	**Schumann-Runge band**	Schumann-Runge-Bande *f*, Runge-Schumann-Bande *f*	bande *f* de Schumann-Runge	полоса Шумана-Рунге
S 412	**Schur function**	Schur-Funktion *f*, Schursche Funktion *f*	fonction *f* de Schur	функция Шура
S 413	**Schur['s] lemma**	Schursches (Schurs) Lemma *n*	lemme *m* de Schur	лемма Шура
S 413a	**Schuster bridge**	Schuster-Brücke *f*	pont *m* de Schuster	мост Шустера
S 414	**Schuster method**	Schustersches Verfahren *n*	méthode *f* de Schuster	метод Шустера
S 415	**Schuster-Smith coil magnetometer**	Spulenmagnetometer *n* von Schuster und Smith, Schuster-Smithsches Spulenmagnetometer, Schuster-Smith-Coil-magnetometer *n*	magnétomètre *m* de Schuster et Smith	магнитометр Шустера-Смита
	Schwann's sheath	*s.* neurilemma	
	Schwarz['s] alternating method	*s.* alternating method	
S 416	**Schwarz-Christoffel formula, Schwarz-Christoffel theorem**	Schwarz-Christoffelsche Formel *f*, Schwarz-Christoffelsches Integral *n*, Schwarz-Christoffelscher Abbildungssatz *m*	formule *f* de Schwarz-Christoffel	формула Шварца-Кристоффеля, интеграл Шварца-Кристоффеля
	Schwarz-Christoffel polygon mapping, polygon mapping, Schwarz-Christoffel transformation	Polygonabbildung *f*, Schwarz-Christoffelsche Abbildung (Polygonabbildung) *f*	représentation *f* de Schwarz-Christoffel	отображение Шварца-Кристоффеля, полигональное отображение
	Schwarz-Christoffel theorem	*s.* Schwarz-Christoffel formula	
	Schwarz-Christoffel transformation	*s.* Schwarz-Christoffel polygon mapping	
S 417	**Schwarz['s] constant**	Schwarzsche Konstante *f*	constante *f* de Schwarz	постоянная Шварца, константа Шварца
S 418	**Schwarz['s] derivative**	Schwarzsche Differentialinvariante *f*, Schwarzsche Ableitung *f*	dérivée *f* de Schwarz, dérivée schwarzienne, schwarzien *m*	производная Шварца
S 419	**Schwarz['s] function**	Schwarz-Funktion *f*	fonction *f* de Schwarz	функция Шварца
S 419a	**Schwarz-Hora effect**	Schwarz-Hora-Effekt *m*	effet *m* Schwarz-Hora	эффект Шварца-Хоры
S 420	**Schwarz['s] inequality** <for integrals, series>; Cauchy-Schwarz inequality, Buniakowsky-Schwarz inequality <for integrals>	Schwarzsche Ungleichung (Ungleichheit) *f*, [Cauchy-]Bunjakowskische Ungleichung <für Integrale, Folgen>; Cauchysche (Lagrangesche, Lagrange-Cauchysche) Ungleichung <für Folgen>	inégalité *f* de Schwarz <pour les intégrales>; inégalité de Cauchy[-Schwarz] <pour les séries>	неравенство Шварца, неравенство Буняковского, неравенство Коши-Буняковского
S 421	**Schwarz['s] lemma**	Schwarzsches Lemma *n*	lemme *m* de Schwarz	лемма Шварца
	Schwarz principle of reflection	*s.* Schwarz['s] reflection principle	
S 422	**Schwarz['s] quotient**	Schwarzscher Quotient *m*	quotient *m* de Schwarz	частное Шварца
	Schwarz reflection	*s.* Schwarz['s] reflection principle	

	English	German	French	Russian
S 423	**Schwarz['s] reflection principle,** reflection principle, symmetry principle, principle of reflection, spiegelungsprinzip, Schwarz [principle of] reflection	Schwarzsches Spiegelungsprinzip *n*, Spiegelungsprinzip	principe *m* de la symétrie [de Schwarz], principe de symétrie de Schwarz	принцип аналитического продолжения, принцип отражения [Шварца], принцип симметрии [Шварца], принцип зеркакьной симметрии
S 424	**Schwarzschild anastigmat**	Schwarzschildscher Anastigmat *m*	anastigmat *m* de Schwarzschild	анастигмат (объектив-анастигмат) Шварцшильда
S 425	**Schwarzschild['s] angle eikonal,** Schwarzschild['s] eikonal	Schwarzschildsches Winkeleikonal *n*	iconale *f* angulaire de Schwarzschild, iconale de Schwarzschild	[угловой] эйконал Шварцшильда
S 426	**Schwarzschild antenna**	Schwarzschild-Antenne *f*	antenne *f* Schwarzschild	антенна Шварцшильда
S 427	**Schwarzschild effect,** reciprocity[-] law failure, reciprocity failure <phot.>	Schwarzschild-Effekt *m*, Reziprozitätsabweichung *f*, Ultrakurzzeiteffekt *m* <Phot.>	effet *m* Schwarzschild, écart *m* à la réciprocité, écart de la réciprocité, insuccès *m* de la loi de réciprocité <phot.>	эффект Шварцшильда, явление невзаимозаместимости [при коротких выдержках] <фот.>
	Schwarzschild['s] eikonal	s. Schwarzschild['s] angle eikonal		
S 428	**Schwarzschild['s] equation**	Schwarzschild-Gleichung *f*	équation *f* de Schwarzschild	уравнение Шварцшильда
S 429	**Schwarzschild exponent**	Schwarzschild-Exponent *m*	coefficient *m* de Schwarzschild, exposant *m* de Schwarzschild	коэффициент Шварцшильда, показатель Шварцшильда
	Schwarzschild['s] exterior solution	s. Schwarzschild['s] solution		
S 430	**Schwarzschild['s] iteration method**	Schwarzschildsches Iterationsverfahren *n*	méthode *f* d'itération de Schwarzschild	итерационный метод Шварцшильда
	Schwarzschild['s] law	s. Schwarzschild['s] reciprocity law		
S 431	**Schwarzschild mass**	Schwarzschildsche Masse *f*	masse *f* de Schwarzschild	шварцшильдовская масса
S 432	**Schwarzschild['s] metric**	Schwarzschildsche Metrik *f*, Schwarzschild-Metrik *f*	métrique *f* de Schwarzschild	шварцшильдовская метрика, метрика Шварцшильда
S 433	**Schwarzschild-Milne equation,** integral equation of Schwarzschild and Milne	Schwarzschild-Milnesche Integralgleichung *f*	équation *f* intégrale de Schwarzschild et Milne, équation de Schwarzschild-Milne	[интегральное] уравнение Шварцшильда-Милна
S 433a	**Schwarzschild['s] principle**	Schwarzschildsches Prinzip *n* [der Korpuskularoptik]	principe *m* de Schwarzschild	принцип Шварцшильда
	Schwarzschild['s] problem, problem of Schwarzschild	Schwarzschildsches Problem *n*	problème *m* de Schwarzschild	задача Шварцшильда
S 434	**Schwarzschild['s] radius**	Gravitationsradius *m* [einer Masse], Schwarzschild-Radius *m*, Schwarzschildscher Radius *m*	rayon *m* de Schwarzschild	гравитационный радиус, шварцшильдовский радиус
S 435	**Schwarzschild['s] reciprocity law,** Schwarzschild['s] law	Schwarzschildsches Gesetz *n*, Schwarzschildsches Reziprozitätsgesetz *n*	loi *f* de réciprocité de Schwarzschild, loi de Schwarzschild	закон взаимозаместимости Шварцшильда, закон Шварцшильда
S 436	**Schwarzschild singularity**	Schwarzschildsche Singularität *f*	singularité *f* de Schwarzschild	шварцшильдовская особенность
S 437	**Schwarzschild['s] solution; Schwarzschild['s] exterior solution**	Schwarzschildsche Lösung *f*	solution *f* de Schwarzschild	решение Шварцшильда
S 438	**Schwarzschild['s] system**	Zweispiegelsystem *n* [nach (von) Schwarzschild], Schwarzschild-System *n*, Schwarzschild-Typ *m*, aplanatisches Zweispiegelsystem [von Schwarzschild]	système *m* de Schwarzschild	система Шварцшильда
S 439	**Schwarzschild['s] velocity ellipsoid**	Schwarzschildsches Geschwindigkeitsellipsoid *n*	ellipsoïde *m* des vitesses de Schwarzschild	эллипсоид скоростей Шварцшильда
S 440	**Schwarzschild['s] world**	Schwarzschildsche Welt *f*	univers *m* de Schwarzschild	пространство-время Шварцшильда, вселенная Шварцшильда
	Schwedoff body, plastigel, plastic gel, plastogel	plastisches Gel *n*, Plastigel *n*, Schwedoffscher Körper *m*	plastigel *m*, gel *m* plastique	пластигель, пластогель, пластический гель
S 441	**Schweidler oscillation**	radioaktive Schwankung *f*	oscillation *f* radioactive	радиоактивное колебание
S 442	**Schwinger['s] delta function**	Schwingersche Deltafunktion *f*	fonction *f* delta de Schwinger	дельта-функция Швингера
S 443	**Schwinger['s] equation**	Schwingersche Gleichung *f*	équation *f* de Schwinger	уравнение Швингера
S 444	**Schwinger-Levine variational method**	Schwinger-Levinesches Variationsverfahren *n*	méthode *f* variationnelle de Schwinger	вариационный метод Швингера-Левина
	Schwinger radiation	s. synchrotron radiation		
S 445	**Schwinger scattering**	Schwinger-Streuung *f*, Schwingersche Streuung *f*	diffusion *f* de Schwinger	швингеровское рассеяние
S 446	**Schwinger['s] variation method**	Schwingersches Variationsverfahren *n*	méthode *f* variationnelle de Schwinger	вариационный метод Швингера
	sciagram	s. shadowgraph		
S 447	**science of colour**	Farbenlehre *f*	théorie *f* des couleurs	цветоведение
	science of fluid flow, fluid mechanics	Strömungsmechanik *f*, Strömungslehre *f*, Mechanik *f* der Flüssigkeiten und Gase	mécanique *f* des fluides	аэрогидромеханика, гидроаэромеханика, механика жидкостей и газов
S 448	**science of heat,** heat technology	Wärmelehre *f*, Kalorik *f*	science *f* de la chaleur	учение о теплоте, теоретическая теплотехника
	science of light, physical optics, photology	physikalische Optik *f*, Lehre *f* vom Licht	optique *f* physique, photologie *f*, science *f* de la lumière	физическая оптика, учение о свете

	English	German	French	Russian
	science of light reflection, catoptrics, anacamptics	Katoptrik f, Lehre f von der Reflexion des Lichtes	catoptrique f, anacamptique f	катоптрика, учение об отражении лучей
S 449	science of metals, physical metallurgy, metal science	Metallkunde f, Metallographie f im weiteren Sinne, Metallwissenschaft f, wissenschaftliche Metallkunde	science f des métaux, métallurgie f physique	металловедение
	science of reflection and refraction of light, catadioptrics	Katadioptrik f, Lehre f von der Reflexion und Brechung des Lichtes	catadioptrique f	катадиоптрика, учение о преломлении и отражении света
	science of the strength [of materials], strength of materials	Festigkeitslehre f	résistance f des matériaux, science f de la résistance des matériaux	сопротивление материалов, учение о сопротивлении материалов
S 450	scientific kinematography	wissenschaftliche Kinematographie f, Wissenschaftskinematographie f	cinématographie f scientifique	научная кинематография
S 451	scinticounting	s. scintillation counting		
	scintigram, scintiscan	Szintigramm n, Gammagramm n; Strichszintigramm n	scintigramme m	сцинтиграмма; сканограмма
	scintigraph	s. scintiscanner		
	scintigraphy, scintiscanning	Szintigraphie f	scintigraphie f	сцинтиграфия
	scintillant	s. scintillating material		
	scintillating liquid	s. liquid scintillator		
S 452	scintillating material, scintillant	Szintillationssubstanz f, szintillierende Substanz f, szintillierendes Material n	matériau m scintillant, substance (matière) f scintillante, scintillant m	сцинтиллирующее вещество, сцинтилляционный люминофор
S 453	scintillation; illuminating flash; flash; flash of light, light flash	Szintillation f; Aufblitzen n, Szintillationsblitz m; Blitz m, Lichtblitz m	scintillation f, éclair m [de lumière]	сцинтилляция; сцинтиллирование; вспышка; осветительная вспышка; проблеск, короткий проблеск; вспышка света, световая вспышка
S 454	scintillation, twinkling <of stars> <astr.>	Szintillieren n, Funkeln n, Zittern n, Flimmern n, Luftflimmern n, Luftunruhe f, Luftzittern n, Szintillation f <Sterne> <Astr.>	scintillation f, scintillement m, étincellement m <des étoiles> <astr.>	мерцание [звезд] <астр.>
	scintillation beta-ray spectrometer, beta-ray scintillation spectrometer	Szintillations-Beta-Spektrometer n	spectromètre m bêta à scintillation[s]	сцинтилляционный бета-спектрометр, люминесцентный бета-спектрометр
S 455	scintillation camera, gamma-camera, gamma [-ray] camera, scanning camera	Szintillationskamera f, Gammakamera f, Gamma-Kamera f, Anger-Kamera f	caméra f à scintillation[s], caméra [à rayons] gamma, gamma-caméra f	сцинтилляционная камера, гамма-камера
S 456	scintillation coincidence spectrometer, coincidence scintillation spectrometer	Szintillationskoinzidenzspektrometer n, Szintillations-Koinzidenzspektrometer n, Koinzidenzszintillationsspektrometer n	spectromètre m de coïncidences à scintillation, spectromètre à scintillations à coïncidence	сцинтилляционный спектрометр совпадений, сцинтилляционный спектрометр на совпадениях
S 457	scintillation counter, scintillation detector	Szintillationszähler m, Szintillationsdetektor m	scintilleur m, détecteur (compteur) m à scintillation[s], scintillateur m	сцинтилляционный счетчик (детектор), люминесцентный счетчик
	scintillation counter crystal	s. scintillation crystal		
S 458	scintillation counting, scinticounting	Szintillationszählung f, Auszählen n der Szintillationen	comptage m des scintillations; comptage par scintillations	счет сцинтилляций, счет вспышек, сцинтилляционный счет
S 459	scintillation crystal; scintillation counter crystal	Szintillatorkristall m, Szintillationskristall m	cristal m scintillateur, cristal scintillant, cristal à scintillations	сцинтиллирующий кристалл
S 460	scintillation decay time	Szintillationsabfallzeit f, Abfallzeit f der Szintillation, Szintillationsabklingzeit f, Abklingzeit f der Szintillation	temps m de décroissance de la scintillation	время спадания сцинтилляции
	scintillation detector	s. scintillation counter		
S 460a	scintillation dosimeter	Szintillationsdosimeter n	dosimètre m à scintillation[s]	сцинтилляционный дозиметр
S 461	scintillation fading	Szintillationsschwund m	évanouissement m de scintillations	замирание сцинтилляций
	scintillation gamma-ray spectrometer, gamma-ray scintillation spectrometer	Szintillations-Gamma-Spektrometer n	spectromètre m gamma à scintillation[s]	сцинтилляционный гамма-спектрометр
S 462	scintillation gel	Szintillationsgel n	gel m scintillant	сцинтиллирующий гель
S 463	scintillation head	Szintillations[meß]kopf m	tête f du détecteur à scintillation[s]	головка сцинтилляционного счетчика
	scintillation of radio source (star), radioscintillation	Szintillieren n der Radioquelle, Radioszintillation f	radioscintillation f, scintillation f de la radiosource	радиомерцание, мерцание радиоисточника, мерцание радиозвезды
S 464	scintillation probe	Szintillationssonde f	sonde f à scintillation[s]	сцинтилляционный зонд
S 465	scintillation response	Szintillationsausbeute f, Lichtausbeute f des Szintillators	rendement m de scintillations	выход сцинтилляций, сцинтилляционный выход
S 466	scintillation rise time	Anstiegszeit f der Szintillation, Szintillationsanstiegszeit f	temps m de montée de la scintillation	время нарастания сцинтилляции
	scintillation scanner	s. scintiscanner		

S 467	**scintillation screen**	Szintillationsschirm *m*	écran *m* scintillant	сцинтиллирующий экран
S 468	**scintillation spectrom-eter**	Szintillationsspektrometer *n*, Lichtblitzspektrometer *n*, Lichtblitz-Spektralapparat *m*, Lichtblitz-Sortierapparat *m*, Lichtblitzspektrograph *m*	spectromètre *m* à scintillation[s]	сцинтилляционный спектрометр, люминесцентный спектрометр
S 469	**scintillation spectrum**	Szintillationsspektrum *n*	spectre *m* de scintillations	спектр сцинтилляций
S 470	**scintillator**	Szintillator *m*	scintillateur *m*	сцинтиллятор
S 471	**scintillator prospecting radiation meter, scintillometer**	Szintillometer *n*	scintillomètre *m*	сцинтиллометр; переносный сцинтилляционный счетчик
S 471a	**scintiphotogram,** photoscintigram	Photoszintigramm *n*, Photogammagramm *n*, Szintiphoto *n*	scintiphotogramme *m*, photoscintigramme *m*	фотосцинтиграмма
	scintiscan, scintigram	Szintigramm *n*	scintigramme *m*	сцинтиграмма
S 471b	**scintiscanner,** scintillation scanner, scintigraph	Szintiscanner *m*, Szintillationsscanner *m*, Szintigraph *m*, Scanner *m*	scintigraphe *m*	сцинтиллограф, сцинтиграф
S 472	**scintiscanning,** scintigraphy	Szintigraphie *f*	scintigraphie *f*	сцинтиграфия
S 473	**scission** <bio.> **scission**	Abspaltung *f* <Bio.> *s. a.* splitting	scission *f* <bio.>	расщепление <био.>
	scission of the ring, ring cleavage, ring scission, clevage of the ring; ring opening, opening of the ring	Ringspaltung *f*, Spaltung *f* des Rings; Ringöffnung *f*	scission *f* de l'anneau, scission du cycle	разрыв кольца, расщепление цикла; размыкание кольца
S 474	**scissoring vibration,** scissors mode	Scherenschwingung *f*	vibration *f* de cisaillement	ножничное колебание
S 475	**scissors telescope,** stereoscopic telescope	Scherenfernrohr *n*	lunette *f* à charnière, lunette de batterie	стереотруба
S 476	**sclerometer**	Sklerometer *n*, Ritzhärteprüfer *m*	scléromètre *m*	склерометр
	sclerometric hardness	*s.* scratch hardness		
	scleronomic[al], scleronomous <mech.>; time-independent, independent of time	zeitunabhängig, zeitfrei; skleronom <Mech.>	indépendant du temps; scléronome <méc.>	независимый от времени, независящий от времени; склерономный <мех.>
	scleronomous binding, constraint independent of time, non varying constraint	skleronome Bedingung *f*, starrgesetzliche Bedingung	liaison *f* non dépendant du temps, liaison scléronome	стационарная связь, склерономная связь
S 477	**scleroprotein,** fibrous protein	Skleroprotein *n*, Gerüsteiweiß[stoff *m*] *n*, Faserprotein *n*, Linearprotein *n*	scléroprotéine *f*	склеропротеин, склеропротеид
	scleroscope, Shore scleroscope	Shore-Härteprüfer *m*, Shore-Härteprüfgerät *n*; Shoresches Skleroskop *n*, Skleroskop	scléroscope *m* [de Shore]	склероскоп [по Шору]
	scleroscope hardness, Shore hardness [number], Shore scleroscope hardness	Shore-Härte *f*, Shoresche Härte *f*	dureté *f* de Shore, dureté Shore, shore *m*	твердость по Шору, склероскопическая твердость, склерометрическая твердость
	scleroscope hardness	*s. a.* scratch hardness		
S 478	**sclerosphere**	Sklerosphäre *f*	sclérosphère *f*	склеросфера
	S.C.N.A.	*s.* sudden cosmic noise absorption		
	scope	*s.* plan-position indicator <radar>		
	scope, observation telescope	Beobachtungsfernrohr *n*, Betrachtungsfernrohr *n*	télescope *m* à l'observation	телескоп для наблюдения, телескоп для рассмотрения, наблюдательный телескоп
	scope of direction finder	*s.* display of direction finder		
S 479	**scopometry**	Skopometrie *f*	scopométrie *f*	скопометрия
	scorching; singing	Sengen *n*	grillage *m*, flambage *m*	опаливание, опалка
S 479a	**scorching** <of contacts>	Schmoren *n*; Verschmorung *f* <Kontakte>	grillage *m*; carbonisation *f* <de contacts>	оплавление; обгорание <контактов>
S 480	**score** <stat.>	Note *f*, Beitrag *m* <Stat.>	cote *f*, note *f*, signe *m* <stat.>	метка, положение на шкале <стат.>
	scorification	*s.* slagging		
S 480a	**scoring,** scouring <in wear>	Ritzung *f*, Ritzbildung *f*, Ausfressen *n* <Verschleißerscheinung>	formation *f* de rayures	бороздчатый износ
S 480b	**scoring** <stat.>	Bonitur *f* <Stat.>	boniture *f* <stat.>	бонитировка <стат.>
	Scotch mist	*s.* drizzling fog		
	scotophor	*s.* killer		
S 481	**scotopic system**	skotopisches System *n*	système *m* scotopique	ночная система [зрения]
S 482	**scotopic vision,** noctovision	Nachtsehen *n*, Dämmerungssehen *n*, Dunkelsehen *n*, Stäbchensehen *n*, skotopisches Sehen *n*	vision *f* scotopique, noctovision *f*	ночное зрение, зрение в темноте, видение в темноте
S 483	**Scott circuit**	Scott-Schaltung *f*, Scottsche Schaltung *f*	circuit *m* de Scott	схема Скотта
S 483a	**Scott effect, Scott [thermomagnetic] torque,** thermomagnetic torque	Scott-Effekt *m*, thermomagnetisches Drehmoment *n*	effet *m* Scott, couple *m* thermomagnétique	термомагнитный момент, эффект Скотта
S 484	**Scott transformer**	Scott-Transformator *m*	transformateur *m* de Scott	трансформатор по схеме Скотта
S 485	**scour** <geo.>	Seitenerosion *f*, Wanderosion *f* <Geo.>	érosion *f* des berges <géo.>	боковая эрозия, эрозия берегов <гео.>
	scour	*s. a.* crater		

	scour	*s. a.* underwashing		
S 485a	**scouring**, pickling <met.>	Beizen *n*, Abbeizen *n* Dekapieren *n* ‹Met.›	décapage *m* ‹mét.›	[про]травление, декапирование ‹мет.›
	scouring	*s. a.* scoring		
	scram <US>	*s.* emergency shut-down ‹of reactor›		
S 486	**scram delay**, shut down delay ‹of reactor›	Abschaltverzögerung *f* ‹Reaktor›	délai *m* de déclenchement, retard *m* au déclenchement ‹de la pile›	запаздывание выключения ‹реактора›
	scram rod, emergency shut-down rod <US>; safety rod, cut-off rod	Sicherheitsstab *m*, Schnellschlußstab *m*, Notstab *m*	barre *f* de sécurité, barre d'arrêt d'urgence, barre d'arrêt rapide, barre d'arrêt, stoppeur *m*	предохранительный стержень, стоп-стержень, аварийный стержень, стержень аварийной защиты
S 487	**scratch**	Kratzer *m*, Ritz *m*	fendille *f*, égratignure *f*	царапина; риска
	scratch, surface noise, needle scratch	Nadelgeräusch *n*, Nadelrauschen *n*, Kratzen *n* der Nadel	bruit *m* de surface, bruit d'aiguille	шум канавки, шум иглы, шум от иглы, поверхностный шум
S 488	**scratch hardness**, sclerometric hardness, scleroscope hardness, abrasive hardness	Ritzhärte *f*; Kratzfestigkeit *f*	dureté *f* à la rayure, dureté par striage, dureté sclérométrique	склерометрическая (склероскопическая) твердость, твердость по склероскопу (методу царапанья), твердость царапанья
S 489	**scratching**	Ritzung *f*	fendillement *m*, égratignage *m*	царапанье, царапание, надрез
S 490	**screaming**, **screeching**	Kreischen *n*; Knirschen *n*	cri *m*	скрип, скрипение
S 491	**screen**	Schirm *m*	écran *m*	экран
S 492	**screen**, grid, raster, mesh, pattern	Raster *m*	grille *f*, treillis *m*	растр
	screen, sieve; riddle; sifter	Sieb *n*	tamis *m*, crible *m*	грохот; сетка; сито; решето
S 493	**screen** ‹of cathode-ray tube›	Leuchtschirm *m* ‹Elektronenstrahlröhre›	écran *m* cathodique, écran ‹du tube cathodique›	экран ‹электроннолучевой трубки›
S 494	**screen** ‹hydr., aero.›	Gleichrichter *m* ‹Hydr., Aero.›	redresseur *m* ‹hydr., aéro.›	выравнивающее устройство для потока, спрямляющая решетка ‹гидр., аэро.›
	screen	*s. a.* instrument screen		
	screen	*s. a.* projection screen		
S 495	**screenage**, screening	Abschirmung *f*; Schirmung *f*	blindage *m*	экранировка, экранирование
	screenage	*s. a.* size separation by screens		
	screen analysis	*s.* particle-size analysis		
S 496	**screen capacity**, screening capacity	Siebleistung *f*; Siebkennziffer *f*	capacité *f* du crible (tamis)	производительность сита, производительность грохота
S 497	**screen control**, screen grid control	Schirmgittersteuerung *f*	commande *f* par grille écran, réglage *m* par grille écran	управление [анодным током] по экранирующей сетке
	screen current	*s.* screen grid current		
S 498	**screened**, partially enclosed ‹of apparatuses›	gegen zufällige Berührung geschützt ‹Geräte›	protégé contre les contacts accidentels ‹d'appareils›	частично закрытый ‹о приборах›
	screened cage	*s.* Faraday cage		
	screened grid, screen grid	Schirmgitter *n*	grille *f* écran, grille-écran *f*	экранирующая сетка
	screened valve	*s.* screen grid tube		
S 499	**screen efficiency**, sieve efficiency	Siebwirkungsgrad *m*	efficacité *f* de tamisage, efficacité *f* du tamis	коэффициент полезного действия грохота, эффективность грохочения (рассева)
S 500	**screen efficiency**	Schirmausbeute *f*	efficacité *f* de l'écran, rendement *m* de l'écran	эффективность экрана, выход экрана
	screen factor, shielding factor ‹el.›	Schirmfaktor *m* ‹El.›	facteur *m* de réduction dû à l'effet d'écran ‹él.›	коэффициент экранирования ‹эл.›
S 501	**screen film**	Verstärkerfilm *m*	film *m* radiographique à utiliser avec écrans	экранная пленка
S 502	**screen filter**	Siebfilter *n*	filtre-crépine *m*	ситчатый фильтр, сетчатый фильтр, сеточный фильтр
S 503	**screen grid**, screened grid	Schirmgitter *n*	grille *f* écran, grille-écran *f*	экранирующая сетка
S 504	**screen grid bias**, screen grid potential	Schirmgittervorspannung *f*, Schirmgitterpotential *n*	polarisation *f* de la grille écran, potentiel *m* de grille écran	смещение экранирующей сетки, потенциал экранирующей сетки
	screen grid control	*s.* screen control		
S 505	**screen grid current**, screen current	Schirmgitterstrom *m*	courant *m* de grille écran	ток экранирующей сетки
S 506	**screen grid dissipation**	Schirmgitterverlustleistung *f*, Schirmgitterbelastung *f*	dissipation *f* de grille écran	мощность потерь в цепи экранирующей сетки
S 507	**screen grid Heising modulation**	Schirmgitter-Heising-Modulation *f*	modulation *f* de Heising dans la grille écran	модуляция на экранирующую сетку по схеме Хейзинга
S 508	**screen grid modulation**	Schirmgittermodulation *f*, Wirkungsgradmodulation *f*	modulation *f* sur la grille écran, modulation dans la grille écran	модуляция на экранирующую сетку
	screen grid potential	*s.* screen grid bias		
S 509	**screen grid resistance**	Schirmgitterwiderstand *m*	résistance *f* du circuit de grille écran	сопротивление в цепи экранирующей сетки
	screen grid tension	*s.* screen grid voltage		
S 510	**screen grid tube**, **screen grid valve**, screened valve	Schirmgitterröhre *f*	tube *m* (lampe *f*, tétrode *f*) à grille écran	[электронная] лампа с экранирующей сеткой, экранированная лампа
S 511	**screen grid voltage**, screen voltage, screen grid tension	Schirmgitterspannung *f*	tension *f* de grille écran	напряжение на экранирующей сетке

	English	German	French	Russian
S 512	screen image	Schirmbild *n*	image *f* formée sur l'écran	изображение на экране
S 512a	screening <stat.>	verbessernde Auswahl *f* <Stat.>	sélection *f* par tri <stat.>	просеивание, отсеивание, отбор <стат.>
	screening	*s.* screenage		
	screening	*s.* screening action		
	screening	*s.* size separation by screens		
S 513	screening action, screening, shielding action, shielding	Schirmwirkung *f*, Abschirm[ungs]wirkung *f*	action *f* d'écran, effet *m* d'écran, blindage *m*	экранирующее действие, экранирование
S 513a	screening box	Abschirmgehäuse *n*	boîte *f* de blindage	экранирующий кожух
	screening capacity	*s.* screen capacity		
S 514	screening constant, screening number <nucl.>	Abschirm[ungs]konstante *f*, Abschirmungszahl *f* <Kern.>	constante *f* d'effet d'écran, nombre *m* d'effet d'écran, constante d'écran, nombre d'écran, effet *m* d'écran, constante de blindage <nucl.>	коэффициент экранирования, постоянная экранирования, число экранирования <яд.>
S 515	screening constant <mol.>	Abschirm[ungs]konstante *f* <Mol.>	coefficient *m* écran, constante *f* d'écran <mol.>	коэффициент (постоянная) экранирования <мол.>
S 516	screening doublet	Abschirmungsdublett *n*, Abschirmdublett *n*, irreguläres Dublett *n*	doublet *m* du (de) blindage, doublet irrégulier	дублет экранирования, неправильный дублет; дублет, вызванный действием экранирования
S 517	screening effect	Abschirmeffekt *m*, Schirmeffekt *m*	effet *m* d'écran	эффект экранировки (экранирования)
	screening effect	*s.* screening of nucleus <nucl.>		
S 518	screening factor, shield factor <el.>	Abschirmfaktor *m* <El.>	facteur *m* de blindage, facteur de réduction [dû à l'effet d'écran] <él.>	коэффициент экранирования <эл.>
	screening number	*s.* screening constant <nucl.>		
S 519	screening of nucleus, electron screening, screening effect <nucl.>	Kernabschirmung *f*, Abschirmung *f* der Kernladung, Abschirmung des Atomkerns, atomare Abschirmung *f*, Abschirm[ungs]wirkung *f*	effet *m* d'écran, blindage *m* du noyau <nucl.>	экранирование ядра [электронами] <яд.>
	screening radius	*s.* Debye length		
S 520	screenings; riddlings; sieve residue, plus material, oversize	Siebrückstand *m*; Überkorn *n*	gros *m* du crible; criblures *fpl*	остаток на грохоте (сите), отсев, надрешеточный (верхний) продукт, избыточное зерно; грубая фракция; сход, отходы при грохочении, отходы сортировки
S 520a	screening sphere	Schirmeffektkugel *f*	sphère *f* [de l'effet] d'écran	сфера экранирования [ядра]
	screen microscope	*s.* scanning electron microscope		
	screen microscope	*s. a.* raster microscope		
S 521	screen photograph, radiograph, fluorogram, photofluorogram	Schirmbild *n*, Schirmbildaufnahme *f*, Schirmbildphotographie *f*, Röntgenschirmbild *n*, Röntgenschirmbildaufnahme *f*, Röntgenschirmbildphotographie *f*	radiophoto *m*, radiophotographie *f*, photofluorographie *f*, image *f* radioscopique, image formée sur l'écran radioscopique	флуорограмма, флюорограмма, рентгеновское изображение на экране, фоторентгенограмма, фоторентгенография
S 522	screen picture, projection picture	Projektionsbild *n*	image *f* d'écran, image de projection	проектируемое изображение, изображение в проекции
S 523	screen process, colour screen process	Farbrasterverfahren	méthode *f* à écrans mosaïques, méthode de photographie en couleurs à réseau trichrome	линзово-растровый метод
	screen size, sieve size, size of sieve	Maschenweite *f* <Sieb>, Siebgröße *f*, Siebweite *f*, Siebnummer *f*	largeur *f* de la maille <du crible *ou* tamis>	размер отверстий, величина отверстий <сита>; номер сита
	screen test	*s.* particle-size analysis		
	screen voltage	*s.* screen grid voltage		
S 524	screw, wheel, blade <of current meter *or* vane>	Schaufel *f*, Flügelschaufel *f*	hélice *f*, aile *f* de l'hélice	лопастный винт, лопасть <вертушки>
	screw, helical, screw-like, coiled	schraubenförmig, Schrauben[linien]-; wendelförmig	hélicoïdal, hélicoïde, hélicé, hélicin	винтовой, винтообразный, спиральный, спиралеобразный
S 525	screw axis, axis of twist <cryst.>	Schraubenachse *f*, Schraubungsachse *f*, Helikogyre *f* <Krist.>	axe *m* hélicoïdal (spiral), axe de symétrie hélicoïdal, hélicogyre *f* <crist.>	винтовая ось <крист.>
S 526	screw axis <mech.>	Schraubenachse *f*, Achse *f* des Nullsystems <Mech.>	axe *m* hélicoïdal <méc.>	ось винта <мех.>
	screw axis of order *n*, *n*-fold screw axis, *n*-al screw axis	*n*-zählige Schraubenachse *f*	axe *m* spiral d'ordre *n*	винтовая ось *n*-го порядка
	screw direction	*s.* orientation of the screw		
S 527	screw dislocation, Burgers dislocation	Schraubenversetzung *f*, Querversetzung *f*, Burgers-Versetzung *f*	dislocation-vis *f*, dislocation *f* en vis (hélice), dislocation hélicoïdale	винтовая дислокация, винтовое смещение, дислокация Бюргера
S 528	screw displacement, helicoidal displacement, screw[ing] (helical, helicoidal) motion, motion along a helix, spirallinig, screwing, twist	Schraubenbewegung *f*, schraubenförmige Bewegung *f*, Schraubung *f*, Bewegungsschraube *f*	mouvement *m* hélicoïdal, déplacement *m* hélicoïdal, mouvement de torsion, torsion *f* <Ball>, viration *f*	винтовое движение; ввинчивание; винтовое симметрическое преобразование <крист.>

	English	German	French	Russian
	screw eyepiece micrometer, eyepiece micrometer screw, screw micrometer eyepiece	Okularschraubenmikrometer n, Okularschraublehre f, Okularmeßschraube f	oculaire m micrométrique à vis, micromètre m d'oculaire à vis	винтовой окулярный микрометр, винтовой окуляр-микрометр
S 529	screw field, corkscrew field	Schraubenfeld n, schraubenförmiges Feld n	champ m hélicoïdal	винтовое поле
S 530	screw gauge, screw micrometer, micrometer caliper	Schraubenmikrometer n, Schraublehre f, Schraubenlehre f	palmer m, micromètre m à vis, appareil m de mesure à vis micrométrique, calibre m à vis	винтовой микрометр (калибр, измерительный прибор), микрометренный (микрометрический) винт, жесткий микрометр, винтовой (резьбовой) калибр, пальмер; винтовой шаблон
S 531	screw ice	Schraubeis n	glace f déformée	деформированный лед
	screwing [motion]	s. screw displacement		
	screw-like	s. screw		
	screw micrometer	s. screw gauge		
	screw micrometer eyepiece	s. screw eyepiece micrometer		
	screw motion	s. screw displacement		
	screw orientation	s. orientation of the screw		
	screw pitch	s. pitch <of the helix, screw>		
S 532	screw pitch gauge	Gewindelehre f, Gewindeganglehre f; Gewindeschablone f	calibre m pour filetage, jauge f de filetage	резьбомер, резьбовой калибр, калибр для резьбы; резьбовой шаблон, шаблон для проверки шага резьбы
S 533	screw press, pressing screw, thumb-screw	Druckschraube f	vis f de pression	винтовой пресс
	screw[-]sense, screw sense	s. orientation of the screw		
S 534	screw slip band	Schraubengleitband n	bande f de glissement en vis (hélice)	винтовая полоса скольжения
S 535	screw-thread micrometer cal[l]iper	Schraubenlehrenstichmaß n; Gewindeschraublehre f	jauge f à vis	микрометренный штихмас, штихмас для винтового калибра
	screw-type distance finder	s. screw-type range finder		
	screw-type flowmeter	s. propeller-type flowmeter		
	screw-type [fluid] meter	s. propeller-type flowmeter		
S 536	screw-type range finder, screw-type distance finder	Schraubendistanzmesser m	télémètre m à vis	винтовой дальномер
S 537	scribing block	Winkelstreichmaß n, Reißmaß n, Flächenlehre f	trusquin m à équerre	рейсмус, рейсмас, параллельная чертилка
	scroll	s. skew surface		
	scrubbing <US>, stripping, washing; washing-out	Waschen n, Wäsche f; Gaswäsche f; Turmwäsche f; Herauswaschen n; Auswaschung f	lavage m, lavement m	промывка; вымывание
	scud	s. fracto[-]stratus		
	scuffing, galling; seizure, seizing	adhäsiver Verschleiß m; örtliche Verschweißung f; Kommabildung f; Fressen n; Festfressen n	grippage m	заедание, задирание, образование задиров, задир; застревание, схватывание
	scuffing	s. a. wear		
	S-curve	s. sigmoid curve		
	sea, motion of the sea, sea-way	Seegang m, See f, Wellengang m	mouvement m de la mer, mer f	волнение на море, море
S 538	sea n <pl.: maria> <on the Moon>	Mare n <pl.: Maria>, Mondmeer n	mer f, mer lunaire	море <на Луне>
	S.E.A.	s. sudden enhancement of atmospherics		
	sea breaking on shore, on-shore breakers, surf on shore	Strandbrandung f	brisant m sur plage	прибрежный бурун, прибой
S 539	sea breeze, sea wind, on-shore wind	Seewind m	brise f (vent m) de mer, vent du large, vent d'amont	ветер с моря, морской ветер (бриз)
S 540	sea cave	Brandungshöhle f; Brandungskehle f	grotte f d'abrasion, havre m; niche f creusée par les vagues	волноприбойная пещера, абразионная пещера; волноприбойная ниша, абразионная ниша
S 541	sea clutter, sea echo	Seegangreflex m, Seegangsreflex m	réflexion f par la mer, renvoi m de la mer	отражение от морской поверхности, отражение от моря (морских волн)
	sea echo, sea clutter	Seegangreflex m, Seegangsreflex m	réflexion f par la mer, renvoi m de la mer	отражение от морской поверхности, отражение от моря (морских волн)
	sea floor, ocean floor, floor of ocean; ocean core	Meeresboden m, Meeresgrund m	fond m de l'océan, noyau m de l'océan	океаническое дно, морское дно; морской грунт
	sea forecast, marine forecast	Wellenvorhersage f, Wellenprognose f	prévision f de la houle	предсказание волнения
	sea gauge; water gauge; tide gauge <hydr.>	Pegel m; Gezeitenpegel m <Hydr.>	échelle f <hydr.>	футшток; водомерный пост; приливомер <гидр.>
	sea horizon	s. apparent horizon		
	sea interferometer, cliff interferometer, cliff-top interferometer	Kliffinterferometer n	interféromètre m marin, interféromètre à une antenne, radio-interféromètre m marin	морской радиоинтерферометр, морской интерферометр
S 542	seal	Dichtung f	joint m [étanche], joint (dispositif) m d'étanchéité	уплотнение, уплотняющее устройство

	English	German	French	Russian
S 543	**seal**, sealing	Zuschmelzung f; Siegeln n; Hermetisierung f	scellement m, scellage m; hermétisation f	запайка, герметическое закрытие; герметизация
S 544	**seal**, sealing, soldering <on, together>, soft soldering	Verlötung f, Lötung f <an, zusammen>, Weichlötung f	soudage m, soudure f <tendre>	запаивание, пайка, паяние <мягким припоем>
S 545	**seal**, sealing	Einschmelzung f, Einschmelzstelle f	soudure f	впай
	sealed-in source, sealed radioactive material (source)	s. sealed source		
S 546	**sealed source**, sealed-in (encapsulated) source, sealed radioactive source (material)	umschlossene Quelle f, geschlossene Quelle (Strahlungsquelle f, radioaktive Quelle), geschlossenes [radioaktives] Präparat n, gekapselte Quelle f	source f scellée, source encapsulée, source radioactive scellée, préparation f radioactive sous enceinte étanche	закрытый [радиоактивный] источник, закрытый источник излучения, закрытый радиоактивный препарат; источник, заделанный в капсулу
	sealed tube	s. sealing tube		
	sea level [elevation]	s. mean-sea-level		
	sealing	s. seal		
S 546a	**sealing alloy**	Einschmelzlegierung f	alliage m pour les fils de traversées hermétiques	сплав для вводных проволок, вводный сплав, сплав для вплавления
S 546b	**sealing diaphragm**	Abschlußmembran f	diaphragme m isolant (d'étanchéité)	уплотняющая диафрагма
	sealing fluid (liquid)	s. confining liquid		
S 547	**sealing tube**, sealed (bomb, Carius) tube	Bombenrohr n [nach Carius], Einschmelzrohr n, Einschmelzröhre f, Einschlußrohr n, Schießrohr n	tube m de Carius	трубка Кариуса
S 548	**sealing veil**	Schleierdichtung f	voile m d'étanchéité	противофильтрационная (водонепроницаемая) завеса
	sea mile, international mile, US-nautical mile, nautical mile, intern. mile <= 1 852 m>	Seemeile f, internationale Seemeile, sm <= 1 852 m>	mille m [marin] <= 1 852 m>	морская миля <= 1 852 м>
S 549	**seaquake**, submarine earthquake	Seebeben n	séisme m sous-marin; séisme marin, séisme en mer, secousse f marine	моретрясение, подводное землетрясение, землетрясение с подводным очагом
S 550	**search**, prospecting <for>	Erkundung f, Lagerstättensuche f, Prospektion f, Schürfung f	prospection f	поиски, разведка, изыскания, шурфование, шурфовка, проходка шурфов
S 551	**search coil**, measuring coil	Meßspule f, Suchspule f, Prüfspule f	bobine f exploratrice, bobine de mesure	измерительная катушка
S 552	**search for comets**	Kometensuche f, Kometenjagd f	recherche f de comètes	поиски комет
	search for leaks, leak hunting, leak detection, leakage survey; checking for gas leaks	Lecksuche f, Aufsuchen n von Undichtheiten	détection f des fuites, recherche f des fuites	течеискание, обнаружение течей, отыскание течей
	search light; projector	Scheinwerfer m	projecteur m; phare m	прожектор; фара; осветитель
S 553	**search tone**	Suchton m	ton m explorateur, ton de recherche	зондирующий тон, зухтон
	sea[-]shore, beach, shore, strand	Strand m	plage f, côte f, rivage m	пляж, штранд, морской берег, берег
	sea-shore zone, littoral, littoral zone	Litoral n, Uferregion f, Uferzone f, Gezeitenzone f, Strandbereich m	littoral m, zone f littorale	побережье, прибрежная полоса
S 554	**sea smoke**	Seerauch m	brume f de mer	морская дымка; туман над полыньей
S 555	**seasonal average**, seasonal mean	Jahreszeitmittel n, jahreszeitliches Mittel n	moyenne f saisonnière	среднее сезонное
S 556	**seasonal factor**	jahreszeitlicher Faktor m	facteur m saisonnier	сезонный коэффициент; сезонный фактор
	seasonal mean	s. seasonal average		
S 557	**seasonal solifluction**	Jahreszeitensolifluktion f	solifluction f saisonnière	сезонная солифлюкция
S 558	**season crack[ing]**	Altersriß m, Alterungsriß m	fissuration f de durée, fissure f de durée (vieillissement)	сезонное растрескивание; коррозия с растрескиванием
	seasoning <of material>, ageing, aging	Alterung f <natürliche, der Werkstoffe>	vieillissement m <des matériaux>	старение <материалов>
S 559	**seat**, seating, bearing area	Sitz m, Sitzfläche f	siège m	опорная (посадочная) поверхность, поверхность посадки; гнездо; седло
	seat <of origin>, focus, origin, hearth, centre <geo., meteo.>	Herd m <Geo., Meteo.>	âtre m, foyer m <géo., météo.>	очаг, фокус <гео., метео.>
	seating	s. seat		
	seat of the valve, valve seating, valve seat	Ventilsitz m, Sitz m des Ventils	siège m de la soupape	седло клапана, гнездо клапана
S 560	**sea triangulation**	Hochseetriangulation f	triangulation f de mer	морская триангуляция
S 561	**sea-water desalination**	Meerwasserentsalzung f	adoucissement m de l'eau de mer, dessalement m	опреснение соленых вод
	sea-water thermometer	s. reversing thermometer		
S 562	**sea wave**, ocean wave	Meereswelle f, Meereswoge f	vague f de la mer	морская (океаническая) волна
	sea-way, motion of the sea, sea	Seegang m, See f, Wellengang m	mouvement m de la mer, mer f	волнение на море, море
	sea wind, sea breeze, on-shore wind	Seewind m	brise f (vent m) de mer, vent du large, vent d'amont	ветер с моря, морской ветер (бриз)

S 563	**secant**, secant line, transversal	Sekante f, Transversale f, Treffgerade f	sécante f, transversale f	секущая, трансверсаль
S 564	**secant**, sec	Sekans m, Sekantenfunktion f, sec	sécante f, sec	секанс, sec
S 565	**secant compass**	Sekantenbussole f	boussole f des sécantes	секанс-буссоль
	secant line	s. secant		
S 565a	**Secchi['s] classification**, Secchi['s] spectral classification	Secchische Spektralklassifikation f, Secchi-Klassifikation f	classification f [spectrale] de Secchi	[спектральная] классификация Секки
S 566	**Secchi disk**	Secchi-Scheibe f, Secchische Scheibe f, Sichtscheibe f	disque m de Secchi	белый диск, диск Секки, диск для определения прозрачности
	Secchi['s] spectral classification	s. Secchi['s] classification		
S 567	**seclusion**	Seklusion f	séclusion f	секлюзия
	secon	s. secondary electron conduction tube		
S 568	**second**, second of arc, angular second, sexagesimal second [of arc], ʹʹ, sec <of angle>	Sekunde f [im Bogenmaß], Winkelsekunde f, Bogensekunde f, Altsekunde f, ʹʹ <Winkelmaß>	seconde f [d'arc], seconde angulaire, seconde sexagésimale, ʹʹ <de l'angle>	секунда, секунда дуги, угловая секунда, ʹʹ <единица измерения угла>
S 569	**second**, s, sec	Sekunde f, s	seconde f, s	секунда, сек
S 570	**second / per**	sekundlich, pro Sekunde	par seconde	в секунду, секундный
S 571	**second adjoint space**, bidual	zweiter adjungierter Raum m, Bidual m, bidualer Raum	espace m bidual	бидуальное (второе сопряженное) пространство
	secondary <of binary star>, companion, secondary component	Begleiter m <Doppelsternsystem>	compagnon m, composante f secondaire, secondaire f <d'une binaire>	спутник <двойной звезды>
	secondary	s. a. secondary particle		
	secondary	s. a. secondary wave <geo.>		
	secondary axis <cryst.>; minor axis, transverse axis	kleine Achse f; Nebenachse f <Krist.>	petit axe m	малая ось, вторая ось
	secondary calibration	s. recalibration		
	secondary caustic, anticaustic	Antikaustik f, sekundäre Kaustik f	caustique f secondaire, anticaustique f	антикаустика, вторичная каустика
S 572	**secondary cell**	Sekundärelement n	pile f (élément m) secondaire	вторичный элемент
	secondary circuit	s. secondary coolant circuit		
S 573	**secondary cleavage**; secondary schistosity	sekundäre Schieferung f	clivage m secondaire	вторичный кливаж, вторичная сланцеватость
	secondary clock	s. slave clock		
S 574	**secondary collision**	Sekundärstoß m	choc m secondaire, collision f secondaire	вторичное столкновение
	secondary component	s. secondary <of binary star>		
	secondary component [of cosmic radiation]	s. secondary cosmic radiation [component]		
S 575	**secondary condition** <math.>	Nebenbedingung f <Math.>	condition f secondaire <math.>	дополнительное (сопутствующее) условие, условие <матем.>
S 576	**secondary coolant circuit**, secondary circuit <of reactor>	zweiter Kühlkreislauf (Kreislauf) m, Sekundärkreis[lauf] m, Sekundärkühlkreis[lauf] m <Reaktor>	circuit m de refroidissement secondaire, circuit secondaire [de refroidissement] <du réacteur nucléaire>	вторичный контур охлаждения, вторичный контур [охладителя], вторичный цикл <реактора>
S 577	**secondary cosmic radiation [component], secondary cosmic rays**, secondary component [of cosmic radiation]	Sekundärkomponente f [der kosmischen Strahlung], [kosmische] Sekundärstrahlung f, sekundäre kosmische Strahlung f, sekundäre Höhenstrahlung f	rayonnement m (radiation f) cosmique secondaire, rayons mpl cosmiques secondaires, composante f secondaire [du rayonnement cosmique]	вторичное космическое излучение, вторичные космические лучи, вторичная компонента [космического излучения]
	secondary creation	s. secondary generation		
	secondary creep	s. quasiviscous creep		
	secondary cyclone [depression]	s. secondary depression		
S 578	**secondary depression**, secondary cyclone depression, secondary cyclone, satellite depression, secondary low <meteo.>	Teiltief n, Teiltiefdruckgebiet n, Teildepression f, Sekundärdepression f, Sekundärzyklone f, Randzyklone f, Randtief n, Randwirbel m <Meteo.>	dépression f satellite, cyclone m secondaire, cyclone satellite <météo.>	частная (вторичная) депрессия, частный (вторичный) циклон, частичная депрессия, частичный циклон, вторичный (частный) центр <метео.>
S 579	**secondary diagonal**	Nebendiagonale f	diagonale f secondaire	вторичная (вторая, побочная) диагональ
	secondary disturbance	s. elementary wave		
S 579a	**secondary drive**, driven side (end), output	Abtrieb m	commande f (entraînement m) secondaire	вторичный (ведомый) привод, ведомая сторона
S 580	**secondary effect**	Sekundäreffekt m, Sekundärwirkung f, Nebenerscheinung f, Nebenwirkung f, Nebeneffekt m	effet m secondaire	сопутствующий эффект, побочное действие, побочное влияние
	secondary electron atomic battery	s. secondary emission radioactive battery		
S 580a	**secondary electron conduction tube (vidicon)**, secon	Secon n, Sec-Vidikon n, SEC-Röhre f	vidicon m (tube m analyseur) à conduction par les électrons secondaires, secon m	видикон (передающая телевизионная трубка) с проводимостью вторичных электронов
S 581	**secondary electron counter**	Sekundärelektronenzähler m	compteur m à électrons secondaires	вторично-электронный счетчик

	English	German	French	Russian
S 582	secondary electron current, secondary emission current	Sekundärelektronenstrom m, Sekundäremissionsstrom m	courant m d'émission secondaire, courant de dynode, courant de cathode secondaire, courant d'électrons secondaires	вторично-электронный ток, ток вторичных электронов, ток вторичной [электронной] эмиссии
S 583	secondary electron emission, secondary emission, SEE; dynatron effect	Sekundärelektronenemission f, sekundäre Elektronenemission f, Sekundäremission f, SEE; Dynatroneffekt m	émission f d'électrons secondaire, émission secondaire; effet m dynatron	вторичная [электронная] эмиссия, эмиссия вторичных электронов; динатронный эффект
S 584	secondary electron multiplication	Sekundärelektronenvervielfachung f	multiplication f d'émission secondaire	вторично-электронное умножение
	secondary electron nuclear battery	s. secondary emission radioactive battery		
S 585	secondary electron resonance	Sekundärelektronenresonanz f	résonance f des électrons secondaires	вторично-электронный резонанс
S 585a	secondary electron resonance breakdown	Sekundärelektronenresonanzdurchschlag m	rupture f (disruption f, claquage m, percement m) par résonance des électrons secondaires	пробой за вторично-электронного резонанса
S 586	secondary electron spectrum	Sekundärelektronenspektrum n	spectre m des électrons secondaires	спектр вторичных электронов
	secondary emission	s. secondary electron emission		
S 587	secondary emission amplification	Sekundäremissionsverstärkung f	amplification f par émission secondaire, amplification par multiplication d'électrons	вторично-электронное усиление, усиление за счет вторичной [электронной] эмиссии
	secondary emission cathode	s. dynode		
S 588	secondary emission coefficient, secondary emission ratio (factor), secondary yield, yield of secondary electrons	Sekundärelektronenausbeute f, Sekundäremissionsausbeute f, Sekundäremissionsfaktor m, Sekundäremissionskoeffizient m, SE-Faktor m	coefficient m d'émission secondaire, pouvoir m d'émission secondaire	коэффициент вторичной эмиссии
	secondary emission current	s. secondary electron current		
	secondary emission factor	s. secondary emission coefficient		
	secondary emission isotopic power generator	s. secondary emission radioactive battery		
	secondary emission multiplier	s. photomultiplier		
S 589	secondary emission noise	Sekundäremissionsrauschen n	bruit m d'émission secondaire	шум от вторичной [электронной] эмиссии
S 590	secondary emission photocell	SekundäremissionsPhotozelle f	cellule f photoélectrique à émission secondaire	фотоэлемент с вторичной [электронной] эмиссией
S 591	secondary emission radioactive (radioisotope) battery, secondary emission isotopic power generator, secondary electron atomic (nuclear) battery	Sekundärelektronenbatterie f, Sekundäremissionsbatterie f, Radionuklidbatterie f mit Sekundäremission	batterie f nucléaire à émission secondaire, batterie nucléaire aux électrons secondaires	атомная батарея с вторичной электронной эмиссией
	secondary emission ratio	s. secondary emission coefficient		
S 592	secondary emitter, secondary radiator	Sekundärstrahler m	émetteur m secondaire	вторичный излучатель
	secondary emitting dynode	s. dynode		
S 592a	secondary face <cryst.>	Nebenfläche f <Krist.>	face f secondaire <crist.>	вторичная грань <крист.>
S 593	secondary flow <of fluids>	Sekundärströmung f, sekundäre Strömung f <Flüssigkeiten>	écoulement m secondaire <de fluides>	вторичный поток, вторичное течение <жидкостей>
	secondary focus	s. sagittal focus		
S 594	secondary front	Nebenfront f, Sekundärfront f	front m secondaire	вторичный фронт
S 595	secondary generation, secondary production, secondary creation	Sekundärerzeugung f	génération (création, production) f secondaire	вторичная генерация
S 596	secondary hydration, physical hydration	sekundäre Hydratation f, physikalische Hydratation	hydratation f secondaire, hydratation physique	вторичная (дальняя, физическая) гидратация
S 597	secondary interference	sekundäre Inferenzerscheinung f, Sekundärinterferenz f; sekundäre Abbildung f, Sekundärabbildung f	interférence f secondaire	вторичная интерференция
S 598	secondary ionization	Sekundärionisation f, sekundäre Ionisation f	ionisation f secondaire	вторичная ионизация
	secondary light source	s. secondary source		
	secondary low	s. secondary depression <meteo.>		
	secondary luminous standard	s. working standard		
S 599	secondary maximum, submaximum, subsidiary maximum <e.g. of light curve>	Nebenmaximum n <z. B. Lichtkurve>	maximum m secondaire <p. ex. de la courbe d'éclat>	вторичный максимум, боковой максимум <напр. световой кривой>

	English	German	French	Russian
S 600	secondary mirror, auxiliary mirror <e.g. of telescope>	Hilfsspiegel m, Sekundärspiegel m <z. B. Fernrohr>	petit miroir m, miroir secondaire <du télescope>	малое зеркало, вторичное зеркало <напр. телескопа>
S 601	secondary motion, disturbance velocity, collateral motion <turbulence>	Nebenbewegung f, Schwankungsbewegung f, Querbewegung f <Turbulenz>	mouvement m secondaire, mouvement m collatéral <turbulence>	боковое движение <турбулентность>
S 602	secondary natural radionuclide	sekundäres natürliches Radionuklid n	radionucléide m naturel secondaire	вторичный естественный радиоизотоп
	secondary offspring	s. secondary particle		
S 603	secondary optic[al] axis, optic[al] biradial, line of single ray velocity	Strahlenachse f, sekundäre optische Achse f, Biradiale f, Achse der [optischen] Isotropie [der elektrischen Feldstärke], optische Achse <des optisch zweiachsigen Kristalls>	biradiale f, axe m optique secondaire	бирадиаль, оптическая ось 1-го рода
S 604	secondary particle, secondary, off-spring	Sekundärteilchen n, Sekundäres n	particule f secondaire, secondaire f	вторичная частица
S 605	secondary photochemical reaction	photochemischer Sekundärprozeß m, photochemische Sekundärreaktion f	réaction f photochimique secondaire	вторичный фотохимический акт (процесс), вторичная фотохимическая реакция
S 606	secondary photocurrent, secondary photoelectric current	lichtelektrischer (photoelektrischer) Sekundärstrom m, sekundärer Photostrom m	photocourant m secondaire, courant m photoélectrique secondaire	вторичный фототок, вторичный фотоэлектрический ток
	secondary production	s. secondary generation		
	secondary quantity, derived quantity	abgeleitete Größe[nart] f	grandeur f dérivée, grandeur f secondaire	производная величина
S 607	secondary quantum number, second (azimuthal, azimuth, orbital, angular momentum, rotational, rotation) quantum number	Nebenquantenzahl f, Bahn[dreh]impulsquantenzahl f, Bahnquantenzahl f, [azimutale] Quantenzahl f, Drehimpulsquantenzahl f, Rotationsquantenzahl f	nombre m quantique secondaire (azimutal, de moment orbital, orbital, de rotation, rotatif)	побочное (азимутальное, орбитальное, вращательное, ротационное) квантовое число, квантовое число полного (орбитального) момента
S 608	secondary radiation	Sekundärstrahlung f, sekundäre Strahlung f	rayonnement m secondaire, radiation f secondaire	вторичное излучение, вторичные лучи
	secondary radiator, secondary emitter	Sekundärstrahler m	émetteur m secondaire	вторичный излучатель
S 609	secondary rainbow, interference rainbow, satellite rainbow, reflection rainbow	Nebenregenbogen m, sekundärer Regenbogen m, Interferenz[regen]bogen m	arc-en-ciel m secondaire, arc-en-ciel satellite	побочная радуга, вторичная радуга, отраженная радуга, радуга вторичного порядка
S 610	secondary reaction	Sekundärreaktion f, sekundäre Reaktion f	réaction f secondaire	вторичная реакция
	secondary recrystallization texture, growth texture	Wachstumstextur f	texture f de croissance, texture de recristallisation secondaire	текстура роста, текстура вторичной рекристаллизации
S 610a	secondary resistance	Sekundärwiderstand m	résistance f secondaire	вторичное сопротивление
	secondary resonance, subordinate resonance; spurious resonance; spurious response	Nebenresonanz f	résonance f subordonnée, résonance secondaire; résonance parasitique	вторичный резонанс, субординатный резонанс; паразитный резонанс
S 611	secondary salt effect	sekundärer Salzeffekt m, Sekundärsalzeffekt m	effet m de sel secondaire	вторичный солевой эффект
	secondary schistosity	s. secondary cleavage		
	secondary series, subordinate series	Nebenserie f	série f secondaire	побочная серия
S 611a	secondary solvation, physical solvation	sekundäre (physikalische) Solvatation f	solvatation f secondaire (physique)	вторичная (дальняя) сольватация
S 612	secondary source [of light], secondary light source	Fremdleuchter m, Fremdstrahler m, Sekundärlichtquelle f, Zweitleuchter m	source f de lumière secondaire, source [lumineuse] secondaire, source secondaire de lumière	вторичный источник [света]
S 613	secondary standard	Sekundärstandard m; Sekundärnormal n	étalon m secondaire	вторичный эталон, вторичная образцовая мера
	secondary standard	s. a. working standard		
	secondary standard lamp (light source)	s. working standard		
	secondary standard of light	s. working standard		
S 614	secondary structure, secondary texture	Sekundärgefüge n, Sekundärkorn n	texture (structure) f secondaire	вторичная структура
S 615	secondary valence, secondary valency, supplementary (auxiliary, partial, side) valence	Nebenvalenz f	valence f secondaire, valence supplémentaire	побочная валентность, вторичная валентность, дополнительная валентность
S 616	secondary valence bond	Neben[valenz]bindung f	liaison f de valence secondaire	побочная валентная связь
S 617	secondary valence force, subsidiary valence force	Nebenvalenzkraft f	force f de valence secondaire	побочная валентная сила, сила побочной валентности
	secondary valency	s. secondary valence		
S 618	secondary voltage	Sekundärspannung f, Zweitspannung f	tension f secondaire	вторичное напряжение, напряжение вторичной обмотки, напряжение на вторичной цепи

S 618a	secondary wave, secondary <geo.>	Secunda *f*, S-Welle *f*, Sekundärwelle *f* <Geo.>	onde *f* secondaire, secondaire *f* <géo.>	вторичная волна <гео.>
	secondary wave	*s.* elementary wave		
S 619	secondary winding	Sekundärwicklung *f*, sekundärseitige Wicklung *f*	enroulement (bobinage) *m* secondaire	вторичная обмотка
	secondary X-ray radiation	*s.* secondary X-rays		
S 620	secondary X-rays, secondary X-ray radiation	sekundäre Röntgenstrahlung *f*, Sekundär-[röntgen]strahlung *f*, sekundäre Wellenstrahlung *f*	rayonnement *m* X secondaire, rayons *mpl* X secondaires	вторичные рентгеновские лучи, вторичное рентгеновское излучение
	secondary yield	*s.* secondary emission coefficient		
	second boundary condition	*s.* Neumann['s] boundary condition		
	second boundary [value] problem	*s.* Neumann['s] problem		
S 621	second bright segment	zweites helles Segment *n*	deuxième segment *m* clair, segment clair secondaire	второй яркий сегмент
	second channel frequency	*s.* image frequency		
	second-class conductor, ionic conductor, ion conductor	Ionenleiter *m*, Leiter *m* zweiter Ordnung (Klasse), Leiter II. Ordnung	conducteur *m* ionique, conducteur du deuxième choix	ионный проводник, проводник второго рода
S 622	second class constraint, constraint of the second class	Zwangsbedingung *f* der zweiten Klasse	contrainte *f* de la seconde classe	связь второго класса
	second coefficient of viscosity	*s.* second viscosity coefficient		
S 623	second collision	Zweitstoß *m*, „second collison" *f*	deuxième collision *f*, seconde collision, deuxième choc *m*, second choc	второе столкновение
S 624	second control grid	Stromverteilungsgitter *n*, zweites Steuergitter *n*	deuxième grille *f* de commande	вторая управляющая сетка
	second curvature, torsion <of the curve> <math.>	Windung *f*, Torsion *f*, Schmiegung *f*, zweite Krümmung *f* <Raumkurve> <Math.>	torsion *f*, deuxième courbure *f* <de la courbe> <math.>	кручение, вторая кривизна <кривой> <матем.>
S 625	second development, re-development	Nachentwicklung *f*	redéveloppement *m*. développement *m* secondaire	дополнительное проявление
	second equatorial system [of co-ordinates]	*s.* independent equatorial co-ordinates		
S 626	second filter	Sekundenfilter *n*	filtre *m* d'une seconde	секундный фильтр
	second focal point, image focus, back focus	Bildbrennpunkt *m*, bildseitiger Brennpunkt *m*, hinterer Brennpunkt	foyer *m* image, foyer postérieur	задний фокус, фокус изображения
S 626a	second focus	zweiter Brennfleck *m*, Reservebrennfleck *m*	deuxième foyer *m*	второй фокус
	second forbidden	*s.* twice forbidden		
S 627	second fundamental form	zweite Fundamentalform *f*	seconde forme *f* fondamentale	вторая форма поверхности
	second Green formula, Green['s] formula of the second kind	Greensche Formel *f* zweiter Art, zweite Greensche Formel	formule *f* de Green du deuxième genre, deuxième formule de Green	вторая формула Грина
	second gun electrode	*s.* intensifier electrode		
	second harmonic magnetic modulator	*s.* Förster probe		
S 628	second law, second law of thermodynamics, principle of entropy increase, principle of increase of entropy, entropy principle, law of degradation of energy; [Planck-] Kelvin['s] formulation of the second law of thermodynamics, Kelvin['s] statement [of the second law of thermodynamics]	zweiter Hauptsatz *m* [der Thermodynamik], Entropiesatz *m*, Entropieprinzip *n*, Satz *m* über die Entropiezunahme, Satz von der Vermehrung der Entropie, Prinzip *n* der Entropievermehrung, Carnotsches Prinzip; Satz von der Unmöglichkeit eines Perpetuum mobile zweiter Art, Fassung *f* des zweiten Hauptsatzes von Planck, Theorem *n* von Thomson	second principe *m* [de la thermodynamique], deuxième principe [de la thermodynamique], deuxième loi *f* de la thermodynamique, principe de Carnot[-Clausius], principe d'augmentation de l'entropie, principe d'entropie, loi de diminution de l'énergie; énoncé *m* (principe) de W. Thomson	второе начало [термодинамики], второй закон термодинамики, закон возрастания энтропии, принцип возрастания энтропии, принцип энтропии, принцип Карно; второе начало термодинамики в формулировке У. Томсона
	second law of Kirchhoff	*s.* Kirchhoff['s] voltage law		
	second law of motion	*s.* Newton['s] second law [of motion]		
	second law of the mean [for integrals]	*s.* second theorem of the mean [for integrals]		
	second law of thermodynamics	*s.* second law		
S 629	second limit theorem	zweiter Grenzwertsatz *m*	second théorème *m* limite	вторая предельная теорема
S 630	second mean Sun, fictitious Sun moving along the equator	zweite mittlere Sonne *f*; [fiktive] mittlere Sonne, die sich gleichförmig im Äquator bewegt	second Soleil *m* fictif	экваториальное среднее Солнце

	English	German	French	Russian
S 631	**second mean value theorem of the differential calculus,** double law of the mean, Cauchy['s] mean value formula, generalized (extended) mean value theorem	zweiter (verallgemeinerter, erweiterter) Mittelwertsatz *m* der Differentialrechnung	théorème *m* des accroissements finis	теорема Коши, вторая теорема о среднем
	second neighbour	*s.* next-nearest neighbour		
	second of arc, second, angular second, sexagesimal second [of arc], '', sec <of angle>	Sekunde *f* [im Bogenmaß], Winkelsekunde *f*, Bogensekunde *f*, Altsekunde *f*,'' <Winkelmaß>	seconde *f* [d'arc], seconde angulaire, seconde sexagésimale, '' <de l'angle>	секунда, секунда дуги, угловая секунда, '' <единица измерения угла>
	second[-] order change	*s.* second[-] order transition		
S 632	**second-order derivative,** derivative of the second order	Ableitung *f* zweiter Ordnung, zweite Ableitung	dérivée *f* de second ordre, seconde dérivée	производная второго порядка, вторая производная
S 633	**second order glacier,** glacieret	Gletscher *m* zweiter Ordnung	glacier *m* du deuxième ordre	ледник второго порядка
	second-order Newton-Raphson process	*s.* Newton-Raphson method		
S 634	**second-order Raman effect**	Raman-Effekt *m* zweiter Ordnung	effet *m* Raman de second ordre	комбинационное рассеяние света второго порядка, эффект Рамана второго порядка
S 635	**second-order tensor,** double tensor, tensor of order two, tensor of second (2nd) order	Tensor *m* zweiter Stufe, zweistufiger Tensor	tenseur *m* d'ordre deux	двухвалентный тензор, тензор второй валентности
	second[-] order transformation	*s.* second[-] order transition		
S 636	**second[-] order transition,** second [-] order transformation (change), transition (change) of second order, transformation of second order, lambdatransition, transition of the "lambda" type	Umwandlung *f* zweiter (II.) Ordnung, Umwandlung zweiter Art, Übergang *m* zweiter (II.) Ordnung, Übergang zweiter Art, Lambda-Umwandlung *f*, Lamda-Übergang *m*	transition *f* de seconde espèce, transformation *f* de seconde espèce, changement *m* de seconde espèce, transition de type lambda, transition lambda	фазовый переход второго (2-го) рода, фазовое превращение второго (2-го) рода, лямбда-переход
	second order transition temperature	*s.* freesing-in temperature		
S 637	**second pendulum**	Sekundenpendel *n*	pendule *m* à secondes	секундный маятник
S 638	**second polar moment of plane area**	polares Flächenträgheitsmoment *n*	moment *m* quadratique polaire de l'aire plane	полярный момент инерции относительно поверхности
S 639	**second purple light**	zweites Purpurlicht *n*, Nachpurpurlicht *n*, Nachpurpurdämmerung *f*	lueur *f* pourprée secondaire	второй пурпурный свет
	second quantization, hyperquantization	zweite Quantelung *f*, Hyperquantelung *f*, Hyperquantisierung *f*, zweite Quantisierung	hyperquantification *f*, seconde quantification *f*	гиперквантование, второе квантование, вторичное квантование
	second quantum number	*s.* secondary quantum number		
	seconds-counter	*s.* stop[-]watch		
S 640	**second sound**	zweiter Schall *m*, „second sound" *m*, Wärmewelle *f* zweiter (2.) Art, Schall- und Wärmewellen *fpl* zweiter (2.) Art, Wärmewellenintensität *f* zweiter (2.) Art	deuxième son *m*, second son	второй звук
S 641	**second theorem of the mean [for integrals],** second law of the mean [for integrals]	zweiter Mittelwertsatz *m* der Integralrechnung	second théorème *m* de la moyenne, deuxième formule *f* (théorème) de la moyenne	вторая теорема о среднем [для интегралов]
S 642	**second Townsend discharge**	sekundäre Townsend-Entladung *f*	deuxième décharge *f* de Townsend	вторичный таунсендовский разряд
S 643	**second-trace echo**	Sekundärecho *n*	écho *m* secondaire (satellite)	вторичное эхо
	second twilight arch, main twilight arch	zweiter Dämmerungsbogen *m*, Hauptdämmerungsbogen *m*	arc *m* crépusculaire secondaire	главная сумеречная дуга
S 644	**second variation**	zweite Variation *f*	variation *f* seconde	вторая вариация
S 645	**second virial coefficient**	zweiter Virialkoeffizient *m*	second coefficient *m* du viriel, second coefficient de viriel	второй вириальный коэффициент
	second viscosity	*s.* volume viscosity		
	second viscosity	*s.* second viscosity coefficient		
S 646	**second viscosity coefficient,** second viscosity, second coefficient of viscosity, bulk coefficient of friction, dilatational coefficient of friction	Volum[en]viskositätskoeffizient *m*, Volum[en]reibungskoeffizient *m*, Volum[en]viskosität *f*, zweite Viskosität *f*, zweiter Viskositätskoeffizient *m*	second coefficient *m* de viscosité, coefficient de viscosité de volume, viscosité *f* de volume	вторая вязкость, второй коэффициент вязкости, коэффициент объемной вязкости, объемный коэффициент вязкости
S 647	**secretion of water,** water secretion <bio.>	Wasserabgabe *f*, Wasserausscheidung *f* <Bio.>	sécrétion *f* d'eau <bio.>	выделение воды, водовыделение <био.>
S 648	**section**	Abschnitt *m*, Teil *m*, Teilabschnitt *m*, Sektion *f*, Strecke *f*, Teilstück *n*	section *f*	секция

S 649	**section** <of the recurrent structure>	Teilvierpol *m*	élément *m* (cellule *f*) de quadripôle	звено четырехполюсника
	section, link, element, segment, member	Glied *n* <Techn., El.>	membre *m*, élément *m*, section *f*, segment *m* <techn., él.>	звено, элемент, секция, орган <техн., эл.>
	section	*s. a.* metallographic specimen		
	section / 45°	*s.* cut / 45°		
	sectional area	*s.* cross-sectional area		
	sectionalization, partition[ing], segmentation, subdivision	Unterteilung *f*	sectionnement *m*; segmentation *f*	секционирование, расчленение
	sectionally continuous, piecewise continuous	stückweis[e] stetig, abteilungsweise stetig	continu par morceaux	кусочно[]непрерывный
	sectionally smooth, piecewise smooth	stückweise glatt <Kurve>; stückweise (abteilungsweise) stetig differenzierbar <Funktion>	régulier par morceaux	кусочно[]гладкий
S 650	**sectional pump**	Gliederpumpe *f*	pompe *f* à sections	секционный насос
S 651	**Π-section filter**	Π-Schaltung *f*, Kettenleiter *m* erster Art	filtre *m* en Π	фильтр с Π-образными секциями, Π-образный фильтр, схема звезды
S 652	**sectioning technique; serial sectioning technique**	Schichtentrennungsverfahren *n*, Serienschnittverfahren *n*	méthode *f* de sectionnement [des couches minces], technique *f* des coupes sériées	метод послойного анализа, послойный анализ
S 653	**section modulus [of bending];** moment of resistance [of the beam section], resisting moment (torque)	Widerstandsmoment *n* [des Querschnitts] [gegen Biegung], äquatoriales (axiales) Widerstandsmoment, Biegungswiderstandsmoment *n*, Rückkehrmoment *n*	moment *m* résistant [de la section] [à la flexion], moment de résistance d'une section à la flexion	момент сопротивления, момент сопротивления на изгиб, осевой момент сопротивления [сечения]
S 654	**section modulus of torsion**	Widerstandsmoment *n* [des Querschnitts] gegen Verdrehung (Drehung, Torsion), polares Widerstandsmoment, Drillungswiderstandsmoment *n*	moment *m* de résistance [de la section] à la torsion, moment résistant à la torsion	полярный момент сопротивления сечения, момент сопротивления на кручение
	section paper	*s.* squared paper		
	section plane, plane of the section; plane of the cut, cut plane	Schnittebene *f*, Schnittfläche *f*	plan *m* de la section; plan de la coupe	плоскость сечения; секущая плоскость; плоскость разреза; плоскость резания
S 654a	**section wave**	Schnittwelle *f*	onde *f* de section	волна сечения, секущая волна
S 655	**sector**	Sektor *m*, Ausschnitt *m*	secteur *m*	сектор
	sector acceleration	*s.* surface acceleration		
	sectoral horn	*s.* multicellular horn		
	sectoral horn waveguide	*s.* multicellular horn		
S 656	**sectoral instrument**	Sektormeßgerät *n*, Sektorinstrument *n*	appareil *m* de mesure à secteurs	секторный измерительный прибор
S 657	**sector angle**	Sektorwinkel *m*	angle *m* [d'ouverture] du secteur	угол сектора
S 658	**sector aperture,** open sector	Hellsektor *m*	secteur *m* ouvert	вырезанный сектор, секторный вырез; открытая лопасть
S 659	**sector chamber**	Sektorkammer *f*	chambre *f* à secteurs	секторная камера
S 660	**sector disk**	Sektorscheibe *f*, Sektorenscheibe *f*	disque *m* à secteurs	секторный диск
	sector disk	*s. a.* rotating sector		
S 661	**sector-field spectroscope**	Sektorfeldspektroskop *n*	spectroscope *m* à champ secteur	спектроскоп с секторным полем
S 661a	**sector-focused cyclotron,** sector-focusing cyclotron	sektorfokussiertes Zyklotron *n*	cyclotron *m* à focalisation par secteurs	циклотрон с серкторной фокусировкой, секторно-фокусирующий циклотрон
	sector-focused isochronous cyclotron	*s.* AVF cyclotron		
S 662	**sector focusing**	Sektorfokussierung *f*	focalisation *f* par secteurs	секторная фокусировка
	sector-focusing cyclotron	*s.* sector-focused cyclotron		
S 662a	**sectorial area**	Sektorfläche *f*, Sektorialfläche *f*	aire *f* sectoriale	секториальная площадь
S 663	**sectorial growth [of crystals]**	Sektorwachstum *n*	croissance *f* en secteurs [des cristaux]	секториальный рост кристаллов
S 664	**sectorial harmonic**	sektorielle Kugelfunktion *f*	fonction *f* [sphérique] sectoriale	секториальная шаровая функция
S 664a	**sectorial moment of inertia**	Sektor[en]trägheitsmoment *n*	moment *m* d'inertie sectorial	секториальный момент инерции, бимомент инерции
S 664b	**sectorial wave**	Sektorwelle *f*	onde *f* sectoriale	секториальная волна
S 665	**sector ionization chamber**	Sektorionisationskammer *f*	chambre *f* d'ionisation à secteurs	секторная ионизационная камера
S 666	**sector magnetic field,** magnetic sector field	magnetisches Sektorfeld *n*	champ *m* magnétique secteur	ограниченное магнитное поле в виде сектора
	sector of the circle, circular sector	Kreisausschnitt *m*, Kreissektor *m*	secteur *m* du cercle, secteur circulaire	сектор круга, круговой сектор
S 667	**sector photometer**	Sektorenphotometer *n*, Sektorphotometer *n*	photomètre *m* à secteurs	секторный фотометр
S 668	**sector shutter,** rotary shutter	Sektorenverschluß *m*, Flügelverschluß *m*, Sektorverschluß *m*	obturateur *m* à secteurs (lamelles pivotantes, pales)	секторный затвор
	sector velocity	*s.* surface velocity		
S 669	**secular aberration**	säkulare Aberration *f*, Säkularaberration *f*	aberration *f* séculaire	вековая аберрация [света], вековое аберрационное смещение

S 670	secular acceleration [of Moon], secular acceleration of the Moon's mean motion	säkulare Akzeleration (Beschleunigung) f, Säkularbeschleunigung f <Mond>	accélération f séculaire [de la Lune]	вековое ускорение [Луны]
S 671	secular advance of the perihelion, secular motion of the perihelion	säkulares Fortschreiten n des Perihels, säkulare Perihelverschiebung f	avance f séculaire du périhélie	вековое движение перигелия
S 672	secular constant	Säkularkonstante f	constante f séculaire	вековая постоянная
S 673	secular determinant, characteristic determinant (polynomial), determinantal polynomial <of matrix>	Säkulardeterminante f, charakteristische Determinante f, charakteristisches Polynom n <Matrix>	déterminant m séculaire (caractéristique), polynôme m caractéristique <de la matrice>	вековой (характеристический) определитель, характеристический детерминант (многочлен) <матрицы>
	secular disturbance	s. secular perturbation		
	secular equation	s. characteristic equation		
S 674	secular equilibrium, secular radioactive equilibrium	[radioaktives] Dauergleichgewicht n, säkulares (ständiges, dauerndes radioaktives) Gleichgewicht n	équilibre m séculaire, équilibre radioactif séculaire	вековое равновесие, вековое радиоактивное равновесие, длительное равновесие
	secular inequality	s. secular perturbation		
S 675	secular magnetic variation, magnetic secular variation	magnetische Säkularvariation f, säkulare magnetische Variation f	variation f magnétique séculaire	вековое магнитное колебание (изменение), вековая магнитная вариация
	secular motion of the perihelion, secular advance of the perihelion	säkulares Fortschreiten n des Perihels, säkulare Perihelverschiebung f	avance f séculaire du périhélie	вековое движение перигелия
S 676	secular parallax	säkulare Parallaxe f, Säkularparallaxe f	parallaxe f séculaire	вековой параллакс
S 677	secular perturbation, secular disturbance; secular inequality	säkulare Störung f; säkulare Ungleichung f	perturbation f séculaire; inégalité f séculaire	вековое возмущение; вековое неравенство
S 678	secular perturbation function	säkulare Störungsfunktion f	fonction f de perturbation séculaire	функция векового возмущения
S 679	secular precession, centennial precession	säkulare Präzession f, Säkularpräzession f	précession f séculaire	вековая прецессия
	secular radioactive equilibrium	s. secular equilibrium		
S 680	secular retardation	säkulare Verzögerung f, Säkularverzögerung f	retard m séculaire	• вековое запаздывание
S 681	secular rise of zero, rise of zero, zero rise	Nullpunktsanstieg m, Nullpunktanstieg m, säkularer Nullpunktsanstieg, säkularer Anstieg m des Eispunktes	montée f séculaire du zéro, montée du zéro	вековой подъем нулевой точки, вековой подъем точки нуля, подъем нулевой точки, подъем точки нуля
S 682	secular term	säkulares Glied n, säkularer Term m	terme m séculaire	вековой член
S 683	secular variation	säkulare Variation (Änderung) f, Säkularvariation f, säkulare Schwankung f; säkularer Gang m	variation f progressive, variation séculaire; marche f séculaire	вековое изменение, вековое колебание, вековая вариация; вековой ход; вековая перемена
	security digit	s. guard digit <num. math.>		
	sediment, deposit	Ablagerung f, Sediment n; Sinkstoff m	sédiment m	осадок, отложение; наносы
	sedimentary deposition	s. settling		
S 683a	sedimentary remanent magnetization, SRM	sedimentäre remanente Magnetisierung f	aimantation f rémanente sédimentaire	осадочная остаточная намагниченность; осадочное остаточное намагничение
S 684	sedimentary rock, stratified rock, aqueous rock	Sedimentgestein n, Absatzgestein n, Schichtgestein n, Sediment n	roche f sédimentaire, roche stratifiée	осадочная [горная] порода, слоистая (напластованная) порода
	sedimentation; silting, siltation	Verschlammung f; Verschlickung f; Beschlämmung f; Aufschotterung f; Stauraumverlandung f; Verlandung f	envasement m; alluvionnement m; comblement m; remblaiement m	заиление; зашламление; накопление ила
	sedimentation	s. a. settling		
	sedimentation	s. a. decantation <chem.>		
S 685	sedimentation analysis, sedimentometric (sedimetric) analysis	Sedimentationsanalyse f, Sedimentanalyse f	analyse f de sédimentation, sédimétrie f	седиментометрический анализ, седиментационный анализ
S 686	sedimentation balance, Sartorius balance	Sedimentationswaage f [nach Sartorius]	balance f de sédimentation [de Sartorius]	седиментационные весы
S 687	sedimentation constant	Sedimentationskonstante f	constante f de sédimentation	константа седиментации; седиментационный коэффициент, коэффициент осаждения
S 688	sedimentation curve, sedimentation plot	Sedimentationskurve f	courbe f de sédimentation	седиментационная кривая, кривая седиментации (осаждения)
S 689	sedimentation diagram, sedimentation plot	Sedimentationsdiagramm n	diagramme m de sédimentation	седиментационная диаграмма, диаграмма седиментации (осаждения)
S 690	sedimentation equilibrium	Sedimentationsgleichgewicht n	équilibre m de sédimentation	седиментационное равновесие, [динамическое] равновесие седиментации, равновесие осаждения (системы раствор—осадок)

	sedimentation plot	*s.* sedimentation curve		
	sedimentation plot	*s.* sedimentation diagram		
S 691	**sedimentation potential,** Dorn effect	Sedimentationspotential *n*, Dorn-Effekt *m*, elektrophoretisches Potential *n*	potentiel *m* de sédimentation, effet *m* Dorn	седиментационный потенциал, потенциал оседания (осаждения, падения), эффект Дорна
	sediment catcher	*s.* sediment sampler		
	sediment discharge (load)	*s.* sediment runoff		
S 691a	**sedimentology** <geo.>	Sedimentologie *f* <Geo.>	sédimentologie *f* <géo.>	седиментология <гео.>
	sedimentometric analysis	*s.* sedimentation analysis		
S 692	**sediment runoff,** sediment discharge (load)	Schwebstofführung *f*, Schwebstofffracht *f*, Sinkstofführung *f*, Geröllführung *f*, Schwemmstofführung *f*, Geschiebeführung *f*	débit *m* solide	расход взвешенных наносов, сток взвешенных наносов, сток наносов
	sediment sampler, bed load sampler, sediment catcher	Geschiebefänger *m*; Geschiebefangkasten *m*; Geschiebefangbeutel *m*	appareil *m* de prélèvement de matériaux solides transportés par l'eau	батометр для взятия проб [донных] наносов
	sedimetric analysis	*s.* sedimentation analysis		
S 693	**Seebeck coefficient**	Seebeck-Koeffizient *m*	coefficient *m* de Seebeck	коэффициент термо-э. д. с., коэффициент Зеебека
	Seebeck effect, thermoelectric effect	Seebeck-Effekt *m*, thermoelektrischer Effekt *m*	effet *m* thermo-électrique, effet Seebeck	явление (эффект) Зеебека, термоэлектрический эффект, термоэлектрическое явление
S 694	**seed**	Hohlnadel *f*, Kapillare *f*, Seed *f*	aiguille *f*	капилляр
	seed	*s. a.* seed crystal		
	seed	*s. a.* seed element		
S 695	**seed crystal,** seed, inoculating crystal	Impfkristall *m*; Saatkristall *m*; Zuchtkeim *m*, Kristallzuchtkeim *m*	cristal *m* germe, cristal-germe *m*, germe *m* du cristal, germe de cristallisation	затравочный кристалл
S 696	**seeded combustion gas**	Verbrennungsgas *n* mit leicht ionisierbaren Beimischungen	gaz *m* de combustion ensemencé	продукт сгорания с присадкой (легкоионизуемыми примесями)
S 697	**seed element,** seed <of reactor>	Saatelement *n* <Reaktor>	élément *m* germe, cartouche-germe *f* <de la pile>	тепловыделяющий элемент с большим обогащением, запальный тепловыделяющий элемент, запальная сборка <реактора>
S 697a	**seeding;** inoculation <also cryst.>	Impfen *n*; Impfung *f*	ensemencement *m*; inoculation *f*	затравка; засе[и]вание; внесение затравки; заражение, прививка
S 698	**seedy glass**	blasiges Glas *n*	verre *m* à soufflures	пузырчатое стекло, стекло с пузырьками
S 699	**seeing**	„seeing" *n*, Bildruhe *f*, Bilddefinition *f*, Bildgüte *f*, Bildschärfe *f*, Sichtbedingung *f*, Luftruhe *f*	« seeing » *m*, qualité *f* de l'image, définition *f* de l'image	качество изображения
	seeing <astr.>; visibility <meteo., astr.>; conspicuity <with the naked eye> <astr.>	Sichtbarkeit *f* <Meteo., Astr.>; Sicht *f* <Meteo.>; Sichtgrad *m* <Meteo.>	visibilité *f*, vue *f*	видимость
	seeing distance	*s.* visibility		
S 700	**Seeliger['s] rule**	[Seeligersche] Glimmsaumregel *f*	règle *f* de Seeliger	правило Зеелигера
	Seeliger's paradox, gravitational paradox	Gravitationsparadoxon *n*, Neumann-Seeligersches Paradoxon *n*	paradoxe *m* de gravitation, paradoxe de Seeliger	гравитационный парадокс, парадокс Зеелигера (Неймана-Зеелигера)
S 701	**Seemann-Bohlin camera**	Seemann-Bohlinsche Beugungskammer *f*	chambre *f* de diffraction à focalisation, chambre à focalisation Seemann-Bohlin, montage *m* Seemann-Bohlin	рентгеновский гониометр с фокусировкой по Зееману-Болину
S 702	**Seemann-Bohlin diagram**	Seemann-Bohlin-Diagramm *n*	diagramme *m* Seemann-Bohlin	диаграмма Зеемана-Болина
S 703	**Seemann-Bohlin method**	Seemann-Bohlinsche Methode *f*, Seemann-Bohlinsches Verfahren *n*, Seemann-Bohlin-Methode *f*	méthode *f* de Seemann-Bohlin	метод Зеемана-Болина
S 704	**Seemann['s] method**	Lochkameramethode *f* von Seemann, Seemannsche Methode *f*, Seemann-Methode *f*, Seemann-Verfahren *n*, Seemannsches Verfahren *n*	méthode *f* de Seemann	метод Зеемана
	Seemann spectrograph	*s.* wedge spectrograph		
	seeming error, apparent error	scheinbarer (plausibelster) Fehler *m*	erreur *f* apparente	кажущаяся ошибка, кажущаяся погрешность
S 705	**seepage,** oozing, trickling through	Durchsickern *n*, Eindringen *n*	suintage *m*, suintement *m*	просачивание, процеживание
S 706	**seepage flow,** subsurface flow; base flow	Sickerströmung *f*; unterirdischer Abfluß *m*	écoulement *m* de percolation, écoulement d'infiltration; écoulement souterrain; alimentation *f* par les eaux souterraines	инфильтрационный поток; грунтовой сток, подземный (внутрипочвенный) сток, грунтовое (подземное) питание

	seepage velocity	s. percolation velocity		
	seepage water	s. water of infiltration		
	see-saw	s. swinging		
	see-saw circuit	s. grounded-cathode circuit		
S 706a	**see-saw equilibrium**	Schaukelgleichgewicht n	équilibre m de va-et-vient	качающееся равновесие
	see-saw motion	s. swinging		
	Seger cone	s. pyrometric cone		
S 707	**segment**	Segment n, Abschnitt m	segment m; tronçon m	сегмент, отрезок
S 708	**segment**, line segment <math.>	Strecke f <Math.>	segment m [de la droite] <math.>	отрезок [прямой] <матем.>
	segment, closed interval <math.>	abgeschlossenes Intervall n, Segment n <Math.>	intervalle m fermé, segment m <math.>	замкнутый отрезок (интервал), отрезок, сегмент <матем.>
	segment	s. a. link <techn., el.>		
S 709	**segmental horn**	segmentförmiger Trichter m, segmentförmiges Horn n	pavillon m segmentaire, cornet m segmentaire	сегментный рупор
	segmentation, partition[ing], sectionalization, subdivision	Unterteilung f	sectionnement m; segmentation f	секционирование, расчленение
	segmentation, abscission, constriction	Abschnürung f	segmentation f; abscission f	отсечение
S 710	**segmentation** <bio.>	Segmentation f, Metamerie f <Bio.>	segmentation f <bio.>	сегментация <био.>
S 711	**segment dam**, segment weir	Segmentwehr n	barrage m à segment	сегментная плотина
S 712	**segment length**	Gliederlänge f	longueur f de l'élément	длина звена (сегмента)
S 713	**segment model**	Segmentmodell n	modèle m segmentaire	сегментная модель
	segment of chain, link of chain, chain segment, chain element	Kettenglied n, Glied n der Kette	chaînon m, élément m de chaîne	звено цепи, цепное кольцо
S 714	**segment of the circle**, circular segment	Kreisabschnitt m, Kreissegment n	segment m du cercle, segment m circulaire	сегмент круга, круговой сегмент
	segment of the circle, circular arc, arc of the circle	Kreisbogen m, Kreisbogenabschnitt m	arc m de cercle, segment m de cercle	дуга окружности
S 715	**segment voltage**, commutator segment voltage	Segmentspannung f, Lamellenspannung f, Stegspannung f	tension f entre deux (les) segments	межламельное напряжение, напряжение между соседними [коллекторными] пластинами
	segment weir, segment dam	Segmentwehr n	barrage m à segment	сегментная плотина
S 716	**Segner['s] water wheel**, reaction wheel, wheel of recoil	Segnersches Wasserrad n, Reaktionsrad n	roue f de Segner, roue hydraulique [de Segner], roue à réaction, tourniquet m hydraulique, moulin m de Barker	реактивное колесо, сегнерово колесо
S 717	**Segrè chart**	Segrè-Diagramm n	diagramme m de Segrè	диаграмма Сегре
S 718	**segregate**	Segregat n	ségrégat m	сегрегат, выделившийся компонент
	segregation; demixing; separation; precipitation <of emulsion>	Entmischung f, Zerfall m <Gemisch>	démixtion f; ségrégation f; séparation f <du mélange>	разделение, расслоение, расслаивание <смеси>; распад
S 719	**segregation**, phase separation <bio.>	Segregation f, Sonderung f, Aufspaltung f, Entmischung f <Bio.>	ségrégation f <bio.>	расслаивание, раскалывание <био.>
S 720	**segregation**, eliquation, sweating-out, precipitation <met.>	Seigerung f, Entmischung f, Ausscheidung f <Met.>	ségrégation f <mét.>	сегрегация, выплавление, выделение сплавов; зейгерование; ликвация <мет.>
	segregation	s. a. macroscopic segregation		
S 721	**segregation coefficient**	Segregationskoeffizient m	coefficient m de ségrégation	коэффициент сегрегации
S 722	**segregation constant**	Seigerungskonstante f	constante f de ségrégation	константа ликвации
S 723	**Seibt bridge**	Seibt-Brücke f, Kapazitätsmeßbrücke f nach Seibt	pont m de Seibt	мост Зейбта
S 724	**seiche**	Seiche f; Binnenwassertide f	seiche f	сейш, сейша
	Seidel aberration	s. first-order aberration		
S 725	**Seidel['s] [angle] eikonal**	Seidelsches Eikonal n, Seidelsches Winkeleikonal n	iconale f de Seidel, iconale angulaire de Seidel	эйконал Зейделя, угловой эйконал Зейделя
	Seidel coefficient	s. Seidel sum		
S 726	**Seidel-Glaser dioptrics**	Seidel-Glasersche Dioptrik f	dioptrique f de Seidel-Glaser	диоптрика Зейделя-Глазера
S 726a	**Seidel-Glaser eikonal**	Seidel-Glasersches Eikonal n	iconale f de Seidel-Glaser	эйконал Зейделя-Глазера
	Seidel method	s. Gauss-Seidel method		
S 727	**Seidel region**	Seidelsches Gebiet n, Seidelscher Raum m	région f de Seidel	область Зейделя, зейделева область
S 728	**Seidel sum**, Seidel coefficient	Seidelsche Summe f, [Seidelscher] Flächenteilkoeffizient m, [Seidelscher] Linsenteilkoeffizient m	somme f de Seidel	сумма Зейделя
S 729	**Seidel['s] theory [of aberrations]**	Seidelsche Theorie f der Bildfehler, Seidelsche Bildfehlertheorie f	théorie f des aberrations de Seidel, théorie de Seidel	теория аберраций оптических систем Зейделя, теория Зейделя
S 730	**Seidler voltmeter**, plate-type voltmeter	Plattenvoltmeter n [nach Seidler], Seidlersches Plattenvoltmeter	voltmètre m de Seidler, voltmètre à plaques [de Seidler]	пластинчатый вольтметр, вольтметр с пластинчатыми электродами

S 730a	Seifert [X-ray] tube	Seifert-Röhre f, Seifert-Röntgenröhre f	tube m [à rayons X] de Seifert	рентгеновская трубка Зейферта
	Seignette[-]electric	s. ferroelectric		
	Seignette electricity	s. ferroelectricity		
	Seignette salt, Rochelle salt, sodium potassium tartrate, $KNaC_4H_4O_6$	Seignettesalz n, Rochelle-salz n, Kaliumnatrium-tartrat n, $KNaC_4H_4O_6[\cdot 4H_2O]$	sel m de Seignette, sel de Rochelle, tartrate m sodicopotassique, $KNaC_4H_4O_6$	сегнетова соль, винно-кислый калий-натрий, K-Na винно-кислый, $KNaC_4H_4O_6$
S 731	seism	seismische Bewegung (Erschütterung, Erscheinung) f	séisme m, sisme m	сейсм, сейсмическое явление, колебание при землетрясении
	seism	$s. a.$ seismic surge		
	seismic alternative wave, alternative wave	Wechselwelle f, seismische Wechselwelle	onde f alternante, onde séismique alternante, onde sismique alternante	переменная волна [переходящая из продольной в поперечную и обратно]
S 732	seismic conductivity	seismische Leitfähigkeit f	conductibilité f séismique	сейсмическая проводимость
	seismic focus	s. focus of earthquake		
S 733	seismicity	Seismizität f, Erdbeben-aktivität f	séismicité f, sismicité f	сейсмичность
S 734	seismic pendulum	seismisches Pendel n	pendule m séismique	сейсмический маятник
S 735	seismic prospecting, shooting	seismische Erkundung f, Schießen n	prospection f séismique, séismique f, sismique f, tir m, tirage m [explosif]	сейсмическая разведка, сейсмический метод разведки [полезных ископаемых], сейсморазведка
S 736	seismic ray	Erdbebenstrahl m, seismischer Strahl m	rayon m séismique	сейсмический луч, луч землетрясения
	seismic ray reflected downwards at the inner core boundary, I ray	I-Welle f, am inneren Kern gebrochene Erdbeben-welle f	onde f I, onde séismique réfractée par le cœur terrestre intérieur	волна I; сейсмическая волна, преломленная в внутреннее земное ядро
	seismic ray reflected downwards at the outer core boundary, K ray	K-Welle f, am Kern ge-brochene Erdbeben-welle f	onde f K, onde séismique réfractée par le cœur terrestre	волна K; сейсмическая волна, преломленная в земное ядро
	seismic ray reflected upwards at the outer core boundary, c ray	c-Welle f, am Kern reflektierte Erdbeben-welle f	onde f c, onde séismique réfléchie par le cœur terrestre	волна c; сейсмическая волна, отраженная на земном ядре
S 737	seismic region, zone of earthquake shocks	Schüttergebiet n, seismischer Raum m, seismisches Gebiet n	contrée (région) f à trem-blements de terre, région séismique, zone f d'ébranlement de terre	сейсмическая область. сейсмический район, область (район) сотрясения земли
S 738	seismicrophone	Seismikrophon n	séismomicrophone m	сейсмографический микрофон, сейсмикро-фон, сейсмомикрофон, сейсмический прием-ник
	seismic scale	s. modified Mercalli intensity scale		
	seismic shock	s. seismic surge		
S 739	seismic station	Erdbebenwarte f, Erd-bebenstation f, seismische Station f	station f séismographique	сейсмическая станция, сейсмостанция
S 740	seismic stimulus, seis-monic stimulus	Erschütterungsreiz m, Stoßreiz m, Schüttel-reiz m, seismischer Reiz m	stimulus m séismique, stimulus sismique	сейсмический раздражи-тель, сейсмический стимул
S 741	seismic surge; seismic shock; seism, [earth-quake] shock, earth tremor <geo.>	Erdstoß m, seismischer Stoß m, Bodenstoß m, Erdbebenstoß m	choc m séismique (souter-rain), choc, secousse f, secousse terrestre (séismi-que), séisme m	подземный толчок (удар), толчок (удар) землетря-сения
	seismic wave, earthquake wave, earth wave	Erdbebenwelle f, seismische Welle f; seismische Woge f, Dislokations-woge f	onde f séismique	сейсмическая волна, волна перемещения
	seismic wave travelling along a surface of discontinuity	s. surface wave <geo.>		
S 741a	seismoacoustic	seismoakustisch	s[é]ismo-acoustique	сейсмоакустический
S 742	seismoelectric effect	seismoelektrischer Effekt m	effet m séismo-électrique, effet sismo-électrique	сейсмоэлектрическое явление, сейсмо-электрический эффект
S 742a	seismoelectric effect of the first kind, I effect	seismoelektrischer Effekt m erster (1.) Art, I-Effekt m	effet m séismo-électrique de première espèce	сейсмоэлектрический эффект первого рода
S 742b	seismoelectric effect of the second kind, E effect	seismoelektrischer Effekt m zweiter (2.) Art, E-Effekt m	effet m séismo-électrique de deuxième espèce	сейсмоэлектрический эффект второго рода
S 743	seismogram	Seismogramm n	séismogramme m, sismogramme m	сейсмограмма
S 744	seismograph	Seismograph m, regi-strierendes Seismometer n	séismographe m, sismo-graphe m, séismo-graphe[-] récepteur m	сейсмограф, прибор для записи землетрясения
S 745	seismology	Seismik f; Seismologie f, Erdbebenforschung f; Erdbebenkunde f	séismologie f, sismologie f	сейсмология
S 746	seismology of atmosphere, atmospheric seismology, air seismology	Luftseismik f	séismologie f de l'atmo-sphère, séismologie atmosphérique (aérienne)	воздушная сейсмика
S 747	seismometer	Seismometer n, Erdbeben-messer m, Erdbeben-instrument n, Beben-messer m, Erschütte-rungsmesser m	séismomètre m, sismo-mètre m	сейсмометр

	English	German	French	Russian
S 748	**seismonastic movement**	seismonastische Bewegung f, Seismonastie f	mouvement m sismonastique	сейсмонастическое движение
S 749	**seismonic reaction**	Seismoreaktion f; seismonastische Reaktion f	réaction f sismonastique	сейсмонастическая реакция, сейсмо-реакция
	seismonic stimulus	s. seismic stimulus		
S 750	**seismophysics**	Seismophysik f	séismophysique f, sismophysique f	физика сейсмики
S 751	**seismoscope**	Seismoskop n	séismoscope m, sismoscope m, séismoscope-avertisseur m	сейсмоскоп
S 752	**seismotectonic line**	seismotektonische Linie f	ligne f séismotectonique (sismotectonique)	сейсмотектоническая линия
S 753	**seismotectonics**	Seismotektonik f	séismotectonique f, sismotectonique f	сейсмотектоника
	seizing, seizure; galling, scuffing	adhäsiver Verschleiß m; Fressen n; Festfressen n	grippage m	заедание, задирание, образование задиров, задир; застревание, схватывание
	selectance	s. discrimination		
	selected area, Kapteyn['s] selected area	Kapteynsches Eichfeld n, Eichfeld „selected area" n, ausgewähltes Feld n	aire f de Kapteyn, aire choisie [de Kapteyn], région f sélectionnée, « selected area » m	избранная площадь [Каптейна], избранная площадка [Каптейна]
	selected area diffraction	s. fine range diffraction		
S 754	**selection**	Auswahl f; Selektion f; Auslese f	sélection f	отбор; селекция; выбор; подбор; избирание
S 754a	**selection**, choice	Wahl f	choix m, sélection f	выбор
S 755	**selection** <el.>	Wahl f; Wählen n <El.>	sélection f <él.>	искание; набор <эл.>
	selection, filtering, filtering out, filtration, elimination <el.>	Siebung f, Sieben n, Aussiebung f, Filterung f <El.>	filtrage m, filtration f, élimination f, sélection f <él.>	фильтрация, отфильтрация, отфильтрование, фильтрование <эл.>
S 756	**selection of frame**	Wahl f des Bezugssystems	repérage m	отбор системы отсчета
S 757	**selection rule**	Auswahlregel f	règle f de sélection, loi f de sélection, règle d'exception	правило отбора
S 758	**selective absorption**, differential absorption	selektive Absorption f, Selektivabsorption f	absorption f sélective, absorption différentielle, absorption élective; affinité f différentielle <bio.>	избирательное поглощение, дифференциальное поглощение, селективное поглощение; избирательная абсорбция <хим.>
S 758a	**selective adsorption**	selektive Adsorption f	adsorption f sélective	избирательная адсорбция
S 759	**selective amplifier**, accentuator	Selektivverstärker m, selektiver Verstärker m	amplificateur m sélectif, renforçateur m sélectif	селективный усилитель
	selective amplifier rejection [device]	s. selective rejection		
S 759a	**selective diffuser**	selektiv streuender Körper m	diffuseur m sélectif	селективный рассеиватель
	selective emitter	s. selective radiator		
S 759b	**selective erosion**	selektive Erosion f	érosion f sélective	избирательная эрозия
S 760	**selective fading**, differential fading	selektiver Schwund m, Selektivschwund m, Interferenzschwund m	évanouissement m sélectif, fading m sélectif	избирательное замирание, селективное замирание
S 761	**selective filter**, exclusion filter <opt.>	Selektionsfilter n, Selektiv-filter n <Opt.>	filtre m sélectif <opt.>	избирательный (селективный) светофильтр <опт.>
S 762	**selective heat radiation**	selektive Wärmestrahlung f	rayonnement m thermique sélectif, radiation thermique sélective	избирательное тепловое излучение, селективное тепловое излучение
S 763	**selective permeability**	selektive Permeabilität f	perméabilité f sélective	избирательная проницаемость
	selective photoeffect	s. selective photoelectric effect		
S 764	**selective photoelectric effect (emission)**, selective photoeffect	selektiver Photoeffekt m, selektiver lichtelektrischer Effekt m	effet m photoélectrique sélectif, photoeffet m sélectif	селективный фотоэффект
S 765	**selective radiator**, selective emitter	selektiver Strahler m, Selektivstrahler m	radiateur m sélectif	избирательный (селективный) излучатель
S 766	**selective reaction**	selektive Reaktion f, Auswahlreaktion f	réaction f sélective	селективная реакция
S 766a	**selective rejection [device]**, selective amplifier rejection [device]	Selektojekt n	dispositif m de réjection sélective, réjection f sélective	устройство избирательного заграждения, избирательное заграждение
S 766b	**selective resonance penetrability**	selektive Resonanzdurch-lassung f	pénétrabilité f par résonance sélective	селективная резонансная прозрачность, СРП
S 767	**selective scattering of light**	selektive Streuung f des Lichtes	diffusion f sélective de la lumière	селективное (резонансное) рассеяние света
S 767a	**selective solvation**, preferential solvation	selektive Solvatation f	solvatation f sélective	избирательная сольватация
S 767b	**selectivity; specifity** <chem.>	Selektivität f; Spezifität f <Chem.>	sélectivité f; spécifité f <chim.>	избирательность, селективность; специфичность <хим.>
S 767c	**selectivity** <el.>	Trennwirkung f, Selektion f; Trennschärfe f, Selektivität f <El.>	sélectivité f <él.>	избирательность, селективность <эл.>
	selectivity	s. a. discrimination		
	selectivity	s. a. filter discrimination		
	selectivity characteristic	s. selectivity curve		
	selectivity characteristic	s. a. tuning characteristic		
S 768	**selectivity coefficient**	Selektivitätskoeffizient m	coefficient m de sélectivité	коэффициент избирательности
S 769	**selectivity curve**, selectivity characteristic	Selektivitätskurve f, Selektionskurve f; Durchlaßkurve f	courbe f de sélectivité	кривая избирательности

	English	German	French	Russian
	selectivity discrimination	s. filter discrimination		
	selectivity of [the] resonance	s. resonance sharpness		
	selectivity ratio, degree of selectivity	Selektionsgrad m	degré m de sélectivité	степень избирательности
	selectode	s. variable mu		
S 770	**selector**	Selektor m; Wähler m	sélecteur m	селектор; избиратель; искатель
	selector switch	s. changeover switch		
S 771	**selector tube**	Wählröhre f, Wählschaltröhre f, Selektorröhre f	commutateur m à faisceau mobile, tube m sélecteur	электроннолучевой коммутатор (переключатель), электронная коммутаторная лампа
	selenium barrage [photo]cell, selenium barrier cell, selenium barrier layer [photovoltaic] cell	s. selenium photovoltaic cell		
	selenium [photo]cell	s. selenium photoconductive cell		
	selenium [photo]cell	s. a. selenium photovoltaic cell		
S 772	**selenium photoconductive cell**, selenium photocell, selenium cell	Selen-Widerstandszelle f, Selen-Photozelle f, [lichtelektrische] Selenzelle f	cellule f au sélénium, cellule à sélénium	селеновое фотосопротивление, селеновый фотоэлемент
S 773	**selenium photovoltaic cell**, selenium barrier layer [photovoltaic] cell, selenium barrier cell, selenium barrage [photo]cell, selenium [photo]cell	Selen-Sperrschichtzelle f, Selen-Sperrschichtphotozelle f, Selenphotoelement n, Selenlichtelement n, Selenelement n, Selenauge n, Selenphotozelle f, Selenzelle f	cellule f au sélénium à couche d'arrêt, cellule au sélénium, cellule à couche d'arrêt au sélénium	селеновый фотоэлемент с запирающим слоем, селеновый фотоэлемент
S 774	**selenium rectifier**; selectron	Selengleichrichter m; Selenventil n	redresseur m à (au) sélénium	селеновый выпрямитель
	selenocentric orbit, lunar orbit	Mondumlaufbahn f, selenozentrische Umlaufbahn f	orbite f lunaire, orbite sélénocentrique	орбита вокруг Луны, селеноцентрическая орбита
S 775	**selenographic co-ordinates**	selenographische Koordinaten fpl	coordonnées fpl sélénographiques	селенографические координаты
S 776	**selenography**	Selenographie f, Mondbeschreibung f, Lehre f von den Oberflächenformen des Mondes	sélénographie f	селенография, изучение поверхности Луны
S 777	**selenophone**	Selenophon n	sélénophone m	селенофон
	seletron	s. selenium rectifier		
S 778	**self-absorption**, internal absorption <of ionizing radiation>	Selbstabsorption f, Eigenabsorption f, Eigenstrahlungsabsorption f <ionisierende Strahlung>	auto[-]absorption f, absorption f interne <d'un rayonnement ionisant>	самопоглощение <ионизирующего излучения>
S 779	**self-absorption**, self-reversal <of spectral lines>	Selbstumkehr[ung] f, Selbstabsorption f <Spektrallinien>, Linienabsorption f	auto-absorption f, inversion f <de raies spectrales>	самообращение <спектральных линий>
S 780	**self-absorption coefficient**	Selbstabsorptionskoeffizient m	coefficient m d'auto-absorption	коэффициент самопоглощения
S 781	**self-absorption half-value layer (thickness)**	Selbstabsorptions-Halbwertsdicke f	couche f de demi-auto-absorption (demi-absorption interne)	слой половинного самопоглощения
S 782	**self-acceleration**	Selbstbeschleunigung f	auto[-]accélération f	самоускорение
	self-acting control	s. direct control		
S 783	**self-activated conductivity**	selbstaktivierte Leitfähigkeit f	conductibilité f auto-activée	самоактивированная проводимость
	self-activation, intrinsic activation	Eigenaktivierung f, Selbstaktivierung f	activation f intrinsèque, auto[-]activation f	самоактивация, самопроизвольная активация
	self-actuated controller	s. self-operated controller		
	self-adhesion	s. autohesion		
S 784	**self-adjoint equation**	selbstadjungierte Gleichung f	équation f auto-adjointe	самосопряженное уравнение
	self-adjoint matrix, Hermitian matrix	hermitesche Matrix f, selbstadjungierte Matrix, Hermite-Matrix f	matrice f hermitienne (hermitiqué)	эрмитова матрица, эрмитовская матрица, матрица Эрмита, самосопряженная матрица
S 785	**self-adjoint operator**	selbstadjungierter Operator m, hypermaximaler Operator	opération f auto-adjointe, opérateur m auto-adjoint	самосопряженный оператор
S 786	**self-adjoint transformation**	selbstadjungierte Transformation f	transformation f auto-adjointe	самосопряженное преобразование
S 787	**self-adjustment**; adaptive control	Selbsteinstellung f	auto-adaptation f, auto-adaptivité f	самонастройка, самоорганизация
	self-aligning	s. self-orientating		
S 788	**self-association**	Selbstassoziation f	auto[-]association f	самоассоциация
S 788a	**self-association constant**	Selbstassoziationskonstante f	constante f d'autoassociation	константа самоассоциации
S 789	**self-baking electrode**, Soederberg electrode, Söderberg electrode	Söderberg-Elektrode f	électrode f à autocuisson, électrode de Söderberg	самоспекающийся электрод, электрод Седерберга
S 790	**self-balancing**	selbstabgleichend; selbstausgleichend	autobalancé, auto-équilibré, auto-stabilisé	самоуравновешивающийся, с автоматическим уравновешиванием, самобалансирующийся, самовыравнивающий, самокомпенсирующий

S 791	**self-balancing bridge**	selbstabgleichende Meß-brücke f, Meßbrücke mit Selbstabgleich	pont m autobalancé, pont à équilibrage automatique	самоуравновешивающий-ся мост, мост с автома-тическим уравновеши-ванием, самобаланси-рующийся мост, мост с автоматической балансировкой
	self-balancing dot recorder	s. self-balancing point recorder		
S 792	**self-balancing instrument movement**	Nullmotormeßwerk n	équipage m de mesure à [moteur d'] équilibrage automatique	измерительный механизм с электродвигателем для автоматического уравновешивания; самобалансирующийся измерительный механизм
S 793	**self-balancing point recorder**, self-balancing dot recorder	Nullmotorpunktschreiber m, Nullmotorpunktdrucker m	enregistreur m à points à [moteur d'] équilibrage automatique	самопишущий прибор с точечной записью и электродвигателем для автоматического уравновешивания
	self-balancing potentiometer	s. automatic potentiometer		
S 794	**self-balancing recorder**	Nullmotorschreiber m	enregistreur m à [moteur d'] équilibrage automatique	самопишущий прибор с электродвигателем для автоматического уравновешивания
	self-ballasted mercury lamp <US>	s. compound lamp		
S 795	**self-bias**	Selbstvorspannung f, auto-matische Gittervorspan-nung[serzeugung] f	autopolarisation f	автоматическое смеще-ние [на сетку], авто-матическое сеточное смещение
S 796	**self-blocking**	Selbsthaltung f; Selbst-sperrung f	autoserrage m; autoblocage m	самоблокировка [реле]; самоблокада
	self-broadening	s. resonance broadening		
S 797	**self-calibration**	Selbstkalibrierung f, Selbsteichung f	auto-étalonnage m	автокалибровка, самокалибровка
S 798	**self-capacitance**, inherent (natural) capaci-tance	Eigenkapazität f	capacité f propre	собственная емкость
	self-catalyzed, autocatalytic	autokatalytisch	autocatalytique, auto-accéléré	автокаталитический
	self-centring head, centre head, centring head	Zentrierkopf m	tête f d'autocentrage	самоцентрирующая головка
S 799	**self charge**	Selbstladung f	autocharge f	самозаряд, собственный заряд
	self-check[ing], self-verifying, self-veri-fication	Selbstprüfung f	autovérification f	самопроверка, самоконтроль
S 800	**self-cleaning**	Selbstreinigung f, Selbst-regenerierung f	autopurification f, autorégénération f	самоочищение, самовосстановление
S 801	**self-cloudiness**; self-turbidity	Eigentrübung f	auto-trouble m; auto-turbidité f, turbidité f propre	собственное помутнение
S 802	**self-coagulation**	Selbstausflockung f, Selbstkoagulation f	autocoagulation f	автокоагуляция
S 803	**self-collision**	Selbststoß m, Stoß m gleichartiger Teilchen	autocollision f	самостолкновение
S 804	**self-collision time**	Selbststoßzeit f, Stoßzeit f bei Stößen gleichartiger Teilchen	temps m d'autocollisions	время самостолкновений
	self-computing chart	s. alignment nomogram		
	self-condensation	s. intermolecular con-densation		
	self-conjugate nucleus	s. self-mirrored nucleus		
	self-conjugate sub-group	s. normal divisor		
S 805	**self-consistence**, self-consistency	Selbstkonsistenz f	autoconsistance f, self-consistance f	самосогласование
	self-consistency	s. a. consistency <math.>		
S 806	**self-consistent field**, SCF	selbstkonsistentes Feld n, „self-consistent field" n, „self-consistent"-Feld n	champ m autoconsistant (self-consistant, auto-congruent, auto-cohé-rent, « self-consistent »)	самосогласованное поле
	self-consistent-field method	s. Hartree-Fock-Dirac self-consistent-field method		
S 807	**self-consistent solution**	selbstkonsistente Lösung f, „self-consistent"-Lösung f	solution f autoconsistante, solution self-consistante	самосогласованное решение
	self-constricting effect, self-constriction	s. pinch effect <of plasma>		
S 808	**self-contained instrument**	unabhängiges Meß-instrument n	appareil m de mesure indépendant	независимый (автоном-ный, самостоятельный) измерительный прибор
S 809	**self-contraction**	Selbstkontraktion f	autocontraction f	самосжатие
	self-control, automatic control	Selbststeuerung f	contrôle m (commande f) automatique, auto-commande f	автоматическое управле-ние, самоуправление
S 810	**self-convection**	Eigenkonvektion f	convection f propre	собственная конвекция
S 811	**self-correcting**	selbstkorrigierend	autocorrecteur	самокорректирующийся
S 812	**self-correction**, automatic correction	Selbstkorrektion f	autocorrection f	автокоррекция, автома-тическая коррекция, самокоррекция
	self-correlation function	s. autocorrelation function		

S 813	self-corrosion	Selbstkorrosion *f*	autocorrosion *f*	собственная коррозия
S 814	self-corrosion rate	Selbstkorrosions- geschwindigkeit *f*	vitesse *f* d'autocorrosion	скорость собственной коррозии
S 814a	self-damping	Eigendämpfung *f*	auto-amortissement *m*	собственная амортизация; самоторможение
S 815	self-decomposition, spontaneous decom- position	spontane Zersetzung *f*, Selbstzersetzung *f*	autodécomposition *f*, décomposition *f* spontanée	самопроизвольное раз- ложение, саморазло- жение
S 816	self-demagnetization	Selbstentmagnetisierung *f*	autodésaimantation *f*, désaimantation *f* spontanée	саморазмагничивание, самопроизвольное размагничивание
	self-diffusing coefficient	*s.* self-diffusion coefficient		
S 817	self diffusion, self-diffusion	Selbstdiffusion *f*, Eigen- diffusion *f*	autodiffusion *f*, auto-diffu- sion *f*, self[-] diffusion *f*	самодиффузия, самопроизвольная диффузия
S 818	self diffusion along grain boundaries	Korngrenzenselbst- diffusion *f*	autodiffusion *f* inter- granulaire	самодиффузия по границам зерен
	self-diffusion coefficient, self-diffusivity, coefficient of self-diffusion, self- diffusing coefficient	Selbstdiffusions- koeffizient *m*	coefficient *m* d'auto- diffusion	коэффициент самодиф- фузии
S 819	self-diffusion current	Selbstdiffusionsstrom *m*	courant *m* d'autodiffusion	поток самодиффузии, самодиффузионный поток
S 820	self-diffusion velocity	Selbstdiffusions- geschwindigkeit *f*	vitesse *f* d'autodiffusion	скорость самодиффузии
	self-diffusivity	*s.* self-diffusion coefficient		
S 821	self-discharge	Selbstentladung *f*	autodécharge *f*, décharge *f* spontanée	саморазряд, саморазряжение
S 822	self-discharge current	Selbstentladestrom *m*	courant *m* d'autodécharge	ток утечки
S 823	self[-]dual	selbstdual	auto-dual, ipso-dual, in- changé par dualité	двойственный [самому] себе, самодвойственный, самодуальный, авто- дуальный
	self-duplication	*s.* autoreduplication <bio.>		
S 824	self-electrode	Selbstemissionselektrode *f*	électrode *f* auto-émettrice	самоэмиттирующий электрод
	self-energizing	*s.* self-excited		
S 825	self-energy	Selbstenergie *f* <Energie- äquivalent der Teilchen- masse>	auto-énergie *f*, self-énergie *f*, énergie *f* propre	собственная энергия [частицы]
S 826	self-erecting folding camera	Springkamera *f*	chambre *f* à érection automatique	фотоаппарат складного типа
S 826a	self-evaporation	Selbstverdampfung *f*	auto-évaporation *f*	самоиспарение
S 827	self-exchange	Selbstaustausch *m*, Eigen- austausch *m*	auto-échange *m*	самообмен
S 827a	self-exchange coefficient	Eigenaustauschkoeffizient *m*	coefficient *m* d'auto-échange	площадь возврата, коэф- фициент самообмена
S 828	self-excitation, autoexcitation	Selbsterregung *f*, Eigen- erregung *f*; Schwingungs- einsatz *m*	auto-amorçage *m*, accrochage *m*, auto[-] excitation *f*, excitation *f* propre	самовозбуждение
S 829	self-excitation boundary	Selbsterregungsgrenze *f*	seuil *m* d'auto-excitation, seuil d'auto-amorçage	граница самовозбуждения
S 830	self-excitation formula	Selbsterregungsformel *f*	formule *f* d'auto-amorçage	формула самовозбужде- ния
S 831	self-excited, self- energizing	eigenerregt, selbsterregt	auto[-]excité	самовозбуждающийся, с самовозбуждением
	self-excited constant- current generator	*s.* electric generator <el.>		
	self-excited direct- current generator	*s.* electric generator <el.>		
S 832	self-excited dynamo	selbsterregter Dynamo *m*	dynamo *f* à auto-excitation, dynamo auto-entretenue (autogénératrice)	самовозбуждающееся динамо
	self-excited oscillation	*s.* self-excited vibration		
S 833	self-excited vibration, self-excited oscillation	selbsterregte Schwingung *f*	vibration (oscillation) *f* auto-excitée	самовозбуждающееся колебание, авто- колебание
S 834	self-exciting	selbsterregend, eigen- erregend	auto-excitateur	самовозбуждающий
	self-filtering, inherent filtration	Eigenfilterung *f*, Selbst- filterung *f*	filtration *f* inhérente, auto-filtration *f*	внутренняя фильтрация, самофильтрация
S 834a	self-focusing	Selbstfokussierung *f*, Selbstkonzentrierung *f*	autofocalisation *f*, auto- concentration *f*	самофокусировка
S 835	self-focusing lens	Selbstfokussierlinse *f*	lentille *f* à focalisation automatique	линза внутренней фоку- сировки, автомати- чески фокусирующая линза
S 836	self force	Selbstkraft *f*	force *f* d'auto-inter- action, autoforce *f*	сила самодействия
	self-frequency	*s.* natural frequency		
S 837	self-healing <of the film>	Selbstheilung *f* [des Films]	autorégénération *f* [du film]	самозалечивание [пленки]
S 838	self-healing [of the capacitor]	Selbstheilung *f* [des Kondensators]	autocicatrisation *f* [du condensateur]	самовосстановление [конденсатора]
S 839	self-heating, spontaneous heating	Selbsterhitzung *f*, Selbst- erwärmung *f*	auto-[r]échauffement *m*	самопроизвольный разо- грев, саморазогрев[а- ние], самонагрев[ание]
S 840	self-holding contact	Selbsthaltekontakt *m*	contact *m* de maintien, contact d'auto-alimen- tation	самоудерживающийся контакт, самоблоки- рующийся контакт
	self-ignitable, self- igniting	*s.* self-inflammable		

S 841	self[-]ignition, spontaneous ignition, autogeneous ignition, autoignition	Selbstentflammung f, Selbstentzündung f, Selbstzündung f	auto-inflammation f, auto-ignition f, inflammation f spontanée, ignition f spontanée	самовоспламенение, самовозгорание
S 842	self-ignition point, spontaneous ignition temperature, S.I.T.	Selbstentzündungstemperatur f	température f d'inflammation spontanée	температура самовоспламенения
S 843	self impedance	Selbstinduktionswiderstand m	self-impédance f, auto-impédance f	собственное сопротивление
	self-induced voltage	s. self-induction electromotive force		
	self[-]inductance	s. self-induction coefficient		
	self-inductance standard	s. standard inductance		
S 844	self-induction	Selbstinduktion f	auto[-]induction f, self-induction f, induction f propre	самоиндукция
	self-induction coefficient	s. inductance		
S 845	self-induction electromotive force, self-induction e.m.f., self-induced voltage	Selbstinduktionsspannung f	force f électromotrice d'auto-induction	электродвижущая сила самоиндукции, напряжение самоиндукции
	self-inductor	s. inductance coil		
S 846	self-inflammable, self-igniting, self-ignitable; pyrophoric; hypergolic	selbstentzündlich, selbstentflammbar; pyrophor; selbstzündend	pyrophorique; hypergolique	самовоспламеняющийся; пирофорный
S 847	self-intensification [of oscillations], self-reinforcing [of vibration]	Selbstaufschauk[e]lung f	auto-intensification f [d'oscillations]	самораскачивание
S 848	self-interaction	Selbstwirkung f	auto-interaction f	самодействие, самовоздействие
	self-interference audion	s. regenerative detector		
S 849	self-intersection	Selbstdurchdringung f	auto-intersection f	самопересечение
	self-intersection point, point of self-intersection	Selbstdurchdringungspunkt m	point m d'auto-intersection	узловая точка, точка самопересечения
	self-inversion	s. self-absorption ‹of spectral lines›		
S 850	self-irradiation	Selbstbestrahlung f	auto[-]irradiation f	самооблучение
S 851	self-levelling instrument	Nivellier[instrument] n mit automatisch horizontierter Ziellinie	niveau m automatique	нивелир с самоустанавливающейся линией визирования, нивелир-автомат
S 851a	self-light, self-luminosity	Eigenlicht n	lumière (lueur) f propre	собственный свет
S 852	self-limiting chain reaction	selbstbremsende Kettenreaktion f	réaction f en chaîne auto-modératrice, réaction en chaîne automodérée	самоограничивающаяся цепная реакция, самозамедляющаяся цепная реакция
S 852a	self-loading target	selbstspeisendes Target n	autocible f	мишень с собственным питанием
	self-locking	s. squagging		
	self-luminescence of upper atmosphere	s. airglow		
	self-luminosity	s. self-light		
	self-luminous object (substance, surface)	s. primary source [of light]		
S 853	self-luminous train	leuchtender Schweif m	traînée f lumineuse	светящийся след
S 854	self-magnetic	eigenmagnetisch	auto-magnétique	вызванный собственным магнитным полем тока
S 855	self-magnetism	Eigenmagnetismus m	auto-magnétisme m	собственный магнетизм
	self-maintained discharge	s. self-sustaining discharge		
	self-maintaining gas discharge	s. self-sustaining discharge		
S 856	self mass, intrinsic mass, proper mass ‹qu.›	Selbstmasse f, Eigenmasse f ‹Qu.›	masse f propre, masse intrinsèque ‹qu.›	собственная масса ‹кв.›
S 856a	self-mirrored nucleus; self-conjugate nucleus	Selbstspiegelkern m; selbstkonjugierter Kern m	noyau m self-miroir; noyau autoconjugué	самозеркальное ядро; самосопряженное ядро
S 857	self-modulation	Selbstmodulation f; Eigenmodulation f	automodulation f	автомодуляция; собственная (внутренняя) модуляция
S 858	self-multiplying chain reaction	selbstmultiplizierende Kettenreaktion f	réaction f en chaîne automultiplicatrice	саморазмножающая цепная реакция
	self-noise, internal noise	Eigenrauschen n	bruit m propre	собственный шум, внутренний шум
S 859	self-operated controller, self-actuated controller, direct controller, direct-action controller, controller without power amplification	Regler m ohne Hilfsenergie, direkt wirkender Regler, direkter Regler, unmittelbarer Regler, unmittelbar wirkender Regler	régulateur m direct, régulateur à action directe, régulateur sans amplification de puissance	регулятор прямого действия
S 860	self-optimization	Selbstoptimierung f	auto-optimisation f, optimisation (optimalisation) f automatique	самооптимизация
S 861	self-orientating, self-aligning	selbstorientierend, selbstausrichtend	auto-orientable, s'orientant de soi-même	самоориентирующийся; самоустанавливающийся; самоцентрирующий; саморихтующий
	self-oscillating system	s. self-oscillatory system		
S 862	self-oscillation	Selbstschwingung f, Grenzzyklus m	auto-oscillation f	автоколебание; регенерация
	self-oscillation	s. a. vibrational mode		
	self-oscillator	s. free-running oscillator		
S 863	self-oscillatory system, self-oscillating system	schwingungsfähiges (selbstschwingendes) System (Gebilde) n	système m auto-oscillant	автоколебательная система

	English	German	French	Russian
	self-oxidation	s. autoxidation		
S 864	self-passivation	Selbstpassivierung f	autopassivation f	самопроизвольная пассивация
S 864a	self-polar tetrahedron	Polartetraeder n, Poltetraeder n ‹der Polarität›	tétraèdre m autopolaire	автополярный тетраэдр
S 864b	self-polar triangle	Polardreieck n, Poldreieck n ‹der Polarität›	triangle m autopolaire	автополярный треугольник
S 865	self-potential	Selbstpotential n, Eigenpotential n	potentiel m propre	собственный потенциал
S 866	self-power, proper power	Eigenleistung f	puissance f propre	собственная мощность
S 866a	self-powered detector	„self-powered"-Detektor m, unabhängiger Detektor	détecteur m à charge directe, collectron m	детектор прямой зарядки, ДПЗ
S 867	self-powered maser, SP maser	selbstverstärkender Maser m, Maser mit Selbstverstärkung	maser m à source propre, SP-maser m	квантовый усилитель с собственным источником энергии, квантовый усилитель без внешней подкачки, автономный мазер (квантовый усилитель)
S 868	self-preservation	Selbsterhaltung f	auto-entretien m	самосохранение
S 869	self-priming pump	selbstansaugende Pumpe f	pompe f à prise automatique	самовсасывающий (самозаливающий) насос
	self-protecting, overvoltage-proof, resistant to overvoltage	überspannungsfest, überspannungssicher	résistant aux surtensions	стойкий при перенапряжениях, с повышенной изоляционной прочностью
S 870	self-quenched counter [tube]	selbstlöschendes Zählrohr n	tube m compteur autocoupeur	самогасящийся счетчик, счетчик Троста, самогасящаяся счетная трубка
S 871	self-quenching, self-quenching action, internal quenching	Selbstlöschung f	autocoupure f, autocoupage m, auto-extinction f, auto-étouffement m	самогашение
S 872	self-quenching, concentration quenching ‹of luminescence›	Selbstauslöschung f, Konzentrationsauslöschung f ‹Lumineszenz›	auto-extinction f, extinction f par la concentration ‹de la luminescence›	самогашение, концентрационное тушение ‹люминесценции›
	self-quenching action, self-quenching, internal quenching	Selbstlöschung f	autocoupure f, autocoupage m, auto-extinction f, auto-étouffement m	самогашение
	self-quenching oscillator, blocking oscillator, squegging oscillator, blocking generator, squegger	Sperrschwinger m, Blockingoszillator m	oscillateur m bloqué, oscillateur m à blocage, oscillateur surcouplé, oscillateur blocking	блокинг-генератор
S 872a	self-radiant exitance	spezifische Eigenausstrahlung f	exitance f énergétique propre	собственная энергетическая светимость
S 873	self-radiation, proper radiation	Eigenstrahlung f	auto-radiation f, radiation f propre	собственное излучение
S 874	self reactance	Selbstreaktanz f, Selbstinduktionsreaktanz f	self-réactance f, autoréactance f	собственная реактивность
	self-recorder	s. recorder		
	self-recovery	s. self-repair		
	self-recovery	s. a. self-regulation		
S 875	self-rectifying tube	selbstgleichrichtende Röhre f	tube m auto-redresseur	самовыпрямляющая трубка
S 876	self-reducing tacheometer	selbstreduzierendes Tachymeter n, Reduktionstachymeter n	tachéomètre m autoréducteur	авторедукционный тахеометр
S 877	self-regulating reactor	sich selbst regulierender (stabilisierender) Reaktor m, selbstregelnder Reaktor	réacteur m autorégulateur	саморегулирующийся (саморегулируемый) реактор
S 878	self-regulation, inherent regulation, self-recovery	Selbstregelung f, Selbstregulierung f; Selbstausgleich m, Ausgleich m	autorégulation f, adaptation f naturelle, autoréglage m	саморегулирование; авторегулировка; самовыравнивание
	self-reinforcing [of vibration]	s. self-intensification		
S 879	self-repair, self-recovery; self-restoring	Selbstregenerierung f, Selbstheilung f	auto-régénération f	самовосстановление, авторегенерация
	self-reproduction	s. autoreduplication ‹bio.›		
S 880	self-repulsion	Selbstabstoßung f	autorépulsion f	самоотталкивание
	self-restoring	s. self-repair		
	self-reversal, self-absorption ‹of spectral lines›	Selbstumkehr[ung] f, Selbstabsorption f ‹Spektrallinien›, Linienabsorption f	auto-absorption f, inversion f ‹de raies spectrales›	самообращение ‹спектральных линий›
	self-rotation, eigenrotation, proper rotation	Eigenrotation f, Eigendrehung f	rotation f propre	собственное вращение, вращение вокруг собственной оси
S 881	self-saturation	Selbstsättigung f	autosaturation f	самонасыщение
S 882	self-scattering	Selbststreuung f, Eigenstreuung f	autodiffusion f	саморассеяние, рассеяние в веществе излучателя
	self-screening	s. self-absorption		
	self-screening	s. self-shielding		
	self-sealing, automatic sealing, self-tightening	Selbstdichtung f	étanchéité f automatique	самоуплотнение
	self-serve	s. self-stabilization		
S 883	self-shielding	Selbstabschirmung f	autoprotection f, autoblindage m	самоэкранирование, самоэкранировка
S 884	self-shielding correction	Selbstabschirmungskorrektion f, Korrektion f für die Selbstabschirmung	correction f pour l'autoprotection	поправка на самоэкранирование, поправка за самоэкранирование

	English	German	French	Russian
S 885	**self-similar flow,** "similar" flow **self-similar solution**	ähnliche (selbstähnliche) Strömung f s. similar solution	écoulement m « auto-semblable » (semblable)	автомодельное течение
S 886	**self-similar unsteady flow**	selbstähnliche (ähnliche) nichtstationäre Strömung f	écoulement m non permanent [auto-]semblable	автомодельное нестационарное течение
S 887	**self-simulating problem**	gegenüber einer Gruppe von Ähnlichkeitsabbildungen aller eingehenden Variablen invariantes Problem n, selbstäquivalentes Problem, selbstähnliches Problem	problème m auto-semblable	автомодельная задача
S 888	**self-simulating variable** **self-stability** [of phase]	selbstäquivalente Variable f, selbstähnliche Variable s. phase stability	variable f auto-semblable	автомодельная переменная
S 889	**self-stabilization,** self-serve	Selbststabilisierung f, Eigenstabilisierung f	autostabilisation f	самостабилизация
S 890	**self stress** <mech.>	Selbstspannung f <Mech.>	tension f propre <méc.>	собственное напряжение <мех.>
S 890a	**self-supported foil,** **self-supporting foil** **selfsustained chain reaction**	selbsttragende (frei-tragende) Folie f s. selfsustained nuclear chain reaction	feuille f autoportante	самонесущая фольга
S 891	**self-sustained glow**	selbständiges Leuchten n; selbständige Glimmentladung f	lueur f auto-entretenue, lueur autonome	самоподдерживающееся свечение
S 892	**selfsustained nuclear chain reaction,** self-sustained chain reaction, selfsustained reaction, sustained [nuclear] chain reaction, sustained reaction, critical [nuclear] chain reaction, critical reaction **self-sustained oscillation** **selfsustained reaction**	selbständige Kernketten-reaktion (Kettenreaktion) f, sich selbst erhaltende Kernkettenreaktion (Kettenreaktion), kritische Kernkettenreaktion (Kettenreaktion), selbständig ablaufende Kettenreaktion s. undamped oscillation s. selfsustained nuclear chain reaction	réaction f en chaîne auto-entretenue, réaction en chaîne entretenue, réaction en chaîne critique, réaction auto-entretenue, réaction entretenue, réaction critique	самоподдерживающаяся [цепная] реакция, поддерживаемая [цепная] реакция, незатухающая [цепная] реакция
S 893	**self-sustaining conduction**	elbständige Leitung f	conduction f auto-entretenue (autonome)	самостоятельная проводимость
S 894	**self-sustaining discharge,** self-maintained discharge, self-maintaining gas discharge	elbständige Entladung (Gasentladung, Elektri-zitätsleitung f in Gasen)	décharge f autonome, décharge auto-entretenue	самостоятельный разряд
S 895	**self-tangency**	Selbstberührung f	autotangence f, auto-contact m	самоприкосновение, самокасание
S 896	**self-thermal diffusion**	Selbstthermodiffusion f	autodiffusion f thermique, auto-thermodiffusion f	самотермодиффузия
	self-tightening, automatic sealing, self-sealing	Selbstdichtung f	étanchéité f automatique	самоуплотнение
S 897	**self-trapping**	Selbstanlagerung f	autopiégeage m	самозахват, самозахватывание
	self-turbidity; self-cloudiness	Eigentrübung f	auto-trouble m; auto-turbidité f, turbidité f propre	собственное помутнение
S 898	**self-verification, self-verifying,** self check[ing] **self-whistle**	Selbstprüfung f s. superheterodyne interference	autovérification f	самопроверка, самоконтроль
S 899	**Sellmeier['s] [dispersion] formula, Sellmeier['s] equation [for refractive dispersion]**	Dispersionsformel f von Sellmeier, Sellmeiersche Dispersionsformel	formule f de Sellmeier, formule de dispersion de Sellmeier, équation f de Sellmeier	формула Зельмейера, дисперсионная формула Зельмейера
S 900	**selsyn, selsyn system,** synchro; synchro-transmitter, synchrodrive	Drehmelder m, Drehfeld-geber m, Synchro m	synchro m, selsyn m; synchrogénérateur m, synchrotransmetteur m	сельсин; сельсин-датчик
S 901	**semantics** <Math.> **semi-angle of the cone**	Semantik f <Math.> s. cone semi-angle	sémantique f <math.>	семантика <матем.>
S 902	**semi-annular electro-magnet,** semicircular electromagnet	Halbringelektromagnet m, Halbringmagnet m	électroaimant m semi-annulaire (semicirculaire, demi-circulaire)	полукольцевой электро-магнит
S 902a	**semi-apex angle** <of wedge> **semi-apex angle** [of the cone]	halber Öffnungswinkel m; halber Scheitelwinkel m <Keil> s. cone semi-angle	demi-ouverture f, demi-angle m d'ouverture <du coin>	угол полураствора, полу-раствор, угол полуот-верстия, полуотверстие <клина>
S 903	**semi-apochromat[e],** fluorite system, fluorite lens	Fluoritobjektiv n, Fluorit-system n, Semiapochro-mat m, Halbapochromat m	semi-apochromat m, objectif m à la fluorine	полуапохромат, флюоритный объектив
S 904	**semiarid** <of climate>	semiarid <Klima>	semi-aride <du climat>	полузасушливый, полу-пустынный, полуарид-ный <о климате>
S 905	**semi-axis** **semi-beam** **semi-bright**	Halbachse f s. cantilever beam s. semi-gloss	demi-axe m, hémiaxe m	полуось
S 906	**semicanonical equations** [of motion]	halbkanonische Differential-gleichungen fpl, halb-kanonische Bewegungs-gleichungen fpl	équations fpl semi-canoniques [du mouve-ment]	полуканонические урав-нения движения

	English	German	French	Russian
S 907	**semicircular beta-spectrograph**	Halbkreis-Beta-Spektrograph m, Beta-Halb-kreisspektrograph m	spectrographe m bêta semi-circulaire	полукруговой бета-спектрограф
S 908	**semicircular canals**	Bogengänge mpl	canaux mpl semi-circulaires	полукружные каналы
	semicircular deviation, semicircular error	Halbkreisfehler m	déviation (erreur) f semi-circulaire	полукруговая радио-девиация
	semicircular electromagnet, semi-annular electromagnet	Halbringelektromagnet m, Halbringmagnet m	électroaimant m semi-annulaire (semi-circulaire, demi-circulaire)	полукольцевой электро-магнит
S 909	**semicircular electrometer**	Halbkreiselektrometer n	électromètre m semi-circulaire	полукруглый электрометр
S 910	**semicircular error,** semicircular deviation	Halbkreisfehler m	déviation (erreur) f semi-circulaire	полукруговая радио-девиация
S 911	**semicircular focusing**	Halbkreisfokussierung f	focalisation f semi-circulaire	полукруговая фокуси-ровка
	semicircular lens, hemispherical lens	Halbkugellinse f	lentille f hémisphérique (semi-circulaire)	полусферическая линза, полукруглая линза
S 912	**semicircular protractor,** protractor	Transporteur m	rapporteur m	транспортир, транс-портер
	semicircular protractor	s. a. contact goniometer		
S 913	**semicircular spectrometer, semicircular spectroscope**	Halbkreisspektrometer n, Halbkreisspektroskop n	spectromètre m [à trajectoire] semi-circulaire, spectroscope m semi-circulaire	полукруговой спектро-метр, полукруговой спектроскоп
S 913a	**semicircumference;** semiperimeter	halber Umfang m	demi-circonférence f; demi-périmètre m	полуокружность; полу-периметр
S 914	**semiclassical approximation**	halbklassische Näherung f	approximation f semi-classique	полуклассическое приближение
S 915	**semicolloid,** hemicolloid, mesocolloid	Semikolloid n, Hemikolloid n, Mesokolloid n	semi[-]colloïde m, hémi[-]colloïde m, mésocolloïde m	полуколлоид, геми-коллоид, семиколлоид
S 916	**semiconducting;** semiconductive; semiconductor	halbleitend, Halbleiter-	semi-conducteur; semi-conductif	полупроводящий; полу-проводниковый
S 917	**semi-conducting bolometer**	Halbleiterbolometer n	bolomètre m à semi-conducteur	полупроводниковый болометр
S 918	**semiconducting crystal**	Halbleiterkristall m	cristal m semi-conducteur	полупроводящий кристалл
S 919	**semiconducting laser,** injection laser	Halbleiterlaser m, Injektionslaser m	laser m à semi-conducteur, laser à injection	полупроводниковый квантовый генератор, квантовый генератор оптического диапазона на полупроводнико-вом диоде, инжекцион-ный лазер (оптический квантовый генератор)
S 920	**semiconduction** **semiconductive**	Halbleitung f s. semiconducting	semi-conduction f	полупроводимость
S 921	**semiconductivity**	Halbleitfähigkeit f	semi-conductibilité f	полупроводимость
S 922	**semiconductor**	Halbleiter m	semiconducteur m, semi-conducteur m	полупроводник
	semiconductor	s. semiconducting		
S 923	**semiconductor atomic battery,** semiconductor isotopic power generator	Sperrschichtbatterie f, Halbleiter-Radionuklid-batterie f, Halbleiter-isotopenbatterie f	batterie f atomique à semi-conducteur	полупроводниковая атомная электробата-рея, полупроводнико-вая атомная батарея; полупроводниковый атомный электро-элемент, атомный элемент
S 924	**semiconductor bridge** **semiconductor cell**	Halbleiterbrücke f s. photovoltaic cell	pont m à semi-conducteur	мост с полупроводником
S 925	**semiconductor counter (detector),** semi-conductor particle counter	Halbleiterdetektor m, Halbleiterzähler m	détecteur m à semi-conducteur, semicteur m, compteur m à semi-con-ducteur	полупроводниковый детектор, полупровод-никовый счетчик [элементарных частиц]
S 926	**semiconductor device**	Halbleitergerät n	dispositif m [à] semi-conducteur	полупроводниковый прибор
S 927	**semiconductor diode,** crystal diode	Halbleiterdiode f, Kristalldiode f	diode f semi-conductrice, diode à semi-conducteur (cristal)	полупроводниковый диод (вентиль), кристаллический диод
S 928	**semiconductor diode [parametric] amplifier**	Halbleiterdiodenverstärker m	amplificateur m para-métrique à diodes, ampli-ficateur paramétrique à jonction p-n, amplifica-teur paramétrique semi-conducteur	полупроводниковый па-раметрический усили-тель, диодный парамет-рический усилитель
S 929	**semiconductor electronics**	Halbleiterelektronik f	électronique f des semi-conducteurs	электроника полупро-водников
S 930	**semiconductor inte-grated circuit;** solid circuit; single-chip circuit; single-chip device	integrierte Festkörper-schaltung f, integrierte Halbleiterschaltung f, Festkörperschaltung	circuit m intégré; circuit solide	интегральная твердая схема, интегральная схема
	semiconductor isotopic power generator	s. semiconductor atomic battery		
	semiconductor junction, junction <semi.>	Flächenübergang m, Über-gang m, Halbleiterüber-gang m, Übergangs-schicht f, Schicht f, ,,junction" f <Halb.>	jonction f, jonction semi-conductrice <semi.>	переход, полупроводни-ковый переход, элек-трический переход, плоскостной переход <полу.>
	semiconductor junction diode, junction diode, p-n junction diode	Halbleiterflächendiode f, Flächendiode f, pn-Diode f, Schichtdiode f, pn-Flächendiode f	diode f à jonction	плоскостной полупро-водниковый диод, плоскостной диод, слоистый диод

	English	German	French	Russian
	semiconductor junction transistor	s. junction transistor		
S 931	**semiconductor-metal barrier,** metal-semiconductor barrier	Metall-Halbleiter-Sperrschicht f; Metall-Halbleiter-Randschicht f	barrière f métal — semiconducteur, barrière semi-conducteur — métal	барьер металл-полупроводник, барьер полупроводник-металл
S 931	**semiconductor-metal contact,** metal-semiconductor contact, contact semiconductor-metal	Halbleiter-Metall-Kontakt m, Metall-Halbleiter-Kontakt m, Kontakt Halbleiter—Metall	contact m métal — semiconducteur, contact semiconducteur — métal	контакт на границе металл-полупроводник, контакт [на границе] полупроводник-металл
	semiconductor-metal interface	s. metal-semiconductor interface		
	semiconductor-metal junction, metal-semiconductor junction	Metall-Halbleiter-Übergang m, Halbleiter-Metall-Übergang m	jonction f métal — semiconducteur, jonction semi-conducteur — métal	переход металл-полупроводник, переход полупроводник-металл
	semiconductor particle counter	s. semiconductor counter		
S 932	**semiconductor photodetector**	Halbleiterphotodetektor m	photodétecteur m à semiconducteur	полупроводниковый фотодетектор
	semiconductor photodiode, photodiode	Photodiode f, Halbleiterphotodiode f	photodiode f, photodiode à semi-conducteur	полупроводниковый фотодиод, фотодиод
S 933	**semiconductor physics**	Halbleiterphysik f	physique f des semiconducteurs	физика полупроводников
S 934	**semiconductor plasma**	Halbleiterplasma n	plasma m semi-conducteur	полупроводниковая плазма
S 935	**semiconductor rectifier,** bimetallic (dry, plate) rectifier	Halbleitergleichrichter m, Trockengleichrichter m, Plattengleichrichter m	redresseur m [sec] semiconducteur, redresseur sec	полупроводниковый (сухой, металлический) выпрямитель
S 936	**semiconductor regime**	Halbleiterbetrieb m; Halbleiterbetriebszustand m	régime m semi-conducteur	полупроводниковый режим
S 937	**semiconductor resistance; semiconductor resistor**	Halbleiterwiderstand m	résistance f semiconductrice	полупроводниковое сопротивление
S 938	**semiconductor-semiconductor junction**	Halbleiter-Halbleiter-Übergang m	jonction f semi-conducteur — semi-conducteur	переход полупроводник-полупроводник
	semiconductor stabilitron	s. Zener diode		
S 939	**semiconductor strain gauge**	Halbleiter-Dehnungsmeßstreifen m, Halbleiterdehnungsmesser m, Halbleiter-Dehnungsmeßgerät n, Halbleitertensometer n	tensomètre m à semiconducteur	полупроводниковый тензометр
S 940	**semiconductor subassembly,** semiconductor unit	Halbleiterbauelement n	élément m semi-conducteur, partie f semi-conductrice	полупроводниковая деталь, полупроводниковый элемент, полупроводниковый узел
S 941	**semiconductor tetrode,** transistor tetrode, tetrode transistor, crystal tetrode	Halbleitertetrode f, Transistortetrode f, Tetrodentransistor m, Schirmgittertransistor m	tétrode f semi-conductrice, transistor m tétrode, transistor à quatre bornes, tétrode à cristal	полупроводниковый тетрод
S 942	**semiconductor thermocouple, semiconductor thermoelement**	Halbleiterthermoelement n	thermopile f semi-conductrice, thermopile à semi-conducteur, couple m thermoélectrique semi-conducteur	полупроводниковый термоэлемент, полупроводниковая термопара
S 943/4	**semiconductor thermometer**	Halbleiterthermometer n	thermomètre m à semiconducteur	полупроводниковый термометр
	semiconductor triode	s. transistor		
	semiconductor unit	s. semiconductor subassembly		
	semi-cone angle	s. cone semi-angle		
S 945	**semicontinuous**	halbkontinuierlich; halbstetig <Math.>	semi[-]continu	полунепрерывный
	semi-convergent series	s. asymptotic series		
S 945a	**semicrystalline**	halbkristallin[isch]	semi-cristallin	полукристаллический
S 946	**semicubical parabola,** Neil's parabola	Neilsche (semikubische) Parabel f	parabole f semicubique, parabole de Neil	полукубическая парабола, парабола Нейля
S 947	**semidarkness**	Halbdunkel n	demi-obscurité f	полумрак
S 948	**semi-definite**	semidefinit, halbdefinit	semi-défini	полуопределенный
S 949	**semi-detached binary**	halbgetrennter Doppelstern m, halbgetrenntes System n	binaire (double) f semidétachée, binaire (double) presque résolue	полуразделенная (полуразделившаяся) двойная [звезда]
S 950	**semidiaphanous**	halbdurchsichtig	semi-diaphane	полупрозрачный
S 951	**semi-direct lighting**	vorwiegend direkte Beleuchtung f, Vorwiegenddirektbeleuchtung f	éclairage m semi-direct	освещение преимущественно прямым светом, преимущественно прямое освещение
S 952	**semidiurnal component of magnetic variation**	halbtägige Komponente f der magnetischen Variation	composante f semi-diurne de la variation magnétique	полусуточная составляющая магнитной вариации
S 953	**semi-diurnal [luni-solar] inequality,** luni-solar semi-diurnal inequality	halbtägige Ungleichheit f, halbtägige lunisolare Ungleichheit	inégalité f semi-diurne, inégalité semi-diurne luni-solaire	лунно-солнечное полусуточное неравенство
S 954	**semidiurnal[-type] tides**	halbtägige Gezeiten pl, Halbtagsgezeiten pl	marées fpl semi-diurnes	полусуточные приливы
S 955	**semidiurnal wave**	Halbtagswelle f	onde f semi-diurne	полусуточная волна
	semi-empirical mass formula	s. Weizsäcker['s] formula [/ von]		
S 956	**semi-empirical theory**	halbempirische Theorie f	théorie f semi-empirique	полуэмпирическая теория
S 957	**semi-enclosed**	berührungsgeschützt, gegen [zufällige] Berührung geschützt	semi-fermé	защищенный от прикосновений

	English	German	French	Russian
	semi-enclosed, protected <of instrument>	geschützt <Gerät>	protégé, de type protégé <de l'appareil>	защищенный, защищенного типа <о приборе>
S 958	**semi-fixed,** pre-set	veränderbar zur einmaligen Einstellung	semi-fixe	полупеременный
S 959	**semi-fixed resistance**	halbregelbarer Widerstand m, Widerstand mit versetzbarer Abgriffschelle	résistance f semi-variable	полупеременное сопротивление
S 960	**semi[-]fluid,** semi[-]liquid	semifluid, halbfluid, halbflüssig	semi-fluide, semi-liquide	полужидкий
	semifluid friction, mixed friction	Mischreibung f, gemischte Reibung f	frottement m mixte, frottement semi-fluide	смешанное трение, гранично-гидродинамическое трение, полужидкостное трение
S 960a	**semifocal chord** <aero.>	halbe Profilsehne f, halber Parameter m <Aero.>	demi-corde f [de profil] <aéro.>	полухорда [профиля] <аэро.>
	semi-girder	s. cantilever beam		
S 960b	**semi-gloss,** semi-bright	halbglänzend, mattglänzend	semi-brillant	полублестящий
S 961	**semigraphical method**	halbgraphisches (halbzeichnerisches) Verfahren n	procédé m semi-graphique	полуграфический метод
S 962	**semi[-]group,** hemigroup, demigroup, associative groupoid, associative system, monoid	Halbgruppe f, assoziatives System n, assoziatives Gruppoid n, Assoziativ n, multiplikatives System n, Monoid[e] n	demi-groupe m, semi-groupe m, pseudo-groupe m, monoïde m	полугруппа, ассоциативная система, ассоциативный группоид, моноид
S 963	**semi-heavy water,** deuterium-protium oxide, HDO	halbschweres Wasser n, Deuterium-Protium-Oxid n, HDO	eau f semi-lourde, oxyde m de deutérium-protium, HDO	полутяжелая вода, HDO
S 964	**semi-holonomic**	semiholonom	semi-holonome	полуголономный
	semi-hot laboratory	s. warm laboratory		
S 965	**semihumid** <of climate>	semihumid, subhumid <Klima>	semi-humide <du climat>	полугумидный <о климате>
S 966	**semi-indirect lighting**	vorwiegend indirekte Beleuchtung f, Vorwiegendindirekt-beleuchtung f	éclairage m semi-indirect	освещение преимущественно отраженным светом, преимущественно отраженное освещение
S 967	**semi-infinite**	einseitig unendlich ausgedehnt, einseitig unbegrenzt, halbunendlich [ausgedehnt], [un-endlicher] Halb-	demi-infini	полубесконечный
S 968	**semi-infinite body**	[unendlicher] Halbkörper m	demi-corps m [infini]	полутело, бесконечное полутело
S 969	**semi-infinite channel**	einseitig unendlicher Kanal m	canal m demi-infinite	полубесконечный канал
	semi-infinite space, half-space, infinite half-space	Halbraum m, unendlicher Halbraum	demi-espace m, demi-espace infini	полупространство, бесконечное полупространство, полубесконечное пространство
S 970	**semi-infinite strip**	Halbstreifen m	demi-bande f	полуполоса
S 971	**semi-insulator**	Halbisolator m, Semi-isolator m	semi-isolateur m	полуизолятор
	semi-integer, semi-integral	s. half-integer		
S 971a	**semi-interquartile range**	halber Quartilabstand m	semi-interquartile m	семиинтерквартильная широта
S 972	**semi-invariant**	Semiinvariante f	semi-invariant m	полуинвариант
	semi-invariant	s. a. cumulant <stat.>		
S 973	**semi-inverse method**	semiinverse Methode f	méthode f semi-inverse	полуобратный метод
	semi-ionic bond	s. dative bond		
S 974	**semileptonic decay (disintegration)**	semileptonischer Zerfall m	désintégration f semi-leptonique	полулептонный распад
	semi[-]liquid, semi[-]fluid	semifluid, halbfluid, halbflüssig	semi-fluide, semi-liquide	полужидкий
	semi-liquid state, semi-solid state	halbflüssiger Zustand m	état m pâteux (semi-fluide)	студенистое (полужидкое) состояние
S 975	**semilogarithmic co-ordinate paper,** semilog[arithmic] paper	einfachlogarithmisches (halblogarithmisches) Papier n, Exponentialpapier n; einfachloga-rithmisches (halbloga-rithmisches) Netz n, Exponentialnetz n	papier m semi-logarithmique	полулогарифмическая бумага (клетчатка)
S 976	**semilogarithmic plot,** semilog plot	einfachlogarithmische (halblogarithmische) Darstellung f	représentation f semi-logarithmique	график в полулогарифмическом масштабе
S 977	**semi-major axis**	große Halbachse f	demi-grand axe m, demi-axe m focal	большая полуось
S 978	**semi-major axis [of orbit],** mean distance	große Halbachse f <Bahnelement>	demi-grand axe m, demi-axe m majeur	большая полуось
S 979	**semi-mat**	halbmatt	semimat	полуматовый
S 980	**semi-metal,** half-metal, metalloid	Halbmetall n, Metall m zweiter Art	semi-métal m	полуметалл
S 981	**semi-micro analysis**	Halbmikroanalyse f, Semi-mikroanalyse f, Zenti-grammethode f <10 ··· 250 mg>	semi-micro-analyse f, analyse f semi-microscopique	полумикроанализ
S 982	**semi-micro-analytical (semimicro-analytical) balance**	Halbmikroanalysewaage f, halbmikroanalytische Waage f	balance f de semi-micro-analyse, semi-micro-balance f	полумикровесы, полумикроаналитические весы

	English	German	French	Russian
S 982a	semi-microcalorim-eter	Halbmikrokalorimeter n	semi-microcalorimètre m	полумикрокалориметр
S 983	semi-micro scale	Halbmikromaßstab m, halbmikroskopischer Maßstab m	échelle f semi-microscopique	полумикроскопический масштаб
S 984	semi-minor axis	kleine Halbachse f	demi-axe m mineur; demi-petit axe m <de l'ellipse>; demi-axe m non focal <de l'hyperbole, parabole>	малая полуось
	semimirror nuclei, conjugate nuclei	konjugierte Kerne mpl	noyaux mpl conjugués, noyaux semi-miroirs	полузеркальные ядра, сопряженные ядра
S 985	seminival climate	seminivales Klima n	climat m seminival	полунивальный климат
S 986	seminormal solution	0,5 n Lösung f, n/2 Lösung	solution f demi-normale	полунормальный раствор
	semi-opaque	s. semi-transparent		
	semioscillation	s. semiperiod		
S 987	semiosis	Semiosis f	sémiose f	семиозис
S 988	semiotics	Semiotik f	sémiotique f	семиотика
S 989	semipancratic	halbpankratisch	semipancratique	полупанкратический
	semiperimeter	s. semicircumference		
	semiperiod, semi-period, half-period, half-cycle, half cycle	Halbperiode f, halbe Periode f	demi-période f; durée f d'une demi-oscillation simple	полупериод
S 990	semiperiodic eigen-value	halbperiodischer Eigen-wert m	valeur f propre demi-périodique	полупериодическое собственное значение
S 991	semi[-]permeable	halbdurchlässig, semi-permeabel	semi[-]perméable, hémi[-]perméable, demi-perméable, semi-pénétrable	полупроницаемый
S 992	semipermeable dia-phragm (membrane), semipermeable wall	semipermeable (halbdurch-lässige) Membran f, semi-permeable (halbdurch-lässige) Haut f, semi-permeable (halbdurch-lässige) Wand f	membrane f semi-perméable (hémi-perméable), cloison f semi-perméable, paroi f semi-perméable (osmotique)	полупроницаемая мембра-на, полупроницаемая пленка, полупроницае-мая перегородка, полу-проницаемая перепонка
	semi-permeable mirror	s. semi-transparent mirror		
	semipermeable wall	s. semipermeable diaphragm		
S 993	semipermeability	Semipermeabilität f, Halbdurchlässigkeit f	semi-perméabilité f, hémi-perméabilité f	полупроницаемость
S 994	semi-phenomenological	halbphänomenologisch	demi-phénoménologique	полуфеноменологический
	semi-polar bond	s. dative bond		
	semi-polar co-ordinates	s. cylindrical co-ordinates		
	semi-polar double bond	s. dative bond		
S 995	semi[-]quantitative	halbquantitativ	semi-quantitatif	полуколичественный
	semi-range, half-width, half-range <stat.>	halbe Spannweite f, halbe Breite f <Stat.>	demi-étendue f, demi-largeur f <stat.>	полуразмах <стат.>
S 996	semi-regular variable [star], half-regular variable [star]	halbperiodischer (halbregel-mäßiger) Veränderlicher m	variable f semi-régulière	полуправильная перемен-ная [звезда]
S 997	semi-remote	halbferngesteuert, teilweise fernbedient, Halbfern-	semi-télécommandé	полудистанционный
S 997a	semi-rigid	halbfernhalbstarr; halbsteif	semi-rigide	полужесткий
	semi-self-sustained discharge	s. hot-cathode discharge		
	semi-self-sustained discharge	s. non-self-maintained discharge		
S 998	semi-simple	halbeinfach	semi-simple	полупростой
S 999	semi[-]solid; subsolid	semisolid, halbfest	semi-solide	полутвердый
S 1000	semi-solid state, semi-liquid state	halbflüssiger Zustand m	état m pâteux (semi-fluide)	студенистое (полужидкое) состояние
S 1001	semispan	halbe Spannweite f	demi-envergure f	полуразмах
S 1001a	semi-stall	halbüberzogener (teilüber-zogener) Flug[zustand] m	semi-décrochage m, décro-chage m partiel	околосрывной режим, режим частичного срыва потока
S 1002	semisymmetric[al]	halbsymmetrisch	semi-symétrique, hémisymétrique	полусимметричный
	semit	s. semitone <ac.>		
S 1003	semiterrestrial soil	semiterrestrischer Boden m	sol m semi-terrestre	полуземная почва, полуземной грунт
	semi-tone, half-tone, middle tone, continuous tone <opt.>	Halbton m <Opt.>	demi-teinte f, ton m rompu <opt.>	полутон, промежуточный тон, бледный оттенок <опт.>
	semitone, half-tone, half-step, semit <ac.>	Halbton m, halber Ton m <Ak.>	demi-ton m <ac.>	полутон <ак.>
S 1004	semi-translucent	halbdurchscheinend	semi-translucide	полупросвечивающий
S 1005	semi-transparent, partially transmitting; semi-opaque <opt.>	halbdurchlässig, teildurch-lässig, teilweise durch-lässig <Opt.>	semi-transparent <opt.>	полупропускающий, полупрозрачный, полупроницаемый <опт.>
S 1006	semi-transparent mirror, semi-permeable mirror, two-way mirror	halbdurchlässiger Spiegel m, teildurchlässiger Spiegel	miroir m semi-transparent	полупрозрачное зеркало
S 1007	semi-transparent model [of nucleus], optical model [of particle scat-tering], optical model of nucleus, cloudy crystal ball [model]; complex potential model, CPM	optisches Kernmodell n, optisches Modell n [der Kernwechselwirkung], halbdurchlässiges Kern-modell	modèle m optique du noyau, modèle semi-transparent du noyau	оптическая модель [ядер-ных взаимодействий], оптическая модель ядра, модель полупро-зрачного ядра
	semi-tropical zone	s. subtropical zone		
S 1007a	semi-turbulent	halbturbulent	semi-turbulent	полутурбулентный, на-половину турбулентный
	semivalence, semi-valency	s. singlet linkage		

	semivalence, semi-valency	*s.* one-electron bond		
	semivertex angle [of the cone]	*s.* cone semi-angle		
	semi-wave antenna, half-wave dipole, half-wave antenna	Halbwellendipol *m*, Halbwellenantenne *f*	dipôle *m* à demi-onde, antenne *f* demi-onde	полуволновой вибратор, полуволновой диполь, полуволновая антенна
	Sénarmont	*s.* Sénarmont prism		
	Sénarmont compensator / [De]	*s.* quarter-wave plate compensator		
S 1008	**Sénarmont['s] method / [De]**	Sénarmontsche Kompensationsmethode (Methode) *f*, de-Sénarmontsche Methode, Methode von de Sénarmont	méthode *f* de de Sénarmont	метод Сенармона, метод де Сенармона
	Sénarmont polarimeter / De, Sénarmont polariscope / De	*s.* quarter-wave plate compensator		
S 1009	**Sénarmont prism [/ De],** Sénarmont, De Sénarmont prism	Sénarmont-Prisma *n*, Prisma *n* nach de Sénarmont, De-Sénarmont-Prisma *n*, Sénarmontsches Doppelprisma *n*	prisme *m* de Sénarmont	призма Сенармона
	sender	*s.* transmitter		
S 1010	**sending aloft the radiosonde**	Radiosondenaufstieg *m*	levée (montée) *f* de la radiosonde	подъем радиозонда
	sending antenna	*s.* transmitting antenna		
	sending end impedance	*s.* input impedance		
	sending power	*s.* transmitting power		
	sending tube, transmitting valve, transmitting (transmitter) tube	Senderöhre *f*	tube *m* d'émission, tube oscillateur (émetteur), lampe *f* émettrice	генераторная лампа
S 1011	**senditron, sendytron**	Senditronröhre *f*	senditron *m*, tube *m* senditron	тиратрон с ртутным катодом, сендитрон
S 1011a	**Senftleben-Beenakker effect,** magnetic Senftleben-Beenakker effect of viscosity	Senftleben-Beenakker-Effekt *m*	effet *m* Senftleben-Beenakker	эффект Зенфтлебена-Бенаккера
S 1012	**Senftleben effect**	Senftleben-Effekt *m*	effet *m* Senftleben	эффект Зенфтлебена, явление Зенфтлебена
S 1013	**seniority**	Seniorität[szahl] *f*	seniorité *f*	старшинство, синьорити, синьоритет
S 1014	**sensation;** impression	Empfindung *f*; Eindruck *m*	sensation *f*; impression *f*	ощущение; впечатление
S 1014a	**sensation level,** level above threshold	Hörpegel *m*, Empfindungspegel *m*	niveau *m* de sensation	уровень слухового восприятия, уровень ощущения
S 1015	**sensation of brightness,** sensation of luminosity	Helligkeitsempfindung *f*, Hellempfindung *f*	sensation *f* de brillance, sensation de luminosité	ощущение яркости
	sensation of colour, chromatic sensation, colour sensation	Farbempfindung *f*	sensation *f* colorée	цветоощущение
	sensation of depth	*s.* space impression		
	sensation of hearing, auditory sensation	Hörempfindung *f*	sensation *f* auditive	слуховое ощущение
S 1016	**sensation of light,** light sensation	Lichtempfindung *f*; Lichteindruck *m*	sensation *f* lumineuse (de lumière); impression *f* lumineuse	ощущение света, светоощущение, световое ощущение
	sensation of luminosity	*s.* sensation of brightness		
S 1016a	**sensation time**	Empfindungszeit *f*	temps *m* de sensation	время ощущения
S 1017	**sense,** sense of direction, direction	Richtungssinn *m*, Sinn *m*	sens *m* [de direction]	направление [движения], значение [движения], смысл [движения]
	sense	*s. a.* sense of rotation		
S 1018	**sense antenna**	Seitenbestimmungsantenne *f*	antenne *f* de lever de doute	антенна, определяющая однозначность пеленга; антенна [для] определения стороны
S 1019	**sense cell**	Sinneszelle *f*, Sensillus *m*	cellule *f* sensorielle	чувствительная клетка
S 1020	**sense determination**	Seitenbestimmung *f*, Seitenkennung *f*	levée *f* d'ambiguïté [de doute]	определение стороны
S 1020a	**sense of absolute pitch,** absolute pitch	absolutes Gehör *n*	ouïe *f* absolue	абсолютный слух
S 1021	**sense of colour**	Farbsinn *m*, Farbensinn *m*	sens *m* de couleur	чувство цветного зрения, цветное зрение
	sense of direction	*s.* sense		
	sense of hearing, hearing	Gehör *n*	ouïe *f*	слух, слуховое ощущение
	sense of magnetization, direction of magnetization	Magnetisierungsrichtung *f*	direction *f* d'aimantation, sens *m* d'aimantation	направление намагничивания
S 1022	**sense of rotation,** sense; direction of rotation; direction of revolution	Dreh[ungs]sinn *m*, Dreh[ungs]richtung *f*; Umlauf[s]sinn *m*, Umlauf[s]richtung *f*; Umfahrungssinn *m*	sens *m* de la rotation, sens de rotation, sens, sens de circulation	направление вращения, смысл вращения; направление обхода
	sense of sight, light sense	Lichtsinn *m*, Gesicht *n*	sens *m* lumineux	чувство зрения
S 1022a	**sense of smell,** smell [sense]	Geruchssinn *m*, Geruch *m*	sens *m* de l'odorat, sens olfactif, odorat *m*	чувство обоняния, обоняние
S 1022b	**sense of taste,** taste [sense]	Geschmackssinn *m*, Geschmack *m*	sens *m* du goût, goût *m*	чувство вкуса, вкус
S 1023	**sense of the clock**	Uhrzeigerrichtung *f*, Uhrzeigersinn *m*	sens *m* d'horloge	направление по часовой стрелке, направление по ходу часовой стрелки
S 1023a	**sense of touch,** touch [sense]	Tastsinn *m*	sens *m* du tact, tact *m*	чувство осязания, осязание

	English	German	French	Russian
S 1024	sense organ	Sinnesorgan n, Rezeptionsorgan n, Reizaufnahmeorgan n	organ m sensoriel	орган чувств
S 1025	sense organelle	Sinnesorganell n	organite m sensoriel	чувствительная органелла
	sensibility	s. sensitivity		
	sensible element	s. sensitive element		
S 1026	sensible heat	fühlbare Wärme f	chaleur f sensible	сухая теплота
	sensible horizon	s. apparent horizon		
	sensing	s. sensation		
S 1027	sensing antenna	Suchantenne f	antenne f chercheuse	поисковая антенна
	sensing element	s. sensitive element		
S 1028	sensing head; scanning head; probe	Tastkopf m	tête f à sonde	головка щупа, зондирующая (зондовая) головка
	sensing head	s. a. measuring head		
S 1029	sensing lever	Fühlhebel m	palpeur m, vérificateur m à levier	чувствительный (контактный) рычаг
	sensing probe	s. measuring head		
	sensitive cross-section, sensitive section <radiobiology>	strahlenempfindlicher Querschnitt m <Strahlenbiologie>	section f transversale sensible, section sensible <radiobiologie>	чувствительное поперечное сечение, чувствительное сечение <радиобиология>
S 1030	sensitive element, sensing element, sensible element, sensor, detection element, primary element; contacting unit; pick-off	empfindliches Element (Teil) n; Fühler m, Fühlglied n, Fühlerelement n; Meßfühler m	élément m sensible, élément m capteur, capteur m [de mesure]	чувствительный элемент, приемный элемент, приемный орган, воспринимающий элемент, датчик, щуп для измерения, измерительный элемент
S 1031	sensitive flame, sound-sensitive flame, microphonic flame	empfindliche Flamme f, schallempfindliche Flamme	flamme f sensible, flamme sensible au son	[звуко]чувствительное пламя
	sensitive layer	s. photolayer		
S 1032	sensitive line, persistent (distinctive) line, raie ultime, letzte linie	letzte Linie f, Restlinie f, beständige Linie, Nachweislinie f	raie f ultime	последняя линия, остаточная линия
	sensitiveness	s. sensitivity <of instrument, organ>		
	sensitiveness of the level, level constant, value of level division	Parswert m, Teilwert m der Libelle, Angabe f der Libelle, Empfindlichkeit f der Libelle	valeur f de la partie de niveau, sensibilité f du niveau	цена деления уровня, чувствительность уровня
	sensitive region, range of sensitivity <of counter>	empfindlicher Bereich m, Ansprechbereich m <Zählrohr>	région f sensible, gamme f de sensibilité <du tube compteur>	диапазон чувствительности, диапазон реагирования <счетчика>
	sensitive region [of the cell]	s. radiobiological sensitive volume		
S 1033	sensitive section, sensitive cross-section <radiobiology>	strahlenempfindlicher Querschnitt m <Strahlenbiologie>	section f transversale sensible, section sensible <radiobiologie>	чувствительное поперечное сечение, чувствительное сечение <радиобиология>
S 1034	sensitive time	Empfindlichkeitszeit f; Ansprechzeit f	temps m (période f) de sensibilité; temps (période) de fonctionnement	время чувствительности
	sensitive tint, tint of passage, sensitive violet	empfindliche Farbe f, „teinte sensible" f, empfindliche Färbung f, Rot n erster (I.) Ordnung	teinte f sensible	чувствительная краска
S 1035	sensitive to daylight	tageslichtempfindlich	sensible à la lumière du jour	чувствительный к дневному свету
S 1036	sensitive to infra-red [rays], infrared-sensitive, I.R. sensitive	infrarotempfindlich, IR-empfindlich	sensible aux rayons infra-rouges, sensible dans l'infrarouge, sensible dans l'I. R.	чувствительный к инфракрасному излучению, чувствительный к инфракрасным лучам, чувствительный в инфракрасной области спектра, ИК чувствительный
	sensitive to light	s. photosensitive <phot.>		
	sensitive to neutrons, neutron-sensitive	neutronenempfindlich, empfindlich gegen[über] Neutronen	sensible aux neutrons	чувствительный к нейтронам, нейтроночувствительный
	sensitive to position, position-sensitive	lageempfindlich	sensible à la position	чувствительный к положению
S 1036a	sensitive to real structure	realstrukturempfindlich	sensible à la structure réelle	чувствительный к реальной структуре
	sensitive to temperature	s. temperature-sensitive		
S 1037	sensitive to ultra-violet [rays], ultraviolet-sensitive, U.V. sensitive	ultraviolettempfindlich, UV-empfindlich	sensible aux rayons ultra-violets, sensible dans l'ultraviolet, sensible dans l'U. V.	чувствительный к ультрафиолетовому излучению, чувствительный к ультрафиолетовым лучам, чувствительный в ультрафиолетовой области спектра, УФ чувствительный
	sensitive violet, tint of passage, sensitive tint	empfindliche Farbe f, „teinte sensible" f, empfindliche Färbung f, Rot n erster (I.) Ordnung	teinte f sensible	чувствительная краска
S 1038	sensitive volume <of counter>	empfindliches Volumen n, Zählvolumen n, Zählraum m <Zählrohr>	volume m efficace <du tube compteur>	чувствительный объем, чувствительное пространство <счетчика>

S 1039	sensitive volume <of instrument>	wirksames Volumen n <Gerät>	volume m utile <de l'appareil>	чувствительный объем, рабочий объем <прибора>
	sensitive volume [of the cell]	s. radiobiological sensitive volume		
S 1040	sensitivity, sensitiveness <of instrument, organ>; responsivity, responsiveness <of instrument>; sensibility <of organ>	Empfindlichkeit f <Gerät, Organ>; Ansprechvermögen n <Strahlungsdetektor>; Sensibilität f <Organ>; Sensitivität f <Organ>	sensibilité f, sensitivité f (de l'appareil, organ>	чувствительность <прибора, органа>
	sensitivity, speed <of the emulsion>	Empfindlichkeit f, Lichtempfindlichkeit f <Emulsion>	rapidité f, sensibilité f <de l'émulsion>	чувствительность <эмульсии>
S 1041	sensitivity, response <electro-acoustics>	Empfindlichkeitsübertragungsfaktor m <Elektroakustik>	efficacité f, réponse f <électro-acoustique>	чувствительность <электроакустика>
	sensitivity centre	s. sensitivity speck		
S 1041a	sensitivity constant	Ansprechkonstante f	constante f de sensibilité	постоянная чувствительности
S 1042	sensitivity curve, response curve	Empfindlichkeitskurve f; Lichtempfindlichkeitskurve f	courbe f de sensibilité	кривая изменения порога чувствительности; кривая светочувствительности
S 1043	sensitivity curve of the eye	Augenempfindlichkeitskurve f	courbe f de sensibilité de l'œil	кривая чувствительности глаза
S 1044	sensitivity drift, sensitivity shift	Veränderung f der Empfindlichkeit, Empfindlichkeitsänderung f	changement m de sensibilité	[дрейфовое] изменение чувствительности
S 1044a	sensitivity factor	Empfindlichkeitszahl f, Empfindlichkeitsziffer f, Empfindlichkeitsfaktor m	facteur m de sensibilité	коэффициент чувствительности
	sensitivity limit	s. threshold of sensitivity		
S 1045	sensitivity measure <num. math.>	Empfindlichkeitsmaß n, Schrittkennzahl f <num. Math.>	mesure f de sensibilité <math. num.>	мера чувствительности, показатель шага <числ. матем.>
	sensitivity nucleus	s. sensitivity speck		
	sensitivity nut, gravity bob	Empfindlichkeitseinstellschraube f, Reguliergewicht n <Waage>	écrou m de sensitivité <balance>	регулятор чувствительности весов
S 1046	sensitivity of grain, speed of grain	Kornempfindlichkeit f <Emulsion>	rapidité f des grains	чувствительность зерна
	sensitivity shift, sensitivity drift	Veränderung f der Empfindlichkeit, Empfindlichkeitsänderung f	changement m de sensibilité	[дрейфовое] изменение чувствительности
S 1047	sensitivity speck, sensitivity centre, sensitivity nucleus, concentration speck	Empfindlichkeitskeim m, Empfindlichkeitszentrum n, Lichtempfindlichkeitszentrum n	centre m de sensibilité, particule f de sensibilité	зародыш чувствительности, центр чувствительности
S 1048	sensitivity speck, speck of sensitivity, centre of ripening	Reifkeim m	centre m de maturation	центр созревания
	sensitivity threshold	s. threshold of sensitivity		
	sensitivity to all colours, panchromatism	Panchromatismus m, Allfarbenempfindlichkeit f, Panchromasie f	panchromatisme m, sensibilité f à toutes les couleurs	панхроматизм, чувствительность ко всем цветам
S 1049	sensitivity to blue	Blauempfindlichkeit f	sensibilité f au bleu	чувствительность к синему излучению
S 1050	sensitivity to contact stimulus	Berührungsempfindlichkeit f	sensibilité f tactile, sensibilité au contact	контактная чувствительность
S 1051	sensitivity to heat, heat sensitivity	Wärmeempfindlichkeit f, Wärmesensibilität f	sensibilité f à la chaleur	чувствительность к нагреву, чувствительность к изменению температуры, теплочувствительность
	sensitivity to infra-red rays	s. infra-red sensitivity		
S 1052	sensitivity to radiation, radiation sensitivity, radiant sensitivity; radiosensitivity, radiosusceptibility	Strahlungsempfindlichkeit f, Strahlenempfindlichkeit f	sensibilité f aux rayonnements; radiosensibilité f	чувствительность к излучениям; радиационная чувствительность, радиочувствительность, чувствительность к облучению
	sensitivity to red light, red sensitivity, red response	Rotempfindlichkeit f	sensibilité f à la lumière rouge, sensibilité au rouge; rapidité f au rouge <de la pellicule>	чувствительность к красному свету, красночувствительность
	sensitivity to ultra-violet rays	s. ultra-violet sensitivity		
S 1053	sensitivity to underheat[ing]	Unterheizempfindlichkeit f	sensibilité f au souschauffage	чувствительность к недокалу
S 1054	sensitization	Sensibilisierung f, Aktivierung f	sensibilisation f	сенсибилизация, очувствление
S 1054a	sensitization time	Sensibilisierungszeit f <Phys.>; Sensitivierungszeit f <Bio.>	temps m de sensibilisation	время сенсибилизации (очувствления)
	sensitized	s. photosensitive <phot.>		
S 1055	sensitized discomposition	sensibilisierte Zersetzung f	décomposition f sensibilisée	сенсибилизованное разложение
S 1056	sensitized fluorescence	sensibilisierte Fluoreszenz f	fluorescence f sensibilisée	сенсибилизованная флюоресценция
S 1057	sensitized luminescence	sensibilisierte Lumineszenz f	luminescence f sensibilisée	сенсибилизованная люминесценция

№	English	German (Deutsch)	French (Français)	Russian (Русский)
S 1058	sensitizer, sensitizing agent <in luminescence>	Sensibilisator m, Sensibilisierungsmittel n, Sensibilisierungsstoff m	sensibilisateur m, agent m sensibilisateur, agent de sensibilisation	сенсибилизатор <при люминесценции>
S 1059	sensitizer, photographic sensitizer <phot.>	Sensibilisator m, Photosensibilisator m, photographischer Sensibilisator, Aktivator m <Phot.>	sensibilisateur m, sensibilisateur photographique, colorant m sensibilisateur <phot.>	фотографический сенсибилизатор, сенсибилизатор <фот.>
	sensitizing agent	s. sensitizer		
S 1060	sensitizing dye	sensibilisierender Farbstoff m, Sensibilisierungsfarbstoff m	colorant m sensibilisateur	сенсибилизирующий краситель
	sensitizing intensity, intensity of sensitization	Sensibilisierungsintensität f	intensité f de sensibilisation	интенсивность сенсибилизации
S 1061	sensitogram	Sensitogramm n, Sensitometerstreifen m	sensitogramme m	сенситограмма
S 1062	sensitometer	Sensitometer n	sensitomètre m	сенситометр
	sensitometric tablet	s. neutral step wedge		
S 1063	sensitometry	Sensitometrie f	sensitométrie f	сенситометрия
	sensor	s. sensitive element		
	sensor	s. a. transducer		
S 1064	sensory	sensorisch	sensoriel	сензорический
	sentential calculus (logic)	s. propositional calculus		
	sentinel pyrometer	s. pyrometric cone		
S 1065	separability, separableness <math.>	Separierbarkeit f, Separabilität f <Math.>	séparabilité f <math.>	разделимость, отделимость; сепарабельность <матем.>
S 1066	separability, separableness <chem.>	Trennbarkeit f <Chem.>	séparabilité f <chim.>	разделимость, отделимость <хим.>
	separability, resolvability, separableness <opt.; math.>	Auflösbarkeit f, Trennbarkeit f <Opt.; Math.>	résolubilité f, séparabilité f <opt.; math.>	разрешаемость, разделимость <опт.; матем.>
S 1067	separable	separierbar; [ab]trennbar	séparable; décomposable	разделимый; разделяющийся; разложимый; отделимый
S 1068	separable <math.>	separabel <Math.>	séparable <math.>	сепарабельный <матем.>
	separableness	s. separability		
S 1069	separable [topological] space	separabler [topologischer] Raum m	espace m séparable	сепарабельное пространство
S 1070	separable variables	separierbare Veränderliche (Variable) fpl	variables fpl séparables	разделяющиеся (разделяемые) переменные
S 1071	separably degenerate	trennbar entartet	dégénéré décomposable	раздельно вырожденный
S 1072	separated boundary layer	abgelöste Grenzschicht f	couche f limite séparée	оторвавшийся пограничный слой
S 1073	separated-orbits cyclotron, separated orbit cyclotron	Zyklotron n mit getrennten Bahnen	cyclotron m à orbites séparées	циклотрон с разделенными орбитами
	separated [topological] space	s. Hausdorff space		
	separate excitation, independent excitation, external excitation	Fremderregung f; äußere Erregung f	excitation f indépendante, excitation séparée	независимое возбуждение, постороннее возбуждение, внешнее возбуждение
	separately heated cathode, indirectly heated cathode	indirekt geheizte Katode f	cathode f à chauffage indirect	катод косвенного накала, подогревный катод
S 1074	separate nuclei theory	Theorie f der Bildung getrennter Kerne <Doppelsternentstehung>	théorie f de la condensation en plusieurs centres, théorie des noyaux séparés	теория образования отдельных ядер
	separating break	s. separation fracture		
S 1075	separating calorimeter	Abscheidekalorimeter n	calorimètre m séparateur	разделительный калориметр
S 1076	separating capacitor	Trennkondensator m	condensateur m séparateur	разделительный конденсатор
	separating capacity	s. separative power		
	separating column	s. separation column		
	separating column	s. a. stripper		
	separating film	s. separating layer		
	separating filter	s. separation filter		
S 1077	separating filtration	Trennfiltration f	filtration f à séparation	фильтрация с целью отделения, разделительная фильтрация
S 1078	separating funnel, separatory funnel	Scheidetrichter m, Schütteltrichter m, Trenntrichter m	entonnoir m à séparation	делительная воронка
S 1079	separating layer; separating film; abscission layer <bio.>	Trennschicht f, Trennungsschicht f	couche f de séparation	слой раздела, разделительный слой; разделяющий слой
	separating line, dividing (separation) line, split line	Trennlinie f, Trennungslinie f	ligne f de division, ligne de séparation	делящая линия, линия разрыва (раздела), разделительная линия
	separating strength	s. rupture strength		
	separating of the variables	s. separation <of variables>		
S 1079a	separating system, focusing system	Fokussier[ungs]system n	système m de triage	сортирующая система
S 1080	separating unit	Trenneinheit f, Trennglied n, Trennzelle f, Trenngruppe f	unité f de séparation, unité séparatrice, cellule f de séparation, cellule séparatrice	разделительная ячейка, разделительное звено
	separation, spacing	<räumlicher> Abstand m, Zwischenraum m	distance f, écartement m	расстояние, промежуток; амплитуда смещения; шаг
S 1081	separation, separation coefficient <in separation of isotopes>	Trennkoeffizient m, Anreicherungskoeffizient m <bei der Isotopentrennung>	coefficient m de séparation <en séparation des isotopes>	коэффициент обогащения <при разделении изотопов>

S 1082	**separation**, detachment <e.g. of flow, vortex, boundary layer>; shedding <of vortices>	Ablösung *f*	détachement *m*, décollement *m*	отрыв, срыв, сход, освобождение
S 1083	**separation** <of sizes>; parting	Scheidung *f*	triage *m*	обогащение, сортировка, разборка
S 1084	**separation** <of variables>, separating the variables	Separierung *f* der Variablen, Separation *f* der Variablen, Trennung *f* der Variablen, Abseparieren *n*	séparation *f* [des variables]	разделение переменных, метод разделения переменных
S 1085	**separation**; partition, parting <chem.>; isolation <chem.>	Abtrennung *f*; Trennung *f*, Zerlegung *f*; Abscheidung *f*; Ausscheidung *f*; Isolierung *f*; Auftrennung *f* <Chem.>	séparation *f*; isolement *m* <chim.>	разделение; отделение; выделение <хим.>
	separation, splitting off <nucl.>	Abspaltung *f*, Abtrennung *f* <Kern.>	séparation *f* <nucl.>	отщепление, выбивание, откалывание <яд.>
S 1086	**separation** <of the elements of grating>, grating constant, groove spacing <opt.>	Gitterkonstante *f* [des Beugungsgitters] <Opt.>, optische Gitterkonstante	période *f* du réseau [de diffraction] <opt.>	период дифракционной решетки, период решетки <опт.>
	separation, interval <of two events>, separation between events <rel.>	Intervall *n*, Weltintervall *n*, Abstand *m* zwischen zwei Ereignissen (Weltpunkten) <Rel.>	intervalle *m*, distance *f* de deux événements <rel.>	интервал, расстояние между двумя событиями <рел.>
	separation	*s. a.* precipitation <of vacancy>		
	separation	*s. a.* blanking <of a pulse>		
	separation	*s. a.* demixing		
	separation	*s. a.* division		
	separation <of isotopes>	*s. a.* isotope separation		
	separation between events	*s.* separation <rel.>		
	separation break	*s.* separation fracture		
S 1087	**separation bubble**	Ablösungsblase *f*, Ablöseblase *f*	bulle *f* de séparation	отделяющий пузырь
S 1088	**separation by development (displacement)**	Trennung *f* durch Verdrängungschromatographie	séparation *f* par développement (déplacement)	разделение вытеснительным проявлением растворителями
S 1089	**separation by recoil**	Rückstoßtrennung *f*	séparation *f* par recul	разделение отдачей, разделение при отдаче, разделение вследствие отдачи
	separation cascade	*s.* gaseous diffusion cascade		
	separation characteristic	*s.* separation parameter		
	separation circuit	*s.* buffer circuit		
	separation coefficient, separation <in separation of isotopes>	Trennkoeffizient *m*, Anreicherungskoeffizient *m* <bei der Isotopentrennung>	coefficient *m* de séparation <en séparation des isotopes>	коэффициент обогащения <при разделении изотопов>
S 1090	**separation column**, separation tower, separating column	Trennkolonne *f*, Trennsäule *f*	colonne *f* séparatrice	разделительная колонна
S 1091	**separation curve**	Separationskurve *f*, Trennungskurve *f*	courbe *f* de séparation	кривая разделения
S 1092	**separation cylinder**	Trennwalze *f*	cylindre *m* de séparation	разделительный цилиндр
S 1093	**separation efficiency**	Trennwirkungsgrad *m*, Trenngüte *f*; Trennwirksamkeit *f*	rendement *m* de séparation; efficacité *f* de séparation	эффективность разделения
S 1094	**separation energy**, energy necessary for separating a particle from the nucleus, work function of a nuclear particle	Abtrennarbeit *f*, Abtrennungsarbeit *f*, Trennungsarbeit *f*, Trennungsenergie *f*, Trennenergie *f*	énergie *f* de séparation, travail *m* de sortie, travail d'extraction <d'une particule nucléaire>	энергия связи нуклона в ядре, работа выхода частицы
S 1095	**separation factor**, isotope separation factor	Trennfaktor *m*, Isotopentrennfaktor *m*	facteur *m* de séparation	коэффициент разделения, кратность обогащения
	separation factor for a single stage	*s.* simple process factor		
S 1096	**separation factor of the centrifuge**	Zentrifugenzahl *f*, Trennfaktor *m* bei der Zentrifugierung	coefficient *m* de séparation de la centrifugeuse	коэффициент разделения [центрифуги]
S 1097	**separation filter**, separating filter	Trennfilter *n*; Weichenfilter *n*	filtre *m* de séparation (triage), filtre d'aiguillage, filtre séparateur	разделительный (разветвительный) фильтр, фильтр разделения, разделяющий фильтр; направляющий фильтр
	separation fracture, cleavage (cleave) fracture, rupture	Trennungsbruch *m*, Trennbruch *m*	rupture *f* par clivage	излом по плоскости спайности
S 1098	**separation from the Sun**	Ablösung *f* von der Sonne	séparation *f* du Soleil	отделение от Солнца
S 1098a	**separation function** <of filter>	Abscheidefunktion *f* <Filter>	fonction *f* de séparation <du filtre>	функция отделения <фильтра>
	separation line, dividing line, separating (split) line	Trennlinie *f*, Trennungslinie *f*	ligne *f* de division, ligne de séparation	делящая линия, линия разрыва (раздела), разделительная линия
	separation method, method of separation, separation technique; separation process	Trennverfahren *n*, Trennungsverfahren *n*, Trennmethode *f*, Trennungsmethode *f*, Trenn[ungs]prozeß *m*	méthode *f* de séparation; procédé *m* de séparation	метод разделения; процесс разделения

	English	German	French	Russian
	separation nozzle, nozzle separator	Trenndüse f, Schäldüse f	buse f de séparation, gicleur m de séparation, tuyère f séparatrice	разделительное сопло
	separation of air	s. air separation		
S 1099	separation of bodies adhering to each other	Enthaften n	séparation f de deux corps adhérents par les forces d'adhésion	адгезионный отрыв
S 1100	separation of burnt out stage	Abtrennung f der ausgebrannten Stufe	séparation f de l'étage épuisé	отделение отработанной ступени
S 1101	separation of fringes, separation of the interference fringes	Streifenabstand m, Interferenzstreifenabstand m, Abstand m zweier Interferenzstreifen	interfrange f	расстояние между двумя интерференционными полосами
	separation of fundamental points, fundamental interval	Fundamentalabstand m	intervalle m fondamental	разность температур двух реперных точек
	separation of isotopes	s. isotope separation		
S 1102	separation of isotopes by electromagnetic method, electromagnetic separation of isotopes; calutron separation	elektromagnetische Isotopentrennung f, elektromagnetische Trennmethode f; Calutrontrennung f	séparation f électromagnétique d'isotopes; séparation par le calutron	разделение изотопов электромагнитным методом, электромагнитное разделение изотопов; калютронное разделение [изотопов]
S 1103	separation of isotopes by thermal diffusion, thermal diffusion method	Trennrohrverfahren n, Thermodiffusionsverfahren n, Isotopentrennung f durch Thermodiffusion, Clusius-Dickel-Verfahren n	séparation f des isotopes par la diffusion thermique, séparation par diffusion thermique, méthode f de diffusion thermique	разделение изотопов термодиффузией, термодиффузионный раз-деление изотопов, термодиффузионный метод разделения [изотопов], метод термодиффузии
	separation of masses, mass separation	Massentrennung f	séparation f des masses	разделение масс, масс-сепарация
S 1104	separation of principal points	Interstitium n	distance f des points principaux	расстояние главных точек
S 1105	separation of stereophotographs	Bildtrennung f	séparation f des stéréophotogrammes	сепарация правого и левого изображения совмещенной стереопары
S 1106	separation of the division lines	Strichabstand m	distance f entre les traits	расстояние между отметками
S 1107	separation of the flow	Stromablösung f, Strömungsablösung f	détachement m de l'effluent	отрыв потока, срыв потока
	separation of the interference fringes	s. separation of fringes		
S 1108	separation parameter, separation characteristic	Trennparameter m, Separationsparameter m	paramètre m (caractéristique f) de séparation	параметр разделения, характеристика разделения
	separation pipe	s. thermal diffusion column		
	separation potential, separative work content, value	Trennpotential n	potentiel m de séparation	потенциал разделения
	separation process	s. separation method		
	separation surface	s. interface		
	separation technique	s. separation method		
	separation tower, separation column, separating column	Trennkolonne f, Trennsäule f	colonne f séparatrice	разделительная колонна
	separation tube	s. thermal diffusion column		
S 1109	separative element	Trennelement n	élément m séparateur	разделительный элемент
S 1110	separative power	Trennleistung f	puissance f de séparation	производительность <разделительной установки>
S 1111	separative power, separating capacity	Trennvermögen n; Trennkraft f; Trennfähigkeit f	pouvoir m de séparation, pouvoir séparateur	разделительная способность
S 1111a	separative work	Trennarbeit f	travail m de séparation	работа разделения
S 1112	separative work content, separation potential, value	Trennpotential n	potentiel m de séparation	потенциал разделения
S 1113	separatography	adsorptive Trennung f [farbloser Verbindungen], Separatographie f	séparatographie f	разделение бесцветных соединений путем адсорбции
S 1114	separator, water separator, water trap; moisture separator	Wasserabscheider m; Feuchtigkeitsabscheider m; Flüssigkeitsabscheider m	séparateur m d'eau; séparateur d'humidité	водоотделитель, водоотводчик, водоотстойник, сепаратор; влагоотделитель; отделитель (сепаратор) жидкости
S 1115	separator <in batteries>	Separator m, Scheider m <Akkumulator>	séparateur m <dans la batterie>	разделитель <между пластинами аккумулятора>
	separator	s. a. spacer		
	separatory funnel	s. separating funnel		
	separatriss	s. separatrix		
S 1116	separatrix, separatriss <acc.>	Separatrix f <Beschl.>	séparatrice f <acc.>	сепаратриса, сепаратрисса <уск.>
S 1117	septum	Septum n	septum m	перегородка, септа; внутренняя пластина дефлектора <уск.>
	septum	s. a. partition <chem.>		
	septum	s. a. shutter <opt.>		
S 1117a	septuplet	Septuplett n	septuplet m	септуплет
S 1118	sequence <math.; geo.; bio.>	Folge f <Math.>; Abfolge f <Geo.>; Sequenz f <Bio.; Geo.>	suite f <math.; géo.; bio.>	последовательность <матем.; гео.; био.>

	sequence	s. a. order of sequence		
	sequence control	s. sequential control		
	sequence control	s. servo control		
S 1119	sequence of bands, band sequence, series (set) of bands	Bandengruppe f	séquence f de bandes	серия полос в таблице Деландра с $\Delta\nu = \nu'' - \nu' = $ const
S 1120	sequence of levels, sequence of terms	Termfolge f	séquence f des termes	последовательность термов
S 1121	sequence of numbers	Zahlenfolge f	suite f de nombres, suite numérique	последовательность чисел, числовая последовательность
	sequence of phases, phase sequence	Phasenfolge f	séquence f des phases	последовательность (чередование) фаз
S 1122	sequence of relaxation processes	Kippfolge f, Folge f von Kippvorgängen	séquence f de procédés de relaxation	последовательность явлений релаксации
	sequence of terms, sequence of levels	Termfolge f	séquence f des termes	последовательность термов
	sequence repetition rate	s. repetition frequency		
S 1123	sequence tending to zero, null sequence	Nullfolge f	suite f tendant vers [le] zéro, suite convergent vers nulle	нулевая последовательность, стремящаяся к нулю последовательность
S 1124	sequential analysis, sequential test	Sequentialanalyse f, Sequenzanalyse f, Sequentialtest m, Folgeprüfung f	analyse f séquentielle, critère m séquentiel	последовательный анализ, последовательный тест, выборочный анализ, выборочное испытание, последовательный критерий
S 1124a	sequential control, sequence control, programme[d] control	Ablaufsteuerung f, Konditionalsteuerung f	commande f séquentielle (à programme, programmée)	программное управление, управление по заранее заданной программе
	sequential control	s. a. servo control		
	sequential control[ler], servo control[ler], servo governor	Folgeregler m, Nachlaufregler m	servo-régulateur m	серворегулятор
S 1125	sequential operator	sequentieller Operator m	opération f séquentielle, opérateur m séquentiel	последовательный оператор
S 1126	sequential processing	Reihenfolgeverarbeitung f	traitement m séquentiel	последовательная обработка
S 1127	sequential subtraction	sequentielle Subtraktion f	soustraction f séquentielle	последовательное вычитание
	sequential test	s. sequential analysis		
	sequestering agent	s. chelant		
	sequestration	s. chelating action		
S 1128	sérac	Gletscherfirnblock m, Firnblock m	sérac m	серак, ледопад
S 1129	Serber force	Serber-Kraft f	force f de Serber	сила Сербера
S 1130	Serber potential	Serber-Potential n, Potential n der Serber-Kräfte	potentiel m de Serber	серберовский потенциал, потенциал [сил] Сербера
S 1131	Serber-Wilson method	Serber-Wilson-Methode f	méthode f de Serber et Wilson	метод Сербера-Вильсона
S 1132	Serdex hygrometer	Serdex-Hygrometer n	hygromètre m Serdex	гигрометр «сердекс»
S 1133	Ser disk	Sersche Scheibe f	disque m de Ser	диск Сера
S 1134	serial access computer store, serial access store	Rechenspeicher m mit Serienzugriff	mémoire f à accès en série, mémoire en série	последовательное запоминающее устройство, запоминающее устройство с последовательной выборкой данных
S 1135	serial addition	Reihenaddition f	addition f en série	последовательное суммирование
	serial aerial [cine] camera	s. serial photogrammetric camera		
	serial aerophotogrammetric (air) survey, survey by serial photographs	Reihenbildaufnahme f, Reihenaufnahme f, Streifenaufnahme f	prise f de vue aérocartographique en série	маршрутная аэрофотосъемка, маршрутная съемка
	serial air-survey camera	s. serial photogrammetric camera		
	serial air-survey photograph, serial photograph	Reihenmeßbild n, Reihenbild n, Reihenaufnahme f	prise f de vue aérocartographique en série, aérophoto f en série, aérophotogramme m en série	аэроснимок маршрутной съемки
	serial correlation	s. autocorrelation		
S 1135a	serial correlation coefficient	Reihenkorrelationskoeffizient m, Serienkorrelationskoeffizient m	coefficient m de corrélation sériale	сериальный коэффициент корреляции
	serial correlation function	s. autocorrelation function <statistics>		
	serial excitation	s. series excitation		
S 1135b	serial extinction	Serienauslöschung f	extinction f sériale	последовательное гашение
	serial film camera	s. serial photogrammetric camera		
S 1136	serial machine	Serienmaschine f	machine f de production en série	машина серийного производства, машина нормальной серии
S 1137	serial photogrammetric (photogrammetry) camera, serial film camera, series camera, serial air-survey camera, serial aerial [cine] camera	Reihenmeßkammer f, Reihenbildmeßkammer f, Reihenbildaufnahmekammer f, Reihenbildkammer f, Reihenkammer f, Meßreihenbildner m, Reihenbildner m	appareil m de prise de vues [cinématographique], chambre f aérophotogrammétrique <pour prise de vues en série>	маршрутная фотограмметрическая камера; маршрутная автоматическая камера

S 1138	**serial photograph,** serial air-survey photograph	Reihenmeßbild n, Reihenbild n, Reihenaufnahme f	prise f de vue aérocartographique en série, aérophoto f en série, aérophotogramme m en série	аэроснимок маршрутной съемки
S 1139	**serial radiography,** seriography	Schnellserienaufnahmetechnik f, Serienaufnahme f, Seriographie f <Röntgenbilder>	sériographie f, radiographie f en série	серийная радиография, серийная рентгеновская съемка, сериография
	serial sectioning technique	s. sectioning technique		
S 1140	**series,** series of lines, spectral series	Serie f [von Spektrallinien], Spektralserie f, Linienserie f, Spektrallinienserie f	série f, série spectrale	серия, спектральная серия
S 1141	**series;** progression <math.>	Reihe f <Math.>	série f; progression f <math.>	ряд; прогрессия <матем.>
	series	s. a. disintegration series		
	series	s. a. series connected		
	series / in	s. series connected		
	series acceptor circuit	s. series resonant circuit		
S 1142	**series admittance**	Reihenschlußleitwert m, Reihenleitwert m, Serienleitwert m; Längsleitwert m	admittance f série, admittance en série, admittance de série	последовательная активная проводимость, сериесная активная проводимость
	series arm	s. series element		
	series arrangement	s. series connection		
	series camera	s. serial photogrammetric camera		
S 1143	**series capacitance**	Reihenschlußkapazität f, Reihenkapazität f, Serienkapazität f; Längskapazität f	capacité f série, capacité en série, capacité de série	последовательная емкость, сериесная емкость, последовательно включенная емкость
S 1144	**series capacitor**	Reihenkondensator m, Serienkondensator m, in Reihe geschalteter Kondensator m, reihengeschalteter Kondensator	condensateur m en série, condensateur de série, condensateur série	последовательный конденсатор, сериесный конденсатор, последовательно включенный конденсатор
S 1145	**series capacitor**	Vorschaltkondensator m, Vorkondensator m	capacité f additionnelle, condensateur m additionnel	входной конденсатор
S 1146	**series characteristic**	Hauptstromcharakteristik f, Reihenschlußkennlinie f	caractéristique f de moteur série	сериесная характеристика
S 1147	**series choke,** series reactor	Seriendrossel f	bobine f d'arrêt en série, bobine de choc en série	последовательно включенный реактор, сериесный дроссель
	series circuit	s. current path <el.>		
S 1148	**series coil of wattmeter,** wattmeter series coil	Wattmeterstromspule f	bobine f du wattmètre en série	последовательная катушка ваттметра, токовая катушка ваттметра
S 1149	**series conductivity**	Reihenschlußleitfähigkeit f, Reihenleitfähigkeit f, Serienleitfähigkeit f; Längsleitfähigkeit f	conductibilité f série, conductibilité de série, conductibilité de série	последовательная проводимость, сериесная проводимость
S 1150	**series connected,** cascade connected, tandem connected, connected in series, series, cascade, tandem, in series, in cascade <el., gen.>	hintereinandergeschaltet, in Reihe [geschaltet], reihengeschaltet, in Serie [geschaltet], Reihenschluß-, Reihen-, Serien- <El., allg.>	monté en série, en série, série, connecté en série <él., gén.>	последовательно соединенный, последовательно включенный, соединенный последовательно, включенный последовательно, сериесный, последовательный, в рассечку <эл., общ.>
	series-connected element	s. series element		
S 1151	**series connection,** series arrangement, connection in series, in-series connection, cascade connection, tandem connection <el., gen.>	Reihenschaltung f, Reihenschluß m, Hintereinanderschaltung f, Serienschaltung f; Vorschaltung f <El., allg.>	montage m en série, connexion f en série <él., gén.>	последовательное (сериесное) соединение, последовательное (сериесное) включение, последовательная схема [соединений], сериесная схема [соединений]
	series cut-off	s. series limit		
	series decay (disintegration), chain disintegration (decay)	Kettenzerfall m, Kettenumwandlung f	désintégration f en chaîne	цепочка распадов
	series edge	s. series limit		
	series-efficiency diode	s. efficiency diode		
S 1152	**series element,** series-connected element, series section; series arm	Reihenschlußglied n. Serienglied n, Reihenglied n; Längsglied n; Längszweig m	élément m de série, élément en série, élément série	последовательное (сериесное) звено, последовательный (сериесный) элемент
S 1153	**series equivalent resistance**	Serienersatzwiderstand m	résistance f en série équivalente	последовательное эквивалентное сопротивление
S 1154	**series excitation,** serial excitation	Reihenschlußerregung f, Hauptschlußerregung f, Serienerregung f, Hauptstromerregung f	excitation f en série	последовательное возбуждение, сериесное возбуждение
	series expansion	s. expansion in a series		
S 1155	**series exposure slide,** multiplying back, dividing back	Belichtungsreihenschieber m, Multiplikator m	multiplicateur m, châssis m multiplicateur	мультипликатор
S 1156	**series-fed vertical antenna,** end-fed vertical antenna	fußpunktgespeiste Vertikalantenne f, Vertikalantenne mit Zuführung der Energie am Fußpunkt	antenne f verticale attaquée en série	вертикальная антенна с концевым питанием; вертикальная антенна, питаемая с одного конца
S 1157	**series feedback**	Reihen[schluß]rückkopplung f, Serienrückkopplung f	réaction f série, réaction en série	последовательная обратная связь

	English	German	French	Russian
	series feedback	s. a. series inverse feedback		
S 1158	series formula, series law	Serienformel f, Seriengesetz n	formule f de série, loi f de série	формула спектральной серии
	series generator	s. series-wound generator		
S 1159	series impedance	Reihen[schluß]impedanz f, Serienimpedanz f, Serienscheinwiderstand m; Längsimpedanz f	impédance f série, impédance en série, impédance de série	последовательное полное сопротивление, сериесное полное сопротивление, сериесный импеданс
S 1160	series inductance, series self-inductance	Reihen[schluß]induktivität f, Serien[selbst]induktivität f, Serienselbstinduktion f; Längsinduktivität f	inductance f série, inductance en série, inductance de série	последовательная индуктивность, сериесная индуктивность
S 1161	series inverse feedback, series feedback	Seriengegenkopplung f, Reihengegen[schluß]kopplung f	réaction f inverse en série	последовательная отрицательная обратная связь
S 1162	series lamp	Serienlampe f	lampe f pour montage en série, lampe série	лампа [для] последовательного включения
	series law, series formula	Serienformel f, Seriengesetz n	formule f de série, loi f de série	формула спектральной серии
S 1163	series limit, limit of the series, series cut-off (edge)	Seriengrenze f	limite f de la série	граница серии, предел серии
	series line, diagram line	Serienlinie f, Diagrammlinie f	raie f de la série, raie de diagramme	линия серии, сериальная (диаграммная) линия
	series machine	s. series-wound machine		
S 1164	series magnetic flux	Reihenschlußkraftfluß m, Reihenkraftfluß m, Serienkraftfluß m; Längskraftfluß m	flux m magnétique série, flux magnétique en série, flux magnétique de série	последовательный магнитный поток, сериесный магнитный поток
S 1165	series measurement	Serienmessung f	mesure f en série	серийное измерение
S 1165a	series modulation	Reihenröhrenmodulation f, Vorröhrenmodulation f	modulation f en série	анодная модуляция по последовательной схеме, модуляция на предварительную лампу
	series motor	s. series-wound motor		
	series-multiple connection (transition)	s. series-parallel transition		
S 1166	series of aerofoil sections	Profilserie f	série f de profils	серия профилей
	series of bands	s. sequence of bands		
	series of cyclones, family of cyclones	Zyklonenfamilie f, Zyklonenserie f	famille f de cyclones, série f de cyclones	семейство циклонов, семья циклонов, серия циклонов
	series of experiments	s. series of tests		
	series of functions, function series	Funktionenreihe f, Funktionsreihe f	série f des fonctions, série fonctionnelle	функциональный ряд
	series of fundamental stars, fundamental series, Küstner series <astr.>	Fundamentalreihe f, Fundamentalsternreihe f, Küstnersche Reihe f	série f d'étoiles fondamentales <astr.>	ряд фундаментальных звезд <астр.>
	series of greys	s. progressive series of greys		
	series of impulses	s. pulse train		
	series of lines	s. series		
S 1167	series of measurements, run, train of measurand	Meßreihe f, Meßserie f, Meßwertreihe f	série f de mesures	серия измерений, ряд измерений
	series of mixed crystals	s. complete series of solid solutions		
	series of pulses	s. pulse train		
	series of solid solutions	s. complete series of solid solutions		
	series of tests, test series, set of tests; experiment series, series of experiments	Versuchsreihe f, Versuchsserie f	série f d'expériences; série d'essais	серия опытов; ряд испытаний
S 1168	series-opposed connection, series-opposing connection, series opposition, opposing connection	Gegenreihenschaltung f, Gegenschaltung f, Gegeneinanderschaltung f, Gegensinnreihenschaltung f	connexion f opposée-parallèle, connexion en opposition	встречно-параллельное включение, встречное включение, противовключение
	series-parallel connection	s. series-parallel transition		
S 1169	series-parallel matrix	Reihenparallelmatrix f	matrice f série-parallèle	последовательно-параллельная матрица, матрица последовательно-параллельного соединения
S 1170	series-parallel transition, series-parallel connection, series-multiple connection (transition)	Reihenparallelschaltung f, Serienparallelschaltung f; Gruppenschaltung f	montage m série-parallèle, circuit m série-parallèle	последовательно-параллельная цепь, смешанная цепь; последовательно-параллельное включение (соединение), последовательно-параллельная схема соединений, смешанное соединение
S 1171	series-parallel winding	Reihenparallelwicklung f	enroulement m série-parallèle	последовательно-параллельная обмотка, волновая обмотка
S 1172	series reactance	Reihenschlußreaktanz f, Reihenreaktanz f, Serienreaktanz f, Serienblindwiderstand m; Längsreaktanz f	réactance f série, réactance en série, réactance de série	последовательное (сериесное) реактивное сопротивление, последовательный (сериесный) реактанс, последовательная (сериесная) реактивность

	English	German	French	Russian
	series reactor, series choke	Seriendrossel f	bobine f d'arrêt en série, bobine de choc en série	последовательно включенный реактор, сериесный дроссель
S 1173	series reactor	Vorschaltdrossel f, Vordrossel f	réactance f additionnelle	входной (предвключенный, добавочный) дроссель, добавочная реактивная катушка
S 1174	series representation	Reihendarstellung f	représentation f en série	представление в ряде
S 1175	series resistance; series resistor; series rheostat	Reihenschlußwiderstand m, Reihenwiderstand m, Serienwiderstand m; Längswiderstand m	résistance f série, résistance en série, résistance de série	последовательное сопротивление, последовательно включенное сопротивление, сериесное сопротивление, реостат
	series resistance	s. series resistor		
S 1176	series resistor, dropping resistor; series resistance, additional resistance	Vorwiderstand m, Vorschaltwiderstand m, vorgeschalteter Widerstand m	résistance f additionnelle	добавочное сопротивление, последовательно включенное сопротивление
	series resistor	s. a. series resistance		
	series resonance	s. voltage resonance		
	series resonance circuit	s. series resonant circuit		
	series resonance frequency	s. series resonant frequency		
S 1177	series resonant circuit, series resonance circuit, acceptor, [series] acceptor circuit	Reihenresonanzkreis m, Serienresonanzkreis m, Spannungsresonanzkreis m, Serienschwingkreis m, Serienschwingungskreis m	circuit m de résonance série, circuit accepteur	последовательный резонансный контур, последовательный колебательный контур
S 1178	series resonant circuit, series tuned circuit	Reihenresonanzschaltung f, Serienresonanzschaltung f, Spannungsresonanzschaltung f	montage m de résonance série, circuit m de résonance série	последовательная резонансная схема, последовательная колебательная схема
S 1179	series resonant frequency, series resonance frequency, voltage resonance frequency	Reihenresonanzfrequenz f, Serienresonanzfrequenz f, Spannungsresonanzfrequenz f	fréquence f de résonance série	частота последовательного резонанса
	series rheostat	s. series resistance		
	series section	s. series element		
	series self-inductance	s. series inductance		
S 1180	series spectrum	Serienspektrum n	spectre m série	сериальный спектр, серийный спектр
S 1181	series statement	Potenzreihenansatz m, Reihenansatz m	expression f en série	выражение в виде [степенного] ряда
	series transformer, current transformer	Stromwandler m, Stromtransformator m	transformateur m de courant, transformateur d'intensité	трансформатор тока
S 1182	series transformer	Vorschalttransformator m	transformateur m additionnel, transformateur d'entrée	входной трансформатор
	series tuned circuit	s. series resonant circuit		
S 1183	series winding, banked winding	Reihen[schluß]wicklung f, Hauptschlußwicklung f, Serienwicklung f, Hauptstromwicklung f, verschachtelte Wicklung f	enroulement m en série	последовательная обмотка, сериесная обмотка, перешихтованная обмотка
S 1184	series-wound generator, series generator	Reihenschlußgenerator m, Hauptschlußgenerator m, Seriengenerator m, Hauptstromgenerator m, Hauptschlußdynamo m, Gleichstrom-Reihenschlußgenerator m, Gleichstrom-Hauptschlußgenerator m, Gleichstrom-Seriengenerator m	génératrice f série	генератор с последовательным возбуждением, генератор последовательного возбуждения, сериесный генератор
S 1185	series-wound machine, series machine	Reihenschlußmaschine f, Hauptschlußmaschine f, Serienmaschine f, Hauptstrommaschine f, Gleichstrom-Reihenschlußmaschine f, Gleichstrom-Hauptschlußmaschine f, Gleichstrom-Serienmaschine f	machine f série	машина с последовательным возбуждением, машина последовательного возбуждения, сериесная машина
S 1186	series-wound motor, series motor	Reihenschlußmotor m, Hauptschlußmotor m, Serienmotor m, Hauptstrommotor m, Gleichstrom-Reihenschlußmotor m, Gleichstrom-Hauptschlußmotor m, Gleichstrom-Serienmotor m	moteur m série, moteur en série	двигатель с последовательным возбуждением, двигатель последовательного возбуждения, сериесный двигатель
	seriography	s. serial radiography		
	serpentine	s. winding pipe		
S 1187	serpentine line, sinuous line	Schlangenlinie	ligne f sinueuse	извилистая линия
S 1187a	serrated flow	inhomogene Gleitung f, inhomogenes Kriechen n	déformation f (fluage m) hétérogène	неоднородная деформация
	Serret-Frenet formulae, Frenet[-Serret] formulae, formulae of [Serret-] Frenet	Frenetsche Formeln fpl, Frenet-Formeln fpl, Serretsche Formeln	formules fpl de Frenet, formules dues à Frenet et Serret	формулы Серре-Френе, формулы Френе

S 1188	serum albumin	Serumalbumin *n*	albumine *f* du sérum	сывороточный альбумин, серумальбумин
	serviceable life	*s.* lifetime <techn.>		
	service voltage	*s.* burning voltage <of discharge, arc>		
	servicing tower, launching tower	Startturm *m*	tour *f* de lancement	стартовая башня (вишка), пусковая установка башенного типа, вертикальная пусковая установка
	servo	*s.* servomechanism		
S 1188a	servo amplifier	Servoverstärker *m*	amplificateur *m* de servo-mécanisme, amplificateur d'asservissement, servo-amplificateur *m*	усилитель следящей системы, сервоусилитель
S 1189	servo control, servo-operated control, servo-powered control, sequential (sequence) control, automatic following	Folgesteuerung *f*, Führungssteuerung *f*; Folgeregelung *f*, Servoregelung *f*; Nachlaufregelung *f*	servo-commande *f*, poursuite *f* automatique	регулирование по принципу следящей системы, следящее (зависимое) регулирование, автоматическое сложение
S 1190	servo control[ler], servo governor, sequential control[ler]	Folgeregler *m*, Nachlaufregler *m*	servo-régulateur *m*	серворегулятор
S 1191	servo drive	Stell[an]trieb *m*	servo-entraînement *m*	сервопривод
	servo governor	*s.* servo control[ler]		
S 1192	servomechanism, servo-system, servo, follow-up system, follower control, follower, servounit	Folgeregelungssystem *n*, Folgeregelung *f*, Folge-[steuerungs]system *n*, Folgesteuerung *f*, Servomechanismus *m*; Nachlauf[regelungs]system *n*; Nachlaufeinrichtung *f*, Nachlaufsteuerung *f*, Nachlaufsteuergerät *n*, Nachlaufwerk *n*, Nachlaufregler *m*	asservissement *m*, système *m* asservi, système d'asservissement, système suiveur, suiveur *m*; servo-système *m*, système de servocommande, mécanisme *m* d'asservissement, servomécanisme *m*, servo-commande *f*, servo *m*, équipement *m* de régulation de correspondance	следящая система; синхронно-следящая система; сервомеханизм; следящий механизм; следящее устройство
S 1193	servomotor, servo motor	Stellmotor *m*, Servomotor *m*, Hilfsmotor *m*, Steuermotor *m*, Regelmotor *m*, Verstellmotor *m*, Steller *m*, Steuertriebwerk *n*	servo-moteur *m*, moteur *m* de commande, moteur asservi, moteur d'asservissement	серводвигатель, сервомотор, следящий двигатель, исполнительный двигатель (механизм), электродвигатель исполнительного механизма, отрабатывающий двигатель, регулируемый электродвигатель
	servo-operated control, servo-powered control	*s.* servo control		
	servosystem, servounit	*s.* servomechanism		
	SESER	= source of electrons in a selected energy range		
S 1194	sessile bubble	sitzende Blase *f*	bulle *f* sessile	сидячий пузырек, сидячий пузырь
S 1195	sessile dislocation	nichtgleitfähige (sessile) Versetzung *f*	dislocation *f* sessile, dislocation immobile	сидячая (неподвижная) дислокация, сидячий дефект
S 1196	sessile drop method	Methode *f* der sitzenden Tropfen	méthode *f* des gouttelettes sessiles	метод «сидячих капель»
S 1197	seston	Seston *n*	seston *m*	сестон
	set, setting; solidification solidifying, freezing	Erstarrung *f*, Festwerden *n*, Verfestigung *f*	solidification *f*	отвердение, отвердевание, отверждение, затвердевание, затвердение, застывание
	set, setting; hardening <of concrete>	Erhärtung *f*, Verfestigung *f*; Verhärtung *f*; Abbinden *n*; Anziehen *n*	durcissement *m*	упрочнение, увеличение жесткости; отверждение; затвердевание, захватывание, схватывание <бетона>
S 1198	set, setting <of the star>	Untergang *m* [des Gestirns], Deszendenz *f* [des Gestirns]	coucher *m* [de l'étoile]	заход [звезды]
S 1199	set, aggregate, manifold, class, ensemble; assemblage <infinite> <math.>	Menge *f* <Math.>	ensemble *m* <math.>	множество <матем.>
	setback, set back	*s.* reset		
S 1200	set function	Mengenfunktion *f*	fonction *f* d'ensemble	функция множеств
S 1201	set level, set point, desired value, reference input <US>	Sollwert *m* [der Regelgröße], Aufgabewert *m*, kommandierter Wert *m*	variable *f* commandée, grandeur *f* de référence (consigne), valeur *f* de consigne, valeur préscrite (de référence), point *m* de réglage (contrôle)	заданная величина, заданное значение <регулируемой величины>
	set noise; amplifier noise	Verstärkerrauschen *n*; Verstärkergeräusch *n*	bruit *m* d'amplificateur	шум усилителя
	set noise; inherent noise	Eigengeräusch *n*	bruit *m* intrinsèque	внутренний шум, собственный шум
	set of bands	*s.* sequence of bands		
	set of characteristics	*s.* family of characteristic[s]		
	set of curves	*s.* system of curves		
	set of definition	*s.* domain <math.>		
S 1202	set of elastic reeds, reed comb	Zungenkamm *m*	peigne *f* de lames vibrantes	набор упругих пластин, гребенка язычков

S 1203	**set of glass plates**	Glasplattensatz *m*	ensemble *m* de lames [de verre], jeu *m* de lames [de verre]	комплект стеклянных пластин[ок], набор стеклянных пластин[ок]
	set of information	s. information content		
S 1204	**set of instruments**	Meßsatz *m*, Meßgerätesatz *m*	ensemble *m* de mesures	комплект измерительных приборов, измерительный комплект
	set of lenses	s. convertible lens		
	set of linear equations	s. system of linear equations		
	set of measure zero, null set	Nullmenge *f*, Menge *f* vom Maß Null	ensemble *m* de mesure zéro	множество нулевой меры, множество меры нуль, нульмерное множество
	set of parallel co-ordinates	s. parallel co-ordinates		
S 1205	**set of points**, point set; assemblage of points	Punktmenge *f*	ensemble *m* de points	точечное множество, множество точек
S 1206	**set of prisms**	Prismensatz *m*	jeu *m* de prismes	набор (комплект) призм
	set of projective co-ordinates	s. projective co-ordinates		
	set of simultaneous linear equations	s. system of linear equations		
	set of space-time co-ordinates	s. space-time co-ordinates		
	set of tests	s. test series		
	set of values	s. range <math.>		
	setpoint, setting <of relay>	Einstellwert *m* <Relais>	réglage *m* <du relais>	уставка<реле>
	set point	s. command variable		
	set point	s. reference point		
	set point	s. set level		
	set point adjuster, reference input element, setting device	Stelleinrichtung *f*, Sollwerteinsteller *m*	dispositif *m* de changement de la valeur de référence [de consigne]	задатчик
	set screw, setscrew	s. setting screw		
S 1207	**set square**, square	Winkelmaß *n*, Zeichendreieck *n*, Reißdreieck *n*; Meßwinkel *m* <Gerät>	équerre *f*	чертежный треугольник, угольник, наугольник
S 1208	**set[-] theoretical**	mengentheoretisch	ensembliste, en théorie *f* des ensembles	теоретико-множественный
	set theory	s. theory of sets		
S 1209	**set time**	Untergangszeit *f*	temps *m* de coucher	время захода
S 1210	**setting**, setpoint <of relay>	Einstellwert *m* <Relais>	réglage *m* <du relais>	уставка <реле>
	setting	s. a. adjustment <to>		
	setting	s. a. set		
	setting	s. a. set <of concrete>		
	setting device, reference input element, set point adjuster	Stelleinrichtung *f*, Sollwerteinsteller *m*	dispositif *m* de changement de la valeur de référence [de consigne]	задатчик
	setting free; release; liberation; disengagement	Freisetzung *f*; Freiwerden *n*; Auslösung *f*; Ablösung *f*; Abgabe *f*; Entbindung *f*	libération *f*; dégagement *m*; enlèvement *m*; évacuation *f*	освобождение; высвобождение; выделение; выбивание; вылет; выпуск; отпуск
S 1211	**setting frequency**	Verstellhäufigkeit *f*	fréquence *f* d'ajustage, fréquence de mise au point	частота перестановки
S 1211a	**setting gauge**	Einstellehre *f*	calibre *m* de réglage	установочный калибр (шаблон)
	setting of lens	s. lens mount		
S 1212	**setting range** <of relay>	Einstellbereich *m* <Relais>	domaine *m* de réglage <du relais>	диапазон установки [параметра] <реле>
S 1213	**setting screw**, set screw, setscrew, regulating screw	Stellschraube *f*, Regulierschraube *f*; Klemmschraube *f*	vis *f* de réglage, vis de rappel, vis de fixation, vis calante	установочный винт, регулировочный винт, винт без головки, винт для установки прибора по уровню; фиксирующий винт
	setting-up	s. adjustment <to>		
	settleability	s. precipitability		
	settled creep	s. quasiviscous creep		
	settled position	s. position of rest		
S 1214	**settler**	Kläranlage *f*, Klärungsanlage *f*, Filteranlage *f* <zur Abtrennung suspendierter Teilchen aus Flüssigkeiten und Gasen>	filtreur *m*, filtrateur *m*	отстойник, сепаратор, осветлительная установка, очистная установка
S 1215	**settling**, settling down, sedimentation, sedimentary deposition, deposition; settling-out	Sedimentation *f*, Sedimentierung *f*, Ablagerung *f*, Absetzen *n*, Absedimentierung *f*; Niedersinken *n*, Absinken *n*; Ausfallen *n*; Sedimentbildung *f*	sédimentation *f*, déposition *f* sédimentaire; précipitation *f*; chute *f*	седиментация, оседание, осаждение [наносов], осадка, выпадение, выделение в осадок; образование наслоений, выпадение в осадок; отстаивание
	settling	s. a. decantation <chem.>		
	settling down, settling-out	s. settling		
	settling rate, rate of sedimentation	Sedimentationsgeschwindigkeit *f*, Sinkgeschwindigkeit *f* [bei der Sedimentation]	vitesse *f* de sédimentation	[массовая] скорость седиментации, скорость оседания, скорость осаждения
	set union	s. union <of sets>		
	set[-]up	s. statement <math.>		
S 1216	**set[-]up for calculating machine**	Rechenschaltung *f*	circuit (schéma) *m* de calcul, schéma à calculer, schéma de la machine calculatrice	схема счетной машины, счетно-решающая схема, решающая схема

	English	German	French	Russian
	set value; fixed value; constant	Festwert m; Konstante f	valeur f fixe; constante f	фиксированная величина; постоянная величина, постоянная, константа
S 1217	set-value control	Festwertregelung f	réglage m à valeur fixe	регулирование с постоянным заданным значением
S 1218	seven-element lens	Siebenlinser m	objectif m à sept lentilles	семилинзовый объектив
S 1219	seven-membered ring, seven ring	Siebenerring m, Siebenring m	anneau m à sept membres	семичленное кольцо, семичленный цикл
S 1220	S-event, S event	S-Ereignis n	événement m S	S-распад, S-явление
S 1221	severe cold, rigorous cold	strenge Kälte f; strenger Frost m	froid m rigoureux, froid vif, froid sévère	суровый мороз, сильный мороз, сильный холод
	sexagesimal minute [of arc], minute [of arc], angular minute, ', min <of angle>	Minute f [im Bogenmaß], Winkelminute f, Bogenminute f, Altminute f, ' <Winkelmaß>	minute f [d'arc], minute angulaire, minute sexagésimale, ' <de l'angle>	минута, минута дуги, угловая минута, <единица измерения угла>
	sexagesimal second [of arc], second [of arc], angular second, ", sec <of angle>	Sekunde f [im Bogenmaß], Winkelsekunde f, Bogensekunde f, Altsekunde f, " <Winkelmaß>	seconde f [d'arc], seconde angulaire, seconde sexagésimale, " <de l'angle>	секунда, секунда дуги, угловая секунда, " <единица измерения угла>
S 1222	sextant; mirror sextant	Sextant m, Spiegelsextant m	sextant m; sextant réflecteur	секстант, секстан; зеркальный секстант
S 1223	sextet rearrangement, sextet transposition	Sextettumlagerung f	regroupement m (transposition f) sextet	секстетная перегруппировка
S 1224	sextic, sextic equation	Gleichung f sechsten Grades	équation f de sixième degré	уравнение шестой степени
S 1224a	sextile	Sextil m	sextile m	секстиль
S 1225	sextuplet	Sextuplett n	sextuplet m	секступлет
S 1226	sextupole	Sextupol m	sextupôle m	секступоль
S 1227	sextupole lens	Sextupollinse f	lentille f sextupolaire	секступольная линза
S 1228	Seyfert galaxy, Seyfert-type radiogalaxy	Seyfert-Galaxis f, Radiogalaxis f vom Seyfert-Typ	galaxie f de Seyfert, radiogalaxie f [du] type Seyfert	радиогалактика типа Сейферта, галактика Сейферта
S 1229	sferics	Sferics m	sphérique f	пеленгатор электрических возмущений холодного фронта
	sferics	s. a. spherics		
S 1230	shade, open shade	Schatten m	ombre f, ombrage m	тень
	shade; shading; tinge, tint	Schattierung f	dégradation f des ombres; nuance f	затенение, оттенок; отмывка
	shade	s. a. tint		
	shaded by black	s. having non-zero black content <of chromatic colour>		
	shaded by white	s. having non-zero white content <of chromatic colour>		
	shaded to[wards] the red	s. degraded to[wards] the red		
	shaded to[wards] the violet, degraded to[wards] the violet, violet-shaded	violettabschattiert	dégradé au violet, teinté de violet	оттенённый в сторону больших частот, оттенённый в сторону синей области спектра
	shade mark, shadow mark	Schattenmarke f	marque f d'ombre	теневая отметка, теневая метка
S 1231	shade temperature, temperature in shade, temperature of air, air temperature, shadow temperature	Lufttemperatur f, Temperatur f im Schatten, Schattentemperatur f	température f à l'ombre, température sous abri, température de l'air	температура в тени, температура на теневой стороне, температура воздуха
S 1232	shadiness	Schattigkeit f	coefficient m d'ombrage	коэффициент затенения
S 1233	shading; shade; tinge, tint	Schattierung f	dégradation f des ombres; nuance f	затенение, оттенок; отмывка
S 1234	shading	Beschattung f; Schattenspende f; Abschattung f, Shading n	ombragement m	затенение; затемнение; экранирование
S 1235	shading, hill shading	Schummerung f	hachure f, hachage m	тушевка, тушовка, отмывка <рельефа>
	shading, degradation <of a band head>	Bandenabschattierung f, Abschattierung f <Bande>	dégradation f <d'une bande>	оттенение <полосы>
	shading, veiling, masking <of chromatic colours by a portion of white and/or black>	Verhüllung f [bunter Farben]	masquage m de couleurs chromatiques [par une portion de blanc et/ou noir]	маскирование хроматических цветов [содержанием белого или черного]
	shading by black	s. veiling by black		
	shading by grey	s. veiling by grey		
	shading by white	s. veiling by white		
	shading [-off] of the colours, blending of the colours; running of the colours	Verlaufen n der Farben	fondu m, dégradation f des couleurs	расплывание красок, расплытие красок
S 1236	shading of the specimens, shadowing of the specimens	Objektabschattung f	ombrage m des objets, ombre f des objets	оттенение объектов
	shading value	s. tint		
S 1237	shadow, cast shadow	Schlagschatten m, Schatten m	ombre f portée, ombre	падающая тень, отбрасываемая тень, [проектируемая] тень
S 1238	shadow angle, shadow sector	Schattensektor m, Schattenwinkel m; Leuchtwinkel m	angle m d'ombre	сектор тени, теневой (затенённый, затемнённый) сектор; угол свечения
	shadow area	s. shadow region		
S 1239	shadow bands	fliegende Schatten mpl	ombres fpl volantes	бегущие тени

S 1240	**shadow border, shadow boundary,** boundary of shadow	Schattengrenze *f*; Eigenschattengrenze *f*, Lichtgrenze *f*; Schlagschattengrenze *f*	limite *f* d'ombre	граница тени
S 1241	**shadow casting**	Schrägbedampfung *f*, Schrägaufdampfung *f*; Metallaufdampfung *f*, Metall[schräg]bedampfung *f*	méthode *f* d'ombrage, ombrage *m*; ombrage métallique	метод косого опыления, косое опыление, метод оттенения, оттенение
	shadow casting	*s. a.* shadow projection		
S 1242	**shadow column**	Schattenzeiger *m*, Schattenpfeil *m*, Schattenstrich *m*	colonne *f* d'ombre	теневая стрелка
S 1243	**shadow column instrument**	Schattenzeigerinstrument *n*, Schattenzeigermeßgerät *n*	appareil *m* à colonne d'ombre	измерительный прибор с теневой стрелкой
S 1244	**shadow cone**	Begrenzungskegel *m*, Schattenkegel *m*	cône *m* limiteur, cône d'ombre	теневой конус
S 1245	**shadow effect,** umbra effect	Schatteneffekt *m*	effet *m* d'ombre	теневой эффект; эффект экранирования, экранирующий эффект
S 1246	**shadow factor**	Schattenfaktor *m*	facteur *m* d'ombre	коэффициент тени
	shadow fringe test	*s.* schlieren method		
	shadow fringe test	*s.* shadow method		
S 1247	**shadowgraph,** skiagram, sciagram	Röntgenschattenbild *n*	skiagramme *m*	рентгеновская теневая картина, теневой снимок в рентгеновских лучах
S 1248	**shadowgraph, shadow image**	Schattenbild *n*	image *f* en silhouette, photographie *f* par ombre	теневое изображение, теневой фотоснимок; теневой спектр; теневая картина
S 1249	**shadowing,** formation of shadows	Schattenbildung *f*	formation (projection) *f* de l'ombre	образование тени
	shadowing of the specimens, shading of the specimens	Objektabschattung *f*	ombrage *m* des objets, ombre *f* des objets	оттенение объектов
S 1250	**shadow mark,** shade mark	Schattenmarke *f*	marque *f* d'ombre	теневая отметка, теневая метка
S 1251	**shadow mask,** aperture mask, apertured shadow mask, planar mask <tv.>	Lochmaske *f*, Maske *f* der Farbbildröhre <Fs.>	masque *m*, masque perforé <tv.>	[перфорированная] распределительная решетка, теневая (перфорированная затеняющая) маска <тв.>
S 1252	**shadow-mask tube, shadow mask tube**	Maskenröhre *f*, Maskenfarbbildröhre *f*	tube *m* à masque [d'ombre]	трубка масочного типа, масочный кинескоп, масочная электроннолучевая трубка, трубка с разделительной маской
S 1253	**shadow method,** shadow technique, direct shadow method; shadow fringe test	Schattenverfahren *n*, Schattenmethode *f*, direktes Schattenverfahren	méthode *f* des ombres	теневой метод
S 1254	**shadow method [in aerodynamics]**	Schattenmethode *f* [der Gasdynamik]	méthode *f* des ombres [de l'aérodynamique]	теневой метод [в аэродинамике]
	shadow microscope	*s.* shadow projection microscope		
	shadow microscopy, point (shadow) projection microscopy	Schattenmikroskopie *f*, Elektronenschattenmikroskopie *f*	microscopie *f* de projection, microscopie à pénombre	теневая электронная микроскопия, теневая микроскопия
	shadow outline projector	*s.* profile projector		
S 1255	**shadow photograph**	Schattenaufnahme *f*, Schattenphotographie *f*, Schattenbild *n*	photographie *f* par ombre	теневое фотоизображение, теневой фотоснимок
S 1256	**shadow photography**	Schattenphotographie *f*	photographie *f* par ombre, photographie à pénombre	теневая фотография, съемка теневым методом, съемка на теневой установке
S 1257	**shadow photometer**	Schattenphotometer *n* [nach Lambert]	photomètre *m* de Lambert	теневой фотометр [Ламберта]
	shadow projection, shadow casting, projection of shadow	Schattenwurf *m*, Schattenprojektion *f*	projection *f* d'ombre	проекция тени
S 1258	**shadow projection microscope,** point projection [electron] microscope, shadow microscope	Schattenmikroskop *n*, Elektronenschattenmikroskop *n*	microscope *m* électronique à ombre, microscope de projection, microscope à pénombre	теневой электронный микроскоп, теневой микроскоп
	shadow projection microscopy, point projection microscopy, shadow microscopy	Schattenmikroskopie *f*, Elektronenschattenmikroskopie *f*	microscopie *f* de projection, microscopie à pénombre	теневая электронная микроскопия, теневая микроскопия
S 1259	**shadow region;** shadow area	Schattenbereich *m*, Schattengebiet *n*	zone *f* d'ombre	теневая зона (область), область тени; площадь тени; затененная область, неосвещенное пространство
	shadow region	*s. a.* silent zone		
S 1260	**shadow scattering,** diffraction scattering	Schattenstreuung *f*, Diffraktionsstreuung *f*, Beugungsstreuung *f*	diffusion *f* diffractive (d'ombre), dispersion *f* diffractive (par diffraction)	дифракционное рассеяние, теневое рассеяние
S 1261	**shadow schlieren method,** projecting schlieren method; schlieren scanning technique	Schattenschlierenverfahren *n*, Schattenschlierenmethode *f*	méthode *f* des stries à projection	проекционная теневая фотография, теневая фотография, [проекционный] теневой метод

	English	German	French	Russian
	shadow sector, shadow angle	Schattensektor m, Schattenwinkel m; Leuchtwinkel m	angle m d'ombre	сектор тени, теневой (затененный, затемненный) сектор; угол свечения
S 1262	shadow shield	Schattenschutz m, Schattenschild m, Partialschild m	bouclier m partiel, blindage m partiel, écran m partiel	теневая защита, частичная защита
	shadow side, shady side; night side	Nachtseite f; Schattenseite f	côté m de nuit; côté de l'ombre	ночная сторона; теневая сторона
S 1263	shadow synchronoscope	Schattensynchronoskop n	synchronoscope m à pénombre	теневой синхроноскоп
	shadow technique	s. shadow method		
	shadow temperature	s. shade temperature		
	shadow zone	s. silent zone		
	shady side	s. shadow side		
	Shafranov['s] [stability] diagram, stability diagram of Shafranov	Stabilitätsdiagramm n nach Schafranow, Schafranow-Diagramm n	diagramme m de stabilité de Shafranov (Chafranoff), diagramme de Shafranov (Chafranoff)	диаграмма устойчивости Шафранова, диаграмма Шафранова
	shaft, spindle	Spindel f	arbre m; broche f; fuseau m; tige f mince	шпиндель; веретено
S 1264	shaft, shank	Schaft m	queue f; tige f; bois m	хвостовик; ручка; шейка
	shaft gland	s. shaft packing		
S 1265	shaft horsepower	Wellenleistung f, Wellenpferdestärke f, Wellen-PS fpl	puissance f à l'embrayage	мощность на валу
S 1266	shaft packing (sealing ring); simmer ring (gasket), shaft gland	Wellendichtung f; Wellendichtring m, Radialdichtring m; Simmerring m	garniture f de l'arbre; bague f de garniture, bague d'étanchéité	уплотнение вала, кольцевое уплотнение вала
	shake	s. shaking		
S 1266a	shake[]down	Wechselverfestigung f	durcissement m par secousses	упрочнение «встряски»
S 1266b	shake-off effect	Abschüttel[ungs]effekt m, „shake-off"-Effekt m	effet m des secousses	эффект «встряски»
	shake-off transition	s. shaking off transition		
S 1266c	shaking, agitation	Schütteln n	secouement m, secouage m, agitation f	встряхивание, взбалтывание
S 1267	shaking, shake, chatter, vibration, percussion	Erschütterung f	ébranlement m, secousse f, saccade f, vibration f	сотрясение, встряхивание вибрация, встряска
S 1268	shaking, tottering	Wackelschwingung f, Wackeln n	branlement m, vacillement m	шатание
S 1269	shaking off transition, shake-off transition	„shaking-off"-Übergang m, Übergang m durch „Abschütteln", „Abschüttelungs"übergang m	transition f par secousses	переход «стряхиванием»
S 1270	shaking out, extraction by shaking with solvent	Ausschütteln n	secouement m, secouage m	взбалтывание, извлечение путем взбалтывания
S 1271	shallow junction	flachliegender (hochliegender) Übergang m	jonction f basse	мелкий переход
S 1272	shallow level, high-lying level; shallow state, high-lying state	flaches (flachliegendes) Niveau n, hochliegendes Niveau; flacher (flachliegender) Zustand m, hochliegender Zustand	niveau m bas; état m bas	мелкое состояние; мелкий уровень
S 1273	shallow sea	Flachsee f; Schelfsee f, Schelfmeer n, Schelf n; Sublitoral n	mer f littorale	мелководное море, мелкоморье; шельфовое море
S 1273a	shallow shell	flache Schale f	enveloppe f surbaissée	пологая оболочка
	shallow state	s. shallow level		
S 1274	shallow trap	flachliegende Haftstelle f, flachliegender Haftterm (Trap) m, hochliegende (flache) Haftstelle	piège m bas	мелкая ловушка захвата
S 1275	shallow water; shoal water; fleet water, tidal shallow (flat)	Seichtwasser n, seichtes Wasser n, Flachwasser n	basse eau f, basses eaux fpl, eau f peu profonde, eau maigre	мелкая вода, мелководье
S 1276	shallow-water analogy	Flachwasseranalogie f, Seichtwasseranalogie f	analogie f de basse eau	аналогия по мелкой воде
S 1277	shallow-water approximation, Friedrichs['] shallow-water expansion	Flachwassernäherung f, Seichtwassernäherung f, Friedrichssche Seichtwasserentwicklung f	approximation f de basse eau, expansion f de basse eau de Friedrichs	приближение мелкой воды [по Фридрихсу]
	shallow-water channel, flat channel	Flachwasserkanal m, Seichtwasserkanal m	canal m plat	плоский водяной канал, плоский гидравлический канал
S 1278	shallow-water first-order approximation	Flachwassernäherung (Seichtwassernäherung) f erster Ordnung	approximation f de basse eau du premier ordre	приближение мелкой воды первого порядка
S 1279	shallow-water theory	Flachwassertheorie f, Seichtwassertheorie f, Theorie f des seichten Wassers	théorie f de basse eau	теория мелкой воды
S 1280	shallow-water tide	Seichtwassertide f	onde f de marée de l'eau maigre	приливная волна на мелководье
	shallow-water wave, Lagrangian wave, long wave <hydr.>	lange Welle f, Seichtwasserwelle f, seichte Welle <Hydr.>	onde f longue, houle f longue <hydr.>	длинная волна, мелководная волна, волна на мелководье <гидр.>
	shank, shaft	Schaft m	queue f; tige f; bois m	хвостовик; ручка; шейка
S 1281	Shannon['s] formula	Shannon[-Wiener]sche Formel f, Shannon-Wiener-Formel f, Shannon-Boltzmann-Formel f	formule f de Shannon	формула Шеннона, формула Шэннона
S 1282	Shannon['s] [sampling] theorem	Theorem n von Shannon, Shannonsches Theorem, Shannon-Theorem n	théorème m de Shannon	теорема Шеннона, теорема Шэннона

	English	German	French	Russian
S 1283	**Shannon['s] theory**	Shannonsche Theorie f, Shannon-Theorie f	théorie f de Shannon	теория Шеннона, теория Шэннона
S 1283a	**shape**, form	Form f, Gestalt f	forme f	форма
S 1284	**shape**, course <of the curve>; behaviour, character, response <of the quantity>	Verlauf m <Kurve oder Größe>; Gang m <Größe>	forme f, tracé m, cours m <de la courbe>; allure f, caractère m, réponse f <de la quantité>	ход; характер <кривой или величины>
	shape anisotropy	s. anisotropy of form		
S 1285	**shape elasticity**, elasticity in (of) shape, elasticity in (of) shear, elasticity of form, rigidity	Formelastizität f, Spannungselastizität f	élasticité f de forme	упругость формы, упругость второго рода, упругость на сдвиг
S 1286	**shape factor** <aero.>	Formparameter m, Formfaktor m <Aero.>	facteur m de forme <aéro.>	коэффициент формы, формпараметр <аэро.>
	shape factor, form factor <nucl.>	Formfaktor m <Kern.>	facteur m de forme <nucl.>	формфактор, структурный фактор <яд.>
	shape factor	s. a. Coddington shape factor		
	shape factor	s. a. stress concentration factor		
S 1287	**shape function**	Gestaltsfunktion f, Gestaltfunktion f	fonction f de forme	функция формы, формофункция
	shape function of the line, line shape function	Linienformfunktion f	fonction f de forme de la raie	формфункция линии, функция формы линии
	shape number, dimensionless specific speed	dimensionslose Schnelläufigkeitszahl f	facteur m de forme sans dimension	безразмерный коэффициент быстроходности
	shape of equilibrium, form of equilibrium	Gleichgewichtsfigur f, Gleichgewichtsform f	figure f d'équilibre, forme f d'équilibre	форма равновесия
	shape of the crystal	s. habit of the crystal		
	shape of the [spectral] line	s. line profile		
S 1288	**shape of the surface**, macrogeometrical shape, macroshape	Oberflächengestalt f, makrogeometrische Gestalt f, Makrogestalt f, Oberflächenform f	forme f de la surface, forme macrogéométrique de la surface, macroforme f	форма поверхности, строение поверхности, макростроение, макрогеометрия поверхности
S 1289	**shape parameter**	Gestaltsparameter m	paramètre m de forme	параметр формы
S 1290	**shape parameter** <of boundary layer>	Grenzschichtformparameter m, Formfaktor m <Grenzschicht>	facteur m de forme <de la couche limite>	коэффициент формы <пограничного слоя>
	shaper	s. shaping unit		
S 1290a	**shape relaxation**	Formrelaxation f, Gestaltsrelaxation f	relaxation f de forme	релаксация формы
S 1291	**shaping**; profiling	Formgebung f; Formung f; Profilierung f	mise f en forme, formation f; profilage m; façonnage m	оформление; придание формы; обработка; форм[ир]ование; профилирование
S 1292	**shaping amplifier**, pulse-forming amplifier, signal-shaping amplifier, signal-forming amplifier	impulsformender Verstärker m, signalformender Verstärker m	amplificateur m conformateur; amplificateur conformateur d'impulsions; amplificateur conformateur de signaux	формирующий усилитель, усилитель формирования импульсов, усилитель формирования сигналов
	shaping circuit	s. shaping unit		
S 1293	**shaping unit**, shaper, pulse shaper; pulse shaping stage; shaping circuit, pulse shaping circuit	Impulsformer m; Impulsformerstufe f; Impulsformerschaltung f	élément m de mise en forme, formateur m [d'impulsions], étage m de formation [d'impulsions], circuit m de formation [d'impulsions], circuit producteur [d'impulsions]	формователь [импульсов], формирователь [импульсов], схема (блок) форм[ир]ования [импульсов], формирующий каскад
S 1294	**Shapiro step, Shapiro wave**	Shapiro-Stufe f	gradin m de Shapiro, onde f de Shapiro	ступень Шапиро, волна Шапиро
	sharp adjustment	s. sharp focusing		
S 1295	**sharp corner**	scharfe Ecke f	coin m vif	угловая точка
S 1296	**sharp cornered potential well, sharp cornered well**, potential box	Potentialkasten m, Kastenpotential n, Potentialtopf m mit scharfen Ecken <Coulomb- oder Rechteckpotentialtopf>	puits m de potentiel	потенциальная яма с резкими краями, потенциальный ящик
S 1297	**sharp-crested weir**, thin-plate weir	Überfall m mit scharfer Kante, scharfkantiger Überfall; scharfkantiges Wehr n, Wehr mit scharfer Kante	déversoir m à crête mince, déversoir à mince paroi, déversoir à seuil mince	водослив с острым ребром (порогом), водослив с тонким гребнем, водослив с тонкой стенкой, тонкостенный водослив
S 1297a	**sharp double layer**	scharfe Doppelschicht f	partie f dense de la double couche	плотная часть двойного слоя, плотный двойной слой
	sharp-edged wave	s. surge <el.>		
	sharp-edge orifice meter plate <US>, thin-walled orifice plate	dünnwandige Blende f	diaphragme m à mince paroi	тонкостенная расходомерная шайба
S 1298	**sharpening**, strengthening <math.>	Verschärfung f <Math.>	amélioration f <math.>	усиление [формулировки] <матем.>
S 1299	**sharpening of minimum** <el.>	Schärfung f, Enttrübung f <El.>	amélioration f du minimum [du goniomètre] <él.>	подсветка <эл.>
S 1300	**sharpening of the crystal**; tapering of the crystal	Zuspitzung f des Kristalls, Zuschärfung f des Kristalls	amincissement m du cristal	заострение [головки] кристалла
S 1301	**sharp field**, field of sharpness	Schärfenfeld n	champ m de netteté	поле резкости
S 1302	**sharp focusing**, sharp setting (adjustment), focusing adjustment; focusing control <opt.>	Scharfeinstellung f, Scharfstellung f, Fokussierung f <Opt.>	mise f au point; commande f de mise au point <opt.>	наводка на резкость, наводка на фокус; установка на резкость <опт.>
	sharp-focus lens, high-definition lens	Scharfzeichner m, scharfzeichnendes Objektiv n	objectif m à définition précise	резкорисующий объектив

	sharp image, high-definition image <opt.>	Punktabbildung f, punktförmige Abbildung f; scharfe Abbildung; scharfes Bild n <Opt.>	image f ponctuelle; image nette <opt.>	точечное изображение; резкое изображение, четкое изображение <опт.>
	sharpness, keenness <of the cutting edge>	Schärfe f <Schneide>	tranchant m	острота <края>
	sharpness	s. a. definition <opt., phot.>		
S 1303	sharpness limit	Schärfenfeldgrenze f	limite f de netteté, limite du champ de netteté	предел резкости, предел (граница) поля резкости
S 1304	sharpness of resonance, resonance sharpness	Resonanzschärfe f, Schärfe f der Resonanz	acuité f de résonance	острота резонанса
	sharpness of resonance (tuning)	s. a. resonance sharpness <el.>		
	sharpness of vision	s. visual acuity		
S 1305	Sharp['s] plate	Sharpsche Auffangfläche f, Sharpsche Platte f	plaque f de Sharp	пластина Шарпа, пластинка Шарпа
S 1306	sharp resonance	scharfe Resonanz f, ausgeprägte Resonanz	résonance f accusée, résonance aiguë	явно выраженный резонанс, острый (резкий) резонанс
S 1307	sharp series	zweite Nebenserie f, scharfe Nebenserie	seconde série f secondaire	резкая серия, вторая побочная серия
	sharp setting	s. sharp focusing		
	sharp tuning; fine tuning	Feinabstimmung f, Scharfabstimmung f, scharfe Abstimmung f; Feinabgleich m	accord m précis; accord pointu, accord aigu	тонкая настройка; острая настройка; подстройка
	sharp zone, zone of sharpness, definition range	Schärfenbereich m, Schärfentiefe[n]bereich m	zone (profondeur) f de netteté, gamme f de la profondeur de champ	диапазон глубины резкости, область глубины резкости
	shatter-proof, splinterproof	splitterfrei, nichtsplitternd	infrangible	непробиваемый осколками, небьющийся, безосколочный
S 1308	shaving	Schaben n	ratissage m, raclement m, raclage m	шабрение, скобление
S 1309	sheaf <math.>	Büschel n <Math.>	pinceau m <math.>	связка <матем.>
S 1310	shear, shearing; shear[ing] deformation, shear[ing] strain; shear[ing] action; shear[ing] effect, shearing operation	Scherung f; Schub m; Schiebung f; Gleitung f; Scherdeformation f; Scherverformung f; Schubdeformation f, Schubverformung f, Schubformänderung f; Schubformgebung f; Schubumformung f; Scherwirkung f; Schubwirkung f; Abscherung f	cisaillement m; glissement m transversal, glissement; dilatation f angulaire; déformation f de cisaillement	сдвиг, срез; скалывание, скол; деформация сдвига, деформация второго рода
	shear action	s. shear		
S 1311	shear centre, shearing centre, flexural centre	Schubmittelpunkt m, Querkraftmittelpunkt m	centre m de cisaillement	центр изгиба (сдвига, жесткости, среза, перемещения), точка приложения силы тяги
S 1312	shear cleft <geo.>	Scherkluft f <Geo.>	fente f de cisaillement <géo.>	сдвиговая трещина <гео.>
	shear coefficient (compliance)	s. coefficient of shear		
S 1313	shear cone	Scherungskegel m	cône m de cisaillement	конус сдвига
S 1314	shear crack	Scherriß m	fente f de cisaillement	сдвиговая трещина
	shear deformation	s. shear		
	shear diagram	s. shearing force diagram		
	shear distortion	s. spiral distortion		
	shear effect	s. shear		
	shear failure	s. ductile fracture		
S 1315	shear flow, shearing flow	scherende Strömung f, Scherungsströmung f, Scherströmung f, ebene Couette-Strömung f	mouvement m de cisaillement	поток вязкой жидкости, промежуточное течение, течение с поперечным градиентом скорости, течение при сдвиге
	shear flow turbulence	s. shear turbulence		
S 1316	shear force, shearing force, transverse force, bending force, lateral force <mech.>	Scherkraft f, Scherungskraft f, Querkraft f, Schubkraft f <Mech.>	force f de cisaillement, effort m de cisaillement, effort tranchant, force transversale <méc.>	усилие сдвига, скалывающее усилие, срезающее усилие, сдвигающее усилие, сдвигающая сила, сила сдвига, поперечная сила <мех.>
	shear fracture	s. ductile fracture		
S 1316a	shear gradient	Schergefälle n	gradient m de cisaillement	градиент сдвига
S 1317	shearing, shearing velocity, rate of shear, shear strain rate	Scherungsgeschwindigkeit f, Scherverformungsgeschwindigkeit f	vitesse f de dilatation angulaire	скорость скошений прямых углов, сдвиг, скорость [деформации] сдвига, скорость относительной деформации сдвига, градиент скорости
	shearing	s. a. shear		
	shearing action	s. shear		
S 1317a	shearing area	Scherfläche f	aire f de cisaillement	площадь сдвига (среза)
	shearing centre, shear centre, flexural centre	Schubmittelpunkt m, Querkraftmittelpunkt m	centre m de cisaillement	центр изгиба (сдвига, жесткости, среза, перемещения), точка приложения силы тяги
	shearing coefficient	s. coefficient of shear		
	shearing curve, curve of correction of the hysteresis loop	Scherungskurve f, Scherungslinie f, Scherungsgerade f	courbe f de correction de la boucle d'hystérésis, courbe de cisaillement	линия поправок по кривой гистерезиса, линия среза

	English	German	French	Russian
	shearing deformation	s. shear		
	shearing effect	s. shear		
S 1318	shearing error	Scherungsfehler m	erreur f de cisaillement	погрешность определения энергии постоянного магнита методом среза
S 1318a	shearing field rheometer	Scherfeldrheometer n	rhéomètre m à champ de cisaillement	реометр на поле среза
	shearing field strength	s. shearing strength [of field]		
	shearing flow	s. shear flow		
	shearing force	s. shear force		
S 1319	shearing force diagram, shear diagram, transverse force diagram; bending moment diagram	Querkraftdiagramm n; Biegemomentdiagramm n	diagramme m (épure f) des efforts tranchants; diagramme des moments fléchissants	эпюра поперечных сил, эпюра поперечной силы, эпюра изгибающего момента
S 1320	shearing impact	Scherstoß m	choc m de cisaillement	срезывающий удар
S 1321	shearing instability, Helmholtz instability	Scherungsinstabilität f, Scherungslabilität f	instabilité f de cisaillement	неустойчивость сдвига
S 1321a	shearing intensity	Scherungsstärke f	intensité f de cisaillement	интенсивность сдвига
S 1322	shearing interference [type] microscope	Polarisationsmikroskop n mit Franconschem Interferenzokular	microscope m à polarisation à oculaire de Françon	поляризационный микроскоп с окуляром Франсона
S 1323	shearing interferometer, wavefront shearing interferometer	Überschneidungsinterferometer n, Shearinginterferometer n	interféromètre m à cisaillement	интерферометр сдвига, сдвиговый интерферометр
S 1324	shearing interferometer of Drew, Drew interferometer	Interferometer n nach Drew, Drew-Interferometer n	interféromètre m de Drew	интерферометр Дрью
S 1324a	shearing load, shear load	Scherbelastung f; Schublast f	charge f de cisaillement	сдвиговая (срезывающая) нагрузка
	shearing method, correction of the hysteresis loop	Scherungsmethode f	méthode f de correction de la boucle d'hystérésis	метод среза
	shearing method	s. a. shearing technique <opt.>		
	shearing modulus [of elasticity]	s. shear modulus		
S 1324b	shearing moment	Schermoment n	moment m de cisaillement	момент сдвига
	shearing operation	s. shear		
	shearing plane, slip plane, plane of slip, glide plane <cryst.>	Gleitebene f, Translationsebene f <Krist.>	plan m de glissement <crist.>	плоскость скольжения, плоскость сдвига, плоскость трансляции <крист.>
	shearing resistance	s. shear strength		
S 1325	shearing rigidity	Schubsteifigkeit f	rigidité f au cisaillement	жесткость к сдвигу, жесткость к срезу
	shearing strain	s. shear strain		
	shearing strength	s. shear strength		
S 1326	shearing strength [of field], shearing field strength	Scherungsfeldstärke f	intensité f de champ de cisaillement, champ m de cisaillement	напряженность поля, соответствующая точке пересечения линии среза с кривой размагничивания
	shearing stress	s. shear stress		
	shearing stress curve (line)	s. shear line		
S 1327	shearing technique, wavefront shearing technique, shearing method <opt.>	Verdopplungsverfahren n, Shearingverfahren n <Opt.>	méthode f de dédoublement (cisaillement) <opt.>	метод сдвига <опт.>
	shearing velocity	s. shearing		
S 1327a	shear lag	Scherverzögerung f	retard m de cisaillement	задержка сдвига
	shear layer	s. boundary layer <hydr.>		
S 1328	shear line, shear stress line, shearing stress line (curve), line of maximum shearing stress	Scherlinie f, Scherungsgrenze f, Schubspannungslinie f, Hauptschublinie f, Schublinie f, Querkraftlinie f	ligne f de cisaillement, ligne des tensions tangentielles maximales, ligne d'égal cisaillement, ligne de glissement	линия (граница) сдвига, линия наибольших (равных) касательных напряжений, линия касательных напряжений, линия (эпюра) срезывающих сил
	shear load	s. shearing load		
	shear mode; shear vibration	Scherschwingung f, Scherungsschwingung f, Scherungsmode f, Scherschwingungstyp m	vibration f de cisaillement; mode m de cisaillement	колебание сдвига (среза), сдвиговое колебание; вид (тип) колебания сдвига
S 1329	shear modulus, elastic shear modulus, modulus of elasticity in shear, coefficient of elasticity in shear, shearing modulus [of elasticity], modulus of rigidity, rigidity modulus, rigidity, constant of Coulomb, modulus of torsion, torsion[al] modulus, torsional rigidity per unit length	Schubmodul m, zweiter Elastizitätsmodul m, zweite Elastizitätskonstante f, Elastizitätsmodul bei Schub, Schubelastizitätsmodul m, elastischer Schubmodul, Gleitmodul m, Gleitmaß n, Gleitzahl f, Scherungsmodul m, Schermodul m, Schiebungsmodul m, Elastizitätsmodul m der Torsion, Torsionsmodul m, Torsionskoeffizient m, Drillungsmodul m, Drillungsmaß n, Starrheitsmodul m, Starrheitskoeffizient m, Righeitskoeffizient m, Righeit f	module m d'élasticité au cisaillement, module d'élasticité transversale, coefficient m d'élasticité transversale, module de cisaillement, module de rigidité, rigidité f, module de Coulomb, constante f de Coulomb, module de torsion, coefficient de torsion, module de glissement	модуль сдвига, модуль упругости при сдвиге, модуль упругости второго рода, модуль сдвиговой упругости, модуль поперечной упругости, модуль среза, модуль кручения, коэффициент кручения всестороннего сжатия, модуль скольжения

S 1330	**shear of the magnetic field**, magnetic shearing	Scherung f [des Magnetfelds], magnetische Scherung, Scherung der Magnetisierungskurve, Magnetfeldscherung f, Verscherung f des Magnetfeldes	cisaillement m [du champ] magnétique	срез магнитного поля, магнитный срез, срез по кривой гистерезиса, шир, линеаризация кривой намагничивания
S 1331	**shear of the warm front**	Warmfrontscherung f	cisaillement m du front chaud	сдвиг теплого фронта
S 1332	**shear plane**, plane of shear	Scherebene f, Ebene f der Scherung	plan m de cisaillement	плоскость среза (сдвига)
S 1333	**shear profile**	Scherprofil n	profil m de cisaillement	профиль среза, профиль сдвига
	shear resistance	s. shear strength		
S 1333a	**shear stiffness**	Scherungssteifigkeit f	rigidité (raideur) f au cisaillement	жесткость на сдвиг
S 1334	**shear strain**, shearing strain, amount of shear <tangent of shear angle>	Schubverformung f, Schiebung f <Tangens der Winkeländerung>	tangente f de la dilatation angulaire	тангенс угла сдвига, тангенс угловой деформации, величина относительного сдвига
S 1335	**shear strain**, shearing strain	Scherbeanspruchung f, Schubbeanspruchung f	effort m de cisaillement, effort tranchant	срезающее (скалывающее, сдвиговое, сдвигающее) усилие
	shear strain	s. a. angle of shear		
	shear strain	s. a. shear		
	shear strain energy	s. strain energy due to the distortion		
	shear strain rate	s. shearing		
S 1335a	**shear strain tensor**	Scherungsanteil m des Deformationstensors, Scherdeformationstensor m	tenseur m de la déformation de cisaillement	тензор сдвиговых деформаций
S 1336	**shear strength**, shearing strength, shearing resistance, transverse strength, transverse resistance, resistance to shear[ing], shear resistance	Schubfestigkeit f, Scherfestigkeit f, Abscherfestigkeit f, Abscherungsfestigkeit f. Bruchschubspannung f; Scherwiderstand m, Schubwiderstand m	limite f d'élasticité au cisaillement, résistance f au cisaillement	предел прочности на поперечный сдвиг, предел прочности при сдвиге (срезе), прочность сдвига, сдвиговая прочность, прочность при сдвиге, предел прочности на срез, прочность на срез (сдвиг), прочность при срезе, сопротивление сдвигу (срезу, на сдвиг), скалывающее сопротивление, сопротивление скалыванию, предел прочности при скалывании
S 1337	**shear stress**, shearing stress, tangential stress	Schubspannung f, Scherspannung f, Scherungsspannung f; Schubspannungszustand m	tension f de cisaillement, composante f tangentielle de la tension interne; contrainte f tangentielle (de cisaillement), cission f, effort m tangentiel	скалывающее напряжение, напряжение сдвига, сдвигающее напряжение, напряжение среза, касательное (тангенциальное, поперечное) напряжение
	shear stress line	s. shear line		
S 1338	**shear surface**	Scherfläche f	surface f de cisaillement	поверхность среза (сдвига)
S 1338a	**shear transfer**	Scherungsübertragung f	transfert m de cisaillement	перенос сдвига
	shear[-type] transformation	s. diffusionless transformation		
S 1338b	**shear turbulence**, shear flow turbulence	Scherungsturbulenz f	turbulence f de cisaillement	турбулентность сдвига, турбулентность в потоке с поперечным градиентом скорости
S 1339	**shear vibration**; shear mode	Scherschwingung f, Scherungsschwingung f; Scherungsmode f, Scherschwingungstyp m	vibration f de cisaillement; mode m de cisaillement	колебание сдвига (среза), сдвиговое колебание; вид (тип) колебания сдвига
S 1340	**shear viscosity**	Schubviskosität f, Scherungsviskosität f, Scherviskosität f, Scherungszähigkeit f, Scherungsreibung f, Scherreibung f	viscosité f de cisaillement	сдвиговая вязкость, вязкость сдвига, сдвиговое трение; коэффициент сдвиговой вязкости, сдвиговый коэффициент вязкости
	shear viscosity coefficient	s. coefficient of viscosity		
S 1341	**shear wave**, S wave, equivoluminal (distortional, rotational) wave <elasticity>	Scherungswelle f, Scherwelle f, Schubwelle f, S-Welle f <Elastizität>	onde f de cisaillement <élasticité>	волна сдвига, сдвиговая волна, волна смещения, разрывная (поперечная) волна <упругость>
	shear wave	s. a. Helmholtz['] wave		
	shear wave	s. a. transverse wave <geo.>		
	sheath; coating, coat, surface coat; covering, coverage; layer <gen.>	Überzug m, Schicht f, Überzugsschicht f; Beschichtung f; Belag m; Bedeckung f <allg.>	revêtement m, recouvrement m, enduit m; couche f; couverture f <gén.>	покрытие, [внешний] слой; полив, пленка; налет; отложение <общ.>
S 1342	**sheath** <in gaseous discharge>	Raumladungsschicht f, Raumladungsgebiet n, Schicht f <in der Gasentladung>	gaine f <en décharge dans le gaz>	страта, область пространственного заряда, оболочка, чехол <в газовом разряде>

	sheath, jacket <techn.>	Mantel *m* <Techn.>	chemise *f*, enveloppe *f* <techn.>	рубашка, обшивка, оболочка, кожух, коробка <техн.>
S 1343	sheathed electrode	Mantelelektrode *f*	électrode *f* enrubannée; électrode à enrobage	обмотанный электрод; электрод с покрытием
	sheathed pyrometer	s. pyrometric rod		
S 1344	sheath loss, cable-sheath loss	Mantelverlust *m*	perte *f* due à l'enveloppe	потеря в оболочке
S 1344a	sheath model	Scheidenmodell *n*	modèle *m* de gaine	модель чехла
	sheath of solvent molecules	s. solvation sheath		
S 1345	shed <= 10⁻²⁴ b>	Shed *n*, shed <= 10^{-24} barn>	shed *m* <= 10⁻²⁴ b>	шед <= 10^{-24} *барн*>
	shedding <of vortices>	s. separation <e.g. of flow etc.>		
S 1345a	Shedlovsky electrode	Shedlovsky-Elektrode *f*, Chlor-Silber-Elektrode *f*	électrode *f* de Shedlovsky	электрод Шидловского, хлор-серебряный электрод
S 1346	sheet, nappe <of the surface> <math.>	Schale *f* <Fläche>, Flächenschale *f*, Fläche *f* <Math.>	nappe *f* <de la surface> <math.>	полость <поверхности> <матем.>
	sheet	= two-dimensional vein		
	sheet antenna, flat-top antenna, plane antenna	Flächenantenne *f*	antenne *f* en nappe; antenne plane	плоская антенна; поверхностная антенна
	sheet boiling, film boiling	Filmverdampfung *f*, Filmsieden *n*	ébullition *f* en film	пленочный режим кипения, пленочное кипение, пленочное испарение
	sheet discharge	s. sheet lightning		
S 1347	sheet erosion, unconcentrated wash	Flächenspülung *f*; Abspülung *f*	ruissellement *m*	плоскостной смыв, площадный смыв, поверхностный смыв, смыв поверхности, склоновая эрозия
	sheeting	s. sheet structure		
S 1348	sheet ligthning; sheet discharge	Flächenblitz *m*; Flächenentladung *f*	foudre *f* plate	плоская молния, сплошная молния; рассеянная вспышка молнии
S 1349	sheet lightning, summer lightning, heat lightning	Wetterleuchten *n*	éclairs *mpl* à l'horizon, éclair *m* diffus, éclair à chaleur	зарница
	sheet of charge; layer of charge	Ladungsschicht *f*	couche *f* de charge	заряженный слой, заряженная плоскость
	sheet of glass	s. optical flat		
S 1350	sheet resistance [of films], film resistance	Schichtwiderstand *m*	résistance *f* de la couche	сопротивление слоя
S 1350a	sheet structure, sheeting	Schichtstruktur *f*	structure *f* stratiforme (stratifiée)	расслоенность, пластовая структура
	shelf, continental shelf	Schelf *m*, Kontinentalsockel *m*, neritischer Bereich *m*	shelf *m* continental, shelf	континентальный шельф, шельф, материковая отмель, мелкоморье, континентальная платформа
S 1351	shelf ice	Schelfeis *n*	glace *f* littorale (de shelf)	шельфовый лед
S 1352	shell <nucl.>	Schale *f*; Hülle *f* <Kern.>	couche *f* <nucl.>	слой; оболочка <яд.>
S 1353	shell, thin shell (slab) <in theory of elasticity>	Schale *f*, krumme Platte *f* <Elastizitätstheorie>	enveloppe *f* <en théorie d'élasticité>	оболочка, кривая пластина <в теории упругости>
S 1354	shell electrode	Schalenelektrode *f*	électrode *f* hémisphérique	полусферический электрод, электрод в виде чаши
S 1355	shell electron	Schalenelektron *n*	électron *m* de couche	оболочечный электрон, электрон атомной оболочки, электрон оболочки
S 1356	shell model [of nucleus], nuclear shell model, Hartree-Fock model [of nucleus], quasi-atomic model	Schalenmodell *n* [des Kerns], Kernschalenmodell *n*, Haxel-Jensen-Süß-Modell *n*; Potentialtopfmodell *n* [des Atomkerns]	modèle *m* des couches, modèle à couches, modèle du noyau à couches, modèle du noyau à structure en couches, modèle à structure en couches	оболочечная модель [ядра]
	shell of comet, coma of comet	Koma *f* des Kometen, Kernhülle *f*, Hülle *f* des Kometenkerns	chevelure *f* de la comète	оболочка кометы
	shell of electrons	s. atomic electron shell		
S 1357	shell of revolution	Umdrehungsschale *f*	enveloppe *f* de révolution	оболочка вращения
S 1358	shell-source model	Schalenquellenmodell *n*	modèle *m* à sources en couche[s]	модель с источниками в оболочке
	shell star, star with extended atmosphere, star with extended envelope	Hüllenstern *m*, Stern *m* mit ausgedehnter Gashülle	étoile *f* à enveloppe [étendue], étoile à atmosphère étendue	звезда с протяженной оболочкой, звезда с протяженной атмосферой
S 1359	shell structure of nucleus, nuclear shell structure	Schalenstruktur *f* des Atomkerns (Kerns), Schalenbau *m* des Atomkerns (Kerns), Kernschalenstruktur *f*	structure *f* du noyau en couches, structure en couches du noyau, structure quantique du noyau	оболочечная структура ядра, оболочечное строение ядра
S 1360	shell theory, theory of shells	Schalentheorie *f*	théorie *f* des enveloppes	теория оболочек
S 1361	shell-type core	Schalenkern *m*	noyau *m* en pot	чашеобразный (чашечный, сегментный) сердечник
S 1362	shell-type core	Mantelkern *m*	noyau *m* cuirassé	броневой сердечник

S 1363	shell-type magnet, encased magnet, boxed (pot) magnet	Mantelmagnet m	aimant m à trois culasses, aimant cuirassé	броневой (панцирный, цилиндрический) магнит
S 1364	shell vacancy, vacancy in the shell, empty place in the shell	Leerstelle f in der Schale	vacance f dans la couche, place f vacante dans la couche	вакансия в оболочке, свободное место в оболочке
S 1364a	shelly texture	Schalentextur f	texture f de coquille	скорлуповатая (скорлупчатая) текстура
S 1365	shelly weathering	Schalenverwitterung f, schalige Verwitterung f	désagrégation f en couches	чашечное выветривание
	shelter	s. instrument screen		
	Shepart tube	s. klystron		
S 1366	Sheppard['s] correction	Sheppardsche Korrektion f	correction f de Sheppard	поправка Шеппарда
S 1367	sherardizing	Sherardisierung f	shérardisation f	шерардизация, диффузионное покрытие, диффузионный способ покрытия
S 1368	Shercliff layer	Shercliff-Schicht f	couche f de Shercliff	слой Шерклифа
S 1369	Sherwood No., Sherwood number, Sh	Sherwood-Zahl f, Sherwoodsche Kennzahl f, Sherwoodsche Zahl f, Sh	nombre m de Sherwood, Sh	число Шервуда, критерий Шервуда, Sh
	S.H.F.	s. superhigh frequency		
S 1369a	Shida number	Shida-Zahl f	nombre m de Shida	число Шида
S 1370	shield; protective shield (screen); shielding	Abschirmung f, Schild m, Schutzschirm m, Schirm m	bouclier m, blindage m; écran m protecteur, écran	защита; защитный экран, экран
S 1371	shield <geo.>	Schild m <Geo.>	bouclier m <géo.>	щит <гео.>
S 1372	shielded <of instrument>	abgeschirmt, gepanzert, Panzer- <Gerät>	blindé [par], à blindage [de], avec écran [de], cuirassé <de l'appareil>	экранированный, защищенный; бронированный <о приборе>
	shielded actinometer, Linke-Feussner actinometer, panzeractinometer	Panzeraktinometer n [nach Linke und Feußner], Linke-Feußner-Aktinometer n	actinomètre m de Linke et Feussner	термоэлектрический актинометр Линке-Фейснера, актинометр Линке-Фейснера
	shielded box	s. flask		
	shielded electrode	s. shield electrode		
S 1373	shielded galvanometer, iron-clad galvanometer	Panzergalvanometer n	galvanomètre m cuirassé	панцирный (броневой, экранированный) гальванометр
S 1374	shielded nuclide	abgeschirmtes Nuklid n	nucléide m blindé	экранированное ядро
S 1375	shielded potential	abgeschirmtes Potential n	potentiel m blindé, potentiel écranné	экранированный потенциал
S 1376	shield electrode; shielded electrode	Schirmelektrode f	électrode f réflectrice	экранирующий электрод; экранированный электрод
	shield factor	s. screening factor <el.>		
S 1377	shielding <e.g. of cable>	Panzerung f <z. B. Kabel>	blindage m <p. ex. du câble>	бронирование <напр. кабеля>
	shielding	s. a. shield		
	shielding [action]	s. screening action		
S 1378	shielding castle	Abschirmkammer f	chambre f écran (blindée)	экранированная камера
S 1379	shielding factor, screen factor <el.>	Schirmfaktor m <El.>	facteur m de réduction dû à l'effet d'écran <él.>	коэффициент экранирования <эл.>
S 1380	shielding factor <of the screen grid>, reciprocal of screen grid amplification <el.>	Schirmgitterdurchgriff m <El.>	pénétration f de [la] grille écran <él.>	проницаемость экранирующей сетки <эл.>
S 1381	shielding material, shield material	Abschirmmaterial n, Abschirmwerkstoff m	matériel m de blindage, matériel m de protection, matière f protectrice	защитный материал
	shielding window	s. shield window		
S 1382	shield opening, channel through the shielding	Kanal m durch die Abschirmung	canal m traversant le blindage, trou m dans le blindage	канал через защиту, отверстие в защите
S 1383	shield volcano	Schildvulkan m	volcan m effusif	щитовидный (щитовой) вулкан, вулкан гавайского типа
S 1384	shield window, shielding window	Schutzfenster n	hublot m	защитное [смотровое] окно
	shift, shifting, offset, misalignment	Versetzung f, Verschiebung f, Versatz m	décalage m	перемещение, смещение, сдвиг
	shift, displacement <geo.>	Verschiebung f <Geo.>	décalage m, décrochement m, rejet m <géo.>	сдвиг, смещение <гео.>
	shift	s. a. shifting <gen.>		
	shift angle, displacement angle	Verschiebungswinkel m	angle m de déplacement	угол смещения, угол сдвига
S 1385	shift defect	Verschiebungsdefekt m, Verschiebungsfehler m	défaut m de déplacement	дефект смещения
S 1386	shift diagram	Verschiebungsdiagramm n	diagramme m de décalage, diagramme de déplacement	диаграмма смещения
S 1387	shifter, shift unit <num. math.>	Verschiebeeinrichtung f <num. Math.>	unité f de décalage <math. num.>	сдвигающее устройство, устройство переключения <числ. матем.>
S 1388	shift factor	Verschiebungsfaktor m, Kosinus m des Verschiebungswinkels, cos φ m	coefficient m de déphasage	коэффициент смещения, коэффициент сдвига
	shifting, displacement, shift, removal <gen.>	Verschiebung f, Verlagerung f <allg.>	déplacement m, décalage m <gén.>	смещение, перемещение, сдвиг <общ.>
	shifting	s. a. shift		
	shifting gauge, surface gauge, marking gauge	Höhenreißer m, Reißmaß n, Streichmaß n, Parallelmaß n, Parallelreißer m	trusquin m	рейсмус, параллельный рейсмус, вертикальный разметочный прибор

	shifting of Bloch wall	s. boundary movement		
	shifting of the pole	s. polar motion		
	shifting of wind [to]	s. veering of wind [to]		
S 1389	**shifting operation**	Verschiebeoperation f	opération f de décalage	операция сдвига
	shifting theorem [of Laplace transform]	s. time-shift theorem		
	shifting wind; variable wind; baffling wind	veränderlicher Wind m, umlaufender Wind; unbeständiger Wind; umspringender Wind	vent m variable	переменный ветер
S 1390	**shift matrix**	Verschiebematrix f	matrice f de décalage	матрица сдвига
	shift of spectral line	s. line shift		
S 1391	**shift structure**	Verwerfungsstruktur f	structure f de déplacement (faille)	сверхструктура сдвига
S 1392	**shift surface**, displacement surface	Verschiebungsfläche f	surface f de dislocation	поверхность смещения
	shift unit	s. shifter		
S 1393	**shim**	Shim[stück n] m <Blech, Draht od. ä.>; Einlegeblech n	shimme m, Schimme m, cale f	шимма, [тонкая] прокладка
	shimmer	s. gleam		
S 1394	**shimming**	Einlegen n dünner Bleche zur Feldkorrektion, Verwendung f von Shims, Feldfeinkorrektion f, Feldkorrektion f durch Shims	calage m, ajustement m par shimme	шиммирование
	shimming	s. a. coarse control		
	shim rod	s. coarse control rod		
S 1395	**shim[-]safety rod**	Trimmabschaltstab m	barre f de compensation et de sécurité	компенсационно-аварийный стержень, компенсирующий-абсорбирующий стержень
S 1396	**ship hull**, hull of the ship	Schiffskörper m, Schiffsrumpf m, Körper (Rumpf) m des Schiffes	coque f du navire	корпус судна
	ship magnetic field, magnetic field of the ship	Schiffsfeld n	champ m magnétique du navire	магнитное поле судна
S 1397	**ship magnetism**	Schiffsmagnetismus m	magnétisme m des navires	магнитизм судов
S 1398	**ship oscillation, ship vibration**	Schiffsschwingung f	oscillation f du navire, vibration f du navire	корабельное колебание, колебание судна
	shipping container	s. transfer container		
	ship vibration, ship oscillation	Schiffsschwingung f	oscillation f du navire, vibration f du navire	корабельное колебание, колебание судна
S 1399	**ship wave**	Schiffswelle f, Welle f vom Machschen Typ, Machsche Welle	onde f de navire	корабельная волна
S 1400	**shoal[s]; bank** <geo.>	Untiefe f; Bank f; Watt n; Wattenmeer n <Geo.>	bas-fond m; banc m de vase; banc <géo.>	мель; мелководье; банка; ватт[ен]ы; отмель <гео.>
	shoal water	s. shallow water		
	shock; impact; percussion; stroke; blow; push; shove, impulse	Schlag m, Stoß m, Anstoß m	impact m; choc m; percussion f; heurt m, frappe f; coup m	удар, толчок
	shock, bound, bounce, impact, knock-on, impingement, impinging	Aufschlag m, Aufprall m, Anprall m, Prall m	bond m, choc m, impact m; chute f	удар, [сильный] толчок; налетание, попадание
	shock; collision; impact; encounter; impinging	Stoß m; Zusammenstoß m; Kollision f; Zusammenprall m	collision f; choc m; impact m	столкновение; соударение; удар
	shock, compression shock, pressure shock	Verdichtungsstoß m	choc m de compression, choc	скачок уплотнения
	shock, shock front, shock surface, pressure front	Stoßfront f, Stoßwellenfront f	front m de choc, front d'onde de choc	фронт ударной волны
	shock, earthquake shock <geo.>, earth tremor	Erdstoß m, Bodenstoß m <Geo.>	séisme m, choc m, secousse f, secousse terrestre, secousse séismique <géo.>	толчок землетрясения, удар землетрясения, подземный толчок <гео.>
	shock / without	s. shock-free		
S 1401	**shock absorption** <mech.>	Stoßdämpfung f <Mech.>	amortissement m <méc.>	амортизация ударов, поглощение толчков <мех.>
S 1402	**shock adiabatic line**	Stoßadiabate f	adiabatique f de choc	ударная адиабата
S 1403	**shock angle; angle of impact**	Stoßwinkel m	angle m de choc, angle d'impact	угол удара, угол атаки
	shock coefficient	s. restitution coefficient		
S 1404	**shock condition**	Stoßbedingung f	condition f de choc	условие удара
S 1405	**shock condition**, condition for shock waves	Stoßwellenbedingung f	condition f pour les ondes de choc	условие для ударных волн, условие скачков уплотнения
S 1406	**shock curvature**, shock wave curvature	Stoßfrontkrümmung f	courbure f du choc	кривизна скачка уплотнения
S 1407	**shock diffuser**	Stoßdiffusor m, Stoßwellendiffusor m	diffuseur m d'ondes de choc	диффузор скачком уплотнения
S 1408	**shock equation**	Stoßwellengleichung f, Stoßgleichung f	équation f du choc	уравнение скачка уплотнения
	shock excitation, impact excitation, repulse (impulse, pulse) excitation <of oscillation>	Stoßanregung f, Stoßerregung f <Schwingung>	excitation f par impulsion, excitation par choc, percussion f <de l'oscillation>	ударное возбуждение, возбуждение ударом, импульсное возбуждение <колебаний>
S 1408a	**shock expansion**	Stoßentwicklung f	expansion f de choc	разложение столкновения
	shock-free, collisionless, without collision, without shock	stoßfrei	non-collisionnel, sans collision, « pas de collision », sans choc	безударный; бесстолкновительный
S 1409	**shock-free entry**	stoßfreier Eintritt m	entrée f sans choc, régime m d'adaptation	безударный вход

	shock frequency	s. collision frequency		
S 1410	**shock front**, shock surface, shock, pressure front	Stoßfront f, Stoßwellen-front f	front m de choc, front d'onde de choc	фронт ударной волны
	shock front thickness, thickness of shock layer	Stoßfronttiefe f	épaisseur f du front de choc, couche f du choc	толщина скачка уплот-нения, толщина фронта ударной волны, толщи-на ударного слоя
S 1411	**shock-hazard protection**, contact protection, pro-tection against shock hazard <el.>	Berührungsschutz m	protection f contre les contacts	защита от прикосновения
S 1412	**shock layer**	Stoßfrontschicht f, Stoß-schicht f	couche f du (de) choc	поверхность скачка уплот-нения, ударный слой
S 1413	**Shockley barrier [layer]**, Shockley-type barrier layer	Shockleysche Randschicht f	barrière f de Shockley	запорный слой Шокли
	Shockley diode	s. four-layer diode		
	Shockley dislocation	s. Shockley['s] partial dislocation		
S 1414	**Shockley['s] equation**, Shockley-type barrier layer equation	Shockleysche Randschicht-gleichung f	équation f de Shockley	уравнение Шокли
S 1415	**Shockley['s] partial dis-location**, Shockley dis-location, Shockley-type dislocation	Shockleysche (gleitfähige) unvollständige Versetzung f, Shockley-Versetzung f	dislocation f imparfaite de type Shockley, dislocation de type Shockley	частичная дислокация Шокли, половинная дислокация Шокли, дислокация Шокли
S 1415a	**Shockley-Road type generation-recombi-nation noise source**	Generation-Rekombi-nation-Rauschquelle f vom Shockley-Read-Typ	source f de bruit à géné-ration-recombinaison de type Shockley-Read	генерационно-рекомби-национный источник шума типа Шокли-Рида
	Shockley-type barrier layer	s. Shockley barrier [layer]		
	Shockley-type barrier layer equation	s. Shockley['s] equation		
	Shockley-type dis-location	s. Shockley['s] partial dis-location		
S 1416	**shock limitation**	Stoßbegrenzung f	limitation f de choc	ограничение удара
S 1417	**shock line**, line of shock	Stoßlinie f	ligne f de choc	линия скачка уплотнения
	shock load	s. impact load		
S 1418	**shock Mach number**	Stoß-Mach-Zahl f	nombre m de Mach de choc	ударное число Маха
	shock momentum	s. momentum of the impact		
S 1419	**shock normal**, impact normal	Stoßnormale f	normale f de choc	нормаль к удару
	shock of rarefaction, rarefaction shock, rare-factional shock, dilata-tional shock	Verdünnungsstoß m	choc m de raréfaction, choc de dilatation	удар разрежения, скачок разрежения
S 1420	**shock polar**	Stoßpolare f	polaire f de choc	ударная поляра
S 1421	**shock polaric diagram**, shock polars['] diagram	Stoßpolarendiagramm n	diagramme m des polaires de choc	диаграмма ударных поляр
S 1421a	**shock potential**	Stoßpotential n	potentiel m de choc	ударный потенциал
	shock pressure	s. impact pressure		
	shockproof	s. shockresistant		
S 1422	**shock propagation**	Stoßausbreitung f	propagation f des chocs	распространение ударов
S 1423	**shock relation**, shock wave relation	Stoßwellenrelation f	relation f aux ondes de choc	соотношение на скачке уплотнения
	shock resistance	s. impact strength		
S 1424	**shock-resistant**, shock-proof; rugged, ruggedized	stoßfest	résistant aux chocs, protégé contre les chocs, antichoc	ударостойкий, ударо-прочный; импульсно-прочный; вибропроч-ный, вибростойкий
	shock stability	s. impact strength		
S 1424a	**shock stall[ing]**, com-pressibility stall	Abreißen n hinter dem Ver-dichtungsstoß, Verdich-tungsstoßabreißen n, Stoßabreißen n	décrochage (décollement) m de choc, décrochage (décollement) de com-pressibilité	волновой кризис (срыв), срыв потока за скачком уплотнения; возникно-вение волнового срыва
	shock strength, collision strength	Stoßstärke f; Stoßleistung f	intensité f de choc	мощность удара, интенсив-ность удара
	shock strength	s. a. impact strength		
	shock stress	s. impact load		
	shock surface, shock front, shock pressure front	Stoßfront f, Stoßwellen-front f	front m de choc, front d'onde de choc	фронт ударной волны
S 1425	**shock therapeutics**, shock therapy	Schockbehandlung f, Schocktherapie f	thérapie f à choc	шоковая терапия
S 1426	**shock transfer**, impact transfer	Stoßübertragung f	transfert m des chocs, trans-fert des impacts	перенос ударов, передача ударов
S 1427	**shock tube**, shock-tube; shock tunnel, shock-tunnel <aero.>	Stoßwellenrohr n; Stoßrohr n <Aero.>	tube m de choc, tube à choc	ударная трубка; ударная аэродинамическая труба, импульсная аэро-динамическая труба <аэро.>
S 1428	**shock wave**, impact wave, blast	Stoßwelle f, Schockwelle f, Verdichtungsstoß m	onde f de choc, onde d'accélération	ударная волна, скачок уплотнения
	shock wave curvature, shock curvature	Stoßfrontkrümmung f	courbure f du choc	кривизна скачка уплот-нения
S 1429	**shock-wave heating**	Stoßheizung f, Stoßwellen-heizung f	chauffage m par onde de choc	нагрев[ание] ударной волной
S 1430	**shock wave lumines-cence**	Verdichtungsstoßleuchten n, Stoßwellenleuchten n	luminescence (lueur) f sous l'action d'ondes de choc	свечение под действием ударных волн, свечение под действием скачков уплотнения
	shock wave relation, shock relation	Stoßwellenrelation f	relation f aux ondes de choc	соотношение на скачке уплотнения

	shoot, rapids, rapid, chute <of river>	Stromschnelle *f*, Katarakt *m*, Gefällssteile *f* <Fluß>	rapide *m*, chute *f* <de la rivière>	быстрина, стремнина, пороги, порожистый участок <реки>
	shooting	*s.* seismic prospecting		
	shooting	*s.* taking <phot.>		
S 1430a	**shooting angle**	Aufnahmewinkel *m*	angle *m* de prise de vue	угол съемки
S 1431	**shooting flame,** explosive flame, jet [of] flame, narrow (tongue, thin, pointed jet, fine pointed) flame	Stichflamme *f*	flamme *f* dure, jet *m* de flamme, dard *m*	остроконечное пламя, острое пламя, язык пламени; факел пламени
S 1432	**shooting flow,** fast flow, super-critical flow, super-undal flow, rapid flow <hydr.>	Schießen *n* [der Strömung], schießende Strömung *f*, schießende Bewegungsart *f*, reißende Strömung *f* <Hydr.>	écoulement *m* [en régime] torrentiel, régime *m* torrentiel, écoulement *m* jaillissant <hydr.>	бурное течение, бурное состояние потока, стремительное течение <гидр.>
	shooting for fast motion effect	*s.* stop-motion camera shooting		
	shooting for high-speed (slow-motion) effect	*s.* high-speed camera shooting		
S 1433	**shooting star,** falling star	Sternschnuppe *f*	étoile *f* filante (volante, tombante)	падающая звезда
S 1434	**shop microscope**	Werkstattmeßmikroskop *n*	microscope *m* de l'atelier	цеховой [измерительный] микроскоп
S 1435	**Shoran, shoran,** short-range navigation system, short-range navigation radar	Shoran *n*, Shoran-Verfahren *n*, Shoran-System *n*, Kurzstrecken-Navigationsradar *n*	système *m* Shoran, Shoran *m*, système de radionavigation à courte portée, shoran *m*	система ближней радионавигации, система ближней тонкой навигации, система [ближней] навигации, Шоран, «Шоран»
S 1436	**shore**	Seeufer *n*, Ufer *n* <See>	côte *f*, rivage *m*	берег озера
	shore, beach, sea[-]shore, strand	Strand *m*	plage *f*, côte *f*, rivage *m*	пляж, штранд, морской берег, берег
	shore	*s. a.* support <mech.>		
S 1437	**shore development**	Umfangsentwicklung *f*, Uferentwicklung *f*	coefficient *m* de sinuosité	коэффициент извилистости береговой линии
S 1438	**Shore hardness [number],** Shore scleroscope hardness, scleroscope hardness	Shore-Härte *f*, Shoresche Härte *f*	dureté *f* de Shore, dureté Shore, shore *m*	твердость по Шору, склероскопическая твердость, склерометрическая твердость
S 1439	**Shore hardness test[ing]**	Shore-Härteprüfung *f*, Kugeldruck-Härteprüfung *f* nach Shore	essai *m* Shore	определение твердости по Шору, испытание на твердость по Шору
	shoreline, shore line, coastline	Küstenlinie *f*	ligne *f* côtière	береговая линия
	shore migration, beach migration	Küstenversetzung *f*, Strand-Härteprüfgerät *n*; [Shoresches] Skleroskop *n*	migration *f* de la plage	перемещение морского берега
S 1440	**Shore scleroscope,** scleroscope	Shore-Härteprüfer *m*, Shore-Härteprüfgerät *n*; [Shoresches] Skleroskop *n*	scléroscope *m* [de Shore]	склероскоп [по Шору]
	Shore scleroscope hardness, Shore hardness [number], scleroscope hardness	Shore-Härte *f*, Shoresche Härte *f*	dureté *f* de Shore, dureté Shore, shore *m*	твердость по Шору, склероскопическая твердость, склерометрическая твердость
S 1441	**shore terrace,** face terrace, abrasive platform	Abrasionsplatte *f*, Strandplatte *f*, Strandterrasse *f*; Uferterrasse *f*	plate-forme *f* d'abrasion, plate-forme côtière (littorale), terrasse *f* littorale	береговая терраса (платформа), абразионная терраса (платформа)
	short, short-circuit, short out	kurzschließen	mettre en court-circuit, court-circuiter	замыкать накоротко, закорачивать, включить на короткое
S 1442	**short-base radiogoniometer**	Kleinbasispeiler *m*, Kurzbasispeiler *m*	radiogoniomètre *m* à base réduite	радиопеленгатор с малым базисом
S 1443	**short-circuit,** short out, short	kurzschließen	mettre en court-circuit, court-circuiter	замыкать накоротко, закорачивать, включить на короткое
S 1444	**short-circuit arc**	Kurzschlußlichtbogen *m*	arc *m* de court-circuit	дуга при коротком замыкании, электрическая дуга при коротком замыкании
S 1445	**short-circuit conductance,** free conductance	Kurzschlußleitwert *m*	conductance *f* en court-circuit, conductance libre	активная проводимость короткого замыкания
S 1446	**short-circuit current** <of the current source> <el.>	Einströmung *f*, Urstrom *m*, eingeprägter Strom *m*, Kurzschlußstrom *m* <der Stromquelle> <El.>	courant *m* de court-circuit [de la source de courant] <él.>	ток короткого замыкания [источника тока], задающий ток, первоначальный ток <эл.>
S 1447	**short-circuit current density**	Kurzschlußstromdichte *f*	densité *f* de courant en court-circuit	плотность тока короткого замыкания
S 1448	**short-circuit current gain**	Kurzschluß-Stromverstärkungsfaktor *m*, Kurzschlußstromverstärkung *f*	gain *m* en courant en court-circuit	коэффициент усиления тока при коротком замыкании
S 1449	**short-circuit current to earth (ground),** loss current to earth (ground)	Erdschlußstrom *m*	courant *m* de court-circuit à la terre, courant à la terre	ток заземления, ток замыкания на землю
S 1450	**short circuiter**	Kurzschließer *m*	court-circuiteur *m*	короткозамыкатель, закорачивающий рубильник, закоротка
S 1451	**short-circuit force**	Kurzschlußkraft *f*	force *f* de court-circuit	электродинамическое усилие при коротком замыкании, усилие при коротком замыкании

S 1452	short-circuit impedance, free impedance	Kurzschlußimpedanz f, elektrische Kurzschluß-impedanz; Kurzschluß-widerstand m	impédance f en court-circuit, impédance libre	[полное] сопротивление короткого замыкания
S 1453	short-circuiting bridge	Kurzschlußbrücke f	pont (cavalier) m de court-circuit	короткозамыкающий мостик
	short-circuiting plunger	s. shorting plunger <el.>		
S 1454	short-circuit input resistance	Kurzschluß-Eingangswiderstand m	résistance f d'entrée en court-circuit	входное сопротивление короткого замыкания
S 1455	short-circuit output admittance	Kurzschluß-Ausgangsleitwert m	admittance f de sortie en court-circuit	полная выходная проводимость короткого замыкания, [полная] проводимость выхода короткозамкнутого замыкания
S 1456	short-circuit output conductance	Kurzschluß-Ausgangs-[wirk]leitwert m, Ausgangskurzschluß[wirk]-leitwert m	conductance f de sortie en court-circuit	[активная] выходная проводимость короткого замыкания
S 1457	short-circuit ratio	Stoßkurzschlußverhältnis n, Leerlauf-Kurzschlußver-hältnis n	rapport m de court-circuit	отношение короткого замыкания [холостого хода], о.к.з.
S 1458	short-circuit strength	Kurzschlußfestigkeit f	résistance f aux courts-circuits	устойчивость (стойкость) при коротких замыканиях, прочность при коротких замыканиях
S 1459	short-circuit to earth, short to earth, contact to earth, ground leak, accidental ground	Erdschluß m	contact m à la terre	замыкание на землю, заземление <как дефект изоляции>
	short-circuit trans-conductance	s. transconductance		
	short-circuit transfer admittance	s. transfer admittance		
S 1460	short-circuit transfer current ratio	Kurzschluß-Stromüber-tragungsfaktor m rück-wärts	rapport m de transfert en courant en court-circuit	коэффициент передачи по току короткого замыкания
S 1461	short-circuit voltage	Kurzschlußspannung f	tension f de court-circuit	напряжение короткого замыкания
S 1462	short-crested wave, short-crested wavelet	kurzkämmige Welle f, Welle mit kurzem Kamm	vague f à crête courte	коротко-гребневая волна
S 1462a	short cut test, short test, rapid test <Stat.>	Kurztest m <Stat.>	test m rapide <stat.>	сокращенное испытание <стат.>
S 1463	short-day plant	Kurztagpflanze f	plante f de jour court	растение короткого дня
S 1464	short-distance irradiation	Nahbestrahlung f	irradiation f à courte distance	близкофокусное облучение
S 1465	short-distance receiving (reception)	Nahempfang m	réception f à courte distance	ближний прием
S 1466	short-distance scatter[ing]	Nahstreuung f	diffusion f à courte distance	рассеяние на коротком расстоянии
	short-duration, short-time, short-term	Kurzzeit-, kurzzeitig	de durée réduite	кратковременный
	shortening	s. shrinkage		
	shortening	s. a. contraction		
S 1467	shortening capacitor	Verkürzungskondensator m	condensateur m de raccour-cissement, condensateur en série dans l'antenne	укорачивающий конден-сатор; конденсатор, включаемый для суже-ния диапазона
S 1467a	shortest [most selective] confidence interval	kürzestes (engstes) Konfidenzintervall n	intervalle m de confiance le plus sélectif, intervalle de confiance d'étendue minimum	наименьший доверитель-ный интервал
S 1468	short focal length lens, short-focus lens	Kurzfokuslinse f, kurzbrenn-weitige Linse f, Linse kleiner Brennweite	lentille f de foyer court, lentille à courte distance focale	короткофокусная линза, линза с коротким фокусным расстоянием
S 1469	short-focus magnetic lens	magnetische Kurzlinse f, magnetische Kurzfokus-linse f	lentille f magnétique à foyer court	короткофокусная магнит-ная линза
	short-half-life activity	s. short-lived activity		
	short-grained	s. fine-grain		
S 1470	shorting, shorting out	Kurzschließen n	mise f en court-circuit	закорачивание, замы-кание накоротко
S 1471	shorting plunger, short-circuiting (choke) plunger, plunger, non-contact (choke) piston, piston <el.>	Kurzschlußschieber m; Kurzschlußkolben m <El.>	piston m de court-circuit <él.>	короткозамыкающая перемычка; коротко-замыкающий поршень <эл.>
S 1472	shorting time	Kurzschlußzeit f	temps m de court-circuit	время замыкания накоротко
	short irradiation	s. short-time exposure		
S 1473	short lens spectrometer	Spektrometer n mit kurzen Linsen, Kurzlinsen-spektrometer n	spectromètre m à courtes lentilles	спектрометр с короткими линзами
S 1474	short life	Kurzlebigkeit f	vie f courte	недолговечность, малая продолжительность жизни; короткий срок [службы]
S 1475	short-lived activity, short-period (short-half-life) activity	kurzlebige Aktivität f	activité f de vie courte	короткоживущая активность
S 1476	short measure, undersize	Untermaß n	dimension f inférieure à la cote préconisée	недомер; неполномер-ность
	short-mouth[ed]	s. short-neck[ed]		
S 1477	short-neck[ed], short-mouth[ed]	Kurzhals-, kurzhalsig	à col court	короткогорлый

	shortness; brittleness; breakability; fragility; friability; crackiness; rottenness <of steel>	Sprödigkeit *f*, Brüchigkeit *f*, Zerbrechlichkeit *f*	fragilité *f*	хрупкость, ломкость
	short out	s. short-circuit		
	short-path distillation, molecular distillation, projective distillation	Molekulardestillation *f*, Kurzwegdestillation *f*, Freiwegdestillation *f*, Hochvakuumdestillation *f*	distillation *f* moléculaire	молекулярная дистилляция, молекулярная перегонка
	short-path principle, Hittorf['s] principle	Hittorfsches Prinzip *n*	principe *m* de Hittorf	принцип Гитторфа
	short-period activity	s. short-lived activity		
	short-period Cepheid	s. RR Lyrae star		
S 1478	**short-period comet**	kurzperiodischer Komet *m*	comète *f* à courte période	короткопериодическая комета
S 1479	**short-period perturbation**	kurzperiodische Störung *f*	perturbation *f* à courte période	короткопериодическое возмущение
	short-period term, term of short period	kurzperiodischer Term *m*, kurzperiodisches Glied *n*	terme *m* de courte période	короткопериодический член
S 1480	**short-period variable [star]**	kurzperiodischer Veränderlicher *m*	variable *f* à courte période	короткопериодическая переменная [звезда]
S 1481	**short-range**	kurzreichweitig, [von] geringer Reichweite, Nahwirkungs-, Nahewirkungs-, nahwirkend, nahewirkend	à courte distance, à courte portée, à petite distance, à faible distance, à parcours réduit	близкодействующий, короткодействующий, действующий на коротких расстояниях, ближнего действия; короткопробежный
S 1482	**short-range disorder**	Nahunordnung *f*	désordre *m* proche voisin, désordre à petite distance	ближнее разупорядочение
S 1483	**short-range exchange force**	nahewirkende (nahwirkende) Austauschkraft *f*, Austauschkraft geringer Reichweite	force *f* d'échange à courte portée	близкодействующая обменная сила
S 1484	**short-range fading**	Nahschwund *m*	évanouissement *m* à faible distance	ближнее замирание
S 1485	**short-range field** <phot.>	Nahfeld *n* <Phot.>	premier plan *m* <phot.>	передний план <фот.>
S 1486	**short-range focusing,** near-zone focusing	Nahfeldeinstellung *f*	mise *f* au point sur le premier plan	установка с близкого расстояния
S 1487	**short-range force**	Nahwirkungskraft *f*, Nahewirkungskraft *f*, nahewirkende Kraft *f*, kurzreichweitige Kraft	force *f* à courte portée, force à courte distance, force à petite distance	близкодействующая (короткодействующая) сила, сила близкого действия; сила, действующая на коротких расстояниях
S 1488	**short-range forecast,** short-term forecast (prediction)	kurzfristige Vorhersage *f*	prévision *f* (pronostic *m*) à courte (brève) échéance	краткосрочный прогноз
S 1489	**short-range interaction**	kurzreichweitige Wechselwirkung *f*	interaction *f* à courte distance	близкодействующее взаимодействие
	short-range navigation radar (system)	s. Shoran		
S 1490	**short-range order**	Nahordnung *f*	ordre *m* proche voisin, ordre à petite distance	ближний порядок, ближняя упорядоченность
S 1491	**short-range order[ing] parameter**	Nahordnungsparameter *m*	paramètre *m* d'ordre proche voisin	степень ближнего порядка
S 1492	**short-range order theory**	Nahordnungstheorie *f*	théorie *f* d'ordre proche voisin	теория ближнего порядка
	short-sightedness	s. myopia		
	short-sighted person, myope	Kurzsichtige *m*, Myop *m*	myope *m*	близорукое лицо, близорукий
	short-stop	s. stop bath		
	short-stop bath	s. stop bath		
S 1493	**Shortt clock**	Shortt-Uhr *f*	horloge *f* de Shortt	часы Шортта
	short-term, short-time, short-duration	Kurzzeit-, kurzzeitig	de durée réduite	кратковременный[i]
	short-term forecast (prediction)	s. short-range forecast		
	short test	s. short cut test <stat.>		
S 1494	**short-time,** short-duration, short-term	Kurzzeit-, kurzzeitig	de durée réduite	кратковременный
S 1495	**short time behaviour**	Kurzzeitverhalten *n*	comportement *m* à brève échéance	кратковременное поведение
	short-time creep strength, short-time strength	Kurzzeitfestigkeit *f*	résistance *f* au fluage dans l'essai de courte durée	кратковременная прочность [на ползучесть]
	short-time creep test, short-time test	Kurzzeitversuch *m*, Kurzzeitstandversuch *m*	essai *m* de courte durée	кратковременное испытание
S 1496	**short-time current**	Kurzzeitstrom *m*, thermische Stromfestigkeit *f*	courant *m* de courte durée [admissible]	[допустимый] ток малой продолжительности
S 1496a	**short-time exposure,** short[-time] irradiation	Kurzzeitbestrahlung *f*, Kurzbestrahlung *f*	irradiation *f* de courte durée, brève irradiation (exposition *f*), exposition temporaire	кратковременное облучение
	short-time-interval measurement, short-time measurement	Kurzzeitmessung *f*	mesure *f* de courts intervalles de temps	измерение малых интервалов времени
	short-time-interval meter; microchronometer	Kurzzeitmesser *m*	microchronomètre *m*	микрохронометр
S 1497	**short-time-interval technique,** technique of short-time measurement	Kurzzeittechnik *f*, Kurzzeitmeßtechnik *f*	technique *f* de mesure de courts intervalles de temps	техника измерения малых интервалов времени

	short-time irradiation	*s.* short-time exposure		
S 1498	**short-time measurement,** short-time-interval measurement	Kurzzeitmessung *f*	mesure *f* de courts intervalles de temps	измерение малых интервалов времени
	short-time operation, temporary operation, temporary service	Kurzzeitbetrieb *m*	opération *f* de courte durée, mode *m* opératoire de courte durée	кратковременный режим
S 1499	**short time[-]scale**	kurze Zeitskala *f,* kurze Skala *f*	échelle *f* courte [de l'évolution]	короткая шкала [времени]
S 1500	**short-time strength,** ·short-time creep strength	Kurzzeitfestigkeit *f*	résistance *f* au fluage dans l'essai de courte durée	кратковременная прочность [на ползучесть]
S 1501	**short-time test,** short-time creep test	Kurzzeitversuch *m,* Kurzzeitstandversuch *m*	essai *m* de courte durée	кратковременное испытание
	short to earth	*s.* short-circuit to earth		
S 1502	**short wave**	Kurzwelle *f,* kurze Welle *f,* Dekameterwelle *f,* KW	onde *f* courte, O. C., OC	короткая волна
S 1503	**short-wave band**	Kurzwellenband *n*	bande *f* des ondes courtes	коротковолновая полоса, полоса коротких волн
S 1504	**short-wavelength radiation,** short-wave radiation	kurzwellige Strahlung *f,* Kurzwellenstrahlung *f*	radiation *f* sur ondes courtes	коротковолновое излучение, коротковолновая радиация
	short wave region	*s.* short waves		
S 1505	**short waves,** short wave region, S.W., s-w, sw, s/w	Kurzwellenbereich *m,* Kurzwelle *f,* KW	ondes *fpl* courtes, gamme *f* des ondes courtes, O.C.	короткие волны, диапазон коротких волн, коротковолновый диапазон, КВ
S 1505a	**short-wave spectroscopy**	Kurzwellenspektroskopie *f*	spectroscopie *f* en ondes courtes	коротковолновая спектроскопия
S 1506	**shot current,** shot noise current	Schrotstrom *m*	courant *m* de grenaille, courant *m* d'effet de grêle (Schottky)	ток дробового эффекта, ток дробовых флуктуаций (шумов)
S 1507	**shot effect,** shot noise, schroteffekt, schrot-effect, schrot noise, Schottky effect (noise), noise effect	Schroteffekt *m,* Schrotrauschen *n,* Schottky-Effekt *m,* Rauscheffekt *m,* Schottky-Rauschen *n*	effet *m* de grenaille, effet grenaille, effet Schottky, bruit *m* de grenaille, mitraille *f*	дробовой эффект, шрот-эффект, эффект Шотки, шумовой эффект, дробовые флуктуации (помехи), дробовой шум
	shot firing, firing	Zündung *f* der Sprengladung	mise *f* à feu	воспламенение заряда, инициирование заряда, взрывание
	shot noise	*s.* shot effect		
	shot noise current	*s.* shot current		
S 1508	**shot noise power**	Schrotrauschleistung *f*	puissance *f* de bruit de grenaille	мощность помех от дробового эффекта, мощность дробового шума
S 1509	**shot-noise reduction factor** <of the diode>	Schwächungsfaktor *m* <Diode>	facteur *m* d'adoucissement <de la diode>	коэффициент подавления дробового эффекта <диода>
S 1510	**shot point**	Schußpunkt *m,* Schußstelle *f*	poste *m* de tir	очаг сейсмического взрыва, пункт взрыва, взрывной пункт
S 1511	**shoulder** <of wedge>	Kante *f* <Keil>	épaulement *m* <du coin>	плечо <клина>
S 1512	**shoulder [of the characteristic curve],** region of overexposure <phot., opt.>	Schulter *f* [der Schwärzungskurve], Gebiet *n* der Überexposition, Gebiet *n* maximaler Schwärzung <Phot., Opt.>	épaule *f* [de la courbe caractéristique], domaine *m* de surexposition, région *f* de surexposition, domaine de saturation <phot., opt.>	верхний загиб [характеристической кривой], область передержек [характеристической кривой], зона передержек <фот., опт.>
	shove; impact; shock; percussion; stroke; blow; push, impulse	Schlag *m,* Stoß *m,* Anstoß *m*	impact *m;* choc *m;* percussion *f;* heurt *m,* frappe *f;* coup *m*	удар, толчок
S 1512a	**shove,** ice push <geo.>	Eisversetzung *f,* Eisruck *m* <Geo.>	poussée *f* de glace <géo.>	подвижка льда <гео.>
	shove fault, epiparaclase, thrust <geo.>	Überschiebung *f* <Geo.>	épiparaclase *f,* faille *f* de chevauchement, chevauchement *m,* faille de charriage, poussée *f* <géo.>	надвиг, эпипараклаз, надвигание <гео.>
	shower, cosmic-ray shower, shower of cosmic radiation, shower of particles	Schauer *m* [der kosmischen Strahlung], kosmischer Schauer, Teilchenschauer *m*	gerbe *f* cosmique, gerbe [de rayons cosmiques]	ливень [космического излучения], ливень частиц
S 1513	**shower activity,** stream activity	Stromtätigkeit *f*	activité *f* de l'essaim, activité du courant météorique	активность [метеорного] потока, действие (деятельность) потока
S 1514	**shower angle**	Schauerwinkel *m*	angle *m* de divergence de la gerbe	угол расхождения ливня, угол ливня
	shower branch, stream branch, branch of the stream, branch of the shower <astr.>	Zweig *m* des Meteorstromes, Stromzweig *m* <Astr.>	branche *f* de l'essaim, branche du courant <astr.>	ветвь метеорного потока <астр.>
S 1515	**shower core,** core of the shower	Schauerkern *m*	cœur *m* de la gerbe	ядро ливня
S 1516	**shower fringe**	Schauerstreifen *m,* Schauerband *n*	frange *f* de gerbe	ливневая полоса
S 1517	**shower meteor**	Strommeteor *n*	météore *m* d'essaim	метеор потока, поточный метеор
	shower of cosmic radiation, shower of particles, cosmic-ray shower, shower	Schauer *m* [der kosmischen Strahlung], kosmischer Schauer, Teilchenschauer *m*	gerbe *f* cosmique, gerbe [de rayons cosmiques]	ливень [космического излучения], ливень частиц
	shower radiant, radiant of meteor shower	Stromradiant *m*	radiant *m* de l'essaim météorique	радиант метеорного потока

S 1518	**shower unit**	Schauerlänge f, Schauer-einheit f <Strahlungs-länge × ln 2>	longueur f de gerbe, parcours m de gerbe	ливневая единица, ливневая длина
	show ion	s. large ion		
	show-release (show-releasing) relay	s. time-delay relay		
S 1518a	**Shpolsky effect**	Schpolski-Effekt m	effet m Shpolsky	эффект Шпольского
S 1519	**shredding**	Zerfaserung f	effilochage m, effiloche-ment m	измельчение волокна, механическая деструк-ция, дефибрация, рас-щепление на волокна
S 1520	**shreds,** emulsion shreds	Nudeln fpl <Emulsion>	nouilles fpl <de l'émulsion>	червяки <эмульсии>
S 1521	**shrinkage,** shrinking; contraction; shortening; retreat	Schrumpfung f; Schwin-dung f, Schwinden n, Schwund m	retrait m, rétrécissement m, contraction f, raccour-cissement m	усадка, сморщивание, сокращение, сужение; сжатие, сжимание, контракция; съежива-ние; степень обжатия; натяг
	shrinkage	s. a. shrinking		
S 1522	**shrinkage cavity,** shrinkage fault, shrinkage hole, shrink hole, pock-hole, blister, sinkhole	Lunker m, Schwindungs-lunker m, Schwindungs-hohlraum m	retassure f	усадочная раковина, раковина
	shrinkage crack, con-traction crack, casting crack	Schrumpfriß m, Schwind-riß m, Schwindungsriß m	fissure f de retrait	усадочная трещина, температурно-усадочная трещина
S 1523	**shrinkage factor**	Schrumpfungsfaktor m, Schrumpffaktor m, Schwindungszahl f, Schwindungs-koeffizient m	facteur m de contraction	коэффициент усадки
	shrinkage fault (hole)	s. shrinkage cavity		
S 1524	**shrinkage of cell**	Zusammenschrumpfung f der Zelle	retrait m de la cellule	сморщивание клетки
	shrinkage of the film, film shrinkage	Filmschrumpfung f, Schrumpfung f des Films	retrait m de la pellicule, rétrécissement m du film	усадка пленки
	shrinkage of volume	s. volume shrinkage		
S 1525	**shrinkage porosity**	Schwindungsporosität f, Sekundärlunker m	porosité f de retrait	усадочная рыхлость
	shrinkage pressure, contraction pressure, pressure due to shrinkage	Schrumpfdruck m	pression f de serrage, pression due au retrait	усадочное давление
S 1526	**shrinkage rule**	Schwindmaßstab m	règle f de retrait	усадочный масштаб
S 1527	**shrinkage stress,** retraction stress, cooling stress, stress due to shrinkage	Schrumpfspannung f, Schwindungsspannung f	tension f de retrait, tension due au retrait	усадочное напряжение, стягивающее напряже-ние, стягивающее усилие, напряжение сжатия
	shrink hole	s. shrinkage cavity		
	shrinking, contraction	Kontraktion f, Zusammen-ziehung f	contraction f	сжатие, сокращение; стягивание, стяжение <также матем.>
S 1528	**shrinking,** shrinkage	flüssiges Schwinden n, Lunkerbildung f, Lunkerung f	formation f de retassures	образование усадочной раковины
S 1529	**shrinking,** dehydration	Entquellung f	dégonflement m	устранение набухания, дегидратация
	shrinking	s. a. shrinkage		
S 1530	**Shubnikov-de Haas effect,** de Haas-Shub-nikov effect	Schubnikow-de-Haas-Effekt m, De-Haas-Schub-nikow-Effekt m	effet m Shubnikov-de Haas, effet de Haas-Shubnikov	эффект Шубникова-де Хааза, эффект де Хааза-Шубникова
	Shubnikov group	s. magnetic space group		
	shuffling, rearrangement <math.>	Umordnung f <Math.>	réarrangement m <math.>	перестановка, перегруп-пировка <матем.>
S 1531	**shunt,** shunt circuit, by-pass; branch circuit, branch <el.>	Nebenschluß m, Shunt m; Nebenweg m; Neben-schlußkreis m, Neben-schlußstromkreis m, Teilstromkreis m, Strom-zweig m, Zweigstrom-kreis m, Stromabzweigung f <El.>	shunt m, dérivation f, circuit m dérivé, circuit de branchement (déri-vation); branche f du réseau, branche de circuit <él.>	шунт, ответвление, пере-мычка; шунтовая (от-ветвленная) цепь, цепь ответвленного тока; разветвленная цепь, ветвь цепи, ответвле-ние цепи <эл.>
	shunt	s. a. shunt resistance		
S 1532	**shunt arm;** shunt section; shunt leg	Querglied n: Querzweig m	élément m en dérivation, élément en parallèle	параллельный (шунти-рующий) элемент; па-раллельное (шунти-рующее) звено; попе-речная (параллельная) ветвь
	shunt-arm capacitance	s. parallel capacitance		
S 1533	**shunt branching ratio** <el.>	Verzweigungsverhältnis n <El.>	pouvoir m multiplicateur de shunt <él.>	коэффициент шунтирова-ния <эл.>
	shunt capacitance	s. parallel capacitance		
	shunt capacitor	s. parallel capacitor		
S 1534	**shunt characteristic**	Nebenschlußcharakteristik f, Nebenschlußver-halten n	caractéristique f rigide	шунтовая характеристика, жесткая характерис-тика
	shunt circuit, shunt path, voltage circuit, volt cir-cuit, voltage path <el.>	Spannungspfad m, Span-nungskreis m <El.>	circuit m de tension, circuit dérivé <él.>	цепь напряжения, со-вокупность элементов цепи под напряжением <эл.>
	shunt circuit	s. a. shunt <el.>		
	shunt connection	s. parallel connection		
S 1535	**shunt current;** cross current, transverse current <el.>	Querstrom m, Nebenschluß-strom m, Zweigstrom m <El.>	courant m transversal <él.>	поперечный ток <эл.>
	shunt current	s. a. branch current <el.>		

	shunt generator	s. shunt-wound generator		
S 1536	**shunt impedance;** parallel [resonant] impedance	Querimpedanz f; Nebenschlußimpedanz f, Shuntimpedanz f, Parallelimpedanz f, Parallelscheinwiderstand m	impédance f en parallèle (dérivation), impédance shunt	параллельное полное сопротивление, импеданс шунта, шунтирующий импеданс
	shunt inductance	s. cross inductance		
S 1537	**shunting**	Shunten n, Nebenschlußschaltung f, Nebenschaltung f, Nebenschlußbildung f, Nebenschluß m; Überbrückung f	shuntage m, dérivation f, connexion f en dérivation	шунтирование, шунтовое соединение, шунтовая схема, включение в ответвление
	shunting capacitor	s. parallel capacitor		
	shunt leg	s. shunt arm		
	shunt machine, shunt-wound machine	Nebenschlußmaschine f, Gleichstrom-Nebenschlußmaschine f	machine f shunt, machine en shunt, machine en dérivation	машина с параллельным возбуждением, машина параллельного возбуждения, шунтовая машина
	shunt motor	s. shunt-wound motor		
	shunt path	s. shunt circuit <el.>		
S 1538	**shunt reactance**	Querreaktanz f	réactance f en dérivation, réactance en parallèle	поперечная реактивность, поперечный реактанс, поперечное реактивное сопротивление
S 1539	**shunt resistance,** shunt, bridging (parallel, leak) resistance	Nebenwiderstand m, Nebenschlußwiderstand m, Nebenschluß m, Parallelwiderstand m, Abzweigwiderstand m, Shuntwiderstand m; Überbrückungswiderstand m; Shunt m; Wehr n	shunt m, résistance f shunt	шунт, шунтирующее сопротивление, шунтовое сопротивление, сопротивление шунта
S 1540	**shunt resistance (resistor),** cross resistance; shunt (cross) resistor	Querwiderstand m	résistance f en parallèle, résistance en dérivation	параллельное (шунтирующее, поперечное) сопротивление
	shunt section	s. shunt arm		
	shunt transformer, voltage transformer, potential transformer	Spannungswandler m, Spannungsumsetzer m	transformateur m de tension (potentiel), transformateur shunt	трансформатор напряжения
S 1541	**shunt-wound generator,** shunt generator	Nebenschlußgenerator m, Gleichstrom-Nebenschlußgenerator m, Nebenschlußdynamo m	génératrice f shunt, génératrice en shunt, génératrice en dérivation	генератор с параллельным возбуждением, генератор параллельного возбуждения, шунтовой генератор
S 1542	**shunt-wound machine,** shunt machine	Nebenschlußmaschine f, Gleichstrom-Nebenschlußmaschine f	machine f shunt, machine en shunt, machine en dérivation	машина с параллельным возбуждением, машина параллельного возбуждения, шунтовая машина
S 1543	**shunt-wound motor,** shunt motor	Nebenschlußmotor m, Gleichstrom-Nebenschlußmotor m	moteur m shunt, moteur en shunt, moteur en dérivation	двигатель с параллельным возбуждением, двигатель параллельного возбуждения, шунтовой двигатель
S 1544	**shut-down**	Anhalten n; Abschaltung f; Abstellen n; Außerbetriebsetzung f; Schließung f; Stillsetzung f; Stillegung f	arrêt m; fermeture f; blocage m; mise f hors circuit; mise hors d'usage; mise au rebut, mise au rancart	остановка; выключение; выведение из эксплуатации
	shut down delay, scram delay <of reactor>	Abschaltverzögerung f <Reaktor>	délai m de déclenchement, retard m au déclenchement <du réacteur>	запаздывание выключения <реактора>
	shut-down heat	s. after-heat <of reactor>		
S 1545	**shut-down of the reactor,** reactor shut-down	Abschaltung (Außerbetriebsetzung, Stillsetzung) f des Reaktors	arrêt m du réacteur	выключение реактора, остановка реактора
	shut-down period	s. shut-down time		
S 1546	**shut-down reactivity**	Abschaltreaktivität f	réactivité f résiduelle	остаточная реактивность
S 1547	**shut-down time,** shut-down period	Abschaltzeit f	temps m de déclenchement (coupure)	продолжительность (период) остановки
	shut-down time	s. a. down time		
	shutoff cock	s. stopcock		
	shutter; diaphragm; stop; blind; septum <opt.>	Blende f, Diaphragma n <Opt.>	diaphragme m <opt.>	диафрагма; обтюратор; заслонка <опт.>
S 1548	**shutter,** photographic shutter <phot.>	Verschluß m, photographischer Verschluß <Phot.>	obturateur m, obturateur photographique <phot.>	затвор, фотографический затвор <фот.>
S 1549	**shutter** <phot.>	Verschlußblende f <Phot.>	obturateur m <phot.>	диафрагма затвора, обтюратор <фот.>
S 1550	**shutter efficiency**	Verschlußwirkungsgrad m	rendement m de l'obturateur	коэффициент полезного действия затвора, к. п. д. затвора
	shutter mask	s. printing mask		
S 1551	**shutter speed**	Verschlußgeschwindigkeit f	vitesse f d'obturation, rapidité f d'obturation	скорость работы затвора
S 1552	**shutter speed**	Verschlußzeit f	temps m d'obturation, temps d'instantané	экспозиция затвора
S 1553	**shutter weir**	Klappenwehr n	barrage m à vanne[s], hausse f	плотина с клапанным затвором, клапанный затвор

	shutting, closing, closure; stopping down <of diaphragm>	Schließen n	fermeture f; rappel m	закрывание, запирание; замыкание
S 1554	**shutting movement [of guard cells]**	Schließbewegung f [der Schließzellen]	mouvement m de fermeture [des stomates]	движение замыкания [замыкающих клеток]
	shutting pressure, closing pressure	Schließdruck m, Schließungsdruck m	pression f de fermeture	давление при закрытии; давление при замыкании, давление замыкания; запорное давление
	shuttle, rabbit	Rohrpostbüchse f, Bestrahlungskapsel f	furet m, cartouche-furet f, cartouche f, « rabbit » m	пневмопочта, контейнер для облучаемой пробы
S 1555	**sial**	Sial n, Sal n, Granitschale f	sial m, sal m	сиаль, саль
S 1556	**sialic**	sialisch	sialique	сиалический
S 1557	**siallitic weathering**	tonige Verwitterung f, siallitische Verwitterung	altération f siallitique	сиалитовое выветривание, выветривание с образованием глины
S 1558	**sialma**	Sialma n	sialma m	сиальма
	siccative	s. dehydrator		
S 1559	**sideband** <el.>	Seitenband n <El.>	bande f latérale <él.>	боковая полоса [частот] <эл.>
	sideband	s. a. additional band <spectr.>		
	sideband filter	s. vestigial[-] sideband filter		
S 1560	**sideband interference**, sideband splash, monkey chatter [interference]	Seitenbandstörung f, Seitenbandinterferenz f	interférence f des bandes latérales	помеха на боковой полосе; интерференция боковых полос
S 1561	**sideband spectrum**	Seitenbandspektrum n	spectre m des fréquences latérales	спектр частот боковой полосы, спектр боковых частот
	sideband splash	s. sideband interference		
S 1562	**sideband width**	Seitenbandbreite f	largeur f de la bande latérale	ширина боковой полосы
	side bottoms; side fraction; side-cut distillate	Seitenfraktion f	fraction f latérale, distillat m latéral	боковой погон, боковая фракция
S 1563	**side chain**, lateral chain	Seitenkette f	chaîne f latérale	боковая цепь
	side circuit, real circuit, physical circuit, physical line	Stammleitung f	circuit m réel	основная цепь, физическая цепь, основная линия
S 1564	**side circuit loading coil**	Stamm-Pupin-Spule f, Stammspule f	bobine f Pupin du circuit réel	пупиновская катушка для основной цепи
S 1565	**side-curtain fader**	Kulissenblende f	volet m, rideau m	каше
	side-cut distillate; side fraction; side bottoms	Seitenfraktion f	fraction f latérale, distillat m latéral	боковой погон, боковая фракция
S 1566	**side draw**	Seitenzug m	traction f latérale	боковая тяга
	side echo, side[-] lobe echo	Seitenzipfelecho n, Nebenzipfelecho n, Seitenecho n	écho m latéral, écho par lobes secondaires	боковое эхо, эхо-сигнал от боковых лепестков [антенны]
S 1567	**side fraction**; side-cut distillate; side bottoms	Seitenfraktion f	fraction f latérale, distillat m latéral	боковой погон, боковая фракция
S 1568	**side group**	Seitengruppe f	groupement m latéral	боковая группа
	side-inverted	s. reversed right to left		
S 1569	**sidelight**	Seitenlicht n	lumière f latérale (frisante)	боковой свет; посторонний свет
S 1570	**side lobe**, minor lobe, rear lobe	Seitenzipfel m, Seitenlappen m, Nebenzipfel m, Nebenkeule f, Nebenlappen m	lobe m latéral (secondaire, successif), pétale m latéral (secondaire, successif), lobe parasite; lobe arrière	боковой лепесток; побочный лепесток; задний лепесток
	side[-] lobe attenuation	s. side[-] lobe suppression		
S 1571	**side[-] lobe echo**, side echo	Seitenzipfelecho n, Nebenzipfelecho n, Seitenecho n	écho m latéral, écho par lobes secondaires	боковое эхо, эхо-сигнал от боковых лепестков [антенны]
S 1572	**side[-] lobe radiation**, fringe radiation	Zusatzstrahlung f	rayonnement m de lobe latéral, rayonnement latéral	излучение на боковых лепестках
S 1573	**side[-] lobe suppression**, side[-]lobe attenuation	Seitenzipfelunterdrückung f, Seitenzipfeldämpfung f, Nebenzipfeldämpfung f	suppression f (affaiblissement m) des lobes latéraux, suppression (affaiblissement m) des lobes secondaires	ослабление (подавление) боковых лепестков [антенны], ослабление излучения на боковых лепестках
S 1574	**side-on observation**	Beobachtung f senkrecht zur Achsenrichtung	observation f dans une direction perpendiculaire à l'axe	наблюдение в направлении перпендикулярном к оси
	side pressure	s. lateral pressure		
S 1575	**side reaction**, by-reaction; parallel reaction	Nebenreaktion f; Parallelreaktion f	réaction f secondaire; réaction parallèle	побочная реакция; параллельная реакция
S 1576	**sidereal clock**	Sternzeituhr f	horloge f sidérale	звездные часы
S 1577	**sidereal day**	Sterntag m, siderischer Tag m, Sternentag m	jour m sidéral	звездные сутки, сидерические сутки
S 1578	**sidereal hour**	Sternstunde f, siderische Stunde f, Sternenstunde f	heure f sidérale	звездный час, сидерический час
	sidereal hour angle	s. hour angle		
S 1579	**sidereal minute**	Sternminute f, siderische Minute f, Sternenminute f	minute f sidérale	звездная минута, сидерическая минута
S 1580	**sidereal month**	Sternmonat m, siderischer Monat m, Sternenmonat m	mois m sidéral, révolution f sidérale [de la Lune]	звездный месяц, сидерический месяц
S 1581	**sidereal period**	siderische Umlaufzeit f	révolution f sidérale, durée f de révolution sidérale	сидерический период обращения, время сидерического обращения
S 1582	**sidereal second**	Sternsekunde f, siderische Sekunde f, Sternensekunde f	seconde f sidérale	звездная секунда, сидерическая секунда

S 1583	**sidereal time,** stellar time	Sternzeit f, siderische Zeit f	temps m sidéral	звездное время
S 1584	**sidereal year**	Sternjahr n, siderisches Jahr n, Sternenjahr n	année f sidérale	звездный год, сидерический год
	side-reversed	s. reversed right to left		
	siderial time	s. sidereal time		
S 1585	**siderite,** iron meteorite	Eisenmeteorit m, Siderit m	sidérite f, météorite f ferreuse, météorite métallique; hōlosidérite f, holosidère m	железный метеорит, сидерит
S 1586	**siderolite**	Siderolith m	sidérolithe f	сидеролит
	siderosphere, barysphere	Barysphäre f, Siderosphäre f	barysphère f, sidérosphère f	барисфера, сидеросфера
S 1587	**siderostat**	Siderostat m	sidérostat m	сидеростат
S 1588	**side scattering**	seitliche Streuung f, Seitenstreuung f	diffusion f latérale	боковое рассеяние
S 1589	**side[-]slip**	Abgleiten n, seitliches Ausgleiten n, seitliches Abrutschen n	glissement m latéral	боковое скольжение
S 1590	**side spectrum**	Seitenspektrum n	spectre m latéral	боковой спектр
	side thrust	s. lateral displacement		
	side thrust	s. lateral pressure		
S 1591	**side[-]tone**	Rückhören n	perturbation f par captation du bruit ambiant	местный эффект, слышимость собственного микрофона
S 1592	**side-tone attenuation, side-tone reference equivalent**	Rückhörbezugsdämpfung f, Rückhördämpfung f	équivalent m d'affaiblissement du signal local, affaiblissement m [équivalent] du signal local	эквивалент затухания местного эффекта
	side-to-side cross[-]talk; cross[-]talk, cross induction	Übersprechen n; Nebensprechen n	diaphonie f, mélange m de conversation, transmodulation f	переходный разговор; [перекрестная] наводка; перекрестная модуляция
	side-to-side unbalance	s. crosstalk coupling		
	side wash	s. lateral erosion		
S 1593	**side wave**	Seitenwelle f	onde f latérale	боковая волна
S 1594	**Siebel and Pomp test,** Pomp and Siebel test, Pomp and Siebel draw widening test	Tiefziehweitungsversuch m [nach Pomp und Siebel], Pomp-Siebelscher Tiefziehweitungsversuch	essai m Pomp et Siebel, essai Siebel et Pomp	испытание по Помпу и Зибелю
S 1595	**Siegbahn['s] molecular drag pump**	Molekularluftpumpe f vom Scheibentyp	pompe f Siegbahn	дисковый молекулярный насос Зигбана
S 1596	**Siegbahn-Slätis [magnetic] spectrometer, Siegbahn-Slätis-type beta-ray spectrometer,** intermediate-focus beta-ray-spectrometer	Siegbahn-Slätis-Spektrometer n, magnetisches Beta-Spektrometer n mit Zwischenbildfokussierung [nach Siegbahn-Slätis], Zwischenbildfokus-Spektrometer n nach Siegbahn und Slätis	spectromètre m bêta magnétique à image intermediaire Siegbahn-Slätis, spectromètre de Siegbahn-Slätis, spectromètre de type Siegbahn-Slätis, spectromètre bêta magnétique à focalisation intermédiaire	магнитный бета-спектрометр с промежуточной фокусировкой Зигбана-Слэтиса, спектрометр Зигбана-Слэтиса
	Siegbahn [X] unit, X-unit, X, XU, XuX- <≈ 1.00202 × 10⁻¹³ m>	X-Einheit f, Siegbahnsche X-Einheit, Siegbahn-Einheit f, Siegb. XE, X <≈ 1,00202 · 10⁻¹³ m>	unité f X, unité Siegbahn, X <≈ 1,00202 · 10⁻¹³ m>	Х-единица, икс-единица, единица X, единица Зигбана, X <≈ 1,00202 × 10⁻¹³ м>
S 1597	**siemens,** mho <US>, S, ℧	Siemens n, S	siemens m, S	сименс, мо, с, *сим, мо*
S 1598	**Siemens heat**	Siemens-Wärme f	chaleur f de Siemens	тепло Сименса, теплота Сименса
S 1599	**sieve,** screen; riddle; sifter	Sieb n	tamis m, crible m	грохот; сетка; сито; решето
	sieve analysis	s. particle-size analysis		
	sieve efficiency, screen efficiency	Siebwirkungsgrad m	efficacité f de tamisage, efficacité du tamis	коэффициент полезного действия грохота, эффективность грохочения (рассева)
	sieve mesh	s. mesh		
S 1600	**sieve plate,** perforated plate	Siebboden m; Siebplatte f	plaque f criblée, plateau m perforé	сетчатая тарелка, ситчатая тарелка; ситчатая пластинка; ложное дно
S 1601	**sieve-plate column,** sieve-tray column, perforated-plate column	Siebbodenkolonne f; Turbogridkolonne f	colonne f à plateaux réticulaires	колонна с ситчатыми тарелками, колонка с сетчатыми тарелками, ситчатая (сетчатая) колонка
S 1602	**sieve-plate irradiation**	Siebbestrahlung f	irradiation f à tamis	облучение через решетку
	sieve residue	s. screenings		
S 1603	**Sievers index**	Sievers-Wert m	indice m de Sievers	показатель по Сиверсу
S 1604	**Sievert chamber**	Sievert-Kammer f	microchambre f, chambre f de Sievert	микрокамера, камера Зиверта
	Sievert unit, intensity millicurie, ImC	Sievert-Einheit f, ImC	intensité f en millicurie, unité f de Sievert, ImC	гамма-постоянная радия, единица Зиверта
S 1605	**sieve size,** size of sieve, screen size	Maschenweite f <Sieb>, Siebgröße f, Siebweite f, Siebnummer f	largeur f de la maille <du crible ou tamis>	размер отверстий, величина отверстий <сита>; номер сита
	sieve test	s. particle-size analysis		
	sieve-tray column	s. sieve-plate column		
	sieving	s. size separation by screens		
	sieving analysis	s. particle-size analysis		
	sifter	s. sieve		
	sifting	s. size separation by screens		
	siftings	s. undersize		
	sight, sight-hole	Visier n, optisches Visier	viseur m, visière f; hausse f	визир, оптический визир; прицел
	sight	s. a. sighting device		
	sight	s. a. sighting telescope		

	sight	s. a. visibility		
	sight	s. a. vision		
	sight axis	s. visual axis		
	sight deficiency	s. ametropia		
	sight distance	s. visibility		
	sight graticule	s. collimating mark <opt.>		
S 1606	sight-hole, sight	Visier n, optisches Visier	viscur m, visière f; hausse f	визир, оптический визир; прицел
	sighting	s. aiming		
	sighting arm, alidade, alhidade, sight-rule	Alhidade f	alidade f	алидада
S 1607	sighting device, sighting apparatus, sight	Zielvorrichtung f, Zielein-richtung f, Zielgerät n; Visiereinrichtung f, Visiervorrichtung f, Absehvorrichtung f	dispositif m de visée, visière f	прицельное приспособле-ние, прицел; визирное приспособление
	sighting knob	s. sighting mark		
	sighting line	s. line of sight		
S 1608	sighting mark, sighting knob, sight knob	Visiermarke f; Sichtmarke f	mire f; mirette f	визирная марка, визир-ная метка
	sighting mark	s. a. coïlimating mark <opt.>		
S 1609	sighting microscope	Zielmikroskop n	microscope m de visée	визирный микроскоп
S 1610	sighting telescope, riðe telescope, telescopic (optical, glass) sight, sight	Zielfernrohr n; Visierfern-rohr n	lunette f de visée, visée f optique, visée	визирная зрительная труба, визирная труба, оптический прицел, прицел
	sight knob	s. sighting mark		
	sight-rule, alidade, alhidade, sighting arm	Alhidade f	alidade f	алидада
	sigma-algebra, countably additive algebra, σ-algebra	Sigmaalgebra f, σ-Algebra f, Sigmaring m, σ-Ring m	sigma-corps m, σ-corps m, sigma-algèbre f, σ-algèbre f	вполне аддитивная ал-гебра, σ-алгебра
S 1611	sigma-bond, σ-bond	Sigma-Bindung f, σ-Bindung f	liaison f sigma, liaison σ	сигма-связь, σ-связь, локализованная двух-центровая связь
S 1612	sigma-function [of Weierstrass], Weier-strassian sigma-function	Sigmafunktion f <von Weierstraß>, Weierstraß-sche Sigmafunktion	fonction f sigma [de Weierstrass]	сигма-функция [Вейер-штрасса]
S 1613	sigma hyperon, Σ hyperon <Σ+, Σ− or Σ0>	Sigma-Hyperon n, Σ-Hyperon n <Σ+, Σ− oder Σ0>	hypéron m sigma, hypéron Σ <Σ+, Σ− ou Σ0>	сигма-гиперон, Σ-гиперон <Σ+, Σ− или Σ0>
	sigma meson, σ	= π− meson		
S 1614	sigma-monogenic functions [of Bers-Gelbart]	sigma-monogene Funk-tionen fpl [von Bers-Gelbart]	fonctions fpl sigma-mono-gènes [de Bers-Gelbart]	сигма-моногенные функ-ции
S 1615	sigma orbital	Wellenfunktion f des Sigma-Elektrons, Sigma-Orbital n	orbitale f sigma, orbitale de l'électron sigma	орбиталь сигма-электрона
	sigma particle, σ	= π− meson		
S 1616	sigma pile	Sigma-Anordnung f, Sigma-Reaktor m <Ex-ponentialexperiment mit Neutronenquelle>	pile f sigma, réacteur m sigma	сигма-реактор <сборка замедляющего мате-риала, содержащего нейтронный источник>
S 1617	sigma star	Sigma-Stern m, σ-Stern m	étoile f sigma	сигма-звезда, σ-звезда
S 1618	sigmoid[-shaped] curve, S-shaped curve, S-curve	S-Kurve f	courbe f sigmoïde, courbe en S	сигмоидная кривая, S-образная кривая
S 1619	sign <math.>	Vorzeichen n <Math.>	signe m <math.>	знак, математический знак <матем.>
S 1620	sign; symbol; character <num. math.>	Zeichen n <auch num. Math.>; Symbol n	signe m; symbole m; carac-tère m <math. num.>	знак <также числ. матем.>; символ; обо-значение
S 1621	signal	Signal n	signal m	сигнал
S 1622	signal amplitude, signal height	Signalamplitude f, Signal-größe f, Signalhöhe f	amplitude f du signal, hauteur f du signal	амплитуда сигнала, вели-чина сигнала, высота сигнала
S 1623	signal converter storage tube	Signalspeicherröhre f	tube m à mémoire de signal	сигнальная запоминаю-щая трубка
S 1624	signal current amplifier	Signalstromverstärker m	amplificateur m du courant de signal	усилитель тока сигнала
	signal field, useful field	Nutzfeld n	champ m utile	полезное поле
S 1625	signal flow diagram (graph)	Signalflußbild n, Signalfluß-diagramm n	diagramme m de circulation du signal	схема прохождения сигнала
	signal-forming amplifier	s. shaping amplifier		
S 1626	signal function	Signalfunktion f	fonction f de signal	функция сигнала
S 1627	signal generator; test generator	Prüfsender m; Prüfoszillator m, Prüfgenerator m	générateur m de contrôle	сигнал-генератор, генера-тор сигнала; контроль-ный (испытательный) генератор
	signal generator	s. a. measurement trans-mitter		
	signal height, signal amplitude	Signalamplitude f, Signal-größe f, Signalhöhe f	amplitude f du signal, hauteur f du signal	амплитуда сигнала, вели-чина сигнала, высота сигнала
S 1628	signal[l]ing; indication	Signalisierung f; Meldung f	signalisation f; indication f; avertissement m	сигнализация
S 1629	signal matrix	Signalmatrix f	matrice f du signal	матрица сигнала
S 1630	signal meter, S meter	Signalstärkemesser m	signalmètre m, s-mètre m	измеритель силы (интен-сивности) сигналов
	signal / noise ratio, signal noise ratio	s. signal-to-noise ratio		
	signal oscillator	s. measurement transmitter		
	signal plate	s. mosaic screen		

S 1631	signal pulse	Signalimpuls *m*	impulsion *f* du signal	импульс сигнала, сигнальный импульс
S 1632	signal resolution	Signalauflösung *f*	résolution *f* des signaux	разрешение сигналов
S 1633	signal separation	Signaltrennung *f*	séparation *f* de signaux	выделение сигналов
S 1634	signal shaper	Signalformer *m*	circuit *m* conformateur (producteur) de signaux, [con]formateur *m* de signaux	формирователь сигналов, схема формирования сигналов
	signal-shaping amplifier	*s.* shaping amplifier		
S 1635	signal spectrum	Signalspektrum *n*	spectre *m* du signal	спектр сигнала
S 1636	signal strength	Signalstärke *f*	intensité *f* de signal	сила сигнала, интенсивность сигнала
S 1637	signal tail	Signalschwanz *m*	queue *f* de signal, traînage *m* de signal	хвост сигнала
S 1638	sign-altering focusing	Fokussierung *f* mit alternierenden Feldern	focalisation *f* par champs alternants	знакопеременная фокусировка
	signal-to-noise merit	*s.* noise factor		
S 1639	signal-to-noise power ratio	Signal-Rausch-Leistungsverhältnis *n*	rapport *m* puissance de signal — puissance de bruit	отношение сигнал-шум по мощности, отношение мощностей сигнала и шума
S 1640	signal-to-noise ratio, signal / noise ratio, signal noise ratio, S/N ratio	Signal-Rausch-Verhältnis *n*, Störabstand *m*, Signal-Rausch-Quotient *m*; Störfaktor *m*, Signalabstand *m*, Störspiegelabstand *m*, Störpegelabstand *m*; Rauschabstand *m*, Geräuschabstand *m*, Rauschspannungsabstand *m*	rapport *m* signal / bruit, rapport signal-parasite, rapport signal-perturbation, rapport signalsouffle, rapport signal utile sur brouilleur, rapport S.-B., rapport signal sur bruit	отношение сигнал-шум, отношение сигнал-помеха, отношение сигнала к шуму
S 1640a	signal transition	Signalübergang *m*	transition *f* de signal	рабочий переход; сигнальный переход
S 1641	signal velocity	Signalgeschwindigkeit *f*	vitesse *f* [de propagation] du signal	скорость [распространения] сигнала
S 1642	signal voltage	Signalspannung *f*	tension *f* de signal	напряжение сигнала, сигнальное напряжение
S 1643	signal width	Signalbreite *f*	largeur *f* de signal	длительность сигнала
S 1644	sign-constant focusing	Fokussierung *f* mit Gleichfeldern	focalisation *f* par champs constants	знакопостоянная фокусировка
S 1645	sign convention; rule of signs	Vorzeichenfestsetzung *f*, Vorzeichenkonvention *f*, Vorzeichenregel *f*	convention *f* des signes	правило знаков
S 1646	sign digit	Vorzeichenziffer *f*	position *f* de signe	разряд знака, знаковый разряд
S 1646a	signed	mit Vorzeichen, vorzeichenbehaftet	avec signe	имеющий знак
	signed-minor, cofactor, algebraic conjunct <math.>	algebraisches Komplement *n*, Kofaktor *m*, Adjunkte *f*, algebraische Adjungierte *f* <Math.>	cofacteur *m*, complément *m* algébrique, mineur *m* avec son signe <math.>	алгебраическое дополнение, адъюнкт, кофактор <матем.>
S 1647	significance, statistical significance, statistical evidence	Signifikanz *f*, statistische Signifikanz, statistische Sicherung *f*	signification *f*, signification statistique	значимость, статистическая значимость
	significance level	*s.* level of significance		
S 1647a	significance point	Ablehnungsschwelle *f*, Signifikanzgrenze *f*, Signifikanzpunkt *m*	limite *f* de significance	уровень значимости
S 1648	significance test	Signifikanztest *m*	test (critère) *m* de signification [statistique]	критерий значимости
S 1649	significant <stat.>	signifikant <Stat.>	statistiquement significatif, significatif <stat.>	значимый <стат.>
S 1650	significant digit, [meaningful] significant figure	bedeutsame Stelle *f*, bedeutsame Ziffer *f*	chiffre *m* significant, chiffre significatif	значащая цифра, значащий разряд
S 1651	significant digits / having *n*, having *n* significant figures, having *n*-figure accuracy	auf *n* bedeutsame Stellen genau, auf *n*-Stellen [nach dem Komma] genau	exact à *n* chiffres significants, exact à *n* chiffres significatifs	точный с *n* верными значащими цифрами, с *n* верными значащими цифрами
	significant figure	*s.* significant digit		
	significant figures / having *n*	*s.* significant digits / having *n*		
	sign indicator	*s.* polarity indicator		
	sign of the zodiac, zodiacal sign	Tierkreiszeichen *n*, Sternzeichen *n*	signe *m* du zodiaque	зодиакальный знак, знак зодиака
S 1652	sign of weather	Wetterzeichen *n*, Wetterbote *m*, Wetteranzeichen *n*	signe *m* de temps, signe météorologique	предвестник погоды, признак погоды
S 1653	Signorini['s] stress inequality	Signorinische Spannungsungleichung *f*	inégalité *f* de tension de Signorini	неравенство напряжения Синьорини
	sign reversal, reversal of sign, change of sign	Umkehrung *f* des Vorzeichens, Vorzeichenwechsel *m*, Vorzeichenumkehr *f*, Vorzeichenänderung *f*	inversion *f* du signe, changement *m* de signe	обращение знака, перемена знака, изменение знака
S 1654	signum [function], sgn, sg	signum *n*, sign	fonction *f* signe, sgn	функция sgn *x*, sgn
S 1655	Silberstein-Bateman vector	Silberstein-Bateman-Vektor *m*	vecteur *m* de Silberstein et Bateman	вектор Зильберштейна-Бейтмана
	silencing	*s.* noise suppression		
	silent area	*s.* silent zone		
	silent discharge	*s.* Townsend discharge		
S 1656	silent point	Nullschwebungspunkt *m*	point *m* de battements zéro	точка нулевых биений, немая точка

S 1657	**silent zone,** dead zone, shadow zone, zone of silence, silent area, skip region, skip zone, region of silence, shadow region	Zone f des Schweigens, Schweigezone f, Schattenzone f, tote Zone, Totraum m, Totzone f, empfangslose Zone, Auslöschzone f, Leerbereich m	zone f de silence [sonore], zone morte, zone d'ombre	зона молчания, мертвая зона, зона тени, необлучаемая зона
S 1658	**silhouette effect**	Silhouetteneffekt m	effet m de silhouette	силуэтный эффект
S 1659	**silica[-]gel, silica gel**	Kieselgel n, Kieselsäuregel n; Silikagel n, Silicagel n; Trockengel n	gel m de silice, silica[-]gel m	силикагель, сухой гель
S 1660	**silica microbalance**	Quarzfadenmikrowaage f	microbalance f à fibre de quartz	кварцевые микровесы
	silica pyrheliometer, quartz-glass pyrheliometer	Quarzglaspyrheliometer n	pyrhéliomètre m à verre de quartz	пиргелиометр из кварцевого стекла
	siliceous earth	s. kieselguhr		
S 1661	**silicon barrage photocell, silicon photocell**	Siliziumphotoelement n, Silizium-Sperrschichtelement n	cellule f à couche d'arrêt en silicium	силициевый фотоэлемент
S 1662	**silicon semiconductor detector,** Si semiconductor detector	Siliziumhalbleiterdetektor m, Si-Halbleiterdetektor m	détecteur m semiconducteur au silicium	кремниевый полупроводниковый детектор
S 1662a	**silicothermic process; silicothermics**	Silikothermie f; silikothermisches Verfahren n	silicothermie f; procédé m silicothermique	силикотермия; силикотермический процесс
S 1663	**silk thread**	Seidenfaden m	fil m de cocon	шелковое волокно, шелковая нить
	sillometer, log	Log n, Logge f, Fahrtgeschwindigkeitsmesser m	sillomètre m, loch m	лаг
S 1664	**Silsbee effect**	Silsbee-Effekt m	effet m Silsbee	эффект Сильсби
S 1665	**Silsbee['s] rule**	Silsbeesche Regel f	règle f de Silsbee	правило Сильсби
	silt	s. ooze		
	silt	s. a. suspended load		
	siltation	s. silting		
S 1666	**silt charge,** silt load	Schlammgehalt m, Schwebstoffgehalt m, Schwebstoffbeladung f, Schwebstoffdichte f, Schwebdichte f	concentration f des alluvions	мутность, илистость, плотность взвешенных наносов, плотность взвешенного вещества
S 1667	**silting,** siltation, sedimentation	Verschlammung f; Verschlickung f; Beschlämmung f; Aufschotterung f; Stauraumverlandung f; Verlandung f	envasement m; alluvionnement m; comblement m; remblaiement m	заиление; зашламление; накопление ила
	silt load	s. suspended load		
	silt load	s. silt charge		
S 1668	**silt sample,** suspended load sample, bottle sample, sample taken by water bottle	Schöpfprobe f	échantillon m prélevé par la bouteille à l'eau	проба, взятая батометром
S 1669	**silt sampler,** suspended load sampler	Schwebstoffentnahmegerät n, Schwebstoffmeßgerät n, Schwebstoffschöpfer m	turbidisonde f	батометр для взятия проб взвешенных наносов
S 1670	**silt transport;** aerosol transport	Schwebstofftransport m, Schwebstoffverfrachtung f, Schwebstofffracht f; Aerosoltransport m	transport m en suspension	перенос взвешенных наносов, влечение взвешенных наносов; перенос аэрозолей
	silver chloride half-cell, silver-silver chloride electrode	Silber-Silberchlorid-Elektrode f, Silberchloridelektrode f, Silberchloridhalbzelle f	électrode f à argent — chlorure d'argent	хлор-серебряный электрод, хлоросеребряный электрод
S 1671	**silver-coated mirror,** silvered mirror	Silberspiegel m	miroir m argenté	посеребренное зеркало, серебряное зеркало
	silver coulometer, silver voltameter	Silbercoulometer n, Silbervoltameter n	voltamètre m à argent, coulomètre m à argent	серебряный вольтаметр, серебряный кулонметр
S 1672	**silver-disk actinometer**	Silverdiskaktinometer n, Silberscheibenaktinometer m	actinomètre m à disque d'argent	актинометр с серебряным диском
S 1673	**silver-disk pyrheliometer,** Abbot silver-disk pyrheliometer	Silverdiskpyrheliometer n [nach Abbot und Fowle], Silberscheibenpyrheliometer n	pyrhéliomètre m à disque d'argent	пиргелиометр с серебряным диском
	silvered mirror, silver-coated mirror	Silberspiegel m	miroir m argenté	посеребренное зеркало, серебряное зеркало
S°1674	**silver point,** freezing point of silver, point of freezing silver	Silberpunkt m, Erstarrungspunkt m (Erstarrungstemperatur f) des Silbers	point m (température f) de solidification de l'argent, point d'argent	точка затвердевания серебра
S 1675	**silver-silver chloride electrode,** silver chloride half-cell	Silber-Silberchlorid-Elektrode f, Silberchloridelektrode f, Silberchloridhalbzelle f	électrode f à argent — chlorure d'argent	хлор-серебряный электрод, хлоросеребряный электрод
S 1676	**silver voltameter,** silver coulometer	Silbercoulometer n, Silbervoltameter n	voltamètre m à argent, coulomètre m à argent	серебряный вольтаметр, серебряный кулонметр
S 1677	**sima**	Sima n	sima m	сима, симатическая оболочка
S 1678	**simatic**	simatisch	simique	симатический
S 1679	**simatic rock**	simatisches Gestein n	roche f simique	симатическая порода, симатическая горная порода
	"similar" flow	s. self-similar flow		
S 1680	**similarity,** similitude	Ähnlichkeit f	similitude f, affinité f	подобие
S 1681	**similarity consideration**	Ähnlichkeitsbetrachtung f	raisonnement m de similitude	соображение автомодельности, соображение подобия
	similarity criterion	s. similarity parameter <therm.>		

S 1682	similarity factor similarity law	Ähnlichkeitsfaktor m s. similarity principle	facteur m de similitude	коэффициент подобия
S 1683	similarity parameter, similarity criterion, dimensionless parameter (number, group), number, nondimensional quantity (group), characteristic, pi <therm.; aero., hydr.>	Ähnlichkeitskennzahl f, Ähnlichkeitszahl f, dimensionslose Kennzahl (Größe) f, Kennzahl, Kennwert m <Therm.; Aero., Hydr.>	paramètre (nombre) m de similitude, paramètre non dimensionnel, grandeur f non dimensionnelle, nombre sans dimension <therm.; aéro., hydr.>	критерий подобия, число подобия, безразмерный критерий, безразмерное число, комплекс π <тепл.; аэро., гидр.>
S 1684	similarity principle, law (principle) of similarity, similarity law (theorem)	Ähnlichkeitsgesetz n, Ähnlichkeitsprinzip n, Similaritätsprinzip n	loi f de similitude, principe m de similitude, loi d'affinité	закон подобия, принцип подобия
	similarity principle, law of similarity transformation <of Laplace transformation>	Ähnlichkeitssatz m <Laplace-Transformation>	théorème m de similarité, règle f de similitude <de la transformation de Laplace>	теорема подобия <преобразования Лапласа>
S 1685	similarity rule similarity theorem similarity transformation	Ähnlichkeitsregel f s. similarity principle s. homothetic transformation	règle f de similitude	закон подобия
S 1686	similarity variable similarly charged (electrified)	Ähnlichkeitsvariable f s. like	variable f analogique	автомодельная переменная
S 1687	similar representation, equivalent representation	ähnliche Darstellung f, äquivalente Darstellung	représentation f semblable (équivalente, isomorphe)	эквивалентное (изоморфное) представление
S 1688	similar solution, self-similar solution	ähnliche Lösung f	solution f [auto-]semblable, solution homogène	автомодельное решение
S 1688a	similar test similitude, similarity similitude	ähnlicher Test m Ähnlichkeit f s. a. homothetic transformation <math.>	test m semblable similitude f, affinité f	подобный критерий подобие
S 1689	Simmance-Abady flicker photometer	Flimmerphotometer n von Simmance und Abady, Simmance-Abady-Flimmerphotometer n	photomètre m à papillotement de Simmance et Abady	мигающий фотометр Симманса-Эбеди
S 1689a	simmer[ing]	leichtes Sieden n; Wallen n; Perlen n	bouillonnement m	закипание, медленное кипение
	simmer gasket	s. shaft packing		
S 1690	Simon['s] [melting] equation	Simonsche Gleichung (Schmelzgleichung f, Formel)	équation f [de fusion] de Simon	уравнение Симона, формула Симона
	simple, primitive <of lattice>	primitiv, einfach <Gitter>	primitif, simple <du réseau>	примитивный, простой <о решетке>
S 1691	simple algebra simple analytic function	einfache Algebra f s. simple function	algèbre f simple	простая алгебра, простое кольцо
S 1692	simple apposition <autoradiography>	Kontaktmethode f <Autoradiographie>	méthode f de contact <autoradiographie>	контактный метод <радиоавтография>
S 1692a	simple beam, simply supported beam, beam supported at both ends	frei aufliegender Träger m, einfacher (frei aufliegender) Balken m	poutre f reposant librement sur deux appuis simples, poutre simple[ment placée sur ses supports]	простая балка, балка на двух опорах
	simple bending	s. pure bending		
S 1693	simple closed curve, closed simple (Jordan) curve	doppelpunktfreie geschlossene Kurve f, geschlossene Jordan-Kurve f	courbe f simple fermée, contour m simple, arc plan fermé sans point double	простой замкнутый контур
S 1693a	simple crystal form	einfache Form f	forme f simple	простая кристаллическая форма
S 1694	simple cubic lattice	kubisch primitives Gitter n	réseau m cubique primitif (simple)	примитивная кубическая решетка
	simple curve simple cusp, cuspidal point of the first kind, cusp of the first kind	s. Jordan curve Spitze f erster Art, Umkehrpunkt m erster Art	point m de rebroussement de première espèce	точка возврата первого рода
S 1695	simple decay curve	einfache Zerfallskurve f, Zerfallskurve für eine radioaktive Substanz	courbe f de décroissance simple	простая кривая распада, кривая распада для одного радиоактивного вещества
S 1696	simple detachment simple element simple elongation simple equivalent pendulum	einfache Ablösung f s. pure element s. linear expansion s. equivalent pendulum	décollement m simple	простой срыв
S 1696a	simple event <stat.>	Elementarereignis n <Stat.>	événement m élémentaire <stat.>	элементарное событие <стат.>
S 1697	simple extension	einfache Dehnung f	traction f simple, traction pure, extension f simple	простое растяжение
S 1698	simple field, simple magnetic field	Einzelfeld n	champ m simple	простое поле, одиночное поле
	simple flexure	s. pure bending		
S 1699	simple function, simple analytic function, univalent [analytic] function	eindeutige [analytische] Funktion f, einblättrige Funktion	fonction f uniforme	однолистная функция, однолистная аналитическая функция
S 1700	simple glide, single slipping	Einfachgleitung f	glissement m simple	одиночное скольжение, скольжение по одной системе плоскостей
S 1701	simple group	einfache Gruppe f	groupe m simple	простая группа
S 1702	simple harmonic motion (oscillation), simple oscillatory motion, linear harmonic oscillation	lineare harmonische Schwingung f	oscillation f harmonique linéaire	линейное гармоническое колебание, гармоническое линейное колебание

	simple harmonic oscillator, linear [harmonic] oscillator	linearer harmonischer Oszillator m	oscillateur m linéaire, oscillateur harmonique simple (linéaire)	линейный гармонический осциллятор
S 1703	simple integral	einfaches Integral n	intégrale f simple	простой интеграл
S 1704	simple lattice, primitive lattice	primitives Gitter n	réseau m primitif	примитивная (простая) решетка
S 1705	simple lens	Einlinser m, Einlinsenobjektiv n	objectif m simple	однолинзовый объектив
	simple lifting line theory	s. Prandtl['s] lifting line theory		
S 1706	simple machine	einfache Maschine f	machine f simple	простая машина
	simple magnetic field, simple field	Einzelfeld n	champ m simple	простое поле, одиночное поле
	simple ordering	s. ordering <math.>		
S 1707	simple oscillation, simple vibration; linear oscillation	einfache Schwingung f; lineare Schwingung	mouvement m vibratoire simple, oscillation f simple; oscillation linéaire	простое колебание; линейное колебание
	simple oscillatory motion	s. simple harmonic motion		
	simple pendulum, [plane] mathematical pendulum	mathematisches Pendel n, Punktkörperpendel n	pendule m mathématique, pendule simple	[круговой] математический маятник, простой маятник
S 1708	simple process <of separation>	elementarer Trenneffekt m	procédé m élémentaire [de séparation]	элементарный процесс [разделения]
S 1709	simple process factor, single stage separation factor, separation factor for a single stage	elementarer Trennfaktor m, Trennfaktor einer Stufe, Trennfaktor der Einzelstufe	facteur m de séparation unitaire, facteur de séparation d'un étage, facteur de séparation à étage unique	коэффициент разделения элементарного процесса, однократный коэффициент разделения, коэффициент разделения одной ступени
S 1710	simple reaction, one-step reaction	einstufige Reaktion f	réaction f simple	простая реакция, одностадийная реакция
S 1711	simple refraction, single refraction, unirefringence	Einfachbrechung f	réfraction f unique, uniréfringence f	однократное преломление
	simple representation	s. irreducible representation		
S 1712	simple root, single root	einfache Wurzel f, einfache Nullstelle f	zéro m simple, racine f simple	простой (однократный) корень, корень первой кратности
S 1713	simple semiconductor, pure semiconductor, element (elementary) semiconductor	Einfachhalbleiter m, elementarer (reiner) Halbleiter m, Elementhalbleiter m	semi-conducteur m simple (pur)	простой полупроводник, чистый полупроводник
S 1714	simple series	einfache Reihe f	série f simple	однократный ряд
S 1715	simple shear	einfache Scherung f, ebene gleichförmige Scherbewegung f	cisaillement m pur, cisaillement simple	чистый сдвиг
S 1716	simple shearing strain	ebene Gestaltsänderung f	glissement m simple	простой сдвиг
S 1716a	simple shearing stress	einfacher Schubspannungszustand m	tension f de cisaillement simple	простое напряжение сдвига
S 1716b	simple space group	einfache (symmorphe) Raumgruppe f	groupe m spatial (d'espace) simple	простая пространственная группа
S 1717	simple symmetric glide	symmetrische ebene Formänderung f	glissement m simple symétrique	симметричный сдвиг
	simple system	s. triangular web <mech.>		
S 1718	simple tension	einfache Zugspannung f	traction f simple, traction pure	простое растяжение
S 1719	simple torsion, torsion	einfache Torsion (Drillung, Verdrehung) f	torsion f pure, torsion simple	простое кручение
	simple vibration	s. simple oscillation		
S 1719a	simple wave [flow]	Einfachwellenströmung f	mouvement (écoulement) m par ondes simples	течение с простыми волнами
S 1720	simplex circuit	Simplexleitung f	circuit m simplex, ligne f simplex	симплексный провод, симплексная линия
S 1721	simplex[-]method, simplex process	Simplexmethode f	méthode f simpliciale, méthode (algorithme m) du simplex	симплексный метод [оптимизации], симплекс-метод
S 1721a	simplicial partition	simpliziale Unterteilung f	partage m simplicial	симплициальное (симплиционное) разбиение
S 1722	simplification; reduction; idealization	Vereinfachung f; Idealisierung f	simplification f; réduction f; idéalisation f	упрощение; сокращение; идеализация
	simplified diagram	s. schematic [circuit] diagram		
S 1723	simplifying assumption	vereinfachende Voraussetzung (Annahme) f	supposition f simplifiante	упрощающее предположение
S 1724	simply connected region	einfach zusammenhängender Bereich m	domaine m simplement connexe, domaine à connexion simple	односвязная область
S 1725	simply periodic function	einfach-periodische Funktion f	fonction f simplement périodique	просто периодическая функция
S 1726	simply[-]supported. freely supported	frei aufliegend (gelagert)	à appui libre (simple), reposant (posé) librement, à appui à rotule	свободно опертый
	simply supported beam	s. simple beam		
S 1727a	simply supported bearing (end), freely supported bearing (end)	festes Drehlager n, [festes] Zylindergelenk n	appui m simple, appui à rotule	цилиндрическая неподвижная опора
S 1727	simply supported edge	frei gelagerter Rand m	bord m reposant sur appui	свободно опертый край
S 1728	Simpson['s] model [of thunderstorm cloud]	Simpsonsches Modell n [der Gewitterwolke]	modèle m de Simpson	модель Симпсона [грозового облака], модель грозового облака Симпсона
	Simpson['s] pile, neutron pile	Neutronenzählrohrteleskop n, Simpsonsche Säule f	pile f à neutrons, pile de Simpson	столбик нейтронных счетчиков по Симпсону, столбик Симпсона

S 1729	**Simpson['s] rule**, parabolic rule; prismoidal formula [for areas]	Keplersche Faßregel *f*, Faßregel; Simpsonsche Regel (Formel) *f*	règle *f* du tonneau; formule (méthode, règle) *f* de Simpson, méthode de Cotes	формула (правило) Симпсона, формула Кеплера; формула парабол
S 1730	**simulation**; model[l]ing; imitation	Modellierung *f*; Nachbildung *f*; Simulation *f*; Nachahmung *f*	simulation *f*; imitation *f*	моделирование; имитация
S 1731	**simulator**; simulant	Simulator *m*; Sumuliergerät *n*; Analog[ie]modell *n*	simulateur *m*; simulateur électronique; modèle *m* analogique	симулятор, [электронное] моделирующее устройство, имитирующее устройство, имитатор; моделирующее счетно-решающее устройство; тренажер; модель
S 1732	**simultaneity concept [of Einstein]**	Gleichzeitigkeitsbegriff *m* [von Einstein]	concept *m* de simultanéité [d'Einstein]	понятие одновременности [Эйнштейна]
S 1733	**simultaneity factor**	Gleichzeitigkeitsfaktor *m*, Gleichzeitigkeitszahl *f*, Gleichzeitigkeitsziffer *f*	facteur *m* de simultanéité	коэффициент одновременности
S 1734	**simultaneous contrast**	Simultankontrast *m*, Nebenkontrast *m*	contraste *m* simultané	одновременный контраст
S 1735	**simultaneous crystallization**, syncrystallization	gleichzeitige Kristallisation *f*, Synkristallisation *f*	syncristallisation *f*	одновременная кристаллизация
	simultaneous differential equations	*s.* simultaneous ordinary differential equations		
S 1735a	**simultaneous [electron] diffraction method**	Simultanbeugungsverfahren *n*	méthode *f* de diffraction électronique simultanée	метод одновременного получения электронограммы
S 1736	**simultaneous earthquake**	Relaisbeben *n*, Simultanbeben *n*	tremblement *m* de terre simultané	одновременное землетрясение
S 1736a	**simultaneous estimation**	simultane Schätzung *f*	estimation *f* simultanée	совместная оценка
S 1737	**simultaneous events**	gleichzeitige Ereignisse *npl*	événements *mpl* simultanés	одновременные события
S 1738	**simultaneous glare**	Simultanblendung *f*	éblouissement *m* simultané	одновременная слепимость (блескость)
S 1739	**simultaneous iteration**	Simultaniteration *f*	itération *f* simultanée	одновременная итерация
	simultaneous linear equations	*s.* system of simultaneous linear equations		
S 1740	**simultaneous multi-section laminography**	Simultanschichtverfahren *n*	tomographie *f* « multisection » simultanée	одновременная мультисекциональная томография
S 1741	**simultaneous ordinary differential equations**, simultaneous differential equations, system of ordinary differential equations	gewöhnliches Differentialgleichungssystem *n*, System *n* von gewöhnlichen Differentialgleichungen, gekoppelte (simultane) Differentialgleichungen *fpl*	système *m* d'équations différentielles ordinaires	система обыкновенных дифференциальных уравнений
S 1742	**simultaneous reaction**	Simultanreaktion *f*	réaction *f* parallèle, réaction simultanée	параллельная реакция, одновременно протекающая реакция
	SIN curve, Wöhler curve, stress number curve, fatigue curve; Wöhler diagram	Wöhler-Kurve *f*, Ermüdungskurve *f*, Wöhler-Linie *f*; Wöhler-Schaubild *n*, Wöhler-Diagramm *n*, SN-Diagramm *n*	courbe *f* de Wöhler, courbe de fatigue; diagramme *m* de Wöhler	кривая Велера, кривая выносливости, кривая усталости; диаграмма Велера
S 1743	**sine amplitude**, sn	sinus *m* amplitudinis, sn	sinus *m* de l'amplitude, sinus d'amplitude, sn	эллиптический синус, синус амплитуды, sn
S 1744	**sine bar**	Sinuslineal *n*	règle *f* sinus	синусная линейка
	sine compass	*s.* sine galvanometer		
	sine condition, Abbé['s] sine condition	Abbesche Sinusbedingung *f*, Sinusbedingung	condition *f* des sinus [d'Abbe]	закон синусов, условие синусов [Аббе]
S 1745	**sine-cosine potentiometer**	Sinus-Kosinus-Potentiometer *n*, Sinus-Kosinus-Kompensator *m*	potentiomètre *m* sinuscosinus	синус-косинусный потенциометр
	sine curve, sinusoidal curve, sinusoidal line, sinusoid; harmonic curve	Sinuskurve *f*, Sinuslinie *f*; harmonische Kurve *f*	sinusoïde *f*, courbe *f* sinusoïdale; courbe harmonique	синусоида, синусоидальная кривая; гармоническая кривая
S 1746	**sine galvanometer**, sine compass	Sinusbussole *f*, Sinusgalvanometer *n*	boussole *f* des sinus	синус-гальванометр
S 1747	**sine generator**, sine-wave oscillator	Sinusgenerator *m*, Sinuswellenerzeuger *m*	générateur *m* d'ondes sinusoïdales, générateur sinus	генератор синусоидальных колебаний
S 1748	**sine integral**, Si; si	Integralsinus *m*, sinus *m* integralis; Si; si	sinus *m* intégral; Si; si	интегральный синус; Si; si
S 1749	**sine law**, sinusoidal law; sine rule <geotropism>	Sinusgesetz *n*	loi *f* sinusoïdale	синусоидальный закон
	sine law, law of sines <of trigonometry *or* spherical trigonometry>	Sinussatz *m* <der ebenen *oder* sphärischen Trigonometrie>	théorème *m* des sinus <de la trigonométrie du plan *ou* sphérique>	теорема синусов <тригонометрии *или* сферической тригонометрии>
S 1750	**sine of semi-cone angle of entrance pupil**	Apertur *f*	sinus *m* de la demi ouverture du cône de rayons	синус половинной угловой апертуры
S 1751	**sine potentiometer**, sinusoidal potentiometer	Sinuspotentiometer *n*, Sinuskompensator *m*	potentiomètre *m* sinusoïdal, potentiomètre sinus	синусоидальный потенциометр
	sine rule; sine law, sinusoidal law <geotropism>	Sinusgesetz *n*	loi *f* sinusoïdale	синусоидальный закон
	sine wave, sinusoidal wave, harmonic wave	Sinuswelle *f*, sinusförmige Welle *f*, harmonische Welle	onde *f* sinusoïdale, onde harmonique; houle *f* sinusoïdale	синусоидальная волна, синусоида, гармоническая волна
	sine-wave oscillator, sine generator	Sinusgenerator *m*, Sinuswellenerzeuger *m*	générateur *m* d'ondes sinusoïdales, générateur sinus	генератор синусоидальных колебаний
S 1752	**singeing**; scorching	Sengen *n*	grillage *m*; flambage *m*	опаливание, опалка

S 1753	**singing** <el.>	Pfeifen *n* <El.>	sifflement *m*, amorçage *m*, accrochage *m* <él.>	свист; зуммирование; самовозбуждение; генерация <эл.>
S 1754	**singing arc**	tönender Bogen (Licht-bogen) *m*, singender Bogen (Lichtbogen), sprechender Bogen (Lichtbogen)	arc *m* chantant, arc musical	поющая дуга, поющий дуговой разряд
S 1755	**singing flame**	singende Flamme *f*	flamme *f* chantante	поющее пламя
	singing of the arc, arc noise, arc hum	Summen *n* des Licht-bogens	bourdonnement *m* de l'arc	жужжание дуги
	singing path; feedback path	Rückkopplungsweg *m*, Rückführungsweg *m*, Rückführpfad *m*, Rück-kopplungszweig *m*	voie *f* de réaction, voie d'asservissement	канал обратной связи, цепь обратной связи
S 1756	**singing point; swinging** point	Pfeifgrenze *f*, Pfeifpunkt *m*; Schwingungseinsatz-punkt *m*	limite *f* d'accrochage, limite *f* d'amorçage [des oscillations], point *m* d'amorçage [des oscillations]	точка самовозбуждения (возникновения коле-баний, свиста), точка (граница) зуммирова-ния, порог самовозбуж-дения, порог возник-новения генерации, порог генерации
S 1757	**singing spark,** musical spark	tönender Funke *m*	étincelle *f* chantante, étincelle musicale	поющая искра
S 1758	**singing tube**	tönendes Rohr *n*	tube *m* mélodieux	поющая трубка
S 1759	**single acceleration**	Einfachbeschleunigung *f*	accélération *f* unique	однократное ускорение
S 1760	**single-action process**	Einfachprozeß *m*, Einzel-prozeß *m*	processus *m* d'action unique	однократный процесс
S 1761	**single-anode rectifier,** single-plate rectifier	einanodige Gleichrichter-röhre *f*, einanodiger Ventilgleichrichter *m*, ein-anodiges Gleichrichter-ventil *n*, Einanodenventil *n*, Einanodengleichrichter *m*; Einanodengefäß *n*, Einanoden-Stromrichter-gefäß *n*	redresseur *m* monoanodique, redresseur monoplaque	выпрямитель с одноанод-ным вентилем, одноа-нодная выпрямительная лампа, одноанодный вентиль
	single-armature converter	*s.* rotary converter		
	single-beam line storage tube	*s.* line storage tube		
S 1762	**single-beam oscillograph**	Einstrahloszillograph *m*	oscillographe *m* mono-faisceau	однолучевой электрон-ный осциллограф
S 1763	**single-beam spectrom-eter**	Einstrahlspektrometer *n*	spectromètre *m* mono-faisceau (à simple faisceau)	однолучевой спектрометр
	single-body problem	*s.* one-body problem		
S 1764	**single bond,** two-electron bond, ordinary bond, ordinary link[age]	Einfachbindung *f*, einfache Bindung *f*, Zwei-elektronenbindung *f*	liaison *f* simple, liaison à deux électrons	одинарная связь, про-стая связь, двухэлек-тронная связь
S 1765	**single-cavity klystron,** single-circuit klystron, single-circuit drift tube, floating-drift klystron (tube, tube type klystron)	Einkreistriftröhre *f*, Ein-kreisklystron *n*, Einkam-mertriftröhre *f*, frei-schwebende Triftröhre *f*	klystron *m* monocircuit	однорезонаторный кли-строн, одноконтурный клистрон
S 1766	**single-centre wave function**	Einzentren-Wellenfunktion *f*	fonction *f* d'onde à centre unique, fonction d'onde à un centre	одноцентровая волновая функция
S 1767	**single-channel coincidence spectrom-etry**	Einkanal-Koinzidenz-spektrometrie *f*	spectrométrie *f* de coïncidences à canal unique	одноканальная спектро-метрия совпадений
S 1768	**single-channel discrimi-nator**	Einkanaldiskriminator *m*	discriminateur *m* à canal unique	одноканальный дискри-минатор
S 1769	**single-channel multi-channel two-para-metric analysis**	Einkanal-Vielkanal-Methode *f*	analyse *f* biparamétrique à méthode monovoie-multivoie	двухмерный анализ одно-канально-многоканаль-ным методом
S 1770	**single-channel pulse amplitude selector unit, single-channel pulse-height analyzer**	Einkanal-Impulshöhen-analysator *m*	élément *m* sélecteur d'am-plitude à canal mobile, analyseur *m* d'amplitudes des impulsions à canal unique	одноканальный амплитуд-ный анализатор им-пульсов
S 1771	**single-channel single-channel two-para-metric analysis**	Einkanal-Einkanal-Methode *f*	analyse *f* biparamétrique à méthode monovoie-monovoie	двухмерный анализ одно-канально-одноканаль-ным методом
S 1772	**single-channel time analyzer**	Einkanal-Zeitanalysator *m*	analyseur *m* de temps monocanal (à un seul canal)	одноканальный временной анализатор
	single-chip circuit (device); semiconductor integrated circuit; solid circuit	integrierte Festkörperschal-tung (Halbleiterschal-tung) *f*, Festkörperschal-tung	circuit *m* intégré; circuit solide	интегральная твердая схема, интегральная схема
	single-circuit drift tube, single-circuit klystron	*s.* single-cavity klystron		
S 1773	**single-coil filament**	Einfachwendel *f*	filament *m* à simple bou-dinage, filament spiralé	простая спирализирован-ная нить накала, про-стая спираль
S 1774	**single-coil lamp**	Einfachwendellampe *f*	lampe *f* à simple boudinage, lampe à filament spiralé	лампа с простой спираль-ной нитью, лампа с моноспиральной нитью
S 1775	**single coincidence spectrometer**	Einfachkoinzidenzspektro-meter *n*	spectromètre *m* de coïnci-dences uniques	спектрометр однократных совпадений

S 1775a	single colour group	Einfarbengruppe f, einfarbige Gruppe f <Schwarz- oder Weißgruppe>	groupe m monocoloré (à couleur unique)	одноцветная группа
	single-column manometer, vertical-tube manometer	Gefäßmanometer n, einschenkliges Manometer n, Manometer mit senkrechtem Meßrohr	manomètre m à tube vertical, manomètre direct	чашечный манометр
S 1776	single-conductor [current] transformer	Einleiter-Stromwandler m, Einleiterwandler m	transformateur m à spire unique	одновитковый трансформатор тока
S 1777	single-core flux-gate magnetometer	Einzelkernsonde f	sonde f électromagnétique à noyau unique	магнитоиндукционный зонд с одним сердечником
S 1778	single counter	Einzelzähler m	compteur m unique	одиночный счетчик
	single crystal, monocrystal	Einkristall m	monocristal m	монокристалл
S 1778a	single-crystal diffractometry	Einkristalldiffraktometrie f, Beugungsuntersuchung f an Einkristallen mittels Strahlungsdetektor	diffractométrie f des monocristaux	дифрактометрия монокристаллов
	single-crystal pulling	s. pulling of crystals		
S 1779	single-crystal spectrometer	Einkristallspektrometer n, Spektrometer n mit einem Kristall	spectromètre m à cristal unique	однокристальный спектрометр, спектрометр с одним кристаллом
S 1780	single-cycle engine	s. one-stroke engine		
S 1781	single dislocation	Einzelversetzung f	dislocation f individuelle	одиночная дислокация
	single-distance-layer graded interference filter	Verlauflinienfilter n	filtre m interférentiel dégradé à une seule couche	однослойный оттененный светофильтр, оттененный светофильтр с одним промежуточным слоем
	single-domain particle	s. one-domain particle		
S 1782	single dose	Einzeldosis f; Einzeitdosis f	dose f isolée (unique, simple)	однократная (разовая) доза
	single-edge variable-area recording, single-sound track	Einzackenschrift f	trace f unilatérale	поперечная одинарная фонограмма
	single-electrode potential	s. relative electrode potential		
S 1783	single electron, lone electron	Einzelelektron n	électron m célibataire	одиночный электрон
	single-electron bond	s. one-electron bond		
S 1784	single-electron eigenfunction	Einelektroneneigenfunktion f	fonction f propre monoélectron	одноэлектронная собственная функция
	single electron lens, unipotential lens, single lens, einzel lens	Einzellinse f, Dreielektrodenlinse f, elektrostatische Einzellinse	lentille f unipotentielle	одиночная линза, симметричная линза, трехэлектродная линза
S 1785	single-electron limit <photomultiplier>	Einelektrongrenze f, Einelektronnäherung f <Photovervielfacher>	limite f d'électron unique <photomultiplicateur>	одноэлектронное приближение <фотоэлектронного умножителя>
	single-electron problem	s. one-electron problem		
S 1786	single-electron pulse	Einzelelektronimpuls m	impulsion f d'électron unique	одноэлектронный импульс
S 1786a	single-electron response function	Einelektron-Ansprechfunktion f	fonction f de réponse monoélectronique	одноэлектронная функция чувствительности
	single-ended push-pull [cascade]	s. parallel push-pull [cascade]		
S 1786b	single experiment	Einzelversuch m	expérience f isolée	единичный эксперимент
S 1787	single exposure	einmalige Bestrahlung f, Einzeitbestrahlung f	irradiation f à dose unique	однодозное облучение
S 1787a	single-factor method	Einfaktormethode f	méthode f du facteur commun unique	однофакторный метод
	single force, point force, concentrated force	Einzelkraft f, Punktkraft f, konzentrierte Kraft f	force f concentrée, force isolée	сосредоточенное усилие, сосредоточенная сила
S 1788	single-force hypothesis	,,single-force"-Hypothese f, Einkrafthypothese f	hypothèse f de force unique	односиловая гипотеза
	single-frequency	s. monochromatic		
	single-grid tube (valve)	s. triode		
S 1789	single-hit, single-hit phenomenon	Eintreffer[vorgang] m, Einzeltreffer m	coup m unique, mécanisme m à coup unique	одиночное попадание
	single-hole directional coupler	s. Bethe hole coupler		
S 1790	single image prism	einteiliges Polarisationsprisma n	prisme m polarisateur à image unique	однолучевая поляризационная призма
	single impact ionization, ionization by single impact	Ionisierung f durch Einzelstoß, Einzelstoßionisierung f	ionisation f par impact unique	ионизация одиночным столкновением, ионизация одиночным ударом
S 1791	single intersection theorem, intersection theorem	Schnittpunktsatz m [von Serrin]	théorème m d'intersection	теорема пересечения
	single-kick multivibrator	s. univibrator		
S 1791a	single leaf electrometer	Einblattelektrometer n	électromètre m à feuille unique	однолепестковый электрометр
S 1792	single-lens; monocular	einäugig; monokular	à objectif unique, à un objectif; monoculaire	однообъективный; монокулярный
	single lens	s. a. single electron lens		
S 1793	single-lens telescope, Steinheil['s] cone	Steinheilscher Glaskonus m, Einlinsenfernrohr n	télescope m à lentille unique, cône m de Steinheil	однолинзовая зрительная труба
S 1794	single-level approximation, one-level approximation	Einniveau[an]näherung f	approximation f d'un seul niveau	приближение одного уровня
S 1795	single-level formula, one-level formula	Einniveauformel f, Einniveau-Resonanzformel f	formule f à un seul niveau	формула для одного уровня, формула резонанса для одного уровня

S 1795a	single-line source	Einlinienquelle f	source f à raie unique, source monoraie	однолинейный источник
S 1796	single-line spectroscopic binary	Doppelstern m mit einem Spektrum	étoile f double spectroscopique à un seul spectre	спектрально-двойная звезда с одинарными линиями в спектре
S 1797	single-line spectrum	Einlinienspektrum n, Spektrum n mit einer Linie	spectre m à raie unique	спектр, состоящий из одной линии; однолинейный спектр
	single link[age]	s. single bond		
	single load	s. concentrated load		
	single-loop[-type] galvanometer, loop galvanometer	Schleifengalvanometer n, Schleife f	galvanomètre m à boucle, galvanomètre à cadre	шлейфовый гальванометр, петлевой гальванометр
S 1798	single-meson pole	Einmeson[en]pol m	pôle m à un méson	одномезонный полюс
S 1799	single-mirror condenser, paraboloid[al] condenser	Einspiegelkondensor m, Paraboloidkondensor m	condenseur m à un seul miroir, condenseur parabolique (paraboloïdal)	параболический конденсор, параболоидный конденсор
S 1799a	single mode laser	Einfrequenzlaser m	oscillateur m laser en fréquence unique	одночастотный (одномодовый) лазер (оптический квантовый генератор)
S 1800	single nucleon-nucleon encounter	Einzelstoß m zweier Nukleonen, Nukleon-Nukleon-Einzelstoß m	collision f unique de deux nucléons	одиночное соударение между двумя нуклонами
S 1801	single observation	Einzelbeobachtung f	observation f unique	отдельное наблюдение, несерийное наблюдение
S 1802	single observer range-finder	Einstand-Entfernungsmesser m	télémètre m à base courte, télémètre pour observateur unique	дальномер с короткой базой, дальномер для одного наблюдателя
S 1803	single-pan balance	einschalige Waage f	balance f à plateau unique	одночашечные весы, весы с одной чашкой
S 1804	single particle	Einzelteilchen n	particule f unique	отдельная частица
	single-particle equation, one-particle equation	Einteilchengleichung f	équation f à une particule	одночастичное уравнение
S 1805	single-particle excitation	Einzelteilchenanregung f	excitation f monoparticulaire (uniparticulaire)	одночастичное возбуждение
S 1806	single-particle glide	Einteilchengleitung f	glissement m à une seule particule	одночастичное скольжение
	single-particle Green['s] function, one-particle Green['s] function	Greensche Einteilchenfunktion f, Einteilchen-Green-Funktion f	fonction f de Green à une particule	одночастичная функция Грина
S 1807	single-particle level	Einzelteilchenniveau n, Einteilchenniveau n	niveau m de particule unique, niveau à une particule	одночастичный уровень
	single-particle model	s. one-body model of nucleus		
S 1808	single-particle operator	Einteilchenoperator m	opérateur m à une particule, opérateur à particule unique	одночастичный оператор
S 1809	single-particle pole term	Einteilchen-Polterm m	terme m de pôle à une [seule] particule	одночастичный полюсный член
S 1810	single-particle transition	Einzelteilchenübergang m, Einteilchenübergang m	transition f à une [seule] particule	одночастичный переход
S 1811	single-particle tunnel current, quasiparticle tunnel current	Einteilchentunnelstrom m, Quasiteilchen-Tunnelstrom m	courant m tunnel des quasiparticules	туннельный ток квазичастиц
S 1812	single-particle tunnelling, quasiparticle tunnelling	Einteilchentunnelung f, Quasiteilchentunnelung f	traversée f de la barrière de potentiel par les quasiparticules	туннельное прохождение через барьер квазичастиц
S 1813	single-phase alternating current	einphasiger Wechselstrom m, Einphasenwechselstrom m	courant m alternatif monophasé	однофазный переменный ток
S 1814	single-phase dosimeter	Einphasendosimeter n	dosimètre m en phase unique	однофазный [химический] дозиметр
	single-phase rectification, alternating-current rectification, a.c. rectification	Wechselstromgleichrichtung f	redressement m du courant alternatif	выпрямление переменного тока, выпрямление однофазного тока
	single-phase rectifier	s. single-wave rectifier		
S 1815	single-phase three-wire system	Einphasen-Dreileitersystem n	système m monophasé à trois conducteurs	однофазная трехпроводная система
	single-phonon interaction, one-phonon interaction	Einphononwechselwirkung f	interaction f monophonique	однофононное взаимодействие
	single-picture taking	s. stop-motion camera shooting		
S 1816	single-pion exchange model	Einpionaustauschmodell n	modèle m à échange d'un seul pion	модель однопионного обмена
	single-plate rectifier	s. single-anode rectifier		
S 1816a	single polarity pulse	Unipolarimpuls m, unipolarer Impuls m	impulsion f unipolaire (monopolaire)	униполярный импульс
S 1817	single-pole switch	einpoliger Schalter m	interrupteur m unipolaire	однополюсный выключатель
	single potential	s. relative electrode potential		
S 1818	single-prism spectrograph	Babinet-Bunsen-Spektrograph m, Spektrograph m mit einem Prisma	spectrographe m de Babinet	спектрограф с одной призмой
S 1819	single pulse, discrete (isolated) pulse	Einzelimpuls m, diskreter Impuls m	impulsion f unique (isolée, monocycle)	одиночный импульс
S 1819a	single pulse method	Ein[im]pulsverfahren n	méthode f monoimpulsion	одноимпульсный (моноимпульсный) метод
S 1820	single-quantum annihilation	Einquantenvernichtung f, Einquantenzerstrahlung f	annihilation f d'un seul quantum	одноквантовая аннигиляция

S 1821	single-quantum transition	Einquantenübergang m	transition f à un quantum	одноквантовый переход
S 1822	single-range instrument	Einbereich-Meßgerät n	appareil m à une seule bande, appareil à bande (gamme, plage) unique	однодиапазонный измерительный прибор
S 1823	single reflection	Einfachreflexion f; Einfachrückstreuung f	réflexion f unique, réflexion simple, réflexion primaire	однократное отражение; однократное обратное рассеяние
	single refraction, simple refraction, unirefringence	Einfachbrechung f	réfraction f unique, uniréfringence f	однократное преломление
	single region reactor	s. one-region reactor		
S 1824	single resonance level	Ein[zel]resonanzniveau n	niveau m de résonance unique	одиночный резонансный уровень
	single root	s. simple root		
	single-row matrix, row matrix, row vector, single-row vector	Zeilenmatrix f, Zeilenvektor m	matrice f [à une] ligne, matrice-ligne f, matrice uniligne, vecteur-ligne m	матрица-строка, строчная матрица, вектор-строка, строчный вектор
	single row of vortices, vortex row, row of vortices	Wirbelreihe f	file f tourbillonnaire	вихревая цепочка, ряд вихрей
	single-row vector	s. single-row matrix		
	single-runner Francis turbine	s. Francis turbine		
S 1825	single scattering	Einfachstreuung f	diffusion f unique (simple, primaire)	однократное рассеяние
	single-shot multivibrator	s. univibrator		
S 1826	single sideband, single-side band	Einseitenband n	bande f latérale unique	одна боковая полоса [частот]
S 1827	single-sideband amplitude modulation	Einseitenband-Amplitudenmodulation f	modulation f d'amplitude à bande latérale unique	однополосная амплитудная модуляция
	single-side coated, one-side coated	einseitig beschichtet	émulsionné à une seule surface	односторонне наслоенный
	single slipping, simple glide	Einfachgleitung f	glissement m simple	одиночное скольжение, скольжение по одной системе плоскостей
S 1828	single-sound track, single-edge variable-area recording	Einzackenschrift f	trace f unilatérale	поперечная одинарная фонограмма
	single spherical optical surface separating two media, spherical optical surface separating two media	einzelne Kugelfläche f <brechend oder spiegelnd>	dioptre m sphérique	одна сферическая поверхность <преломляющая или зеркальная>
S 1829	single spot	isolierter Fleck m, Einzelfleck m	tache f isolée	одиночное пятно
S 1830	single-stage amplifier	Einstufenverstärker m	amplificateur m à étage unique, amplificateur à un étage	однокаскадный усилитель
S 1831	single-stage compression, single-step compression	einstufige Kompression f	compression f à un seul étage	одноступенное сжатие
S 1832	single-stage process	Einstufenprozeß m, einstufiges Verfahren n	procédé m à un seul étage, procédé à étage unique	одноступенчатый процесс
S 1833	single-stage recycle	Einstufenführung f; Stufe f mit Rückführung	recyclage m à étage unique	ступень с возвратом
S 1834	single-stage rocket, single-step rocket	Einstufenrakete f, einstufige Rakete f, Raketeneinheit f	fusée f à un étage	одноступенчатая ракета
	single stage separation factor	s. simple process factor		
S 1835	single-stage sliding vane pump	einstufige Vielschieberpumpe f	pompe f rotative multipalette à un étage, pompe à palettes à un étage	одноступенный многопластинчатый насос
S 1836	single star	Einzelstern m	étoile f simple	одиночная звезда
	single-step compression, single-stage compression	einstufige Kompression f	compression f à un seul étage	одноступенное сжатие
	single-step iteration <for solving linear equations>	s. Gauss-Seidel method		
S 1837	single-step iteration (method)	Einzelschrittverfahren n, Iteration f in Einzelschritten	méthode f des pas fractionnaire	метод единичных шагов
	single-step multivibrator	s. univibrator		
	single-step rocket, single-stage rocket	Einstufenrakete f, einstufige Rakete f, Raketeneinheit f	fusée f à un étage	одноступенчатая ракета
	single-stroke [cycle] engine	s. one-stroke engine		
S 1838	singlet	Singulett n, Einfachlinie f	singulet m	синглет, сингулет, сингглетная (сингулетная) спектральная линия, сингглетная линия [спектра], сингулетная линия [спектра], одиночная спектральная линия, одиночная линия [спектра], отдельная спектральная линия, отдельная линия [спектра]

	singlet	s. a. singlet term		
	single-tail[ed] test	s. one-sided test		
S 1839	singlet boson, π_0^0 meson	Singulettboson n, singulettes Boson n, singlettes Boson, π_0^0-Meson n	boson m singulet, boson à singulet de charge, méson m π_0^0	синглетный бозон, сингулетный бозон, π_0^0-мезон
S 1840	singlet distribution function	Einteilchen-Verteilungsfunktion f	fonction f de distribution monoparticulaire	одночастичная функция распределения
	single-throw switch, on-off switch	Ein-Aus-Schalter m	commutateur m de deux positions	двухпозиционный переключатель
	single-throw switch	s. a. tumbler		
S 1841	singlet linkage, semivalence, semivalency	Singulettbindung f	liaison f de singulet	синглетная (сингулетная) связь
S 1842	singlet neutron-proton potential, singlet n-p potential	Singulett-Neutron-Proton-Potential n, Singulett-n-p-Potential n	potentiel m neutron-proton singulet	синглетный нейтрон-протонный потенциал, сингулетный нейтрон-протонный потенциал
	singlet positronium	s. para[-]positronium		
S 1843	singlet range	Singulettreichweite f	portée f de singulet	синглетный (сингулетный) пробег, пробег синглета (сингулета)
S 1844	single transfer	„single transfer" m	transfert m simple	простой перенос
S 1845	singlet scattering	Singulettstreuung f	diffusion f singulet	синглетное рассеяние
S 1846	singlet scattering cross-section, cross-section for singlet scattering	Singulettstreuquerschnitt m, Wirkungsquerschnitt m für (der) Singulettstreuung	section f efficace de diffusion singulet	сечение синглетного рассеяния
S 1847	singlet spectrum	Singulettspektrum n	spectre m singulet	синглетный спектр, сингулетный спектр
S 1848	singlet spin function	Singulettspinfunktion f, Singulett-Spinfunktion f	fonction f de spin singulet	синг[у]летная спиновая функция
S 1849	singlet spin state	Singulettspinzustand m, Singulettzustand m des Spins	état m de spin singulet	синг[у]летное спиновое состояние
S 1850	singlet state	Singulettzustand m	état m singulet	синглетное состояние, сингулетное состояние
	singlet system, singlet term system	Singulettermsystem n, Singulettsystem n	système m de termes singulet, système singulet	синглетная система [термов], сингулетная система [термов]
S 1851	singlet term, singlet	Singuletterm m	terme m singulet	синглетный терм, сингулетный терм
S 1852	singlet term system, singlet system	Singulettermsystem n, Singulettsystem n	système m de termes singulet, système singulet	синглетная система [термов], сингулетная система [термов]
	single turn	s. turn		
S 1853	single vacancy	Einfachleerstelle f	vacance f unique	единичная вакансия
	single-valued function, one-valued function	eindeutige Funktion f	fonction f univalente	однозначная функция
S 1853a	single-valued mapping, single-valued representation <math.>	eindeutige Abbildung f <Math.>	représentation (application) f univoque <math.>	однозначное отображение <матем.>
	single-valuedness	s. uniqueness		
	single-valued representation	s. single-valued mapping		
	single-valued representation	s. a. univalent representation		
S 1854	single vector, sum of the system of vectors, resultant vector	Einzelvektor m, resultierender Einzelvektor	vecteur m unique, résultante f générale (de translation)	главный вектор
	single vision, Panum['s] vision, binocular single vision	Panum-Sehen n, beidäugiges Einfachsehen n	vision f [binoculaire] unique, vision de Panum	зрение Панума, одиночное зрение
S 1855	single wave, solitary wave	Einzelwelle f, solitäre Welle f	onde f solitaire	уединенная волна, одиночная волна
	single-wavelength	s. monochromatic		
	single-wave rectification	s. half-wave rectification		
	single-wave rectifier	s. half-wave rectifier		
	single-way rectification	s. half-wave rectification		
	single-way rectifier	s. half-wave rectifier		
	single-way switch	s. tumbler		
	single-wheel Pelton turbine	s. impulse turbine		
	single-window range-viewfinder	s. range-viewfinder		
S 1856	single-wire antenna	Eindrahtantenne f	antenne f unifilaire	однопроводная антенна, однолучевая антенна
S 1857	singly ionized	einfach ionisiert	une fois ionisé, simplement ionisé	однократно ионизированный
S 1858	singular <math.>	singulär <Math.>	singulier <math.>	особый, особенный, сингулярный <матем.>
S 1858a	singular distribution, degenerate distribution	singuläre (entartete) Verteilung f	répartition f dégénérée	вырожденное распределение
S 1859	singular integral, singular solution	singuläres Integral n, singuläre Lösung f	intégrale (solution) f singulière	особый (сингулярный) интеграл, особое решение
	singularity	s. singular point		
S 1860	singularity [of weather] <meteo.>	Singularität f <Meteo.>	singularité f [du temps] <météo.>	календарная особенность погоды, особенность <метео.>
	singularity function	s. parametrix		
S 1861	singularity problem	Singularitätsproblem n	problème m de singularité	проблема особенности
S 1861a	singular matrix	singuläre Matrix f	matrice f singulière	вырожденная (вырождающаяся, особенная) матрица

S 1862	**singular point;** singularity, critical point	Singularität *f*; singuläre Stelle *f*, singulärer Punkt *m*, kritischer Punkt; stationärer Punkt <Differentialgleichungssystem>	singularité *f*; point *m* singulier	особенность; особая точка
	singular solution, singular integral	singuläres Integral *n*, singuläre Lösung *f*	intégrale (solution) *f* singulière	особый (сингулярный) интеграл, особое решение
S 1863	**singular state** <cosmology>	Singularität *f* <Kosmologie>	singularité *f*, état *m* singulier <cosmologie>	особое состояние, сингулярное состояние <космология>
	singular surface, discontinuity surface, surface of discontinuity <hydr., aero.>	Unstetigkeitsfläche *f* [im engeren Sinne], Diskontinuitätsfläche *f* <Hydr., Aero>	surface *f* de discontinuité <hydr., aéro.>	поверхность разрыва <гидр., аэро.>
	sinistrogyric, left-handed <techn.>	linksgängig, linksdrehend, Links-; linksläufig; linkswendig <Techn.>	avec pas à gauche, à gauche, sinistrogyre <techn.>	левовращающийся, левого вращения <техн.>
S 1864	**sinistrorse,** on the left, left-handed <math.>	linksseitig, Links- <Math.>	sinistrorsum, à gauche <math.>	левосторонний, слева <матем.>
	sinistrorse helix (screw)	s. left-twisted helix		
S 1865	**sink** <of the field>	Senke *f*, Senkstelle *f*, Verschwindungspunkt *m* <Feld>	dépression *f*, puits *m*, source *f* négative <du champ>	сток, депрессия, отрицательный источник <поля>
S 1866/7	**sinker,** weight	Senkkörper *m*, Sinkkörper *m*, Belastungskörper *m*, Belastungsgewicht *n*	poids *m* de charge, surcharge *f* [pour moulinet]	поплавок <гидростатических весов>; груз для вертушки, лот
	sink flow	s. flow from sinks		
	sinkhole	s. shrinkage cavity		
S 1868	**sinking**	Sinken *n*; Versinken *n*	descente *f*; affaissement *m*; enfoncement *m*; chute *f*	падение; понижение; снижение; погружение
S 1869	**sinking,** sinking[-down]; submersion	Versenkung *f*	plongement *m*; submersion *f*	погружение, опускание; затопление; углубление
	sinking	s. a. breakdown <geo.>		
	sinking-down	s. sinking		
S 1870	**sinking point, sinking temperature,** working point	Einsinkpunkt *m*, Einsinktemperatur *f*, Verarbeitungspunkt *m*, Verarbeitungstemperatur *f*	température *f* d'enfoncement, température de travail	температура начала размягчения, температура выработки
	sinking speed	s. descent velocity		
S 1871	**sinking velocity,** fall velocity <hydr.>	Sinkgeschwindigkeit *f* <Hydr.>	vitesse *f* de la chute des sédiments [dans l'eau] <hydr.>	гидравлическая крупность [наносов] <гидр.>
	sink of heat, heat sink	Wärmesenke *f*; Wärmeabfuhrelement *n*	puits *m* de chaleur, déversoir *m* de chaleur, source *f* négative de chaleur	сток тепла, тепловой сток
	sink-source method, method of sources, source-sink method, source-and-sink method; small source theory <nucl.>	Quelle-Senken-Methode *f*, Quelle-Senken-Verfahren *n*	méthode *f* des sources, méthode des sources et des puits, procédé *m* des sources et puits	метод источников и стоков, метод распределения системы особенностей
	sino-auricular node, Keith-Flack['s] node	[Keith-Flackscher] Sinusknoten *m*, Keith-Flackscher-Knoten *m*	nœud *m* de Keith et Flack, amas *m* sinusien	узел Кейт-Флакка, синоаурикулярный узел
S 1871a	**sintered alloy; sintered metal**	Sinterlegierung *f*; Sintermetall *n*	alliage *m* fritté (métallocéramique); métal *m* fritté (de concrétion)	металлокерамический сплав; спеченный металл
S 1872	**sintering,** agglomeration; caking; firing <of ceramics>	Sintern *n*; Sinterbrennen *n*, Brennen *n* <Keramik>; Zusammenbacken *n*, Zusammenballung *f*, Zusammenfrittung *f*, Zusammensinterung *f*	agglomération *f*; frittage *m*; cuisson *f* <des céramiques>	спекание, агломерация
S 1873	**sintering point; sintering temperature,** temperature of sintering	Sinterpunkt *m*; Sintertemperatur *f*	point *m* de frittage; température *f* de frittage	точка спекания; температура спекания, температура агломерации
S 1874	**sintering point**	s. a. softening point		
	sintering point range	Sinterungsintervall *n*	intervalle *m* de frittage	интервал спекания
	sintering temperature	s. sintering point		
S 1875	**Sinton band**	Sinton-Bande *f*	bande *f* de Sinton	полоса Синтона
S 1876	**sinuosity,** tortuosity	Flußentwicklung *f*	sinuosité *f*	извилистость [реки]
	sinuous line, serpentine line	Schlangenlinie *f*	ligne *f* sinueuse	извилистая линия
S 1877	**sinusoid[al curve],** sinusoidal line, sine curve; harmonic curve	Sinuskurve *f*, Sinuslinie *f*; harmonische Kurve *f*	sinusoïde *f*, courbe *f* sinusoïdale; courbe harmonique	синусоида, синусоидальная кривая; гармоническая кривая
	sinusoidal law, sine law; sine rule <geotropism>	Sinusgesetz *n*	loi *f* sinusoïdale	синусоидальный закон
	sinusoidal line, sinusoidal curve, sinusoid, sine curve; harmonic curve	Sinuskurve *f*, Sinuslinie *f*; harmonische Kurve *f*	sinusoïde *f*, courbe *f* sinusoïdale; courbe harmonique	синусоида, синусоидальная кривая; гармоническая кривая
	sinusoidal potentiometer, sine potentiometer	Sinuspotentiometer *n*, Sinuskompensator *m*	potentiomètre *m* sinusoïdal, potentiomètre sinus	синусоидальный потенциометр
S 1878	**sinusoidal transient**	Wechselstromsprung *m*	transition *f* en courant alternatif	скачок переменного тока, переход переменного тока
S 1879	**sinusoidal wave,** sine wave, harmonic wave	Sinuswelle *f*, sinusförmige Welle *f*, harmonische Welle	onde *f* sinusoïdale, onde harmonique; houle *f* sinusoïdale	синусоидальная волна, синусоида, гармоническая волна

	siphon; syphon, pump-type dispenser	Heber m; Saugheber m, Ansaugheber m; Stechheber m	siphon m, syphon m	сифон, сифонная труба, сифонный трубопровод, ливер, левер; пульсометр
	siphonage	s. siphoning		
	siphon barometer	s. syphon barometer		
S 1880	siphon cistern barometer	Gefäßheber-Quecksilberbarometer n, Gefäßhebermanometer n	baromètre m à syphon à cuvette	сифонно-чашечный ртутный барометр, сифонно-чашечный барометр
	siphoning, siphonage, syphoning	Hebern n; Aushebern n; Abhebern n; Heberwirkung f	siphonage m, siphonnement m	подъем сифоном, слив[ание] сифоном, перекачка сифоном, откачка сифоном, сифонирование; сифонный эффект
S 1881	siphon pump, thermosiphon pump	Thermosiphonpumpe f, Heberpumpe f	pompe f à siphon	термосифон, водоотливной сифон
S 1882	siphon recorder	Kapillarschreiber m, Heberschreiber m	enregistreur m à siphon	сифонный самописец, сифонный самопишущий прибор
S 1883	siphon recording barometer, registering siphon barometer	Registrier-Heberbarometer n	baromètre m enregistreur à siphon	сифонный регистрирующий барометр
S 1884	siphon weir	Heberwehr n	déversoir m à siphon	сифонная плотина, плотина с сифонным водосбросом, сифонный водослив, сифонный водосброс
S 1885	siren	Sirene f, Lochsirene f	sirène f [à ondes]	сирена, динамическая сирена, вращающаяся сирена
S 1886	siriometer, astron	Astron n, Siriometer n, Makron n, Metron n, Sternenweite f, Sternweite f	siriomètre m, astron m, macron m	астрон, сириометр
	SI system [of units]	s. nternational system of units		
	site; position	Position f; Standort m	position f; site m	местонахождение, место; позиция; место стояния, точка стояния
	site, atom site, lattice site, site in the lattice, atomic site, lattice position	Gitterplatz m, Gitterstelle f	site m dans le réseau, site, place f de l'atome [en réseau]	место атома [в кристаллической решетке], узел решетки, узел
	site	s. a. place		
	site centre, s-centre	s-Zentrum n	centre m s, s-centre m	s-центр, центр s
S 1887	site error; distant site error, inter-site error	Standortfehler m; Standortumgebungsfehler m	erreur f de site	погрешность за счет рельефа местности
S 1888	site group	Gitterplatz-Symmetriegruppe f, lokale Symmetriegruppe f	groupe m de position [d'atomes]	локальная группа симметрии
	site-hopping mechanism	s. interchange mechanism of diffusion		
	site in the lattice	s. site		
S 1889	Sitter-Fokker effect / De	De-Sitter-Fokker-Effekt m	effet m de Sitter-Fokker	эффект де Ситтера-Фоккера
S 1890	Sitter-Friedmann['s] model [of universe] / De	de-Sitter-Friedmannsche Welt f	modèle m de De Sitter-Friedmann, univers m de De Sitter-Friedmann	модель де Ситтера-Фридмана
S 1891	Sitter['s] model / De, Sitter['s] universe / De	De-Sitter-Universum n, de Sitters Weltmodell n, de Sittersche Welt f	univers m de De Sitter, modèle m de De Sitter	модель де Ситтера, статическая модель пустого мира, вселенная де Ситтера
	situation	s. state		
S 1892	SI unit	SI-Einheit f, Einheit f des SI-Systems	unité f SI, SI-unité f, unité du système international	СИ-единица, единица системы СИ, SI-единица
S 1893	six-colour photometry	Sechsfarbenphotometrie f	photométrie f en six couleurs	шестицветная фотометрия
S 1894	six-colour recorder	Sechsfarbenschreiber m	enregistreur m à six voies	шестицветный самопишущий прибор, самопишущий прибор для записи шестью красками
S 1895	six-component balance	Sechskomponentenwaage f <Windkanal>	balance f de soufflerie à six composantes	шестикомпонентные аэродинамические весы
S 1896	six-dimensional	sechsdimensional	à six dimensions, sextidimensionnel	шестимерный
	six-electron bond	s. triple bond		
S 1897	six-element lens	Sechslinser m	objectif m à six lentilles	шестилинзовый объектив
S 1898	six-factor formula	Sechsfaktorformel f	formule f à six facteurs	формула шести сомножителей
	six-fold axis [of symmetry]	s. hexad axis		
	six-fold axis of the second sort	s. hexad axis of the second sort		
	six-grid tube, octode, eight-electrode tube, eight-element tube	Oktode f, Achtpolröhre f, Sechsgitterröhre f	octode f, tube m hexagrille	октод, восьмиэлектродная лампа
	six-j symbol of Wigner	s. Wigner coefficient		
	six-membered ring, six ring	Sechs[er]ring m	anneau m à six membres	шестичленное кольцо, шестичленный цикл

S 1899	**six-phase bridge rectifier circuit**	Sechsphasenbrücken-schaltung *f*	circuit *m* redresseur en pont hexaphasé, redresseur *m* en pont hexa-phasé	шестифазная мостовая схема выпрямления
S 1900	**six-phase ring circuit (connection)**	Sechsphasenringschaltung *f*	connexion *f* (circuit *m*) en anneau hexaphasé	шестифазная система многоугольником (кольцом)
S 1901	**six-phase star circuit (connection)**	Sechsphasenstern-schaltung *f*	connexion *f* (circuit *m*) en étoile hexaphasé	шестифазная система звездой
S 1902	**six ring,** six-membered ring	Sechs[er]ring *m*	anneau *m* à six membres	шестичленное кольцо, шестичленный цикл
S 1903	**six-terminal network**	Sechspol *m*	hexapôle *m*	шестиполюсник
S 1904	**Six['s] thermometer,** maximum-minimum thermometer, maximum and minimum thermometer	Maximum-Minimum-Thermometer *n*, Maximum- und Mini-mumthermometer *n*	thermomètre *m* à minimum et à maximum, thermomètre à maxima-minima	максимально-минималь-ный термометр
S 1905	**Sixtus-Tonks['] experiment**	Sixtus-Tonks-Versuch *m*, Versuch *m* von Sixtus und Tonks	expérience *f* de Sixtus et Tonks	опыт Сикстуса-Тонкса
S 1906	**six-valve circuit**	Sechsröhrenschaltung *f*	circuit *m* à six tubes	шестиламповая схема (цепь)
S 1907	**six-vector,** 6-vector, antisymmetric tensor of rank 2 <in space time>	Sechservektor *m*, Flächentensor *m*	sexti-vecteur *m*, vecteur *m* sextuple (à six dimensions, sextidimensionnel)	шестимерный вектор, 6-вектор
S 1908	**six-wire [feeder] line**	Sechsdrahtleitung *f*, Sechsdraht-Speise-leitung *f*	ligne *f* à six conducteurs	шестипроводная линия
S 1909	**size,** magnitude	Größe *f*	taille *f*; grosseur *f*	размер, величина
	size, grain size, size of grain; granulation size	Korngröße *f*	taille *f* des grains; grosseur *f* (dimensions *fpl*) des grains, dimension *f* des grains	размер зерен, величина зерен; крупность зерен
	size	*s. a.* glue		
	size	*s. a.* linear dimension <gen.>		
S 1910	**size distribution,** particle size distribution	Korngrößenverteilung *f*, Körnung *f*, Kornzusam-mensetzung *f*, Korn-verteilung *f*	répartition *f* granulo-métrique, répartition des grains par taille	распределение размеров зерен, гранулометриче-ский состав
	size distribution of nuclei	*s.* size spectrum of nuclei		
S 1911	**size effect**	Einfluß *m* der Abmessun-gen, Dickeneffekt *m* <„easy glide">; Größen-effekt *m* <bei Tief-temperaturerscheinun-gen>	effet *m* dimensionnel	влияние размера кристаллов; масштаб-ный эффект
S 1912	**size factor**	Größenfaktor *m*	effet *m* des dimensions atomique (en alliages)	влияние размера кри-сталлов на свойство сплава
	size fraction, grain fraction	Kornfraktion *f*, Korn-größenfraktion *f*	fraction *f* granulaire, fraction des grains [en dimension]	фракция зерен [по круп-ности], фракция на-носов по крупности
	size of grain	*s.* size		
	size of sieve, sieve size, screen size	Maschenweite *f* <Sieb>, Siebgröße *f*, Siebweite *f*, Siebnummer *f*	largeur *f* de la maille <du crible *ou* tamis>	размер отверстий, вели-чина отверстий <сита>; номер сита
S 1913	**size of the Barkhausen discontinuity**	Sprunggröße *f*	hauteur (grandeur) *f* de la discontinuité de Bark-hausen	величина скачка Баркгаузена
	size of the sample, sample size	Umfang *m* der Stichprobe, Stichprobenumfang *m*	taille *f* de l'échantillon	объем выборки, числен-ность выборочной совокупности
	size reduction, crushing, mechanical subdivision, chopping <mech.>	Brechung *f*, Grobzer-kleinerung *f*, Zerkleine-rung *f*, Zerstückelung *f* <Mech.>	concassage *m*; grenaillage *m* <méc.>	дробление; раздробление; измельчение; раскалы-вание <мех.>
	size separation	*s.* sizing		
S 1914	**size separation by screens,** sieving, screening, screenage; sifting	Sieben *n*; Absieben *n*; Sichten *n*	tamisage *m*, cribration *f*; sortage *m*; blutage *m*	грохочение; просеива-ние; процеживание [через сито]; отсев; рассев; протирание [через сито], сортиров-ка, сепарация, разделение
S 1915	**size spectrum of nuclei;** size distribution of nuclei, distribution of nuclei size	Kerngrößenspektrum *n*; Kerngrößenverteilung *f*	spectre *m* de la taille des noyaux; distribution (répartition) *f* de la taille des noyaux	спектр размеров ядер; распределение ядер по размеру
	sizing, classification, clas-sifying process, size separation, grading, sorting	Klassieren *n* [nach der Korngröße], Trennung *f* nach der Korngröße	classement *m*, classification *f*, sortage *m*, sortissage *m*	сортировка [по крупности], классификация; рас-сортировывание
	sizing; proportioning; dimensioning; choice of parameters; design	Dimensionierung *f*, Bemessung *f*	dimensionnement *m*; sélection *f* des paramètres	определение [геометри-ческих] размеров; расчет размеров; определение пара-метров
	skeletal catalyst	*s.* skeleton catalyst		
S 1916	**skeletal vibration**	Gerüstschwingung *f*	vibration *f* de squelette	скелетное колеба-ние
	skeleton	*s.* dendrite		

S 1917	**skeleton catalyst,** skeletal catalyst, Raney catalyst	Skelettkatalysator *m*, Legierungsskelettkatalysator *m*, Raney-Katalysator *m*	catalyseur *m* en squelette, catalyseur de Raney	скелетный катализатор, сплавной катализатор, катализатор Ренея
	skeleton crystal	*s.* dendrite		
	skeleton diagram	*s.* schematic [circuit] diagram		
	skeleton growth, dendritic growth	Skelettwachstum *n*, dendritisches Wachstum *n*, Dendrit[en]wachstum *n*	croissance *f* dendritique	рост скелетных кристаллов, дендритный рост
S 1918	**skeleton line,** squelette, mean camber line, profile mean line, mean (middle) line of the profile	Skelettlinie *f*, Profilmittellinie *f*, Profilskelettlinie *f*, Profilmitte *f*, Flügelmitte *f*	ligne *f* squelettique, ligne médiane du profil, ligne moyenne du profil	средняя линия профиля, осевая линия профиля, скелетная линия профиля
	skeleton of crystal	*s.* dendrite		
S 1919	**skeleton profile**	Skelettprofil *n*	profil *m* squelettique	скелетный профиль
	skeleton-type bridge	*s.* impedance bridge		
S 1920	**skerry coast**	Schärenküste *f*	côte *f* à skärs	шхерный берег
	sketch, location sketch, area sketch	Kroki *n*	croquis *m*	кроки, ситуационный абрис, полевой абрис, схема местности, зарисовка, набросок
S 1921	**skew** <also math.>	windschief <auch Math.>	gauche <aussi math.>	скошенный, перекосившийся, перекошенный, покоробившийся; скрещивающийся <матем.>
	skew, oblique, slant <opt.>	schräg einfallend, schräg, schief <Opt.>	oblique <opt.>	косой <опт.>
	skew	*s. a.* oblique		
S 1921a	**skew anisotropy**	Schiefanisotropie *f*, „skew"-Anisotropie *f*	anisotropie *f* gauche	косоанизотропия, косая анизотропия
	skew curve	*s.* space curve		
S 1922	**skew distribution,** asymmetrical distribution	schiefe Verteilung *f*, asymmetrische Verteilung *f*	distribution *f* dissymétrique	асимметричное распределение
S 1923	**skew field;** division ring	Schiefkörper *m*, [nichtkommutativer] Körper *m*	corps *m* [gauche], corps non commutatif; anneau *m* à division	[некоммутативное] тело, кольцо с делением, поле
S 1924	**skew-Hermitian,** anti-Hermitian, antihermitian	schiefhermitesch, antihermitesch	anti[-]hermitien	косоэрмитов, антиэрмитов, антисамосопряженный
S 1925	**skew-Hermitian kernel**	schiefhermitescher Kern *m*	noyau *m* antihermitien	косоэрмитово ядро
S 1926	**skew-Hermitian matrix**	schiefhermitesche Matrix *f*	matrice *f* antihermitienne	косоэрмитова матрица
S 1927	**skew lines**	windschiefe Geraden *fpl*	droites *fpl* gauches	скрещивающиеся линии, скрещивающиеся (некомпланарные) прямые
S 1928	**skewness** <math.>	Schiefe *f*, Schiefheitsmaß *n*, Asymmetrie *f* <Math.>	dissymétrie *f*, asymétrie *f* <math.>	показатель асимметрии, асимметрия <матем.>
S 1929	**skewness factor**	Schiefheitsmaß *n* von Johannsen	coefficient *m* de dissymétrie	асимметрия по Йогансену
	skew product	*s.* vector product		
S 1930	**skew projection,** oblique projection, oblique view	zwischenständige (schiefe, gebrochene, schräge, achsige) Projektion *f*, zwischenständiger Entwurf *m*, schiefachsiger [kartographischer] Entwurf, Schiefentwurf *m*, windschiefe Perspektivität *f*, schiefe Parallelprojektion *f*, Schrägbild *n*, Schrägprojektion *f*, Schiefprojektion *f*	projection *f* oblique, projection gauche	косая проекция, косоугольная проекция, проекция под углом, скошенная (ломаная) проекция
S 1931	**skew ray,** slant ray, oblique ray	schräger (schiefer) Strahl *m*, Schrägstrahl *m*; windschiefer Strahl	rayon *m* gauche, rayon oblique	косой луч, косоугольный луч, скошенный луч
S 1931a	**skew [ruled] surface,** scroll, warped (twisted) surface	windschiefe Fläche (Regelfläche) *f*	surface *f* gauche	косая [линейчатая] поверхность
	skew-symmetric[al], alternating, antisymmetric[al] <math.>	schiefsymmetrisch, alternierend, antisymmetrisch <Math.>	symétrique gauche, antisymétrique, alterné <math.>	антисимметричный, кососимметрический, знакопеременный <матем.>
	skew-symmetric[al] kernel, alternating kernel, antisymmetric kernel	schiefsymmetrischer (alternierender, antisymmetrischer) Kern *m*	noyau *m* symétrique gauche, noyau antisymétrique, noyau alterné	антисимметричное ядро, кососимметричное ядро, знакопеременное ядро
	skew-symmetric[al] tensor	*s.* alternating tensor		
S 1932	**skew-symmetric[al] tensor density,** alternating tensor density	alternierende (schiefsymmetrische) Tensordichte *f*	densité *f* tensorielle gauche	кососимметрическая тензорная плотность
	skew symmetry, antisymmetry	Antisymmetrie *f*, Schiefsymmetrie *f*	antisymétrie *f*, symétrie *f* gauche, dissymétrie *f*	антисимметрия, косая симметрия, кососимметричность
	skew T-log p diagram	*s.* emagram		
	skiagram	*s.* shadowgraph		
S 1933	**skiascopy**	Skiaskopie *f*, Schattenprobe *f*, Retinoskopie *f*	skiascopie *f*	скиаскопия
S 1934	**skiatron,** dark-trace tube	Dunkelschriftröhre *f*, Skiatron *n*	tube *m* cathodique à trace sombre, tube cathodique à écran absorbant, tube skiatron, skiatron *m*	скиатрон, трубка с записью темной строкой, [электроннолучевая] трубка с темновой записью

S 1935	**skimming boat,** planing boat, glider, hydroplane	Gleitboot n; Wassergleiter m	hydroplane m; hydroglisseur m	глиссер
S 1936	**skin** <in skin effect>	Skinschicht f, Leitschicht f, Haut f <Skineffekt>	couche f superficielle de courant, peau f <en effet de peau>	скин-слой, поверхностный слой <в скин-эффекте>
	skin burden; skin dose	Hautdosis f; Hautbelastung f, Strahlenbelastung f der Haut	dose f à la peau, dose cutanée	кожная доза
S 1937	**skin depth,** penetration depth [in skin effect]	Eindringtiefe f [beim Skineffekt], Hauttiefe f, Hautdicke f, Skintiefe f, Skindicke f	épaisseur f de peau, épaisseur de pénétration	толщина скин-слоя, толщина поверхностного слоя
S 1938	**skin dose;** skin burden	Hautdosis f; Hautbelastung f, Strahlenbelastung f der Haut	dose f à la peau, dose cutanée	кожная доза
S 1939	**skin effect,** Kelvin [skin] effect, current displacement, displacement of current	Skineffekt m, Hautwirkung f, Hauteffekt m, Stromverdrängung f, Stromverdrängungseffekt m, Kelvin-Effekt m	effet m de peau [de lord Kelvin], effet Kelvin, « skin[-]effect » m, « hautwirkung » m, effet pelliculaire, effet de surface	скин-эффект, поверхностный (кожный) эффект, эффект вытеснения тока, эффект Кельвина, вытеснение тока [к поверхности]
	skin erythema, erythema, reddening of the skin	Erythem n, Hautrötung f	érythème m [cutané]	эритема
S 1940	**skin friction,** frictional resistance, surface friction, superficial friction, wall shear stress, skin friction stress	Hautreibung f, Oberflächenreibung f, Flächenreibung f, Wandschubspannung f	frottement m de revêtement, frottement superficiel, tension f de frottement [de la paroi]	поверхностное трение, трение обшивки, напряжение сдвига на стенке, касательное напряжение на стенке
	skin friction coefficient	s. surface[-]friction coefficient		
S 1940a	**skin friction resistance,** skin resistance <aero., hydr.>	Hautreibungswiderstand m, Wandreibungswiderstand m <Aero., Hydr.>	résistance f de frottement de revêtement <aéro., hydr.>	сопротивление поверхностного трения <аэро., гидр.>
	skin friction stress	s. skin friction		
S 1940b	**skin friction temperature**	Hautreibungstemperatur f, Wandreibungstemperatur f	température f due au frottement superficiel	температура [за счет] поверхностного трения
	skin friction term, wall shear stress term, surface friction term	Wandschubspannungsglied n	terme m de la tension de frottement [de la paroi]	коэффициент трения на стенке, коэффициент трения сдвига на стенке
S 1941	**skin resistance**	Hautwiderstand m, Oberflächenwiderstand m	résistance f de peau	сопротивление скин-слоя, сопротивление поверхностного слоя
	skin resistance	s. a. impedance <el.>		
	skin resistance	s. a. skin friction resistance <aero., hydr.>		
	skin temperature	s. surface temperature		
S 1942	**skin time**	Skinzeit f	temps m de diffusion à travers la couche de peau, « skin time » m	скиновое время
S 1943	**skin unit** [of McKee]	Hauteinheit f [nach McKee]	unité f peau [de McKee]	кожная единица [Мак-Ки]
S 1944	**skiodrome, skiodromic line**	Skiodrome f, Schattenläufer m	courbe f skiodromique, ligne f skiodromique, skiodromie f	скиодром, скиодромическая линия, скиодромная линия
	skioscopy	s. fluoroscopy		
S 1945	**skip distance,** skipped distance, leap distance	Sprungentfernung f	distance f de saut [de rebondissement], distance de rebondissement, sautage m	расстояние скачка, [линейная] величина скачка, расстояние (величина) мертвой зоны; наименьшее расстояние, на котором осуществима связь
	skip distance	s. a. silent zone		
	skip keying, pulse-rate division, pulse dividing, repetition-rate division, count-down	Impulsteilung f, Impulsfrequenzteilung f	division f de fréquence d'impulsions	деление частоты повторения (следования) импульсов, деление частоты импульсов
	skipped distance	s. skip distance		
S 1946	**skip phenomenon**	Sprungerscheinung f	phénomène m de saut	явление скачка
	skip region (zone)	s. silent zone		
	scleroprotein	s. scleroprotein		
S 1947	**skot,** sk	Skot n, sk	skot m, sk	скот, ск
S 1948	**skull melting**	tiegelloses (tiegelfreies) Schmelzen n	procédé m de l'auto-creuset, fusion f à l'auto-creuset	бестигельная плавка
S 1949	**sky back radiation,** sky counterradiation, [atmospheric] counterradiation	Gegenstrahlung f	contre-radiation f	противоизлучение [атмосферы]
S 1949a	**sky component of daylight factor**	Himmelslichtanteil m des Tageslichtquotienten	composante f de ciel du facteur de lumière du jour	доля коэффициента естественной освещенности, обусловленная светом неба
S 1950	**sky factor**	Himmelslichtfaktor m, Himmelslichtquotient m	facteur m de ciel	геометрический коэффициент естественной освещенности, коэффициент небосвода
S 1951	**sky light,** skylight	Himmelslicht n	lumière f du ciel	свет неба
S 1952	**sky radiation**	Himmelsstrahlung f	rayonnement m du ciel	излучение неба, радиация неба
S 1953	**sky shine** <of gamma rays >	Luftstreuung f <Gamma-Strahlung>	diffusion f en air <du rayonnement gamma>	рассеяние в воздухе <гамма-излучения от камеры с открытым верхом>

	sky wave, space (spatial) wave, indirect (atmospheric, downcoming) wave <el.>	Raumwelle f <El.>	onde f d'espace, onde réfléchie, onde du ciel, onde atmosphérique <él.>	пространственная волна; волна, отраженная от верхних слоев атмосферы <эл.>
	slab, flat slab; plate; plaque	Platte f	plaque f; dalle f	пластина; пластинка; плита; сляб
	slab	s. a. wafer		
	slab avalanche	s. dry snow avalanche		
	slab coil, pancake coil, flat coil	Flachspule f	bobine f plate, bobine en galette	плоская катушка, галетная катушка
	slab geometry, infinite-slab geometry	Geometrie f der unendlich ausgedehnten Platte, Plattengeometrie f	géométrie f de la plaque infinie	геометрия бесконечной пластины
	slack	s. sag		
	slack	s. a. untensioned		
	slackening; loosening	Lockerung f, Auflockerung f, Erschlaffen n, Nachlassen n	lâchage m; relâchement m	рыхление, разрыхление; ослабление; расшатывание
	slack flow	s. water-surface acsent		
S 1953a	**slackness,** looseness, flabbiness	Schlaffheit f	relâchement m, état m lâche	ненатянутость
	slackness	s. a. gap <techn.>		
	slack tide	s. turn of tide		
S 1953b	**slack variable**	Schlupfvariable f	variable f d'écart	слабая (дополнительная, скользящая) переменная
	slack water	s. turn of tide		
	slack water	s. a. water-surface acsent		
S 1954	**slag** <of reactor>	Schlacke f <stabile und langlebige Spaltprodukte im Reaktor in in geschmolzenem Uran unlöslicher Form>	cendres fpl <du réacteur>	шлак <реактора>
S 1955	**slagging;** scorification	Verschlackung f; Schlakkenbildung f	scorification f, formation f de scorie[s]	зашлаковывание, зашлаковка, шлакование
	slant, oblique; skew <opt.>	schräg einfallend, schräg, schief <Opt.>	oblique <opt.>	косой <опт.>
	slant	s. a. oblique		
	slant bundle, oblique bundle	schiefes Bündel n	faisceau m oblique, pinceau m oblique	косой пучок [лучей]
S 1956	**slant distance,** slope distance; slant range	Schrägabstand m; Schrägentfernung f	distance f oblique	наклонное расстояние, расстояние по склону (наклонной, откосу); наклонная дальность
	slant distance	s. a. slant range <nucl.>		
S 1957	**slant range,** slant distance <nucl.>	Geradeausentfernung f, Entfernung f <Kern.>	distance f réelle <nucl.>	расстояние от места взрыва <яд.>
	slant range	s. a. slant distance		
	slant ray	s. skew ray		
S 1958	**Slater constant**	Slater-Konstante f, Slatersche Konstante f	constante f de Slater	константа Слейтера, постоянная Слейтера
S 1959	**Slater curve**	Slater-Kurve f	courbe f de Slater	кривая Слейтера
	Slater determinant	s. determinantal wave function		
S 1960	**Slater function**	Slater-Funktion f	fonction f de Slater	функция Слейтера
S 1961	**Slater integral**	Slater-Integral n	intégrale f de Slater	интеграл Слейтера
S 1962	**Slater orbital**	Slater-Orbital n	orbitale f [atomique] de Slater	атомная орбиталь Слейтера, орбиталь Слейтера
S 1963	**Slater['s] rule**	Slatersche Regel f	règle f de Slater	правило Слейтера
S 1964	**Slater sum**	Slater-Summe f	somme f de Slater	сумма Слейтера
S 1965	**Slater['s] theory [of ferroelectrics]**	Slatersche Theorie f [der Ferroelektrika]	théorie f de Slater [des ferro-électriques]	теория Слейтера [сегнетоэлектриков]
	slaty cleavage	s. schistosity		
S 1966	**slave clock,** secondary clock	Nebenuhr f, Sekundäruhr f, Tochteruhr f	horloge f réceptrice, horloge secondaire	вторичные [электро-] часы, вторичный маятник
S 1967	**slave instrument**	Tochtergerät n	appareil m secondaire	промежуточный прибор
S 1968	**sleeping polymer**	schlafendes Polymer n	polymère m dormant	спящий полимер
S 1969	**sleeping top**	schlafender Kreisel m, [symmetrischer] Kreisel ohne Präzession	toupie f dormante	спящий гироскоп, спящий волчок
	sleet <US>, ice pellet, graupel	Frostgraupel f, Graupel f	grésil m dur	ледяная крупа
S 1970	**sleeve dipole**	Manschettendipol m; Mantelstrahler m; Hülsendipol m; Rohrdipol m	dipôle m à manchon, antenne f à manchon; dipôle à tube coaxial; dipôle tubulaire	диполь с коаксиальной муфтой [в его центральной части], коаксиальный вибратор, диполь с симметрирующим устройством типа «стакан», трубчатый диполь
S 1971	**slender body**	schlanker Körper m	corps m effilé	тонкое [обтекаемое] тело
S 1972	**slenderness [ratio],** flexibility <of rod>	Schlankheitsgrad m, Schlankheit f <Stab>	rapport m de finesse, chiffre m de finesse, souplesse f <de la barre>	гибкость, коэффициент гибкости <стержня>
S 1973	**slender profile**	schlankes Profil n	profil m effilé	сужающийся профиль
S 1974	**slender wing**	schlanker Tragflügel m	aile f effilée	сужающееся крыло
S 1975	**slice**	Scheibe f	tranche f; rouelle f	ломтик
	slice	s. a. wafer		
S 1975a	**Slichter coefficient**	Slichterscher Koeffizient m [der Wasserdurchlässigkeit]	coefficient m de Slichter	коэффициент Слихтера

S 1975b	**slickenside** \<geo.\>	Gleitspiegel m, Spiegel m; Harnisch m \<Geo.\>	miroir m de glissement \<géo.\>	зеркало скольжения \<гео.\>
S 1976	**slide,** slider	Schieber m	tiroir m; volet m; coulisse f	задвижка; заслонка; золотник
S 1977	**slide,** slide way	Gleitbahn f	glissière f, glissoir m	ползун[ок]; направляющая
S 1978	**slide,** microscope (specimen, object) slide, specimen (object) holder, specimen-mount, object-mount; support	Objektträger m; Objekthalter m	porte-objet m, porte-modèle m	предметное стекло; объектодержатель
S 1979	**slide** \<of slide rule\>	Zunge f \<Rechenschieber\>	réglette f [coulissante], coulisseau m, coulisse f \<de la règle à calcul\>	движок \<счетной линейки\>
	slide	s. a. diapositive		
	slide	s. a. soil slip		
	slide	s. a. slide valve		
	slide	s. a. slipping		
S 1980	**slide-back voltmeter**	vergleichendes Voltmeter n, Kompensationsvoltmeter n, Vergleichsvoltmeter n, Vergleichsspannungsmesser m	voltmètre m compensé, voltmètre à seuil	компенсационный вольтметр
	slide caliper	s. vernier caliper		
S 1981	**slide coil,** slider-type coil (inductor)	Schiebespule f	bobinage m à curseur	катушка с ползунком, катушка с ползушкой
	slide-coil variometer	s. sliding-coil variometer		
	slide contact	s. sliding contact		
	slide gauge	s. vernier caliper		
	slide line	s. slip line		
	slide projection	s. still projection		
	slide projector	s. still projector		
	slider, slide	Schieber m	tiroir m; volet m; coulisse f	задвижка; заслонка; золотник
	slider	s. a. wiper \<el.\>		
	slide rheostat	s. slide-wire potentiometer		
	slider-type coil (inductor)	s. slide coil		
S 1982	**slide rule**	Rechenschieber m	règle f à calcul	счетная (логарифмическая) линейка
	slide-rule nomogram	s. nomogram with moving transparents		
S 1982a	**slide surface** \<geo.\>	Gleitfläche f, Rutschfläche f \<Geo.\>	surface (nappe) f de glissement \<géo.\>	поверхность сползания (скольжения) \<гео.\>
S 1983	**slide valve,** sliding valve, slide	Schiebeventil n, Schieberventil n, Schieber m; Absperrschieber m; Gleitventil n	soupape f à coulisse; tiroir m; vanne f; vanne tiroir, vanne d'arrêt; vanne de barrage, vanne à passage indirect	задвижка, запорная (отсекающая) задвижка; золотниковый клапан; распределительный золотник; запорный шибер, шибер; клинкет
S 1983a	**slide valve air pump**	Schieberluftpumpe f	pompe f à air à tiroir	воздушный насос с золотниковым распределением
S 1984	**slide valve distribution,** slide valve gear	Schiebersteuerung f	distribution f par tiroir	управление золотниками; золотниковое распределение
	slide way	s. slide		
S 1985	**slide wire**	Schleifdraht m; Gleitdraht m; Meßdraht m \<Brückenschaltung\>	fil m à contact [glissant]	проволока скользящего контакта, провод со скользящим контактом; реохорд; проволока потенциометра; калиброванная проволока \<моста\>
S 1986	**slide-wire bridge**	Schleifdrahtmeßbrücke f, Schleifdrahtbrücke; Gleitdrahtbrücke f, Gleitdrahtmeßbrücke f, Meßdrahtbrücke f	pont m à fil [potentiométrique]	измерительный мост со скользящим контактом, измерительный мост с калиброванной проволокой, [измерительный] мост с реохордом
S 1987	**slide-wire potentiometer;** slide rheostat	Schleifdrahtpotentiometer n, Schleifdrahtkompensator m, Schleifdrahtspannungsteiler m; Schieberwiderstand m, Schiebewiderstand m; Schleifdrahtwiderstand m, Drahtschiebewiderstand m, Gleitdrahtwiderstand m	potentiomètre m à fil de contact; rhéostat m à fil [de contact]	[проволочный] потенциометр со скользящим контактом; делитель напряжения, выполненный в виде реохорда; компенсатор с реохордом; реохорд, переменное сопротивление с ползушкой, ползунковый реостат [по типу Рустрата]
	sliding, slipping[-down], gliding, slide	Rutschen n, Gleiten n; Abgleiten n; Abrutschen n	glissement m, glissade f	сползание; соскальзывание; проскальзывание; скольжение; сдвиг; смещение
	sliding, movable	beweglich; [gegeneinander] verschiebbar, verschieblich	mouvable, mobile, coulissant	передвижной, подвижной
	sliding	s. a. slip		
	sliding average	s. moving average		
	sliding caliper	s. vernier caliper		
	sliding-coil transformer	s. movable-core transformer		

S 1988	**sliding-coil variometer,** slide-coil variometer	Schiebespulenvariometer n, Schiebedrossel f	variomètre m à bobine glissante	вариометр с выдвижной катушкой
	sliding contact	s. wiping contact		
	sliding-core trans-former	s. movable-core trans-former		
	sliding diaphragm	s. sliding stop		
S 1989	**sliding discharge**	Gleitentladung f, Gleit-funkenentladung f	décharge f rampante	скользящий разряд, скользящий искровой разряд
	sliding fold, gliding fold, slip fold	Gleitfalte f	pli m de glissement	складка скольжения
	sliding fracture	s. ductile fracture		
	sliding frequency	s. slip frequency		
S 1990	**sliding friction,** friction of sliding	Gleitreibung f, gleitende Reibung f, Reibung der Bewegung	frottement m de glissement	трение скольжения, трение первого рода
S 1991	**sliding friction torque,** moment of sliding friction	Gleitreibungsmoment n	moment m du couple du frottement de glissement	момент трения скольже-ния
	sliding gauge	s. vernier caliper		
S 1992	**sliding lens**	Schiebelinse f	lentille f glissante	подвижная линза
	sliding motion (movement)	s. slip		
	sliding plane	s. slip plane		
S 1993	**sliding pressure**	Gleitdruck m	pression f glissante	скользящее давление
	sliding resistance	s. resistance to sliding		
	sliding rupture	s. ductile fracture		
	sliding-screen tube	s. variable mu		
	sliding-screen valve	s. variable mu		
S 1994	**sliding stop,** sliding diaphragm, Waterhouse diaphragm, plug-in diaphragm	Steckblende f, Einsteck-blende f, Waterhouse-Blende f	diaphragme m à vanne[s]	вставная диафрагма
	sliding surface; gliding surface; slip surface; glider <hydr.>	Gleitfläche f	surface f de glissement	поверхность скольжения
	sliding valve	s. slide valve		
S 1994a	**sliding vane,** vane	Visierscheibe f, Nivellier-scheibe f	disque m de visée	визирный диск (щиток)
	sliding vane pump	s. rotary multiplate vacuum pump		
S 1995	**sliding vector**	linienflüchtiger (gleitender) Vektor m, Stab m <Math.>	vecteur m glissant (non localisé), vecteur localisé sur une droite	скользящий вектор
S 1996	**sliding wear,** wear due to slip	Gleitverschleiß m, gleitender Verschleiß m	usure f par glissement	износ в результате скольжения
S 1996a	**sliding wedge microm-eter**	Schiebekeilmikrometer n	micromètre m à coins glissants	микрометр с передвиж-ными клиньями
S 1997	**sliding weight**	Laufgewicht n, Läufer m	poids m mobile; poids curseur	подвижной груз, пере-движной груз; гиря, скользящая гиря
	sliding weight balance	s. steel[-]yard		
S 1998	**slight earthquake**	Kleinbeben n	tremblement m de terre léger	слабое (легкое) землетрясение
S 1999	**slightly irradiated,** lightly irradiated	schwachbestrahlt	faiblement irradié	слегка облученный, слабооблученный
	slightly soluble, sparingly soluble	schwerlöslich, wenig-löslich, schlecht löslich, kaum löslich	peu soluble, antisoluble	труднорастворимый, слаборастворимый, малорастворимый
	slime, mud, sludge, slurry	Schlamm m; Mudd m; Mudde f	bourbe f; limon m; boue f	ил, грязь, шлам, тина
	slime, sludge	Trübe f, Pulpe f	pulpe f	взвеси, пульпа
S 2000	**sling psychrometer,** whirling (whirled) psychrometer, whirling hygrometer	Schleuderpsychrometer n	psychromètre m crécelle (fronde, pirouettant)	пращевой психрометр, психрометр-пращ
S 2001	**sling thermometer,** whirling (whirled, gyrostatic, fronde) thermometer	Schleuderthermometer n	thermomètre-fronde m	пращевой термометр, термометр-пращ
	slip, slippage, slipping	Schleifen n; Schlupf m	glissement m	проскальзывание; буксо-вание; пробуксовыва-ние; скольжение
S 2002	**slip** <of magnetic field lines>	Schlupf m [der magneti-schen Feldlinien]	glissement m [de lignes de force magnétiques]	скольжение [магнитных силовых линий]
S 2003	**slip,** slipping, slip process, sliding, sliding motion, gliding, glide motion, translatory shift, plastic shear <cryst.>	Gleitung f, Gleitprozeß m, Gleitvorgang m, Gleit-bewegung f, Gleiten n, Translation f, Transla-tionsplatzwechsel m; Abgleitung f, Abgleiten n <Krist.>	glissement m <crist.>	скольжение, сдвиг, пере-нос, трансляционное скольжение, трансля-ционное смещение, трансляционное пере-мещение, трансляция <крист.>
S 2004	**slip,** slippage <el.; hydr.>	Schlupf m, Schlüpfung f <El.; Hydr.>; Slip m <Hydr.>	glissement m <él.; hydr.>	скольжение <эл.; гидр.>
	slip	s. a. slipstream		
S 2005	**slip avalanche**	Gleitlawine f	avalanche f de glissement	лавина скольжения
S 2006	**slip band,** glide band, Lüders band, stretcher strain, strain figure, flow figure	Gleitband n, Fließfigur f, Gleitfigur f, Lüderssches Band n, Lüdersscher Streifen m	bande f de glissement, bande de Piobert-Lüders, bande de Lüders, bande de Piobert	полоса скольжения, полоса Людерса-Чернова
S 2007	**slip-band spacing**	Gleitbandabstand m	écartement m des bandes de glissement	расстояние между поло-сами скольжения
S 2008	**slip-band transition**	Gleitbandübergang m	transition f par bande de glissement	переход по полосе скольжения

S 2008a	slip cleavage	Gleitschieferung f	clivage m de glissement	кливаж смещения (скалывания)
S 2009	slip coefficient	Schlupfkoeffizient m, Schlupfzahl f, Gleitkoeffizient m	coefficient m de recul	коэффициент скольжения
S 2010	slip direction, glide direction, direction of slipping (slip, translation)	Gleitrichtung f, Translationsrichtung f	direction f de glissement, direction de translation	направление скольжения, направление сдвига, направление переноса
S 2010a	slip dislocation, glissile dislocation	gleitfähige Versetzung f	dislocation f glissante	скользящая дислокация
S 2011	slip element, element of slip (translation)	Gleitelement n, Translationselement n	élément m de glissement (translation)	элемент скольжения, элемент трансляции
S 2012	slip ellipse, glide ellipse	Gleitellipse f	ellipse f de glissement	эллипс скольжения
S 2013	slip flow	Schlüpfströmung f, Schlupfströmung f, Gleitströmung f, „slip flow" n	écoulement m à glissement, écoulement glissant	скользящее (сдвиговое) течение, скользящее обтекание, скользящий (обтекающий) поток, течение со скольжением
	slip fold	s. sliding fold		
S 2014	slip frequency, sliding frequency	Gleitfrequenz f, Schlupffrequenz f	fréquence f glissante (de glissement, différentielle)	скользящая (непрерывно изменяющаяся, качаемая) частота, частота скольжения, разностная частота
S 2015	slip gauge, block gauge, parallel gauge, Johansson gauge	Parallelendmaß n	jauge f parallèle	плоскопараллельная концевая мера длины, калиберная (измерительная) плитка
S 2016	slip line, glide line, slide line, Lüders['] line, characteristic, stretcher line, Hartmann['s] line	Gleitlinie f, Gleitspur f, Hartmannsche (Lüderssche) Linie f, Charakteristik f, Verformungslinie f, Verzerrungslinie f, Fließlinie f	ligne f de glissement, ligne de Piobert-Lüders, ligne de Lüders	линия скольжения, линия сдвига, линия Людерса[-Чернова]
S 2017	slip meter	Schlupfmesser m	appareil m à mesurer le glissement	измеритель (прибор для измерения) скольжения
S 2018	slip moment	Schlupfmoment n	moment m de glissement	момент скольжения
	slip motion, conservative motion <of dislocations>	konservative Bewegung f, Gleitbewegung f <Ver­setzung>	mouvement m conservatif <de dislocations>	консервативное движение <дислокаций>
S 2019	slip-on diaphragm, slip-on stop	Aufsteckblende f	diaphragme m à monture à frottement	сменная диафрагма, надвижная диафрагма
S 2020	slip-on filter	Aufsteckfilter n	filtre m à monture à emboîtement (frottement)	сменный (втычной, надвижной, насадной) светофильтр
	slip-on stop	s. slip-on diaphragm		
S 2021	slippage, slipping, slip	Schleifen n; Schlupf m	glissement m	проскальзывание; буксование; пробуксовывание; скольжение
S 2022	slippage, glide, gliding <at surfaces>	Gleiten n <auf Ober­flächen>	glissement m; hydroplanage m <hydr.> <aux surfaces>	скольжение, плавное движение; глиссирование, гидропланирование <гидр.>; планирование <аэро.> <у поверхности>
	slippage, slip <el.>	Schlupf m, Schlüpfung f <El.>	glissement m <él.>	скольжение <эл.>
S 2023	slippage along (on) the wall	Wandgleitung f	glissement m relatif [du fluide] sur la paroi	пристенное скольжение
S 2024	slippage tensor	Gleittensor m	tenseur m de glissement	тензор скольжения
S 2025	slippage test	Verschiebungstest m; „slippage"-Test m, Slippagetest m	test m d'homogénéité des moyennes d'échantillons	критерий смещения
S 2026	slipping, slipping down, sliding, gliding, slide	Rutschen n, Gleiten n; Abgleiten n; Abrutschen n	glissement m, glissade f	сползание; соскальзывание; проскальзывание; скольжение; сдвиг; смещение
	slipping, gliding <geo.>	Abgleitung f <Geo.>	glissement m <géo.>	нисходящее скольжение, соскальзывание <гео.>
	slipping	s. a. slip		
	slipping	s. slippage		
S 2027	slipping clutch	Rutschkupplung f, Schlupfkupplung f	engrenage m à glissement	предохранительная фрикционная муфта [с проскальзыванием], муфта с проскальзыванием, передвижная соединительная муфта, перегрузочная муфта
	slipping-down	s. slipping		
	slipping of the dislocation	s. dissociation of the dislocation		
S 2028	slipping-on of the filter	Vorsetzen n des Filters	interposition f du filtre [à l'avant de]	надевание светофильтра
	slipping stream [effect]	s. slipstream effect		
S 2029	slip plane, plane of slip, glide plane, shearing (sliding) plane <cryst.>	Gleitebene f, Translationsebene f, Schubebene f, Schiebungsebene f <Krist.>	plan m de glissement <crist.>	плоскость скольжения, плоскость сдвига, плоскость трансляции <крист.>
S 2030	slip-plane blocking	Gleitebenenblockierung f	blocage m des plans de glissement	блокировка плоскостей скольжения
	slip process	s. slip <cryst.>		

S 2031	**slip ring**, contact ring \<el.\>	Schleifring *m*, Kontakt-ring *m* \<El.\>	bague *f* de contact (frottement), bague collectrice (glissante) \<él.\>	контактное кольцо \<эл.\>
S 2032	**slip speed**	Schlupfdrehzahl *f*, Schlupfgeschwindig-keit *f*	vitesse *f* de glissement, vitesse asynchrone	асинхронная скорость, асинхронное число об/мин
S 2032a	**slipstream**, slip	Propellerstrahl *m*, Propeller-wind *m*, Propeller[nach]-strom *m*	vent *m* de l'hélice, remous *m* de l'hélice	[спутная] струя винта, струя за винтом
S 2032b	**slipstream effect**, slipping stream [effect], diocotron effect	Propellerstrahleffekt *m*, Propellerwindeffekt *m*, Diocotroneffekt *m*	effet *m* du vent de l'hélice, effet du remous de l'hélice, effet diocotron	влияние струи [воздуш-ного] винта
S 2033	**slip surface**, sliding (glid-ing) surface; glider \<hydr.\>	Gleitfläche *f*, Schubfläche *f*, Schiebungsfläche *f*	surface *f* de glissement	поверхность скольжения
	slip system, glide system	Gleitsystem *n*	système *m* de glissement	система скольжения (сдвига)
S 2034	**slip vector**, glide vector	Gleitvektor *m*	vecteur *m* de glissement	вектор скольжения
	slip vector	*s. a.* Burgers vector		
S 2035	**slip velocity** \<of fluids\>, velocity of slip	Gleitgeschwindigkeit *f*	vitesse *f* de glissement	скорость сдвига
S 2036	**slip zone**	Gleitzone *f*	zone *f* de glissement	зона скольжения
	slit; gap; space; slot	Spalt *m*; Schlitz *m*	fente *f*; fissure *f*; encoche *f*	щель; зазор; прорезь, прорез; разрез; шлиц
S 2037	**slit** \<opt.\>	Spalt *m* \<Opt.\>	fente *f* \<opt.\>	щель \<опт.\>
S 2038	**slit collimation**	Spaltkollimation *f*	collimation *f* par fente	щелевая коллимация, коллимация щелью
S 2039	**slit collimator**, slit-type collimator	Schlitzkollimator *m*, Spaltkollimator *m*	collimateur *m* à fente[s]	щелевой коллиматор
S 2040	**slit condensor [lens]**	Spaltkondensor *m*	condenseur *m* à fente	щелевой конденсор
S 2041	**slit diaphragm**, slotted diaphragm	Schlitzblende *f*, Schlitz *m*, Spaltblende *f*	diaphragme *m* à fente	щелевая диафрагма
S 2042	**slit illumination**, illumination of the slit	Spaltbeleuchtung *f*; Spaltausleuchtung *f*	éclairage *m* de la fente	освещение щели; освещенность щели
S 2043	**slit image**, image of the slit	Spaltbild *n*, Schlitzbild *n*, Spaltabbildung *f*	image *f* de fente	изображение щели
S 2044	**slitless spectrograph**	spaltloser (schlitzloser) Spektrograph *m*	spectrographe *m* sans fente	бесщелевой спектрограф
S 2044a	**slitness spectroscopy**	spaltlose (schlitzlose) Spektroskopie *f*	spectroscopie *f* sans fente	бесщелевая спектроско-пия
S 2045	**slit source**	spaltförmige Quelle *f*	source *f* à fente	щелевой источник
S 2046	**slit spectrograph**	Spaltspektrograph *m*	spectrographe *m* à fente	щелевой спектрограф
	slit-type collimator	*s.* slit collimator		
S 2047	**slit-width correction** \<in spectroradiometry\>	Schlitzbreitenkorrektion *f*, Spaltbreitenkorrektion *f* \<in der Spektroradio-metrie\>	correction *f* de la largeur de fente \<en spectro-radiométrie\>	поправка ширины щели \<в спектрорадиометрии\>
S 2048	**slob[-] ice**	Trümmereis *n*	débris *m* de glace	ледяная каша; плотная шуга
S 2049	**slope**; inclination, incline; tilt	Neigung *f*; Gefälle *n*; Steigung *f*	pente *f*; inclinaison *f*; penchant *m*	наклон; уклон; скат; скос; перекос; перепад; падение; склон
S 2050	**slope**, ascent, angular coefficient, gradient \<of the curve\>	Anstieg *m*, Richtungs-koeffizient *m*, Steigung *f*, Neigung *f* \<Kurve\>	coefficient *m* angulaire, pente *f* \<de la courbe\>	угловой коэффициент, тангенс угла наклона, наклон, склон \<кривой\>
S 2051	**slope**, declivity \<geo.\>	Hang *m*; Böschung *f* \<Geo.\>	pente *f*; talus *m*; coteau *m* \<géo.\>	склон, уклон, скат; косогор \<гео.\>
S 2052	**slope**, descent \<geo.\>	Fallen *n* \<Geo.\>	pendage *m* \<géo.\>	падение \<гео.\>
S 2052a	**slope** \<hydr.\>	Oberflächengefälle *n* \<Hydr.\>	pente *f* \<hydr.\>	поверхностный уклон, уклон \<гидр.\>
	slope	*s. a.* sloping		
	slope	*s. a.* transconductance		
	slope angle	*s.* angle of slope		
	slope conductance	*s.* transconductance		
S 2053	**slope deflection method**, deformation method	Deformationsmethode *f*, Formänderungsmethode *f*, Drehwinkelverfahren *n*, Formänderungsver-fahren *n*	méthode *f* des déformations	метод деформаций (пере-мещений)
	slope distance	*s.* slant distance		
	sloped source	*s.* tilted source		
	slope line	*s.* helix		
	slope of edge, pulse slope (steepness), edge steepness (slope), steepness of edge	Impulsflankensteilheit *f*, Flankensteilheit *f*, Impulssteilheit *f*	raideur *f* du front (flanc) d'impulsion, raideur de front de l'impulsion	крутизна фронта [импульса]
S 2054	**slope of repose**, angle of repose, angle of rest, angle of natural slope (slip), angle of friction, natural slope	Schüttwinkel *m*, Ruhe-winkel *m*, Rutschwinkel *m*, natürlicher Böschungs-winkel *m*	talus *m* naturel (d'éboule-ment), angle *m* de talus naturel, angle de pente naturelle, angle du talus d'éboulement, angle de repos, angle naturel	угол естественного откоса, угол осыпи, угол рав-новесия откоса, угол покоя откоса, естествен-ный откос
	slope of the emission characteristic	*s.* transconductance		
S 2055	**slope of the terrace**	Terrassenhang *m*	versant *m* de la terrasse	склон террасы
	slope rupture, rupture of slope	Gefällsbruch *m*, Neigungs-bruch *m*, Neigungs-wechsel *m*	rupture *f* de pente	перелом наклона, измене-ние угла падения склона
S 2056	**slope scale**	Neigungsmaßstab *m*, Böschungsmaßstab *m*	échelle *f* de pente	масштаб уклона
S 2056a	**slope spring**	Hangquelle *f*	source *f* de coteau	источник на склоне
S 2056b	**slope wind**	Hangwind *m*, Berg- und Talwind *m*, Berg-und-Tal-Wind *m*	vent *m* de talus	склоновый (горно-долин-ный) ветер, ветер склона

S 2057	**sloping,** slope	abfallend, abschüssig, schräg	escarpé, incliné	наклонный, отлогий
	sloping top	s. tilt <of pulse>		
	slot; gap; space; slit	Spalt m; Schlitz m	fente f; fissure f; encoche f	щель; зазор; прорезь, прорез; разрез; шлиц
S 2058	**slot** <el.>	Nut[e] f <El.>	rainure f, encoche f <él.>	паз, канавка, бороздка <эл.>
S 2059	**slot antenna,** slotted antenna, split antenna	Schlitzantenne f	antenne f à fente[s]	щелевая антенна
S 2060	**slot array**	Schlitzstrahlerkombination f	réseau m de fentes	щелевая (многощелевая) антенная решетка
S 2061	**slot coupling**	Schlitzkopplung f, Schlitzankopplung f	couplage m par fente[s]	связь через щель
S 2062	**slot excitation [of antenna]**	Schlitzanregung f [der Antenne]	excitation f par fente[s]	возбуждение через щель; возбуждение через щели
	slot-fed dipole	s. slotted dipol		
	slot magnetron	s. split anode magnetron		
S 2063	**slot radiator**	Schlitzstrahler m	radiateur m à fente[s], fente f rayonnante	щелевой излучатель, щелевая передающая антенна; излучающая щель
S 2064	**slot suction**	Spaltsog m	succion f à la fente	отсос через щели
	slotted antenna	s. slot antenna		
S 2065	**slotted cylinder antenna,** slotted-guide antenna, slotted waveguide antenna, leaky-pipe antenna, leaky waveguide	Schlitzrohrstrahler m, Rohrschlitzstrahler m, Rohrschlitzantenne f, Schlitzhohlleiterantenne f	antenne f cylindrique à fente[s], antenne cylindrique fendue, antenne guide à fente[s]	щелевая антенна на цилиндре, щелевая цилиндрическая (волноводная) антенна, волновод-антенна с продольной щелью, волноводно-щелевая антенна
	slotted diaphragm	s. slit diaphragm		
S 2066	**slotted dipol,** slot-fed dipole	Schlitzdipol m	dipôle m à fente	щелевой диполь; вибратор, питаемый щелью; вибратор, возбуждаемый щелью
	slotted guide	s. slotted waveguide		
	slotted-guide antenna	s. slotted cylinder antenna		
S 2067	**slotted line**	geschlitzte Leitung f	ligne f à fente	[измерительная] линия со щелью
S 2068	**slotted shutter,** focal-plane shutter	Schlitzverschluß m; Bildfensterverschluß m	obturateur m de plaque, obturateur focal	щелевой затвор, шторно-щелевой затвор, шторный затвор
S 2069	**slotted waveguide,** slotted guide	geschlitzter Hohlleiter m, Schlitzhohlleiter m	guide m d'ondes à fente[s]	[измерительный] волновод со щелью; волновод со щелями
	slotted waveguide antenna	s. slotted cylinder antenna		
S 2070	**slot-type current transformer**	Querlochwandler m, Querlochstromwandler m; Querloch-Durchführungswandler m	transformateur m à perforation transversale	катушечный трансформатор; измерительный трансформатор, смонтированный на проходном изоляторе с поперечным отверстием
S 2071	**slow approximation**	langsame Näherung f	approximation f lente	медленное приближение
S 2072	**slow boundary layer**	langsame Grenzschicht f	couche f limite lente	вялый пограничный слой
S 2073	**slow coincidence**	langsame Koinzidenz f	coïncidence f lente	медленное совпадение
S 2074	**slow coincidence circuit**	langsame Koinzidenzschaltung f	circuit m de coïncidence lent	медленнодействующая схема совпадения, медленная схема совпадений
	slow combustion	s. deflagration		
	slow combustion	s. a. sluggish combustion		
	slow down	s. slowing down		
S 2075	**slow fission,** slow neutron fission	langsame Spaltung f, Spaltung durch langsame Neutronen	fission f lente, fission par les neutrons lents, fission due aux neutrons lents	деление на медленных нейтронах, деление под действием медленных нейтронов, деление медленными нейтронами; деление ядра, вызванное медленными нейтронами
S 2076	**slow flight,** slow-speed flight	Langsamflug m	vol m lent	полет на малой скорости
	slow flow	s. tranquil flow		
	slowing-down, slow-down, moderation <of neutrons>	Bremsung f, Abbremsung f, Moderierung f <Neutronen>	modération f, ralentissement m <de neutrons>	замедление <нейтронов>
S 2077	**slowing-down area,** moderation area	Bremsfläche f	aire f de ralentissement	площадь замедления
S 2078	**slowing-down cross-section,** cross-section for slowing down; stopping cross-section	Bremsquerschnitt m, Wirkungsquerschnitt m für (der) Bremsung, Bremswirkungsquerschnitt m	section f efficace de ralentissement; section efficace d'arrêt; section efficace de freinage	сечение замедления, сечение торможения
S 2079	**slowing-down density**	Bremsdichte f	densité f de ralentissement	плотность замедления
S 2080	**slowing-down equation**	Bremsgleichung f	équation f de ralentissement	уравнение замедления
S 2081	**slowing-down flux**	Bremsfluß m	flux m de ralentissement	поток замедления
S 2082	**slowing-down kernel**	Bremskern m	noyau m de l'intégrale de ralentissement	ядро замедления
	slowing-down length, length of moderation, moderation length	Bremslänge f	longueur f (parcours m) de ralentissement	длина замедления
S 2083	**slowing-down neutron**	Bremsneutron n	neutron m ralenti	замедляющийся нейтрон; замедленный нейтрон

S 2084	**slowing-down power** <for alpha-rays>	Bremsvermögen n <von Materie gegenüber Alpha-Teilchen>	pouvoir m d'arrêt <pour les particules alpha>	замедляющая способность <вещества по альфа-частицам>
	slowing-down power, moderating power <for neutrons>	Bremsvermögen n, Bremskraft f <Neutronen>	pouvoir m de ralentissement, pouvoir d'arrêt <de neutrons>	замедляющая способность <к нейтронам>
	slowing-down radiation	s. bremsstrahlung		
	slowing-down spectrometer	s. slowing-down time spectrometer		
S 2085	**slowing-down theory**	Bremstheorie f	théorie f de ralentissement	теория замедления
S 2086	**slowing-down time,** fast-neutron lifetime, retardation age	Bremszeit f <Zeit, nach der die Neutronen auf thermische Geschwindigkeit abgebremst sind>	temps m de ralentissement	время замедления
S 2087	**slowing-down time spectrometer,** slowing-down spectrometer	Bremszeitspektrometer n, Bremszeit-Neutronenspektrometer n, „slowing-down"-Spektrometer n	spectromètre m [de neutrons] à temps de ralentissement	[нейтронный] спектрометр по времени замедления
S 2088	**slowing-down time spectrometry**	Bremszeitspektrometrie f	spectrométrie f par temps de ralentissement	спектрометрия по времени замедления
	slow ion	s. large ion		
	slow lens, low-power objective (lens), low-speed lens	lichtschwaches Objektiv n, schwaches Objektiv	objectif m de (à) faible clarté, objectif peu lumineux	малосветосильный объектив
S 2089	**slowly varying component**	langsam variable Komponente f	composante f à variation lente, composante lentement variable	медленно изменяющаяся составляющая
	slow motion, micromotion, micrometric displacement; fine focusing motion	Feinbewegung f	micromouvement m, mouvement m micrométrique, déplacement m micrométrique	микрометрическое перемещение
S 2090	**slow-motion camera,** slow-motion equipment, slow-motion device, slow-motion pictures camera, high-speed camera, time magnifier	Zeitlupe f, Zeitlupenkamera f, Zeitdehnerkamera f, Zeitdehnergerät n, Zeitdehner m	caméra f au ralenti, caméra pour prises de vue au ralenti, ralentisseur m	рапид-кинокамера, [высоко]скоростная съемочная камера, высокоскоростная киносъемочная камера, съемочная скоростная камера, «лупа времени»
	slow-motion camera shooting	s. high-speed camera shooting		
	slow-motion device	s. slow-motion camera		
	slow-motion drive; fine focus[ing adjustment], mechanism of fine adjustment; slow-motion screw	Feintrieb m; Feinstellschraube f, Feinbewegungsschraube f	vis f micrométrique de précision; vis de réglage fin	микрометренный механизм; наводный винт, винт точной наводки
	slow-motion effect	s. high-speed photography		
	slow-motion equipment	s. slow-motion camera		
	slow-motion method	s. high-speed photography		
S 2091	**slow-motion picture[s],** pictures in slow motion	Zeitlupenfilm m, Zeitlupenaufnahme f	film m au ralenti	ускоренная кинопленка, ускоренная пленка
	slow-motion pictures camera	s. slow-motion camera		
	slow-motion record	s. high-speed camera shooting		
	slow-motion screw	s. show-motion drive		
	slow-motion shooting	s. slow-motion camera shooting		
	slowness	s. sluggishness		
S 2092	**slow neutron**	langsames Neutron n	neutron m lent	медленный нейтрон
	slow neutron	s. a. thermal neutron		
	slow neutron capture	s. slow process		
S 2093	**slow-neutron detector**	Detektor m für langsame Neutronen	détecteur m de (pour) neutrons lents	детектор медленных нейтронов
	slow neutron fission	s. slow fission		
S 2094	**slow nova**	langsame Nova f	nova f lente	медленная новая [звезда]
	slow-operating relay	s. delayed relay		
	slow process, s process, slow neutron capture, capture of neutrons on a slow time scale <astr.>	s-Prozeß m, langsamer Prozeß m, langsamer Neutroneneinfang m <Astr.>	processus m s, processus lent, procédé m s, procédé lent, capture f lente de neutrons <astr.>	s-процесс, медленный захват нейтронов <астр.>
S 2094a	**slow reaction;** clock reaction	Zeitreaktion f, chemische Uhr f	réaction f lente; réaction-horloge f	медленная реакция; химические часы
S 2095	**slow reactor**	langsamer Reaktor m <meist: thermischer Reaktor>	réacteur m lent, réacteur à neutrons lents	реактор на медленных нейтронах
S 2096	**slow release**	Zeitauslösung f	déclenchement m à retard[ement]	медленное расцепление, замедление расцепления, расцепление (выключение) в функции времени, замедление замыкания; медленное срабатывание
	slow-release (slow-releasing) relay	s. time-delay relay		
	slow-response	s. inertial		
	slow-speed flight, slow flight	Langsamflug m	vol m lent	полет на малой скорости
S 2097	**slow storage,** low-speed storage (store)	langsamer Speicher m	mémoire f lente, mémoire à accès lent	медленнодействующее запоминающее устройство

	slow-wave structure	s. delay line		
	sludge, mud, slime, slurry	Schlamm m; Mudd m; Mudde f	bourbe f; limon m; boue f	ил, грязь, шлам, тина
S 2098	sludge, slime	Trübe f, Pulpe f	pulpe f	взвеси, пульпа
S 2098a	sludge, slush; snow slush	Matsch m; Schneematsch m, Schneeschlamm m	gâchis m; neige f fondue	слякоть; снежура, шуга, полурастаявший снег
S 2098b	sludge activation	Schlammbelebung f	activation f des boues	оживление (активирование) ила
S 2099	sludging of photographic solutions	Verschlammung f photographischer Lösungen	formation f de boue en solutions photographiques	осадкообразование в фотографических растворах, загрязнение фотографических растворов осадками
S 2100	slug ‹in the reactor›	Brennelement n in Form eines kurzen dicken Stabes, kurzer dicker Stab	barreau m de combustible	тепловыделяющий элемент пруткового типа, прутковый тепловыделяющий элемент, топливный блок
S 2100a	slug flow	schleichende Rohrströmung f	écoulement m en bloc	ползучее течение
	sluggish	s. viscid		
	sluggish; inertial, inertia, inert	träg[e]	inerte	инерционный, инертный
	sluggish	s. a. high-melting		
S 2100b	sluggish combustion, slow combustion	träge (langsame, schleichende) Verbrennung f	combustion f lente	медленное горение
S 2101	sluggishness, slowness, response time, time constant	Trägheit f, Einstellzeit f, Einstelldauer f	inertie f, temps m d'arrêt	инерционность, инертность, инерция, время установки, продолжительность установки (успокоения)
	sluggishness	s. viscidity		
	slurry	s. sludge		
	slurry	s. a. suspension		
	slurry polymerization [process]	s. pearl polymerization		
S 2102	slurry reactor, suspension reactor, suspension-type reactor	Suspensionsreaktor m, Reaktor m mit nasser Suspension, Wassersuspensionsreaktor m	réacteur m à combustible en suspension, réacteur à schlamm (suspension aqueuse)	суспензионный реактор, реактор с топливом в виде суспензии; реактор, работающий на суспензионном ядерном топливе; реактор с активной зоной в виде жидкой (водной) суспензии, шламовый (водосуспензионный) реактор
	slush	s. sludge		
S 2103	slush [ice], frazil ice, frazil, holly ice	Eisbrei m, Eistost m, Tost m, Grundeisscholle f, Rogeis n, Sulzeis n, Siggeis n, Schwebeis n	sorbet m, glace f de fond, bouillée f glacée	шуга; ледяное сало, внутриводный лед
S 2104	small / in the, im Kleinen, locally ‹math.›	im Kleinen, lokal ‹Math.›	localement ‹math.›	в малом, локально ‹матем.›
	small-angle boundary	s. small-angle grain boundary		
S 2105	small-angle collision	Kleinwinkelstoß m	collision f de diffusion (dispersion) directe	столкновение с малыми углами рассеяния
	small-angle collision	s. a. glancing collision		
S 2106	small-angle grain boundary, small-angle tilt boundary, small-angle (low-angle) boundary, low-angle grain boundary, sub-boundary, sub-grain boundary	Kleinwinkelkorngrenze f, Feinwinkelkorngrenze f, Feinkorngrenze f	limite f de grains à petit angle, sous-joint m, joint m de sous-grains	малоугловая граница, граница субзерен, субграница
S 2107	small-angle scattering, SAS	Kleinwinkelstreuung f, Streuung f um kleine Winkel; Streuung überwiegend in Vorwärtsrichtung	diffusion f aux petits angles, diffusion sous petit angle; diffusion aux très petits angles	малоугловое рассеяние, рассеяние на малые углы; рассеяние при углах, близких к нулю
	small-angle tilt boundary	s. small-angle grain boundary		
	small-angle X-ray scattering	s. X-ray small-angle scattering		
S 2108	small-area transition	kleinflächiger Übergang m	transition f à petite aire	переход с малой площадью
	small calorie	s. calorie		
	small crater, craterlet, crater pit	Kratergrube f	craterlet m, petit cratère m	кратер-лунка, мелкий кратер
S 2109	small crystal, little crystal	Kriställchen n	petit cristal m	кристаллик
S 2110	small deformation, small strain	kleine Deformation f, infinitesimale Formänderung f	petite déformation f, déformation très petite	малая деформация
S 2111	smallest angular resolution [for distinct vision]	physiologischer Grenzwinkel m	limite f anguiaire de perception visuelle	физиологический предельный угол зрения
S 2112	smallest convex polygon containing all the points of support	Stützpolygon n	polygone m de sustentation	опорное основание, опорный многоугольник
	small-grained, fine-grain, fine grained, finely granular, short grained	feinkörnig, kleinkörnig; Feinkorn-	à grain fin, à grains fins, à faible granulation, microgrenu	мелкозернистый

	small hardness, microhardness	Mikrohärte f	microdureté f	микротвердость
S 2112a	small ion, light ion, fast ion <geo.>	Kleinion n, kleines (leichtes) Ion n, Mikroion n <Geo.>	petit ion m, ion léger <géo.>	малый (легкий, молекулярный, нормальный) ион <гео.>
S 2113	Small Magellanic Cloud	Kleine Magellansche Wolke	Petit Nuage m de Magellan	Малое Магелланово Облако
S 2114	smallness	Kleinheit f	petitesse f	малость
S 2115	small oscillation	kleine Schwingung f	petite oscillation f, oscillation de faible amplitude	малое колебание
	small planet	s. asteroid		
	small scale	s. reduced scale		
S 2116	small-scale turbulence, microturbulence	kleinräumige (kleinmaßstäbliche) Turbulenz f, Kleinturbulenz f, Mikroturbulenz f, Turbulenz f im Kleinen (mikroskopischen Ausmaß)	turbulence f microscopique, turbulence en échelle microscopique, microturbulence f	мелкомасштабная турбулентность, микротурбулентность, внутренняя турбулентность
S 2117	small-scale turbulent flame	turbulente Flamme f im Kleinen, kleinmaßstäblich turbulente Flamme	flamme f turbulente en échelle microscopique	мелкомасштабное турбулентное пламя
S 2118	small signal	Kleinsignal n	signal m faible, faible signal	малый сигнал
S 2119	small-signal current amplification; small-signal current gain	Kleinsignalstromverstärkung f	amplification f de signaux faibles en courant; gain m de signaux faibles en courant	усиление малых сигналов по току, усиление слабых сигналов по току
S 2120	small-signal parameter	Kleinsignalparameter m	paramètre m du signal faible	параметр малого (слабого) сигнала
S 2121	small-signal theory	Kleinsignaltheorie f	théorie f des signaux faibles	теория малого (слабого) сигнала
S 2122	small-signal voltage amplification; small-signal voltage gain	Kleinsignalspannungsverstärkung f	amplification f de signaux faibles en tension; gain m de signaux faibles en tension	усиление малых сигналов по напряжению, усиление слабых сигналов по напряжению
	small source theory	s. sink-source method		
	small strain	s. small deformation		
	S-matrix, scattering matrix	Streumatrix f, S-Matrix f	matrice f de diffusion, matrice S	матрица рассеяния, матрица S [рассеяния]
	smear	s. smearing-out		
	smear	s. a. schliere		
S 2123	smeared, blurred, indistinct, indefinite, featureless, structureless, washed-out, weakened	verwaschen, verschwommen, undeutlich, unscharf, wenig ausgeprägt	délavé, flou, indistinct, estompé, diffus	расплывчатый, неясный, неопределенный
S 2124	smeared[-out]	verschmiert	étalé	размазанный, размытый
S 2125	smeared[-out] density	verschmierte Dichte f	densité f étalée	размазанная плотность
S 2126	smeared particle	verschmiertes Teilchen n	particule f étalée	размазанная частица
	smearing; rubbing; grating; wiping	Reiben n; Wischen n	frottement m	натирание; вытирание
S 2127	smearing[-out], smear; blurring <gen.>	Verschmierung f; Verwaschenheit f; Verwaschung f; Unschärfe f, Verschwommenheit f; Auflockerung f; Zerfließen n <allg.>	étalement m; flou m; anéantissement m <gén.>	размазывание; размытость; расплывчатость; расплывание; размытие <напр. края> <общ.>
S 2128	smearing-out of boundary, diffuse edge	Randauflockerung f, Randverschmierung f	flou m du bord, arête f diffuse	размытие края
	smear photography	s. schlieren method		
S 2129	smear test, wipe test	Wischtest m, Wischversuch m; Wischprobe f; Reibtest m, Reibversuch m	frottis m	испытание на удержание обтиранием (стиранием), испытание на стирание
S 2130	smectic phase	smektische Phase, bz-Phase f, smektische kristalline Flüssigkeit f	phase f smectique	смектическая фаза, смектический тип жидкокристаллических веществ, текучий кристалл
S 2131	smectic sheet	smektische Ebene f	plan m smectique	смектическая плоскость
S 2132	Smekal defect (flaw), pore, flaw of Smekal, loose place [of Smekal], lockerstelle	Lockerstelle f [nach Smekal], Smekalsche Lockerstelle, Lockerion n	« lockerstelle » m, lacune f de Smekal, défaut m de Smekal	дефект Смекаля
S 2133	Smekal['s] formula	Smekalsche Formel f	formule f de Smekal	формула Смекаля
	Smekal-Raman effect	s. Raman effect		
	smell	s. sense of smell		
S 2134	smelling	Riechen n	respiration f de l'odeur, sentissement m	обоняние
	smell sense	s. sense of smell		
S 2135	smelting	Reaktionsschmelzen n	fusion f réactionnelle	реакционная плавка, реакционное плавление
	smelting	s. a. melting		
	smelting-flux electrolysis	s. electrolysis in the dry way		
	S meter, signal meter	Signalstärkemesser m	signalmètre m, s-mètre m	измеритель силы (интенсивности) сигналов
S 2136	S_n method [of Carlson], Carlson['s] S_n method	S_n-Methode f [von Carlson], Carlsonsche S_n-Methode	méthode f S_n [de Carlson], approximation f S_n [de Carlson]	метод Карлсона, S_n-метод
S 2137	Smith chart (diagram), polar circle diagram, circle diagram of Smith, polar impedance chart	Smith-Diagramm n, Smithsches Diagramm n, Kreisdiagramm n nach Smith	diagramme m circulaire de Smith, diagramme de Smith	диаграмма Смита, круговая (полярная) диаграмма полных сопротивлений
S 2138	Smith diagram <mech.>	Schleifendiagramm n, Dauerfestigkeitsschaubild n nach Smith, Smith-Diagramm n <Mech.>	diagramme m de Smith <méc.>	диаграмма Смита <мех.>

S 2139	smith forging, hammer forging, flat-die forging, hammering; peening	Freiformschmieden n, Hämmern n	forgeage m [au marteau], martelage m	свободная ковка, ковка [под молотом], чеканка, проковка
	Smith-Helmholtz equation (law)	s. Lagrange['s] theorem		
S 2140	Smithsoniqn [pyrheliometric] scale	Smithsonian-Skala f	échelle f smithsonienne	смитсонианская [пиргелиографическая] шкала
S 2141	Smithsonian water-flow pyrheliometer, water-flow pyrheliometer	Waterflowpyrheliometer n [von Abbot und Fowle], Durchflußpyrheliometer n, Wasserstrompyrheliometer n	pyrhéliomètre m à courant d'eau	водяной пиргелиометр, струйный пиргелиометр, пиргелиометр с текущей водой
S 2142	smog, <smoke and fog>	Smog m, „smog" m, Rauchnebel m, [dichter] Stadtnebel m, starker Dunst m <über Großstädten>	smog m, « smoke et fog » m, brouillard m épais de ville	дым с примесью тумана, густой туман [с дымом и копотью]
S 2143	smokatron	Smokatron n, Elektronenringbeschleuniger m	smokatron m	смокатрон
S 2144	smoke cloud; smoke column, cloud column	Rauchwolke f; Rauchsäule f, Rauchgassäule f	nuage m de fumée; colonne f de fumée	дымовое облако, облако дыма; стелющийся дым; столб дымовых газов
	smoke density meter	s. smokometer		
S 2145	smoked glass	rußgeschwärztes (berußtes) Glas n, Rußglas n	verre m fumé	закопченное стекло
	smoked glass	s. a. neutral glass		
	smoke gas, flue[-]gas	Rauchgas n	gaz m de fumées, fumées f pl	дымовой газ, газообразный продукт сгорания
S 2146	smoke train	Rauchschweif m <Meteor>	traînée f de fumée	дымовой след <метеора>
S 2147	smoke tunnel	Rauchwindkanal m	tunnel m [à visualisation] par fumée	дымовая аэродинамическая труба
S 2147a	smokometer, smoke density meter	Rauchdichtemesser m, Rauchgasdichtemesser m	fumimètre m	измеритель густоты дымовых газов, дымомер
S 2148	Smoluchowski effect	Smoluchowski-Effekt m	effet m Smoluchowski	эффект Смолуховского
	Smoluchowski-Einstein theory	s. fluctuation theory of light scattering		
S 2149	Smoluchowski['s] equation	Smoluchowskische Integralgleichung f	équation f de Smoluchowski	интегральное уравнение Смолуховского
S 2150	Smoluchowski['s] formula	Smoluchowskische Formel f	formule f de Smoluchowski	формула Смолуховского
S 2151	Smoluchowski['s] solution	Smoluchowskische Lösung f	solution f de Smoluchowski	решение Смолуховского
S 2152	smooth, hydraulically smooth <hydr.>	glatt, hydraulisch glatt	lisse, hydrauliquement lisse	гладкий, гидравлически гладкий, ровный, гидравлически ровный
S 2153	smooth approximation, Symon['s] smooth approximation	„smooth approximation" f [nach Symon], Symonsche glatte Approximation f	approximation f lisse [de Symon]	гладкая аппроксимация Саймона
S 2154	smooth as a mirror	spiegelglatt	uni comme un miroir	зеркально гладкий
S 2155	smooth curve, smoothed curve, fair[ed] curve	glatte Kurve f	courbe f lisse, courbe régulière	гладкая кривая, плавная (сглаженная) кривая
S 2156	smooth detachment, smooth separation	Bugwellenablösung f	détachement m en proue	отрыв носовой волны
S 2157	smooth flow	glatter Abfluß m	écoulement m doux	плавное течение, течение без разрывов непрерывности
S 2158	smooth function	glatte Funktion f	fonction f régulière (lisse)	гладкая функция
	smoothing, tranquillization <e.g. of oscillation, flow>	Beruhigung f	tranquillisation f, aplatissement m	успокоение
S 2159	smoothing <math., el., techn.>; flattening, graduation <math.>	Glättung f, Ausgleichung f <Math., El., Techn.>; Glättungsprozeß m <Techn.>; Ebnung f	lissage m, égalisation f <math., él., techn.>; aplanissement m <math., techn.>	сглаживание, сглажение, уплощение <матем., эл., техн.>; выравнивание <пульсаций>; срезание <пиков>
S 2160	smoothing capacitor	Glättungskondensator m, Beruhigungskondensator m	condensateur m de lissage (filtrage), condensateur d'aplatissement	сглаживающий конденсатор, фильтровый конденсатор
	smoothing choke	s. ripple-filter choke		
S 2161	smoothing factor <el.>	Glättungsfaktor m <El.>	facteur m de filtrage <él.>	коэффициент сглаживания <эл.>
S 2162	smoothing resistor	Glättungswiderstand m	résistance f de lissage, résistance de filtrage	сглаживающее сопротивление
S 2163	smooth muscle	glatter Muskel m, längsgestreifter Muskel f	muscle m lisse	гладкая мышца
	smoothness, flatness, planeness	Ebenheit f, Glätte f	planitude f; planéité f, lissure f	ровность, плоскостность, гладь, гладкость; плавность
S 2164	smooth object	kantenloser Körper m	corps m lisse	гладкое тело, гладкий объект
S 2165	smooth pipe, smooth tube	Glattrohr n, glattes Rohr n	tube m lisse	гладкая трубка
S 2166	smooth sea, glassy sea, unrippled sea	spiegelglatte See f, vollkommen glatte See, glatte See, Meeresstille f <Stärke 0>	houle f nulle, mer f étale, mer calme	зеркальногладкое море, спокойное море, штиль <0 баллов>
	smooth separation	s. smooth detachment		
S 2167	smooth surface <math., techn., hydr.>	glatte Fläche f <Math., Techn., Hydr.>; glatte Oberfläche f <Techn., Hydr.>	surface f lisse <math., techn., hydr.>	гладкая (ровная) поверхность <матем., техн., гидр.>
	smooth tube	s. smooth pipe		

S 2168	**smouldering**	Schwelen n	brûlage m sans flamme, couvement m	неполное сгорание, тление, смолокурение
	SMOW	s. standard mean ocean water		
S 2169	**snail**, cochlea <of ear>	Schnecke f, Cochlea f <Ohr>	hélice f, cochlée f <de l'oreille>	улитка <уха>
S 2169a	**snail form**	Schneckenform f	forme f de limaçon	улитковая форма
	snap, break-up in the weather; rapid change of weather	Wettersturz m; Umschlagen n des Wetters, Wetterumschlag m	changement m subit du temps	резкая перемена погоды, резкое изменение синоптического положения, резкое изменение погоды; полная перемена погоды
	SNAP	= system for nuclear auxiliary power		
	snap-action amplifier	s. sweep amplifier		
S 2170	**snap-action contact**	Schnappkontakt m, Sprungkontakt m	contact m à déclic	щелчковый контакт
S 2171	**snap gauge**	Rachenlehre f, Grenzrachenlehre f	calibre m mâchoire d'extérieur, calibre-mâchoire m, calibre à mâchoire, calibre lisse	калибр-скоба, предельный калибр-скоба, предельная скоба
	snap-off diode	s. step recovery diode		
	snap regula	s. rule of thumb		
	snapshot	s. instantaneous shot		
	snap valve	s. pinch cock		
	sneak current	s. parasite current		
	sneak currents	s. surface leakage current		
S 2172	**Snellen['s] "illiterate E"; Snellen letter**	Snellenscher Haken m	lettre f de Snellen	буква Снеллена, крюк Снеллена
S 2173	**Snell['s] law [of refraction]**, Descartes['] law, optical law of refraction	Snelliussches Brechungsgesetz (Gesetz) n, optisches Brechungsgesetz, Brechungsgesetz (Gesetz) von Snellius, Descartes-Snelliusscher Satz m [der Brechung], Brechungsgesetz n	loi f de Descartes, relation f de Descartes-Snell	закон Снеллиуса, правило синусов, формула Снеллиуса
	sniperscope	s. infra-red image converter		
S 2174	**Snoek effect**	Snoek-Effekt m	effet m Snoek	эффект Снука
S 2174a	**Snoek['s] law**	Snoeksches Gesetz n	loi f de Snoek	закон Снука
	snoot, limitation diaphragm, barn doors	Strahlenbegrenzungsblende f	coupe-flux m	бленда для ограничения световых пучков
S 2175	**snowberg**, iceberg covered with snow	schneebedeckter Eisberg m	banquise f neigeuse	айсберг, покрытый снегом
	snow climate, nival climate	nivales Klima n; vollnivales Klima	climat m nival	нивальный климат, снежный климат
S 2175a	**snow core**	Schneekern m	carotte f de neige	снежный керн, проба снега
S 2176	**snow cover**, snow mantle (pack)	Schneedecke f	recouvrement m de neige, couche (coverture) f de neige, couche nivale, enneigement m	снежный (снеговой) покров, снежная пелена
S 2177	**snow density**	Schneedichte f	densité f de neige	плотность снежного покрова, плотность снега
S 2178	**snow drift**, snow wreath	Schneewehe f	amas m de neige	сугроб, снежный занос
S 2179	**snow[-]fall**	Schneefall m	chute f de neige	снегопад, выпадение снега
S 2180	**snow[-]flake**	Schneeflocke f	flocon m de neige	снежинка, хлопья снега
S 2181	**Snow['s] formula**	Snowsche Operationsformel f	formule f de Snow	формула Сноу
S 2182	**snow[-] gauge**, snow sampler	Schneeausstecher m, Schneemesser m, Schneestecher m	nivomètre m	снегомер
S 2183	**snow grain**	Griesel f	grain m de neige	снежное зерно
S 2184	**snow level**, snow scale (stake)	Schneepegel m, Schneelatte f, Schneekreuz n	mire f de neige	снегомерная рейка, рейка снегомерного поста
S 2185	**snow limit, snow[-] line**, perpetual snow[]line, firn line, névé line; orographic snow[]line	Schneegrenze f, Firngrenze f; eigentliche Schneegrenze, wirkliche Schneegrenze, orographische Schneegrenze; Firnlinie f, Schneelinie f	limite f du névé, limite des neiges [éternelles], ligne f des neiges [éternelles]; ligne des neiges orographique	граница вечных снегов, граница вечного снега, снеговая граница (линия), фирновая линия (линия), истинная (орографическая) снеговая граница
	snow mantle	s. snow cover		
	snowmelt, melt-water, thawing water	Schmelzwasser n	eau f de fonte, eau de fusion	талая вода, вода таяния; талая ледниковая вода
	snow pack	s. snow cover		
	snow pack water equivalent	s. water equivalent of snow pack		
S 2186	**snow pellet**, soft hail	Reifgraupel f, Graupel f, Schneegraupel f	grésil m mou, neige f roulée, neige en grains	снежная крупа
S 2187	**snow pressure**	Schneedruck m	pression f de neige	давление снежного покрова
	snow sampler	s. snow[-]gauge		
	snow scale	s. snow level		
S 2188	**snow-shovel reflector**	Trogreflektor m	réflecteur m en auge	корытообразный отражатель
	snow slush	s. sludge		
	snow stake	s. snow level		
S 2189	**snow storm**; buran	Schneesturm m; Buran m, Winterburan m; Schneegestöber n	tourbillon m de neige	буран, снежная буря; вьюга, вьюгая погода
S 2190	**snow water**	Schneewasser n	eau f de neige	снеговая вода
	snow wreath	s. snow drift		

	S/N ratio	*s.* signal-to-noise ratio		
	S-N unit, sabouraud-noiré, Sabouraud-Noiré unit	Sabouraud-Noiré *n*, Sabouraud-Noiré-Einheit *f*, SN-Einheit *f*	sabouraud-noiré *m*, unité *f* Sabouraud-Noiré, unité *f* S-N	сабуро-нуаре, единица Сабуро-Нуаре, S-N
	soak[age], soaking	*s.* impregnation		
	soak[age], soaking	*s.* swelling		
S 2191	**soap bubble model,** Bragg['s] soap bubble model, bubble model [of crystal], bubble raft	Seifenblasenmodell *n*, Braggsches Seifenblasenmodell	modèle *m* de bulles de Bragg, modèle à bulles de savon, film *m* de bulles de Bragg	модель Брэгга, модель мыльных пузырей
S 2192	**soap film**	Seifenhaut *f*; Seifenfilm *m*	film *m* de savon	мыльная пленка, пленка мыла
S 2193	**soap film analog, soap film analogy [of Prandtl],** Prandtl['s] analogy, membrane analogy [in torsion], analogy of membrane, membrane model [of Prandtl]	Seifenhautgleichnis *n* [von Prandtl], Prandtlsches Seifenhautgleichnis, Gleichnis *n* von Prandtl, Membrangleichnis *n* [von Prandtl], Prandtlsche Analogie *f*, Prandtl-Analogie *f*	analogie *f* de Prandtl, analogie *f* de membrane, méthode *f* du film de savon	мембранная аналогия [Прандтля], пленочная аналогия, моделирование с помощью мыльной пленки, картина течения по аналогии с мыльной пленкой, подобие по числу Прандтля
S 2194	**Sobolev['s] lemma**	Sobolews Lemma *n*, Lemma von Sobolew	lemme *m* de Sobolev	лемма Соболева
S 2195	**Sochozki-Planelj formulae**	Sochozki-Planeljsche Formeln *fpl*, Formeln von Sochozki-Planelj	formules *fpl* de Sochozki-Planelj	формулы Сохоцкого-Планеля
S 2195a	**socket [of ground-in joint],** ground-joint female part [of ground-in joint]	Schliffhülse *f*; Stopfenbett *n*	douille *f* [du joint rodé], partie *f* femelle du joint rodé, lit *m* du bouchon	муфта [шлифа]
	Soddy-Fajans displacement law	*s.* radioactive displacement law		
	Söderberg electrode, self-baking electrode, Soederberg electrode	Söderberg-Elektrode *f*	électrode *f* à autocuisson, électrode de Söderberg	самоспекающийся электрод, электрод Седерберга
	sodion	= sodium ion		
S 2196	**sodium-carbon reactor, sodium-graphite reactor,** sodium reactor	Natrium-Graphit-Reaktor *m*	pile *f* sodium-graphite (au sodium et graphite), pile graphite-sodium (à graphite et à sodium)	натрий-графитовый реактор, графито-натриевый реактор
S 2196a	**sodium-cooled fast [breeder] reactor**	natriumgekühlter schneller Brüter *m*	réacteur *m* régénérateur (surgénérateur; surconvertisseur) rapide refroidi au sodium	реактор[-размножитель] на быстрых нейтронах с натриевым охлаждением
S 2197	**sodium lamp,** sodium vapour [discharge] lamp	Natriumdampflampe *f*, Natriumlampe *f*	lampe *f* à sodium, lampe à vapeur de sodium	натриевая лампа
S 2198	**sodium light**	Natriumlicht *n*	lumière (lueur) *f* de sodium	натриевый свет
S 2199	**sodium line**	Natriumlinie *f*	raie *f* de sodium	линия натрия, натриевая линия
	sodium potassium tartrate	*s.* Rochelle salt		
S 2200	**sodium pump**	Natriumpumpe *f*	pompe *f* de sodium	натриевая помпа, Na$^+$-помпа
S 2201	**"sodium pump" mechanism**	Pumpmechanismus *m* [der Erregung]	mécanisme *m* à une « pompe »	насосный механизм [возбуждения]
	sodium reactor	*s.* sodium-graphite reactor		
	sodium vapour [discharge] lamp	*s.* sodium lamp		
	Soederberg electrode, self-baking electrode, Söderberg electrode	Söderberg-Elektrode *f*	électrode *f* à autocuisson, électrode de Söderberg	самоспекающийся электрод, электрод Седерберга
	soft	*s.* low-energy <of radiation>		
S 2202	**soft annealing,** full annealing, spheroidizing	Weichglühen *n*	recuit *m* adoucissant	смягчающий отжиг, мягкий отжиг
S 2203	**soft component,** low-energy component	weiche Komponente *f* [der kosmischen Strahlung]; weiche Sekundärstrahlung *f*	composante *f* molle	мягкая компонента
S 2204	**softener,** softening agent, plasticizer, plasticizing (plasticity) agent, plastifier	Plastifikator *m*, Weichmacher *m*, Weichmachungsmittel *n*	plastifiant *m*, plasticateur *m*, ramolliseur *m*, matière *f* émolliente	пластификатор, мягчитель, смягчитель
	softener	*s. a.* water softener		
	softening, plasticization, plasticizing, plastifying, plastification, fluxing, fluxion	Weichmachen *n*, Plastifikation *f*, Plastifizierung *f*, Plastizierung *f*	plastification *f*	пластификация, пластифицирование, мягчение, смягчение; пластикация
S 2205	**softening,** mollification, emollescence	Erweichung *f*	ramollissement *m*, amollissement *m*	размягчение, мягчение
	softening	*s. a.* destrengthening		
	softening agent	*s.* softener		
S 2206	**softening interval**	Erweichungsintervall *n*	intervalle *m* de ramollissement	интервал [температур] размягчения
S 2207	**softening of the X-ray tube**	Weich[er]werden *n* der Röntgenröhre	ramollissement *m* de l'ampoule	мягчение рентгеновской трубки
S 2208	**softening of water**	Enthärtung *f* des Wassers	mollissement *m* de l'eau, adoucissement *m* de l'eau	умягчение (смягчение) воды, снижение жесткости воды
S 2209	**softening point,** sintering point	Erweichungspunkt *m*, Erweichungstemperatur *f*	point *m* de ramollissement, température *f* d'amollissement, point de Littleton	точка размягчения, температура размягчения
	softening point of the pyrometric cone	*s.* pyrometric cone equivalent		
S 2210	**soft-focus effect**	Weichzeichnereffekt *m*	effet *m* de flou [artistique]	художественная нерезкость

S 2211	**soft focusing**	Weichzeichnung f	enveloppement m de l'image, flou m artistique, mollesse f de dessin	мягкий рисунок
S 2212	**soft focus lens**	weichzeichnende Linse f, Weichzeichnerlinse f, „soft-focus"-Linse f, Weichzeichner m; Mollarlinse f	lentille f à flou, lentille diffusante, bonnette f pour flou, bonnette diffusante (pour contours adoucis)	мягкорисующая линза
S 2213	**soft-glass envelope**	Weichglaskolben m	ballon m (enceinte f, ampoule f) de verre doux	колба из мягкого стекла
	soft hail, snow pellet	Reifgraupel f, Graupel f, Schneegraupel f	grésil m mou, neige f roulée, neige en grains	снежная крупа
S 2214	**soft-iron bar**	Weicheisenstab m	barre f de (en) fer doux, tige f de (en) fer doux	стержень из мягкой стали, стержень из магнитно-мягкого железа
	soft-iron galvanometer, moving-iron galvanometer, electromagnetic galvanometer	Weicheisengalvanometer n, Dreheisengalvanometer n, elektromagnetisches Galvanometer n	galvanomètre m à fer mobile, galvanomètre à fer doux, galvanomètre électromagnétique	гальванометр электромагнитной системы, электромагнитный гальванометр
	soft-iron instrument	s. moving iron instrument		
	soft iron oscillograph, moving-iron oscillograph	Dreheisenoszillograph m, Weicheisenoszillograph m	oscillographe m à fer mobile (doux)	осциллограф с электромагнитным вибратором
S 2215	**soft [magnetic] material,** magnetically soft material	weichmagnetischer (magnetisch weicher) Werkstoff m	matériel m doux magnétique	магнитно-мягкий материал
S 2216	**softness of lines**	Weichheit f der Linien	douceur f des lignes	мягкость линий
S 2217	**soft picture,** non-contrasty (uncontrasty) picture	weiches Bild n, kontrastloses (flaues) Bild	image f sans sécheresse, image terne (floue)	мягкое изображение
S 2218	**soft radiation;** low-energy radiation	weiche Strahlung f, Weichstrahlung f; energiearme Strahlung	rayonnement m mou, radiation f molle	мягкое излучение
S 2219	**soft-radiation region**	Weichstrahlgebiet n	domaine m de radiation molle	область мягких лучей, область мягкого излучения
S 2220	**soft radiator,** nuclide emitting soft radiation, isotope emitting low-energy radiation <nucl.>	weicher Strahler m, weichstrahlendes Radionuklid n, Weichstrahler m <Kern.>	nucléide m émetteur d'un rayonnement mou (à faible énergie), émetteur m du rayonnement à faible énergie <nucl.>	изотоп, испускающий мягкое излучение; изотоп-источник мягкого излучения, источник мягкого излучения <яд.>
S 2221	**soft solder**	Weichlot n		мягкий припой
	soft soldering	s. seal	soudure f [tendre]	
	soft tube	s. soft X-ray tube		
S 2222	**soft water**	weiches Wasser n, Weichwasser n	eau f douce	мягкая вода, умягченная вода
S 2223	**soft X-rays,** long-wave X-rays	weiche Röntgenstrahlung f, langwellige Röntgenstrahlung, weiche Strahlen mpl, Weichstrahlung f	rayons mpl X mous, rayons X d'ondes longues, rayons X peu pénétrants	длинноволновое рентгеновское излучение, мягкое (слабопроникающее) излучение, мягкие рентгеновские лучи
S 2224	**soft X-ray tube,** soft tube	Weichstrahlröhre f	ampoule f à rayons mous	рентгеновская трубка небольшого напряжения
	sogasoid	s. aerosol		
S 2225	**soil erosion**	Bodenzerstörung f, Bodenabtragung f, Bodenerosion f	érosion f du sol	эрозия почвы
S 2226	**soil evaporation**	Bodenverdunstung f	évaporation f de la surface du sol	испарение с почвы, испарение с поверхности почвы
S 2227	**soil evaporation pan,** soil evaporimeter, soil pan	Bodenverdunstungsmesser m, Bodenvaporimeter n	évaporimètre m pour mesurer l'évaporation de la surface du sol	почвенный испаритель, почвенный эвапориметр
S 2227a	**soil horizon**	Bodenhorizont m	couche f (horizon m) du sol	почвенный горизонт
	soil humidity	s. soil moisture		
S 2228	**soil moisture,** soil humidity, field moisture	Bodenfeuchtigkeit f, Bodenfeuchte f; Grundfeuchtigkeit f	humidité f du sol	влажность почвы
S 2229	**soil moisture meter**	Bodenfeuchtemesser m	humidimètre m de sol	влагомер почвы
S 2229a	**soil moisture tension**	Bodenwasserspannur.g f	tension f de l'eau dans le sol	натяжение (напряжение) почвенной воды
	soil of weathering	s. eluvial soil		
	soil pan	s. soil evaporation pan		
S 2230	**soil physics**	Bodenphysik f	physique f des sols	физика грунтов
S 2231	**soil slip,** landslip, mountain slip, landslide, rock-slide, slide, landfall <geo.>	Rutschung f, Rutsch m, Erdschlipf m, Erdrutsch m <Geo.>	chute f de montagne, éboulement m, chute de sol <géo.>	оползень, оползание земли, земляной обвал <гео.>
	soil suction force, suction force of the soil	Saugkraft f des Bodens, Bodensaugkraft f	force f de succion du sol	всасывающая сила почвы
S 2232	**soil temperature**	Bodentemperatur f; Temperatur f am Boden	température f de sol	температура почвы
S 2232a	**soil thermometer,** earth thermometer	Bodenthermometer n, Erdbodenthermometer n	thermomètre m dans le sol	почвенный термометр
S 2233	**soil water,** ground water	Bodenwasser n; Grundfeuchtigkeit f	eau f dans le sol	почвенная вода, почвенная влага, вода в почве; подошвенная вода; подпочвенная вода (влага)
S 2234	**Sokolovsky yield condition,** yield condition of Sokolovsky	Sokolovskysche Fließbedingung f, Fließbedingung von Sokolovsky	condition f de plasticité de Sokolovsky	условие пластичности Соколовского

S 2235	**sol,** colloidal suspension, soliquid, suspensoid, suspension colloid, incoherent colloidal system	Sol *n*, Suspensoid *n*, Suspensionskolloid *n*, Suspension *f*, inkohärentes kolloides System *n*	sol *m*, suspensoïde *m*, système *m* colloïdal incohérent	золь, суспензоид, некогерентная коллоидная система
S 2236	**solar activity,** solar weather	Sonnenaktivität *f*, Sonnentätigkeit *f*	activité *f* solaire	солнечная активность (деятельность)
	solar anomalistic inequality	*s.* Sun['s] anomalistic inequality		
S 2236a	**solar antapex,** antapex of the Sun	Antapex *m* der Sonne[n-bewegung]	anti-apex *m* du Soleil	антиапекс [движения] Солнца, солнечный антиапекс
S 2236b	**solar apex,** apex of the Sun	Apex *m* der Sonne[n-bewegung]	apex *m* du Soleil	апекс [движения] Солнца, солнечный апекс
S 2237	**solar attraction**	Sonnenanziehung *f*	attraction *f* solaire	притяжение Солнца, солнечное притяжение
	solar aureole	*s.* solar corona		
S 2238	**solar battery,** solar cells; solar-cell matrix	Sonnenbatterie *f*, Solarbatterie *f*	batterie *f* solaire	солнечная батарея, батарея солнечных элементов
S 2239	**solar cell**	Solarelement *n*, Solarzelle *f*, Sonnenzelle *f*	héliopile *f*, pile *f* solaire	солнечный элемент
	solar-cell matrix; solar cells	*s.* solar battery		
	solar centre of activity, centre of activity	Aktivitätszentrum *n*	centre *m* d'activité [solaire]	центр активности, центр солнечной активности
S 2240	**solar climate**	solares Klima *n*, Solarklima *n*, Sonnenklima *n*	climat *m* solaire	солярный (солнечный, радиационный) климат
S 2241	**solar climatic zone,** mathematical climatic zone	solare Klimazone *f*, mathematische Klimazone	zone *f* climatique solaire, zone climatique mathématique	солярная климатическая зона, математическая климатическая зона
S 2242	**solar compass,** sun compass, dial compass	Sonnenkompaß *m*	compas *m* solaire	солнечный компас, солнечно-магнитный компас
S 2243	**solar component [of cosmic rays],** solar cosmic rays	Solarkomponente *f* [der kosmischen Strahlung], solare kosmische Strahlung *f*, solare Höhenstrahlung *f*	composante *f* solaire [des rayons cosmiques], rayons *mpl* cosmiques du Soleil	солнечная компонента [космических лучей]; космические лучи, испускаемые Солнцем
S 2244	**solar constant [of radiation]**	Solarkonstante *f*	constante *f* solaire	солнечная постоянная
	solar converter	*s.* solar energy converter		
S 2245	**solar corona,** Sun['s] corona, corona [of the Sun]	Sonnenkorona *f*, Korona *f* [der Sonne]	couronne *f* [solaire], couronne du Soleil	солнечная корона, корона [Солнца]
S 2246	**solar corona,** solar aureole	Sonnenkranz *m*, Sonnenkrone *f*	couronne *f* solaire, auréole *f* solaire	венец вокруг Солнца, солнечный венец, околосолнечный ореол, солнечный ореол
S 2247	**solar corpuscular radiation**	Partikelstrahlung *f* der Sonne, solare Korpuskularstrahlung *f*	rayonnement *m* corpusculaire du Soleil	корпускулярное излучение Солнца
	solar cosmic rays	*s.* solar component		
S 2248	**solar cross**	Sonnenkreuz *n*	croix *f* solaire	солнечный крест
S 2249	**solar cycle,** activity cycle	Zyklus *m* der Sonnenaktivität, Aktivitätszyklus *m*, Sonnenzyklus *m*, Sonnenzirkel *m*	cycle *m* de l'activité solaire, cycle d'activité, cycle solaire	цикл солнечной активности, солнечный цикл, цикл активности
	solar daily inequality	*s.* diurnal solar inequality		
S 2250	**solar daily magnetic variation**	tägliche solare magnetische Variation *f*, sonnentäglicher (sonnentägiger) Gang *m*, S-Variation *f*	variation *f* magnétique solaire diurne	солнечносуточная магнитная вариация, солнечная суточная [магнитная] вариация, S-вариация
S 2251	**solar day**	Sonnentag *m*	jour *m* solaire	солнечные сутки
S 2252	**solar depression [angle],** Sun['s] depression	Sonnendepression *f*	angle *m* de dépression solaire, dépression *f* solaire	угловое погружение Солнца под горизонт, угол погружения Солнца, депрессия (понижение) Солнца
S 2253	**solar disk,** Sun['s] disk	Sonnenscheibe *f*	disque *m* solaire, disque du Soleil	солнечный диск, диск Солнца
S 2253a	**solar ebb**	Sonnenebbe *f*	marée *f* basse solaire, marée descendante solaire	солнечный отлив
	solar diurnal inequality	*s.* diurnal solar inequality		
S 2254	**solar eclipse,** eclipse of the Sun	Sonnenfinsternis *f*	éclipse *f* du Soleil, éclipse solaire	солнечное затмение, затмение Солнца
S 2255	**solar electrodynamics**	Sonnenelektrodynamik *f*	électrodynamique *f* solaire	солнечная электродинамика, электродинамика Солнца
	solar elliptical inequality	*s.* Sun['s] anomalistic inequality		
S 2256	**solar energy conversion**	Sonnenenergie[um]wandlung *f*	conversion *f* de l'énergie solaire	преобразование солнечной энергии
S 2257	**solar energy converter,** solar converter	Sonnenenergiewandler *m*, Solarkonverter *m*	convertisseur *m* [d'énergie] solaire	преобразователь солнечной энергии
	solar energy output	*s.* solar luminosity		
	solar eruption	*s.* solar flare		
S 2258	**solar eyepiece;** helioscope	Sonnenokular *n*, helioskopisches Okular *n*; Helioskop *n*, Sonnenfernrohr *n*	hélioscope *m*; oculaire *m* hélioscopique	гелиоскоп; солнечный окуляр, гелиоскопический окуляр
	solar facula	*s.* solar mountain		

S 2259	**solar flare,** flare, flare <on the Sun>, solar eruption, eruption, eruption on the Sun	Sonneneruption f, Eruption f [auf der Sonne], Strahlungsausbruch m [auf der Sonne], Ausbruch m [auf der Sonne], „flare" n	éruption f solaire, éruption [du Soleil], flare m, sursaut m d'éclat [du Soleil], sursaut lumineux [du Soleil], augmentation f brusque d'éclat [du Soleil]	вспышка на Солнце, вспышка излучения на Солнце, взрыв на Солнце, [солнечная]вспышка
S 2259a	**solar flare effect,** s.f.e., sfe	[geomagnetischer] Sonneneruptionseffekt m	effet m d'éruption solaire	возмущение в геомагнитном поле, вызванное солнечной вспышкой; влияние солнечной вспышки
S 2260	**solar flood [tide]**	Sonnenflut f	marée f haute (montante) solaire	солнечный прилив
S 2260a	**solar furnace**	Sonnenofen m	four m solaire	солнечная печь
S 2261	**solar halo**	Sonnenhalo m; Sonnenhof m, Sonnenring m, Sonnenringhalo m	halo m solaire	солнечное гало, гало вокруг Солнца
S 2262	**solarimeter**	Solarimeter n <z. B. von Moll-Gorczinsky>	solarimètre m	соляриметр
S 2263	**solarization** <bio.>	Solarisation f <Bio.>	solarisation f <bio.>	соляризация <био.>
S 2264	**solarization,** image reversal, reversal of photographic image <phot.>	Solarisation f, Bildumkehrung f <Phot.>	solarisation f <phot.>	соляризация, обращение [изображения], обращение фотографического изображения, фотографическое обращение <фот.>
S 2265	**solarization curve**	Solarisationskurve f	courbe f de solarisation	кривая соляризации
S 2266	**solarization density,** density of solarization	Solarisationsdichte f	densité f de solarisation	плотность соляризации
S 2267	**solarization image**	Solarisationsbild n	image f inversée par solarisation	соляризованное изображение, соляризационное изображение
S 2268	**solar limb,** limb of the Sun, Sun's limb	Rand m der Sonnenscheibe, Sonnenscheibenrand m, Sonnenrand m	bord m du Soleil, limbe m solaire	край Солнца, край солнечного диска, край диска, солнечный лимб
	solar luminosity, solar energy output, energy output of the Sun	Sonnenstrahlungsintensität f, Sonnenintensität f <in erg/s>	intensité f du rayonnement solaire	интенсивность солнечного излучения, интенсивность солнечной радиации; количество энергии, излучаемой Солнцем
S 2269	**solar magnetograph**	Sonnenmagnetograph m [nach Babcock]	magnétographe m solaire	солнечный магнитограф
	solar magnitude, magnitude of the Sun	Sonnenhelligkeit f	magnitude f du Soleil	звездная величина Солнца, яркость Солнца
S 2269a	**solar microscope**	Sonnenmikroskop n	microscope m solaire	солнечный микроскоп
	solar mountain, facula <pl.: -lae>, solar facula; facula area <pl.: -lae -as>	Sonnenfackel f, Fackel f; Fackelgebiet n	facule f [solaire]	солнечный факел, факел [на Солнце]; факельное поле
	solar nebula, primeval nebula, presolar nebula	Nebelscheibe f, Urnebel m <Ursonne>	nébuleuse f primitive	досолнечная туманность
	solar neutrino unit, SNU	= 10^{-36} reactions per ^{36}Cl atom and second		
S 2270	**solar noise,** solar radio noise	Sonnenrauschen n	bruit m solaire [à fréquence radio]	шум солнечного радиоизлучения, солнечный шум, солнечная помеха
	solar noise [out]burst	s. radio burst		
S 2271	**solar observatory**	Sonnenobservatorium n	observatoire m solaire	солнечная станция, гелиостанция, солнечная обсерватория
	solar parallax, Sun['s] parallax	Sonnenparallaxe f	parallaxe f solaire	солнечный параллакс, параллакс Солнца
S 2272	**solar particle stream,** solar stream	solarer Teilchenstrom m	courant m de particules solaires	поток частиц, исходящий от Солнца; солнечный поток [частиц]
	solar patrol, solar survey	Sonnenüberwachung f	surveillance f du Soleil	служба Солнца
S 2273	**solar periscope,** Sun periscope	Sonnenperiskop n, Sonnenkammer f	périscope m solaire	солнечный перископ
	solar photography, heliophotography	Sonnenphotographie f	héliophotographie f, photographie f du Soleil	фотографирование Солнца
	solar physics, physics of the Sun, heliophysics	Sonnenphysik f, Physik f der Sonne	physique f solaire, physique solaire, héliophysique f	физика Солнца, гелиофизика
	solar prominence, prominence, solar surge	Protuberanz f, Sonnenprotuberanz f	protubérance f [solaire]	протуберанец, солнечный протуберанец
S 2274	**solar radiation**	Sonnenstrahlung f	rayonnement m solaire, radiation f solaire	солнечная радиация, солнечное излучение, излучение Солнца
S 2275	**solar radio-frequency radiation,** solar radiowaves	Radiofrequenzstrahlung f der Sonne, Radiostrahlung f der Sonne, solare Radiostrahlung	rayonnement m radioélectrique du Soleil, bruit m solaire	радиоизлучение Солнца, излучение Солнца на радиоволнах, излучение Солнца в радиодиапазоне, радиочастотное излучение Солнца
	solar radio noise	s. solar noise		
	solar radio-waves	s. solar radio-frequency radiation		
S 2276	**solar research**	Sonnenforschung f	recherches fpl solaires	солнечные исследования, исследования Солнца
S 2277	**solar short-wave radiation**	Kurzstrahlung f, kurzwellige Sonnenstrahlung f	rayonnement m solaire à ondes courtes	коротковолновая солнечная радиация
S 2278	**solar spectrograph**	Sonnenspektrograph m	spectrographe m solaire	солнечный спектрограф
S 2279	**solar spectrum**	Sonnenspektrum n	spectre m solaire	солнечный спектр, спектр Солнца

	solar star, G star, sun-type star	G-Stern *m*, Sonnenähnlicher *m*	étoile *f* G	звезда [спектрального] класса G
	solar stream	*s.* solar particle stream		
	solar surge	*s.* solar prominence		
S 2280	**solar survey**, solar patrol	Sonnenüberwachung *f*	surveillance *f* du Soleil	служба Солнца
S 2281	**solar system**	Sonnensystem *n*, Planetensystem *n*	système *m* solaire	солнечная система
	solar-terrestrial phenomenon	*s.* Sun-Earth relationship		
S 2282	**solar terrestrial radiation**	terrestrische Sonnenstrahlung *f*	rayonnement *m* solaire terrestre	земная солнечная радиация
	solar-terrestrial relationship	*s.* Sun-Earth relationship		
	solar thermometer	*s.* black-bulb thermometer		
	solar tidal wave	*s.* solar wave		
S 2283	**solar tide**	Sonnentide *f*	marée *f* solaire	солнечный прилив
S 2284	**solar tides**	Sonnengezeiten *pl*	marées *fpl* solaires	солнечные приливы
S 2285	**solar time**	Sonnenzeit *f*	temps *m* solaire	солнечное время
	solar total radiation, total radiation	Gesamtstrahlung *f* [der Sonne]	radiation *f* totale [du Soleil], rayonnement *m* total	полная (суммарная) радиация [Солнца]
	solar tower, tower telescope	Turmteleskop *n*, Sonnenturm *m*	tour *f* solaire, télescope *m* vertical	башенный телескоп, башенный (вертикальный) солнечный телескоп, солнечная башня
S 2286	**solar wave**, solar tidal wave	Sonnenwelle *f*, Sonnengezeitenwelle *f*, Sonnenflutwelle *f*	onde *f* solaire, onde de marée solaire	солнечная составляющая прилива, солнечная приливная волна, солнечная волна прилива, волна солнечного прилива
S 2287	**solar wave radiation**	Wellenstrahlung *f* der Sonne	rayonnement *m* ondulatoire du Soleil	волновое излучение Солнца
	solar weather	*s.* solar activity		
S 2288	**solar wind**	Sonnenwind *m*, solarer Wind *m*	vent *m* solaire	солнечный ветер
S 2289	**solar year**	Sonnenjahr *n*, Erdjahr *n*	année *f* solaire, an *m* terrestre	солнечный год
S 2290	**solation**, sol formation	Übergang *m* in den Solzustand, Solbildung *f*	formation *f* du sol	превращение в золь
	solation, gel-sol transformation, gel-sol change	Gel-Sol-Umwandlung *f*	transformation *f* gel-sol	превращение геля в золь
S 2291	**solder**	Lot *n*, Lötlegierung *f*	soudure *f*, étain *m* à souder; brasure *f* [forte]	припой
S 2292	**solder**, solder[ed] connection, soldered joint, solder joint; connection by solder; junction <semi.>	Lötstelle *f*; Lötverbindung *f*	soudure *f*, point *m* de soudure; joint *m* de soudure, joint; connexion *f* par soudure; jonction *f* soudée	спайка, спай, место спайки; пайка; спаянное соединение; паянное соединение; соединение пайкой
	soldering	*s.* seal		
	solder joint	*s.* solder		
	sole; sole fault	*s.* underlayer <geo.>		
S 2293	**Soleil [biquartz]**, Soleil compensator, Soleil halfshade (plate), Soleil['s] rotating biplate, bi[-]quartz [of Soleil]	Soleilsche Doppelplatte *f*, Soleil-Doppelplatte *f*, Doppelquarzplatte *f*, Doppelquarz *m*, Biquarzplatte *f*, Biquarz *m*, Soleilscher Kompensator *m*, [Babinet-]Soleil-Kompensator *m*, Halbschattenapparat *m* mit Soleilscher Doppelplatte	compensateur *m* de Soleil, bi[-]quartz *m* [de Soleil], plaque *f* de Soleil	компенсатор Солейля, пластина Солейля, бикварц [Солейля]
S 2294	**solenoid**, cylindrical coil	Solenoid *n*, Solenoidspule *f*, Zylinderspule *f*, Drahtspule *f*	solénoïde *m*, soléno *m*, bobine *f* cylindrique	соленоид, цилиндрическая катушка
S 2295	**solenoidal field**, source-free field	quellenfreies (divergenzfreies) Feld *n*, solenoidales Feld (Vektorfeld *n*)	champ *m* solénoïdal, champ à divergence nulle, champ sans sources (divergence)	соленоид[аль]ное поле, поле без источников, бездивергентное поле
	solenoidal inductor	*s.* standard inductance		
S 2296	**solenoidality**	Quellenfreiheit *f*, Divergenzfreiheit *f*	solénoïdalité *f*	соленоидальность
	solenoidal lens	*s.* solenoid lens		
S 2297	**solenoidal spectrometer**	Solenoidspektrometer *n*	spectromètre *m* solénoïdal, spectromètre à solénoïde	соленоидальный спектрометр
S 2298	**solenoidal vector**	quellenfreier Vektor *m*, solenoidaler Vektor	vecteur *m* solénoïdal	соленоидальный вектор
	solenoid lens, Glaser lens, solenoidal lens	Glaser-Linse *f*, Solenoidlinse *f*	lentille *f* de Glaser, lentille solénoïdale	соленоидная линза
	sole thrust	*s.* underlayer <geo.>		
S 2299	**solfatara**	Solfatare *f*	solfatare *f*	сольфатара, сернистая фумарола
	sol formation	*s.* solation		
S 2300	**sol-forming**	solbildend		зольобразующий
	sol-gel change	*s.* sol-gel transformation		
S 2301	**sol-gel process**	Sol-Gel-Prozeß *m*	procédé *m* sol-gel	золь-гель-процесс
S 2302	**sol-gel transformation**, sol-gel change	Sol-Gel-Umwandlung *f*	transformation *f* sol-gel	превращение золя в гель
S 2303	**solid**, solid body	Festkörper *m*, fester Körper *m*	corps *m* solide, solide *m*	твердое тело
S 2304	**solid**, solid material, solid substance	Feststoff *m*	solide *m*, matériel *m* solide, substance (matière) *f* solide	твердое, твердое вещество
S 2305	**solid**, solid-state	fest	solide	твердый
	solid	*s. a.* solid body <math.>		
S 2306	**solid-amorphous**	fest-amorph	solide amorphe	твердый аморфный

	solid analytic geometry, elementary geometry, solid geometry	Elementargeometrie f	géométrie f élémentaire	элементарная геометрия
S 2307	solid angle	Raumwinkel m, räumlicher (körperlicher) Winkel m	angle m solide, ouverture f	телесный угол, пространственный угол
	solid anode	s. heavy anode		
	solid anode tube, heavy anode tube	Vollanodenröhre f	tube m à anode massive, ampoule f à anode massive	лампа с неразрезным анодом, лампа со сплошным анодом
S 2308	solid bath	Festsubstanzbad n	bain m solide	твердая баня, баня твердого вещества
S 2309	solid bed	Festbett n	lit m solide	сплошной слой
	solid body, solid	Festkörper m, fester Körper	corps m solide, solide m	твердое тело
S 2310	solid body, solid <math.>	Vollkörper m, Körper m <Math.>	corps m plein, corps massif <math.>	сплошное тело, цельное тело <матем.>
	solid-borne sound, sound conducted through solids, body-borne sound	Körperschall m	son m propagé dans un solide	звук, распространяющийся в твердых телах
S 2311	solid-borne sound insulation	Körperschalldämmung f	isolement m phonique, isolement acoustique	изоляция от конструкционного (корпусного) звука
	solid carbon dioxide	s. dry ice		
S 2312	solid catalyst, contact [mass] <chem.>	Feststoffkatalysator m, Kontakt m, Kontaktstoff m, Kontaktmasse f <Chem.>	catalyseur m solide, contact m <chim.>	твердый катализатор, контактная масса, контактное вещество, контакт <хим.>
	solid circuit; semiconductor integrated circuit; single-chip circuit, single-chip device	integrierte Festkörperschaltung f, integrierte Halbleiterschaltung f, Festkörperschaltung	circuit m intégré; circuit solide	интегральная твердая схема, интегральная схема
S 2313	solid conductor; solid line	massiver Leiter m, Volleiter m; massive Leitung f	conducteur m massif (unique); ligne f massive	сплошной проводник (провод), массивный проводник (провод)
S 2314	solid content, solid contents	Feststoffgehalt m	teneur f en [matériel] solide	содержание твердого [вещества]; содержание наносов
S 2315	solid-crystalline	fest-kristallin	solide cristallin	твердокристаллический
	solid curve, full line, solid line	ausgezogene Kurve f, fette Linie f	courbe f pleine, courbe en trait plein	сплошная кривая
	solid detector	s. solid-state detector		
S 2316	solid diffusion, intersolid diffusion	Festkörperdiffusion f, Diffusion f in der festen Phase, Diffusion zwischen Festkörpern	diffusion f en phase solide, diffusion intersolide	диффузия в твердой фазе, диффузия твердых тел
S 2316a	solid echo	Solidecho n, Festkörperecho n	écho m solide	солид-эхо, СЭ
	solid effect	s. solid state effect		
	solidensing	s. desublimation		
S 2317	solid-expansion thermometer, pointer thermometer	Zeigerthermometer n	thermomètre m à dilatation de solide	стрелочный термометр, твердый термометр расширения
S 2317a	solid film lubrication	Feststoffschmierung f	lubrification f [par pellicule] solide	твердая смазка, смазка твердой пленкой
	solid friction, dry friction	trockene Reibung f, Festkörperreibung f	frottement m immédiat (à sec)	сухое трение, трение всухую
S 2318	solid-gas interface, gas-solid interface	Festkörper/Gas-Grenzfläche f, Gas/Festkörper-Grenzfläche f, Grenzfläche f Festkörper — Gas (Gas — Festkörper, fest — gasförmig, gasförmig — fest)	interface f solide-gaz, interface gaz-solide	поверхность раздела газа-твердого вещества, поверхность раздела твердого вещества-газа, поверхность раздела между твердой и газовой фазой, поверхность раздела газ/твердое вещество
	solid geometry	s. solid analytic geometry		
	solid geometry, stereometry	Stereometrie f, Körpermessung f	stéréométrie f	стереометрия
S 2319	solidification, solidifying, freezing; set, setting	Erstarrung f, Festwerden n, Verfestigung f	solidification f	отвердение, отвердевание, отверждение, затвердевание, затвердение, застывание
	solidification curve, melting (fusion, melting pressure) curve; ice line	Schmelzkurve f	courbe f de fusion, courbe d'équilibre liquide-solide	кривая плавления, кривая таяния
S 2320	solidification heat, heat of solidification, latent heat of solidification	Erstarrungswärme f; Erstarrungsenthalpie f	chaleur f de solidification	теплота затвердевания, теплота отвердевания, тепло затвердевания
	solidification interval	Erstarrungsintervall n	intervalle m de solidification	интервал [температур] затвердевания
S 2321	solidification point, solidifying temperature, solidification temperature, solidifying (solid) point, point of solidification; freezing point (temperature), point of freezing; congealing point	Verfestigungspunkt m, Verfestigungstemperatur f; Erstarrungspunkt m, Erstarrungstemperatur f; Gefrierpunkt m, Gefriertemperatur f	température f de solidification, point m de solidification; point de congélation, température de congélation	точка (температура) отвердевания, точка (температура) затвердевания, точка (температура) застывания; точка замораживания (заморозки), точка (температура) замерзания
	solidification point	s. a. point of congelation		
S 2322	solidification shrinkage, contraction of solidification	Erstarrungskontraktion f, Erstarrungsschwinden n	retrait m de solidification, contraction de solidification	усадка при затвердевании, сжатие при застывании
	solidification temperature	s. solidification point		
S 2323	solidified gas	verfestigtes Gas n	gaz m solidifié	упрочненный газ
	solidified lava, cool lava	erstarrte Lava f	lave f solidifiée	застывшая лава, затвердевшая лава
	solidifying	s. solidification		

	solidifying point, point of congelation, congealing point, pour point, solidification point <of oil>	Stockpunkt m, Fließpunkt m <Öl>	point m de congélation, point de solidification <de l'huile>	точка застывания, точка затвердевания <масла>
	solidifying point	s. a. solidification point		
	solidifying temperature	s. solidification point		
S 2323a	**solid injection**	Festkörperinjektion f	injection f solide	инжекция твердого материала
S 2324	**solidity**	Eigenschaft f, fest zu sein; Festkörpereigenschaft f	solidité f	твердость, твердое свойство
S 2325	**solidity** <of blades>	Ausfüllungsgrad m, Blattdichte f	solidité f [du rotor]	коэффициент заполнения лопастей
	solidity	s. a. ruggedness <gen.>		
	solidity	s. a. solid state		
S 2326	**solid jet**	Vollstrahl m, zusammenhaltender Strahl m	jet m plein, jet compact	сплошная струя, неразрывная струя
	solid line	s. solid conductor		
	solid line	s. a. solid curve		
	solid-liquid extraction; leaching; lixiviation	Laugung f, Auslaugung f, Auswaschung f, Festflüssig-Extraktion f	lessivage m; lixiviation f; extraction f solide-liquide	выщелачивание, экстрагирование твердого тела жидкостью
S 2327	**solid-liquid interface,** liquid-solid interface	Festkörper/Flüssigkeit-Grenzfläche f, Flüssigkeit/Festkörper-Grenzfläche f, Grenzfläche f Festkörper—Flüssigkeit (Flüssigkeit—Festkörper, fest—flüssig, flüssig—fest)	interface f solide-liquide, interface liquide-solide	поверхность раздела жидкости-твердого вещества, поверхность раздела твердого вещества-жидкости, поверхность раздела между твердой и жидкой фазой, поверхность раздела жидкость/твердое вещество
	solid lubricant	s. grease		
	solid material	s. solid		
	solid measure	s. measure		
S 2328	**solid of light distribution,** solid of luminous-intensity distribution, surface of intensity distribution, polar surface of light distribution	Lichtstärkeverteilungskörper m, Lichtverteilungskörper m, Lichtverteilungsfläche f	corps m [solide] de distribution de la lumière, corps solide de répartition de l'intensité lumineuse, surface f de répartition de l'intensité lumineuse, surface photométrique [de la source]	фотометрическое тело, фотометрическая поверхность
	solid of revolution (rotation), body of revolution (rotation), revolution solid	Rotationskörper m, Drehkörper m, Umdrehungskörper m	corps m de révolution, solide m de révolution, révoloïde m	тело вращения
S 2329	**solid opal [glass]**	Massivtrübglas n, Opalmassivglas n	verre m opale solide	массивное опаловое стекло
S 2330	**solid-plastic**	fest=plastisch	solide plastique	твердопластичный
	solid point	s. solidification point		
S 2331	**solid profile**	Vollprofil n	profil m plein	сплошной профиль
S 2332	**solid-propellant motor,** solid-propellant rocket engine	Raketenmotor m mit Festtreibstoff, Raketentriebwerk n mit festem Treibstoff	moteur-fusée m à propergol solide	пороховой реактивный двигатель, ПРД
	solid residue, filter cake	Filterkuchen m, Filterrückstand m	tourteau m, gâteau m filtré	осадок [на фильтре], отжатый осадок, кек, лепешка, кухен
S 2333	**solid residue [from evaporation],** total solids	Trockenrückstand m; Abdampfrückstand m	résidu m sec	сухой остаток
S 2333a	**solid sol**	festes Sol n	sol m solide	твердый золь
S 2334	**solid-solid interface**	Festkörper/Festkörper-Grenzfläche f, Grenzfläche f Festkörper—Festkörper, Grenzfläche fest—fest	interface f solide-solide	поверхность раздела твердого вещества-твердого вещества, поверхность раздела между твердыми фазами, поверхность раздела твердое вещество/твердое вещество
S 2335	**solid solution;** crystalline solid solution, mixcrystal, mixed [isomorphic] crystal	feste Lösung f, Festlösung f, Lösung im festen Zustand; [echter] Mischkristall m	solution f solide; cristal m mixte	твердый раствор; смешанный кристалл
S 2336	**solid sphere;** full sphere	Vollkugel f	sphère f pleine	цельный шар, сплошной шар; полная сфера
	solid spherical harmonic	s. spatial spherical function		
S 2337	**solid state,** solidity	fester Zustand (Aggregatzustand) m, Festkörperzustand m; fest-kristalliner Zustand	état m solide, solidité f	твердое состояние
	solid-state, solid	fest	solide	твердый
S 2338	**solid-state atomic physics**	Festkörper-Atomphysik f	physique f atomique des corps solides	атомная физика твердых тел
S 2339	**solid-state bonding**	Verbindung f im festen Zustand <unter Druckanwendung>	liaison f en état solide	связывание в твердом фазе, соединение в твердом фазе
S 2340	**solid-state detector,** solid-state radiation detector, solid detector	Festkörperdetektor m, Festkörper-Strahlungsdetektor m	détecteur m de radiations dans l'état solide, détecteur solide	детектор излучений в твердом состоянии, твердый детектор [излучения]
S 2341	**solid state effect,** solid effect, Abragam-Jeffries effect	Festkörpereffekt m, Abragam-Jeffries-Effekt m	effet m solide, effet Abragam-Jeffries	эффект твердого тела, солид-эффект, эффект Абрагама-Джефриса

S 2342	solid-state electronic physics	Festkörper-Elektronen-physik f	physique f électronique des corps solides	электронная физика твердых тел
	solid-state laser	s. solid-state optic[al] maser		
S 2343	solid-state maser	Festkörpermaser m	maser m [à l'état] solide	квантовый генератор с твердым активным веществом, твердотельный мазер
	solid state nuclear track detector	s. solid state track detector		
S 2344	solid-state optic[al] maser, solid-state laser	Festkörperlaser m	laser m à l'état solide	квантовый генератор оптического диапазона с твердым активным веществом, твердотельный лазер
S 2345	solid state physics, physics of solids	Festkörperphysik f	physique f du corps solide, physique des solides	физика твердого тела, физика твердых тел
	solid-state radiation detector	s. solid-state detector		
S 2346	solid-state reaction	Festkörperreaktion f	réaction f dans l'état solide	реакция в твердом состоянии, твердофасная реакция
S 2347	solid state track detector, solid state nuclear track detector, fission track detector	Festkörperspurdetektor m	détecteur m à trace solide	твердый трековый детектор
	solid substance	s. solid		
S 2348	solid suspensoid	festes Suspensoid n	suspensoïde m solide	твердый золь
S 2349	solidus, solidus curve, solidus line	Soliduslinie f, Soliduskurve f	solidus m, courbe f solidus, courbe de solidification (solubilité)	солидус, кривая (линия) солидуса, кривая твердой фазы
S 2350	solifluction	Solifluktion f, Bodenfließen n, Bodenfluß m, subnivale (periglaziale) Denudation f	solifluction f, fluage m des terrains	солифлюкция, солифлюксия, течение грунта
S 2351	solion	Solion n	solion m	солион
S 2352	solion detector	Soliongleichrichter m	détecteur m solionique	солионный детектор
	soliquid	s. sol		
	solitary	s. isolated		
	solitary wave, single wave	Einzelwelle f, solitäre Welle f	onde f solitaire	уединенная волна, одиночная волна
S 2352a	soliton	Soliton n	soliton m	солитон
S 2353	Soller slits, Soller slit system	Soller-Blende f, Soller-Spaltsystem n	canaliseur m de Soller, fentes fpl de Soller	щели Соллера
S 2354	solstice	Solstitium n <pl.: -tien>, Sonnenwende f	solstice m	солнцестояние, поворот Солнца
	solstice	s. a. solstitial point		
S 2355	solstice tide	Solstitialtide f	marée f de solstice	прилив в период солнцестояния
S 2356	solsticial, solstitial	solstitial, Solstitial-	solsticial, des solstices	относящийся к солнцестоянию, связанный с солнцестоянием
S 2357	solstitial colure	Solstitialkolur m	colure m des solstices	колюр солнцестояний
S 2358	solstitial line	Solstitiallinie f	ligne f des solstices	линия солнцестояний
S 2359	solstitial point, solstice	Solstitialpunkt m, Sonnenwendpunkt m	point m solsticial, solstice m	точка солнцестояния
S 2360	solubility, dissolubility, dissolvability <chem.>	Löslichkeit f, Auflösbarkeit f <Chem.>	solubilité f, dissolubilité f <chim.>	растворимость <хим.>
	solubility, solvability, resolvability <math.>	Lösbarkeit f; Auflösbarkeit f <Math.>	résolubilité f, solubilité f <math.>	разрешимость, разрешаемость <матем.>
S 2361	solubility coefficient, Ostwald['s] solubility coefficient	Löslichkeitskoeffizient m, Löslichkeitszahl f	coefficient m de solubilité	коэффициент растворимости
S 2362	solubility curve, mutual solubility curve, plait point curve, critical curve, binodal [curve], solvus [curve]	Löslichkeitslinie f, Löslichkeitskurve f, Grenzkurve f [der Löslichkeit], Sättigungsisotherme f, Binodalkurve f	courbe f de solubilité, courbe-limite f [de la zone de saturation]	кривая растворимости, линия предельной растворимости, пограничная кривая, бинодаль
	solubility curve	s. a. solubility-temperature curve		
	solubility equilibrium	s. solution equilibrium		
S 2363	solubility exponent	Löslichkeitsexponent m, Löslichkeitsindex m	exposante m de solubilité	показатель растворимости <отрицательный логарифм произведения растворимости>
S 2364	solubility limit	Löslichkeitsgrenze f	limite f de solubilité	предел растворимости
	solubility potential, solution potential	Lösungspotential n	potentiel m de dissolution	потенциал растворения
	solubility pressure	s. solution pressure		
S 2365	solubility product [constant]	Löslichkeitsprodukt n	produit m de solubilité	произведение растворимости
S 2366	solubility-temperature curve, solubility versus temperature curve, solubility curve	Löslichkeits-Temperatur-Kurve f, Löslichkeits-Temperaturkurve f, Löslichkeitskurve f	courbe f solubilité-température, courbe de solubilité	кривая зависимости растворимости от температуры
S 2367	solubilization	Solubilisation f, Solubilisierung f, Lösungsvermittlung f	solubilisation f	солюбилизация, придание растворимости
S 2367a	solubilizer; solutizer	Solubilisator m; Lösungsvermittler m	solubiliseur m, agent m de solubilisation	солюбилизатор; агент растворения; ускоритель растворения
S 2368	soluble electrode	Lösungselektrode f	électrode f soluble	растворимый электрод, растворяющийся электрод
S 2369	soluble glass, water glass	Wasserglas n	verre m soluble	жидкое стекло, растворимое стекло

S 2370	soluble in cold state	kaltlöslich	soluble à froid	растворимый на холоду
S 2371	soluble in hot liquids	warmlöslich, in der Wärme löslich	soluble à chaud	растворимый в тепле
S 2372	soluble in water, water-soluble	wasserlöslich	hydrosoluble, soluble dans l'eau	растворимый в воде, вод[н]орастворимый
	soluble ribonucleic acid, soluble RNA	s. transfer ribonucleic acid		
S 2373	solute	Gelöstes n, [auf]gelöster Stoff m, in Lösung gegangener Stoff, gelöste Substanz f	soluté m, corps m dissous, substance f dissoute	растворенное вещество, растворимое вещество
	solutide	s. true solution		
S 2374	solution <chem.>	Lösung f <Chem.>	solution f <chim.>	раствор <хим.>
S 2375	solution <math.>	Lösung f; Auflösung f <Math.>	[ré]solution f <math.>	[раз]решение <матем.>
	solution	s. a. medium <chem.>		
	solution	s. a. dissolution <chem.>		
	solution annealing	s. solution treatment		
	solution capacity, solving capacity	Lösungskapazität f	capacité f de la solution	емкость раствора
	solution cavity, cave <geo.>	Karsthöhle f <Geo.>	cave f <géo.>	карстовая пещера (пустота) <гео.>
	solution concentration	s. solution strength		
	solution enthalpy	s. heat of solution		
S 2376	solution equilibrium, solubility equilibrium	Lösungsgleichgewicht n	équilibre m de dissolution	равновесие растворения, равновесие растворимости
	solution heat	s. heat of solution		
	solution heat treatment	s. solution treatment		
S 2377	solution potential, solubility potential	Lösungspotential n	potentiel m de dissolution	потенциал растворения
S 2378	solution power, solvency	Lösevermögen n, Lösungsvermögen n, Solvenz f	pouvoir m solvant, pouvoir dissolvant	растворяющая способность
S 2379	solution pressure, solution tension, electrolytic[al] solution pressure (tension), solubility pressure	[elektrolytischer] Lösungsdruck m, Lösungstension f	tension (pression) f de dissolution	упругость растворения
S 2380	solution reactor	Lösungsreaktor m, Reaktor m mit Brennstofflösung	réacteur m (pile f) à combustible en solution, réacteur (pile) à combustible dilué, pile diluée, réacteur dilué	реактор с топливным раствором, реактор на растворенном топливе
S 2381	solution sea	Karstsee m	lac m de poljé	карстовое озеро
S 2382	solution spectrum, dissolution spectrum	Lösungsspektrum n	spectre m de dissolution	спектр раствора
S 2382a	solution strength, solution concentration	Lösungskonzentration f, Lösungsgehalt m, Lösungsstärke f, Reaktionsstärke f der Lösung	concentration f de la solution	концентрация раствора
S 2383	solution surface <math.>	Lösungsfläche f <Math.>	surface f intégrale <math.>	интегральная поверхность <матем.>
	solution to be tested, trial solution	Probenlösung f, Probelösung f	solution f d'essai	испытуемый раствор, испытательный раствор, исследуемый раствор
S 2384	solution treatment, solution heat treatment, solution annealing	Lösungsglühen n	traitement m solubilisant	термообработка на однородный твердый раствор, термообработка для перевода компонента в твердый раствор
	solutizer	s. solubilizer		
S 2384a	solutrope	solutropes Gemisch n, Solutrop n	mélange m solutropique (solutrope), solutrope m	солютропная смесь
	solvability	s. solubility		
S 2385	solvate	Solvat n, Solvatationskomplex m	solvate m, complexe m de solvatation	сольват
S 2386	solvation	Solvatation f, Solvatisierung f	solvatation f, solvatisation f	сольватация
S 2387	solvation constant	Solvatationskonstante f	constante f de solvatation	постоянная сольватации
S 2388	solvation energy	Solvatationsenergie f	énergie f de solvatation	энергия сольватации
S 2389	solvation force	Solvatationskraft f	force f de solvatation	сольватационная сила, сила сольватации
S 2390	solvation number	Solvatationszahl f	nombre m de solvatation	число сольватации
S 2391	solvation sheath (shell, sphere), sheath of solvent molecules	Solvathülle f	couche f de solvatation, sphère f de solvatation	адсорбционно-сольватная оболочка, сольватная оболочка
S 2392	solvation water	Solvatwasser n	eau f de solvatation	сольватная вода
S 2393	solvatochromism, solvatochromy	Solvatochromie f	solvatochromie f	сольватохромия
	solvency	s. solution power		
S 2394	solvent, solvent agent; dissolvent; developer liquid, mobile (moving) phase <chromatography>	Lösungsmittel n, Lösemittel n, Solvens n <pl.: -zien>; Laufmittel n, Fließmittel n <Chromatographie>	solvant m, dissolvant m	растворитель
	solvent action	s. solvent effect		
	solvent agent	s. solvent		
S 2395	solvent effect, solvent action	Lösungsmitteleinfluß m, Lösungs[mittel]effekt m	effet m (action f) du solvant, effet de solvant	растворяющее действие, эффект растворителя
S 2396	solvent extraction	Solventextraktion f, Lösungsmittelextraktion f	extraction f par solvant, extraction par dissolvant	экстракция растворителем (селективными растворителями), селективная экстракция, экстрагирование растворителями

№	English	German	French	Russian
	solvent front	s. band of moving phase		
	solvent-hating, lyophobic, lyophobe	lyophob, lösungsmittel-abstoßend	lyophobe	лиофобный
	solvent-loving, lyophilic, lyophile	lyophil, lösungsmittel-anziehend	lyophile	лиофильный
S 2397	solvent phase	Lösungsmittelphase f, Solventphase f	phase f solvant	фаза растворителя
S 2397a	solvent shift	Lösungsmittelverschiebung f, Solventshift m, „solvent shift" m	écart (déplacement) m chimique dû au solvant, écart du solvant	химический сдвиг, обусловленный растворителем
S 2398	solving capacity, solution capacity	Lösungskapazität f	capacité f de la solution	емкость раствора
S 2399	solving space	lösender Raum m	espace m dissolvant	растворяющее пространство
S 2399a	solvolysis, lyolysis	Solvolyse f, Lyolyse f	solvolyse f, lyolyse f	сольволиз, лиолиз, расщепление ионами растворителя, расщепление растворителем
S 2400	solvolyte	Solvolyseprodukt n, Solvolyt m	solvolyte m, produit m de solvolyse	продукт сольволиза. продукт реакции расщепления растворителем
S 2401	solvolytic equilibrium	Solvolysegleichgewicht n	équilibre m solvolytique ·(de solvolyse)	сольволитическое равновесие
	solvus [curve]	s. solubility curve		
S 2402	Somigliana['s] dislocation	Somiglianasche Versetzung f	dislocation f de Somigliana	дислокация Сомилиана (Сомильяна)
S 2403	Sommerfeld['s] criterion	Sommerfeldsches Kriterium (Entartungskriterium) n	critère m de Sommerfeld	критерий вырождения Зоммерфельда
	Sommerfeld fine structure constant	s. fine structure constant		
S 2404	Sommerfeld['s] fine structure formula, Sommerfeld['s] formula of fine structure	Sommerfeldsche Feinstrukturformel f	formule f de structure fine de Sommerfeld	формула тонкой структуры Зоммерфельда
S 2405	Sommerfeld['s] fine structure theory, Sommerfeld['s] theory of fine structure	Sommerfeldsche Feinstrukturtheorie f	théorie f de Sommerfeld [de la structure fine]	теория тонкой структуры Зоммерфельда, зоммерфельдовская теория тонкой структуры
S 2406	Sommerfeld['s] formula <el.>	Formel f von Sommerfeld, Sommerfeldsche Formel <El.>	formule f de Sommerfeld <él.>	формула Зоммерфельда <эл.>
	Sommerfeld['s] formula of fine structure	s. Sommerfeld['s] fine structure formula		
	Sommerfeld-Kossel displacement law	s. displacement law for complex spectra		
S 2407	Sommerfeld['s] law of dublets	Sommerfeldsches Dublett-gesetz n, Dublettgesetz von Sommerfeld	loi f des doublets de Sommerfeld	закон дублетов Зоммерфельда
	Sommerfeld line	s. Sommerfeld['s] single-wire transmission line		
S 2408	Sommerfeld orbit	Sommerfeldsche Bahn f, Bohr-Sommerfeldsche Bahn	orbite f de Sommerfeld, orbite de Bohr et Sommerfeld	орбита Бора-Зоммерфельда, орбита Зоммерфельда
	Sommerfeld['s] radiation condition	s. radiation condition		
S 2409	Sommerfeld['s] single-wire transmission line, Sommerfeld wire (line)	Sommerfeldscher Wellenleiter m	ligne f de transmission unifilaire [de Sommerfeld], fil m de Sommerfeld	однопроводная линия передачи [Зоммерфельда]
	Sommerfeld['s] surface wave	s. surface wave		
	Sommerfeld['s] theory of fine structure, Sommerfeld['s] fine structure theory	Sommerfeldsche Feinstrukturtheorie f	théorie f de Sommerfeld [de la structure fine]	теория тонкой структуры Зоммерфельда, зоммерфельдовская теория тонкой структуры
S 2410	Sommerfeldt plate	Sommerfeldtsche Doppelplatte f	plaque (lame) f de Sommerfeldt	пластина Зоммерфельдта
	Sommerfeld-Watson transform[ation]	s. Watson-Sommerfeld transform[ation]		
	Sommerfeld wave	s. surface wave <el.>		
	Sommerfeld wire	s. Sommerfeld['s] single-wire transmission line		
S 2411	sonar listening set	Wasserschallempfänger m	récepteur m hydro-acoustique, microphone m immergé	гидроакустический приемник
	sonar transmitter	s. underwater sound projector		
	sondage	s. sounding		
	sonde	s. probe		
S 2412	sone	Sone n, sone	sone m	сон, сон; гро
	sonic altimeter	s. sonic depth finder		
	sonic analysis	s. sound analysis		
	sonic analyzer	s. sound analyzer		
	sonic bang	s. supersonic bang		
	sonic barrier	s. sound barrier		
	sonic beam, beam of sound, sound beam, acoustic beam	Schallstrahlenbündel n, Schallwellenbündel n, Schallbündel n	faisceau m sonore, faisceau de rayons sonores	звуковой пучок
	sonic boom	s. supersonic bang		
S 2413	sonic circle	sonischer Kreis m, Schallkreis m	cercle m sonique	звуковая окружность, звуковой круг
	sonic delay line	s. ultrasonic delay line		

S 2414	sonic depth finder, sonic echo sounder, sonic altimeter, acoustic sounder	Tonlot n, Tonecholot n, akustisches Echolot n	écho-sondeur m acoustique, sondeur m par écho acoustique	звуковой эхолот, акустический эхолот; эхолот, звук которого принимается на слух
	sonic energy, sound energy, acoustic energy	Schallenergie f	énergie f sonore, énergie acoustique	звуковая энергия
	sonic field	s. sound field		
S 2415	sonic flow	Schallströmung f, Strömung f im Schallbereich	écoulement m sonique	звуковое течение
S 2416	sonic jet	sonischer Strahl m	jet m sonique	звуковая струя
S 2417	sonic line	sonische Linie f, Schallinie f	ligne f sonique	звуковая линия
	sonic oscillation	s. sound oscillation		
S 2418	sonic point	sonischer Punkt m, Schallpunkt m	point m sonique	звуковая точка
	sonic pressure, acoustic[al] pressure, sound pressure	Schalldruck m, Schallwechseldruck m, akustischer Druck m	pression f sonore, pression acoustique	звуковое (акустическое, переменное звуковое) давление
	sonic probe, sound probe	Schallsonde f	sonde f à son	звуковой зонд, звуковой щуп
	sonic range	s. sonic region		
	sonic ray, ray of sound, sound ray, acoustic ray	Schallstrahl m	rayon m [d'onde] sonore, jet m sonique	звуковой луч
	sonic regime	s. sonic region		
S 2419	sonic region, sonic range; sonic regime	Schallbereich m	région (gamme) f sonique; régime m sonique	звуковой диапазон, звуковая область, звуковая зона
S 2419a	sonics	Sonik f <technische Anwendung von Schallschwingungen>	sonique f <applications techniques des oscillations acoustiques>	соника <технологическое применение звука и ультразвука>
	sonic spark chamber, acoustic spark chamber	akustische Funkenkammer f, Funkenkammer mit akustischer Lokalisierung	chambre f à étincelles acoustique, chambre à étincelles sonique	звуковая искровая камера
	sonic speed	s. velocity of sound <ac.>		
S 2420	sonic thermometer	Schallthermometer n	thermomètre m sonique	звуковой термометр
	sonic velocity	s. velocity of sound <ac.>		
	sonic wave, sound wave, acoustic[al] wave	Schallwelle f	onde f sonore, onde acoustique	звуковая волна, акустическая волна
	sonigage	s. ultrasonic thickness gauge <for metals>		
S 2421	Sonine['s] expansion	Soninesche Entwicklung f	développement m de Sonine	разложение по Сонину, разложение Сонина
S 2422	Sonine['s] polynomial	Soninesches Polynom n, Polynom von Sonine	polynôme m de Sonine	полином Сонина
	soniscope	s. ultrasonic flaw detector		
S 2423	sonochemiluminescence	Sonochemilumineszenz f	sonochimiluminescence f	сонохимилюминесценция, сонохемолюминесценция
S 2424	sonochemistry, ultrasonic chemistry	Ultraschallchemie f	sonochimie f, chimie f ultrasonique	ультразвуковая химия
S 2425	sonoluminescence	Sonolumineszenz f	sonoluminescence f	сонолюминесценция
	sonometer, monochord	Monochord n, Sonometer n	sonomètre m, monochord m	монохорд, сонометр
	soot colloid[al] solution	s. carbon sol		
	S-operator, scattering operator	Streuoperator m, S-Operator m	opérateur m de diffusion, S-opérateur m	оператор рассеяния, оператор S [рассеяния]
S 2426	sorbate	Sorbat n, Sorptiv n, Sorbend m	sorbat m	сорбат, сорбированное вещество
S 2427	sorbent, sorbing agent, sorptive material	Sorbens n <pl.: -zien>, Sorptionsmittel n	sorbant m, sorbent m	сорбент, сорбирующее вещество
S 2427a	Sørensen pH scale	Sørensensche pH-Skala f	échelle f pH de Sørensen	шкала pH Серенсена
S 2428	Soret band	Soret-Bande f	bande f de Soret	полоса Соре
S 2429	Soret effect, Ludwig-Soret effect	Soret-Effekt m, Soret-Phänomen m, Ludwig-Soret-Effekt m	effet m Soret, effet Ludwig-Soret	эффект Соре (Сорэ), явление Соре
	Soret effect	s. a. thermal diffusion		
S 2429a	Soret zone plate	Soretsche Zonenplatte f	réseau m de Soret	решетка Соре, зонная пластинка Соре
S 2430	sorption	Sorption f, Sorbieren n	sorption f	сорбция; сорбирование
S 2431	sorption balance [of McBain]	Sorptionswaage f [nach McBain]	balance f à sorption [de McBain]	сорбционные весы
	sorption capacity, T value <bio.>	T-Wert m, Umtauschkapazität f, Austauschkapazität f, Sorptionskapazität f <Bio.>	valeur f T, capacité f de sorption <bio.>	величина T, сорбционная емкость <био.>
	sorption capacity	s. a. cation exchange capacity		
S 2432	sorption complex	Sorptionskomplex m, Austauschkomplex m, Ton-Humus-Komplex m	complexe m de sorption	сорбционный комплекс
S 2433	sorption isotherm	Sorptionsisotherme f	isotherme f de sorption	изотерма сорбции
S 2434	sorption pump; getter pump, all-dry high-vacuum pump	Sorptionspumpe f; Getterpumpe f	pompe f [à vide] à sorption	сорбционный насос
	sorption pump	s. a. getter-ion pump		
S 2435	sorption theory [of cell permeability]	Sorptionstheorie f <der Zellpermeabilität oder Erregung>, Nassonow-Troschinsche Theorie f; Paranekrosetheorie f [der Erregung]	théorie f de sorption [de la perméabilité des cellules]	сорбционная теория [проницаемости клеток], теория Насонова-Трошина
S 2436	sorption water	Sorptionswasser n	eau f de sorption	сорбционная вода
S 2436a	sorptive binding (linkage)	sorptive Bindung f	liaison f par sorption	сорбционная связь

	sorptive material	s. sorbent		
	sort, grade	Güteklasse f; Gütegrad m; Sorte f	espèce f, sorte f	сорт; класс
	sorting	s. sizing		
S 2437	**sorting** <e.g. of electrons>	Sortierung f, Trennung f <z. B. Elektronen>	triage m, sortage m, sortissage m <p. ex. des électrons>	сортировка <напр. электронов>
S 2437a	**sorting[-out] by hand**, picking [out]	Klauben n, Handscheidung f	claubage m, triage m à la main	выборка [вручную]; разборка [вручную]
	sort of atom, nuclide, nuclear species, atomic species	Nuklid n, Kernart f, Kernsorte f, Atomart f, Atomsorte f	nucléide m, espèce f atomique	нуклид, сорт атома, разновидность атома, атом [определенного] изотопа (изомера), изотоп
	sort of particle, kind of particle; type of particle	Teilchensorte f; Teilchenart f	sorte f de particule; type m de particule	сорт частиц; разновидность частиц
S 2438	**Sothic cycle**	Sothisperiode f, Hundssternperiode f	cycle m de Sothis	период Сотиса
S 2439	**Soucy-Bayly bridge**	Soucy-Bayly-Brücke f	pont m de Soucy-Bayly	[измерительный] мост Суси-Бейли
	sound, probe, feeler, sonde	Sonde f; Fühler m; Taster m; Spürgerät n	sonde f, sondeur m; appareil m contrôleur; essayeur m	зонд; щуп; пробник
S 2440	**sound** <ac.>	Schall m <Ak.>	son m <ac.>	звук <ак.>
	sound, tone <ac.>	Ton m <Ak.>	son m, ton m <ac.>	тон, музыкальный тон, звук <ак.>
S 2441	**sound** <ac.>	Laut m <Ak.>	son m <ac.>	звук <ак.>
S 2442	**sound**, musical sound, tone <ac.>	Klang m <Ak.>	son m <ac.>	звон, звучание, музыкальный звук <ак.>
S 2443	**sound absorber**, sound absorbing material, absorbing material, acoustic[al] material, material for sound absorption	Schallschluckstoff m, schallschluckender Stoff, schallschluckendes Material n, Schallabsorptionsstoff m, schallabsorbierendes Material, Dämpfungsmaterial n	absorbant m du son, absorbant acoustique, matière f acoustique (d'amortissement), amortisseur m de bruit	звукопоглотитель, звукопоглощающий материал
S 2444	**sound-absorbing**, sound-absorptive	schallschluckend, schallabsorbierend	absorbant le son, insonore	звукопоглощающий
	sound absorbing material	s. sound absorber		
S 2445	**sound absorbing wall**, sound damping (deadening) wall	Schallschluckwand f	écran m insonore	звукопоглощающая стена
	sound absorption, absorption of sound, acoustic[al] absorption	Schallabsorption f, Schallschluckung f	absorption f du son, absorption acoustique	поглощение звука, звукопоглощение, поглощение звуковых волн, акустическое поглощение
S 2446	**sound absorption capacity**, sound absorption power	Schallschluckvermögen n, Schallabsorptionsvermögen n	pouvoir m d'absorption acoustique (du son)	звукопоглощательная способность
	sound absorption coefficient (factor)	s. acoustic absorption factor <ac.>		
	sound absorption power	s. sound absorption capacity		
	sound-absorptive	s. sound-absorbing		
	sound absorptivity	s. acoustic absorption factor <ac.>		
S 2447	**sound amplifier**	Tonverstärker m; Schallverstärker m; Lautverstärker m	amplificateur m de (du) son	звукоусилитель, усилитель звука, звуковой усилитель
S 2448	**sound analysis**, acoustic analysis, sonic analysis	Schallanalyse f; Klanganalyse f; Tonanalyse f	analyse f des sons	анализ звука, звукоанализ, частотный анализ звуковых колебаний
S 2449	**sound analyzer**, sound wave analyzer, sonic analyzer; audio frequency analyzer	Schallanalysator m, Schallanalysegerät n, Schallwellenanalysator m; Klanganalysator m; Tonanalysator m; Tonfrequenzanalysator m	analyseur m de son	анализатор звука, звуковой анализатор, звукоанализатор, частотный анализатор звуковых колебаний
	sound attenuating material	s. sound insulator <ac.>		
	sound attenuation	s. attenuation of sound		
	sound attenuation coefficient (factor)	s. coefficient of sound damping		
S 2450	**sound barrier**, sonic barrier	Schallmauer f; Schallgrenze f	mur m de son; frontière f sonique	звуковой барьер
	sound beam, beam of sound, acoustic beam, sonic beam	Schallstrahlenbündel n, Schallwellenbündel n, Schallbündel n	faisceau m sonore, faisceau de rayons sonores	звуковой пучок
S 2451	**sound board**, sounding board	Resonanzboden m; Resonanzkörper m; Schallboden m, Klangboden m	table f de résonance	резонансный щит; дека
S 2452	**sound column**	Tonsäule f, Schallsäule f	colonne f sonore, colonne acoustique	акустическая колонна, громкоговорящая колонна, звуковая колонна; группа репродукторов на столбе (колонне)
S 2453	**sound combination**, unpitched sound <ac.>	Klanggemisch n <Ak.>	mélange m de sons <ac.>	смесь звуков <ак.>
	sound composition, composition of sound	Klangzusammensetzung f	composition f de son	состав звука, состав звучания

S 2453a	sound concentration, focusing of sound, sound focusing, concentration of sound	Schallbündelung f, Schallkonzentrierung f, Schallkonzentration f, Schallfokussierung f	focalisation f du son, concentration f du son	фокусирование звука, фокусировка звука, концентрация звука
	sound concentrator, acoustic concentrator	Schallkonzentrator m, akustischer Konzentrator m	concentrateur m acoustique	акустический концентратор
S 2454	sound conducted through solids, solid-borne sound, body-borne sound	Körperschall m	son m propagé dans un solide	звук, распространяющийся в твердых телах
S 2455	sound-conducting	schalleitend	conducteur de son	звукопроводящий; звукопроводный
S 2456	sound conduction, conduction of sound	Schalleitung f	conduction f du son	звукопроводность, проводимость звуковых волн, звукопроводимость
S 2457	sound conductivity	Schalleitfähigkeit f	conductibilité f acoustique (de son), conductivité f acoustique (de son)	звукопроводность, звукопроводимость
	sound conductivity	s. a. sound conduction		
S 2458	sound conductor; acoustic line, sound line	Schalleiter m; Schalleitung f	conducteur m du son; ligne f acoustique	звукопровод; акустическая линия
	sound-damping	s. sound-deadening		
	sound damping	s. a. attenuation of sound		
	sound damping coefficient (factor)	s. coefficient of sound damping		
	sound damping material	s. sound insulator <ac.>		
	sound damping wall	s. sound absorbing wall		
	sound deadener	s. sound insulator <ac.>		
	sound deadening, sound (acoustical) insulation, sound proofing, [sound] deafening	Schallisolierung f, Schallisolation f, Schalldämmung f	isolement m phonique, isolement acoustique	звукоизоляция, изоляция от звука, акустическая изоляция
	sound-deadening, sound-insulating, sound-deafening, sound-damping	schalldämmend; schalldämpfend; schallisolierend	isolant phonique, isolant acoustique	звукоизолирующий, звукоизоляционный
	sound deadening [material]	s. sound insulator <ac.>		
	sound deadening wall	s. sound absorbing wall		
	sound deafener	s. sound insulator <ac.>		
	sound-deafening	s. sound deadening		
	sound-deafening [material]	s. sound insulator <ac.>		
S 2459	sound dispersion, dispersion of sound, acoustic dispersion	Schalldispersion f	dispersion f du son	дисперсия звука
	sound dissipation factor, dissipation factor, acoustic dissipation factor <ac.>	Schalldissipationsgrad m, Dissipationsgrad m, Verwärmgrad m <Ak.>	facteur m de dissipation [acoustique], facteur de dissipation du son <ac.>	коэффициент рассеяния, коэффициент рассеяния звука <ак.>
	sound duct, duct, wave duct <ac.>	akustischer Wellenleiter m, Wellenleiter m <Ak.>	conduit m d'onde <ac.>	акустический волновод, звуковой канал, звукопровод <ак.>
	sound emitter	s. sound transmitter		
	sound emitter	s. a. acoustical radiator		
S 2460	sound-emitting fireball, detonating fireball	explodierende Feuerkugel f, Feuerkugel mit anhaltendem Donner	bolide m détonant	звуковой болид, детонирующий болид
S 2461	sound energy, sonic (acoustic) energy	Schallenergie f	énergie f sonore, énergie acoustique	звуковая энергия
S 2462	sound energy density	Schalldichte f, Schallenergiedichte f	densité f d'énergie sonore (acoustique)	плотность звуковой энергии
S 2463	sound energy flux, sound power, acoustic power	Schalleistung f, akustische Leistung f, Leistung der Schallquelle, Schallquellenleistung f	flux m énergétique du son, puissance f sonore, puissance acoustique	поток звуковой энергии, звуковая мощность, мощность звука, мощность звуковой энергии, акустическая мощность
S 2464	sound energy flux, instantaneous acoustic power [across a surface element]	momentane Schalleistung f, Schallenergiefluß m	puissance f acoustique instantanée [à travers un élément de surface]	мгновенный поток звуковой энергии
	sound energy flux density	s. sound intensity		
	sound energy flux density level	s. sound intensity level <ac.>		
	sound entrainment, entrainment of sound	Schallmitführung f	entraînement m du son	увлечение звука
	sound excitation	s. sound generation		
S 2465	sound field, sonic field	Schallfeld n	champ m acoustique, champ sonore	звуковое поле, акустическое поле
	sound field quantity, quantity of sound field, acoustic[al] quantity	Schallfeldgröße f, Schallgröße f	grandeur f du champ acoustique, grandeur acoustique	характеризующая звуковое поле величина, параметр звукового поля
S 2466	sound fixing-and-ranging, sound location, sound ranging	Schallortung f, Schallquellenortung f, Schallradar n, akustische Ortung f, Horchortung f; akustisches Meßverfahren n	localisation f sonore	звуколокация, звуковая локация, акустическая локализация, локализация [источника] звука; звукопеленгация, шумопеленгация; звукометрия
	sound focusing	s. sound concentration		
	sound funnel, acoustic horn, [sound] horn <ac.>	Schalltrichter m, Trichter m <Ak.>	pavillon m <ac.>	рупор; раструб <ак.>

	English	German	French	Russian
S 2467	**sound generation,** generation of sound, sound excitation, excitation of sound	Schallerzeugung f, Schallerregung f, Schallanregung f; Klangerzeugung f	génération f de sons	звукообразование, образование звука, генерация звука, возбуждение звука
S 2468	**sound generator,** generator of sound, acoustic generator, sound producer	Schallerzeuger m, Schallgenerator m; Schallgeber m; Schallerreger m	générateur m de son, générateur acoustique	генератор звуковых (акустических) колебаний, звуковой генератор, генератор звука, звукогенератор, акустический генератор
S 2469	**sound-hard,** acoustically hard, acoustically rigid	schallhart	acoustiquement dur	акустически жесткий
S 2470	**sound-hard boundary [surface],** acoustically rigid boundary [surface], rigid boundary surface	schallharte Grenzfläche f, starre Grenzfläche	surface f limite acoustiquement dure, limite f acoustiquement dure	акустически жесткая граница [раздела]
	sound hardness	s. acoustic stiffness		
	sound horn	s. sound funnel		
	sound image, acoustic[al] image	Schallbild n, akustisches Bild n, akustische Abbildung f	image f acoustique	акустическое изображение, мнимый источник звука
	sound in air	s. sound transmitted in air		
S 2471	**sounding**	Schallen n; Ertönen n, Erklingen n	son m, résonance f, résonnement m	звучание
S 2472	**sounding,** sondage	Sondierung f	sondage m	зондирование, зондаж
S 2473	**sounding,** probing, plumbing	Lotung f	sondage m	измерение (промер) глубин лотом, лотирование
	sounding balloon, test balloon, air-sonde	Ballonsonde f, Sondenballon m, Sonde f	ballon-sonde m, sondeballon f	шар-зонд, шаровой зонд, баллон-зонд, зонд-баллон
	sounding board	s. sound board		
S 2474	**sounding electrode,** probe electrode	Sondierelektrode f, Sondenelektrode f	électrode f sonde, électrodesonde f, électrode de sondage	электрод-зонд, электрод-щуп
	sounding lead	s. plumb		
S 2475	**sounding machine**	Lotmaschine f, Patentlot n	machine f de sonde	прибор для измерения глубин, механический лот
	sounding pole	s. sounding rod		
	sounding rocket	s. research rocket		
S 2476	**sounding rod,** sounding pole	Sondierstange f, Peilstange f, Peil n	perche f de sondage, perche de sonde	наметка, футшток, шест для измерения глубины
S 2477	**sound-insulating,** sound-deadening, sound-deafening, sound-damping	schalldämmend; schalldämpfend; schallisolierend	isolant phonique, isolant acoustique	звукоизолирующий, звукоизоляционный
	sound insulating material	s. sound insulator <ac.>		
S 2478	**sound insulation,** acoustical insulation, sound proofing (deadening, deafening), deafening, deadening	Schallisolierung f, Schallisolation f, Schalldämmung f	isolement m phonique, isolement acoustique	звукоизоляция, изоляция от звука, акустическая изоляция
	sound insulation material	s. sound insulator <ac.>		
S 2479	**sound insulator,** [sound] insulating material, [sound] insulation material, [sound] isolation material, sound deadener, sound deadening [material], sound deafener, sound deafening [material], [sound] damping material, [sound] attenuating material <ac.>	Schalldämmstoff m, schalldämmender Stoff, Dämmstoff m, Dämmaterial n, schalldämmendes Material n, Schalldämpfstoff m, schalldämpfender Stoff m, schalldämpfendes Material, Schallisolationsstoff m <Ak.>	isolant m acoustique, matériel m isolant [acoustique], matière f isolante [acoustique], matériel d'isolement phonique <ac.>	звукоизолирующий материал, звукоизолятор, изоляционный материал, изолирующее вещество <ак.>
S 2480	**sound intensity,** intensity of sound, specific sound-energy flux, sound energy flux density	Schallstärke f, Schalleistungsdichte f, Schallintensität f, Intensität f des Schalls; Tonstärke f, Stärke f des Tones	intensité f du son, intensité sonore, flux m énergétique spécifique du son	интенсивность звука, сила звука, звучность
S 2481	**sound intensity level,** intensity level, sound energy flux density level, specific sound energy flux level <ac.>	Schallpegel m, Schallstärkepegel m	niveau m de l'intensité sonore	уровень интенсивности звука, уровень силы звука, уровень звука
S 2482	**sound intensity meter,** volume meter	Tonmesser m, Tonmeßgerät n	sonomètre m	измеритель силы звука, прибор для измерения силы звука
S 2483	**sound interferometer,** acoustic interferometer	Schallinterferometer n	interféromètre m acoustique	звуковой интерферометр
	sound in water, water-borne sound, sound propagating in water	Wasserschall m	son m se propageant dans l'eau, son dans l'eau	распространяющийся в воде звук, звук в воде
	sound isolation material	s. sound insulator <ac.>		
	sound lens, acoustic lens	akustische Linse f, Schallinse f	lentille f acoustique	акустическая линза
S 2484	**sound level,** audio level	Tonpegel m	niveau m sonore, niveau d'enregistrement sonore	уровень звука, уровень силы звука
	sound level indicator	s. volume indicator		
S 2485	**sound level meter,** volume meter, vu-meter <ac.>	[objektiver] Lautstärkemesser, Schallpegelmesser m mit Bewertung, Volum[en]messer m, VU-Meter n <Ak.>	sonomètre m normalisé, sonomètre m, volumèmetre m, volumètre m <ac.>	звукомер, измеритель громкости, измеритель уровня громкости, волюмметр <ак.>

	sound line	s. sound conductor		
	sound location	s. sound fixing-and-ranging		
S 2486	sound locator	Schallortungsgerät n	localisateur m (appareil m de repérage) acoustique	звуколокатор; акустический локатор
S 2487	sound mirage	Schallspiegelung f	mirage m acoustique (phonique)	акустический (звуковой) мираж
	sound-on-film recording	s. photographic sound recording		
S 2488	sound-on-wire recording, wire recording	Stahldrahtverfahren n	enregistrement m magnétique sur fil d'acier, enregistrement sur fil d'acier	запись на стальную ленту (проволоку), магнитная запись на магнитную проволоку, метод магнитной записи при помощи стальной ленты
S 2489	sound optics	Schalloptik f	optique f sonique	звуковая оптика
S 2489a	sound oscillation, sound vibration, sonic oscillation; acoustic oscillation, acoustic vibration	Schallschwingung f; akustische Schwingung f	oscillation f acoustique, vibration f acoustique	колебание звуковой частоты, звуковое колебание ‹ак.›; акустическое колебание ‹крист.›
	sound particle velocity	s. particle velocity		
	sound path, trajectory of sound, sound trajectory	Schallbahn f, Schallweg m	trajectoire f du son, voie f du son	траектория звука, путь звука
	sound pattern	s. Chladni['s] figures		
S 2490	sound perception, acoustic perception	Schallwahrnehmung f	perception f des sons, perception du son	звуковое воспринимание, воспринимание звука
	sound permeability	s. sound transmittance		
	sound pitch, pitch [of the tone], pitch of note, tone pitch ‹ac.›	Tonhöhe f, Höhe f ‹Ton› ‹Ak.›	hauteur f [du son] ‹ac.›	высота [тона], высота звука ‹ак.›
	sound power	s. sound energy flux		
S 2491	sound power level, [acoustic] power level ‹ac.›	Schalleistungspegel m	niveau m de puissance sonore (acoustique)	уровень звуковой мощности, уровень мощности звука
S 2492	sound power meter, acoustic power meter	Schalleistungsmesser m	appareil m à mesurer la puissance sonore	измеритель звуковой мощности
	sound pressure, acoustic[al] pressure, sonic pressure	Schalldruck m, Schallwechseldruck m, akustischer Druck m	pression f sonore, pression' acoustique	звуковое (акустическое, переменное звуковое) давление
	sound pressure amplitude, pressure amplitude	Schalldruckamplitude f, Druckamplitude f	amplitude f de pression	амплитуда давления
S 2493	sound pressure directivity factor	Schalldruckrichtfaktor m	facteur m de directivité de la pression sonore	коэффициент направленности звукового давления
S 2493a	sound pressure increase	Druckstauung f, Schalldruckstauung f	accroissement m de pression sonore	возрастание (рост) звукового давления
S 2494	sound pressure level, pressure level, S.P.L.	Schalldruckpegel m, Schallpegel m	niveau m de pression acoustique (sonore)	уровень звукового давления
	sound pressure level equal loudness contour	s. Robinson-Dadson equal loudness contour		
S 2495	sound pressure meter	Schalldruckmesser m	appareil m à mesurer la pression sonore	измеритель звуковых давлений
S 2496	sound pressure receiver, acoustic pressure receiver	Schalldruckempfänger m	récepteur m de pression sonore	приемник звуковых давлений
S 2497	sound pressure transformation	Drucktransformation f	transformation f de pressions	повышение звукового давления изменением сечения
S 2498	sound pressure transmission factor, pressure response (sensitivity) ‹ac.›	Druckübertragungsmaß n, Druckempfindlichkeit f, Druckübertragungsfaktor m ‹Ak.›	facteur m de transfert en pression, efficacité (réponse) f en pression, efficacité intrinsèque ‹ac.›	коэффициент передачи давления, чувствительность по давлению ‹ак.›
S 2499	sound probe, sonic probe	Schallsonde f	sonde f à son	звуковой зонд, звуковой щуп
	sound producer	s. sound generator		
	sound projection	s. radiation of sound		
S 2500	sound-proof	schalldicht, schallundurchlässig, schallsicher	insonorisé, imperméable au son	звуконепроницаемый, непрозрачный для звука
	sound proofing	s. sound insulation		
	sound propagating in water, waterborne sound, sound in water	Wasserschall m	son m se propageant dans l'eau, son dans l'eau	распространяющийся в воде звук, звук в воде
S 2501	sound propagation time	Schallaufzeit f	temps m de propagation du son	время распространения звука
	sound propagation velocity	s. velocity of sound ‹ac.›		
S 2501a	sound pulse	Schallimpuls m, Schallstoß m	impulsion f acoustique (sonore, de son)	акустический (звуковой) импульс
	sound quantum, phonon, quantum of acoustic wave energy	Phonon n, Schallquant n	phonon m, quantum m de son	фонон, квант акустических (тепловых) колебаний
S 2502	sound radar	Schallradar n, Schallortungsradar n	radar m acoustique	акустическая локализационная станция
	sound radiation	s. radiation of sound		
S 2503	sound radiation impedance, radiation impedance ‹ac.›	Schallstrahlungsimpedanz f, Schallstrahlungswiderstand m, Strahlungswiderstand m, Strahlungsimpedanz f ‹Ak.›	impédance f de rayonnement acoustique, impédance de rayonnement ‹ac.›	сопротивление излучения звука, сопротивление излучения ‹ак.›
	sound radiation pressure	s. acoustic radiation pressure		
	sound radiometer	s. acoustical radiometer		
S 2503a	sound ranger	akustischer Entfernungsmesser m	télémètre m acoustique	акустический дальномер

	sound ranging	s. sound fixing-and-ranging		
	sound ray, ray of sound, acoustic ray, sonic ray	Schallstrahl m	rayon m [d'onde] sonore, jet m sonique	звуковой луч
S 2504	sound receiver; sound receptor	Schallempfänger m, Schallaufnehmer m; Tonempfänger m; Schallrezeptor m	récepteur m du son, récepteur acoustique	приемник звуковых колебаний, приемник звука, звукоприемник; звукоулавливатель; рецептор звуковых колебаний
	sound record, phonogram	Phonogramm n, Schallaufzeichnung f	phonogramme m	звукозапись, запись звука
	sound record[ing]	s. record [of sound] <ac.>		
	sound reduction factor	s. acoustical reduction factor		
	sound reflection coefficient (factor), sound reflectivity	s. reflection coefficient <ac.>		
S 2504a	sound rejection; sound suppression	Schallunterdrückung f	élimination f du son; suppression f du son	устранение звука; подавление звука
S 2505	sound relaxation	Schallrelaxation f	relaxation f du son	релаксация звука, звуковая релаксация
S 2506	sound reproduction	Tonwiedergabe f, Schallwiedergabe f	reproduction f sonore (des sons, du son, phonique)	звуковое воспроизведение, звуковоспроизведение, воспроизведение звука (звукозаписи)
S 2507	sound resonance, acoustical resonance	Schallresonanz f, akustische Resonanz f	résonance f du son, résonance sonore (acoustique)	акустический резонанс, звуковой резонанс
	sound room	s. reverberation chamber		
S 2508	sound sensation	Schallempfindung f, Klangempfindung f	sensation f sonore	восприятие звука, ощущение звука
	sound-sensitive flame, sensitive flame, microphonic flame	empfindliche Flamme f, schallempfindliche Flamme	flamme f sensible, flamme sensible au son	[звуко]чувствительное пламя
S 2509	sound shadow, acoustic shadow	Schallschatten m	ombre f du son, ombre sonique (acoustique)	звуковая тень, зона молчания
S 2510	sound-soft, acoustically soft, yielding	schallweich	acoustiquement mou	акустически мягкий
S 2511	sound-soft boundary [surface], acoustically soft boundary [surface], yielding boundary [surface]	schallweiche Grenzfläche f, nachgebende Grenzfläche	surface f limite acoustiquement molle, limite f acoustiquement molle	акустически мягкая граница [раздела]
	sound source, source of sound, acoustic source, source of acoustic energy	Schallquelle f	source f de son, source sonore	источник звука, источник звуковых колебаний
	sound spectrograph, acoustic[al] spectrograph	Schallspektrograph m	spectrographe m acoustique (des sons)	акустический (звуковой) спектрограф
S 2512	sound spectrography, acoustic[al] spectrography	Schallspektrographie f	spectrographie f acoustique, spectrographie des sons	анализ звука с записью спектра, звуковая спектрография
S 2513	sound spectroscopy, acoustic[al] spectroscopy	Schallspektroskopie f	spectroscopie f acoustique (des sons)	звуковая спектроскопия
S 2514	sound spectrum, acoustic[al] spectrum; audible spectrum, audio spectrum	Schallspektrum n; Niederfrequenzspektrum n, NF-Spektrum n, Tonfrequenzspektrum n, Hörfrequenzspektrum n; Klangspektrum n; Tonspektrum n	spectre m sonore, spectre acoustique, spectre du son	спектр звуковых частот, акустический (звуковой) спектр, спектр звука; спектр слышимых (низких) частот, низкочастотный спектр
	sound suppression	s. sound rejection		
S 2515	sound synthesis	Klangsynthese f	synthèse f de sons	синтез звука
S 2516	sound track	Tonspur f	trace f acoustique	звуковая дорожка
	sound trajectory, trajectory of sound, sound path	Schallbahn f, Schallweg m	trajectoire f du son, voie f du son	траектория звука, путь звука
S 2517	sound transducer	Schallwandler m	transducteur m acoustique	акустический преобразователь
	sound transmission	s. transmission of sound		
	sound transmission coefficient (factor)	s. acoustic transmission factor <ac.>		
S 2518	sound transmission quality, transmission quality (performance), quality of transmission, microphone quality	Übertragungsgüte f	qualité f de transmission	качество передачи [звука], добротность передачи
S 2519	sound transmittance; sound permeability	Schalldurchlässigkeit f	transmittance f acoustique; perméabilité f au son	звукопроницаемость
	sound transmitted in air, airborne sound, sound in air	Luftschall m	son m transmis par l'air	звук, распространяющийся в воздухе; передаваемый через воздух звук
S 2520	sound transmitter, sound emitter	Schallsender m	émetteur m acoustique	звукопередатчик, передатчик звуковых колебаний
	sound transmittivity	s. accustic transmission factor <ac.>		
	sound velocity	s. velocity of sound <ac.>		
	sound vibration	s. sound oscillation		
S 2521	sound volume, volume of sound <ac.>	Klangumfang m <Ak.>	volume m sonore <ac.>	звуковой диапазон, диапазон звука <ак.>
S 2522	sound wave, sonic wave, acoustic[al] wave	Schallwelle f	onde f sonore, onde acoustique	звуковая волна, акустическая волна
	sound wave analyzer	s. sound analyzer		
	sound wave impedance	s. characteristic acoustic impedance		
	source, origination, origin	Ursprung m, Entstehung f, Bildung f; Herkunft f, Zustandekommen n	origine f, source f	начало, возникновение, происхождение, источник

	English	German	French	Russian
S 2523	source <gen.; e.g. of field>	Quelle f <allg.; z. B. des Feldes>	source f <gén.; p. ex. du champ>	источник <общ.; напр. поля>
S 2524	source; spring; well <geo.>	Quelle f <Geo.>	source f, source jaillissante; fontaine f <géo.>	источник; источник, бьющий из земли; ключ; родник <гео.>
S 2525	source <hydr.>	Quelle f <Hydr.>	source f, source positive <hydr.>	источник <гидр.>
S 2525a	source, spring <geo.>	Schichtquelle f <Geo.>	source f <géo.>	пластовый (контактовый) источник <гео.>
	source, radioactive source, radioactivity source <nucl.>	Quelle f, Strahlungsquelle f, Aktivitätsquelle f; radioaktives Präparat n, Präparat <Kern.>	source f de radioactivité, source radioactive, source <nucl.>	радиоактивный источник, источник <яд.>
S 2526	source <semi.>	Sourceelektrode f, Source f, Quelle f, s-Pol m <Halb.>	source f, électrode f [de] source <semi.>	исток <полу.>
	source	s. a. source point		
S 2527	source admittance	Quellenleitwert m, Quellleitwert m	admittance f de source	полная проводимость источника
	source-and-sink distribution, source-sink distribution	Quelle-Senken-Verteilung f, Belegungsfunktion f	distribution f des sources et des puits	распределение источников и стоков
	source-and-sink method, method of sources, source-sink method, sink-source method; small source theory <nucl.>	Quelle-Senken-Methode f, Quelle-Senken-Verfahren n	méthode f des sources, méthode des sources et des puits, procédé m des sources et puits	метод источников и стоков, метод распределения системы особенностей
S 2528	source-and-sink system, source-sink system	Quelle-Senken-System n, Quell-Senken-System n	système m des sources et des puits	система источников и стоков
	source cask <US>	s. source flask		
	source container	s. source flask		
S 2529	source core	Quellkern m	cœur m de source	ядро источника, комок источника
S 2530	source density, density of sources (source distribution)	Quelldichte f, Quellendichte f	densité f de sources	плотность источников
S 2531	source distribution	Quellverteilung f, Quellenverteilung f; Quellenbelegung f	distribution f de sources	распределение источников
	source emitting according to a cosine law, cosine source, cosine surface source	Kosinusquelle f [von Lambert], Lambertsche Kosinusquelle f	source f cosinusoïdale (de Lambert), source dont l'émission obéit à une loi du cosinus	источник Ламберта, косинусоидальный источник
S 2532	source erosion, spring erosion	Quellerosion f	érosion f due à la source	эрозия, вызванная источником
S 2533	source excitation	Sourceanregung f	excitation f par source	возбуждение спектра сверхвысокочастотным разрядом
S 2534	source field	Quellenfeld n	champ m de sources	поле [от] источников
S 2535	source fissure	Quellschlot m	fissure f jaillissante, fendant m	водоносная трещина
S 2536	source flask, source cask <US>, source container	Quellenkontainer m, Quellenbehälter m, Kontainer m für Strahlungsquellen	conteneur m blindé pour les sources de radioactivité; château m de transport; château de transfert	контейнер для радиоактивного источника
	source flow	s. flow from sources		
S 2537/8	source flux	Quellfluß m	flux m de source	поток источника
S 2539	source follower circuit, common drain circuit, common drain connection	Source-Folgerschaltung f, Drain-Basisschaltung f	montage m à [électrode] source asservie, montage à électrode de drainage à la masse	повторитель истока, схема с общим истоком
S 2540	source force	Quellenkraft f	force f de source	сила источника
	source-free field	s. solenoidal field		
	source function, Green's function, Green function	Greensche Funktion f, Einflußfunktion f, Quellenfunktion f	fonction f de Green, fonction de source	функция Грина, функция источника
S 2541	source function <astr.>	Ergiebigkeit f <Quelle>, Quellfunktion f, Quellenfunktion f <Astr.>	fonction f source <astr.>	функция источника <астр.>
S 2542	source funnel	Quelltrichter m; Quelltopf m	entonnoir m de la source	воронкообразный выход подземного источника, «источник-окно», «источник-глаз»
S 2543	source hardening	Quellenhärtung f, Härtung f des Quellenspektrums	durcissement m du spectre de la source	жестчение спектра источника
S 2544	source impedance, source resistance	Quell[en]widerstand m, Quell[en]impedanz f	résistance f de source, impédance f de source	[полное] сопротивление источника
S 2545	source interlock	Quellenverriegelung f	verrouillage m de la source	блокировка источника
S 2546	source layer	Quellschicht f	couche f de source	слой источника
	source line, line of sources	Quellinie f, Quellfaden m	ligne f de sources, tube m élémentaire de courant de sources	линия источников
S 2547	source neutron	Quellneutron n	neutron m [de] source	нейтрон источника
	source of alpha-particles, alpha-particle source	Alpha-Strahlungsquelle f, Alpha-Quelle f	source f alpha, source de particules alpha	альфа-источник, источник альфа-частиц
S 2548	source of current, current source, power source	Stromquelle f	source f de courant	источник тока, источник питания
	source of energy; power source, source of power; energy source	Energiequelle f, Energieträger m; Kraftquelle f	source f d'énergie	источник энергии

	English	German	French	Russian
S 2548a	**source of error,** source of inaccuracy	Fehlerquelle *f*	source *f* d'erreur	источник ошибки (погрешности)
S 2549	**source of glare,** dazzle source	Blendquelle *f*	source *f* d'éblouissement	источник слепимости
S 2550	**source of heat,** heat source; heat pole	Wärmequelle *f*; Wärmepol *m*; Wärmespender *m*	source *f* de chaleur, source chaude	источник тепла, источник теплоты, тепловой источник
	source of illumination, light source of microscope [illumination] <of microscope>	Mikroskopierleuchte *f*, Mikroleuchte *f*	source *f* d'éclairage <du microscope>	источник света осветителя <микроскопа>
	source of inaccuracy	s. source of error		
	source of light, light source, luminous source	Lichtquelle *f*	source *f* de lumière, source lumineuse	источник света
	source of power	s. source of energy		
S 2551	**source of radiation,** radiation source; radiating body	Strahlungsquelle *f*, Strahlenquelle *f*; Strahlengeber *m*, Strahler *m*	source *f* de rayonnement, source émettrice (émissive, d'émission, de rayons, de radiation), foyer *m* d'émission	источник излучения, излучающий источник, источник радиации, излучатель, испускатель
	source of radio-frequency radiation	s. radio source		
S 2552	**source of river**	Flußquelle *f*, Wasserquellgebiet *n*, Ursprung *m* des Flusses	source *f* de la rivière, origine *f* de la rivière	исток реки
S 2553	**source of sound,** sound (acoustic) source, source of acoustic energy	Schallquelle *f*	source *f* de son, source sonore	источник звука (звуковых колебаний)
	source of standard tone, standard tone source <1 000 c/s>	Normaltonquelle *f* <1 000 Hz>	source *f* du ton étalon <1 000 Hz>	источник эталонного тона <1 000 гц>
S 2554	**source of stimulation**	Reizquelle *f*	source *f* stimulatrice	раздражительный источник
S 2555	**source particle**	Quellteilchen *n*	particule *f* source, particule-source *f*	частица-источник
S 2556	**source point,** point of source, source	Quellpunkt *m*; Quellstelle *f*	source *f*, point *m* de source	источник, точка источника
S 2557	**source production,** manufacturing of sources	Quellenherstellung *f*	production *f* de sources	получение источников, производство источников
S 2558	**source range**	Quell[en]bereich *m*, Reaktorbetrieb *m* mit Hilfsquelle	domaine *m* des sources, gamme *f* des sources	начальный участок пускового режима реактора <характеризующийся тем, что мощность реак­тора зависит от интен­сивности затравочного истоника нейтронов>
S 2559	**source reactor**	Quellreaktor *m*, Quellenreaktor *m*	réacteur *m* source, pile *f* source	реактор-источник
S 2560	**source region** <of vector field>	Quellgebiet *n* <Vektorfeld>	domaine *m* de sources <du champ vectoriel>	область источников <векторного поля>
S 2561	**source resistance,** internal resistance <of source>	Innenwiderstand *m*, innerer Widerstand *m*; Eigenwiderstand *m* <Strom­quelle>	résistance *f* interne <de la source>	сопротивление источника, внутреннее сопротивление [источника тока]
	source resistance	s. a. source impedance		
S 2562	**source-sink distribution,** source-and-sink distribution	Quelle-Senken-Verteilung *f*, Belegungsfunktion *f*	distribution *f* des sources et des puits	распределение источников и стоков
	source-sink method	s. source-and-sink method		
S 2563	**source-sink pair**	Quelle-Senken-Paar *n*	paire *f* source-puits	пара источник-сток
S 2564	**source-sink representation**	Quellen-Senken-Darstellung *f*, Quelle-Senken-Darstellung *f*	représentation *f* source-puits	представление источник-сток
	source-sink system, source-and-sink system	Quelle-Senken-System *n*, Quell-Senken-System *n*	système *m* des sources et des puits	система источников и стоков
S 2565	**source strength,** strength of source, strength	Quell[en]stärke *f*; Stärke (Ergiebigkeit) *f* der Strahlungsquelle, Präparatstärke *f*	intensité *f* de la source, puissance *f* de la source, rendement *m* de la source	мощность источника, интенсивность источника
	source system, system of sources	Quellsystem *n*, Quellensystem *n*	système *m* des sources	система источников
S 2566	**source term**	Quell[en]term *m*, Quellenglied *n*	terme *m* [de] source	член источника
S 2567	**source-to-film distance**	Quelle-Film-Abstand *m*	distance *f* source-film	расстояние источник-пленка, расстояние от источника до пленки
S 2568	**source-to-skin distance,** SSD	Abstand *m* Strahlungsquelle—Haut, Strahlungsquelle-Haut-Abstand *m*	distance *f* source-peau	расстояние между источником и кожей, расстояние кожи от источника, расстояние кожа-источник
S 2569	**source-type solution**	quellenförmige Lösung *f*	solution *f* source	решение источниками
S 2570	**source-vortex distribution**	Quelle-Wirbel-Verteilung *f*	distribution *f* de tourbillon-sources, distribution source/tourbillon	распределение источников и вихрей
	source water, spring water	Quellwasser *n*	eau *f* de source	родниковая вода, ключевая вода
S 2571	**sourdine,** mute, muffler	Sordine *f*, Sordino *m*, Dämpfer *m*	sourdine *f*	сурдина, сурдинка, демпфер
	southern dawn	s. southern lights		
S 2572	**southern hemisphere**	südliche Hemisphäre (Halbkugel) *f*, Südhalbkugel *f*, Südhemisphäre *f*	hémisphère *m* austral, hémisphère sud, hémisphère du sud	южное полушарие, южный полушар

S 2573	**southern lights,** southern dawn, aurora australis	Südlicht n, Aurora f australis	aurore f australe	южное сияние, южное полярное сияние
S 2574	**south magnetic pole**	magnetischer Südpol m	pôle m sud [de l'aimant]	южный магнитный полюс, магнитный южный полюс
S 2575	**south point [of the horizon]**	Südpunkt m, Mittagspunkt m	point m sud	точка юга
S 2575a	**Southwell method [of critical load]**	Southwellsche Methode f	méthode f de Southwell	метод Саутвелла
S 2576	**soxhlet, Soxhlet [extraction] apparatus**	Soxhlet-Apparat m, Soxhlet m	appareil m Soxhlet, Soxhlet m	аппарат Сокслета
S 2577	**space** <math.>	Raum m; Raumgebiet n, Gebiet n <Math.>	espace m <math.>	пространство <матем.>
	space; gap; slit; slot	Spalt m; Schlitz m	fente f; fissure f; encoche f	щель; зазор; прорезь, прорез; разрез; шлиц
	space, spatial	räumlich, Raum-	spatial, de l'espace, dans l'espace	пространственный
	space	s. a. spatial		
	space	s. a. gap <techn.>		
	space and time	s. space-time <math.>		
S 2578	**space and time localization,** localization in space and time	räumliche und zeitliche Lokalisierung f	localisation f spatio-temporelle	локализация во времени и в пространстве
S 2579	**space axis**	Raumachse f	axe m spatial	пространственная ось
S 2580	**space between Fabry-Pérot interferometer plates**	Luftplatte f, planparallele Luftplatte, Fabry-Pérotscher (Pérot-Fabryscher, Pérotscher) Luftraum m	espace m entre les lames de l'interféromètre de Fabry-Pérot	пространство между пластинами интерферометра Фабри-Перо
	space centered <US>, **space-centred,** body-centred, body-centered <US>, b.c.	raumzentriert, innenzentriert, r. z.	centré	объемно[-]центрированный, пространственно-центрированный
S 2581	**space charge**	Raumladung f, elektrische Raumladung; Eigenladung f	charge f d'espace, charge spatiale	пространственный заряд, объемный заряд
S 2582	**space-charge accumulation**	Raumladungsanhäufung f, Raumladungsstauung f	accumulation f de charge d'espace	накопление пространственного заряда
S 2583	**space-charge attenuation** <of shot effect>	Raumladungsschwächung f <Schroteffekt>	affaiblissement m par charge d'espace <de l'effet grenaille>	ослабление пространственным зарядом <дробого эффекта>
S 2584	**space-charge attenuation factor**	Raumladungsschwächungsfaktor m	facteur m d'affaiblissement par charge d'espace	коэффициент ослабления эмиссии пространственным зарядом
S 2585	**space-charge barrier [layer]**	Raumladungsgrenzschicht f, Raumladungs[sperr]-schicht f	barrière f de charge d'espace	барьер пространственного заряда
S 2586	**space-charge beam spreading**	Strahlverbreiterung (Bündelverbreiterung) f durch Eigenladung	élargissement m du faisceau par charge spatiale	уширение пучка собственным зарядом
S 2587	**space-charge build up**	Raumladungsaufbau m	accroissement m de la charge d'espace	возникновение (возрастание) пространственного заряда
S 2588	**space-charge capacitance**	Raumladungskapazität f	capacité f de charge d'espace	емкость пространственного заряда
	space charge capacitance	s. barrier-layer capacitance		
	space-charge-controlled [electron] lens	s. space-charge lens		
S 2589	**space-charge current**	Raumladungsstrom m, Raumladestrom m; Raumladungsströmung f	courant m de charge d'espace	ток пространственного заряда; полный ток эмиссии
S 2590	**space charge density,** spatial charge density, spatial density of [electric] charge, volume density of [electric] charge, density of volume charge, space charge per unit volume	Raumladungsdichte f, räumliche Ladungsdichte f	densité f de charge d'espace, densité cubique de charge [électrique], densité volumique de charge [électrique], densité spatiale de charge [électrique], charge f d'espace volumique	объемная плотность заряда, пространственная плотность заряда, плотность пространственного заряда, плотность объемного заряда
S 2590a	**space-charge detector**	Raumladungsdetektor m	détecteur m à charge d'espace	детектор с распространственным зарядом
S 2591	**space-charge diode**	Raumladungsdiode f	diode f en charge d'espace	диод в режиме пространственного заряда
S 2592	**space-charge distortion**	Raumladungsverzerrung f	distorsion f par charge d'espace	искажение пространственным зарядом
S 2593	**space-charge effect,** influence of space charge	Raumladungseinfluß m, Raumladungseffekt m, Raumladungswirkung f	effet m de charge d'espace	влияние пространственного заряда, действие пространственного заряда
	space-charge equivalent lens	s. space-charge lens		
S 2594	**space-charge factor,** perveance	Perveanz f, Raumladungskonstante f, Raumladungsfaktor m	pervéance f, constante f (facteur m) de charge d'espace	постоянная пространственного заряда, постоянная в законе «трех вторых», первеанс
S 2595	**space-charge field**	Raumladungsfeld n	champ m de la charge d'espace	поле пространственного заряда
S 2596	**space-charge force**	Raumladungskraft f	force f de (due à la) charge d'espace	сила, обусловленная пространственным зарядом
	space-charge grid, cathode grid, control grid	Raumladegitter n, Raumladungsgitter n, Raumladungszerstreuungsgitter n	grille f de charge d'espace	катодная сетка

S 2597	space-charge-grid tube	Raumladegitterröhre f, Raumladungsgitterröhre f	tube m bigrille, tube à grille de charge d'espace	двухсеточная лампа, лампа с катодной сеткой
	space charge law	s. Langmuir['s] law		
S 2598	space-charge layer	Raumladungsschicht f, Raumladeschicht f	couche f de charge d'espace	слой пространственного заряда
S 2599	space-charge lens, space-charge equivalent lens, space-charge-controlled [electron] lens	Raumladungslinse f	lentille f électronique à commande par charge d'espace, lentille électronique commandée par la charge d'espace	электронная линза, управляемая пространственным зарядом
S 2600	space-charge limitation [of currents]	Raumladungsbegrenzung f	limitation f par la charge d'espace	ограничение пространственным зарядом
S 2601	space-charge-limited current, SCL current	raumladungsbegrenzter Strom m; raumladungsbegrenzte Strömung f	courant m limité par la charge d'espace	ток, ограниченный пространственным зарядом
S 2602	space-charge-limited operation	raumladungsbegrenzter Betrieb m	fonctionnement m limité par la charge d'espace	работа в условиях ограничений, накладываемых пространственным зарядом
S 2603	space-charge modulation	Raumladungsmodulation f	modulation f par charge d'espace	модуляция при помощи пространственного заряда, модуляция пространственным зарядом
S 2604	space-charge movement	Raumladungswanderung f	mouvement m de la charge d'espace	движение пространственного заряда
	space charge per unit volume	s. space charge density		
S 2605	space-charge polarization	Raumladungspolarisation f	polarisation f de [la] charge d'espace	поляризация пространственного заряда, объемная (междуслоевая, приэлектродная, высоковольтная) поляризация
S 2606	space-charge region <semi.>	Raumladungszone f, Raumladezone f, Raumladungsbereich m, Raumladebereich m, Raumladungsgebiet n, Raumladegebiet n, Raumladungsschicht f, Raumladeschicht f <Halb.>	zone f [en régime] de charge d'espace <semi.>	область [режима] пространственного заряда, зона пространственного заряда <полу.>
S 2607	space-charge relaxation time	Raumladungs-Relaxationszeit f	temps m (période f) de relaxation de la charge d'espace	время релаксации пространственного заряда
S 2608	space-charge wave	Raumladungswelle f	onde f de charge d'espace	волна пространственного заряда
S 2609	space-charge wavelength	Raumladungswellenlänge f	longueur f d'onde de charge d'espace	длина волны пространственного заряда
S 2609a	space chemistry, astrochemistry, cosmochemistry, cosmic chemistry	Kosmochemie f, Astrochemie f	cosmochimie f	космическая химия
S 2610	space coherence	Raumkohärenz f, räumliche Kohärenz f	cohérence f spatiale	пространственная когерентность
	space cone, herpolhode cone	Herpolhodiekegel m, Rastpolkegel m; Ruhekegel m, Festkegel m, raumfester Drehkegel m	surface f axoïde immobile	неподвижный аксоид
	space continuum	s. space-time <math.>		
S 2611	space co-ordinates, spatial co-ordinates, position co-ordinates, co-ordinates; space-fixed co-ordinates, co-ordinates fixed in space	Ortskoordinaten fpl, Raumkoordinaten fpl, Lagekoordinaten fpl; raumfeste Koordinaten fpl	coordonnées fpl d'espace, coordonnées de position, coordonnées de lieu, coordonnées [fixées dans l'espace], paramètres mpl de position	[пространственные] координаты, координаты положения; координаты, относящиеся к пространству
S 2612	space co-ordinates, co-ordinates in space	räumliche Koordinaten fpl, Koordinaten im Raum	coordonnées fpl spatiales, coordonnées dans l'espace	пространственные координаты, координаты в пространстве
	space[-]craft	s. space vehicle		
S 2613	space curve, spatial curve; twisted curve, curve of double curvature, skew curve	Raumkurve f; doppeltgekrümmte Kurve f, Kurve doppelter Krümmung f, nichtebene Kurve	courbe f spatiale (dans l'espace); courbe gauche (à double courbure, torsadée)	кривая в пространстве, пространственная кривая; кривая двоякой кривизны
	space degeneration, directional (spatial) degeneration	Richtungsentartung f	dégénérescence f spatiale	пространственное вырождение
	space density	s. volume density		
S 2614	space dependence; local variation	Ortsabhängigkeit f	dépendance f de l'espace, dépendance des coordonnées; dépendance du lieu	зависимость от координат; зависимость от места
	space devoid of matter	s. free space		
	space diffraction grating	s. space grating <opt.>		
	space distribution	s. spatial distribution		
S 2615	space diversity	Raumdiversity f; Raumdiversityempfang m, Raummehrfachempfang m	diversité f dans l'espace; réception f en diversité dans l'espace	пространственно разнесенный прием
S 2616	space electronics	Raumfahrtelektronik f	électronique f astronautique	космическая радиоэлектроника
	space element, element of volume, volume element, element of extension	Volum[en]element n, Raumelement n	élément m de volume	элемент объема, элемент пространства, элементарный объем, дифференциал объема
S 2617	space-energy distribution	Raum-Energie-Verteilung f, räumliche und Energieverteilung f	distribution (répartition) f spatiale et énergétique	пространственно-энергетическое распределение

S 2617a	space erosion	Masseverlust m <der Meteoriten> im Weltraum	érosion f cosmique	космическая эрозия
	space-exchange force, Majorana force	Majorana-Kraft f, Ortsaustauschkraft f	force f de Majorana, force d'échange d'espace	сила Майорана
	space-exchange operator, Majorana operator	Majorana-Operator m, Ortsaustauschoperator m, Operator m der Majorana-Kräfte	opérateur m de Majorana, opérateur d'échange d'espace	оператор Майорана
	space exchange potential, Majorana potential, potential of Majorana forces	Majorana-Potential n, Ortsaustauschpotential n, Potential n der Majorana-Kräfte	potentiel m des forces de Majorana, potentiel de Majorana	потенциал сил Майорана
S 2618	space factor; fill factor, filling factor	Füllfaktor m <z. B. des paramagnetischen Quantenverstärkers>; Ausnutzungsfaktor m	coefficient m de remplissage; facteur de consommation	коэффициент заполнения [объема]; коэффициент уплотнения; коэффициент загрузки
S 2619	space factor <of antenna array>	Raumfaktor m <Antennensystem>	facteur m d'espace <du système d'antennes>	пространственный множитель, коэффициент направленности <антенной системы>
S 2620	space filling	Raumerfüllung f	remplissage m d'espace, remplissage de volume	объемное заполнение, плотность упаковки
	space-fixed co-ordinates	s. space co-ordinates		
	space focusing	s. direction focusing <of the first, second order>		
S 2621	space frame [work], space truss, truss, truss[ed] frame	räumliches Fachwerk n, räumliches Tragwerk n	treillis m tridimensionnel (en espace), treillis à trois dimensions	пространственная ферма, пространственная решетка [фермы]
	space garment	s. space suit		
S 2621a	space grating, space diffraction grating <opt.>	räumliches Beugungsgitter n, Raumgitter n <Opt.>	réseau m de diffraction tridimensionnel (spatial) <opt.>	трехмерная (пространственная) дифракционная решетка <опт.>
S 2622	space group, space-group	Raumgruppe f, Raumsymmetriegruppe f	groupe m spatial, groupe d'espace, groupe de recuivrement	[федоровская] пространственная группа
S 2623	space group extinction	Raumgruppenauslöschung f, Raumgruppenlöschung f	extinction f du groupe spatial	гашение пространственной группы
	space gyroscope	s. free gyroscope		
S 2624	space harmonic, Hartree harmonic, spatial harmonic	räumliche Harmonische f, Hartree-Harmonische f, Raumharmonische f; Oberschwingung f <Oberflächenleiter>	harmonique m d'espace, harmonique spatial, harmonique de Hartree	пространственная гармоника
S 2625	space helmet	Raumhelm m, Helm m des Astronauten (Kosmonauten)	casque m astronautique (du cosmonaute)	гермошлем космонавта
	space image	s. stereogram		
S 2626	space impression, stereoscopic impression, impression (sensation) of depth	Raumeindruck m, Tiefeneindruck m	sensation f de relief	пространственное восприятие, стереоскопическое восприятие, стереоскопическое впечатление, пространственное впечатление, впечатление глубины
	space integral	s. volume integral		
	space inversion	s. space reflection		
	space isomerism	s. stereoisomerism		
S 2627	space lattice, three-dimensional lattice	Raumgitter n, dreidimensionales Gitter n	réseau m spatial (d'espace, en trois dimensions, tridimensionnel)	пространственная решетка, трехмерная решетка
S 2628	space lattice structure	Raumgitterstruktur f	structure f en réseau tridimensionnel	пространственно-решетчатая структура, структура в виде пространственной решетки
S 2629	space-like interval	raumartiges Intervall n	intervalle m du genre espace	пространственно-подобный интервал
S 2630	space-like surface	raumartige Fläche f	surface f du genre espace	пространственно-подобная поверхность
S 2631	space-like vector	raumartiger Vektor m	vecteur m du genre espace	пространственно-подобный вектор
S 2632	space mark	Raummarke f	index m de pointé [stéréoscopique], repère m stéréoscopique	стереоскопическая марка, пространственная марка
S 2633	space motion, motion in space, three-dimensional motion, motion in three dimensions	räumliche Bewegung f, dreidimensionale Bewegung	mouvement m spatial (tridimensionnel), mouvement dans l'espace, mouvement à trois dimensions	пространственное движение, движение в пространстве, трехмерное движение
S 2633a	space network polymer	raumvernetztes Molekül (Polymer) n Raumnetzmolekül n, räumliches Netzpolymer n	molécule f réticulée en espace, polymère m réticulé en espace	пространственная сетчатая молекула
	space of events	s. space-time <math.>		
	space of momentum and energy, momentum-energy space	Energie-Impuls-Raum m, Impuls-Energie-Raum m	espace m d'énergie et d'impulsion	пространство энергии-импульса
	space of representation, representation module (space)	Darstellungsmodul m, Darstellungsraum m	module m de la représentation	модуль представления
S 2634	space of states	Zustandsraum m	espace m des états	пространство состояний
S 2635	space of states and energy	Energie-Zustands-Raum m	espace m des états et de l'énergie	пространство состояний и энергии
S 2636	space parity	räumliche Parität f, Raumparität f, Parität des Raumes	parité f de l'espace	пространственная четность

	space passed through	s. distance		
	space pattern	s. radiation pattern		
S 2637	space perception, perception of depth	Raumwahrnehmung f, Tiefenwahrnehmung f, Raumsehen n, Tiefensehen n	perception f d'espace, perception de profondeur	восприятие пространства, восприятие глубины
S 2638	space pilot	Raumpilot m, Pilot m des Raumschiffs	pilote-cosmonaute m	летчик-космонавт
S 2638a	space potential	Raumpotential n	potentiel m spatial	пространственный потенциал
S 2638b	space principle	Raumausnutzungsprinzip n	principe m d'utilisation de l'espace	принцип использования пространства
	space probe	s. cosmic rocket		
S 2639	space quantization, spatial quantization, directional quantization	Richtungsquantelung f, räumliche Quantelung f, Raumquantelung f, Richtungsquantisierung f, räumliche Quantisierung f, Raumquantisierung f; Einquantelung f in die Feldrichtung	quantification f spatiale, quantification dans l'espace	пространственное квантование
S 2640	spacer, separator	Distanzhalter m, Abstandshalter m	dispositif m séparateur, dispositif pour l'écartement	промежуточное тело; расширитель; прокладка; распорка
	space radiation	s. cosmic radiation		
	space reddening, interstellar reddening	interstellare Verfärbung f	rougissement m interstellaire	межзвездное покраснение
S 2641	space reflection, space inversion, inversion of space	Raumspiegelung f, räumliche Inversion f, Rauminversion f, Inversion f des Raumes	inversion f d'espace, renversement m des axes du genre espace, opération f parité, symétrie f de l'espace	инверсия пространственных осей (координат), отражение пространственных осей, обращение (отражение) пространства, пространственное отражение
S 2642	space rendezvous, rendezvous	Rendezvous n [im Raum], Raumrendezvous n	rendez-vous m [dans l'espace]	рандеву, встреча, сближение, сбор ‹в космическом пространстве›
	space requirement, required volume, volume requirement, required room, room requirement	Raumbedarf m	besoin m en volume, encombrement m	потребное пространство, потребный объем, потребность пространства, потребность объема
S 2643	space research, cosmic research, cosmic exploration, exploration of space	Weltraumforschung f, Raumforschung f	recherches fpl cosmiques, exploration f cosmique (de l'espace), recherche f spatiale	исследование космического пространства; исследование космоса, космическое исследование
	space resolution	s. spatial resolution		
	space rocket	s. cosmic rocket		
S 2644	space rotation	Raumdrehung f	rotation f d'espace	вращение пространства, пространственное вращение
	space[-]ship	s. space vehicle		
S 2645	space simulation chamber, space simulator	Raumflugsimulator m, Raumsimulator m	simulateur m des conditions cosmiques, simulateur d'espace [cosmique]	стенд-имитатор космических условий
S 2646	space station	Weltraumstation f, Außenstation f, Raumstation f	station f spatiale, station aéronautique, station cosmique	космическая станция, межпланетная станция; спутник-станция
S 2647	space statistics	Raumstatistik f	statistique f d'espace, statistique spatiale	пространственная статистика, статистика пространства
S 2648	space suit; space garment	Raumanzug m, Raumschutzanzug m; Raumkleidung f	scaphandre m de l'astronaute, tenue f astronautique; scaphandre lunaire; scaphandre planétaire	космический костюм, скафандр космонавта, защитный скафандр космонавта; космическая одежда
S 2649	space symmetry element, element of space symmetry	Raumsymmetrieelement n	élément m de symétrie d'espace	элемент пространственной симметрии
S 2649a	space tensor	Raumtensor m	tenseur m spatial	пространственный тензор
S 2650	space-time, space-time continuum, space and time, Minkowski[an] universe, Minkowski world, Minkowskian four-space, Einstein-Minkowski space, World space, space of events, Minkowski[an] space, space continuum ‹math.›	Raumzeit f, Raum-Zeit f, Raum m und Zeit f, Raumzeitkontinuum n, Raum-Zeit-Kontinuum n, Raum-Zeit-Welt f, Raum-Zeit-Mannigfaltigkeit f, Minkowski-Welt f, Ereignisraum m, Minkowskischer Raum, Minkowski-Raum m ‹Math.›	espace-temps m, espace m et temps m, variété f « espace-temps », espacetemps de Minkowski, espace d'événements, espace de Minkowski, espace minkowskien, variété minkowskienne, variété espace-temps, univers m ‹math.›	пространство-время, пространство и время, пространственно-временной континуум, пространственно-временное многообразие, четырехмерный мир, пространство Минковского ‹матем.›
S 2651	space-time, spatio-temporal	raumzeitlich, Raumzeit-, Raum-Zeit-	espace-temps, spatio-temporel	пространственно-временной, пространства-времени
S 2652	space-time algebra	Raumzeitalgebra f, Raum-Zeit-Algebra f	algèbre f espace-temps	пространственно-временная алгебра
S 2653	space-time concept[ion]	Raum-Zeit-Vorstellung f, Raum-Zeit-Konzeption f, Raum-Zeit-Konzept n; Raum-Zeit-Begriff m, Begriff m der Raum-Zeit[lichkeit]	notion f de l'espace-temps	представление пространства-времени
	space-time continuum	s. space-time ‹math.›		

S 2654	**space-time co-ordinates;** system of space-time co-ordinates, set of space-time co-ordinates	Raumzeitkoordinaten *fpl*, Raum-Zeit-Koordinaten *fpl*; Raumzeit-Koordinatensystem *n*, Raum-Zeit-Koordinatensystem *n*	coordonnées *fpl* espace-temps; système *m* de coordonnées espace-temps	пространственно-временные координаты; пространственно-временная координатная система, система пространственно-временных координат
	space-time correlation, time-space correlation	zeitlich-räumliche Korrelation *f*, räumlich-zeitliche Korrelation	corrélation *f* espace-temps	временно-пространственная корреляция
S 2655	**space-time curvature**	Raumzeitkrümmung *f*, Raum-Zeit-Krümmung *f*	courbure *f* espace-temps (spatio-temporelle)	кривизна пространства-времени, пространственно-временная кривизна
S 2656	**space-time curve**	Weg-Zeit-Kurve *f*	courbe *f* distance-temps, courbe *f* chemin-temps	пространственно-временная кривая
S 2657	**space-time element**	Raumzeitelement *n*, Raum-Zeit-Element *n*	élément *m* espace-temps (spatio-temporel)	элемент интервала (пространства-времени)
S 2658	**space-time interval**	Raumzeitintervall *n*, Raum-Zeit-Intervall *n*	intervalle *m* espace-temps	четырехмерный интервал, пространственно-временной интервал
	space-time law, path-time law	Weg-Zeit-Gesetz *n*	loi *f* chemin-temps	пространственно-временной закон
S 2659	**space-time metric**	Raumzeitmetrik *f*, Raum-Zeit-Metrik *f*, raumzeitliche Metrik *f*	métrique *f* de l'espace-temps	метрика пространства-времени, пространственно-временная метрика
	space-time point, event, world point	Ereignis *n*, Raumzeitpunkt *m*, Raum-Zeit-Punkt *m*, Weltpunkt *m*	événement *m*, point *m* de l'espace-temps	событие, мировая точка, точка пространства-времени
S 2660	**space-time reflection**	Raum-Zeit-Spiegelung *f*	réflexion *f* de l'espace et du temps	пространственно-временное отражение
S 2661	**space-time resolution; space-time resolving power**	raum-zeitliche Auflösung *f*; raum-zeitliches Auflösungsvermögen *n*	résolution *f* en espace et temps; pouvoir *m* résolvant en espace-temps	пространственно-временное разрешение; разрешающая способность по пространству и по времени
S 2662	**space-time structure**	Raumzeitstruktur *f*, Raum-Zeit-Struktur *f*	structure *f* espace-temps (spatio-temporelle)	пространственно-временное строение
S 2663	**space-time transformation**	Raum-Zeit-Transformation *f*	transformation *f* de l'espace et du temps	пространственно-временное преобразование
S 2664	**space trajectory**	räumliche Bahn (Bahnkurve) *f*	trajectoire *f* spatiale	пространственная траектория
S 2665	**space transformation**	Raumtransformation *f*	transformation *f* spatiale	пространственное преобразование
S 2665a	**space truss** **space variable,** position variable	*s.* space framework Ortsvariable *f*, Ortsveränderliche *f*	variable *f* d'espace, variable de position	пространственная переменная
S 2666	**space vehicle,** space[]-craft, space[]ship	Weltraumfahrzeug *n*, Raumfahrzeug *n*; Raumfluggerät *n*; Raumschiff *n*	astronef *f*, véhicule *m* aérospatial (cosmique); vaisseau-spoutnik *m*	космический аппарат; космический (межзвездный) корабль; корабль-спутник
S 2667	**space velocity,** spatial velocity	Raumgeschwindigkeit *f*, Geschwindigkeit *f* im Raum	vitesse *f* spatiale	пространственная скорость; полная скорость звезды
S 2668	**space wave,** spatial (sky, indirect, atmospheric, downcoming) wave ‹el.›	Raumwelle *f* ‹El.›	onde *f* d'espace, onde réfléchie, onde du ciel, onde atmosphérique ‹él.›	пространственная волна; волна, отраженная от верхних слоев атмосферы ‹эл.›
	space which the body falls, height of fall, height of the fall, height of drop	Fallhöhe *f*	hauteur *f* de chute	высота падения, напор
S 2669	**space winding**	unterbrochene Wendel *f*	boudinage *m* discontinu	прерывистая спирализация
S 2670	**space with torsion** **spacial**	Raum *m* mit Torsion *s.* spatial	espace *m* à torsion	закрученное пространство
S 2671	**spacing,** separation	‹räumlicher› Abstand *m*, Zwischenraum *m*	distance *f*, écartement *m*	расстояние, промежуток; амплитуда смещения; шаг
S 2672	**spacing error**	Winkelabweichungsfehler *m*	erreur *f* due à l'écart, erreur d'écart	погрешность разноса [антенны]; погрешность, обусловленная разносом [антенны]
S 2673	**spacing of layers**	Schichtenabstand *m*	écartement *m* des (entre les) couches	расстояние между слоями [рельефа]
S 2674	**spacing of the layer lines**	Schichtlinienabstand *m*	écartement *m* des strates	расстояние между слоевыми линиями
S 2675	**spacing plate**	Abstandsplatte *f*, Distanzplatte *f*	plaque *f* d'écartement	распорная плита, прокладка
S 2676	**spacing wave,** compensating wave	Pausenwelle *f*, Verstimmungswelle *f*	onde *f* de repos, onde de compensation	разделительная волна, волна покоя (паузы, интервала)
S 2677	**spacistor**	Spacistor *m*	spacistor *m*	спейсистор
S 2678	**spallation** ‹nucl.›	Spallation *f*, Kern[zer]-splitterung *f*, Zersplitterung *f*, Vielfachzerlegung *f*, Absplitterung *f*, Atomzersplitterung *f* ‹Kern.›	spallation *f*, éclatement *m* du noyau ‹nucl.›	скалывание, [глубокое] расщепление [ядра], расщепление атома, атомное расщепление ‹яд.›
S 2679	**spallation cross-section,** cross-section for spallation	Spallationsquerschnitt *m*, Wirkungsquerschnitt für (der) Spallation, Spallationswirkungsquerschnitt	section *f* efficace de spallation	сечение [реакции] скалывания

S 2680	**spallation fragment; spallation product**	Spallationsbruchstück n; Spallationsprodukt n	produit m de spallation; fragment m de spallation	продукт скалывания <ядра>, продукт (осколок) расщепления
S 2681	**spallation product yield, spallation yield**	Spallations[produkt]ausbeute f	rendement m de spallation	выход [продуктов] скалывания, выход реакции скалывания
S 2681a	**spalling; peeling off; leafing**	Abplatzen n; Ausschalung f; [grober] Ausbruch m; Abblättern n	écaillement m, écaillage m	отслаивание; откалывание, скалывание; выкрашивание
S 2682	**spalling test**	Hitzebeständigkeitsversuch m <gegen Abblättern>	essai m d'écaillement	испытание на огнеупорность
S 2682a	**spallogenic**	spallogen	spallogénique, spallogène	спаллогенный
S 2683	**span <of the beam>**	Feld n <Balken>	travée f <de la poutre>	пролет <балки>
S 2684	**span, span length, length of span, unsupported length <mech.>**	Spannweite f, Stützweite f, Stützlänge f, Freilänge f, freie Länge f <Mech.>	portée, distance f entre appuis <méc.>	пролет, длина пролета, расстояние между опорами, расстояние между соседними опорами, свободная длина <мех.>
	span angle	s. angle of embrace		
	span length	s. span <mech.>		
	span of the wing, wing span, spread of the wing	Spannweite f [des Flügels], Flügelspannweite f	envergure f [des ailes]	размах [крыльев]
S 2684a	**spar, longeron**	Holm m	longéron m	лонжерон
	spar	s. a. Iceland spar		
S 2685	**spare set, spare unit**	Reservesatz m	unité f de rechange	запасной агрегат, запасные устройства
	sparging; bubbling	Durchsprudeln n; Druckluftmischen n; pneumatisches Rühren n; Barbotage f	barbotage m	барботаж; барботирование
S 2686	**sparingly soluble,** slightly soluble	schwerlöslich, weniglöslich, schlecht löslich, kaum löslich	peu soluble, antisoluble	труднорастворимый, слаборастворимый, малорастворимый
S 2687	**spark,** bomb, moustaches <opt.>	„moustaches" mpl, Helle Punkte mpl <Sonne> <Opt.>	moustaches mpl <opt.>	усы <опт.>
	spark at break	s. break spark		
	spark at make, closing spark	Schließungsfunke m, Schließfunke m	étincelle f de fermeture	искра замыкания, искра при замыкании [контактов], искра включения
S 2688	**spark chamber <nucl.>**	Funkenkammer f <Kern.>	chambre f à étincelles <nucl.>	искровая камера <яд.>
S 2689	**spark chamber spectrometer**	Funkenkammerspektrometer n	spectromètre m à chambre à étincelles	спектрометр с искровой камерой
S 2690	**spark channel**	Funkenkanal m, Funkenbahn f	canal m d'étincelle	канал искры
	spark coil	s. inductorium		
	spark counter	s. spark detector		
S 2691	**spark detector,** spark counter	Funkendetektor m, Funkenzähler m, Funkenplattenzähler m	détecteur m à étincelles, détecteur Rosenblum, compteur m à étincelles	искровой детектор, искровой счетчик
S 2692	**spark discharge**	Funkenentladung f	décharge f par (à) étincelles, décharge d'étincelle, jaillissement m, décharge disruptive	искровой разряд
S 2693	**spark-discharge ion source**	Funken[entladungs]ionenquelle f	source f d'ions à décharge par étincelles	искроворазрядный ионный источник
	spark-discharge plasma	s. spark plasma		
	spark discharger	s. spark gap		
	sparker	s. cracking spark		
S 2694	**spark erosion**	Funkenerosion f, Ausfunken n	érosion f par étincelles	эрозия искрами
S 2695	**spark formation,** sparking	Funkenbildung f, Funken n	formation f d'étincelles, étincelage m, jaillissement m, crachement m	искрообразование, искрение
S 2696	**spark gap,** gap, arrester, spark discharger, air gap, discharger	Funkenstrecke f, Funkenentladungsstrecke f; Funkenbrücke f; Entladungsstrecke f; Elektrodenabstand m	entrode f, éclateur m [à étincelles], distance f [pont m) d'éclatement, distance entre électrodes, « spark gap » m, distance explosive	разрядник, искровой разрядник, искровой промежуток, промежуток
	spark-gap discharger	s. surge diverter		
S 2697	**spark generator**	Funkenerzeuger m, Funkengenerator m	générateur m d'étincelles	искровой генератор
	spark-ignition engine	s. Otto engine		
	sparking	s. spark formation		
S 2698	**sparking distance,** striking distance, spark length	Funkenschlagweite f, Schlagweite f, Funkenlänge f	distance f explosive, distance d'éclatement, longueur f d'étincelles	пробивное расстояние, пробивной промежуток, разрядное расстояние, длина искры
S 2699	**sparking of brushes,** commutator sparking	Bürstenfeuer n, Rundfeuer f	étincelles fpl aux balais, crachement m périphérique	искрение щеток, круговой огонь [на коллекторе], кольцевой огонь
S 2700	**sparking potential (voltage),** minimum breakdown voltage of a gap, initial potential (voltage), spark potential (voltage) <el.>	Funkenpotential n, Funkenspannung f, Anfangsspannung f, Anfangspotential n <El.>	potentiel m d'étincelle, tension f d'étincelles, tension initiale, potentiel initial <él.>	потенциал начала искрения, напряжение искрообразования, начальный потенциал <эл.>

	sparking voltage	s. a. breakdown voltage <el.>		
	spark lag	s. ignition lag		
	spark length	s. sparking distance		
S 2701	**spark line**	Funkenlinie f, Funkenspektrallinie f	raie f d'étincelles, raie du spectre d'étincelle	искровая линия, линия искрового спектра
	sparkling	s. twinkle		
S 2702	**spark meter**, micrometric spark discharger	Funkenmikrometer n	micromètre m à étincelles	микрометрический разрядник, искровой микрометр, микрометр для искрового разряда
S 2703	**spark[-]over**, flash[-]over, dart[-]over	Funkenüberschlag m, Überschlag m, Überschlagen n; Überspringen n <Funke>; Funkendurchbruch m	contournement m; éclatement m d'étincelle	[искровое] перекрытие; переброс искры; проскакивание (перескакивание, перескок) искры; искровой (поверхностный) пробой, пробой (пробивание) искры
S 2704	**sparkover voltage**, flashover voltage	Überschlagsspannung f	tension f de contournement	напряжение [искрового] перекрытия
S 2705	**spark photography**	Funkenphotographie f	photographie f à étincelles	искровая фотография, съемка с искровым освещением
S 2706	**spark plasma**, spark-discharge plasma	Funkenplasma n	plasma m de la décharge par étincelles	плазма искрового разряда
	spark potential	s. sparking potential		
S 2707	**spark quench**, spark quenching circuit	Funkenlöschkreis m	circuit m d'extinction	искрогасительная схема (цепь), искрогасительный контур
S 2708	**spark quenching**, quenching of sparks	Funkenlöschung f	extinction (suppression) f des étincelles	искрогашение, гашение искр
S 2708a	**spark-quenching capacitor**	Funkenlöschkondensator m	condensateur m d'extinction, condensateur pare-étincelles	искрогасительный конденсатор
	spark quenching circuit	s. spark quench		
S 2709	**spark recorder**	Funkenschreiber m	enregistreur m à étincelles	искровой самописец, искровой отметчик
S 2710	**spark resistance**	Funkenfestigkeit f	résistance f à la décharge par étincelles, résistance au jaillissement	искростойкость
	spark sender	s. spark transmitter		
S 2711	**sparks of the meteor**	Funkenschauer m des Meteors	étincelles fpl du météore	искры метеора
S 2712	**spark source**	Funkenquelle f	source f d'étincelles	искровой источник, источник искр
S 2713	**spark spectrum**	Funkenspektrum n	spectre m d'étincelle, spectre à étincelles	искровой спектр, спектр искры
S 2714	**spark test[ing]**	Schleiffunkenprüfung f	essai m à l'étincelle	проба на искру, проба по искре
S 2715	**spark transmitter**, spark sender	Funkensender m	émetteur m à étincelles	искровой передатчик, передатчик с искровым генератором
S 2716	**spark transmitter with simple gap**	Knallfunkensender m, Knarrfunkensender m	émetteur m à éclateur simple	искровой радиопередатчик с простым разрядником, искровой радиопередатчик ударного возбуждения
	spark voltage	s. sparking potential		
S 2717	**Sparrow['s] criterion**	Sparrow-Kriterium n	critère m de Sparrow	критерий разрешения Спарроу
	spath	s. Iceland spar		
S 2718	**spatial**, space	räumlich, Raum-	spatial, de l'espace, dans l'espace	пространственный
	spatial	s. three-dimensional		
	spatial, fixed in space	raumfest	fixé dans l'espace	неподвижный в пространстве
	spatial arrangement, configuration, arrangement	Konfiguration f, Anordnung f, räumliche Anordnung	configuration f, arrangement m, arrangement spatial	конфигурация, расположение, пространственное расположение
	spatial average	s. spatial mean		
	spatial charge density	s. space charge density		
S 2719	**spatial compressional wave**	räumliche Verdichtungswelle f, Raumverdichtungswelle f	onde f de compression spatiale	объемная волна сжатия, объемная волна сгущения
	spatial co-ordinates	s. space co-ordinates		
	spatial current density	s. volume current density		
	spatial curve	s. space curve		
	spatial degeneration, directional (space) degeneration	Richtungsentartung f	dégénérescence f spatiale	пространственное вырождение
	spatial density	s. volume density		
	spatial density of charge	s. space charge density		
	spatial density of current	s. volume current density		
	spatial density of electric charge	s. space charge density		
S 2720	**spatial density of energy**, spatial energy density	räumliche Energiedichte f	densité f volumique (spatiale) d'énergie	пространственная плотность энергии
S 2721	**spatial density of force**, spatial force density	räumliche Kraftdichte f	densité f spatiale (volumique) de force	объемная плотность сил
S 2722	**spatial derivative**	räumliche Ableitung f	dérivée f spatiale	пространственная производная

	spatial dispersion, volume dispersion	räumliche Dispersion *f*	dispersion *f* cubique (spatiale)	пространственная дисперсия
S 2723	spatial distribution	räumliche Verteilung *f*, Raumverteilung *f*	distribution *f* spatiale, répartition *f* spatiale	пространственное распределение
	spatial energy density	*s.* spatial density of energy		
S 2724	spatial expansion; spatial extension	räumliche (körperliche, volumenhafte) Ausdehnung *f*; räumliche Erstreckung *f*	étendue *f* spatiale, extension *f* spatiale	объемная протяженность, пространственная протяженность
	spatial focusing	*s.* direction focusing <of the first, second order>		
	spatial force density	*s.* spatial density of force		
S 2725	spatial formula, stereochemical formula, stereometric formula, stereoformula	Raumformel *f*, stereochemische Formel *f*, stereometrische Formel	formule *f* spatiale, formule stéréochimique, formule stéréométrique	пространственная (стереохимическая, стереометрическая) формула, стереоформула
	spatial harmonic	*s.* space harmonic		
S 2726	spatialization function	Raumorientierungsfunktion *f*, Orientierungsfunktion *f* im Raum	fonction *f* d'orientation dans l'espace	функция ориентации в пространстве
S 2727	spatial mean, spatial average	räumliches Mittel *n*, Raumgrößenmittel *n*	moyenne *f* spatiale	пространственное среднее, среднее пространственное
S 2728	spatial mesh	räumliche Masche *f*	maille *f* spatiale	пространственный (объемный) контур
S 2729	spatial pendulum	räumliches Pendel *n*, Raumpendel *n*	pendule *m* spatial	пространственный маятник
	spatial quantization	*s.* space quantization		
S 2730	spatial resolution, space resolution; spatial resolving power	räumliche Auflösung *f*, Raumauflösung *f*; räumliches Auflösungsvermögen *n*, Raumauflösungsvermögen *n*	résolution *f* spatiale; pouvoir *m* de résolution spatiale	пространственное разрешение; пространственная разрешающая способность
	spatial resolving power	*s.* spatial resolution		
S 2731	spatial shear wave	Raumscherungswelle *f*, Scherungsraumwelle *f*	onde *f* de cisaillement spatiale	объемная волна сдвига
S 2732	spatial spherical function, solid spherical harmonic	räumliche Kugelfunktion *f*	fonction *f* sphérique spatiale	пространственная сферическая функция
	spatial variable	*s.* Eulerian variable		
	spatial velocity, space velocity	Raumgeschwindigkeit *f*, Geschwindigkeit *f* im Raum	vitesse *f* spatiale	пространственная скорость; полная скорость звезды
	spatial wave, space wave, sky (indirect, atmospheric, down-coming) wave <el.>	Raumwelle *f* <El.>	onde *f* d'espace, onde réfléchie, onde du ciel, onde atmosphérique <él.>	пространственная волна; волна, отраженная от верхних слоев атмосферы <эл.>
	spatio-temporal	*s.* space-time		
	spatter, splash	Spritzer *m*	éclaboussure *f* [de liquide]	брызг; брызнувшая капля
	speaking coil	*s.* voice coil <of loudspeaker>		
	speaking tube, megaphone	Sprachrohr *n*	porte-voix *m*	рупор, переговорная трубка
	Spearman['s] coefficient of rank correlation	*s.* coefficient of rank correlation		
S 2733	Spearman['s] matrix	Spearmansche Matrix *f*, Spearman-Matrix *f*	matrice *f* de Spearman	матрица Спирмена
S 2734	Spearman['s] [foot] rule	Spearmansche Faustregel *f*	règle *f* de Spearman	правило Спирмена
	special case, particular case	Spezialfall *m*, spezieller Fall *m*, Sonderfall *m*	cas *m* spécial, cas particulier	особый случай; отдельный случай
S 2735	special experiment	besonderer Versuch *m*, spezieller Versuch	expérience *f* spéciale	специальный опыт
S 2736	special function [of mathematical physics]	spezielle Funktion *f* [der mathematischen Physik]	fonction *f* spéciale [de la physique mathématique]	специальная функция [математической физики]
	special linear group	*s.* unimodular group		
S 2737	special orthogonal group, SO(*n*)	spezielle orthogonale Gruppe *f*, SO(*n*)	groupe *m* orthogonal propre (spécial), SO(*n*)	специальная ортогональная группа, SO(*n*)
S 2738	special perturbation	spezielle Störung *f*	perturbation *f* spéciale	частное (специальное) возмущение
S 2739	special perturbation theory	spezielle Störungsrechnung *f*	théorie *f* des perturbations spéciales	теория частных возмущений
	special-purpose, unique	unikal, Spezial-	unique, à des fins spéciales	уникальный; специального назначения, специализированный
S 2740	special purpose mass spectrometer, research mass spectrometer	Massenspektrometer *n* für Forschungszwecke, Forschungs-Massenspektrometer *n*	spectromètre *m* de masse à des fins spéciales	масс-спектрометр для научно-исследовательских работ
S 2741	special relativity [theory], special theory of relativity, restricted theory of relativity	spezielle Relativitätstheorie *f*	théorie *f* de la relativité restreinte, théorie spéciale de la relativité, loi *f* de la relativité restreinte	специальная теория относительности, частная теория относительности
S 2742	special unitarian group, unitary unimodular group, SU(*n*)	spezielle unitäre Gruppe *f*, SU(*n*)	groupe *m* unitaire spécial, groupe unitaire unimodulaire, SU(*n*)	специальная унитарная группа, SU(*n*)
	species of cloud, cloud species, class of cloud	Wolkengattung *f*	espèce *f* de nuage	род облака
S 2743	species of terms	Termrasse *f*, Rasse *f* [von Termen]	type *m* de symétrie [des termes]	тип [термов]

S 2744	**specific absorption**	spezifische Absorption *f*	absorption *f* spécifique	удельное поглощение
S 2745	**specific acoustic impedance**, unit-area acoustic impedance	spezifische Schallimpedanz *f*, spezifische [akustische] Impedanz *f*, akustischer Widerstand *m* je Flächeneinheit, spezifischer Widerstand <Ak.>	impédance *f* acoustique spécifique, impédance acoustique par unité d'aire	удельное акустическое сопротивление
S 2746	**specific acoustic reactance**, unit-area acoustic reactance	spezifische Schallreaktanz *f*	réactance *f* acoustique intrinsèque	реактивное удельное акустическое сопротивление
S 2747	**specific acoustic resistance**, unit-area acoustic resistance	spezifische Schallresistanz *f*	résistance *f* acoustique intrinsèque	активное удельное акустическое сопротивление
S 2748	**specific action potential**, S.A.P.	spezifisches Aktionspotential *n*, SAP	potentiel *m* d'action spécifique	удельный потенциал действия
S 2749	**specific activity**	spezifische Aktivität *f*	activité *f* [nucléaire] massique, activité spécifique	удельная активность, удельная радиоактивность
S 2750	**specific adhesion**	spezifische Adhäsion *f*	adhésion *f* spécifique	удельная адгезия
S 2751	**specific admittance**	spezifischer Wellenleitwert *m*	admittance *f* spécifique	удельная полная проводимость
S 2752	**specific adsorption**	spezifische Adsorption *f*	adsorption *f* spécifique	специфическая адсорбция
	specific area	s. specific surface		
	specifications of the test, test specifications	Prüfbedingungen *fpl*	spécifications *fpl* d'essai, conditions *fpl* d'essai	условия испытания
S 2753	**specific atmospheric humidity**, specific humidity	spezifische Feuchtigkeit (Feuchte) *f*	humidité *f* spécifique	удельная влажность [воздуха]
S 2753a	**specific beta-particle constant (emission)**	spezifische Beta-Strahlungskonstante *f*	constante *f* spécifique de rayonnement bêta	[удельная] бета-постоянная, β-постоянная
S 2754	**specific binding energy**	spezifische Bindungsenergie *f*	énergie *f* de liaison spécifique	удельная энергия связи
S 2755	**specific burn-up**	spezifischer Abbrand *m*, Abbrandtiefe *f* <in MWd/t>	combustion *f* massique, taux *m* de combustion, niveau *m* d'irradiation [du combustible]	глубина выгорания
	specific charge, charge-to-mass ratio, charge-mass ratio	spezifische Ladung *f*, Ladung-Masse-Verhältnis *n*	charge *f* spécifique	удельный заряд
	specific cohesion, capillary constant, Laplace['s] constant, capillary tension	Kapillarkonstante *f*, Kapillaritätskonstante *f*, Kapillarspannung *f*	constante *f* capillaire, tension *f* capillaire	капиллярная постоянная, капиллярное натяжение, коэффициент поверхностного натяжения
	specific conductance (conductivity)	s. conductivity		
S 2756	**specific consumption**, unit consumption	spezifischer Verbrauch *m*	consommation *f* (débit *m*) spécifique	удельное потребление, удельный расход
	specific curvature	s. Gauss curvature		
	specific damping	s. damping exponent		
S 2756a	**specific damping capacity**, specific loss	spezifische Werkstoffdämpfung (Dämpfung) *f*, spezifischer Hysteresisverlust *m*	amortissement *m* spécifique, perte *f* d'hystérésis élastique	удельная потеря упругого гистерезиса <величина $\Psi = \Delta E/E$>
	specific density	s. density		
	specific discharge, flux density	Flußdichte *f*	densité *f* du flux	плотность потока
S 2757	**specific dispersion**	spezifische Dispersion *f*	dispersion *f* spécifique	удельная дисперсия
	specific dispersivity	s. molecular dispersion		
S 2758	**specific electric susceptibility**	spezifische elektrische Suszeptibilität *f*	susceptibilité *f* électrique spécifique	удельная электрическая восприимчивость
	specific electronic charge	s. charge-to-mass ratio of the electron		
	specific elongation	s. unit elongation		
S 2759	**specific emission density**	spezifische Emissionsdichte *f*	densité *f* d'émission spécifique	удельная плотность излучения (эмиссии)
S 2760	**specific energy**	spezifische Energie *f*	énergie *f* spécifique	удельная энергия
	specific energy	s. a. specific head <hydr.>		
S 2761	**specific enthalpy**	spezifische Enthalpie *f*	enthalpie *f* spécifique (massique)	удельная энтальпия
	specific enthalpy of melting	s. specific heat of fusion		
S 2762	**specific entropy**	spezifische Entropie *f*	entropie *f* spécifique, entropie massique	удельная энтропия, функция энтропии
S 2763	**specific exchange constant**	spezifische Austauschkonstante *f*	constante *f* d'échange spécifique	удельная константа обмена
S 2764	**specific extinction coefficient**, extinction coefficient for (per, at) unit density	Extinktionskonstante *f*, bezogen auf die Dichte; spezifische Extinktionskonstante	coefficient *m* d'extinction spécifique, coefficient d'extinction par unité de densité	удельный показатель поглощения, удельный коэффициент гашения; показатель поглощения, отнесенный к единице плотности
S 2765	**specific flow**, specific modulus, discharge in litre per second per square kilometre, rate of runoff	Abflußspende *f*, spezifischer Abfluß *m*, Wasserspende *f*, Spende *f*, Wassermengenspende *f*	module *m* spécifique, module relatif, débit *m* relatif, débit spécifique	модуль стока, модуль расхода
S 2766	**specific flow rate**	spezifischer Durchsatz *m*	débit *m* spécifique	удельный расход; плотность орошения
S 2767	**specific force**	spezifische Kraft *f*	force *f* spécifique	удельное усилие
S 2768	**specific free energy**	spezifische freie Energie *f*	potentiel *m* interne spécifique	удельная свободная энергия

S 2769	specific gamma-ray constant (emission), k-factor, gamma[-ray dose-rate] constant	spezifische Gamma-Strahlungskonstante f, Dosiskonstante f [für Gamma-Strahlung]	constante f spécifique de rayonnement gamma	удельная гамма-постоянная, дифференциальная гамма-постоянная, гамма-постоянная, γ-постоянная
S 2769a	specific gas constant, gas constant per gramme	spezifische Gaskonstante f	constante f des gaz spécifique (massique)	удельная газовая постоянная
S 2770	specific gravity, specific weight, absolute specific mass	spezifisches Gewicht n, Wichte f, Artgewicht n	poids m spécifique, masse f spécifique absolue	удельный вес, объёмный вес
S 2771	specific gravity <relative to or referred to>, relative density, sp.gr.	Dichtezahl f, relative Dichte f, bezogene Dichte, Dichteverhältnis n <zu>	densité f <par rapport à>, densité relative	относительная плотность
	specific gravity bottle	s. pyknometer		
S 2772	specific head, specific energy <hydr.>	spezifischer hydrostatischer Druck m <Hydr.>	pression f dynamique <hydr.>	удельный напор <гидр.>
S 2773	specific heat, specific heat capacity, heat capacity per unit mass, coefficient of specific heat, sp.ht.	spezifische Wärme f, spezifische Wärmekapazität f, Eigenwärme f, Artwärme f	chaleur f massique (spécifique), capacité f thermique spécifique (massique), chaleur volumique	удельная теплоёмкость, удельная теплота, удельная массовая теплоёмкость, массовая теплоёмкость
S 2774	specific heat at constant pressure, coefficient of specific heat at constant pressure, isopiestic specific heat	spezifische Wärme f bei konstantem Druck	chaleur f spécifique à pression constante	удельная теплоёмкость при постоянном давлении
S 2775	specific heat at constant volume, coefficient of specific heat at constant volume, isovolumic (isovolume, constant volume, isometric) specific heat	spezifische Wärme f bei konstantem Volumen	chaleur f spécifique (massique) à volume constant	удельная теплоёмкость при постоянном объёме
	specific heat capacity	s. specific heat		
S 2776	specific heat of fusion, specific heat of melting, specific melting heat; specific enthalpy of melting	spezifische Schmelzwärme f; spezifische Schmelzenthalpie f	chaleur f spécifique (massique) de fusion; enthalpie f spécifique de fusion	удельная теплота плавления; удельная энтальпия плавления
S 2777	specific heat of transformation (transition), specific transformation (transition) heat	spezifische Umwandlungswärme f	chaleur f spécifique (massique) de transformation (transition, changement de phase)	удельная теплота фазового перехода, удельная теплота перехода (фазового превращения, превращения)
	specific heat per unit volume	s. heat capacity per unit volume		
	specific heat ratio	s. ratio of the specific heats		
	specific humidity, specific atmospheric humidity	spezifische Feuchtigkeit (Feuchte) f	humidité f spécifique	удельная влажность [воздуха]
	specific humidity of saturation, specific saturation humidity	spezifische Sättigungsfeuchte f	humidité f spécifique de saturation	удельная влажность насыщения
	specific impulse	s. specific thrust		
	specific inductive capacity, specific inductivity	s. permittivity <of the material>		
S 2778	specific inertance	spezifische akustische Masse f	inertance f [acoustique] spécifique	удельная инертность
	specific intensity [of radiation]	s. radiant intensity		
S 2779	specific internal energy	spezifische innere Energie f	énergie f interne spécifique	удельная внутренняя энергия
S 2780	specific ionization, linear specific ionization	spezifische Ionisierung f, spezifische (differentielle) Ionisation f, Ionisierungsstärke f	ionisation f linéique, nombre m linéique de paires d'ions	линейная плотность ионизации, удельная ионизация
S 2781	specific ionization coefficient	differentieller Ionisationskoeffizient m	coefficient m d'ionisation linéique, coefficient spécifique d'ionisation	коэффициент удельной ионизации, линейный коэффициент ионизации
S 2782	specific ionization curve	Kurve f der spezifischen Ionisation <in Abhängigkeit von der kinetischen Energie, Geschwindigkeit oder Reichweite>	courbe f d'ionisation spécifique (linéique)	кривая удельной ионизации
S 2783	specific ionization loss	spezifischer Ionisationsverlust m	perte f d'ionisation spécifique (linéique)	удельная ионизационная потеря
S 2784	specific kinetic energy, velocity energy	spezifische kinetische Energie f, Geschwindigkeitsenergie f	énergie f cinétique spécifique, énergie de vitesse	удельная кинетическая энергия, энергия скорости
	specific magnetic rotatory power	s. Verdet constant		
S 2785	specific magnetic susceptibility, mass susceptibility, susceptibility per unit mass	spezifische magnetische Suszeptibilität f, spezifische Suszeptibilität, Grammsuszeptibilität f, Massensuszeptibilität f	coefficient m d'aimantation, susceptibilité f massique	удельная магнитная восприимчивость
	specific mass	s. density		
S 2786	specific mass effect	spezifischer Kernmasseneffekt m [der Isotopie]	effet m de masse spécifique	специфический массовый эффект
	specific melting heat	s. specific heat of fusion		

S 2787	specific meson charge of nucleon	spezifische Mesonenladung *f* des Nukleons	charge *f* mésique spécifique du nucléon	специфический мезон-ный заряд нуклона
	specific modulus	*s.* specific flow		
S 2788	specific parameter of state, specific variable of state, specific [thermo-dynamic] property	spezifische Zustandsgröße *f*	paramètre *m* d'état spé-cifique, variable *f* d'état spécifique	удельный параметр состояния
S 2789	specific plastic	spezifische Plastik *f*	plastique *f* spécifique	удельная пластика
S 2790	specific potential	spezifisches Potential *n*	potentiel *m* spécifique	удельный потенциал
	specific potential energy of deformation	*s.* elastic potential <mech.>		
S 2791	specific power	spezifische Leistung *f*	puissance *f* massique (spécifique)	удельная мощность; удельная отдача энергии
S 2792	specific power con-version	Leistungsumsatz *m*	conversion *f* de puissance spécifique	удельное преобразование мощности
S 2793	specific pressure of wind, specific wind pressure	spezifischer Winddruck *m*	pression *f* spécifique du vent	удельное давление ветра
	specific property	*s.* specific parameter of state		
S 2794	specific radiation impedance	spezifischer Strahlungs-widerstand *m*	impédance *f* spécifique de rayonnement	удельное сопротивление излучения
	specific radioactivity	*s.* specific activity		
	specific rate	*s.* rate constant <chem.>		
	specific rate of heat flow	*s.* rate of heat flow		
S 2794a	specific reaction	spezifische Reaktion *f*	réaction *f* spécifique	специфичная реакция
	specific reaction rate	*s.* rate constant <chem.>		
S 2795	specific refraction, specific refractivity	spezifische Refraktion *f*, spezifische Brechung *f*	réfractivité *f* spécifique, réfraction *f* spécifique	удельная рефракция, удельное преломление, удельная светопре-ломляющая способ-ность
S 2796	specific refractive index	spezifischer Brechungs-index *m*	indice *m* de réfraction spécifique	удельный показатель преломления
	specific refractivity	*s.* specific refraction		
	specific reluctance	*s.* reluctivity		
	specific resistance (resistivity)	*s.* resistivity		
	specific retention	*s.* water-holding capacity		
	specific rotary power, specific rotation	*s.* optical rotatory power <quantity>		
S 2797	specific saturation humidity, specific humidity of saturation	spezifische Sättigungs-feuchte *f*	humidité *f* spécifique de saturation	удельная влажность насыщения
	specific sound-energy flux	*s.* sound intensity		
	specific sound energy flux level	*s.* sound intensity level <ac.>		
S 2798	specific speed	spezifische Drehzahl (Umdrehungsge-schwindigkeit) *f*	nombre *m* de tours spé-cifique, vitesse *f* spé-cifique	коэффициент быстроход-ности
S 2799	specific speed of com-bustion	spezifische Verbrennungs-geschwindigkeit *f*	vitesse *f* spécifique de combustion	удельная скорость горения
S 2799a	specific speed of the pump	spezifische Pumpgeschwin-digkeit *f*	vitesse *f* spécifique de la pompe	удельная скорость откачки
S 2800	specific strain energy, strain energy per unit volume, strain-energy function, strain-energy density, strain-energy density function, energy [per unit volume] of deformation, potential energy [of deformation] per unit volume; elastic potential [per unit volume]	spezifische Formänderungs-arbeit (Verzerrungs-arbeit) *f*, Energiedichte *f* der Formänderung, [auf die Volumeneinheit be-zogene] Formänderungs-arbeit *f*, [auf die Volu-meneinheit bezogene] Deformationsarbeit *f*, Deformationsenergie pro Volumeneinheit, bezo-gene Formänderungs-arbeit *f*, Verzerrungs-energiefunktion *f*; elasti-sches Potential *n* [der Volumeneinheit]	densité *f* de l'énergie de déformation, énergie *f* de déformation, énergie de déformation par unité de volume, travail *m* de déformation par unité de volume, énergie po-tentielle [de déformation] par unité de volume; potentiel *m* élastique [par unité de volume]	удельная энергия упру-гой деформации, энер-гия упругой деформа-ции на единицу объёма
S 2801	specific strength	spezifische Stärke *f*, spezifische Strahlungs-stärke *f* <γ-Quanten/cm³>; spezifische Intensität *f*	intensité *f* spécifique	удельная мощность <радиоактивного источника>; удельная интенсивность
S 2801a	specific stress	spezifische Spannung *f*	tension *f* spécifique	удельное напряжение
S 2802	specific surface, specific area; surface area	spezifische Oberfläche *f*	surface *f* spécifique	удельная [реакционная] поверхность; дисперс-ность <дисперсной системы>
	specific surface energy	*s.* surface tension		
S 2803	specific susceptibility	spezifische Suszeptibilität *f*	susceptibilité *f* spécifique	удельная восприимчи-вость
S 2804	specific thermo-electromotive force, specific thermo-e.m.f.	spezifische thermoelektro-motorische Kraft *f*, spezifische Thermo-EMK *f*	force *f* thermo-électro-motrice spécifique	удельная термоэлектро-движущая сила, удель-ная термо-э. д. с.
S 2805	specific thrust, specific impulse	spezifischer Schub *m*, spezifischer Impuls *m*	poussée *f* spécifique, impulsion *f* spécifique	удельная тяга, удель-ный импульс
	specific transformation (transition) heat	*s.* specific heat of transformation		
	specific variable of state	*s.* specific parameter of state		

S 2806	**specific viscosity**	spezifische Viskosität *f*, spezifische Zähigkeit *f*	viscosité *f* spécifique	удельная вязкость, удельный коэффициент вязкости
S 2807	**specific volume**	spezifisches Volumen *n*, Räumigkeit *f*	volume *m* massique; volume spécifique, coefficient *m* de mobilité <du fluide>	удельный объем
S 2808	**specific volumetric dilatation**	spezifische räumliche Ausdehnung *f*, Dilatation *f*	dilatation *f* spécifique [volumétrique]	удельное объемное расширение, дилатация
	specific weight, specific gravity, absolute specific mass	spezifisches Gewicht *n*, Wichte *f*, Artgewicht *n*	poids *m* spécifique, masse *f* spécifique absolue	удельный вес, объемный вес
	specific wind pressure	s. specific pressure of wind		
	specified	s. pre[-]set		
	specified achromatic light; white light	weißes Licht *n*	lumière *f* blanche; lumière achromatique (blanche) spécifiée	белый свет; стандартизованный ахроматический источник излучения
S 2808a	**specifity**, uniqueness <stat.>	Spezifität *f* <Stat.>	spécifité <stat.>	специфика <стат.>
	specifity	s. a. selectivity <chem.>		
	specimen	s. sample		
	specimen	s. test bar		
	specimen	s. object <gen., opt., bio.>		
S 2809	**specimen airlock**, object airlock	Objektschleuse *f*	sas-objet *m*, écluse *f* pour les objets	шлюз камеры объектов
S 2810	**specimen chamber**	Objektkammer *f*	chambre *f* d'objets	камера объектов
S 2811	**specimen damage**, object damage	Objektschaden *m*	lésion *f* de l'objet, dommage *m* de l'objet	повреждение объекта, поражение объекта
	specimen holder, specimen mount	s. slide		
	specimen plane, object plane	Dingebene *f*, Gegenstandsebene *f*, Objektebene *f*	plan *m* objet	плоскость объекта, плоскость предмета
	specimen slide	s. slide		
	specimen stage	s. stage		
	speck; spot <also el.>; patch	Fleck *m*	tache *f*; spot *m* <él.>	пятно
S 2812	**speck of dust**, dust particle	Staubpartikel *f*, Staubteilchen *n*, Staubkorn *n*, Stäubchen *n*	particule *f* de poussière, grain *m* de poussière	частица пыли, пылинка
	speck of sensitivity, sensitivity speck, centre of ripening	Reifkeim *m*	centre *m* de maturation	центр созревания
	specpure	s. spectroscopically pure		
	spectacle glass	s. spectacle lens		
S 2813	**spectacle lens**, ophthalmic lens, lens, spectacle glass	Brillenglas *n*, Glas *n*	verre *m* des lunettes, verre de lunetterie	очковое стекло
	specter of the Brocken <US>	s. Brocken bow		
	spectral absorptance <US>	s. spectral absorption factor		
	spectral absorption analysis, absorption analysis	Absorptionsspektralanalyse *f*, Absorptionsanalyse *f*	spectroscopie *f* d'absorption, analyse *f* spectrale absorptive	абсорбционный анализ, абсорбционный спектральный анализ
S 2814	**spectral absorption curve**	Kurve *f* der spektralen Absorption, spektrale Absorptionskurve *f*	courbe *f* spectrale d'absorption	спектральная кривая поглощения
S 2815	**spectral absorption factor**, radiant spectral absorptivity, spectral absorptance <US>	spektraler Absorptionsgrad *m*, spektrales Absorptionsvermögen *n*	facteur *m* spectral d'absorption, absorptivité *f* spectrale	спектральный коэффициент поглощения, поглощательная способность для данной частоты
	spectral actinometer	s. spectroactinometer		
	spectral analysis	s. spectrographic analysis		
S 2816	**spectral analysis** <math.>	Spektralanalysis *f* <Math.>	analyse *f* spectrale <math.>	спектральный анализ <матем.>
	spectral apparatus	s. dispersing system		
S 2816a	**spectral average**	Mittelwert *m* über die Spektralverteilung, spektraler Mittelwert	moyenne *f* spectrale	спектральное среднее, усредненное по спектральному распределению
S 2817	**spectral band**, band, molecular band	Spektralbande *f*, Bande *f*, Molekülbande *f*	bande *f* [spectrale], tranche *f* spectrale, bande moléculaire	полоса [спектра], молекулярная полоса
S 2818	**spectral band method**	Spektralbandverfahren *n*	méthode *f* des parties spectrales	спектрозональный метод
S 2819	**spectral band photography**	Spektralbandaufnahme *f*	photographie *f* en parties spectrales	спектрозональная фотография
S 2820	**spectral brightness**, spectral surface brightness, spectral intrinsic brilliance	spektrale Helligkeit *f*	brillance *f* spectrale, luminosité *f* spectrale	спектральная яркость [излучения]
S 2821	**spectral centroid**	Schwerpunkt *m* der spektralen Empfindlichkeit, Schwerpunktwellenlänge *f*, Spektralschwerpunkt *m*, Empfindlichkeitsschwerpunkt *m*, Empfindlichkeitsmaximum *n*	centroïde *f* spectrale, centre *m* de gravité spectral	центр спектральной чувствительности
	spectral characteristic	s. spectral response curve		

S 2821a	spectral chart, spectrum chart	Spektralkarte f; Spektrenlehre f	carte f spectrale	спектральная карта
S 2822	spectral class, spectral type	Spektralklasse f, Spektraltyp m	classe f spectrale, type m spectral, magnitude f spectrale	спектральный класс (тип), спектральная величина
S 2823	spectral classification	Spektralklassifikation f	classification f spectrale	спектральная классификация
S 2824	spectral colour, spectrum colour	Spektralfarbe f	couleur f spectrale, couleur du spectre	спектральный цвет, цвет спектра
S 2825	spectral component, spectrum component	Spektralkomponente f	composante f spectrale	составляющая спектра, спектральная составляющая
S 2826	spectral composition, spectrum composition	spektrale Zusammensetzung f, Spektralzusammensetzung f	composition f spectrale	спектральный состав
S 2827	spectral concentration, spectral density <of radiometric quantity> <opt.>	spektrale Dichte f [einer Strahlungsgröße] <Opt.>	concentration f spectrale [d'une grandeur énergétique], densité f spectrale [d'une grandeur énergétique] <opt.>	спектральная интенсивность [величины излучения], спектральная плотность [величины излучения] <опт.>
S 2828	spectral concentration in terms of frequency	spektrale Dichte f im Frequenzmaßstab	densité f spectrale en [termes de] fréquence	спектральная интенсивность по частоте
S 2829	spectral concentration of radiant flux, spectral [flux] density	spektrale Strahlungsflußdichte f (Dichte f des Strahlungsflusses)	densité spectrale du flux énergétique	спектральная интенсивность лучистого потока, спектральная плотность [потока] излучения
S 2830	spectral condenser [lens]	Spektralkondensor m	condenseur m spectral	спектральный конденсор
S 2831	spectral condition	Spektralitätsbedingung f	condition f de spectralité	условие спектральности
	spectral coverage	s. spectral region		
S 2832	spectral curve	Spektralkurve f	courbe f spectrale (spectroscopique)	спектральная кривая
S 2833	spectral curve of density, spectral density curve	spektrale Schwärzungskurve f	courbe f spectrale de noircissement, courbe caractéristique spectrale	спектральная характеристическая кривая [почернения]
S 2834	spectral decomposition <math.>	Spektraldarstellung f, Spektralzerlegung f <Math.>	solution f spectrale, décomposition f spectrale <math.>	спектральное представление, спектральное разложение <матем.>
S 2835	spectral density <math.>	Spektraldichte f <Math.>	densité f spectrale <math.>	спектральная плотность <матем.>
	spectral density	s. a. spectral concentration <opt.>		
	spectral density	s. a. spectral concentration of radiant flux		
	spectral density	s. a. spectral energy distribution		
	spectral density curve	s. spectral curve of density		
S 2836	spectral diaphragm, spectral mask	Spektralmaske f, Staffelblende f	diaphragme m spectral	спектральная диафрагма
	spectral dispersion	s. dispersion <opt.>		
	spectral displacement, spectral shift <math.>	Spektralverschiebung f <Math.>	déplacement m spectral <math.>	спектральное смещение <матем.>
S 2837	spectral distribution	spektrale Verteilung f, Spektralverteilung f	répartition f spectrale, distribution f spectrale	спектральное распределение
	spectral distribution graph	s. spectral response curve		
	spectral distribution of energy	s. spectral energy distribution <of radiation>		
S 2838	spectral distribution of optical stimulation	Ausleuchtungsverteilung f, spektrale Verteilungskurve f der Ausleuchtung	distribution f spectrale de la stimulation optique	кривая спектрального распределения оптического высвечивания
S 2839	spectral emissivity [of thermal radiator], monochromatic emissive power, emissive power for the wavelength λ	spektraler Emissionsgrad m, spektrales Emissionsvermögen n [eines Temperaturstrahlers]	pouvoir m émissif spectral [d'un corps thermorayonnant], émissivité f spectrale	спектральный коэффициент излучения, испускательная способность для данной частоты
S 2840	spectral energy distribution, spectral distribution of energy, spectral density <of radiation>	spektrale Strahlungsverteilung f, spektrale Energieverteilung f [einer Strahlung], Energieverteilung im Spektrum [einer Strahlung], spektrale Dichte f [einer Strahlung]	répartition (distribution) f spectrale d'énergie, répartition (distribution) énergétique spectrale, répartition (distribution) spectrale énergétique, densité f spectrale [d'un rayonnement]	спектральное распределение энергии, распределение энергии по спектру, спектральная плотность [излучения]
S 2841	spectral eyepiece	Spektralokular n	oculaire m spectral	спектральный окуляр
	spectral family	s. spectral function		
S 2842	spectral filter	Spektralfilter n	filtre m spectral	спектральный фильтр
	spectral flux density	s. spectral concentration of radiant flux		
S 2843	spectral frequency	Spektralfrequenz f	fréquence f spectrale	частота, выделенная из спектра
S 2844	spectral function <phys.; math.; stat.>; spectral family <math.>; [integrated] power function <stat.>	Spektralfunktion f <auch Stat.>; Spektralschar f, Zerlegung f der Einheit <Math.>	fonction f spectrale <aussi spectr.>; partition f de l'unité <math.>	спектральная функция <также стат.>; спектральное семейство <матем.>
	spectral grate ghost	s. ghost <in grating spectra>		
S 2845	spectral hardening, spectrum hardening	Spektrumhärtung f, Härtung f des Neutronenspektrums	durcissement m du spectre [des neutrons]	жестчение спектра, увеличение жесткости спектра
S 2846	spectral hue	spektraler Farbton m	teinte f spectrale	спектральный цветовой тон

S 2847	**spectral index**	spektraler Index *m*, Spektralindex *m*	indice *m* de spectre	показатель спектра, спектральный показатель
S 2848	**spectral integral**	Spektralintegral *n*, Integral *n* bezüglich des Spektralmaßes	intégrale *f* spectrale	спектральный интеграл
S 2849	**spectral intensity**	spektrale Intensität *f*, Spektralintensität *f*	intensité *f* spectrale	спектральная интенсивность
	spectral intrinsic brilliance	*s.* spectral brightness		
S 2850	**spectral irradiance**	spektrale Bestrahlungsstärke *f*	irradiance *f* spectrale, éclairement *m* énergétique spectral	спектральная плотность интенсивности падающего излучения, спектральная облученнсть (энергетическая освещенность)
S 2851	**spectrality**	Spektralität *f*	spectralité *f*	спектральность
S 2852	**spectral light**, spectral radiation	Spektrallicht *n*, Spektralstrahlung *f*	lumière (radiation) *f* spectrale, rayonnement *m* spectral	спектральный свет, спектральное излучение
S 2853	**spectral line**, spectrum line, line <opt.>	Spektrallinie *f*, Linie *f* <Opt.>	raie *f* [spectrale], ligne *f* [spectrale] <cpt.>	спектральная линия, линия [спектра] <опт.>
	spectral line broadening	*s.* line broadening		
	spectral line contour	*s.* spectral line profile		
S 2854	**spectral line curvature**, curvature of the spectral line	Spektrallinienkrümmung *f*, Krümmung *f* der Spektrallinie	courbure *f* de la raie spectrale	кривизна спектральной линии
	spectral line intensity	*s.* intensity of the spectral line		
	spectral line narrowing	*s.* line narrowing		
S 2855	**spectral-line photometer**	Spektrallinienphotometer *n*, Schnellphotometer *n*	photomètre *m* de raies spectrales	фотометр спектральных линий, быстродействующий фотометр
	spectral line profile	*s.* line profile		
S 2855a	**spectral line quality factor**	Spektralliniengüte *f*	coefficient *m* de qualité de la raie spectrale	добротность [спектральной] линии
S 2856	**spectral line reversal**, reversal of spectral (spectrum) line, line reversal	Linienumkehr *f*, Umkehr (Umkehrung) *f* der Spektrallinie	renversement *m* de la raie du spectre, inversion *f* de la raie spectrale	обращение линии [спектра]
	spectral line shape	*s.* line profile		
	spectral line widening	*s.* line broadening		
	spectral line width	*s.* line width		
	spectral location	*s.* spectral position		
S 2857	**spectral luminance factor**	spektraler Remissionsgrad *m*	facteur *m* spectral de luminance	спектральный коэффициент яркости
	spectral luminous efficiency	*s.* relative luminous efficiency		
	spectrally pure	*s.* spectroscopically pure		
	spectral mask, spectral diaphragm	Spektralmaske *f*, Staffelblende *f*	diaphragme *m* spectral	спектральная диафрагма
S 2858	**spectral measure**	Spektralmaß *n*	mesure *f* spectrale	спектральная мера
S 2859	**spectral mercury [vapour] lamp**, mercury spectral lamp	Quecksilberspektraldampflampe *f*, Quecksilberspektrallampe *f*	lampe *f* spectrale à [vapeur de] mercure	ртутная спектральная лампа
S 2860	**spectral method of colorimetry**	Spektralverfahren *n* zur Farbmessung	méthode *f* spectrale de la colorimétrie	спектральный метод колориметрии
	spectral narrowing	*s.* line narrowing		
	spectral norm	*s.* spectrum radius		
S 2861	**spectral plate**	Spektralplatte *f*	plaque *f* spectrale	спектральная (спектрографическая) [фото]-пластинка
S 2862	**spectral position**, spectral location	spektrale Lage *f*	position *f* spectrale (dans le spectre)	спектральное положение, положение в спектре
	spectral position	*s. a.* Crova wavelength		
	spectral purity, spectroscopic purity, spectroquality	spektrale Reinheit *f*, spektroskopische Reinheit	pureté *f* spectroscopique, pureté spectrale, monochromasie *f*	спектральная чистота
S 2863	**spectral pyrometer**	Spektralpyrometer *n*	pyromètre *m* spectral	спектральный пирометр
S 2864	**spectral radiance**, spectral radiant intensity per unit area	spektrale Strahldichte *f*	luminance *f* énergétique spectrale (monochromatique), radiance *f* spectrale (monochromatique), luminance énergétique par unité de longueur [d'onde], radiance par unité de longueur [d'onde]	спектральная лучистость, спектральная энергетическая яркость
S 2865	**spectral radiant energy density**	spektrale Strahlungsdichte *f*, reduzierte Strahlungsdichte	énergie *f* rayonnante spectrale par unité de volume, énergie rayonnante volumique spectrale (monochromatique), énergie rayonnante volumique par unité de longueur [d'onde]	спектральная объемная плотность энергии излучения
	spectral radiant flux	*s.* monochromatic radiant power		
	spectral radiant intensity, monochromatic radiant intensity	spektrale Strahlstärke *f*	intensité *f* énergétique spectrale (monochromatique)	спектральная сила излучения
	spectral radiant intensity per unit area	*s.* spectral radiance		
	spectral radiant power	*s.* monochromatic radiant power		

	spectral radiation, spectral light	Spektrallicht n, Spektralstrahlung f	lumière (radiation) f spectrale, rayonnement m spectral	спектральный свет, спектральное излучение
	spectral radius	s. spectrum radius		
	spectral range	s. spectral region		
S 2866	**spectral reflectance** <US>, **spectral reflection factor**	spektraler Reflexionsgrad (Reflexionskoeffizient) m, spektrales Reflexionsvermögen n	facteur m spectral de réflexion, pouvoir m réflecteur spectral	спектральный коэффициент отражения, отражательная способность для данной частоты
S 2867	**spectral region,** region (range, part) of the spectrum, spectral range (coverage)	Spektralbereich m, Spektralgebiet n, Bereich m des Spektrums, Gebiet n des Spektrums	partie (région) f spectrale, partie (région, domaine m, tranche f) du spectre, domaine spectral, tranche spectrale	область (участок, диапазон) спектра, спектральная область, спектральный участок (диапазон)
S 2868	**spectral relaxation time**	spektrale Relaxationszeit f	temps m de relaxation spectral	спектральное время релаксации
	spectral resolution	s. spectral resolving power		
S 2869	**spectral resolving power,** spectral resolution <of ear>	spektrales Auflösungsvermögen n, spektrale Auflösung f <des Ohres>	pouvoir m de résolution spectrale, résolution f spectrale <de l'oreille>	спектральная разрешающая способность, спектральное разрешение <уха>
S 2870	**spectral response**	spektrales Ansprechvermögen n	réponse f spectrale	спектральная чувствительность (характеристика)
	spectral response	s. a. spectral sensitivity <of ear>		
S 2871	**spectral response characteristic (curve),** spectral characteristic (distribution graph); taking characteristic	spektrale Charakteristik f, spektrale Verteilungscharakteristik f, Spektralcharakteristik f	caractéristique f spectrale, courbe f de réponse spectrale	спектральная характеристика
S 2872	**spectral sensitivity;** spectrophotoelectric sensitivity	spektrale Empfindlichkeit f, Spektralempfindlichkeit f	sensibilité f spectrale	спектральная чувствительность
S 2873	**spectral sensitivity,** spectral response <of ear>	spektrale Empfindlichkeitsverteilung f [des Ohres]	sensibilité f spectrale [de l'oreille]	спектральная чувствительность [уха]
S 2874	**spectral sensitivity characteristic**	spektrale Empfindlichkeitscharakteristik (Empfindlichkeitskurve) f, Spektralempfindlichkeitskurve f	caractéristique f spectrale de sensibilité	спектральная характеристика чувствительности, кривая спектральной чувствительности
S 2875	**spectral sensitivity for photopic vision**	spektrale Hellempfindlichkeit f	sensibilité f spectrale pour la vision photopique	спектральная чувствительность для дневного зрения
S 2876	**spectral sensitizer**	spektraler Sensibilisator m	sensibilisateur m spectral	спектральный сенсибилизатор
S 2877	**spectral sequence**	Spektralreihe f, Spektralsequenz f, Spektralfolge f	séquence f spectrale	спектральная последовательность
	spectral series, series [of lines]	Serie f [von Spektrallinien], Spektralserie f, Linienserie f, Spektrallinienserie f	série f, série spectrale	серия, спектральная серия
S 2878	**spectral shift,** spectral displacement <math.>	Spektralverschiebung f <Math.>	déplacement m spectral <math.>	спектральное смещение <матем.>
	spectral shift	s. a. line shift		
	spectral surface brightness	s. spectral brightness		
S 2879	**spectral term,** term, spectroscopic term <opt.>	Spektralterm m, Term m, spektroskopischer Term <Opt.>	terme m spectral, terme, terme spectroscopique <opt.>	спектральный терм, спектроскопический терм, терм <опт.>
S 2880	**spectral theory**	Spektraltheorie f	théorie f spectrale	спектральная теория
S 2881	**spectral transmission**	spektrale Durchlässigkeit f	transmission f spectrale	спектральное пропускание
S 2882	**spectral transmission curve**	Kurve f der spektralen Durchlässigkeit (Transmission), spektrale Durchlässigkeitskurve (Transmissionskurve) f	courbe f spectrale de transmission	спектральная кривая пропускания
S 2883	**spectral transmission factor, spectral transmittance** <US>	spektraler Durchlaßgrad (Transmissionsgrad) m, spektrale Durchlässigkeit f	facteur m spectral de transmission	спектральный коэффициент пропускания
	spectral type	s. spectral class		
S 2884	**spectral-type parallax**	Spektraltypparallaxe f	parallaxe f de type spectral	параллакс спектрального типа
	spectre of the Brocken	s. Brocken bow		
S 2885	**spectroactinometer,** spectral actinometer	Spektralaktinometer n	spectroactinomètre m, actinomètre m spectral	спектральный актинометр
S 2886	**spectrobologram**	Spektrobolographenkurve f, Spektrobologramm n	spectrobologramme m	спектробологрaмма
S 2887	**spectrobolometer**	Spektrobolometer n, Spektralbolometer n	spectrobolomètre m	спектроболометр
	spectrochemical analysis	s. spectrographic analysis		
S 2888	**spectrocomparator,** spectrum comparator	Spektrokomparator m	spectrocomparateur m	спектрокомпаратор
S 2889	**spectrofluorimeter**	Spektralfluorometer n, Spektralfluorimeter n, Spektrofluorometer n, Spektrofluorimeter n	spectrofluorimètre m, spectrofluoromètre m	спектрофлуориметр
S 2890	**spectrogram,** spectrum record[ing]; spectrum chart	Spektrogramm n, Spektralaufnahme f, Spektralaufzeichnung f	spectrogramme m, enregistrement m de spectre[s]	спектрограмма, спектральный снимок, спектрорегистрограмма
S 2891	**spectrographic analysis,** spectrochemical (spectroscopic, spectral, spectrum) analysis, spectroscopic test, spectrology	Spektralanalyse f, chemische Spektralanalyse, spektrochemische Analyse f, spektroskopische Analyse	analyse f spectrale, analyse spectrographique, analyse spectroscopique, analyse spectrochimique	спектральный анализ, спектрохимический анализ, спектрографический анализ

S 2892	spectroheliogram, filtergram	Spektroheliogramm n	spectro[-]héliogramme m	спектрогелиограмма
S 2893	spectroheliokinemato-graph	Spektroheliokinemato-graph m	spectrohéliocinémato-graphe m	спектрогелиокинемато-граф
	spectrology	s. spectrographic analysis		
S 2894	spectrometer	Spektrometer n; Wellen-längenspektrometer n <Opt.>	spectromètre m	спектрометр
S 2895	spectrometer with high resolving power, high-resolution spectrometer	hochauflösendes Spektro-meter n	spectromètre m à haute résolution	спектрометр с большой разрешающей способ-ностью, спектрометр высокой разрешающей способности
	spectrometry	s. spectroscopy		
S 2895a	spectrophone	Spektrophon n	spectrophone m	спектрофон
	spectrophotoelectric sensitivity	s. spectral sensitivity		
	spectrophotography	s. spectroscopic photog-raphy		
S 2896	spectrophotometer	Spektralphotometer n, Spektrophotometer n	spectrophotomètre m	спектрофотометр, спек-тральный фотометр
S 2896a	spectrophotometry	Spektralphotometrie f, Spektrophotometrie, spektroskopische Photo-metrie f	spectrophotométrie f	спектрофотометрия, спектральная фото-метрия
S 2897	spectropolarimeter	Spektralpolarimeter n, Spektralpolarimeter n	spectropolarimètre m	спектрополяриметр, спек-тральный поляриметр
S 2898	spectropolarimetry	Spektralpolarimetrie f, Spektralpolarimetrie f	spectropolarimétrie f	спектрополяриметрия
S 2899	spectropyrheliometry	Spektropyrheliometrie f	spectropyrhéliométrie f	спектропиргелиометрия
	spectroquality	s. spectroscopic purity		
S 2900	spectroradiometer	Spektroradiometer n	spectroradiomètre m	спектрорадиометр
	spectroscope of direct vision, direct-vision spectroscope	Geradsichtspektroskop n, geradsichtiges Spektro-skop n	spectroscope m à vision directe	спектроскоп прямого зре-ния, прямой спектро-скоп
S 2901	spectroscopically pure, spectroscopic-grade, spectrally pure, specpure	spektral rein, spektrosko-pisch rein	spectroscopiquement pur, spectrographiquement pur	спектроскопически чи-стый, спектральночи-стый, спектроскопиче-ской чистоты
	spectroscopic analysis	s. spectrographic analysis		
	spectroscopic analysis using X-rays	s. X-ray spectroscopic analysis		
	spectroscopic apparatus	s. dispersing system		
S 2902	spectroscopic binary [star]	spektroskopischer Doppel-stern m	binaire f spectroscopique, étoile f double spectro-scopique	спектрально-двойная звезда, спектроскопи-ческая двойная [звезда]
	spectroscopic eyepiece, ocular (eyepiece) spectro-scope	Okularspektroskop n	spectroscope m d'oculaire	окулярный спектроскоп
	spectroscopic-grade	s. spectroscopically pure		
S 2902a	spectroscopic illuminator	Spektralbeleuchtungs-apparat m	système m d'éclairage spectroscopique	спектральный осветитель
S 2903	spectroscopic lamp, spectrum lamp	Spektrallampe f	lampe f spectrale (spectro-scopique, pour spectro-scopie)	спектральная лампа
S 2904	spectroscopic parallax	spektroskopische Parallaxe f	parallaxe f spectroscopique	спектроскопический (спектральный) парал-лакс
S 2905	spectroscopic photog-raphy, spectrophotog-raphy, photography of spectra	Spektralaufnahme f, Spek-tralphotographie f	spectrophotographie f, photographie f des spectres	спектрофотография, спек-тральная фотография, фотографирование (съемка) спектра, спек-тральная съемка
S 2906	spectroscopic purity, spectral purity, spectro-quality	spektrale Reinheit f, spek-troskopische Reinheit	pureté f spectroscopique, pureté spectrale, mono-chromasie f	спектральная чистота
	spectroscopic splitting factor	s. Landé g-factor		
S 2907	spectroscopic standard air, standard air	spektroskopische Normal-luft f, Normalluft	air m normal [spectroscopi-que], air standard (type) <dans la spectroscopie>	стандартный воздух <в спектроскопии>
	spectroscopic term	s. spectral term <opt.>		
	spectroscopic test	s. spectrographic analysis		
	spectroscopic value of ionization potential	s. adiabatic ionization potential		
S 2908	spectroscopy; spectrom-etry	Spektroskopie f; Spektro-metrie f	spectroscopie f; spectro-métrie f	спектроскопия; спектро-метрия
S 2909	spectroscopy by dif-fraction grating	Beugungsspektroskopie f, Gitterspektroskopie f	spectroscopie f par réseau	спектроскопия с приме-нением дифракционной решетки
S 2910	spectroscopy by prism	Prismenspektroskopie f	spectroscopie f par prisme	спектроскопия с приме-нением призмы
S 2911	spectrosensitogram	Spektrosensitogramm n	spectrosensitogramme m	спектросенситограмма
S 2912	spectrosensitometer	Spektrosensitometer n	spectrosensitomètre m	спектросенситометр
S 2913	spectrotron	Spektrotron n	spectrotron m	спектротрон
S 2914	spectrum / 1/E	1/E-Spektrum n	spectre m en 1/E	1/E-спектр
	spectrum analysis	s. spectrographic analysis		
S 2915	spectrum analyzer	Spektralanalysator m, Spektrumanalysator m	analyseur m des spectres	анализатор спектра, спектральный анализа-тор
	spectrum binary	s. double-line spectroscopic binary		
	spectrum chart	s. spectrogram		
	spectrum chart	s. a. spectral chart		

	spectrum colour, spectral colour	Spektralfarbe f	couleur f spectrale, couleur du spectre	спектральный цвет, цвет спектра
	spectrum comparator, spectrocomparator	Spektrokomparator m	spectrocomparateur m	спектрокомпаратор
	spectrum component	s. spectral component		
	spectrum composition	s. spectral composition		
S 2916	spectrum generator	Spektralgenerator m, Spektrumgenerator m	générateur m du spectre	генератор спектра [частот]
	spectrum hardening, spectral hardening	Spektrumhärtung f, Härtung f des Neutronenspektrums	durcissement m du spectre [des neutrons]	жестчение спектра, увеличение жесткости спектра
	spectrum intensity line	s. intensity of the spectral line		
S 2917	spectrum kernel, kernel of the spectrum	Spektralkern m	noyau m de spectre	ядро спектра
	spectrum lamp	s. spectroscopic lamp		
	spectrum line, spectral line, line <opt.>	Spektrallinie f, Linie f <Opt.>	raie f [spectrale], ligne f [spectrale] <opt.>	спектральная линия, линия [спектра] <опт.>
S 2918	spectrum locus	Spektralfarbenzug m, Farbort m der Spektralfarbe, Spektralfarbenkurve f	lieu m des radiations monochromatiques, lieu des couleurs spectrales, lieu de la couleur spectrale	линия спектральных цветностей, кривая спектральных цветов, точка спектральной цветности
	spectrum-luminosity relation	s. Hertzsprung-Russell diagram		
S 2919	spectrum matrix	Spektralmatrix f	matrice f spectrale	спектральная матрица
S 2920	spectrum model	Spektrummodell n	modèle m de spectre	модель спектра
S 2921	spectrum of additive coloration	additives Verfärbungsspektrum n	spectre m de coloration additive	спектр аддитивного окрашивания
	spectrum of colour [-ation], colouration spectrum	Verfärbungsspektrum n	spectre m de coloration	спектр окрашивания, спектр окраски
	spectrum of diffuse reflection, diffuse reflection spectrum	Spektrum n diffuser Reflexion, Remissionsspektrum n	spectre m de réflexion diffuse	спектр рассеянного отражения
	spectrum of direct reflection, direct reflection spectrum	Spektrum n spiegelnder Reflexion	spectre m de réflexion régulière	спектр зеркального отражения
S 2922	spectrum of freezing nuclei	Gefrierkernspektrum n	spectre m des noyaux de congélation	спектр ядер замерзания
S 2923	spectrum of the meteor train, meteor train spectrum	Schweifspektrum n des Meteors, Spektrum n des Meteorschweifs, Meteorschweifspektrum n	spectre m de la traînée [du météore]	спектр метеорного следа
	spectrum of the wind waves, distribution of the wind waves, wave spectrum	Windseeverteilung f, Windseespektrum n, Windwellenspektrum n	distribution f des vagues d'origine éolienne, spectre m des vagues [d'origine éolienne]	распределение ветрового волнения, спектр морских волн
S 2924	spectrum of turbulence, eddy (turbulence) spectrum	Turbulenzspektrum n, Spektrum n der Turbulenz	spectre m de turbulence	спектр турбулентности, спектр масштабов турбулентных движений
S 2925	spectrum parameter	Spektrumparameter m	paramètre m du spectre	параметр спектра
S 2926	spectrum pressure level, pressure spectrum level	Schalldruckpegel m je Hertz Bandbreite	niveau m spectral élémentaire	спектральный уровень давления, уровень спектральной плотности
	spectrum produced by ionized atoms, ionic spectrum	Spektrum n ionisierter Atome	spectre m ionique, spectre m d'atomes ionisés	оптический спектр, вызванный ионизированными атомами
S 2927	spectrum projector	Spektrenprojektor m	projecteur m de spectres	проектор спектров
S 2928	spectrum radius, spectral radius (norm) <math.>	Spektralradius m <Math.>	rayon m spectral <math.>	спектральный радиус <матем.>
S 2929	spectrum recorder	Spektrumschreiber m	enregistreur m de spectres	спектрорегистратор
	spectrum record[ing]	s. spectrogram		
S 2929a	spectrum tensor	Spektraltensor m	tenseur m spectral	спектральный тензор
S 2930	spectrum variable	Spektrumveränderlicher m, Spektrumsvariabler m	étoile f à spectre variable, variable f à spectre	спектральная переменная [звезда], спектрально-переменная звезда
S 2931	spectrum width	Spektralbreite f	largeur f du spectre	ширина спектра
	specular, mirror-symmetric, reverse	spiegel[bild]symmetrisch, spiegelbildlich, spiegelverkehrt, spiegelrecht	à miroir-symétrie, inverse, à symétrie par réflexion	зеркально-симметричный, зеркальноотраженный, зеркальный
	specular cast (pig) iron	s. spiegeleisen		
	specular reflection	s. direct reflection		
	specular reflectivity	s. direct reflection factor		
S 2931a	specular refraction, regular refraction	gerichtete (regelmäßige) Brechung f	réfraction f régulière (spéculaire)	направленное преломление
	specular surface	s. mirror surface		
	specular symmetry, mirror symmetry	Spiegelsymmetrie f	réflexion f, symétrie f par réflexion	зеркальная симметрия
S 2932	speculum, speculum metal	Spiegelmetall n, Speculum n	métal m à miroir	зеркальный металл
S 2933	speech analyzer	Sprachanalysator m	analyseur m de voix	анализатор речи
S 2934	speech audiometer, live-voice audiometer	Sprachaudiometer n	audiomètre m de voix	речевой аудиометр
	speech current, voice current, telephone current	Sprechstrom m	courant m téléphonique	телефонный ток
	speech frequency	s. audio[-]frequency		
S 2935	speech-frequency range, voice-frequency band	Sprachfrequenzbereich m, Sprachfrequenzband n, Sprechfrequenzbereich m, Sprechfrequenzband n	bande f de fréquences vocales	полоса разговорных частот, разговорная полоса частот
	speech level, electrical speech level, vocal level, volume level	Sprachpegel m	niveau m de parole, niveau de voix	разговорный уровень, уровень разговорных токов

	English	German	French	Russian
S 2935a	speech modulated	sprachmoduliert	modulé par la voix	модулированный голосом (речью)
S 2936	speech power, audio[-frequency] power, audio-frequency [power] output	Sprechleistung f	puissance f de la parole, puissance acoustique de sortie	разговорная мощность, мощность [звуков] речи, мощность звуковой частоты
	speech test, voice-ear test, volume comparison	Sprech-Hör-Versuch m	essai m de voix	речевое испытание, испытание на разговор
S 2937	speech velocity	Sprechgeschwindigkeit f	vitesse f de prononciation	скорость передачи разговоров
S 2938	speed, sensitivity, rapidity <of the emulsion>	Empfindlichkeit f, Lichtempfindlichkeit f <Emulsion>	rapidité f, sensibilité f <de l'émulsion>	чувствительность, скорость <эмульсии>
S 2939	speed <of rotation>, rotational speed, rotation speed, rotative speed, turn speed, number of revolutions per unit time, number of turns per unit time, revolutions per unit time, turns per unit time, rotational frequency, rotation frequency	Drehzahl f [je Zeiteinheit], Umdrehungszahl f [je Zeiteinheit], Tourenzahl f [je Zeiteinheit], Umlaufsgeschwindigkeit f, Umdrehungsgeschwindigkeit f, Anzahl f der Umdrehungen (Umläufe) in der Zeiteinheit, Zahl f der Umdrehungen (Umläufe) in der Zeiteinheit, Umdrehungen fpl (Umläufe mpl) je Zeiteinheit, Umlauf[s]frequenz f	vitesse f [de rotation], nombre m de tours [par unité de temps], nombre de révolutions [par unité de temps], fréquence f de rotation	число оборотов на единицу времени, скорость вращения, скорость оборотов, частота вращений, частота обращения
	speed <gen.>; velocity	Geschwindigkeit f <allg.>	vitesse f, vélocité f, célérité f <gén.>	скорость <общ.>
S 2940	speed, magnitude of the velocity vector <mech.>	Geschwindigkeitsbetrag m, Geschwindigkeit f <Mech.>	vitesse f, module m de vitesse <méc.>	абсолютная величина вектора скорости, величина (модуль) скорости, скорость <мех.>
	speed <of camera lens>	s. a. f-number		
	speed <of pump>	s. a. exhaustion rate		
	speed counter	s. speedometer		
S 2941	speed factor, intensifying factor, intensification factor <phot.>	Verstärkungsfaktor m <Phot.>	facteur m de renforcement <phot.>	коэффициент усиления, коэффициент интенсификации <фот.>
	speed factor	s. a. gain		
	speed faster than that of light	s. supervelocity of light		
	speed gauge (indicator)	s. speedometer		
	speedlight	s. electronic-flash lamp		
	speed lower than that of light	s. subvelocity of light		
S 2942	speed of autorotation [of the gyroscope]	Eigendrehgeschwindigkeit f [des Kreisels]	vitesse f d'autorotation [du gyroscope]	скорость самовращения [гироскопа]
	speed of combustion, velocity of combustion [reaction], burning velocity, rate of combustion	Verbrennungsgeschwindigkeit f, Brenngeschwindigkeit f	vitesse f de combustion	скорость горения, скорость сгорания; скорость сжигания
S 2943	speed of compression, compression speed	Verdichtungsgeschwindigkeit f, Kompressionsgeschwindigkeit f; Stauchgeschwindigkeit f	vitesse f de compression	скорость сжатия
	speed of conduction of the nerve	s. velocity of the nerve impulse		
S 2944	speed of contrast perception	Kontrastwahrnehmungsgeschwindigkeit f; Unterschiedswahrnehmungsgeschwindigkeit f, Unterschiedsempfindungsgeschwindigkeit f	vitesse f de perception des contrastes	скорость восприятия контрастов
S 2945	speed of convergence, rapiditiy of convergence	Güte f der Konvergenz, Konvergenzgeschwindigkeit f	rapidité f de la convergence, vitesse f de convergence	порядок сходимости, быстрота (скорость) сходимости
	speed of deformation	s. rate of strain		
	speed of diffusion	s. diffusion rate		
	speed of escape	s. escape speed		
	speed of flame propagation	s. rate of flame propagation		
	speed of grain, sensitivity of grain	Kornempfindlichkeit f <Emulsion>	rapidité f des grains	чувствительность зерна
S 2946	speed of heat propagation	Wärmeausbreitungsgeschwindigkeit f, Wärmefortpflanzungsgeschwindigkeit f; Wärmefortleitungsgeschwindigkeit f	vitesse f de propagation de la chaleur	скорость теплового распространения
	speed of light; velocity of light	Lichtgeschwindigkeit f	vitesse f [de propagation] de la lumière, célérité f de la lumière	скорость света
	speed of light in empty (free) space, speed of light in vacuo (vacuum)	s. velocity of light in vacuum		
S 2946a	speed of perception	Wahrnehmungsgeschwindigkeit f	vitesse f de perception	скорость зрительного восприятия
S 2947	speed of perception of form	Formempfindungsgeschwindigkeit f; Formwahrnehmungsgeschwindigkeit f	vitesse f de perception des formes	скорость восприятия формы

	speed of propagation, propagation velocity, velocity of propagation, velocity of transmission, spread velocity	Ausbreitungsgeschwindigkeit *f*, Fortpflanzungsgeschwindigkeit *f*	vitesse *f* de propagation, célérité *f*, célérité de propagation, vitesse de progression	скорость распространения
S 2948	**speed of response**, rate of response <el.>	Reaktionsgeschwindigkeit *f*, Ansprechgeschwindigkeit *f* <El.>	vitesse (rapidité) *f* de réponse, vitesse (rapidité) de réaction <él.>	скорость реагирования системы, скорость (быстрота) реакции (срабатывания) <эл.>
	speed of response	*s. a.* responsiveness <meas.>		
	speed of rotation	*s.* velocity of rotation		
S 2949	**speed of sensation** <of light>	Empfindungsgeschwindigkeit *f*	vitesse *f* de sensation <de la lumière>	скорость возникновения зрительного ощущения, скорость светового ощущения, скорость восприятия
	speed of sound	*s.* velocity of sound <ac.>		
	speed of transmission	*s.* transmission rate		
	speed of travel, travelling speed	Zuggeschwindigkeit *f*	vitesse *f* de marche	скорость передвижения, скорость прохождения
S 2950	**speedometer**, speed counter, speed gauge, speed indicator, tachometer; velometer; revolution counter, revolution indicator	Tachometer *n*, Geschwindigkeitsmesser *m*, Drehgeschwindigkeitsmesser *m*, Drehfrequenzmesser *m*; Tachoskop *n*; Umdrehungszähler *m*, Umdrehungszahlmesser *m*, Drehzahlmesser *m*, Drehzähler *m*, Tourenzähler *m*, Tourenzahlmesser *m*, Tourenmesser *m*	tachymètre *m*, tachomètre *m*, vélocimètre *m*, indicateur *m* de vitesse; compte-tours *m*, compteur *m* de tours	тахометр, скоростемер, спидометр, велосиметр, измеритель скорости [вращения], указатель скорости; счетчик оборотов, счетчик числа оборотов, измеритель числа оборотов
S 2951	**speed reduction**, [ratio of] reduction <mech.>	Untersetzung *f* <Mech.>	réduction *f*, démultiplication *f* <méc.>	понижение, редукция, редуцирование, демультипликация <мех.>
	speed triangle	*s.* velocity diagram		
	speed-up; advance, advancing; leading, lead	Voreilung *f*	avance *f*, avancement *m*	опережение; предварение
	speedy detection, fast detection	schneller Nachweis *m*	détection *f* rapide	быстрое обнаружение
S 2952	**spel[a]eology**	Höhlenkunde *f*, Höhlenforschung *f*, Speläologie *f*	spéléologie *f*	спелеология, исследование пещер
S 2953	**Spencer disk**	Spencer-Scheibe *f*	disque *m* de Spencer	биметаллическая шайба [Спенсера]
S 2954	**Spencer-Fano method**	Spencer-Fano-Methode *f*, Methode *f* von Spencer und Fano	méthode *f* de Spencer et Fano	метод Спенсера-Фано
S 2955	**spent** <of nuclear fuel>	abgebrannt, verbraucht, ausgebrannt <Kernbrennstoff>	usé, épuisé <du combustible nucléaire>	отработанный, истощенный <о ядерном топливе>
S 2956	**sperm[aceti] candle** <= 1.029 cd>	Spermazeti-Kerze *f* <= 1,029 cd>, Spermazeti-Walratkerze *f*	bougie *f* de spermaceti <= 1,029 cd>	свеча спермацети <= 1,029 св>
S 2957	**Sperry compass**	Sperry-Kompaß *m*	compas *m* [gyroscopique] de Sperry, gyrocompas *m* de Sperry	шар-гироскоп Сперри, [маятниковый] гирокомпас Сперри
	sphaerocrystal	*s.* spherocrystal		
	sphalerite lattice	*s.* zinc blende lattice		
	sphalerite structure, zinc blende structure	Zinkblende[n]struktur *f*, Zinkblende[n]typ *m*	structure *f* sphérolithe, structure de type sulfure de zinc	структура [типа] цинковой обманки
S 2958	**sphenoid**	Sphenoid *n*	sphénoïde *m*	сфеноид, полупризма
	sphenoid[al]	*s.* wedge-shaped <cryst.>		
	sphenoidal class	*s.* enantiomorphous hemihedry of the orthorhombic system		
	sphenoidal class	*s.* hemihedry of the second sort of the tetragonal system		
	sphenoidal hemihedry	*s.* trigonal holohedry		
	sphenoidal tetartohedry	*s.* tetartohedry of the second sort of the tetragonal system		
	sphenoidal tetartohedry	*s. a.* trigonal bipyramidal class		
S 2959	**sphere** <= 4π sr>	räumlicher Vollwinkel *m* <= 4π sr>	angle *m* solide de 4π sr	полный телесный угол <= 4π стер>
	sphere, celestial sphere <astr.>	Himmelskugel *f*, Himmelssphäre *f*, Sphäre *f* <Astr.>	sphère *f* céleste, sphère, calotte *f* céleste <astr.>	небесная сфера <астр.>
	sphere	*s. a.* region <gen.>		
	sphere	*s. a.* spherical surface		
S 2960	**sphere-gap voltmeter**	Kugelvoltmeter *n*	voltmètre *m* à boules	шаровой вольтметр
S 2961	**sphere of complex numbers with exclusion of one point**	punktierte Zahlenkugel *f*	sphère *f* des nombres privée d'un point	числовая сфера с выколотой точкой
	sphere of curvature	*s.* osculating sphere		
S 2962	**sphere of punctum proximum**	Nahpunktskugel *f*	sphère *f* du punctum proximum	сфера ближней точки
S 2963	**sphere of punctum remotum**	Fernpunktskugel *f*	sphère *f* de punctum remotum	сфера дальней точки

	English	German	French	Russian
	sphere of reflection, Ewald sphere	Ewaldsche Kugel *f*, Ausbreitungskugel *f*, Reflexionskugel *f*, Ewald-Kugel *f*	sphère *f* de réflexion (limitation), sphère d'Ewald	сфера отражения
	sphere photometer	s. photometric integrator		
S 2964	sphere transmission method measurement	Messung *f* nach dem Durchstrahlungsverfahren bei Kugelsymmetrie	méthode *f* de mesure du rayonnement par transmission dans le cas d'une symétrie sphérique	измерение методом пропускания в сферической симметрии
S 2965	spherical aberration, aperture aberration <opt.>	sphärische Aberration (Abweichung) *f*, Öffnungsfehler *m*, Kugelgestalt[s]fehler *m*, Abweichung <Opt.>	aberration *f* sphérique, aberration de sphéricité <opt.>	сферическая аберрация <опт.>
	spherical albedo	s. Bond['s] albedo <opt.>		
S 2966	spherical angle	sphärischer Winkel *m*, Kugelwinkel *m*	angle *m* sphérique	сферический угол
S 2967	spherical antenna, isotropic (ball) antenna	Isotropantenne *f*, Kugelantenne *f*, sphärische Antenne *f*	antenne *f* sphérique, antenne isotrope	изотропная (сферическая, шаровая) антенна
	spherical astronomy	s. astrometry		
S 2968	spherical Bessel function	sphärische (halbzahlige) Zylinderfunktion *f*; sphärische (halbzahlige) Bessel-Funktion *f*, Kugel-Bessel-Funktion *f*	fonction *f* de Bessel sphérique	сферическая функция Бесселя
S 2969	spherical cap, cap <math.>	Kugelhaube *f*, Kugelkalotte *f*, Kugelkappe *f*, Kalotte *f* <Math.>	calotte *f* [d'une sphère], calotte sphérique <math.>	шаровой свод, шапка <матем.>
S 2970	spherical capacitor	Kugelkondensator *m*	condensateur *m* sphérique	сферический конденсатор, шаровой конденсатор
S 2971	spherical chamber, spherical ionization chamber	Kugel[ionisations]kammer *f*	chambre *f* d'ionisation sphérique	сферическая ионизационная камера
S 2972	spherical coil	Kugelspule *f*	bobine *f* sphérique	сферическая катушка
	spherical-coil variometer	s. ball variometer		
	spherical component cepheid, W Virginis [-type] star	W Virginis-Stern *m*	variable (étoile) *f* du type W Virginis, étoile W Virginis	звезда типа W Девы
S 2973	spherical co-ordinates, spherical polar co-ordinates, polar co-ordinates [in space]	Kugelkoordinaten *fpl*, räumliche (sphärische) Polarkoordinaten *fpl*, Polarkoordinaten [im Raum]	coordonnées *fpl* sphériques, coordonnées polaires [dans l'espace]	сферические [пространственные] координаты, сферические (пространственные) полярные координаты, полярные координаты [в пространстве]
S 2974	spherical correction	sphärische Korrektion *f*	correction *f* sphérique	сферическая коррекция
S 2975	spherical curvature	sphärische Krümmung *f*	courbure *f* sphérique	сферическая кривизна
S 2975a	spherical diffusion	sphärische Diffusion *f*	diffusion *f* sphérique	сферическая диффузия
S 2976	spherical excess, spheric excess	sphärischer Exzeß *m*	excès *m* sphérique	сферический избыток, сферический эксцесс
	spherical function	s. spherical harmonic		
S 2977	spherical geometry; spherics <math.>	Kugelgeometrie *f*, kugelsymmetrische Geometrie *f*; sphärische Geometrie, Sphärik *f*, Geometrie auf der Kugel <Math.>	géométrie *f* sphérique; sphérique *f* <math.>	сферическая геометрия
	spherical gyroscope	s. spherical top		
S 2978	spherical Hankel function	sphärische Hankel-Funktion *f*, Kugel-Hankel-Funktion *f*	fonction *f* d'Hankel sphérique	сферическая функция Ханкеля
S 2978a	spherical harmonic, spherical function	Kugelfunktion *f*	harmonique *f* sphérique, fonction *f* sphérique	сферическая функция, сферическая гармоника
S 2979	spherical harmonic	Kugelharmonische *f*, sphärische Harmonische *f*, sphärisch-harmonische Funktion *f*	harmonique *f* sphérique	шаровая гармоническая функция, сферическая гармоника, сферическая функция
	spherical harmonic of the first kind	s. Legendre function of the first kind		
	spherical harmonic of the first kind	s. a. Legendre polynomial		
	spherical harmonic of the second kind	s. Legendre function of the second kind		
S 2980	spherical harmonics method	Methode *f* der Kugelfunktionen, Kugelfunktionenmethode *f*, Kugelfunktionsmethode *f*	méthode *f* des harmoniques sphériques	метод сферических гармоник
	spherical image	s. spherical indicatrix		
S 2981	spherical indicatrix; spherical image	sphärische Indikatrix *f*; Tangentenbild *n*, Hauptnormalenbild *n*, Binormalenbild *n*, sphärisches Bild *n* <Raumkurve>	indicatrice *f* sphérique; image *f* sphérique	сферическая индикатриса; сферический образ
	spherical ionization chamber	s. spherical chamber		
	spherical joint	s. spherically ground joint		
S 2982	spherical layer	Kugelschicht *f*	couche *f* sphérique	шаровой слой
S 2983	spherical lens	sphärische Linse *f*, Kugel[flächen]linse *f*	lentille *f* sphérique (bulle)	сферическая линза
S 2984	spherically ground joint, spherical joint	Kugelschliff *m*	joint *m* rodé sphérique, rodage *m* sphérique	шаровой шлиф

	English	German	French	Russian
S 2985	**spherically symmetric,** sphero-symmetric[al], spherosymmetric[al]	kugelsymmetrisch, sphärosymmetrisch	sphérosymétrique, à symétrie sphérique	сферически симметричный, сферо-симметрический
S 2986	**spherical mapping,** spherical (Gaussian) representation <of surface>	sphärische Abbildung f	représentation (application) f sphérique	сферическое отображение
S 2987	**spherical mirror**	sphärischer Spiegel (Hohlspiegel) m; Kugelspiegel m <Beleuchtungsapparat>	miroir m sphérique	сферическое зеркало
S 2988	**spherical molecule**	Kugelmolekül n, sphärisches (korpuskulares) Molekül n; verzweigtes Makromolekül (Fadenmolekül) n	molécule f sphérique	шаровая молекула, сферическая молекула
S 2989	**spherical motion**	sphärische Bewegung f, Bewegung im sphärischen Raum	mouvement m sphérique	сферическое движение
S 2990	**spherical Neumann function**	sphärische Neumann-Funktion f, Kugel-Neumann-Funktion f	fonction f de Neumann sphérique	сферическая функция Неймана
S 2991	**spherical optical surface separating two media,** single spherical optical surface separating two media	einzelne Kugelfläche f <brechend *oder* spiegelnd>	dioptre m sphérique	одна сферическая поверхность <преломляющая *или* зеркальная>
S 2992	**spherical overcorrection**	sphärische Überkorrektion f	surcorrection f sphérique	сферическая перекоррекция
	spherical particle, spherule	Kügelchen n	sphérule f	шарик, сферическая частица
S 2993	**spherical pendulum**	Kugelpendel n, sphärisches Raumpendel (Pendel) n	pendule m sphérique	сферический маятник
	spherical point, umbilical point	Nabelpunkt m, Nabel m, Kreispunkt m, Umbilikalpunkt m	ombilic m, point m ombilical, point sphérique	омбилическая (круговая, шаровая, округленная) точка
	spherical polar co-ordinates	s. spherical co-ordinates		
S 2994	**spherical radiator,** isotropic radiator	Isotropstrahler m, isotroper Strahler m, Kugelstrahler m, Strahler m nullter Ordnung; atmende Kugel f <Ak.>	radiateur m isotrope, radiateur sphérique	изотропный излучатель, сферический излучатель
	spherical reduction factor	s. reduction factor <el., opt.>		
	spherical representation	s. spherical mapping		
	spherical resonator, Helmholtz['] resonator	Helmholtz-Resonator m, Helmholtzscher Resonator m, Kugelresonator m	résonateur m de Helmholtz, résonateur sphérique	резонатор Гельмгольца, сферический резонатор
	spherical rotation	s. rotation about a point		
S 2995	**spherical sector**	Kugelsektor m, Kugelausschnitt m	secteur m sphérique	шаровой сектор
S 2996	**spherical segment**	Kugelabschnitt m, Kugelsegment n	segment m de la sphère	шаровой сегмент
	spherical shape	s. sphericity		
S 2997	**spherical shell** <mech.>	Kugelschale f, kugelförmige Schale f	couche f sphérique, enveloppe f sphérique	сферическая оболочка, сферический слой
S 2998	**spherical shock wave**	sphärische Stoßwelle f	onde f de choc sphérique	сферическая ударная волна
S 2999	**spherical space,** antipodal space	sphärischer Raum m	espace m sphérique	сферическое пространство
S 3000	**spherical stage,** hemispherical stage <of microscope>	Kugeltisch m, Halbkugeltisch m <Mikroskop>	platine f sphérique, platine hémisphérique <du microscope>	шаровой столик [микроскопа], полусферический столик, сферический столик <микроскопа>
S 3001	**spherical strain tensor**	Kugeltensor m des Verzerrungszustandes	tenseur m sphérique de déformation	сферический (шаровой) тензор деформации
S 3002	**spherical stress tensor**	Kugeltensor m des Spannungszustandes	tenseur m sphérique de tension	шаровой тензор напряжений
S 3003	**spherical surface,** sphere	sphärische Fläche f, Kugelfläche f; Sphäre f, Kugelschale f	surface f sphérique, sphère f	сферическая поверхность; поверхность постоянной положительной кривизны
S 3004	**spherical surface,** surface of the sphere	Kugeloberfläche f, Kugelfläche f	surface f de la sphère	поверхность шара
S 3005	**spherical symmetry**	Kugelsymmetrie f, sphärische Symmetrie f	symétrie f sphérique	сферическая симметрия
S 3006	**spherical tensor**	Kugeltensor m	tenseur m sphérique	сферический тензор, шаровой тензор
S 3007	**spherical texture**	Kugeltextur f	texture f sphérique (sphéroïdale)	сферическая (сфероидальная) текстура
S 3008	**spherical top,** spherical gyroscope	Kugelkreisel m, sphärischer Kreisel m	toupie f sphérique, gyroscope m sphérique	сферический волчок, сферический гироскоп
S 3009	**spherical top, spherical top molecule**	Kugelkreiselmolekül n, sphärisches Kreiselmolekül n, Molekül n vom Typ sphärischer Kreisel, Kugelkreisel m, sphärischer Kreisel m	molécule f du type toupie sphérique, molécule toupie sphérique, toupie f sphérique	молекула типа сферический волчок, сферический волчок
S 3010	**spherical undercorrection**	sphärische Unterkorrektion f	sous-correction f sphérique	сферическая недокоррекция
	spherical ungula	s. spherical wedge		

	English	German	French	Russian
S 3011	spherical valve	Kugelverschluß *m*	vanne *f* sphérique	шаровой затвор
	spherical vector wave function	s. Mie['s] scattering function		
S 3012	spherical vortex of Hill	Kugelwirbel *m* von Hill	tourbillon *m* sphérique de Hill	сферический вихрь Хилла
S 3013	spherical wave	Kugelwelle *f*	onde *f* sphérique	сферическая волна, шаровая волна
S 3014	spherical wave front	kugelflächige Wellenfront *f*, Kugelflächenfront *f*	front *m* d'onde sphérique	сферический фронт волны
S 3015	spherical wedge; spherical ungula	Kugelkeil *m*	coin *m* sphérique; onglet *m* sphérique	сферический (шаровой) клин
S 3016	spherical zone	Kugelzone *f*	zone *f* de la sphère, zone sphérique	шаровой пояс
	spheric excess	s. spherical excess		
S 3017	sphericity, spherical shape, spheroidal form	Kugelgestalt *f*, Kugelform *f*, Kugelförmigkeit *f*	sphéricité *f*, forme *f* sphérique (sphéroïdale)	сферичность, шарообразность, сферическая форма
S 3018	spheric polymer	sphärisches Polymer *n*	polymère *m* sphérique	сферический полимер
	spherics, atmospheric radio noise, atmospherics, sturbs, statics, sferics	atmosphärische (luftelektrische, statische) Störungen *fpl*, Atmospherics *pl*, Spherics *pl*	atmosphériques *mpl*, perturbations *fpl* atmosphériques, parasites *mpl* atmosphériques	атмосферики, атмосферные помехи
	spherics	s. a. spherical geometry <math.>		
S 3019	spherochromatism, chromatic variation of spherical aberration	Gauß-Fehler *m*, chromatische Differenz *f* der sphärischen Aberration	sphérochromatisme *m*	сферохроматическая аберрация, хроматическая разность сферической аберрации
S 3020	sphero[-]colloid	Sphärokolloid *n*	sphérocolloïde *m*	сфероколлоид, сферический коллоид
S 3021	sphero-conical co-ordinates	sphärokonische Koordinaten *fpl*	coordonnées *fpl* sphéroconiques	сфероконические координаты
S 3022	spherocrystal, sphaerocrystal	Sphärokristall *m*	sphérocristal *m*	сферокристалл
S 3023	sphero-cylindrical lens	sphärozylindrische Linse *f*; sphärozylindrisches Brillenglas *n*	lentille *f* sphéro-cylindrique	сфероцилиндрическая линза
	spheroid, ellipsoid of revolution, spheroid of revolution	Rotationsellipsoid *n*, Drehellipsoid *n*, Umdrehungsellipsoid *n*, Rotationssphäroid *n*, Sphäroid *n*	ellipsoïde *m* de révolution, sphéroïde *m* de révolution, sphéroïde	эллипсоид вращения, сфероид вращения, сфероид
S 3024	spheroidal, spheroidical	sphäroidisch, sphäroidal; rotationselliptisch	sphéroïdal	сфероидальный, сфероидный
	spheroidal azimuth, geodesic azimuth	geodätisches Azimut *n*	azimut *m* géodésique, azimut sphéroïdal	геодезический азимут
S 3025	spheroidal co-ordinates	rotationselliptische Koordinaten *fpl*, Koordinaten des Rotationsellipsoids, Sphäroidkoordinaten *fpl*	coordonnées *fpl* sphéroïdales	вырожденные эллипсоидальные координаты, сфероидальные координаты
S 3026	spheroidal core	sphäroidaler Rumpf *m*	cœur *m* sphéroïdal	сфероидальный сердечник
S 3027	spheroidal equation	Sphäroiddifferentialgleichung *f*	équation *f* sphéroïdale	сфероидальное [дифференциальное] уравнение
S 3028	spheroidal form	s. sphericity		
	spheroidal function	Sphäroidfunktion *f*, zugeordnete Mathieusche Funktion *f*	fonction *f* sphéroïdale	сфероидальная функция
S 3029	spheroidal mirror	Sphäroidspiegel *m*	miroir *m* sphéroïdal	сфероидальное зеркало
S 3029a	spheroidal protein, globular protein	Globulärprotein *n*, Sphäroprotein *n*	protéine *f* globulaire (sphéroïdale), sphéroprotéine *f*	сферопротеин
S 3030	spheroidal state	Sphäroidzustand *m*	état *m* sphéroïdal	сфероидальное состояние
S 3031	spheroidal triangle	Sphäroiddreieck *n*	triangle *m* sphéroïdal	сфероидальный треугольник
S 3032	spheroidal wave function <of the first, second, or third kind>	Sphäroidwellenfunktion *f* <erster, zweiter *oder* dritter Art>	fonction *f* d'onde sphéroïdale <de première, seconde *ou* troisième espèce>	сфероидальная волновая функция <первого, второго *или* третьего рода>
S 3033	spheroidal well	kugelförmiger Potentialtopf *m*	puits *m* sphéroïdal [de potentiel]	сфероидальная [потенциальная] яма
	spheroidical	s. spheroidal		
S 3034	spheroidization, spheroidizing <of graphite>	Zusammenballung *f* [des Graphits], Sphäroidisierung *f* [des Graphits], Sphäroidisation *f* [des Graphits]	sphéroïdisation *f* [du graphite]	сфероидизация [графита]
	spheroidizing, soft annealing, full annealing	Weichglühen *n*	recuit *m* adoucissant	смягчающий отжиг, мягкий отжиг
	spheroid of revolution, ellipsoid of revolution, spheroid	Rotationsellipsoid *n*, Drehellipsoid *n*, Umdrehungsellipsoid *n*, Rotationssphäroid *n*, Sphäroid *n*	ellipsoïde *m* de révolution, sphéroïde *m* de révolution, sphéroïde	эллипсоид вращения, сфероид вращения, сфероид
S 3035	spherometry	Sphärometrie *f*	sphérométrie *f*	сферометрия
S 3035a	spheron	Sphäron *n*	sphéron *m*	сферон
	sphero[-]symmetric[al], spherically symmetric	kugelsymmetrisch, sphärosymmetrisch	sphérosymétrique, à symétrie sphérique	сферически симметричный, сферо-симметрический
	spherotoric lens	s. toric lens		
S 3036	spherule, spherical particle	Kügelchen *n*	sphérule *f*	шарик, сферическая частица
S 3037	spherulite	Sphärolith *m*	sphérolite *m*	сферолит, глобула, шаровидное образование
S 3038	spherulitic	sphärolithisch	sphérolitique	глобулярный, сферолитный
S 3038a	sphingometer	Sphingometer *n*	sphingomètre *m*	сфингометр

	English	German	French	Russian
S 3039	sphygmobolometer	Sphygmobolometer n	sphygmobolomètre m	сфигмоболометр
S 3040	sphygmogram	Sphygmogramm n	sphygmogramme m	сфигмограмма
S 3041	sphygmomanometer	Sphygmomanometer n	sphygmomanomètre m	сфигмоманометр
S 3042	sphygmophone	Sphygmophon n	sphygmophon m	сфигмофон
S 3043	spicule, fine mottling, fine mottle	Spiculum n, Spikule f ‹pl.: Spicula, Spikulen›	spicule f, jet m	спикула
S 3044	spiders web coil, spider-web coil	Spinngewebspule f	bobine f plate en disque	плоская дисковая катушка
S 3045	spider-web antenna	Spinngewebantenne f	antenne f en toile d'araignée	паутинная антенна
	spider-web coil	s. spiders web coil		
S 3045a	spiegel[eisen]	Spiegeleisen n	spiegel m	шпигель, зеркальный чугун
	spiegelungsprinzip	s. Schwarz['s] reflection principle		
S 3046	spike, tracer ‹in isotope dilution analysis›	Tracer m, [markierte] Zugabe f, [markierter] Zusatz m, „spike" m ‹Isotopenverdünnungsanalyse›	spike m, traceur m	метка
S 3047	spike; tooth ‹el.›	Zacken m, Zacke f ‹El.›	pointe f ‹él.›	выброс; отметка ‹эл.›
	spiked, toothed, pronged, indented	zackig, gezackt	dentelé, denté	зубчатый, с зубцами
	spike function	s. delta function		
S 3047a	spike mode emission [operation]	Spikeemission[sbetrieb m] f	régime m de spike	пичковый режим
	spike of the laser, laser spike	Laserblitz m	éclat m du laser à fonctionnement impulsionnel	вспышка лазера
	spike of the pulse	s. pip		
	spike of the pulse	s. a. pulse spike		
S 3048	spiking	Spickmethode f, Spicken n	ensemencement m, spiking m	введение тепловыделяющих элементов из выше обогащенного материала
S 3049	spiking	Zackenbildung f	formation f de dents	образование выбросов
S 3050	spill	Ausufern n, Uferübertritt m, Übertreten n des Ufers	débordement m de l'eau	выход воды из берегов
	spill, backscatter loss, backscattering loss	Rückstreuverlust m	perte f par rétrodiffusion, perte due à la rétrodiffusion	потеря за счет обратного рассеяния, потеря вследствие обратного рассеяния
	spillage	s. leaking		
	spill gap	s. protective gap		
S 3050a	spilling	Verspritzen n	jaillissement m	расплескивание; разбрызгивание
	spilling	s. a. leaking		
	spill-over	s. overflowing		
S 3051	spill port	Überlaufkanal m, Überströmkanal m	déversoir m	водосливный (перепускной, водосбросный, уравнительный) канал
S 3052	spill shield, louvre	Raster m, Lichtraster m ‹lichttechnisches Bauelement›	paralume m, écran-paralume m	экранирующая решетка, светозащитная сетка, сетка, затенитель
	spillway, overflow tube	Überlaufrohr n	trop-plein m, tuyau m de chute	перепускная (переточная) трубка; сливная трубка
	spillway [dam], overflow weir, overflow dam, spillway weir	Überfallwehr n, offenes Wehr n; Überfallstaumauer f; Überfallmauer f	barrage m déversoir, barrage à crête déversante, déversoir m	водосливная плотина, сливной карман
S 3053	spillway weir	Entlastungswehr n; Entlastungsüberfall m	barrage m d'exhaussement, barrage de dénivellation	водосбросная плотина, сбросной водослив
S 3054	spillway weir	s. a. spillway		
	spin	Spin m	spin m	спин
	spin	s. a. spinning		
	spin	s. a. spin angular momentum		
S 3055	spin alignment	Spinausrichtung f, Spinordnung f, Spineinstellung f	alignement m des spins	упорядочение ориентаций спинов, выстраивание спинов
S 3056	spin angle function	Spin-Bahn-Funktion f, Spinbahnfunktion f, Kugelfunktion f mit Spin, Spinwinkelfunktion f	fonction f spin-angle	спин-угловая волновая функция, сферическая функция со спином
S 3057	spin angular momentum [vector], spin momentum [vector], spin vector, spin moment, intrinsic angular momentum, angular momentum due to the intrinsic rotation, eigen angular momentum	Spindrehimpuls[vektor] m, Spinvektor m, mechanischer Eigendrehimpuls m, Eigendrehimpuls, Eigendrall m, mechanisches Eigenmoment n, mechanisches Moment n, Spinmoment n	moment m angulaire intrinsèque, impulsion f angulaire intrinsèque, moment cinétique intrinsèque, moment de spin; vecteur m moment angulaire intrinsèque, vecteur du spin	спиновый момент количества движения, собственный момент количества движения, внутренний момент количества движения, момент количества движения собственного вращения, потеря вследствие собственный механический момент, спиновый момент; вектор спинового момента [количества движения], вектор спина
	spin atomic orbital, spin wave function, spin orbital, SO	Spinwellenfunktion f, Spinatomorbital n, Spinorbital n	fonction f d'onde de spin, fonction d'onde totale de l'électron, spin-orbitale f [atomique]	общая волновая функция электрона, спиновая волновая функция
	spin axis, gyroaxis, gyroscope axis, axis of the top	Kreiselachse f	axe m du gyroscope, axe de la toupie	ось волчка, ось гироскопа
S 3058	spin contribution	Spinanteil m, Spinbeitrag m	contribution f du spin	вклад спина
S 3059	spin co-ordinate, spin variable	Spinkoordinate f, Spinvariable f	coordonnée (variable) f de spin	спиновая координата (переменная)

S 3060	spin correlation coefficient, coefficient of spin correlation	Koeffizient m der Spinkorrelation, Spinkorrelationskoeffizient m	coefficient m de corrélation de spin	коэффициент спиновой корреляции
S 3061	spin correlation function	Spinkorrelationsfunktion f	fonction f de corrélation de spin	функция спиновой корреляции
	spin coupling	s. spin-spin coupling		
	spin decoupling	s. spin uncoupling		
S 3061a	spin-degenerate	spinentartet	dégénéré en spin	спиновырожденный, вырожденный по спину
S 3062	spin density	Spindichte f	densité f des spins	плотность спинов
S 3063	spin density operator	Spindichteoperator m	opérateur m [de] densité des spins	оператор плотности спинов
	spin-dependent scattering, spin incoherent scattering	spin-inkohärente Streuung f, Spinstreuung f, spin-abhängige Streuung	diffusion f dépendant du spin, diffusion incohérente due au spin	рассеяние, зависящее от спина; некогерентное рассеяние, зависящее от спина
S 3064	spin detector	Spindetektor m, Brückendetektor m	détecteur m de spin	спиновый детектор
S 3065	spin diffusion	Spindiffusion f	diffusion f de spin	спиновая диффузия
	spin direction	s. spin orientation		
S 3066	spindle, shaft	Spindel f	arbre m; broche f; fuseau m; tige f mince	шпиндель; веретено
S 3067	spindle [apparatus], mitotic spindle <of mitosis>	Kernspindel f, Teilungsspindel f, Spindel f, Spindelapparat m <Mitose>	fuseau m <de la mitose>	веретено <митоза>
S 3068	spindle in colloid systems	Spindel f in Kolloidsystemen	fuseau m dans les systèmes colloïdaux	веретено в коллоидных системах
	spindle-like	s. spindle-shaped		
S 3069	spindle-operated rheostat	Spindelwiderstand m	résistance f ajustable par vis	переменное сопротивление с ползушкой, снабженной ходовым винтом
S 3070	spindle-shaped, spindle-like	spindelförmig	en forme de fuseau, fusiforme	веретенообразный, веретеновидный
S 3071	spin doublet	Spindublett n	doublet m de spin	спиновый дублет, дублет по спину
S 3072	spin doubling, spin splitting	Spinaufspaltung f	dédoublement m dû au spin	спиновое удвоение, спиновое расщепление
S 3073	spin echo	Spinecho n	écho m de spin, spin-écho m	спин-эхо, спиновое эхо
S 3074	spin-echo method	Spinechomethode f, Spinechoverfahren n, Spin-Echo-Methode f	méthode f de l'écho de spin, méthode de spin-écho	метод спинового эха
S 3075	spin-echo spectrometer	Spinechospektrometer n	spectromètre m à spin-écho	спектрометр для спинового эха
S 3076	spin effect, effect of nuclear spin	Kernspineffekt m	effet m de spin nucléaire, effet de spin	эффект спина ядра, эффект ядерного спина, влияние спина ядра
S 3077	spin eigenfunction	Spineigenfunktion f	fonction f propre de spin	спиновая собственная функция
S 3078	spin eigenstate	Spineigenzustand m	état m propre de spin	спиновое собственное состояние
S 3078a	spin eigenvalue	Spineigenwert m	valeur f propre de spin	спиновое собственное значение
	spinel ferrite	s. ferrospinel		
S 3079	spinel lattice	Spinellgitter n	réseau m de spinelle, réseau [type] spinelle	решетка типа шпинели
S 3080	spinel law	Spinellgesetz n	loi f [d'association] de la spinelle	шпинелевый закон [двойникового срастания]
S 3081	spinel structure	Spinellstruktur f	structure f spinelle, structure de spinelle	структура типа шпинели
S 3082	spin energy	Spinenergie f	énergie f due au spin	спиновая энергия
S 3083	spin exchange	Spinaustausch m	échange m de spin	обмен спина
	spin-exchange force, Bartlett force	Bartlett-Kraft f, Spinaustauschkraft f	force f de Bartlett, force d'échange de spin	бартлеттова сила, сила Бартлетта, сила обмена спина
	spin-exchange interaction	s. spin-spin exchange interaction		
	spin-exchange operator, Bartlett operator	Bartlett-Operator m, Spinaustauschoperator m	opérateur m de Bartlett, opérateur d'échange de spin, opérateur échangeur de spin	оператор Бартлетта, бартлеттов оператор, оператор обмена спина
	spin-exchange potential, Bartlett potential	Bartlett-Potential n, Potential n der Bartlett-Kräfte, Spinaustauschpotential n	potentiel m de Bartlett, potentiel d'échange de spin, potentiel échangeur de spin	потенциал Бартлетта, бартлеттов потенциал, потенциал обмена спина
S 3084	spin-field coupling	Spin-Feld-Kopplung f	couplage m spin-champ	спин-полевая связь
S 3085	spin-field interaction	Spin-Feld-Wechselwirkung f	interaction f spin-champ	спин-полевое взаимодействие
S 3086	spin flip, flip-over of spin, flop-over of spin, reorientation of spin, spin reorientation, spin inversion	Umklappen n des Spins, Spinumkehr[ung] f, Umkehrung f des Spins, Umkehr f des Spins, Spinumklappung f	basculement m du spin, changement m d'orientation du spin, change m d'orientation du spin, réorientation f du spin	изменение направления спина [на обратное], изменение ориентации спина, опрокидывание (переориентация) спина
S 3087	spin flip operator	Spinumkehroperator m, Umkehroperator m, Umklappoperator m, Spinumklappoperator m	opérateur m du changement de l'orientation du spin, opérateur de basculement du spin	оператор опрокидывания спина, оператор изменения ориентации спина
S 3088	spin flip scattering	Spinumkehrstreuung f, Umkehrstreuung f, Spinumklappstreuung f, Umklappstreuung f, Streuung f mit Umklappen des Spins, Streuung mit Änderung der Spinorientierung	diffusion f avec changement de l'orientation du spin	рассеяние с изменением ориентации спина

S 3088a	**spin flip spectrum,** spin reorientation spectrum	Spinumkehrspektrum n, Spinumklappspektrum n	spectre m de réorientation du spin	спектр переориентации спина
S 3089	**spin fluctuation**	Spinfluktuation f	fluctuation f de spin	флуктуация спина
	spin-free complex; high-spin complex; outer-orbital complex	Normalkomplex m, magnetisch normaler Komplex m, [„normaler"] Anlagerungskomplex m	complexe m à haut spin, complexe à spin élevé	высокоспиновое (спин-свободное) комплексное соединение
S 3090	**spin function**	Spinfunktion f	fonction f de spin	спиновая функция, спин-функция
S 3091	**spin gas**	Spingas n	gaz m de spin	спиновый газ
S 3092	**spin generator**	Spingenerator m	générateur m de spin	спиновый генератор
S 3093	**spin Hamiltonian**	Spin-Hamilton-Operator m	hamiltonien m de spin, opérateur m hamiltonien de spin, spin-hamiltonien m	спиновый гамильтониан
	spin-harmonic coupling, cross relaxation	Kreuzrelaxation f, Cross-relaxation f	cross-relaxation f, cross relaxation f	перекрестная релаксация, кросс[-]релаксация
S 3094	**spin-heat conductivity**	Spinwärmeleitfähigkeit f	conductivité f spin-chaleur	спиновая теплопроводность
S 3095	**spin incoherence**	Spininkohärenz f	incohérence f dépendant du spin	спиновая некогерентность; некогерентность, зависящая от спина
S 3096	**spin incoherent scattering,** spin-dependent scattering	spin-inkohärente Streuung f, Spinstreuung f, spin-abhängige Streuung	diffusion f dépendant du spin, diffusion incohérente due au spin	рассеяние, зависящее от спина; некогерентное рассеяние, зависящее от спина
S 3097	**spin interaction**	Spinwechselwirkung f	interaction f de spin	спиновое взаимодействие
	spin inversion	s. spin flip		
S 3098	**spin-lattice coupling**	Spin-Gitter-Kopplung f	couplage m spin-réseau (spin-milieu)	спин-решеточная связь
S 3099	**spin-lattice interaction**	Spin-Gitter-Wechsel-wirkung f	interaction f spin-réseau, interaction spin-milieu	спин-решеточное взаимо-действие
	spin-lattice relaxation, nuclear spin-lattice relaxation	Spin-Gitter-Relaxation f	relaxation f spin-réseau, relaxation spin-milieu	спин-решеточная релаксация
S 3100	**spin-lattice relaxation time,** longitudinal relaxation time, thermal relaxation time	Spin-Gitter-Relaxationszeit f, longitudinale Relaxationszeit f, thermische Relaxationszeit	temps m de relaxation spin-réseau (spin-milieu), temps de relaxation longitudinal (thermique), période f de relaxation spin-réseau (spin-milieu), période de relaxation longitudinale (thermique)	время спин-решеточной релаксации, продольное время релаксации
S 3101	**spin-lattice transition probability**	Spin-Gitter-Übergangs-wahrscheinlichkeit f	probabilité f de transition spin-réseau, probabilité de transition spin-milieu	вероятность спин-решеточного перехода, спин-решеточная вероятность перехода
	spinless particle, spin[-] zero particle.	Spin-0-Teilchen n, Teilchen n mit dem Spin 0, Teilchen ohne Spin, spinloses Teilchen	particule f de spin zéro, particule de spin 0, particule sans spin	частица с нулевым спином, частица со спином 0, бесспиновая частица, частица без спина
S 3102	**spin level**	Spinniveau n	niveau m de spin	спиновый уровень
S 3103	**spin magnetic moment**	magnetisches Spinmoment n, Spinanteil m des magnetischen Moments	moment m magnétique du spin	магнитный спиновый момент
S 3104	**spin magnetic quantum number,** magnetic spin quantum number	magnetische Spinquantenzahl f, Mangetspinquantenzahl f, Spinmagnetismus m	nombre m quantique magnétique de spin, nombre quantique de spin magnétique	спиновое магнитное квантовое число, магнитное спиновое квантовое число
S 3105	**spin magnetic resonance**	magnetische Spinresonanz f	résonance f magnétique du spin	магнитный резонанс спина
S 3106	**spin magnetism**	Spinmagnetismus m	magnétisme m de spin	спиновый магнетизм
	spin matrix	s. Pauli spin matrix		
	spin matrix of Dirac, Dirac [spin] matrix, gamma matrix	Diracsche Spinmatrix f, Dirac-Matrix f, Spinmatrix f von Dirac	matrice f de Dirac	матрица Дирака
	spin matrix of Pauli	s. Pauli spin matrix		
S 3107	**spin mode**	Spinmode f, Spinmodus m	mode m de spin	вид спина
	spin moment	s. spin angular momentum		
	spin momentum [vector]	s. spin angular momentum		
S 3108	**spin multiplet**	Spinmultiplett n	multiplet m de spin	спиновый мультиплет, мультиплет по спину
S 3109	**spinning,** spin, free spinning, tail spin	Trudeln n, Trudelbewegung f, Trudelflug m	vrille f	штопор, штопорение, спуск штопором
S 3110	**spinning detonation**	rotierende Detonation f, Spin m der Detonation	détonation f tournante	спиновая детонация
S 3111	**spinning electron**	rotierendes Elektron n, Elektron mit Eigendreh-impuls	électron m tournant	вращающийся электрон
	spinning molecule	s. top molecule		
S 3112	**spinning obstacle**	rotierendes Hindernis n	obstacle m tournant	вращающаяся преграда
S 3113	**spinning of the nucleon,** spin of the nucleon	Spinbewegung f des Nukleons, Eigenrotation f des Nukleons	rotation f propre du nucléon, rotation du nucléon	вращение нуклона, верчение нуклона
S 3114	**spinning top**	rotierender Kreisel m	toupie f tournante	вращающийся гироскоп
S 3115	**spinning upside down**	Rückentrudeln n	vrille f inversée, vrille sur le dos	перевернутый штопор
	spinning wind tunnel	s. free spinning tunnel		
S 3116	**spinodal curve**	Spinodale f	spinodale f	спиноаль, линия перегиба
S 3116a	**spinodal decomposition**	spinodale Entmischung f	décomposition f spinodale	спинодальный распад

S 3116b	**spinodal point**	spinodaler Punkt *m*	point *m* spinodal	точка перегиба [спинодали], спинодальная точка
	spinode	s. cusp		
S 3117	**spin of the nucleon,** nucleon spin	Spin *m* des Nukleons, Nukleon[en]spin *m*	spin *m* du nucléon	спин нуклона
S 3118	**spin of the nucleon,** spinning of the nucleon	Spinbewegung (Eigenrotation) *f* des Nukleons	rotation *f* [propre] du nucléon	вращение нуклона
	spin operator	Spinoperator *m*	opérateur *m* du spin	оператор спина, спиновый оператор
S 3119	**spinor**	Spinor *m*	spineur *m*, spinor *m*	спинор
S 3120	**spinor analysis**	Spinoranalysis *f*	analyse *f* spinorielle	спинорный анализ
	spin orbital	s. spin wave function		
	spin-orbital coupling	s. spin-orbit coupling		
S 3121	**spin-orbit coupling,** spin-orbital coupling, orbit-spin coupling	Spin-Bahn-Kopplung *f*, Spin-Bahndrehimpuls-Kopplung *f*	couplage *m* spin-orbite (spin-orbital, orbite-spin, spin-trajectoire), liaison *f* spin-orbite	спин-орбитальная связь, спин-траекторная связь
S 3122	**spin-orbit coupling constant**	Konstante *f* der Spin-Bahn-Kopplung, Spin-Bahn-Kopplungskonstante *f*	constante *f* de couplage spin-orbite	постоянная спин-орбитальной связи
S 3123	**spin-orbit coupling shell model**	Schalenmodell *n* mit Spin-Bahn-Kopplung	modèle *m* quantique à couplage spin-orbite	модель оболочек со спин-орбитальной связью
S 3124	**spin-orbit coupling term,** spin-orbit term	Spin-Bahn-Kopplungsterm *m*, Spin-Bahn-Term *m*	terme *m* de couplage spin-orbite, terme dû à l'interaction spin-orbite	член спин-орбитальной связи; член, отвечающий спин-орбитальному взаимодействию
S 3125	**spin-orbit doublet**	Spin-Bahn-Dublett *n*	doublet *m* spin-orbite	спин-орбитальный дублет
S 3126	**spin-orbit interaction**	Spin-Bahn-Wechselwirkung *f*	interaction *f* spin-orbite	спин-орбитальное взаимодействие, взаимодействие спина с орбитальным моментом
S 3127	**spin-orbit potential**	Spin-Bahn-Potential *n*	potentiel *m* spin-orbite	спин-орбитальный потенциал
S 3128	**spin-orbit splitting**	Spin-Bahn-Aufspaltung *f*	dédoublement *m* spin-orbite (spin-orbitale)	спин-орбитальное расщепление
	spin-orbit term	s. spin-orbit coupling term		
S 3129	**spinor calculus**	Spinorkalkül *m*	calcul *m* des spineurs	спинорное исчисление
S 3130	**spinor component**	Spinorkomponente *f*	composante *f* du spineur, composante spinorielle	составляющая спинора, компонента спинора
S 3131	**spinor field,** spinorial field	Spinorfeld *n*	champ *m* spinoriel	спинорное поле
S 3132	**spinor field theory**	Spinorfeldtheorie *f*	théorie *f* des champs spinoriels, théorie de champ spinoriel	теория спинорных полей
S 3133	**spinor gravitation,** spinorial gravitation	Spinorgravitation *f*	gravitation *f* spinorielle	спинорная гравитация
S 3134	**spinorial Dirac equation**	spinorielle Dirac-Gleichung *f*	équation *f* de Dirac spinorielle	спинорное уравнение Дирака
	spinorial field	s. spinor field		
	spinorial gravitation	s. spinor gravitation		
	spinorial S-matrix, *M* function, spinor *S*-matrix	*M*-Funktion *f*, Spinor-*S*-Matrix *f*, spinorielle *S*-Matrix *f*	fonction *f* *M*, matrice *f* *S* spinorielle	*M*-функция, спинорная *S*-матрица
	spinorial wave equation	s. spinor wave equation		
S 3135	**spin orientation;** spin direction	Spinorientierung *f*; Spinrichtung *f*	orientation *f* du spin; direction *f* du spin	ориентация спина; направление спина
S 3136	**spin orientation exchange**	Spinorientierungsaustausch *m*	échange *m* de l'orientation des spins	обмен ориентацией спинов
S 3137	**spinor index**	Spinorindex *m*	indice *m* spinoriel	спинорный индекс
S 3138	**spinor of four components,** four-component spinor	vierkomponentiger Spinor *m*	spineur *m* à quatre composantes	четырёхкомпонентный спинор
	spinor of two components, two-component spinor, Weyl spinor	zweikomponentiger Spinor *m*, Weylscher Spinor	spineur *m* à deux composantes	двухкомпонентный спинор
S 3139	**spinor representation**	Spinordarstellung *f*, Spindarstellung *f*	représentation *f* spinorielle	спинорное представление
	spinor S-matrix	s. spinorial *S*-matrix		
S 3140	**spinor space**	Spinorraum *m*	espace *m* spinoriel	спиновое пространство
S 3141	**spinor wave**	Spinorwelle *f*	onde *f* spinorielle	спинорная волна
S 3142	**spinor wave equation,** spinorial wave equation	Spinwellengleichung *f*, Spinorwellengleichung *f*	équation *f* d'onde spinorielle	спинорное волновое уравнение
S 3143	**spinor wave function**	Spinorwellenfunktion *f*	fonction *f* d'onde spinorielle, fonction d'onde de la particule de Dirac	спинорная волновая функция, волновая функция дираковской частицы
S 3144	**spin packet**	Spinpaket *n*	paquet *m* des spins	спиновый пакет, пакет спинов
	spin-paired complex, low-spin complex, inner-orbital complex, sandwich complex	Durchdringungskomplex *m*, magnetisch anomaler Komplex *m*	complexe *m* à bas spin, complexe à spin diminué, complexe à orbital interne	низкоспиновое комплексное соединение, спин-спаренное комплексное соединение
S 3145	**spin pairing**	Spinpaarung *f*	appariage (appariement) *m* des spins	спаривание спинов
S 3146	**spin paramagnetism**	Spinparamagnetismus *m*	paramagnétisme *m* de spin	спиновый парамагнетизм
S 3147	**spin particle,** particle with spin	Teilchen *n* mit Spin, Spinteilchen *n*	particule *f* avec spin, particule avec le spin inégal au zéro	частица, обладающая спином
S 3148	**spin 1 particle,** particle with spin 1	Spin-1-Teilchen *n*, Teilchen *n* mit dem Spin 1	particule *f* de spin 1	частица со спином 1; частица, обладающая спином 1

S 3149	**spin $1/2$ particle,** particle with spin $1/2$	Spin-$1/2$-Teilchen n, Teilchen n mit dem Spin $1/2$	spinion m, particule f de spin $1/2$	частица со спином $1/2$; частица, обладающая спином $1/2$
S 3150	**spin partition function**	Spinzustandssumme f	fonction f de partition du spin, somme f des états de spin	сумма по спиновым состояниям
S 3151	**spin polarization tensor**	Spinpolarisationstensor m	tenseur m de polarisation de spin	тензор поляризации спина
S 3152	**spin quantum number**	Spinquantenzahl f	nombre m quantique de spin	спиновое квантовое число
S 3153	**spin quenching,** quenching spin	Spinauslöschung f, „spin quenching" n	suppression f du spin	подавление спина
S 3153a	**spin Raman effect**	Spin-Raman-Effekt m	effet m Raman de spin	спиновое комбинационное рассеяние света
S 3154	**spin relativity doublet**	relativistisches Dublett n, reguläres Dublett (Spindublett n)	doublet m [de spin] relativiste, doublet m régulier	релятивистский дублет, правильный дублет
S 3155	**spin relaxation** **spin reorientation** **spin reorientation spectrum**	Spinrelaxation f s. spin flip s. spin flip spectrum	relaxation f de spin	спиновая релаксация
S 3156	**spin resonance**	Spinresonanz f	résonance f de spin	спиновый резонанс
S 3157	**spin resonance frequency**	Spinresonanzfrequenz f; ESR-Frequenz f	fréquence f de la résonance de spin [électronique]	частота [электронного] спинового резонанса
S 3158	**spin-rotation interaction**	Spin-Rotations-Wechselwirkung f	interaction f spin-rotation	спин-вращательное взаимодействие
S 3159	**spin saturation**	Spinabsättigung f	saturation f des spins	насыщение спинов, спиновое насыщение
S 3160	**spin selection rule**	Spinauswahlregel f	règle f de sélection du spin	правило отбора по спину
S 3161	**spin sequence**	Spinfolge f, Spinsequenz f	séquence f des spins	последовательность спинов
S 3162	**spin space**	Spinraum m, Spinkonfigurationsraum m	espace m de spin	спиновое пространство
S 3163	**spin-spin coupling,** spin coupling	Spin-Spin-Kopplung f, Spinkopplung f; Spinverkopplung f	couplage m spin-spin	спин-спиновая связь, связь спинов, спин-связь
S 3164	**spin-spin exchange interaction,** spin-exchange interaction	Spin-Spin-Austauschwechselwirkung f, Spinaustauschwechselwirkung f	interaction f d'échange spin-spin, interaction à échange des spins	спин-спиновое обменное взаимодействие, обменное взаимодействие спинов
S 3165	**spin-spin interaction**	Spin-Spin-Wechselwirkung f	interaction f spin-spin	спин-спиновое взаимодействие, взаимодействие спинов
	spin-spin relaxation, nuclear spin-spin relaxation	Spin-Spin-Relaxation f	relaxation f spin-spin	спин-спиновая релаксация
S 3166	**spin-spin relaxation time,** transverse relaxation time	Spin-Spin-Relaxationszeit f, transversale Relaxationszeit f	temps m de relaxation spin-spin, temps de relaxation transversal	время спин-спиновой релаксации, поперечное (спин-спиновое) время релаксации
S 3167	**spin-spin splitting**	Spin-Spin-Aufspaltung f	dédoublement m spin-spin	спин-спиновое расщепление
	spin-splitting	s. spin doubling		
S 3168	**spin state**	Spinzustand m	état m de spin	спиновое состояние
S 3168a	**spin susceptibility,** Pauli spin susceptibility	[Paulische] Spinsuszeptibilität f	susceptibilité f de spin [de Pauli]	спиновая восприимчивость [Паули]
S 3169	**spin system**	Spinsystem n	système m de spin[s]	система спинов, спиновая система
S 3170	**spin [system] temperature**	Spin[system]temperatur f	température f [du système] de spin	температура спиновой системы, спиновая температура
S 3171	**spin tensor**	Spintensor m, Spindrehimpulstensor m	tenseur m de spin	спиновый тензор, спин-тензор
S 3172	**spin tensor operator**	Spintensoroperator m	opérateur m tensoriel de spin	спин-тензорный оператор, спиновый тензорный оператор
S 3173	**spin term**	Spinterm m	terme m de spin	спиновый член
S 3174	**spinthariscope,** geigerscope	Spinthariskop n	spinthariscope m	спинтарископ
S 3175	**spin uncoupling,** spin decoupling	Spinentkopplung f	découplage m de spin	распаривание спинов
S 3175a	**spin valence** **spin-valence theory**	Spinvalenz f s. Heitler-London theory	valence f de spin	спиновая валентность
	spin variable, spin co-ordinate	Spinkoordinate f, Spinvariable f	coordonnée (variable) f de spin	спиновая координата (переменная)
	spin vector	s. spin angular momentum		
S 3176	**spin vector operator**	Spinvektoroperator m	opérateur m de spin vectoriel, opérateur vectoriel de spin	векторно-спиновый оператор, спиновый векторный оператор, спин-векторный оператор
S 3177	**spin wave**	Spinwelle f	onde f de spin	спиновая волна
S 3178	**spin wave approximation**	Spinwellennäherung f	approximation f des ondes de spin	приближение (аппроксимация) спиновых волн
S 3179	**spin wave function,** spin atomic orbital, spin orbital, SO	Spinwellenfunktion f, Spinatomorbital n, Spinorbital n	fonction f d'onde de spin, fonction d'onde totale de l'électron, spin-orbitale f [atomique], orbitale f avec spin	общая волновая функция электрона, спиновая волновая функция, спиновая орбита[ль]
S 3180	**spin wave spectrum**	Spinwellenspektrum n	spectre m des ondes de spin	спектр спиновых волн, спин-волновый спектр
S 3181	**spin wave theory**	Spinwellentheorie f	théorie f des ondes de spin	спин-волновая теория, теория спиновых волн

	English	German	French	Russian
S 3182	spin[-] zero particle, spinless particle	Spin-0-Teilchen n, Teilchen n mit dem Spin 0, Teilchen ohne Spin, spinloses Teilchen	particule f de spin zéro, particule de spin 0, particule sans spin	частица с нулевым спином, частица со спином 0, бесспиновая частица, частица без спина
	spiral, helix, spire	Spirale f <ebene Kurve>	spirale f, hélice f, volute f; boudin m	спираль, улиткообразная линия, улитка, винтовая линия
	spiral, helical	Spiral-, spiralförmig, spiralig	spiral, en spirale, hélicé, hélicin, hélicoïdal	спиральный, в виде спирали, спиралеобразный, спиралевидный
	spiral	s. a. helical conductor <el.>		
S 3183	spiral arm, arm of the spiral nebula	Spiralarm m	bras m spiral	спиральная ветвь, спиральный рукав, ветвь спиральной галактики
S 3184	spiral chromosome	spiralisiertes Chromosom n	chromosome m spiralisé	спирализованная хромосома
S 3185	spiral condenser, spiral cooler	Spiralkühler m	réfrigérant m spiralé	спиральный холодильник
S 3186	spiral crystal	spiralförmiger Kristall m, Spiralkristall m	cristal m hélicoïdal (en spirale, spiralé)	спиральный кристалл
S 3187	spiral dial microscope	Spiralmikroskop n	microscope m à échelle en spirale	микроскоп со спиральной шкалой
S 3188	spiral disk, helical disk	Spiralscheibe f	disque m en spirale, disque spiralé	спиральный диск
	spiral disk, Nipkow disk, exploring disk, apertured disk	Nipkow-Scheibe f, Abtastscheibe f, Spirallochscheibe f	disque m de Nipkow, disque explorateur (analyseur, de balayage)	диск Нипкова, спиральный (развертывающий, разлагающий) диск
S 3189	spiral dislocation, helical dislocation	Spiralversetzung f, spiralförmige Versetzung f	dislocation f en hélice	геликоидальная дислокация
S 3190	spiral dislocation source, spiral source	Spiralversetzungsquelle f, Spiralquelle f	source f de dislocation en hélice	источник геликоидальной дислокации
S 3191	spiral distortion, anisotropic distortion, shear distortion	anisotrope Verzeichnung f, Zerdrehung f	distorsion f anisotropique, distorsion en spirale	анизотропное искажение, анизотропная дисторсия
S 3192	spiral-eight twisting, eightfold twisting	Doppelsternverseilung f, Achterverseilung f	câblage m en double étoile	двойная звездная скрутка, двузвездная скрутка, скрутка (скручивание) двойной звездой
S 3193	spiral fibre structure	Spiralfaserstruktur f, spiralförmige Faserstruktur f	texture f en forme de fibres spirales	спиральная структура волокна
S 3194	spiral field, helical field	Spiralfeld n	champ m hélicoïdal, champ en spirale	поле спиральной конфигурации, винтовое поле
S 3195	spiral flow	Spiralströmung f	écoulement m spiraliforme	течение по спирали, спиралеобразное (винтообразное) течение; поток, движущийся по спирали; спиральное вихреобразование в потоке
S 3196	spiral-four formation, spiral-four twisting, star quad formation, spiral quad formation	Sternverseilung f, Sternviererverseilung f	câblage m en étoile	скрутка звездой, скрутка по способу звезды, звездная скрутка, скручивание звездой
	spiral galaxy	s. spiral nebula		
S 3197	spiral growth	Spiralwachstum n, spiralförmiges Wachstum n, Schraubenwachstum n	croissance f spiralée, croissance en spirale (hélice), croissance hélicoïdale	спиральный рост <кристаллов>
S 3198	spiralization	Spiralisierung f	spiralisation f	спирализация
	spiral line	s. helix		
	spiralling	s. screw displacement		
	spiralling orbit, spiral orbit, spiral trajectory	Spiralbahn f, spiralförmige Bahn f	orbite f spirale, trajectoire f spirale	спиральная орбита, спиральная траектория
S 3199	spiral micrometer	Spiralokular n, Spiralmikrometer n	micromètre-oculaire m à spirale, micromètre m à spirale	спиральный окулярный микрометр, спиральный микрометр
S 3200	spiral nebula, spiral galaxy	Spiralnebel m, Spiralgalaxie f, Spiralsystem n, Spirale f <Astr.>	nébuleuse f spirale, galaxie f spiralée (spirale), spirale f	спиральная галактика (туманность, звездная система), спираль <астр.>
	spiral of Archimedes	s. Archimedean screw		
S 3201	spiral of Ekman, Ekman spiral	Spirale f von Ekman, Ekman-Spirale f, Ekmansche Spirale	spirale f d'Ekman	спираль Экмана, экманова спираль
S 3202	spiral of Hamel, Hamel spiral	Spirale f von Hamel, Hamelsche Spirale, Hamel-Spirale f	spirale f de Hamel, spirale logarithmique de Hamel	спираль Гамеля
S 3203	spiral orbit, spiralling orbit, spiral trajectory	Spiralbahn f, spiralförmige Bahn f	orbite f spirale, trajectoire f spirale	спиральная орбита, спиральная траектория
S 3204	spiral-orbit spectrometer	Spiralbahnspektrometer n	spectromètre m à trajectoire spirale	спектрометр со спиральной траекторией
S 3205	spiral plasmolysis	Schraubenplasmolyse f	plasmolyse f hélicoïdale	винтовой плазмолиз
S 3206	spiral point, focal point, focus <math.>	Strudelpunkt m <Math.>	foyer m <math.>	фокус <матем.>
	spiral pump	s. Archimedean screw		
	spiral quad formation	s. spiral-four formation		
S 3207	spiral ridge; spiral sector	Spiralrücken m; Spiralsektor m	secteur m spiral	спиральный гребень; спиральный сектор
S 3208	spiral-ridge cyclotron, spiral-sector cyclotron	Spiralrückenzyklotron n, Spiralsektorzyklotron n	cyclotron m aux collines spiralées	спирально-секторный циклотрон
	spiral-ridge field, spiral-sectored field	Spiralsektorfeld n, Spiralrückenfeld n	champ m dû aux secteurs spiraux	поле, создаваемое спиральными секторами
	spiral-ridge synchrotron	s. FFAG spiral-ridge synchrotron		

	spiral scanning	s. helical scanning		
	spiral sector	s. spiral ridge		
	spiral-sector cyclotron	s. spiral-ridge cyclotron		
S 3209	spiral-sectored field, spiral-ridge field	Spiralsektorfeld n, Spiralrückenfeld n	champ m dû aux secteurs spiraux	поле, создаваемое спиральными секторами
	spiral-sector synchrotron	s. FFAG spiral-ridge synchrotron		
	spiral source, spiral dislocation source	Spiralversetzungsquelle f, Spiralquelle f	source f de dislocation en hélice	источник геликоидальной дислокации
S 3210	spiral spring seismograph, spring seismograph	Spiralfederseismograph m, Federseismograph m	séismographe (sismographe) m à ressort	спирально-пружинный (пружинный) сейсмограф
	spiral-staircase coil	s. Bitter coil		
S 3211	spiral strain gauge	Spiralmeßstreifen m, Spiral-Dehnungsmeßstreifen m	extensomètre m à fil résistant en hélice	спиральный измерительный тензометрический датчик
S 3212	spiral structure <astr.>	Spiralstruktur f <Astr.>	structure f en spirale, structure spiralée <astr.>	спиральная структура <астр.>
S 3213	spiral texture	Schraubentextur f, Spiraltextur f	texture f hélicoïdale (spirale)	спиральная текстура
	spiral trajectory, spiral orbit, spiralling orbit	Spiralbahn f, spiralförmige Bahn f	orbite f spirale, trajectoire f spirale	спиральная орбита, спиральная траектория
S 3214	spiral turn, turn of the spiral	Spiralwindung f, Windung f der Spirale	tour m de spire, spire f	ход спирали, оборот спирали, оборот спиральной линии, виток спирали
S 3214a	spiral vernier	Spiralnonius m	nonius (vernier) m hélicoïdal	спиральный нониус
S 3215	spiral vortex	Spiralwirbel m	tourbillon m en spirale	спиральный вихрь, винтообразный вихрь
	spire, helix, spiral	Spirale f <ebene Kurve>	spirale f, hélice f, volute f; boudin m	спираль, улиткообразная линия, улитка, винтовая линия
	spire	s. a. turn		
	spirit level	s. level		
	spirit thermometer	s. alcohol thermometer		
S 3216	spiro compound	Spiran n, spirozyklische Verbindung f	spirocomposé m, composé m spirocyclique	спиран, спиросоединение
S 3217	spirometer	Spirometer n, Anapnometer n, Pneumonometer n	spiromètre m	спирометр
S 3218	spit [of land]	Nehrung f; Lido m; Peressyp f	flèche f littorale; tombolo m	коса; пересыпь
S 3218a	spitting, spurting, sputter	Spratzen n	jaillissement m <du métal en fusion>	разбрызгивание <расплавленного металла>
S 3219	s plane <in Laplace transformation>	Unterbereich m, Bildbereich m, p-Ebene f <Laplace-Transformation>	plan m de Laplace <dans la transformation de Laplace>	p-плоскость <при преобразовании Лапласа>
S 3220	splash, spatter	Spritzer m	éclaboussure f [de liquide]	брызг; брызнувшая капля
S 3221	splash ring	Schirmring m	écran m annulaire	экранное кольцо
S 3222	splat quenching [technique]	Klatschkühlung f	trempe f par projection	закалка бросанием
	splatter	s. adjacent-channel interference		
	S.P.L. equal loudness contour	s. Robinson-Dadson equal loudness contour		
	splinter	s. nuclear fragment <nucl.>		
S 3223	splinterable	splitternd, splitterbar	frangible	бьющийся
S 3224	splintering	Splitterung f, Zersplitterung f	éclatement m	расщепление, раскалывание, разбивание
S 3225	splinter-proof, shatterproof	splitterfrei, nichtsplitternd	infrangible	непробиваемый осколками, небьющийся, безосколочный
	splinter-proof glass, safety glass, unsplintered glass	Sicherheitsglas n, splitterfreies Glas n	verre m de sécurité, verre infrangible	безосколочное стекло, безопасное стекло, небьющееся стекло
S 3226	splintery fracture	splittriger Bruch m	cassure f céroïde, cassure esquilleuse	занозистый излом, расщепляющийся излом
S 3227	split anode magnetron, slot magnetron	Schlitzanodenmagnetron n, Schlitzmagnetron n, Magnetron n (Magnetfeldröhre f) mit geschlitzter Anode, Schlitzanoden-Magnetfeldröhre f	magnétron m à anode divisée, magnétron à anode segmentée, magnétron à anode fendue	магнетрон с разрезанным анодом, магнетрон с щелевыми резонаторами, магнетрон с разрезным анодом, разрезной магнетрон
	split antenna, slot antenna, slotted antenna	Schlitzantenne f	antenne f à fente[s]	щелевая антенна
S 3227a	split-dose irradiation; fractionated irradiation	„split-dose"-Bestrahlung f; fraktionierte Bestrahlung f	irradiation f fractionnée	фракционированное облучение; периодическое облучение малыми дозами
	split-field rangefinder	s. coincidence rangefinder		
S 3228	split image, partial image	Teilbild n	image f partielle	частичное изображение
	split-image rangefinder	s. coincidence rangefinder		
S 3229	split lens	Spaltlinse f	lentille f fendue	расщепленная линза
	split line, dividing (separation, separating) line	Trennlinie f, Trennungslinie f	ligne f de division, ligne de séparation	делящая линия, линия разрыва (раздела), разделительная линия
S 3230	split pole	Spaltpol m	pôle m fendu	расщепленный полюс

	English	German	French	Russian
S 3231	**split ring**; gapped ring	Schlitzring m, Spaltring m	bague f fendue, anneau m à fente[s]	шлицованное кольцо, кольцо с разрезом (прорезью), расцепленное кольцо
S 3232	**split-ring mounting**	Splitringmontierung f, „split-ring"-Montierung f, Sprengringmontierung f	monture f à bague fendue	установка телескопа с помощью пружинного разрезного кольца
S 3233	**split source**	geteilte Quelle f	source f divisée, source sectionnée	разделенный источник; секционированный источник
S 3234	**splitting**, splitting up, scission	Aufspaltung f, Spaltung f, Zerspaltung f; Aufteilung f; Teilung f	décomposition f; subdivision f; fission f; scission f; division f; fissuration f; fendage m; partition f	расщепление; деление, разделение; раскалывание; колка; расклинивание
	splitting, line splitting <of the spectral line>	Linienaufspaltung f, Aufspaltung f <Spektrallinie>	dédoublement m, subdivision f, fission f <de la raie>, séparation f en composantes de la raie	расщепление линии [спектра]
	splitting, dissociation <of molecules>	Dissoziation f, Aufspaltung f, Zerlegung f <Moleküle>	dissociation f <des molécules>	диссоциация <молекул>
	splitting; rupture, abruption; tearing; bursting; rending, tear <mech.>	Zerreißung f; Reißen n, Riß m; Sprungbildung f, Einreißen n <Mech.>	rupture f, déchirement m; cassure f; rompement m; fendage m <méc.>	разрыв, растрескивание; обрыв; излом; разрушение, раздирание <мех.>
	splitting	s. a. level splitting <of energy level>		
	splitting factor	s. Landé g-factor		
S 3235	**splitting off**, separation <nucl.>	Abspaltung f, Abtrennung f <Kern.>	séparation f <nucl.>	отщепление, выбивание, откалывание <яд.>
	splitting of the dislocation	s. dissociation of the dislocation		
S 3236	**splitting parameter**	Aufspaltungsparameter m	paramètre m de subdivision	параметр расщепления
	splitting plate	s. beam splitting plate		
	splitting up	s. splitting		
	split transformer, tapped transformer	Anzapftransformator m	transformateur m à prise[s]	секционированный трансформатор, трансформатор с отводами (отпайками, ответвлениями)
S 3237	**split-wire-type current transformer**	Anlegestromwandler m	transformateur m de courant à pince	переносный накладывающийся трансформатор тока
	SP maser	s. self-powered maser		
S 3238	**spodogram**	Spodogramm n, Aschenbild n	spodogramme m	сподограмма
S 3239	**Spoerer['s] law**, law of zones, zone law	Spörersches Gesetz n, Zonengesetz n	loi f de Spœrer, loi des zones	закон Шперера, закон зон
S 3240	**spoke**	Speiche f	rais m, rai m, rayon m, bras m	спица
	spoking	s. stroboscopic effect		
	sponge, spongious, spongy; porous	porös, porig; schwammig, schwammartig	poreux; spongieux	пористый; ноздреватый; скважистый; губчатый
S 3241	**spongelike decay**	Spongiose f, Graphitierung f	corrosion f spongieuse, décomposition f spongieuse	спонгиоз, губчатая коррозия, коррозия типа графитизации
	spongious, spongy	s. sponge		
S 3242	**spongy platinum**, platinum sponge	Platinschwamm m	platine m spongieux (en éponge)	губчатая платина
S 3243	**spontaneity**	Spontaneität f, Spontanität f	spontanéité f	спонтанность
S 3244	**spontaneous afterglow**	spontanes Nachleuchten n, Spontanleuchten n, Momentanleuchten n, m-Leuchten n	postluminescence f spontanée, lueur f spontanée	спонтанное послесвечение
S 3245	**spontaneous combustion** **spontaneous decay**	spontane Verbrennung f s. spontaneous transformation	combustion f spontanée	самовозгорание
S 3246	**spontaneous crack propagation**	spontane Rißausbreitung f	propagation f spontanée de fissures	самопроизвольное (спонтанное) распространение трещин
	spontaneous decomposition, self-decomposition	spontane Zersetzung f, Selbstzersetzung f	autodécomposition f, décomposition f spontanée	самопроизвольное разложение, саморазложение
S 3246a	**spontaneous discharge**	Spontanentladung f	décharge f spontanée	самопроизвольный (спонтанный) разряд
	spontaneous disintegration	s. spontaneous transmission		
S 3247	**spontaneous emission**	spontane Emission f, Spontanemission f; Ausstrahlung f	émission f spontanée	самопроизвольная эмиссия, спонтанная эмиссия, спонтанное испускание
S 3248	**spontaneous fission**	spontane Spaltung f, spontane Kernspaltung f, Spontanspaltung f	fission f spontanée	самопроизвольное деление, спонтанное деление
S 3249	**spontaneous frequency** <of mutations>, rate of spontaneous mutation	Spontanhäufigkeit f, Spontanrate f <von Mutationen>, Spontanmutationsrate f	taux m de mutation spontanée	доля самопроизвольных мутаций, частота самопроизвольных мутаций
	spontaneous heating, self-heating	Selbsterhitzung f, Selbsterwärmung f	auto-[r]échauffement m	самопроизвольный разогрев, саморазогрев[ание], самонагрев[ание]

	spontaneous heat transition	s. spontaneous transition of heat		
	spontaneous ignition	s. self-ignition		
	spontaneous ignition temperature, self-ignition point, S.I.T.	Selbstentzündungs-temperatur f	température f d'inflamma-tion spontanée	температура самовоспла-менения
S 3250	**spontaneous inflamma-bility**	Selbstentzündlichkeit f, Selbstentzündbarkeit f	inflammabilité f spontanée	самовоспламеняемость, самовозгораемость
S 3250a	**spontaneous lifetime [of the level]**	spontane Lebensdauer f [des Niveaus]	[durée f de la] vie f spon-tanée [du niveau]	спонтанное время жизни [на уровне]
S 3251	**spontaneous magnetiza-tion,** intrinsic magnetiza-tion	spontane Magnetisierung f, Spontanmagnetisierung f	aimantation f spontanée (intrinsèque), magnétisa-tion f intrinsèque	самопроизвольное на-магничивание, спонтан-ное намагничивание
S 3251a	**spontaneous noise**	spontanes Rauschen n	bruit m spontané	спонтанный шум
	spontaneous nuclear reaction (transfor-mation)	s. spontaneous trans-formation		
S 3252	**spontaneous polariza-tion,** polarizability catastrophe	spontane Polarisation f, spontane Polarisierung f	polarisation f spontanée	спонтанная поляризация, самопроизвольная поляризация
S 3253	**spontaneous radiation**	spontane Strahlung f	rayonnement m spontané, radiation f spontanée	самопроизвольное из-лучение, спонтанное излучение
	spontaneous Raman effect (scattering)	s. linear Raman effect		
S 3253a	**spontaneous strain**	spontane Verformung (Deformation) f	déformation f spontanée	самопроизвольная дефор-мация
S 3254	**spontaneous trans-formation,** spontaneous decay, spontaneous dis-integration, spontaneous nuclear transformation, spontaneous nuclear reaction, natural [nuclear] transformation	spontaner Zerfall m, natürlicher radioaktiver Zerfall, spontane Kern-umwandlung f, spontane Kernreaktion f, natür-liche Kernumwandlung	désintégration f (transfor-mation f, réaction f nucléaire) spontanée, transforma-tion [nucléaire] naturelle, transmutation nucléaire naturelle	спонтанный (самопроиз-вольный) распад, само-произвольное превра-щение [ядра], само-произвольная ядерная реакция, естественное превращение [ядра], естественное ядерное превращение
S 3254a	**spontaneous transition**	spontaner Übergang m	transition f spontanée	спонтанный (самопроиз-вольный) переход
S 3255	**spontaneous transition of heat,** spontaneous heat transition	spontaner Wärmeüber-gang m	transition f de chaleur spontanée	самопроизвольный переход теплоты
S 3256	**sporadic,** sporadic meteor, non-shower meteor	sporadisches Meteor n, Feldmeteor n	météore m sporadique, météore du champ	спорадический метеор; метеор, не принадлежа-щий к потоку
	sporadic	s. a. isolated		
S 3257	**sporadic E-layer,** Es-layer, anomalous E-layer	sporadische E-Schicht f, anomale E-Schicht, E_s-Schicht f	couche f E sporadique, couche E anormale	спорадический слой E, аномальный слой E, слой E_s
	sporadic meteor	s. sporadic		
S 3258	**sporadosiderite**	Sporadosiderit m	sporadosidérite f	спорадосидерит
	spore analysis	s. pollen analysis		
S 3259	**spot** <also el.>; patch; speck	Fleck m	tache f; spot m <él.>	пятно
	spot, tubular lamp, tubular line lamp, tubular light, strip lamp	Soffittenlampe f, Soffitte f, Lichtwurflampe f L	lampe f tubulaire minia-ture, lampe à filament rectiligne	соффит, соффитная лампа, трубчатая лампа накаливания, софита
	spot	s. a. light spot		
S 3260	**spot acuity,** acuity of the spot	Punktschärfe f	acuité f du spot	острота пятна
S 3261	**spot analysis**	Tüpfelanalyse f	méthode f de taches, analyse f par la méthode de taches	капельный анализ
	spot area, area of sunspot	Fleckenfläche f	aire f de tache	площадь пятна
	spot contact	s. point contact		
	spot corrosion	s. staining		
	spot distortion, deflection aberration	Ablenkfehler m, Fleckver-zerrung f	aberration f de déviation, distorsion f de déviation, distorsion due à la dé-viation	искажение из-за неправильного отклонения, искажение при откло-нении
	spot group, group of sunspots	Fleckengruppe f, Sonnen-fleckengruppe f	groupe m de taches solaires	группа [солнечных] пятен
	spot height	s. cote		
S 3262	**spotlight**	Punktlichtscheinwerfer m, Punktlicht n, Richtungs-lampe f, ,,spotlight'' n, Spotlicht n; Linsen-scheinwerfer m	projecteur m spot, spot m, spotlight m; projecteur à lentilles	осветитель для создания направляющего света, прожектор для подсве-чивания, прожектор-искатель; линзовый прожектор
S 3263	**spot noise factor**	spektrale Rauschzahl f	facteur m de bruit spectral	спектральный коэффи-циент шума
	spot on the cathode-ray tube	s. luminous spot		
	spot penumbra, penumbra	Penumbra f (Hof m) des Sonnenflecks	pénombre f de la tache [solaire]	полутень [солнечного] пятна
	spot prominence, sunspot prominence	Fleckenprotuberanz f	protubérance f de tache	протуберанец, связанный с пятном; протубе-ранец типа солнечных пятен
	spot sample	s. sample <stat.>		
	spots caused by developing agent, developer stains	Entwicklerflecke mpl	taches fpl dues au révélateur	пятна, вызванные проявителем
	spot shape distortion	s. astigmatism		
	spot size divergence, emittance <acc.>	Emittanz f <Beschl.>	émittance f <acc.>	эмиттанс <уск.>

S 3264	**spotted,** spotty, stained, mottled	fleckig	tacheté	пятнистый
S 3265	**spot test[ing],** dropping test, drop test, drop method <chem.>	Tüpfelprobe *f* <Chem.>	essai *m* de taches, méthode *f* de taches <chim.>	капельная проба, проба пятном, капельный метод <хим.>
	spotting box, negatoscope, negative viewer, light box	Negatoskop *n*, Negativ-schaukasten *m*, Negativ-betrachter *m*	négatoscope *m*	негатоскоп, негаскоп
	spotty	*s.* spotted		
S 3265a	**spotty emission**	Punktleuchten *n*	émission *f* par points	точечное испускание (свечение)
	spot umbra, umbra	Umbra *f* des Sonnenflecks	ombre *f* de la tache [solaire]	тень пятна, ядро солнечного пятна
S 3266	**spot zone**	Fleckenzone *f*	zone *f* royale	зона пятен, королевская зона
S 3267	**spout,** nozzle <of waveguide>	Wellenleiteröffnung *f*, Austrittsöffnung *f* [des Wellenleiters], Wellen-leiter-Austrittsöffnung *f*	bouchon *m* du guide d'ondes	щель [в волноводе]
S 3268	**spouting of the source**	Springen *n* der Quelle	jaillissement *m* de la fontaine	фонтанирование
S 3269	**spouting spring,** fount	Springquelle *f*	source *f* jaillissante	фонтанирующий (бьющий, пробивающийся) источник, фонтанирующий (бьющий, пробивающийся) родник
	spoutnik	*s.* artificial Earth's satellite		
	spray, water dust, water spray	Wasserstaub *m*	poussière *f* d'eau	водяная пыль, мелкие брызги воды, капельная пыль
	spray, water spray, water veil	Wasserschleier *m*, Wassersprühregen *m*	voile *f* d'eau	водяная пелена, водяная завеса
	spray	*s. a.* atomizer		
S 3270	**spray development,** spray processing	Sprühentwicklung *f*	développement *m* en jet, développement par projection [du révélateur]	душевое проявление, проявление струями
	spray discharge	*s.* corona		
	spray discharge	*s. a.* brush discharge		
S 3271	**spray drying**	Sprühtrocknung *f*, Zer-stäubungstrocknung *f*	séchage *m* par atomisation, séchage par pulvérisation	распылительная сушка, высушивание распылением, сушка распылительным способом
S 3272	**sprayed water,** jet water, water jets	Spritzwasser *n*	jets *mpl* d'eau	спрысковая вода, разбрызгиваемая вода
	spray effect	*s.* spraying effect		
	sprayer	*s.* atomizer		
S 3273	**spraying,** spraying-on	Aufsprühen *n*; Besprühen *n*; Bespritzen *n*	arrosage *m* <sur>	опрыскивание
S 3274	**spraying** <on> <of charge>	Aufsprühen *n* [auf], Sprühen *n* [auf] <Ladung>	transmission *f* par effluves <de charges électriques>	опрыскивание, сообщение искрением <зарядов>
	spraying	*s. a.* atomization		
S 3275	**spraying effect,** spray effect	Zerstäubungsgrad *m*, Zerstäubungswirkung *f*; Versprühungsgrad *m*	effet *m* d'atomisation	степень распыления (распыливания)
	spraying electrode, brushing electrode	Sprühelektrode *f*	électrode *f* à couronne	коронирующий электрод
	spraying-on	*s.* spraying		
S 3276	**spray nozzle,** atomization jet	Zerstäuberdüse *f*, Zer-stäubungsdüse *f*; Ver-neblungsdüse *f*; Sprüh-düse *f*	tuyère *f* de pulvérisation, tuyère; gicleur *m*	[распыляющая]форсунка; распыляющее (распылительнóе) сопло, сопло; впрыскивающее сопло; струйная форсунка; жиклер
	spray point, corona point, discharge point; active spot [of corona discharge]	Sprühspitze *f*, Koronaent-ladungsspitze *f*, Sprüh-stelle *f*, Sprühpunkt *m*	pointe *f* de couronne, pointe transmettant les charges électriques par effluves	коронирующее острие; зарядная игла; разрядная игла
S 3277	**spray points**	Spitzenkamm *m*, Sprüh-kamm *m*, Sprühstellen *fpl*, Spitzenkamm-abnehmer *m*	peignes *mpl* [de décharge]	зарядные иглы, иглы электрического генератора, гребенка для отвода электростатических зарядов; разрядная (коронирующая) гребенка
S 3278	**spray processing**	*s.* spray development		
	spray prominence	Spritzprotuberanz *f*	protubérance *f* en éventail	веерообразный протуберанец
	spray region, exosphere, fringe region	Exosphäre *f*, äußere Atmosphäre *f*	exosphère *f*	экзосфера, внешняя область атмосферы, область (сфера) рассеяния
	spray test	*s.* salt-spray test		
S 3279	**spread,** spreading, stretch[ing], extension	Spreizung *f*	écartement *m*; écarquillement *m*	распор, разжимание, разжим
S 3280	**spread,** spread band, spreading range, zone of dispersion	Streubereich *m*, Streuungs-bereich *m*, Streuungs-zone *f*	bande *f* de dispersion	диапазон разброса, область (зона) рассеивания
	spread; propagation <in>	Ausbreitung *f*, Fort-pflanzung *f* <in>	propagation *f* <dans>	распространение <в, через>
S 3281	**spread,** straggling, statistical straggling, scattering <gen., e. g. of data>	Streuung *f*, statistische Streuung; Streubreite *f* <allg., z. B. von Daten>	dispersion *f*, dispersion au hasard, dispersion statistique <gén., p. ex. des données>	разброс, статистический разброс <общ., напр. данных>; различие выборочных средних; страгглинг, рассеяние, диапазон отклонений
S 3282	**spread,** stretch <a surface>	aufspannen <eine Fläche>	étendre <une surface>	растягивать, вытягивать, натягивать <поверхность>

	spread	*s. a.* spreading <e.g. of a liquid film>		
	spread angle	*s.* beam aperture		
	spread band	*s.* spread		
S 3282a	**spread function**	Verwaschungsfunktion *f*	fonction *f* de dispersion	функция разброса
S 3283	**spread in energy,** energy straggling; energy fluctuation *f*	Energiestreuung *f*; Energieschwankung *f*	fluctuation *f* d'énergie	разброс по энергии; флуктуация энергии; флуктуации потерь энергии
	spreading, spread, stretch[ing], extension	Spreizung *f*	écartement *m*; écarquillement *m*	распор, разжимание, разжим
S 3284	**spreading** <in the form of a monomolecular layer>	Spreitung *f*	déployage *m*, déploiement *m*, diffusion *f* <en couche moléculaire>	распределение по поверхности, распадение в мономолекулярный слой, растекание
S 3285	**spreading,** widening <of beam>	Strahlverbreiterung *f*, Bündelverbreiterung *f*, Verbreiterung *f* des Strahls	élargissement *m* du faisceau, dispersion *f* du faisceau	уширение (расширение) пучка
S 3286	**spreading,** spread <e. g. of liquid film>	Ausbreitung *f*, Auseinanderlaufen *n*, Auseinanderfließen *n* <z. B. Flüssigkeitsschicht>	déployage *m*, déploiement *m*, diffusion *f* <p. ex. d'une couche liquide>	растекание <напр. жидкости>
	spreading, redressment, reestablishment; unsqueezing <opt.>	Entzerrung *f* <Opt.>	redressement *m*; restitution *f* <opt.>	трансформирование; исправление искажений <опт.>
	spreading agent, wetting agent	Netzmittel *n*, Benetzungsmittel *n*, Benetzer *m*	mouillant *m*, agent *m* mouillant, agent humectant; agent de déployage <du film moléculaire>	смачиватель, смачивающее вещество, смачивающее средство, смачивающая добавка
S 3287	**spreading coefficient**	Ausbreitungskoeffizient *m*, Spreitungskoeffizient *m*	coefficient *m* de déployage, coefficient de diffusion	коэффициент растекания
	spreading factor	*s.* R_s factor		
	spreading force	*s.* spreading pressure		
S 3288	**spreading of excitation,** spread of excitation	Erregungsausbreitung *f*	propagation *f* de l'influx	распространение процесса возбуждения
	spreading of the band, band spread	Bandspreizung *f*, Spreizung *f* des Bandes	étalement *m* de bande	растягивание диапазона [настройки]
S 3289	**spreading pressure,** spreading force	Spreitungsdruck *m*, Ausdehnungsdruck *m*, Ausbreitungsdruck *m*	pression *f* superficielle [de la couche monomoléculaire], pression de déploiement	двухмерное давление [мономолекулярного слоя], давление мономолекулярного слоя, поверхностное (плоское) давление [мономолекулярного слоя]
	spreading range	*s.* spread		
	spreading resistance	*s.* diffusion resistance <semi.>		
	spread layer chromatography	*s.* layer chromatography		
	spread of excitation, spreading of excitation	Erregungsausbreitung *f*	propagation *f* de l'influx	распространение процесса возбуждения
	spread of flames, flame propagation, propagation of flames, flame spread	Flammenausbreitung *f*, Flammenfortpflanzung *f*	propagation *f* de la flamme	распространение пламени
	spread of the wing, wing span, span of the wing	Spannweite *f* [des Flügels], Flügelspannweite *f*	envergure *f* [des ailes]	размах [крыльев]
	spread velocity, propagation velocity, velocity (speed) of propagation	Ausbreitungsgeschwindigkeit *f*, Fortpflanzungsgeschwindigkeit *f*	vitesse *f* de propagation, célérité *f* [de propagation], vitesse de progression	скорость распространения
	spring; source; well <geo.>	Quelle *f* <Geo.>	source *f*, source jaillissante; fontaine *f* <géo.>	источник; источник, бьющий из земли; ключ; родник <гео.>
	spring, source <geo.>	Schichtquelle *f* <Geo.>	source *f* <géo.>	пластовый (контактовый) источник <гео.>
	spring-back	*s.* elastic recovery		
S 3290	**spring balance,** spring scales, spring dynamometer	Federwaage *f*, Federdynamometer *n*, Zugwaage *f*, Federzugmesser *m*	balance *f* (bascule *f*, peson *m*) à ressort, peson à tiers-point, dynamomètre *m* à ressort	пружинные весы, пружинный динамометр
S 3291	**spring constant,** force constant [of the spring], rigidity [of the spring], stiffness [of the spring]	Federkonstante *f*, Starre *f* [der Feder], Federstarre *f*, Federsteife *f*, Steife *f* [der Feder], Federsteifigkeit *f*, Steifigkeit *f* [der Feder], elastische Kopplungskonstante *f*, Federeinheitskraft *f*, Einheitskraft *f*, Starrheit *f* [der Feder], Federweichheit *f*	coefficient *m* d'élasticité [du ressort], raideur *f* [du ressort]	коэффициент упругой связи, коэффициент упругости [рессора], коэффициент жесткости [рессора], жесткость [рессора], постоянная упругости, коэффициент возвращающей силы
S 3292	**spring contact**	Federkontakt *m*	contact *m* à ressort	пружинящий (пружинный) контакт
	spring dynamometer	*s.* spring balance		
	spring equinox, vernal equinox, northern vernal equinox	Frühlingsäquinoktium *n*, Frühlings-Tagundnachtgleiche *f*	équinoxe *m* vernal, équinoxe de (du) printemps	весеннее равноденствие
	spring erosion, source erosion	Quellerosion *f*	érosion *f* due à la source	эрозия, вызванная источником

S 3293	**Springfield mounting**	Springfield-Montierung f	monture f de Springfield	параллактическая установка Спрингфилда, установка по системе Спрингфилда
S 3294	**spring galvanometer**	Federgalvanometer n	galvanomètre m à ressort	пружинный гальванометр
S 3295	**spring gravimeter,** spring-type gravimeter	Federgravimeter n	gravimètre m à ressort	пружинный гравиметр, гравиметр Швайдара
	springiness <US>	s. elastic recovery		
S 3296	**springing back**	zurückfedernd	faisant ressort en arrière	пружинящий назад
	spring manometer	s. Bourdon gauge		
S 3297	**spring model**	Federmodell n	modèle m aux ressorts	пружинная модель
S 3298	**spring pendulum**	Federpendel n	balancier m à ressort	балансир рессоры, пружинный маятник, качающая подвеска рессоры
S 3299	**spring pressure**	Federdruck m	pression f du ressort	давление пружины
	spring pressure gauge	s. Bourdon tube		
	spring scales	s. spring balance		
	spring seismograph, spiral spring seismograph	Spiralfederseismograph m, Federseismograph m	séismographe (sismographe) m à ressort	[спирально-]пружинный сейсмограф
S 3300	**spring suspension,** resilient suspension	federnde Aufhängung f, Federaufhängung f	suspension f élastique, suspension à ressort	пружинная подвеска, пружинящая подвеска
S 3301	**spring tide,** syzygial tide, big tide	Springflut f, Springtide f	marée f de vive-eau, marée des vives eaux, marée de syzygie, grande marée, syzygie f, vif m de l'eau	сизигийный прилив
	spring-type gravimeter	s. spring gravimeter		
	spring-type pressure gauge	s. Bourdon gauge		
S 3301 a	**spring water,** source water	Quellwasser n	eau f de source	родниковая вода, ключевая вода
S 3301 b	**sprinkler [installation]**	Sprinkleranlage f	installation f de sprinklers	спринклер, установка типа «спринклер»
S 3302	**s process,** slow process, slow neutron capture, capture of neutrons on a slow time scale <astr.>	s-Prozeß m, langsamer Prozeß m, langsamer Neutroneneinfang m <Astr.>	processus m s, processus lent, procédé m s, procédé lent, capture f lente de neutrons <astr.>	s-процесс, медленный захват нейтронов <астр.>
	sprocket hole; punching, perforation	Lochung f; Perforation f, Stanzloch n	perforation f	перфорация; пробивание отверстий
S 3303	**sprocket-hole noise, sprocket hum (noise)**	Perforationsgeräusch n	bruit m dû aux perforations, bruit causé par les perforations	шум, вызванный перфорационными отверстиями
S 3304	**Sprung['s] formula, Sprung['s] psychrometer formula**	Sprungsche Psychrometerformel (Formel) f, Psychrometerformel nach Sprung	formule f de Sprung	формула психрометра по Шпрунгу, формула Шпрунга
	spur, trace, diagonal sum, main diagonal sum, tr <of matrix, operator>	Spur f, Diagonalsumme f, Sp <Matrix, Operator>	trace f, tr <de la matrice, de l'opérateur>	след, шпур, сумма диагональных элементов, Sp <матрицы, оператора>
S 3304a	**spur** <of particle track>	Ionisationszentrum n <in der Teilchenbahn>	centre m d'ionisation <dans la trace de particule>	центр ионизации <в следе частицы>
S 3305	**spur** <geo.>	Ausläufer m <Geo.>	contrefort m <géo.>	отрог <гео.>
S 3306	**spurion**	Spurion n	spurion m	шпурион
	spurious capacitance	s. stray capacitance		
S 3307	**spurious coincidence,** random (accidental, chance) coincidence	zufällige Koinzidenz f, Zufallskoinzidenz f	coïncidence f fortuite, coïncidence accidentelle	случайное совпадение
S 3308	**spurious correlation**	künstliche Korrelation f	corrélation f factice	ложная корреляция
	spurious count	s. spurious pulse		
	spurious coupling	s. stray coupling		
S 3309	**spurious electromotive force,** stray electromotive force, spurious e.m.f., stray e.m.f.	Streu-EMK f	force f électromotrice de dispersion, f. e. m. de dispersion	электродвижущая сила рассеяния, э. д. с. рассеяния
	spurious emission	s. perturbing radiation <el.>		
S 3310	**spurious frequency,** interfering frequency	Nebenfrequenz f; Störfrequenz f	fréquence f parasite, fréquence gênante	побочная частота, частота паразитного колебания, нежелательная частота, частота паразитных колебаний, паразитная частота, частота помех
S 3311	**spurious oscillation,** parasitic oscillation; spurious wave, parasitic wave	wilde Schwingung f, Nebenschwingung f; Nebenwelle f, Störwelle f	oscillation f parasitique, oscillation parasite; onde f parasitique (parasite, perturbatrice)	паразитное колебание; паразитная волна, мешающая волна
S 3312	**spurious period**	Scheinperiode f	période f apparente	кажущийся период
S 3312a	**spurios periodicity**	Scheinperiodizität f	périodicité f apparente	кажущаяся периодичность
S 3313	**spurious printing,** magnetic printing, crosstalk	Kopiereffekt m	effet m de copie	копир-эффект
S 3314	**spurious pulse,** ghost pulse; spurious count	unechter Impuls m, falscher Impuls; unechter Zählimpuls m, falscher Zählimpuls, unechter Zählstoß m, falscher Zählstoß	impulsion f parasite, fausse impulsion, impulsion accidentelle; coup m parasite, coup accidentel, compte m parasite	ложный импульс, паразитный импульс; ложный отсчет, паразитный отсчет

	English	German	French	Russian
S 3315	**spurious radiation,** parasitic radiation, stray radiation	Nebenstrahlung f, Parasitärstrahlung f, wilde Strahlung f, Störstrahlung f	rayonnement m parasite	паразитное (неиспользуемое, неполезное) излучение
	spurious radiation	s. a. perturbing radiation <el.>		
	spurious reactance, parasitic reactance	Störblindwiderstand m, Störreaktanz f	réactance f parasite, réactance nuisible	паразитная (вредная) реактивность
	spurious resonance, subordinate (secondary) resonance; spurious response	Nebenresonanz f	résonance f subordonnée, résonance secondaire; résonance parasitique	вторичный резонанс, субординатный резонанс; паразитный резонанс
	spurious response	s. spurious signal		
	spurious response	s. spurious resonance		
S 3316	**spurious scattering,** ghost scattering	,,spurious scattering" n, unechte Streuung f, falsche Streuung	fausse diffusion f, faux « scattering » m, « spurious scattering » m, diffusion parasite, diffusion fantôme	ложное рассеяние
S 3317	**spurious signal,** interfering (parasitic, unwanted) signal, spurious response; ghost signal	Störsignal n; unechtes Signal n, falsches Signal	signal m perturbateur (brouilleur, de bruit, parasite, nuisible); signal faux (accidentel), faux signal	мешающий сигнал, паразитный сигнал; ложный сигнал
S 3318	**spurious state**	,,Geisterzustand" m	état m parasite	ложное состояние
	spurious wave	s. spurious oscillation		
S 3319	**spurium**	Spurium n	spurium m, faisceau m parasite	паразитный пучок
	spur of the traverse, open (unclosed) traverse; offshoot of the traverse	offener Polygonzug m, offener Zug m	cheminement m ouvert; antenne f de cheminement	несомкнутый ход, незамкнутый полигон; висячий ход
	spurting	s. spitting		
	sputnik	s. artificial Earth's satellite		
	sputter	s. spitting		
	sputtering, disintegration <of cathode>	Zerstäubung f <Katode>	pulvérisation f cathodique, désagrégation f de la cathode, sputtering m	распыление катода, катодное распыление
	sputtering	s. a. atomization		
S 3320	**sputter-ion pump**	Ionenzerstäuberpumpe f	pompe f ionique, pompe à atomisation des ions	[магнитный] электроразрядный насос, электроразрядный сорбционный насос
S 3321	**squagging,** squegging; self-locking, automatic interlock	Selbstsperrung f <durch Aufschaukeln der Überschwingungen>; Selbstunterbrechung f; Selbstblockierung f	autoserrage m	самозапирание, самопрерывание; самоблокировка, автоблокировка
S 3322	**squall**	Bö f, Windbö f	rafale f	шквал, порыв ветра
S 3323	**squall line**	Böenlinie f, Böenfront f, Squall-Linie f	ligne f de rafale, front m de grain	линия шквала, шкваловая линия, шквалистый фронт
	squally wind	s. choppy wind		
S 3324	**squarability,** squareability	Quadrierbarkeit f	quarrabilité f	квадрируемость
S 3325	**squarable set**	quadrierbare Menge f	ensemble m quarrable (mesurable au sens de Peano et Jordan)	квадрируемое множество
S 3326	**square,** optical square	Winkelinstrument n, Rechtwinkelinstrument n <für 90°>; Flachwinkelinstrument n <für 180°>; Winkelkreuz n	équerre f [d'arpenteur], équerre optique	эккер, экер, оптический угольник
	square, set square	Winkelmaß n, Zeichendreieck n, Reißdreieck n; Meßwinkel m <Gerät>	équerre f	чертежный треугольник, угольник, наугольник
	squareability	s. squarability		
	square array, square (quadratic) matrix	quadratische Matrix f	matrice f carrée	квадратная матрица
S 3327	**square bracket**	eckige Klammer f, scharfe Klammer	crochet m	квадратная скобка, прямоугольная скобка
S 3328	**square cascade**	rechteckige Kaskade f, Rechteckkaskade f	cascade f constante, cascade carrée	прямоугольный каскад
S 3328a	**square contingency**	quadratische Kontingenz f	carré m de contingence, contingence f carrée	квадратичная связанность
S 3329	**square-core coil;** square iron-core coil	Rechteckspule	bobine f à noyau en carré	прямоугольная катушка, катушка с прямоугольным сердечником; катушка на четырехгранном каркасе; катушка с прямоугольным железным сердечником
S 3330	**square degree,** $\square^2$, $(°)^2$	Quadratgrad m, $\square^2$, $(°)^2$	degré m carré, $\square^2$, $(°)^2$	квадратный градус, $\square^2$, $(°)^2$
	squaredial instrument (meter)	s. quadrant instrument		
S 3330a	**squared paper;** scale paper; graph paper, co-ordinate paper, plotting paper, section paper	Koordinatenpapier n	papier m à échelle fonctionnelle, papier à coordonnées, papier enregistreur	диаграммная (клетчатая, координатная, масштабная), бумага [с] координатной сеткой
S 3330b	**squared paper,** quadrillé paper	kariertes Papier n	papier m quadrillé	клетчатая бумага, бумага в клетку
S 3331	**square fluctuation**	Schwankungsquadrat n	carré m de fluctuation	квадрат флуктуации

	square grid	s. square mesh grid		
S 3332	**square-integrable,** square-summable, quadratically integrable	quadratisch integrierbar, quadratisch integrabel	de carré sommable, de carré intégrable	интегрируемый с квадратом
	square iron-core coil	s. square-core coil		
S 3333	**square law**	quadratisches Gesetz n	loi f carrée, loi puissance 2, loi de la puissance 2	квадратичный закон, закон второй степени
S 3334	**square-law capacitor,** straight-line-wavelength capacitor	Nierenplattenkondensator m	condensateur m à variation linéaire de la longueur d'onde, condensateur à lames paraboliques	прямоволновый конденсатор переменной емкости
S 3335	**square-law detector, square-law rectifier**	quadratischer Gleichrichter m, quadratischer Detektor m	détecteur m quadratique, redresseur m quadratique, détecteur à la loi puissance 2	квадратичный детектор, детектор (выпрямитель) с квадратической характеристикой, квадратичный выпрямитель
	square loop antenna	s. loop antenna		
S 3336	**square-loop ferrite,** rectangular loop ferrite, rectangular ferrite	Rechteckferrit m	ferrite f à hystérésis rectangulaire	феррит с прямоугольной петлей гистерезиса ‹намагничивания›
S 3337	**square matrix,** square array, quadratic matrix	quadratische Matrix f	matrice f carrée	квадратная матрица
	square measure, measure of area	Flächenmaß n	mesure f d'aire	мера площади
S 3338	**square mesh grid,** square grid, square net	Quadratnetz n, quadratisches Netz n, Quadratliniennetz n	réseau m quadratique, quadrillage m	квадратная сетка, сетка с квадратными клетками (ячейками), прямоугольная сетка
	squareness	s. perpendicularity		
	square net	s. square mesh grid		
S 3339	**square of distance**	Abstandsquadrat n	carré m des distances	квадрат расстояния
	square of the standard deviation, variance, dispersion, var ‹stat.›	Varianz f, Dispersion f, Streuungsquadrat n, Streuung f, var ‹Stat.›	dispersion f, moment m de dispersion, variance f, fluctuation f, var ‹stat.›	дисперсия [распределения вероятностей], квадрат стандартного отклонения, var ‹стат.›
	square pulse	s. square-wave pulse		
S 3340	**square pyramid**	vierseitige Pyramide f, quadratische Pyramide	pyramide f quadrangulaire, pyramide quadrilatère	четырехугольная пирамида, квадратическая пирамида
S 3341	**square-root computer**	Quadratwurzelrechner m	calculatrice f (calculateur m) de racine carrée	вычислитель квадратного корня
	square-root law [of Kohlrausch]	s. Kohlrausch square-root law		
	square-scale instrument (meter)	s. quadrant instrument		
	square-section[al] conductor	s. rectangular conductor		
	square-sided pulse	s. square-wave pulse		
	square-summable	s. square-integrable		
	square-topped pulse	s. square-wave pulse		
	square-topped pulse train	s. square-wave pulse train		
S 3342	**square wave;** rectangular wave	Quadratwelle f; Rechteckwelle f	onde f carrée, onde rectangulaire	квадратная волна; прямоугольная волна, П-образная волна
S 3343	**square-wave generator,** square-wave oscillator, square-wave radiator, micropulser	Rechteck[wellen]generator m, Rechteckwellen-Impulsgenerator m, Rechteckimpulsgenerator m, Rechteckimpulserzeuger m, Rechteckspannungsgenerator m, Rechteckspannungserzeuger m, Sprunggenerator m	générateur m d'ondes carrées, générateur d'impulsions carrées, générateur de rectangulaires	генератор прямоугольных импульсов, генератор напряжения прямоугольной формы, генератор колебаний прямоугольной формы
S 3344	**square-wave oscillation**	Rechteckschwingung f; Mäanderschwingung f	oscillation f carrée, oscillation [de forme] rectangulaire	прямоугольное колебание, колебание прямоугольной формы
	square-wave oscillator	s. square-wave generator		
S 3345	**square-wave pulse,** square-topped pulse, square-sided pulse, square pulse, rectangular pulse	Rechteckimpuls m, Rechteckwellenimpuls m, rechteckiger (rechteckförmiger, rechteckwellenförmiger) Impuls m	impulsion f rectangulaire, impulsion de forme rectangulaire, impulsion carrée	прямоугольный импульс, импульс прямоугольной формы
S 3346	**square-wave pulse [repetition] frequency**	Rechteckfrequenz f; Mäanderfrequenz f	fréquence f de répétition (récurrence) des impulsions rectangulaires	частота повторения прямоугольных импульсов
S 3347	**square-wave pulse train,** square-topped pulse train	Rechteck[impuls]folge f, Rechteckimpulsserie f	train m d'impulsions rectangulaires	последовательность (серия) прямоугольных импульсов
	square-wave radiator	s. square-wave generator		
	square-wave response	s. transient response		
S 3348	**square-wave voltage**	Rechteckspannung f; Mäanderspannung f; Zinnenspannung f ‹Fs.›	tension f crénelée, tension [de forme] rectangulaire	напряжение прямоугольной формы
	square well	s. square well potential		
S 3349	**square well potential;** square well, potential box	rechteckiger Potentialtopf (Topf) m, Rechteck-Potentialtopf m, Potentialkasten m; Kastenpotential n, Rechteckpotential n, „square-well"-Potential n; quadratischer Potentialtopf (Topf)	puits m carré, puits sphérique, puits rectangulaire de potentiel	потенциальная прямоугольная яма, потенциальный ящик

	squariance, sum of squares	Quadratsumme f, Summe f der Abweichungsquadrate	somme f des carrés	сумма квадратов [отклонений от среднего значения]
S 3350	**squaring** ‹of pulse›	Rechteckformung f, Umformung f in Rechteckimpulse	formation f d'impulsions rectangulaires, transformation f en forme rectangulaire	формирование прямоугольных импульсов; придание прямоугольной формы, спрямление
S 3351	**squaring of the cascade**	Quadrierung f der Kaskade	approximation f à la cascade constante	приближение к прямоугольному каскаду
	squashing, crushing, bruising	Zerdrückung f; Zerquetschung f; Zermalmung f	écrasement m	раздавливание, раздавление, сплющивание, расплющивание, разрушение при сжатии
S 3352	**squashing; squeeze, squeezing**; pinch; crimp[ing]	Quetschung f	écrasement m; pincement m; exprimage m	сжатие, деформация при сжатии; отжатие, отжим; осаживание; сдавливание
	squegger	s. squegging oscillator		
	squegging	s. squagging		
	squegging oscillator, squegger, blocking oscillator, selfquenching oscillator, blocking generator	Sperrschwinger m, Blockingoszillator m	oscillateur m bloqué, oscillateur à blocage, oscillateur surcouplé, oscillateur blocking	блокинг-генератор
	squelch circuit	s. squelch unit		
S 3353	**squelch unit**; squelch circuit	Geräuschunterdrückung[sschaltung] f, Unterdrückungsschaltung f, „squelch unit " f	amortisseur m de bruit; circuit m amortisseur de bruit	глушитель [шума]; схема глушителя шума, схема самоглушения, подавитель шума
	squelette	s. skeleton line		
	squid	s. superconducting quantum interference device		
	squint[ing], strabismus	Schielen n; manifestes Schielen, Strabismus m	strabisme m	страбизм, косоглазие
S 3354	**squint of antenna**	Schielen n der Antenne	déport m [de l'antenne]	перекос (скос) луча антенны
S 3355	**squirrel cage magnetron**	Käfigmagnetron n	magnétron m à cage [d'écureuil]	магнетрон с анодом типа «беличье колесо»
S 3356	**squirrel-cage rotor**, cage rotor	Käfiganker m, Käfigläufer m, Kurzschlußläufer m mit Käfigwicklung	rotor m à cage [d'écureuil]	клеточный якорь, короткозамкнутый якорь (ротор) в виде беличьей клетки, якорь (ротор) в виде беличьей клетки, ротор типа беличьей клетки
S 3357	**S ray**, S wave, transverse wave ‹geo.›	S-Welle f, Transversalwelle f, Scherwelle f ‹Geo.›	onde f transversale, onde S ‹géo.›	поперечная волна, волна S, сейсмическая волна типа S ‹гео.›
	S ray in the inner core, J ray	J-Welle f, S-Welle f im inneren Kern	onde f J, onde S dans le cœur terrestre intérieur	волна J, волна S в внутреннем земном ядре
S 3358	**SS Cygni star**, SS Cygni variable, U Geminorum star, U Geminorum-type star, UG	U Geminorum-Stern m, SS Cygni-Stern m, SS Cygni-Veränderlicher m, Zwergnova f	variable f du type U Geminorum, variable du type SS Cygni, étoile f variable SS Cygni	переменная звезда типа U Близнецол
	S-shaped curve, sigmoid [shaped] curve, S-curve	S-Kurve f	courbe f sigmoïde, courbe en S	сигмоид[аль]ная кривая, S-образная кривая
S 3358a	**S-shaped distribution**	S-förmige Verteilung f	distribution f en S	S-образное распределение
S 3359	**SS ray**, SS wave, transverse wave once-reflected downwards at the Earth's outer surface	SS-Welle f, einfach reflektierte Transversalwelle f	onde f SS, onde transversale réfléchie une fois	однократно отраженная поперечная волна, волна SS
	S-submatrix, scattering submatrix	Streuuntermatrix f, S-Untermatrix f	sous-matrice f de diffusion, sous-matrice S	подматрица рассеяния, S-подматрица
	SS wave	s. SS ray		
S 3360	**stabilidyne**	Stabilidyn[e]schaltung f	stabilidyne f	стабилидин
	stabilitron	s. Zener diode		
	stabilitron	s. a. stabilizer tube		
	stability; balance, equilibrium	Gleichgewicht n; Stabilität f	équilibre m, balance f; stabilité f	равновесие; стабильность, устойчивость
S 3361	**stability**, constancy, tolerance ‹of instrument, source›	Konstanz f, Stabilität f ‹Gerät, Quelle›	stabilité f, constance f ‹de l'appareil, de la source›	постоянство, устойчивость ‹прибора, источника›
	stability, resistance, resistivity ‹gen.›	Festigkeit f, Widerstandsfähigkeit f, Widerstand m, Resistenz f, Beständigkeit f; Sicherheit f ‹allg.›	résistance f, stabilité f ‹gén.›	устойчивость, стойкость, сопротивление, сопротивляемость ‹общ.›
S 3362	**stability** ‹math., nucl.›	Stabilität f ‹Math., Kern.›	stabilité f ‹math., nucl.›	устойчивость ‹матем., яд.›; стабильность ‹яд.›
	stability	s. a. ruggedness ‹gen.›		
	stability	s. a. static stability ‹statics›		
S 3363	**stability condition [for vortex street]**	Kármánsche Bedingung f ‹Wirbelstraße›	condition f de stabilité [pour le chemin de tourbillons]	условие устойчивости [для вихревой дорожки]
S 3364	**stability constant**	Beständigkeitskonstante f, Stabilitätskonstante f	constante f de stabilité	константа устойчивости
	stability criterion of Hurwitz	s. Hurwitz['s] criterion		
	stability criterion of Küpfmüller	s. Küpfmüller['s] criterion		

	stability criterion of Leonhard (Michailov, Michailov-Leonhard)	s. Michailov['s] criterion		
	stability criterion of Nyquist	s. Nyquist['s] criterion [of stability]		
	stability criterion of Nyquist-Cauchy	s. Nyquist-Cauchy criterion		
	stability criterion of Nyquist-Michailov	s. Nyquist['s] criterion [of stability]		
	stability criterion of Routh, Routh-Hurwicz criterion, Routh['s] criterion [of stability]	Routhsches Stabilitätskriterium (Kriterium) n, Stabilitätskriterium nach Routh, Routh-Stabilitätskriterium n, Routh-Kriterium n, Kriterium von Routh	critère m de Routh, critérium m de stabilité de Routh	критерий Рауса
	stability curve	s. stability line		
S 3364a	stability derivative	Stabilitätsableitung f	dérivée f de stabilité	производная (мера статической) устойчивости
S 3365	stability diagram of Shafranov, Shafranov['s] stability diagram, Shafranov['s] diagram	Stabilitätsdiagramm n nach Schafranow, Schafranow-Diagramm n	diagramme m de stabilité de Shafranov (Chafranoff), diagramme de Shafranov (Chafranoff)	диаграмма устойчивости Шафранова, диаграмма Шафранова
	stability domain, region of stability, stability region <control>	Stabilitätsbereich m, Stabilitätsgebiet n <Regelung>	domaine m de stabilité, région f de stabilité <réglage>	область устойчивости <управление>
	stability equation of Orr and Sommerfeld	s. Orr-Sommerfeld perturbation equation		
	stability factor	s. stability margin		
	stability index	s. saturation index		
	stability in time, time stability	zeitliche Konstanz f, Zeitkonstanz f	stabilité f temporelle, stabilité en temps	временное постоянство, временная устойчивость, устойчивость во времени
S 3366	stability layer, layer of stability	Stabilitätsschicht f	couche f de stabilité	слой устойчивости
S 3367	stability limit, limit of stability, critical stability	Stabilitätsgrenze f	limite f de stabilité, frontière f du domaine de stabilité	граница устойчивости, предел устойчивости
S 3368	stability line, line of stability, curve of stability, stability curve	Stabilitätslinie f, Stabilitätskurve f	ligne (courbe, caractéristique) f de stabilité	кривая устойчивости, характеристика устойчивости
S 3369	stability map, Strutt['s] map	Stabilitätskarte f [der Hillschen Differentialgleichung], Struttsche Karte f	carte f de stabilité, carte de Strutt	карта стабильности, карта Стретта, карта Рэлея
S 3370	stability margin, stability factor	Stabilitätsreserve f	marge f de stabilité	запас устойчивости
S 3371	stability of foam	Schaumbeständigkeit f, Schaumhaltung f	stabilité f d'écume	пеностойкость, стойкость пены
S 3372	stability of shape	Formbeständigkeit f	stabilité f en forme	недеформируемость
	stability of the orbit	s. orbital stability		
	stability parabola, metacentric parabola, parabola of stability	Auftriebsparabel f, Metazenterparabel f, Stabilitätsparabel f	parabole f métacentrique, parabole de stabilité	парабола устойчивости, парабола метацентров
S 3373	stability parameter	Stabilitätsparameter m	paramètre m de stabilité	параметр стабильности
S 3373a	stability region, region of stable orbits, stable region <acc.>	Stabilitätsbereich m, Bereich m stabiler Bahnen <Beschl.>	région f de stabilité, région des orbites stables <acc.>	область устойчивости <уск.>
	stability region	s. a. stability domain <control>		
S 3374	stability rule	Stabilitätsregel f	règle f de stabilité	правило устойчивости
S 3375	stability tensor	Stabilitätstensor m	tenseur m de stabilité	тензор устойчивости
	stability theorem of Dirichlet, Dirichlet['s] theorem [of stability]	Dirichletscher Stabilitätssatz m, Stabilitätssatz von Dirichlet	théorème m de Dirichlet, théorème de stabilité de Dirichlet	теорема Дирихле, теорема устойчивости Дирихле
	stability theorem of Liapunov, Liapunov['s] theorem [of stability]	Ljapunowscher Stabilitätssatz m, Stabilitätssatz von Ljapunow	théorème m de Liapounoff, théorème de stabilité de Liapounoff	теорема Ляпунова, теорема устойчивости Ляпунова
	stabilivolt	s. stabilizer tube		
S 3376	stabilization	Stabilisierung f, Stabilisation f; Gleichhaltung f, Konstanthaltung f	stabilisation f	стабилизация; стабилизирование
S 3376a	stabilization energy	Stabilisierungsenergie f	énergie f de stabilisation	стабилизирующая энергия
S 3377	stabilization factor	Stabilisierungsfaktor m	facteur m de stabilisation	коэффициент стабилизации (стабильности)
S 3378	stabilization loss	Stabilisierungsverlust m	perte f de stabilisation	потеря на стабилизацию
S 3379	stabilization of the iteration	Stehen n der Iteration	stabilisation f de l'itération	стабилизация итерации, прекращение итераций
S 3380	stabilization of variance	Varianzstabilisierung f	stabilisation f de variance	стабилизация дисперсии
S 3381	stabilization resistance	Stabilisierungswiderstand m	résistance f de stabilisation, résistance stabilisatrice	стабилизирующее сопротивление
S 3382	stabilization voltage, stabilizing voltage	Stabilisierungsspannung f	tension f stabilisante	стабилизирующее напряжение
	stabilizator	s. stabilizer <chem.>		
S 3383	stabilized glass, non[-]browing glass	stabilisiertes Glas n	verre m stabilisé	стабилизированное стекло
S 3384	stabilized high-voltage power unit	stabilisierter Hochspannungsgenerator m	générateur m à haute tension stabilisée	стабилизованный высоковольтный генератор
	stabilized power supply	s. stable current source		
S 3385	stabilized power supply unit	stabilisiertes Netzanschlußteil n	élément m alimentation stabilisée	стабилизованный блок питания

	English	German	French	Russian
	stabilized voltage, regulated voltage	stabilisierte Spannung f	tension f stabilisée	стабилизованное напряжение
S 3386	stabilized-zero, stabilized zero / with	nullpunktkonstant, nullpunktskonstant	à zéro stabilisé	со стабилизацией нуля, со стабилизованным нулем
S 3387	stabilizer, stabilizator, stabilizing agent <chem.>	Stabilisator m, Stabilisierungsmittel n <Chem.>	stabilisant m, agent m stabilisant, stabilisateur m <chim.>	стабилизатор, агент стабилизации <хим.>
S 3388	stabilizer <el.>	Stabilisator m; Gleichhalter m, Konstanthalter m <El.>	stabilisateur m <él.>	стабилизатор <эл.>
	stabilizer	s. a. control gear <of discharge lamp>		
	stabilizer	s. a. stabilizing fin <aero., hydr.>		
	stabilizer cavity	s. stabilizing cavity		
S 3389	stabilizer tube, voltage stabilizer (stabilizing) tube, voltage stabilizer, stabilivolt, stabilovolt, stabilitron	Stabilisatorröhre f, Spannungsstabilisatorröhre f, Stabilovoltröhre f, Stabilisierungsröhre f	tube m stabilovolt, tube régulateur de tension, tube stabilisateur [de tension], stabilisateur m [de tension]	стабилитрон, стабилизатор напряжения, стабиловольт
	stabilizing agent	s. stabilizer <chem.>		
S 3390	stabilizing cavity, stabilizer cavity	Stabilisierungs[hohl]raum m, Stabilisator[hohl]raum m	cavité f stabilisante	стабилизирующий объемный резонатор
	stabilizing cell, back e.m.f. cell	Gegenzelle f	pile f stabilisatrice, élément m stabilisateur, pile à f. c. e. m.	противовключенный элемент
S 3391	stabilizing feedback, monitoring feedback	stabilisierende Rückführung f, Dämpfungsreflexschaltung f	réaction f stabilisante; contre-réaction f stabilisante	стабилизирующая обратная связь
S 3392	stabilizing fin, fin, stabilizer <aero., hydr.> <e.g. of rocket>	Stabilisierungsflosse f, Flosse f, Stabilisierungsfläche f <Aero., Hydr.> <z. B. Rakete>	stabilisateur m <aéro., hydr.> <p. ex. de la fusée>	стабилизатор, киль <аэро., гидр.> <напр. ракеты>
S 3393	stabilizing force	Stabilisierungskraft f	force f stabilisante, force de stabilisation	стабилизирующая сила
S 3394	stabilizing gyroscope	Stabilisierungskreisel m, Stützkreisel m	gyroscope m stabilisant, gyroscope stabilisateur	стабилизирующий гироскоп
S 3395	stabilizing incandescent lamp	Stabilisierungsglühlampe f, Stabilisationsglühlampe f	lampe f à incandescence stabilisante	стабилизирующая лампа накаливания
S 3396	stabilizing network	Stabilisierungsnetzwerk n	réseau m stabilisant (stabilisateur)	стабилизирующий многополюсник
S 3396a	stabilizing potential	stabilisierendes Potential n, Stabilisierungspotential n	potentiel m de stabilisation	потенциал стабилизации
	stabilizing voltage	s. stabilization voltage		
S 3397	stabilotron	Stabilotron n	stabilotron m	стабилотрон, высокостабильный диапазонный генератор
	stabilovolt	s. stabilizer tube		
S 3398	stabistor	Stabistor m	stabistor m	стабистор
S 3399	stable, constant <of instrument, source>	konstant, stabil <Gerät, Quelle>	stable, constant <de l'appareil, de la source>	постоянный, устойчивый <о приборе, об источнике>
S 3400	stable <chem.>	beständig, stabil <Chem.>	stable <chim.>	устойчивый, стабильный <хим.>
S 3401	stable; inactive, non-active, non-radioactive; cold <nucl.>	stabil; inaktiv, nichtaktiv, nichtradioaktiv; kalt <Kern.>	stable; inactif, non radioactif; froid <nucl.>	стабильный; неактивный, нерадиоактивный; «холодный», «чистый», малоактивный <яд.>
S 3402	stable <statics>	standfest, standsicher, stabil, kippsicher, sicher gegen Umkippen <Statik>	stable <statique>	остойчивый, устойчивый [против опрокидывания] <статика>
S 3403	stable achromaticity, stable achromatism	stabile Achromasie f	achromatisme m stable, achromaticité f stable	устойчивый ахроматизм
	stable axis [of rotation]	s. permanent axis of rotation		
S 3404	stable carrier, inactive carrier, non-active carrier	stabiler Träger m, inaktiver Träger, nichtaktiver Träger	porteur (entraîneur) m stable, porteur (entraîneur) non actif, porteur (entraîneur) inactif	стабильный носитель, неактивный носитель
S 3405	stable coupling	stabile Kopplung f	couplage m stable	устойчивая связь
S 3406	stable current source, stable power source, stabilized power supply, constant current source	konstante Stromquelle f, Konstantstromquelle f, stabile Stromquelle	source f de courant stable	устойчивый источник тока
S 3407	stable disturbance	stabile Störung f	perturbation f stable	устойчивое возмущение
S 3407a	stable emulsion	Stabilemulsion f, stabile Emulsion f	émulsion f stable	устойчивая эмульсия
S 3408	stable equilibrium, positive stability	stabiles Gleichgewicht n, sicheres Gleichgewicht	équilibre m stable	устойчивое равновесие
S 3409	stable equilibrium phase	stabile Sollphase f, stabile Gleichgewichtsphase f	phase f d'équilibre stable	устойчивая равновесная фаза
S 3410	stable equilibrium position	stabile Gleichgewichtslage f	position f d'équilibre stable	устойчивое положение равновесия
S 3411	stable frame; stable truss	stabiles Fachwerk n, kinematisch bestimmtes Fachwerk	treillis m stable	устойчивая ферма
	stable gravimeter; static gravimeter	statisches Gravimeter n, statischer Schweremesser (Schwerkraftmesser) m	gravimètre m statique	статический гравиметр, неастазированный гравиметр
S 3412	stable isotherm	stabile Isotherme f	isotherme f stable	устойчивая (стабильная) изотерма
S 3413	stable isotope	stabiles Isotop n	isotope m stable	стабильный изотоп, устойчивый изотоп

S 3414	**stable nucleus**	stabiler Kern *m*, stabiler Atomkern *m*	noyau *m* stable	стабильное ядро, устойчивое ядро
	stable orbit, equilibrium orbit; circular equilibrium orbit	stabile Bahn *f*, Sollbahn *f*; Gleichgewichtsbahn *f*; Sollkreis *m*	orbite *f* d'équilibre, orbite équilibre (stable); orbite d'équilibre circulaire	равновесная орбита, устойчивая орбита, стабильная орбита
S 3415	**stable-orbit break-up**, breaking-up of the equilibrium orbit	Sollkreissprengung *f*	dérangement *m* de l'orbite d'équilibre	нарушение равновесной орбиты
	stable period	s. stable reactor period		
	stable power source	s. stable current source		
S 3416	**stable reactor period**, stable period	stabile Periode *f*, stabile Reaktorperiode *f*	période *f* de réacteur stable	установившийся период реактора
	stable region	s. stability region \<acc.\>		
S 3417	**stable rotation**	stabile Rotation *f*; stabile Drehung *f*	rotation *f* stable	устойчивое вращение
S 3418	**stable solution** \<chem.\>	beständige Lösung *f*, stabile Lösung *f* \<Chem.\>	solution *f* stable \<chim.\>	устойчивый раствор \<хим.\>
S 3419	**stable solution** \<math.\>	stabile Lösung *f* \<Math.\>	solution *f* stable \<math.\>	устойчивое решение \<матем.\>
S 3420	**stable source** \<el.\>	Konstantquelle *f*, konstante Quelle *f* \<El.\>	source *f* stable, source constante \<él.\>	устойчивый источник \<эл.\>
S 3421	**stable state**	stabiler Zustand *m*	état *m* stable	стабильное состояние
S 3422	**stable stratification**	stabile Schichtung *f*	stratification *f* stable	устойчивая стратификация
	stable structure / of	s. structural-stable		
	stable truss	s. stable frame		
S 3423	**stable voltage source**	konstante (stabile) Spannungsquelle *f*, Konstantspannungsquelle *f*	source *f* de tension stable	устойчивый источник напряжения
S 3424	**stable wave**, permanent (persistent, neutral) wave	stabile Welle *f*	onde *f* stable	[динамически] устойчивая волна
S 3425	**Stab-Werner projection**	Stab-Wernerscher [kartographischer] Entwurf *m*, Stab-Wernersche Projektion *f*	projection *f* Stab-Werner	проекция Штаба-Вернера
S 3426	**stack**	Stapel *m*	empilement *m*, pile *f*, tas *m*	пакет; набор; стопка, стопа; штабель
S 3427	**stacked antenna**, stagger antenna	Etagenantenne *f*, Mehretagenantenne *f*	antenne *f* à plusieurs rangées, antenne à éléments superposés	многоэтажная антенна, многоярусная (многорядная) антенна
S 3428	**stacked cubic metre**, stere, stère, st	Raummeter *n*, rm, Ster *n*, st	stère *m*, st	складочный кубометр, складочный (объемный) кубический метр, стер, стэр
S 3429	**stacked dipoles**, dipole column	Dipolspalte *f*	réseau *m* de dipôles disposés l'un sur l'autre, dipôles *mpl* disposés dans un plan vertical, colonne *f* de dipôles	ряд диполей, расположенных один над другим; колонна диполей
S 3430	**stacking**	Stapelung *f*	empilement *m*	упаковка
	stacking; lamination; piling; stratification; layering	Schichtung *f*, Schichten *n*, Schichtbildung *f*, Stratifikation *f*	disposition *f* par couches, empilement *m*	наслаивание, наслоение; шихтовка; напластование, расслоение, расслаивание
	stacking disorder	s. stacking fault		
	stacking energy	s. storing energy		
S 3431	**stacking fault**, stacking disorder; fault	Stapelfehler *m* [im engeren Sinne], Stapelfehlordnung *f*; Anordnungsfehler *m*	défaut *m* d'empilement, faute *f* d'empilement	дефект упаковки, промежуточная моноатомная двойниковая прослойка
	stacking fault energy, energy of stacking faults	Stapelfehlerenergie *f*	énergie *f* des défauts d'empilement	энергия дефектов упаковки
S 3432	**stacking fault plane**	Stapelfehlerebene *f*	plan *m* des défauts d'empilement	плоскость дефектов упаковки
	stacking fault tetrahedron, tetrahedral stacking fault	Stapelfehlertetraeder *n*	défaut *m* (faute *f*) d'empilement tétraédrique, tétraèdre *m* de défauts d'empilement	тетраэдрический дефект упаковки, тетраэдр дефектов упаковки
	stacking fault triangle, triangular stacking fault	Stapelfehlerdreieck *n*	défaut *m* (faute *f*) d'empilement triangulaire, triangle *m* de défauts d'empilement	треугольный дефект упаковки, треугольник дефектов упаковки
S 3433	**stacking fault width**, width of the stacking faults	Stapelfehlerbreite *f*	largeur *f* des défauts d'empilement	ширина дефектов упаковки
S 3434	**stacking operator**	Stapeloperator *m*	opérateur *m* d'empilement	оператор упаковки, упаковочный оператор
S 3435	**stacking order**	Stapelordnung *f*; Stapelfolge *f*	ordre *m* d'empilement	порядок упаковки
S 3436	**stacking sequence**	Stapelfolge *f*	séquence *f* d'empilement	последовательность упаковки
	stadia	s. surveyor's rod		
	stadia method, planetable survey	Meßtischaufnahme *f*	levé *m* à la planchette	мензульная съемка
	stadia rod, topographic stadia rod, level rod \<US\>	Tachymeterlatte *f*	stadia *f* topographique, jalon *m*, jalon-mire *m*, mire *f* parlante, latte *f*	тахеометрическая рейка
	stadia rod \<US\>	s. a. levelling staff		
S 3436a	**stadiometric straightedge**	Entfernungsmeßlatte *f*	mire *f* stadiométrique	дальномерная рейка
	Staeble-Lihotzky condition	s. condition of isoplanatism		
	staff	s. surveyor's rod		

S 3437	staff float, pole float, rod float, velocity rod, tube float	Stabschwimmer m, Stangenschwimmer m, Stockschwimmer m, hydrometrische Stange f, Schwimmstange f	bâton-flotteur m, tige f plongeante lestée	стержневой поплавок, гидрометрический шест
	staff gauge	s. water scale <hydr.>		
	staff graduated on both sides	s. double-sided staff		
S 3438	stage; step	Stadium n; Stufe f; Phase f	stade m; étage m; phase f	стадия; этап; фаза; степень
S 3439	stage, state, status	Stand m, Lage f	stade m, état m	состояние, положение
	stage, microscope stage, object stage, specimen stage, microscope table, cross table	Objekttisch m, Kreuztisch m, Mikroskoptisch m, Objektträgertisch m	platine f [du microscope], platine porte-objet, porte-objet m [du microscope]; platine à chariot	столик микроскопа, предметный столик [микроскопа]; крестовый столик [микроскопа]
	stage; plate, tray, head <chem.>	Boden m, Platte f; Stufe f <Chem.>	plateau m <chim.>	тарелка <хим.>
S 3439a	stage, cascade <el.>	Stufe f <El.>	étage m <él.>	каскад, ступень <эл.>
S 3440	stage cooler	Zonenkühler m	réfrigérateur m à zone ?	поясной холодильник, ярусный холодильник
	stage-discharge relation	s. station rating curve		
	staged rocket	s. multistage rocket		
S 3441	stage noise	Tischrauschen n, Objekttischrauschen n, Kreuztischrauschen n, Rauschen n des Kreuztisches	bruit m de la platine	шум предметного столика, шум столика [микроскопа]
	stage of amplification, amplifier (amplifying, amplification) stage	Verstärkerstufe f, Verstärkungsstufe f	étage m amplificateur, étage d'amplification	усилительный каскад, каскад усиления
	stage of multiplication, multiplier (multiplying) stage	Vervielfacherstufe f, Vervielfachungsstufe f	étage m multiplicateur	каскад умножения
	stage of retreat; period of recession, recessional period	Rückzugsperiode f, Rückzugsstadium n	période f de régression (retrait); stade m de retrait (régression)	период отступления
S 3442	stage of separation	Trennstufe f	étage m de séparation	ступень разделения
S 3443	stage of the rocket, rocket stage	Stufe f der Rakete, Raketenstufe f, Raketeneinheit f	étage m de fusée	ступень ракеты
	stage I of work-hardening	s. easy glide region		
S 3444	stagger, staggering	Staffelung f; Versetzung f; Stufung f	décalage m; échelonnement m; arrangement m en quinconce	вынос; разнос; расположение в шахматном порядке, шахматное расположение, шахматный порядок; расположение уступами (по ступеням)
S 3445	stagger angle	Staffelwinkel m, Staffelungswinkel m	angle m de pas, angle de décalage	угол установки [профиля лопасти]
	stagger antenna	s. stacked antenna		
S 3446	staggered, stepped	abgesetzt; abgestuft	alterné, décalé; en escalier, gradué	уступчатый; ступенчатый, секционированный
S 3447	staggered, checkered	schachbrettartig [angeordnet], schachbrettförmig, versetzt [angeordnet], gestaffelt	en quinconce, en échiquier	расположенный в шахматном порядке, в виде шахматного поля, шахматный
S 3448	staggered <spectr.>	in Stellung auf Lücke, verdreht, verzahnt <Spektr.>	en quinconce <spectr.>	в шахматном порядке, шахматный <спектр.>
S 3449	staggered circuits	[gegeneinander] verstimmte Kreise mpl, versetzte (gestaffelte) Kreise	circuits mpl décalés, circuits d'accords décalés	контуры со смещенной настройкой, взаимно расстроенные контуры
	staggered conformation	s. staggering		
S 3450	staggering, staggered conformation <spectr.>	Lückenstellung f, Stellung f auf Lücke, verdrehte Stellung, Verdrehstellung f <Spektr.>	configuration f en quinconce, disposition f en quinconce <spectr.>	расположение в шахматном порядке, шахматная форма (модель, конформация) <спектр.>
	staggering	s. a. stagger		
	staggering	s. a. staggering motion		
S 3450a	staggering advantage	Versetzungsgewinn m	gain m de disposition en quinconce	выигрыш расположения в шахматном порядке
S 3450b	staggering effect	Staggeringeffekt m, „staggering"-Effekt m	effet m de « staggering »	эффект «шатания»
S 3451	staggering motion, staggering, tumbling, wob[b]le, wobbling <mech.>	Taumelbewegung f, taumelnde Bewegung f, Taumeln n; Taumelflug m, Taumelschwingung f, Torkeln n <Mech.>	chancellement m, mouvement m chancellant <méc.>	качание, покачивание, шатание, пошатывание <мех.>
	staging altitude, altitude of stage separation	Stufentrennungshöhe f <Höhe, bei der sich die Raketenstufe abtrennt>	altitude f de séparation	высота отделения ступени
S 3452	stagnant ice	Toteis n	glace f stagnante	неподвижный лед [в области оледенения]
S 3453	stagnant waters	stehendes Gewässer n	eaux fpl stagnantes	стоячие воды
S 3454	stagnation <aero.>	Stauung f, Stau m; Stillstand m; Stockung f <Aero.>	stagnation f <aéro.>	торможение; застой, застаивание; застойность
S 3455	stagnation band	Stagnationsstreifen m	bande f de stagnation	полоса застоя
	stagnation curve, backwater curve, backwater profile	Staukurve f, Staulinie f	courbe f de remous	кривая подпора, кривая параметров торможения
S 3456	stagnation density <aero.>	Staudichte f <Aero.>	densité f de stagnation <aéro.>	плотность торможения <аэро.>

S 3457	**stagnation enthalpy**	Stauenthalpie f	enthalpie f de stagnation	энтальпия торможения, полная энтальпия <линии тока>
S 3458	**stagnation point**, point of return, inversion point, reversal point	Umkehrpunkt m; Inversionspunkt m; Umkehrlage f	point m de rebroussement; point d'inversion	точка возврата (перемены направления); точка реверсирования; точка обращения (инверсии)
S 3459	**stagnation point**, critical point of the flow <aero., hydr.>	Staupunkt m <Aero., Hydr.>	point m de stagnation, point d'arrêt <aéro., hydr.>	точка торможения [потока], точка полного торможения, критическая точка [потока] <аэро., гидр.>
S 3460	**stagnation point flow**	Staupunktströmung f	écoulement m au point de stagnation	течение у точки торможения, течение в окрестности критической точки
S 3461	**stagnation point temperature**	Staupunkt[s]temperatur f	température f du point de stagnation	температура в точке полного торможения
	stagnation pressure	s. dynamic pressure		
S 3462	**stagnation temperature** <aero., hydr.>	Stautemperatur f	température f de stagnation	температура торможения [потока], температура заторможенного слоя (потока), критическая температура
S 3463	**stagnopseudogley**	Stagnopseudogley m	stagnopseudogley m	стагнопсевдоглей
S 3463a	**stagoscopy**	Stagoskopie f, Tropfenschau f	stageoscopie f	стагоскопия
	Stahl['s] phlogiston theory	s. phlogiston theory		
S 3464	**stain**	Schmutzfleck m, Fleck m	souillure f, tache f	грязное пятно, пятно
	stain	s. a. colorant		
	stain corrosion	s. staining		
	stained, spotted, mottled	fleckig	tacheté	пятнистый
	stained glass, pigmented glass filter, coloured glass	Farbglas n	verre m coloré	цветное стекло
S 3464a	**staining**, stain (spot) corrosion	stellenweise Korrosion f, Anfraß m, Anfressung f	attaque f locale, corrosion f locale	коррозия пятнами
	staining	s. tinging		
S 3465	**stainless steel**, non-corrosive steel, corrosion-proof (corrosion-resistant) steel	nichtrostender (rostbeständiger, korrosionsbeständiger) Stahl m	acier m inoxydable, acier non corrosif, acier résistant à la corrosion	нержавеющая сталь, коррозионноустойчивая сталь
	staircase	s. stepped		
	staircase estimation method	s. up-and-down method		
	staircase function, step function	Treppenfunktion f, Stufenfunktion f	fonction f en escalier, fonction à palier	ступенчатая (кусочно постоянная) функция
S 3466	**staircase generator**, staircase waveform generator	Treppen[spannungs]generator m, Treppenwellenformgeber m, Kipptreppengenerator m	générateur m de tension en escalier	генератор ступенчатого напряжения
	staircase method	s. up-and-down method		
	staircase shape, step shape	Treppenform f	forme f d'escalier	форма лестницы, ступенчатая форма
	staircase waveform generator	s. staircase generator		
	stair-rod dislocation	s. edge dislocation		
	staking <US>, marking-out, pegging-out <US>	Verpflockung f, Verpfählung f	piquetage m	обозначение кольями
S 3467	**stalactite**	Stalaktit m, [hängender] Tropfstein m, herabhängender (nach unten wachsender) Tropfstein, [von oben wachsender] Tropfsteinzapfen m	stalactite f	сталактит
S 3468	**stalagmite**	Stalagmit m, [stehender] Tropfstein m, nach oben wachsender Tropfstein, [von unten wachsende] Tropfsteinsäule f, Tropfsteinkegel m	stalagmite f	сталагмит
	stalagmometer	s. drop counter		
	stalagmometer	s. a. surface tension meter		
S 3468a	**stalagnate**	Stalagnat m, Tropfsteinsäule f	stalagnate f	сталагнат
S 3469	**stall**, stalling, burbling, overclimb, overzoom <aero.>	Überziehen n, Abkippen n, Abrutschen n, Durchsacken n <Aero.>	décrochage m, décrochement m <aéro.>	срыв (отрыв) потока, срыв в штопор; потеря скорости при срыве потока <аэро.>
	stall	s. a. stalled condition <aero.>		
S 3470	**stall characteristics**, stalling characteristics <of wing>	Abreißverhalten n <Flügel>	comportement m en décollement <de l'aile>	срывные характеристики, характеристики сваливания <крыла>
	stalled airfoil	s. stalled wing		
S 3471	**stalled condition**, stall, stalling flight <aero.>	überzogener Flugzustand m, Sackflug m <Aero.>	régime m de décrochage, condition f de décrochage; vol m cabré <aéro.>	положение самолета при закритических углах атаки, режим потери скорости <аэро.>
S 3472	**stalled flow**	Strömung f mit Ablösung	écoulement m avec décollements	отрывное течение
S 3473	**stalled wing**, stalled airfoil	überzogener Flügel m	aile f en décrochage	крыло под закритическим углом атаки
	stalling	s. stall <aero.>		
	stalling characteristics	s. stall characteristics <of wing>		
	stalling flight	s. stalled condition <aero.>		

	English	German	French	Russian
S 3474	**Stammer colorimeter stand**	Stammer-Kolorimeter n s. tripod	colorimètre m de Stammer	колориметр Штаммера
S 3475	**standard**; norm	Standard m; Norm f	standard m; norme f	стандарт; норма; нормаль
	standard, étalon, standard measure, standardized measure; gage, gauge	Etalon m, Eichmaß n, Normalmaß n, Normal n, Meßnormal n, Eichnormal n, Norm f	étalon m; jauge f; calibre m	эталон, эталонная мера; нормаль, нормальная мера; стандарт; калибр; образцовая мера, образец
S 3476	**standard**, normal	Standard-, Normal-, normal	étalon, normal, type, standard	стандартный, нормальный, эталонный
S 3477	**standard absorber**	Standardabsorber m	absorbeur m étalon, absorbeur type	стандартный поглотитель
	standard acceleration of free fall	s. standard value of gravity		
S 3478	**standard acoustic signal**, standard tone, test tone	Meßton m	signal m [acoustique] de référence, ton m de référence	[стандартный] звуковой измерительный сигнал
S 3479	**standard actinometer**	Normalaktinometer n	actinomètre m normal, actinomètre étalon	нормальный актинометр, стандартный актинометр
	standard air, spectroscopic standard air	spektroskopische Normalluft f, Normalluft	air m normal [spectroscopique], air standard (type) <dans la spectroscopie>	стандартный воздух <в спектроскопии>
	standard air	s. standard atmosphere		
S 3480	**standard air capacitor**, standard air-spaced capacitor	Normalluftkondensator m	condensateur-étalon m à air	эталонный (образцовый) конденсатор с воздушным диэлектриком
S 3481	**standard aneroid [barometer]**	Normalaneroid[barometer] n	baromètre-anéroïde m normal, baromètre-anéroïde étalon	нормальный барометр-анероид, нормальный анероид
S 3482	**standard atmosphere**, standard air; standard radio atmosphere	Normalatmosphäre f, Standardatmosphäre f	atmosphère-standard f, atmosphère f standard (normale, normalisée)	стандартная атмосфера
S 3483	**standard atmosphere**, physical atmosphere, atm <unit>	physikalische Atmosphäre (Normalatmosphäre) f, Normalatmosphäre, atm, Atm <Maßeinheit>	atmosphère f normale, atm <unité>	нормальная атмосфера, физическая атмосфера, атм, atm <единица>
S 3484	**standard bar**, standard scale	Normalmaßstab m	échelle f étalon, règle f étalon	эталонный масштаб
S 3485	**standard calomel electrode**, normal calomel electrode, Ostwald['s] electrode	Normalkalomelelektrode f, Ostwald-Elektrode f	électrode f normale au calomel	нормальный каломельный электрод, нормальный каломелевый электрод
S 3486	**standard candle**	Normalkerze f, Standardkerze f	bougie-décimale f, bougie f décimale (anglaise, normale)	нормальная свеча, стандартная свеча
S 3487	**standard capacitance**, capacitance standard, standard of capacitance, standard capacitor; calibration capacitor	Normalkondensator m, Normalkapazität f, Kapazitätsnormal n; Eichkondensator m	étalon m de capacité, capacité f étalon, capacité-étalon f, capacité normalisée, condensateur-étalon m	эталон емкости, эталонная (стандартная, образцовая) емкость, эталонный конденсатор
	standard capacitor	s. standard capacitance		
S 3488	**standard celestial sphere**	Normalhimmelskugel f, Standardhimmelskugel f, normale Himmelskugel f	sphère f céleste standard, sphère céleste normale, sphère céleste étalon	стандартная небесная сфера, нормальная небесная сфера
S 3489	**standard cell**, standard voltage cell, normal cell	Normalelement n	pile f étalon, pile normale, élément m étalon, élément normal	нормальный элемент; эталонный (стандартный) элемент
	standard chamber	s. standard ionization chamber		
	standard chromaticity co-ordinate	s. chromaticity co-ordinate in the C.I.E. standard colorimetric system		
S 3490	**standard chronometer**	Regelchronometer n	chronomètre m étalon	хронометр для наблюдений
S 3491	**standard clock**	Normaluhr f	horloge f fondamentale, horloge standard, pendule f principale	главные (нормальные, ведущие, регулируемые электрические) часы
	standard coil	s. standard inductance		
	standard colorimetric observer	s. standard observer		
S 3492	**standard colour**, normal colour	Normalfarbe f	couleur f normale, couleur standard, couleur étalon	нормальный цвет, эталонный цвет, стандартный цвет
	standard colour stimulus [specification]	s. C.I.E. colour stimulus		
S 3493	**standard column of water**, standard water column	Standardwassersäule f	colonne f d'eau de référence, colonne d'eau type	стандартный столб воды
S 3494	**standard conditions**, normal (standard) pressure and temperature, normal (standard) temperature and pressure, normal conditions, NPT, S.P.T., NTP <phys., for gases: 0 °C, 760 Torr; techn.: 20 °C, 1 at or 15 °C, 1 at; therm., el.chem., for heat of formation: 25 °C, 760 Torr; ac.: 0 °C, 760 Torr or 15 °C, 760 Torr>	Normalbedingungen fpl, Normbedingungen fpl, Normaldruck m und -temperatur f, NPT, NTP <Phys., für Gase: 0 °C, 760 Torr; Techn.: 20 °C, 1 at oder 15 °C, 1 at; Therm., El.Chem., für die Bildungswärme: 25 °C, 760 Torr; Ak.: 0 °C, 760 Torr oder 15 °C, 760 Torr>	conditions fpl normales, pression f et température f normales, température et pression normales, P. T. N., T. P. N., NPT, NTP <phys., pour les gaz: 0 °C, 760 Torr; techn.: 20 °C, 1 at ou 15 °C, 1 at; therm., él.chim., pour les chaleurs de formation: 25 °C, 760 Torr; ac.: 0° C, 760 Torr, ou 15 °C, 760 Torr>	нормальные условия, нормальные давление и температура, нормальные температура и давление, стандартные условия <физ., для газов: 0 °C, 760 тор; техн.: 20 °C, 1 ат или 15 °C, 1 ат; тепл., эл.хим., для теплоты образования: 25 °C, 760 тор; ак.: 0 °C, 760 тор или 15 °C, 760 тор>

S 3495	**standard density,** normal density <20 °C, 760 Torr>	Normaldichte f, Normdichte f <20 °C, 760 Torr>	masse f volumique normale, densité f normale, densité étalon, densité standard <20 °C, 760 Torr>	стандартная плотность, нормальная плотность <20 °C, 760 *тор*>
S 3496	**standard depth**	Standardtiefe f	profondeur f de référence, profondeur étalon	стандартная глубина, стандартный горизонт
S 3497	**standard developer,** normal developer	Normalentwickler m, Standardentwickler m	révélateur m normal, révélateur étalon, révélateur type, révélateur standard	нормальный проявитель, стандартный проявитель
S 3498	**standard deviation,** coefficient of standard variation, root-mean-square of the deviation, mean square deviation, root-mean-square deviation, root deviation <stat.>	Standardabweichung f, mittlere quadratische Abweichung f, quadratische Abweichung, Streuung f, mittlere Schwankung f <Stat.>	écart m type, écart-type m, écart quadratique moyen, écart moyen quadratique, déviation f standard [de la moyenne], dispersion f [quadratique moyenne] <stat.>	среднеквадратичное (среднее квадратичное) отклонение, стандартное отклонение, штандарт, срединное отклонение, среднеквадратичное уклонение <стат.>
	standard distribution coefficient	*s.* C.I.E. distribution coefficient		
	standard distribution curve	*s.* C.I.E. distribution function		
	standard distribution function	*s.* C.I.E. distribution function		
S 3498a	**standard dosimetry**	Standarddosimetrie f	dosimétrie f standard (étalon)	стандартная (эталонная) дозиметрия
	standard electric potential (tension)	*s.* standard electrode potential		
S 3499	**standard electrode,** normal electrode	Normalelektrode f	électrode f normale	нормальный (стандартный, эталонный) электрод
S 3500	**standard electrode potential,** standard potential, standard electric potential, standard electric tension, normal potential	Normalpotential n, [elektrochemisches] Standardpotential n, Standard-Bezugs-EMK f, Standard-Bezugs-EMK-Wert m, Standardgleichgewichts-Galvani-Spannung f, elektromotorische Grundkraft f, Grund-Bezugsspannung f	potentiel m électrochimique normal, potentiel normal	стандартный электродный потенциал, нормальный электродный потенциал, стандартный потенциал [электродов], нормальный потенциал [электродов]
	standard electrode-potential series	*s.* electrochemical series		
S 3501	**standard electromotive force,** standard e.m.f.	Normal-EMK f, Standard-EMK f	force f électromotrice normale (standard), f. e. m. normale, f. e. m. standard	стандартная электродвижущая сила, стандартная э.д.с.
S 3502	**standard electromotive series**	Norm[al]spannungsreihe f	tableau m de tensions normales	нормальный ряд напряжений
	standard emitter, standard radiator	Normalstrahler m	radiateur m étalon, émetteur m étalon	эталонный излучатель, образцовый излучатель
S 3503	**standard energy of formation,** standard formation energy	Standardbildungsenergie f, Standardbildungsarbeit f	énergie f normale de formation, travail m normal de formation, énergie (travail) étalon de formation	стандартная энергия образования, нормальная энергия образования
	standard equation, normal equation	Normalgleichung f	équation f normale	нормальное уравнение
S 3504	**standard equipment**	Standardausrüstung f, Normalausrüstung f	appareillage m normal (étalon), équipement m normal (type), équipage m normal (type)	стандартное оборудование нормальное оборудование
	standard error	*s.* root-mean-square error		
S 3505	**standard eye,** normal eye	mittleres, normales menschliches Auge n; Normalauge n, normales Auge, Standardauge n	œil m étalon, œil type, œil normal, œil humain moyen	нормальный глаз, стандартный глаз, средний нормальный человеческий глаз
S 3505a	**standard fluorescence**	Standardfluoreszenz f	fluorescence f type (étalon, standard)	стандартная (эталонная) флуоресценция
S 3506	**standard focal length / of**	normalbrennweitig	de (à) longueur focale normale, de (à) focale normale	с нормальным фокусным расстоянием
	standard formation energy	*s.* standard energy of formation		
S 3507	**standard formation reaction**	Standardbildungsreaktion f	réaction f de formation étalon (type)	стандартная реакция образования
S 3508	**standard free enthalpy**	freie Standardenthalpie f	enthalpie f libre standard, enthalpie libre étalon, enthalpie libre normale	стандартная свободная энтальпия, нормальная свободная энтальпия
S 3509	**standard frequency,** normal frequency; calibration frequency	Normalfrequenz f; Eichfrequenz f; Einheitsfrequenz f	fréquence f normale, fréquence-étalon f	эталонная частота, стандартная частота
S 3510	**standard-frequency spectrum**	Normalfrequenzspektrum n	spectre m de fréquences étalons	спектр эталонных частот
	standard gauge, master gauge	Kontrollehre f, Normallehre f, Urlehre f, Paßlehre f, Prüflehre f	calibre m étalon, calibre normal	эталонный калибр, основной калибр
	standard generator	*s.* standard-level generator		
S 3511	**standard geometry**	Standardgeometrie f, Normalgeometrie f	géométrie f normale (type, standard)	стандартная геометрия
S 3512	**standard ground joint**	Normschliff m, NS	joint m rodé normal (étalon), rodage m normal (étalon)	стандартный (нормированный) шлиф
S 3513	**standard heat of formation**	Standardbildungswärme f, Normalbildungswärme f; Standardbildungsenthalpie f, Normalbildungsenthalpie f	chaleur f normale de formation, chaleur étalon de formation	стандартная теплота образования, нормальная теплота образования; стандартная энтальпия образования

	English	German	French	Russian
S 3514	**standard hydrogen electrode, standard hydrogen reference electrode,** hydrogen standard electrode, normal hydrogen electrode	Normal-Wasserstoff-elektrode f, Standard-Wasserstoffelektrode f, Wasserstoff-Normal-elektrode f	électrode f à hydrogène normale, électrode normale à hydrogène, électrode étalon [à] hydrogène, électrode hydrogène étalon	нормальный водородный электрод [сравнения], стандартный водородный электрод, водородный нормальный электрод
S 3515	**standard illuminant,** colorimetric standard illuminant <A, B, or C>	Normlichtart f, Normbeleuchtung f <A, B oder C>	lumière f de l'étalon colorimétrique, étalon m colorimétrique <A, B ou C>	[колориметрический] стандартный свет, [колориметрический] стандартный источник <А, В или С>
S 3516	**standard incandescent lamp**	Normalglühlampe f	lampe f étalon à incandescence, lampe à incandescence normale	эталонная лампа накаливания, нормальная лампа накаливания
S 3517	**standard inductance,** inductance standard, standard of inductance; standard coil; solenoidal inductor; self-inductance standard	Normalinduktivität f; Induktivitätsnormal n, Normalspule f; Normalgegeninduktivität f	étalon m d'inductance; inductance f normale, inductance étalon, inductance standard	эталон индуктивности, эталонная индуктивность, образцовая индуктивность; эталонная катушка, образцовая катушка
	standard infra-red, infrared standard, I.R. standard	Infrarotstandard m, Infrarotnormal n, IR-Standard m, IR-Normal n	étalon m infrarouge, étalon I.R.	инфракрасный эталон, эталон инфракрасного излучения, ИК эталон
S 3518	**standard instrument**	Normalgerät n, Normalinstrument n, Standardmeßgerät n, Standardgerät n, Standardinstrument n	appareil m étalon, appareil de mesure étalon	эталонный (стандартный, образцовый) измерительный прибор, эталонный (образцовый, нормальный) прибор
S 3519	**standard instrument,** standard measuring instrument, standardizing [measuring] instrument, calibration instrument (apparatus), test gauge	Eichgerät n, Eichinstrument n	appareil m d'étalonnage, instrument m d'étalonnage	градуировочный прибор, образцовый прибор [для градуировки], прибор для градуировки
	standard international atmosphere	s. international standard atmosphere		
S 3520	**standard ion dose** <similar with, but not equal to "exposure">	Gleichgewicht[s]-Ionendosis f, Standard-Ionendosis f, Standardionendosis f	dose f ionique étalon <analogue, mais inégale à l'« exposure »>	стандартная ионная доза <подробно, но неравно дозе экспозиции>
S 3521	**standard ionization chamber,** standard chamber	normale Ionisationskammer f, Normalionisationskammer f, Normalkammer f, Standardkammer f	chambre f d'ionisation étalon, chambre étalon	нормальная (стандартная) ионизационная камера, нормальная (стандартная) камера, ионизационная камера нормального типа
S 3522	**standardization**	Standardisierung f, Normierung f; Normung f; Einstellung f	étalonnage m, standardisation f, normalisation f	стандартизация, нормирование, эталонирование
	standardization	s. a. calibration		
	standardization	s. a. unification		
	standardized measure	s. standard		
	standardized signal	s. unified signal		
	standardizing [measuring] instrument	s. standard instrument		
	standard lamp, photometer lamp, [standard] photometric lamp	Normallampe f, Photometerlampe f, Photometernormal n	lampe f photométrique [étalon], étalon m photométrique	[эталонная] фотометрическая лампа, образцовая фотометрическая лампа
S 3523	**standard leak**	Standardleck n	fuite f étalon, fuite type (standard)	стандартная утечка, стандартная течь
S 3524	**standard-level generator,** standard generator	Normalgenerator m; Normalpegelsender m	générateur m étalonné, générateur étalon	эталонный генератор
S 3525	**standard lighting**	Standardbeleuchtung f	éclairage m type	стандартное освещение
	standard line, calibration line; standard transmission line	Eichleitung f	ligne f d'étalonnage, ligne de référence	калиброванная измерительная линия; эталонная линия; калиброванный провод
S 3525a	**standard load**	Normalbelastung f	charge f normale (type, étalon)	нормальная нагрузка
S 3526	**standard magnet**	Magnetetalon n	aimant m étalon, aimant-étalon m	эталонный магнит
S 3527	**standard man**	Standardmensch m, „Durchschnittsmensch" m	homme m standard	стандартный человек
S 3527a	**standard mean ocean water,** SMOW	[mittleres] Standardmeerwasser n, SMOW	eau f de mer moyenne standard (type, étalon), SMOW	средняя проба воды океана
	standard measure	s. standard		
	standard measuring instrument	s. standard instrument		
S 3528	**standard meridian**	Normalmeridian m	méridien m normal	стандартный меридиан
	standard meridian	s. a. zero meridian		
	standard meter	s. international prototype meter		
S 3529	**standard molar volume**	Molnormalvolumen n	volume m moléculaire normal	нормальный молярный объем
	standard neutron source	s. neutron standard		
S 3530	**standard noise factor**	Standardrauschzahl f	facteur m de bruit de référence, facteur (coefficient m) de bruit étalon	стандартный коэффициент шума
S 3531	**standard observer,** ICI observer, [C.I.E.] standard colorimetric observer	Normalbeobachter m, CIE-Normalbeobachter m	observateur m de référence CIE	стандартный наблюдатель [МОК]
	standard of capacitance	s. standard capacitance		

	English	German	French	Russian
	standard of inductance	s. standard inductance		
S 3532	standard of length, length standard	Längennormal n	étalon m [d'unité] de longueur	эталон [единицы] длины
S 3533	standard orifice [plate] <hydr.>	Normblende f <Hydr.>	diaphragme m étalon, diaphragme-étalon m <hydr.>	стандартная диафрагма <гидр.>
	standard oxidation affinity per unit charge	s. standard oxidation potential		
S 3534	standard oxidation potential, standard oxidation affinity per unit charge	Normal-Oxydationspotential n, Standard-Oxydationspotential n	potentiel m d'oxydation normal	стандартный окислительный потенциал, нормальный окислительный потенциал
S 3535	standard oxidation-reduction potential, normal oxidation-reduction potential	Normal-Redoxpotential n, Standard-Redoxpotential n	potentiel m d'oxydation-réduction normal, potentiel d'oxydo-réduction normal, potentiel redox normal	стандартный окислительно-восстановительный потенциал
S 3536	standard parameter [of state] <therm.>	Standardgröße f, Standardzustandsgröße f <Therm.>	paramètre m [d'état] étalon (type, standard, normal) <therm.>	стандартный параметр [состояния], нормальный параметр [состояния] <тепл.>
S 3537	standard period <meteo.>	Normalperiode f <Meteo.>	période f normale <météo.>	нормальный период <метео.>
	standard photometric lamp	s. standard lamp		
S 3538	standard pile	Standardpile m, Standardanordnung f	empilement m étalon	стандартная сборка
	standard pitch	s. philharmonic pitch		
S 3539	standard plate	Normalplatte f	plaque f étalon	эталонная пластинка
	standard position, normal position	Normalstellung f; Normallage f	position f normale	нормальное положение
	standard potential	s. standard electrode potential		
	standard potentiometer, master potentiometer	Normalpotentiometer n; Normalkomparator m	potentiomètre m étalon	эталонный потенциометр, образцовый потенциометр
S 3540	standard pressure, normal pressure, atmospheric pressure, pressure of one atmosphere <760 Torr>	Normaldruck m, Normdruck m, Atmosphärendruck m <760 Torr>	pression f normale, pression atmosphèrique, pression d'une atmosphère <760 Torr>	нормальное давление, стандартное давление, атмосферное давление, давление одной атмосферы <760 тор>
	standard pressure and temperature	s. standard conditions		
	standard radiation source	s. standard source of radiation		
S 3541	standard radiator, standard emitter	Normalstrahler m	radiateur m étalon, émetteur m étalon	эталонный излучатель, образцовый излучатель
	standard radioactive source	s. standard source		
	standard radio atmosphere; standard atmosphere, standard air	Normalatmosphäre f, Standardatmosphäre f	atmosphère-standard f, atmosphère f standard (normale, normalisée)	стандартная атмосфера
S 3542	standard rating[s] <of lamps>	Hauptreihe f <Lampen>	série f normale (principale, de valeurs normales) <de lampes>	стандартные номинальные характеристики, стандартные параметры <ламп>
	standard recorder	s. chart recorder		
S 3542a	standard reduction <geo.>	Standardreduktion f <isostatische Reduktion für 30 km Krustenmächtigkeit> <Geo.>	réduction f étalon (standard, de référence) <géo.>	стандартная (нормальная) редукция <гео.>
	standard reduction affinity per unit charge	s. standard reduction potential		
S 3543	standard reduction potential, standard reduction affinity per unit charge	Normal-Reduktionspotential n, Standard-Reduktionspotential n	potentiel m de réduction normal	стандартный восстановительный потенциал, нормальный восстановительный потенциал
S 3543a	standard refraction	Standardrefraktion f	réfraction f de référence, réfraction étalon (normale)	стандартная рефракция
S 3544	standard resistance; standard resistor, resistance standard	Widerstandsnormal n, Normalwiderstand m	résistance f étalon, résistance-étalon f, résistance standard, étalon m de résistance	образцовое сопротивление, эталонное сопротивление, эталон сопротивления
S 3545	standard rod, standard test bar	Normstab m, Normalprüfstab m	éprouvette f normale (standard), barreau m normal (standard)	стандартный стержень, стандартный брусок
	standard scale, standard bar	Normalmaßstab m	échelle f étalon, règle f étalon	эталонный масштаб
S 3546	standard schliere, reference schliere, normal schliere, standard streak	Normalschliere f	strie f étalon, strie normale	стандартный шлир, стандартная свиль, нормальный шлир, нормальная свиль
	standard-signal generator (oscillator)	s. measurement transmitter		
S 3547	standard solid	Standardfestkörper m	solide m standard (type, étalon)	стандартное твердое тело
	standard solution, test solution	Normallösung f, Testlösung f, Standardlösung f, Prüflösung f, genormte (eingestellte) Lösung	solution f étalon, solution normale	эталонный (стандартный, контрольный, нормальный) раствор
	standard solution, normal solution, 1 N solution	Normallösung f, n-Lösung f, normale Lösung f, 1 n Lösung	solution f normale, solution molaire normale, solution 1 N	нормальный раствор, однонормальный раствор, 1 H раствор
	standard solution	s. a. titrant		

	English	German	French	Russian
S 3548	**standard source [of radiation],** standard source of radioactivity, standard radioactive source, radioactivity (radioactive) standard; reference source [of radiation], reference radiation source; calibration source [of radiation], calibrating source [of radiation], calibrating radiation source	Standard[strahlungs]quelle f, radioaktive Standardquelle, [radioaktives] Standardpräparat n, radioaktiver Standard m; Vergleichs[strahlungs]quelle f, radioaktive Vergleichsquelle, Musterquelle f; [radioaktive] Eichquelle f, [radioaktives] Eichpräparat n	étalon m de radioactivité, étalon radioactif, source f étalon, source type, source standard, source standardisée; source radioactive de référence; source de comparaison	эталонный источник [излучения], эталонный радиоактивный источник, эталон радиоактивности, эталонный препарат; стандартный источник [излучения], стандартный радиоактивный источник; образцовый источник [излучения], образцовый радиоактивный источник
	standard source of radiation, radiation standard, standard radiation source	Strahlungsnormallampe f, Strahlungsnormal n	étalon m de rayonnement, source f étalon de rayonnement	эталонный источник излучения, эталон излучения
	standard source of radioactivity	s. standard source		
	standard spectrum	s. reference spectrum		
S 3549	**standard spheroid**	Normalsphäroid n	sphéroïde m normal	нормальный сфероид
	standard star	s. comparison star		
S 3550	**standard state,** normal state, state under normal conditions	Normzustand m, Normalzustand m, Zustand m unter Normalbedingungen	état m standard, état normal, état type, état sous conditions normales	стандартное состояние, нормальное состояние, состояние в нормальных условиях
S 3550a	**standard steam,** normal steam	Normaldampf m <gesättigter Wasserdampf von 100 °C>	vapeur f normale	нормальный пар <насыщенный водяной пар при 100 °C>
	standard system	s. dependent equatorial co-ordinates		
	standard temperature, normal temperature	Normtemperatur f, Normaltemperatur f	température f normale	нормальная температура
	standard temperature and pressure	s. standard conditions		
	standard test bar	s. standard rod		
	standard thermocouple of platinum and platinum-rhodium	s. platinum—platinum-rhodium thermocouple		
S 3551	**standard time,** legal time	Normalzeit f, Nationalzeit f	heure f légale, heure officielle, temps m légal	декретное время, нормальное время, стандартное время
S 3552	**standard time,** zone time, regional time	Zonenzeit f, Einheitszeit f	temps m de fuseau, temps zonal	поясное время, зональное время
	standard time, time standard	Zeitnormal n	étalon m de temps	эталон времени
S 3553	**standard time constant,** time constant standard	Zeitkonstantennormal n	étalon m de constante de temps	эталон постоянной времени, образцовая мера постоянной времени
	standard tone, standard acoustic signal, test tone	Meßton m	signal m acoustique de référence, signal de référence, ton m de référence	стандартный звуковой измерительный сигнал, звуковой измерительный сигнал
S 3554	**standard tone** <1,000 c/s>	Normalton m <1 000 Hz>	ton-étalon m, ton m étalon <1 000 Hz>	эталонный тон, стандартный тон <1 000 гц>
S 3555	**standard tone source,** source of standard tone <1,000 c/s>	Normaltonquelle f <1 000 Hz>	source f du ton étalon <1 000 Hz>	источник эталонного тона <1 000 гц>
	standard ton of refrigeration	= 3.03861×10^8 J		
	standard transmission line, calibration line, standard line	Eichleitung f	ligne f d'étalonnage, ligne de référence	калиброванная измерительная линия; эталонная линия; калиброванный провод
	standard tristimulus value	s. tristimulus value		
	standard ultra-violet	s. ultra-violet standard		
S 3556	**standard value**	Normwert m, Normalwert m	valeur f normale, valeur standard, valeur étalon	стандартная (образцовая) величина, стандартное (образцовое) значение
S 3557	**standard value of gravity,** standard acceleration of free fall	Normfallbeschleunigung f, Normwert m der Fallbeschleunigung, Normalbeschleunigung f, normale Schwerebeschleunigung f [der Erde], normale Schwereintensität f [der Erde], Normalschwere f	accélération f de la pesanteur normale, valeur f standard de la gravité	нормальное ускорение силы тяжести
	standard visibility	s. meteorological optical range		
S 3558	**standard voltage** <el.>	Normspannung f, Normalspannung f <El.>	tension f normale, tension-étalon f <él.>	стандартное (нормальное, эталонное, образцовое) напряжение <эл.>
	standard voltage cell, standard cell, normal cell	Normalelement n	pile f étalon, pile normale, élément m étalon, élément normal	нормальный элемент; эталонный (стандартный) элемент
S 3559	**standard volume**	Normvolumen n, Normalvolumen n	volume m normal, volume standard	нормальный объем; стандартный объем; объем, занимаемый граммолекулой газа в нормальных условиях
S 3560	**standard water**	Normalwasser n, Standardwasser n	eau f normale (type, standard)	стандартная вода
	standard water column, standard column of water	Standardwassersäule f	colonne f d'eau de référence, colonne d'eau type	стандартный столб воды

S 3561	standard wavelength	s. wavelength standard		
	standard weight, gauge weight, gauging weight	Eichgewicht n	poids m étalon, matrice-étalon f	эталонный вес
S 3562	standard white, reference white	Normalweiß n, Bezugsweiß n	blanc m de référence	белый эталон, эталон белизны
S 3563	standard wind	Standardwind m	vent m de référence, vent type (standard)	стандартный ветер
S 3564	stand-by power	Reserveleistung f	puissance f de réserve	резервная мощность
S 3565	stand-by power factor, reserve factor	Reservefaktor m	facteur m de réserve	коэффициент резерва
	stand chamber	s. stand photogrammetric chamber		
	standing sonic (sound) vibration, standing sound wave	s. stationary sound-wave		
	standing vibration	s. standing wave		
S 3566	standing wave; stationary wave; immobile wave; standing vibration, stationary vibration	stehende Welle f, Stehwelle f; stehende Schwingung f	onde f stationnaire (immobile); vague f cambrée; vibration (oscillation) f stationnaire	стоячая волна; стоячее колебание
	standing wave	s. a. eddy motion of the water particles <hydr.>		
	standing wave detector	s. standing wave indicator		
S 3567	standing wave indicator, standing wave meter, standing wave detector	Stehwellenmesser m, Stehwellenmeßgerät n, Stehwellenverhältnismesser m, Stehwellenanzeiger m	détecteur m d'ondes stationnaires, indicateur m d'ondes stationnaires	индикатор [коэффициента] стоячей волны, измеритель коэффициента стоячей волны
S 3568	standing[-] wave ratio, matching equivalent	Stehwellenverhältnis n, Wellenverhältnis n, Amplitudenverhältnis n, Anpassungsmaß n	taux m d'onde[s] stationnaire[s], rapport m d'ondes stationnaires, grandeur f d'adaptation	коэффициент стоячей волны, к. с. в.
S 3569	stand photogrammetric chamber, stand chamber	Stativmeßkammer f, Stativkammer f	chambre f photogrammétrique à (montée sur) pied	штативная [фотограмметрическая] камера
S 3570	Stanton['s] No., Stanton['s] number, Margoulis number, Margoulis No., St, Mg	Stanton-Zahl f, Stantonsche Kennzahl (Zahl) f, Margoulis-Zahl f, Margoulissche Kennzahl f, St, Mg	nombre m de Margoulis, nombre de Stanton, Mg, St	число Стэнтона (Стантона), критерий Стэнтона (Стантона), коэффициент теплоотдачи, число Маргулиса, St, Mg
S 3570a	Stanton['s] number of the second kind, St'	Stanton-Zahl f zweiter Art, St'	nombre m de Margoulis de deuxième espèce, Mg, St'	число Стэнтона (Стантона) второго рода, St'
S 3571	Stanton tube	Stanton-Rohr n	tube m de Stanton	трубка Стэнтона, трубка Стантона
	star, fixed star <astr.>	Fixstern m, Stern m; Gestirn n <Astr.>	étoile f fixe, étoile; astre m <astr.>	неподвижная звезда, звезда; светило <астр.>
	star	s. a. emulsion star <nucl.>		
S 3572	star atlas	Sternatlas m, Himmelsatlas m	atlas m du ciel, atlas céleste	звездный атлас
S 3573	star catalogue	Sternkatalog m, Sternverzeichnis n	catalogue m des étoiles	звездный каталог, каталог звезд
S 3574	star chain	Sternkette f	chaîne f stellaire	звездная цепочка
	star chart	s. star map		
S 3575	star class, star type, class of stars	Sternklasse f, Sterntyp m	classe f stellaire (d'étoiles), type m stellaire (d'étoiles)	звездный класс, класс звезд, тип звезд
S 3576	star cloud, cloud <astr.>	Sternwolke f, Wolke f <Astr.>	nuage m d'étoiles, nuage stellaire, nuage <astr.>	звездное облако, облако <астр.>
S 3577	star cluster	Sternhaufen m	amas m d'étoiles, amas stellaire	звездное скопление
	star collapse	s. collapse of the star		
	star-connected circuit	s. star connection		
S 3578	star connection, star grouping, Y grouping, Y-connection; star-connected circuit	Sternschaltung f, S-Schaltung f, Y-Schaltung f	couplage m en étoile, circuit m électrique monté en étoile	соединение звездой, соединение в звезду, схема звезды
S 3579	star correlation	Sternkorrelation f	corrélation f sidérale	звездная корреляция
	star cosmogony	s. stellar cosmogony		
S 3580	star count[ing]	Zählung f der Sterne, Sternzählung f	dénombrement m des étoiles	подсчет числа звезд, подсчет звезд
S 3581	star-delta connection, wye-delta connection	Stern-Dreieck-Schaltung f, Sterndreieckschaltung f	montage m étoile-triangle, connexion f étoile-triangle	соединение звезда-треугольник
S 3582	star-delta transformation	Stern-Dreieck-Transformation f, Stern-Dreieck-Umwandlung f	transformation f étoile-triangle	преобразование звезды в треугольник, переключение со звезды на треугольник
	star drift	s. star-stream		
S 3583	star formation, formation of stars <astr.>	Sternentstehung f, Sternbildung f <Astr.>	formation f des étoiles, création f des étoiles <astr.>	звездообразование, образование звезд, возникновение звезд, происхождение звезд <астр.>
	star formation rate, rate of star formation	Sternentstehungsrate f	taux m de formation des étoiles	скорость звездообразования
	star gap, stellar gap	Sternleere f, Sternlücke f	lacune f stellaire	звездный пробел, пробел звезд
S 3584	star group	Sterngruppe f	groupe m d'étoiles, groupe stellaire	звездная группа
	star grouping	s. star connection		
S 3585	star-interconnected star connection	Stern-Zickzack-Schaltung f	montage m étoile-zig-zag, connexion f étoile-zig-zag	соединение звезда-зигзаг

	English	German	French	Russian
S 3586	Stark broadening, Stark effect broadening	Stark-Effekt-Verbreiterung f, Stark-Verbreiterung f	élargissement m Stark	штарковское уширение [спектральных линий]
S 3587	Stark['s] constant	Stark-Konstante f	constante f de Stark	постоянная Штарка
S 3588	Stark effect	Stark-Effekt m	effet m Stark	эффект Штарка
	Stark effect broadening	s. Stark broadening		
	Stark effect splitting	s. Stark splitting		
S 3589	Stark effect width, Stark width	Stark-Effekt-Breite f, Stark-Breite f	largeur f Stark	штарковская ширина
	Stark-Einstein['s] law	s. law of photochemical equivalence		
S 3590	Starke-Schröder voltmeter	Starke-Schröder-Spannungsmesser m, Starke-Schröder-Voltmeter n	voltmètre m de Starke-Schröder	вольтметр по Штарке-Шредеру
S 3591	Stark-Koch line	Stark-Kochsche Linie f	raie f Stark-Koch	линия Штарка-Коха
S 3592	Stark-Lunelund effect	Stark-Lunelund-Effekt m	effet m Stark-Lunelund	эффект Штарка-Люнелюнда
S 3592a	Stark modulation	Stark-[Effekt-]Modulation f	modulation f Stark	штарковская модуляция
S 3593	Stark splitting, Stark effect splitting, electrical splitting of spectral lines	Stark-Effekt-Aufspaltung f, Stark-Aufspaltung f, elektrische Aufspaltung f der Spektrallinien	désintégration f Stark, dédoublement m Stark, fission f Stark, fission électrique des raies spectrales	штарковское расщепление, расщепление спектральных линий воздействием электрического поля на источник света
	Stark width	s. Stark effect width		
S 3594	star light, illumination from stars	Sternlicht n	lumière f stellaire, lumière des étoiles	свет звезд
S 3595	star-like, star-shaped; radial	sternförmig	en forme d'étoile, en étoile; radial	звездчатый; звездообразный; радиальный
	star-like	s. a. star-shaped <math.>		
S 3595a	starlit	sternklar	étoilé	звездный
	star magnitude	s. stellar brightness		
S 3596	star map, star chart; astrographic chart, Carte du Ciel	Sternkarte f, Himmelskarte f	carte f du ciel, carte céleste	звездная карта, карта [звездного] неба
	star mass-luminosity relation	s. mass-luminosity law		
S 3597	star modulator	Sternmodulator m, Doppelgegentaktmodulator m	modulateur m en étoile	звездный модулятор
	star network, radial network, tandem network	Sternnetz n, sternförmiges Netzwerk, Sternglied n	réseau m en étoile, réseau radial	радиальный многополюсник
	star of the system, member of the system	Systemstern m, Mitgliedstern m [des Systems]	étoile f membre du système, membre m (étoile) du système	звезда, принадлежащая системе
	star photography	s. stellar photography		
S 3598	star photometer, stellar photometer; astronomical photometer, astro-[photo]meter; extinction photometer	Sternphotometer n, Astrophotometer n; Photometer n mit Abschwächungsvorrichtung	photomètre m stellaire; astrophotomètre m	звездный фотометр; астрофотометр, астрономический фотометр
	star[-] point	s. neutral point		
S 3599	star point voltage, neutral point voltage, voltage to neutral	Sternpunktspannung f	tension f du point neutre	потенциал нулевой точки
	star population, stellar population, population <astr.>	Sternpopulation f, Population f <Astr.>	population f stellaire, population <astr.>	звездное население, население, составляющая [галактики] <астр.>
S 3600	star-producing particle	sternerzeugendes Teilchen n	particule f provoquant une étoile	частица, образующая звезду
S 3601	star production <nucl.>	Sternerzeugung f, Sternbildung f <Kern.>	production f d'étoiles <nucl.>	звездообразование <яд.>
S 3602	star production cross-section, cross-section for star production	Sternerzeugungsquerschnitt m, Wirkungsquerschnitt m für (der) Sternerzeugung, Sternerzeugungs-Wirkungsquerschnitt m	section f efficace de production d'étoiles	сечение звездообразования, сечение образования звезд
S 3603	star prong	Sternarm m	rayon m de l'étoile nucléaire	луч звезды
	star quad formation	s. spiral-four formation		
S 3603a	starquake	Sternbeben n	tremblement m d'étoile	звездотрясение
	starred	s. star-shaped <math.>		
	star-shaped	s. star-like		
S 3604	star-shaped, star-like, starred <math.>	sternkonvex, sternförmig, sternig <Math.>	étoilé <math.>	звездный <матем.>
	star-shaped antenna	s. star-shaped dipole		
S 3605	star-shaped diaphragm	Sternblende f, Ausgleichsblende f	diaphragme-étoile m	звезд[с]чатая диафрагма
S 3606	star-shaped dipole, star-shaped antenna	Spreizdipol m, Sternantenne f	antenne f à brins divergents	антенна-звездочка
	star spectrum	s. stellar spectrum		
	star spectrum-luminosity relation	s. Hertzsprung-Russell diagram		
S 3607	star-star connection	Stern-Stern-Schaltung f	montage m étoile-étoile, connexion f étoile-étoile	соединение звезда-звезда
S 3608	star[-] stream; star streaming, streaming of stars, star drift	Sternstrom m; Sternströmung f	courant m d'étoiles, courant stellaire	звездный поток, поток звезд
	start, start-up <of engine>	Anfahren n; Start m <Motor, Maschine>	démarrage m, mise f en route <du moteur>	[за]пуск <двигателя>
S 3609	start <of engine>	Anlassen n <Motor>	démarrage m, mise f en marche	пуск в ход <двигателя>
	start	s. a. start point <chromatography>		
S 3610	starter <of discharge lamp>	Starter m <Gasentladungslampe>	starter m, relai m d'amorçage, démarreur m <de la lampe à décharge>	стартер, зажигатель, поджигатель, пускатель <газоразрядной лампы>

S 3611	**star test**	Sterntest *m*	essai *m* « à l'étoile »	испытание методом «звезд» <оптических приборов>
S 3611a	**star test plate**	Sterntestplatte *f*	tableau *m* d'essai « à l'étoile »	испытательная пластинка для испытания методом «звезд»
	starting, commissioning, putting into operation, start-up	Inbetriebnahme *f*, Inbetriebsetzung *f*	mise *f* en exploitation, mise en marche, mise en fonctionnement	пуск в эксплуатации, запуск, пуск в ход
	starting, run-up, running to full speed, start-up	Hochlaufen *n*, Hochlauf *m*	mise *f* en marche, mise en action, mise en vitesse, accroissement *m* de vitesse, démarrage *m*	разбег, разгон; подъем числа *об/мин*; пуск в ход
	starting	*s. a.* initiation		
S 3612	**starting aid**	Starthilfe *f*	dispositif *m* auxiliaire d'allumage	пусковое вспомогательное устройство
S 3613	**starting anode, exciting anode, ignition anode, igniting anode**	Zündanode *f*; Anlaßanode *f*	anode *f* d'allumage, anode d'amorçage, anode auxiliaire	поджигающий анод, запальный анод; пусковой анод
S 3614	**starting characteristic of thyratron**, ignition characteristic of thyratron	Zündkennlinie *f* des Thyratrons, Zündeinsatzkennlinie (Zündeinsatzkurve) *f* des Thyratrons	caractéristique *f* d'amorçage du thyratron	пусковая характеристика тиратрона, характеристика [момента] зажигания тиратрона
S 3615	**starting current, preoscillation current**	Anschwingstrom *m*	courant *m* initial, courant de préoscillation	ток во времени нарастания колебаний
	starting current, initial current	Anfangsstrom *m*; Anzugsstrom *m*; Anlaßstrom *m*	courant *m* initial; courant de démarrage	начальный ток; пусковой ток
S 3616	**starting device**, ignition device <of the discharge lamp>	Zündvorrichtung *f*, Zündeinrichtung *f*, Zündanlage *f* <Entladungslampe>	dispositif *m* d'amorçage, dispositif d'allumage <de la lampe à décharge>	пусковое устройство, устройство зажигания, устройство для зажигания <газоразрядной лампы>
S 3617	**starting electrode, ignition electrode**	Zündelektrode *f*	électrode *f* d'amorçage, électrode d'allumage	пусковой электрод, электрод зажигания
	starting of oscillations	*s.* start of oscillation		
S 3618	**starting of the arc by means of an ignitron electrode**, ignition start	Ignitronzündung *f* [des Lichtbogens]	allumage *m* de l'arc par igniteur	зажигание дуги посредством поджигательного электрода
	starting of the chain	*s.* chain initiation <chem.>		
S 3619	**starting oscillation, ignition oscillation**	Zündschwingung *f*	oscillation *f* d'amorçage, oscillation d'allumage	колебание при зажигании
	starting phase, initial phase	Anfangsphase *f*; Initialphase *f* <Bio.>	phase *f* initiale	начальная фаза, стартовая фаза
	starting point <e.g. of a motion>; initial point, origin; point of emergency	Anfangspunkt *m*, Ausgangspunkt *m*	origine *f*; point *m* d'application <p. ex. d'un vecteur>; point d'émergence	начало; исходная точка; точка выхода
	starting point	*s.* start point <chromatography>		
	starting potential	*s.* striking voltage <of discharge *or* tube>		
S 3620	**starting pulse**, pilot pulse	Einschaltimpuls *m*, Startimpuls *m*; Urimpuls *m*	impulsion *f* de démarrage, impulsion excitatrice	пусковой импульс, стартовый импульс
	starting pulse	*s. a.* ignition pulse		
S 3621	**starting range [of thyratron]**	Zündbereich *m* [des Thyratrons]	zone *f* d'amorçage [du thyratron]	пусковая область [тиратрона]
S 3622	**starting reaction**, initiating reaction	Startreaktion *f*	réaction *f* entraînante	начальная реакция [цепи], зарождение цепей
S 3623	**starting resistance** <of a tube>	Anlaufwiderstand *m* <Elektronenröhre>	résistance *f* initiale <du tube>	начальное сопротивление <лампы>
S 3624	**starting time, start-up time**; start-up period	Anlaufzeit *f*; Inbetriebsetzungszeit *f*; Anfahrzeit *f*; Hochfahrzeit *f*; Hochlaufzeit *f*; Startzeit *f*; Anfahrperiode *f*; Hochfahrperiode *f*; Startperiode *f*	période *f* de mise en marche, temps *m* de démarrage; temps de l'accroissement de vitesse; période de démarrage	время запуска, время разгона (пуска, разбега), продолжительность разгона, продолжительность пуска в ход; пусковой период
	starting torque	*s.* initial torque		
S 3625	**starting voltage**	Einsatzspannung *f*, Anlaufspannung *f*	tension *f* initiale	пусковое напряжение, начальное напряжение
	starting voltage	*s. a.* breakdown voltage <of discharge>		
	starting vortex	*s.* cast-off vortex		
	starting with load	*s.* start with load		
	starting without load	*s.* start without load		
S 3626/7	**start of oscillation, starting of oscillations**	Anschwingen *n*, Schwingungseinsatz *m*	naissance *f* d'oscillation, amorçage *m* d'oscillations	возникновение (нарастание, вступление, начало возникновения) колебаний, установление колебания
S 3628	**start point, starting point, start** <chromatography>	Start *m*, Startpunkt *m*; Startfleck *m*; Startzone *f*; Startstrich *m*; Startband *n*; Auftragstelle *f*; Auftropfstelle *f* <Chromatographie>	point *m* de démarrage <chromatographie>	место старта <хроматография>
	star tracker	*s.* guiding telescope		
	star tracking	*s.* guiding <of telescope>		
S 3629	**start-stop converter**	Start-Stop-Konverter *m*	convertisseur *m* start-stop	старт[-]стопный преобразователь
S 3630	**start-stop key**	Start-Stop-Taste *f*	touche *f* start-stop	старт[-]стопная кнопка
	start-stop multivibrator	*s.* univibrator		

S 3631	**start-stop unit**	Start-Stop-Gerät n	ensemble m start-stop	старт[-]стопная установка, старт[-]стопное устройство
S 3632	**start-up,** start <of engine>	Anfahren n; Start m <Motor, Maschine>	démarrage m, mise f en route <du moteur>	[за]пуск <двигателя>
S 3633	**start-up** <of reactor>, start-up procedure	Reaktorstart m, Start m [des Reaktors], Anfahren n des Reaktors; Hochfahren n des Reaktors	démarrage m [du réacteur]	пуск [реактора]
	start-up	s. a. commissioning		
	start-up	s. a. run-up		
	start-up period	s. starting time		
	start-up procedure	s. start-up <of reactor>		
	start-up time	s. starting time		
S 3634	**star twisting**	Sternverseilung f	câblage m en étoile	скрутка звездой, звездная скрутка, скручивание звездой, звездное скручивание
S 3635	**start with load,** starting with load	Lastanlauf m	démarrage m en charge	пуск под нагрузкой
S 3636	**start without load,** starting without load	Leeranlauf m	démarrage m à vide	пуск вхолостую, пуск без нагрузки, разбег вхолостую
	star type, star class, class of stars	Sternklasse f, Sterntyp m	classe f stellaire (d'étoiles), type m stellaire (d'étoiles)	звездный класс, класс звезд, тип звезд
	star voltage	s. phase-to-neutral voltage		
	star with expanding atmosphere	s. star with expanding envelope		
S 3637	**star with expanding envelope,** star with expanding atmosphere, star with outward moving atmosphere, emission star	Emissionslinienstern m, Stern m mit expandierender Gashülle, Stern mit Emissionslinien	étoile f à enveloppe en expansion	звезда с расширяющейся оболочкой (атмосферой), эмиссионная звезда, звезда с эмиссионными линиями в спектре
S 3638	**star with extended atmosphere (envelope),** shell star	Hüllenstern m, Stern m mit ausgedehnter Gashülle	étoile f à enveloppe [étendue], étoile à atmosphère étendue	звезда с протяженной оболочкой, звезда с протяженной атмосферой
	star with outward moving atmosphere	s. star with expanding envelope		
	star zero point	s. neutral point <el.>		
S 3639	**stat,** St <= 3.64×10^{-7} Ci>	Stat n, St <= $3,64 \cdot 10^{-7}$ Ci>	stat m, St <= $3,64 \times 10^{-7}$ Ci>	стат, *стат* <= $3,64 \times 10^{-7}$ кюри>
	statcoulomb	s. franklin		
S 3640	**state,** conditions, situation	Zustand m, Lage f, Beschaffenheit f, Verhältnisse npl, Bedingungen fpl; Situation f <z. B. Geo.>	état m, conditions fpl. situation f	состояние, положение, режим, условия, ситуация
S 3641	**state,** status, stage	Stand m, Lage f	stade m, état m	состояние, положение
S 3642	**state** <phys.>	Zustand m <Phys.>	état m <phys.>	состояние <физ.>
	state	s. a. state of energy		
	state continuity, continuity of state[s]	Zustandskontinuität f, Kontinuität f der Zustandsübergänge	continuité f des états, continuité d[e l]'état	непрерывность состояний, непрерывный переход между состояниями
	state curve, curve of state	Zustandskurve f	courbe f d'état	кривая состояния
	state density, density of states	Zustandsdichte f	densité f des états	плотность состояний
	state diagram	s. phase diagram		
	state equation	s. equation of state		
S 3643	**state exchange,** exchange of states	Zustandsaustausch m	échange m d'états	обмен состояниями
	state formula, formula of state	Zustandsformel f	formule f d'état	формула состояния
	state function, function of state	Zustandsfunktion f	fonction f d'état	функция состояния
S 3644	**statement,** proposition, sentence; information	Aussage f; Information f	jugement m, proposition f, sentence f; information f	высказывание, утверждение, суждение; информация
S 3645	**statement,** ansatz, set[-]up <math.>	Ansatz m <Math.>	mise f en équation <math.>	подход [к решению] <матем.>
S 3646	**state of aggregation,** state of matter, aggregation (physical) state	Aggregatzustand m, Formart f	état m d'agrégation, état physique, état de la matière	агрегатное состояние
	state of being suspended	s. suspension		
	state of binding, binding state	Bindungszustand m	état m de liaison	состояние связи
	state of charge	s. charge state		
S 3647	**state of energy,** energetic state, energy state, state	Energiezustand m, energetischer Zustand m, Zustand	état m énergétique, état	энергетическое состояние, состояние энергии, состояние
	state of energy term, term, term of energy, energy [state] term; term value	Term m, Energieterm m, Energiestufe f	terme m, terme énergétique, terme d'énergie, terme de l'état énergétique	терм, энергетический терм, терм энергии, терм энергетического состояния
	state of equilibrium, equilibrium state	Gleichgewichtszustand m	état m d'équilibre	состояние равновесия
	state of excitation, excited state <bio.>	Erregungszustand m <Bio.>	état m d'excitation <bio.>	состояние возбуждения <био.>

	state of full adaptation, full adaptation	vollendete Adaptation *f*, Adaptationszustand *m*	état *m* d'adaptation complète, adaptation *f* complète	состояние полной адаптации
	state of inertia	s. steady state		
	state of ionization	s. charge state		
	state of ions	s. ionic state		
	state of matter	s. state of aggregation		
S 3648	state of order, order state	Ordnungszustand *m*	état *m* d'ordre	состояние упорядочения
	state of plane stress	s. plane stress		
S 3649	state of rest <aero.>	Kesselzustand *m*, Ruhezustand *m* <Aero.>	état *m* de repos <aéro.>	состояние покоя <аэро.>
S 3650	state of rest, period of rest <bio.>	Ruhezustand *m*, Ruheperiode *f* <Bio.>	état *m* de repos, période *f* de repos <bio.>	состояние покоя, спокойное состояние <био.>
S 3651	state of strain, strain, strained state <mech.>	Verzerrungszustand *m*, Verformungszustand *m*, Formänderungszustand *m*, Deformationszustand *m*, Zerrungszustand *m* <Mech.>	état *m* de déformation <méc.>	деформированное состояние, состояние деформации <мех.>
	state of strain [at the point]	s. strain tensor		
	state of strain [in the body]	s. strain field		
S 3652	state of stress, stress, stressed state	Spannungszustand *m*	état *m* de tension, état de contrainte, état des tensions	напряженное состояние
	state of stress [at the point]	s. stress tensor		
	state of stress [in the body]	s. stress field		
	state of suspension	s. suspension		
S 3653	state of the development	Entwicklungsstand *m*, Stand *m* der Entwicklung	état *m* du développement, stade *m*	состояние развития
	state of the weather	s. general weather situation		
S 3654	state of turbulence, turbulent state	Turbulenzzustand *m*, turbulenter Zustand	état *m* de turbulence, état turbulent	турбулентное состояние, состояние турбулентности
S 3655	state of weightlessness	Zustand *m* der Schwerelosigkeit	état *m* d'apesanteur	состояние невесомости
	state parameter	s. parameter of state		
	state sum	s. partition function		
	state under normal conditions	s. standard state		
S 3656	state value	Zustandswert *m*	valeur *f* de la fonction d'état	значение функции состояния
	state variable	s. parameter of state		
	state vector, vector of state	Zustandsvektor *m*	vecteur *m* d'état	вектор состояния
	stathm	s. kilogram[me]		
	static	s. static charge		
S 3657	static[al] accuracy, static[al] precision, static[al] fidelity	statische Genauigkeit *f*	précision *f* statique	статическая точность
S 3658	statical deflection <mech.>	statische Durchsenkung (Durchbiegung) *f* <Mech.>	flexion *f* statique, déviation *f* statique <méc.>	прогиб от статической нагрузки <мех.>
	statical fidelity	s. static[al] accuracy		
	statical load	s. static load		
	statically admissible	s. statically permissible		
S 3659	statically defined (determinable, determinate, determined), determinate	statisch bestimmt	statiquement déterminé (déterminable), isostatique	статически определимый
S 3660	statically indeterminable (indeterminate), statically undetermined, undetermined, indeterminate, hyperstatic	statisch unbestimmt	tatiquement indéterminé (indéterminable), hyperstatique	статически неопределимый
S 3661	statically permissible, statically admissible	statisch zulässig	statiquement admissible	статически допустимый
	statically undetermined	s. statically indeterminable		
S 3662	statical moment, static moment [of force], moment of first order, linear (mass) moment	statisches Moment *n*, Moment erster Ordnung, lineares Moment	moment *m* statique, moment de premier ordre, moment linéaire	статический момент, момент первого порядка, линейный момент
	statical precision	s. static[al] accuracy		
	statical tide	s. equilibrium tide		
S 3663	static amplification factor, static gain	statischer Verstärkungsfaktor *m*, statische Verstärkung *f*	facteur *m* d'amplification statique, amplification *f* statique	статический коэффициент усиления, статическое усиление
S 3664	static autonomy	statische Autonomie *f*	autonomie *f* statique	статическая автономность (самостоятельность)
S 3665	static characteristic	statische Kennlinie (Charakteristik) *f*; Standkennlinie *f*; Kurzschlußkennlinie *f*	caractéristique *f* statique	статическая характеристика
S 3666	static charge, static electric charge, electrostatic charge, static	statische Ladung *f*, elektrostatische Ladung (Aufladung *f*)	charge *f* statique, charge électrostatique	статический заряд, электростатический заряд
	static coefficient of friction	s. coefficient of static friction		
	static control	s. proportional control		
	static controller	s. proportional controller		

S 3667	**static converter** **static current** **static electric charge**	ruhender Stromrichter *m* *s.* resting current *s.* static charge	convertisseur *m* statique	статический преобразо- ватель
S 3668	**static electricity** **static electrode potential**	statische Elektrizität *f*, Influenzelektrizität *f* *s.* static potential	électricité *f* statique	статическое электричество
S 3669	**static eliminator**	Antistatikgerät *n*, Gerät *n* zur Beseitigung elektro- statischer Aufladungen	éliminateur *m* statique	статический элиминатор
S 3670	**static equilibrium** **static fidelity**	statisches Gleichgewicht *n* *s.* statical accuracy	équilibre *m* statique	статическое равновесие
S 3671	**static field**	statisches Feld *f*	champ *m* statique	статическое поле
S 3672	**static force**	statische Kraft *f*	force *f* statique	статическая сила
S 3673	**static forward con- ductance, static for- ward transcon- ductance**	Kurzschluß-Vorwärtssteil- heit *f*, statische Vorwärts- steilheit *f*	pente *f* statique dans le sens direct, conductance *f* in- terne statique dans le sens direct	статическая крутизна характеристики в пря- мом направлении
S 3674	**static fracture**	statischer Bruch *m*	cassure *f* statique	статический излом
S 3675	**static friction**, friction at rest, friction of rest (repose); limiting friction, stiction	Haftreibung *f*, Ruh[e]- reibung *f*, Reibung *f* der Ruhe, ruhende Reibung *f*; Haltereibung *f*; Grenz- reibung *f*, maximale Rei- bungskraft *f*	frottement *m* au repos, frottement de départ, frottement au départ	трение покоя, статическое трение; максимальная сила трения покоя
S 3676	**static fundamental equation of the atmos- phere**	statische Grundgleichung *f* der Atmosphäre	équation *f* fondamentale statique de l'atmosphère	основное уравнение ста- тики атмосферы, ура- внение статики атмо- сферы
	static gain, static ampli- fication factor	statischer Verstärkungs- faktor *m*, statische Ver- stärkung *f*	facteur *m* d'amplification statique, amplification *f* statique	статический коэффициент усиления, статическое усиление
	static galvanometer constant	*s.* galvanometer constant		
S 3677	**static gravimeter**; stable gravimeter	statisches Gravimeter *n*, statischer Schweremesser (Schwerkraftmesser) *m*	gravimètre *m* statique	статический гравиметр, неастазированный гравиметр
S 3678	**static head**, pressure head, head	statische Höhe *f*, Druckhöhe *f*	hauteur *f* statique (de charge), hauteur de (due à la) pression, charge *f*, hau- teur représentative de l'énergie totale	высота статического да- вления, пьезометриче- ская высота, высота на- пора, высота нагнета- ния, высота давления, [гидро]статический на- пор
S 3679	**static hysteresis curve, static hysteresis loop**	statische Hysteresisschleife (Hysteresiskennlinie, magnetische Zustands- kurve, Kennlinie) *f*	cycle *m* d'hystérésis statique	статическая петля гисте- резиса, квазистатиче- ская петля гистерезиса
S 3680	**static indeterminateness,** hyperstaticity	statische Unbestimmtheit *f*	hyperstaticité *f*	статическая неопредели- мость
S 3681	**static labelling**	statische Markierung *f*	marquage *m* statique	статическое мечение, статическая маркировка
S 3681a	**static level indicator (meter)**	statischer Füllstandsanzeiger *m*	statolimnimètre *m*	статический уровнемер
	static lift, uplift, upthrust <aero.> **static lift**	aerostatischer (statischer) Auftrieb *m* <Aero.> *s. a.* hydrostatic buoyancy <hydr.>	poussée *f* aérostatique <aéro.>	подъемная сила <аэро.>
S 3682	**static line width**	statische Linienbreite *f*	largeur *f* de raie statique	статическая ширина линии
S 3683	**static load**, statical load	statische Belastung *f*; ruhen- de Belastung, Ruhe- belastung *f*	charge *f* statique	статическая нагрузка
	static magnetic field, magnetostatic field	magnetostatisches Feld *n*, statisches Magnetfeld *n*	champ *m* magnétostatique, champ magnétique statique	магнитостатическое поле, постоянное магнитное поле
S 3684	**static magnetic suscep- tibility**, static suscepti- bility	statische magnetische Suszeptibilität *f*, statische Suszeptibilität	susceptibilité *f* magnétique statique, susceptibilité statique	статическая магнитная восприимчивость
S 3685	**static modulus of elasticity** **static moment [of force]**	statischer Elastizitätsmodul *m* *s.* statical moment	module *m* d'élasticité statique	статический модуль упругости
S 3686	**static moment of the surface**, first moment of the surface	statisches Flächenmoment *n*, statisches Moment *n* der Fläche	moment *m* statique de la surface	статический момент поверхности
S 3687	**static multipole moment** **static mutual con- ductance** **static noise**	statisches Multipolmoment *n* *s.* transconductance *s.* atmospheric radio noise	moment *m* multipolaire statique	статический мультиполь- ный момент
	static nucleus, stationary nucleus, nucleus at rest	ruhender Kern *m*, statio- närer Kern	noyau *m* stationnaire, noyau au repos	неподвижное ядро, стационарное ядро
S 3688	**static phase advancer,** cosine capacitor, phase- shift capacitor, phase- shifting capacitor, capaci- tor phase shifter	Phasenschieberkondensator *m*, ruhender Phasenschie- ber *m*, Kondensator *m* zur Verbesserung des Lei- stungsfaktors, Leistungs- kondensator *m*	déphaseur *m* statique, régu- lateur *m* de phase statique, condensateur *m* dépha- seur, condensateur cosinus, condensateur de compen- sation de puissance réactive	косинусный конденсатор, конденсатор для улуч- шения коэффициента мощности, статический фазорегулятор; стати- ческий конденсатор для улучшения cos φ; фазо- вый (фазосдвигающий, фазовращающий) кон- денсатор
	static plate	*s.* orifice plate		
S 3688a	**static potential**, static electrode potential	statisches Potential *n*	potentiel *m* statique	статический [электрод- ный] потенциал

	static precision	s. statical accuracy		
S 3689	**static pressure,** actual pressure, pressure intensity	statischer Druck m, ruhender Druck, Ruhedruck m, Standdruck m	pression f statique	статическое (полное) давление, давление покоя (торможения)
	static pressure tube, piezometer tube	Drucksonde f, Piezometerrohr n	tube m piézométrique	пьезометрическая трубка
S 3690	**static reaction**	statische Reaktion (Rückwirkung) f	réaction f statique	статическая реакция
	static regulator	s. proportional controller		
S 3691	**static revertive conductance, static revertive transconductance**	Kurzschluß-Rückwärtssteilheit f, Kurzschluß-Rücksteilheit f, statische Rückwärtssteilheit f, statische Rücksteilheit f	pente f statique dans le sens inverse, conductance f interne statique dans le sens inverse	статическая крутизна характеристики в обратном направлении
S 3692	**static rolling friction**	Haftreibung f gegen Rollen	frottement m de roulement au départ	трение покоя при качении
S 3692a	**statics**	Statik f, Geometrie f der Kräfte	statique f	статика
	statics	s. a. atmospheric radio noise		
S 3693	**static safety factor**	statischer Sicherheitsfaktor m, Sicherheitsfaktor bei statischer Belastung	coefficient m d'essai statique	коэффициент запасà прочности при статических испытаниях <конструкции>
S 3694	**static shield winding**	Schirmwicklung f	enroulement m d'écran	экранирующая обмотка
S 3694a	**static slip**	statische Gleitung f	glissement m statique	статическое скольжение
S 3695	**static solution**	statische Lösung f	solution f statique	статическое решение
S 3696	**static stability,** stability <statics>	Standsicherheit f, Standfestigkeit f, Stabilität f, Kippsicherheit f, Sicherheit f gegen Umkippen <Statik>, statische Stabilität	stabilité f statique, stabilité <statique>	остойчивость, статическая остойчивость, устойчивость [против опрокидывания] <статика>, статическая устойчивость
S 3697	**static strength**	statische Festigkeit f	résistance f statique	статическая прочность
S 3698	**static stress**	statische Spannung f	tension f statique	статическое напряжение (натяжение)
S 3699	**static subroutine**	statisches Unterprogramm n	sous-programme m cablé, ordres mpl initiaux	статическая подпрограмма
	static surface tension, equilibrium surface tension	Gleichgewichts-Oberflächenspannung f, statische Oberflächenspannung f	tension f de surface statique, tension de surface d'équilibre	равновесное поверхностное натяжение, статическое поверхностное натяжение
	static susceptibility, static magnetic susceptibility	statische magnetische Suszeptibilität f, statische Suszeptibilität	susceptibilité f magnétique statique, susceptibilité statique	статическая магнитная восприимчивость
S 3700	**static temperature**	statische Temperatur f	température f statique	статическая температура, температура потенциального потока
S 3701	**static temperature coefficient**	statischer Temperaturkoeffizient m	coefficient m de température statique	статический температурный коэффициент
	static transconductance	s. transconductance		
	static water	s. water-surface ascent		
S 3702	**station,** point <geo.>	Standpunkt m <Geo.>	station f, point m <géo.>	точка стояния, станция <гео.>
	station	s. a. point under consideration		
S 3702a	**stationarity**	Stationarität f	stationnarité f	стационарность
S 3703	**stationary;** fixed	stationär <zeitlich konstant>; unbeweglich, ortsfest, feststehend; Stand-	stationnaire; immobile; fixe	стационарный; неподвижный
S 3704	**stationary,** immobile <astr.>	stationär, stillstehend <Astr.>	stationnaire, ímmobile <astr.>	стационарный, неподвижный <астр.>
	stationary	s. a. steady		
	stationary absorption line	s. interstellar absorption line		
S 3705	**stationary charge**	ruhende Ladung f	charge f stationnaire	стационарный заряд
	stationary coil of the variometer, variometer stator	feste Variometerspule f	bobine f stationnaire du variomètre, stator m du variomètre	неподвижная катушка вариометра, статор вариометра
S 3706	**stationary conductivity,** steady-state conductivity	stationäre Leitfähigkeit f	conductibilité f stationnaire	стационарная проводимость
	stationary creep	s. quasiviscous creep		
	stationary current	s. steady-state current		
S 3707	**stationary discharge**	stationäre Entladung f	décharge f stationnaire	стационарный разряд
S 3707a	**stationary distribution**	stationäre Verteilung f	répartition (distribution) f stationnaire	стационарное распределение
S 3708	**stationary electrolysis**	Standelektrolyse f, stationäre Elektrolyse f	électrolyse f stàtionnaire	стационарный электролиз
S 3709	**stationary ensemble**	stationäre Gesamtheit f	ensemble m stationnaire	стационарный ансамбль
S 3710	**stationary equilibrium**	stationäres Gleichgewicht n	équilibre m stationnaire	стационарное равновесие
S 3711	**stationary field,** steady-state field	stationäres (ruhendes) Feld n, Stehfeld n	champ m stationnaire	стационарное поле, неподвижное поле
S 3712	**stationary field irradiation**	Stehfeldbestrahlung f	irradiation f en (à) champ stationnaire	облучение неподвижным полем
	stationary flow	s. steady flow		
S 3713	**stationary gravimeter**	stationäres Gravimeter n, stationärer Schweremesser m	gravimètre m stationnaire	стационарный гравиметр
S 3714	**stationary grid,** grid, Lysholm grid	feststehende Streustrahlenblende (Blende) f, Streustrahlenblende nach Lysholm, Lysholm-Blende f, Festblende f, feststehender Streustrahlenraster (Raster) m	grille f fixe, grille, grille de Lysholm, diaphragme m fixe	стационарная решетка, неподвижная решетка

S 3715	**stationary line**	ruhende Linie f	raie f stationnaire	стационарная (неподвижная) линия
S 3716	**stationary motion**	stationäre Bewegung f	mouvement m permanent (stationnaire)	стационарное движение
S 3717	**stationary nucleus,** static nucleus, nucleus at rest	ruhender Kern m, stationärer Kern	noyau m stationnaire, noyau au repos	неподвижное ядро, стационарное ядро
S 3718	**stationary orbit**	stationäre Bahn f	orbite f stationnaire	стационарная (установившаяся) орбита
S 3719	**stationary phase method,** principle of stationary phase	Methode f der stationären Phase	méthode f de la phase stationnaire	метод стационарной фазы
S 3720	**stationary photometer**	feststehendes Photometer n	photomètre m fixe	неподвижный фотометр
	stationary point, station of planet <astr.>	Stillstand m, stationäre Bewegung f <Planet> <Astr.>	station f de la planète, point m stationnaire <astr.>	стояние планеты <астр.>
	stationary point	s. a. critical point <of function>		
	stationary point	s. a. cusp		
	stationary potential	s. steady potential		
S 3721	**stationary quantum state,** stationary state in quantum theory	stationärer Quantenzustand m, stationärer Zustand m in der Quantentheorie	état m quantique stationnaire, état stationnaire dans la théorie quantique	стационарное квантовое состояние, стационарное состояние в квантовой теории
S 3722	**stationary random process,** stationary stochastic process	stationärer Prozeß m, stationärer stochastischer Prozeß	processus m permanent, fonction f aléatoire stationnaire	стационарный вероятностный (случайный) процесс, стационарный процесс
S 3723	**stationary satellite,** geostationary satellite, motionless satellite	[geo]stationärer Satellit m, Satellit in geostationärer Umlaufbahn	satellite m immobile, satellite géostationnaire	неподвижный спутник, стационарный спутник
	stationary solution	s. steady-state solution		
S 3724	**stationary sonic vibration (wave), stationary sound vibration (wave),** standing sound wave, standing sound (sonic) vibration	stehende Schallwelle f; stehende Schallschwingung f	onde f sonore stationnaire, onde acoustique stationnaire; vibration f acoustique stationnaire, oscillation f acoustique stationnaire	стоячая звуковая волна, стоячая акустическая волна; стоячее звуковое колебание, стоячее акустическое колебание
	stationary state	s. steady state		
	stationary state in quantum theory, stationary quantum state	stationärer Quantenzustand m, stationärer Zustand m in der Quantentheorie	état m quantique stationnaire, état stationnaire dans la théorie quantique	стационарное квантовое состояние, стационарное состояние в квантовой теории
	stationary state of current, steady-state current, steady current, stationary current	stationärer Strom m, stationärer elektrischer Strom	courant m stationnaire, courant de régime [permanent]	установившийся ток, стационарный ток, ток установившегося режима
	stationary stochastic process, stationary random process	stationärer Prozeß m, stationärer stochastischer Prozeß	processus m permanent, fonction f aléatoire stationnaire	стационарный вероятностный (случайный) процесс, стационарный процесс
	stationary tangent	s. inflectional tangent		
	stationary vibration	s. standing wave		
S 3725	**stationary vortex,** steady vorticity motion	stationärer Wirbel m, Standwirbel m; stationäre Wirbelung (Wirbelbewegung) f	tourbillon m stationnaire	стационарный вихрь, устойчивый вихрь
	stationary wave	s. standing wave		
S 3726	**station barometer**	Stationsbarometer n	baromètre m de station	станционный барометр
S 3727	**station density,** density of stations	Stationsdichte f	densité f du réseau des stations	густота станционной сети, плотность станционной сети
S 3727a	**station equation**	Stationsgleichung f; Standortgleichung f; Standpunktsgleichung f	équation f de station	уравнение станции
S 3728	**station index**	Stationsindex m, Stationskennziffer f	indice m de station	индекс станции
S 3729	**station of planet,** stationary point <astr.>	Stillstand m, stationäre Bewegung f <Planet> <Astr.>	station f de la planète, point m stationnaire <astr.>	стояние планеты <астр.>
	station rating curve	s. discharge rating curve		
S 3730	**statism**	Regelfehler m, Statismus m	statisme m	статизм, ошибка (неточность) регулирования
S 3731	**statistic** <stat.>	statistische Größe f, Größe <Stat.>	statistique f <stat.>	статистика <стат.>
S 3732	**statistic,** sample statistic; sample function <stat.>	statistische Maßzahl f, Statistik f, Kennzahl f, Kennziffer f; Stichprobenfunktion f <Stat.>	statistique f; fonction f des observations <stat.>	статистика; функция выборки, функция результатов наблюдения <стат.>
	statistical atomic model, statistical model of atom	statistisches Atommodell n, statistisches Modell n des Atoms	modèle m statistique de l'atome	статистическая модель атома
S 3733	**statistical average**	statistischer Mittelwert m	moyenne f statistique	статистическое среднее
S 3734	**statistical averaging**	statistische Mittelbildung f	formation f de moyennes statistiques	статистическое усреднение, статистическое осреднение
S 3735	**statistical broadening**	statistische Verbreiterung f	élargissement m statistique [des raies]	статистическое уширение [линий]
S 3736	**statistical climatology**	statistische Klimatologie f, Mittelwertsklimatologie f	climatologie f statistique	статистическая климатология
	statistical counter (counting) time lag, counting (counter) time lag	Zählverzögerung f, statistische Zählverzögerung	retard m de comptage [statistique], retard de compte [statistique]	задержка счета, статистическая задержка счета

S 3737	**statistical decision theory,** stochastic decision theory, theory of choice, theory of statistical decision[s]	statistische Entscheidungstheorie *f*, Entscheidungstheorie	théorie *f* de la décision [statistique]	статистическая теория распознавания, статистическая теория решений
	statistical description of turbulence, statistical theory of turbulence	Turbulenzstatistik *f*, statistische Theorie *f* der Turbulenz	théorie *f* statistique de la turbulence	статистическая теория турбулентности
S 3738	**statistical distribution; statistical distribution function**	statistische Verteilung *f*; statistische Verteilungsfunktion *f*	distribution (répartition) *f* statistique; fonction *f* de distribution (répartition) statistique	статистическое распределение; функция статистического распределения
S 3739	**statistical ensemble,** statistical population (universe) <stat.>	statistische Gesamtheit *f*, statistische Masse *f*, Gesamtmasse *f*, Kollektiv *n* <Stat.>	ensemble *m* statistique	статистический ансамбль
S 3740	**statistical equilibrium**	statistisches Gleichgewicht *n*	équilibre *m* statistique	статистическое равновесие
S 3741	**statistical ergodic theorem,** ergodic theorem in the mean, von Neumann['s] ergodic theorem	statistischer Ergodensatz *m*, Ergodensatz im Mittel, Ergodensatz von J. von Neumann, Neumannscher Ergodensatz	théorème *m* ergodique statistique, théorème ergodique en moyenne, théorème ergodique de von Neumann	статистическая эргодическая теорема, эргодическая теорема в среднем, эргодическая теорема фон Неймана
	statistical evidence, significance, statistical significance	Signifikanz *f*, statistische Signifikanz, statistische Sicherung *f*	signification *f*, signification statistique	значимость, статистическая значимость
S 3742	**statistical fluctuation,** fluctuation	statistische Schwankung *f*, Schwankung, Fluktuation *f*	fluctuation *f* statistique, fluctuation	статистическая флуктуация, флуктуация, флюктуация
	statistical fluctuation effect (phenomenon)	*s.* fluctuation phenomenon		
S 3743	**statistical independence,** statistic independence	statistische Unabhängigkeit *f*	indépendance *f* [mutuelle] en probabilité, indépendance [mutuelle] dans le sens de la probabilité	статистическая независимость
S 3744	**statistically evident,** statistically significant	statistisch gesichert	statistiquement significatif	статистически значимый
S 3745	**statistically independent**	statistisch unabhängig	independant en probabilité	статистически независимый
	statistically significant, statistically evident	statistisch gesichert	statistiquement significatif	статистически значимый
	statistical map	*s.* cartogram		
	statistical matrix	*s.* density matrix		
S 3746	**statistical mechanics;** statistical physics	statistische Mechanik *f*; statistische Physik *f*	mécanique *f* statistique; physique *f* statistique	статистическая механика; статистическая физика
S 3747	**statistical model of atom,** statistical atomic model	statistisches Atommodell *n*, statistisches Modell *n* des Atoms	modèle *m* statistique de l'atome	статистическая модель атома
	statistical model of nucleus, Wigner model of nucleus, uniform model of nucleus	statistisches Kernmodell *n* [nach Wigner], statistisches Modell *n* [des Kerns], Wigner-Modell *n*, statistisches Compoundmodell *n*	modèle *m* statistique du noyau, modèle statistique nucléaire	статистическая модель ядра
	statistical noise, noise, random noise, fluctuation noise <of thermionic valve>	Rauschen *n*, statistisches Rauschen <Elektronen­röhre>	bruit *m* [de fluctuation], bruit non pondéré, bruit chaotique <du tube électronique>	шум, [хаотический] флуктуационный шум, хаотический шум <электронной лампы>
	statistical nuclear decay	*s.* statistical nuclear disintegration		
S 3748	**statistical nuclear disintegration,** statistical nuclear decay	statistische Kernumwandlung *f*, statistischer Kernzerfall *m*, statistischer Zerfall *m* der Atomkerne	désintégration *f* nucléaire statistique, désintégration statistique des noyaux [atomiques]	статистический распад ядер
	statistical operator	*s.* density matrix		
S 3749	**statistical parallax**	[stellar]statistische Parallaxe *f*, Eigenbewegungsparallaxe *f*	parallaxe *f* statistique	статистический параллакс
	statistical physics; statistical mechanics	statistische Mechanik *f*; statistische Physik *f*	mécanique *f* statistique; physique *f* statistique	статистическая механика; статистическая физика
	statistical population	*s.* statistical ensemble		
S 3750	**statistical purity**	statistische Reinheit *f*	pureté *f* statistique	статистическая чистота
	statistical significance, significance, statistical evidence	Signifikanz *f*, statistische Signifikanz, statistische Sicherung *f*	signification *f*, signification statistique	значимость, статистическая значимость
S 3751	**statistical sign test,** sign test	Vorzeichentest *m*, Zeichentest *m*	critère *m* de signes	критерий знаков
S 3752	**statistical spinel structure**	statistischer Spinelltyp *m*	structure *f* spinelle statistique	структура типа шпинели со статистическим распределением катионов
S 3753	**statistical star stream**	statistischer Sternstrom *m*	courant *m* stellaire statistique	статистический звездный поток
	statistical straggling, spread, straggling, scatter[ing] <gen., e.g. of data>	Streuung *f*, statistische Streuung; Streubreite *f* <allg., z. B. von Daten>	dispersion *f*, dispersion au hasard, dispersion statistique <gén. p. ex. des données>	разброс, статистический разброс, страгглинг, рассеяние <общ., напр. данных>; диапазон отклонений, различие выборочных средних
	statistical test, test <stat.>	Test *m*, statistischer Test <Stat.>	test *m* [statistique], essai *m* [statistique] <stat.>	критерий, статистический критерий, тест, статистический тест <стат.>
S 3754	**statistical theory of turbulence,** statistical description of turbulence	Turbulenzstatistik *f*, statistische Theorie *f* der Turbulenz	théorie *f* statistique de la turbulence	статистическая теория турбулентности

S 3755	**statistical thermo-dynamics,** thermo-statistics	statistische Thermo-dynamik f, statistische Theorie f der Wärme	thermodynamique f statistique	статистическая термодинамика
S 3756	**statistical time lag in discharge**	statistische Zeitverzögerung f der Entladung, statistische Entladungsver-zögerung f	période f de retard statistique de la décharge, retard m statistique de la décharge	статистическое запаздывание разряда, время статистического запаздывания разряда
S 3757	**statistical uncertainty**	statistische Unsicherheit f, statistische Unschärfe f	incertitude f statistique	статистическая неопределенность
S 3757a	**statistical unit**	Statistikgerät n	dispositif (appareil) m statistique	статистический прибор
	statistical universe	s. statistical ensemble		
	statistical weight	s. degree of degeneracy <qu.>		
S 3758	**statistical weight factor** <nucl.>	statistischer Gewichtsfaktor m <Kern.>	facteur m de poids statistique <nucl.>	весовой [статистический] множитель <яд.>
	statistic independence	s. statistical independence		
	statitron	s. electrostatic generator		
S 3759	**statolith,** otolith	Statolith m, Hörstein m, Gehörsteinchen n, Otolith m, Otokonie f, Statokonie f	statolit[h]e f, otolit[h]e f	статолит, отолит
S 3760	**statolith theory**	Statolithentheorie f	théorie f des statolithes	теория статолитов
S 3761	**statometer**	Statometer n	statomètre m	статометр, прибор для измерения статических зарядов
S 3762	**stator**	Ständer m; Stator m, Anker m <Synchron-maschine>; Feldmagnet m <Gleichstrommaschine>	stator m	статор
S 3763	**statoscope**	Statoskop n, Feinmanometer m, Feinhöhenmesser m	statoscope m	статоскоп
S 3764	**statu nascendi / in**	in statu nascendi	à l'état naissant	в состоянии в момент выделения, в состоянии образования
	status, state, stage	Stand m, Lage f	stade m, état m	состояние, положение
	status nascens	s. nascent state		
S 3765	**statute mile,** mile, English statute mile, British mile, mi, st.Mi., m <= 1,609 m>	englische Meile f, Meile, angelsächsische Meile <= 1 609 m>	mille m anglais, mille, mille terrestre, mille terrestre anglais <= 1609 m>	английская миля, миля <= 1 609 м>
S 3766	**Staude cone**	Staude-Kegel m	cône m de Staude	конус Штауде
S 3767	**Staudinger['s] formula**	Staudinger-Gleichung f	formule (équation) f de Staudinger	уравнение (формула) Штаудингера
S 3768	**Staudinger['s] law of viscosity**	Staudingersches Viskositäts-gesetz n, Viskositätsgesetz von Staudinger	loi f de viscosité de Staudinger	закон вязкости Штаудингера
S 3769	**stauroscope**	Stauroskop n	stauroscope m	ставроскоп
S 3770	**stauroscopic figure**	stauroskopische Figur f	figure f stauroscopique	ставроскопическая фигура
	stay	s. diagonal member <mech.>		
	stay	s. a. vertical member		
S 3771	**St.Clair generator, St.Clair sound generator, St. Clair['s] transducer**	Schallgenerator m von (nach) St. Clair, St. Clair-scher Schallgenerator	générateur m de St. Clair, générateur de son de St. Clair	излучатель Сен-Клера
S 3772	**steadiness** <of the image>	Stehen n <Bild>, Bildruhe f	stabilité f <de l'image>, fixité f de l'image	стояние, устойчивость <изображения>
S 3773	**steady,** permanent, con-tinuous, constant, continual	ständig, stetig, permanent, Dauer-, kontinuierlich	permanent, continu	постоянный, непрерывный, перманентный, неизменный, беспрерывный, неразрывный; сплошной
S 3774	**steady,** steady-state, stationary	stationär, Gleichgewichts-; eingeschwungen	stationnaire, permanent; établi	установившийся, стационарный
S 3775	**steady anode current**	Anodenruhestrom m	courant m de plaque au repos	анодный ток покоя
S 3776	**steady background**	ständiger Untergrund m	fond m permanent	стационарный фон, постоянный фон
S 3777	**steady climate**	stetiges Klima n	climat m constant	постоянный климат
	steady current	s. steady-state current		
S 3778	**steady current pulse**	nichtabklingender Strom-impuls m	impulsion f régulière, im-pulsion de courant	регулярно следующий импульс [тока], незатухающий импульс тока, неуменьшающийся импульс тока
S 3779	**steady density**	stationäre Dichte f	densité f stationnaire	стационарная плотность
S 3780	**steady discharge**	Dauerentladung f	décharge f permanente	установившийся разряд, длительный разряд
	steady exposure	s. continuous light		
S 3781	**steady flow,** steady-state flow, stationary flow, fully developed flow; constant flow	stationäre Strömung f, stationärer Strom m; aus-gebildete Strömung	mouvement m permanent (stationnaire, continu), écoulement m permanent (stationnaire); effluent (courant) m stationnaire	установившееся течение, постоянное течение (движение), стационарный (установившийся) поток
S 3782	**steady gas flow**	stationäre Gasströmung f	écoulement m gazeux per-manent, mouvement m permanent de gaz	установившийся поток газа, установившееся движение газа
	steady load	s. permanent load		
	steady load	s. a. continuous load <el.>		
S 3783	**steady motion**	ständige Bewegung f, „steady motion" f	mouvement m permanent	установившееся движение
S 3783a	**steady potential,** steady-state potential, stationary potential	stationäres Potential n	potentiel m stationnaire	стационарный потенциал

S 3784	**steady precession, steady precessional motion,** regular precession	reguläre Präzession f, gleichmäßige Präzession	précession f régulière	регулярная прецессия, регулярное прецессионное движение
	steady radiation	s. white radiation		
	steady rain; continuous rain	Dauerregen m; Landregen m	pluie f continue; pluie étendue, pluie généralisée	обложной дождь
S 3785	**steady sound,** sustained sound, continuous tone	Dauerton m	son (ton)m continu, ton permanent	стационарный звук, непрерывный звук (тон)
S 3786	**steady source [of radiation]**	konstante Quelle (Strahlungsquelle) f	source f constante [de rayonnement]	постоянный источник [излучения]
S 3787	**steady state,** stationary state; state of inertia; final state; steady-state motion	stationärer Zustand m; eingeschwungener Zustand; Dauerzustand m; Endzustand m; Beharrungszustand m	état m stationnaire; régime m stationnaire, régime établi, régime constant, régime permanent; mouvement m stationnaire	установившееся (стационарное) состояние; установившийся (стационарный, постоянный) режим; установившееся движение
	steady state, flux equilibrium, flowing equilibrium, open system equilibrium <bio.>	Fließgleichgewicht n, Flußgleichgewicht n <Bio.>	équilibre m dynamique <bio.>	динамическое равновесие <био.>
	steady state, steady, stationary	stationär, Gleichgewichts-; eingeschwungen	stationnaire, permanent; établi	установившийся, стационарный
S 3788	**steady-state characteristic**	stationäre Kennlinie f, stationäre Charakteristik f	caractéristique f stationnaire	характеристика установившегося режима
S 3789	**steady-state condition**	Stationaritätsbedingung f	condition f du régime permanent	условие установившегося режима
	steady-state conductivity, stationary conductivity	stationäre Leitfähigkeit f	conductibilité f stationnaire	стационарная проводимость
	steady-state creep	s. quasiviscous creep		
S 3790	**steady-state current,** steady current, stationary state of current, stationary current	stationärer Strom m, stationärer elektrischer Strom	courant m stationnaire, courant de régime [permanent]	установившийся ток, стационарный ток, ток установившегося режима
S 3791	**steady-state electric field** <el.>	[elektrisches] Strömungsfeld n, Stromdichtefeld n, stationäres elektrisches Feld n (Strömungsfeld), Feld der elektrischen Stromdichte <El.>	champ m électrique stationnaire <él.>	стационарное электрическое поле <эл.>
S 3792	**steady-state error**	bleibende Regelabweichung f	erreur f établie (stationnaire, permanente)	установившаяся ошибка, установившееся отклонение
	steady-state field	s. stationary field		
	steady-state flow	s. steady flow		
S 3793	**steady-state magnetic field,** stationary magnetic field	stationäres Magnetfeld n, stationäres magnetisches Feld n	champ m magnétique stationnaire	стационарное магнитное поле
	steady-state motion	s. steady state		
S 3794	**steady-state operation**	stationärer Betrieb m	régime m stationnaire (permanent)	установившийся режим
S 3795	**steady-state oscillation,** steady-state vibration	stationäre Schwingung f	oscillation f stationnaire	установившееся колебание, стационарное колебание
	steady-state potential	s. steady potential		
S 3796	**steady-state solution,** stationary solution	stationäre Lösung f, Lösung für den stationären Zustand	solution f stationnaire, résolution f stationnaire	стационарное решение, установившееся решение
S 3797	**steady-state transient technique**	„steady-state transient"-Methode f	méthode f du transitoire stationnaire, « steady-state transient technique » f	стационарный переходный метод
	steady-state value, equilibrium value, steady value	Gleichgewichtswert m, stationärer Wert m	valeur f équilibrée, valeur d'équilibre	равновесное значение, установившееся значение
	steady-state vibration, steady-state oscillation	stationäre Schwingung f	oscillation f stationnaire	установившееся колебание, стационарное колебание
	steady value, equilibrium value, steady-state value	Gleichgewichtswert m, stationärer Wert m	valeur f équilibrée, valeur d'équilibre	равновесное значение, установившееся значение
	steady vorticity motion, stationary vortex	stationärer Wirbel m, Standwirbel m; stationäre Wirbelung (Wirbelbewegung) f	tourbillon m stationnaire	стационарный вихрь, устойчивый вихрь
	steam air ejector	s. steam ejector		
	steam atmosphere, water-vapour atmosphere, water-vapour medium, steam medium	Wasserdampfatmosphäre f	atmosphère f de vapeur d'eau, milieu m de vapeur d'eau	атмосфера водяного пара
	steam band, water vapour band	Wasserdampfbande f	bande f de vapeur d'eau	полоса водяного пара
	steam bath, vapour bath	Dampfbad n, Wasserdampfbad n	bain m de vapeur	паровая баня, паровая ванна
	steam bleeding	s. taking of steam		
	steam boiler	s. steam generator		
S 3798	**steam calorimeter,** vaporization calorimeter	Kondensationskalorimeter n, Dampfkalorimeter n, Verdampfungskalorimeter n	calorimètre m à condensation, calorimètre à vapeur (vaporisation)	конденсационный (паровой) калориметр, калориметр для пара, калориметр с испарением
	steam consumption meter	s. steam flow meter		

S 3799	**steam content,** water vapour content	Wasserdampfgehalt m	teneur f en vapeur d'eau, contenu m en vapeur d'eau	содержание паров воды, содержание водяного пара
S 3799a	**steam density**	Dampfdichte f, Wasserdampfdichte f	densité f de vapeur [d'eau]	плотность [водяного] пара
	steam diagram	s. indicator diagram		
	steam dissociation, dissociation of water vapour, water vapour dissociation	Wasserdampfspaltung f	dissociation f de la vapeur d'eau	диссоциация водяного пара, расщепление водяного пара
S 3800	**steam distillation,** steam refining	Wasserdampfdestillation f, Dampfdestillation f	distillation f à vapeur d'eau, distillation (entraînement m) à la vapeur	перегонка с водяным паром, дистилляция в токе водяного пара
S 3801	**steam ejector,** steam air ejector, steam-jet air ejector	Wasserdampfstrahlsauger m, Dampfstrahl-Luftpumpe f, Dampfstrahl-Luftsauger m, Dampfstrahler m	éjecteur m à vapeur d'eau	эжекторный пароводяной насос
	steam ejector	s. a. vapour pump		
S 3802	**steam engine;** steam power engine	Dampfmaschine f, Dampfkraftmaschine f	machine f à vapeur, machine à vapeur alternative	паровая машина
S 3803	**steam extinction,** extinction by steam	Wasserdampfextinktion f	extinction f par la vapeur d'eau	поглощение водяным паром
	steam extraction	s. taking of steam		
S 3804	**steam-filled counter [tube]**	dampfgefülltes Zählrohr n, Dampfzählrohr n, Zählrohr mit Dampffüllung	tube m compteur à vapeur, tube compteur rempli de vapeur	счетчик, наполненный [водяным] паром; паронаполненный счетчик
S 3804a	**steam flow meter,** steam consumption meter	Dampfmengenmesser m, Dampfmesser m	débitmètre m de vapeur	паромер
	steam generating plant	s. steam generator		
S 3805	**steam generation,** steam production	Dampferzeugung f	génération f de vapeur, production f de vapeur	парогенерация, получение пара; производство пара
S 3805a	**steam generator;** steam generating plant, steam raising plant; steam boiler	Dampferzeuger m; Dampferzeugungsanlage f; Dampfkessel m, Wasserdampfkessel m, Kessel m	générateur m de vapeur; chaudière f	парогенератор; паровой котел
S 3806	**steam gradient**	Wasserdampfgradient m	gradient m de vapeur d'eau	градиент водяного пара
S 3807	**steam injector,** injector, [steam] jet pump	Dampfstrahlpumpe f, Wasserdampfstrahlpumpe f, Injektor m	giffard m, injecteur m [Giffard], pompe f à jet de vapeur	пароструйный насос, инжектор
	steam-jet air ejector	s. steam ejector		
	steam jet pump	s. steam injector		
	steam line	s. steam pressure curve		
	steam medium, water-vapour atmosphere, water-vapour medium, steam atmosphere	Wasserdampfatmosphäre f	atmosphère f de vapeur d'eau, milieu m de vapeur d'eau	атмосфера водяного пара
	steam moisture	s. moisture of steam		
S 3808	**steam parameter**	Dampfparameter m	paramètre m de vapeur	параметр пара
	steam point	s. boiling point of water		
	steam power engine	s. steam engine		
S 3809	**steam pressure,** water vapour pressure, steam tension	Wasserdampf[partial]druck m, Wasserdampfspannung f, Dampfspannung f	tension f de vapeur d'eau	давление водяного пара, упругость водяного пара
S 3810	**steam pressure curve,** steam line	Dampfdruckkurve f	courbe f de pression de la vapeur, courbe de tension de vapeur, courbe d'équilibre liquide-vapeur, courbe des tensions de vapeur	кривая давления пара
	steam pressure diagram	s. indicator diagram		
	steam production	s. steam generation		
	steam proofness, steam tightness	Wasserdampfdichte f	étanchéité f à la vapeur d'eau	паронепроницаемость
S 3811	**steam pump**	Wasserdampfpumpe f, Dampfpumpe f	pompe f à vapeur [d'eau]	паровой насос
	steam raising plant	s. steam generator		
S 3811a	**steam rate**	[spezifischer] Dampfverbrauch m	consommation f [spécifique] de vapeur	расход [водяного] пара
	steam refining, steam distillation	Wasserdampfdestillation f, Dampfdestillation f	distillation f à vapeur d'eau, distillation à la vapeur, entraînement m à la vapeur	перегонка с водяным паром, дистилляция в токе водяного пара
	steam superheating, superheating of steam	Dampfüberhitzung f, Überhitzung f des Dampfes	surchauffage m de vapeur, surchauffe f de vapeur	перегрев[ание] пара, пароперегревание
S 3812	**steam table**	Wasserdampftabelle f	tableau m de vapeur d'eau	таблица [термодинамических свойств] водяного пара
	steam-table calorie	s. international steam-table calorie		
	steam tension	s. steam pressure		
S 3813	**steam tightness,** steam proofness	Wasserdampfdichte f	étanchéité f à la vapeur d'eau	паронепроницаемость
S 3814	**steam transfer, steam transport**	Wasserdampftransport m, Wasserdampfverfrachtung f	transfert m de vapeur d'eau, transport m de vapeur d'eau	перенос водяных паров, перенос паров воды

S 3815	**steam turbine**	Dampfturbine f	turbine f à vapeur	паровая турбина
S 3816	**steam-water circuit**	Wasser-Dampf-Kreislauf m, Dampf-Wasser-Kreislauf m	circuit m vapeur-eau	пароводяной контур
	steam wetness	s. moisture of steam		
S 3817	**stecometer**	Stecometer n	stécomètre m	стекометр
S 3818	**steel**	Stahl m	acier m	сталь
	steel-prism bearing, knife-edge bearing, blade bearing	Schneidenlagerung f, Schneidenlager n	support m à couteau	ножевая опора, призматическая опора; гнездо опорной призмы
S 3819	**steel[-]yard [balance]**, Roman steelyard, Roman balance, sliding weight balance	Laufgewichtsdynamometer n, Laufgewichtswaage f, Schnellwaage f	balance f romaine, romaine f, balance à poids mobile	[рычажный] безмен, весы с подвижным грузом
S 3820	**Steenbeck condition**	Steenbeck-Bedingung f, Steenbecksche Bedingung f, zweite Grundbedingung f des Betatrons	condition f de Steenbeck	условие Штенбека
S 3821	**steep**	steil	raide; abrupt; escarpé	крутой
	steep cast[ing]	s. steep throw <mech.>		
	steepest[-] descent method	s. method of steepest descent		
	steepest descent method	s. Fowler-Darwin method		
S 3822	**steep gradient**, steep ramp	Steilrampe f	gradient m raide, rampe f raide	крутой скат
	steep growth, steep rise	steiler Anstieg m	croissance f (accroissement m) raide	крутое нарастание, крутой рост
	steepness of edge	s. slope of edge		
	steepness of gradation, gradation <phot.>	Gradation f, Steilheit f, Gradationssteilheit f <Phot.>	gradation f <phot.>	градация <фот.>
	steepness of wave edge, wave steepness	Wellensteilheit f, Steilheit f der Wellenflanke	raideur f du front d'onde	крутизна волны, крутизна фронта волны
S 3822a	**steep pulse**	steiler Impuls m, steil ansteigender Impuls	impulsion f raide	крутой импульс
	steep ramp, steep gradient	Steilrampe f	gradient m raide, rampe f raide	крутой скат
S 3823	**steep rise**, steep growth	steiler Anstieg m	croissance f (accroissement m) raide	крутое нарастание, крутой рост
	steep shot	s. vertical photography		
S 3824	**steep slope** <geo.>	Steilhang m, Steilabfall m, Steilsturz m <Geo.>	escarpement m; pente f abrupte (raide), versant m abrupt <géo.>	обрывистый склон, крутой склон, обрыв, откос <гео.>
S 3825	**steep throw**, vertical throw, steep cast[ing], vertical casting <mech.>	Steilwurf m, Steilschuß m, Bogenwurf m, Bogenschuß m, steiler Wurf m, steiler Schuß m <Mech.>	jet m vertical, projection f verticale, tir m vertical, jet indirect, projection indirecte, tir indirect <méc.>	крутое метание, крутое бросание <мех.>
S 3826	**Stefan-Boltzmann['s] constant**, Stefan['s] constant, Boltzmann['s] factor, "black body" constant, coefficient of total radiation, total radiation coefficient, radiation density constant	Stefan-Boltzmannsche Konstante f, Stefan-Boltzmann-Konstante f, Stefansche Konstante, Stefan-Konstante f, Strahlungskonstante f, Strahlungszahl f, Stefan-Boltzmann-Zahl f	constante f de Stefan-Boltzmann, constante de Stefan, facteur m de Boltzmann, coefficient m de radiation totale	постоянная Стефана-Больцмана, постоянная Стефана
S 3827	**Stefan-Boltzmann['s] law**, Boltzmann law of radiation, Stefan['s] law	Stefan-Boltzmannsches Gesetz (Strahlungsgesetz) n, T^4-Gesetz n, Stefan-Boltzmann-Gesetz n, Strahlungsgesetz von Stefan-Boltzmann	loi f de Stefan-Boltzmann, loi de Stefan	закон Стефана-Больцмана, закон излучения Стефана-Больцмана
	Stefan['s] constant	s. Stefan-Boltzmann constant		
	Stefan['s] law	s. Stefan-Boltzmann['s] law		
S 3828	**Stefan number**	Stefansche Zahl f <Verhältnis der inneren Verdampfungswärme zur molaren freien Oberflächenenthalpie>	nombre m de Stefan	число Стефана
S 3829	**Stefan['s] relations** <for diffusion>	Stefansche Beziehungen fpl <Diffusion>	relations fpl de Stefan <pour la diffusion>	формулы Стефана <для диффузии>
S 3830	**Steffensen['s] method**	Steffensen-Verfahren n	méthode f de Steffensen	метод Стеффенсена
S 3830a	**Steichen['s] equation**	Steichensche Gleichung f	équation f de Steichen	уравнение Стейхена
	Steiner['s] theorem	s. parallel axis theorem		
	Steinheil['s] cone, single-lens telescope	Steinheilscher Glaskonus m, Einlinsenfernrohr n	télescope m à lentille unique, cône m de Steinheil	однолинзовая зрительная труба
S 3831	**Steinmetz coefficient**	Steinmetz-Koeffizient m	coefficient m de Steinmetz	коэффициент Штейнмеца
S 3832	**Steinmetz curve**	Steinmetz-Kurve f	courbe f de Steinmetz	кривая Штейнмеца
S 3833	**Steinmetz['] law**	Steinmetz-Gesetz n, Steinmetzsches Gesetz n	loi f de Steinmetz	формула Штейнмеца
S 3834	**Steklov['s] function**	Steklowsche Funktion f	fonction f de Steklov	функция Стеклова
	Stella Polaris	s. Polar Star		
S 3835	**stellar association**	Sternassoziation f	association f stellaire	звездная ассоциация
S 3836	**stellar astronomy**	Stellarastronomie f	astronomie f stellaire	звездная астрономия
S 3837	**stellar atmosphere**	Sternatmosphäre f	atmosphère f stellaire, atmosphère des étoiles	звездная атмосфера, атмосфера звезд
S 3838	**stellarator**	Stellarator m	stellarator m	стелларатор
	stellar body	s. fixed star		

S 3839	stellar brightness, stellar magnitude, star magnitude, brightness, magnitude <astr.>	Helligkeit f, Sternhelligkeit f, Größe f, Größenklasse f, Klasse f, Sterngröße f, Sternklasse f <Astr.>	éclat m [stellaire], magnitude f stellaire, magnitude [de l'étoile], grandeur f [de l'étoile], lustre m stellaire <astr.>	звездная величина, величина [звезды], блеск [звезды], звездная яркость <астр.>
S 3840	stellar convection	Sternkonvektion f	convection f stellaire	звездная конвекция
S 3841	stellar cosmogony, star cosmogony	Kosmogonie f der Sterne, Stellarkosmogonie f, Theorie f der Sternentstehung, Sternkosmogonie f	cosmogonie f stellaire	звездная космогония
S 3841a	stellar curve of growth, curve of growth <astr.>	Sternwachstumskurve f, Wachstumskurve f <Astr.>	courbe f de croissance [stellaire] <astr.>	кривая роста <астр.>
S 3842	stellar density	Sterndichte f	densité f stellaire	звездная плотность, плотность звезд
S 3843	stellar density function, density function	Dichtefunktion f des Sterns, Sterndichtefunktion f <Astr.>	fonction f de densité [stellaire], nombre m total d'étoiles par unité de volume	функция плотности [звезды], общее количество звезд на единице объема
	stellar dynamic parallax	s. dynamical parallax		
S 3844	stellar dynamics	Stellardynamik f, Sterndynamik f	dynamique f stellaire	звездная динамика, динамика звездных систем
	stellar embryo, goblet	Sternembryo m	embryon m stellaire, embryon de l'étoile	зародыш звезды
S 3845	stellar energy	stellare Energie f, Sternenergie f	énergie f stellaire	звездная энергия
S 3846	stellar energy curve	Sternenergiekurve f, Energiekurve f des Sterns	courbe f d'énergie stellaire	кривая звездной энергии
S 3847	stellar evolution, evolution of stars	Sternentwicklung f	évolution f stellaire (des étoiles)	эволюция звезд, звездная эволюция
S 3848	stellar explosion	Sternexplosion f	explosion f stellaire	звездный взрыв, взрыв звезды, звездная вспышка
	stellar extinction rate, rate of star deaths, rate of stellar extinction	Sternsterberate f	taux m de mort des étoiles	скорость умирания звезд
S 3849	stellar gap, star gap	Sternleere f, Sternlücke f	lacune f stellaire	звездный пробел, пробел звезд
	stellar guidance, celestial guidance	Astrolenkung f	guidage m à référence astronomique	астронаведение
S 3850	stellar interferometer, Michelson stellar interferometer	[Michelsonsches] Sterninterferometer n, Michelson-Sterninterferometer n	interféromètre m stellaire [de Michelson]	звездный интерферометр [Майкельсона]
S 3851	stellar interior	Sterninneres n	intérieur m stellaire, intérieur des étoiles	звездные недра
	stellar luminosity, luminosity [of the star]	Leuchtkraft f [des Gestirns]	luminosité f [de l'étoile]	светимость [звезды]
S 3852	stellar magnetic field	Magnetfeld n der Sterne, stellares Magnetfeld	champ m magnétique stellaire	звездное магнитное поле, магнитное поле звезд
S 3853	stellar magnetism	Stellarmagnetismus m, Magnetismus m der Sterne	magnétisme m stellaire	звездный магнетизм
	stellar magnitude	s. stellar brightness		
	stellar mass-luminosity relation	s. mass-luminosity law		
S 3854	stellar material, stellar matter	Sternmaterie f, stellare Materie f	matière f de l'étoile, matière stellaire	звездное вещество
S 3855	stellar opacity, opacity of stellar interior	Sternopazität f	opacité f stellaire	непрозрачность звезд; непрозрачность звездных недр
S 3856	stellar parallax	Sternparallaxe f, Fixsternparallaxe f	parallaxe f stellaire	звездный параллакс, параллакс звезды
S 3857	stellar photography, star photography	Sternphotographie f, Stellarphotographie f	photographie f stellaire (des étoiles)	фотография звезд, звездная фотография
	stellar photometer	s. star photometer		
	stellar photometry	s. astronomical photometry		
S 3858	stellar population, population, star population <astr.>	Sternpopulation f, Population f <Astr.>	population f stellaire, population <astr.>	звездное население, население, составляющая [галактики] <астр.>
	stellar population I, population I [of Baade]	Population f I [nach Baade], Feldpopulation f	population f stellaire du type I, population I [selon Baade]	население типа I Галактики [по Бааде]
	stellar population II, population II [of Baade]	Population f II [nach Baade], Kernpopulation f	population f stellaire du type II, population II [selon Baade]	население типа II Галактики [по Бааде]
S 3859	stellar pyranometer	Sternpyranometer n	pyranomètre m stellaire	звездный пиранометр
S 3860	stellar space density	räumliche Dichte f der Sterne	densité f spatiale des étoiles	пространственная плотность звезд
S 3861	stellar spectrograph, astrospectrograph	Sternspektrograph m, Astrospektrograph m	spectrographe m stellaire, astrospectrographe m	звездный спектрограф, астроспектрограф
	stellar spectrometry (spectroscopy)	s. astrospectroscopy		
S 3862	stellar spectrum, star spectrum	Sternspektrum n	spectre m stellaire	звездный спектр, спектр звезды
	stellar spectrum-luminosity relation	s. Hertzsprung-Russell diagram		
S 3862a	stellar spectrum-temperature relation, effective temperature-spectral type relation	Spektrum-Temperatur-Beziehung f, Beziehung f Spektralklasse — effektive Temperatur	relation f spectre-température	соотношение (зависимость) эффективная температура-спектральный класс

S 3863	**stellar statistics**	Stellarstatistik f	statistique f stellaire	звездная статистика
S 3864	**stellar structure**	Sternaufbau m, Stern-struktur f	structure f des étoiles	строение звезд, внутрен-нее строение звезд
	stellar system, galactic system, galaxy, system of stars, island universe	Sternsystem n, Galaxis f, Galaxie f <pl.: Galaxien>	système m galactique, système stellaire, système des étoiles, galaxie f	галактическая система, звездная система, галактика
	stellar time, sidereal time	Sternzeit f	temps m sidéral	звездное время
S 3865	**stellar triangulation**	Stellartriangulation f	triangulation f stellaire	звездная триангуляция
	St. Elm['s] fire	s. Saint Elm['s] fire		
S 3866	**stem**	„stem" n, Dee-Halterung f, Deehalterung f, Deehals m, Hals m des Dee	support m du dé	шток дуанта, держатель дуанта
S 3867	**stem** <of the tube>	Röhrenfuß m, Fuß m der Röhre, Stiel m [der Röhre]	base f de tube [thermo-ionique]	ножка лампы
	stem correction	s. thermometric correction		
S 3868	**stem radiation**	Stielstrahlung f, außer-fokale Strahlung f, extra-fokale Strahlung	rayonnement m extrafocal	побочное излучение, паразитное рентгенов-ское излучение не от мишени
S 3868a	**stenopeic spectacles**	stenopäische Brille f, Loch-brille f <Sieb-, Schlitz-, Spalt- oder Zielbrille>	lunettes fpl sténopéennes	стенопеические очки
S 3869	**step**	Stufe f, Sprung m	gradin m	ступень, ступенька, уступ
S 3870	**step**; pace; stride	Schritt m, Stufe f	pas m	шаг
	step, discontinuity, jump, saltus	Sprung m, sprungartige Änderung f, sprunghafte Änderung; Diskontinuität f	discontinuité f, décalage m brusque, saut m, échelon m	прерывистость, прерыв-ность, нарушение не-прерывности, скачок, разрыв, разрывность, скачкообразное измене-ние, прыжок
S 3871	**step** <stacking fault>	Staffel f, Stufe f <Stapel-fehler>	marche f, gradin m <défaut d'empilement>	ступенька, ступень <дефект упаковки>
S 3872	**step** <geo.>	Stufe f <Geo.>	étage m <géo.>	ярус <гео.>
S 3873	**step**, step of relief <geo.>	Schichtstufe f, Landstufe f <Geo.>	gradin m [du relief] <géo.>	уступ рельефа, вызванный слоистостью толщи; ступень рельефа <гео.>
S 3874	**step** <math.>	Schritt m, Spanne f <Math.>	pas m <math.>	шаг <матем.>
	step	s. a. stage		
	step	s. a. stepped		
	step attenuator, stepped attenuator, step-type attenuator <el.>	Stufenabschwächer m <El.>	affaiblisseur m à plots, atténuateur m à plots <él.>	ступенчатый ослабитель <эл.>
S 3875	**step-by-step**, stepwise; in steps	schrittweise; stufenweise	pas à pas; par degrés	шаг за шагом, постепенно; ступенями; последова-тельными операциями; ступенчатый
	step-by-step control	s. step control		
	step-by-step excitation	s. stepwise excitation		
	step-by-step method [of heterochromatic comparison]	s. cascade method		
	step-by-step switch	s. stepping switch		
	step cone	s. stepped pulley		
S 3876	**step control**, stepped con-trol, incremental control, step-by-step control, stepping control	Stufenregelung f, stufen-weise Regelung f, Schritt-regelung f, Schritt-für-Schritt-Regelung f	réglage m par bonds; com-mande f par paliers (échelon)	ступенчатое регулирова-ние, ступенчатое упра-вление, шаговое регу-лирование
	step controller, step regulator, contact con-troller	Schrittregler m, schrittweiser Regler m	régulateur m par paliers	шаговый регулятор, регу-лятор шагового типа
S 3877	**step curve**, stepped curve; step-like curve, stepwise curve	Treppenkurve f; Stufen-kurve f	courbe f en escalier	ступенчатая кривая
S 3878	**step disturbance**	Sprungstörung f, sprung-artige Störung f	perturbation f en cascade (échelon)	скачкообразное всзмуще-ние
S 3879	**step-down**, stepping-down <by transformer>	Hinuntertransformieren n, Heruntertransformieren n, Herabtransformieren n, Abspannen n	dévoltage m, sous-voltage m, réduction f du voltage [par le transformateur], abaissement m (réduction f) de la tension <par le transformateur>	понижающее трансфор-мирование, понизитель-ное трансформирование, понижение напряжения <путем трансформации>
S 3880	**step-down heat trans-former**	untersetzender Wärme-transformator m, Wärme-transformator vom unter-setzenden Typ	transformateur m de la chaleur abaisseur (réduc-teur)	понижающий тепло-трансформатор
S 3881	**step-down ratio**, step-down turns ratio <of transformer>	Untersetzung f, Unter-setzungsverhältnis n <Abwärtstransformator>	coefficient (rapport) m de transformation <du trans-formateur abaisseur>	коэффициент трансфор-мации <понижающего трансформатора>
	step-down stage, scaling stage, frequency-divider stage	Untersetzerstufe f, Teiler-stufe f, Frequenzteilerstufe f	étage m démultiplicateur [de fréquence], étage diviseur [de fréquence]	пересчетный каскад, каскад пересчета [им-пульсов]
S 3882	**step-down transformer**, reducing transformer	Abwärtstransformator m, spannungserniedrigender (untersetzender) Trans-formator m, Transforma-tor zur Spannungs-erniedrigung, Reduzier-transformator m	transformateur m abaisseur, transformateur réducteur, abaisseur m, réducteur m, transformateur dévolteur (sous-volteur, réducteur)	понижающий трансфор-матор, понизительный трансформатор, вольто-понижающий трансфор-матор
	step-down turns ratio, step-down ratio <of transformer>	Untersetzung f, Unter-setzungsverhältnis n <Abwärtstransformator>	coefficient (rapport) m de transformation <du trans-formateur abaisseur>	коэффициент трансфор-мации <понижающего трансформатора>
S 3883	**step filter**	Stufenfilter n, Stufen-abschwächer m	filtre m gradué	ступенчатый фильтр

S 3884	step function, jump function	Sprungfunktion f, Schrittfunktion f	fonction f [de] saut, fonction [par] échelon	скачкообразная функция, функция скачков
S 3885	step function, staircase function	Treppenfunktion f, Stufenfunktion f	fonction f en escalier, fonction à palier	ступенчатая (кусочно постоянная) функция
	step function time response	s. unit[-] step response		
	step-function voltage	s. step voltage		
	Stephan-Boltzmann['s] law	s. Stefan-Boltzmann['s] law		
S 3886	step in altitude, step in height	Höhenstufe f	échelle f de hauteur	гипсометрическая ступень, ступень высоты
S 3887	step junction	Stufenübergang m	jonction f par gradins	ступенчатый переход
	step leader	s. stepped leader		
S 3887a	step length, unit duration of signal	Schrittlänge f, Schrittdauer f	longueur (durée) f de pas	длина шага
	step lens	s. stepped lens		
	stepless regulation; continuous regulation, continuous variation	stufenlose Regelung f	réglage m continu, régulation f continue; variation f continue	бесступенчатое регулирование
	step-like, steplike	s. stepped		
	step-like curve	s. step curve		
S 3888	step method, method of scales	Methode f der Stufenschätzung, [Argelandersche] Stufenschätzungsmethode f, Stufenschätzung f	méthode f des degrés, méthode d'Argelander	степенной метод, метод степеней
	step of iteration, iteration step	Iterationsschritt m	pas m d'itération	шаг итерационного процесса, шаг итерирования
	step of relief	s. step <geo.>		
S 3889	step of the resistance	Widerstandsstufe f	section f (échelon m) de la résistance	ступень (секция) сопротивления, реостатная ступень
S 3890	stepped, step-like; step, staircase	stufenförmig; treppenförmig	à degrés, à gradins, gradué; en escalier	ступенчатый
	stepped, staggered	abgesetzt; abgestuft	alterné, décalé; en escalier, gradué	уступчатый; ступенчатый, секционированный
	stepped, step[-]like; jump-like; discontinuous; unsteady; sudden	sprunghaft; diskontinuierlich	discontinu	скачкообразный, с прерывами, прерывистый, прерывный
S 3891	stepped attenuator, step[-type] attenuator <el.>	Stufenabschwächer m <El.>	affaiblisseur (atténuateur) m à plots <él.>	ступенчатый ослабитель <эл.>
S 3892	stepped cirque	Treppenkar n; Kartreppe f	cirque m en escalier, cirque en gradin	ступенчатый цирк
	stepped cone pulley	s. stepped pulley		
	stepped control	s. step control		
	stepped curve	s. step curve		
S 3893	stepped leader, lightning stepped leader, step leader	Stufenleader m, stufenweise vordringende Vorentladung f, Stufenleitblitz m	leader m gradué	ступенчатый лидер
	stepped lens, Fresnel lens, echelon lens, step lens	Fresnel-Linse f, Fresnelsche Linse f, Stufenlinse f	lentille f de Fresnel, lentille à échelons	линза Френеля, ступенчатая линза, сложная линза
S 3893a	stepped pulley, [stepped] cone pulley, step cone, step pulley	Stufenscheibe f	poulie f à gradins, cône m à gradins (plusieurs vitesses)	ступенчатый шкив
	stepped pulse, step pulse	Stufenimpuls m	impulsion f en escalier	ступенчатый импульс
S 3894	stepped slit	Stufenspalt m	fente f à (en) échelon, fente à degrés	ступенчатая щель
S 3894a	stepped winding	Treppenwicklung f, Stufenwicklung f	enroulement m en escalier	ступенчатая обмотка
S 3895	step photometer, Pulfrich photometer	Pulfrich-Photometer n, Stufenphotometer n	photomètre m de Pulfrich, écran m sensitométrique	ступенчатый фотометр, фотометр Пульфриха
	stepping control	s. step control		
	stepping-down	s. step-down		
	stepping relay	s. stepping switch		
S 3896	stepping switch, step-by-step switch; stepping relay	Schrittwähler m; Schrittschaltwerk n, Schrittschaltrelais n; Schrittschalter m, Schrittschaltersystem n	sélecteur m pas-à-pas; commutateur m pas-à-pas; relais m pas à pas	шаговый искатель; шаговый переключатель; шаговое реле
	stepping switch	s. a. step switch		
S 3897	stepping tube, step tube	Stufenröhre f	tube m à degrés	шаговая лампа
	stepping-up	s. step-up <by transformer>		
	step potential, step voltage	Schrittspannung f	chute f de tension de terre	шаговое напряжение
S 3898	step potentiometer	Stufenpotentiometer n	potentiomètre m à plots	ступенчатый потенциометр
S 3899	step process [in the plasma]	Stufenprozeß m [im Plasma]	procédé m par degrés [dans le plasma]	ступенчатый процесс [в плазме]
	step pulley	s. stepped pulley		
S 3900	step pulse, stepped pulse	Stufenimpuls m	impulsion f en escalier	ступенчатый импульс
S 3901	step reaction, stepwise reaction	Stufenreaktion f	réaction f par degrés	ступенчатая реакция
S 3902	step recovery diode, snap-off diode, charge-storage diode, Boff diode	Ladungsspeicherdiode f, „step-recovery"-Diode f	diode f à récupération en échelon, diode à accumulation (stockage, emmagasinage) de charges, diode « snap-off »	диод со ступенчатым восстановлением, диод с накоплением зарядов
S 3903	step regulator, step (contact) controller	Schrittregler m, schrittweiser Regler m	régulateur m par paliers	шаговый регулятор, регулятор шагового типа
S 3904	step resistance	Stufenwiderstand m	résistance f (rhéostat m) variable par degrés	ступенчатое (секционное) сопротивление
	step response	s. unit[-] step response		

	step rocket	s. multistage rocket		
	steps / in	s. step-by-step		
S 3905	step shape, staircase shape	Treppenform f	forme f d'escalier	форма лестницы, ступенчатая форма
	step size	s. interval <in numerical integration>		
S 3906	step slip band	Stufengleitband n	bande f de glissement en échelon	ступенчатая полоса скольжения
S 3907	step switch, stepping switch, tapping switch	Stufenschalter m	commutateur m à plots	переключатель ответвлений, ступенчатый переключатель, позиционный переключатель
S 3908	step time	Schrittzeit f	durée f du pas	продолжительность движения электронного пучка
	step tube, stepping tube	Stufenröhre f	tube m à degrés	шаговая лампа
	step-type attenuator, stepped (step) attenuator <el.>	Stufenabschwächer m <El.>	affaiblisseur m à plots, atténuateur m à plots <él.>	ступенчатый ослабитель <эл.>
S 3909	step-up, stepping-up <by transformer>	Hinauftransformieren n, Herauftransformieren n, Aufspannen n	survoltage m, élévation f de la tension <par le transformateur>	повышающее (повысительное) трансформирование, повышение напряжения <путем трансформации>
S 3910	step-up heat transformer	übersetzender Wärmetransformator m, Wärmetransformator vom übersetzenden Typ	transformateur m de la chaleur élévateur	повышающий теплотрансформатор
S 3911	step-up ratio <of transformer>	Übersetzung f, Übersetzungsverhältnis n <Aufwärtstransformator>	coefficient (rapport) m de transformation <du transformateur élévateur>	коэффициент трансформации <повышающего трансформатора>
S 3912	step-up transformer	spannungserhöhender (übersetzender) Transformator m, Transformator zur Spannungserhöhung, Aufwärtstransformator m, Hochtransformator m	transformateur m survolteur, transformateur élévateur, élévateur m	вольтоповышающий (повышающий, вольтодобавочный, повысительный) трансформатор
S 3913	step voltage, step-function voltage	Treppenspannung f	tension f en escalier	ступенчатое (ступенчато изменяющееся) напряжение
S 3914	step voltage, step potential	Schrittspannung f	chute f de tension de terre	шаговое напряжение
	step wedge	s. neutral step wedge		
	stepwise	s. step-by-step		
S 3915	stepwise adsorption	stufenweise Adsorption f	adsorption f par degrés	ступенчатая адсорбция
	stepwise approximation	s. successive approximation		
	stepwise curve	s. step curve		
S 3916	stepwise distillation	stufenweise Destillation f	distillation f par degrés, distillation échelonnée	ступенчатая дистилляция, ступенчатая перегонка
S 3916a	stepwise excitation, step-by-step excitation	stufenweise Anregung f	excitation f par échelon (degrés)	ступенчатое возбуждение
S 3917	stepwise ionization	Stufenionisation f	ionisation f par degrés	ступенчатая ионизация
	stepwise loading, progressive load[ing], loading in steps, gradually applied load	stufenweise Belastung f; stufenweise aufgebrachte Last f	multiple augmentation f de charge; charge f progressive	ступенчатое возрастание нагрузки; ступенчато возрастающая нагрузка
	stepwise reaction	s. step reaction		
	sterad	s. steradian		
S 3918	steradian, sr	Steradiant m, sr	stéradian[t] m, sr	стерадиан
	stere, stère, stacked cubic metre, st	Raummeter n, rm, Ster n, st	stère m, st	складочный кубометр, складочный кубический метр, объёмный кубический метр, стер, стэр
S 3919	stereo attachment; stereo unit; stereo prism attachment	Stereovorsatz m; Stereoaufsatz m; Stereoprismenvorsatz m	dispositif m stéréo, attachestéréo m; stéréoviseur m amovible; duplicateur m à prismes	стереоприставка; стеренасадка; призменная приставка для стереосъёмки
S 3920	stereoautograph	Stereoautograph m, Raumautograph m, Autostereograph m	stéréoautographe m	стереоавтограф
S 3921	stereoblock	Stereoblock m	stéréobloc m	стереоблок
S 3922	stereoblock [co]polymer	Stereoblock[ko]polymer n	[co]polymère m stéréobloc	стереоблочный [со]полимер
	stereoblock [co]polymerization	s. stereospecific polymerization		
S 3923	stereo[-]camera, stereophotographic camera, stereoscopic camera, stereophotographic apparatus	Stereokamera f, stereophotographische Kamera f, Raumbildkamera f; Stereoaufnahmegerät n	chambre (caméra) f stéréophotographique, stéréochambre f, stéréocaméra f, chambre (caméra) stéréoscopique, chambre pour stéréophotographie, appareil m stéréophotographique (stéréoscopique)	стереоскопический фотоаппарат, стереофотоаппарат, стереокамера, стереоскопическая камера, стереофотографическая камера
	stereochemical formula	s. stereoformula		
	stereochemical selectivity	s. stereospecificity		
S 3924	stereo[-]cinematography	Stereokinematographie f	stéréocinématographie f, cinématographie f stéréophotographique, cinématographie stéréoscopique, cinématographie en relief	стереокинематография
S 3925	stereo[-]comparator	Stereokomparator m, Raumbildmeßgerät n, Raumbildmesser m	stéréo[-]comparateur m	стереокомпаратор, пространственный координатомер, стереофотограмметрический прибор

	stereo-comparator	s. a. stereoscopic rangefinder		
S 3926	stereocopolymer	Stereokopolymer n	stéréocopolymère m	стереосополимер
	stereo electron microscope, stereoscopic electron microscope, electron stereomicroscope	Stereoelektronenmikroskop n [nach Kinder]	microscope m électronique stéréoscopique	стереоскопический электронный микроскоп
	stereo electron microscopy, stereoscopic electron microscopy, electron stereomicroscopy	Stereoelektronenmikroskopie f	microscopie f électronique stéréoscopique	стереоскопическая электронная микроскопия
S 3927	stereofluoroscopy, stereoscopic fluoroscopy, stereoradioscopy	Stereodurchleuchtung f	stéréoradioscopie f	стереофлюороскопия, стереорадиоскопия, объемная радиоскопия
	stereoformula, spatial formula, stereochemical formula, stereometric formula	Raumformel f, stereochemische Formel f, stereometrische Formel	formule f spatiale, formule stéréochimique, formule stéréométrique	пространственная формула, стереохимическая формула, стереометрическая формула, стереоформула
S 3928	stereogram; stereograph, stereophotograph, stereoscopic photograph, stereoscopic picture, stereoscopic image, stereo image, stereopicture, space image	Stereogramm n; Raumbild n, Stereobild n, Stereoskopbild n, stereoskopisches Bild n; Raumaufnahme f, Stereoaufnahme f, stereoskopische Aufnahme f; Raummeßbild n, optisches Modell n	stéréogramme m; stéréophotographie f, photographie f stéréoscopique, vue f stéréoscopique, vue en relief; image f stéréoscopique, image en relief; cliché m stéréoscopique	стереограмма, ориентированная стереопара; стереоскопический снимок, стереоснимок; стереоскопическое изображение, стереоизображение, объемное (пространственное) изображение
	stereographic net, Wulff['s] net, net of Wulff	Wulffsches Netz n	réseau (canevas) m de Wulff, réseau (canevas) stéréographique	сетка Вульфа, стереографическая сетка
S 3929	stereographic projection, zenithal orthomorphic projection	stereographische Projektion f, winkeltreue Azimutalprojektion f, Kugelprojektion f	projection f stéréographique, projection de Ptolémée	стереографическая проекция
S 3930	stereographic zenithal projection	stereographische Zenitalprojektion f, stereographischer Zenitalentwurf m	projection f zénithale stéréographique	стереографическая зенитальная проекция
	stereo image	s. stereogram		
S 3931	stereoisomer, stereoisomeride, stereomer, stereomeride	Stereoisomer n	stéréo-isomère m	стереоизомер, пространственный изомер, стереоизомерная форма, стереомер
S 3932	stereoisomerism, stereochemical isomerism, space isomerism	Stereoisomerie f, stereochemische Isomerie f, Raumisomerie f	isomérie f stéréochimique, stéréo[-]isomérie f, isomérie spatiale	стереоизомерия, пространственная изомерия
	stereo lay-down	s. stereophotographic lay-down		
S 3932a	stereology	Stereologie f	stéréologie f	стереология
	stereomer, stereomeride, stereoisomer, stereoisomeride	Stereoisomer n	stéréo-isomère m	стереоизомер, пространственный изомер, стереоизомерная форма, стереомер
S 3933	stereometer	Stereometer n, Stereometergerät n	stéréomètre m	стереометр
	stereometric formula	s. stereoformula		
S 3933a	stereometrograph	Stereometrograph m	stéréométrographe m	стереометрограф
S 3934	stereometry, solid geometry	Stereometrie f, Körpermessung f	stéréométrie f	стереометрия
	stereomicroscope, stereoscopic microscope	Stereomikroskop n [nach Greenough], stereoskopisches Mikroskop n, Greenough-Mikroskop n	microscope m stéréoscopique, stéréomicroscope m	стереомикроскоп, стереоскопический микроскоп
	stereomicroscopy, stereoscopic microscopy	Stereomikroskopie f, stereoskopische Mikroskopie f	microscopie f stéréoscopique, stéréomicroscopie f	стереоскопическая микроскопия, стереомикроскопия
S 3934a	stereomodel [of atom]	Atomkalotte f	stéréomodèle m [de l'atome]	стереомодель [атома]
	stereopair	s. stereoscopic pair		
S 3935	stereophonic effect, stereophonism <ac.>	Raumtoneffekt m, Raumtonwirkung f, Raumwirkung f, Stereoeffekt m <Ak.>	effet m stéréophonique <ac.>	стереоэффект, объемный (стереофонический) эффект, стереофоничность, объемность звучания <ак.>
S 3936	stereophonic hearing	stereophones (stereoakustisches) Hören n	stéréoaudition f	стереофоническое слушание
S 3937	stereophonic reproduction of sound, stereophonic sound reproduction, stereophonics	stereophonische Wiedergabe f, Stereowiedergabe f, Stereotonwiedergabe f, Stereophonie f	reproduction f stéréophonique du son, stéréophonie f	стереофоническое (объемное) воспроизведение звука, пространственное воспроизведение звуков, стереофония
	stereophonic reverberation, stereo reverberation	Stereonachhall m	stéréoréverbération f	стереореверберация, искусственная рассеянная реверберация
	stereophonics	s. stereophonic reproduction of sound		
S 3938	stereophonic sound, stereo sound, 3-D sound	Raumton m, 3-D-Ton m, Stereoton m; Raumklang m, 3-D-Klang m, stereophonischer Klang m	son m stéréophonique, son en relief, relief m sonore	стереозвук, стереофонический звук; стереофоническое (объемное, пространственное) звучание
	stereophonic sound reproduction	s. stereophonic reproduction of sound		
	stereophonism	s. stereophonic effect <ac.>		

S 3939	**stereophony** <localization of complex sounds by a person with normal binaural hearing>	Lokalisierung f von Schallquellen durch binaurales Hören	localisation f des sons par ouïe binaurale	локализация звуков бинауральным слухом
S 3940	**stereophotogrammeter**	Stereophotogrammeter n, Raumbildmeßgerät n	stéréophotogrammètre m	стереофотограмметр
S 3941	**stereophotogrammetric camera**, photogrammetric stereocamera	Raumbildmeßkammer f, Raumbildkammer f, Stereomeßkammer f, Stereokammer f, Doppelkammer f, Zweibildkammer f, stereoskopische Bildmeßkammer f	chambre f stéréophotogrammétrique, chambre pour stéréophotogrammétrie	стереофотограмметрическая камера, фотограмметрическая стереокамера, камера двойного изображения, стереоскопическая камера
S 3942	**stereophotogrammetric instrument**	Zweibildgerät n, Zweibildinstrument n	instrument m stéréophotogrammétrique	стереофотограмметрический прибор
S 3943	**stereophotogrammetric restitution**	stereophotogrammetrische Auswertung f, Stereoauswertung f	restitution f stéréophotogrammétrique, stéréorestitution f	стереофотограмметрическая обработка
S 3944	**stereophotogrammetry**	Stereophotogrammetrie f, Raumbildmessung f	stéréophotogrammétrie f	с тереофотограмметрия
	stereophotograph	s. stereogram		
	stereophotographic apparatus (camera)	s. stereo camera		
S 3945	**stereophotographic lay-down**, stereo lay-down	Raumbildplan m, Stereobildplan m	assemblage m de stéréophotographies aériennes, photoplan m stéréoscopique, plan m stéréophotogrammétrique, stéréophotoplan m	стереофотоплан, стереофотограмметрический фотоплан
S 3946	**stereophotographic plotting machine**	Stereophotokartograph m	stéréophotocartographe m	стереофотокартограф
S 3947	**stereophotography**, stereoscopic photography	Stereophotographie f, Stereoaufnahme f, Raumbildphotographie f; Raumbildaufnahme f, Raumaufnahme f	stéréophotographie f, photographie f stéréoscopique; prise f de vue stéréoscopique	стереоскопическая фотография, стереофотография; стереоскопическая съемка, пространственная съемка; стереосъемка
	stereophotometer, stereoscopic photometer	Stereophotometer n	stéréophotomètre m, photomètre m stéréoscopique	стереофотометр
S 3948	**stereophotomicrography**	Stereomikrophotographie f	stéréomicrophotographie f	стереоскопическая микросъемка, микростереосъемка
	stereopicture	s. stereogram		
S 3949	**stereoplanegraph**, **stereoplanigraph**, Porro-Koppe type [of] plotting machine	Stereoplanigraph m	stéréoplanigraphe m	стереопланиграф
S 3950	**stereoplotter, stereoplotting machine**, stereoscopic plotter	Raumbildauswertegerät n, Stereoauswertegerät n, stereoskopisches Auswertegerät n, stereophotogrammetrisches Auswertegerät [für Meßbilder], stereophotogrammetrisches Meßbild-Auswertegerät n; Stereokartiergerät n, Zweibildkartiergerät n	stéréorestituteur m, restituteur m pour les stéréophotogrammes, appareil m de restitution stéréophotogrammétrique; stéréocartographe m	стереофотограмметрический развертывающий прибор, стереообрабатывающий прибор, прибор для обработки стереофотограмметрической съемки; стереокартирующий прибор, стереокартограф, прибор для картирования двойного изображения
	stereo-power, total plastic	totale Plastik f	plastique f totale, pouvoir m stéréoscopique	полная пластика
	stereo prism attachment; stereo attachment; stereo unit	Stereovorsatz m; Stereoaufsatz m; Stereoprismenvorsatz m	dispositif m stéréo, attachestéréo m; stéréoviseur m amovible; duplicateur m à prismes	стереоприставка; стереонасадка; призменная приставка для стереосъемки
S 3951	**stereo projection**, stereoscopic projection, 3-D projection	Stereoprojektion f, stereoskopische Projektion f, Raumbildprojektion f, 3-D-Projektion f	projection f stéréoscopique, stéréoprojection f	стереоскопическая проекция, стерео-проекция
S 3952	**stereoradiography**, stereoscopic radiography	Stereoradiographie f	stéréoradiographie f, radiographie stéréoscopique	стереорадиография
	stereoradioscopy, stereofluoroscopy, stereoscopic fluoroscopy	Stereodurchleuchtung f	stéréoradioscopie f	стереофлюороскопия, стереорадиоскопия, объемная радиоскопия
	stereo rangefinder	s. stereoscopic rangefinder		
	stereoregular	s. stereospecific		
	stereoregular polymerization	s. stereospecific polymerization		
S 3953/4	**stereo reverberation**, stereophonic reverberation	Stereonachhall m	stéréoréverbération f	стереореверберация, искусственная рассеянная реверберация
	stereoscan [electron] microscope, stereoscanning electron microscope	s. scanning electron microscope		
S 3955	**stereoscope**, stereo viewer	Stereoskop n; Stereobetrachter m, Stereobetrachtungsgerät n	stéréoscope m; appareil m stéréoscopique	стереоскоп
	stereoscopic camera	s. stereo camera		
S 3956	**stereoscopic effect**, effect of perspective <opt.>	stereoskopischer (plastischer) Effekt m, Raumeffekt m, Raumwirkung f, räumliche (plastische) Wirkung f, 3-D-Effekt m <Opt.>	effet m stéréoscopique <opt.>	стереоскопический эффект, стереоэффект, объемность зрения <опт.>

S 3957	**stereoscopic electron microscope**, stereo electron microscope, electron stereomicroscope	Stereoelektronenmikroskop n [nach Kinder]	microscope m électronique stéréoscopique	стереоскопический электронный микроскоп
S 3958	**stereoscopic electron microscopy**, stereo electron microscopy, electron stereo-microscopy	Stereoelektronenmikroskopie f	microscopie f électronique stéréoscopique	стереоскопическая электронная микроскопия
	stereoscopic fluoroscopy, stereoradioscopy, stereofluoroscopy	Stereodurchleuchtung f	stéréoradioscopie f	стереофлюороскопия, стереорадиоскопия, объемная радиоскопия
	stereoscopic image	s. stereogram		
	stereoscopic impression	s. space impression		
S 3959	**stereoscopic microscope**, stereomicroscope	Stereomikroskop n [nach Greenough], stereo-skopisches Mikroskop n, Greenough-Mikroskop n	microscope m stéréo-scopique, stéréomicroscope m	стереомикроскоп, стереоскопический микроскоп
S 3960	**stereoscopic microscopy**, stereo-microscopy	Stereomikroskopie f, stereoskopische Mikroskopie f	microscopie f stéréo-scopique, stéréo-microscopie f	стереоскопическая микроскопия, стереомикроскопия
S 3961	**stereoscopic pair**, stereopair	Stereobildpaar n, Stereopaar n, [stereoskopisches] Bildpaar n, Zweibild n	couple m stéréophotographique, couple stéréoscopique	стереопара
	stereoscopic parallax	s. binocular parallax		
	stereoscopic photograph	s. stereogram		
	stereoscopic photography	s. stereophotography		
S 3962	**stereoscopic photometer**, stereophotometer	Stereophotometer n	stéréophotomètre m, photomètre m stéréoscopique	стереофотометр
	stereoscopic picture	s. stereogram		
	stereoscopic plotter	s. stereoplotting machine		
	stereoscopic projection	s. stereo projection		
	stereoscopic radiograph	s. X-ray stereogram		
	stereoscopic radiography, stereodiography	Stereoradiographie f	stéréoradiographie f, radiographie f stéréo-scopique	стереорадиография
S 3963	**stereoscopic rangefinder, stereoscopic telemeter**, stereo rangefinder, stereo[-]comparator, two-image rangefinder	Raumbild-Entfernungsmesser m, Stereo-Entfernungsmesser m, stereoskopischer Entfernungsmesser m, Entfernungsmesser mit beidäugiger Beobachtung, Einstand-Entfernungsmesser m mit binokularer Beobachtung, Raumbilddistanzmesser m, Zweibildentfernungsmesser m	télémètre m stéréoscopique, télémètre binoculaire	стереоскопический дальномер, бинокулярный дальномер, стереодальномер
	stereoscopic telescope, scissors telescope	Scherenfernrohr n	lunette f à charnière, lunette de batterie	стереотруба
S 3964	**stereoscopic threshold**	Minimaldisparation f	seuil m stéréoscopique	стереоскопический порог
S 3965	**stereoscopic vision**	räumliches (stereoskopisches, körperliches) Sehen n, Raumsehen n, Tiefensehen n	vision f stéréoscopique	стереоскопическое (пространственное, объемное) зрение
	stereoselectivity	s. stereospecificity		
	stereo sound	s. stereophonic sound		
S 3966	**stereospecific**, stereo-regular	stereospezifisch, stereoregulär, stereoreguliert	stéréospécifique, stéréorégulier	стереорегулярный, стереоспецифический, обладающий упорядоченной пространственной структурой
S 3967	**stereospecificity**, stereo-selectivity, stereochemical selectivity	Stereospezifität f, stereochemische Spezifität (Selektivität) f, Stereoselektivität f	stéréospécificité f	стереоспецифичность, стереорегулярность
S 3968	**stereospecific polymerization**, stereoregular (tactical) polymerization, stereoblock [co]polymerization	stereospezifische Polymerisation f, stereoreguläre (stereoregulierte, taktische) Polymerisation, Stereoblock[ko]polymerisation f	polymérisation f stéréospécifique (stéréorégulière, tactique), [co]polymérisation f stéréobloc	стереорегулярная (стереоспецифическая, тактическая) полимеризация, стереоблочная [со]полимеризация
S 3969	**stereotopography**	Stereotopographie f	stéréotopographie f	стереотопография, стереотопографическая съемка
	stereo unit	s. stereo attachment		
	stereovectograph, vectograph	Vektograph m, Stereo-vektograph m	stéréovectographe m, vectographe m	стереовектограф, вектограф
S 3970	**stereovectograph[ic] film**, vectograph[ic] film	Vektographenfilm m	pellicule f stéréovecto-graphique, film m stéréovectographique	стереовектографическая пленка, стереовектографическая фотопленка
S 3971	**stereovectograph[ic] layer**	Vektographenschicht f	couche f stéréovecto-graphique	стереовектографический слой
	stereo viewer, stereoscope	Stereoskop n; Stereo-betrachter m, Stereo-betrachtungsgerät n	stéréoscope m; appareil m stéréoscopique	стереоскоп
S 3972	**stereo viewfinder**	Stereosucher m	stéréoviseur m	стереоскопический видоискатель
S 3973	**stereo-visor**, polarizing spectacles	Stereobetrachtungsbrille f, Stereobrille f	lunettes fpl à verres polarisés	очки для рассматривания стереоскопических снимков
S 3974	**steric acceleration**	sterische Beschleunigung f	accélération f stérique	стерическое (пространственное) ускорение

S 3975	sterically hindered	sterisch behindert	stériquement empêché	пространственно затрудненный
S 3976	steric factor, probability factor	sterischer Faktor *m*, Wahrscheinlichkeitsfaktor *m*	facteur *m* stérique, facteur de probabilité	стерический фактор, вероятностный фактор
S 3977	steric hindrance	sterische Hinderung (Behinderung) *f*	empêchement *m* stérique	стерическое препятствие
S 3977a	sterile male technique	Sterile-Männchen-Methode *f*	méthode *f* des mâles stériles	метод бесплодных самцов
S 3978	sterile slip	sterile Gleitung *f*	glissement *m* stérile	стерильное скольжение
S 3979	sterilization dose	Sterilisierungsdosis *f*	dose *f* de stérilisation	стерилизующая доза
S 3980	stern	Heck *n*	poupe *f*, arrière *m*	корма, кормовая часть; хвостовая часть самолета; задняя часть самолета
S 3981	Stern double layer	Sternsche Doppelschicht *f*	couche *f* double de Stern	двойной слой Штерна, штерновский двойной слой
S 3981a	Sterneck pendulum / von	von Sternecksches Pendel *n*	pendule *m* de von Sterneck	маятник Штернэка
S 3982	Stern['s] experiment	Sternscher Versuch *m*, Stern-Versuch *m*, Versuch von Stern	expérience *f* de Stern	опыт Штерна
S 3983	Stern-Gerlach effect	Stern-Gerlach-Effekt *m*	effet *m* Stern-Gerlach	эффект Штерна-Герлаха
S 3984	Stern-Gerlach experiment	Stern-Gerlach-Versuch *m*, Stern-Gerlach-Experiment *n*	expérience *f* de Stern-Gerlach	опыт Штерна-Герлаха
S 3984a	Sternheimer effect	Sternheimer-Effekt *m*	effet *m* Sternheimer	эффект Штернхаймера
S 3985	Sternheimer['s] equation	Sternheimer-Gleichung *f*	équation *f* de Sternheimer	уравнение Штернхаймера
S 3986	Stern-Volmer constant	Stern-Volmer-Konstante *f*	constante *f* de Stern-Volmer	постоянная Штерна-Фольмера
S 3986a	Stern-Volmer equation (relation)	Stern-Volmer-Gleichung *f*	équation (relation) *f* de Stern-Volmer	соотношение Штерна-Фольмера
S 3987	stern wave	Heckwelle *f*	onde *f* d'arrière	кормовая волна
S 3988	Sterry effect	Sterry-Effekt *m*	effect *m* Sterry	эффект Стерри
S 3989	Sterry forebath, Sterry process	Sterry-Vorbad *n*	bain *m* préalable atténuant le contraste du papier par effet Sterry, bain préalable de Sterry	предварительная ванна Стерри
S 3990	stethoscope ‹aero., hydr.›	Stethoskop *n*, Hörrohr *n* ‹Aero., Hydr.›	stéthoscope *m* ‹aéro., hydr.›	стетоскоп ‹аэро., гидр.›
	Stevenson element, Stevenson section	Stevenson-Glied *n*	élément *m* Stevenson, cellule *f* de Stevenson	звено Стивенсона
S 3991	Stevenson screen	Stevenson-Hütte *f*, englische Hütte *f*, meteorologische Hütte [nach Stevenson], Thermometerhütte *f*	abri *m* de Stevenson, abri météorologique de Stevenson, abri anglais	метеорологическая будка [Стивенсона], жалюзийная будка, английская будка, термометрическая будка Стивенсона, психрометрическая будка
S 3992	Stevenson section, Stevenson element	Stevenson-Glied *n*	élément *m* Stevenson, cellule *f* de Stevenson	звено Стивенсона
S 3993	Stevin['s] paradox, hydrostatic paradox	hydrostatisches Paradoxon *n*, Satz *m* von Stevin, Stevinscher Satz	théorème *m* de Stevin, paradoxe *m* hydrostatique	теорема Стевина, гидростатический парадокс
S 3994	Stevin['s] principle, principle of solidification	Erstarrungsprinzip *n*, Stevinsches Prinzip *n*	principe *m* de Stevin, principe de solidification	принцип Стевина (отверде[ва]ния)
S 3995	Stewart number	Stewart-Zahl *f*, Stewartsche Kennzahl (Zahl) *f*	nombre *m* de Stewart	число Стюарта
S 3996	Stewartson['s] transformation	Stewartsonsche Transformation *f*	transformation *f* de Stewartson	преобразование Стюартсона
	sthen	= 10² N		
S 3997	stiameter, mercury electrolytic meter	Stiazähler *m*, Quecksilberelektrolytzähler *m*, Quecksilberzähler *m*, Stiameter *n*	compteur *m* électrolytique à mercure, stiamètre *m*	[ртутный] электролитический счетчик, счетчик электролитической системы
	stickiness	s. viscidity		
	sticking	s. adhesion		
S 3998	sticking potential [of phosphor]	Haftpotential *n*, „sticking"-Potential *n*, „sticking potential" *n*	potentiel *m* d'adhérence, potentiel d'attachement, potentiel (tension *f*) limite, potentiel d'adhésion	потенциал прилипания, потенциал насыщения [люминофора]; предельный потенциал
S 3999	sticking probability	Anlagerungswahrscheinlichkeit *f*, Haftwahrscheinlichkeit *f*, „sticking"-Wahrscheinlichkeit *f*; Reaktionskoeffizient *m* für die Adsorption [beim Aufdampfen]	probabilité *f* d'adhérence, probabilité d'attachement	вероятность прилипания
S 4000	sticking surface; surface of adherence	Haftfläche *f*	surface *f* d'adhésion	поверхность прилипания (сцепления, удержания)
S 4001	Stickler coefficient	Stickler-Koeffizient *m*	coefficient *m* de Stickler	коэффициент Стиклера
S 4002	stick slip [phenomenon]	„stick slip" *n*, „stick-slip"-Phänomen *n*, „stick-slip"-Reibung *f*, Reibungsschwingung *f*, Reibschwingung *f*, Stotterbewegung *f*, Steckschleifen *n*	« stick slip » *m*, phénomène *m* de « stick slip », glissement *m* tour à tour	скачкообразная подача, явление скачкообразной подачи, скачкообразное скольжение с периодическими остановками, фрикционные автоколебания с периодическими остановками, [неплавное] скольжение с перебоями
	sticky	s. viscid		
S 4002a	sticky limit (point)	Klebgrenze *f*, Klebegrenze *f*	limite *f* d'adhérence (de collage)	предел клейкости

	stiction	s. static friction		
S 4003	Stieltjes integral	Stieltjessches Integral n, Stieltjes-Integral n	intégrale f de Stieltjes	интеграл Стилтьеса
S 4004	Stieltjes planimeter	Stieltjes-Planimeter n, Produktplanimeter n, Stieltjes-Integrator m	planimètre m de Stieltjes	планиметр Стилтьеса
S 4005	Stieltjes transformation	Stieltjes-Transformation f	transformation f de Stieltjes	преобразование Стилтьеса
S 4006	stiff chain	steife Kette f	chaîne f rigide	жесткая цепь
S 4007	stiffening; reinforcement; strengthening <mech.>	Versteifung f, Verstärkung f; Absteifung f; Verstrebung f <Mech.>	renforcement m; étayage m, étaiement m <méc.>	жесткое крепление; усиление, укрепление; утолщение; жестчение <мех.>
S 4008	stiffening plate, stiffening rib	Versteifungsrippe f, Verstärkungsrippe f	nervure f [de consolidation]	ребро жесткости
	stiff joint	s. rigid joint		
S 4009	stiffness, rigidity; inflexibility	Steifigkeit f, Steifheit f, Steife f	raideur f, rigidité f	жесткость, несгибаемость
	stiffness	s. a. elastance <el.>		
	stiffness	s. a. viscidity		
	stiffness	s. a. spring constant		
S 4010	stiffness coefficient, stiffness factor, coefficient of stiffness, rigidity coefficient (number)	Steifigkeitskoeffizient m, Steifekoeffizient m, Steifigkeitszahl f, Steifigkeitsziffer f	coefficient m de rigidité, coefficient de raideur	коэффициент жесткости
S 4011	stiffness matrix	Steifheitsmatrix f, Steifigkeitsmatrix f	matrice f de rigidité	матрица жесткости
S 4012	stiffness modulus, modulus of stiffness	Steifigkeitsmodul m	module m de rigidité	модуль жесткости
S 4013	stiffness reactance	Steifigkeitsreaktanz f	réactance f de rigidité	упругое реактивное сопротивление, реактивное сопротивление жесткости, реактанс жесткости
S 4014	stiffness term	Rückstellglied n, Rückstellterm m, Steifigkeitsglied n, Steifigkeitsterm m	terme m de rigidité	член жесткости
	stigma, eye spot	Augenfleck m, Stigma n	tache f colorée, stigma m	стигма
	stigmatic beam	s. homocentric beam		
S 4015	stigmatic image	stigmatische Abbildung f, stigmatisches Bild n	image f stigmatique	стигматическое изображение
S 4016	stigmatic mounting	stigmatische Aufstellung f	montage m stigmatique	стигматическая установка
S 4017	stigmatism	Stigmatismus m, Stigmatischsein n	stigmatisme m	стигматизм
S 4018	stigmator	Stigmator m	stigmateur m	стигматор
S 4019	stilb, sb <= 1 cd/cm²>	Stilb n, sb <= 1 cd/cm²>	stilb m, sb <= 1 cd/cm²>	стильб, сб, sb <= 1 св/см²>
	stilbmeter, luminance meter, lucimeter	Leuchtdichtemesser m, Helligkeitsmesser m; Stilbmeter n	luminancemètre m; stilbomètre m; nitomètre m	яркомер; стильбметр; нитометр
	Stiles-Crawford effect, aperture effect	Apertureffekt m; Stiles-Crawford-Effekt m	effet m d'ouverture, effet Stiles-Crawford	апертурный эффект, апертурное искажение, эффект Стайлса-Крауфорда
S 4020	still, distilling still, distillation flask (retort, still), distilling flask	Blase f, Destillierblase f, Destillationsblase f, Destillierkolben m, Destillationskolben m	alambic m, appareil m de distillation	куб, дистилляционный куб, перегонный куб, перегонная колба
	still	s. a. still picture		
	stillage, stilling	Blasendestillation f	distillation f par alambic	перегонка из куба
S 4021	still bottom heel, still bottoms, heel, tailings, bottoms, leavings	Destillierrückstand m, Blasenrückstand m, Destillationsrückstand m, Bodensatz m	résidus mpl [de distillation], produit m de queue	кубовые остатки, остаток от перегонки
S 4022	stilling, stillage	Blasendestillation f	distillation f par alambic	перегонка из куба
S 4023	stilling basin	Tosbecken n, Sturzbecken n	bassin m de tranquillisation (dissipation d'énergie, restitution), bassin d'amortissement	водобойный колодец
S 4024	still picture, still	Stehbild n, Standbild n, ruhendes Bild n	image f immobile	неподвижный кадр
	stillpot	s. pond for nuclear reactor		
S 4025	still projection, diascopic projection, slide projection, diaprojection	Stehbildprojektion f, Standbildprojektion f, Standprojektion f, diaskopische Projektion f; Diaprojektion f	projection f fixe, projection diascopique	проекция диапозитивов, проекция [отдельных] неподвижных кадров (изображений), диаскопическая проекция
S 4026	still projector, lantern-slide projector, slide projector, film-strip and slide projector	Stehbildwerfer m, Stehbildprojektor m, Stehbildgerät n, Standbildprojektor m, Standbildgerät n, Diaprojektor m	projecteur m [pour diapositives], lanterne f de projecteur, lanterne de projection	проектор для отдельных неподвижных кадров, диапроектор, проектор для диапозитивов
	still water	s. wake space		
	stimulated absorption	s. induced absorption		
S 4026a	stimulated Brillouin scattering	stimulierte Brillouin-Streuung f	diffusion f de Brillouin stimulée	вынужденное рассеяние Мандельштама-Бриллюэна, ВРМБ
S 4027	stimulated echo	angeregtes Echo n, stimuliertes Echo, „stimulated echo" n <nach Hahn>	écho m stimulé	стимулированное эхо <в методе Хана>

S 4028	**stimulated emission [of light]**, induced emission [of light], negative absorption	induzierte (erzwungene, stimulierte, angeregte) Emission f, negative Absorption (Einstrahlung) f	émission f stimulée, émission induite, émission forcée, absorption f négative	индуцированное излучение, вынужденное излучение, вынужденное (индуцированное, стимулированное) испускание, отрицательное поглощение
S 4029	**stimulated inverse Compton effect**	stimulierter inverser Compton-Effekt m	effet m Compton inverse stimulé	вынужденный обратный эффект Комптона
S 4029a	**stimulated radiation**, induced radiation	stimulierte (induzierte) Strahlung f	rayonnement m stimulé (induit)	вынужденное (индуцированное) излучение
S 4030	**stimulated Raman effect (scattering)**, induced Raman effect	stimulierter Raman-Effekt m, induzierter Raman-Effekt	effet m Raman stimulé, effet Raman induit, diffusion f Raman forcée	вынужденное комбинационное рассеяние [света], ВКР
	stimulated transition, induced transition	induzierter (stimulierter, erzwungener) Übergang m	transition f induite, transition stimulée	вынужденный переход, индуцированный переход
S 4031	**stimulating action**	stimulierende Wirkung f, Stimulationswirkung f	action (influence) f stimulatrice	возбуждающее (стимулирующее) действие
	stimulating agent	s. stimulation substance		
	stimulating current, exciting (excitation) current <bio.>	Reizstrom m, Reizstromstärke f <Bio.>	courant m stimulant <bio.>	раздражающий ток; раздражающая сила [постоянного] тока <био.>
S 4032	**stimulation** <of luminescence>	Ausleuchtung f, Austreibung f der aufgespeicherten Lichtsumme <Lumineszenz>	stimulation f <de la luminescence>	полное высвечивание, высвечивание <люминесценции>
S 4033	**stimulation** <bio.>	Reizung f <Bio.>	stimulation f <bio.>	раздражение <био.>
S 4034	**stimulation** <bio.>	Stimulation f <Bio.>	stimulation f <bio.>	стимуляция, побуждение, стимулирование <био.>
	stimulation	s. a. excitation		
S 4034a	**stimulation angle**	Reizlagenwinkel m	angle m de stimulation	угол раздражения
S 4035	**stimulation effect**	Stimulationseffekt m	effet m de stimulation	стимуляционный эффект
S 4036	**stimulation frequency**	Reizfrequenz f	fréquence f de stimulation	частота раздражения
S 4037	**stimulation impulse**	Reizimpuls m	impulsion f stimulatrice	раздражающий импульс
S 4038	**stimulation movement**, induced movement <bio.>	Reizbewegung f <Bio.>	mouvement m induit <bio.>	движение, вызванное внешними стимулами <био.>
S 4039	**stimulation of nerve**, nerve stimulation, excitation in nerves	Nervenreizung f	stimulation f du nerf, stimulation nerveuse	раздражение нерва
S 4040	**stimulation of photoconductivity**	Ausleuchtung f der Photoleitfähigkeit	stimulation f de la photoconductivité	высвечивание фотопроводимости
	stimulation quantity, quantity of stimulus	Reizmenge f	quantité f de stimulus	количество раздражителя
S 4041	**stimulation substance**, exciting agent (substance), stimulating agent	Reizmittel n, Reizstoff m, Stimulans n	stimulant m, stimulateur m	стимулятор, раздражающее вещество
	stimulative plasmolysis, irritation plasmolysis	Reizplasmolyse f	plasmolyse f stimulée	стимулированный плазмолиз
	stimulus, kind of stimulus	Reizart f	espèce f (genre m) de stimulus, stimulus m	вид (тип) раздражителя, раздражитель
	stimulus, colour stimulus	Farbvalenz f; Farbreiz m	stimulus m de couleur, stimulus	цветовой стимул, стимул
S 4042	**stimulus**, irritant <bio.>	Reiz m <Bio.>	stimulus m, stimulant m <bio.>	стимул, раздражитель <био.>
	stimulus	s. a. sound intensity		
S 4043	**stimulus conduction**, conduction of stimulus (excitation), transmission of stimulus <bio.>	Reizleitung f, Erregungsleitung f <Bio.>	conduction f [de la stimulation], transmission f de la stimulation <bio.>	передача возбуждения, проводимость возбуждения, проведение <био.>
S 4044	**stimulus energy**, excitation energy <bio.>	Reizenergie f <Bio.>	énergie f d'excitation <bio.>	энергия [физиологического] возбуждения <био.>
S 4045	**stimulus intensity** <bio.>	Reizstärke f, Reizintensität f <Bio.>	intensité f de l'excitation <bio.>	раздражительная интенсивность, интенсивность раздражения <био.>
	stimulus of light, light stimulus	Lichtreiz m	stimulus m [lumineux], stimulant m lumineux, stimulus de lumière	световой стимул, световой раздражитель
	stimulus threshold	s. excitation threshold		
S 4046	**stimulus time**, excitation time <bio.>	Reizzeit f, Reizdauer f <Bio.>	temps m d'excitation <bio.>	время [физиологического] возбуждения <био.>
S 4046a	**stippled lens**	Riffellinse f, geriffelte Linse f	lentille f cannelée	рифленая линза
	Stirling['s] approximation, Stirling['s] formula	Stirlingsche Formel (Näherungsformel) f, Stirling-Formel f	formule f de Stirling	формула Стирлинга, приближение Стирлинга
S 4047	**Stirling cycle**	Stirlingscher Kreisprozeß m, Stirling-Prozeß m	cycle m de Stirling	цикл Стирлинга
S 4047a	**Stirling engine**	Stirling-Motor m	moteur m Stirling	двигатель Стирлинга
S 4048	**Stirling['s] formula**, Stirling['s] approximation	Stirlingsche Formel (Näherungsformel) f, Stirling-Formel f	formule f de Stirling	формула Стирлинга, приближение Стирлинга
S 4049	**Stirling['s] formula of integration**	Stirlingsche Integrationsformel f	formule f d'intégration de Stirling	интеграционная формула Стирлинга
S 4050	**Stirling['s] formula of interpolation**, Stirling['s] interpolation formula, Newton-Stirling interpolation formula	Stirlingsche Interpolationsformel f	formule f d'interpolation de Stirling	интерполяционная формула Стирлинга
S 4051	**Stirling['s] machine**	Stirlingsche Luftmaschine f	machine f de Stirling	воздушная машина, работающая по циклу Стирлинга

S 4052	**Stirling['s] number,** factorial coefficient (number)	Stirlingsche Zahl f	nombre m de Stirling	число Стирлинга
S 4053	**Stirling['s] polynomial**	Stirlingsches Polynom n	polynôme m de Stirling	многочлен Стирлинга
S 4054	**Stirling['s] series**	Stirlingsche Reihe f	série f de Stirling	ряд Стирлинга
S 4055	**stirrer,** stirring device, stirring apparatus, agitator	Rührer m, Rührwerk n, Rührvorrichtung f	dispositif m agitateur, agitateur m, remueur m	мешалка
S 4056	**stirring** <in or into>	Rühren n; Verrühren n; Umrühren n	remuage m, remuement m, agitation f; mélangeage m, brassage m	размешивание, перемешивание, промешивание, вымешивание; мешка
	stirring apparatus (device)	s. stirrer		
S 4057	**stirrup**	Steigbügel m	étrier m	стремя, стремечко
S 4058	**Stöber['s] method**	Stöbersche Methode f, Stöber-Methode f	méthode f de Stöber	метод Штебера
S 4059	**Stöber plate**	Stöbersche Glimmerplatte f	plaque f de Stöber	пластинка Штебера
S 4060	**stochastic acceleration**	stochastische Beschleunigung f	accélération f stochastique, accélération aléatoire	стохастическое ускорение
	stochastic convergence	s. convergence in probability		
	stochastic decision theory	s. statistical decision theory		
S 4061	**stochastic differentiation**	stochastische Differentiation f	dérivation f stochastique	стохастическое дифференцирование
S 4062	**stochastic force**	stochastische Kraft f	force f stochastique	стохастическая сила
S 4063	**stochastic integration**	stochastische Integration f	intégration f stochastique	стохастическое интегрирование
	stochasticity	s. randomness		
S 4064	**stochastic matrix,** probability matrix	stochastische Matrix f	matrice f stochastique	стохастическая матрица
	stochastic probability	s. convergence in probability		
S 4065	**stochastic problem**	stochastisches Problem n	problème m stochastique	стохастическая задача
S 4066	**stochastic process,** random process	stochastischer Prozeß m, Zufallsprozeß m	processus m stochastique, processus aléatoire	стохастический процесс, случайный процесс, вероятностный процесс
	stochastic process with independent increments	s. additive process		
S 4067	**stochastic sequence**	stochastische Folge f	séquence f stochastique	стохастическая последовательность
	stochastic variable	s. random variable		
S 4068	**Stockbarger['s] method**	Stockbarger-Methode f, Stockbargersche Methode f	méthode f de Stockbarger	метод Стокбаргера, метод Бриджмена-Стокбаргера
S 4069	**stock bottle**	Vorratsflasche f	bouteille f contenant la solution de réserve	запасная бутылка
	stocking; accumulation, congestion, aggregation; storing, storage	Häufung f; Anhäufung f; Anreicherung f; Ansammlung f; Speicherung f; Aufspeicherung f	accumulation f; emmagasinage m; stockage m	аккумулирование, накопление, скопление; сгущение, скучивание
S 4070	**Stockmayer potential**	Stockmayer-Potential n	potentiel m de Stockmayer	потенциал Штокмайера
S 4070a	**Stock['s] number**	Stocksche Zahl f, Stock-Zahl f	nombre m de Stock, indice m de Stock	число Штока
S 4071	**stock solution**	Vorratslösung f	solution f de réserve	запасной раствор
S 4072	**stock solution**	Stammlösung f	solution f mère	основной раствор, концентрированный запасной раствор
	Stoicheff absorption	s. induced absorption		
	stoichiometric amount, stoichiometric proportion	stöchiometrischer Verhältnisanteil m, stöchiometrische Menge f	proportion f stœchiométrique, quantité f stœchiométrique	стехиометрическое количество
	stoichiometric coefficient, stoichiometric number, stoichiometric factor	stöchiometrischer Faktor m, stöchiometrischer Koeffizient m	coefficient m stœchiométrique, nombre stœchiométrique, facteur m stœchiométrique	стехиометрический коэффициент, стехиометрическое число
S 4073	**stoichiometric composition,** stoichiometry	stöchiometrische Zusammensetzung f	composition f stœchiométrique	стехиометрический состав
S 4074	**stoichiometric excess**	stöchiometrischer Überschuß m	excès m stœchiométrique	стехиометрический избыток
	stoichiometric factor, stoichiometric number, stoichiometric coefficient	stöchiometrischer Faktor m, stöchiometrischer Koeffizient m	coefficient m stœchiométrique, nombre stœchiométrique, facteur m stœchiométrique	стехиометрический коэффициент, стехиометрическое число
S 4075	**stoichiometric impurity [centre], stoichiometric lattice defect**	stöchiometrische Störstelle f, stöchiometrische Verunreinigung f	défaut m stœchiométrique [du réseau cristallin], impureté f stœchiométrique	стехиометрический дефект [решетки], стехиометрическая примесь
S 4076	**stoichiometric melt**	stöchiometrische Schmelze f	fonte f stœchiométrique	стехиометрическая плавка
S 4077	**stoichiometric molality**	stöchiometrische Molalität f	molalité f stœchiométrique	стехиометрическая моляльная концентрация
S 4078	**stoichiometric number,** stoichiometric coefficient, stoichiometric factor	stöchiometrischer Faktor m, stöchiometrischer Koeffizient m	coefficient m stœchiométrique, nombre stœchiométrique, facteur m stœchiométrique	стехиометрический коэффициент, стехиометрическое число
S 4079	**stoichiometric proportion,** stoichiometric amount	stöchiometrischer Verhältnisanteil m, stöchiometrische Menge f	proportion f stœchiométrique, quantité f stœchiométrique	стехиометрическое количество
S 4080	**stoichiometric ratio,** stoichiometric relation-ship	stöchiometrisches Verhältnis n	rapport m stœchiométrique	стехиометрическое соотношение
S 4080a	**stoichiometric valence**	stöchiometrische Wertigkeit f	valence f stœchiométrique	стехиометрическая валентность

S 4081	**stoichiometry**	Stöchiometrie f	stœchiométrie f	стехиометрия
	stoichiometry, stoichiometric composition	stöchiometrische Zusammensetzung f	composition f stœchiométrique	стехиометрический состав
S 4082	**stokes,** St, S	Stokes n, St	stokes m, St, S	стокс, cm, St
S 4083	**Stokes-Christoffel condition** <for shocks>	Stokes-Christoffelsche Bedingung f <für Stoßwellen>	condition f de Stokes-Christoffel <pour les ondes de choc>	условие Стокса-Кристоффеля <для ударных волн>
S 4084	**Stokes-Cunningham law**	Stokes-Cunningham-Gesetz n, Stokes-Cunninghamsches Gesetz n	loi f de Stokes-Cunningham	закон Стокса-Кэннингема
	Stokes['] current function, Stokes['] stream function, Stokes['] potential	Stokessches Potential n	fonction f de Stokes	функция Стокса, потенциал Стокса
S 4085	**Stokes['] drift**	Stokessche Geschwindigkeit f	vitesse f de Stokes	стоксова скорость, стоксовская скорость
S 4086	**Stokes-Einstein equation (type relation)**	Stokes-Einsteinsche Gleichung f	équation f de Stokes-Einstein	формула Стокса-Эйнштейна
S 4087	**Stokes['] equation**	Stokessche Gleichung f	équation f de Stokes	уравнение Стокса
S 4088	**Stokes['] flow,** Stokesian flow	Stokessche Strömung f	écoulement m de Stokes	стоксово течение, течение Стокса
S 4089	**Stokes['] fluid,** Stokesian fluid	Stokessche Flüssigkeit f	fluide m de Stokes	стоксова (стоксовская) жидкость
S 4090	**Stokes['] formula** <for determination of geoid undulations>	Stokessche Formel f [zur Bestimmung der Geoid-undulationen]	formule f de Stokes [pour la détermination des ondulations du géoïde]	формула Стокса [для определения ундуляций геоида]
	Stokes['] formula	s. a. Stokes['] law		
S 4090a	**Stokes['] function**	Stokes-Funktion f	fonction f de Stokes	функция Стокса
	Stokes['] hypothesis, Stokes['] principle	Stokessches Prinzip n, Stokessche Hypothese f	hypothèse f de Stokes	гипотеза Стокса
	Stokesian flow, Stokes['] flow	Stokessche Strömung f	écoulement m de Stokes	стоксово течение, течение Стокса
	Stokesian fluid, Stokes['] fluid	Stokessche Flüssigkeit f	fluide m de Stokes	стоксова (стоксовская) жидкость
S 4091	**Stokes['] integral formula**	Stokessche Integralformel f	formule f intégrale de Stokes	интегральная формула Стокса
S 4092	**Stokes['] law** <of resistance>, Stokes['] formula	Stokessches Gesetz (Widerstandsgesetz, Reibungsgesetz) n, Reibungsgesetz von Stokes, Stokessche Formel f, Stokesscher Reibungsansatz m, Widerstandsgesetz von Stokes	formule f de Stokes, loi f de Stokes	закон Стокса, формула Стокса
S 4093	**Stokes['] law [of fluorescence]**	Stokessche Regel f [für die Fluoreszenz], Stokessche Fluoreszenzregel f, Stokessches Fluoreszenzgesetz n	loi f de Stokes [pour la fluorescence], règle f de Stokes	правило Стокса, закон Стокса [в оптике]
S 4093a	**Stokes lens**	Zylinderkompensator m, Stokessche Linse f	lentille f de Stokes	линза Стокса
S 4094	**Stokes line**	Stokessche Linie f	raie f Stokes, ligne f de Stokes	стоксова линия, стоксов спутник, красный спутник
S 4095	**Stokes['] number**	Stokessche Zahl f, Stokes-Zahl f	nombre m de Stokes	число Стокса
	Stokes operator	s. convective derivative		
S 4096	**Stokes['] paradox,** paradox of Stokes	Stokessches Paradoxon n, Paradoxon von Stokes	paradoxe m de Stokes	парадокс Стокса
S 4097	**Stokes['] parameter**	Stokesscher Parameter m	paramètre m de Stokes	параметр Стокса
S 4098	**Stokes['] phenomenon**	Stokessches Phänomen n	phénomène m de Stokes	явление Стокса, стоксово явление
S 4098a	**Stokes['] polarization theorem**	Stokessches Polarisationstheorem n	théorème m de polarisation de Stokes	теорема поляризации Стокса
	Stokes['] potential, Stokes['] stream function, Stokes['] current function	Stokessches Potential n	fonction f de Stokes	функция Стокса, потенциал Стокса
S 4099	**Stokes['] principle,** Stokes['] hypothesis	Stokessches Prinzip n, Stokessche Hypothese f	hypothèse f de Stokes	гипотеза Стокса
S 4099a	**Stokes shift**	Stokes-Verschiebung f	déplacement m Stokes	сдвиг Стокса, стоксов сдвиг
S 4099b	**Stokes['] stream function,** Stokes['] current function, Stokes['] potential	Stokessches Potential n	fonction f de Stokes	функция Стокса, потенциал Стокса
S 4100	**Stokes['] theorem,** integral theorem of Stokes, Kelvin['s] transformation	Stokesscher Satz (Integralsatz) m, Integralsatz von Stokes, Stokessche Integralformel (Formel) f	théorème m de Stokes, formule f de Stokes	формула Стокса
S 4100a	**Stokes transform[ation]**	Stokessche Transformation f	transformation f de Stokes	преобразование Стокса
S 4101	**Stokes['] vector**	Stokesscher Vektor m	vecteur m de Stokes	стоксов вектор, вектор Стокса
S 4102	**Stoletov['s] capacitor**	Stoletow-Kondensator m	condensateur m de Stoletov	конденсатор Столетова
	Stoletov effect, actino-electric effect, actino-electricity	Stoletow-Effekt m, aktino-elektrischer Effekt m	effet m actino-électrique, effet Stoletov	эффект Столетова, актино-электрический эффект
S 4103	**stoma** <pl.: stomata>	Spaltöffnung f, Stoma n <pl.: Stomata>	stomate m	устьице
	stone, peg <meas.>	Meßstab m, Meßstange f, Stab m <Meß.>	piquet m <mes.>	пикет <изм.>
S 4104	**Stoneley['s] wave**	Stoneleysche Welle f, Stoneley-Welle f	onde f de Stoneley	волна Стонли, волна Стонели
S 4105	**Stoner['s] rule**	Stonersche Regel f	règle f de Stoner	правило Стонера
	stone stream, rock stream	Schuttstrom m	courant m rocheux	каменный поток, курум

	stony-iron meteorite, lithosiderite	Stein-Eisen-Meteorit *m*, Lithosiderit *m*	lithosidérite *f*; syssidère *f*	каменножелезный (железокаменный) метеорит, литосидерит
	stony meteorite, aerolite, meteoritic stone, meteorolite	Steinmeteorit *m*, Aerolith *m*, Meteorstein *m*, Asiderit *m*	asidère *m*, asidérite *f*, aérolithe *m*, météorite *f* pierreuse	каменный метеорит, аэролит, асидерит
S 4106	**stop** <of pointer>	Anschlag *m* <Zeiger>	butée *f* <d'aiguille>	упор <стрелки>
S 4107	**stop;** diaphragm; shutter; blind; septum <opt.>	Blende *f*, Diaphragma *n* <Opt.>	diaphragme *m* <opt.>	диафрагма; обтюратор; заслонка <опт.>
	stop band, filter stop band, rejection band, filter rejection band, attenuation band, filter attenuation band; off-region, cut-off range	Sperrband *n*; Sperrbereich *m*	bande *f* éliminée (non passante, atténuée, d'atténuation, d'arrêt, affaiblie, d'affaiblissement), bande de fréquences non transmises; domaine *m* d'arrêt	полоса ослабления, полоса непрозрачности, полоса заграждения, подавленная полоса [частот], полоса запирания; область заграждения, область запирания, область блокировки, диапазон запирания
S 4108	**stop band, stopband,** unstable stop band, instability stop band <acc.>	Stoppband *n* [im Diamanten], instabiler Streifen *m* <Beschl.>	bande *f* d'arrêt, bande d'instabilité, bande instable <acc.>	полоса устойчивости, резонансная полоса <уск.>
S 4109	**stop-band effect** <of filter>; blocking action, blockage effect	Sperrwirkung *f*, Sperreffekt *m*	action *f* de blocage, action de soupape	запорное (запирающее, вентильное) действие, действие запирания (блокировки)
S 4110	**stop bath,** short-stop bath, short-stop; stop-bath solution	Unterbrecherbad *n*, Unterbrechungsbad *n*, Stoppbad *n*; Unterbrecherlösung *f*	bain *m* d'arrêt	останавливающая ванна, стоп[-]ванна; останавливающий раствор
	stop-bath solution	s. stop bath		
	stop clock	s. stop watch		
S 4111	**stopcock,** conductor's valve, shutoff cock	Absperrhahn *m*, Hahn *m*, Sperrhahn *m*, Abschlußhahn *m*, Verschlußhahn *m*	robinet *m* de retenue, robinet d'arrêt	стоп-кран, запорный кран, перекривной кран, стопорный кран, кран отключения
S 4112	**stoplog dam,** barrage with stop planks against logs	Dammbalkenwehr *n*	barrage *m* à poutrelles [contrebattées]	шандорная плотина
	stop-motion camera shooting	s. time-lapse camera shooting		
	stop-motion device	s. time-lapse camera		
	stop-motion record	s. time lapse camera shooting		
	stop number, *f*-number, *f*-ratio, focal speed <of camera lens>	Blendenzahl *f*, Blendennummer *f*, Öffnungszahl *f*	nombre *m* d'ouverture	значение диафрагмы, показатель диафрагмы
S 4113	**stopped pipe,** closed pipe	gedackte Pfeife *f*	tuyau *m* fermé	замкнутый свисток
	stopper	Stopfen *m*; Stöpsel *m*	bouchon *m*	пробка; затычка; заглушка
	stopper circuit, rejector circuit, rejection circuit, interference suppression device	Sperrkreis *m*; Drosselkreis *m*	circuit *m* réjecteur, circuit de réjection, circuit bouchon	заградитель, заграждающий контур
	stopping cross-section; slowing-down cross-section; cross-section for slowing down	Bremsquerschnitt *m*, Wirkungsquerschnitt *m* für (der) Bremsung, Bremswirkungsquerschnitt *m*	section *f* efficace de ralentissement; section efficace d'arrêt; section efficace de freinage	сечение замедления, сечение торможения
	stopping down <of diaphragm>; closing, shutting, closure	Schließen *n*	fermeture *f*; rappel *m*	закрывание, запирание; замыкание
S 4114	**stopping equivalent [thickness]**	Bremsäquivalent *n*, Bremsäquivalentdicke *f*	équivalent *m* d'arrêt, épaisseur *f* d'arrêt équivalente	тормозной эквивалент, эквивалентная толщина торможения
	stopping lens	s. retarding lens		
S 4115	**stopping potential,** retarding (retardation) potential	Bremspotential *n*, Bremsspannung *f*; Verzögerungspotential *n*	potentiel *m* d'arrêt, potentiel de freinage	тормозящий потенциал, задерживающий потенциал, тормозное напряжение
S 4116	**stopping power**	Bremsvermögen *n*	pouvoir *m* d'arrêt, pouvoir de freinage (décélération)	тормозная способность [вещества]
S 4117	**stopping power ratio**	Bremsvermögensverhältnis *n*	rapport *m* des pouvoirs d'arrêt [linéiques]	отношение тормозных способностей
S 4118	**stop-start [unit]**	Stop-Start-Vorrichtung *f*, Stop-Start-Gerät *n*	élément *m* arrêt-marche, arrêt-marche *m*	стоп-стартное устройство, стоп-старт
S 4119	**stop value,** *f* stop	Blendenwert *m*	valeur *f* du diaphragme, division *f* du diaphragme	значение диафрагмы
S 4120	**stop[-]watch,** stop clock, timer; seconds-counter	Stoppuhr *f*, Stopuhr *f*; Sekundenmesser *m*, Sekundenzähler *m*	compteur *m* [à pointage], chronomètre-chronographe *m*, montre *f* à déclic; compte-secondes *m*	[карманный] секундомер
S 4121	**storage,** storage device, storage unit, storing device, store; memory	Speicher *m*; Speicherwerk *n*; Gedächtnis *n*	mémoire *f*; ensemble *m* de mémoire; dispositif *m* d'emmagasinage	запоминающее устройство; накопительное устройство, накопитель; память, устройство памяти
S 4122	**storage;** holding in storage; hold-up; keeping; preservation	Lagerung *f*; Aufbewahrung *f*; Lagerhaltung *f*	conservation *f*; emmagasinage *m*; stockage *m*	выдерживание, хранение, сохранение
S 4122 a	**storage,** storing <num. math.>	Speicherung *f*, Schreiben *n*, Einschreiben *n* <num. Math.>	mémorisation *f*, emmagasinage *m*, mise *f* en mémoire, enregistrement *m*, inscription *f*, écriture *f* <math. num.>	накопление [памяти], хранение, запоминание, запись, регистрация <числ. матем.>
	storage	s. a. storing		
	storage blemish, blemish	Speicherfehler *m*	défaut *m* de mémoire	ошибка памяти

S 4123	storage capability	Speicherfähigkeit f	pouvoir m (capacité f) d'emmagasinage	накопительная (аккуму-лирующая) способность
S 4124	storage capacitor	Speicherkon~~~asator m	condensateur m de mémoire, condensateur réservoir	накопительный конден-сатор
	storage capacity	s. memory capacity		
	storage cave	s. storage tank		
	storage cell	s. storage location		
S 4125	storage compliance, dynamic compliance	Speicherkomplianz f, dynamische Nachgiebig-keit (Komplianz) f	compliance f dynamique	динамическая податли-вость, накопительная податливость
	storage container	s. storage tank		
	storage device	s. storage		
S 4126	storage efficiency	Speicherwirkungsgrad m	efficacité f de mémoire, efficacité d'emmagasinage	эффективность накопле-ния
S 4127	storage location, location, storage cell, memory cell, storage unit	Speicherzelle f; Speicher-platz m, Speicherstelle f	cellule f de mémoire, emplacement m de mémoire, mémoire f élémentaire	запоминающая ячейка, ячейка запоминающего устройства, ячейка па-мяти, запасающая ячейка
S 4128	storage matrix	Speichermatrix f	matrice f de mémoire, matrice d'emmagasinage	матрица запоминающего устройства, накопитель-ная матричная система
S 4129	storage mesh	Speichergitter n	réseau m de mémoire, réseau d'emmagasinage	накапливающая сетка
S 4130	storage modulus	Speichermodul m	module m d'accumulation	накопительный модуль, модуль накопления
	storage of heat	s. heat storage		
S 4131	storage oscilloscope, storage-type oscilloscope	Speicheroszillograph m, Speicheroszilloskop n	oscillographe m à mémoire	запоминающий осцилло-граф, осциллограф с памятью, осциллоскоп с накоплением
	storage reservoir, reservoir, storage work	Speicher m, Wasserspeicher m; Rückhaltebecken n; Staubecken n; Stauraum m; Stausee m	retenue f, bassin m de retenue, réservoir m	водохранилище, водоем, объем запруженной воды
S 4132	storage ring; accelerated particle storage ring	Speicherring m, Ring-speicher m	anneau m de stockage	накопительное кольцо
S 4133	storage ring synchrotron	Speicherringsynchrotron n	synchrotron m à anneau de stockage	синхротрон (комбинация синхротрона) с накопи-тельными кольцами
S 4134	storage tank; storage vessel; storage vault (con-tainer); storage cave	Lagerbehälter m; Lagertank m; Lagerungsgefäß n	dépôt m; réservoir m de stockage, réservoir d'emmagasinage	хранилище; отстойник
S 4135	storage time; retention time, maximum retention time <num. math.>	Speicherzeit f, Speiche-rungszeit f, Speicher-dauer f <num. Math.>	temps m d'emmagasinage; temps d'accumulation; temps d'intégration des signaux <math. num.>	время накопления, время хранения [накопленных сигналов], время запо-минания <числ. матем.>
S 4136	storage time <semi.>	Sperrverzögerungszeit f <Halb.>	temps m d'emmagasinage <semi.>	время накопления <полу.>
	storage tube	s. electrostatic storage tube		
S 4137	storage-type camera tube, image-storing tube; iconoscope	Bildspeicherröhre f, spei-chernde Aufnahmeröhre f, Aufnahmeröhre mit Spei-cherung, Speicherröhre f; Ikonoskop n	tube m de télévision à mé-moire, tube [image] à mé-moire; iconoscope m	[передающая телевизион-ная] трубка с накопле-нием [зарядов]; иконо-скоп
	storage-type oscillo-scope	s. storage oscilloscope		
	storage unit	s. storage location		
	storage unit	s. a. storage		
	storage vault (vessel)	s. storage tank		
	storage work	s. storage reservoir		
	store	s. storage		
S 4138	stored energy	gespeicherte Energie f, gebundene Energie	énergie f emmagasinée (accumulée)	запасенная (аккумулиро-ванная, скрытая) энергия
S 4138a	stored-program[me] calculator (com-puter), program[me] controlled computer (calculator)	programmgesteuerter Rechner m, programmge-steuerte Rechenmaschine f (Rechenanlage, Daten-verarbeitungsanlage) f, Rechner mit Programm-steuerung	calculateur m commandé par programme, machine f calculatrice à programme enregistré, calculatrice f à programme enregistré	[электронная] вычисли-тельная машина с запи-санной программой, вы-числительное устрой-ство с программным управлением; вычисли-тельная машина, управ-ляемая программой
	storing, storage; accumula-tion, congestion, aggregation; stocking	Häufung f; Anhäufung f, Anreicherung f; An-sammlung f; Speicherung f; Aufspeicherung f	accumulation f; emmagasi-nage m; stockage m	аккумулирование, нако-пление, скопление; сгущение, скучивание
	storing	s. a. storage <num.math.>		
	storing device	s. storage		
S 4138b	storing energy, stacking energy	Speicherenergie f	énergie f de stockage	энергия накопления
S 4139	storm, tempest <gen.>	Sturm m <allg.>	tempête f <gén.>	буря, шторм <общ.>
S 4140	storm <of Beaufort No. 11>	orkanartiger Sturm m <Stärke 11>	tempête-ouragan f <du degré 11>	жестокий шторм <11 бал-лов>
	stormburst	s. type I burst		
	storm cloud	s. cumulonimbus		
S 4141	storm cyclone, storm depression	Sturmtief n	cyclone m (dépression f) de tempête	штормовой циклон, штор-мовая депрессия
S 4142	Störmer cone, Störmer region, forbidden cone	Störmerscher Kegel m, Störmer-Kegel m	cône m de Störmer, zone f de Störmer	конус Штермера
S 4143	Störmer current ring, Chapman-Störmer current ring	Störmerscher Stromring m, Chapman-Störmerscher Stromring m	anneau m de courant de Störmer	токовое кольцо Чепмена-Штермера, кольцевой ток ионосферы

S 4144	Störmer['s] extrapolation formula	Störmersche Extrapolationsformel f	formule f d'extrapolation de Störmer	экстраполяционная формула Штермера
S 4145	Störmer['s] interpolation formula	Störmersche Interpolationsformel f	formule f d'interpolation de Störmer	интерполяционная формула Штермера
S 4146	Störmer['s] method, Adams-Störmer method	StörmerschesExtrapolationsverfahren n	méthode f de Störmer	метод Штермера
S 4147	Störmer['s] method	Störmersches Integrationsverfahren n	méthode f de Störmer	метод Штермера
	Störmer region, Störmer cone, forbidden cone	Störmerscher Kegel m, Störmer-Kegel m	cône m de Störmer, zone f de Störmer	конус Штермера
S 4148	Störmer['s] theory	Störmersche Theorie (Polarlichttheorie) f	théorie f de Störmer	теория Штермера
S 4149	Störmer unit	Störmersche Längeneinheit (Einheit) f, Störmer-Einheit f, Störmer n	unité f de Störmer	единица Штермера
	storm sea	s. very high seas		
	storm surge; surge	Flutwelle f	onde f de crue; onde de tempête	паводковая волна, волна паводка; штормовой нагон [воды], волна штормового нагона
	storm track	s. track of the storm		
	stormy sea	s. very high sea		
S 4150	stosszahlansatz	Stoßzahlansatz m, Hypothese f des molekularen Chaos, Hypothese der molekularen Unordnung, Stoßansatz m	« stoßzahlansatz » m, hypothèse f de l'inorganisation des mouvements des molécules, hypothèse du chaos moléculaire; principe m du chaos moléculaire; principe de l'inorganisation moléculaire	гипотеза молекулярного хаоса
S 4150a	Stout['s] method	Stoutsche Methode f	méthode f de Stout	метод Стаута
S 4151	strabismus, squinting, squint	Schielen n; manifestes Schielen, Strabismus m	strabisme m	страбизм, косоглазие
	straggling, spread, statistical straggling, scatter[ing] <gen., e.g. of data>	Streuung f, statistische Streuung; Streubreite f <allg., z. B. von Daten>	dispersion f, dispersion au hasard, dispersion statistique <gén., p. ex. des données>	разброс, статистический разброс, страгглинг, рассеяние <общ., напр. данных>; диапазон отклонений, различие выборочных средних
S 4152	straggling parameter	Streuparameter m	paramètre m de dispersion	параметр разброса
S 4153	straight ahead approximation	„straight-ahead"-Näherung f	approximation f « straight-ahead »	приближение «прямо вперед»
S 4153a	straight-ahead holography	Geradeausholographie f	holographie f directe	прямая голография
S 4153b	straight-ahead scattering, straight-forward scattering	Geradeausstreuung f, Vorwärtsstreuung f	diffusion f tout droit	рассеяние прямо вперед
S 4154	straight amplification	Geradeausverstärkung f	amplification f directe	прямое усиление
S 4155	straight angle, flat angle	gestreckter Winkel m	plat m, angle m plat	развернутый угол, выпрямленный угол, угол в 180°
	straight chain	s. unbranched chain		
S 4156	straight cock	Einweghahn m, Durchgangshahn m	robinet m droit, robinet à boisseau	проходной кран, прямоточный кран
	straight-edge rule, jointing-rule	Richtlatte f; Richtscheit n	latte f de mesure, jalon m	правило; наугольник; винкель; путевой шаблон с уровнем, [поверочная] линейка
S 4157	straight filament	glatter (gestreckter, geradliniger) Leuchtdraht m	filament m droit	прямая нить накала, неспирализированная нить накала
	straight-forward scattering	s. straight-ahead scattering		
S 4158	straight line, line <math.>	Gerade f, gerade Linie f <Math.>	droite f, ligne f droite <math.>	прямая, прямая линия <матем.>
S 4159	straight-line capacitor	Kreisplatten-Drehkondensator m, Kreisplattenkondensator m	condensateur m à lames semi-circulaires, condensateur à variation linéaire de capacité	прямоемкостный конденсатор, конденсатор с полукруглыми подвижными пластинами, конденсатор с изменением емкости пропорционально углу поворота оси
S 4160	straight-lined edge dislocation	gerade Stufenversetzung f	dislocation-coin f rectiligne	прямолинейная краевая дислокация
S 4161	straight-line-frequency capacitor	frequenzgerader Kondensator (Drehkondensator) m	condensateur m à variation linéaire de fréquence	прямочастотный конденсатор
	straight line motion, rectilinear motion, motion in a straight line	geradlinige Bewegung f	mouvement m rectiligne	прямолинейное движение
S 4162	straight-line plot of the bending stress	Geradliniendiagramm n	épure f de la contrainte de flexion en ligne droite	эпюра нормального напряжения при изгибе в виде прямой
S 4163	straight line portion of the characteristic curve, region of normal exposure, region of correct exposure	geradliniger Teil m der Schwärzungskurve, Gebiet n der normalen Exposition	partie f rectiligne de la courbe caractéristique, pente f [de la courbe caractéristique], domaine m de l'exposition normale	прямолинейный участок характеристической кривой, рабочий участок [характеристической кривой], область правильных выдержек
	straight-line source	s. line source		
S 4164	straight line traverse	gestreckter Polygonzug (Zug) m	cheminement m tendu	прямой ход, прямолинейный ход
	straight-line-wavelength capacitor, square-law capacitor	Nierenplattenkondensator m	condensateur m à variation linéaire de la longueur d'onde, condensateur à lames paraboliques	прямоволновый конденсатор переменной емкости

S 4165	straight-line wedge, rectilinear neutral wedge	gerader Keil m, gerader Graukeil m	coin m rectiligne, coin neutre rectiligne	прямолинейный клин, прямолинейный нейтральный клин
	straight magnet	s. bar magnet		
	straight-on angle shot, horizontal shot	Horizontalaufnahme f, Waagerechtaufnahme f	prise f de vue horizontale	горизонтальная съемка, съемка с горизонтально расположенными осями
	straight-ridge sector, radial sector, radial ridge	Radialsektor m	secteur m radial	радиальный сектор
S 4166	straight-through amplifier	Geradeausverstärker m	amplificateur m direct	проходной усилитель
S 4167	straight-through reactor	Durchlaufreaktor m	réacteur m à flux continu	прямоточный реактор
S 4168	straight trans-conductance	Geradeausteilheit f	pente f directe	прямая крутизна характеристики
S 4169	strain	Verspannung f	contrainte f	напряжение, натяжение
S 4169a	strain <bio.>	Stamm m <Bio.>	souche f <bio.>	штамм <био.>
	strain; deformation; change of form <mech.>	Verformung f, Form[ver]änderung f, Deformation f, Verzerrung f [der Form], Deformierung f <Mech.>	déformation f, changement m de forme <méc.>	деформация, формоизменение, изменение формы, деформирование <мех.>
S 4170	strain; stress; load; charge <quantity> <mech.>	Beanspruchung f <Größe> <Mech.>	effort m; charge f; sollicitation f; fatigue f <grandeur> <méc.>	нагрузка; напряжение <величина> <мех.>
S 4171	strain, compression <mech.>	Stauchung f <Mech.>	refoulement m, compression f <méc.>	сжатие, осадка, осаживание; обжимка; обжатие, деформация при сжатии; высадка, высаживание; расковка; плющение <мех.>
	strain	s. a. strain field		
	strain	s. a. strain tensor		
	strain	s. a. elongation <in %>		
	strain	s. a. state of strain <mech.>		
S 4172	strain ageing	Reckalterung f	vieillissement m par l'écrouissage	наклеп старения, наклеп от длительного действия деформации, деформационное (механическое) старение, старение после деформации
	strain anisotropy, magnetoelastic anisotropy	Spannungsanisotropie f	anisotropie f magnéto-élastique, anisotropie par déformation	магнитоупругая анизотропия
S 4172a	strain-anneal method	Streck-Anlaß-Methode f	méthode f d'allongement-recuit	метод растяжения-отпуска
	strain at the point	s. strain tensor		
	strain birefringence	s. stress birefringence		
S 4172b	strain burst	diskontinuierliche Dehnung f	allongement m discontinu	прерывное удлинение
S 4173	strain compensator	Spannungs-Polarisationskompensator m	compensateur m par déformation	поляризационный компенсатор приложением напряжения
S 4174	strain component, component of strain, component of deformation	Deformationskomponente f, Formänderungskomponente f, Verzerrungskomponente f, Verformungskomponente f, Komponente f des Verzerrungstensors	composante f de [la] déformation, composante du tenseur des déformations	компонента деформации, составляющая деформации, компонента тензора деформации
S 4174a	strain crack	Verformungsriß m, Deformationsriß m	fissure f de (due à la) déformation	деформационная трещина; трещина, вызванная деформацией
	strain deviator, deviator of stretching, deformation deviator, deviator strain tensor, deviatoric [part of the] strain tensor	Deviator m der Streckung, Deviator des Dehnungstensors (Deformationstensors)	déviateur m des déformations	девиатор тензора деформации, девиатор деформаций
S 4175	strained crystal	verspannter Kristall m	cristal m contraint, cristal à contrainte	напряженный кристалл
	strained state	s. state of strain		
S 4176	strain ellipsoid, ellipsoid of deformation, deformation ellipsoid	Verzerrungsellipsoid n, Verformungsellipsoid n, Formänderungsellipsoid n, Deformationsellipsoid n, Strainellipsoid n	ellipsoïde m des déformations	эллипсоид деформаций, эллипсоид деформации
	strain energy	s. total strain energy		
	strain-energy density [function]	s. specific strain energy		
S 4177	strain energy due to the change of volume, volumetric energy	Volum[en]änderungsenergie f, Volum[en]änderungsarbeit f, Raumänderungsenergie f, Raumänderungsarbeit f, Verdichtungsarbeit f, Kompressionsarbeit f	énergie f de déformation due au changement de volume, énergie de changement de volume	полная работа изменения объема, полная энергия изменения объема, энергия изменения объема; работа, затраченная на изменение объема
S 4178	strain energy due to the distortion, strain energy of distortion, distortion energy, distortional (shear) strain energy	Gestaltänderungsenergie f, Gestaltänderungsarbeit f	énergie f de déformation due à la distorsion, travail m des contraintes de cisaillement	энергия деформации, энергия изменения формы
S 4179	strain energy function	Verformungsenergiefunktion f	fonction f de l'énergie de déformation	функция работы упругой деформации
	strain-energy function	s. a. specific strain energy		

S 4180	**strain energy method**	energetische Methode *f*	méthode *f* basée sur l'énergie de déformation	энергетический метод
	strain energy of distortion	s. strain energy due to the distortion		
S 4181	**strain energy per unit mass,** elastic potential per unit mass	elastisches Potential *n* pro Masseneinheit	énergie *f* de déformation par unité de masse	энергия упругой деформации на единицу массы
	strain energy per unit volume	s. specific strain energy		
	strain energy theory, maximum strain energy theory	Hypothese *f* der größten Formänderungsarbeit	théorie *f* du travail maximal de déformation	теория полной потенциальной энергии деформации
S 4182	**strainer,** colander	Seihfilter *n*, Seiher *m*, Sieb *n*	filtre-crépine *m*, passoire *f*	ситчатый фильтр, сетчатый фильтр, металлическое сито, грубый фильтр, грубое сито, решето; цедилка
S 4183	**strain field,** state of strain [in the body], strain [in the body]	Verzerrungsfeld *n*, Verformungsfeld *n*	champ *m* des déformations	поле деформаций
	strain figure, slip band, glide band, Lüders band, stretcher strain, flow figure	Gleitband *n*, Fließfigur *f*, Gleitfigur *f*, Lüderssches Band *n*, Lüdersscher Streifen *m*	bande *f* de glissement, bande de Piobert-Lüders, bande de Lüders, bande de Piobert	полоса скольжения, полоса Людерса-Чернова
S 4184	**strain-free lattice**	verspannungsfreies Gitter *n*	réseau *m* sans contrainte	безнапряженная решетка
	strain function, function of strain	Verformungsfunktion *f*, Verzerrungsfunktion *f*	fonction *f* de déformation	функция деформации
S 4185	**strain gauge,** strip tensometer	Dehn[ungs]meßstreifen *m*, Dehnungsmeßgeber *m*, Meßstreifen *m*, Streifendehnungsmesser *m*, Dehnungsmesser *m*	extensomètre *m*, jauge *f* de contraintes, strain gauge *m*	тензодатчик, измерительный тензометрический датчик, наклеиваемая полоска с тензометрическим датчиком, наклейка для измерения деформаций
S 4186	**strain-gauge balance**	Dehnungsstreifenwaage *f*	balance *f* à strain-gauge	тензометрические весы
	strain gauging	s. strain measurement		
S 4187	**strain hardening,** work hardening, cold work effect	Verfestigung *f* [durch Kaltbearbeitung], Gleitverfestigung *f*, Kaltverfestigung *f*, Kalthärtung *f*, Druckhärtung *f*, Spannungsvergütung *f*	durcissement *m* par écrouissage (déformation), durcissement [par travail] à froid, durcissement mécanique, écrouissage *m* [par traction], écrouissement *m*	упрочнение [наклепом], механическое упрочнение, [холодный] наклеп, упрочнение при холодной деформации, твердение (повышение твердости) при наклепе, холодное отверждение, деформационное упрочнение
	strain-hardening capacity	s. work-hardening capacity		
	strain-hardening coefficient	s. work-hardening coefficient		
	strain-hardening curve, work-hardening curve	Verfestigungskurve *f*	courbe *f* de consolidation, courbe d'écrouissage	кривая упрочнения
S 4188	**strain-hardening exponent (index),** work-hardening exponent (index)	Verfestigungsexponent *m*, Verfestigungsindex *m*	indice (exposant) *m* de consolidation, indice (exposant) d'écrouissage	показатель упрочнения, показатель наклепа
	strain-hardening property	s. strain-hardening capacity		
S 4189	**strain history**	Deformations-Vorgeschichte *f*	histoire *f* de la déformation	предыстория деформирования
S 4190	**straining;** stretch; tensioning <e.g. of the spring>; cocking <e.g. of the shutter>	Spannen *n*	tension *f*; armement *m* <p. ex. de l'obturateur>	натяжение, натягивание <напр. пружины>; завод <затвора>
	straining, colation <chem.>	Seihen *n*, Kolieren *n* <Chem.>	colature *f*, passage *m* <chim.>	процеживание, фильтрация <хим.>
	straining; stressing; loading <mech.>	Beanspruchung *f*; Belastung *f* <Mech.>	chargement *m*; sollicitation *f*; tension *f* <méc.>	напряжение; тяжение; нагрузка; нагружение <мех.>
	straining frame experiment; tensile test[ing], tension test[ing]	Zugversuch *m*, Zugprüfung *f*, Zugprobe *f*, Zerreißversuch *m*, Zerreißprüfung *f*, Zerreißprobe *f*	essai *m* de traction, essai de rupture, essai de la rupture par traction	испытание на растяжение, испытание на разрыв
	strain invariant	s. invariant of strain		
S 4191	**strain matrix,** deformation matrix, elongation matrix, distortion matrix	Verzerrungsmatrix *f*, Verformungsmatrix *f*, Formänderungsmatrix *f*, Deformationsmatrix *f*, Dehnungsmatrix *f*	matrice *f* des déformations, matrice de [la] déformation, matrice de dilatation, matrice d'allongement	матрица деформации, матрица растяжения
S 4192	**strain measure,** deformation measure, measure of strain <mech.>	Verzerrungsmaß *n*, Verformungsmaß *n*, Formänderungsmaß *n* <Mech.>	mesure *f* de déformation <méc.>	мера деформации <мех.>
S 4193	**strain measurement,** strain gauging, extensometry	Dehnungsmessung *f*	tensométrie *f*	тензометрия, тензометрирование
	strain of eye, eyestrain	Augenermüdung *f*, Ermüdung *f* des Auges	fatigue *f* des yeux	утомление глаз, утомление зрения
	strain of volume, volume strain, bulk strain, dilatational strain	relative Volum[en]änderung *f*, Volum[en]dilatation *f*, Dilatation *f*	déformation *f* de volume, dilatation *f* de volume relative, dilatation cubique relative	объемная деформация, объемное расширение
	strainometer	s. extensometer		
	strain parameter	s. deformation parameter		
S 4194	**strain point**	unterer Kühlpunkt *m*	température *f* inférieure de recuit	низшая температура отжига

S 4195	strain potential	Dehnungspotential *n*	potentiel *m* de dilatation	потенциал растяжения
S 4196	strain quadric	Verzerrungsfläche *f*, Form-änderungsfläche *f*, Deformationsfläche *f*, Dilatationsfläche *f*, Dehnungsfläche *f*	quadrique *f* des déforma-tions, quadrique des dila-tations, surface *f* des con-traintes	поверхность деформации, поверхность растяже-ния, поверхность расширений
	strain quadric	*s. a.* elongation quadric		
	strain rate	*s.* rate of strain		
S 4197	strain-rate vector	Deformationsgeschwindig-keitsvektor *m*	vecteur *m* de vitesse de déformation	вектор скорости дефор-мации
S 4198	strain relaxation, relaxa-tion of strain, relaxation of deformation	Verformungsrelaxation *f*, Verzerrungsrelaxation *f*, Formänderungsrelaxation *f*, Deformationsrelaxation *f*	relaxation *f* de déformation	релаксация деформации
S 4199	strain relief, stress relieving (relief)	Spannungsbeseitigung *f*, Beseitigung *f* der Span-nung; Spannungsent-lastung *f*, Entlastung *f*; Spannungserholung *f*	déchargement *m* de la tension	устранение напряжения; снижение напряжения, понижение напряже-ния; сброс напряжения
S 4199a	strain-slip cleavage; crenulation cleavage; crenulation	Runzelschieferung *f*; Runzelung *f*	clivage *m* de gaufrage; gau-frage *m*, chiffonnage *m*, reploiment *m*	кливаж скольжения; вол-нистый кливаж; плой-чатость
	strain-stress curve	*s.* stress-strain curve		
	strain-stress relation	*s.* stress-strain relation		
S 4200	strain tensor, deformation tensor, distortion tensor, state of strain [at the point], strain [at the point]; elongation tensor	Verzerrungstensor *m*, Ver-formungstensor *m*, Form-änderungstensor *m*, Deformationstensor *m*, Tensor *m* des Verzer-rungszustandes; Deh-nungstensor *m*; Elonga-tionstensor *m*	tenseur *m* des déformations, tenseur de déformation, tenseur de la déformation; tenseur de dilatation, ten-seur d'allongement; ten-seur d'élongation	тензор деформации; тен-зор растяжения; тензор элонгации
S 4201	strain tensor of Green, Green['s] deformation tensor	Greenscher Deformations-tensor *m*, Deformations-tensor von Green	tenseur *m* [de déformation] de Green, matrice de Green des déformations	тензор Грина для дефор-мации, гринов тензор деформации
S 4202	strain theory	Deformationstheorie *f*	théorie *f* des déformations	теория деформаций, деформационная теория
	strain theory	*s. a.* Baeyer['s] strain theory		
S 4203	strain velocity	Dehn[ungs]geschwindigkeit *f*	vitesse *f* de dilatation; vitesse de dilatation linéaire	скорость растяжения, скорость относительных удлинений
	strain velocity	*s. a.* rate of strain		
S 4204	strain[-] viewer	Spannungsprüfer *m*, spannungsoptisches Prüf-gerät *n*	polariscope *m* détecteur de tensions	полярископ-индикатор напряжений
S 4204a	strain work, recoverable strain work, elastic work of deformation	reversible Deformations-arbeit (Verformungs-arbeit) *f*	travail *m* de déformation réversible	работа упругой дефор-мации, обратимая часть работы деформации
S 4205	Strakhovitch solution	Strachowitschsche Lösung *f*	solution *f* de Strakhovitch, mouvement *m* [par hélices circulaires] de Strakhovitch	решение Страховича
	strand, stranded wire; litz wire, litzendraht, litzen-draht wire	Litze *f*	litzendraht *m*, fil *m* de litz, fil divisé	литцендрат, гибкий много-жильный провод, многожильный гибкий провод, витой канатик, литца
	strand, beach, sea[-]shore, shore	Strand *m*	plage *f*, côte *f*, rivage *m*	пляж, штранд, морской берег, берег
	stranded wire	*s.* strand		
S 4206	strand[-] line, water edge, edge of water	Strandlinie *f*, Küstenlinie *f*, Streichlinie *f*, Uferlinie *f*, Wasserspiegelrand *m*	ligne *f* de plage, bord *m* de l'eau	береговая линия (черта), урез [воды], бровка берегового откоса
S 4207	strangeness [number]	Strangeness *f*, „strangeness" *f*, Seltsamkeit *f*, Fremd-heitsquantenzahl *f*	étrangeté *f*	странность
S 4208	strange particle	„strange particle" *n*, „selt-sames" (fremdes) Teilchen *n*	particule *f* étrange	странная частица
	strangling of indices	*s.* contraction <of tensor>		
	Stranski-Krastamanov mechanism	*s.* Stranski-Krastamanov model		
S 4208a	Stranski-Krastamanov model; Stranski-Krasta-manov mechanism <cryst.>	Stranski-Krastamanow-Modell *n*; Stranski-Kra-stamanow-Mechanismus *m* <Krist.>	modèle *m* de Stranski-Krastamanov; mécanisme *m* de Stranski-Krasta-manov <crist.>	модель Странского-Кра-стаманова; механизм Странского-Краста-манова <крист.>
	strap, plate-group strap	Polbrücke *f*	barrette *f* de connexion [entre les plaques]	[соединительная] пере-мычка, полюсный мостик
S 4209	strap <of magnetron>	Kopplungsbügel *m*, Strap-bügel *m*, Koppelring *m*, Strapring *m*	strap *m*, barrette (lamelle) *f* d'interconnexion <du magnétron>	связка <магнетрона>
S 4210	strapped magnetron, stripped magnetron	Magnetron *n* mit Kopp-lungsbügeln, Mehr-schlitzmagnetron *n* mit Kopplungsbügeln, „strapped"-Magnetron *n*	magnétron *m* à cavités shuntées, magnétron strappé	магнетрон со связками
S 4211	strapping	„strapping" *n*	strapping *m*	обвязка, связывание магнетрона
S 4212	stratameter	Stratameter *n*	stratamètre *m*	стратаметр
S 4213	Stratford['s] method	Stratfordsche Methode *f*	méthode *f* de Stratford	метод Стратфорда
	straticulation	*s.* striation		

S 4214	stratification; striation; lamination stack	Schichtung *f*	stratification *f*	слоистость; стратификация; ряд слоёв, расслаивание
	stratification; lamination; piling; stacking; layering	Schichtung *f*, Schichten *n*; Schichtbildung *f*, Stratifikation *f*	disposition *f* par couches, empilement *m*	наслаивание, наслоение; шихтовка; напластование, расслоение, расслаивание
S 4214a	stratification \<stat.>	Schichtung *f* \<Stat.>	stratification *f* \<stat.>	стратификация, расслоение \<стат.>
	stratification	s. a. bedding \<geo.>		
S 4215	stratification coefficient	Schichtungskoeffizient *m*	coefficient *m* de stratification	коэффициент напластования (наслоения); коэффициент расслоения (стратификации)
S 4216	stratification curve	geometrische Zustandskurve *f*, Schichtungskurve *f*	courbe *f* de stratification	геометрическая кривая состояния, кривая стратификации (аэрологического подъёма)
S 4217	stratification of atmosphere	Luftschichtung *f*, Schichtung *f* der Atmosphäre	stratification *f* de l'atmosphère	стратификация (слоистость, расслоение) атмосферы
S 4218	stratification of water mass	Wasserschichtung *f*	stratification *f* de la masse d'eau	стратификация водной массы, расслоение водной массы
S 4219	stratification of wind	Windschichtung *f*	stratification *f* du vent	стратификация поля ветра, стратификация ветра
	stratification parameter	s. Richardson number		
S 4220	stratified dielectric	geschichtetes Dielektrikum *n*	diélectrique *m* stratifié	слоистый диэлектрик
	stratified rock, sedimentary rock, aqueous rock	Sedimentgestein *n*, Absatzgestein *n*, Schichtgestein *n*, Sediment *n*	roche *f* sédimentaire, roche stratifiée	осадочная [горная] порода, слоистая (напластованная) порода
S 4220a	stratified sample	geschichtete Stichprobe *f*	échantillon *m* stratifié	расслоенная выборка
S 4221	stratiform cloud, layer cloud	schichtförmige (stratiforme) Wolke *f*, Stratiformisform *f*, Stratiformis *m*	nuage *m* stratiforme, nuage en couche	слоистое облако, слоистообразное облако
	stratiform structure	s. laminated structure		
	stratigraph	s. laminograph		
S 4222	stratigraphic discordance, discordance of stratification	Schichtungsdiskordanz *f*, Diskordanz *f*, ungleichsinnige Lagerung *f*	discordance *f* stratigraphique (de stratification, parallèle)	стратиграфическое несогласие
	stratigraphic sequence	s. order of superposition		
S 4223	stratigraphy \<geo.>	Stratigraphie *f*, Schichtenkunde *f* \<Geo.>	stratigraphie *f* \<géo.>	стратиграфия \<гео.>
	stratigraphy	s. a. body section roentgenography		
S 4224	stratocumulus [cloud], Sc	Stratocumulus *m*, Stratokumulus *m*, Haufenschichtwolke *f*, geschichtete Haufenwolke *f*, Sc	strato[-]cumulus *m*, Sc	слоисто-кучевое облако, Sc
S 4225	stratopause	Stratopause *f*	stratopause *f*	стратопауза
S 4226	stratosphere	Stratosphäre *f*, isotherme Schicht *f* [der Atmosphäre]	stratosphère *f*	стратосфера
S 4227	stratospheric fallout	Fallout *m* aus der Stratosphäre, Stratosphärenfallout *m*	retombée *f* [radioactive] stratosphérique	стратосферное [радиоактивное] выпадение, радиоактивное выпадение из стратосферы
S 4228	stratostat	Stratostat *m*	stratostat *m*	стратостат
S 4229	stratovolcano, bedded volcano	Schichtvulkan *m*, Stratovulkan *m*	strato-volcan *m*	стратовулкан, слоистый вулкан
S 4230	stratum \<pl.: strata>, bed \<geo.>	Lage *f*, Schicht *f* \<Geo.>	lit *m*, assise *f*, banc *m*, couche *f*, strate *f* \<géo.>	пласт, слой, толща \<гео.>
S 4230a	stratum weight	Schichtgewicht *n*	poids *m* de strate	вес слоя
S 4231	stratus	Schichtbewölkung *f*	nuages *mpl* en couche	слоистые облака, слоистая облачность
S 4232	stratus, stratus cloud, St	Stratus *m*, tiefe Schichtwolke *f*, Schichtwolke, St	stratus *m*, nuage *m* en couche, St	слоистое облако, St
	stratus fractus, fracto[-]stratus, scud	Fractostratus *m*, zerrissene Schichtwolke *f*	fracto-stratus *m*	разорванно-слоистое облако, разорванное слоистое облако
S 4233	Straubel contour	Straubelscher Umriß *m*	contour *m* de Straubel	контур Штраубеля
S 4234	Straubel [dispersion] prism	Straubel-Prisma *n*, Quarzprisma *n* von Straubel	prisme *m* [dispersant] de Straubel	[дисперсионная] призма Штраубеля
S 4235	Straubel['s] theorem	Straubelscher Satz *m*	théorème *m* de Straubel	теорема Штраубеля
S 4236	Straumanis['] method	Straumanis-Methode *f*	méthode *f* de Straumanis	метод Страуманиса
S 4237	Strauss test	Strauß-Prüfung *f*	essai *m* Strauss	метод Штрауса, определение склонности к межкристаллитной коррозии
	stray	s. magnetic leakage \<el.>		
S 4238	stray capacitance, spurious capacitance	Streukapazität *f*; Störkapazität *f*	capacité *f* parasite, capacité nuisible, capacité de fuite	ёмкость рассеяния, паразитная ёмкость, вредная ёмкость, ёмкость утечки
S 4239	stray capacitive coupling	Wechselstromeinstreuung *f*	couplage *m* parasite inductif [dans le circuit en courant alternatif]	паразитная ёмкостная связь [в цепи переменного тока]
S 4240	stray coupling, spurious coupling	Streukopplung *f*; Störungskopplung *f*	couplage *m* parasite, couplage parasitaire, couplage de dispersion	паразитная связь
	stray current[s], leakage (creeping) current	Irrstrom *m*; Fehlstrom *m*; Leckstrom *m*; Ableit[ungs]strom *m*; Isolationsstrom *m*	courant *m* de fuite	ток утечки, утечка [тока], блуждающий ток

	stray current	*s. a* parasite current		
	stray current	*s. a.* surface leakage current		
S 4241	**stray displacement current**	vagabundierender Verschiebungsstrom *m*	courant *m* de déplacement vagabond	блуждающий ток смещения
	stray electromotive force, spurious electromotive force, spurious e.m.f., stray e.m.f.	Streu-EMK *f*	force *f* électromotrice de dispersion, f. e. m. de dispersion	электродвижущая сила рассеяния, э. д. с. рассеяния
S 4242	**stray electron**, roaming electron	Streuelektron *n*, vagabundierendes (verirrtes) Elektron *n*	électron *m* vagabond (errant, de dispersion, de diffusion)	рассеянный электрон, блуждающий электрон
	stray emission current	*s.* reverse (inverse, return) current		
	stray field	*s.* magnetic stray field		
S 4243	**stray field energy**	Streufeldenergie *f*	énergie *f* du champ de dispersion	энергия поля рассеяния
	stray flux, magnetic leakage flux, leakage flux	magnetischer Streufluß *m*, Streufluß	flux *m* de dispersion [magnétique], flux de fuite [magnétique]	[магнитный] поток рассеяния, [магнитный] поток утечки
S 4244	**stray flux density**, leakage flux density	Streuflußdichte *f*	densité *f* de flux de dispersion	плотность магнитного потока рассеяния
	stray impedance, leakage impedance	Streuimpedanz *f*	impédance *f* de fuite	полное сопротивление утечки (рассеяния)
	stray inductance, leakage inductance, leakage inductive	Streuinduktivität *f*	inductance *f* de fuite	паразитная индуктивность, индуктивность (коэффициент индукции) рассеяния
	straying	*s.* magnetic leakage <el.>		
S 4244 a	**stray light**	Streulicht *n*; Falschlicht *n*	lumière *f* diffus[é]e	рассеянный свет; полный поток рассеянного света <в приборе>
	stray light, vagabond ray	Irrstrahl *m*	rayon *m* parasitaire	паразитный луч
S 4245	**stray light error**	Streulichtfehler *m*	erreur *f* due à la lumière diffusée	погрешность за счет рассеяния света
	stray light photometer, scattered light photometer	Streulichtphotometer *n*	photomètre *m* à lumière diffusée	фотометр с рассеянным светом
	stray magnetic field	*s.* magnetic stray field		
S 4246	**stray neutron**	Streuneutron *n*, vagabundierendes Neutron *n*	neutron *m* vagabond (errant, erratique)	блуждающий нейтрон
	stray radiation	*s.* spurious radiation		
	stray radiation	*s.* perturbing radiation <el.>		
	stray voltage	*s.* reactance voltage		
	stray wave	*s.* surge <el.>		
	stray wave charge, surge charge	Wanderwellenbelastung *f*, Wanderwellenbeanspruchung *f*	charge *f* par les ondes migratrices	нагрузка блуждающими волнами
	streak, schliere <*pl.*: schlieren>	Schliere *f*	strie *f*, schliere *m* <*pl.*: schlieren>	свиль; шлир; шлировое выделение
S 4247	**streak**, trace <of mineral>	Strich *m* <Mineral>	tiret *m* <du minerai>	«черта» «минерала»
	streak camera	*s.* schlieren chamber		
	streaked, striated, striped	gebändert, gestreift, streifig	rubané, strié; rayé	полосчатый, полосатый
S 4248	**streakiness of film**	Streifung (Streifigkeit) *f* des Films	rayure *f* du film	полосатость пленки
	streaking, running <of colours>	Auslaufen *n*; Ineinanderlaufen *n*; Zerfließen *n* <Farben>	fusion *f* <de couleurs>	расплывание <краски>
S 4249	**streak lightning**	Linienblitz *m*, Funkenblitz *m*	foudre *f* linéaire	линейная (штриховая, искровая) молния
	streak photography	*s.* schlieren method		
S 4250	**streak resolution**	Strichauflösung *f*	résolution *f* des traits	разрешение штрихов
S 4251	**streaks** <tv.>	Streifen *mpl* <Fs.>	barres *fpl*, stries *fpl*, raies *fpl* <tv.>	тянучки <тв.>
	streaks of fog	*s.* fog in patches		
S 4251 a	**stream**; current; flow <aero., hydr.>	Strom *m*, Strömung *f* <Aero., Hydr.>	courant *m*; cours *m* <aéro., hydr.>	поток; стрим <аэро., гидр.>
	stream	*s. a.* jet <aero., hydr.>		
	stream activity, shower activity	Stromtätigkeit *f*	activité *f* de l'essaim, activité du courant météorique	активность [метеорного] потока, действие (деятельность) потока
S 4252	**stream branch**, shower branch, branch of the stream, branch of the shower <astr.>	Zweig *m* des Meteorstromes, Stromzweig *m* <Astr.>	branche *f* de l'essaim, branche du courant <astr.>	ветвь метеорного потока <астр.>
S 4252 a	**stream chromatography**; liquid chromatography	Durchflußchromatographie *f*; Flüssigkeitschromatographie *f*	chromatographie *f* à courant; chromatographie en phase liquide	хроматография в потоке; жидкостная (жидкофазная) хроматография
S 4253	**stream cross-section centre**, centre of the stream cross-section	Wasserschwerpunkt *m*	centre *m* de la section mouillée	центр тяжести живого сечения потока
S 4254	**streamer**	Streamer *m*, Kanal *m* [der Entladung], Plasmaschlauch *m*, Leuchtfaden *m*; Gleitbüschel *n*, Polbüschel *n*; Stielbüschel *n*	streamer *m* [de la décharge]	стример, ручей разряда
S 4255	**streamer** <of gas, smoke>	Schwaden *m* <Gas, Rauch>; Gasschliere *f*; Rauchschliere *f*	vapeur *f* épaisse; fumée *f*	облако газа (пара; дыма); чад
	streamer	*s. a.* wind-direction indicator		

S 4256	**streamer chamber,** streamer spark chamber	Streamerkammer f, Streamerfunkenkammer f	chambre f à « streamers »	стримерная камера, стримерная искровая камера
S 4257	**streamer channel**	Streamerkanal m	canal m de streamer	канал стримера
	streamer discharge	s. streamer-type discharge		
	streamer of the prominence, prominence streamer	Protuberanzenfaden m, Faden m der Protuberanz	filet m protubérantiel, jet m protubérantiel	струя протуберанца, лента протуберанца
	streamers	s. a. draperies		
	streamer spark chamber, streamer chamber	Streamerkammer f, Streamerfunkenkammer f	chambre f à « streamers »	стримерная камера, стримерная искровая камера
S 4258	**streamer-type breakdown, streamer-type discharge,** streamer discharge	Kanalentladung f, Kanaldurchbruch m, Kanaldurchschlag m, Streamerentladung f	décharge f par streamer, éclatement m par streamer	стримерный разряд, стримерный пробой
S 4259	**stream filament**	Stromfaden m, Strömungsfaden m	filet m de courant, filet fluide	элементарная струйка
	stream[]flow	s. free jet		
	stream[]flow	s. a. flow of the river <geo.>		
S 4260	**stream function,** current function	Stromfunktion f, Strömungsfunktion f, Feldfunktion f	fonction f de courant	функция тока, функция потока, функция течения
	streaming; flow; movement; fluid flow <gen.>	Strömung f, Strömen n <allg.>	écoulement m, mouvement m <gén.>	течение, протекание <общ.>
	streaming, flow [around] a body, flow [past] a body, passing motion [around], streaming around, streaming round	Umströmung f; Umfließen n	écoulement m [autour de], mouvement m [autour de]	обтекание; обтекающий поток
	streaming	s. a. radiation streaming <nucl.>		
	streaming around	s. streaming		
	streaming birefringence	s. double refraction in flow		
	streaming calorimeter	s. continuous-flow calorimeter		
	streaming factor, channel[l]ing effect factor	Kanal[effekt]faktor m, Kanalverlustfaktor m	facteur m d'inhomogénéité	коэффициент каналового эффекта
	streaming flow	s. tranquil flow		
	streaming mercury electrode	s. venous mercury electrode		
	streaming of stars; star-stream; star streaming; star drift	Sternstrom m; Sternströmung f	courant m d'étoiles, courant stellaire	звездный поток, поток звезд
	streaming potential, stream potential	Strömungspotential n, komplexes Potential n des Strömungsfeldes	potentiel m courant, potentiel de courant	потенциал течения, потенциал потока
	streaming potential, stream potential <el. chem.>	Strömungspotential n <El. chem.>	potentiel m d'écoulement <él. chim.>	потенциал течения <эл. хим.>
	streaming round	s. streaming		
	streaming term	s. stream term		
S 4261	**stream instability;** two-stream instability	Strahlinstabilität f	instabilité f de faisceau; instabilité de double faisceau	пучковая неустойчивость
S 4262	**streamline, stream line,** line of flow, flow line, line of equal stream function	Stromlinie f, Strömungslinie f	ligne f de courant (flux), courant m naturel; ligne aérodynamique	линия тока, элементарная линия тока, линия обтекания (потока, течения)
	streamline	s. a. air streamline <meteo.>		
S 4263	**streamline analogy**	Stromlinienanalogie f	analogie f des lignes de courant	аналогия линий тока
	streamline-shaped body	s. streamlined body		
S 4264	**stream[-]lined**	stromlinienförmig	fuselé, profilé, pisciforme	[удобо]обтекаемый
S 4265	**streamlined body,** fish-type body, body of good streamline shape, teardrop body, streamline-shaped body	Stromlinienkörper m, stromlinienförmiger Körper m	corps m fuselé (profilé, fusiforme, pisciforme, aérodynamique)	обтекаемое тело, удобообтекаемое тело
	streamlined weight, torpedo sinker, Columbus-type weight, C-type weight	fischförmiger Belastungskörper m, Fischgewicht n	lest m en forme de poisson, plomb-poisson m	рыбовидный (торпедообразный) груз
S 4266	**streamline field**	Stromlinienfeld n	champ m des lignes de courant	поле линий тока
	streamline flow	s. laminar flow		
S 4267	**streamline of discontinuity**	Unstetigkeitsstromlinie f	ligne f de discontinuité de vitesse, ligne de jet	линия тока разрыва
	streamline of gas	s. gas streamline		
S 4268	**streamline profile**	Stromlinienprofil n	profil m fuselé (pisciforme, aérodynamique)	обтекаемый профиль, удобообтекаемый профиль
S 4269	**streamline shape**	Stromlinienform f	forme f fuselée, forme de solide de moindre résistance à l'avancement, lignes fpl élancées (aérodynamiques pures)	обтекаемая форма
S 4270	**streamline theory of glaciers**	Stromlinientheorie f der Gletscher	théorie f des lignes de courant [pour les glaciers]	теория линий тока [для ледников]

S 4270a	streamlining	Stromlinienverkleidung f	carénage m	придание обтекаемой формы, улучшение аэро-гидродинамической формы
	stream of charge carriers	s. carrier flow		
S 4271	stream potential, streaming potential	Strömungspotential n, komplexes Potential n des Strömungsfeldes	potentiel m courant, potentiel de courant	потенциал течения, потенциал потока
S 4272	stream potential, streaming potential <el. chem.>	Strömungspotential n <El. chem.>	potentiel m d'écoulement <él. chim.>	потенциал течения <эл. хим.>
	stream sheet, current sheet	Stromblatt n, Stromfläche f	feuillet m (surface f) de courant	токовый слой, токовый листок
S 4272a	stream term, streaming term	Strömungsterm m	terme m d'écoulement	член течения
S 4273	stream tube, tube of flow	Stromröhre f, Stromlinienröhre f	tube m [élémentaire] de courant	элементарная трубка тока, трубка тока
S 4274	stream[-]tube theory	Stromfadentheorie f	théorie f de filet de courant, théorie unidimensionnelle de l'écoulement	теория элементарной струйки, теория трубки тока; одномерная теория потока
	stream velocity	s. flow rate		
S 4275	Strehl effect	Strehl-Effekt m	effet m Strehl	эффект Штреля, явление Штреля
S 4276	Strehl factor	Strehlscher Lichtverdichtungsfaktor m	facteur m de Strehl	коэффициент Штреля
S 4277	Strehl number	Strehl-Zahl f, Strehlsche Zahl f	nombre m de Strehl	число Штреля
S 4278	strength, stringency <of the test>	Strenge f [des Tests]	rigueur f, puissance f <du test>	строгость [критерия]
S 4279	strength, resistance; strength factor <mech.>	Festigkeit f; Festigkeitswert m <Mech.>	résistance f, résistance mécanique <méc.>	[механическая] прочность, сопротивление <мех.>
S 4280	strength, limit of strength, ultimate strength <mech.>	Festigkeitsgrenze f, Festigkeit f <Mech.>	résistance f, limite f de la résistance <méc.>	предел прочности, прочность, временное сопротивление <мех.>
S 4281	strength calculation, calculation for the [mechanical] strength	Festigkeitsberechnung f	calcul m de la résistance mécanique	расчет механической прочности, расчет на прочность
	strength coefficient	s. modulus of resistance		
S 4282	strength criterion	Festigkeitskriterium n	critère m de [la] résistance, critère de la rupture	критерий прочности
	strengthening	s. sharpening <math.>		
	strengthening	s. a. stiffening <mech.>		
	strength factor	s. strength <mech.>		
S 4283	strength function	Stärkefunktion f, „strength function" f	fonction f densité	силовая функция
	strength in bending	s. bending strength		
	strength in compression	s. compressive strength		
	strength in tension	s. tensile strength		
	strength of adsorption, adsorption strength	Adsorptionsstärke f, Stärke f der Adsorption	force f d'adsorption, intensité f d'adsorption	сила адсорбции, интенсивность адсорбции
	strength of barrier	s. strength of potential wall		
	strength of bond, bond strength	Bindungsstärke f; Festigkeit f der Bindung, Bindungsfestigkeit f	force f de liaison	прочность связи
S 4283a	strength of coupling	Kopplungsstärke f	force f de couplage	прочность связи
	strength of current	s. current		
S 4284	strength of dislocation	Versetzungsstärke f	intensité f de dislocation, module m du vecteur de Burgers	величина дислокации, модуль вектора Бюргерса, мера зацепления, мощность дислокации
	strength of field	s. field strength		
S 4285	strength of layer of charge	Stärke f der Ladungsschicht <Moment / Flächeneinheit>	intensité f de couche chargée	интенсивность заряженного слоя
	strength of lens	s. focal power		
	strength of line	s. intensity of the spectral line		
	strength of magnetic pole	s. magnetic pole strength		
S 4286	strength of materials, resistance of materials	Materialfestigkeit f	résistance f des matériaux	сопротивление материалов
S 4287	strength of materials, science of the strength [of materials], stress analysis	Festigkeitslehre f	résistance f des matériaux, science f de la résistance des matériaux	сопротивление материалов, учение о сопротивлении материалов, теория сопротивления материалов
S 4287a	strength of potential wall, strength of barrier	Stärke f des Potentialwalls (Potentialberges) <Breite × Höhe>	intensité f de la barrière [de potentiel] <produit de la largeur par la hauteur>	степень непроходимости потенциального барьера <произведение ширины на высоту>
	strength of source	s. source strength		
S 4288	strength of the impulse, impulse strength, pulse strength	Impulsstärke f, Fläche f unter der Impulskurve	intensité f d'impulsion	интенсивность импульса
	strength of the interaction, interaction strength	Stärke f der Wechselwirkung, Wechselwirkungsstärke f	intensité f de l'interaction, intensité d'interaction	интенсивность взаимодействия
S 4289	strength of the resonance	Stärke f des Resonanzniveaus	intensité f de la résonance	«сила» резонансного уровня <произведения сечения в максимуме на квадрат полуширины резонансной кривой>

S 4290	**strength of the system of differential equations**	Stärke f des Differential-gleichungssystems	force f du système d'équations différentielles	сила системы дифференциальных уравнений
S 4291	**strength of the vortex,** vortex strength	Stärke f des Wirbels, Wirbelstärke f	intensité f du tourbillon, intensité tourbillonnaire	интенсивность вихря
S 4292	**strength of the vortex tube**	Stärke f der Wirbelröhre	moment m (intensité f) du tube de tourbillon, intensité tourbillonnaire du tube	интенсивность вихревой трубки
S 4293	**strength per unit,** unit strength	spezifische Festigkeit f	résistance f unitaire, résistance par unité	удельная прочность
S 4294	**stress** <Geo., bio.>	Streß m <Geo., Bio.>	stress m <géo., bio.>	стресс <гео., био.>
S 4295	**stress,** tension <mech.>	Spannung f, mechanische Spannung, Beanspruchung f <Mech.>	contrainte f, tension f, effort m unitaire, taux m de travail <méc.>	механическое напряжение, напряжение; натяжение <мех.>
	stress	s. a. state of stress		
	stress	s. a. strain <mech.>		
	stress	s. a. stress field		
	stress	s. a. stress tensor		
	stress amplitude; amplitude of stress, stress range <mech.>	Spannungsamplitude f; Schwingbreite f der Spannung <Mech.>	amplitude f de tension <méc.>	амплитуда цикла напряжений; амплитуда напряжения <мех.>
	stress analysis	s. strength of materials		
S 4295a	**stress at rest** <mech.>	Ruhespannung f <Mech.>	tension f de repos <méc.>	напряжение (натяжение) покоя <мех.>
	stress at the point	s. stress tensor		
	stress axis, principal axis of stress, principal stress axis	Hauptachse f des Spannungszustandes, Hauptspannungsachse f, Spannungshauptachse f	axe m de l'ellipsoïde des contraintes, axe de l'ellipsoïde des tensions	главная ось напряженного состояния, главная ось напряжений
S 4296	**stress birefringence,** strain birefringence	Spannungsdoppelbrechung f	biréfringence f mécanique, biréfringence sous tension	двойное лучепреломление (преломление) при напряжении
	stress by pressure	s. compressive stress		
	stress by pull	s. tensile stress		
S 4296a	**stress by thrust**	Schubbeanspruchung f	effort m de poussée	тяговое усилие
	stress coefficient	s. pressure coefficient		
S 4297	**stress component,** component of stress	Spannungskomponente f, Komponente f des räumlichen Spannungszustandes, Komponente des Spannungstensors, Komponente der Spannung	composante f des tensions, composante des contraintes, composante de la tension, composante du tenseur des tensions	компонента напряжения, составляющая напряжения, компонента тензора напряжений
S 4298	**stress-compression diagram**	Spannungs-Stauchungs-Diagramm n	diagramme m tension-compression, diagramme effort-compression	диаграмма напряжение — сжатие
S 4299	**stress concentration,** stress raising	Spannungskonzentration f	concentration f locale des contraintes, concentration de contrainte [locale], concentration de tension[s], augmentation f locale de la contrainte, pointe f de contrainte	концентрация напряжений, сосредоточение напряжений
S 4300	**stress concentration factor [produced by the notch],** concentration factor, shape factor, geometric stress concentration factor	Kerbwirk[ungs]zahl f, Kerbziffer f, Kerbfaktor m, Formzahl f, Formziffer f, Spannungskonzentrationsfaktor m	coefficient m de concentration des contraintes, coefficient de forme [de l'entaille]	[теоретический] коэффициент концентрации напряжений [в надрезе], коэффициент надреза, коэффициент запила
	stress concentrator	s. stress raiser		
S 4301	**stress conic**	Spannungskegelschnitt m	conique f des contraintes (tensions)	коническое сечение напряжений
S 4302	**stress[-]corrosion;** stress corrosion cracking, corrosion cracking	Spannungsrißkorrosion f, Spannungskorrosion f; Rißbildung f durch Spannungskorrosion	corrosion f fissurante, corrosion sous tension; crevassement m associé à la corrosion sous tension	коррозия под напряжением; коррозия, вызванная перенапряжением металла; коррозионное растрескивание, растрескивание под комбинированным действием натяжений и коррозий
S 4303	**stress crack**	Spannungsriß m	fissure f sous tension	трещина (разрыв) вследствие внутренних напряжений
	stress cycle	s. cycle of load stressing		
	stress-deformation relation	s. stress-strain relation		
S 4304	**stress deviator,** deviatoric [part of the] stress tensor, deviator stress tensor, reduced stress tensor	Spannungsdeviator m, Deviator m der Spannung, Deviator des Spannungstensors	déviateur m des contraintes, déviateur de contrainte	тензор девиатора, девиатор напряжений
	stress diagram	s. stress-strain curve		
S 4305	**stress due to negative pressure**	Unterdruckspannung f	tension f due à la pression négative	напряжение от вакуума
	stress due to shrinkage	s. shrinkage stress		
S 4306	**stressed membrane**	gespannte Membran f	membrane f tendue	напряженная мембрана
	stressed state	s. a. state of stress		
S 4307	**stress ellipse**	Spannungsellipse f	ellipse f des contraintes	эллипс напряжений
S 4308	**stress ellipsoid,** Lamé['s] stress ellipsoid	Spannungsellipsoid n, Lamésches Spannungsellipsoid	ellipsoïde m des tensions (contraintes), ellipsoïde de tension	эллипсоид напряжений

	stress ellipsoid	s. a. ellipsoid of elasticity		
	stress-energy-momentum tensor	s. energy-momentum tensor		
S 4309	stress equalizing <mech.>	Spannungsausgleich m <Mech.>	égalisation f des tensions (efforts), compensation f des tensions (efforts)	выравнивание напряжений <мех.>
S 4310	stress field, state of stress [in the body], stress [in the body]	Spannungsfeld n	champ m de tension	поле напряжений
S 4311	stress fluctuation in creep	Spannungsschwankung f beim Kriechen	fluctuation f de tension sous fluage	флуктуация напряжения при ползучести
	stress-free	s. unstressed <mech.>		
S 4312	stress freezing	Einfrieren n des Spannungszustandes	congélation f des tensions	замораживание напряженного состояния, замораживание напряжений
S 4313	stress fringe pattern, photoelastic fringe pattern	spannungsoptisches Streifenbild n, Spannungsstreifenbild n	image f des franges d'interférence photo-élastiques	фотоупругая интерференционная картина
S 4314	stress function	Spannungsfunktion f	fonction f de[s] tension[s]	функция напряжений
S 4315	stress function tensor	Spannungsfunktionstensor m	tenseur m des fonctions de tension	тензор функций напряжений
	stress graph	s. stress-strain curve		
S 4316	stressing; straining; loading <mech.>	Beanspruchung f; Belastung f <Mech.>	chargement m; sollicitation f; tension f <méc.>	напряжение; тяжение; нагрузка; нагружение <мех.>
S 4317	stress intensity; intensity of stress	Spannungsintensität f	intensité f des efforts (tensions)	интенсивность напряжений
S 4317a	stress intensity factor	Spannungsintensitätsfaktor m	facteur m d'intensité des efforts (tensions)	коэффициент интенсивности напряжений
S 4318	stress in the bar	Stabspannung f	tension f dans la barre (tige)	напряжение в стержне
	stress invariant, invariant of stress	Spannungstensorinvariante f, Invariante f des Spannungszustands	invariant m des contraintes, invariant du tenseur des contraintes	инвариант напряженного состояния
	stressless	s. unstressed <mech.>		
S 4319	stressless deformation	spannungslose Deformation f	déformation f sans tensions	деформация без напряжений
S 4320	stress line, stress trajectory, line of stress, line of tension	Spannungslinie f	ligne f de tension, ligne d'effort	эпюра напряжений, траектория напряжений
	stress line <of elasticity>; equipotential line, contour line <el.>	Äquipotentiallinie f, Niveaulinie f, Potentiallinie <El.; Elastizität>	ligne f équipotentielle, ligne de potentiel constant, courbe f équipotentielle <él.; élasticite>	эквипотенциальная (изопотенциальная) линия, линия равного потенциала <эл.; теория упругости>
S 4321	stress-momentum tensor	Spannungs-Impuls-Tensor m	tenseur m effort-impulsion, tenseur tension-impulsion	тензор напряжения-импульса
	stress number curve	s. Wöhler curve		
S 4322	stress of rocks	Gebirgsspannung f	tension f régnant dans les rocs	напряжение горных пород, горное напряжение
S 4323	stress of the first <second, third> kind <cryst.>	Spannung f erster <zweiter, dritter> Art <Krist.>	tension f de la première <deuxième, troisième> espèce <crist.>	напряжение первого <второго, третьего> рода <крист.>
S 4323a	stressometer <mech.>	Spannungsmesser m, Spannungsmeßgerät n <Mech.>	contraintemètre m; tensiomètre m <méc.>	прибор для измерения механических напряжений
	stress-optic[al], photoelastic	spannungsoptisch; photoelastisch	photoélastique; photoélasticimétrique	фотоупругий; фотоэластичный
S 4324	stress-optic[al] coefficient, photoelastic coefficient	spannungsoptischer (photoelastischer) Koeffizient m	coefficient m photoélastique	коэффициент фотоупругости
S 4325	stress-optic[al] constant, photoelastic constant	spannungsoptische Konstante f, photoelastische Konstante	constante f photoélastique	константа фотоупругости, фотоупругая константа (постоянная)
	stress pattern, photoelastic stress pattern, photoelastic pattern	Isochromatenbild n, Spannungsmodell n	diagramme m d'isochromatiques	картина изохром
S 4325a	stress phase	Spannungsphase f	phase f de tension	фаза напряжения
S 4326	stress polygon, polygon of stresses	Spannungspolygon n, Spannungsvieleck n	polygone m des tensions	потенциальный многоугольник, многоугольник векторов напряжений; многоугольник напряжений
S 4326a	stress power	Spannungsleistung f	puissance f de tension	мощность напряжения
S 4327	stress-probing extensometer	Setzdehnungsmesser m	extensomètre m de l'angle de torsion	измеритель угла закрутки
S 4328	stress produced by impact <mech.>	Stoßspannung f <Mech.>	contrainte f de percussion, tension f correspondant aux percussions, tension de choc <méc.>	ударное напряжение, напряжение при ударе <мех.>
S 4329	stress quadric, quadric of stress, surface of tension, deflection surface	Spannungsfläche f, Tensorfläche (quadratische Form) f des Spannungstensors	quadrique f des contraintes, quadrique des tensions [normales], quadrique directrice	поверхность напряжений
S 4330	stress raiser, stress concentrator	spannungserhöhende Unstetigkeitsstelle f, Spannungskonzentrator m	concentrateur m de tensions	концентратор напряжений
	stress range	s. amplitude of stress		
	stress rate	s. rate of strain		
S 4331	stress relaxation, relaxation of stress	Spannungsrelaxation f	relaxation f de tensions	релаксация напряжений
S 4332	stress relaxation curve	Spannungsrelaxationskurve f	courbe f de relaxation des tensions	кривая релаксации напряжений

	stress relief **stress relief** **annealing** **stress relieving**	s. strain relief s. relief annealing s. strain relief		
S 4333	**stress resultant**	Spannungsresultante f, Schnittgröße f, Schnittkraft f	résultante f des tensions	равнодействующее напряжение
S 4334	**stress space**	Spannungsraum m	espace m des tensions	пространство напряжения
S 4335	**stress-strain curve, stress-strain diagram,** strain-stress curve, tensile test diagram, stress graph, load-extension diagram, stress diagram	Spannungs-Dehnungs-Kurve f, Spannungs-Dehnungs-Linie f, Spannung-Dehnung-Kurve f, Spannungs-Dehnungs-Diagramm n, Dehnungskurve f, Dehnungslinie f, Dehnungsdiagramm n, Spannungs-Verformungs-Kurve f, Spannungsdiagramm n, Kraft-Verlängerung-Schaubild n, Zugkurve f, Spannungs-Dehnungs-Schaubild n, Zerreißdiagramm n, Formänderungskurve f, Fließkurve f, Spannungsbild n, Beanspruchungs-Dehnungs-Diagramm n	diagramme m tensions-dilatations, courbe f tension-allongement, courbe tension-dilatation, courbe de déformation, diagramme de traction, courbe de traction, diagramme des tensions et des allongements, diagramme tension-déformation, diagramme charge-déformation, diagramme de la résistance mécanique	диаграмма напряжение-деформация, диаграмма растяжения-сжатия, диаграмма растяжения, диаграмма напряжение-удлинение, кривая деформация-напряжение, кривая деформации, кривая напряжений
S 4336	**stress-strain relation,** stress-deformation relation, constitutive equation, strain-stress relation	Spannungs-Dehnungs-Beziehung f, Spannungs-Dehnungs-Relation f, Spannungs-Verformungs-Beziehung f, Spannungs-Formänderungs-Beziehung f, Dehnungs-Spannungs-Beziehung f, Dehnungs-Spannungs-Gleichung f	équation f constitutive, relation f contrainte-déformation, relation effort-déformation, relation entre contraintes et vitesses de déformation	связь (соотношение) между напряжениями и деформациями
S 4337	**stress tensor,** state of stress [at the point], stress [at the point]	Spannungstensor m	tenseur m des tensions (contraintes, efforts)	тензор натяжений, тензор напряжений
S 4338	**stress-time diagram**	Spannungs-Zeit-Diagramm n	diagramme m effort-temps, diagramme tension-temps	диаграмма напряжение-время
S 4339	**stress trajectory,** trajectory of stress	Spannungstrajektorie f	trajectoire f de tensions	траектория напряжений
	stress trajectory **stress varying from** **zero to maximum**	s. a. stress line s. pulsating stress		
S 4340	**stress vector** <mech.>	Spannungsvektor m <Mech.>	vecteur m de tension <méc.>	вектор напряжения <мех.>
	stress wave, elastic wave	elastische Welle f	onde f élastique	упругая волна
S 4340a	**stress wave analysis** **[technique],** SWAT	Analyse f der elastischen Wellen	analyse f des ondes élastiques	анализ упругих волн
	stretch, spread[ing], stretching, extension	Spreizung f	écartement m; écarquillement m	распор, разжимание, разжим
	stretch, reach <of the river>	Stromstrecke f, Flußstrecke f, Flußabschnitt m, Wasserstrecke f [des Flusses]	tronçon m [de la rivière]	участок реки
	stretch; straining; tensioning <e.g. of the spring>; cocking <e.g. of the shutter>	Spannen n	tension f; armement m <p. ex. de l'obturateur>	натяжение <напр. пружины>; завод <затвора>; натягивание
	stretch, spread <a surface>	aufspannen <eine Fläche>	étendre <une surface>	растягивать, вытягивать, натягивать <поверхность>
	stretch **stretchability** **stretchable**	s. a. elongation <in %> s. ductility s. ductile		
	stretched, tight, taut	straff [gespannt], gespannt	fortement tendu, raide	тугой, [туго] натянутый
S 4341	**stretched spring**	gespannte Feder f	ressort m tendu	натянутая пружина
	stretched tip, extended tip <of wing>	ausgezogene Spitze f <Tragflügel>	pointe f effiliée <de l'aile>	удлиненный конец, удлиненная законцовка <крыла>
S 4342	**stretcher line** **stretcher strain**	s. slip line Ziehriefe f	ligne f de glissement [dans le métal]	линия скольжения [в металле]
	stretcher strain	s. a. slip band		
S 4343	**stretch forming** **stretching,** spread[ing], stretch, extension	Streckformen n Spreizung f	formage m sous étirage écartement m; écarquillement m	формовка вытяжкой распор, разжимание, разжим
S 4344	**stretching** <process>	Reckung f; Streckung f <Vorgang>	étirage m; écrouissage m <procédé>	растягивание, растяжка, растяжение; вытягивание, вытяжка; утонение; удлинение; ширение <процесс>
S 4345	**stretching** <e.g. of field lines> <math.>	Dehnung f, Streckung f <z. B. Feldlinien> <Math.>	étirement m, étirage m <p. ex. des lignes de force> <math.>	растяжение <напр. силовых линий> <матем.>
S 4345a	**stretching band**	Valenzschwingungsbande f	bande f de vibrations de valence	полоса валентных колебаний

	stretching force, tensile force, pull; tractive force, tractive effort, traction	Zugkraft f, Zug m	force f de traction, effort m de traction, sollicitation f de traction; force de rappel	растягивающая сила, растягивающее усилие; сила тяги, тяговое усилие
S 4346	**stretching force constant**	Kraftkonstante f der Valenzschwingung	constante f de force de la vibration de valence	силовая постоянная валентного колебания
S 4347	**stretching frequency**	Valenzschwingungsfrequenz f	fréquence f de la vibration de valence	частота валентного колебания
S 4348	**stretching quadric,** quadric of stretching	Streckungsfläche f, Tensorfläche (quadratische Form) f des Streckungstensors	quadrique f des prolongements	поверхность растяжений
S 4349	**stretching strain,** tension strain, tensile strain, stretching stress, pulling stress	Zugbeanspruchung f, Beanspruchung f durch innere Zugkräfte, innere Zugspannung f	effort m (sollicitation f) de traction, action f des forces de traction intérieures	растягивающее усилие; тяговое усилие
S 4350	**stretching strain,** work of rupture, rupture work	Zerreißarbeit f	travail m de rupture	работа на растяжение, работа растяжения, работа разрыва
	stretching strain	s. a. elongation		
	stretching stress	s. tensile stress		
	stretching stress	s. a. stretching strain		
S 4351	**stretching tensor**	Streckungstensor m	tenseur m des prolongements	тензор растяжений
	stretching tensor of Euler, Euler['s] stretching tensor	Eulerscher Streckungstensor m, Streckungstensor von Euler	tenseur m des prolongements d'Euler	тензор растяжения Эйлера
S 4352	**stretching vibration,** valence vibration, st	Valenzschwingung f, Bindungs-Streckungs-Schwingung f, Streckungsschwingung f, Dehnungsschwingung f	vibration f de valence	валентное колебание, продольное колебание, колебание вдоль связи
	stretch modulus	s. modulus of rupture <mech.>		
S 4352a	**stretch-out of burnup**	Abbrandverlängerung f	prolongation f de la combustion massique	продление выгорания
S 4353	**stria,** band of secondary slip <cryst.>	Striemen m, Band n zweiter Gleitung <Krist.>	faisceau m, bande f de glissement secondaire <crist.>	полоса вторичного скольжения <крист.>
S 4354	**stria** <pl.: striae>, thread; ream <in glass>	Fadenschliere f, Schliere f <Glasfehler>	strie f <dans le verre>	полоса, струя, бороздка <в стекле>
	striae	s. glacial scratches		
S 4355	**striated;** streaked; striped	gebändert; gestreift; streifig	rubané; strié; rayé	полосчатый, полосатый
	striated appearance, striation <bio.>	Querstreifung f <Bio.>	striation f <bio.>	поперечная полосатость <био.>
S 4356	**striated muscle,** banded muscle	quergestreifter Muskel m	muscle m strié	поперечнополосатая (скелетная) мышца
S 4357	**striated rock[-pavements]**	gekritztes Geschiebe n, Kritzgeschiebe n, gekritztes Geröll n	caillou m strié	исштрихованный валун
	striated structure	s. banded structure		
S 4358	**striation,** straticulation, banding	Bänderung f, Streifung f; Riefung f; Streifenbildung f; Striemenbildung f; Wachstumsstreifen mpl	striation f	полосчатость, полосатость; бороздчатость; штриховатость; образование полос (борозд)
	striation; stratification; lamination stack	Schichtung f	stratification f	слоистость; стратификация; ряд слоев
S 4359	**striation**	Schlierenbildung f	formation f de stries, striation f	образование свилей
S 4360	**striation,** striated appearance <bio.>	Querstreifung f <Bio.>	striation f <bio.>	поперечная полосатость <био.>
	striation method	s. schlieren method		
	striation technique	s. schlieren method		
S 4361	**Stribeck curve**	Stribeck-Kurve f	courbe f de Stribeck	кривая Штрибека
S 4362	**Strickler coefficient**	Strickler-Koeffizient m, Stricklerscher Koeffizient m	coefficient m de Strickler	коэффициент Стриклера
S 4363	**strict causality**	strenge Kausalität f	causalité f rigoureuse	строгая причинность
S 4363a	**striction** <math.>	Einengung f; Verengerung f <Math.>	striction f <math.>	сужение <матем.>
	striction stress, strictive stress	Striktionsspannung f	tension f strictive	стрикционное натяжение
S 4364	**striction term**	Striktionsterm m	terme m de striction	стрикционный член
S 4365	**strictive stress,** striction stress	Striktionsspannung f	tension f strictive	стрикционное натяжение
	strict solution, rigorous solution, exact solution	strenge Lösung f, exakte Lösung	solution f rigoureuse (stricte), solution (intégrale f) exacte	строгое решение, точное решение
	stride; step; pace	Schritt m, Stufe f	pas m	шаг
S 4366	**striding level,** mason's level	Setzlibelle f, Setzwaage f; Reitlibelle f	niveau m cavalier, niveau à fourche, niveau à pattes	накладной (прикладной, мензульный) уровень, уровень при подставке
S 4367	**stridulation**	Stridulation f, Zirpen n	stridulation f	стрекотание
S 4368	**strike,** trend <geo.>	Streichen n <Geo.>	direction [des couches] f, allongement m, étendue f <géo.>	простирание <гео.>
	strike note	s. impact sound		
S 4369	**strike plate [of the comparator]**	Meßplatte f des Komparators	plaque f du comparateur	пластинка компаратора
	striking angle	s. angle of incidence		
	striking current; ignition current; firing current	Zündstrom m; Zündstromstärke f, Zündungsstromstärke f	courant m d'allumage; courant d'amorçage	ток зажигания; сила тока зажигания, сила запального тока

	striking distance, sparking distance, spark length	Funkenschlagweite f, Schlagweite f, Funkenlänge f	distance f explosive, distance d'éclatement, longueur f d'étincelles	пробивное расстояние, пробивной промежуток, разрядное расстояние, длина искры
	striking drag reduction at the critical Reynolds number	s. "crisis" of drag		
	striking energy	s. impact energy		
	striking momentum	s. momentum of the impact		
S 4370	**striking of the arc,** breakdown of the arc	Zündung f (Durchbruch m) des Lichtbogens	amorçage m de l'arc, allumage m de l'arc	зажигание дуги
	striking potential	s. breakdown voltage		
S 4371	**striking speed, striking velocity**	Schlaggeschwindigkeit f	vitesse f des chocs, vitesse des impacts	ударная скорость, скорость ударов
	striking voltage	s. breakdown voltage		
S 4371a	**string**	Saite f	corde f	струна
S 4371b	**string** <num.math.>	Zeichenkette f, Kette f <num. Math.>	chaîne f [de signes] <math. num.>	цепь знаков <числ. матем.>
S 4372	**string ammeter**	Saitenamperemeter n, Saitenstrommesser m	ampèremètre m à corde [vibrante]	струнный амперметр
S 4373	**stringed instrument,** string instrument	Saiteninstrument n	instrument m à corde	струнный [музыкальный] инструмент
S 4374	**string electrometer,** fibre (filament) electrometer	Fadenelektrometer n, Saitenelektrometer n	électromètre m à fil (corde)	струнный электрометр
	stringency, strength <of the test>	Strenge f [des Tests]	rigueur f, puissance f <du test>	строгость [критерия]
S 4375	**stringer** <nucl.>	Bestrahlungszug m, Zug m <zu bestrahlender Materialien> <Kern.>	chapelet m <nucl.>	цепочка облучаемых проб <яд.>
	stringer	s. a. longitudinal beam		
S 4376	**stringer corrosion**	„stringer"-Korrosion f, Korrosion f in Zeilen, schnurartiger Korrosionsschaden m	corrosion f filiforme	нитевидная коррозия
S 4377	**string galvanometer,** cord galvanometer, Einthoven galvanometer	Fadengalvanometer n, [Einthovensches] Saitengalvanometer n, Bändchengalvanometer n, Saitenstrommesser m	galvanomètre m à corde [d'Einthoven], galvanomètre m Einthoven [à fil], galvanomètre à fil [d'Einthoven]	струнный гальванометр
S 4378	**string gravimeter**	Saitengravimeter n	gravimètre m à corde	струнный гравиметр
	stringiness	s. ductility		
	string instrument, stringed instrument	Saiteninstrument n	instrument m à corde	струнный [музыкальный] инструмент
S 4379	**string model**	Saitenmodell n	modèle m à corde	струнная модель
S 4380	**string oscillograph,** string oscilloscope	Saitenoszillograph m, Saitenoszilloskop n	oscillographe (oscilloscope) m à corde	струнный осциллограф
	string polygon, funicular polygon, link polygon	Seilpolygon n, Seileck n	polygone m funiculaire	веревочный многоугольник, многоугольник Вариньона
S 4381	**string strainmeter,** fibre strainmeter	Saitendehnungsmesser m	tensomètre m à corde	струнный тензометр
	string tension	s. thread tension		
S 4382	**string vibration,** vibration of the string	Saitenschwingung f	vibration f de la corde	колебание струны
	strioscopic method	s. schlieren method		
S 4383	**strip** <of airphotos>	Streifen m, Flugstreifen m <auf dem Luftmeßbild>	bande f <de photographies aériennes>	маршрут, полоса <аэросъемки>
S 4384	**strip attenuator,** flap attenuator	Streifenabschwächer m	atténuateur m à guillotine	ленточный аттенюатор; ослабитель ножевого типа
	strip chart instrument (recorder, recording instrument)	s. chart recorder		
	stripcoat, strip coating	s. stripping emulsion		
S 4385	**strip core**	Streifenkern m	noyau m zoné	полосовой сердечник
	striped, striated, streaked	gebändert, gestreift, streifig	rubané; strié; rayé	полосчатый, полосатый
	stripe running across; cross stripe, transverse stripe	Querstreifen m	bande f transversale, raie f transversale	поперечная полоска, поперечная полоса
S 4385a	**strip focus**	bandförmiger Brennfleck m, Bandfokus m	foyer m en bande	полосовой фокус
S 4386	**strip grating**	Streifengitter n	réseau m zoné	зонная решетка
	strip lamp, tubular lamp, tubular line lamp, tubular light, spot	Soffittenlampe f, Soffitte f, Lichtwurflampe f L	lampe f tubulaire miniature, lampe à filament rectiligne	соффит, соффитная лампа, трубчатая лампа накаливания, софита
S 4387	**strip line,** strip transmission line, microstrip, microwave strip	Streifenleiter m, Streifenleitung f, Mikrostreifenleiter m	ligne f à bandes, ligne à microbande, ligne à microruban, microbande f	полосковая линия [из диэлектрика], полосовая линия [из диэлектрика], ленточная однопроводная линия
S 4387a	**strip load**	Streifenlast f, Linienlast f; Streifenbelastung f, Linienbelastung f	charge f linéaire	полосовая нагрузка
S 4388	**strip of bolometer**	Bolometerstreifen m	élément m récepteur du bolomètre	приемный (термочувствительный) элемент болометра
S 4389	**strip of photographs**	Bildstreifen m, Bildreihe f	bande f des photographies aériennes	аэросъемочный маршрут, маршрут
	strippable coating	s. stripping film		
S 4390	**strippable film paint**	Abziehlack m	vernis m protecteur (grattable)	снимающийся лак
	stripped; highly ionized	hochionisiert	fortement ionisé, hautement ionisé; dépouillé d'électrons	сильно ионизированный, высокоионизированный; лишенный оболочки, оголенный

S 4391	**stripped atom**	hochionisiertes Atom n, geschältes Atom, nacktes Atom, abgestreiftes Atom, „stripped atom" n	atome m dépouillé d'électrons, atome nucléaire	атом, лишенный внешних электронов
S 4392	**stripped emulsion**	„stripped emulsion" f, abgezogene Emulsion (Emulsionsschicht) f	émulsion f sans support, émulsion pelée, film m sans support	снятая эмульсия (фотоэмульсия), пленка (фотопленка) без подложки
	stripped magnetron	s. strapped magnetron		
S 4393	**stripped neutron**	„stripped neutron" n, abgestreiftes Neutron n, Strippingneutron n, Neutron der (d,p)-Reaktion	neutron m arraché	нейтрон реакции срыва
S 4394	**stripped output**	Ausbeute f des abgereicherten Materials	rendement m de produit appauvri	выход обедненного продукта
S 4395	**stripper; stripping section; stripping (separating) column**	Abstreifer m, Abscheider m; Abtriebsäule f, Strippingkolonne f	section f d'épuisement, section d'extraction, section de séparation; colonne f d'épuisement, colonne de fractionnement	обедняющая часть колонны; отпарная колонна, колонна для отгонки легких фракций, обеднительная часть каскада
S 4396	**stripper** <acc.>	Hochspannungselektrode f mit Umladungseinrichtung, Stripper m <Beschl.>	« stripper » m <acc.>	стриппер, электрод высокого напряжения с устройством для перезарядки <уск.>
	stripping, scrubbing <US>; washing; washing-out	Waschen n, Wäsche f; Gaswäsche f; Turmwäsche f; Herauswaschen n; Auswaschung f	lavage m, lavement m	промывка; вымывание
S 4397	**stripping**, peeling [off] <from>, frilling <of emulsion, coating>	Abziehen n, Ablösung f, Abstreifen n <Emulsion, Schicht>	décollage m, décollement m, pelliculage m, grattage m, déchaussement m <de l'émulsion, du film>	отслаивание, расслаивание, снимание, сдирание <эмульсии, слоя>, снятие пленки
S 4398	**stripping** <nucl.>	Stripping n, Abstreifen n <Kern.>	stripage m, cassure f en vol, arrachement m, stripping m, rupture f en vol, épluchage m, dépouillement m <nucl.>	срыв, стриппинг <яд.>
	stripping <nucl.>; depletion	Verarmung f; Abreicherung f <Kern.>	appauvrissement m <nucl.>	обеднение <яд.>
	stripping <US>	s. a. reextraction		
	stripping column	s. stripper		
S 4399	**stripping cross-section**, cross-section for stripping [reaction]	Wirkungsquerschnitt m der (für die) Strippingreaktion, Stripping-[wirkungs]querschnitt m	section f efficace de stripage, section de stripage, section [efficace] de cassure en vol	сечение реакции срыва, сечение стриппинга
S 4400	**stripping emulsion**, **stripping film**, strippable coating, stripcoat, strip coating	Abziehfilm m, Abziehemulsion f, Strippingfilm m, Strippingemulsion f	émulsion f pel[licul]able, émulsion photographique grattable, revétement m grattable	снимающаяся эмульсия, снимающаяся фотоэмульсия, снимающееся (сдирающееся) покрытие
S 4401	**stripping film method**	Abziehfilmmethode f, „stripping-film"-Methode f, Strippingfilmmethode f	méthode f de l'émulsion grattable, technique f d'émulsion dépouillée, méthode de l'émulsion dévêtue	метод снимающейся эмульсии, метод снятой эмульсии
S 4402	**stripping off the emulsion**, emulsion stripping	Schichtablösung f	pelliculage m <des négatifs>	перенесение фотографического изображения
S 4403	**stripping reaction**	Strippingreaktion f	réaction f de stripage, réaction de cassure en vol, stripage m, cassure f en vol	реакция срыва, стриппинг[-реакция]
	stripping section	s. stripper		
	strip tensometer	s. strain gauge		
S 4404	**strip theory** <aero.>	Streifentheorie f <Aero.>	théorie f de lames <aéro.>	теория полос <аэро.>
	strip transmission line	s. strip line		
	strobe	s. strobe pulse		
	strobe	s. a. stroboscopic disk		
S 4405	**strobe marker**	stroboskopische Marke f	marque f stroboscopique	селекторная отметка
S 4406	**strobe pulse**, strobe, gating pulse, gate	Stroboskopimpuls m, Strobimpuls m, Auftastimpuls m, Torimpuls m; Markierungsfenster n	créneau m, fenêtre f de sélection, impulsion f sélectrice (d'encadrement), impulsion de fixation (porte, sélection), porte f	строб[-]импульс, селектирующий импульс, селекторный импульс, строб
S 4406a	**stroboglow**	Stroboskop n mit Neonthyratron	stroboscope m à thyratron à néon	стробоскоп с неоновым тиратроном
S 4406b	**stroboresonance**, stroboscopic resonance	stroboskopische Resonanz f	résonance f stroboscopique, stroborésonance f	строборезонанс
S 4406c	**stroboresonance galvanometer**	Galvanometer n mit stroboskopischer Resonanz, Stroboresonanzgalvanometer n	galvanomètre m à résonance stroboscopique	строборезонансный гальванометр
	stroboscope	s. flash-type stroboscope		
S 4407	**stroboscopic dilatation of time**, stroboscopic time dilatation	stroboskopische Zeitdehnung f	dilatation f du temps stroboscopique	стробоскопическое замедление времени
S 4408	**stroboscopic disk**, stroboscopic pattern wheel, episcotister, strobe	stroboskopische Scheibe f, Stroboskopscheibe f	disque m stroboscopique	стробоскопический диск
S 4409	**stroboscopic effect**, pseudostereoscopic effect; spoking	Stroboskopeffekt m, Stroboskopeffekt m; Radphänomen n, Radeffekt m; Phi-Phänomen n, φ-Phänomen n; stroboskopische Bewegung f, Bewegungstäuschung f, Scheinbewegung f	effet m stroboscopique	стробоскопический эффект

	stroboscopic pattern wheel, stroboscopic disk	stroboskopische Scheibe *f*, Stroboskopscheibe *f*	disque *m* stroboscopique	стробоскопический диск
S 4410	**stroboscopic principle**	Stroboskopprinzip *n*	principe *m* stroboscopique	стробоскопический принцип, принцип стробоскопа
	stroboscopic resonance	*s.* stroboresonance		
	stroboscopic time dilatation, stroboscopic dilatation of time	stroboskopische Zeitdehnung *f*	dilatation *f* du temps stroboscopique	стробоскопическое замедление времени
S 4411	**stroboscopic transformation**	stroboskopische Abbildung *f*	transformation *f* stroboscopique	стробоскопическое преобразование (отображение)
	stroke; impact; shock; percussion; blow; push; shove, impulse	Schlag *m*, Stoß *m*, Anstoß *m*	impact *m*; choc *m*; percussion *f*; heurt *m*, frappe *f*; coup *m*	удар, толчок
	stroke; lift	Hub *m*	élévation *f*; course *f*	ход; подъем; размах
S 4412	**stroke**; stroke length; lifting height	Hubweg *m*; Hublänge *f*; Hubhöhe *f*	course *f*; longueur *f* de course; hauteur *f* d'élévation, levée *f*	ход, длина хода; подъем, высота подъема
S 4413	**stroke** <of flash or lightning>	Blitzschlag *m*, Einschlag *m* <Blitz>, Blitzeinschlag *m*	coup *m* <de foudre>	удар молнии, грозовой разряд
S 4414	**stroke**, cycle <mech.>	Takt *m* <Mech.>	cycle *m*, temps *m* <méc.>	цикл, такт <мех.>
	stroke length; stroke; lifting height	Hubweg *m*; Hublänge *f*; Hubhöhe *f*	course *f*; longueur *f* de course; hauteur *f* d'élévation, levée *f*	ход, длина хода; подъем, высота подъема
S 4415	**stroke of piston**, piston stroke	Hub *m* [des Kolbens], Kolbenhub *m*	course *f* [de piston], levée *f* [de piston]	ход [поршня]
S 4416	**stroke volume**, systolic volume	Schlagvolumen *n*	débit *m* systolique, volume *m* de l'ondée systolique, ondée *f* systolique	систолический объем, ударный объем
S 4416a	**stroke work**; lifting work, hoisting work	Hubarbeit *f*	travail *m* de levée; travail d'élévation	работа хода; работа подъема; работа, затрачиваемая на подъем
	Strombolian eruption, central eruption	Zentraleruption *f*, Schloteruption *f*	éruption *f* centrale; éruption strombolienne	центральное извержение, извержение стромболийского типа, стромболианский тип извержения
	Strömgren sphere, H II region, H⁺ region	H II-Gebiet *n*, Wasserstoff-Emissionsgebiet *n*	région *f* H II	область H II
S 4417	**strong-absorption model**	Modell *n* der starken Absorption	modèle *m* de l'absorption forte	модель сильного поглощения
S 4418	**strong acid**	starke Säure *f*	acide *m* fort	сильная кислота
S 4419	**strong base**	starke Base *f*	base *f* forte	сильное основание, сильная щелочь
S 4420	**strong breeze**, strong wind <of Beaufort No. 6>	starker Wind *m* <Stärke 6>	vent *m* frais, vent bon frais <du degré 6>	сильный ветер <6 баллов>
S 4421	**strong collision**	starker Stoß *m*	choc *m* fort	сильное столкновение
	strong convergence	*s.* convergence in mean <of functions>		
S 4422	**strong coupling**, tight bond, tight binding <nucl.>	starke Kopplung *f*, überkritische Kopplung <Kern.>	couplage *m* serré, accouplement *m* serré, couplage fort, liaison *f* serrée <nucl.>	сильная связь, жесткая связь <яд.>
S 4423	**strong coupling approximation**, tight binding approximation	Näherung *f* mit starker Kopplung	approximation *f* du couplage fort, approximation d'une liaison serrée	приближение сильной связи
S 4424	**strong coupling meson theory**	Mesonentheorie *f* mit starker Kopplung	théorie *f* mésique à couplage fort	мезонная теория с сильной связью
S 4425	**strong discontinuity**	starke Unstetigkeit *f*	discontinuité *f* forte	сильный разрыв
S 4426	**strong earthquake**, violent earthquake	Großbeben *n*, heftiges Beben *n*, schweres Erdbeben *n*	tremblement *m* de terre fort	сильное землетрясение
S 4427	**strong electrolyte**	starker Elektrolyt *m*	électrolyte *m* fort	сильный электролит
S 4428	**strong extremum**	starkes Extremum *n*	extrémum *m* fort	сильный экстремум
S 4429	**strong field**, high (high-intensity, high-strength, enhanced) field	starkes Feld *n*, Starkfeld *n*	champ *m* intensif, champ élévé, champ de haute intensité	сильное поле, интенсивное поле, поле высокой напряженности
	strong focusing	*s.* alternating-gradient focusing		
	strong-focusing accelerator	*s.* alternating-gradient accelerator		
	strong-focusing synchrotron	*s.* alternating gradient synchrotron		
S 4430	**strong gale**, gale <of Beaufort No. 9>	Sturm *m* <Stärke 9>	fort coup *m* de vent, tempête *f* <du degré 9>	шторм <9 баллов>, девятибалльный ветер
S 4431	**strong interaction**	starke Wechselwirkung *f*	interaction *f* forte	сильное взаимодействие
S 4432	**strong line**, intense line	starke (intensive) Linie *f*	raie *f* forte, raie intense	сильная линия
S 4433	**strongly absorbing**	stark absorbierend	fortement absorbant	сильнопоглощающий
	strongly damped	*s.* aperiodic		
S 4434	**strong shock**	starker Verdichtungsstoß *m*	choc *m* fort	сильный скачок уплотнения
S 4435	**strong solution** <math.>	starke Lösung *f* <Math.>	solution *f* forte <math.>	сильное решение <матем.>
S 4436	**strong stability**	starke Stabilität *f*	stabilité *f* forte	сильная устойчивость
S 4437	**strong topology**, metric topology	starke Topologie *f*	topologie *f* forte	сильная топология
	strong wind, strong breeze <of Beaufort No. 6>	starker Wind *m* <Stärke 6>	vent *m* frais, vent bon frais <du degré 6>	сильный ветер <6 баллов>
S 4438	**strong wind**, moderate gale <of Beaufort No. 7>	steifer Wind *m* <Stärke 7>	vent *m* fort <du degré 7>	крепкий ветер <7 баллов>
S 4439	**strontium age**, Rb-Sr age	geologisches Alter *n* nach der Strontiummethode, Strontiumalter *n*, Rubidium-Strontium-Alter *n*, ^{87}Sr-Alter *n*	âge *m* de strontium	геологический возраст, определяемый по содержанию радиогенного стронция

S 4440	**strontium method**	Strontiummethode f	méthode f de strontium	стронциевый метод определения возраста
S 4441	**strontium unit, sunshine unit, s.u., pCi/g Ca**	Strontiumeinheit f, Sunshine-Einheit f, S. U., pCi/g Ca	picocurie m par gramme de calcium, unité f de strontium, pCi/g Ca	пикокюри на грамм кальция, пкюри/г Са
S 4442	**strophotron**	Strophotron n	strophotron m	строфотрон
S 4443	**Strouhal['s] formula**	Strouhalsche Formel f	formule f de Strouhal	формула Струхаля (Строухаля)
S 4444	**Strouhal number, S**	Strouhal-Zahl f, Strouhalsche Kennzahl f, Strouhalsche Zahl f, S	nombre m de Strouhal, S	число Струхаля, число Строухаля, безразмерный комплекс Струхаля, S
	struck instrument	s. percussion instrument		
	struck particle, bombarded particle, target particle	beschossenes Teilchen n, getroffenes Teilchen, Targetteilchen n	particule f bombardée, particule de la cible	бомбардируемая частица, частица-мишень
S 4445	**structon**	Strukton n	structon m	структон
S 4445a	**structural activator**	struktureller Verstärker m	activateur m structural	структурный активатор
S 4446	**structural aging**	Gefügealterung f, Strukturalterung f	vieillissement m structural	структурное старение
	structural analysis	s. crystal-structure determination		
S 4447	**structural anisotropy**	Strukturanisotropie f	anisotropie f de structure	структурная анизотропия
S 4448	**structural bond**	Strukturbindung f	liaison f structurale	структурная связь
S 4448a	**structural bridge, atomic bridge <chem.>**	Strukturbrücke f, Atombrücke f, Brücke f <Chem.>	pont m structural (atomique) <chim.>	атомный мостик, структурный мостик; мостик, соединяющий два радикала <хим.>
	structural composition	s. structural constitution		
S 4449	**structural constituent**	Gefügebestandteil m	constituant m de structure, constituant de la texture	составляющая структуры, структурная составляющая
S 4449a	**structural constitution, structural composition**	Gefügeaufbau m	constitution (composition) f structurale	микроструктура, структурный состав
S 4450	**structural correlation**	Strukturkorrelation f	corrélation f structurale	структурная корреляция
	structural crystallography	s. crystal-structure determination		
	structural defect	s. defect		
S 4451	**structural diagram**	Strukturdiagramm n	diagramme m de structure	диаграмма (график) структуры
S 4452	**structural diffusion**	Strukturdiffusion f	diffusion f dans la structure	диффузия в структуре
S 4453	**structural dipole**	Strukturdipol m, struktureller Dipol m	dipôle m structural, dipôle dû à la structure	структурный диполь; диполь, обусловленный структурой
S 4454	**structural disarrangement (disarray, disorder)**	strukturelle Unordnung f	désordre (désarrangement) m de la structure, désordre structural	структурная неупорядоченность, неупорядоченность строения
S 4454a	**structural dissimilarity**	Strukturunähnlichkeit f	dissimilitude f structurale	структурная неподобность
S 4455	**structural effect**	Struktureffekt m, Struktureinfluß m	effet m de structure	явление структуры
S 4456	**structural energy**	Strukturenergie f	énergie f de structure	структурная энергия
S 4457	**structural entropy**	Strukturentropie f	entropie f de structure	структурная энтропия
	structural equality, equality of structure	Strukturgleichheit f	égalité f de la structure	изоструктурность
S 4457a	**structural etching**	Schliffätzung f	attaque f structurale (micrographique)	травление металлографического шлифа, структурное травление
	structural failure (fault)	s. defect		
S 4458	**structural formula, constitution formula, constitutional formula, graphic formula, rational formula**	Strukturformel f, Konstitutionsformel f, Valenzstrichformel f	formule f structurale, formule de constitution, formule rationnelle, formule développée	формула строения, структурная формула, химическая структурная формула; структурная формула с валентными штрихами
S 4459	**structural fracture, grain structure of fracture**	Bruchgefüge n	structure f de la cassure	строение излома, структура излома
S 4459a	**structural group analysis**	Strukturgruppenermittlung f	analyse f des groupes structuraux	структурно-групповой анализ
	structural-homogeneous	s. homogeneous structure / of		
	structural imperfection	s. defect		
S 4460	**structural inhomogeneity <in glass>**	strukturelle Inhomogenität f <in Glas>	inhomogénéité f de structure <dans le verre>	структурная неоднородность <в стекле>
	structural-inhomogeneous	s. inhomogeneous structure / of		
	structural irregularity	s. defect		
S 4461	**structural isomer, structure isomer, structural (structure) isomeride**	Strukturisomer[e] n	isomère m de constitution	структурный изомер
S 4462	**structural-isomeric**	strukturisomer	isomère de constitution	структурно-изомерный
	structural isomeride	s. structural isomer		
S 4463	**structural isomerism, structure isomerism**	Strukturisomerie f	isomérie f de constitution	структурная изомерия
	structurally homogeneous	s. homogeneous structure / of		
	structurally inhomogeneous	s. inhomogeneous structure / of		
	structurally stable	s. structural-stable		
	structurally unstable	s. structural-unstable		
S 4464	**structural material**	Konstruktionswerkstoff m, Konstruktionsmaterial n, Konstitutionsmaterial n, Strukturmaterial n; Baustoff	matériel m de structure, matériel de construction	конструкционный материал

S 4464a	**structural mechanics,** theory of structures	Baumechanik *f*, Theorie *f* der Baukonstruktionen	théorie *f* (calcul *m*) des structures	строительная механика, теория сооружений
S 4465	**structural modification**	strukturelle Modifikation *f*, Strukturform *f*	modification *f* structurale	структурное видоизменение (изменение), видоизменение (изменение) структуры, структурная модификация
S 4466	**structural order**	strukturelle Ordnung *f*	ordre *m* de la structure, ordre structural	структурная упорядоченность, упорядоченность строения
	structural parameter, structure parameter	Strukturparameter *m*, Strukturgröße *f*, Strukturkonstante *f*	paramètre *m* de structure, constante *f* de structure	структурный параметр
S 4467	**structural porosity,**	Strukturporosität *f*	porosité *f* structurale	структурная пористость
S 4468	**structural property,** constitutive property	Struktureigenschaft *f*, konstitutive Eigenschaft *f*	propriété *f* structurale (constitutionnelle)	структурное свойство
S 4469	**structural radiograph,** structural X-ray pattern	Röntgenstrukturaufnahme *f*, Röntgenstrukturdiagramm *n*, Röntgenstrukturbild *n*	radiographie *f* de la structure, rœntgenogramme *m* de la structure	структурный рентгеновский снимок, рентгеновский структурный снимок
S 4469a	**structural redundance**	strukturelle Redundanz *f*	rédondance *f* structurale	структурная избыточность
S 4470	**structural relaxation**	Strukturrelaxation *f*	relaxation *f* de structure	структурная релаксация
	structural research	s. crystal-structure determination		
	structural resonance, mesomerism, resonance <chem.>	Mesomerie *f*, Strukturresonanz *f*, Resonanz *f* <Chem.>	mésomérie *f*, résonance *f* structurale, résonance <chim.>	мезомерия, структурный резонанс, резонанс <хим.>
	structural return loss, regularity attenuation, return loss; echo current attenuation	Rückflußdämpfung *f*; Echodämpfung *f*	affaiblissement *m* de régularité; affaiblissement d'écho	затухание вследствие рассогласования, затухание обратного течения; затухание эха
S 4471	**structural rigidity**	Struktursteifigkeit *f*, Struktursteifheit *f*, Struktursteife *f*	rigidité *f* de structure	структурная жесткость, жесткость структуры
	structural shape <of steel>	s. outline		
S 4472	**structural shrinkage**	strukturelle Schrumpfung *f*	rétrécissement *m* structural	структурная усадка
S 4473	**structural stability**	strukturelle Stabilität *f*, Gefügebeständigkeit *f*	stabilité *f* de la structure	структурная устойчивость
S 4474	**structural-stable,** structurally (constitutionally) stable, of stable structure	strukturstabil, strukturbeständig	de structure stable, de constitution stable	структурно-устойчивый
S 4475	**structural transformation (transition)**	Gefügeumwandlung *f*	transformation *f* structurale	структурное превращение
S 4476	**structural-unstable,** structurally (constitutionally) unstable, of unstable structure	strukturinstabil, strukturunbeständig	de structure instable, de constitution instable	структурно-неустойчивый
S 4477	**structural viscosity,** pseudoplasticity	Strukturviskosität *f*, Strukturzähigkeit *f*, nicht-Newtonsches (Binghamsches) Fließen *n*, Pseudoplastizität *f*	viscosité *f* de structure, viscosité anormale	структурная вязкость, эффективная вязкость
S 4478	**structural-viscous,** non-Newtonian	strukturviskos, nicht-Newtonsch, anomal fließend	de viscosité anormale, non newtonien	структурно-вязкий, аномально-вязкий, неньютоновский
	structural X-ray pattern, structural radiograph	Röntgenstrukturaufnahme *f*, Röntgenstrukturdiagramm *n*, Röntgenstrukturbild *n*	radiographie *f* de la structure, rœntgenogramme *m* de la structure	структурный рентгеновский снимок, рентгеновский структурный снимок
S 4479	**structure;** constitution	Struktur *f*, Aufbau *m*, Bau *m*; Konstitution *f*, Beschaffenheit *f*	structure *f*; constitution *f*	строение; структура
	structure, lattice <math.>	Verband *m* <Math.>	treillis *m*, réseau *m*, structure *f*, lattice *f*, ensemble *m* réticulé <math.>	структура, решетка, решеточно упорядоченное множество, латтис, связка <матем.>
S 4480	**structure amplitude**	Strukturamplitude *f*	amplitude *f* de structure	структурная амплитуда
	structure analysis	s. crystal-structure determination		
S 4481	**structure argument**	Strukturargument *n*	argument *m* de structure	структурный аргумент
	structure birefringence	s. structure double refraction		
S 4481a	**structure-breaking effect**	Strukturstörungseffekt *m*, Unordnungseffekt *m*	effet *m* de désordonnement	эффект разупорядочения структуры
S 4482	**structure current**	Strukturstrom *m*	courant *m* de structure	структурный ток
	structured, structurized	strukturiert	à (avec) structure	структурированный
	structure-dependent, structure-sensitive, dependent on structure	strukturempfindlich, strukturabhängig	sensible à la structure, dépendant de la structure	структурно-чувствительный, чувствительный к структуре, зависящий от структуры
S 4483	**structure double refraction,** structure birefringence, proper double refringence	Eigendoppelbrechung *f*, Strukturdoppelbrechung *f*, Texturdoppelbrechung *f*	biréfringence *f* propre, biréfringence de structure	структурное двойное лучепреломление, собственное двойное лучепреломление
S 4484	**structured soil,** textured soil	Strukturboden *m*	sol *m* à (avec) structure	структурная почва, структурный грунт
S 4484a	**structure en échelon,** échelon structure	kulissenartige Struktur *f*, Staffelstruktur *f*	structure *f* en échelon	кулисообразное строение
S 4485	**structure factor**	Strukturfaktor *m*	facteur *m* de structure	структурный множитель (фактор)
	structure formation, formation of structures	Strukturbildung *f*	formation *f* de structures	структурообразование, образование структур
S 4486	**structure function**	Strukturfunktion *f*	fonction *f* de structure	структурная функция
	structure-independent	s. structure-insensitive		

S 4487	**structure-insensitive,** insensitive to structure, structure-independent, independent of structure	strukturunempfindlich, strukturunabhängig	insensible à la structure, non dépendant de la structure	структурно-нечувстви-тельный
S 4488	**structure-insensitive property,** intrinsic property	strukturunempfindliche Eigenschaft f	propriété f insensible à la structure, propriété intrinsèque	структурно-нечувстви-тельное свойство
	structure isomer[ide], structural isomer, structural isomeride	Strukturisomer[e] n	isomère m de constitution	структурный изомер
	structure isomerism, structural isomerism	Strukturisomerie f	isomérie f de constitution	структурная изомерия
	structureless	s. smeared		
	structurelessness	s. amorphism		
	structure of the mole-cule	s. molecular structure		
S 4489	**structure parameter,** structural parameter	Strukturparameter m, Strukturgröße f, Struk-turkonstante f	paramètre m de structure, constante f de structure	структурный параметр
S 4490	**structure problem**	Strukturproblem n	problème m de la structure	структурная задача, задача строения
S 4491	**structure-sensitive,** structure-dependent, dependent on structure	strukturempfindlich, strukturabhängig	sensible à la structure, dépendant de la structure	структурно-чувствитель-ный, чувствительный к структуре, завися-щий от структуры
S 4492	**structure-sensitive conductivity**	strukturabhängige Leit-fähigkeit f	conductibilité f dépendant de la structure	структурно-чувствитель-ная проводимость; про-водимость, зависящая от структуры
S 4493	**structure-sensitive property,** extrinsic property	strukturempfindliche Eigenschaft f	propriété f sensible à la structure, propriété extrinsèque	структурно-чувствитель-ное свойство
S 4494	**structure theory**	Strukturtheorie f	théorie f de la structure	структурная теория, теория строения
S 4495	**structure type**	Strukturtyp m, Kristall-gittertyp m, Gittertyp m	type m de structure	тип структуры
S 4496	**structurization**	Strukturierung f	structurisation f	структурирование
S 4497	**structurized,** structured	strukturiert	à (avec) structure	структурированный
S 4498	**struggle for life**	Kampf m ums Dasein	lutte f pour la vie	борьба за жизнь
	strut, vertical member, vertical strut, stanchion, column	Vertikalstab m, Pfosten m	barre f verticale, membre m vertical, contre-fiche f, étrésillon m, jambe f [de force]	вертикальный стержень, стойка, подвеска, под-порка, подкос, подпор-ный брус, стояк
	strut	s. diagonal member		
S 4498a	**strut bracing,** bracing, diagonal web, system of web members	Strebenfachwerk n; Strebe-werk n; Ständerfachwerk n	treillis m [simple] en N, treillis avec pièces in-clinées, treillis à [barres] diagonales	раскосная решетка фермы
S 4498b	**strut frame**	Sprengwerk n	poutre f sous-landée; système m sous-landé	шпренгельная ферма (система)
	Strutt['s] map, stability map	Stabilitätskarte f [der Hill-schen Differential-gleichung], Struttsche Karte f	carte f de stabilité, carte de Strutt	карта стабильности, карта Стретта, карта Рэлея
S 4499	**Struve['s] function**	Struvesche Funktion f, Struve-Funktion f	fonction f de Struve	функция Струве
S 4500	**stub,** matching stub, correcting stub, wave-guide stub, plunger <el.>	Stichleitung f, Anpassungs-stichleitung f, Blind-schwanz m, Anpaßstich-leitung f, Anpaßstück n, „stub" n, Stub n <El.>	tige f d'adaptation, boucle f d'adaptation, téton m adaptateur, téton d'adap-tation, tronçon m de réglage, ligne f d'adapta-tion, stub m, tige f <él.>	согласующий шлейф, со-гласующее устройство, согласующий стер-жень, согласующий штырь, закорачиваю-щий мостик, тупико-вый фидер, тупиковая линия, отросток, штырь <эл.>
S 4501	**stub[-matched] antenna**	Stichleitungsantenne f, mit Stichleitung angepaßte Antenne f	antenne f à boucle d'adaptation	антенна с согласующим шлейфом
	Student['s] distribution	s. Student['s] t distribution		
S 4501a	**studentization**	Studentisierung f	studentisation f, transforma-tion f de Student	стьюдентизация
S 4502	**Student['s] ratio t**	Größe f t in Students Test	rapport m de Student t	величина t в критерии Стьюдента
S 4503	**Student['s] t distribution,** Student['s] distribution, t distribution	Studentsche t-Verteilung f, t-Verteilung, Studentsche Verteilung f, Student-Ver-teilung f	loi f de Student, distribution f de Student, distribution t, distribution de t [de Student]	распределение t Стью-дента, распределение Стьюдента, t-распреде-ление
S 4504	**Student['s] test,** t-test	Students Test m, Student-Test m, t-Test m, Studentscher t-Test	test m t, test de t [de Student], test de Student	метод (критерий) Стью-дента
S 4505	**study at the reactor**	Reaktoruntersuchung f	étude f au réacteur	исследование при по-мощи реактора
S 4506	**stuntedness**	Vergeilen n, Verspillern n, Etiolement n, Ver-kümmern n	étiolement m	хирение
	sturbs	s. spherics		
	sturdiness	s. ruggedness <gen.>		
S 4506a	**Sturges['] rule**	Sturgessche Regel f	règle f de Sturges	правило Стургеса
S 4507	**Sturm['s] conoid**	Sturmsches Konoid n	conoïde m de Sturm	коноид Штурма
S 4507a	**Sturm['s] function,** Sturmian function	Sturmsche Funktion f	fonction f de Sturm	функция Штурма
S 4508	**Sturm-Liouville['s] boundary condition**	Sturmsche Randbedin-gung f, Sturm-Liou-villesche Rand-bedingung	condition f aux limites de Sturm-Liouville	краевое (граничное, пре-дельное) условие Штурма-Лиувилля

S 4509	Sturm-Liouville['s] boundary value problem, Sturm-Liouville['s] problem	Sturm-Liouvillesches Randwertproblem n, Sturmsche (Sturm-Liouvillesche) Randwertaufgabe f	problème m aux limites de Sturm-Liouville, problème de Sturm-Liouville	граничная задача Штурма-Лиувилля, краевая задача Штурма-Лиувилля, задача Штурма-Лиувилля
S 4510	Sturm-Liouville['s] eigenvalue problem, Sturm-Liouville['s] problem	Sturm-Liouvillesches Eigenwertproblem n, Sturmsche Eigenwertaufgabe f, Sturm-Liouvillesche Eigenwertaufgabe	problème m de Sturm-Liouville	задача Штурма-Лиувилля
S 4511	Sturm-Liouville['s] equation	Sturm-Liouvillesche Differentialgleichung (Gleichung) f	équation f de Sturm-Liouville	уравнение Штурма-Лиувилля
S 4512	Sturm-Liouville['s] expansion, Sturm-Liouville['s] series	Sturm-Liouvillesche Entwicklung f, Sturm-Liouvillesche Reihe f	développement m de Sturm-Liouville, série f de Sturm-Liouville	разложение Штурма-Лиувилля, ряд Штурма-Лиувилля
S 4513	Sturm-Liouville operator	Sturm-Liouvillescher Operator m	opérateur m de Sturm-Liouville	оператор Штурма-Лиувилля
	Sturm-Liouville problem	s. Sturm-Liouville boundary value problem		
	Sturm-Liouville eigen problem	s. Sturm-Liouville eigenvalue problem		
	Sturm-Liouville['s] series, Sturm-Liouville['s] expansion	Sturm-Liouvillesche Entwicklung f, Sturm-Liouvillesche Reihe f	développement m de Sturm-Liouville, série f de Sturm-Liouville	разложение Штурма-Лиувилля, ряд Штурма-Лиувилля
S 4514	Sturm['s] oscillation theorem	Oszillationssatz m von Sturm, Sturmscher Oszillationssatz	théorème m d'oscillations de Sturm	теорема Штурма
S 4515	Sturm['s] sequence	Sturmsche Kette f	séquence f de Sturm	последовательность Штурма
S 4516	Sturm['s] spiral	Sturmsche Spirale f, Spirale von Norwich	spirale f de Sturm	спираль Штурма
S 4517	Sturm['s] theorem	Sturmscher Satz m	théorème m de Sturm	теорема Штурма
S 4518	Stüve diagram	Stüve-Diagramm n	diagramme m de Stüve	штювеграмма, диаграмма Штюве
	StV-body	s. St.-Venant body		
S 4519	St. Venant body, StV-body, rigid-plastic body, Saint-Venant body	St. Venantscher Körper m, St.-Venant-Körper m, StV-Körper m, starr-plastischer Körper, starr-plastische Substanz f	corps m rigide-plastique, corps de Saint-Venant, corps StV	жестко-пластическое тело, тело Сен-Венана
S 4520	St. Venant['s] compatibility conditions (equations), equations of compatibility of strain	St. Venantsche Kompatibilitätsbedingungen fpl	conditions fpl de compatibilité de Saint-Venant	тождества Сен-Венана, условия совместности [деформаций] Сен-Венана
S 4521	St. Venant-Lévy-Mises relations, Saint-Venant-Lévy-Mises relations	St.-Venant-Lévy-Misessche Beziehungen fpl	relations fpl de Saint-Venant-Lévy-Mises	формулы Сен-Венана-Леви-Мизеса
	St. Venant-Mises material	s. Mises ideal plastic body		
	St. Venant plasticity	s. perfect plasticity		
S 4522	St. Venant['s] principle, Saint-Venant['s] principle	St.-Venantsches Prinzip n, Prinzip von de St.-Venant, Saint-Venantsches Prinzip, Saint-Venant-Methode f, St. Venant-Methode f	principe m de Saint-Venant, principe dû à de Saint-Venant	принцип Сен-Венана
S 4523	St. Venant['s] theory, maximum strain theory	Theorie f der maximalen Deformation, Theorie von de St. Venant, St. Venantsche Theorie, Hypothese f der größten Dehnung [oder Gleitung]	théorie f de la tension maximum, théorie de de St. Venant, théorie de la dilatation maximale	теория максимальной деформации, теория Сен-Венана, теория наибольших относительных удлинений
	St. Venant torsion, free torsion	freie Torsion f	torsion f libre	свободное кручение, сен-венаново кручение
S 4524	St. Venant-Tresca yield condition, Tresca['s] yield condition (criterion), maximum shearing-stress yield condition (criterion), maximum shearing stress condition, hexagonal [yield] condition	Tresca-St.-Venant-Mohrsche Fließbedingung f, St. Venant-Trescasche Fließbedingung, Trescasche Fließbedingung, Fließbedingung von Tresca, hexagonale Fließbedingung	condition f de plasticité de St. Venant-Tresca, condition de plasticité de Tresca	условие пластичности Треска, условие текучести Треска
S 4525	St. Venant-Wantzel formula	St. Venant-Wantzelsche Formel f	formule f de Saint-Venant [et Wantzel]	уравнение Сен-Венана и Вантцеля
	stylization, stylizing, crispening	Umrißversteilerung f	stylisation f d'images	резкое выявление контуров
S 4526	stylos, stylus <US>	Schreibstift m, Schreibspitze f	stylos m	игла (грифель) самописца, игла для записи; пишущий штифт
S 4526a	styloscintigraphy	Styloszintigraphie f, Strichszintigraphie f	styloscintigraphie f	сцинтиграфия с регистрацией в виде штрихов
	sub	s. subtractor		
	subacoustic	s. infrasonic		
	subacoustic speed (velocity)	s. subsonic speed		
S 4527	subadiabatic	unteradiabatisch	subadiabatique	подадиабатический, ниже адиабатического
S 4528	subaeric	subaeril, subaerisch	subaérien	субаэральный, эоловый
	sub-aggregate	s. subset		
S 4529	subalgebra	Teilalgebra f, Subalgebra f, Unteralgebra f	sous-algèbre f	подалгебра

S 4530	**subaqueous**	subaquatisch	subaquatique	приаквальный, подводный
	subaqueous micro-phone	s. hydrophone		
	subaqueous sound ranging	s. hydrolocation		
	subaqueous spring, submerged spring, drowned spring	untermeerische (unterseeische) Quelle f, Untermeeresquelle f, Unterseequelle f	source f sous-marine, source subaquale	подводный источник
	subaqueous visibility, underwater visibility	Unterwassersichtweite f	visibilité f sous l'eau, visibilité subaquatique	подводная видимость
S 4531	**subassembly,** sub-unit, subgroup <el.>	Untergruppe f, Baugruppe f, Baueinheit f <El.>	sous-ensemble m <él.>	полукомплект, подсборка, подгруппа, часть комплекта, часть набора, узел <эл.>
	subassembly	s. a. component <of construction>		
S 4532	**subatmospheric**	bei einem Druck kleiner als dem atmosphärischen, subatmosphärisch	subatmosphérique	[при давлении] ниже атмосферного
S 4533	**subatomic**	subatomar	subatomique	субатомный, внутриатомный
	subaudio, infrasonic, subsonic, infra-acoustic	Infraschall-, infraakustisch, unter dem Hörbereich	infrasonore, infrasonique, infra-audible	инфразвуковой, инфраакустический, подтональный
	subaudio frequency, infrasonic frequency, subsonic frequency	Infraschallfrequenz f, Unterschallfrequenz f	fréquence f infrasonore, fréquence infrasonique, fréquence infra-audible	инфразвуковая частота
S 4534	**subaudio frequency**	Unterhörfrequenz f, Untertonfrequenz f	fréquence f infratéléphonique	подтональная частота
S 4535	**subaudio frequency range**	Untertonbereich m	gamme f des fréquences infratéléphoniques, gamme infratéléphonique	диапазон подтональных частот
S 4536	**sub-band**	Teilband n	sous-bande f	поддиапазон, подполоса; подзона <крист.>
S 4537	**sub[-]band** <opt.>	Teilbande f <Opt.>	sous-bande f <opt.>	подполоса <опт.>
	sub[-]band, subrange <meas.>	Unterbereich m <Meß.>	sous-bande f, sous-gamme f <mes.>	поддиапазон <изм.>
S 4538	**sub[-]boundary,** sub-grain boundary	Subkorngrenze f, Feinkorngrenze f	sous-joint m, joint m de sous-grains	субграница, граница субзерен
	sub[-]boundary	s. a. small-angle grain boundary		
S 4538a	**subcadmium**	subcadmisch, subkadmisch	sous-cadmique	докадмиевый
S 4538b	**subcapillary [interstice]**	Subkapillare f	sous-capillaire m, interstitiel m sous-capillaire	субкапилляр
S 4539	**subcarrier [frequency]**	Hilfsträger m, Subcarrier m, Subträger m, Sekundärträger m, Hilfsträgerfrequenz f, Unterträger m	sous-porteuse f, fréquence f [de] sous-porteuse	поднесущая [частота], вспомогательная несущая, поднесущая (вспомогательная) частота
S 4540	**subcentre** <astr.>	Nebenradiant m <Astr.>	radiant m secondaire <astr.>	побочный радиант <астр.>
	subcentre	s. a. sub[-]latent centre		
S 4541	**subcentre [of development]**	Tiefenzentrum n [der Entwicklung]	germe m profond [de développement]	глубинный центр проявления
S 4542	**subcircuit,** branch circuit	Nebenkreis m, Nebenstromkreis m; Teilschaltung f	circuit m de dérivation, sous-circuit m	ответвленная цепь; подсхема; подконтур; вспомогательная цепь
S 4543	**subclass number,** cell frequency	Klassenbesetzung f	effectif m de sous-classe	групповая частота
	subcoat	s. sublayer		
	subcollection	s. subset <math.>		
S 4543a	**subcooled boiling**	unterkühltes Sieden n	ébullition f nucléée	кипение при пониженном давлении
	subcooled boiling, surface boiling	Oberflächensieden n	ébullition f superficielle	поверхностное кипение, кипение жидкости на поверхности
	subcooled boiling, local boiling	örtliches Sieden n, lokales Sieden	ébullition f locale	местное кипение, локальное кипение
	subcooling	s. supercooling		
S 4544	**subcooling heat,** super-cooling heat, heat of subcooling (supercooling)	Unterkühlungswärme f	chaleur f de sous-refroidissement	теплота переохлаждения, тепло переохлаждения
S 4545	**subcooling refrigerating effect**	Unterkühlungs-Kühleffekt m, Unterkühlungs-Kühlwirkung f	effet m réfrigérant de sous-refroidissement	охлаждающее действие переохлаждения
S 4546	**subcosmic radiation,** subcosmic rays	subkosmische Strahlung f	rayons mpl subcosmiques, rayonnement m subcosmique	космические лучи низкой энергии, космическое излучение низкой энергии
S 4547	**subcritical** <nucl.>	unterkritisch, subkritisch <Kern.>	sous-critique, subcritique <nucl.>	подкритический, докритический <яд.>
S 4548	**subcritical assembly**	unterkritische Anordnung f, subkritische Anordnung	assemblage m sous-critique	подкритическая сборка
S 4549	**subcritical damping,** underdamping	unterkritische Dämpfung f, Unterdämpfung f	amortissement m sous-critique (subcritique), sous-amortissement m, subamortissement m	затухание ниже критического, затухание ниже границы апериодичности, слабое затухание
S 4550	**subcritical flow**	unterkritische Strömung f	écoulement (mouvement) m sous-critique	докритическое (субкритическое) течение
	subcritical flow	s. a. tranquil flow <hydr.>		
S 4551	**subcritical multiplication**	unterkritische Multiplikation f, subkritische Multiplikation	multiplication f sous-critique	подкритическое размножение

S 4552	**subcritical multi-plication factor**	Quell[en]verstärkung f, unterkritischer Multiplikationsfaktor m	facteur m de multiplication sous-critique	коэффициент подкритического размножения
	subcritical nuclear chain reaction, convergent nuclear chain reaction	konvergente Kernkettenreaktion f, unterkritische Kernkettenreaktion	réaction f en chaîne nucléaire convergente, réaction en chaîne nucléaire sous-critique	затухающая цепная реакция, подкритическая цепная реакция
S 4553	**subcritical pressure**	unterkritischer Druck m	pression f sous-critique	докритическое (подкритическое) давление, давление ниже критического
S 4554	**subcritical state of flow**	unterkritischer Strömungszustand m	état m sous-critique d'écoulement, état sous-critique de mouvement	подкритическое состояние течения, докритическое состояние течения
S 4555	**subcritical velocity** <hydr.>	Unterschwallgeschwindigkeit f <Hydr.>	vitesse f inférieure à la célérité critique <hydr.>	скорость меньше волновой скорости <гидр.>
S 4556	**subcritical velocity of flow**	unterkritische Strömungsgeschwindigkeit f	vitesse f d'écoulement sous-critique	докритическая скорость течения
S 4557	**subcrustal**	subkrustal	sous la croûte	подкорковый
S 4558	**subcutaneous,** s.c. <geo., bio.>	subkutan <Geo., Bio.>	sous-cutané <géo., bio.>	подкожный <гео., био.>
	subdeterminant, minor, minor determinant	Unterdeterminante f, [komplementärer] Minor m, Subdeterminante f	sous-déterminant m, mineur m [complémentaire]	[дополнительный] минор, субдетерминант
S 4558a	**subdiagonal matrix,** lower triangular matrix	untere Halbmatrix f	matrice f triangulaire inférieure	нижняя треугольная матрица
S 4559	**subdichromatism**	Subdichromasie f	subdichromatisme m	субдихроматизм
S 4560	**subdivided** <math.>	unterteilt <Math.>	subdivisé <math.>	подразделенный <матем.>
	subdividing comparator, longitudinal comparator	Longitudinalkomparator m	comparateur m longitudinal	продольный компаратор
	subdivision, partition, segmentation, sectionalization	Unterteilung f	sectionnement m; segmentation f	секционирование, расчленение
S 4561	**subdivision,** division <math.>	Unterteilung f <Math.>	subdivision f <math.>	подраздел[ение], дальнейшее деление (дробление), дробное деление <матем.>
S 4562	**subdivision of potential**	Potentialaufteilung f	subdivision f du potentiel	подразделение потенциала
	subdivision of the current, current division	Stromteilung f	démultiplication (subdivision, division) f du courant	деление тока, разделение тока
S 4563	**subdomain**	Teilbereich m	sous-gamme f	поддиапазон, частичный диапазон
S 4564	**subdomain, sub-domain,** partial domain, subregion <math.>	Untergebiet n, Unterbereich m, Teilgebiet n, Teilbereich m <Math.>	sous-domaine m <math.>	подобласть <матем.>
	subduing	s. dimming <of light>		
S 4565	**sub-dwarf [star]**	Unterzwerg m	sous-naine f, étoile f sous-naine, naine f extrême	звезда-субкарлик, субкарлик
S 4566	**subfield**	Unterkörper m	sous-corps m; sous-extension f	подполе, подтело
S 4567	**subflare,** microflare	Supereruption f, Mikroeruption f	sous-éruption f, éruption f microscopique	подвспышка, микровспышка, микроскопическая вспышка
S 4568	**subformant**	Unterformant m	sous-formant m	субформанта
	subfreezing temperature	s. subzero temperature		
	subfrequency	s. subharmonic frequency		
S 4569	**sub-giant [star]**	Unterriese m, Untergigant m	sous-géante f, étoile f sous-géante	звезда-субгигант, субгигант
	subglacial moraine	s. ground moraine		
S 4570	**sub[-]grain,** minus material	Subkorn n	sous-grain m	субзерно
	sub-grain boundary	s. small-angle grain boundary		
S 4571	**subgrain formation**	Subkornbildung f	formation f de sous-grains	образование субзерен
S 4572	**subgroup** <math.>	Untergruppe f, Teiler m der Gruppe, Subgruppe f <Math.>	sous-groupe m <math.>	подгруппа <матем.>
	subgroup	s. a. B subgroup <chem.>		
	subgroup	s. a. subassembly <el.>		
S 4573	**subharmonic,** subharmonic oscillation, subharmonic vibration; subharmonic tone	subharmonische Schwingung f [von der Ordnung n], Subharmonische f, [harmonische] Unterschwingung f, Unterharmonische f; Unterton m, subharmonischer Ton m	sous-harmonique f, oscillation f sous-harmonique, vibration f sous-harmonique, harmonique f inférieure, harmonique partielle; sous-ton m	субгармоника, субгармоническое колебание; унтертон
S 4574	**subharmonic frequency,** subfrequency, submultiple frequency	subharmonische Frequenz f, Unterfrequenz f	fréquence f sous-harmonique, fréquence sous-multiple	субгармоническая частота, частота субгармоник[и]
S 4575	**subharmonic function**	subharmonische Funktion f	fonction f sous-harmonique	субгармоническая функция
	subharmonic oscillation	s. subharmonic		
S 4576	**subharmonic series**	subharmonische Reihe f	série f sous-harmonique	субгармонический ряд
	subharmonic tone	s. subharmonic		
	subharmonic vibration	s. subharmonic		
S 4577	**subhydric soil,** underwater soil	Unterwasserboden m, subhydrischer Boden m	sol m subhydrique	подводная почва
	sub-image	s. latent image		
S 4578	**subinterval**	Teilintervall n	intervalle m partiel, segment m	субинтервал, подинтервал
S 4579	**subintrusion**	Subintrusion f	subintrusion f	субинтрузия
S 4580	**subject contrast**	Objektkontrast m	contraste m d'objet	контраст объекта

S 4581	**subject distance**	Objektabstand *m*	distance *f* totale de l'objet [à la couche sensible]	расстояние до снимаемого объекта
	subjective brightness, luminosity, brightness, brilliance, brilliancy <US>	Helligkeit *f*, Eindruckshelligkeit *f*, Helligkeitseindruck *m*, subjektive Helligkeit	luminosité *f*, luminosité subjective, brillance *f*, brillance subjective	яркость, субъективная яркость, светлота
	subjective brightness	*s. a.* lightness <of surface colour>		
S 4582	**subjective combination sound**	subjektiver Kombinationston *m*	son *m* de combinaison subjectif	субъективный комбинационный тон, тон Тартини
S 4583	**subjective noise meter**	subjektiver Lautstärkemesser *m*	appareil *m* de mesure subjective du bruit	субъективный шумомер
	subjective photometer, visual photometer	visuelles (subjektives) Photometer *n*	photomètre *m* visuel (subjectif)	визуальный (субъективный) фотометр
	subjective photometry, visual photometry	visuelle Photometrie *f*, subjektive Photometrie	photométrie *f* visuelle, photométrie subjective	визуальная фотометрия, субъективная фотометрия
	subjective probability	*s.* personal probability		
	subjective spectrophotometer, visual spectrophotometer	visuelles Spektralphotometer *n*, subjektives Spektralphotometer	spectrophotomètre *m* visuel, spectrophotomètre subjectif	визуальный спектрофотометр, субъективный спектрофотометр
S 4584	**subject range,** range of subject contrast	Objektumfang *m*	intervalle *m* de variation du contraste d'objet, intervalle logarithmique des contrastes d'objets extrêmes	логарифм интервала контрастности объекта, логарифм отношения максимальной к минимальной яркости объекта
S 4585	**subject range method,** method of subject range	Objektumfangmethode *f*	méthode *f* des luminosités de l'objet	метод измерения яркостей объекта
S 4586	**sublaminar**	sublaminar	sous-laminaire	субламинарный, подламинарный
S 4587	**sub[-]latent centre,** subcentre	Subkeim *m*, sublatentes Zentrum *n*	sous[-]germe *m*	субцентр, сублатентный центр
S 4587a	**sublation**	Sublation *f*	sublation *f*	субляция
S 4588	**sublattice**	Untergitter *n*, Teilgitter *n*	sous-réseau *m*	подрешетка, субрешетка
S 4589	**sublattice** <math.>	Teilverband *m* <Math.>	sous-treillis *m* <math.>	подструктура <матем.>
S 4590	**sublayer,** subcoat	Unterschicht *f*	sous-couche *f*	подслой
S 4591	**sublethal dose**	subletale Dosis *f*	dose *f* sublétale	сублетальная доза
S 4592	**sublevel**	Unterniveau *n*, Teilniveau *n*	sous-niveau *m*	подуровень
S 4593	**sublimability**	Sublimierbarkeit *f*	sublimabilité *f*	возгоняемость, способность возгоняться
S 4594	**sublimate**	Sublimat *n*	sublimé *m*, sublimat *m*	возгон, сублимат, возогнанное вещество, продукт возгонки
	sublimating	*s.* sublimation		
S 4595	**sublimation;** subliming, sublimating, deposition	Sublimation *f*; Sublimieren *n*	sublimation *f*	сублимация, возгонка; сублимирование
	sublimation, distillation, volatilization, vaporization	Destillation *f*, Destillieren *n*, Siedetrennung *f*	distillation *f*	дистилляция, перегонка
S 4596	**sublimation adiabatic**	Sublimationsadiabate *f*	adiabate *f* de sublimation, adiabatique *f* de sublimation	сублимационная адиабата
	sublimation centre, sublimation nucleus	Sublimationskern *m*, Sublimationskeim *m*, Sublimationszentrum *n*	noyau (centre, germe) *m* de sublimation	ядро сублимации (возгонки), центр сублимации (возгонки)
S 4597	**sublimation curve,** curve of sublimation; hoar-frost line	Sublimationskurve *f*, Sublimationslinie *f*, Sublimationsdruckkurve *f*	courbe *f* de sublimation, courbe d'équilibre vapeur-solide	кривая сублимации, кривая возгонки
	sublimation enthalpy	*s.* [latent] heat of sublimation		
	sublimation heat	*s.* [latent] heat of sublimation		
S 4598	**sublimation interval,** sublimation limits	Sublimationsgebiet *n*, Sublimationsbereich *m*	intervalle *m* de sublimation, limites *fpl* de sublimation	интервал сублимации, пределы сублимации
S 4599	**sublimation nucleus,** sublimation centre	Sublimationskern *m*, Sublimationskeim *m*, Sublimationszentrum *n*	noyau (centre, germe) *m* de sublimation	ядро сублимации (возгонки), центр сублимации (возгонки)
	sublimation point (temperature), temperature of sublimation, point of sublimation	Sublimationstemperatur *f*, Sublimationspunkt *m*, Sbp.	température *f* de sublimation, point *m* de sublimation	температура сублимации, температура возгонки, точка сублимации, точка возгонки
S 4599a	**sublimation pressure**	Sublimationsdruck *m*	pression *f* de sublimation	давление возгонки
	sublimation temperature	*s.* sublimation point		
	subliminal, subthreshold	unterschwellig	au-dessous du seuil, sous-seuil, subliminaire	подпороговый
S 4600	**subliminal stimulus**	unterschwelliger Reiz *m*	stimulant *m* subliminaire	подпороговый раздражитель
	subliming	*s.* sublimation		
S 4601	**sublinear**	sublinear	sublinéaire, sous-linéaire	сублинейный, подлинейный
S 4601a	**sublittoral**	sublitoral	sublittoral	сублиторальный
	sub-load; partial load	Teillast *f*, Teilbelastung *f*	charge *f* partielle	частичная (неполная) нагрузка
S 4602	**submanifold**	Untermannigfaltigkeit *f*, Teilmannigfaltigkeit *f*	sous-variété *f*	подмногообразие
	submarine earthquake, seaquake	Seebeben *n*	séisme *m* sous-marin; séisme marin, séisme en mer, secousse *f* marine	моретрясение, подводное землетрясение, землетрясение с подводным очагом
	submarine microphone	*s.* hydrophone		
S 4603	**submarine relief**	submarines Relief *n*, unterseeisches Relief, untermeerisches Relief	relief *m* sous-marin	подводный рельеф

S 4604	**submarine ridge**	*s.* submerged ridge		
	submarine slope	Meereshalde *f*; Seehalde *f*	talus *m* maritime	подводная осыпь; береговой откос
S 4605	**submarine valley**	submarines Tal *n*, unterseeisches Tal, unterseeische Talung *f*	vallée *f* sous-marine	субмаринная долина, долина на дне моря, подводное русло
S 4606	**submatrix,** partial matrix	Untermatrix *f*, Teilmatrix *f*	sous-matrice *f*, matrice *f* partielle	подматрица, частичная матрица
	submaximum, secondary maximum, subsidiary maximum <e.g. of light curve>	Nebenmaximum *n* <z. B. Lichtkurve>	maximum *m* secondaire <p. ex. de la courbe d'éclat>	вторичный максимум, боковой максимум <напр. световой кривой>
S 4607	**submerged**	untergetaucht	immergé	погруженный; подводный
	submerged area	*s.* overflow area		
S 4608	**submerged ridge,** submarine ridge	submariner (untermeerischer) Rücken *m*, Untermeeresrücken *m*, unterseeischer Rücken, Unterseerücken *m*	crête *f* sous-marine, dorsale *f* sous-marine	подводный хребет
S 4609	**submerged spring,** subaqueous spring; drowned spring	untermeerische (unterseeische) Quelle *f*, Untermeeresquelle *f*, Unterseequelle *f*	source *f* sous-marine, source subaquale	подводный источник
S 4610	**submerged weir,** drowned weir; dam on bed of river, non-overflow dam	Grundwehr *n* [mit gewelltem Strahl]; Grundwasserwehr *n*; unvollkommener Überfall *m*	barrage *m* submersible; déversoir *m* noyé	затопленная плотина, погруженная плотина; донная запруда; затопляемый (затопленный) водослив, донный водослив
	submergence, submersion	Untertauchen *n*, Eintauchen *n*	submersion *f*	погружение под уровень, погружение в воду, потопление
S 4611	**submergence,** depth of immersion (penetration), immersion depth	Eintauchtiefe *f*, Tauchtiefe *f*	immersion *f*, profondeur *f* d'immersion	глубина погружения
S 4612	**submergible taintor gate dam**	Sektorwehr *n*	barrage *m* à secteur	секторный затвор, плотина с секторным затвором
S 4613	**submersion,** submergence	Untertauchen *n*, Eintauchen *n*	submersion *f*	погружение под уровень, погружение в воду, потопление
	submersion	*s. a.* sinking[-down]		
	submicroanalysis, submicrogram[me] analysis	*s.* submicroscopic analysis		
	submicrogram[me] method (technique)	*s.* submicroscopic technique		
S 4614	**submicron**	Submikron *n*, Ultramikron *n*	submicron *m*, sous-micron *m*	субмикрон, субмикрочастица
	submicron realm, submicroscopic realm	submikroskopischer Bereich *m*, Submikronbereich *m*	domaine *m* submicroscopique	субмикроскопическая область
S 4615	**submicroscopic analysis,** submicroanalysis, submicrogram[me] analysis	Submikroanalyse *f*, submikroskopische Analyse *f*, Nanogrammethode *f* <10⁻⁹···10⁻⁸ g>	analyse *f* sous-microscopique, sous-microanalyse *f*, submicroanalyse *f*	субмикроанализ, субмикроскопический анализ
S 4616	**submicroscopic realm,** submicron realm	submikroskopischer Bereich *m*, Submikronbereich *m*	domaine *m* submicroscopique	субмикроскопическая область
S 4617	**submicroscopic technique, submicro technique,** submicrogram[me] method (technique)	Submikromethode *f*	méthode *f* sous-microscopique (submicroscopique)	субмикроскопический метод, субмикрометод
S 4618	**submicrowave**	Submikrowelle *f*	sous-micro-onde *f*, sous[-] microonde *f*	субмикроволна
S 4619	**submillimetre wave**	Submillimeterwelle *f*	onde *f* submillimétrique	субмиллиметровая волна
	submineering	*s.* subminiature construction		
S 4620	**sub[-]miniature [component]**	Subminiaturbauteil *n*	pièce *f* (élément *m*) subminiature	сверхминиатюрная деталь
S 4621	**subminiature construction; subminiature engineering,** submineering	Subminiaturtechnik *f*; Subminiaturbauweise *f*	subminiaturisation *f*	техника сверхминиатюрных конструкций, сверхминиатюрная техника
	subminiature tube (valve), midget tube, midget valve	Subminiaturröhre *f*, Gnomröhre *f*, Kleinströhre *f*	tube *m* subminiature, valve *f* subminiature	сверхминиатюрная [электронная] лампа
S 4622	**submonoid**	Submonoid *n*	sous-monoïde *m*	подполугруппа, подмоноид
S 4622a	**submonolayer**	Submonoschicht *f*	sous-monocouche *f*	субмонослой
S 4623	**submultiple** <math.>	Bruchteil *m*, Submultiplum *n* <Math.>	sous-multiple *m* <math.>	доля <матем.>
	submultiple frequency	*s.* subharmonic frequency		
S 4624	**submultiplet**	Submultiplett *n*	submultiplet *m*, sous-multiplet *m*	подмультиплет
S 4625	**subnival climate**	subnivales Klima *n*	climat *m* subnival	субнивальный климат
S 4626	**subnormal**	Subnormale *f*	sous-normale *f*	поднормаль, субнормаль
	subnormal, substandard	unternormal	infranormal, sous-normal, sous-standard	ниже нормального, ниже нормы
	subnormal discharge	*s.* subnormal glow discharge		
S 4627	**subnormal glow discharge,** subnormal discharge	subnormale Glimmentladung *f*, subnormale Entladung *f*, unternormale Entladung	décharge *f* luminescente sous-normale, décharge *f* sous-normale	субнормальный тлеющий разряд, субнормальный (поднормальный) разряд, режим разряда ниже нормального
S 4628	**subnuclear**	subnuklear	subnucléaire	субъядерный
S 4629	**subordinate line**	Nebenlinie *f*	raie *f* subordonnée	субординатная линия

S 4630	**subordinate resonance,** secondary resonance; spurious resonance; spurious response	Nebenresonanz *f*	résonance *f* subordonnée, résonance secondaire; résonance parasitique	вторичный резонанс, субординатный резонанс; паразитный резонанс
S 4631	**subordinate series,** secondary series	Nebenserie *f*	série *f* secondaire	побочная серия
S 4631a	**subpermafrost water**	Niefrostbodenwasser *n*	eau *f* sous la congélation perpétuelle	подмерзлотная вода
S 4632	**subphotospheric**	subphotosphärisch	subphotosphérique, sous-photosphérique	подфотосферный
S 4633	**subpolar**	subpolar	subpolaire	субполярный, приполярный
	subpressure	*s.* underpressure		
S 4634	**subproblem,** partial problem	Teilproblem *n*	sous-problème *m*, problème *m* partiel	подзадача, частная задача
	subprogram[me]	*s.* subroutine		
S 4635	**subproportional reducer**	subproportionaler Abschwächer *m*, unterproportionaler Abschwächer	faiblisseur *m* sous-proportionnel, affaiblisseur *m* sous-proportionnel	субпропорциональный ослабитель, ослабитель субпропорционального действия
S 4636	**subrange,** sub-band <meas.>	Unterbereich *m* <Meß.>	sous-bande *f*, sous-gamme *f* <mes.>	поддиапазон <изм.>
S 4637	**subrefraction,** substandard refraction	Subrefraktion *f*, Infrabrechung *f*, unternormale Brechung *f*	infraréfraction *f*, réfraction *f* infranormale (sous-standard)	субрефракция
S 4638	**subregion; subzone**	Subregion *f*; Subzone *f*, Teilzone *f*	sous-région *f*; sous-zone *f*	подобласть; подзона
	subregion	*s. a.* subdomain <math.>		
S 4639	**subresonance,** partial resonance	Teilresonanz *f*, Unterresonanz *f*, Subresonanz *f*	sous-résonance *f*, résonance *f* partielle, subrésonance *f*	частичный резонанс, подрезонанс, субрезонанс
S 4640	**subring**	Unterring *m*, Teilring *m*	sous-anneau *m*	подкольцо
S 4641	**subrosion,** suffosion, underground leaching <geo.>	Subrosion *f*, Suffosion *f*, unterirdische Auslaugung *f* <Geo.>	subrosion *f*, suffosion *f*, lessivage *m* souterrain, érosion *f* interne; formation *f* de renard <géo.>	суброзия, суффозия, подземное выщелачивание <reo.>
S 4641a	**subroutine;** subprogram[me]	Unterprogramm *n*	sous-routine *f*; sous-programme *m*	подпрограмма
S 4642	**subsatellite**	Subsatellit *m*	sous-satellite *m*	субсателлит
S 4643	**subscript,** lower index	unterer Index *m*	indice *m* inférieur	нижний (подстрочный) индекс
S 4644	**subsequence**	Teilfolge *f*	suite *f* partielle, sous-suite *f*	подпоследовательность, частная последовательность
	subsequent adjustment, alignment of tuned circuit	Nachstimmung *f*	accord *m* secondaire, accord automatique	подстройка
S 4645	**subsequent river (stream)**	subsequenter Fluß *m*, Nachfolgefluß *m*	rivière *f* subséquente	субсеквентная река, последующая река
S 4646	**subsequent treatment,** additional treatment, after-treatment	Nachbehandlung *f*; Nachbearbeitung *f*	traitement *m* additionnel, traitement final, traitement ultérieur	последующая обработка; дополнительная обработка; окончательная (заключительная) обработка; чистовая обработка; отделка
S 4647	**subseries**	Teilreihe *f*	série *f* partielle, série extraite	подряд
S 4648	**subset,** sub-aggregate, subcollection, part <math.>	Untermenge *f*, Teilmenge *f*, Teil *m* <Math.>	sous-ensemble *m*, ensemble *m* contenu, partie *f* <math.>	подмножество, часть, подсовокупность, подсистема <матем >
S 4649	**subshell** <nucl.>	Unterschale *f*, Zwischenschale *f* <Kern.>	sous-couche *f* <nucl.>	подоболочка, подслой <яд.>
	subsidence, atmospheric subsidence	atmosphärisches Absinken *n*, Absinken der Luftmasse	affaissement *m* atmosphérique	опускание воздушной массы
	subsidence	*s. a.* depression <of land>		
	subsidence earthquake	*s.* earthquake due to collapse		
S 4650	**subsidence inversion**	Schrumpfungsinversion *f*, Absinkinversion *f*, Subsidenzinversion *f*	inversion *f* de subsidence	инверсия оседания, инверсия сжатия
S 4651	**subsidiary absorption**	Nebenabsorption *f*	absorption *f* secondaire (subsidiaire)	вторичное поглощение
S 4652	**subsidiary glide system**	Nebengleitsystem *n*	système *m* secondaire de glissement	вторичная система скольжения
	subsidiary line	*s.* by-pass <therm., el.>		
	subsidiary maximum, secondary maximum, submaximum <e.g. of light curve>	Nebenmaximum *n* <z. B. Lichtkurve>	maximum *m* secondaire <p. ex. de la courbe d'éclat>	вторичный максимум, боковой максимум <напр. световой кривой>
S 4653	**subsidiary quantity,** auxiliary quantity	Hilfsgröße *f*	grandeur (quantité) *f* subsidiaire, grandeur auxiliaire	вспомогательная величина
	subsidiary valence force	*s.* secondary valence force		
	subsidiary variable, auxiliary variable	Hilfsvariable *f*, Hilfsveränderliche *f*	variable *f* auxiliaire, variable subsidiaire	вспомогательная переменная
S 4654	**subsoil,** C horizon <geo.>	Untergrund *m*, C-Horizont *m* <Geo.>	sous-sol *m*, horizon *m* C <géo.>	подпочва, подпочвенный горизонт, горизонт C; [подстилающий] грунт, подстилающая порода <reo.>
S 4655	**subsoil coefficient**	Untergrundkoeffizient *m*	coefficient *m* de sous-sol	коэффициент подпочвы
	subsoil flow	*s.* seepage flow		
S 4656	**subsoil source, subsoil spring**	Untergrundquelle *f*	source *f* de sous-sol	подземный (подпочвенный) источник
	subsoil water	*s.* underground water		
S 4657	**subsolar point**	Subsolarpunkt *m*	point *m* sous-solaire	подсолнечная точка

	subsolid	*s.* semi[-]colloid		
S 4658	**subsolifluction**	Subsolifluktion *f*, submarine Rutschung *f*	solifluction (chute) *f* sous-marine	подводный оползень
S 4659	**subsonic**	Unterschall-, subsonisch	subsonique	дозвуковой
	subsonic	*s. a.* subaudio		
S 4659a	**subsonic aerodynamics,** subsonics	Unterschallaerodynamik *f*	aérodynamique *f* subsonique	дозвуковая аэродинамика
S 4660	**subsonic edge, subsonic** ridge	Unterschallkante *f*	bord *m* subsonique	дозвуковая кромка
S 4661	**subsonic flow,** flow at subsonic velocity	Unterschallströmung *f*	écoulement (mouvement) *m* subsonique	дозвуковой поток, дозвуковое движение (течение)
	subsonic frequency	*s.* subaudio frequency		
	subsonic frequency region	*s.* subsonic region		
S 4662	**subsonic jet**	Unterschallstrahl *m*	jet *m* subsonique	дозвуковая струя
S 4663	**subsonic part [of the profile]**	Unterschallteil *m* [des Profils]	partie *f* subsonique [du profil]	дозвуковая часть [профиля]
S 4664	**subsonic potential flow**	Unterschall-Potential-strömung *f.*	écoulement *m* potentiel subsonique, écoulement à potentiel des vitesses subsoniques	дозвуковой потенциальный поток
S 4665	**subsonic range; subsonic** region	Unterschallbereich *m*, subsonischer Bereich *m*, Unterschallgebiet *n*, subsonisches Gebiet *n*	région *f* subsonique, région des vitesses subsoniques	дозвуковая область; область дозвуковых скоростей
S 4666	**subsonic range, subsonic** regime	Unterschallbereich *m*, Unterschallregime *n*	régime *m* subsonique	дозвуковой режим
	subsonic region	*s.* subsonic range		
	subsonic region	*s. a.* infrasonic region		
	subsonic ridge, subsonic edge	Unterschallkante *f*	bord *m* subsonique	дозвуковая кромка
	subsonics	*s.* subsonic aerodynamics		
S 4667	**subsonic speed, sub-**acoustic speed; subsonic velocity	Unterschallgeschwindigkeit *f*	vitesse *f* subsonique	дозвуковая скорость
	subsonic velocity	*s.* subsonic speed		
S 4668	**subsonic whistle**	Unterschallpfeife *f*	sifflet *m* subsonique	дозвуковой свисток
S 4669	**subsonic wind tunnel**	Unterschallwindkanal *m*	soufflerie *f* subsonique	дозвуковая аэродинамическая труба
S 4670	**subspace**	Unterraum *m*, Teilraum *m*	sous-espace *m*	подпространство
	substance; material; matter; mass	Stoff *m*; Werkstoff *m*; Substanz *f*; Material *n*; Masse *f*	matériau *m*; matériel *m*; matière *f*; masse *f*	вещество; материал; масса
	substance poisoning an enzyme, poison of enzyme; enzyme inactivator; enzyme inhibitor	Fermentgift *n*, Ferment-hemmstoff *m*, Ferment-inhibitor *m*	inactivateur *m* d'un enzyme, inhibiteur *m* d'un enzyme	ингибитор энзима, инактиватор энзима
	substance used for the filling of thermometer	*s.* thermometric substance		
S 4671	**substandard**	Substandard *m*	sous-étalon *m*	субэталон; лабораторный эталон
S 4672	**substandard,** subnormal	unternormal	infranormal, sous-normal, sous-standard	ниже нормального, ниже нормы
S 4673	**substandard propagation**	Unterreichweite *f*	propagation *f* infranormale	распространение при наличии субрефракции
	substandard refraction, subrefraction	Subrefraktion *f*, Infra-brechung *f*, unter-normale Brechung *f*	infraréfraction *f*, réfraction *f* infranormale (sous-standard)	субрефракция
	substantial acceleration, material acceleration	substantielle Beschleunigung *f*	accélération *f* substantielle (matérielle)	субстанциальное ускорение, материальное ускорение
S 4673a	**substantial constant**	substantielle Konstante *f*	constante *f* substantielle	субстанциальная константа
	substantial co-ordinates	*s.* material co-ordinates		
	substantial derivative	*s.* material derivative		
S 4673b	**substantiation**	Objektivierung *f*	objectivation *f*	объективирование
	substantive dye, direct dye	Direktfarbstoff *m*, substan-tiver Farbstoff *m*, Substantivfarbstoff *m*, direktziehender Farbstoff	colorant *m* direct, colorant substantif	прямой краситель, непосредственный краситель, субстантивный краситель
S 4674a	**substate**	Unterzustand *m*, Teil-zustand *m*	sous-état *m*	подсостояние, подуровень
S 4675	**substituend**	Substituend *m*	expression *f* à substituer	субституэнд, подставляемое выражение
S 4676	**substituent**	Substituent *m*	substituant *m*	заместитель, заменитель
S 4677	**substitute, substitution** product, derivative	Substitutionsprodukt *n*	produit *m* de substitution	продукт замещения, замещенное
	substituted by an isotope, isotopically replaced, isotopically substituted, replaced by an isotope	isotopensubstituiert	substitué par l'isotope, isotopiquement substitué, remplacé par l'isotope, isotopiquement remplacé	изотопически замещенный, изотопно[-]замещенный, замещенный изотопом
S 4677a	**substitute *t*-test, *G*-test**	Spannweite-*t*-Test *m*, *G*-Test *m*	test *m* *G*	*t*-критерий с заменой оценок дисперсий на ранговые, *G*-критерий
S 4678	**substituting group** <chem.>	Substitutionsgruppe *f* <Chem.>	groupement (groupe) *m* substituant <chim.>	замещающая группа <хим.>
S 4679	**substitution,** replacement	Austausch *m*, Ersatz *m*, Ersetzung *f*, Substitution *f*, Substituierung *f*	substitution *f*, remplacement *m*	замещение, замена
	substitution; displacement	Verdrängung *f*	déplacement *m*, décalage *m*; substitution *f*	вытеснение; замещение
S 4680	**substitution,** replacement <chem.>	Substitution *f* <Chem.>	substitution *f*, remplacement *m* <chim.>	замещение <хим.>

S 4681	**substitution** <math.>	Substitution f; Substituierung f; Einsetzung f; Ersetzung f <Math.>	substitution f <math.>	подстановка <матем.>
S 4682	**substitution** <meas.>	Substitution f <Meß.>	substitution f <mes.>	замещение <изм.>
S 4682a	**substitutional alloy**	Substitutionslegierung f	alliage m de substitution	сплав замещения
S 4683	**substitutional compound**	Substitutionsverbindung f	composé m de substitution	замещенное соединение; соединение, полученное замещением
S 4684	**substitutional impurity**	Substitutionsstörstelle f	impureté f de substitution	примесь замещения, примесный дефект замещения
	substitutional isomerism	s. position isomerism		
S 4685	**substitutional phosphor**	Substitutionsphosphor m, Substitutionsleuchtstoff m	phosphore m de substitution	фосфор замещения, кристаллофосфор замещения
S 4686	**substitutional position**	Substitutionslage f	position f de substitution	положение замещения
S 4687	**substitutional site**	Substitutionsplatz m	site m de substitution	место замещения
	substitutional site	s. a. vacant site <cryst.>		
S 4688	**substitutional solid solution, substitutional solution**	Austauschmischkristall m, Substitutionsmischkristall m	solution f solide de substitution	твердый раствор замещения, раствор замещения
S 4689	**substitution Borda weighing,** substitution weighing, weighing by substitution	Substitutionswägung f	pesage m de substitution	взвешивание по методу замещения
S 4690	**substitution conduction**	Substitutionsleitung f	conduction f par substitution	проводимость замещением
S 4690a	**substitution conductivity**	Substitutionsleitfähigkeit f	conductibilité f par substitution	проводимость замещением
S 4691	**substitution group** <math.>	Substitutionsgruppe f <Math.>	groupe m des substitutions <math.>	группа подстановок <матем.>
S 4691a	**substitution lattice**	Einsatzgitter n	réseau m de substitution	вставная решетка, вставка
S 4692	**substitution method,** Borda['s] method <of weighing>	Substitutionsmethode f [nach Borda], Tariermethode f [nach Borda], Tarierverfahren n <Wägung>	méthode f de substitution, méthode de Borda <de pesage>	метод замещения (Борда, тарирования), метод (способ) подстановки <взвешивания>
S 4693	**substitution method of photometry**	Substitutionsmethode f der Photometrie	méthode f de substitution de la photométrie	метод замещения в фотометрии
	substitution of the variable	s. change of the variable		
	substitution product, substitute	Substitutionsprodukt n	produit m de substitution	продукт замещения
	substitution tensor	s. unit tensor		
	substitution weighing, substitution Borda weighing	Substitutionswägung f	pesage m de substitution	взвешивание по методу замещения
S 4694	**substoichiometric analysis**	substöchiometrische Analyse f	analyse f substœchiométrique	субстехиометрический анализ
S 4695	**substrate** <bio.>	Substrat n; Trägersubstanz f, Träger m; Nährsubstrat n <Bio.>	substrat m <bio.>	субстрат <био.>
	substrate	s. a. substratum <phot.>		
	substratosphere, tropopause, upper inversion, lower stratosphere	Tropopause f, obere Inversion f, Substratosphäre f; substratosphärische Inversion	tropopause f, substratosphère f, inversion f supérieure, stratosphère f inférieure	тропопауза, верхняя инверсия, субстратосфера; субстратосферическая инверсия, инверсия в субстратосфере
S 4696	**substratum,** substrate <phot.>	Unterguß m, Substratschicht f, Haftschicht f, Präparation f, Substrat n <Phot.>	substratum m, sous-couche f, couche f dorsale <phot.>	подслой, субстрат, подлежащий слой, подкладка, подстилка, подстилающая поверхность <фот.>
S 4696a	**substratum** <stat.>	Unterschicht f <Stat.>	sous-strat f <stat.>	подслой <стат.>
	substratum	s. a. intermediate layer		
S 4697	**sub[-]structure**	Unterstruktur f	sous-structure f	субструктура, подструктура
	substructure	s. a. mosaic structure		
	subsurface carrier density, subsurface concentration	s. subsurface density		
S 4697a	**subsurface corrosion,** poultice corrosion, undermining corrosion; underfilm corrosion	Unterwanderungserscheinung f, Unterwanderungsschaden m, Unterschichtkorrosion f	corrosion f sous-couche	подповерхностная (подслойная) коррозия, коррозия под покрытием
S 4698	**subsurface defect**	innerer Fehler m, innerer Werkstoffehler m	défaut m interne	внутренний дефект
S 4699	**subsurface density,** subsurface carrier density, subsurface concentration	„subsurface"-Dichte f [der Ladungsträger], oberflächennahe Dichte f	densité f subsurfacique	подповерхностная концентрация [носителей заряда]
	subsurface float, composite float, ball and line float, depth float, double float	Tiefenschwimmer m, Tiefschwimmer m	flotteur m composé	глубинный поплавок, двойной поплавок
S 4700	**subsurface flow;** underflow; undercurrent, underset current	Unterströmung f, Unterstrom m; Grundströmung f; Bodenströmung f	courant m de fond; courant inférieur	подповерхностное течение; глубоководное (придонное) течение, течение в нижних слоях; нижнее течение
	subsurface flow, subsurface runoff, subsoil flow, seepage flow; base flow	Sickerströmung f; unterirdischer Abfluß m	écoulement m de percolation, écoulement d'infiltration; écoulement souterrain, alimentation f par les eaux souterraines	инфильтрационный поток; грунтовой сток, подземный сток, внутрипочвенный сток, грунтовое (подземное) питание
	subsurface ice	s. fossile ice		
	subsurface runoff	s. subsurface flow		

	subsurface water <geo.>	*s.* underground water		
	subsurface wave <geo.>	*s.* bodily seismic wave		
S 4701	**subsynchronous,** under-synchronous, hypo-synchronous	untersynchron, subsynchron	sous-synchrone, subsynchrone	подсинхронный, гипосинхронный; синхронно-реактивный
S 4702	**subsynchronous resonance**	untersynchrone Resonanz *f*	résonance *f* sous-synchrone	подсинхронный резонанс
S 4703	**subsystem**	Teilsystem *n*	sous-système *m*	подсистема
S 4704	**subsystem**	Systemgruppe *f*	sous-système *m*	крупный узел системы, элемент системы
S 4705	**subsystem** <astr.>	Untersystem *n* <Astr.>	sous-système *m* <astr.>	подсистема, субсистема <астр.>
S 4706	**subtangent**	Subtangente *f*	sous-tangente *f*	подкасательная
S 4707	**subterranean current, (flow, stream),** underground current, underground stream, underground flow	unterirdischer Strom *m*, unterirdische Strömung *f*	courant *m* souterrain, mouvement *m* souterrain	подземный поток, подземное течение
	subterranean water	*s.* underground water		
S 4708	**subthermal**	unterthermisch	sous-thermique, subthermique	подтепловой
S 4709	**subthreshold,** subliminal	unterschwellig	au-dessous du seuil, sous-seuil, subliminaire	подпороговый
S 4710	**subthreshold dose**	unterschwellige Dosis *f*	dose *f* sous-seuil	подпороговая доза
	subtotal; intermediate result	Zwischenergebnis *n*	résultat *m* provisoire	промежуточный результат
	subtracter	*s.* subtractor		
S 4711	**subtraction circuit**	Subtraktionsschaltung *f*	circuit *m* soustractif, circuit de soustraction, montage *m* de soustraction	цепь вычитания, схема вычитания
S 4712	**subtraction crystal (lattice)**	Subtraktionskristall *m*, Subtraktionsgitter *n*	cristal *m* de soustraction	кристалл с незанятыми узлами решетки, кристалл с вакансиями
S 4713	**subtraction position**	Subtraktionsstellung *f*	position *f* de soustraction	положение вычитания
	subtraction sign	*s.* minus sign		
S 4714	**subtraction spectrometer**	Subtraktionsspektrometer *n*	spectromètre *m* à soustraction [électronique des impulsions]	спектрометр с электронным вычитанием импульсов
S 4715	**subtraction spectrum,** subtractive spectrum	Subtraktionsspektrum *n*	spectre *m* soustractif, spectre de soustraction	спектр, полученный вычитанием
S 4716	**subtractive colouration**	subtraktive Verfärbung *f*	coloration *f* soustractive	субтрактивное (вычитательное) окрашивание
	subtractive colour mixture	*s.* subtractive mixture		
S 4717	**subtractive colour process**	subtraktives Verfahren *n*	méthode *f* soustractive, méthode de soustraction	субтрактивный метод, вычитательный метод
S 4718	**subtractive colour system**	subtraktives Farbensystem *n*	système *m* soustractif des couleurs	субтрактивная (вычитательная) система цветов
S 4719	**subtractive mixture [of colours],** subtractive colour mixture, subtractive synthesis	subtraktive Farbmischung *f*, multiplikative Farbmischung	mélange *m* soustractif [de couleurs], mélange des couleurs par soustraction, mélange par soustraction des couleurs	субтрактивное смешение [цветов], вычитательное смешение [цветов]
S 4720	**subtractive reducer,** cutting reducer	subtraktiver Abschwächer *m*	affaiblisseur *m* superficiel (soustractif), faiblisseur *m* superficiel (soustractif)	ослабитель поверхностного действия, поверхностный (субтрактивный, вычитающий) ослабитель
	subtractive spectrum, subtraction spectrum	Subtraktionsspektrum *n*	spectre *m* soustractif, spectre de soustraction	спектр, полученный вычитанием
	subtractive synthesis	*s.* subtractive mixture		
S 4721	**subtractor,** subtracter, sub	Subtraktionsgerät *n*, Subtraktionseinheit *f*	dispositif *m* de soustraction	вычитающее устройство, вычитающая схема
S 4722	**subtract pulse**	Subtraktionsimpuls *m*, Subtrahierimpuls *m*	impulsion *f* de soustraction	импульс вычитания
S 4723	**subtrahend**	Subtrahend *m*	nombre *m* à soustraire	вычитаемое
S 4724	**subtransient reactance**	subtransitorische Reaktanz *f*, Subtransientreaktanz *f*, Anfangsreaktanz *f*	réactance *f* sous-transitoire, réactance subtransitoire	ударный реактанс, ударная реактивность, сверхпереходная реактивность
S 4725	**subtropical calm belt, subtropical calms**	Roßbreiten *pl*	latitudes *fpl* des calmes tropicaux, zone *f* de calme	субтропические широты, субтропический пояс высокого давления, пояс высокого давления штилей и слабых ветров, конские широты
S 4726	**subtropical region; subtropical zone, subtropics,** semi-tropical zone	Subtropen *pl*, subtropische Zone *f*	zone *f* subtropicale	субтропическая зона, субтропики, субтропический пояс; субтропическая область
	sub-unit	*s.* subassembly <el.>		
S 4727	**subvelocity of light,** velocity (speed) lower than that of light	Unterlichtgeschwindigkeit *f*	vitesse *f* infralumineuse (inférieure à celle de la lumière)	досветовая скорость
S 4727a	**subwave,** evanescent wave <opt.>	Subwelle *f*, [optische] Oberflächenwelle *f* <Opt.>	sous-onde *f* <opt.>	подволна, субволна <опт.>
	subwave; partial wave; partial mode	Teilwelle *f*, Partialwelle *f*	onde *f* partielle	парциальная волна
S 4728	**subzero temperature,** subfreezing temperature, temperature below 0 °C	Temperatur *f* unter Null, Temperatur unter 0 °C, Minustemperatur *f*	température *f* au-dessous de 0 °C	температура ниже нуля

	subzone; subregion	Subregion f; Subzone f, Teilzone f	sous-région f; sous-zone f	подобласть; подзона
	succession	s. order of sequence		
S 4729	succession of crystallization	Kristallisationsfolge f, Sukzession f der Kristalle	succession f de cristallisation	последовательность кристаллизации
S 4730	successive approximation, stepwise approximation, iteration; iterating	sukzessive Approximation f, schrittweise Näherung f, Iteration f; Iterieren n	approximation f successive, itération f	последовательное приближение, метод последовательных приближений, итерация; итерирование, процесс итерации, повторение
	successive colour contrast	s. successive contrast of colour		
S 4731	successive contrast	Sukzessivkontrast m, Nachkontrast m, sukzessiver Kontrast m	contraste m successif	последовательный контраст
S 4732	successive contrast of colour, successive colour contrast	farbiger Sukzessivkontrast m, sukzessiver Farbkontrast m	contraste m successif de couleur, contraste de couleur successif	последовательный контраст цвета, последовательный цветной контраст, цветной последовательный контраст
S 4733	successive emission	sukzessive Emission f, sukzessive Strahlung f	émission f successive, radiation f successive	последовательное излучение, последовательная эмиссия
	successive gamma-rays, cascade gamma-rays	Kaskaden-Gamma-Strahlung f, Gamma-Quantenemission f in einer Kaskade	émission f gamma en cascade	каскадные гамма-лучи, каскадное гамма-излучение, каскадные гамма-кванты
S 4734	successive glare	Sukzessivblendung f	éblouissement m successif	последовательная слепимость (блескость)
S 4735	successive integration	sukzessive Integration f	intégration f successive	последовательное интегрирование
S 4736	successive substitution method	Methode f der sukzessiven Substitution, sukzessive Substitution f	méthode f de substitution progressive, substitution f progressive	метод последовательной подстановки
	successive reaction	s. consequent reaction		
	sucker; suctorial disk; suction cup	Saugnapf m, Haftscheibe f, Gummisauger m	rentouse f	вакуум-присос
	sucking	s. suction		
S 4737	sucking away the boundary layer, suck off of boundary layer, boundary layer suction, suction of [laminar] boundary layer	Absaugen n der Grenzschicht, Grenzschichtabsaugung f	succion f de la couche limite	отсасывание пограничного слоя, отсос пограничного слоя
	sucking up	s. suction		
	suck off of boundary layer	s. sucking away of boundary layer		
	suction, absorption, sucking [up], imbibition	Aufsaugen n, Aufnahme f; Einsaugung f; Absorption f	absorption f, succion f	всасывание, присасывание, впитывание, поглощение
S 4738	suction <e.g. of gases, harmonics>	Absaugen n <z. B. von Gasen, Oberwellen>	succion f, sucement m <p. ex. de gaz, des harmoniques>; aspiration f <de gaz>	отсасывание, отсос <напр. газов, высших гармоник>
S 4739	suction; pull <aero.>	Sog m	succion f; appel m <aéro.>; houache m <hydr.>	подсос, подсасывание; отсасывание; всасывание, впуск; откат волны; сбегание; тяга <аэро.>; кильватерная струя <гидр.>
S 4740	suction; sucking; aspiration; drawing-in <of pump>	Saugen n, Ansaugen n	succion f, sucement m; aspiration f	всасывание; отсасывание; засасывание; подсос, подсасывание; отсос
	suction	s. a. underpressure		
S 4741	suction anode	Sauganode f	anode f d'extraction	отсасывающий анод
	suction circuit	s. absorption circuit <el.>		
	suction cup; suctorial disk; sucker	Saugnapf m, Haftscheibe f, Gummisauger m	rentouse f	вакуум-присос
S 4742	suction current, suction stream	Saugströmung f, Saugen n	courant m de succion	подповерхностное течение [в волноприбойной зоне], направленное в открытое море
S 4743	suction filter	Saugfilter n	filtre m à succion	всасывающий фильтр
	suction filter, glass filter funnel	Glasfilternutsche f	entonnoir-filtre m en verre	стеклянный нучфильтр
S 4744	suction flask	Saugflasche f, Absaugflasche f	flacon m à filtre dans le vide	отсосная склянка
S 4745	suction force, suction tension, suction potential, water pressure deficit	Saugkraft f, Saugspannung f, Saugpotential n	force f de succion, tension f de succion	сила всасывания, подсасывающая сила, напряжение всасывания, сосущая сила, натяжение сосания
S 4746	suction force of the soil, soil suction force	Saugkraft f des Bodens, Bodensaugkraft f	force f de succion du sol	всасывающая сила почвы
S 4747	suction gauge	Saugmanometer n, Saugmesser m	jauge f à succion	всасывающий манометр
	suction height (lift)	s. height of lift		
S 4748	suction line, suction pipeline, suction pipes, intake line	Saugleitung f, Saugrohrleitung f	conduite f d'aspiration, tuyauterie f d'aspiration	всасывающий (впускной) трубопровод, трубопровод на стороне всасывания; всасывающая линия; всасывающая магистраль

	suction of [laminar] boundary layer	s. sucking away the boundary layer		
S 4749	suction pipe, suction tube	Saugrohr n, Saugröhre f	tuyau m d'aspiration; tube m d'aspiration; conduite f d'aspiration	всасывающая труба; отсасывающая труба; аспирационная трубка
	suction pipeline	s. suction line		
	suction pipes	s. suction line		
	suction potential	s. suction force		
S 4750	suction pressure, intake pressure	Saugdruck m; Ansaugdruck m	pression f à l'aspiration; pression à l'admission	давление всасывания (впуска), давление при впуске; наддув
	suction pump, aspiring pump	Saugpumpe f, Absaugpumpe f	pompe f aspirante	всасывающий (отсасывающий, откачивающий) насос
S 4751	suction pyrometer, high velocity thermocouple <US>, high velocity pyrometer <US>	Ansaugepyrometer n, Aspirationspyrometer n	pyromètre m à aspiration	аспирационный пирометр
S 4752	suction side, inlet side	Saugseite f, Saugende n	côté m d'aspiration, côté d'entrée	сторона всасывания (разрежения, подсасывания), вход насоса
	suction side of the airfoil, upper surface of the airfoil, low pressure surface	Flügeloberseite f, Oberseite f des Tragflügels	extrados m	верхняя поверхность, спинка
	suction stream, suction current	Saugströmung f, Saugen n	courant m de succion	подповерхностное течение [в волноприбойной зоне], направленное в открытое море
	suction stroke	s. intake stroke		
	suction tension	s. suction force		
	suction tube	s. suction pipe		
S 4753	suction-type cornice	Sogwächte f	corniche f de neige du type succion	
S 4754	suctorial disk; suction cup; sucker; vacuum cup	Saugnapf m, Haftscheibe f, Gummisauger m	rentouse f	вакуум-присос
	sudden; jump-like; stepped, step-like; discontinuous; unsteady	sprunghaft; diskontinuierlich	discontinu	скачкообразный, с прерывами, прерывистый, прерывный
	sudden break in weather	s. rapid change of weather		
	sudden change of load	s. impact load		
S 4755	sudden change of the wind, reversal of wind	Umspringen n des Windes; Umschlagen n des Windes; Umschwenken n des Windes	saute f de vent	внезапная перемена ветра, скачок ветра, внезапное (резкое) изменение направления ветра
S 4756	sudden cosmic noise absorption, S.C.N.A.	plötzliche Verminderung f des kosmischen Störpegels, Sonneneruptionseffekt m im kosmischen Störpegel	absorption f brusque du bruit cosmique	внезапное поглощение космического радиоизлучения
S 4757	sudden disappearance [of a filament], S.D.F.	plötzliche Auflösung f [eines Filaments]	disparition f brusque, D.B.	внезапное исчезновение
	sudden drop	s. sudden fall		
S 4758	sudden enhancement of atmospherics, S.E.A.	plötzliche Erhöhung f des atmosphärischen Störpegels, Sonneneruptionseffekt m im atmosphärischen Störpegel	renforcement m brusque des atmosphériques, RFMF	внезапное усиление атмосфериков, внезапное повышение атмосфериков
S 4759	sudden fall, sudden drop, great fall, fall, plunge, tumbling	Sturz m	chute f [brusque]	падение, резкое падение
S 4760	sudden fall of temperature	Temperatursturz m	chute f brusque de la température	резкое падение температуры, перепад температуры
	sudden increase of cosmic-ray intensity, cosmic-ray jet	Höhenstrahlungseruption f, Höhenstrahlungsausbruch m, Ausbruch m der kosmischen Strahlung	irruption f de rayons cosmiques	вспышка (выброс) космических лучей, внезапное увеличение интенсивности космических лучей
	sudden ionospheric disturbance	s. radio fade-out		
	sudden load	s. impact load		
S 4761	sudden phase anomaly, S.P.A.	plötzliche Phasenanomalie f, Sonneneruptionseffekt m im Langwellenbereich	anomalie f de phase à début brusque	внезапная фазовая аномалия
	sudden phase shift, phase jump	Phasensprung m	décalage m brusque de phase, changement m brusque de phase	скачкообразное изменение фазы, скачок фазы
	sudden push	s. jerk		
	sudden short wave fade-out	s. radio fade-out		
S 4761a	Suess effect	Suess-Effekt m	effet m Suess	эффект Зюсса
S 4762	sufficiency <math.>	Hinlänglichkeit f <Math.>; Suffizienz f <Stat.>	suffisance f <math.>, exhaustivité f <stat.>	достаточность <матем.>
S 4763	sufficient <math.>	hinreichend	suffisant	достаточный
S 4764	sufficient estimate	erschöpfende Schätzung f	estimation f suffisante	достаточное оценивание
S 4765	sufficient statistic	erschöpfende Größe f	statistique f exhaustive, résumé m exhaustif, statistique f suffisante	достаточная статистика, исчерпывающая статистика
	suffosion	s. subrosion		
S 4766	sugar content, sugariness	Zuckergehalt m	teneur f en sucre	сахаристость, содержание сахара

S 4767	**sugar degree,** degree of the International Sugar Scale, degree sugar, °S	Grad *n* der internationalen Zuckerskala, internationaler Zuckergrad *m*, Zuckergrad, Grad Sugar, °S	degré *m* sucre, degré de l'échelle internationale de sucre, °S	градус международной сахарной шкалы, градус сахара, °S
	sugariness, sugar content	Zuckergehalt *m*	teneur *f* en sucre	сахаристость, содержание сахара
S 4768	**sugar refractometer**	Zuckerrefraktometer *n*	réfractomètre *m* à sucre	сахарный рефрактометр
S 4769	**SU(3) [group]** <also: SU(2), SU(6) etc.>	SU(3)[-Gruppe] *f* <auch: SU(2)-, SU(6)- usw.>	groupe *m* SU(3) <aussi: SU(2), SU(6) etc.>	группа SU(3) <также: SU(2), SU(6) и т. д.>
S 4770	**Suhl effect**	Suhl-Effekt *m*	effet *m* Suhl	эффект (явление) Сула
S 4771	**Suhl-Nakamura interaction**	Suhl-Nakamura-Wechselwirkung *f*	interaction *f* de Suhl-Nakamura	взаимодействие Сула-Накамуры
	suitable for tropical climate (service)	s. tropicalized		
S 4772	**sulphur point,** boiling point of sulphur, point of boiling sulphur	Schwefelpunkt *m*, Siedepunkt *m* des Schwefels	point *m* de soufre, température *f* (point) d'ébullition du soufre	точка кипения серы
S 4773	**sultriness**	Schwüle *f*	chaleur *f* étouffante	духота, душная погода
	sum, logical sum, joint, union <of sets>, sum-set	Vereinigungsmenge *f*, Vereinigung *f*, Summe *f* <von Mengen>	[ré]union *f* <des ensembles>, ensemble-somme *m*	объединение, сумма <множеств>
S 4774	**sum Compton spectrum**	Compton-Summenspektrum *n*	spectre *m* Compton somme	суммарный комптоновский спектр, суммарный комптон-спектр
S 4775	**sum curve, sum line,** summation (summary) curve	Summenlinie *f*, Summenkurve *f*	courbe *f* des sommes, courbe somme	кривая сумм, суммарная кривая
S 4776	**summability**	Summierbarkeit *f*	sommabilité *f*	суммируемость
	summarizing	s. tabulation		
	summary curve	s. sum curve		
	summated current, integrated current	Integralstrom *m*, Integralstromstärke *f*	courant *m* intégral, intensité *f* intégrale [du courant]	суммарный ток, итоговый ток
	summated voltage, integrated voltage	Integralspannung *f*	tension *f* intégrale	суммарное напряжение, итоговое напряжение
S 4776a	**summational invariant,** collisional invariant	Summationsinvariante *f*	invariant *m* collisionnel (de sommation), somme *f* invariante	инвариантная сумма
S 4777	**summation band**	Summationsbande *f*	bande *f* de sommation	суммарная полоса, полоса суммирования
	summation by parts	s. Abel['s] identity		
S 4778	**summation check**	Summenprobe *f*	total *m* de contrôle	поверка суммированием (сложением), контроль суммированием, контрольная сумма
S 4779	**summation convention [of Einstein],** Einstein['s] summation convention, Einstein['s] convention, dummy suffix notation, dummy suffix summation convention	Einsteinsche Summationsbezeichnung (Summation) *f*, Einstein-Summation *f*, Einsteinsche Summationskonvention *f*, Summationskonvention [von Einstein], Einsteinsche Summenkonvention *f*, Summenkonvention [von Einstein], Einsteinsche Konvention *f* [für die Summation], Einstein-Konvention *f* [für die Summation], Einsteinsche Summierungsvorschrift *f*, Summierungsvorschrift [von Einstein], Einsteinsche Summationsvorschrift *f*, Summationsvorschrift [von Einstein], Summationsübereinkunft *f* [von Einstein], Einsteinsche Summationsübereinkunft (Festlegung *f*)	convention *f* de sommation [sur les indices muets], convention d'Einstein	правило Эйнштейна, правило суммирования, общее правило написания сумм
	summation curve	s. sum curve		
	summation dummy; dummy, dummy index, umbral index, umbral suffix, saturated index <of tensor>	Summationsindex *m*	indice *m* muet, variable *f* muette	индекс суммирования, указатель суммирования, немой индекс
S 4780	**summation formula**	Summationsformel *f*	formule *f* sommatoire	формула суммирования
S 4781	**summation instrument,** summing instrument	summierendes Meßgerät *n*	appareil *m* totalisateur (additionneur), appareil de sommation	суммирующий [измерительный] прибор
	summation loudness, overall loudness	Gesamtlautstärke *f*, Summenlautstärke *f*	intensité *f* acoustique (de son) totale, intensité acoustique somme	суммарная громкость
	summation method, method of summation <math.>	Summationsverfahren *n*, Summationsmethode *f*, Limitierungsverfahren *n*, Summierungsverfahren *n* <Math.>	méthode *f* de sommation, procédé *m* de sommation <math.>	метод суммирования <матем.>
S 4782	**summation potential**	Summationspotential *n*	potentiel *m* de sommation	потенциал суммирования
S 4783	**summation tone**	Summationston *m*, Summenton *m*	son *m* résultant	суммовой тон, суммарный тон
S 4784	**summative fractionation**	summative Fraktionierung *f*	fractionnement *m* sommatif	суммирующее фракционирование

S 4785	**summerday**	Sommertag *m*	jour *m* estival	летний день, день с температурным максимумом в 25 °C и выше
S 4786	**summer half-year**	Sommerhalbjahr *n*	semestre *m* estival	летнее (теплое) полугодие
	summer lightning, sheet lightning, heat lightning	Wetterleuchten *n*	éclairs *mpl* à l'horizon, éclair *m* diffus, éclair à chaleur	зарница
S 4787	**summer solstice,** June solstice	Sommersolstitium *n*, Sommersonnenwende *f*	solstice *m* d'été	летнее солнцестояние
	summing coincidence spectrometer	*s.* sum-peak spectrometer		
	summing instrument	*s.* summation instrument		
	summing point	*s.* error detector <control>		
	summit, peak [value], crest [value] <US>, apex <gen.>	Scheitelwert *m*, Gipfelwert *m*, Scheitel *m* <allg.>	valeur *f* de crête, crête *f*, sommet *m*, maximum *m* <gén.>	максимальное значение, пиковое значение, вершина, пик <общ.>
S 4788	**summit pond (pool, reach)**	Scheitelhaltung *f*	bief *m* de partage	водораздельный бьеф
	Sumner line, position line, line of position	Positionslinie *f*, Standlinie *f*	ligne *f* de position	линия положения, позиционная линия
S 4789	**sum of precipitation**	Niederschlagssumme *f*	somme *f* (total *m*) des précipitations	сумма осадков
S 4790	**sum of products [of deviations from the mean]**	Produktsumme *f*	somme *f* de produits	сумма произведений
S 4791	**sum of relative atomic masses**	Summe *f* der relativen Atommassen, Atomgewichtssumme *f*	poids *m* formulaire	сумма атомных весов [вещества]
S 4792	**sum of squares,** squariance	Quadratsumme *f*, Summe *f* der Abweichungsquadrate	somme *f* des carrés	сумма квадратов [отклонений от среднего значения]
S 4793	**sum of squares between samples (treatments)**	Quadratsumme *f* zwischen den Klassen, Summe *f* der Abweichungsquadrate zwischen den Gruppen	somme *f* des carrés entre des classes	сумма квадратов отклонений от среднего значения между классами
S 4794	**sum of squares within samples (treatments)**	Quadratsumme *f* innerhalb der Klassen, Summe *f* der Abweichungsquadrate innerhalb der Gruppen	somme *f* des carrés à l'intérieur des classes	сумма квадратов отклонений от среднего значения внутри класс
	sum of temperatures, temperature sum	Temperatursumme *f*	somme *f* des températures, somme de température	сумма температур
S 4795	**sum of the digits,** total of the digits <of the number>	Quersumme *f*	somme *f* des chiffres [significatifs] <du nombre>	сумма цифр, сумма одноцифберных граней <числа>
	sum of the system of vectors, single vector, resultant vector	Einzelvektor *m*, resultierender Einzelvektor	vecteur *m* unique, résultante *f* générale (de translation)	главный вектор
	sum of tristimulus values	*s.* tristimulus sum		
S 4795a	**Sumoto effect**	Sumoto-Effekt *m*	effet *m* Sumoto	эффект Сумото
	sum over states, sum-over-states, partition function, zustandssumme, state sum <therm.>	Zustandssumme *f* [von Planck], Plancksche Zustandssumme, Verteilungsfunktion *f* <Therm.>	fonction *f* de partition, somme *f* des états, somme d'états, zustandssumme *f* [de Planck] <therm.>	сумма по состояниям, сумма состояния <тепл.>
	sum over time, time sum	Zeitsumme *f*	somme *f* de temps, somme sur le temps	сумма по времени
S 4796	**sump** <of the column>	Sumpf *m* <Kolonne>	puisard *m* <de la colonne>	зумпф, отстойник, низ, нижняя часть, колодец <колонны>
S 4796a	**sum-peak spectrometer,** [integral bias] summing coincidence spectrometer	Summenkoinzidenzspektrometer *n*	spectromètre *m* à somme et coïncidence	суммирующий спектрометр [на совпадениях]
S 4797	**Sumptner['s] principle**	Sumptnersches Prinzip *n*	principe *m* de Sumptner	принцип Зумптнера
S 4798	**sum rule,** rule of sums	Summenregel *f* <Opt., Rel.>, Summensatz *m* <Opt.>	règle *f* des sommes, règle du total, règle de sommation	правило сумм
S 4799	**sum spectrum**	Summenspektrum *n*	spectre *m* somme	суммарный спектр
S 4799a	**sun-air temperature**	Sonnenlufttemperatur *f*	température *f* d'air solaire	солнечно-воздушная температура
S 4800	**sunburn**	Sonnenbrand *m*	hâle *m*	загар
	S.U.N. Committee; Committee on Symbols, Units and Nomenclature [in Physics]	Kommission *f* für Symbole, Einheiten und Nomenklatur [in der Physik]; SUN-Kommission *f*	Comité *m* des Symboles, Unités et Nomenclature [dans la Physique], Comité S.U.N.	Комитет символов, единиц и номенклатуры [в физике]
	sun compass, solar compass, dial compass	Sonnenkompaß *m*	compas *m* solaire	солнечный компас, солнечно-магнитный компас
S 4801	**sundial, sun dial,** dial	Sonnenuhr *f*	cadran *m* (horloge *f*) solaire	солнечные часы
	sundial time; apparent solar time, true solar time	wahre Sonnenzeit *f*; wahre Ortszeit *f*	temps *m* solaire vrai, temps solaire apparent	истинное солнечное время
	sun-dog, parhelion, mocksun	Nebensonne *f*	parhélie *m*	паргелий, ложное солнце, побочное солнце
S 4802	**Sun-Earth relationship,** solar-terrestrial relationship (phenomenon), terrestrial effect of solar activity	solar-terrestrische Erscheinung *f*	effet *m* terrestre des phénomènes solaires, relation *f* entre les phénomènes solaires et terrestres	земное проявление солнечной деятельности
	sun follower, sunseeker	Sonnensucher *m*	détecteur *m* (chercheur *m*, tête *f* chercheuse) du soleil	солнечный искатель, солнечный ориентатор
S 4803	**sunlight,** sunshine	Sonnenlicht *n*	lumière *f* solaire	солнечный свет
S 4804	**sunlit**	sonnenbeschienen, sonnenbeleuchtet, tagseitig	éclairé par le Soleil	освещенный Солнцем

S 4805	**sunlit aurora**	sonnenbeschienenes Polarlicht n	aurore f éclairée par le Soleil	полярное сияние, освещенное Солнцем
	Sun periscope, solar periscope	Sonnenperiskop n, Sonnenkammer f	périscope m solaire	солнечный перископ
	sun-pillar, Sun pillar	s. vertical pillar		
S 4806	**sunrise colours,** sunrise glow	Morgenrot n	aurore f	утренняя заря
S 4807	**sunrise effect**	Sonnenaufgangseffekt m, Einfluß m des Sonnenaufgangs	effet m du lever de Soleil	эффект «восхода Солнца»
	sunrise glow	s. sunrise colours		
S 4808	**Sun's altitude**	Sonnenstand m, Sonnenhöhe f	hauteur (altitude) f du Soleil	высота Солнца
S 4809	**Sun's anomalistic inequality,** solar anomalistic inequality, Sun's elliptical inequality, solar elliptical inequality, elliptical inequality	solare anomalistische Ungleichheit f, solare elliptische Ungleichheit, elliptische Ungleichheit	inégalité f elliptique solaire, inégalité elliptique [du Soleil], inégalité anomalistique solaire, inégalité anomalistique du Soleil	солнечное эллиптическое неравенство, солнечное аномалистическое неравенство
	Sun's corona, solar corona, corona [of the sun]	Sonnenkorona f, Korona f [der Sonne]	couronne f [solaire], couronne du Soleil	солнечная корона, корона [Солнца]
	Sun's daily inequality	s. diurnal solar inequality		
	Sun's depression, solar depression [angle]	Sonnendepression f	angle m de dépression solaire, dépression f solaire	угловое погружение Солнца под горизонт, угол погружения Солнца, депрессия (понижение) Солнца
	Sun's disk, solar disk	Sonnenscheibe f	disque m solaire, disque du Soleil	солнечный диск, диск Солнца
	Sun's diurnal inequality	s. diurnal solar inequality		
S 4810	**sunseeker,** sun follower	Sonnensucher m	détecteur m (chercheur m, tête f chercheuse) du soleil	солнечный искатель, солнечный ориентатор
	Sun's elliptical inequality	s. Sun's anomalistic inequality		
S 4811	**sunset colours, sunset glow**	Abendrot n	couleurs fpl du couchant	вечерняя заря
	sun shade, lens hood, lens shade, lens shield	Lichtkappe f [des Objektivs]; Sonnenblende f, Sonnenschutz m; Gegenlichtblende f	parasoleil m	солнечная бленда, солнцезащитная бленда, световая бленда; козырок
S 4812	**sunshine**	Sonnenschein m	insolation f, soleil m	солнечное сияние, солнце, облучение Солнцем
	sunshine	s. a. sunlight		
	sunshine recorder, heliograph	Heliograph m, Sonnenscheinautograph m, Sonnenscheinschreiber m	héliographe m, enregistreur m de la durée d'insolation	фотогелиограф, гелиограф
	sunshine unit, strontium unit, s.u., pCi/g Ca	Strontiumeinheit f, Sunshine-Einheit f, S. U., pCi/g Ca	picocurie m par gramme de calcium, unité f de strontium, pCi/g Ca	пикокюри на грамм кальция, *пкюри/г* Ca
	sunside	s. sunward side		
	Sun's limp	s. solar limp		
S 4813	**Sun's parallax,** solar parallax	Sonnenparallaxe f	parallaxe f solaire	солнечный параллакс, параллакс Солнца
S 4814	**sun[-]spot**	Sonnenfleck m <pl.: -ecke>	tache f solaire	солнечное пятно
S 4815	**sunspot activity**	Sonnenfleckentätigkeit f, Fleckentätigkeit f, Sonnenfleckenaktivität f, Fleckenaktivität f	activité f des taches solaires	деятельность солнечных пятен, пятнообразовательная деятельность (активность) Солнца
S 4816	**sunspot curve**	Sonnenfleckenkurve f	courbe f des taches solaires	кривая солнечных пятен
S 4817	**sunspot cycle,** sunspots cycle, sunspots period, period of sunspots	Sonnenfleckenzyklus m, Fleckenzyklus m, Sonnenfleckenperiode f, Fleckenperiode f	cycle m des taches solaires, période f des taches solaires	цикл солнечных пятен, период солнечных пятен
S 4818	**sunspot frequency**	Sonnenfleckenhäufigkeit f, Fleckenhäufigkeit f	fréquence f des taches [solaires]	частота солнечных пятен
S 4819	**sunspot prominence,** spot prominence	Fleckenprotuberanz f	protubérance f de tache	протуберанец, связанный с пятном; протуберанец типа солнечных пятен
	sunspots cycle	s. sunspot cycle		
S 4820	**sunspots maximum**	Sonnenfleckenmaximum n, Fleckenmaximum n	maximum m des taches solaires	максимум солнечных пятен
S 4821	**sunspots minimum**	Sonnenfleckenminimum n, Fleckenminimum n	minimum m des taches solaires	минимум солнечных пятен
S 4822	**sunspots number**	Sonnenfleckenzahl f, Fleckenzahl f	nombre m des taches solaires	число (количество) солнечных пятен
S 4823	**sunspot spectrum**	Sonnenfleckenspektrum n, Fleckenspektrum n	spectre m des taches solaires	спектр солнечных пятен
	sunspots period	s. sunspot cycle		
	sun-type star, G star, solar star	G-Stern m, Sonnenähnlicher m	étoile f G	звезда [спектрального] класса G
S 4824	**Sun['s] vertical [circle]**	Sonnenvertikal m	cercle m vertical du Soleil	солнечный вертикал
	sunward, directed towards the Sun	zur Sonne gerichtet, der Sonne zugewandt	dirigé vers le Soleil	направленный к Солнцу
S 4825	**sunward side,** sunside	Sonnenseite f, Tageseite f	côté m du Soleil, côté dirigé vers le Soleil	солнечная сторона; сторона, обращенная к Солнцу
	sup	s. least upper bound		
S 4826	**superacceptor**	Superakzeptor m	superaccepteur m	сверхакцептор, суперакцептор
	superacoustic	s. ultrasonic		
S 4826a	**superadditivity**	Superadditivität f	superadditivité f	супераддитивность
S 4827	**superadiabatic**	überadiabatisch	superadiabatique	сверхадиабатический

S 4828	**superaerodynamics,** molecular aerodynamics, rarefied gas dynamics	Supraaerodynamik f, Superaerodynamik f, Molekularaerodynamik f, Dynamik f der stark verdünnten Gase, Nichtkontinuumsströmung f mit Höchstgeschwindigkeit	aérodynamique f moléculaire, dynamique f des gaz raréfiés, superaérodynamique f	аэродинамика разреженных газов, супераэродинамика, аэродинамика свободно молекулярных потоков
S 4829	**superallowed transition,** favoured [forbidden] transition	übererlaubter (supererlaubter, erleichterter, begünstigter) Übergang m	transition f suprapermise	сверхразрешенный переход, облегченный переход
S 4830	**superaperiodic**	überaperiodisch	surapériodique	сверхапериодический
	superatmospheric pressure	s. superpressure		
	superaudibility frequency	s. superaudible frequency		
	superaudible	s. ultrasonic		
S 4830a	**superaudible (superaudio) frequency,** superaudibility frequency	Überhörfrequenz f, Übertonfrequenz f	fréquence f ultratéléphonique	сверхтональная частота
	superaudio frequency	s. a. ultrasonic frequency		
S 4831	**superbang**	Superknall m	« superbang » m	[звуковой] сверхудар
	superbolide, giant bolide	Überbolid m, Riesenmeteorit m	très gros bolide m, bolide géant	сверхболид
S 4831a	**supercapillary [interstice]**	Superkapillare f	interstitiel m supercapillaire, supercapillaire m	суперкапилляр
S 4832	**supercavitation**	Superkavitation f	supercavitation f	суперкавитация
	supercentrifuge	s. ultracentrifuge		
S 4833	**supercharger**	Vorverdichter m	surchargeur m	нагнетатель, компрессор наддува
S 4834	**supercharging;** precompression	Vorverdichtung f	surcharge f; précompression f	наддув; предварительное сжатие
S 4835	**super chopper**	ultraschneller Chopper m	sélecteur m mécanique ultrarapide	сверхбыстродействующий прерыватель, прерыватель сверхвысокой скорости
S 4836	**supercirculation**	Superzirkulation f	supercirculation f	дополнительная циркуляция, суперциркуляция
	supercluster	s. supergalaxy		
S 4837	**superconducting;** superconductive	supraleitend; supraleitfähig	supraconducteur	сверхпроводящий
S 4838	**superconducting bolometer**	Supraleitungsbolometer n, supraleitendes Bolometer n	bolomètre m supraconducteur	сверхпроводящий болометр
	superconducting critical temperature	s. transition temperature <of superconductor>		
S 4839	**superconducting galvanometer**	Supraleitungsgalvanometer n, supraleitendes Galvanometer n	galvanomètre m supraconducteur	сверхпроводящий гальванометр
S 4840	**superconducting quantum interference device,** squid	„squid" n	« squid » m	сверхпроводящее квантовое интерференционное устройство
S 4841	**superconducting state**	supraleitender Zustand m, Supraleitungszustand m	état m de supraconductibilité, état supraconducteur	сверхпроводящее состояние
	superconducting transition, superconductive transition	Supraleitungsübergang m	transition f à l'état supraconducteur	переход к сверхпроводящему состоянию
S 4842	**superconduction,** superconductivity	Supraleitung f, Supraleitfähigkeit f	supra[-]conduction f, supraconductivité f, supraconductibilité f	сверхпроводимость
	superconduction electron	s. superelectron		
S 4843	**superconduction model,** superconductivity model	Supraleitungsmodell n, Supraleitfähigkeitsmodell n	modèle m de supraconduction (supraconductibilité)	модель сверхпроводимости
S 4844	**superconduction phenomenon**	Supraleitungserscheinung f	phénomène m de supraconduction, phénomène supraconducteur	явление сверхпроводимости
	superconductive; superconducting	supraleitend; supraleitfähig	supraconducteur	сверхпроводящий
S 4845	**superconductive suspension**	supraleitende Suspension f, Supraleitungssuspension f	suspension f supraconductrice	сверхпроводящая (сверхпроводимая) суспензия
S 4846	**superconductive transition,** superconducting transition	Supraleitungsübergang m	transition f à l'état supraconducteur	переход к сверхпроводящему состоянию
S 4847	**superconductivity**	Supraleitfähigkeit f	supraconductibilité f, supraconductivité f	сверхпроводимость
	superconductivity	s. superconduction		
	superconductivity model	s. superconduction model		
S 4847a	**superconductor <of the first or second kind>**	Supraleiter m, supraleitender Stoff m, Superleiter m, Überleiter m <1. oder 2. Art>	supra[-]conducteur m <de première ou deuxième espèce>	сверхпроводник <первого или второго рода>
S 4847b	**superconvergence**	Superkonvergenz f	superconvergence f	сверхсходимость
S 4847c	**superconvergence sum rule**	Superkonvergenz-Summenregel f	règle f des sommes de superconvergence	правило сумм сверхсходимости
S 4848	**supercooled,** undercooled	unterkühlt	sous-réfrigéré, refroidi à l'excès, surfondu	переохлажденный; недоохлажденный
S 4849	**supercooled droplet <of water, rain>,** supercooled rain droplet	unterkühlter Tropfen m, unterkühlter Wassertropfen m, unterkühlter Regentropfen m	goutte f surfondue, goutte d'eau surfondue	переохлажденная [водяная] капля, переохлажденная дождевая капля
S 4850	**supercooled liquid,** undercooled liquid	unterkühlte Flüssigkeit f	liquide m sous-réfrigéré, liquide refroidi à l'excès, liquide surfondu, liquide en surfusion	переохлажденная жидкость

	supercooled rain drop-let	s. supercooled droplet		
	supercooled state	s. supercooling		
	supercooled vapour	s. supersaturated vapour		
S 4851	**supercooling, supercooled state** <below equilibrium temperature of phase transition>; subcooling <below condensation temperature>; undercooling	Unterkühlung f	sous-refroidissement m, refroidissement m à l'excès, surfusion f	переохлаждение, переохлаживание
	supercooling heat, subcooling heat, heat of subcooling (supercooling)	Unterkühlungswärme f	chaleur f de sous-refroidissement	теплота переохлаждения, тепло переохлаждения
S 4852	**supercooling pressure**	Unterkühlungsdruck m	pression f de sous-refroidissement	давление переохлаждения
S 4853	**supercooling temper-ature,** temperature of supercooling	Unterkühlungstemperatur f	température f de surfusion	температура переохлаждения
S 4854	**super cosmic radiation (rays),** super cosmic radiation	ultraharte kosmische Strahlung f, superkosmische Strahlung, kosmische Strahlung höchster Energie, Höchstenergie-Höhenstrahlung f	rayons mpl cosmiques extrêmement durs, rayons supercosmiques, rayonnement m supercosmique	космические лучи сверхвысокой энергии, космическое излучение сверхвысокой энергии
S 4855	**supercosmotron**	Superkosmotron n	supercosmotron m	сверхкосмотрон
S 4856	**supercritical**	überkritisch; superkritisch	sur[-]critique, supercritique, hypercritique	надкритический, сверхкритический, закритический
S 4857	**supercritical damping,** overdamping	überkritische Dämpfung f, Überdämpfung f	amortissement m surcritique, suramortissement m	затухание выше критического (границы апериодичности), передемпфирование, переуспокоение; апериодический режим
S 4858	**supercritical flow**	überkritische Strömung f	écoulement m surcritique (hypercritique)	надкритическое течение, сверхкритическое движение
	supercritical flow	s. a. shooting flow <hydr.>		
S 4859	**supercritical mass**	überkritische Masse f	masse f surcritique	сверхкритическая масса
	supercritical nuclear chain reaction, divergent nuclear chain reaction	divergente Kernkettenreaktion f, überkritische Kernkettenreaktion	réaction f en chaîne nucléaire divergente, réaction en chaîne nucléaire sur-critique	нарастающая цепная реакция, надкритическая цепная реакция
S 4860	**supercritical pressure**	überkritischer Druck m	pression f surcritique	сверхкритическое (надкритическое) давление, давление выше критического
S 4861	**supercritical state of flow**	überkritischer Strömungszustand m	état m d'écoulement hypercritique	надкритическое состояние течения
S 4862	**supercritical velocity** <hydr.>	Überschwallgeschwindigkeit f <Hydr.>	vitesse f supérieure à la célérité critique <hydr.>	скорость больше волновой скорости <гидр.>
S 4863	**supercritical velocity of flow**	überkritische Strömungsgeschwindigkeit f	vitesse f d'écoulement hypercritique	сверхкритическая скорость течения
S 4864	**supercurrent**	Suprastrom m, Supraleitungsstrom m	supracourant m	ток сверхпроводимости
S 4865	**supercurrent accelerator**	Höchststrombeschleuniger m	accélérateur m à courant d'ultra-haute intensité	сверхсильноточный ускоритель
S 4866	**superdeterminated system** <mech.>	überbestimmtes System n <Mech.>	système m surdéterminé <méc.>	переопределенная система <мех.>
S 4866a	**superdiagonal matrix**	obere Halbmatrix f	matrice f triangulaire supérieure	верхняя треугольная матрица
S 4867	**superdirective antenna,** super[-]gain (pencil-beam) antenna	scharfbündelnde Antenne f, Supergainantenne f, „supergain"-Antenne f: Schmalbündelantenne f	antenne f à superdirectivité, antenne à pinceau étroit, antenne-projecteur f	остронаправленная антенна, сверхнаправленная антенна, антенна со сверхвысокой направленностью, антенна с узким (острым) коническим лучом, антенна с игольчатой диаграммой, лучевая антенна
	superdirectivity	s. supergain		
S 4868	**superdonor**	Superdonator m	superdonneur m	сверхдонор, супердонор
S 4869	**superefficient**	supereffizient	superefficace	сверхэффективный
	superelastic	s. high-elastic[ity]		
	superelastic collision	s. collision of the second kind		
S 4869a	**superelastic strain,** highly elastic strain	hochelastische Verformung f	déformation f extrêmement élastique	высокоэластичная деформация
S 4870	**superelectron,** superconduction electron	Supraleitungselektron n, Supraelektron n	électron m supraconducteur, supra-électron m	электрон сверхпроводимости, сверхпроводящий электрон, сверх-электрон
	superelevation	s. surmount		
	superemitron	s. superorthicon		
S 4871	**superenergy**	Superenergie f	super-énergie f	суперэнергия
S 4872	**superenergy accelerator,** super-high energy accelerator, super-high accelerator, ultrahigh-energy accelerator, UHE accelerator	Höchstenergiebeschleuniger m, Beschleuniger m für höchste Energien	accélérateur m à ultra-haute énergie, superaccélérateur m	ускоритель на сверхвысокую энергию
	supereriscope	s. image iconoscope		
	superexchange	s. Kramers['] superexchange		

S 4873	superexchange interaction	Superaustauschwechsel-wirkung f, indirekte Spinaustauschwechsel-wirkung (Spinaustausch-kopplung) f	interaction f de super-échange	сверхобменное взаимо-действие
	superexcitation	s. overexcitation		
	superextended dislocation	s. paired dislocation		
S 4874	superfast coincidence circuit, coincidence circuit operating in the nanosecond range	Koinzidenzschaltung f im Nanosekundenbereich	circuit m de sélection des coïncidences très rapide	сверхбыстродействующая схема совпадения
	superficial	s. surface		
S 4874a	superficial activity coefficient	Oberflächen-Aktivitäts-koeffizient m	coefficient m d'activité superficiel	поверхностный коэф-фициент активности
	superficial area (content)	s. area		
	superficial density	s. surface density		
	superficial density of the entropy	s. superficial entropy		
	superficial density of the internal energy, surface energy	Oberflächendichte f der inneren Energie, Ober-flächenenergie f	énergie f superficielle	поверхностная энергия
S 4875	superficial enthalpy	Oberflächenenthalpie f	enthalpie f superficielle	поверхностная энтальпия
S 4876	superficial entropy, sur-face entropy; superficial density of the entropy	Oberflächenentropie f, Oberflächendichte f der Entropie	entropie f superficielle	поверхностная энтропия
	superficial free energy	s. surface energy		
	superficial friction	s. skin friction		
	superficial gravity	s. surface gravity		
S 4877	superficial internal energy	innere Oberflächenenergie f, innere Energie f der Oberfläche	énergie f superficielle interne	внутренняя поверхностная энергия
S 4878	superficial number density	Oberflächendichte f der Teilchen	densité f numérique super-ficielle	поверхностная плотность частиц
	superficial ray, surface ray	Oberflächenstrahl m	rayon m superficiel	поверхностный луч
S 4879	superficial reduction, surface reduction	Oberflächenabschwächung f	affaiblissement m super-ficiel	поверхностное ослабление
S 4880	superficial velocity	Oberflächengeschwindig-keit f	vitesse f superficielle	[линейная] поверхностная скорость, приповерх-ностная скорость
	superficial velocity	s. a. surface velocity		
S 4881	superfluid	Supraflüssigkeit f, Super-flüssigkeit f	suprafluide m, superfluide m	сверхтекучая жидкость
S 4882	superfluid, suprafluid	suprafluid, superfluid; suprafluissig	suprafluide, superfluide	сверхтекучий
S 4883	superfluid density	suprafluide Dichte f	densité f suprafluide	сверхтекучая плотность
S 4884	superfluidity	Suprafluidität f, Supra-flüssigkeit f <Zustand>	suprafluidité f, superfluidité f	сверхтекучесть
S 4885	superfluidity onset, onset of superfluidity	Einsetzen n der Supra-fluidität	amorçage m de suprafluidité	появление свойства сверхтекучести
S 4886	superfluid part	suprafluider Anteil m	partie f suprafluide	сверхтекучая часть
	superfrequency	s. superhigh frequency		
S 4887	supergain, superdirectivity	Supergain m, sehr hoher Gewinn m [der Antenne], Supergewinn m	supergain m, superdirectivité f	сверхвысокое усиление, сверхвысокая направ-ленность, сверхнапра-вленность
	super[-]gain antenna	s. superdirective antenna		
	supergalaxy, metagalaxy, hypergalaxy, supercluster	Metagalaxis f, Hypergalaxis f, Metagalaxie f, Super-haufen m, Supergalaxis f	métagalaxie f, supergalaxie f, super-essaim m	метагалактика, сверх-галактика, сверхсистема галактик, сверхскопле-ние
S 4888	supergene	Supergen n	supergène m	суперген, гиперген
S 4889	supergiant [star]	Überriese m, Übergigant m, Supergigant m, Superriese m	supergéante f, étoile f supergéante	звезда-сверхгигант, сверхгигант
	superglacial moraine, surface moraine	Obermoräne f	moraine f superficielle	поверхностная морена, верхняя морена
S 4890	supergradient wind	Übergradientwind m, über-gradientischer Wind m	vent m de supergradient	сверхградиентный ветер
S 4891	supergranulation	Supergranulation f	supergranulation f	сверхгрануляция, супер-грануляция
S 4892	supergroup	Übergruppe f, Obergruppe f	surgroupe m	надгруппа
S 4893	superharmonic function	superharmonische Funktion f	fonction f surharmonique	супергармоническая функция
S 4894	superheat	Überhitzungswärme f	chaleur f de surchauffe	теплота перегрева
	superheat	s. a. superheated steam		
	superheat	s. a. superheating		
	super heat conduction (conductivity)	s. superthermal conduction		
	super heat conductor, thermal superconductor	Suprawärmeleiter m, ther-mischer Supraleiter m	supraconducteur m thermique	тепловой сверхпроводник
S 4895	superheated region, superheated zone	Überhitzungsgebiet n	zone f surchauffée, zone de surchauffe	область перегрева; область перегретого пара
S 4896	superheated steam; superheated vapour; superheat, overheated steam	Heißdampf m <Wasser>; überhitzter Dampf m	vapeur f surchauffée	перегретый водяной пар; перегретый пар
	superheated zone	s. superheated region		
	superheating	s. degree of superheating		
	superheating, overheating, overheat, superheat	Überhitzung f, Über-wärmung f, Wärmestau-ung f, Wärmestau m	surchauffage m, surchauffe f	перегрев, перегревание

S 4897	superheating of steam, steam superheating	Dampfüberhitzung f, Überhitzung f des Dampfes	surchauffage m de vapeur, surchauffe f de vapeur	перегрев[ание] пара, пароперегревание
S 4897a	superheavy element	überschweres Element n, fernes Transuran n	élément m superlourd (hyperlourd)	сверхтяжелый элемент, далекий трансуран[овый элемент]
S 4898	superheavy ion	überschweres Ion n	ion m superlourd	сверхтяжелый ион
S 4899	superheavy nucleus	überschwerer Kern m	noyau m superlourd (extralourd, hyperlourd)	сверхтяжелое ядро
	superheterodyne frequency, intermediate frequency, I.F., IF, i.f., if	Zwischenfrequenz f, ZF	fréquence f intermédiaire, fréquence de conversion, moyenne fréquence, M. F., F. I.	промежуточная частота, ПЧ
S 4900	superheterodyne interference, heterodyne interference, self-whistle, heterodyne whistle	Zwischenfrequenzpfeifen n, ZF-Pfeifen n, Überlagerungspfeifen n; Pfeifton m; Pfeifstelle f	interférence f à la réception superhétérodyne, sifflement m d'interférence	свист промежуточной частоты, интерференционный свист
S 4901	superheterodyne reception	Superheterodyneempfang m, Superhetempfang m, Mischempfang m, Überlagerungsempfang m, Zwischenfrequenzempfang m, Zwischenempfang m, Transponierempfang m	réception f par superhétérodyne, réception superhétérodyne, réception à changement de fréquence, réception à fréquence moyenne, réception à moyenne fréquence	супергетеродинный прием
	super-high accelerator	s. superenergy accelerator		
S 4902	superhigh energy, extra-high energy, very high energy	Höchstenergie f	très haute énergie f, énergie ultra-haute, énergie extrêmement haute	сверхвысокая энергия
	super-high energy accelerator	s. superenergy accelerator		
S 4903	superhigh energy physics, physics of superhigh energies	Höchstenergiephysik f	physique f d'énergie ultra-haute	физика сверхвысоких энергий
S 4904	superhigh frequency, superfrequency, S.H.F., SHF, s.h.f., shf <3,000 − 30,000 Mc/s>	Superhochfrequenz f, Zentimeterwellenfrequenz f, Höchstfrequenz f im Zentimeterwellenbereich, SHF <3 000 ··· 30 000 MHz>	hyperhaute fréquence f, superhaute fréquence, hyperfréquence f, superfréquence f, « superhigh frequency » f, HH. F., SH. F., SHF <3 000 ··· 30 000 Mc/s>	сверхвысокая частота, СВЧ <3 000 ÷ 30 000 Мгц>
S 4905	superhigh frequency range, range of superhigh frequency, centimetric wavelength [range], S.H.F. range, S.H.F.	Zentimeterwellenbereich m, Zentimeterbereich m, Zentibereich m, SHF-Bereich m, SHF	gamme f d'hyperhaute fréquence, gamme de superhaute fréquence, gamme des ondes centimétriques, gamme centimétrique, gamme SH.F., HH.F., SH. F.	диапазон сантиметровых волн, сантиметровые волны, диапазон волн сверхвысокой частоты
S 4906	superhigh frequency wave, centimetre wave, S.H.F. wave <1−10 cm>	Zentimeterwelle f <1 ··· 10 cm>	onde f hyperhaute (superhaute) fréquence, onde centimétrique, onde HH.F., onde SH.F. <1 ··· 10 cm>	сантиметровая волна, волна сверхвысокой частоты <1 ÷ 10 см>
S 4907	superhigh pulse	übergroßer Impuls m	impulsion f superhaute	сверхвысокий импульс
	superhigh vacuum	s. ultra-high vacuum		
S 4907a	superhyperfine structure, SHFS	Superhyperfeinstruktur f, SHFS	structure f superhyperfine, SSHF	суперсверхтонкая структура, ССТС
	supericonoscope	s. image iconoscope		
	superimposed fluids	s. superposed fluids		
	superimposing	s. superimposition		
	superimposition, superposition, superposing, superimposing, overlying	Superposition f, Überlagerung f	superposition f	суперпозиция, наложение
S 4908	superimposition, superimposing, superposition	Übereinanderlagerung f, Übereinanderschichtung f, Schichtenlagerung f	superposition f	напластование, послойное залегание пластов, залегание; наслоение, наслаивание; наложение; совмещение
	superimposition; coincidence <math.>	Deckung f <Math.>	coïncidence f; concordance f parfaite; superposition f <math.>	совпадение, коинцидентность; совмещение <матем.>
	superimposition principle	s. principle of superposition		
S 4908a	superionic [conductor]	Supraionenleiter m	conducteur m supra-ionique, supra-ionique m	сверхионный проводник
S 4909	superior conjunction	obere Konjunktion f	conjonction f supérieure	верхнее соединение
	superior function	s. original		
S 4910	superior geodesy	höhere Geodäsie f, Erdmessung f	géodésie f supérieure	высшая геодезия
	superior limit	s. upper limit		
S 4911	superior mirage, looming	obere Luftspiegelung f, Luftspiegelung nach oben	mirage m supérieur	верхний мираж
S 4912	superior mirage on sea	Seegesicht n, Kimmung f	mirage m supérieur sur mer	верхний мираж на море
S 4913	superior planet, outer planet	äußerer Planet m, oberer Planet	planète f supérieure	верхняя планета, внешняя планета
	superior space, original space, object space <math.>	Objektbereich m, Objektraum m, Oberbereich m, Originalbereich m, Originalraum m <Math.>	espace m original, espace supérieur <math.>	пространство-оригинал, оригинальное пространство <матем.>
S 4914	superior voltage, higher voltage	Oberspannung f	tension f supérieure (plus haute)	высшее напряжение

S 4915	**superlattice,** superlattice structure, superstructure	Überstruktur f, Überstrukturbildung f, Überstrukturgitter n, Übergitter n, übergeordnetes Teilgitter n, übergeordnetes Gitter n	superstructure f, surstructure f, super[-]réseau m	сверхструктура, сверхрешетка
S 4916	**superlattice line;** superlattice reflection	Überstrukturlinie f, Überstrukturreflex m	ligne (raie, réflexion) f de superstructure	сверхструктурная линия
	superlattice structure	s. superlattice		
S 4917	**superlattice transformation**	Überstrukturumwandlung f	transformation f de superstructure	сверхструктурный переход
S 4917a	**superleak**	Supraleck n, Superleck n	superfuite f, supra-fuite f	сверхтечь
S 4918	**superlinearity**	Superlinearität f	superlinéarité f	сверхлинейность, суперлинейность
	superloading	s. overload		
S 4919	**super long-range reception**	Überfernempfang m, Überreichweitenempfang m	réception f à très grande distance	сверхдальний прием
S 4919a	**superluminescence**	Superlumineszenz f	superluminescence f	суперлюминесценция
S 4920	**super many-time formalism**	Supermehrzeitformalismus m, Super-„many-time"-Formalismus m	formalisme m super-multitemps	супермноговременной формализм, сверхмноговременной формализм
	supermolecule	s. molecule aggregate		
	supermultiplet, hypermultiplet	Supermultiplett n, Hypermultiplett n	hypermultiplet m, super-multiplet m	сверхмультиплет, супермультиплет
S 4921	**supermultiplet theory**	Supermultiplettheorie f	théorie f des supermultiplets	теория сверхмультиплетов
S 4922	**supernatant [liquid],** supernate	überstehende Flüssigkeit f, Überstand m	liquide m surnageant, surnageant m	надосадочная (всплывающая) жидкость, отстоящийся слой жидкости
S 4922a	**supernormal**	übernormal	surnormal	сверхнормальный
S 4923	**supernova, super-nova** <pl.: super-novae> <of type I or II>	Supernova f <pl.: Supernovae> <vom Typ I oder II>	supernova f <pl.: super-novae> <de type I ou II>	сверхновая звезда, сверхновая <типа I или II>
S 4924	**supernova explosion,** supernova outburst	Supernovaausbruch m	explosion f de supernova	вспышка сверхновой [звезды]
S 4925	**supernova remnants,** remnants of the supernova [explosion]	Supernovaüberrest m, Überrest m der Supernova, Supernovarest m, Endprodukte npl der Supernova	restes mpl de la supernova, restes d'explosion de la supernova	остаток вспышки сверхновой, остаток сверхновой [звезды]
	supernucleus	s. hyperfragment		
S 4926	**superorbital velocity**	Geschwindigkeit f größer als die Kreisbahngeschwindigkeit	vitesse f hyperorbitale, vitesse superorbitale	сверхорбитальная скорость, суперорбитальная скорость; скорость выше первой космической скорости
S 4927	**superorthicon;** super-emitron, image orthicon	Superorthikon n, Zwischenbildorthikon n, Image-Orthicon n; Super-emitron n	image-orthicon m, tube m image-orthicon, super-orthicon m, orthicon m à image	суперортикон, трубка Брауде
	superosculation	s. osculation		
S 4928	**superpair**	Superpaar n	superpaire f	сверхпара
S 4929	**superparamagnetism**	Superparamagnetismus m	superparamagnétisme m	суперпарамагнетизм, сверхпарамагнетизм
S 4930	**superperiod**	Superperiode f	superpériode f	суперпериод
S 4931	**superplasticity**	Superplastizität f	superplasticité f	сверхпластичность, суперпластичность
S 4932	**superposable**	superponierbar; übereinanderlegbar, deckend; überlagerbar	superposable	наложимый; накладывающийся
S 4933	**superposable motions**	superponierbare Bewegungen fpl	mouvements mpl super-posables	наложимые движения
S 4934	**superposed circuit**	Überlagerungskreis m	circuit m superposé	цепь уплотнения
S 4934a	**superposed current**	Überlagerungsstrom m	courant m superposé	наложенный ток
S 4935	**superposed direct-current voltage,** superposed d.c. voltage	Überlagerungsgleichspannung f, überlagerte Gleichspannung f	tension f continue super-posée	наложенное постоянное напряжение
S 4936	**superposed fluids,** superimposed fluids	übereinandergeschichtete Flüssigkeiten fpl, übereinander gelagerte Flüssigkeiten	liquides mpl superposés, fluides mpl superposés	наслаиванные жидкости
S 4937	**superposed oscillation**	überlagerte Schwingung f, Überlagerungsschwingung f	oscillation f superposée	наложенное колебание
	superposing	s. superposition		
S 4938	**superposition, super-imposition, superposing,** superimposing, overlying	Superposition f, Überlagerung f	superposition f	суперпозиция, наложение
S 4939	**superposition <geo.>**	Auflagerung f, Superposition f <Geo.>	superposition f <géo.>	налегание <гео.>
	superposition	s. a. superimposition		
S 4940	**superposition approximation**	Überlagerungsnäherung f, Superpositionsnäherung f	approximation f par superposition	суперпозиционное приближение
S 4941	**superposition eye**	Superpositionsauge n	œil m de superposition	суперпозиционный глаз, глаз наложения
	superposition principle	s. principle of superposition		
S 4942	**superposition theorem** <of Laplace transformation>	Überlagerungssatz m, Additionssatz m <Laplace-Transformation>	théorème m de super-position <de la transformation de Laplace>, linéarité f de la transformation de Laplace	теорема (правило) наложения <при преобразовании Лапласа>, линейность преобразования Лапласа

	superposition theorem	*s. a.* principle of superposition		
S 4943	**superpotential**	Superpotential *n*, Überpotential *n*	superpotentiel *m*	суперпотенциал
S 4944	**superpressure**, superatmospheric pressure, overpressure, positive pressure	Überdruck *m*, Mehrdruck *m*	surpression *f*, pression *f* positive, pression de surcharge	давление выше атмосферного, сверхбарометрическое (избыточное, излишнее) давление
S 4945	**superproportional reducer**, flattening reducer, progressive reducer	superproportionaler Abschwächer *m*, progressiver Abschwächer	affaiblisseur *m* surproportionnel, faiblisseur *m* surproportionnel	сверхпропорциональный (суперпропорциональный) ослабитель, ослабитель прогрессивного действия, прогрессивный ослабитель
S 4946	**superproton**	Superproton *n*	superproton *m*	протон космического излучения сверхвысокой энергии, сверхпротон
S 4946a	**superradiance**	Superstrahlung *f*	superradiation *f*, superrayonnement *m*	суперизлучение
S 4947	**superrefraction**	Superrefraktion *f*, Superbrechung *f*, Suprarefraktion *f*	superréfraction *f*	волноводное распространение радиоволн, сверхрефракция, суперрефракция, сверхпреломление
S 4948	**superregeneration**, superretroaction	Pendelrückkopplung *f*, Superregeneration *f*, Überrückkopplung *f*	superrégénération *f*, superréaction *f*	сверхрегенерация
S 4949	**superregenerative amplifier**	Pendelrückkopplungsverstärker *m*, Superregenerativverstärker *m*	amplificateur *m* à superrégénération (superréaction), amplificateur paramétrique à superréaction	сверхрегенеративный усилитель, сверхрегенеративный параметрический усилитель
S 4950	**superregenerative detector**	Pendelrückkopplungsdetektor *m*; Pendelgleichrichter *m*, Pendelaudion *n*	détecteur *m* à superréaction, détecteur à superrégénération	сверхрегенеративный детектор, сверхрегенеративный сеточный детектор
S 4951	**superregenerative reception**	Superregenerativempfang *m*	réception *f* par superréaction (superrégénération)	сверхрегенеративный (суперрегенеративный) прием
	superrelativistic velocity	*s.* super-velocity of light		
	superretroaction	*s.* superregeneration		
S 4952	**super Rockwell test**	Super-Rockwell-Verfahren *n*	essai *m* super-Rockwell	определение твердости по супер-Роквеллу, испытание на твердость по супер-Роквеллу
S 4953	**supersaturated solid solution**	übersättigter Mischkristall *m*	solution *f* solide sursaturée	пересыщенный твердый раствор
S 4954	**supersaturated steam**	übersättigter Dampf *m*	vapeur *f* sursaturée	пересыщенный пар, пересыщенный водяной пар
S 4955	**supersaturated vapour**, supercooled vapour	übersättigter Dampf *m*, unterkühlter Dampf	vapeur *f* sursaturée, vapeur sous-réfrigérée, vapeur refroidie à l'excès	пересыщенный пар, переохлажденный пар
S 4956	**supersaturation**, oversaturation	Übersättigung *f*	sursaturation *f*	пересыщение; пересыщенность
S 4957	**supersaturation coefficient**	Übersättigungszahl *f*, Übersättigungsverhältnis *n*	coefficient *m* de sursaturation	коэффициент пересыщения
S 4958	**supersaturation energy**	Übersättigungsenergie *f*	énergie *f* de sursaturation	энергия пересыщения
S 4959	**super Schmidt [camera]**	Super-Schmidt-System *n*, Super-Schmidt-Spiegel *m*, Super-Schmidt-Kamera *f*	système *m* super-Schmidt, super-Schmidt *m*	телескоп системы супер-Шмидта, система супер-Шмидта, камера типа супер-Шмидта
S 4960	**superscript**, upper index	oberer Index *m*	indice *m* supérieur	верхний индекс
S 4961	**superselection rule**	Superauswahlregel *f*, Überauswahlregel *f*, Superselektionsregel *f*	règle *f* de supersélection	правило сверхотбора (суперотбора), абсолютное правило отбора
S 4962	**supersensitivity**, ultrasensitivity, extreme sensitivity	Höchstempfindlichkeit *f*, Superempfindlichkeit *f*, extreme Empfindlichkeit *f*	ultra-sensibilité *f*, sensibilité *f* extrême	сверхчувствительность
	supersensitivity, oversensitivity	Überempfindlichkeit *f*	supersensibilité *f*, ultra-sensibilité *f*	сверхчувствительность
	supersensitization	*s.* hypersensitization		
	supersensitizer, hypersensitizer	Übersensibilisator *m*, Supersensibilisator *m*, Hypersensibilisator *m*	hypersensibilisateur *m*, supersensibilisateur *m*	гиперсенсибилизатор
S 4963	**supersign**	Superzeichen *n*	supersigne *m*	сверхзнак, суперзнак
S 4964	**supersociation**	Supersoziation *f*	supersociation *f*	суперсоциация
S 4965	**supersonic aerodynamics**, supersonics	Überschallaerodynamik *f*	aérodynamique *f* supersonique	аэродинамика сверхзвуковых скоростей, сверхзвуковая аэродинамика
S 4966	**supersonic bang**, sonic bang (boom), bang	Überschallknall *m*	son *m* percutant, « bang » *m*	ударный звук от головной волны, звуковой удар
	supersonic cavitation	*s.* cavitation induced by ultrasonics		
	supersonic centrifuge, ultrasonic centrifuge	Ultraschallzentrifuge *f*	centrifugeuse *f* ultrasonore, centrifugeur *m* ultrasonore	ультразвуковая центрифуга
S 4967	**supersonic coagulation**, ultrasonic (acoustic) coagulation	Ultraschallkoagulation *f*, Koagulation *f* durch Schallwellen	coagulation *f* ultrasonique, coagulation acoustique	ультразвуковая коагуляция, акустическая коагуляция

	supersonic delay line	s. ultrasonic delay line		
S 4968	supersonic diffuser	Überschalldiffusor m	diffuseur m supersonique	сверхзвуковой диффузор
	supersonic echo sounder	s. ultrasonic echo-sounding device		
S 4969	supersonic edge, supersonic ridge	Überschallkante f	bord m supersonique	сверхзвуковая кромка
	supersonic emitter	s. ultrasonic radiator		
S 4970	supersonic expansion	Überschallexpansion f	expansion f supersonique	сверхзвуковое расширение
S 4971	supersonic flight	Überschallflug m	vol m supersonique	полет со сверхзвуковой скоростью
S 4972	supersonic flow, supersonic stream, flow at supersonic velocity	Überschallströmung f; Überschallstrom m; Überschallumströmung f	écoulement (mouvement) m supersonique, mouvement fluide supersonique, flux (courant) m supersonique	сверхзвуковое течение, сверхзвуковое движение, сверхзвуковой поток
S 4973	supersonic flow <against, towards, to, on to>	Überschallanströmung f	écoulement m supersonique <vers>	сверхзвуковое натекание
S 4974	supersonic flow from the source	Überschall-Quellströmung f	écoulement m supersonique de la source	сверхзвуковое течение от источника
	supersonic fluorometer, ultrasonic fluorometer	Ultraschallfluorometer n	fluorimètre m à ultrason	ультразвуковой флуорометр
S 4975	supersonic frequency	Überschallfrequenz f	fréquence f supersonique	сверхзвуковая частота
	supersonic generator, ultrasonic generator, ultrasound generator; vibratory unit, transducer, transformer	Ultraschallgenerator m, Ultraschallerzeuger m, Ultraschallgeber m; Ultraschallschwinger m, Schwinger m	générateur m d'ultrasons, générateur ultrasonore	генератор ультразвуковых колебаний, ультразвуковой генератор; ультразвуковой вибратор
S 4976	supersonic interferometer	Ultraschallinterferometer n	interféromètre m ultrasonore (à ultrason)	ультразвуковой интерферометр
S 4977	supersonic isobar	Überschallisobare f	isobare f supersonique	сверхзвуковая изобара
	supersonic lens, ultrasonic lens	Ultraschallinse f	lentille f ultrasonore	ультразвуковая линза
	supersonic microtome, ultrasonic microtome	Ultraschallmikrotom n	microtome m ultrasonore, microtome à ultrason	ультразвуковой микротом
	supersonic pipe	s. supersonic whistle		
S 4978	supersonic pocket	Überschalltasche f	poche f supersonique	сверхзвуковой карман (мешок)
	supersonic probe, ultrasonic probe	Ultraschallsonde f, Überschallsonde f	sonde f ultrasonique	ультразвуковой зонд, ультразвуковой щуп
S 4979	supersonic profile	Überschallprofil n	profil m supersonique	профиль для сверхзвуковых скоростей
	supersonic radiator	s. ultrasonic radiator		
S 4980	supersonic range, supersonic region	Überschallbereich m, Überschallgebiet n, supersonischer Bereich m, supersonisches Gebiet n	région f supersonique, gamme f supersonique	сверхзвуковая область, диапазон сверхзвуковых частот
S 4981	supersonic reflectoscope	Ultraschallecho-Impulsgerät n, Ultraschallimpulsreflexionsgerät n, Ultraschallreflektoskop n	réflectoscope m [ultrasonique]	ультразвуковой рефлектоскоп, ультразвуковой дефектоскоп по принципу отраженных импульсов
S 4982	supersonic region <of flow>	supersonisches Gebiet n, Überschallgebiet n <Strömung>	région f supersonique <de l'écoulement>	сверхзвуковая область <течения>
	supersonic region	s. a. supersonic range		
	supersonic ridge, supersonic edge	Überschallkante f	bord m supersonique	сверхзвуковая кромка
S 4983	supersonics	Überschallehre f, Lehre f vom Überschall, Überschallakustik f	supersonique f, acoustique f des fréquences supersoniques	акустика сверхвысоких частот
	supersonics, theory of supersonic speed	Überschalltheorie f	théorie f des vitesses supersoniques	теория сверхзвуковых скоростей
	supersonics, supersonic aerodynamics	Überschallaerodynamik f	aérodynamique f supersonique	аэродинамика сверхзвуковых скоростей, сверхзвуковая аэродинамика
	supersonic sounding	s. ultrasonic echo sounding		
	supersonic source, ultrasound source, ultrasonic source	Ultraschallquelle f	source f d'ultrasons	источник ультразвуковых колебаний, источник ультразвуков
	supersonic spectrometer	s. ultrasonic spectrometer		
	supersonic spectrometry	s. ultrasonic spectroscopy		
	supersonic spectroscope	s. ultrasonic spectrometer		
	supersonic spectroscopy	s. ultrasonic spectroscopy		
	supersonic spectrum	s. ultrasonic spectrum		
S 4984	supersonic speed, supersonic velocity	Überschallgeschwindigkeit f	vitesse f supersonique	сверхзвуковая скорость
	supersonic storage	s. ultrasonic delay line		
	supersonic stream	s. supersonic flow		
S 4985	supersonic stroboscope, ultrasonic stroboscope	Ultraschallstroboskop n	stroboscope m à ultrasons	ультразвуковой стробоскоп
	supersonic testing	s. ultrasonic inspection		
	supersonic transmitter	s. ultrasonic radiator		
	supersonic velocity	s. supersonic speed		
	supersonic vibration, ultrasonic vibration	Ultraschallschwingung f	vibration f ultrasonore (acoustique ultra-audible)	ультразвуковое (ультраакустическое) колебание
	supersonic wave, ultrasound wave, ultrasonic wave	Ultraschallwelle f, Überschallwelle f	onde f ultrasonore	ультразвуковая волна
S 4986	supersonic whistle, supersonic pipe	Ultraschallpfeife f	sifflet m à ultrasons	ультразвуковой свисток
S 4987	supersonic wind tunnel	Überschall-Windkanal m	soufflerie f supersonique	сверхзвуковая аэродинамическая труба

S 4988	**supersonic wing**	Überschallflügel *m*	aile *f* supersonique	сверхзвуковое крыло
	superspeed, excess velocity	Übergeschwindigkeit *f*	survitesse *f*	чрезмерная (завышенная) скорость, сверхскорость
	superstar	*s.* quasar		
S 4989	**superstereoscopic effect**	Überplastik *f*	effet *m* ultra-stéréoscopique	усиленный стереоэффект
	superstructure	*s.* superlattice		
	super surface film phenomenon [of helium], film creep [of helium]	Kriechen *n* dünner Flüssigkeitsschichten [von Helium]	grimpement *m* [d'hélium]	наползание [гелия]
S 4990	**supersynchronous,** hypersynchronous	übersynchron	supersynchrone, hypersynchrone	надсинхронный, сверхсинхронный, гиперсинхронный, выше синхронизма
S 4990a	**super temperature**	Supertemperatur *f*	supertempérature *f*	сверхвысокая температура
	supertension	*s.* extra-high tension		
S 4991	**superthermal conduction (conductivity),** super heat conduction (conductivity), thermal superconduction, thermal superconductivity	Suprawärmeleitung *f*, thermische Supraleitung *f*, Suprawärmeleitfähigkeit *f*, thermische Supraleitfähigkeit *f*	supraconduction *f* thermique, supraconductivité *f* thermique, supraconductibilité *f* thermique	тепловая сверхпроводимость
S 4991a	**superthreshold dose**	überschwellige Dosis *f*	dose *f* au-dessus du seuil, dose sur-seuil	надпороговая доза
S 4992	**super[-]turnstile [antenna]**	Superdrehkreuzstrahler *m*, Mehrfach-Schmetterlingsantenne *f*, „superturnstile"-Antenne *f*	antenne *f* en tourniquet multiple, antenne en super-tourniquet, antenne superturnstile	многосекционная турникетная антенна, многоэтажная турникетная антенна [типа «бабочка»], супертурникетная антенна
	superundal flow	*s.* shooting flow <hydr.>		
S 4993	**super-velocity of light,** superrelativistic velocity, hypervelocity	Überlichtgeschwindigkeit *f*	vitesse *f* supérieure à celle de la lumière	сверхсветовая скорость
	supervision	*s.* monitoring		
S 4994	**supervisory relay**	Überwachungsrelais *n*	relais *m* de contrôle	контрольное реле; отбойное реле
	supervoltage	*s.* extra-high tension		
S 4994a	**supervoltage X-ray generator**	Supervolt-Röntgengenerator *m*, Höchstspannungs-Röntgengenerator *m*	générateur *m* de rayons X à très haute tension	рентгеновская установка сверхвысокого напряжения
	superwater	*s.* polywater		
S 4995	**supplement[al angle], supplementary angle**	Supplementwinkel *m*	angle *m* supplémentaire	пополнительный угол
S 4996	**supplementary apparatus,** auxiliary apparatus, complementary instrument, add-on (additional, peripheral, ancillary) unit, additional equipment, accessory attachment, facility added, added facility	Zusatzgerät *n*; Zusatzeinrichtung *f*	instrument *m* auxiliaire; appareil *m* auxiliaire, appareil supplémentaire, appareil additionnel, accessoire *m*	дополнительный прибор, дополнительное устройство; приставка
S 4997	**supplementary lens,** attachment lens, auxiliary lens	Vorsatzlinse *f*, Zusatzlinse *f*	lentille *f* additionnelle, lentille supplémentaire, bonnette *f*	насадочная линза, добавочная линза, дополнительная линза
	supplementary prism, attachment prism	Vorsatzprisma *n*	prisme *m* additionnel	призма перед объективом; призма, устанавливаемая впереди объектива
	supplementary short-circuit current, additional short-circuit current	Zusatzkurzschlußstrom *m*	courant *m* de court-circuit supplémentaire	добавочный ток короткого замыкания
	supplementary valence	*s.* secondary valence		
S 4998	**supplementary vector,** cross	Ergänzungsvektor *m*, Ergänzung *f*	vecteur *m* supplémentaire, complément *m*	дополнительный вектор
	supply	*s.* power supply <el.>		
S 4999	**supply diagonal**	Speisediagonale *f*	diagonale *f* d'alimentation [du pont]	питаемая диагональ <измерительного моста>
	supply frequency	*s.* power-line frequency		
	supply of charge carriers	*s.* carrier replenishment		
S 5000	**supply pipe (tube),** feed pipe, inlet pipe, intake pipe, lead; penstock [pipe], raceway <of turbine>	Zuleitungsrohr *n*, Zuführungsrohr *n*, Zuflußrohr *n*; Zulaufrohr *n*	tuyau *m* adducteur, tuyau d'amenée, tuyau d'arrivée, tuyau d'alimentation	подводящая труба, подающая труба; подводящий канал <турбины>
S 5001	**supply voltage**	Speisespannung *f*, Versorgungsspannung *f*	tension *f* d'alimentation	напряжение питания, напряжение источника питания, питающее напряжение
	supply voltage, line voltage, mains input, mains voltage, voltage of the main	Netzspannung *f*	tension *f* de secteur, tension de réseau	напряжение сети, сетевое напряжение
	support; holder; mount, mounting support	Halterung *f*, Halter *m*	fixation *f*, support *m*, porte- ...	держатель, державка, зажим, оправка, фиксатор
S 5002	**support,** supporter, supporting structure, carrier <of the catalyst>	Katalysatorträger *m*, Träger *m* <Katalysator>	support *m*, porteur *m*, structure *f* portante <du catalyseur>	носитель, подкладка, подложка <катализатора>

	English	German	French	Russian
	support, carrier <math.>	Träger m <Math.>	support m <math.>	носитель <матем.>
S 5003	support, bearing; rest; shore <mech.>	Auflager n; Auflagestütze f, Stütze f, Auflage f; Unterstützung f <Mech.>	appui m, support m, soutien m, sustentation f <méc.>	опора, поддержка, подпора <мех.>
	support	s. a. film base		
	support	s. a. slide		
S 5004	supported	gestützt	supporté	опертый
S 5005	supported catalyst	Trägerkatalysator m, Trägerkontakt m	catalyseur m sur porteur	катализатор на носителе (подложке), нанесенный катализатор
	support electrolyte	s. supporting electrolyte		
	supporter	s. support <of the catalyst>		
S 5006	support function, function of support, supporting function	Stützfunktion f	fonction f d'appui	опорная функция
	supporting capacity	s. carrying capacity		
S 5007	supporting electrode	Trägerelektrode f	électrode f portante (de support)	опорный электрод, несущий электрод
S 5008	supporting electrolyte, support electrolyte; background electrolyte; base electrolyte; conducting salt	Leitelektrolyt m, Trägerelektrolyt m; Leitsalz n	électrolyte m de fond, électrolyte de base, électrolyte de support; sel m conducteur	фоновый электролит, фон, посторонний (индифферентный) электролит; проводящая соль, токопроводящая соль <в полярографии>
S 5009	supporting film; supporting foil <in electron microscopy>	Objektträgerhäutchen n, Objektträgerfilm m; Oberflächenabdruckfilm m; Objektträgerfolie f; Oberflächenabdruckfolie f <Elektronenmikroskopie>	pellicule-réplique f <pour la microscopie électronique>	пленка-подложка <для электронной микроскопии>
S 5010	supporting foil	Trägerfolie f	feuille f portante	пленка-подложка, фольга-подложка
	supporting foil	s. a. supporting film		
S 5011	supporting force, support reaction, upward force at the support, force at the support, support pressure	Stützkraft f, Stützdruck m, Auflage[r]kraft f	réaction f d'appui, force f d'appui	реакция опоры, опорная реакция
	supporting forces	s. support reactions		
	supporting function	s. support function		
S 5012	supporting grid	Tragrost m, Stützgitter n, Trägerüst n, Unterstützungsgerüst n	grille f porteuse	опорная решетка, поддерживающая сетка
S 5013	supporting-insulator type transformer	Stützerstromwandler m	transformateur m support	опорный трансформатор тока, трансформатор тока по типу опорного изолятора
S 5014	supporting material, supporting substance <chromatography>	Träger m <Chromatographie>	substance f porteuse, matière f porteuse, matériel m porteur <chromatographie>	носитель <хроматография>
	supporting material	s. a. base material		
	supporting plane, plane of support	Stützebene f, Stützhyperebene f	plan m d'appui, hyperplan m d'appui	опорная плоскость (гиперплоскость)
S 5015	supporting plate, base plate, backing plate, base support	Trägerplatte f	plaque f d'appui	опорная пластина, опорная пластинка
	supporting point	s. point of support <of lever>		
	supporting reactions	s. support reactions		
S 5016	supporting rod	Trägerstab m	barre f porteuse	несущий (опорный) стержень
	supporting structure, support, carrier <of the catalyst>	Katalysatorträger m, Träger m <Katalysator>	support m, porteur m, structure f portante <du catalyseur>	носитель, подкладка, подложка <катализатора>
S 5017	supporting structure, support structure <mech.>	Tragkonstruktion f, Tragwerk n <Mech.>	construction f portante, structure f portante <méc.>	несущая конструкция, опорная конструкция <мех.>
	supporting substance	s. supporting material <chromatography>		
	supporting surface, bearing surface <mech.>	tragende Fläche f, Tragfläche f <Mech.>	surface f d'appui, surface de portage, surface portante <méc.>	опорная поверхность, поверхность опоры, несущая поверхность <мех.>
	support material	s. base material		
	support pressure	s. supporting force		
	support reaction	s. supporting force		
S 5018	support reactions, reactions (upward forces) at the supports, supporting forces (reactions), end reactions	Auflagerreaktion f, Auflagerkräfte fpl	réaction f des appuis	реакция опор
S 5018a	support resonance	Stützresonanz f	résonance f d'appui	опорный резонанс
	support structure, supporting structure <mech.>	Tragkonstruktion f, Tragwerk n <Mech.>	construction f portante, structure f portante <méc.>	несущая конструкция, опорная конструкция <мех.>
S 5019	supposition, presupposition, presumption, assumption; prerequisite; premise; condition	Voraussetzung f; Annahme f; Prämisse f; Bedingung f	supposition f, présupposition f; prémisse f; condition f	предположение; допущение; условие; посылка, предпосылка
	suppressed band, suppressed frequency band	unterdrücktes Band n	bande f affaiblie, bande atténuée, bande éliminée	подавленная полоса

	English	German	French	Russian
S 5020	**suppressed carrier;** quiescent carrier	unterdrückter Träger m	porteuse f supprimée	подавленная несущая
S 5021	**suppressed frequency band,** suppressed band	unterdrücktes Band n	bande f affaiblie (atténuée, éliminée)	подавленная полоса
	suppressed weir	s. contracted weir		
S 5022	**suppressed zero instrument,** instrument with suppressed zero	Meßgerät (Gerät, Instrument) n mit unterdrücktem Nullpunkt	appareil m à équipage mobile buté, appareil (instrument m) à suppression de zéro	прибор со шкалой без нуля
S 5023	**suppression,** rejection	Unterdrückung f	suppression f, élimination f	подавление; заглушение; угнетение; опускание, пропуск
S 5024	**suppression filter,** rejection filter, elimination filter, exclusion filter	Sperrfilter n <El.; Opt.>; Okularsperrfilter n <Opt.>; Sperrsieb n <El.>; Sperrkreisfilter n <El.>	filtre m de blocage, filtre de barrage, filtre d'arrêt, filtre bouchon, filtre d'exclusion, filtre d'élimination	заграждающий фильтр, запирающий фильтр
S 5025	**suppression of the discharge**	Unterdrückung f der Entladung	suppression f de la décharge	подавление разряда
S 5026	**suppressor effect**	Unterdrückungseffekt m	effet m de suppression	эффект подавления
S 5027	**suppressor grid**	Bremsgitter n; Anodenschutzgitter n; Fanggitter n	grille f suppresseuse, grille de suppression (retenue, rejet, freinage), grille d'arrêt	защитная сетка, антидинатронная сетка, противодинатронная сетка
S 5028	**suppressor[-grid] modulation**	Bremsgittermodulation f, Bremsmodulation f, Fanggittermodulation f	modulation f par grille d'arrêt	модуляция на защитную сетку
	suprafluid, superfluid	suprafluid, superfluid; supraflüssig	suprafluide, superfluide	сверхтекучий
S 5029	**supraliminal**	überschwellig	supraliminaire	надпороговый
S 5030	**supraliminal stimulus**	überschwelliger Reiz m	stimulus m supraliminaire	надпороговый раздражитель
S 5030a	**supralittoral**	supralitoral	supralittoral	супралиторальный
S 5031	**supramolecular structure**	übermolekulare Struktur f, Überstruktur f	structure f supramoléculaire	надмолекулярная структура
S 5032	**suprasphere**	Suprasphäre f	suprasphère f	супрасфера
	supremum	s. least upper bound		
S 5033	**surf;** surge, breakers	Brandung f	déferlement m, brisement m des flots; brisant m; ressac m	прибой, бурун
S 5034	**surface;** bounding surface, boundary, boundary surface; periphery surface	Oberfläche f, Fläche f; Begrenzungsfläche f; Randfläche f	surface f, superficie f; surface frontière	поверхность; граничная (пограничная, ограничивающая) поверхность
S 5035	**surface,** water table, table, free surface of water, water stage, water plane <hydr.>	freie Oberfläche f, Spiegel m, Wasserspiegel m <Hydr.>	niveau m [de la nappe], surface f [de la nappe], surface libre [d'eau], plan m de l'eau <hydr.>	свободная поверхность [воды], зеркало [воды], уровень [воды] <гидр.>
S 5036	**surface,** superficial; near the surface, near-surface	Oberflächen-, oberflächlich; oberflächennah	superficiel, de surface; près de la surface	поверхностный; приповерхностный; подповерхностный; вблизи поверхности, близкий к поверхности
S 5037	**surface acceleration,** areal (sector) acceleration	Flächenbeschleunigung f	accélération f aréolaire (des secteurs)	секторное (секториальное) ускорение
S 5038	**surface-acting development,** surface development <phot.>	Oberflächenentwicklung f <Phot.>	développement m à action superficielle, développement superficiel <phot.>	поверхностное проявление <фот.>
S 5039	**surface-active, surface active,** capillary-active	grenzflächenaktiv, oberflächenaktiv, kapillaraktiv	tensio-actif	поверхностно-активный, поверхно-активный, капиллярноактивный
S 5040	**surface active agent,** surfactant, interfacially active agent, detergent	grenzflächenaktiver (oberflächenaktiver, kapillaraktiver) Stoff m, Tensid n, Detergens n, Surfactant m	surfactant m, tensio-actif m, agent m tensio-actif, substance f tensio-active, agent de surface, détergent m	поверхностно-активное вещество, детергент, ПАВ
S 5041	**surface activity,** capillary activity	Oberflächenaktivität f, Kapillaraktivität f, Grenzflächenaktivität f	tensio-activité f	поверхностная активность, капиллярная активность
S 5042	**surface activity** <nucl.>	Oberflächenaktivität f <Kern.>	activité f superficielle, activité surfacique <nucl.>	поверхностная активность <яд.>
S 5043	**surface admittance**	Oberflächenleitwert m, Oberflächenscheinleitwert m, Oberflächenadmittanz f	admittance f superficielle	[полная] поверхностная проводимость, коэффициент [полной] поверхностной проводимости
S 5044	**surface adsorption**	Oberflächenadsorption f	adsorption f superficielle	поверхностная адсорбция
	surface air	s. near-soil atmospheric layer		
	surface area	s. area		
	surface area	s. specific surface		
	surface array of dislocations, dislocation wall	Versetzungswand f	paroi f de dislocations	дислокационная стенка
S 5045	**surface band**	Oberflächenband n, Oberflächenenergieband n	bande f de surface, bande superficielle	поверхностная зона
	surface barrier	s. barrier layer		
S 5046	**surface barrier detector**	Oberflächenbarrieredetektor m, Oberflächensperrschichtdetektor m, „surface-barrier"-Detektor m, Randschichtdetektor m, Barrieredetektor m	détecteur m [semi-conducteur] à barrière de surface, semicteur m à barrière de surface	поверхностно-барьерный детектор, полупроводниковый детектор с барьерным слоем, барьерный детектор, полупроводниковый детектор с поверхностным запирающим слоем

S 5047	**surface-barrier diode**	Oberflächenbarrierediode f, Oberflächensperrschicht-diode f, „surface-barrier"-Diode f, Rand-schichtdiode f, Barriere-diode f	diode f à barrière de sur-face, diode semiconduc-trice à barrière de surface	поверхностно-барьерный диод, полупроводни-ковый диод с барьер-ным слоем, диод, с барьерным слоем, барьерный полупровод-никовый диод, полу-проводниковый диод с поверхностным запи-рающим слоем
S 5047a	**surface-barrier field effect transistor, MESFET**	Oberflächenbarriere-Feld-effekttransistor m, MESFET	transistor m à effet de champ et à barrière de surface, MESFET	поверхностно-барьерный канальный транзистор
S 5048	**surface barrier junction**	Oberflächenbarriereüber-gang m, Oberflächen-sperrschichtübergang m, „surface-barrier"-Über-gang m, Oberflächen-grenzschichtübergang m, Oberflächenrandschicht-übergang m, Rand-schichtübergang m	jonction f à barrière de surface	поверхностно-барьерный переход
	surface barrier layer	s. barrier layer		
S 5049	**surface barrier transis-tor**	Oberflächenbarrieretransis-tor m, Oberflächensperr-schichttransistor m, „surface-barrier"-Transistor m, Rand-schichttransistor m, Barrieretransistor m	transistor m à barrière de surface	поверхностно-барьерный транзистор, полупро-водниковый триод с барьерным слоем, барьерный полупро-водниковый триод, полупроводниковый триод с поверхност-ным запирающим слоем
S 5050	**surface boiling,** subcooled boiling	Oberflächensieden n	ébullition f superficielle	поверхностное кипение, кипение жидкости на поверхности, кипение недогретой жидкости
S 5051	**surface bolometer**	Großflächenbolometer n	bolomètre m à large surface	болометр с большой поверхностью
S 5052	**surface breakdown**	Oberflächenüberschlag m, Oberflächendurchbruch m	rupture f de surface	поверхностный пробой
S 5053	**surface charge**	Oberflächenladung f, Flächenladung f; elektrische Flächen-ladung	charge f superficielle, charge surfacique, charge en surface	поверхностный заряд
S 5054	**surface charge density,** surface density of charge, surface density of electric charge	Oberflächenladungsdichte f, Flächenladungsdichte f, Oberflächendichte f der Ladung, Flächendichte f der Ladung, elektrische Flächendichte (Flächen-ladungsdichte, Verschie-bungsdichte f), Dichte f der Oberflächenladungen	densité f surfacique [de charge], densité superfi-cielle de charge [électri-que], densité de couche chargée	плотность поверхностного заряда, поверхностная плотность заряда
	surface coat, coating, coat; covering, coverage; sheath layer <gen.>	Überzug m, Schicht f, Überzugsschicht f; Be-schichtung f; Belag m; Bedeckung f <allg.>	revêtement m, recouvre-ment m, enduit m; couche f; couverture f <gén.>	покрытие, слой; полив; пленка, налет, отложе-ние <общ.>
S 5055	**surface-coated mirror,** front-surface mirror, front-coated mirror; surface-silvered mirror, front-silvered mirror	Oberflächenspiegel m; oberflächenversilberter Spiegel m	miroir m revêtu à la surface antérieure; miroir argenté à la surface antérieure	зеркало с поверхностным покрытием
S 5056	**surface colour,** colour (colouration) of the body in reflected light, colour in reflected light, reflected colour	Aufsichtfarbe f	couleur f superficielle, couleur (coloration f) du corps en lumière réfléchie, couleur [en lumière] réfléchie	поверхностный цвет, поверхностная окраска, цвет (окраска) тела в отраженном свете, окраска в отраженном свете
	surface colour	s. a. free colour		
	surface combustion	s. catalytic combustion		
S 5057	**surface concentration**	Flächenkonzentration f; Oberflächenkonzen-tration f	concentration f superficielle	поверхностная концен-трация; концентрация на поверхности
S 5058	**surface condenser**	Oberflächenkondensator m	condenseur m de surface, condenseur superficiel	поверхностный конден-сатор, конденсатор поверхностного типа
S 5059	**surface condition**	Oberflächenbeschaffenheit f, Oberflächenbedingung f	condition f de la superficie, nature f de la superficie, état m de surface	характер обработанной по-верхности, вид обрабо-танной поверхности, состояние поверхности, условие на поверх-ности
S 5060	**surface conductance**	Oberflächenwirkleitwert m, Oberflächenkonduktanz f, Oberflächenleitwert m	conductance f superficielle	[активная] поверхностная проводимость, коэф-фициент [активной] поверхностной проводи-мости
S 5061	**surface conduction**	Oberflächenleitung f	conduction f superficielle	поверхностная проводи-мость
S 5062	**surface conductivity**	Oberflächenleitfähigkeit f	conductibilité f superficielle (de surface)	поверхностная электро-проводность (проводи-мость)

S 5063	surface-contact rectifier, large-area-contact rectifier	Flächengleichrichter m	redresseur m à jonction p-n, redresseur à contact par surface	плоскостной поверхностный (полупроводниковый) выпрямитель, полупроводниковый вентиль с p−n переходом
S 5064	surface contamination <nucl.>	Oberflächenkontamination f, Oberflächenverseuchung f <Kern.>	contamination f en surface, contamination de surface <nucl.>	поверхностное загрязнение, поверхностное заражение <яд.>
S 5065	surface conversion	Oberflächenkonversion f	conversion f superficielle	поверхностная конверсия
	surface corrosion, general (uniform) corrosion	diffuse (gleichmäßige) Korrosion f, gleichmäßiger Angriff m von der Oberfläche her	corrosion f générale, corrosion diffuse (uniforme)	общая коррозия, сплошная коррозия, поверхностная (равномерная) коррозия
S 5066	surface coupling	Oberflächenkopplung f	couplage m superficiel	поверхностная связь
S 5067	surface crack	Oberflächenriß m	fissure f superficielle (de surface)	поверхностная трещина
S 5068	surface crystallization	Oberflächenkristallisation f	cristallisation f superficielle	поверхностная кристаллизация
	surface curl, areal curl, Curl	Flächenrotation f, Flächenwirbel m, Flächenrotor m, Rot	rotationnel m de surface, rotationnel superficiel, Rot	поверхностный ротор (вихрь), вихрь на поверхности, Rot
	surface current, surface flow; near-surface flow	Oberflächenströmung f; oberflächennahe Strömung f	courant m superficiel; courant près de surface	поверхностное течение; приповерхностное течение
S 5069	surface current <el.>	Oberflächenstrom m, Flächenstrom m <El.>	courant m de surface, courant superficiel <él.>	поверхностный ток <эл.>
S 5070	surface current density, surface density of current	Oberflächenstromdichte f, Flächenstromdichte f, Oberflächendichte f des Stroms, Flächendichte f des Stroms; spezifische Strombelastung f	densité f surfacique de courant, densité superficielle de courant, densité du courant superficiel	плотность поверхностного тока, поверхностная плотность тока
	surface damping	s. edge damping		
S 5071	surface defect, surface failure	zweidimensionale Fehlstelle f, zweidimensionale Störstelle f, flächenhafte Störstelle, Oberflächenfehler m; Flächenstörung f	défaut m bidimensionnel, défaut de surface, défaut superficiel	двумерный дефект; плоскостной дефект, поверхностный дефект, поверхностный порок
S 5072	surface density, superficial density	Flächendichte f; Oberflächendichte f; Belegungsdichte f; Flächenbelegung f, Oberflächenbelegung f	densité f superficielle, densité surfacique, densité de surface	поверхностная плотность
	surface density	s. a. mass per unit area		
	surface density of activity	s. activity density relative to surface		
	surface density of charge	s. surface charge density		
	surface density of current	s. surface current density		
	surface density of electric charge	s. surface charge density		
	surface depletion layer	s. depleted surface boundary layer		
	surface derivative, areal derivative	Flächenableitung f	dérivée f aréolaire	поверхностная производная
	surface development	s. surface-acting development <phot.>		
S 5073	surface development nucleus, surface nucleus	Oberflächenkeim m	germe m de développement superficiel, germe de surface	поверхностный центр проявления (скрытого изображения)
S 5074	surface diffusion	Oberflächendiffusion f	diffusion f superficielle	граничная диффузия, поверхностная диффузия, нерегулярная диффузия
S 5075	surface diffusion coefficient	Oberflächendiffusionskoeffizient m	coefficient m de diffusion superficielle	коэффициент поверхностной диффузии
S 5076	surface discharge; discharge over (on) the surface <el.>	Oberflächenentladung f <El.>	décharge f superficielle, décharge de surface <él.>	поверхностный разряд <эл.>
S 5077	surface discharge, surface effluent, overland flow (runoff), sheet flow, surface flow (run[-]off) <hydr.>	[reiner] Oberflächenabfluß m, oberirdischer Abfluß m <Hydr.>	écoulement (ruissellement) m de surface <hydr.>	поверхностный сток, склоновый сток, надземный сток, поверхностное стекание <гидр.>
S 5078	surface discharge spark, creepage spark	Gleitfunke m	étincelle f rampante (glissante), étincelle de décharge rampante	скользящая искра, искра скользящего разряда
S 5079	surface dislocation	Oberflächenversetzung f	dislocation f superficielle, dislocation de surface	поверхностная дислокация
S 5080	surface dispersion	Oberflächendispersion f	dispersion f superficielle	поверхностная дисперсия
S 5081	surface displacement	Oberflächenverschiebung f	déplacement m superficiel	поверхностное смещение
S 5082	surface distribution	Flächenverteilung f; Oberflächenverteilung f	distribution f superficielle	поверхностное распределение
S 5083	surface divergence, areal divergence, Div	Flächendivergenz f, Sprungdivergenz f, Div	divergence f de surface, divergence superficielle, Div	поверхностная дивергенция, поверхностное расхождение, дивергенция на поверхности, Div
S 5084	surface dose, field dose	Oberflächendosis f	dose f en (de) surface, dose superficielle (incidente)	доза на поверхности, поверхностная доза [облучения]

	English	German	French	Russian
	surface eddy, surface vortex	Flächenwirbel m	tourbillon m de surface	поверхностный вихрь
	surface-effect ship	s. hovercraft		
	surface effluent	s. surface discharge <hydr.>		
	surface element, element of area, differential of area, areal element	Flächenelement n, Oberflächenelement n	élément m de surface, élément superficiel, élément d'aire, surface f élémentaire	элемент площади [поверхности], элемент поверхности, площадка
	surface emitter	s. plane radiator		
S 5085	**surface emitting according to the cosine law,** uniform emitting surface, Lambertian radiator	Lambertscher Strahler m, Lambert-Strahler m	surface f émettant suivant la loi de Lambert, émetteur m lambertien	диффузно-светящаяся поверхность, излучатель Ламберта
S 5086	**surface energy,** free energy of the surface [per unit area], free surface energy, surface (superficial) free energy	Oberflächenenergie f, freie Oberflächenenergie, Oberflächenarbeit f, freie Energie f der Oberfläche	énergie f superficielle, énergie [libre] de surface, énergie libre superficielle	поверхностная энергия, свободная поверхностная энергия, поверхностная свободная энергия
S 5087	**surface energy,** superficial density of the internal energy	Oberflächendichte f der inneren Energie, Oberflächenenergie f	énergie f superficielle	поверхностная энергия
	surface energy of the nucleus, nuclear surface energy	Oberflächenenergie f des Kerns, Kernoberflächenenergie f	énergie f superficielle du noyau, énergie de surface nucléaire	поверхностная энергия ядра
	surface entropy	s. superficial entropy		
S 5088	**surface eruption**	Oberflächeneruption f	éruption f superficielle	наземное извержение
	surface evaporation, evaporation [from the surface]	Verdunstung f, Evaporation f, unproduktive Verdunstung f; Ausdünstung f	évaporation f [de la surface]	испарение [на поверхности], поверхностное испарение
S 5089	**surface excess,** absorbed quantity	Oberflächenüberschuß m	excédent m superficiel	избыточная поверхностная концентрация
S 5090	**surface expansion**	Flächenausdehnung f, flächenhafte Ausdehnung f; Oberflächenausdehnung f	dilatation f superficielle, extension f superficielle	поверхностное расширение
	surface failure	s. surface defect		
S 5091	**surface film,** surface tension film	Oberflächenfilm m, Oberflächenhaut f, Oberflächenhäutchen n	film m superficiel	поверхностная пленка
S 5092	**surface finish,** surface quality	Oberflächengüte f, Oberflächenbeschaffenheit f, Oberflächenqualität f	fini m de surface, qualité f de la surface	качество отделки [поверхности], качество [обработанной] поверхности
S 5093	**surface finish, surface finishing [process]**	Oberflächennachbehandlung f; Oberflächennachbearbeitung f	fini m de surface, traitement m final de surface	отделка поверхности
S 5094	**surface finish tester**	Oberflächenprüfgerät n	appareil m à mesurer le fini des surfaces	прибор для определения качества поверхности
S 5095	**surface flood,** surface flow	Schichtflut f, flächenhaftes Abfließen n	écoulement m en (par) couche	пластовый поток
S 5096	**surface flow,** surface current; near-surface flow	Oberflächenströmung f; oberflächennahe Strömung f	courant m superficiel; courant près de surface	поверхностное течение; приповерхностное течение
	surface flow	s. a. surface discharge		
S 5097	**surface force;** surface traction	Oberflächenkraft f, Flächenkraft f, Berührungskraft f	force f superficielle	поверхностная сила; поверхностно-активная сила
	surface free energy	s. surface energy		
	surface friction	s. skin friction		
S 5098	**surface[-] friction coefficient,** skin friction coefficient	Oberflächenreibungskoeffizient m, Hautreibungskoeffizient m	coefficient m de frottement superficiel, coefficient de frottement de revêtement	коэффициент поверхностного трения
S 5099	**surface-friction drag,** friction drag, frictional drag <aero., hydr.>	Reibungswiderstand m <Aero., Hydr.>	résistance f de frottement, résistance de surface <aéro., hydr.>	сопротивление по длине потока, линейное сопротивление потока, сопротивление трения <аэро., гидр.>
	surface friction term, wall shear stress term, skin friction term	Wandschubspannungsglied n	terme m de la tension de frottement [de la paroi]	коэффициент трения на стенке, коэффициент трения сдвига на стенке
S 5100	**surface gauge,** shifting gauge, marking gauge	Höhenreißer m, Reißmaß n, Streichmaß n, Parallelmaß n, Parallelreißer m	trusquin m	рейсмус, параллельный рейсмус, вертикальный разметочный прибор
S 5101	**surface generation**	Oberflächenerzeugung f	génération f superficielle	поверхностная генерация, генерация на поверхности
S 5102	**surface gloss**	Oberflächenglanz m	éclat m de la surface	поверхностный блеск, глянец поверхности, живость поверхности, яркость поверхности
S 5103	**surface glow**	Glimmhaut f	couche f ionisée, couche d'effluves	свечение на поверхности электрода
S 5104	**surface gradient,** areal gradient, Grad	Flächengradient m, Sprunggradient m, Grad	gradient m de surface, gradient superficiel, Grad	поверхностный градиент, градиент на поверхности, Grad
S 5105	**surface gravity,** surficial gravity, superficial gravity	Schwerebeschleunigung (Schwerkraft) f an der Oberfläche, Oberflächen-Schwerebeschleunigung f, Oberflächenschwere f, Oberflächenschwerkraft f	gravité f superficielle, gravité de surface	тяготение на поверхности, сила тяжести (притяжения) у поверхности тела
S 5106	**surface growth**	[tangentiales] Flächenwachstum n	croissance f en surface	рост поверхности [кристаллов]

S 5107	surface Hamiltonian	Oberflächen-Hamilton-Operator m, Oberflächenanteil m des Hamilton-Operators	hamiltonien m surfacique, hamiltonien de surface	поверхностный гамильтониан
S 5108	surface hardening, flame hardening, torch hardening, face hardening	Brennhärtung f, Oberflächenhärtung f, Flammenhärtung f, Autogenhärtung f	durcissement m superficiel, trempe f superficielle, trempe de surface, cémentation f de surface	пламенная закалка, поверхностная закалка [кислородном пламенем]; повышение поверхностной твердости; цементация
S 5108a	surface hardening by glow discharge in nitrogen	Glimmnitrierung f	nitruration f par décharge à lueur	азотирование в тлеющем разряде
S 5109	surface hardness	Oberflächenhärte f	dureté f superficielle, résistance f à l'usure par frottement	поверхностная твердость
S 5110	surface harmonic, surface spherical harmonic; Laplace['s] spherical harmonic (function)	Kugelflächenfunktion f; Laplacesche Kugelfunktion f, allgemeine Kugelfunktion	harmonique m sphérique, fonction f sphérique superficielle; fonction sphérique générale (de Laplace)	сферическая функция Лапласа, шаровая функция Лапласа
S 5111	surface impedance	Oberflächenimpedanz f, Flächenimpedanz f, Oberflächen[schein]widerstand m, Flächenwiderstand m; Oberflächenwellenwiderstand m	impédance f superficielle	поверхностный импеданс, полное поверхностное сопротивление; поверхностное волновое сопротивление
S 5112	surface imperfection, surface irregularity	Oberflächenstörung f, Oberflächendefekt m	défaut m de surface, défaut superficiel, imperfection f superficielle (de surface)	поверхностный дефект
S 5113	surface-inactive, capillary-inactive	oberflächeninaktiv, kapillarinaktiv	tensio-inactif	поверхностно-неактивный, капиллярно-неактивный, поверхностно-инактивный
	surface inhomogeneity	s. surface irregularity		
S 5114	surface integral, closed surface integral, integral over a closed surface	Oberflächenintegral n, Randintegral n, Hüllenintegral n, Flächenintegral n [über die geschlossene Fläche]	intégrale f de surface, intégrale prise à la surface fermée, intégrale superficielle (d'enveloppe)	поверхностный интеграл, интеграл по площади (замкнутой) поверхности; двойной интеграл, взятый по замкнутой поверхности
	surface interaction, direct interaction <nucl.>	direkte Wechselwirkung f, Oberflächenwechselwirkung f <Kern.>	interaction f directe <nucl.>	прямое взаимодействие, поверхностное взаимодействие <яд.>
	surface inversion, ground inversion	Bodeninversion f	inversion f au sol	приземная инверсия
S 5115	surface ionization	Oberflächenionisierung f, Oberflächenionisation f	ionisation f superficielle	поверхностная ионизация
S 5116	surface ionization coefficient	Oberflächenionisierungskoeffizient m	coefficient m d'ionisation superficielle	коэффициент поверхностной ионизации
S 5117	surface ionization ion source	thermische Ionenquelle f	source f d'ions thermique	тепловой ионный источник
S 5118	surface ionization source	Oberflächenionisierungsquelle f	source f d'ionisation superficielle	источник с поверхностной ионизацией
S 5119	surface irregularity; surface inhomogeneity	Oberflächenunregelmäßigkeit f; Oberflächenunstetigkeit f; Oberflächeninhomogenität f	irrégularité f de surface; inhomogénéité f de surface	неоднородность поверхности
	surface irregularity	s. a. surface imperfection		
S 5119a	surface laser	Oberflächenlaser m	laser m superficiel	поверхностный лазер (оптический квантовый генератор)
S 5120	surface layer	Oberflächenschicht f; oberflächennahe Schicht f	couche f superficielle	поверхностный слой; приповерхностный слой
	surface layer, peripheral layer	Randschicht f, periphere Schicht f, Mantelschicht f	couche f périphérique, couche superficielle, couche marginale	периферический слой, кромочный слой, пограничный слой
S 5121	surface leakage, leakage <el.>	Kriechstromableitung f, Ableitung f von Kriechströmen, Kriechen n; Oberflächenableitung f, Oberflächenverlust m <El.>	fuite f superficielle, fuite <él.>	поверхностная утечка, утечка по поверхности, поверхностная потеря <эл.>
S 5122	surface leakage current, leakage (creeping) current, tracking current, stray current, discharge current, sneak currents	Kriechstrom m, Oberflächenkriechstrom m	courant m superficiel de fuite, courant de fuite superficielle, courant de fuite	ток утечки [по поверхности], ток поверхностной утечки, поверхностная утечка; ток скользящего разряда; ползучий ток
	surface level	s. surface state		
S 5123	surface lifetime	Oberflächenlebensdauer f, oberflächliche Lebensdauer f	durée f de vie superficielle	поверхностное время жизни [неравновесных носителей заряда]
	surface load	s. area load		
S 5124	surface magnetization	Oberflächenmagnetisierung f; flächenhaft verteilte Magnetisierung f	aimantation f superficielle	поверхностное намагничивание
S 5125	surface marking, surface waviness	Randschliere f	ondulation f de la surface, strie f de surface	волнистость поверхности
	surface mass	s. mass per unit area		
	surface measurement, planimetering, planimetration; measurement of area, area measurement	Planimetrierung f; Flächen[aus]messung f	planimétrage m, planimétrie f; mesure f des aires, mesurage m des aires, mesure de surface	планиметрирование; измерение площадей, измерение поверхностей, измерение плоскостей

	surface metric, areal metric	Flächenmetrik f	métrique f aréolaire	метрика площадей, ареальная метрика
S 5126	**surface migration**	Oberflächenwanderung f	migration f superficielle	поверхностная миграция
S 5127	**surface mobility**	Oberflächenbeweglichkeit f, Beweglichkeit f an der Oberfläche	mobilité f superficielle	поверхностная подвижность
S 5128	**surface moraine,** superglacial moraine	Obermoräne f	moraine f superficielle	поверхностная морена, верхняя морена
S 5129	**surface noise,** needle scratch, scratch	Nadelgeräusch n, Nadelrauschen n, Kratzen n der Nadel	bruit m de surface, bruit d'aiguille	шум канавки, шум иглы, шум от иглы, поверхностный шум
	surface normal, normal to the surface, normal, normal of surface	Flächennormale f, Normale f der Fläche	normale f à la surface	нормаль к поверхности
	surface nucleus	s. surface development nucleus		
S 5130	**surface of absorption** <opt., therm., cryst.>	Absorptionsfläche f <Opt., Therm., Krist.>	surface f d'absorption <opt., therm., crist.>	поверхность поглощения, поглощающая поверхность, поверхность абсорбции <опт., терм., крист.>
S 5130a	**surface of acuity**	Schärfenfläche f	surface f d'acuité	поверхность остроты
	surface of adherence; sticking surface	Haftfläche f	surface f d'adhésion	поверхность прилипания (сцепления, удержания)
	surface of ascending glissade, surface of ascent, anabatic surface	anabatische Frontfläche f, Anafrontfläche f, Aufgleitfläche f	surface f anabatique	поверхность восходящего скольжения
S 5131	**surface of centres of displacement**	Auftriebsfläche f	surface f des centres de déplacement	поверхность центров погруженных объемов
	surface of centres of the surface	s. evolute [of surface]		
S 5132	**surface of constant curvature**	Fläche f konstanter Krümmung, Fläche konstanten Krümmungsmaßes	surface f à courbure totale constante	поверхность с постоянной гауссовой кривизной, поверхность постоянной кривизны
	surface of constant optical path	s. equiphase surface		
	surface of constant phase	s. equiphase surface		
	surface of constant phase	s. wave front		
	surface of constant phase difference	s. isochromatic surface		
	surface of constant potential	s. equipotential surface		
	surface of constant pressure	s. isobaric surface		
S 5133	**surface of constant slope**	Böschungsfläche f	surface f de pente	поверхность постоянного склона
S 5134	**surface of contact,** contact surface, contact interface, pressure area	Kontaktfläche f, Kontaktoberfläche f; Druckfläche f	surface f de contact	поверхность соприкосновения, контактирующая поверхность, поверхность контакта; площадка касания
S 5134a	**surface of descending glissade, surface of descent,** surface of subsidence, catabatic surface	katabatische Frontfläche f, Katafrontfläche f, Abgleitfläche f	surface f de subsidence, surface catabatique	поверхность нисходящего скольжения
	surface of discontinuity, discontinuity surface, singular surface <hydr., aero.>	Unstetigkeitsfläche f [im engeren Sinne], Diskontinuitätsfläche f <Hydr., Aero.>	surface f de discontinuité <hydr., aéro.>	поверхность разрыва <гидр., аэро.>
	surface of discontinuity, discontinuity surface <math.; phys.; met.>	Unstetigkeitsfläche f, Sprungfläche f, Diskontinuitätsfläche f <Math.; Phys.; Met.>	surface f de discontinuité <math.; phys.; mét.>	поверхность разрывности <матем.; физ.>; поверхность разрыва <матем.; мет.>
	surface of equal amplitude, equiamplitude surface	Fläche f gleicher Amplitude	surface f équiamplitudinale, surface d'amplitude égale, surface d'égale amplitude	поверхность равной амплитуды
S 5135	**surface of equal density**	äquidense Fläche f	surface f d'égale densité	поверхность равной плотности
	surface of equal energy, isoenergetic surface	Fläche f gleicher Energie, isoenergetische Fläche	surface f isoénergétique	изоэнергетическая поверхность
	surface of equal phase	s. equiphase surface		
	surface of equal pressure	s. isobaric surface		
S 5136	**surface of equal specific volume,** isosteric surface	Isosterenfläche f, isostere Fläche f	surface f isostère, isostère f	изостерная (изостерическая) поверхность, поверхность равного удельного объема
S 5137	**surface of floatation fields**	Umhüllungsfläche f der Schwimmflächen	surface f des flottaisons isocarènes	поверхность сечений плавания
	surface of intensity distribution	s. solid of light distribution		
	surface of inversion, inversion surface	Inversionsfläche f	surface f d'inversion	поверхность инверсии
	surface of negative total curvature	s. anticlastic surface		
S 5137a	**surface of no motion** <aero., hydr.>	stromlose Fläche f <Aero., Hydr.>	surface f de non-mouvement <aéro., hydr.>	поверхность нулевого движения <аэро., гидр.>
S 5137b	**surface of positive total curvature,** synclastic surface	Fläche f positiver [Gaußscher] Krümmung	surface f à courbure positive	поверхность положительной кривизны

S 5138	**surface of revolution (rotation)**	Rotationsfläche f, Drehfläche f, Umdrehungsfläche f	surface f de révolution	поверхность вращения
	surface of separation	s. interface		
	surface of subsidence	s. surface of descending glissade		
	surface of tension, stress quadric, quadric of stress, deflection surface	Spannungsfläche f, Tensorfläche (quadratische Form) f des Spannungstensors	quadrique f des contraintes, quadrique des tensions [normales], quadrique directrice	поверхность напряжений
S 5139	**surface of the cylinder**	Zylinderoberfläche f	surface f du cylindre	наружная поверхность цилиндра, поверхность цилиндра
	surface of the Earth, Earth's surface, earth-surface, terrene	Erdoberfläche f	surface f de la Terre, surface terrestre	земная поверхность, поверхность Земли
	surface of the liquid	s. liquid level		
S 5140	**surface of the sea**	Meeresspiegel m, Meeresoberfläche f, Meeresniveau n	surface f des mers	поверхность моря
	surface of the sphere	s. spherical surface		
	surface of the tip, tip surface of the tooth	Zahncheitel m, Zahnrücken m	sommet m de la dent	вершина зубца
	surface oscillation of the nucleus, nuclear surface oscillation	Oberflächenschwingung f des Kerns, Kernoberflächenschwingung f	oscillation f superficielle du noyau, oscillation de surface nucléaire	поверхностное колебание ядра, колебание поверхности ядра
S 5141	**surface phase**	Oberflächenphase f	phase f superficielle	поверхностная фаза
S 5142	**surface phenomenon**	Oberflächenerscheinung f, Oberflächenphänomen n	phénomène m superficiel, phénomène de surface	поверхностное явление
S 5143	**surface photoeffect, surface photoelectric effect**	Oberflächenphotoeffekt m, lichtelektrischer Oberflächeneffekt m	effet m photoélectrique de surface, effet photoélectrique superficiel	поверхностный внешний фотоэффект, поверхностный фотоэффект
S 5144	**surface plate**	Richtplatte f	marbre m de dressage	рихтовальная (правильная, выверочная) плита
	surface porosity	s. external porosity		
S 5145	**surface potential**	Oberflächenpotential n, Flächenpotential n	potentiel m superficiel, potentiel surfacique	поверхностный потенциал, потенциал поверхности
S 5146	**surface-potential barrier, surface-potential wall**	Oberflächenpotentialwall m	barrière f superficielle, barrière de potentiel superficiel	поверхностный (приповерхностный) потенциальный барьер
S 5147	**surface pressure,** surfacing pressure	Oberflächendruck m; Laplacescher Druck m; Flächendruck m; Manteldruck m	pression f de surface, pression superficielle	поверхностное (плоское, двухмерное) давление, давление на поверхность; давление Лапласа, опорное давление
S 5148	**surface probe coil**	Tastspule f	bobine f exploratrice de surfaces	импульсная катушка
	surface quality	s. surface finish		
	surface radiator	s. plane radiator		
S 5149	**surface ray,** superficial ray	Oberflächenstrahl m	rayon m superficiel	поверхностный луч
S 5150	**surface reactance**	Oberflächen-Blindwiderstand m, Oberflächenreaktanz f	réactance f superficielle, réactance surfacique	поверхностная реактивность, поверхностное реактивное сопротивление, поверхностный реактанс
S 5151	**surface reaction**	Oberflächenreaktion f	réaction f superficielle	реакция на поверхности, поверхностная реакция
S 5152	**surface reaction**	Wandreaktion f, Wandrückwirkung f	réaction f des parois	реакция стенки
S 5153	**surface recombination**	Oberflächenrekombination f	recombinaison f de surface	поверхностная рекомбинация
S 5154	**surface recombination rate (velocity),** recombination rate (velocity) on the semiconductor surface	Oberflächenrekombinationsgeschwindigkeit f [des Halbleiters], Rekombinationsgeschwindigkeit f an der Oberfläche, Oberflächenrekombinationsrate f	vitesse f de recombinaison superficielle [électronique par lacunes]	скорость поверхностной рекомбинации [носителей заряда]
S 5155	**surface reducer**	Oberflächenabschwächer m	affaiblisseur m superficiel	поверхностный ослабитель, ослабитель поверхностного действия
	surface reduction, superficial reduction	Oberflächenabschwächung f	affaiblissement m superficiel	поверхностное ослабление
	surface replica, replica	Oberflächenabdruck m, Abdruck m	réplique f, copie f <de surfaces>	отпечаток, копия, реплика <поверхности>, оттиск поверхностных микронеровностей
	surface replica method	s. replica method		
	surface reproduction, reproduction of surface features	Oberflächenabbildung f	reproduction f de la surface	изображение поверхности
S 5156	**surface resistance <el.>**	Oberflächenwiderstand m <El.>	résistance f superficielle, résistance de surface <él.>	поверхностное сопротивление <эл.>
S 5157	**surface resistivity**	spezifischer Oberflächenwiderstand m, spezifischer Flächenwiderstand m	résistivité f superficielle, résistivité de surface, résistance f spécifique superficielle	удельное поверхностное сопротивление, поверхностная сопротивляемость
S 5158	**surface resonance**	Oberflächenresonanz f	résonance f superficielle	поверхностный резонанс

S 5159	**surface rigidity**	Oberflächenstarrheit f	rigidité f superficielle	поверхностная жесткость
	surface roll[ing]	· s. surface standing wave		
	surface roughening	s. wrinkling <techn.>		
S 5160	**surface roughness**	Oberflächenrauheit f, Oberflächenrauhigkeit f	aspérité f de surface	шероховатость поверхности
	surface run[-]off	s. surface discharge		
S 5161	**surface scanning**	Flächenscanning n	examen m (exploration f) de surface	просмотр по площади
S 5162	**surface scattering**	Oberflächenstreuung f	diffusion f superficielle, diffusion par la surface	поверхностное рассеяние
S 5163	**surface scratch**	Oberflächenkratzer m	égratignure f [superficielle]	поверхностная царапина
	surface seismic wave	s. surface wave <geo.>		
S 5164	**surface separating two media** <opt.>	Grenzfläche f zweier Medien <Opt.>	dioptre m <opt.>	граница двух сред, поверхность раздела <опт.>
S 5165	**surface shear wave**	Oberflächenscherungswelle f, Scherungsoberflächenwelle f	onde f de cisaillement superficielle (surfacique)	поверхностная волна сдвига
	surface-silvered mirror	s. surface-coated mirror		
S 5166	**surface slope of the water level**	Spiegelgefälle n, Wasserspiegelgefälle n	pente f superficielle du niveau [d'eau]	уклон свободной поверхности воды, поверхностный уклон водяного потока
	surface soil	s. eluvial soil		
S 5167	**surface source**	Flächenquelle f, Oberflächenquelle f	source f superficielle	поверхностный источник
S 5168	**surface space charge layer**	Oberflächenraumladungsschicht f, oberflächennahe Raumladungsschicht f	couche f de charge d'espace superficielle	приповерхностный слой пространственного заряда
S 5169	**surface spark**	Oberflächenfunke m	étincelle f directe	прямая (поверхностная) искра
	surface spherical harmonic	s. surface harmonic		
	surface spherical harmonic	s. a. Laplace['s] coefficient		
S 5170	**surface stain**	Oberflächen[an]färbung f	teinture f superficielle, coloration f de surface	поверхностное окрашивание
	surface standing wave, eddy motion of the water particles near the surface, surface roll[ing]	Deckwalze f	rouleau m de surface, mouvement m tourbillonnaire des particules d'eau près de la surface, onde f stationnaire de surface	поверхностный валец, валец у поверхности, вихревое движение частиц воды у поверхности
S 5171	**surface state; surface level, surface term**	Oberflächenzustand m; Oberflächenterm m, Oberflächenniveau n	état m superficiel, état de surface; niveau m superficiel, niveau de surface, terme m superficiel, terme de surface	поверхностное состояние; поверхностный уровень, поверхностный терм
S 5172	**surface step**	Oberflächenstufe f	gradin m de surface, marche f de surface	ступенька поверхности
S 5173	**surface strength** <mech.>	Oberflächenfestigkeit f <Mech.>	résistance f [mécanique] superficielle <méc.>	поверхностная прочность, поверхностное сопротивление <мех.>
	surface structure	s. surface texture		
S 5174	**surface temperature; skin temperature**	Oberflächentemperatur f; Hauttemperatur f	température de surface	поверхностная температура, температура поверхности (поверхностного слоя)
S 5175	**surface tension, specific surface energy; interfacial tension**	Oberflächenspannung f, spezifische Oberflächenenergie (Oberflächenarbeit, Grenzflächenenergie) f	tension f superficielle, tension de surface, énergie f superficielle spécifique	поверхностное натяжение, коэффициент поверхностного натяжения, удельная поверхностная энергия
	surface tension balance	s. surface tension meter		
S 5176	**surface tension constant, constant of surface tension** <nucl.>	Konstante f der Oberflächenspannung, Oberflächenspannungskonstante f <Kern.>	constante f de tension superficielle <nucl.>	постоянная поверхностного натяжения <яд.>
	surface tension film, surface film	Oberflächenfilm m, Oberflächenhaut f, Oberflächenhäutchen n	film m superficiel	поверхностная пленка
S 5177	**surface tension meter, surface tension balance, tensiometer; stalagmometer**	Oberflächenspannungsmesser m, Tensiometer n	tensiomètre m	прибор для измерения поверхностного натяжения [жидкости] тенсиометр, тензиометр
	surface term	s. surface state		
S 5178	**surface texture, surface structure**	Oberflächenstruktur f, Oberflächengefüge n	texture f de surface, structure f de la surface, structure superficielle	структура поверхности, поверхностная структура
	surface theory, theory of surfaces	Flächentheorie f	théorie f des surfaces	теория поверхностей
S 5179	**surface thermometer**	Oberflächenthermometer n	thermomètre m de surface	поверхностный термометр, термометр для измерения температуры на поверхности; припочвенный термометр
S 5180	**surface-to-volume ratio, surface/volume ratio**	Oberfläche/Volumen-Verhältnis n, Oberfläche:Volumen-Verhältnis n, Oberfläche-Volumen-Verhältnis n, Verhältnis n Oberfläche zu Volumen	rapport m surface/volume, rapport surface − volume	отношение поверхности к объему, отношение поверхность − объем, отношение поверхность/объем

	surface traction	*s.* surface force		
S 5181	**surface trap**	Oberflächenhaftstelle *f*, Oberflächenhaftterm *m*	trappe *f* superficielle, piége *m* superficiel	поверхностная ловушка
S 5182	**surface treatment,** surfacing	Oberflächenbehandlung *f*; Oberflächenbearbeitung *f*	traitement *m* superficiel	поверхностная обработка, обработка поверхности
S 5183	**surface vacancy, surface vacant site**	Oberflächenleerstelle *f*	vacance *f* superficielle	поверхностная вакансия, поверхностная дырка
	surface velocity, areal velocity, area velocity, superficial (sector) velocity	Flächengeschwindigkeit *f*	vitesse *f* aréolaire, vitesse des secteurs	секторная скорость, секториальная скорость
S 5184	**surface viscosity**	Oberflächenzähigkeit *f*, Oberflächenviskosität *f*	viscosité *f* superficielle	поверхностная вязкость
S 5185	**surface visibility**	Sichtweite *f* in Bodennähe, Sicht *f* in Bodennähe, Bodensicht *f*	visibilité *f* superficielle	видимость у земли, видимость в приземном слое, приземная видимость
	surface / volume ratio	*s.* surface-to-volume ratio		
S 5186	**surface vortex,** surface eddy	Flächenwirbel *m*	tourbillon *m* de surface	поверхностный вихрь
S 5187	**surface water**	Oberflächenwasser *n*, oberirdisches Wasser *n*	eau *f* de surface	поверхностная вода
S 5188	**surface waters**	Oberflächengewässer *n*; Oberflächenwässer *npl*	eaux *fpl* superficielles, eaux de surface	поверхностные воды; воды поверхностных слоёв
S 5189	**surface wave,** near-surface wave, direct wave <el.>	Bodenwelle *f*, direkte Welle *f* <El.>	onde *f* directe, onde de surface <él.>	поверхностная (прямая, неотражённая) волна <эл.>
S 5190	**surface wave,** radio surface wave, Sommerfeld's surface wave, surface wave of the Sommerfeld type, Sommerfeld wave <el.>	Oberflächenwelle *f* [Sommerfeldscher Art], Sommerfeld-Welle *f*, Sommerfeldsche Oberflächenwelle <El.>	onde *f* radio de surface, onde de surface [du type Sommerfeld], superficielle [de Sommerfeld], onde de Sommerfeld <él.>	поверхностная волна, поверхностная радиоволна, волна Зоммерфельда <эл.>
S 5191	**surface wave,** surface seismic wave; seismic wave travelling along a surface of discontinuity <geo.>	Oberflächenwelle *f*, seismische Oberflächenwelle (Grenzflächenwelle *f*) <Geo.>	onde *f* de surface, onde séismique de surface, onde superficielle, onde séismique superficielle <géo.>	поверхностная волна, поверхностная сейсмическая волна <гео.>
S 5192	**surface-wave guide (guiding structure)**	Oberflächenwellenleiter *m*	guide *m* d'ondes superficielles, structure *f* guide d'ondes superficielles	волновод с поверхностной волной
	surface wave of the Rayleigh type	*s.* Rayleigh wave		
	surface wave of the Sommerfeld type	*s.* surface wave		
	surface wave on liquids, liquid surface wave, wave on the surface of liquids	Oberflächenwelle *f* auf Flüssigkeiten, Welle *f* auf Flüssigkeitsoberflächen	onde *f* superficielle de liquides, onde de surface des liquides	волна на поверхности жидкостей, поверхностная волна на жидкостях
	surface waviness, surface marking	Randschliere *f*	ondulation *f* de la surface, strie *f* de surface	волнистость поверхности
S 5193	**surface wind**	Bodenwind *m*	vent *m* au sol	приземный ветер, ветер у земли
	surface wrinkling	*s.* wrinkling <techn.>		
	surface zonal harmonic of the second kind	*s.* Legendre function of the second kind		
	surfacing, surface treatment	Oberflächenbehandlung *f*; Oberflächenbearbeitung *f*	traitement *m* superficiel	поверхностная обработка, обработка поверхности
	surfacing	*s. a.* landing on water		
	surfacing pressure	*s.* surface pressure		
	surfactant	*s.* surface active agent		
S 5193a	**surfeit effect**	Übersättigungseffekt *m*	effet *m* de sursaturation	влияние пересыщения
	surficial gravity	*s.* surface gravity		
S 5194	**surfing,** surf riding, planing <on the water surface>	Wellenreiten *n*, Gleiten *n* <auf der Wasseroberfläche>	planement *m* <sur l'eau>	планирование <на поверхности воды>
	surfing principle, principle of using travelling waves, surf-riding principle <acc.>	Wellenreiterprinzip *n*, Verwendung *f* von fortschreitenden Wellen <Beschl.>	principe *m* de l'utilisation d'ondes progressives <dans les accélérateurs linéaires>	принцип применения бегущих волн <в линейных ускорителях>
S 5195	**surfon**	Surfon *n*, Energiequant *n* der Oberflächenschwingungen	surfon *m*, quantum *m* d'énergie des oscillations superficielles	квант энергии поверхностных колебаний, сурфон
	surf on shore, on-shore breakers, sea breaking on shore	Strandbrandung *f*	brisant *m* sur plage	прибрежный бурун, прибой
	surf riding	*s.* surfing		
	surf-riding principle	*s.* surfing principle <acc.>		
S 5196	**surf wave [breaker],** roller	Brandungswelle *f*	houle *f* de rivage	волна прибоя
	surge, surf	Brandung *f*	déferlement *m*, brisement *m* des flots	прибой, бурун
S 5197	**surge;** storm surge	Flutwelle *f*	onde *f* de crue; onde de tempête	паводковая волна, волна паводка; штормовой нагон [воды], волна штормового нагона
S 5198	**surge,** surge prominence; ejection of matter, mass ejection	Auswurf *m* von Materie, Ausschleudern *n* von Materie, Materieauswurf *m*, Materieausbruch *m*	surrection *f*, éjection *f* de matière	выброс вещества (материи), выбрасывание вещества; протуберанец типа выброса

S 5199	**surge,** voltage surge, overvoltage wave, overvoltage transient, stray wave, sharp-edged wave, travelling wave [with sharp-edged front] <el.>	Überspannungsstoß m, Überspannungs[stoß]-welle f, Stoßwelle f, Sprungwelle f, Spannungs[wander]welle f, Wanderwelle f [mit steiler Front], steile Wanderwelle, Stoßüberspannung f <El.>	onde f de surtension, onde saccadée, onde à front raide, onde migratrice, onde vagabonde, surtension f d'impulsion <él.>	волна перенапряжения, блуждающая волна [с крутым фронтом], блуждающая волна перенапряжения, импульсная волна [с крутым фронтом], волна с крутым фронтом, импульсное перенапряжение <эл.>
	surge	s. a. impulse of current		
	surge	s. a. pulse		
S 5200	**surge absorber**	Wellenschlucker m	absorbeur m d'ondes	заграждающий фильтр
	surge admittance	s. characteristic admittance <of transmission line>		
	surge admittance of free space, surge admittance of vacuum	s. characteristic admittance of free space		
S 5201	**surge amplitude**	Stoßamplitude f	amplitude f d'impulsion	амплитуда импульса
	surge arrester	s. surge diverter		
S 5202	**surge capacitance,** pulse capacitance	Stoßkapazität f	capacité f impulsionnelle	импульсная емкость
S 5203	**surge chamber,** surge tank, intake chamber <hydr.>	Wasserschloß n, Ausspiegelungsbehälter m, Ausgleichsbehälter m, Ausgleichsbecken n <Hydr.>	cheminée f d'équilibre, chambre f d'équilibre <hydr.>	уравнительный резервуар, уравнительная башня <гидр.>
	surge characteristic	s. surge voltage characteristic		
S 5204	**surge charge,** stray wave charge	Wanderwellenbelastung f, Wanderwellenbeanspruchung f	charge f par les ondes migratrices	нагрузка блуждающими волнами
S 5205	**surge current,** pulse current	Stoßstrom m, Impulsstrom m, Impulsfolgestrom m	courant m de choc, courant d'impulsion	импульсный ток, ударный ток
	surge current	s. a. ripple current <el.>		
	surge current generator, [im]pulse current generator	Stoßstromgenerator m, Stoßstromerzeuger m	générateur m de courant d'impulsion	генератор импульсного тока
S 5206	**surge dissipator (diverter),** lightning (surge) arrester, surge suppressor, overvoltage suppressor; lightning conductor (protector, rod), sparkgap discharger	Überspannungsableiter m; Überspannungsfunkenstrecke f; Blitzableiter m	parafoudre m, paratonnerre m	разрядник [для защиты от перенапряжений], грозовой разрядник, молниеотвод, громоотвод
	surge generator	s. surge voltage test circuit		
	surge impedance, characteristic impedance, natural impedance <of the transmission line>	Wellenwiderstand m <Leitung>, Leitungswellenwiderstand m	impédance f caractéristique, impédance d'onde <de la ligne de transmission>	волновое сопротивление <линии передачи>
	surge impedance of free space, surge impedance of vacuum	s. characteristic impedance of free space		
S 5207	**surge method**	Wanderwellenmethode f	méthode f des ondes migratrices	метод блуждающих волн, метод Рюденберга
	surge oscillograph, pulsed oscillograph, pulsed oscilloscope	Impulsoszillograph m, Impulsoszilloskop n	oscilloscope (oscillographe) m d'impulsions	импульсный осциллограф, импульсный осциллоскоп
S 5208	**surge oscillography**	Impulsoszillographie f	oscillographie f d'impulsions	импульсная осциллография, осциллография импульсов
	surge prominence	s. surge		
	surge protection, overvoltage protection, transient protection	Überspannungsschutz m	protection f contre les surtensions, protection contre les pointes de tension	защита от перенапряжений
	surge suppressor	s. surge dissipator		
S 5209	**surge tank,** expansion tank, expansion chamber, expansion vessel, compensator; pressurizer <therm.>	Ausgleichsbehälter m, Ausgleichgefäß n; Ausdehnungsgefäß n; Kompensator m, Volum[en]kompensator m <Therm.>	récipient m d'expansion, cuve f d'expansion, compensateur m de volume, caisson m de mise en pression, dispositif m de mise en pression, pressuriseur m <therm.>	компенсационный бак, уравнительный бак, уравнительный сосуд, расширительный бачок, расширительный бак, компенсатор объема <тепл.>
	surge tank	s. a. surge chamber <hydr.>		
	surge voltage	s. ripple voltage		
S 5210	**surge voltage characteristic,** surge characteristic	Stoßkennlinie f, Stoßcharakteristik f	caractéristique f d'impulsion, caractéristique de surtension impulsionnelle	импульсная характеристика, временная зависимость импульсного напряжения перекрытия
	surge voltage generator, [im]pulse voltage generator	Stoßspannungsgenerator m, Stoßspannungserzeuger m, Stoßspannungsanlage f	générateur m de tension d'impulsion	генератор импульсного напряжения
	surge voltage resistance, resistance to surge voltage	Stoßspannungsfestigkeit f	résistance f à la tension de choc	импульсная прочность, прочность по отношению к импульсному напряжению
S 5211	**surge voltage test circuit,** surge generator	Stoßkreis m	circuit m d'essai de tension en régime impulsionnel, circuit à excitation brusque (par choc)	ударный контур, контур ударного возбуждения, импульсная цепь

	surging sea, heavy (angry, ugly) sea	schwere See f, starke See	mer f démontée, mer agitée	бурное море, сильное волнение
S 5212	**surmount; superelevation**	Überhöhung f	exhaussement m; surhaussement m	возвышение, превышение
	surmounting the potential barrier	s. tunnelling through the [potential] barrier		
	surplus conduction	s. n-type conduction		
	surplus electron, excess electron	Überschußelektron n	électron m excessif	избыточный электрон
	surplus gas pump, gas ballast pump	Gasballastpumpe f	pompe f à lest d'air	газобалластный насос
	surplus heat	s. excess heat		
S 5213	**surplus neutron**	Überschußneutron n, überschüssiges Neutron n	neutron m excédentaire	избыточный нейтрон
S 5214	**surplus proton**	Überschußproton n	proton m excédentaire	избыточный протон
S 5215	**surrosion**	Massezunahme (Gewichtszunahme) f bei der Korrosion	surrosion f, augmentation f du poids sous corrosion	увеличение веса вследствие коррозии
S 5216	**surround,** surround of [the] comparison field <opt.>	Umfeld n, Umgebung f <beim Photometer; farbmeßtechnisch> <Opt.>	champ m périphérique [du champ de comparaison] <opt.>	фон поля (полей) сравнения <опт.>
S 5217	**surroundings luminance**	Umfeldleuchtdichte f	luminance f de champ périphérique, luminance de fond	косвенная яркость
S 5218	**surroundings of the system**	Umgebung f des Systems	entourage m du système	окрестность системы
	surround of [the] comparison field	s. surround <opt.>		
S 5218a	**survey** <stat.>	Erhebung f <Stat.>	enquête f <stat.>	осмотр, обследование, обзор <стат.>
	survey	s. a. surveying <geo.>		
	survey	s. a. monitoring		
	survey	s. a. topographic mapping		
S 5219	**survey by serial photographs,** serial aerophotogrammetric survey, serial air survey	Reihenbildaufnahme f, Reihenaufnahme f, Streifenaufnahme f	prise f de vue aérocartographique en série	маршрутная аэрофотосъемка, маршрутная съемка
S 5220	**surveying,** practical geodesy	praktische Geodäsie f, Vermessungswesen n	arpentage m, géodésie f pratique	межевое дело, межевание, геодезическое дело, совокупность съемочно-геодезических работ, практическая геодезия
S 5221	**surveying,** survey <geo.>	Vermessung f; Vermessungsarbeit f <Geo.>	arpentage m <géo.>	топографическое определение [точки]; привязка; [топографическая] съемка; топографо-геодезические работы <гео.>
S 5222	**surveying instrument**	Vermessungsgerät n, Vermessungsinstrument n	instrument m de topographie	топографический инструмент
S 5222a	**surveying tape comparator,** [geodesic] tape comparator, geodesic base comparator, mural comparator	Meßbandkomparator m	comparateur m mural	устройство для сверки двух [мерных] лент, компаратор мерных лент
	surveying wire	s. pilot wire <el.>		
	survey instrument	s. radiation monitor <nucl.>		
	survey mark	s. bench mark		
	survey meter	s. radiation monitor <nucl.>		
	survey of the relief, contour survey, altimetric survey	Höhenaufnahme f	levé m altimétrique	съемка рельефа местности, высотная съемка
	surveyor's chain	s. measuring chain <geo.>		
	surveyor's heliotrope, heliotrope <instrument>	Heliotrop n, Sonnenspiegel m <Instrument>	héliotrope m <appareil>	гелиотроп <прибор>
	surveyor's level, levelling instrument, [geodesic] level	Nivellier n, Nivellierinstrument n	instrument m de nivellement, niveau m	нивелир
	surveyor's perch (pole)	s. surveyor's staff		
S 5223	**surveyor's rod,** surveyor's staff, surveyor's perch, surveyor's pole, rod, staff stadia	Meßstab m, Meßstange f; Meßlatte f, Latte f; Meßrute f	règle f d'arpenteur, réglette f, perche f, verge f, canne f	мерная рейка, мерный (измерительный) жезл, рейка, измерительный стержень, веха
	surveyor's tape	s. tape measure		
S 5224	**surveyor's tape comparator**	Meßbandkomparator m	comparateur m à ruban d'arpenteur	ленточный компаратор
S 5225	**survival**	Überleben n	survie f	выживаемость, выживание
S 5226	**survival average**	mittlere Überlebenszeit f	survie f moyenne	средняя продолжительность выживания, средняя выживаемость
S 5227	**survival curve**	Überlebenskurve f	courbe f de survie	кривая выживания, кривая выживаемости
S 5228	**survival time**	Überlebenszeit f	durée f de survie	продолжительность выживания, время между получением летальной дозы облучения и фактической смертью
S 5228a	**Surwell clinometer**	Surwellscher Neigungsmesser m	clinomètre m de Surwell	уклономер (клинометр) Сурвелла

S 5229	**susceptance**	Blindleitwert *m*, Suszeptanz *f*	susceptance *f*	реактивная проводимость, сусцептанс, сусцептанц
S 5230	**susceptibility,** dielectric susceptibility, electric susceptibility <el.>	dielektrische Suszeptibilität *f*, elektrische Suszeptibilität, Suszeptibilität <El.>	susceptibilité *f*, susceptibilité électrique, susceptibilité diélectrique <él.>	диэлектрическая (электрическая) восприимчивость, восприимчивость, коэффициент поляризации <эл.>
S 5231	**susceptibility,** susceptivity <gen.>	Suszeptibilität *f*; Empfänglichkeit *f*; Anfälligkeit *f* <allg.>	susceptibilité *f* <gén.>	восприимчивость, чувствительность, подверженность
	susceptibility	*s. a.* magnetic susceptibility		
S 5232	**susceptibility meter,** susceptometer	Suszeptibilitätsmesser *m*, Suszeptibilitätsmeßgerät *n*, Suszeptometer *n*	susceptomètre *m*	прибор для измерения магнитной восприимчивости, сусцептометр
	susceptibility per unit mass	*s.* specific magnetic susceptibility		
	susceptibility per unit volume, volume susceptibility	Volum[en]suszeptibilität *f*	susceptibilité *f* volumique, susceptibilité par unité de volume	объёмная магнитная восприимчивость, объёмная восприимчивость
S 5233	**susceptibility tensor,** magnetic susceptibility tensor, tensor of magnetic susceptibility	Suszeptibilitätstensor *m*, Tensor *m* der magnetischen Suszeptibilität	tenseur *m* de la susceptibilité [magnétique]	тензор магнитной восприимчивости
S 5234	**susception, susception of stimulus**	Reizaufnahme *f*, Suszeption *f*	susception *f* [du stimulant]	восприятие
	susceptivity	*s.* susceptibility <gen.>		
	susceptometer	*s.* susceptibility meter		
	suspended drop, floating drop	schwebender Tropfen *m*	goutte *f* flottante, goutte en suspension	взвешенная капля
S 5235	**suspended glacier,** cornice glacier, cliff glacier	Hanggletscher *m*, Hängegletscher *m*, Gehängegletscher *m*	glacier *m* suspendu	висячий ледник
S 5236	**suspended level,** hanging level	Hängelibelle *f*	niveau *m* de suspension	подвесной уровень
S 5237	**suspended load,** silt load, silt; fine silt; suspended matter (sediment)	Schwebstoffe *mpl*, Sinkstoffe *mpl*; Schwemmstoffe *mpl*; Schwimmstoffe *mpl*; Flußtrübe *f*, Schweb *m*	alluvion *f*, alluvion en suspension, matière *f* en suspension; lais *m*; alluvion fluviatile	взвешенные наносы, взвешенное (суспендированное) вещество, взвесь; [тонущие] грубодисперсные примеси, осадочный (осаждающийся) материал, осаждающиеся взвеси; речной нанос
	suspended load sample	*s.* silt sample		
	suspended load sampler, silt sampler	Schwebstoffentnahmegerät *n*, Schwebstoffmeßgerät *n*, Schwebstoffschöpfer *m*	turbidisonde *f*	батометр для взятия проб взвешенных наносов
	suspended matter (sediment)	*s.* suspended load		
	suspended state	*s.* suspension		
	suspended truss	*s.* suspension girder		
S 5238	**suspended valley**	Hängetal *n*	vallée *f* suspendue, valleuse *f*	висячая долина
S 5239	**suspending**	Suspendieren *n*	suspension *f*, préparation *f* de suspension	суспендирование, приготовление суспензии, взвешивание
S 5240	**suspending agent**	Suspensionsmittel *n*	agent *m* suspendant	суспендирующий агент
S 5241	**suspension,** slurry	Suspension *f*, Aufschlämmung *f*, Aufschwemmung *f*	suspension *f*	суспензия, взвесь
S 5242	**suspension**	Aufhängung *f*	suspension *f*	подвес[ка]; подвешивание; навешивание
S 5243	**suspension,** state of suspension, suspended state, state of being suspended	Schwebezustand *m*, Schwebe *f*, Schweben *n*	suspension *f*, état *m* de suspension, état d'être suspendu	взвешенное состояние; висячее положение, зависание; нулевая плавучесть
	suspension colloid	*s.* sol		
S 5243a	**suspension girder;** suspended truss	Hängeträger *m*; Hängewerk *n*	poutre *f* suspendue; treillis *m* suspendu	висячая ферма
	suspension in space	*s.* levitation		
S 5244	**suspension microphone**	Hängemikrophon *n*	microphone *m* suspendu	висячий микрофон, подвесной микрофон
	suspension point, point (fulcrum) of suspension	Aufhängepunkt *m*	point *m* de suspension, point d'attache	закреплённая точка, точка закрепления
	suspension polymerization	*s.* pearl polymerization		
	suspension reactor	*s.* slurry reactor		
S 5245	**suspension tube**	Suspensionsrohr *n*	tube *m* de suspension	трубка подвески
	suspension-type reactor	*s.* slurry reactor		
	suspensoid	*s.* sol		
	sustained chain reaction	*s.* self-sustained nuclear chain reaction		
S 5246	**sustained-load tension test**	Zugdauerversuch *m*, Dauerzugversuch *m*	essai *m* de traction à charge entretenue	длительное испытание на растяжение
	sustained nuclear chain reaction	*s.* self-sustained nuclear chain reaction		
	sustained oscillation	*s.* undamped oscillation		
	sustained reaction	*s.* self-sustained nuclear chain reaction		
S 5247	**sustained short-circuit current,** permanent short-circuit current	Dauerkurzschlußstrom *m*	courant *m* permanent de court-circuit	установившийся (постоянный) ток короткого замыкания

	sustained sound, steady sound	Dauerton m	son m continu	стационарный звук
	sustained wave	s. continuous wave		
S 5248	SU(3) symmetry <also: SU(2), SU(6) etc.>	SU(3)-Symmetrie f <auch: SU(2)-, (SU(6)- usw.>	symétrie f SU (3) <aussi: SU(2), SU(6) etc.>	симметрия SU(3) <также: SU(2), SU(6) и т. д.>
S 5249	Sutherland['s] constant	Sutherland-Konstante f, Sutherlandsche Konstante f	constante f de Sutherland	постоянная Сюзерленда (Сазерленда)
S 5250	Sutherland effect	Sutherland-Effekt m	effet m Sutherland	эффект (явление) Сюзерленда
S 5251	Sutherland['s] equation, Sutherland['s] formula	Sutherlandsche Formel (Gleichung, Relation) f, Sutherland-Formel f, Sutherland-Gleichung f	formule f de Sutherland, équation f de Sutherland	формула Сюзерленда, формула Сэзерленда
S 5252	Sutherland['s] model	Sutherlandsches Modell n, Sutherland-Modell n	modèle m de Sutherland	модель Сюзерленда
S 5253	Sutherland temperature	Sutherland-Temperatur f	température f de Sutherland	температура Сюзерленда
	Sutro weir, proportional-flow weir	Sutro-Überfall m, Überfall m nach Sutro	déversoir m de Sutro	водослив Сутро
S 5254	Suydam['s] condition, Suydam['s] criterion	Suydam-Kriterium n, Suydam-Bedingung f	condition f de Suydam, critère m de Suydam	условие Сайдема
S 5255	Suzuki effect	Suzuki-Effekt m	effet m Suzuki	эффект (явление) Сузуки
S 5256	S value	S-Wert m, Menge f der austauschbaren Basen	valeur f S	величина S
S 5257	Svanberg['s] theorem, Svanberg['s] vorticity	Svanbergscher Wirbelsatz m, Wirbelsatz von Svanberg	théorème m de Svanberg	теорема Свэнберга
S 5258	svedberg, Svedberg unit, S	Svedberg n, Svedberg-Einheit f, S	svedberg m, unité f Svedberg, S	сведберг, единица Сведберга, S
S 5259	Svedberg['s] equation	Svedbergsche Gleichung f	équation f de Svedberg	уравнение (формула) Сведберга
	Svedberg unit	s. svedberg		
S 5260	Sverdrup wave	Sverdrupsche Welle f, Sverdrup-Welle f	onde f de Sverdrup	волна Свердрупа
S 5261	S Vulpeculae star, S Vulpeculae variable [star]	S Vulpeculae-Stern m, S Vulpeculae-Veränderlicher m	variable f du type S Vulpeculae, étoile f variable S Vulpeculae	звезда типа S Лисички, переменная звезда типа S Лисички
S 5262	swaging	Hämmerverdichtung f; Gesenkschmieden n	forgeage m au marteau, forgement m au marteau	ковка в штампах, ковка под молотом; горячая штамповка
	swallow holes	s. channelling <geo.>		
S 5262a	swamping [of spectral lines]	Überstrahlung f, Überdeckung f, Untergehen n <von Spektrallinien>	chevauchement (recouvrement) m de raies spectrales	сглаживание спектральных линий
S 5263	Swan band	Swan-Bande f	bande f de Swan	полоса Свана
	Swan cube	s. Lummer-Brodhun cube		
	Swan photometer	s. Lummer-Brodhun photometer head		
S 5264	swarming	Filmregen m	rayures fpl sur le film	царапины (дождь) на фильме
S 5265	swarm of electrons, electron swarm	Elektronenschwarm m	essaim m d'électrons	скопление электронов
	swarm of particles, cloud of particles	Teilchenwolke f	nuage m de particules	облако частиц, скопление частиц
S 5266	swash[]plate, wobble plate, wobbler	Taumelscheibe f	disque m oscillant, disque vobulateur	качающаяся шайба; диск, насаженный на ось не под прямым углом
	swash plate pump, rotary swash plate pump, wobble pump	Taumelscheibenpumpe f, Wobbelpumpe f	pompe f à disque oscillant, pompe [rotative] à piston oscillant	насос с качающейся шайбой
	swath of mist; fog in patches	Nebelschwaden m; Nebelfetzen m	brume f en lambeaux	обрывки тумана, клочья тумана
	S wave, S ray, transverse wave, <geo.>	S-Welle f, Transversalwelle f, Scherwelle f <Geo.>	onde f transversale, onde S <geo.>	поперечная волна, волна S, сейсмическая волна типа S <гео.>
	S wave	s. a. shear wave		
	S wave	s. a. transverse wave		
	S-wave	s. elementary wave		
	swaying	s. transverse vibration		
S 5267	sweat cooling, transpiration cooling	Schwitzkühlung f, Transpirationskühlung f	refroidissement m par transpiration	охлаждение выпотеванием, эффузионное (транспирационное) охлаждение
	sweating-out	s. segregation <met.>		
S 5268	sweep, waves, swell	Wellengang m	houle f	волнение
	sweep <aero.>	Pfeilung f <Aero.>	flèche f <aéro.>	стреловидность <аэро.>
	sweep, relaxation <el.>	Kippung f, Kippen n <El.>	relaxation f, balayage m, basculement m <él.>	релаксация; развертка; качание; опрокидывание <эл.>
S 5269	sweep <radar>	Spur f <Radar>	balayage m <en radiolocation>	развертка, изображение на экране <в радиолокации>
S 5270	sweep <spectr.>	Sweepen n <Spektr.>	balayage m <spectr.>	«свипирование» <спектр.>
	sweep	s. a. scanning		
	sweep	s. a. time base		
S 5271	sweep amplifier, snap-action amplifier	Kippverstärker m, Ablenkverstärker m	amplificateur m de balayage (déflexion, déviation)	усилитель развертки (отклоняющего напряжения; качающейся частоты)
	sweep amplitude, relaxation amplitude	Kippamplitude f; Ablenk[ungs]weite f	amplitude f de [l'oscillation de] relaxation	амплитуда релаксационного колебания, амплитуда развертки

	sweep angle, angle of sweep	Pfeilwinkel *m* ‹Flügel›	angle *m* de flèche	угол стреловидности
S 5271a	**sweepback**	positive Pfeil[stell]ung *f*	flèche *f* arrière	прямая (положительная) стреловидность
	sweep base	*s.* time-base unit		
	sweep capacitor ‹el.›	*s.* deflecting capacitor		
	sweep characteristic	*s.* relaxation diagram		
S 5272	**sweep circuit,** time-base circuit; deflection circuit	Kippschaltung *f*, Zeitablenkschaltung *f*, Ablenkschaltung *f*	circuit *m* de base de temps, circuit de balayage; circuit de déviation	схема (цепь) развертки, контур развертывающего устройства; схема отклонения
	sweep circuit, relaxation circuit	Kippkreis *m*	circuit *m* de relaxation, circuit relaxateur	релаксационная схема; схема (цепь) развертки; опрокидывающий (феррорезонансный) контур
S 5272a	**sweep coil,** sweeping coil, deflection coil	Ablenkspule *f*; Kippspule *f*	bobine *f* de balayage (déviation, déflection)	отклоняющая катушка
	sweep current	*s.* deflecting current		
S 5273	**sweep deflection**	Kippablenkung *f*	balayage *m*	отклонение развертки
S 5274	**sweep delay**	Zeitablenk[ungs]verzögerung *f*	retard *m* de balayage	задержка начала развертки, задержка развертки
	sweep diagram	*s.* relaxation diagram		
S 5275	**sweep expansion,** time-base expansion, time-base extension. time magnification (magnifying) ‹of oscilloscope›	Zeitdehnung *f*, Zeilendehnung *f*, Zeitbasisdehnung *f*, Zeitachsendehnung *f*, Dehnung *f* der Zeitachse, Dehnung des Zeitmaßstabes ‹Oszilloskop›	étalement *m* de base de temps ‹de l'oscilloscope›	растягивание развертки [по оси времени], растягивание (растяжение, растяжка) масштаба времени, расширение развертки ‹осциллоскопа›
S 5275a	**sweepforward**	negative Pfeil[stell]ung *f*	flèche *f* avant	обратная (отрицательная) стреловидность
S 5276	**sweep frequency,** time-base frequency	Zeitablenkfrequenz *f*, Zeitbasisfrequenz *f*, Zeitachsenfrequenz *f*, Ablenkfrequenz *f*, Kippfrequenz *f*	fréquence *f* de balayage, fréquence de base de temps	частота развертки
	sweep frequency, relaxation frequency	Kippfrequenz *f*; Relaxationsfrequenz *f*	fréquence *f* de relaxation	частота релаксационных колебаний, релаксационная частота; частота релаксации
	sweep frequency generator	*s.* wobbler		
S 5277	**sweep gas**	Spülgas *n*; Waschgas *n*	gaz *m* de lavage, gaz laveur	промывной газ
	sweep generator	*s.* relaxation generator		
	sweep generator	*s. a.* time base generator		
	sweep generator	*s. a.* wobbler		
	sweeping-away, washing-away, encroaching [upon]	Wegschwemmen *n*, Fortschwemmen *n*, Fortspülen *n*	dénudation *f*, érosion *f*, affouillement *m*	размыв
	sweeping coil	*s.* sweep coil		
	sweeping dislocation	*s.* moving dislocation		
	sweeping field	*s.* clearing field		
	sweeping trajectory	*s.* flat trajectory		
	sweeping voltage, clearing voltage, ion draw-out voltage	Reinigungsspannung *f*, Ziehspannung *f*, Ionenziehspannung *f*, Absaugspannung *f*	tension *f* d'effacement, tension clarificatrice	очищающее напряжение, напряжение очищения
	sweeping voltage	*s. a.* sweep voltage		
	sweep oscillator	*s.* relaxation generator		
	sweep-out	*s.* scanning		
	sweep rate	*s.* deflection speed		
	sweep signal generator	*s.* wobbler		
	sweep speed	*s.* deflection speed		
S 5278	**sweep time constant,** relaxation time constant	Kippzeitkonstante *f*	constante *f* de temps de relaxation, constante de temps de balayage	постоянная времени релаксации; постоянная времени развертки
S 5279	**sweep transmitter**	Durchdrehsender *m*	émetteur *m* à fréquence variable	передатчик для зондирования ионосферы
	sweep unit	*s.* time-base unit		
S 5280	**sweep voltage,** sweeping voltage, scanning voltage	Ablenkspannung *f*, Ablenkungsspannung *f*; Abtastspannung *f*	tension *f* de balayage	напряжение развертки, качающееся напряжение, напряжение качания [частоты]; отклоняющее напряжение
S 5281	**sweep voltage,** sweeping voltage; breakover voltage	Kippspannung *f*	tension *f* de relaxation	релаксационное напряжение; критическое напряжение
	sweep velocity	*s.* deflection speed		
S 5282	**sweep voltage,** sweeping voltage, time-base voltage	Zeitablenkspannung *f*, Ablenkspannung *f*; Zeitachsenspannung *f*	tension *f* de balayage, tension d'analyse	напряжение развертки
S 5283	**sweep width**	Wobbelbereich *m*, Zeitablenkbreite *f*	gamme *f* de vobulation [de fréquence]	диапазон качания [частоты]
S 5284	**Sweet-Parker model**	Sweet-Parker-Modell *n*	modèle *m* de Sweet-Parker	модель Свита-Паркера
S 5285	**sweet water,** fresh[]water	Süßwasser *n*, süßes Wasser *n*	eau *f* douce	пресная вода
	swell, waves, sweep	Wellengang *m*	houle *f*	волнение
S 5286	**swell;** Airy['s] free wave	Schwall *m*	houle *f* franche d'Airy; flots *mpl*	крутые короткие волны; волна пропуска, волна пропуска, подтопление; поток; накат волны
S 5287	**swell,** underswell	Dünung *f*	houle *f*	[мертвая] зыбь
	swell	*s. a.* swelling		

S 5288	**swelling**	Schwellung f, Schwellen n; Anschwellen n	gonflement m, renflement m; foisonnement m	разбухание, набухание, вспучивание; выпучивание; вздутие
S 5289	**swelling**; soaking, soak[age]; imbibition	Quellung f; Aufquellung f; Imbibition f	gonflement m; renflement m; imbibition f	набухание; разбухание; рост ‹облака›
S 5290	**swelling**; bulge; bulb	Wulst m	bourrelet m	утолщение; выступ; буртик; вздутие; борт
S 5291	**swelling** ‹of fissile material›	Swelling n ‹von Spaltmaterial›	gonflement m ‹du matériau fissile›	[твердое] распухание ‹делящегося материала›
S 5291a	**swelling** ‹of water›	Schwellen n ‹des Wassers› s. a. water-surface ascent	hausse f ‹de l'eau›	прибыль ‹воды›
	swelling			
S 5292	**swelling agent**	Quellungsmittel n, Quellmittel n	agent m gonflant	агент набухания; вещество, содействующее набуханию
	swelling capacity (degree)	s. swelling value		
S 5293	**swelling equilibrium**	Quellungsgleichgewicht n	équilibre m de gonflement	равновесие набухания
	swelling heat, heat of swelling, heat of imbibition	Quellungswärme f	chaleur f de gonflement	теплота набухания
S 5294	**swelling hysteresis**	Quellungshysterese f	hystérésis f de gonflement	гистерезис набухания
S 5295	**swelling isotherm**, isotherm of swelling	Quellungsisotherme f	isotherme f de gonflement	изотерма набухания
S 5296	**swelling parameter**	Quellungsparameter m	paramètre m de gonflement	параметр набухания
S 5296a	**swelling plasmoptysis**	Quellungsplasmoptyse f	plasmoptyse f de gonflement	плазмоптиз из-за разбухания
S 5297	**swelling pressure**, imbibition pressure	Quellungsdruck m	pression f de gonflement	давление набухания
	swelling value; degree of swelling, swelling degree, swelling capacity	Quellungsgrad m; Quellwert m	degré m de gonflement	степень набухания, степень набухаемости
S 5298	**swell water**	Schwallwasser n	eau f de flots	вода волны попуска
	swept aerofoil (airfoil, back wing)	s. variable sweep aerofoil		
	swept aerofoil (airfoil, backwing)	s. swept wing		
S 5299	**swept-lobe interferometer**, phase-swept interferometer	„swept-lobe"-Interferometer n, Phasendreh-interferometer n	interféromètre m à lobe balayé, interféromètre à balayage de phase (lobe)	интерферометр с качающейся диаграммой
	swept volume	s. displacement		
	swept wing	s. variable sweep airfoil		
S 5300	**swept wing**, swept aerofoil (airfoil, back wing)	Pfeilflügel m, gepfeilter Flügel m	aile f en flèche	стреловидное крыло
S 5301	**swimming pool reactor, swimming-pool-type reactor,** pool reactor, aquarium reactor	Schwimmbadreaktor m, Schwimmbeckenreaktor m, Swimming-Pool-Reaktor m, „swimming-pool"-Reaktor m	réacteur-piscine m, pile f piscine, piscine f, pile aquarium m, « aquarium » m	бассейновый реактор, реактор бассейнового типа, погруженный реактор
S 5302	**Swinburne circuit**	Swinburne-Schaltung f, temperaturfreie Schaltung f	circuit m de Swinburne	схема Свинбэрна
	swing; deflection	Ablenkung f; Auslenkung f	déviation f, déflexion f, élongation f, écartement m	отклонение
	swinging; oscillation	Schwenkung f	pivotement m; oscillation f	поворот; качание; отклонение; верчение; скос
S 5303	**swinging**, see-saw [motion]	Schaukelbewegung f, Schaukeln n	mouvement m de va-et-vient, balancement m, basculement m	колебательное движение, качание
S 5304	**swinging** ‹of the vessel›	Schwenken n, Umschwenken n ‹Gefäß›	agitation f	перемешивание покачиванием сосуда, покачивание ‹сосуда›
S 5305	**swinging before the anchor**	Schwojen n, Schwojbewegung f, Schwajen n	évitage m, évitement m	обращение вокруг якоря, поворот на якоре, вращательное движение на якоре
S 5306	**swinging choke**	Schwingdrossel f	bobine f de circuit oscillant	контурный дроссель
	swinging of the pointer, playing of the pointer ‹around the rest position› .	Spielen n des Zeigers	oscillation f de l'aiguille, balancement m de l'aiguille, jeu m de l'aiguille	игра стрелки, колебание стрелки
S 5307	**swinging plate anemometer**	Plattenanemometer n, Schwingplatten-anemometer n	anémomètre m oscillant	анемометр с колеблющимися пластинками
	swinging point	s. singing point		
	swing separator	s. gasschaukel		
S 5308	**swirl**, whirlpool, whirl; vortex [of fluid], eddy [of fluid], remous ‹hydr.›	Strudel m, Fließwirbel m, Längsumdrehung f um die Fortbewegungsachse, Wirbel m, Struden m; Wasserstrudel m, Wasserwirbel m; Sogwirbel m, Neer m ‹Hydr.›	tournant m, vire-vire m; tourbillon m [du fluide]; remous m ‹hydr.›	вихрь [в жидкости]; водяной вихрь; водоворот; пучина; рему ‹гидр.›
	swirling motion	s. whirling		
	swishing ‹ac.›; unpitched sound	Rauschen n, Geräusch n ‹Ak.›	bruit m, bruissement m ‹ac.›	нетольный (шумовой) звук; звук, не имеющий высоты ‹ак.›
S 5309	**switch**, disconnecting switch; circuit breaker, interrupter ‹el.›	Schalter m, Trennschalter m, Ausschalter m	appareil m de commutation; commutateur m; commutateur conjoncteur; interrupteur m, disjoncteur m	коммутационный аппарат; включатель; выключатель; переключатель; ключ
	switch, circuit closer, contactor	Einschalter m	conjoncteur m	включатель, контактор

	switch	s. a. changeover switch		
	switch algebra	s. Boolean algebra		
S 5310	**switch arc**	Schaltbogen m, Schalt-lichtbogen m	arc m de commutation	коммутационная дуга; дуга выключения
S 5311	**switch capacitance box**	Kurbelkondensator m	boîte f de capacités à commutateur	конденсатор с коммутаторной рукояткой, курбельный конденсатор
S 5312	**switched-off interaction**	ausgeschaltete Wechsel-wirkung f	interaction f éliminée	выключенное взаимодействие
S 5313	**switch[-] gear, switchgear installation; controller** <el.>	Schaltanlage f, Schalt-apparat m	installation f de distribution, appareillage m de raccordement	распределительная установка, распределительное (коммутационное) устройство, коммутационный аппарат, аппаратура распределительного устройства
S 5314	**switch[-] gear, switching gear (device, unit), switch unit** <el.>	Schaltgerät n	appareillage m [de commutation]	коммутационная аппаратура, коммутационный аппарат
	switch[-] gear	s. a. switching gear <mech.>		
	switchgear installation	s. switch gear		
S 5315	**switch inductance box**	Kurbelinduktivität f	boîte f d'inductances à commutateur	индуктивность с коммутаторной рукояткой, курбельная индуктивность
S 5316	**switching; operation of switch; connection, connecting; breaking** <el.>	Schalten n, Schaltung f <El.>	commutation f; connexion f; interruption f <él.>	коммутационная операция, коммутирование, коммутация; включение; выключение; переключение; отключение <эл.>
	switching	s. a. switching-over <el.>		
	switching action	s. switching process		
S 5317	**switching behaviour**	Schaltverhalten n; Um-schaltverhalten n	comportement m avec les commutations	поведение при переключении (коммутации); поведение при включении; поведение при выключении
S 5318	**switching circuit**	Schaltkreis m	circuit m de commutation	переключающая (коммутируемая) цепь; переключающая схема
	switching component	s. switching element		
S 5319	**switching current**	Schaltstrom m	courant m de commutation	ток включения; ток переключения; коммутационный ток
	switching delay	s. time delay		
	switching device	s. switch[-] gear <el.>		
	switching device	s. a. switching element		
S 5320	**switching diode**	Schaltdiode f	diode f de commutation	коммутационный диод
S 5321	**switching element, switching component, switching device**	Schaltelement n, Schalt-glied n	élément m de commutation	коммутационный элемент, коммутационный орган
	switching element, logic[al] element, logic[al] circuit module, switching member	logisches Element n, Logik-element n, Verknüpfungs-element n, Verknüp-fungsglied n, Schaltglied n	élément m logique	логический элемент
S 5322	**switching frequency; breaking frequency; switching rate; changeover frequency**	Schalthäufigkeit f; Schalt-frequenz f; Umschalt-häufigkeit f	fréquence f de commu-tation[s]	частота коммутационных операций; частота переключений; частота включения
	switching function, function of switching; logic function <in information processing>	Schaltfunktion f	fonction f de commutation	функция включения
	switching function	s. a. logic[al] operation		
S 5323	**switching gear, switch[-] gear, control mechanism** <mech.>	Schaltgetriebe n, Schalt-werk n, Umschalt-getriebe n <Mech.>	mécanisme m de commande <méc.>	механизм управления <мех.>
	switching gear	s. a. switch[-] gear <el.>		
S 5324	**switching jack**	Schaltklinke f	jack m de commutation	коммутирующее гнездо
	switching member	s. switching element		
	switching operation	s. switching process		
	switching operation	s. a. logic[al] operation		
	switching-over	s. switching <el.>		
S 5325	**switching process, switching operation, switching action**	Schaltvorgang m	procédé m de commutation, opération f de commu-tation, commutation f	коммутационный процесс; процесс (операция) включения; процесс (операция) переключения
S 5326	**switching rate, switching speed, changeover rate**	Schaltgeschwindigkeit f, Umschaltgeschwindig-keit f	vitesse f de commutation	скорость коммутации, скорость переключения
	switching rate	s. switching frequency		
S 5327	**switching ratio**	Schaltverhältnis n	rapport m de commutations	отношение внутреннего сопротивления к обратному; отношение запорного сопротивления к пропускному
S 5328	**switching reliability**	Schaltsicherheit f	fiabilité f de connexion; fia-bilité de commutation; fiabilité d'interruption	надежность включения; надежность переключения
S 5329	**switching resistance, resistance to switching [operations], resistance to switching transients**	Schaltfestigkeit f	résistance f aux commuta-tions	коммутационностойкость

S 5330	switching sequence	Schaltfolge f	séquence (suite) f des commutations	последовательность коммутационных операций
	switching spark	s. break spark		
	switching speed	s. switching rate		
S 5331	switching step	Schaltschritt m	pas m de commutation	шаг коммутационного аппарата, шаг коммутатора
S 5332	switching surge	Schaltüberspannung f; Schaltstoß m	surtension f de commutation	перенапряжение коммутации (переключения)
S 5333	switching threshold	Schaltschwelle f	seuil m de commutation	порог коммутации (переключения)
S 5334	switching time; breaking period	Schaltzeit f	période f (temps m) de commutation; période (temps) de rupture	время (период) переключения; время (период) выключения
S 5335	switching time constant	Schaltzeitkonstante f	constante f de temps de commutation	постоянная времени переключения
	switching transistor	s. transistor switch		
S 5336	switching tube, switch tube, switching valve	Schaltröhre f	tube m de commutation	переключающая лампа
	switching unit	s. switch[-] gear <el.>		
	switching valve	s. switching tube		
S 5337	switching voltage	Schaltspannung f	tension f de commutation	коммутирующее напряжение
S 5338	switching work	Schaltarbeit f	travail m de commutation	работа в процессе включения; работа в процессе коммутации
	switch-off period, cut-off time, off-period <semi.>	Sperrzeit f <Halb.>	temps m de blocage <semi.>	время запирания, время блокировки <полу.>
S 5339	switch-over	umschaltbar	commutable	переключаемый
S 5340	switch resistance box	Kurbelwiderstand m	boîte f de résistances à commutateur	реостат с коммутаторной рукояткой, курбельный реостат
	switch tube	s. switching tube		
	switch unit	s. switch[-] gear <el.>		
S 5341	swivel, swivelling, rotatable	schwenkbar, drehbar	pivotant, rotatif	поворотный, отклоняемый, откидной
	swivel pin	s. pivot journal		
	swivel point	s. centre of rotation		
	syllabic articulation	s. logatom articulation		
S 5342	sylphon bellows, bellows-and-strap arrangement, bellows	Faltenbalg m, Balg m; Balgmembran f	soufflet m [à grand nombre de contournements]	сильфон, гармоникообразная мембрана, гармониковая мембрана, гофрированная мембрана
S 5343	sylphon cooler, corrugated tube cooler	Wellrohrkühler m	réfrigérant m à tube ondulé	трубчатогофрированный холодильник, сильфонный холодильник
S 5344	Sylvester['s] determinant	Sylvestersche Determinante f	déterminant m de Sylvester	определитель Сильвестра
S 5344a	Sylvester['s] dialytic method	Sylvestersche Dialysemethode f	méthode f dialytique de Sylvester	метод диализа Сильвестра
S 5345	symbiotic star	symbiotischer Stern m	étoile f symbiotique	симбиотическая (комбинационная) звезда
S 5346	symbol	Symbol n; Formelzeichen n	symbole m	символ; [условное] обозначение
	symbol; sign; character <num. math.>	Zeichen n <auch num. Math.>; Symbol n	signe m; symbole m; caractère m <math. num.>	знак <также числ. матем.>; символ; обозначение
S 5347	symbolic admittance, admittance operator	Operatoradmittanz f	admittance f symbolique	адмитанс в символической форме, операторная полная проводимость, операторный адмитанс
	symbolic age [of neutron]	s. Fermi age		
	symbolic balance, pseudobalance <of the bridge>	Pseudoabgleich m <Brücke>	pseudo-équilibrage m [du pont], équilibrage m symbolique [du pont]	псевдоуравновешивание [мостика]
S 5348	symbolic impedance, impedance operator	Operatorimpedanz f	impédance f symbolique	импеданс в символической форме, операторное полное сопротивление, операторный импеданс
S 5349	symbolic method [in alternating-current theory]	symbolische Methode f [der Wechselstromrechnung], Verfahren n der komplexen Wechselstromrechnung, komplexe Wechselstromrechnung f, komplexe Berechnung f von Wechselstromschaltungen, symbolische Rechnung f, Zeigerrechnung f	méthode f symbolique [de la théorie des courants alternatifs]	символический метод [в электротехнике], метод комплексных амплитуд
S 5350	symbolic programmation	adressenfreie Programmierung f	programmation f symbolique	символическое программирование
S 5351	symbolic zero, pseudo-zero point	Pseudonullpunkt m	zéro m symbolique	ложный нуль, ложная нулевая точка
	symbolism; designation; notation; system of notation	Bezeichnung f; Bezeichnungsweise f; Schreibweise f; Symbolik f	notation f; système m de notation; système de numération; symbolique f	обозначение; система обозначения, система счисления; символика

	symbol of the crystal edge	s. index of the crystal edge		
	symbol of the crystal face, index [of the crystal face] <cryst.>	Flächenindex m, Flächensymbol n, Symbol n der Kristallfläche <Krist.>	indice m [de la face] <crist.>	индекс [грани кристалла], параметр грани, символ грани <крист.>
S 5352	symbol of unit, symbol of units	Einheiten[kurz]zeichen n, Einheitensymbol n	symbole m des unités	символ единиц
S 5353	symmetric, symm.; symmetrical; sym. <chem.>	symmetrisch, symm.; sym. <Chem.>	symétrique, sym.	симметричный, симметрический, симм.
	symmetric about an axis, in axial symmetry, axially symmetric, axisymmetric	axialsymmetrisch, achsensymmetrisch	symétrique à l'égard d'un axe, symétrique par rapport à un axe, de symétrie de révolution	аксиально-симметричный, осесимметричный, осевой симметрии, симметричный относительно оси
	symmetrical	s. symmetric		
S 5354	symmetrical dispersion	symmetrische Dispersion f	dispersion f symétrique	симметрическая дисперсия
S 5355	symmetrical fission	symmetrische Spaltung f	fission f symétrique	симметричное деление
S 5356	symmetrical four-terminal network, symmetrical quadrupole	symmetrischer Vierpol m	quadripôle m symétrique	симметричный четырехполюсник
	symmetrical group	s. symmetric group		
S 5357	symmetrical heterostatic circuit [of Mascart]	Nadelschaltung f [nach Mascart], symmetrischheterostatische Schaltung f	montage m hétérostatique symétrique [de Mascart]	симметричная гетеростатическая схема
S 5358	symmetrical Joukowski profile	Joukowski-Tropfen m	profil m symétrique Joukowsky	симметричный профиль Жуковского
S 5359	symmetrical kernel, symmetrical kernel function <math.>	symmetrischer Kern m, reell-symmetrischer Kern, symmetrische Kernfunktion f <Math.>	noyau m symétrique <math.>	симметричное ядро <матем.>
	symmetrical multivibrator, balanced multivibrator	symmetrischer Multivibrator m	multivibrateur m symétrique	симметричный мультивибратор
S 5360	symmetrical network	symmetrisches Netzwerk n	réseau (multipôle) m symétrique	симметричный многополюсник
S 5361	symmetrical neutral [meson] theory	symmetrische neutrale Mesonentheorie (Theorie) f	théorie f [mésique] neutre symétrique	симметричная нейтральная [мезонная] теория
	symmetrical operator	s. Hermitian operator		
S 5362	symmetrical [pseudo-scalar] meson theory	symmetrische pseudoskalare Mesonentheorie f, (Theorie) f	théorie f [mésique] pseudo-scalaire symétrique	симметричная псевдоскалярная [мезонная] теория
	symmetrical quadrupole, symmetrical four-terminal network	symmetrischer Vierpol m	quadripôle m symétrique	симметричный четырехполюсник
S 5363	symmetrical scalar meson theory, symmetrical scalar theory	symmetrische skalare Mesonentheorie f, symmetrische skalare Theorie f	théorie f mésique scalaire symétrique, théorie scalaire symétrique	симметричная скалярная мезонная теория, симметричная скалярная теория
S 5364	symmetrical tensor, symmetric tensor, tensor	symmetrischer Tensor m	tenseur m symétrique [droit]	симметричный тензор
S 5365	symmetrical top, symmetric top	symmetrischer Kreisel m, zweiachsiger Kreisel	toupie f symétrique	симметричный волчок, симметричный гироскоп, симметрический волчок
S 5366	symmetrical top, symmetrical top molecule, symmetric top [molecule]	symmetrisches Kreiselmolekül n, Molekül n vom Typ symmetrischer Kreisel, symmetrischer Kreisel m	molécule f en forme de toupie symétrique, molécule [du type] toupie symétrique, molécule à cellule symétrique, toupie f symétrique	молекула типа симметрического волчка, симметрический волчок, симметричный волчок
	symmetrical waviness, earing, development of scallops	Zipfelbildung f, Faltenbildung f, Wellung f der Oberfläche	formation f de festons, formation de surface ondulée	фестонистость
S 5367	symmetric difference <of sets>	symmetrische Differenz f, Überschuß m, Boolesche Summe f <Mengen>	différence f symétrique, somme f booléenne, somme binaire <d'ensembles>	симметрическая разность <множеств>
	symmetric fold, normal fold	stehende (aufrechte) Falte f	pli m normal (droit, symétrique)	симметричная (прямая) складка
S 5367a	symmetric group, symmetrical group	symmetrische Gruppe f	groupe m symétrique, groupe de tous les permutations, groupe des permutations	симметрическая группа
S 5368	symmetric in time, time-symmetric	zeitsymmetrisch	symétrique par rapport au temps, symétrique dans le temps	симметричный по отношению к времени, симметричный по времени
	symmetric output, balanced output, push-pull output	symmetrischer Ausgang m, Gegentaktausgang m	sortie f symétrique, sortie en push-pull	симметричный выход, двухтактный выход
S 5368a	symmetric rotator	symmetrischer Rotator m	rotateur m symétrique	симметричный ротатор
S 5369	symmetric spherical harmonic	symmetrische Kugelfunktion f, Kugelfunktion mit Kristallsymmetrie	harmonique f sphérique symétrique	кристаллическая гармоника
	symmetric top	s. symmetrical top		
	symmetric tensor	s. symmetrical tensor		
S 5370	symmetrization; balancing <el.>	Symmetrierung f, Symmetrisierung f	symétrisation f	симметрирование, симметризация

S 5371	**symmetrized representation**	symmetrisierte Darstellung f	représentation f symétrisée	симметризованная степень представления
S 5372	**symmetry, reflection** <cryst.>	Symmetrie f, Spiegelgleichheit f; Spiegelung f <Krist.>	symétrie f <crist.>	симметрия; [зеркальное] отражение, зеркальное отображение, преобразование отражения <крист.>
S 5373	**symmetry;** balance <el.>	Symmetrie f <El.>	symétrie f <él.>	симметрия; симметричность <эл.>
S 5374	**symmetry argument**	Symmetriebetrachtung f	raisonnement m de symétrie	рассмотрение с точки зрения симметрии
	symmetry[-] axis	s. axis of symmetry <cryst.>		
S 5375	**symmetry axis of order** n, axis of order n, n-fold axis [of symmetry], n-al axis, n-al rotation axis	n-zählige Symmetrieachse (Achse) f, Symmetrieachse der Ordnung n, n-zählige Drehungsachse (Drehachse) f, Drehungsachse (Rotationsachse) f der Ordnung n, n-zählige Rotationsachse	axe m de symétrie directe d'ordre n, axe de symétrie d'ordre n, axe d'ordre n, axe n-aire	ось симметрии n-го порядка, ось n-го порядка, простая ось n-го порядка
	symmetry axis of the second sort	s. rotation-reflection axis		
	symmetry[-axis] of the second sort of order n	s. n-al axis of the second sort		
S 5376	**symmetry breakdown, symmetry breaking,** breakdown of symmetry	Symmetriebrechung f	violation f de symétrie, rupture f de symétrie	нарушение симметрии
	symmetry[-] centre, centre of symmetry, symmetry of inversion	Symmetriezentrum n	centre m de symétrie	центр симметрии
S 5377	**symmetry character**	Symmetriecharakter m	caractère m de symétrie	характер симметрии
	symmetry class, class of symmetry	Symmetrieklasse f	classe f de symétrie	класс симметрии
S 5378	**symmetry coefficient**	Symmetriekoeffizient m	coefficient m de symétrie	коэффициент симметрии
S 5379	**symmetry condition**	Symmetriebedingung f	condition f de symétrie	условие симметрии
S 5380	**symmetry co-ordinates**	Symmetriekoordinaten fpl	coordonnées fpl de symétrie	координаты симметрии
S 5381	**symmetry effect**	Symmetrieeffekt m	effet m de symétrie	влияние симметрии
S 5382	**symmetry[-] element**	Symmetrieelement n	élément m de symétrie	элемент симметрии
S 5383	**symmetry factor**	Symmetriefaktor m	facteur m de symétrie	коэффициент симметрии
S 5384	**symmetry group**	Symmetriegruppe f [des Gitters], Gruppe f der Deckoperationen (Symmetrien)	groupe m de symétrie	группа симметрии
	symmetry line, line of symmetry	Symmetriegerade f, Symmetrale f	droite f de symétrie, symétrale f	линия симметрии, прямая симметрии
S 5385	**symmetry multiplet**	Symmetriemultiplett n	multiplet m de symétrie	мультиплет симметрии
S 5386	**symmetry number,** symmetry value	Symmetriezahl f	nombre m de symétrie	число симметрии
	symmetry of inversion, centre of symmetry, symmetry[-]centre	Symmetriezentrum n	centre m de symétrie	центр симметрии
	symmetry of lattice	s. crystal symmetry		
	symmetry of order eight (8), octad symmetry, 8-al symmetry	achtzählige Symmetrie f, 8zählige Symmetrie	symétrie f d'ordre huit (8)	симметрия восьмого порядка, симметрия 8-го порядка
	symmetry of order n, n-fold symmetry, n-al symmetry	n-zählige Symmetrie f, n-Zähligkeit f, Symmetrie f der Ordnung n, Zähligkeit f n	symétrie f n-aire, symétrie d'ordre n	симметрия n-го порядка
	symmetry of order six (6), hexad symmetry, 6-al symmetry	sechszählige Symmetrie f, 6zählige Symmetrie	symétrie f d'ordre six (6), symétrie sénaire	симметрия шестого порядка, симметрия 6-го порядка
S 5387	**symmetry[-] operation**	Deckoperation f, Decktransformation f, Deckbewegung f, Symmetrie [-operation] f	opération f de symétrie (recouvrement)	операция симметрии, симметрическое преобразование
S 5388	**symmetry operator**	Symmetrieoperator m	opérateur m de symétrie	оператор симметрии
	symmetry[-] plane, plane of symmetry; plane of mirror reflection symmetry <cryst.>	Symmetrieebene f	plan m de symétrie	плоскость симметрии
	symmetry point, point of symmetry <meteo., cryst.>	Symmetriepunkt m <Meteo., Krist.>	point m de symétrie <météo., crist.>	точка симметрии <метео., крист.>
	symmetry principle	s. Schwarz reflection principle		
S 5389	**symmetry principle** <qu.; nucl.>	Symmetrieprinzip n <Qu.; Kern.>	principe m de symétrie <qu.; nucl.>	принцип симметрии <кв.; яд.>
	symmetry properties of the lattice	s. crystal symmetry		
S 5390	**symmetry quantum number**	Symmetriequantenzahl f	nombre m quantique de symétrie	квантовое число симметрии
S 5391	**symmetry relation**	Symmetriebeziehung f	relation f de symétrie	соотношение симметрии
	symmetry sake / for	s. reasons of symmetry / for		
	symmetry type, type of symmetry	Symmetrietyp m	type m de symétrie	тип симметрии
	symmetry value, symmetry number	Symmetriezahl f	nombre m de symétrie	число симметрии
	Symon['s] smooth approximation, smooth approximation	„smooth approximation" f [nach Symon], Symonsche glatte Approximation f	approximation f lisse [de Symon]	гладкая аппроксимация Саймона
S 5392	**sympathetic oscillation,** co-oscillation, covibration	Mitschwingung f, Resonanzschwingung f	oscillation f sympathique, cooscillation f, covibration f	соколебание; сокачение

	sympathetic reactions	s. coupled reactions		
S 5392a	**sympiezometer**	Sympiezometer n	sympiézomètre m	симпьезометр
S 5393	**symplectic group**	symplektische Gruppe f, Komplexgruppe f	groupe m symplectique	симплектическая группа
S 5394	**symplectic invariant**	symplektische Invariante f, Komplexinvariante f	invariant m symplectique	симплектический инвариант
	symplectic mapping	s. symplectic transformation		
S 5395	**symplectic matrix**	symplektische Matrix f	matrice f symplectique	симплектическая матрица
S 5396	**symplectic transformation**, symplectic mapping	symplektische Transformation (Abbildung) f	transformation f (automorphisme m) symplectique	симплектическое преобразование (отображение)
S 5397	**synapse**	Synapse f	synapse f, jonction f synaptique	синапс
S 5397a	**synaptic transmission synchro**	synaptische Transmission f s. synchrodrive	transmission f synaptique	передача через синапсы
S 5398	**synchrobetatron resonance**	Synchrobetatronresonanz f	résonance f synchrobétatronique (synchrobétatron)	синхробетатронный резонанс
	synchroclock	s. synchronous timer		
S 5399	**synchrocyclotron [accelerator]**, frequency-modulated cyclotron, f[-]m cyclotron, phasotron, cyclosynchrotron	Synchrozyklotron n, frequenzmoduliertes Zyklotron n, FM-Zyklotron n, Phasotron n	synchrocyclotron m, cyclotron m à modulation de fréquence, phasotron m	фазотрон, синхроциклотрон, циклотрон с модуляцией частоты
	synchrodetector	s. synchronous detector		
	synchrodrive, synchrotransmitter, synchro; selsyn, selsyn system	Drehmelder m, Drehfeldgeber m, Synchro m	synchro m, selsyn m; synchrogénérateur m, synchrotransmetteur m	сельсин; сельсин-датчик
S 5400	**synchrodyne, synchrodyne receiver**	Synchrodyn[e]empfänger m	récepteur m synchrodyne, synchrodyne m	синхродинный приемник
S 5401	**synchrometer**, mass synchrometer, cyclotron[ic] resonance mass spectrometer, cyclotron[ic] mass spectrometer	Synchrometer n, Zyklotronresonanz-Massenspektrometer n, Massensynchrometer n, Höchstfrequenz-Massenspektrometer n	synchromètre m [de masse], spectromètre m de masse à résonance gyromagnétique	синхрометр, высокочастотный масс-спектрометр [по принципу циклотронного резонанса]
S 5401a	**synchromicrotron**	Synchromikrotron n	synchromicrotron m	синхромикротрон
S 5402	**synchrone**	Synchrone f	synchrone f, courbe f synchrone	синхрона
S 5403	**synchronism**; synchronization, synchronizing	Synchronismus m, Gleichlauf m; Gleichlaufen n; Synchronisation f	synchronisme m; synchronisation f	синхронизм; синхронность; синхронный ход; согласованное вращение; согласованность; одновременность; синхронизация
	synchronism of phases synchronization	s. phase coincidence s. synchronism		
S 5404	**synchronized multivibrator**, master-excited (driven) multivibrator	fremdgesteuerter (fremderregter, getasteter, frequenzgesteuerter, passiver) Multivibrator m	multivibrateur m asservi, multivibrateur piloté, multivibrateur synchronisé	синхронизируемый мультивибратор, мультивибратор с внешним возбуждением
S 5405	**synchronized resonance**	Synchronresonanz f	résonance f synchronisée	синхронизированный резонанс
	synchronizer synchronizing	s. synchronizing device s. synchronism		
S 5406	**synchronizing device**, synchronizer	Synchronisiereinrichtung f, Synchronisier[ungs]gerät n, Synchronisierungseinrichtung f, Synchronisierungsstufe f, Synchronisiervorrichtung f, Synchronisator m, Gleichlaufeinrichtung f, Gleichlaufgerät n	dispositif m synchroniseur, synchroniseur m	синхронизирующее устройство, синхронизатор
S 5407	**synchronizing interval**	Synchronisierlücke f	intervalle m de synchronisation	интервал между синхронизирующими импульсами
S 5408	**synchronizing pulse**	Synchronisierimpuls m, Synchronisierungsimpuls m, Gleichlaufimpuls m, Synchronimpuls m	impulsion f de synchronisation, impulsion de synchro, top m de synchronisation	синхронизирующий импульс, синхроимпульс
S 5409	**synchronizing pulse generator**, pulse generator, clock generator, clock multivibrator	Taktgeber m, Impulsgeber m	générateur m d'impulsions, horloge f	датчик тактов, тактовый датчик, датчик тактовых импульсов
S 5410	**synchronizing signal**	Synchronisier[ungs]signal n, Gleichlaufsignal n, Gleichlaufzeichen n, Synchrosignal n, Synchronisierzeichen n	signal m de synchronisation, signal synchro, signal synchronisant, synchro m	синхронизирующий сигнал, синхросигнал
S 5411	**synchronome synchronometer synchronous clock**	Synchronome f s. synchronous timer s. synchronous timer	synchronome f	синхронома
S 5412	**synchronous computer**, synchronous machine <num. math.>	Synchronrechner m <num. Math.>	calculatrice f synchrone <math. num.>	синхронная [вычислительная] машина <числ. матем.>
S 5413	**synchronous condition**	Synchronbedingung f	condition f synchrone (de synchronisme)	условие синхронизма
	synchronous converter	s. rotary converter		
S 5414	**synchronous demodulator (detector)**, synchro[de]tector	Synchrodetektor m, Synchrondetektor m, Synchrondemodulator m	synchro[-]détecteur m, détecteur m synchrone, détecteur synchrophase	синхронный детектор, синхродетектор, синхротектор
	synchronous electric clock	s. synchronous timer		
	synchronous machine	s. synchronous computer <num. math.>		

	synchronous orbit	s. equilibrium orbit		
	synchronous particle, equilibrium particle, phase-stable particle, phase-stationary particle	Sollteilchen n, Synchronteilchen n	particule f d'équilibre, particule synchrone	равновесная частица, резонансная частица
	synchronous phase, charged particle equilibrium phase, equilibrium phase	Sollphase f, Synchronphase f, Gleichgewichtsphase f	phase f d'équilibre, phase synchrone	равновесная фаза [заряженной частицы]
S 5415	synchronous phase shifter [advancer]	Synchronphasenschieber m	déphaseur m synchrone	синхронный фазовращатель (фазокомпенсатор)
S 5416	synchronous scanning	Synchronabtastung f	balayage m synchronisé	синхронная (синхронизированная) развертка
S 5417	synchronous timer	Synchronzeitgeber m	minuterie f synchrone	синхронизирующее устройство
S 5418	synchronous timer, synchronous electric clock, synchronous clock, synchroclock, synchronometer	Synchronuhr f	chronomètre m synchrone, horloge f électrique synchrone	синхронные электрочасы, электрические синхронные часы, синхронные часы
	synchrophasotron	s. heavy-particle synchrotron		
S 5419	synchroscope	Synchroskop n	synchroscope m	синхроскоп, синхронизирующийся осциллоскоп, осциллоскоп со ждущей разверткой
	synchrotector	s. synchronous detector		
	synchrotransmitter	s. synchrodrive		
S 5420	synchrotron [accelerator]	Synchrotron n	synchrotron m	синхротрон
S 5421	synchrotron oscillation, radial-synchrotron (radial-phase) oscillation	Synchrotronschwingung f	oscillation f synchrotron, oscillation synchrotronique	радиально-фазовое колебание, синхротронное колебание
S 5422	synchrotron period	Synchrotronperiode f	période f synchrotron[ique]	период обращения частиц в синхротроне
S 5423	synchrotron radiation, acceleration radiation, cyclotron radiation, Schwinger radiation	Synchrotronstrahlung f, Zyklotronstrahlung f	rayonnement m cyclotron (synchrotron), radiation f cyclotron (synchrotron)	синхротронное излучение
S 5424	synchrotron reabsorption	Synchrotronreabsorption f	réabsorption f synchrotron[ique]	повторное синхротронное поглощение
S 5425	synchrotron regime	Synchrotronbetrieb m	régime m [de fonctionnement] synchrotron, mode m opératoire synchrotron, fonctionnement m synchrotron	синхротронный режим, режим синхротрона; синхрофазотронный режим
	synchrotron with straight sections	s. racetrack synchrotron		
	synclastic surface	s. surface of positive total curvature		
	synclinal, synclinal fold	s. syncline		
S 5426	synclinal valley	Synklinaltal n, Senkungstal n, Muldental n	vallée f synclinale, vallon m	синклинальная долина
S 5427	syncline, synclinal, synclinal fold, trough; synform <geo.>	Synklinale f, Synkline f, Mulde f, Einsenkung f; Trog m <Geo.>	synclinal m, pli m synclinal <géo.>	синклиналь, синклинальная впадина, синклинальная складка, мульда, котловина; трог; синформа <гео.>
S 5428	synclinore, synclinorium	Synklinorium n, Verbiegungsbecken n	synclinorium m, structure f en éventail composée renversée (inverse)	синклинорий, сложная синклиналь
	syn configuration	s. syn modification		
S 5429	syncriminator	Synkriminator m	syncriminateur m	синкриминатор
	syncrystallization, simultaneous crystallization	gleichzeitige Kristallisation f, Synkristallisation f	syncristallisation f	одновременная кристаллизация
S 5429a	syndet, synthetic detergent, saponide, sapide	Saponid n, Sapid n, Syndet n <pl.: -ts>	saponide m, sapide m, détergent m synthétique	синтетический детергент, синдет, сапонид
S 5430	syndiotactic, syndyotactic	syndiotaktisch	syndiotactique	синдиотактический
S 5431	syndyname	Syndyname f	syndyname f	синдинама
	syndyotactic	s. syndiotactic		
	synentropy	s. mutual information		
S 5432	syneresis, bleeding	Synärese f, Synäresis f	synérèse f	синерезис
S 5433	synerg[et]ic	synergetisch	synergique	синергический, синергетический
	synerg[et]ic activator	s. synerg[et]ic intensifier		
S 5434	synerg[et]ic curve	Synergiekurve f	courbe f synergique	синергическая кривая [Оберта], синергическая траектория [Оберта]
S 5434a	synerg[et]ic intensifier, synerg[et]ic activator	synergetischer Verstärker m	activateur m synergique	синергетический усилитель (активатор)
S 5435	synergism	Synergismus m	synergisme m, synergie f	синергизм
S 5436	synergy	Synergie f	synergie f	синергия
	synform	s. a. syncline <geo.>		
	syn form	s. syn modification		
S 5436a	syngenetic	syngenetisch	syngénétique	сингенетический
S 5437	synionism, syniony	Synionie f	synionie f	синиония
S 5438	synistor	Synistor m	synistor m	синистор
S 5439	synkinematic	synkinematisch	syncinématique	синкинематический
S 5440	syn modification, syn form (configuration)	syn-Form f	forme f syn, modification f syn	син-форма
S 5441	synodic[al] month, lunar month, lunation	synodischer Monat m, Mondmonat m, Lunation f	mois m synodique, révolution f synodique [de la Lune], mois lunaire, lunaison f	синодический месяц, лунный месяц, лунация

S 5442	**synodic[al] [revolution] period**	synodische Umlaufszeit *f*, synodischer Umlauf *m*	révolution *f* synodique, durée *f* de la révolution synodique, période *f* synodique	синодический период [обращения], время синодического обращения
S 5443	**synopsis,** synoptic table ‹meteo.›	Synopse *f*, Synopsis *f* ‹Meteo.›	tableau *m* synoptique, synopse *f* ‹météo.›	синоптическая таблица, метеосводка ‹метео.›
	synoptic analysis, weather analysis, synoptic situation analysis	Wetteranalyse *f*	analyse *f* synoptique, analyse de temps	анализ погоды, синоптический анализ, анализ синоптического положения
	synoptic chart	s. synoptic map ‹meteo.›		
S 5444	**synoptic code,** weather code	Wetterkode *m*, Wettercode *m*, Wetterschlüssel *m*	code *m* synoptique	синоптический код
S 5445	**synoptic constant**	synoptische Konstante *f*	constante *f* synoptique	синоптическая константа
S 5446	**synoptic front,** meteorological front	Wetterfront *f*	front *m* synoptique, front météorologique	синоптический фронт, метеорологический фронт
S 5447	**synoptic map** ‹astr.›	synoptische Karte *f*, heliographische Karte ‹Astr.›	carte *f* synoptique, carte héliographique ‹astr.›	синоптическая карта, гелиографическая карта ‹астр.›
S 5448	**synoptic map,** synoptic chart; weather map, weather chart, meteorological chart ‹meteo.›	synoptische Karte *f*, synoptische Wetterkarte *f*; Wetterkarte ‹Meteo.›	carte *f* synoptique; carte météorologique, carte du temps ‹météo.›	синоптическая карта [погоды]; карта погоды ‹метео.›
	synoptic meteorology, synoptics	Synoptik *f*, synoptische Meteorologie *f*	synoptique *f*, météorologie *f* synoptique	синоптика, синоптическая метеорология
	synoptic phenomenon	s. meteorologic phenomenon		
S 5449	**synoptics,** synoptic meteorology	Synoptik *f*, synoptische Meteorologie *f*	synoptique *f*, météorologie *f* synoptique	синоптика, синоптическая метеорология
	synoptic situation	s. general weather situation		
	synoptic situation analysis	s. synoptic analysis		
	synoptic table, synopsis ‹meteo.›	Synopse *f*, Synopsis *f* ‹Meteo.›	tableau *m* synoptique, synopse *f* ‹météo.›	синоптическая таблица, метеосводка ‹метео.›
S 5450	**synoptic wind**	synoptischer Wind *m*	vent *m* synoptique	фактический ветер
S 5451	**synoptic zone**	Wetterzone *f*	zone *f* synoptique	синоптическая зона
S 5452	**synorogenesis**	Synorogenese *f*	synorogénie *f*, synorogenèse *f*	синорогения, синорогенез[ис]
S 5452a	**syn-position**	syn-Stellung *f*	position *f* syn, syn-position *f*	*син*-положение
S 5452b	**synproportionation,** reproportionation	Synproportionierung *f*	synmutation *f*, synproportionnation *f*	синмутация, синпропорционирование
S 5453	**syntactic**	syntaktisch	syntactique	синтактический
S 5454	**syntactics**	Syntaktik *f*	syntactique *f*	синтактика
S 5455	**syntax**	Syntax *f*	syntaxe *f*	синтаксис
S 5456	**syntectonic**	syntektonisch	syntectonique	синтектонический
S 5457	**syntexis** ‹geo.›	Syntexis *f*, Syntexe *f* ‹Geo.›	syntexie *f* ‹géo.›	синтексис, сплавление, полное переплавление ‹гео.›
S 5458	**synthesis;** build-up ‹chem., nucl.›	Synthese *f*; Aufbau *m* ‹Chem., Kern.›	synthèse *f* ‹chim., nucl.›	синтез ‹хим., яд.›
	synthesis of electrical network, network synthesis, electrical network synthesis	Netzwerksynthese *f*	synthèse *f* des réseaux	синтез цепей
	synthesis of isotopically labelled compounds, preparation of labelled compounds	Markierungssynthese *f*	préparation *f* de composés marqués, synthèse *f* des molécules marquées, synthèse du traceur	синтез меченых молекул, синтез меченого соединения, введение индикатора
S 5459	**synthesizer**	Synthetisator *m*, Synthesegerät *n*, Syntheseeinrichtung *f*	synthétiseur *m*	синтезатор, синтезирующее устройство
S 5460	**synthetical geometry**	synthetische Geometrie *f*	géométrie *f* synthétique	синтетическая геометрия
S 5461	**synthetic crystal**	synthetischer (künstlicher) Kristall *m*	cristal *m* synthétique	синтетический кристалл
	synthetic detergent	s. syndet		
S 5462	**syntonic comma**	syntonisches Komma *n*	comma (komma) *m* syntonique	синтоническая комма
	syntonizing variometer, tuning variometer	Abstimmvariometer *n*	variomètre *m* d'accord, variomètre de syntonisation	вариометр настройки
S 5463	**syphon,** siphon; pump-type dispenser	Heber *m*; Saugheber *m*, Ansaugheber *m*; Stechheber *m*	siphon *m*, syphon *m*	сифон, сифонная труба, сифонный трубопровод, ливер, левер; пульсометр
	syphonage	s. syphoning		
S 5464	**syphon barometer,** siphon barometer	Heberbarometer *n*; Phiolenbarometer *n*; Zimmerbarometer *n*; Manometerprobe *f*, Barometerprobe *f*, abgekürztes Barometer *n*	baromètre *m* à syphon	сифонный барометр, сифонный ртутный барометр
S 5465	**syphoning,** siphoning, syphonage, siphonage	Hebern *n*; Aushebern *n*; Abhebern *n*; Heberwirkung *f*	siphonage *m*, siphonnement *m*	подъем сифоном, слив [-ание] сифоном, перекачка сифоном, откачка сифоном, сифонирование; сифонный эффект
S 5465a	**syringe**	Injektionsspritze *f*, Spritze *f*	seringue *f*	шприц
	system, network [of lines] ‹el.›	Netzwerk *n*, Netz *n*, Streckenkomplex *m* ‹El.›	réseau *m* [de lignes], système *m* ‹él.›	сеть; цепь; многополюсник; схема; система ‹эл.›
S 5466	**system analysis**	Systemanalyse *f*	analyse *f* des systèmes; analyse du système	анализ систем; анализ системы

S 5467	**systematic error**, fixed error, bias; regular error <stat.>	systematischer Fehler m, erwartungsmäßige Abweichung f, Verzerrung f, Verfälschung f, Bias m; regelmäßiger Fehler <Stat.>	erreur f systématique, erreur fixe, biais m; erreur régulière <stat.>	систематическая ошибка, систематическая погрешность, постоянная ошибка, смещение; регулярная ошибка <стат.>
S 5468	**systematic sample** **systematic sampling**	systematische Probe f s. patterned sampling	échantillon m systématique	систематическая (неслучайная) выборка
S 5469	**system based on three fundamental units**	Dreiersystem n	système m basé sur trois unités fondamentales	система единиц, основанная на трех основных величинах
S 5470	**system constant**	Systemkonstante f	constante f du système	постоянная (константа) системы
	system current, line current, interlinked current	verketteter Strom m	courant m de la ligne, courant entre phases	линейный ток, междуфазный ток
S 5471	**system determinant**	Systemdeterminante f	déterminant m du système	определитель (детерминант) системы
	system element, network element; network parameter, system parameter	Netzwerkelement n, Netzelement n; Netzwerkparameter m, Netzparameter m	élément m du réseau, élément du système; paramètre m du réseau, paramètre du système	элемент сети; параметр сети
S 5472	**system equations**, equations of the network	Netzwerkgleichungen fpl, Systemgleichungen fpl	équations fpl du système, équations du réseau	уравнения системы передачи, уравнения сети (цепей)
S 5473	**system function**, function of the network **system function**	Systemfunktion f, Netzwerkfunktion f s. a. closed-loop transfer function <control>	fonction f du système, fonction du réseau	функция системы передачи, функция сети (цепей)
S 5474	**system having negative thermodynamical temperature**	System n mit negativer absoluter Temperatur, außergewöhnliches System	système m avec une température thermodynamique négative	система с отрицательной абсолютной температурой, необыкновенная система
S 5475	**systemic action**	systemische Wirkung f, Systemwirkung f	action f systémique	системное действие
	systemic insecticide	s. systemic pesticide		
S 5476	**systemic pesticide;** systemic insecticide	systemisches Mittel n, innertherapeutisches Mittel; systemisches Insektizid n, Systeminsektizid n	pesticide m systémique; insecticide m systémique	пестицид системного действия, системный пестицид; инсектицид системного действия, системный инсектицид
S 5477	**system matrix** **system of absolute electrical units**	Systemmatrix f s. Giorgi system [of units]	matrice f du système	матрица системы
S 5478	**system of atomic units**, system of natural units, system of Hartree units, atomic (natural) system of units, Hartree system [of units]	Hartreesches Maßsystem (Einheitensystem) n, atomares Einheitensystem, natürliches Einheitensystem (Maßsystem)	système m d'unités atomiques, système d'unités naturelles, système d'unités de Hartree	система атомных единиц [Хартри], система Хартри, естественная система единиц
S 5479	**system of bars**, framework	Fachwerk n	travure f réticulaire, système m polyédral de barres, treillis m	ферма, фахверк, сквозная конструкция
	system of clefts, cleft system	Kluftsystem n	fissure f en réseau	система трещин, сеть трещин
S 5480	**system of complanar forces**, complanar forces	ebenes Kräftesystem n	système m de forces dans un plan, forces fpl coplanaires	плоская система сил
S 5481	**system of couples**	Kräftepaarsystem n	système m de couples	система пар сил
	system of crystal symmetry, crystal system	Kristallsystem n, Syngonie f	système m cristallin (de symétrie), syngonie f	сингония, кристаллическая (кристаллографическая) система
	system of curves, set of curves; family of curves, group of curves	Kurvenschar f, Schar f [von Kurven]	famille f de courbes, famille de lignes, réseau m de courbes	семейство кривых, семейство линий, система кривых
	system of cylinders, packing of cylinders	Zylinderpackung f	empilement m de cylindres	цилиндрическая упаковка
S 5482	**system of functions**	Funktionensystem n, Funktionssystem n	système m de fonctions	система функций
	system of fundamental stars, fundamental system <astr.>	Fundamentalsystem n <Astr.>	système m d'étoiles fondamentales <astr.>	система фундаментальных звезд <астр.>
	system of Hartree units	s. system of atomic units		
S 5483	**system of linear equations**, [system of] simultaneous linear equations, set of [simultaneous] linear equations	lineares Gleichungssystem n	système m d'équations linéaires [algébriques]	система линейных [алгебраических] уравнений
	system of mass (material) points	s. system of points		
	system of measurement (measures), system of units, system of scales of measurements	Einheitensystem n, Maßsystem n	système m d'unités, système de mesure[s]	система единиц, система измерений, система мер
	system of natural units	s. system of atomic units		
	system of notation; designation; notation; symbolism	Bezeichnung f; Bezeichnungsweise f; Schreibweise f; Symbolik f	notation f; système m de notation; système de numération; symbolique f	обозначение; система обозначения, система счисления; символика
S 5484	**system of numbers**, number system, numeration	Zahlensystem n	système m numérique; système de nombres; système de numérotation	числовая система, система представления чисел, система счисления, система нумерации

	system of ordinary differential equations	*s.* simultaneous ordinary differential equations		
S 5485	**system of points,** system of material points, system of mass points	Massenpunktsystem *n*	système *m* de points matériels	система материальных точек
S 5486	**system of rays** <on the Moon's surface>	Strahlensystem *n* <Oberflächenform des Mondes>	système *m* rayonnant <de la surface lunaire>	лучевая система <лунной поверхности>
	system of reference	*s.* frame of reference		
	system of scales of measurement, system of units, system of measures	Einheitensystem *n*, Maßsystem *n*	système *m* d'unités, système de mesure[s]	система единиц, система измерений, система мер
S 5487	**system of sources,** source system	Quellsystem *n*, Quellensystem *n*	système *m* des sources	система источников
	system of space-time co-ordinates	*s.* space-time co-ordinates		
	system of spheres, packing of spheres	Kugelpackung *f*	empilement *m* des sphères	шаровая упаковка
	system of stars, galactic system, stellar system, galaxy, island universe	Sternsystem *n*, Galaxis *f*, Galaxie *f* <*pl.*: Galaxien>	système *m* galactique, système stellaire, système des étoiles, galaxie *f*	галактическая система, звездная система, галактика
	system of surfaces, family of surfaces	Flächenschar *f*, Flächensystem *n*	famille *f* de surfaces, système *m* de surfaces	семейство поверхностей, система поверхностей
S 5488	**system of units,** system [of scales] of measurement, system of measures	Einheitensystem *n*, Maßsystem *n*	système *m* d'unités, système de mesure[s]	система единиц, система измерений, система мер
	system of units used in engineering and technology	*s.* engineering system		
S 5489	**system of variational equations**	System *n* der Variationsgleichungen, Variationssystem *n*	système *m* des équations variationnelles	система вариационных уравнений
S 5490	**system of vectors,** vector system	Vektorsystem *n*, Kräftesystem *n*; Stabsumme *f*, Stabwert *m*, Stäbesumme *f* <Study>, Liniensumme *f* <Timerding>, Streckensystem *n* <Mohr>, Vektorensystem *n*, heteraptische Summe *f* <Budde>	système *m* de vecteurs	векторная система, система векторов, сумма скользящих векторов
	system of web members	*s.* strut bracing		
	system parameter	*s.* system element		
S 5491	**system theory**	Systemtheorie *f*	théorie *f* des systèmes	теория систем
	system to be controlled	*s.* controlled system		
	system voltage	*s.* line voltage		
S 5492	**system with four fundamental units**	Vierersystem *n*	système *m* à quatre unités fondamentales	система единиц с четырьмя основными величинами
	system without constraints, unconstrained system	System *n* ohne Zwang[sbedingungen]	système *m* sans liaison	свободная система; система, не стесненная (ограниченная) связями
S 5493	**system with zero position error,** astatic system	integral wirkendes System *n*, System ohne P-Abweichung, astatisches System	système *m* sans erreur de position, système astatique	астатическая система
S 5494	**systolic pressure**	systolischer Druck *m*	pression *f* systolique (maximale)	систолическое давление
	systolic volume, stroke volume	Schlagvolumen *n*	débit *m* systolique, volume *m* de l'ondée systolique, ondée *f* systolique	систолический объем, ударный объем
S 5494a	**systrophe**	Systrophe *f*	systrophe *f*	систрофа
	syzygial period, syzygial time	Springzeit *f*, syzygiale Hochwasserzeit *f*	temps *m* de syzygie, période *f* de syzygie	время сизигий, время [наступления] сизигийного прилива
	syzygial tide	*s.* spring tide		
S 5495	**syzygial time,** syzygial period	Springzeit *f*, syzygiale Hochwasserzeit *f*	temps *m* de syzygie, période *f* de syzygie	время сизигий, время [наступления] сизигийного прилива
S 5496	**syzygy**	Syzygie *f*, Syzygium *n* <*pl.*: Syzygien>	syzygie *f*	сизигий, сизигия
S 5497	**Szilard-Chalmers detector**	Szilard-Chalmers-Detektor *m*	détecteur *m* de Szilard-Chalmers	детектор, основанный на реакции Сциларда-Чалмерса
S 5498	**Szilard-Chalmers effect**	Szilard-Chalmers-Effekt *m*	effet *m* Szilard-Chalmers	эффект Сциларда-Чалмерса
S 5499	**Szilard-Chalmers process (reaction)**	Szilard-Chalmers-Prozeß *m*, Szilard-Chalmers-Reaktion *f*	réaction *f* (processus *m*) de Szilard-Chalmers	реакция (процесс) Сциларда-Чалмерса
S 5499a	**Szilard['s] paradox**	Szilardsches Paradoxon *n*	paradoxe *m* de Szilard	парадокс Сциларда
S 5499b	**Szilard['s] thought experiment**	Gedankenversuch *m* von Szilard	expérience *f* imaginaire de Szilard	абстрактный эксперимент Сциларда
S 5500	**Szivessy compensator (instrument, simple half-shade compensator)**	Szivessy-Kompensator *m*	compensateur *m* de Szivessy	компенсатор Сивешши

T

T 1	**tabet soil,** mollisol	Auftauboden *m*, Mollisol *m*	mollisol *m*	моллисол, оттаявший грунт над вечной мерзлотой

table 1718

T 2	**table**, platform <geo.>	Tafel *f* <Geo.>	table *f*, plate-forme *f* <géo.>	платформа, стол <гео.>
	table, surface, water table, free surface of water, water stage, water plane <hydr.>	freie Oberfläche *f*, Spiegel *m*, Wasserspiegel *m* <Hydr.>	niveau *m* [de la nappe], surface *f* [de la nappe], surface libre [d'eau], plan *m* de l'eau <hydr.>	свободная поверхность [воды], зеркало [воды], уровень [воды] <гидр.>
	table / 2 × 2, four[-]fold table, two-by-two [contingency] table	Vierfeldertafel *f*, Zwei-mal-zwei-Tafel *f*, 2×2-Tafel *f*, 2·2-Tafel *f*	table *f* 2×2, tableau *m* 2×2	четырехклеточная таблица, четырехпольная таблица (2×2)
T 3	**table of Laplace transformation (transforms)**	Laplacesche Korrespondenztafel *f*, Laplace-Tabelle *f*, Laplacesche Tabelle *f*	table *f* de la transformation de Laplace	таблица преобразования Лапласа
T 4	**table of random [sampling] numbers**	Zufallszahlentafel *f*, Zufallszahlentafel *f*, Zufallstafel *f*	table *f* de nombres aléatoires, table de nombres au hasard, table de contingence	таблица случайных чисел
T 5	**table of refraction**, refraction table	Refraktionstabelle *f*, Refraktionstafel *f*	table *f* de réfraction	таблица рефракции
T 6	**tablet**	Tablette *f*	tablette *f*	таблетка
	tablet getter, getter tablet	Gettertablette *f*	getter *m* en tablette, getter en forme de tablette	таблеточный геттер, таблеточный газопоглотитель
T 7	**tabular**	tafelförmig, Tafel-	tabulaire	таблитчатый, табличный: столообразный, столовый, плосковершинный
	tabular	*s. a.* tabulated		
T 8	**tabular iceberg**	Tafeleisberg *m*	iceberg *m* tabulaire	столообразный (столовый) айсберг
	tabular value, tabulated value, tabulated datum	Tabellenwert *m*, tabellarisierter (tabullierter) Wert *m*	valeur *f* tabulée, donnée *f* tabulée	табличная величина, табличное значение
T 9	**tabulated**, tabular	tabuliert, tabellarisiert, tabelliert, vertafelt, Tabellen-; tabellarisch	tabulé	табулированный
	tabulated datum, tabulated value, tabular value	Tabellenwert *m*, tabellarisierter (tabulierter) Wert *m*	valeur *f* tabulée, donnée *f* tabulée	табличная величина, табличное значение
T 10	**tabulated function**	tabulierte Funktion *f*	fonction *f* tabulée	табулированная функция
T 11	**tabulated value**, tabular value, tabulated datum	Tabellenwert *m*, tabellarisierter (tabulierter) Wert *m*	valeur *f* tabulée, donnée *f* tabulée	табличная величина, табличное значение
T 12	**tabulation**; summarizing [in a table]; compilation [in a table]	Tabulierung *f*, Tabell[aris]ierung *f*, Zusammenstellung *f* [in einer Tabelle]; Vertafelung *f*; tabellarische Darstellung *f*	tabulation *f*	составление [таблицы], расположение в форме таблицы, представление в виде таблицы, табличное представление, включение в таблицу, табулирование
T 13	**tacheometer**, tachymeter	Tachymeter *n*	tachéomètre *m*	тахеометр, тахиметр
T 14	**tacheometer compas**, tacheometric compas	Tachymeterbussole *f*	boussole *f* tachéométrique	тахеометрическая буссоль
	tacheometer diagram, tacheometer plot	Tachymeterdiagramm *n*	diagramme *m* tachéométrique	тахеометрическая диаграмма
	tacheometer level, theodolite level, transit level	Nivelliertachymeter *n*	niveau-tachéomètre *m*	теодолит-нивелир
T 15	**tacheometer plot**, tacheometer diagram	Tachymeterdiagramm *n*	diagramme *m* tachéométrique	тахеометрическая диаграмма
T 16	**tacheometer theodolite**	Tachymetertheodolit *m*, Kreistachymeter *n*, Streckenmeßtheodolit *m*	théodolite-tachymètre *m*	теодолит-тахеометр, теодолит-дальномер, теодолит с дальномером
T 17	**tacheometer traverse**	Tachymeterzug *m*	cheminement *m* tachéométrique (au tachéomètre)	тахеометрический ход
	tacheometric compas, tacheometer compas	Tachymeterbussole *f*	boussole *f* tachéométrique	тахеометрическая буссоль
	tacheometry, tachymetry	Tachymetrie *f*	tachéométrie *f*	тахеометрия, тахиметрия
T 18	**tachistoscope**	Tachistoskop *n*	tachistoscope *m*	тахистоскоп
T 19	**tacho-alternator, tacho-dynamo, tacho-generator**	Tacho[meter]generator *m*, Tacho[meter]dynamo *m*, Tachometermaschine *f*	génératrice *f* tachymétrique	тахогенератор, тахометрический генератор, таходинамо
T 20	**tachogram**	Tachogramm *n*	tachygramme *m*	тахограмма
	tachometer	*s.* speedometer		
T 21	**tachygenesis**	Tachygenese *f*	tachygenèse *f*	тахигенез
	tachymeter, tacheometer	Tachymeter *m*	tachéomètre *m*	тахеометр, тахиметр
T 22	**tachymetering, tachymetric plotting**	Tachymetrieren *n*, tachymetrische Aufnahme *f*	levé *m* tachéométrique	произведение тахеометрической съемки, тахеометрическая съемка
T 23	**tachymetry**, tacheometry	Tachymetrie *f*	tachéométrie *f*	тахеометрия, тахиметрия
T 24	**tachyon**, faster-than-light particle	Tachyon *n*	tachyon *m*, photon *m* tachyon	тахеон, тахион
T 25	**tachyseismic**	tachyseismisch	tachyséismique, tachysismique	тахисейсмический
T 26	**tacitron**	Tacitron *n*	tacitron *m*	таситрон, шумовой тиратрон
	tackiness	*s.* adhesive power		
	tackle [pulley]	*s.* pulley <mech.>		
T 27	**tack-sharp**	gestochen scharf, haarscharf	extrêmement net, tres net, d'une netteté extrême	чрезвычайно резкий, очень резкий
T 28	**tacnode**, double cusp, point of osculation	Selbstberührungspunkt *m*	point *m* autotangentiel	точка самоприкосновения
	tacpoint	*s.* point of contact		
T 29	**tactical** <chem.; bio.>	taktisch <Chem.; Bio.>	tactique <chim.; bio.>	тактический <хим.; био.>
	tactical polymerization	*s.* stereospecific polymerization		

T 30	tactical reaction <bio.>	taktische Reaktion *f* <Bio.>	réaction *f* tactique <bio.>	тактическая реакция <био.>
T 31	tacticity	Taktizität *f*	tacticité *f*	тактичность
T 32	tactocatalytic	taktokatalytisch	tactocatalytique	тактокаталитический
T 33	tactoid	Taktoid *n*	tactoïde *m*	тактоид
T 34	tactophase	Taktophase *f*	tactophase *f*	тактофаза
T 35	tactosol	Taktosol *n*	tactosol *m*	тактозоль
T 35a	tadpole model	„Kaulquappen"modell *n*	modèle *m* du « têtard »	«головастиковая» модель
T 36	Tafel constant	Tafelsche Konstante *f*, Konstante in der Tafelschen Gleichung	constante *f* de Tafel	константа в формуле Тафеля, постоянная в уравнении Тафеля
T 37	Tafel['s] equation	Tafelsche Gleichung *f*	relation *f* empirique de Tafel, formule *f* de Tafel	формула Тафеля, уравнение Тафеля
T 37a	Tafel line, Tafel plot	Tafel-Diagramm *n*	diagramme *m* de Tafel	диаграмма Тафеля
T 38	tafoni	Tafoni *mpl*, Bröckellöcher *npl*	tafoni *mpl*	тафони
T 38a	tag, label	Markierung *f*, Marke *f*	marquage *m*, étiquetage *m*; marque *f*, étiquette *f*	метка; марка
	tag; tongue; reed	Zunge *f*	anche *f*; languette *f*; lame *f*	язычок, пластинка, лепесток
	tagged	*s.* labelled		
	tagged atom, tracer, labelled atom, indicator, marker <nucl.>	Tracer *m*, markiertes Atom *n*, Indikator *m* <Kern.>	indicateur *m* [atomique], traceur *m* [atomique], atome *m* marqué <nucl.>	индикатор, меченый атом <яд.>
	tagged compound	*s.* tracer compound		
	tagged with isotope	*s.* labelled		
	tagged with radioactive isotope, labelled with radioactive isotope	radioaktiv markiert, markiert mit einem radioaktiven Isotop	radiomarqué, marqué à l'isotope radioactif, marqué par l'isotope radioactif	меченый радиоактивным изотопом, меченный радиоактивным изотопом
	tagging [with isotope]	*s.* labelling [with isotope] <nucl.>		
T 39	tail, tailing <of the curve>	Abfall *m*, Schwanz *m*, Ausläufer *m*, Ende *n*, Schwanzteil *m* <Kurve>	queue *f* <de la courbe>	хвост, хвостовая часть, крыло <кривой>
T 40	tail, tailing <chromatography>	Schwänze *mpl*, Schwanzbildung *f*, Schweifbildung *f*, Streifenbildung *f*, Kometbildung *f*	queues *fpl* <chromatographie>	хвост <хроматография>
	tail	*s. a.* long wavelength tail		
	tail absorption	*s.* absorption confined to emission centres		
T 40a	tail area of distribution	Fläche *f* am Verteilungsende	aire *f* sous la queue de la répartition	площадь под хвостом распределения
T 41	tail band	Schwanzbande *f*	bande *f* de queue	хвостовая полоса
T 42	tail condensation, knot within cometary tail	Schweifwolke *f*	condensation *f* dans la queue de la comète	облачное образование в хвосте кометы
T 43	tail current	Schwanzstrom *m*	courant *m* inverse du redresseur	обратный ток выпрямителя
	tail fraction, residual fraction, tails <chem.>	Nachlauf *m*, Rückstandsfraktion *f* <Chem.>	fraction *f* résiduelle, résidu *m* <chim.>	хвостовая фракция, хвостовой погон, последняя фракция, последний погон <хим.>
T 44	tailheaviness	Schwanzlastigkeit *f*	lourdeur *f* de queue	задняя центровка, перетяжеление хвоста
	tailing	*s.* tail		
	tailings, still bottom heel, still bottoms, heel, bottoms, leavings	Destillierrückstand *m*, Blasenrückstand *m*, Destillationsrückstand *m*	résidus *mpl* [de distillation]	кубовые остатки, остаток от перегонки
	tail of absorption spectrum	*s.* long wavelength tail		
T 45	tail of the comet, comet tail, cometary tail	Kometenschweif *m*, Schweif *m* des Kometen	queue *f* de la comète, queue cométaire	хвост кометы, кометный хвост
T 46	tail of the pulse, pulse tail	Impulsabfall *m*, Impulsschwanz *m*, Nachleuchtschleppe *f*	queue *f* de l'impulsion, traînage *m* d'impulsion	«хвост» импульса
T 46a	tail photoconduction	Ausläuferphotoleitung *f*	photoconduction *f* dans la bande de queue	фотопроводимость в хвостовой полосе
T 47	tailpiece, tail vane <of the current meter>	Steuer *n* [des Meßflügels], Schwimmsteuer *n*	queue *f* d'orientation, gouvernail *m* <du moulinet>	хвост вертушки
	tail race	*s.* tail water		
T 48	tail region	Ausläufergebiet *n*, Ausläuferbereich *m*	région *f* de queue, zone *f* de queue	хвостовая область
	tails	*s.* tail fraction <chem.>		
	tail shock wave	*s.* tail wave		
	tail spin, spinning, spin, free spinning	Trudeln *n*, Trudelbewegung *f*, Trudelflug *m*	vrille *f*	штопор, штопорение, спуск штопором
T 49	tail-to-tail arrangement, tail-to-tail structure of polymer	Schwanz-Schwanz-Verknüpfung *f*	arrangement *m* « queue-à-queue », structure *f* type « queue-à-queue »	присоединение типа «хвост к хвосту»
	tail vane	*s.* tailpiece		
	tail water, lower pool, lower pond, lower reach, after bay, tail race, underwater	untere Haltung *f*, Unterhaltung *f*, Unterwasser *n*, Talseite *f*	bief *m* inférieur, aval *m*	нижний бьеф
T 50	tail wave, tail shock wave	Schwanzwelle *f* [bei Überschallströmung]	onde *f* de queue, onde de choc de queue	хвостовой скачок уплотнения, хвостовая [ударная] волна, концевая ударная волна, хвостовая часть волны

T 51	Tait['s] equation	Taitsche Gleichung f	équation f de Tait	уравнение Тейта
T 52	Tait-Thomson theorem	Satz m von Tait und Thomson, Tait-Thomsonscher Satz	théorème m de Tait et Thomson	теорема Тейта-Томсона
	take-off	s. launch		
	take readings, read off, read	ablesen, eine Ablesung vornehmen	faire une lecture, lire	отсчитывать, снимать показания прибора, производить (делать, брать) отсчет, замечать показания прибора
T 53	taking	Entnehmen n, Entnahme f	prise f, soutirage m	отбор; забор <воды>
T 54	taking <a shot>, exposure, photographing, shooting <phot.>	Aufnahme f, Aufnehmen n, <Phot.>, Photographieren n	prise f, prise de vue[s], pose f, enregistrement m, prise de vue[s] photographique <phot.>, photographie f	съемка, фотографическая съемка <фот.>, фотографирование
	taking an indicator diagram, indication <mech.>	Indizierung f, Aufnahme f eines Indikatordiagramms <Mech.>	indication f, relevage m d'un diagramme, relevage d'un tracé d'indicateur <méc.>	индицирование, снимание индикаторной диаграммы <мех.>
	taking characteristic	s. spectral response curve		
T 55	taking into account, taking into consideration	Berücksichtigung f	égard m, compte m, considération f	учет
T 56	taking of a bearing, interception	Anpeilung f	prise f d'un relèvement	пеленгование, взятие пеленга
	taking off; measurement, measuring, metering	Messung f, Ausmessung f; Vermessung f; experimentelle Bestimmung f	mesurage m, mesure f; métrage m; jaugeage m; repérage m	измерение; замер; промер
T 57	taking of power, removal (extraction) of power, power extraction	Leistungsentnahme f; Leistungsentzug m	prise f de puissance, extraction f de puissance, prélèvement m de puissance	отбор мощности, съем мощности
	taking of samples	s. sampling		
T 58	taking of steam, steam bleeding (extraction)	Dampfentnahme f, Entnahme f von Dampf	prise f (soutirage m, prélèvement m, extraction f) de vapeur	отбор пара
	taking the aim, aiming <opt.>	Visieren n, Visur f; Zielen n; Visierkunst f; Richten n <Opt.>	visée f <opt.>	визирование <опт.>
T 59	talbot < = 10⁷ lumergs>	Talbot n < = 10⁷ lm erg>	talbot m < = 10⁷ lumen-ergs>	тальбот < = 10^7 лм · эрг>
T 60	Talbot['s] band	Talbotscher Streifen m, Talbotsche Linie f	bande f de Talbot	полоса Тальбота
T 61	Talbot['s] law	Talbotsches Gesetz n	loi f de Talbot	закон Тальбота
T 62	talbotype	Talbotypie f	talbotypie f	калотипия Тальбота
T 63	Talcott['s] method [for latitude]	Horrebow-Talcottsche Methode f	méthode f de [Horrebow-] Talcott	метод Талькотта, способ Талькотта
T 64	Talcott pair	Talcott-Paar n	paire f (couple m) de Talcott	пара Талькотта
T 65	Talmage hardness	Talmage-Härte f	dureté f Talmage	твердость, определенная склерометром Талмэджа
T 66	Talmi coefficient	Talmi-Koeffizient m	coefficient m de Talmi	коэффициент Тальми
T 67	Talmi integral	Talmi-Integral n	intégrale f de Talmi	интеграл Тальми
T 67a	Talmi-Moshinsky transformation	Talmi-Moshinsky-Transformation f	transformation f de Talmi-Moshinsky	преобразование Тальми-Мошинского
	talus fan	s. debris cone		
	talweg, thalweg	Talweg m	thalweg m, talweg m	тальвег, ось долины, водосоединительная линия, ложе реки
	talysurf; profilometer; profile testing meter; roughometer	Rauhigkeitstiefenmesser m, Rauhigkeitsmesser m; Profilmeßgerät n, Profilmesser m, Profilometer n	profilomètre m, rugosimètre m	микропрофилометр; профилометр, профиломер
T 67b	tamaid, t	Tamaid m, t	tamaïd m, t	тамаид, t
	tame distribution	s. tempered distribution		
T 68	Tammann['s] equation [of state]	Tammannsche Gleichung f	équation f [d'état] de Tammann	уравнение [состояния] Таммана
T 69	Tammann['s] parting limit	Tammann-Grenze f	limite f de stabilité de Tammann	предел устойчивости Таммана, граница устойчивости Таммана
	Tammann['s] principle, principle of parting limits	Tammannsches Prinzip n, Tammann-Prinzip n	principe m de Tammann	принцип пределов (границ) устойчивости, принцип Таммана
T 70	Tammann temperature	Tammann-Temperatur f, Tammannsche Temperatur f	température f de Tammann	температура Таммана
T 71	Tamm-Dancoff approximation, Tamm-Dancoff type approximation, TDA	Tamm-Dancoff-Näherung f, Näherung f vom Tamm-Dancoff-Typ	approximation f de Tamm-Dancoff, approximation de type Tamm-Dancoff	приближение Тамма-Данкова, приближение типа Тамма-Данкова
T 72	Tamm-Dancoff equation	Tamm-Dancoff-Gleichung f	équation f de Tamm-Dancoff	уравнение Тамма-Данкова
T 73	Tamm-Dancoff formalism	Tamm-Dancoff-Formalismus m	formalisme m de Tamm-Dancoff	формализм Тамма-Данкова
	Tamm-Dancoff type approximation, Tamm-Dancoff approximation	Tamm-Dancoff-Näherung f, Näherung f vom Tamm-Dancoff-Typ	approximation f de Tamm-Dancoff, approximation de type Tamm-Dancoff	приближение Тамма-Данкова, приближение типа Тамма-Данкова
T 74	Tamm level	Tamm-Niveau n, Tamm-Term m, Tammscher Oberflächenterm m, Tamm-Oberflächenterm m, Tamm-Zustand m, Tammscher Oberflächenzustand m, Tamm-Oberflächenzustand m	niveau m de Tamm	уровень Тамма

T 75	**Tamm operator**	Tamm-Operator *m*, Tammscher Operator *m*	opérateur *m* de Tamm	оператор Тамма
	tamper	*s.* blanket		
	tamper	*s.* reflector \<of reactor\>		
T 76	**Tanberg effect**	Tanberg-Effekt *m*	effet *m* Tanberg	эффект Танберга
	tandem	*s.* tandem connected		
	tandem [accelerator]	*s.* tandem electrostatic generator		
T 77	**tandem ascent, tandem climb**	Zwillingsaufstieg *m*, Gespannaufstieg *m*	montée *f* en tandem	подъем спаренных воздушных шаров, метод тандем
	tandem connected	*s.* series connected \<el., gen.\>		
	tandem connection \<el.\>; cascade connection, connection in cascade \<el., chem.\>; cascade circuit \<el.\>; concatenation \<chem.\>	Kaskadenschaltung *f*, Schaltung *f* in Kaskade \<El., Chem.\>	connexion *f* en cascade \<él., chim.\>	каскадное соединение, каскадное включение \<эл., хим.\>
	tandem connection	*s. a.* series connection		
	tandem electrostatic accelerator	*s.* tandem electrostatic generator		
T 78	**tandem electrostatic generator**, tandem-type generator, tandem generator, tandem electrostatic accelerator, tandem-type accelerator, tandem [accelerator], tandem Van de Graaff [accelerator]	Tandem-Van-de-Graaff-Generator *m*, Tandemgenerator *m*, Van-de-Graaff-Generator *m* vom Tandemtyp, Tandembeschleuniger *m*	accélérateur *m* tandem, accélérateur type tandem, accélérateur Van de Graaff [type] tandem	перезарядный [электростатический] ускоритель, перезарядный [электростатический] генератор, тандемный [электростатический] ускоритель, тандемный [электростатический] генератор, генератор Ван-де-Граафа типа «тандем», тандем
T 79	**tandem engine**	Tandemmaschine *f*, Tandem-Dampfmaschine *f*	machine *f* à vapeur tandem, machine tandem, machine à vapeur jumelée	паровая машина тандем, сдвоенная (спаренная) паровая машина, тандем-машина
	tandem generator	*s.* tandem electrostatic generator		
	tandem-joined, mounted in line, arranged in line	hintereinander angeordnet	monté en ligne, arrangé en ligne	расположенный последовательно, последовательно расположенный
	tandem network, radial network, star network	Sternnetz *n*, sternförmiges Netzwerk *n*, Sternglied *n*	réseau *m* en étoile, réseau radial	радиальный многополюсник
	tandem potentiometer	*s.* dual potentiometer		
T 80	**tandem radiosonde**, twin radiosonde	Radiosondengespann *n*	radiosonde *f* tandem	спаренный радиозонд, тандем-радиозонд
T 81	**tandem spectrometer**	Tandemspektrometer *n*	spectromètre *m* [de type] tandem	тандемный (спаренный, сдвоенный) спектрометр
	tandem-type accelerator (generator), tandem Van de Graaff [accelerator]	*s.* tandem electrostatic generator		
	tangency	*s.* contiguity		
	tangency point	*s.* point of contact		
T 82	**tangensoid,** tangent curve (line)	Tangenskurve *f*, Tangenslinie *f*	tangensoïde *f*	тангенсоида
T 83	**tangent approximation**	Tangensapproximation *f*, Tangensnäherung *f*	approximation *f* tangente	тангенциальное приближение, тангенциальная аппроксимация
T 84	**tangent Bloch wall**	tangierende Bloch-Wand *f*	cloison *f* de Bloch tangente	касающаяся граница доменов
T 85	**tangent condition**	[Airysche] Tangentenbedingung *f*, Tangensbedingung *f*, Bedingung *f* für die Verzeichnungsfreiheit	condition *f* des tangentes, relation *f* d'Airy	условие тангенсов, условие Эри
	tangent curve, tangensoid, tangent line	Tangenskurve *f*, Tangenslinie *f*	tangensoïde *f*	тангенсоида
T 86	**tangent distortion correction, tangent equalization**	Tangensentzerrung *f*	correction (égalisation) *f* de distorsion tangente	компенсация тангенциального искажения
	tangent formula	*s.* Maclaurin['s] formula		
T 87	**tangent galvanometer**	Tangentenbussole *f*	boussole *f* des tangentes	тангенс-гальванометр
T 88	**tangential,** touching	tangential, Tangential-; berührend, tangierend; Tangenten-	tangent, tangentiel	касательный, касающийся, тангенциальный
	tangential, meridian, meridional \<opt.\>	Meridional-, Tangential-, meridional, tangential, speichenrecht \<Opt.\>	méridien, tangent \<opt.\>	меридиональный, тангенциальный, касательный \<опт.\>
T 89	**tangential acceleration,** tangential component of acceleration	Tangentialbeschleunigung *f*	accélération *f* tangentielle	ускорение по касательной, касательная составляющая ускорения, касательное (тангенциальное) ускорение
T 90	**tangential arc of halo**	Berührungsbogen *m*	arc *m* tangent au halo	касательная дуга к гало
	tangential beam	*s.* tangential pencil		
	tangential coma	*s.* coma		
	tangential component of acceleration	*s.* tangential acceleration		
T 91	**tangential co-ordinates**	Tangentialkoordinaten *fpl*	coordonnées *fpl* tangentielles	тангенциальные координаты

ID	English	German	French	Russian
T 92	**tangential couple,** tangential force	Tangentialschubkraft f, Drehschub m	couple m tangent	удельное окружное усилие, тангенциальное усилие
	tangential curvature	s. geodesic curvature		
	tangential curvature of the image field	s. meridional curvature of the image field		
T 93	**tangential discontinuity,** discontinuity of tangential component	Tangentialsprung m, Sprung m der Tangentialkomponente	discontinuité f tangentielle (de la composante tangentielle)	тангенциальный скачок
T 94	**tangential displacement**	Tangentialverschiebung f, Tangentialkomponente f der Verschiebung	déplacement m tangentiel	касательное перемещение, тангенциальное перемещение
	tangential fan	s. tangential pencil		
	tangential field probe, tangential probe	Tangentialsonde f	sonde f tangentielle	зонд для тангенциальных полей
	tangential focal line	s. meridian focal line		
	tangential focal plane	s. meridian plane		
	tangential focus	s. meridian focal line		
T 95	**tangential force**	Tangentialkraft f	force f tangentielle, effort m tangentiel	касательная (тангенциальная) сила, сила по касательной
	tangential force, tangential couple	Tangentialschubkraft f, Drehschub m	couple m tangent	удельное окружное усилие, тангенциальное усилие
	tangential image point, meridian (meridional) image point	meridionaler Bildpunkt m, tangentialer Bildpunkt	point m image méridien, point image tangent	меридиональная (тангенциальная) точка изображения
	tangential pencil [of rays], meridian fan, tangential fan, meridian, pencil [of rays]	Meridionalbüschel n, Tangentialbüschel n	pinceau m méridien, éventail m méridien, pinceau tangent, éventail tangent	меридиональный пучок [лучей], тангенциальный пучок [лучей]
	tangential pencil [of rays], meridian pencil [of rays], meridian beam, tangential beam	Meridional[strahlen]bündel n, Tangentialstrahlenbündel n, Tangentialbündel n	faisceau m méridien, pinceau m méridien, faisceau tangent, pinceau tangent	меридиональный пучок [лучей], тангенциальный пучок [лучей]
	tangential plane	s. tangent plane		
	tangential plane	s. a. meridian plane		
T 95a	**tangential point**	Tangentialpunkt m	point m tangentiel	тангенциальная точка
T 96	**tangential pressure**	Tangentialdruck m, Umfangsdruck m	pression f tangentielle	касательное (тангенциальное) давление, давление по касательной
T 97	**tangential probe,** tangential field probe	Tangentialsonde f	sonde f tangentielle	зонд для тангенциальных полей
	tangential ray, meridian ray, meridional ray	Meridionalstrahl m, Tangentialstrahl m	rayon m méridien, rayon tangent	меридиональный луч
T 98	**tangential reaction,** friction	Tangentialreaktion f	réaction f tangentielle	касательная реакция
	tangential section, meridian (meridional) section <opt.>	Meridionalschnitt m, Tangentialschnitt m <Opt.>	section f méridienne, section tangente <opt.>	меридиональное сечение, меридиональный разрез <опт.>
T 99	**tangential speed,** tangential velocity	Tangentialgeschwindigkeit f, tangentiale Geschwindigkeit f	vitesse f tangentielle	касательная скорость, тангенциальная скорость, скорость по касательной
T 100	**tangential stress,** circumferential stress, hoop stress	Tangentialspannung f; Ringspannung f; Tangentialbeanspruchung f	effort m tangentiel, tension f tangentielle (circonférentielle), contrainte f tangentielle, contrainte circonférentielle	тангенциальное нормальное напряжение, тангенциальное напряжение, касательное напряжение, напряжение по касательной; кольцевое напряжение
	tangential stress	s. a. shear stress		
T 101	**tangential stress field**	Tangentialspannungsfeld n	champ m des efforts tangentiels	поле касательных напряжений
T 102	**tangential vector,** tangent vector	Tangentenvektor m, Tangentialvektor m	vecteur m tangent	касательный вектор
	tangential velocity	s. tangential speed		
T 103	**tangential wind stress**	Windschubspannung f	tension f tangentielle (de cisaillement) due à la pression du vent	касательное (тангенциальное) напряжение от ветровой нагрузки
T 104	**tangent law,** tangent theorem	Tangentensatz m	théorème m de la tangente	теорема тангенсов
	tangent line	s. tangensoid		
T 104a	**tangent modulus**	Tangentialmodul m	module m tangentiel	тангенциальный модуль
T 105	**tangent plane,** tangential plane	Tangentialebene f, Berührungsebene f; Tangentenebene f	plan m tangent	касательная плоскость
T 106	**tangent relief**	Tangensrelief n	relief m de tangente	рельеф тангенса
T 107	**tangent screw**	Gefällschraube f, Tangentenschraube f	vis f tangente	тангенциальный винт
T 108	**tangent screw tacheometer**	Gefällschraubentachymeter n, Tachymeter n, mit Tangentenschraube	tachéomètre m à vis tangente	тахеометр с тангенциальным винтом
	tangent theorem, tangent law	Tangentensatz m	théorème m de la tangente	теорема тангенсов
	tangent-trapezoidal formula	s. Maclaurin['s] formula		
	tangent unit vector	s. unit tangent		
	tangent vector, tangential vector	Tangentenvektor m, Tangentialvektor m	vecteur m tangent	касательный вектор
	tangling	s. entanglement		
T 109	**tangling [of magnetic field lines]**	Verwirrung f [von magnetischen Feldlinien]	emmêlement m [de lignes de force magnétiques]	запутывание [магнитных силовых линий]
T 109a	**Tang['s] table**	Tangsche Tabelle f	tableau m de Tang	таблица Танга

T 110	**tank circuit**	Tankkreis *m*	circuit *m* intermédiaire (bouchon de plaque)	объемный (промежуточный) контур, контур-резервуар
T 111	**Tank['s] current-distribution law,** Tank['s] law	Tanksches Stromverteilungsgesetz *n*, Tanksches Gesetz *n*	loi *f* de Tank, loi de la répartition du courant de Tank	закон токораспределения Танка, закон Танка
T 112	**tank development,** box development	Standentwicklung *f*; Dosenentwicklung *f*; Tankentwicklung *f*	développement *m* en cuve verticale (bouchée), développement en cuves profondes, développement vertical	бачковое проявление, проявление в бачках (бачке), проявление по времени, вертикальное проявление
	Tank['s] law, Tank['s] current-distribution law	Tanksches Stromverteilungsgesetz *n*, Tanksches Gesetz *n*	loi *f* de Tank, loi de la répartition du courant de Tank	закон токораспределения Танка, закон Танка
T 113	**tank reactor**	Tankreaktor *m*	réacteur *m* tank, pile *f* tank	реактор бакового (корпусного) типа
	tank rectifier, metallic rectifier, metallic valve	Metallgleichrichter *m*	redresseur *m* métallique, redresseur électrolytique à électrodes métalliques	электролитический вентиль с металлическими электродами
T 114	**Tank['s] region**	Tanksches Stromübernahmegebiet (Gebiet) *n*	région *f* de Tank	область перераспределения по Танку, область Танка
T 115	**tank-type [electrostatic] generator,** tank-type Van de Graaff generator	Tankgenerator *m*	accélérateur *m* Van de Graaff logé dans une cloche, accélérateur électrostatique logé dans une cloche	генератор Ван-де-Граафа, заключенный в бак
	tannage, hardening <of emulsion>	Härtung *f*, Gerbung *f* <Emulsion>	durcissement *m*, tannage *m* <de l'émulsion>	дубление, задубливание <фотоэмульсии>
T 116	**tannin-coated collodion plate**	Kollodiumtanninplatte *f*, Tanninplatte *f*	plaque *f* au collodion revêtu d'une solution de tannine	коллодионная фотопластинка, покрытая раствором таннина
T 116a	**tantile**	Tantil *n*	tantile *m*	тантиль
T 117	**tap,** tapping <el.>	Abgriff *m*; Anzapfung *f*, Anzapf *m*; Abzapfung *f* <El.>	prise *f*, branchement *m* <él.>	ответвление, отвод, отпайка, отросток <эл.>
T 118	**tap,** tapping <of current>	Stromableitung *f*, Stromabführung *f*; Stromabgriff *m*	prise *f* de courant	токоотвод, отвод тока
	tap, tapping <of voltage>	Spannungsabgriff *m*	prise *f* de tension; prélèvement *m* de tension	отбор напряжения, съем напряжения; отвод напряжения
T 119	**tap density**	Klopfdichte *f*	densité *f* conique	объем утряски
	tape	*s.* tape measure		
	tape antenna	*s.* ribbon antenna		
	tape comparator	*s.* surveying tape comparator		
	tapeline	*s.* tape measure		
	tape loudspeaker	*s.* ribbon loudspeaker		
T 120	**tape measure,** measuring tape, surveyor's tape, tapeline, tape	Bandmaß *n*, Meßband *n*	mètre *m* à ruban [d'acier], ruban-mesure *m*, mètre en ruban, ruban *m* d'arpenteur	рулетка, мерная лента
	tape microphone	*s.* ribbon microphone		
T 121	**taper,** planform taper <of the wing>	Zuspitzung *f*, Zuspitzungsverhältnis *n* <Flügel>	angle *m* de flèche [de l'aile]	сужение [крыла], отношение концевой хорды, крыла к корневой хорде
	taper	*s. a.* tapering		
	tape recording	*s.* magnetic recording		
T 122	**taper gauge**	Kegellehre *f*	jauge *f* conique, calibre *m* conique	конусный калибр
T 123	**tapering,** tapering of cross-section, taper	Querschnittsverjüngung *f*, Verjüngung *f* [des Querschnitts], Zuspitzung *f*, konische Querschnittsverminderung *f*, konische Abnahme *f* des Querschnitts; Verjüngungsmaß *n*	amincissement *m* [de la section], conicité *f*	сужение [поперечного сечения], заострение; конусность; степень конусности, степень уменьшения
	tapering of the crystal; sharpening of the crystal	Zuspitzung *f* des Kristalls, Zuschärfung *f* des Kristalls	amincissement *m* du cristal	заострение [головки] кристалла
	tape store, magnetic tape store	Magnetbandspeicher *m*, Bandspeicher *m*	mémoire *f* sur ruban magnétique	запоминающее устройство на [магнитной] ленте, накопитель на магнитной ленте
	tap grease	*s.* cock grease		
T 123a	**taphrogenesis**	Taphrogenese *f*	taphrogenèse *f*	тафогенез
T 124	**tapped coil**	Anzapfspule *f*; angezapfte Spule *f*; Abzweigspule *f*	bobine *f* à prises, bobine fractionnée	секционированная катушка, катушка с отводами, катушка с ответвлениями
T 125	**tapped resistor**	Anzapfwiderstand *m*	résistance *f* à prise[s]	сопротивление с отводами, секционированное сопротивление
T 126	**tapped transformer,** split transformer	Anzapftransformator *m*	transformateur *m* à prise[s]	секционированный трансформатор, трансформатор с отводами (отпайками, ответвлениями)
	tapper	*s.* decoherer		

T 127	**tapping**, tap <of voltage>	Spannungsabgriff m	prise f de tension; prélèvement m de tension	отбор напряжения, съем напряжения; отвод напряжения
	tapping, branch, branching, branching-off <el.>	Abzweigung f, Abzweig m, Ableitung f <El.>	dérivation f, branchement m <él.>	ответвление, отвод <эл.>
	tapping	s. a. tap <el.>		
	tapping	s. a. tap <of current>		
T 128	**tapping point**	Anzapfungspunkt m	point m de prise	точка отвода
	tapping switch, step switch, stepping switch	Stufenschalter m	commutateur m à plots	переключатель ответвлений, ступенчатый (позиционный) переключатель
T 129	**tap water**	Leitungswasser n	eau f du robinet, eau de ville, eau de conduite	водопроводная вода
T 130	**Tardy['s] method**	Tardysche Methode f	méthode f de Tardy	метод Тарди
T 131	**tare**	Tara f	tare f	поправка на вес тары; тара; противовес
	tare balance	s. pharmaceutical balance		
T 132	**tare shot**	Tariergewicht n, Tarierschrot n	dragée f de tarage	тарировочный груз, тарный груз
T 133	**target**	Target n; Auffänger m, Treffplatte f, Prallplatte f	cible f	мишень, приемник
T 134	**target**; object	Ziel n	cible f; objet m	цель; мишень; объект
	target	s. a. radiobiological sensitive volume [of the cell]		
	target	s. a. collimating mark		
T 135	**target current**	Targetstrom m	courant m de la cible	ток на мишень; ток, попавший на мишень
T 136	**target distance**, object distance	Zielweite f, Zielabstand m, Zielentfernung f	distance f de la cible, distance de l'objet, distance du point de visée	расстояние до цели (объекта, визируемой точки); удаление цели
T 137	**target electrode**	Auffängerelektrode f	électrode-cible f	приемный электрод
T 138	**target element**	Targetelement n	élément-cible m	элемент-мишень
T 139	**target nucleus**	Targetkern m	noyau-cible m	ядро-мишень
T 140	**target of the superorthicon**	Speicherplatte f des Superorthikons	cible f de l'image-orthicon	мозаичная (мозаичная мишень) суперортикона
	target particle, bombarded particle, struck particle	beschossenes Teilchen n, getroffenes Teilchen, Targetteilchen n	particule f bombardée, particule de la cible	бомбардируемая частица, частица-мишень
	target theory; hit theory	Treffertheorie f, Depottheorie f; Treffbereichstheorie f	théorie f du choc, théorie d'atteinte; théorie de la cible	теория ударов, теория попадания; теория мишени
T 141	**taring**	Tarierung f	tarage m	тарировка, выверка
T 142	**taring vane**	Tarierflügel m, Tarierungsflügel m	moulinet m de tarage	тарировочная вертушка
	tarnish	s. fog		
	tarnishing	s. covered with damp / getting		
T 143	**Tashiro indicator**	Tashiro-Indikator m	indicateur m Tashiro	индикатор Таширо
T 144	**T association**	T-Assoziation f	association f T	T-ассоциация
	taste [sense]	s. sense of taste		
T 144a	**Tate['s] law**	Tatesches Gesetz n	loi f de Tate	закон Тейта
	tau, τ	s. alphina particle		
T 145	**Tauberian theorem**	Tauberscher Satz m	théorème m taubérien	тауберова теорема, теорема Таубера
T 146	**tau meson**, τ meson, tauon <= K meson>	τ-Meson n, Tauon n, Tau-Meson n	méson m τ, méson tau, tauon m	τ-мезон, тау-мезон, тауон
T 147	**tau meter**, τ meter; ultra tau meter, ultra τ meter	Taumeter n, τ-Meter n; Ultrataumeter n, Ultra-τ-Meter n, Nachleuchtmeßgerät n, Nachleuchtmesser m	taumètre m, τ-mètre m; ultra-taumètre m, ultra-τ-mètre m	таумётр; ультратауметр
	tauon	s. tau meson		
T 148	**tau phenomenon**, τ phenomenon	Gelb-Benussi-Phänomen n, τ-Phänomen n, Tau-Phänomen n	phénomène m tau, phénomène τ	тау-феномен, τ-феномен
	taut, tight, stretched	straff [gespannt], gespannt	fortement tendu, raide	тугой, [туго] натянутый
T 149	**tau-theta puzzle**, τ-Θ puzzle	Tau-Theta-Rätsel n, τ-Θ-Rätsel n	énigme f tau-théta, énigme τ-Θ	тау-тета-загадка, τ-Θ-загадка
T 150	**tautochrone**, tautochronous curve	Tautochrone f	tautochrone f, ligne (courbe) f tautochrone	таутохрона, таутохронная кривая
T 151	**tautochronism**	Tautochronismus m	tautochronisme m	таутохронизм, таутохронность
	tautochronous curve, tautochrone	Tautochrone f	tautochrone f, ligne (courbe) f tautochrone	таутохрона, таутохронная кривая
T 152	**tautochronous motion**	tautochrone Bewegung f	mouvement m tautochrone	таутохронное движение
T 153	**tautomer**, tautomeride	Tautomer[e] n, tautomere Form f	tautomère m, forme f tautomère	таутомер
T 154	**tautomeric change**, tautomeric transition	tautomere Umwandlung f, tautomerer Übergang m	changement m tautomère, transition f tautomère	таутомерный переход, таутомерное превращение, таутомерия
T 155	**tautomeric constant**	Tautomeriekonstante f	constante f de tautomérie	константа таутомерии
T 156	**tautomeric equilibrium**	Tautomeriegleichgewicht n	équilibre m tautomère	таутомерное равновесие
	tautomeric transition	s. tautomeric change		
T 156a	**tautomeric wave**	tautomere Welle f	onde f tautomère	таутомерная волна
	tautomeride, tautomer	Tautomer[e] n, tautomere Form f	tautomère m, forme f tautomère	таутомер
T 157	**tautomerism**, dynamic isomerism; desmotropism	Tautomerie f; Desmotropie f	tautomérie f, isomérie f dynamique; desmotropie f	таутомерия; десмотропия
T 158	**tautozonal**	tautozonal	tautozonal	таутозональный, тавтозональный, принадлежащий одной зоне

T 159	**taut string**	gespannte Saite f	corde f tendue	натянутая струна
	taut strip	s. taut tape		
T 160	**taut-strip galvanometer**	Spannbandgalvanometer n	galvanomètre m à bande de serrage	гальванометр на ленточных растяжках
T 161	**taut-strip instrument**	Spannbandgerät n, Spannbandmeßgerät n, Spannbandinstrument n	appareil m à bande de serrage	измерительный прибор на ленточных растяжках
T 162	**taut strip suspension, taut suspension**	Spannbandaufhängung f, Spannbandlagerung f	suspension f par bande de serrage	ленточная подвеска, подвеска на ленточных растяжках
T 163	**taut tape, taut strip**	Spannband n; Spannbügel m	bande f de serrage, collier m de fixation	ленточная растяжка, натяжная лента
T 164	**taut wire suspension**	Spanndrahtaufhängung f, Spanndrahtlagerung f	suspension f à fil de tension	подвеска на проволоке в натяжку, подвеска на проволочных растяжках
T 165	**taxis**	Taxis f	tactisme m	таксис
T 166	**Taylor annular vorticity, Taylor vortex**	Taylor-Wirbel m, Taylorscher Ringwirbel m	tourbillon m annulaire de Taylor	вихрь Тейлора, вихрь Тэйлора
T 167	**Taylor-Batchelor theory**	Taylor-Batchelorsche Theorie f	théorie f de Taylor et Batchelor	теория Тейлора-Бетчелора
T 168	**Taylor circuit**	Taylor-Schaltung f	circuit (montage) m de Taylor	схема Тейлора
T 169	**Taylor coefficient**	Taylor-Koeffizient m, Taylorscher Koeffizient m	coefficient m de Taylor, coefficient taylorien	коэффициент Тейлора, тейлоров (тейлоровский) коэффициент
T 170	**Taylor effect**	Taylor-Effekt m	effet m Taylor	эффект Тейлора (Тэйлора)
	Taylor['s] expansion	s. Taylor['s] series		
	Taylor['s] experiment	s. Taylor['s] interference experiment		
T 171	**Taylor['s] flow**	Taylorsche Strömung f	mouvement m [plan non permanent] de Taylor	течение Тейлора, тейлоровское течение
T 172	**Taylor['s] formula, Taylor['s] theorem, general[ized] (extended) mean value theorem**	Taylorsche Formel f, Taylorscher Satz m	formule f de Taylor	формула Тейлора
T 173	**Taylor['s] formula**	Taylorsche Quadraturformel f	formule f de Taylor	формула Тейлора
T 174	**Taylor instability**	Taylor-Instabilität f, Taylorsche Instabilität f	instabilité f de Taylor	неустойчивость (нестабильность) Тейлора
T 175	**Taylor['s] interference experiment, Taylor['s] experiment**	Taylorscher Interferenzversuch m, Taylor-Versuch m, Taylorscher Versuch m	expérience f de Taylor, expérience d'interférence de Taylor	опыт Тейлора
	Taylor lens, Cooke lens	Cooke-Linse f, ,,Cooke lens'' f, Taylor-Linse f	lentille f de Cooke, lentille de Taylor	линза Кука, линза Тейлора
T 176	**Taylor modulation**	Taylor-Modulation f, Taylorsche Modulation f	modulation f de Taylor	модуляция по схеме Тейлора, модуляция по Тейлору, модуляция Тейлора
T 177	**Taylor number, Ta**	Taylor-Zahl f, Taylorsche Kennzahl (Zahl) f, Ta	nombre m de Taylor, Ta	число Тейлора, критерий Тейлора, Ta
	Taylor-Orowan dislocation	s. edge dislocation		
T 178	**Taylor['s] series; Taylor['s] expansion**	Taylor-Reihe f, Taylorsche Reihe f; Taylor-Entwicklung f, Taylorsche Entwicklung f	série f de Taylor, série taylorienne; développement m de Taylor, développement taylorien	ряд Тейлора, тейлоров (тейлоровский) ряд; разложение Тейлора, тейлорово (тейлоровское) разложение, разложение в ряд Тейлора
T 178a	**Taylor['s] spiral**	Taylorsche Spirale f, Taylor-Spirale f	spirale f de Taylor	спираль Тейлора, тейлорова спираль
T 179	**Taylor strengthening, Taylor work hardening**	Taylor-Verfestigung f	solidification f taylorienne (de Taylor)	тейлоровское упрочнение
	Taylor['s] theorem	s. Taylor['s] formula		
T 180	**Taylor transmitter**	Taylor-Sender m, Sender m mit Taylor-Modulation	émetteur m de Taylor	передатчик по схеме Тейлора
T 180a	**Taylor vortex, Taylor annular vorticity**	Taylor-Wirbel m, Taylorscher Ringwirbel m	tourbillon m annulaire de Taylor	вихрь Тейлора, вихрь Тэйлора
T 181	**Taylor['s] vortex system**	Taylorsches Wirbelsystem n	système m de tourbillons parallèles de Taylor	система вихрей Тейлора
	Taylor work hardening	s. Taylor strengthening		
T 182	**T-beam, tee**	T-Träger m	poutre f en T, T m	тавровая балка
	T-bridge, tee bridge	T-Brücke f	pont m en T	T-образный мост
	Tchaplygin['s] condition	s. Chaplygin['s] condition		
	Tchebycheff['s] (Tchebyshev['s]) polynomial	s. Chebyshev['s] polynomial		
	Tcherenkov effect, Čerenkov (Cherenkov) effect, Vavilov-Čerenkov effect	Čerenkov-Effekt m, [Wawilow-]Tscherenkow-Effekt m	effet m Mallet-Cerenkov, effet Vavilov-Cerenkov, effet Cerenkov	эффект Вавилова-Черенкова
	TCP theorem	s. CPT theorem		
	t-distribution	s. Student['s] t distribution		
	T² distribution	s. Hotelling['s] distribution		
	T-µ distribution, grand canonical distribution	große kanonische Verteilung f	grande distribution f [canonique], distribution grande-canonique	большое каноническое распределение [Гиббса]
	TEA laser	= transversally excited atmospheric pressure laser		
	tear	s. tearing		

	teardrop body	s. streamlined body		
	tearing, tear, rupture, abruption; bursting; splitting; rending <mech.>	Zerreißung f; Reißen n, Riß m; Einreißen n; Sprungbildung f <Mech.>	rupture f, déchirement m; cassure f; rompement m; fendage m <méc.>	разрыв, растрескивание; обрыв; излом; раздирание; разрушение <мех.>
T 183	**tear of glass**	Glasträne f	larme f en verre	стеклянная слезинка
	technical data	s. operating parameters		
	technical system [of units]	s. engineering system [of units]		
	tecnical unit, engineering unit, industrial unit	technische Einheit f, technische Maßeinheit f	unité f industrielle, unité technique	техническая единица
	technique, method; process; procedure	Verfahren n; Technik f; Methode f	procédé m; méthode f	метод; способ; техника; прием
T 184	**technique of axial section**, axial section method, method of axial sections	Achsenschnittverfahren n, Schneidenmessung f	méthode f de[s] section[s] axiale[s], méthode diascopique	метод осевого сечения, диаскопический метод
	technique of Czochralski	s. Czochralski['s] method		
T 185	**technique of layer division**, layer division technique	Schichtenteilungsmethode f, Schichtenteilungsverfahren n	méthode f de division des couches	метод разделения слоев
	technique of light production	s. production of light		
	technique of measurement	s. method of measurement		
T 186	**technique of model testing**	Modellmeßverfahren n	méthode f de mesure sur maquettes	метод испытания на модели
	technique of moiré fringes, moiré method, moiré technique	Moirémethode f, Isopachenverfahren n, interferometrisches Isopachenverfahren	méthode f de moirage	метод муара
	technique of nuclear resonance absorption	s. nuclear induction technique		
T 187	**technique of radiation measurement**, radiation measuring technique	Strahlungsmeßtechnik f, Kernstrahlungsmeßtechnik f, Strahlenmeßtechnik f	technique f de mesure des rayonnements	дозиметрическая техника, техника измерения излучений
	technique of rotation photograph	s. Bragg['s] rotating crystal method		
	technique of short-time measurement, short-time-interval technique	Kurzzeittechnik f, Kurzzeitmeßtechnik f	technique f de mesure de courts intervalles de temps	техника измерения малых интервалов времени
	technological layout	s. flowsheet		
	technological physics, industrial physics	technische Physik f	physique f technique, physique industrielle	техническая физика, промышленная физика
T 188	**Teclu burner**	Teclu-Brenner m	bec m Teclu, brûleur m de Teclu	горелка Теклю
T 189	**tecnetron**	Tecnetron n	tecnetron m	текнетрон
T 190	**tectogene**	Tektogen n	tectogène m	тектоген, блок, тектоническое строение
T 191	**tectogenesis**, orogenesis	Tektogenese f, Orogenese f	tectogenèse f, orogenèse f	тектогенез, орогенез
T 191a	**tectonic analysis**	tektonische Analyse f, Gefügeanalyse f, Strukturanalyse f <der Gesteine>	analyse f tectonique	тектонический анализ, структурный анализ
	tectonic cycle, geotectonic cycle	geotektonischer Zyklus m	cycle m géotectonique, cycle tectonique	геотектонический цикл, тектонический цикл
T 192	**tectonic dislocation**, tectonic fault	tektonische Störung f, tektonische Dislokation f	dislocation f tectonique, faille f tectonique	тектонический разрыв (сброс), тектоническая дислокация, тектоническое перемещение
T 193	**tectonic earthquake**, dislocation earthquake	tektonisches Beben n, tektonisches Erdbeben n, Dislokationsbeben n	tremblement m de terre tectonique	тектоническое (дислокационное) землетрясение, землетрясение тектонического происхождения
	tectonic fault	s. tectonic dislocation		
T 194	**tectonic fissure**	Kluftspalte f, tektonische Spalte f	fente f de dislocation, fente endocinétique	тектоническая трещина, трещина сброса
T 195	**tectonism**	Tektonismus m	tectonisme m	тектонизм
T 196	**tectonophysics**	Tektonophysik f	tectonophysique f	тектонофизика
T 197	**tectonosphere**	Tektonosphäre f	tectonosphère f	тектоносфера
T 198	**tectorial membrane**	Deckmembran f, Membrana f tectoria, Cortische Membran f	membrane f tectoriale	покровная перепонка, кортиева перепонка
	tectosphere, astenosphere	Astenosphäre f, Tektosphäre f	asténosphère f, tectosphère f	астеносфера, зона под уровнем изостатического уравновешивания
	tedious	s. time-consuming		
T 199	**tee**, conduit tee; three-way pipe, T-pipe, T	T-Stück n; T-Rohr n, T-Rohrstück n	raccord m en T, té m de raccordement, T m	тройник; Т-образное соединение, Т-образная трубка
	tee, T-beam	T-Träger m	poutre f en T, T m	тавровая балка
T 200	**tee bridge**, T-bridge	T-Brücke f	pont m en T	Т-образный мост
T 201	**teinochemistry**	Teinochemie f	teinochimie f	тейнохимия
T 202	**tektite**	Glasmeteorit m; Tektit m	tectite f	тектит
T 203	**telecentric path of rays**	telezentrischer Strahlengang m	marche f télécentrique des rayons	телецентрический ход лучей
T 204	**telecentric projection**	telezentrische Perspektive f; telezentrische Projektion f	projection f télécentrique	телецентрическая проекция
T 205	**telecommunication**; **telecommunication[s] engineering**; **telecommunication technics**; communication[s] engineering	Fernmeldewesen n; Fernmeldetechnik f; Nachrichtentechnik f	télécommunication f; technique f de[s] télécommunications; technique de communications (transmissions)	[дистанционная] связь, телесвязь, дальняя связь; техника связи

T 206	**telecontrol**, remote control, [long-]distance control, distant control	Fernsteuerung *f*	·télécommande *f*, commande *f* à distance, téléréglage *m*, réglage *m* à distance	дистанционное управление, телеуправление, управление на расстоянии, телерегулирование, телерегулировка, дистанционное регулирова-
T 207	**telefocus system**	Fernfokussystem *n*	système *m* à téléfoyer	дальнофокусная система
	telegauge	s. telemeter		
T 208	**telegraph (telegrapher's, telegraphic) equation**, equation of telegraphy	Telegraphengleichung *f*	équation *f* des télégraphistes	телеграфное уравнение
T 209	**telegraph modulation**	Telegraphenmodulation *f*	modulation *f* télégraphique (par « tout ou rien »)	телеграфная модуляция
T 210	**telegraphone**	Telegraphon *n*	télégraphone *m*	телеграфон
T 211	**tele-irradiation**	Fernbestrahlung *f*	télé-irradiation *f*, irradiation *f* à distance	дистанционное облучение, телеоблучение
	telemeasurement	s. telemetering		
	telemeasuring	s. telemetering		
T 212	**telemechanics**	Telemechanik *f*	télémécanique *f*	телемеханика
T 213	**telemeteorometry**	Telemeteorometrie *f*, Fernmessung *f* meteorologischer Daten	télémétéorométrie *f*	телеметеорометрия, наука о производстве метеорологических измерений на расстоянии
T 214	**telemeter**, telegauge, telemetering instrument, remote instrument, apparatus for remote measurements; telemetering device, telemetering system, telemetry equipment; distant-reading instrument	Fernmeßgerät *n*, Ferninstrument *n*, Fernmesser *m*; Fernmeßeinrichtung *f*, Fernmeßanlage *f*	instrument *m* de télémesure, appareil *m* de télémesure, instrument de mesure à distance; dispositif *m* de télémesure	дистанционный измерительный прибор, телеизмерительный прибор, телеметр, телеметрический прибор, прибор для измерения на расстоянии; телеизмерительная установка, телеметрическое устройство
	telemeter, [optical] rangefinder, optical telemeter, [optical] distance meter	[optischer] Entfernungsmesser *m*, Distanzmesser *m*, Telemeter *n*; Abstandsmesser *m*	télémètre *m*, télémètre optique	дальномер, оптический дальномер
T 215	**telemetering**, telemeasuring, telemeasurement, remote metering (measurement, gauging), telemetry	Fernmessung *f*, Telemetrie *f*	télémesure *f*, mesure *f* à distance, télémétrie *f*	дистанционное измерение, телеизмерение, телеметрия, измерение на расстоянии, телеметрирование
	telemetering device (instrument, system)	s. telemeter		
	telemetry	s. telemetering		
	telemetry	s. range finding		
	telemetry equipment	s. telemeter		
T 216	**teleparallelism**, absolute parallelism	Fernparallelismus *m*, absoluter Parallelismus *m*	téléparallélisme *m*, parallélisme *m* à distance, parallélisme absolu	абсолютный параллелизм
	telephone, telephone earphone, [telephone] receiver	Hörer *m*, Telephonhörer *m*, Fernhörer *m*, Telephon *n*	récepteur *m* téléphonique, téléphone *m*, écouteur *m*	телефон, телефонная трубка, [телефонная] слуховая трубка
T 217	**telephone bridge**, measuring bridge with telephone	Telephonmeßbrücke *f*, Telephonbrücke *f*	pont *m* de mesure à téléphone	телефонный измерительный мост
	telephone current; voice current, speech current	Sprechstrom *m*	courant *m* téléphonique	телефонный ток
T 218	**telephone earphone**, **telephone receiver**, telephone, receiver	Hörer *m*, Telephonhörer *m*, Fernhörer *m*, Telephon *n*	récepteur *m* téléphonique, téléphone *m*, écouteur *m*	телефон, телефонная трубка, [телефонная] слуховая трубка
T 219	**telephone theory [of Rutherford]**, frequency theory [of Rutherford], frequency theory of pitch	Telephontheorie *f* [des Hörens], Rutherfordsche Telephontheorie	théorie *f* téléphonique [de Rutherford]	телефонная теория
T 220	**telephone transmitter**, transmitter unit, transmitter inset, transmitter <of telephone>	Fernsprechmikrophon *n*, Sprechkapsel *f*, Mikrophonkapsel *f*, Mikrophon *n* <Telephon>	microphone *m* téléphonique, capsule *f* téléphonique, capsule de microphone	телефонный микрофон, микрофонный капсюль, капсюль микрофона
	telephoning	s. telephony		
T 221	**telephonometry**	Fernsprechmeßtechnik *f*	téléphonométrie *f*	измерение в телефонии
T 222	**telephony**; telephoning, phoning	Telephonie *f*, Fernsprechwesen *n*; Fernsprechen *n*, Telephonieren *n*	téléphonie *f*	телефония; телефонирование
T 223	**telephoto attachment**	Televorsatz *m*, Teleansatz *m*, Teleaufsatz *m*	télébonnette *f*, bonnette *f* divergente	теленасадка
T 224	**telephotography** <phot.>	Fernphotographie *f*, Telephotographie *f*, Fernaufnahme[technik] *f* <Phot.>	téléphotographie *f*, photographie *f* d'objets éloignés; prise *f* de vue des lointains <phot.>	телефотография; телефотографирование, телесъемка, фотографирование на дальнем расстоянии; съемка удаленных объектов <фот.>
T 224a	**telephoto lens**	Teleobjektiv *n*, Fernobjektiv *n*	téléobjectif *m*	телеобъектив
T 225	**telephotometry**	Telephotometrie *f*	téléphotométrie *f*	телефотометрия
T 226	**teleradiography**, **teleroentgenography**	Fernaufnahme[technik] *f*, Teleaufnahme[technik] *f*	téléradiographie *f*, télé-rœntgenographie *f*	телерентгенография, телерадиография
T 227	**telescope**	Fernrohr *n*, Teleskop *n*	télescope *m*, lunette *f*	телескоп, зрительная (оптическая, подзорная) труба
	telescope	s. a. counter telescope <nucl.>		

T 228	**telescope level tube,** zenith level	Fernrohrlibelle f	niveau m de la lunette	талькоттовский уровень, уровень зрительной трубы, уровень при зрительной трубе
T 229	**telescope mounting**	Fernrohrmontierung f	monture f du télescope	установка телескопа
T 230	**telescopic,** extensible	teleskopisch, zusammenschiebbar, ausziehbar	télescopique, escamotable	телескопический, вдвигающийся, выдвижной, раздвижной
T 231	**telescopic alidade**	Kippregel f	éclimètre m puissant, règle f à l'éclimètre, alidade f à lunette, alidade holométrique (plongeante)	кипрегель
	telescopic image	s. afocal image		
T 232	**telescopic magnifier**	Fernrohrlupe f	téléloupe f, loupe f télescopique	телескопическая лупа
T 233	**telescopic meteor**	teleskopisches Meteor n, Telemeteor n	météore m télescopique	телескопический метеор, телеметеор
T 234	**telescopic pipe,** telescopic tube	Teleskoprohr n, Ausziehrohr n	tube m télescopique, tube escamotable	телескопическая (выдвижная, раздвижная) труба
	telescopic sight	s. sighting telescope		
T 235	**telescopic tube**	Ausziehtubus m	tube m rentrant, tube hélicoïde	выдвижной тубус, выдвигающийся тубус, телескопический тубус
	telescopic tube	s. a. telescopic pipe		
T 236	**telescoping**	Teleskopieren n, „telescoping" n	télescopage m	телескопирование
	teleseism, distant earthquake, earthquake of distant origin	Fernbeben n	tremblement m de terre éloigné, séisme m éloigné (lointain), téléséismes mpl	отдаленное землетрясение, землетрясение с далеко отстоящим очагом, телесейсмы
T 237	**telespectroscope**	Fernspektroskop n	téléspectroscope m	телеспектроскоп
T 238	**telestereoscope**	Telestereoskop n	téléstéréoscope m	телестереоскоп
T 239	**telethermometer,** [long-]distance thermometer, remote thermometer	Fernthermometer n, Telethermometer n, Temperaturfernmeßgerät n	téléthermomètre m, thermomètre m à distance	телетермометр, дистанционный термометр
T 240	**television image**	Fernsehbild n	image f télévisuelle, image de télévision	телевизионное изображение
T 241	**television microscopy**	Fernsehmikroskopie f, Mikroskopie f nach dem Fernsehprinzip	microscopie f de télévision, microscopie selon le principe de télévision	телевизионная микроскопия
T 242	**television receiver, television set, televisor**	Fernsehempfänger m, Fernsehgerät n, Fernseher m	téléviseur m, récepteur m de télévision	телевизор, телевизионный приемник
T 243	**telewattmeter**	Leistungsfernmeßgerät n, Leistungsfernmesser m, Telewattmeter n	téléwattmètre m	телеваттметр
	Tellegen effect	s. Luxembourg effect		
T 244	**Teller-Redlich [product] rule,** Redlich-Teller product rule, product rule	Produktregel f [von Teller und Redlich], Redlich-Tellersche Produktregel, Teller-Redlichsche Produktregel	règle f des produits [de Redlich-Teller], règle du produit	правило произведений [Теллера-Редлиха], правило Теллера-Редлиха
T 245	**telluric force**	tellurische Kraft f	force f tellurique	теллурическая сила
T 246	**telluric line,** terrestrial line	terrestrische (tellurische) Linie f	raie (ligne) f tellurique	теллурическая линия
T 247	**tellurometer**	Tellurometer n	telluromètre m	теллурометр
T 248	**telocentric**	telozentrisch	télocentrique	телоцентрический
T 249	**telomer**	Telomer n <Bio.; Chem.>; Telomere n <Chem.>	télomère m	теломер
T 250	**telotaxis**	Telotaxis f	télotactisme m	телотаксис
T 251	**Temkin isotherm**	Temkinsche Adsorptionsisotherme f	isotherme f de Temkin	изотерма Темкина
	TEM mode	s. principal wave		
	TE[-] mode	s. H[-] mode		
	temper	s. tempering		
	temperament	s. equally tempered scale <ac.>		
T 252	**temperate glacier**	warmer Gletscher m, temperierter Gletscher	glacier m tempéré	умеренный ледник
T 253	**temperate zone**	gemäßigte Zone f, gemäßigt-warme Zone	zone f tempérée	умеренная зона, умеренный пояс
T 253a	**temperature above freezing (zero, 0 °C)**	Temperatur f über Null (0 °C), Plustemperatur f	température f au-dessus de 0 °C	температура выше нуля, положительная температура
	temperature aloft, altitude temperature, hypsometric temperature	Höhentemperatur f	température f en altitude, température f hypsométrique	температура на высоте, высотная температура, гипсометрическая температура
T 254	**temperature amplitude**	Temperaturamplitude f	amplitude f de température	амплитуда температуры, температурная амплитуда
	temperature at rest, rest temperature	Ruhetemperatur f	température f au repos	температура покоя
	temperature at which reaction commences, threshold reaction temperature	Temperaturschwelle f der Reaktion, Anfangstemperatur f der Reaktion	seuil m thermique de la réaction	температурный порог реакции
	temperature balance	s. heat balance		
	temperature band	s. range of temperature		
	temperature below freezing (zero, 0 °C), subzero (subfreezing) temperature	Temperatur f unter Null, Temperatur unter 0 °C, Minustemperatur f	température f au-dessous de 0 °C	температура ниже нуля, отрицательная температура

	temperature boundary layer, thermal boundary, thermal boundary layer	Temperaturgrenzschicht f, thermische Grenzschicht f	couche f limite de température	термический пограничный слой, температурный пограничный слой
T 255	**temperature coefficient**	Temperaturkoeffizient m, Temperaturbeiwert m, Temperaturfaktor m	coefficient m de température	температурный коэффициент
T 255a	**temperature coefficient of capacitance**	Temperaturkoeffizient m der Kapazität, Kapazitäts-Temperaturkoeffizient m	coefficient m de température de la capacité	температурный коэффициент емкости
T 256	**temperature coefficient of cell elongation, Q$_{10}$** of cell elongation	Temperaturkoeffizient m der Zellstreckung, Q_{10} der Zellstreckung	coefficient m de température de l'élongation cellulaire	температурный коэффициент клеточного удлинения
	temperature coefficient of conductivity	$s.$ conductivity temperature coefficient		
	temperature coefficient of density, density temperature coefficient	Temperaturkoeffizient m der Dichte, Dichte-Temperaturkoeffizient m	coefficient m de température de la densité	температурный коэффициент плотности
T 257	**temperature coefficient of reactivity,** reactivity temperature coefficient	Temperaturkoeffizient m der Reaktivität, Reaktivitäts-Temperaturkoeffizient m	coefficient m de température de la réactivité	температурный коэффициент реактивности
	temperature coefficient of resistance	$s.$ resistance temperature coefficient		
T 258	**temperature compensation,** thermal compensation	Temperaturkompensation f	compensation f de température	температурная компенсация, компенсация температурных влияний
	temperature compensation	$s. a.$ heat balance		
T 259	**temperature compensator,** temperature equalizer	Temperaturausgleicher m, Temperaturkompensator m	égalisateur m de température, correcteur m d'effet de température	выравниватель температуры, компенсатор [влияния] температуры, температурный компенсатор
	temperature conductivity	$s.$ thermal diffusivity		
	temperature contrast, contrast of temperatures	Temperaturgegensatz m	contraste m de températures	температурный контраст
T 260	**temperature control,** thermoregulation, thermocontrol, attemperation	Temperaturregelung f, Thermoregelung f	contrôle m de température, thermorégulation f	регулирование температуры, терморегулирование
	temperature-controlled	$s.$ thermostated		
	temperature controller	$s.$ thermoregulator		
T 261	**temperature control vessel,** constant temperature vessel	Temperiergefäß n	récipient m à température constante	сосуд с постоянной температурой, темперировочный сосуд
T 262	**temperature correction**	Temperaturkorrektion f	correction f pour la température	поправка на температуру, температурная поправка
T 263	**temperature corresponding to the spectral distribution of energy of the radiator,** distribution temperature	Verteilungstemperatur f	température f correspondant à la distribution spectrale d'énergie de l'émetteur, température de distribution (répartition)	температура, соответствующая спектральному распределению энергии излучателя; распределительная температура, температура распределения
T 264	**temperature cycle,** thermal cycle	Temperaturwechsel m, Thermozyklus m, Wechsel m <beim Temperatur­wechselversuch>	cycle m de température, cycle thermique	температурный цикл, термический цикл
T 265	**temperature cycle method,** temperature development, thermal development <of nuclear emulsions>	Temperaturentwicklungsverfahren n, Temperaturentwicklung f <von Kernemulsionen>	méthode f du cycle de température, cycle m de température <des émulsions nucléaires>	метод термопроявления, термопроявление <ядер­ных эмульсий>
T 266	**temperature damage**	Temperaturschaden m	dégât m dû aux températures élevées	повреждение вследствие воздействия тепла
	temperature decrease	$s.$ temperature drop		
	temperature delay, temperature lag	Temperaturverzögerung f	temps m de réponse en température, inertie f thermique	температурная инерционность
	temperature development, temperature cycle method, thermal development <of nuclear emul­sions>	Temperaturentwicklungsverfahren n, Temperaturentwicklung f <von Kern­emulsionen>	méthode f du cycle de température, cycle m de température <des émulsions nucléaires>	метод термопроявления, термопроявление <ядерных эмульсий>
	temperature difference, difference of temperature	Temperaturdifferenz f, Temperaturunterschied m <in grd>	différence f de température[s], écart m de température	разность температур, разница температур
	temperature diffuse scattering	$s.$ inelastic scattering by crystals		
T 266a	**temperature dispersion**	Temperaturdispersion f	dispersion f de température	дисперсия температуры
	temperature displacement	$s.$ temperature-induced shift		
T 267	**temperature drop,** temperature fall (decrease), drop (fall) in temperature, fall of temperature, decrease in temperature; retrogression of temperature; cooling	Temperaturabnahme f, Temperatur[ab]fall m, Sinken (Fallen) n der Temperatur; Temperaturrückgang m, Zurückgehen n der Temperatur, Abkühlung f	chute f de température, décroissance f de température; refraîchissement m	падение температуры, спад температуры, понижение температуры; обратный ход температуры, возврат температуры; похолодание
T 268	**temperature effect** <of cosmic rays>	Temperatureffekt m <kosmische Strahlung>	effet m de température <des rayons cosmiques>	температурный эффект <космических лучей>

T 269	**temperature-entropy chart, temperature-entropy diagram,** entropy-temperature plot, entropy [temperature] diagram, T,s diagram	Temperatur-Entropie-Diagramm n, Entropiediagramm n, Entropie-Temperatur-Diagramm n, TS-Diagramm n, T,s-Diagramm n, Wärmebild n, Wärmediagramm n	diagramme m entropique, diagramme d'entropie	энтропийная (тепловая) диаграмма, диаграмма энтропии, TS-диаграмма, Ts-диаграмма, диаграмма теплосодержания
	temperature equalizer, temperature compensator	Temperaturausgleicher m, Temperaturkompensator m	égalisateur m de température, correcteur m d'effet de température	выравниватель температуры, компенсатор [влияния] температуры, температурный компенсатор
	temperature equilibrium, thermal equilibrium	thermisches Gleichgewicht n, Wärmegleichgewicht n, Temperaturgleichgewicht n	équilibre m thermique, équilibre de température	тепловое равновесие, температурное равновесие
T 270	**temperature factor** <of reflection>	Temperaturfaktor m <bei der Reflexion>	facteur m de température <de la réflexion>	температурный коэффициент (фактор) <при отражении>
	temperature fall	s. temperature drop		
T 271	**temperature field**	Temperaturfeld n	champ m de température	температурное поле, поле температур
T 272	**temperature flash,** thermal flash	Temperaturblitz m	éclat m thermique, éclat de température	резкий скачок температуры, вспышка температуры
T 273	**temperature float technique**	Schwebemethode f mit Variation der Temperatur, Schwebemethode mit Temperaturvariation	méthode f de flottaison à variation de la température	флотационный метод с изменением температуры
T 274	**temperature fluctuation,** temperature variation, hunting of temperature, oscillation of temperature about the mean value	Temperaturschwankung f	fluctuation f de température	колебание (флуктуация) температуры, температурное колебание, температурная флуктуация
	temperature from the rotation spectrum	s. rotational temperature		
	temperature from the vibration-rotation (rotational) spectrum	s. vibration temperature		
	temperature gradient, thermal gradient	Temperaturgradient m, Temperaturgefälle n	gradient m de température, gradient thermique	перепад (градиент) температуры, температурный градиент (напор)
	temperature gradient method	s. flotation method		
T 275	**temperature-height curve**	Temperatur-Höhen-Kurve f	courbe f température-hauteur	кривая распределения температуры с высотой, кривая температура — высота
T 276	**temperature increase,** increase of (in) temperature, temperature rise, rise of (in) temperature; warming	Temperaturanstieg m, Temperaturzunahme f, Temperaturerhöhung f; Erwärmung f	accroissance f (accroissement m, élévation f) de la température; échauffement m, réchauffement m	возрастание (прирост, приращение, подъем, повышение) температуры; потепление
T 277	**temperature-independent factor** <in theory of absolute reaction rate>	temperaturunabhängiger Faktor m <Theorie der absoluten Reaktionsgeschwindigkeit>	facteur m non dépendant de la température <en théorie du taux de réaction absolu>	предэкспоненциальный коэффициент, предэкспоненциальный множитель <в теории абсолютных скоростей реакций>
T 278	**temperature in depth**	Tiefentemperatur f	température f en profondeur	температура на глубине, глубинная температура
T 279	**temperature-indicating crayon,** thermometric crayon, tempilstik <US>	Temperaturfarbstift m, Farbstift m für Temperaturmessung, Temperaturmeßstift m	crayon m thermométrique	термоиндикационный карандаш, термоиндикационный цветной карандаш
T 280	**temperature indicating paint,** temperature-sensitive paint, tempilstik <US>	Temperaturmeßfarbe f, Thermochrom n, Thermochromfarbe f, Thermofarbe f	couleur f indicatrice de température, couleur sensible à la chaleur	термочувствительная краска, термоиндикационная краска
T 281	**temperature indicator**	Temperaturanzeiger m, Temperaturanzeigegerät n; Temperaturindikator m	indicateur m thermométrique, indicateur de température	указатель температуры, показывающий температуру прибор; индикатор температуры
T 282	**temperature-induced shift,** temperature displacement, displacement by temperature effect	Temperaturverschiebung f	déplacement m dû à l'effet de température	смещение (сдвиг) вследствие влияния температуры
	temperature in shade	s. shade temperature		
T 283	**temperature instability**	Temperaturlabilität f, Temperaturinstabilität f	instabilité f de température	неустойчивость температуры
	temperature interval	s. temperature range		
T 284	**temperature inversion,** inversion, umkehr <meteo.>	Inversion f, Temperaturinversion f, Temperaturumkehr f, Sperrschicht f, Sperrzone f <Meteo.>	inversion f, inversion atmosphérique, inversion de température <météo.>	инверсия [температуры], температурная (атмосферная) инверсия <метео.>
T 284a	**temperature jump**	Temperatursprung m	saut m de température	температурный скачок
T 284b	**temperature jump distance**	Temperatursprungdistanz f; Temperatursprungentfernung f	distance f de saut de la température	расстояние температурного скачка
T 285	**temperature lag,** temperature delay	Temperaturverzögerung f	temps m de réponse en température, inertie f thermique	температурная инерционность

	English	German	French	Russian
	temperature lapse [rate]	s. lapse rate		
T 286	temperature level, temperature value	Temperaturwert m, Temperaturniveau n	niveau m (valeur f) de température	величина (значение, уровень) температуры
T 287	temperature-limited	temperaturbegrenzt	limité par la température	ограниченный температурой
T 288	temperature marker	Temperaturkennkörper m, Temperaturmeßkörper m	corps m indicateur de température	пироскопическое тело, пироскоп
T 289	temperature measuring device	Temperaturmeßgerät n, Temperaturmesser m	appareil m à mesurer la température	измеритель температуры, прибор для измерения температуры
	temperature minimum, minimum temperature	Tiefsttemperatur f, tiefste Temperatur f, minimale Temperatur, Temperaturminimum n	température f minimale, température minimum, minimum m de température	наименьшая температура, минимальная температура, минимум температуры
	temperature of air	s. shade temperature		
	temperature of combustion, combustion temperature, flame temperature	Verbrennungstemperatur f	température f de combustion	температура горения, температура сгорания
	temperature of condensation	s. condensation temperature		
T 290	temperature of equilibrium, equilibrium temperature	Gleichgewichtstemperatur f	température f d'équilibre	температура равновесия, равновесная температура
	temperature of equilibrium between liquid oxygen and its vapour, oxygen point	Sauerstoffpunkt m	température f d'ébullition de l'oxygène, point m d'ébullition de l'oxygène	точка кипения кислорода
	temperature of liquefaction	s. liquefaction temperature		
T 290a	temperature of melting <bio.>	T_m-Wert m, Schmelztemperatur f <Bio.>	température f de fusion <bio.>	температура плавления <био.>
T 291	temperature of melting	s. a. melting point		
	temperature of saturation, saturation temperature	Sättigungstemperatur f, Sättigungspunkt m	température f de saturation	температура насыщения (насыщенности)
	temperature of sintering, sintering point, sintering temperature	Sinterpunkt m, Sintertemperatur f	point m de frittage, température f de frittage	точка спекания, температура спекания, температура агломерации
T 292	temperature of sublimation, sublimation temperature, point of sublimation, sublimation point	Sublimationstemperatur f, Sublimationspunkt m, Sbp.	température f de sublimation, point m de sublimation	температура сублимации, температура возгонки, точка сублимации, точка возгонки
	temperature of supercooling, supercooling temperature	Unterkühlungstemperatur f	température f de surfusion	температура переохлаждения
	temperature of the barrier layer	s. barrier layer temperature		
	temperature of the bulk	s. bulk temperature		
	temperature of the surrounding air, ambient temperature, environmental temperature	Umgebungstemperatur f	température f ambiante, température d'ambiance	температура окружающей среды, температура окружающего воздуха, внешняя температура
	temperature of the zero field transition	s. Ounes temperature		
	temperature on the Kelvin scale, absolute temperature, Kelvin temperature	absolute Temperatur f, Kelvin-Temperatur f	température f absolue, température Kelvin	абсолютная температура, температура по шкале Кельвина
T 293	temperature oscillation, temperature vibration	Temperaturschwingung f	oscillation f de température, vibration f de température	температурное колебание, колебание температуры
	temperature outside	s. exterior temperature		
T 294	temperature overshoot	Temperaturüberschlag m	surhaussement m du niveau de température, échauffage m excessif	превышение установившегося уровня температуры
T 295	temperature peak	Temperaturspitze f	pic m (crête f, pointe f) de température	пик температуры, температурный пик
T 296	temperature-pressure curve	Temperatur-Druck-Kurve f	courbe f pression-température, courbe de pression en fonction de la température	кривая давление — температура, кривая температуры и давления, кривая зависимости давления от температуры
T 297	temperature profile	Temperaturprofil n	profil m de températures	температурный профиль, профиль температур
T 298	temperature radiation; thermactinic radiation	Temperaturstrahlung f, Temperaturleuchten n; thermaktine Strahlung f	radiation f (rayonnement m) de température; radiation (rayonnement) thermactinique	температурное излучение, температурное свечение
	temperature radiation	s. a. black-body radiation		
	temperature range, range of temperature, temperature interval, temperature band	Temperaturbereich m, Temperaturgebiet n, Temperaturintervall n	domaine m de température, gamme f des températures, intervalle m de température	область температур, интервал температур, диапазон температур, зона температур, температурная зона (область), температурный интервал (диапазон)
	temperature recorder	s. thermograph		
T 298a	temperature reduction	Temperaturreduktion f	réduction f de la température	приведение температуры

	temperature regulating device	s. thermoregulator		
	temperature regulator	s. thermoregulator		
	temperature resistance	s. temperature stability		
	temperature-resistant	s. heat-proof		
	temperature-resistant quality	s. temperature stability		
T 299	temperature rise, rise of (in) temperature, raising of temperature	Temperaturerhöhung f, Temperatursteigerung f	augmentation f de la température, élévation f de la température	повышение температуры, увеличение температуры
	temperature rise	s. a. temperature increase		
	temperature rise voltage	s. nominal circuit voltage <of an instrument>		
T 300	temperature seiche	Temperaturseiche f	seiche f [due à la variation] de température	термический сейш, температурный сейш
	temperature-sensible	s. temperature-sensitive		
	temperature-sensing element	s. temperature sensor		
T 301	temperature-sensitive, sensitive to temperature; temperature-sensing	temperaturempfindlich; temperatursensibel <Bio.>	sensible à la température	температурочувствительный; чувствительный к температуре; термочувствительный; чувствительный к температурным воздействиям; чувствительный к изменению температуры
	temperature-sensitive element	s. temperature sensor		
	temperature-sensitive paint, temperature indicating paint, tempilstik <US>	Temperaturmeßfarbe f, Thermochrom n, Thermochromfarbe f, Thermofarbe f	couleur f indicatrice de température, couleur sensible à la chaleur	термочувствительная краска, термоиндикационная краска
T 302	temperature sensor, temperature-sensitive element, temperature-sensing element, thermometric element	Temperaturfühler m, Wärmefühler m, Fühlerelement n	élément m sensible à la température, élément thermosensible; élément thermométrique	термочувствительный элемент, термобаллон
T 303	temperature-solubility curve; temperature-solubility plot, temperature-solubility pattern	Temperatur-Löslichkeits-Diagramm n, Temperatur-Löslichkeits-Kurve f	courbe f température-solubilité; diagramme m température-solubilité	температурная кривая растворимости, кривая зависимости растворимости от температуры, кривая растворимость — температура
	temperature-solubility pattern	s. temperature-solubility curve		
	temperature-solubility plot	s. temperature-solubility curve		
	temperature source of light, thermal source of light, thermal light source	thermische Lichtquelle f	source f thermique de lumière, source lumineuse thermique	температурный источник света, тепловой источник света
	temperature stability, independence of temperature	Temperaturunabhängigkeit f; Temperaturkonstanz f, Temperaturstabilität f	indépendance f de la température; stabilité f au changement de température	независимость от температуры; устойчивость по изменению температуры
	temperature stability	s. a. thermal stability		
T 304	temperature stabilization	Temperaturstabilisierung f	stabilisation f par température	стабилизация температурой
	temperature-stabilized	s. thermostated		
T 304a	temperature state	Temperaturzustand m	état m de (en) température	температурное состояние
	temperature stress	s. thermal stress		
T 305	temperature sum, sum of temperatures	Temperatursumme f	somme f des températures, somme de température	сумма температур
T 306	temperature sum rule, initial flow	Temperatursummenregel f	règle f des sommes de température	правило сумм температур
T 306a	temperature thickness of boundary layer	Temperaturdicke f der Grenzschicht	épaisseur f en température de la couche limite	температурная толщина пограничного слоя
T 307	temperature-time-transformation diagram, TTT diagram	Zeit-Temperatur-Umwandlungs-Schaubild n, ZTU-Schaubild n, TTT-Diagramm n	courbe f température-transformation-temps, diagramme m température-temps de transformation, diagramme TTT	диаграмма изотермических превращений
	temperature treatment, heat treatment	Wärmebehandlung f	traitement m thermique, traitement à chaud	термообработка, тепловая обработка, термическая обработка
	temperature value, temperature level	Temperaturwert m, Temperaturniveau n	niveau m (valeur f) de température	величина (значение, уровень) температуры
	temperature variation; variation of temperature, heating pattern	Temperaturgang m; Temperaturverlauf m	variation f de la température, marche f de la température	ход температуры; температурная характеристика
	temperature variation	s. a. temperature fluctuation		
	temperature variation chart (map), chart of temperature variations	Temperaturkarte f	carte f des températures, carte de la variation de température	карта температур
T 308	temperature velocity	Temperaturgeschwindigkeit f	vitesse f de température	температурная скорость, скорость температуры
	temperature vibration, temperature oscillation	Temperaturschwingung f	oscillation f de température, vibration f de température	температурное колебание, колебание температуры
T 309	temperature-viscosity curve	Temperatur-Viskositäts-Kurve f	courbe f de viscosité en fonction de la température	температурная кривая вязкости, кривая вязкости в зависимости от температуры

T 310	**temperature-viscosity effect**	Temperatur-Viskositäts-Effekt *m*	effet *m* de température de la viscosité	температурно-вязкостный эффект
T 311	**temperature voltage** <el.>	Temperaturspannung *f*, Temperaturäquivalent *n* <El.>	tension *f* équivalente à la vitesse de température <él.>	температурное напряжение, эквивалентное температурной скорости напряжение <эл.>
T 312	**temperature-volume diagram,** *T-v* **diagram**	Temperatur-Volumen-Diagramm *n*, *T, v*-Diagramm *n*	diagramme *m* température-volume, diagramme *T-v*	диаграмма температура-объем, объем-температурная диаграмма, *Tv*-диаграмма
T 313	**temperature wave**	Temperaturwelle *f*	onde *f* de température	температурная волна
T 314	**temperature zone,** zone of equal temperature	Temperaturzone *f*; Temperaturgürtel *m*	zone *f* d'égale température	температурный (тепловой, термический) пояс
T 315	**temper brittleness**	Anlaßsprödigkeit *f*	fragilité *f* de revenu (recuit, revient)	отпускная хрупкость
T 316	**temper colour,** tempering (annealing) colour	Anlaßfarbe *f*, Anlauffarbe *f*	couleur *f* de revient, teinte *f* de revient, teinte de revenu, teinte de recuit	цвет побежалости, температурная окраска, цвет при отпуске [стали], цветной налет
T 317	**tempered**	temperiert <*auch* Ak.>; gemäßigt <Meteo.>; mäßig	tempéré	темперированный
T 318	**tempered distribution,** tame distribution	gemäßigte Distribution *f*	distribution *f* tempérée	обобщенная функция медленного роста, линейный функционал под пространством быстро убывающих на бесконечности функций
	tempered interval, equally tempered interval	gleichschwebend temperiertes Intervall *n*, temperiertes Intervall	intervalle *m* tempéré	равномерно темперированный интервал, темперированный интервал
	tempered scale	*s.* equally tempered scale <ac.>		
	temper hardening	*s.* hardening and tempering		
T 318a	**tempering,** temper, drawing	Anlassen *n* <Met.; Glas>; Anlaufen *n* <Glas>	recuit *m*, revenu *m*, revient *m*	отпуск
	tempering after hardening	*s.* hardening and tempering <met.>		
	tempering colour	*s.* temper colour		
T 318b	**tempering glass**	Anlaufglas *n*	verre *m* de revenu (recuit)	отпускное [цветное] стекло
	tempest	*s.* storm <gen.>		
	tempilstik <US>, temperature indicating paint, temperature-sensitive paint	Temperaturmeßfarbe *f*, Thermochrom *n*, Thermochromfarbe *f*, Thermofarbe *f*	couleur *f* indicatrice de température, couleur sensible à la chaleur	термочувствительная краска, термоиндикационная краска
	tempilstik <US>, temperature-indicating crayon, thermometric crayon	Temperaturfarbstift *m*, Farbstift *m* für Temperaturmessung, Temperaturmeßstift *m*	crayon *m* thermométrique	термоиндикационный карандаш, термоиндикационный цветной карандаш
T 319	**template** <bio.>	Matrix *f*; Matrize *f* <Bio.>	matrice *f* <bio.>	матрикс <био.>
	template and dispersion photometer	*s.* dispersion and mask photometer		
	template ribonucleic acid, template RNA	*s.* messenger ribonucleic acid		
T 319a	**Temple['s] bound**	Templesche Schranke *f* <für Eigenwerte>	borne *f* de Temple	грань Темпля
T 320	**Temple['s] quotient**	Templescher Quotient *m*	quotient *m* de Temple	отношение Темпля
	temporal coherence, time coherence, coherence in time	Zeitkohärenz *f*, zeitliche Kohärenz *f*	cohérence *f* temporelle	временная когерентность
T 321	**temporal parallax**	zeitliche Parallaxe *f*	parallaxe *f* temporelle	временной параллакс
T 322	**temporary current**	zeitweilige Strömung *f*	courant *m* temporaire	временное течение
	temporary deformation	*s.* temporary strain		
T 323	**temporary hardness [of water]**	Karbonathärte *f*, Carbonathärte *f*, temporäre (vorübergehende, schwindende) Härte *f*, KH <Wasser>	dureté *f* temporaire [de l'eau]	временная жесткость, карбонатная жесткость <воды>
T 324	**temporary magnetism**	vorübergehender (temporärer, flüchtiger, transi[en]ter) Magnetismus *m*	magnétisme *m* temporaire	временный магнетизм
T 325	**temporary magnetism of ships**	flüchtiger (transi[en]ter) Schiffsmagnetismus *m*	magnétisme *m* temporaire des navires	временный магнетизм судов
T 326	**temporary operation,** temporary service, short-time operation	Kurzzeitbetrieb *m*	opération *f* de courte durée, mode *m* opératoire de courte durée	кратковременный режим
	temporary perched water, ver[k]hovodka	Werchowodka *f*	verhovodka *f*, nappe *f* suspendue temporaire	верховодка
	temporary service, temporary operation, short-time operation	Kurzzeitbetrieb *m*	opération *f* de courte durée, mode *m* opératoire de courte durée	кратковременный режим
T 327	**temporary snow[]line**	temporäre Schneegrenze *f*, zeitweilige Schneegrenze	limite *f* du névé temporaire, ligne *f* des neiges temporaire	сезонная снеговая граница (линия), временная снеговая линия
T 328	**temporary storage**	Zwischenspeicherung *f*	emmagasinage *m* intermédiaire, mémorisation *f* intermédiaire	промежуточное запоминание
	temporary storage	*s. a.* internal memory		
T 329	**temporary strain,** temporary deformation	vorübergehende Formänderung *f*, vorübergehende Verformung *f*, vorübergehende Verzerrung *f*	déformation *f* temporaire	временная деформация

T 330	**temporary stream**	instabiler Meteorstrom *m*, temporärer Meteorstrom	essaim *m* temporaire, courant *m* temporaire	временный поток метеоров, спорадический метеорный поток
T 331	**temporary waters,** pool	temporäres (periodisches) Gewässer *n*, Tümpel *m*	eaux *fpl* temporaires, mare *f*	временные (сезонные) воды, разводье, лужа, бочаг
T 331a	**temposcopy**	Temposkopie *f* <Verfahren und Geräte zur Sichtbarmachung extrem schneller und langsamer Prozesse>	temposcopie *f*	темпоскопия
	TEM-wave	s. principal wave		
	tenacious	s. tough		
	tenaciousness, tenacity	s. toughness		
	tenaciousness, tenacity	s. viscidity		
	ten-days average, decade average, decade mean	Dekadenmittel *n*, Zehntagemittel *n*	moyenne *f* décadaire, moyenne d'une décade, moyenne de dix jours	декадная средняя, среднее декадное
T 332	**tendency; propensity; trend**	Neigung *f*, Tendenz *f*	tendance *f*	тенденция, склонность, стремление
	tendency; weather outlook <meteo.>	Wetteraussichten *fpl*, Aussichten *fpl*; Tendenz *f* <Meteo.>	perspectives *fpl* du temps; tendance *f* <météo.>	перспективы погоды; тенденция <метео.>
	tendency equation, equation of tendency	Tendenzgleichung *f*	équation *f* de tendance [barométrique]	уравнение тенденции
T 333	**tendency of rotations to parallelism**	Regel *f* vom gleichstimmigen Parallelismus der Drehachsen, Tendenz *f* zum gleichsinnigen Parallelismus [nach Klein und Sommerfeld], Tendenz zum homologen Parallelismus	tendance *f* des rotations au parallélisme	тенденция вращений к параллелизму
T 334	**tendency to sing,** near singing	Pfeifneigung *f*	tendance *f* à l'amorçage d'oscillations, tendance à l'accrochage	склонность к самовозбуждению
T 335	**tending to zero**	nach Null gehend, nach Null strebend	tendant vers [le] zéro	стремящийся к нулю
T 336	**tend to a limit**	gegen einen Grenzwert gehen (streben)	tendre vers une limite	стремиться к пределу
	tenebrescence; twilight	Dämmerung *f*; Zwielicht *n*	crépuscule *m*; ténébrescence *f*; demi-jour *m*	сумерки; полумрак, полусвет; двойной свет
T 337	**ten-membered ring, ten-ring**	Zehnerring *m*, Zehnring *m*	anneau *m* à dix membres	десятичленное кольцо
T 337a	**tensammetric wave**	tensammetrische Welle *f*	onde *f* tensammétrique	тенсамметрическая волна
	tensile	s. ductile		
T 338	**tensile and shear strength**	Zugscherfestigkeit *f*	résistance *f* à la traction et au cisaillement	предел прочности при растяжении и сдвиге
	tensile breaking test	s. tensile test		
T 339	**tensile creep test[ing]**	Zeitstandversuch *m* mit Zugbelastung	essai *m* de traction accéléré	ускоренное испытание на растяжение
	tensile deformation	s. elongation		
	tensile deformation	s. tensile strain		
T 340	**tensile elasticity,** elasticity of elongation, elasticity of extension	Zugelastizität *f*	élasticité *f* de traction	упругость при растяжении, упругость на растяжение, упругость первого рода
	tensile elastic limit, elastic limit for tension	Zugelastizitätsgrenze *f*, Elastizitätsgrenze *f* gegenüber Zug	limite *f* élastique à la traction, limite d'élasticité à la traction	предел упругости при растяжении
T 341	**tensile force,** stretching force, pull[ing] force, pull; tractive force (effort), traction	Zugkraft *f*, Zug *m*	force *f* (effort *m*, sollicitation *f*) de traction; force de rappel	растягивающая сила, растягивающее усилие; сила тяги, тяговое усилие; влекущая сила
T 341a	**tensile fracture,** tension fracture	Dehnungsbruch *m*, Dehnbruch *m*	rupture (cassure) *f* par arrachement	разрыв (разрушение) при растяжении
	tensile impact strength, impact tensile strength	Schlagzugfestigkeit *f*	résistance *f* de traction au choc	предел прочности при ударном растяжении, предел прочности при мгновенном растяжении
	tensile impact test[ing]	s. tension impact test[ing]		
T 342	**tensile load[ing],** tension load	Zugbelastung *f*, Belastung *f* durch äußere Zugkräfte, Beanspruchung *f* durch äußere Zugkräfte, äußere Zugspannung *f*	effort *m* de traction [extérieur], sollicitation *f* de traction [extérieure], action *f* des forces de traction extérieures	нагрузка при растяжении, растягивающая нагрузка
	tensile machine	s. tensile testing machine		
T 343	**tensile modulus of elasticity,** modulus of elasticity for (in) tension	E-Modul *m* für Zug, Elastizitätsmodul *m* für Zug, Zugelastizitätsmodul *m*	module *m* d'élasticité longitudinale (à la traction, en traction)	модуль упругости (эластичности) при растяжении
T 344	**tensile resultant**	Zugresultante *f*	traction *f* résultante	результирующее растяжение
T 344a	**tensile rigidity, tensile stiffness**	Zugsteifigkeit *f*	rigidité *f* à la traction	жесткость на растяжение; усилие, растягивающее волокно на 1%
T 345	**tensile strain,** tensional strain, tensile straining (deformation)	Zugverformung *f*, Zugdehnung *f*	déformation *f* de traction	деформация растяжения, деформация при растяжении, удлинение при растяжении
	tensile strain	s. a. stretching strain		
	tensile strain	s. a. unit elongation		
	tensile straining	s. tensile strain		

T 346	**tensile strength**, rupture strength, breaking strength, breaking stress, strength in tension, resistance to rupture (tearing); ultimate tensile (breaking) strength, U.T.S.	Zugfestigkeit f, Zerreiß-festigkeit f, Reißfestigkeit f; Zugfestigkeitsgrenze f, Zugdehngrenze f, Zerreißgrenze f	résistance f à la traction, résistance à la rupture; limite f de rupture	предел прочности на разрыв (растяжение), предел прочности при разрыве (растяжении); прочность на разрыв (растяжение), прочность при разрыве (растяжении), сопротивление разрыву [при растяжении], сопротивление растяжению; сопротивление отрыву
T 347	**tensile strength for alternative load**	Zugschwellfestigkeit f	résistance f aux tractions alternées, résistance à la traction aux efforts alternées	предел прочности при долговременных циклических растягивающих нагрузках с нижним пределом ≥ 0, предел прочности на растяжение при пульсирующем (отнулевом, знакопостоянном) цикле
	tensile strength test **tensile strength testing machine**	s. tensile test s. tensile testing machine		
T 348	**tensile stress**, tension stress, tensional stress, tension, yield stress in tension, normal stress, stretching stress, stress by pull	Zugspannung f, Zug m, äußere Zugspannung; Streckspannung f	contrainte f de traction, contrainte de tension, tension f de traction, tension positive	растягивающее напряжение, напряжение при растяжении, напряжение на растяжение, натяжение
	tensile stress field, tension field	Zugfeld n, Zugspannungs-feld n	champ m de tension, champ de contrainte de tension	поле растягивающего напряжения
T 349	**tensile stress-strain curve**	Zugspannungs-Dehnungs-Schaubild n, Zugspannungs-Dehnungs-Diagramm n, Zug-Dehnungs-Diagramm n, Zugdiagramm n, Zerreiß-schaubild n, Zerreißdia-gramm n, Zerreißkurve f	diagramme m de traction, diagramme de rupture	диаграмма растяжения, диаграмма растягивающее напряжение — деформация, диаграмма сопротивления разрыву
T 350	**tensile test**, tensile testing, tension test[ing], tensile strength (breaking) test; straining frame experiment	Zugversuch m, Zugprüfung f, Zugprobe f, Zerreiß-versuch m, Zerreißprü-fung f, Zerreißprobe f; Streckbarkeitsprobe f	essai m de traction, essai de rupture, essai de la rupture par traction	испытание на растяжение, испытание на разрыв
T 351	**tensile test at elevated temperature**, high-temperature creep test	Warmzugversuch m	essai m de traction à chaud, essai de traction à température élevée	испытание на растяжение (разрыв) при повышенной температуре
	tensile test diagram **tensile testing**	s. stress-strain curve s. tensile test		
T 352	**tensile testing machine**, tensile [strength testing] machine, rupture device	Zugprüfmaschine f, Zerreißmaschine f	machine f à traction, machine d'essais à la rupture	машина для испытания на разрыв (растяжение), разрывная машина
	tensile yield point	s. tensile yield strength		
	tensile yield point at elevated temperature; yield point at elevated temperature	Warmfließgrenze f; Warm-streckgrenze f	limite f élastique à température élevée, limite d'élasticité à chaud	предел текучести при повышенной температуре
T 353	**tensile yield strength,** tensile yield point, yield strength (stress) in tension, yield value, resistance limit, resistance to elongation (stretching)	Streckgrenze f	limite f d'écoulement à la traction, limite élastique à la traction, limite de résistance	предел текучести при растяжении, предел сопротивляемости
	tensility	s. ductility		
T 354	**tensimeter**	Sättigungsdruckmesser m, Dampfdruckmesser m, Dampfspannungsmesser m, Tensimeter n	tensimètre m	тензиметр, прибор для измерения давления насыщенного пара
	tensiometer, surface tension meter, surface tension balance	Oberflächenspannungs-messer m, Tensiometer n	tensiomètre m	прибор для измерения поверхностного натяжения [жидкости], тензиометр, тензиометр
T 355	**tensiometry**	Tensiometrie f, Oberflächenspannungsmessung f	tensiométrie f	измерение поверхностного натяжения [жидкости], тензиометрия, тензиометрия
T 356	**tension;** pull, pulling; traction	Ziehen n, Zug m, Aus-einanderziehen n	tension f; traction f; tirage m; étirage m	растяжение; растягивание; вытягивание
	tension, pressure <of vapour>	Druck m, Spannung f <Dampf>	pression f, tension f <de la vapeur>	упругость, давление <пара>
	tension, stress <mech.>	Spannung f, mechanische Spannung f <Mech.>	contrainte f, tension f, effort m unitaire, taux m de travail <méc.>	механическое напряжение, напряжение; натяжение <мех.>
	tension **tension** **tension**	s. a. tensile stress s. a. underpressure s. a. voltage <el.>		
	tensional strain, tensile strain, tensile straining (deformation)	Zugverformung f, Zug-dehnung f	déformation f de traction	деформация растяжения, деформация при растяжении, удлинение при растяжении
	tensional stress **tensional wave**	s. tensile stress		
T 356a	**tensional wave**	Zugwelle f	onde f tensionnelle (de tension)	волна растяжения

T 357	**tension bar**; tension specimen	Probestab *m* für den Zugversuch, Zugstab *m*; Zugprobe *f*, Zugfestigkeitskörper *m*, Zugkörper *m*, Zerreißprobe *f*	éprouvette *f* de traction	стержень для испытания на разрыв (растяжение); разрывной образец, образец для испытания на растяжение (разрыв)
T 358	**tension cleaving**	Zugspaltung *f*	clivage *m* d'extension, clivage de dilatation	раскалывание растяжения
T 359	**tension coefficient for (of) resistivity**, resistivity coefficient for tension	Spannungskoeffizient *m* des spezifischen Widerstandes	coefficient *m* de tension de la résistivité (résistance spécifique)	коэффициент напряжения удельного сопротивления
	tension-compression fatigue strength	*s.* fatigue strength for tension-compression		
T 360	**tension-compression fatigue testing machine**	Zug-Druck-Maschine *f*, Zug-Druck-Prüfmaschine *f*, Zug-Druck-Schwingprüfmaschine *f*	machine *f* de traction et compression [alternée]	машина [для испытания] на растяжение-сжатие, универсальная разрывная машина, машина для испытания на усталость при осевой нагрузке, машина на осевую нагрузку
	tension-compression modulus of elasticity	*s.* Young['s] modulus		
T 361	**tension-compression test**	Zug-Druck-Wechselversuch *m*, Zug-Druck-Versuch *m*	essai *m* de fatigue par tractions et compressions alternées	испытание на усталость при растяжении-сжатии, испытание на усталость при знакопеременном осевом нагрушении
T 362	**tension dynamometer**, traction dynamometer; tractive force meter	Zugdynamometer *n*, Zugkraftmesser *m*, Zugkraftmeßgerät *n*, Zugmeßgerät *n*, Zugmesser *m*	dynamomètre *m* à traction, appareil *m* à mesurer la force de traction	тяговый динамометр, динамометр для измерения силы тяги, измеритель силы тяги, тягомер
T 363	**tension fault** <geo.>	Ausweitungsbruch *m*, Zerrbruch *m* <Geo.>	faille *f* de distension, faille d'extension, faille d'étirement <géo.>	разлом [вследствие] растяжения, сброс [вследствие] растяжения
T 364	**tension fault**, centripetal fault <geo.>	Abschiebung *f* <Geo.>	faille *f* régulière (normale, de tassement) <géo.>	нормальный (обыкновенный) сброс, сброс оседания, нормальный сдвиг
T 365	**tension field**, tensile stress field	Zugfeld *n*, Zugspannungsfeld *n*	champ *m* de tension, champ de contrainte de tension	поле растягивающего напряжения
	tension fracture	*s.* tensile fracture		
	tension-free	*s.* unstressed <mech.>		
T 366	**tension impact test[ing]**, tensile impact test[ing], impact tension test[ing]	Schlagzugversuch *m*; Schlagzerreißversuch *m*	essai *m* de traction par choc	испытание прочности при ударном растяжении, испытание прочности при мгновенном растяжении, испытание на динамическое растяжение, ударное испытание на растяжение
	tensioning <e.g. of the spring>; straining; stretch; cocking <e.g. of the shutter>	Spannen *n*	tension *f*; armement *m* <p. ex. de l'obturateur>	натяжение, натягивание <напр. пружины>; завод <затвора>
	tension load	*s.* tensile load[ing]		
	tension member, tie rod, bar in tension, tension tie, tie	Zugstange *f*	tirant *m*, membrure *f* de tension	тяга, шатун; стержень, воспринимающий растягивающие усилия
	tension modulus	*s.* modulus of rupture <mech.>		
T 367	**tension of the cable**, **tension of the string**, rope tension	Seilspannung *f*	tension *f* du cordon	натяжение веревки, натяжение троса
T 368	**tension relief**, **tension relieving**; traction relief, traction relieving	Zugentlastung *f*	décharge *f* de traction, soulagement *m* de traction	разгрузка от растягивающего напряжения
	tension specimen	*s.* tension bar		
T 369	**tension spring**	Zugfeder *f*; Spannfeder *f*	ressort *m* tendeur, ressort de traction	натяжная (натягивающая) пружина; пружина, работающая на растяжение
	tension strain	*s.* elongation		
	tension strain	*s.* stretching strain		
	tension stress	*s.* tensile stress		
	tension test[ing], tensile test[ing]; straining frame experiment	Zugversuch *m*, Zugprüfung *f*, Zugprobe *f*, Zerreißversuch *m*, Zerreißprüfung *f*, Zerreißprobe *f*	essai *m* de traction, essai de rupture, essai de la rupture par traction	испытание на растяжение, испытание на разрыв
	tension tie	*s.* tension member		
T 369a	**tensodiffusion**	Tensodiffusion *f*, Spannungsdiffusion *f*	tensodiffusion *f*	тензодиффузия
T 370	**tensoelectric**	tensoelektrisch	tenso[-]électrique	тензоэлектрический
T 371	**tensoelectric semiconductor device**	tensoelektrisches Halbleitergerät *n*	dispositif *m* tenso-électrique à semi-conducteur	тензоэлектрический полупроводниковый прибор
T 372	**tensometer**	Querdehnungsmesser *m*, Tensometer *n*	tensomètre *m*	тензометр
	tensometric; extensometric	extensometrisch; tensometrisch	extensométrique; tensométrique	экстензометрический; тензометрический
T 373	**tensometry**	Tensometrie *f*	tensométrie *f*	тензометрия, измерение натяжения

T 374	**tensor**	Tensor *m*	tenseur *m*	тензор
T 375	**tensor** <of the quaternion>	Tensor *m*, Betrag *m* <Quaternion>	tenseur *m* <du quaternion>	норма <кватерниона>
	tensor	*s. a.* symmetrical tensor		
T 376	**tensor algebra**	Tensoralgebra *f*	algèbre *f* tensorielle	тензорная алгебра, алгебра тензоров
T 377	**tensor analysis**	Tensoranalysis *f*	analyse *f* tensorielle	тензорный анализ
T 378	**tensor antisymmetric in time,** time-antisymmetric tensor	zeitantisymmetrischer Tensor *m*, c-Tensor *m*	tenseur *m* antisymétrique par rapport au temps	антисимметричный по отношению к времени тензор
T 379	**tensor calculus**	Tensorrechnung *f*, Tensorkalkül *m*	calcul *m* tensoriel	тензорное исчисление
	tensor calculus	*s. a.* Ricci calculus		
T 380	**tensor condition**	Tensorbedingung *f*	condition *f* tensorielle	тензорное условие
T 381	**tensor coupling**	tensorielle Kopplung *f*, Tensorkopplung *f*	couplage *m* tensoriel	тензорная связь
T 382	**tensor density,** relative tensor of unit weight, relative tensor of weight unity	Tensordichte *f*	densité *f* tensorielle	тензорная плотность
T 382a	**tensor derivative**	tensorielle Ableitung *f*	dérivée *f* tensorielle	тензорная производная
T 383	**tensor differential equation**	Tensordifferentialgleichung *f*, Affinordifferentialgleichung *f*	équation *f* différentielle tensorielle	тензорное дифференциальное уравнение
	tensor ellipsoid	*s.* tensor quadric		
T 384	**tensor equation**	Tensorgleichung *f*	équation *f* tensorielle	тензорное уравнение
T 385	**tensoresistance, tensoresistive effect**	tensoelektrischer Effekt *m*, Tensowiderstand[seffekt] *m*, Tensiwiderstand[s-effekt] *m*	effet *m* tensorésistif, effet tenso-électrique	тензорезистивный эффект
T 386	**tensor field,** tensorial field	Tensorfeld *n*	champ *m* tenseur, champ de tenseur	тензорное поле
	tensor force, non-central force	Tensorkraft *f*, Nichtzentralkraft *f*, nichtzentrale Kraft *f*	force *f* tensorielle, force [de] tenseur, force non centrale	тензорная сила, нецентральная сила
T 387	**tensor function**	Tensorfunktion *f*	fonction *f* tensorielle	тензорная функция
	tensorial field, tensor field	Tensorfeld *n*	champ *m* tenseur, champ de tenseur	тензорное поле
T 388	**tensorial non-linearity**	tensorielle Nichtlinearität *f*	non-linéarité *f* tensorielle	тензорная нелинейность
	tensor identity of Levi-Cività	*s.* epsilon-tensor		
T 389	**tensor index**	Tensorindex *m*	indice *m* tensoriel	тензорный индекс
T 390	**tensor interaction**	tensorielle Wechselwirkung *f*, Tensorwechselwirkung *f*	interaction *f* tensorielle	тензорное взаимодействие
T 391	**tensor invariant**	Tensorinvariante *f*	invariant *m* de tenseur; invariant contracté du tenseur <trace>	тензорный инвариант
T 391a	**tensor line**	Tensorlinie *f*	ligne *f* tensorielle	тензорная линия
T 392	**tensor multiplication,** outer multiplication of tensors	tensorielle Multiplikation *f*, Tensormultiplikation *f*	multiplication *f* générale, multiplication [tensorielle]	общее (тензорное) умножение
T 393	**tensor notation**	Tensorschreibweise *f*	notation *f* tensorielle	тензорная запись, запись в тензорной форме
	tensor of dislocation density, dislocation density tensor	Versetzungsdichtetensor *m*, Tensor *m* der Versetzungsdichte	tenseur *m* de la densité des dislocations	тензор плотности дислокаций, тензор дислокаций
T 394	**tensor of effective mass[es],** effective mass tensor	Tensor *m* der effektiven Masse[n], Effektive-Masse-Tensor *m*	tenseur *m* des masses effectives, tenseur de la masse efficace	тензор эффективных масс, тензор эффективной массы
	tensor of electric polarizability, polarizability tensor	Polarisierbarkeitstensor *m*, Tensor *m* der elektrischen Polarisierbarkeit	tenseur *m* de la polarisabilité [électrique]	тензор поляризуемости, тензор электрической поляризуемости
T 395	**tensor of heat conductivity,** heat conductivity tensor	Wärmeleitfähigkeitstensor *m*, Tensor *m* der Wärmeleitfähigkeit	tenseur *m* de la conductibilité thermique, tenseur des coefficients de conductibilité thermique	тензор коэффициентов теплопроводности
	tensor of hyperpolarizability, hyperpolarizability tensor	Tensor *m* der Hyperpolarisierbarkeit, Hyperpolarisierbarkeitstensor *m*	tenseur *m* de la hyperpolarisabilité	тензор гиперполяризуемости
	tensor of inertia, moment of inertia tensor, inertial (inertia) tensor	Trägheitstensor *m*	tenseur *m* d'inertie	тензор инерции
T 396	**tensor of inverse effective masses**	Tensor *m* der reziproken effektiven Massen	tenseur *m* des masses effectives réciproques	тензор обратных эффективных масс
T 397	**tensor of magnetic polarizability**	Tensor *m* der magnetischen Polarisierbarkeit, Polarisierbarkeitstensor *m*	tenseur *m* de la polarisabilité magnétique	тензор магнитной поляризуемости
	tensor of magnetic susceptibility, susceptibility tensor, magnetic susceptibility tensor	Suszeptibilitätstensor *m*, Tensor *m* der magnetischen Suszeptibilität	tenseur *m* de la susceptibilité [magnétique]	тензор магнитной восприимчивости
	tensor of momentum density, momentum density tensor	Impulsdichtetensor *m*	tenseur *m* de densité d'impulsion	тензор плотности момента
	tensor of order n, tensor of rank *n*, tensor of valence *n*	Tensor *m* *n*-ter Stufe	tenseur *m* d'ordre *n*	тензор *n*-го ранга, тензор *n*-ой валентности
	tensor of order two, tensor of second (2nd) order, second-order tensor, double tensor	Tensor *m* zweiter Stufe, zweistufiger Tensor	tenseur *m* d'ordre deux	двухвалентный тензор, тензор второй валентности

	tensor of permeability, permeability tensor	Permeabilitätstensor m, Durchlässigkeitstensor m, Tensor m der Durchlässigkeit	tenseur m de la perméabilité	тензор проницаемости
	tensor of permittivity	s. dielectric tensor		
T 398	tensor of rank n, tensor of valence n, tensor of order n	Tensor m n-ter Stufe	tenseur m d'ordre n	тензор n-го ранга, тензор n-ой валентности
	tensor of second order	s. tensor of order two		
T 399	tensor of torsion, torsion tensor	Torsionstensor m	tenseur m de torsion	тензор кручения (скручивания)
T 400	tensor of total angular momentum	Gesamtdrehimpulstensor m	tenseur m du moment angulaire total	тензор полного момента количества движения
	tensor of valence n, tensor of rank n, tensor of order n	Tensor m n-ter Stufe	tenseur m d'ordre n	тензор n-го ранга, тензор n-ой валентности
T 401	tensor of Weyl and Eddington, Weyl-Eddington tensor	Weyl-Eddingtonscher Tensor m	tenseur m de Weyl-Eddington	тензор Вейля-Эддингтона
T 402	tensor operator	Tensoroperator m	opérateur m tensoriel	тензорный оператор
T 403	tensor potential	Tensorpotential n	potentiel m tensoriel	тензорный потенциал
T 404	tensor product <of vector spaces>	Tensorprodukt n, tensorielles Produkt n <Vektorräume>	produit m tensoriel <des espaces vectoriels>	тензорное произведение <векторных пространств>
T 405	tensor quadric, quadric of the tensor; tensor ellipsoid	Tensorfläche f; Tensorellipsoid n; quadratische Form f des Tensors	quadrique f représentative du tenseur, quadrique du tenseur; ellipsoïde m du tenseur	поверхность тензора; тензорный эллипсоид; квадратичная форма тензора
T 405a	tensor representation	Tensordarstellung f	représentation f tensorielle	тензорное представление
T 406	tensor sheet	Tensorblatt n	feuille f tensorielle	тензорный лист
T 407	tensor space	Tensorraum m	espace m tensoriel	тензорное пространство
T 408	tensor symmetric in time, time-symmetric tensor	zeitsymmetrischer Tensor m, i-Tensor m	tenseur m symétrique par rapport au temps	симметричный по отношению к времени тензор
T 409	tensor transformation	tensorielle Abbildung f	transformation f tensorielle	тензорное отображение
T 410	tensor volume	Tensorvolumen n	volume m tensoriel	тензорный объем
T 411	tentation (tentative) data, preliminary data	vorläufige Werte mpl	données fpl préliminaires	предварительные данные
	tenthmeter	s. ångström unit		
T 412	tenth-normal, decinormal, 0.1 N, N/10	zehntelnormal, dezinormal, 0,1 n, n/10	décinormal, 0,1 N, N/10	децинормальный, 0,1 H, H/10
T 413	tenth-normal solution, 0.1 N solution	Zehntelnormallösung f, 0,1 n Lösung f	solution f décinormale, solution 0,1 N	децинормальный раствор, 0,1 H раствор
	tenth-peak divergence (spread)	s. one-tenth-peak divergence		
	tenth power, power of ten; order, order of magnitude	Größenordnung f; Zehnerpotenz f	ordre m, ordre de grandeur; puissance f de dix	порядок, порядок величины, порядок величин; степень десяти
T 414	tenth-power width	Zehntelwert[s]breite f des Richtdiagramms	largeur f de puissance au dixième	ширина диаграммы на одной десятой мощности излучения
T 415	tenth-value layer, tenth-value thickness, attenuation tenth-value thickness, TVL	Zehntelwertschicht[dicke] f, Zehntelwert[s]dicke f, ZWS	couche f d'atténuation au dixième	слой десятикратного ослабления; слой, отвечающий поглощению 0,9 начальной интенсивности
T 416	tephigram, Tφ gram	Tephigramm n, T,φ-gramm n	téphigramme m, diagramme m température-entropie, diagramme T,φ	тефиграмма, tφ-грамма
	tepid, lukewarm	lauwarm	tiède	тепловатый, слабо нагретый
T 417	tera..., T <10¹²>	Tera..., T	téra..., T	тера..., T
	terella	s. terrella <of Birkeland>		
T 418	term, term of energy, energy [state] term, state of energy term, level; term value	Term m, Energieterm m, Energiestufe f	terme m, terme énergétique, terme d'énergie, terme de l'état énergétique	терм, энергетический терм, терм энергии, терм энергетического состояния
T 419	term <math.>	Glied n, Term m <Math.>	terme m <math.>	член <матем.>
	term, spectral term, spectroscopic term <opt.>	Spektralterm m, Term m, spektroskopischer Term <Opt.>	terme m spectral, terme, terme spectroscopique <opt.>	спектральный терм, спектроскопический терм, терм <опт.>
T 420	term analysis, level analysis, analysis of energy levels	Termanalyse f	analyse f des termes, analyse des niveaux énergétiques	анализ термов, анализ энергетических уровней
T 421	term assignment	Termzuordnung f	assignement des termes	приписывание термов
T 422	term by term, by terms, in terms, termwise <math.>	gliedweise <Math.>	terme à terme, en termes <math.>	почленный, по членам <матем.>
	term-by-term differentiation, differentiation term by term	gliedweise Differentiation f	dérivation f terme à terme	почленное дифференцирование, дифференцирование по членам
	term-by-term integration, integration term by term	gliedweise Integration f	intégration f terme à terme	почленное интегрирование, интегрирование по членам
T 423	term diagram, term scheme, scheme of terms	Termschema n	diagramme m (tableau m, représentation f schématique, schéma m) des termes	схема термов, шкала термов, диаграмма термов
	term displacement, term shift, level shift, level displacement	Termverschiebung f, Niveauverschiebung f, Levelshift m	déplacement m du niveau, déplacement du terme	смещение (сдвиг) уровня, смещение (сдвиг) терма
T 424	terminal angle, polar solid angle	Endecke f <Krist.>; Polarecke f, Polecke f	angle m terminal, angle du sommet du cristal; angle polaire	полярный (конечный) угол, конечная (полярная) вершина

T 425	**terminal ballistics**	Endballistik *f*	balistique *f* terminale	«конечная» баллистика, баллистика входа в плотные слои атмосферы
T 426	**terminal basin**	Zungenbecken *n*	bassin *m* terminal	языковый бассейн, концевой бассейн, конечная котловина
T 427	**terminal block**	Reihenklemme *f*	bloc *m* de dérivation, bloc de jonction	наборный зажим, единичная клемма для клеммной сборки
	terminal capacitor	s. terminating capacitor		
T 428	**terminal current,** current at the terminals	Klemmenstrom *m*, Klemmstrom *m*	courant *m* aux (entre les) bornes	ток на зажимах, ток на клеммах
T 429	**terminal edge** <cryst.>	Polkante *f* <Krist.>	arête *f* culminante <crist.>	край полюса <крист.>
	terminal face	s. pinacoid		
T 430	**terminal impedance,** load (terminating) impedance	Abschlußimpedanz *f*, Abschlußscheinwiderstand *m*; Belastungsimpedanz *f*, Lastimpedanz *f*	impédance *f* terminale (de charge)	нагрузочное полное сопротивление, оконечное полное сопротивление линии (нагрузки)
T 431	**terminal moraine,** end moraine, frontal moraine	Endmoräne *f*, Stirnmoräne *f*, Moränenwall *m*	moraine *f* terminale (frontale); moraine rempart; vallum *m*	конечная морена; фронтальная морена; моренный вал
T 432	**terminal pillar;** [terminal] post	Polkopf *m*, Polstutzen *m*, Bandableitung *f*, Polschuh *m* <Bleiakkumulator>; Polbolzen *m* <Stahlakkumulator>	boulon *m* des bornes	полюсная головка; полюсный болт; болт-зажимодержатель; полюсный вывод
	terminal point	s. end <math.>		
	terminal post	s. terminal pillar		
	terminal potential	s. terminal voltage		
T 433	**terminal power,** power at the terminals	Klemmenleistung *f*, Klemmleistung *f*	puissance *f* aux bornes	мощность на зажимах, мощность на клеммах
T 434	**terminal resistance,** load resistance	Abschlußwiderstand *m*, Abschluß *m*	résistance *f* terminale, terminaison *f*	оконечное сопротивление, нагрузочное сопротивление, сопротивление внешней цепи, сопротивление нагрузки, оконечная нагрузка
T 435	**terminal solid solution,** primary solid solution	primäre feste Lösung *f*, Festlösung *f* im Reinelement	solution *f* solide finale, solution solide terminale	твердый раствор предельного состава, твердый раствор с растворителем в виде чистого элемента
	terminal speed, final speed; final velocity, terminal velocity	Endgeschwindigkeit *f*	vitesse *f* finale; vitesse restante <balistique>	конечная скорость
	terminal speed, limiting velocity, limiting speed <mech., hydr.>	Grenzgeschwindigkeit *f*	vitesse *f* limite, vitesse-limite *f*	предельная скорость, предельная скорость падения
T 436	**terminal synchrone**	letzte Synchrone *f*	synchrone *f* terminale	концевая синхрона
	terminal velocity, final speed; final velocity, terminal speed	Endgeschwindigkeit *f*	vitesse *f* finale; vitesse restante <balistique>	конечная скорость
T 437	**terminal voltage,** voltage at the terminals, terminal potential	Klemmenspannung *f*, Klemmspannung *f*	tension *f* aux bornes, tension entre les bornes	напряжение на зажимах, напряжение на клеммах
T 438	**terminating,** termination <el.>	Abschluß *m*	terminaison *f*, fermeture *f*	замыкание; оконечная нагрузка; запирание
T 439	**terminating capacitor,** terminal capacitor	Abschlußkondensator *m* Endkondensator *m*	condensateur *m* terminal	оконечный конденсатор
	terminating impedance	s. terminal impedance		
	termination	s. terminating <el.>		
	termination [of the chain], termination reaction	s. chain stopping		
T 440	**terminator,** lunar terminator	Terminator *m*, Schattengrenze *f*	terminateur *m*, terminateur de la Lune	терминатор, граница тени, лунный терминатор
T 440a	**terminator** <bio.>	Terminator *m* <Bio.>	terminateur *m* <bio.>	терминатор <био.>
	terminator	s. a. chain stopper		
	terminus	s. end		
	term multiplet, multiplet of terms	Termmultiplett *n*	multiplet *m* de termes	мультиплет термов
	term of energy, term, energy state term, [state of] energy term; term value	Term *m*, Energieterm *m*, Energiestufe *f*	terme *m*, terme énergétique, terme d'énergie, terme de l'état énergétique	терм, энергетический терм, терм энергии, терм энергетического состояния
T 441	**term of forecast**	Vorhersagedauer *f*, Vorhersagezeitraum *m*	échéance *f* de prévision	заблаговременность прогноза
	term of ground state, ground (normal, fundamental) term	Grundterm *m*, Term *m* des Grundzustandes	terme *m* fondamental (normal, de l'état normal)	основной терм, нормальный терм, терм основного состояния
T 442	**term of higher degree (order),** higher order (degree) term	Glied *n* höherer Ordnung	terme *m* de degré supérieur	член высшего порядка; член выше первого порядка малости
T 443	**term of long period,** long-period term	langperiodischer Term *m*, langperiodisches Glied *n*	terme *m* de longue période	долгопериодический член
T 444	**term of short period,** short-period term	kurzperiodischer Term *m*, kurzperiodisches Glied *n*	terme *m* de courte période	короткопериодический член
	term of the residue series, residue wave	Residuenwelle *f*	terme *m* de la série de résidus	член ряда вычетов
	termolecular reaction, trimolecular reaction, reaction of the third order	trimolekulare Reaktion *f*, Reaktion dritter Ordnung	réaction *f* trimoléculaire, réaction de troisième ordre	тримолекулярная реакция, реакция третьего порядка
	term order, order of terms, order of levels, level order	Termordnung *f*	ordre *m* de termes, ordre des niveaux	порядок термов, порядок уровней

	term position; level position, position of level	Termlage f; Niveaulage f	position f du niveau (terme)	положение уровня (терма)
T 445	**term representation**	Termdarstellung f	représentation f par termes	представление термами
	terms/by (in), term by term, termwise ‹math.›	gliedweise ‹Math.›	terme à terme, en termes ‹math.›	почленный, по членам ‹матем.›
	term scheme	s. term diagram		
T 446	**term separation, term splitting**	Termaufspaltung f	décomposition f (dédoublement m, subdivision f, fission f) des termes	расщепление термов
	term shift	s. level shift		
	term structure	s. level structure		
T 447	**term system**	Termsystem n	système m des termes	система термов
T 448	**term temperature**	Termtemperatur f	température f du terme	температура терма
	term value	s. term		
	termwise	s. term by term ‹math.›		
T 449	**ternary combination band**	Dreifachkombinationsbande f	bande f de combinaison ternaire	тройная составная полоса
T 450	**ternary diagram,** three-component diagram	ternäres Zustandsdiagramm n, Dreistoffdiagramm n	diagramme m ternaire (à trois composantes)	диаграмма состояния для тройной системы, трехкомпонентная диаграмма
T 451	**ternary fission,** tripartition, triple fission	ternäre Spaltung f, Dreifachspaltung f, Dreierspaltung f, Dreifachteilung f	fission f ternaire, tripartition f, fission à tripartition, triple fission, triple décomposition f	сложное деление, деление ‹ядра› на три части
T 452	**ternary mixture**	ternäres Gemisch n, Dreistoffgemisch n	mélange m ternaire	тройная смесь
T 453	**ternary system**	ternäres System n, Dreistoffsystem n	système m ternaire	тройная система, трех-компонентная система
	terpolymer, trimer	Trimer[e] n	trimère m	трехзвенный полимер, тример, полимер из трех мономеров
T 454	**terrella,** terella ‹of Birkeland›	Terella f ‹von Birkeland›	terrella f, modèle m de la Terre de Birkeland	терелла, модель Земли Биркелянда
	terrene	s. Earth surface		
T 455	**terrestrial deposit,** terrestrial sediment	terrestrisches Sediment n, terrestrische Ablagerung f	dépôt m terrestre	наземное отложение, наземный осадок
T 456	**terrestrial dust**	terrestrischer Staub m	poussière f terrestre	пыль земного происхождения
	terrestrial effect of solar activity	s. Sun-Earth relationship		
	terrestrial ellipsoid	s. earth ellipsoid		
T 457	**terrestrial extinction**	terrestrische Extinktion f	extinction f terrestre	земная экстинкция
T 458	**terrestrial eyepiece,** erecting eyepiece, inverting eyepiece	terrestrisches Okular n, Okular mit Bildumkehr, Erdfernrohrokular n	oculaire m terrestre, oculaire redresseur	земной окуляр, обращающий окуляр, оборачивающий окуляр
	terrestrial greenhouse effect	s. greenhouse effect		
	terrestrial horizon	s. apparent horizon		
	terrestrial line, telluric line	terrestrische (tellurische) Linie f	raie (ligne) f tellurique	теллурическая линия
T 458 a	**terrestrial magnetic field,** Earth's magnetic field, geomagnetic field	Magnetfeld n der Erde, erdmagnetisches Feld n, magnetisches Erdfeld n, Erdmagnetfeld n, magnetisches Feld der Erde	champ m magnétique de la Terre, champ géomagnétique, champ magnétique terrestre	магнитное поле Земли, поле земного магнетизма, геомагнитное поле
	terrestrial magnetic pole	s. magnetic dip pole		
	terrestrial magnetism, geomagnetism	Geomagnetismus m, Erdmagnetismus m	géomagnétisme m, magnétisme m terrestre	земной магнетизм, геомагнетизм
	terrestrial orbit, Earth's orbit	Erdbahn f	orbite f terrestre, orbite de la Terre	земная орбита, орбита Земли
T 459	**terrestrial orientation**	terrestrische Orientierung f	orientation f terrestre	наземное ориентирование
	terrestrial photogram	s. terrestrial survey		
T 460	**terrestrial photogrammetry,** geophotogrammetry, ground photogrammetry	Erdbildmessung f, terrestrische Photogrammetrie f, Geophotogrammetrie f	photogrammétrie f terrestre, géophotogrammétrie f	наземная фотограмметрия, геофотограмметрия
T 461	**terrestrial planet,** minor planet	erdähnlicher (terrestrischer) Planet m	planète f terrestre (tellurique, mineure)	планета земной группы, земная планета
T 462	**terrestrial radiation,** Earth's radiation, Earth radiation	terrestrische Strahlung f, Erdstrahlung f	radiation f (rayonnement m) terrestre, radiation de la Terre	земная радиация, земное излучение, излучение Земли
T 463	**terrestrial refraction**	terrestrische (irdische) Refraktion f; terrestrische (irdische) Strahlenbrechung f	réfraction f terrestre	земная рефракция
	terrestrial satellite	s. artificial Earth's satellite		
	terrestrial sediment, terrestrial deposit	terrestrisches Sediment n, terrestrische Ablagerung f	dépôt m terrestre	наземное отложение, наземный осадок
	terrestrial spheroid	s. earth ellipsoid		
T 464	**terrestrial survey,** terrestrial photogram	Erdmeßbild n, terrestrische Aufnahme f, terrestrisches Bild n, Erdbild n	photogramme m terrestre	наземная фотограмма
T 465	**terrestrial telescope**	terrestrisches Fernrohr n, Erdfernrohr n	lunette f terrestre, télescope m terrestre	подзорная труба, наземный телескоп
	terrestrial tides, earth tides, bodily tides	Gezeiten pl des Erdkörpers, Erdgezeiten pl	marées fpl terrestres	земные упругие приливы, земные приливы, приливы земной коры
T 466	**terrigenous deposit,** terrigenous sediment	terrigenes Sediment n, terrigene Ablagerung f	dépôt m terrigène, sédiment m terrigène	осадок, образованный с суши; терригенное отложение, терригенный осадок
T 467	**tertiary,** tert. ‹chem.›	tertiär, tert. ‹Chem.›	tertiaire, tert. ‹chim.›	третичный, трет. ‹хим.›
T 468	**tertiary radiation**	Tertiärstrahlung f	rayonnement m (radiation f) tertiaire	третичное излучение, третичные лучи
	tertiary creep	s. accelerating flow		

T 469	**tertiary spectrum**	tertiäres Spektrum n	spectre m tertiaire	третичный спектр
	tertium exclusum (non datur)	s. law of excluded middle		
T 470	**tesla, T**	Tesla n, T	tesla m, T	тесла, тл, Т
T 471	**Tesla coil, Tesla induction coil**	Tesla-Spule f	bobine f Tesla	катушка Тесла
T 472	**Tesla current**	Tesla-Strom m	courant m Tesla	ток Тесла, высокочастотный ток высокого напряжения
	Tesla induction coil	s. Tesla coil		
T 473	**Tesla interrupter**	Tesla-Unterbrecher m	interrupteur m Tesla	прерыватель Тесла
T 474	**Tesla luminescence**	Tesla-Lumineszenz f	tesla[-]luminescence f, luminescence f de Tesla	тесла-люминесценция, люминесценция Тесла
T 474a	**Tesla rays (sparks)**	Tesla-Büschel n	gerbe f d'étincelles de Tesla	искровая связка Тесла, искровой пучок Тесла
T 475	**Tesla transformer**	Tesla-Transformator m	transformateur m Tesla	трансформатор Тесла
T 476	**tessellated mirror**	Facettenspiegel m	miroir m en mosaïque	ячеистое зеркало, секционное зеркало, фацетное зеркало
T 477	**tessellated stresses**	interne mosaikartige mikroskopische Spannungsverteilung f beim unbelasteten Körper, Mosaikspannungen fpl	allongements mpl en mosaïque	мозаичные напряжения, мозаично распределенные напряжения
	tesseral central class	s. paramorphic hemihedry of the regular system		
T 477a	**tesseral coefficient**	tesseraler Koeffizient m	coefficient m tesseral	тессеральный коэффициент
T 478	**tesseral harmonic**	tesserale Kugelfunktion f	harmonique (fonction) f tesserale	тессеральная сферическая функция
	tesseral holoaxial class	s. enantiomorphous hemihedry of the regular system		
	tesseral polar class	s. tetartohedry of the regular system		
T 479	**test, statistical test \<stat.\>**	Test m, statistischer Test \<Stat.\>	test m [statistique], essai m [statistique] \<stat.\>	критерий, статистический критерий, тест, статистический тест \<стат.\>
	test	s. a. testing		
	test	s. a. experiment		
	test amplifier, measuring (measurement) amplifier, phantom repeater	Meßverstärker m	amplificateur m de mesure	измерительный усилитель
	test at elevated temperature	s. heat test		
T 480	**test balloon, sounding balloon, air-sonde**	Ballonsonde f, Sondenballon m, Sonde f	ballon-sonde m, sonde-ballon f	шар-зонд, шаровой зонд, баллон-зонд, зонд-баллон
T 481	**test bar, bar to be tested, specimen, test rod, trial rod, test beam**	Probestab m	éprouvette f	брусок (стержень) для испытания, образец в виде бруска (стержня), стержневой образец
T 481a	**test barometer, gauge barometer**	Eichbarometer n	baromètre m de calibrage	калибровочный барометр
	test bay, test panel, test bench	Prüffeld n	atelier m d'essais, banc m d'essais	испытательная станция, испытательное поле, испытательная панель
	test bench, test stand, test rack	Prüfstand m; Meßstand m, Meßplatz m	banc m d'essais; banc de mesure	испытательный стенд; измерительный стенд
	test beam	s. test bar		
	test bench, test panel, test bay	Prüffeld n	atelier m d'essais, banc m d'essais	испытательная станция, испытательное поле, испытательная панель
T 482	**test buzzer**	Meßsummer m	vibrateur m de mesure, vibrateur d'essai	измерительный зуммер, испытательный пищик
	test cell; oil test cell	Ölprüfgerät n, Ölprüfeinrichtung f; Gerät n für Durchschlagprüfungen an Flüssigkeiten	spintermètre m	аппарат для испытания масла [на пробой]; аппарат для испытания жидкостей на пробой
	test chart	s. optical test chart		
T 483	**test circuit, check circuit; checking circuit; control circuit; circuit model**	Prüfschaltung f; Testschaltung f; Prüfstromkreis m, Prüfkreis m	circuit m d'essai, circuit de contrôle	контрольная (испытательная) схема; цепь проверки, проверочная (контрольная, испытательная) цепь
	test component	s. sample		
T 483a	**test diatoms**	Testdiatomeen fpl	diatomées fpl d'essai	тест-диатомеи
	test electrode, measuring electrode	Meßelektrode f	électrode-sonde f, électrode f de sondage (mesure)	измерительный электрод, электрод-зонд, зонд
	tester	s. testing instrument		
T 484	**test film**	Testfilm m	film m d'essai, film étalon	тест-фильм, контрольный фильм
	test for convergence, criterion of convergence, test of convergence, convergence test	Konvergenzkriterium n	critère m de convergence	признак сходимости
T 485	**test function**	Testfunktion f	fonction f d'essai	функция критерия, пробная функция
T 486	**test gas**	Testgas n, Prüfgas n	gaz m d'essai	пробный газ
	test gauge	s. standard instrument		
	test generator; signal generator	Prüfsender m; Prüfoszillator m, Prüfgenerator m	générateur m de contrôle	сигнал-генератор, генератор сигнала; контрольный (испытательный) генератор

T 487	**testing**, test; checking, check; examination; inspection; re-examination; aftertrial; control; verification; proof	Prüfung *f*; Nachprüfung *f*, Kontrolle *f*, Test *m*	essai *m*, contrôle *m*, examen *m*, examination *f*, inspection *f*; verification *f*	испытание, проверка; проба; контроль, дополнительная поверка, поверка
	testing device	*s.* testing instrument		
	testing floor, measuring room, test room, testing room	Meßraum *m*, Meßzimmer *n*	salle *f* de mesures, chambre *f* de mesures	измерительная комната, комната измерения, помещение для измерений
	testing floor	*s. a.* test room		
T 488	**testing instrument**, test instrument, testing device, tester; inspection instrument; checking (check) instrument	Prüfinstrument *n*, Prüfgerät *n*	appareil *m* d'essai	контрольный прибор, испытательный прибор, прибор для испытаний; тестер <эл.>
	testing of materials, materials testing, materiology	Werkstoffprüfung *f*, Materialprüfung *f*	recherche *f* (essai *m*, contrôle *m*) des défauts de matériaux, essai des matériaux	испытание материалов
	testing reactor	*s.* materials testing reactor		
	testing room	*s.* test room		
	test instrument	*s.* testing instrument		
T 489	**test loop**, measuring loop	Meßschleife *f*	boucle *f* de mesure	измерительный шлейф <осциллографа>, гальванометр (вибратор) светолучевого осциллографа; измерительная петля
T 490	**test measurement**	Prüfmessung *f*, Kontrollmessung *f*	mesure *f* d'essai, mesure de contrôle	контрольное (проверочное) измерение
	test object, object to be measured, object under measurement (test)	Meßobjekt *n*, Meßling *m*; Prüfobjekt *n*, Prüfling *m*; Testobjekt *n*	objet *m* de mesure; objet d'essai	измеряемый объект; испытуемый объект, испытуемый предмет
T 491	**test object**, optical test object, optotype, identifiable design <opt.>	Sehzeichen *n*, Optotype *f*; Testobjekt *n* <Opt.>	optotype *m*; mire *f* <Opt.>	оптотип; мира <опт.>
	test of convergence	*s.* test for convergence		
T 491 a	**test of dispersion**	Streuungstest *m*	test *m* de dispersion	критерий рассеяния
T 491 b	**test of goodness of fit**	Anpassungstest *m*	test *m* de validité de l'enregistrement	критерий согласия
T 492	**test of normality**	Normalitätstest *m*, Normaltest *m* <Stat.>	test *m* de normalité	критерий нормальности
T 493	**test of randomness**	Zufälligkeitstest *m*	test *m* de caractère aléatoire	критерий случайности
T 494	**test operation**	Versuchsbetrieb *m*	exploitation *f* d'essai	опытная эксплуатация
	test oscillator	*s.* measurement transmitter		
T 495	**test panel**, test bay, test bench	Prüffeld *n*	atelier *m* d'essais, banc *m* d'essais	испытательная станция, испытательное поле, испытательная панель
	test paper	*s.* indicator paper		
T 496	**test particle**	Testpartikel *f*, Testteilchen *n*, Sondenteilchen *n*, Probepartikel *f*	particule *f* témoin, particule d'épreuve	пробная частица
	test piece	*s.* sample		
	test plate <of photometer>, photometer screen, photometer test plate	Photometerschirm *m*, Auffangschirm *m*, Meßplatte *f* <des Photometers>	plaque *f* d'essai photométrique, écran *m* de photomètre	образцовая поверочная пластинка, испытательная пластинка <фотометра>, экран фотометра
	test point	*s.* point under consideration		
	test programme, design, plan <of the first *or* second order>	Versuchsplan *m* <erster *oder* zweiter Ordnung>	plan *m* d'expérience, plan expérimental <du premier *ou* deuxième ordre>	план опыта, схема опыта <первого *или* второго порядка>
	test protocol, protocol of the experiment; test record, record of the experiment	Versuchsprotokoll *n*	protocole *m* experimental, rapport *m* d'expérience; rapport d'essai	протокол опыта; протокол испытания
T 497	**test pulse**	Prüfimpuls *m*, Testimpuls *m*, Prüfstoß *m*	impulsion *f* d'essai, impulsion de test	пробный (испытательный, контрольный) импульс, тест-импульс
T 498	**test pulse**, measuring pulse	Meßimpuls *m*	impulsion *f* de mesure, impulsion d'essai	измерительный импульс
	test rack, test stand, test bench	Prüfstand *m*; Meßstand *m*, Meßplatz *m*	banc *m* d'essais; banc de mesure	испытательный стенд; измерительный стенд
T 499	**test record**	Meßschallplatte *f*	disque *m* d'essai	измерительная грампластинка
	test record	*s. a.* test protocol		
	test result	*s.* result of measurement		
	test rod	*s.* test bar		
T 500	**test room**, testing room, check room, testing floor	Prüfraum *m*, Prüffeld *n*	chambre *f* d'essai	испытательное помещение
	test room, measuring room, testing room, testing floor	Meßraum *m*, Meßzimmer *n*	salle *f* de mesures, chambre *f* de mesures	измерительная комната, комната измерения, помещение для измерений
T 501	**test section**	Meßstrecke *f*	section *f* de mesure	измерительный участок
T 502	**test series**, series (set) of tests, experiment series, series of experiments	Versuchsreihe *f*, Versuchsserie *f*	série *f* d'expériences; série d'essais	серия опытов; ряд испытаний
	test set-up	*s.* experimental set-up		
T 503	**test solution**, standard solution	Normallösung *f*, Testlösung *f*, Standardlösung *f*, Prüflösung *f*, genormte (eingestellte) Lösung *f*	solution *f* étalon, solution normale	эталонный (стандартный, контрольный, нормальный) раствор
T 504	**test specifications**, specifications of the test	Prüfbedingungen *fpl*	spécifications *fpl* d'essai, conditions *fpl* d'essai	условия испытания

	test specimen	s. test piece		
T 505	**test stand**, test bench, test rack	Prüfstand m; Meßstand m, Meßplatz m	banc m d'essais; banc de mesure	испытательный стенд; измерительный стенд
T 506	**test statistic**, test variable <stat.>	Testgröße f, Prüfzahl f <Stat.>	sonde f, variable f à tester <stat.>	критерий, величина критерия; статистика, лежащая в основе критерия <стат.>
	test tone, standard acoustic signal, standard tone	Meßton m	signal m [acoustique] de référence, ton m de référence	[стандартный] звуковой измерительный сигнал
	test transmitter	s. measurement transmitter		
T 507	**test tube**	Reagenzglas n, Probierglas n, Probierröhrchen n, Prüfglas n	éprouvette f	пробирка
T 508	**test using progressive load**; impact test using progressive load	Stufenversuch m; Stufenschlagversuch m	essai m de fatigue sous multiple augmentation de charge	испытание на усталость при ступенчатом возрастании нагрузки
	test value	s. experimental value		
T 509	**test-value generating device**	Meßwertgeber m, Testwertgeber m	dispositif m donnant une valeur de référence; capteur m télémétrique	датчик измеряемой величины, датчик измеряемого значения; телеметрический датчик
	test variable	s. test statistic		
	tetartohedral class	s. tetartohedry of the regular system		
	tetartohedral class	s. tetartohedry of the second sort of the tetragonal system		
	tetartohedral class of the cubic system	s. tetartohedry of the regular system		
	tetartohedral class of the hexagonal system	s. tetartohedry of the hexagonal system		
	tetartohedral class of the tetragonal system	s. tetartohedry of the tetragonal system		
	tetartohedral class of the trigonal system	s. trigonal pyramidal [crystal] class		
	tetartohedral class with inversion axis of the tetragonal system	s. tetartohedry of the second sort of the tetragonal system		
	tetartohedral class with threefold axis of the hexagonal system	s. trigonal bipyramidal [crystal] class		
T 510	**tetartohedron**	Tetartoeder n, Viertel[s]-flächner n, Viertel[s]-flach n	tétartoèdre m	тетартоэдр
T 511	**tetartohedry**	Tetartoedrie f	tétartoédrie f	тетартоэдрия
T 512	**tetartohedry of the hexagonal system**, hexagonal tetartohedry, tetartohedral class of the hexagonal system, pyramidal hemimorphic class, hexagonal-pyramidal [crystal] class, hexagonal polar class	Tetartoedrie f I. Art des hexagonalen Systems, hexagonal-pyramidale Klasse f, Hemimorphie f der pyramidalen Hemiedrie	tétartoédrie f à axe sénaire [du système sénaire], tétartoédrie sénaire, tétartoédrie énantiomorphe hexagonale (du système hexagonal), classe f tétartoèdre à axe sénaire [du système sénaire], classe hexagonale pyramidale, classe primitive du système hexagonal	гексагонально-пирамидальный вид симметрии, гексагонально-пирамидальный класс
T 513	**tetartohedry of the regular system**, regular tetartohedry, tetartohedral class of the cubic system, tetartoidal [crystal] class, pentagon-dodecahedral class, tesseral polar class, tetartohedral class	Tetartoedrie f des kubischen Systems, tetartoidische Klasse f, tetraedrisch pentagondodekaedrische Klasse, tetraedrisch-pentagondodekaedrische Klasse	tétartoédrie f du système cubique, classe f centrale du système cubique, classe tétartoèdre du système cubique, tétartoédrie cubique, classe tritétraédrique	пентагонтритетраэдрический вид симметрии, пентагонтритетраэдрический класс
	tetartohedry of the rhombohedral system	s. trigonal pyramidal [crystal] class		
T 514	**tetartohedry of the second sort of the tetragonal system**, sphenoidal tetartohedry, tetragonal tetartohedry of the second sort, tetartohedral class, bisphenoidal class, tetragonal-disphenoidal [crystal] class, tetragonal alternating class, tetartohedral class with inversion axis of the tetragonal system	Tetartoedrie f II. Art des tetragonalen Systems, sphenoidische Tetartoedrie, bisphenoidische Klasse f, tetragonal-bisphenoidische Klasse, tetragonal disphenoidische Klasse	tétartoédrie f sphénoédrique [du système quaternaire], tétartoédrie sphénoédrique [du système] quadratique, classe f tétragonale tétraédrique, classe giro-primitive [du système tétragonal]	тетрагонально-тетраэдрический вид симметрии, тетрагонально-тетраэдрический класс
T 515	**tetartohedry of the tetragonal system**, tetragonal tetartohedry, tetragonal polar class, tetragonal-pyramidal [crystal] class, pyramidal hemimorphic class, tetartohedral class of the tetragonal system	Tetartoedrie f I. Art des tetragonalen Systems, tetragonal-pyramidale Klasse f, tetragonal pyramidale Klasse, Hemimorphie f der pyramidalen Hemiedrie	tétartoédrie f à axe quaternaire [du système quaternaire], tétartoédrie énantiomorphe [du système] quadratique, classe f tétartoèdre à axe quaternaire [du système quaternaire], classe tétragonale pyramidale, classe primitive du système tétragonal	тетрагонально-пирамидальный вид симметрии, тетрагонально-пирамидальный класс
T 516	**tetartoid**, tetrahedral pentagon-dodecahedron	Tetartoid n, tetraedrisches Pentagondodekaeder n	pentagone-tritétraèdre m, tétartoïde m	пентагонтритетраэдр
	tetartoidal [crystal] class	s. tetartohedry of the regular system		

T 516a	**tetartopyramid**	Tetartopyramide f, Viertelpyramide f	tétartopyramide f	тетартопирамида
T 517	**tetartosymmetry**	Tetartosymmetrie f	tétartosymétrie f	тетартосимметрия
T 518	**tetrachoric correlation [coefficient]**	tetrachorischer Korrelationskoeffizient m; tetrachorische Korrelation f	coefficient m [de corrélation] tétrachorique; corrélation f tétrachorique	коэффициент четырехклеточной корреляции; четырехклеточная (тетрахорическая) корреляция
	tetracuspid	s. astroid		
T 519	**tetracyclic co-ordinates**	tetrazyklische Koordinaten fpl	coordonnées fpl tétracycliques	тетрациклические координаты
T 520	**tetrad** <math.; bio.>	Tetrade f <Math.; Bio.>	tétrade f <math.; bio.>	тетрада <матем.; био.>
T 521	**tetrad axis**, 4-al axis, axis of order 4, four-fold axis [of symmetry], 4-fold axis, tetragyre	vierzählige Symmetrieachse f, vierzählige Drehungsachse f, vierzählige Achse f, Tetragyre f, 4zählige Symmetrieachse	axe m de symétrie directe d'ordre 4, axe direct d'ordre 4, axe de rotation d'ordre 4, axe quaternaire, axe quadratique	ось четвертого порядка, простая ось четвертого порядка, ось симметрии четвертого порядка, ось 4-го порядка
T 522	**tetrad axis of the second sort**, 4-al [symmetry] axis of the second kind, four-fold (4-fold) axis of the second sort, axis of the second sort of order 4	vierzählige Drehspiegel[ungs]achse f, Tetragyroide f	axe m [de symétrie] inverse d'ordre 4, axe de rotation inverse d'ordre 4	зеркальная ось четвертого порядка, зеркально-поворотная ось четвертого порядка, инверсионная ось четвертого порядка
T 522a	**tetradentate ligand**	vierzähniger (tetradentaler, vierzähliger) Ligand m	ligand m à quatre dents	четырехзубчатый лиганд
	tetragon	s. quadrature <astr.>		
	tetragonal alternating class	s. tetartohedry of the second sort of the tetragonal system		
T 523	**tetragonal bisphenoid**	tetragonales Bisphenoid n, tetragonales Tetraeder n	tétraèdre m tétragonal	тетрагональный тетраэдр
T 524	**tetragonal crystal system**, tetragonal system [of crystallization], pyramidal system, quadratic system	tetragonales System (Kristallsystem) n, pyramidales System, quadratisches System (Kristallsystem)	système m tétragonal, système quaternaire, système quadratique, système pyramidal	тетрагональная сингония, тетрагональная система, квадратичная сингония, квадратичная система
	tetragonal-dipyramidal [crystal] class	s. paramorphic hemihedry of the tetragonal system		
	tetragonal-disphenoidal [crystal] class	s. tetartohedry of the second sort of the tetragonal system		
	tetragonal enantiomorphy	s. enantiomorphous hemihedry of the tetragonal system		
	tetragonal equatorial class	s. paramorphic hemihedry of the tetragonal system		
	tetragonal hemihedry of the second sort	s. hemihedry of the second sort of the tetragonal system		
	tetragonal hemimorphy	s. hemimorphic hemihedry of the tetragonal system		
	tetragonal holoaxial class	s. enantiomorphous hemihedry of the tetragonal system		
	tetragonal holohedry	s. holohedry of the tetragonal system		
	tetragonal paramorphy	s. paramorphic hemihedry of the tetragonal system		
	tetragonal polar class	s. tetartohedry of the tetragonal system		
	tetragonal-pyramidal [crystal] class	s. tetartohedry of the tetragonal system		
	tetragonal-scalenohedral [crystal] class	s. hemihedry of the second sort of the tetragonal system		
T 525	**tetragonal scalenohedron**	tetragonales Skalenoeder n	scalénoèdre m tétragonal	тетрагональный скаленоэдр
T 526	**tetragonal soil**	Tetragonalboden m	sol m tétragonal	тетрагональная почва
	tetragonal system [of crystallization]	s. tetragonal crystal system		
	tetragonal tetartohedry	s. tetartohedry of the tetragonal system		
	tetragonal tetartohedry of the second sort	s. tetartohedry of the second sort of the tetragonal system		
	tetragonal-trapezohedral [crystal] class	s. enantiomorphous hemihedry of the tetragonal system		
T 527	**tetragonometry**	Tetragonometrie f	tétragonométrie f	тетрагонометрия
T 528	**tetragontrioctahedron**, tetrakisoctahedron	Tetrakisoktaeder n	tétragon-trioctaèdre m, tétrakis-octaèdre m	тетрагонтриоктаэдр
	tetragyre	s. tetrad axis		
T 529	**tetrahedral angle**	Tetraederwinkel m	angle m tétraédrique	четырехгранный (тетраэдральный) угол
T 530	**tetrahedral bond**	Tetraederbindung f, tetraedrische Bindung f	liaison f tétraédrique	тетраэдрическая связь
	tetrahedral class	s. hemimorphic hemihedry of the regular system		
T 531	**tetrahedral co-ordinates**	Tetraederkoordinaten fpl	coordonnées fpl tétraédriques	тетраэдрические координаты
T 532	**tetrahedral group**	Tetraedergruppe f, tetraedrische Gruppe f	groupe m tétraédrique	тетраэдрическая группа, группа тетраэдра
T 533	**tetrahedrally symmetric**	tetraedersymmetrisch	de (à, par) symétrie du tétraèdre	тетраэдр-симметричный, с симметрией тетраэдра

T 534	**tetrahedral modification**	Tetraederform f	forme (modification) f tétraédrique	тетраэдрическая форма
	tetrahedral pentagon-dodecahedron, tetartoid	Tetartoid n, tetraedrisches Pentagondodekaeder n	pentagone-tritétraèdre m, tétartoïde m	пентагонтритетраэдр
	tetrahedral prism, Nachet prism	Nachet-Prisma n, Tetraederprisma n	prisme m de Nachet, prisme tétraédrique	тетраэдрическая призма
	tetrahedral site, A site, A position	Tetraederplatz m, tetraedrischer Lückenplatz m, Tetraederlücke f, A-Lage f, Tetraederzentrum n	site m A, position f A, site f tétraédrique	тетраэдрический промежуток, промежуток А, тетраэдрическая пустота
T 535	**tetrahedral stacking fault,** stacking fault tetrahedron	Stapelfehlertetraeder n	défaut m (faute f) d'empilement tétraédrique, tétraèdre m de défauts d'empilement	тетраэдрический дефект упаковки, тетраэдр дефектов упаковки
T 536	**tetrahedral structure**	tetraedrische Struktur f, Tetraederstruktur f	structure f tétraédrique	тетраэдрическая структура
T 537	**tetrahedral symmetry**	Tetraedersymmetrie f	symétrie f tétraédrique	тетраэдрическая симметрия
T 538	**tetrahedroid [of Cayley]**	Tetraedroid n [von Cayley]	tétraédroïde m [de Cayley]	тетраэдроид [Кэли]
T 539	**tetrahedron**	Tetraeder n, Vierflach n, Vierflächner m	tétraèdre m	тетраэдр, четырехгранник
T 540	**tetrahedron equation**	Tetraedergleichung f	équation f du tétraèdre	уравнение тетраэдра
T 541	**tetrahexahedron,** tetrakishexahedron	Pyramidenwürfel m, Tetrakishexaeder n, Tetrahexaeder n	tétrahexaèdre m, hexaèdre m pyramidal, tétrakishexaèdre m	тетрагексаэдр, тетракисгексаэдр
	tetrakisoctahedron, tetragontrioctahedron	Tetrakisoktaeder n	tétragon-trioctaèdre m, tétrakis-octaèdre m	тетрагонтриоктаэдр
T 541a	**tetrality principle**	Tetralitätsprinzip n	principe m de tétralité	принцип четверности
	tetrapod, quadruped, four nuple, vierbein	Vierbein n	tetrapode m	тетрада, четыре-репер, 4-репер
T 542	**tetrode, four-electrode valve (tube), four-element valve (tube), double-grid valve (tube), two-grid valve (tube), quadrode,** bigrid	Tetrode f, Schirmgitterröhre f, Doppelgitterröhre f, Zweigitterröhre f, Vierelektrodenröhre f, Vierpolröhre f, Vierpolschirmröhre f, Vierpolraumladungsröhre f	tétrode f, tube m bigrille, bigrille f, tube à grille-écran, tube à deux grilles	тетрод, четырехэлектродная лампа, двухсеточная [электронная] лампа, экранированная лампа
	tetrode transistor	s. semiconductor tetrode		
	TE[-] wave	s. H[-] mode		
T 543	**textural stress**	Gefügespannung f	tension f de texture	напряжение текстуры
T 544	**texture**	Textur f; Struktur f; bevorzugte Orientierung f; Vorzugsorientierung f; Maserung f <Holz>	texture f, structure f, orientation f privilégiée	текстура
T 545	**texture / without,** untextured	ohne Textur, nicht vorzugsgerichtet, nicht texturbehaftet, texturfrei	sans texture, non texturé	нетекстурированный
	textured, with preferred orientation	mit Textur, texturbehaftet, vorzugsgerichtet, texturiert	texturé, à orientation privilégiée	текстурированный, текстурованный
	textured soil, structured soil	Strukturboden m	sol m à structure	структурная почва, структурный грунт
T 545a	**texture hardening**	Texturhärtung f	durcissement m dû à la texture	текстурное твердение
T 546	**texture in drawn wires,** wire texture, drawing texture, texture resulting from drawing	Ziehtextur f, Zugtextur f	texture f du fil étiré, texture due à l'étirage	текстура протяжки, текстура тянутой проволоки; текстура, образующаяся при протяжке
	texture of cast metal	s. cast texture		
	texture resulting from casting	s. cast texture		
	texture resulting from deformation, deformation texture	Verformungstextur f, Verzerrungstextur f	texture f de déformation, structure f de déformation	текстура деформации; текстура, образующаяся при деформации
	texture resulting from drawing	s. texture in drawn wires		
	texture resulting from rolling, rolling texture	Walztextur f	texture f de laminage	текстура прокатки, текстура проката; текстура, образующаяся при прокатке
T 547	**texturing, texturization**	Texturierung f	texturation f	текстурирование
T 548	**thalamide electrode**	Thalamidelektrode f	électrode f à thalamide	таламидный электрод
	thalassic, thalassogenetic	thalassogen	thalassique	талассогенный, талассический
T 549	**thalassocratic period**	Thalassokratie f	période f thalassocratique	талассократический период
T 550	**thalassogenetic,** thalassic	thalassogen	thalassique	талассогенный, талассический
T 551	**Thalen-Tiberg magnetometer**	Thalen-Tiberg-Magnetometer n	magnétomètre m de Thalen-Tiberg	магнитометр Талена-Тайберга
T 551a	**thallium-activated scintillator,** Tl-activated scintillator	thalliumaktivierter Szintillator m, Tl-aktivierter Szintillator, mit Thallium aktivierter Szintillator	scintillateur m activé par le thallium	сцинтиллятор, активированный таллием
T 552	**thallium photocell,** thalofide cell	Thalliumsulfid-Photoelement n, Thalliumsulfidzelle f, Thalliumzelle f, Thal[l]ofid-[widerstands]zelle f	cellule f au sulfide de thallium, cellule thalofide	таллофидный фотоэлемент, таллофидное фотосопротивление, сернисто-таллиевое фотосопротивление
T 553	**thalweg,** talweg	Talweg m	thalweg m, talweg m	тальвег, ось долины, водосоединительная линия, ложе реки
T 554	**thaw,** thaw[ing] weather	Tauwetter n	dégel m	оттепель

T 555	**thawing**	Tauen *n*; Auftauen *n*	dégel *m*, dégélation *f*	таяние; оттаивание
	thawing water, meltwater, snowmelt	Schmelzwasser *n*	eau *f* de fonte, eau de fusion	талая вода, вода таяния; талая ледниковая вода
	thawing weather	s. thaw		
	thaw point	s. yield point		
	thaw weather	s. thaw		
	theodolite goniometer	s. two-circle goniometer		
T 556	**theodolite level,** transit level, tacheometer level	Nivelliertachymeter *n*	niveau-tachéomètre *m*	теодолит-нивелир
T 557	**theodolite telescope**	Theodolitenfernrohr *n*	télescope *m* (lunette *f*) du théodolite	зрительная (подзорная) труба теодолита
	theodolite traverse, traverse, traverse line, transit traverse <geo.>	Polygonzug *m*, Streckenzug *m*, Linienzug *m*, Theodolitzug *m* <Geo.>	cheminement *m*, cheminement goniométrique, polygonale *f*, itinéraire *m* <géo.>	полигонометрический ход, полигональный ход, полигонный ход, ход <гео.>
T 557a	**theodolite with saturable core probe**	Sondentheodolit *m*	théodolite *m* à sonde [électromagnétique]	теодолит с [магнитоиндукционным] зондом
T 557b	**Theodorsen['s] method**	Theodorsensches Verfahren *n*	méthode *f* de Theodorsen	метод Теодорсена
	Theorema egregium, Gauss['] equation	Gaußsche Gleichung *f*, Theorema *n* egregium	équation *f* de Gauss	уравнение Гаусса
	theorem of Blasius	s. Blasius['] theorem		
T 558	**theorem of Carnot,** cosine formula, cosine law, law of cosine['s] <math.>	Kosinussatz *m* <Math.>	théorème *m* du cosinus, théorème des cosinus <math.>	теорема косинусов <матем.>
	theorem of Castigliano	s. Castigliano['s] first theorem		
	theorem of Castigliano	s. Castigliano['s] second theorem		
	theorem of Cauchy	s. Cauchy condition		
	theorem of centre of mass	s. centre of mass theorem <rel.>		
	theorem of conformal states	s. theorem of corresponding states		
T 559	**theorem of corresponding states,** law of corresponding states, principle of corresponding states, theorem of conformal states, law of correspondent states	Gesetz *n* von den übereinstimmenden Zuständen, Gesetz (Theorem *n*, Prinzip *n*) der übereinstimmenden (korrespondierenden) Zustände	loi *f* des états correspondants, théorème *m* des états correspondants, principe *m* des états correspondants	теорема соответственных состояний, закон соответственных состояний, закон соответствующих состояний, принцип соответственных состояний
	theorem of equivalence, law of equivalence <opt., theory of four terminal network>	Äquivalenzsatz *m* <Opt., Vierpoltheorie>	loi *f* d'équivalence, théorème *m* d'équivalence <opt., théorie des quadripôles>	закон эквивалентности, теорема эквивалентности <опт., теория четырехполюсника>
T 560	**theorem of Euler,** Euler's theorem [for (on) homogeneous functions]	Satz *m* von Euler, Eulerscher Satz <über homogene Funktionen>	théorème *m* d'Euler, théorème des fonctions homogènes, identité *f* d'Euler	теорема Эйлера
T 561	**theorem of Lagrange and Cauchy,** velocity potential theorem of Lagrange and Cauchy	Lagrange-Cauchyscher Satz *m*	théorème *m* de Lagrange et Cauchy	интеграл Лагранжа-Коши
	theorem of least work	s. Castigliano['s] second theorem		
	theorem of Meusnier, Meusnier['s] theorem	Meusnierscher Satz *m*, Satz von Meusnier	théorème *m* de Meusnier	теорема Менье
	theorem of minimum energy	s. principle of least work		
	theorem of minimum entropy production	s. Prigogine['s] theorem		
	theorem of minimum potential [energy]	s. principle of least work		
	theorem of minimum strain energy	s. Castigliano['s] second theorem		
	theorem of momentum	s. principle of linear momentum <mech., hydr.>		
	theorem of parallel axes	s. parallel axis theorem		
T 562	**theorem of principal axes**	Hauptachsentheorem *n*	théorème *m* des axes principaux	теорема главных осей
	theorem of reciprocity	s. Betti['s] reciprocal theorem		
	theorem of Résal, Résal['s] theorem	Résalscher Satz *m*	théorème *m* de Résal	теорема Резаля
	theorem of residues, Cauchy['s] residue theorem	Residuensatz *m*	théorème *m* des résidus	теорема о вычетах, теорема Коши о вычетах
	theorem of the mean for harmonic functions	s. Gauss mean value theorem [for potential functions]		
	theorem of three moments	s. equation of three moments		
	theorem on the isotropy of pressure	s. Pascal['s] law		
T 563	**theoretical,** theor.; calculated, cal.	theoretisch, theor.; berechnet, ber.	théorique, théor.; calculé, cal.	теоретический, теор.; расчетный, расч.
	theoretical ceiling, absolute ceiling	theoretische Gipfelhöhe (Deckenhöhe) *f*	plafond *m* absolu, plafond théorique	теоретический потолок, абсолютный потолок
T 563a	**theoretical density,** true density, T.D.	theoretische Dichte *f*, Reindichte *f*, th. D.	densité *f* (masse *f* volumique) théorique, D. T.	теоретическая плотность, действительная плотность

T 563 b	**theoretical efficiency**	theoretischer Wirkungs-grad m; Strahlwirkungs-grad m <Propeller>	efficacité f théorique	теоретический коэффициент полезного действия, теоретический к.п.д.
T 564	**theoretical nuclear physics**	theoretische Kernphysik f	physique f nucléaire théorique	теоретическая ядерная физика
T 565	**theoretical plate**, theoretical stage	theoretischer Boden m, theoretische Stufe f	plateau m théorique, plaque f théorique	теоретическая тарелка
T 566	**theoretical plate in molecular distillation** theoretical stage, theoretical plate	theoretischer Boden m der Molekulardestillation theoretischer Boden m, theoretische Stufe f	plateau m théorique de la distillation moléculaire plateau m théorique, plaque f théorique	теоретическая молекулярная тарелка теоретическая тарелка
T 567	**theoretical value**; calculated value; predicted value, prediction	theoretischer Wert m; Sollwert m; berechneter Wert; vorausgesagter Wert, vorherberechneter Wert	valeur f théorique; valeur calculée; valeur prédite	теоретическая величина, теоретическое значение; расчитанная величина, расчитанное значение; предсказанная величина, предсказанное значение
	theory of absolute reaction rates	s. transition-state theory		
T 568	**theory of action at a distance**, action-at-a-distance theory	Fernwirkungstheorie f	théorie f de l'action à distance, théorie des forces à grande distance	теория дальнодействующих сил, теория дальнодействия, теория действия на расстояние
	theory of adsorption isotherms of Brunauer, Emmett and Teller, BET theory, B.E.T. theory	BET-Theorie f, Brunauer-Emmett-Tellersche Theorie f	théorie f B. E. T., théorie de Brunauer-Emmett-Teller	теория БЭТ, теория Брунауера-Эмметта-Теллера
T 569	**theory of aeroelasticity** theory of aggregates	Aeroelastizitätslehre f s. theory of sets	théorie f d'aéro-élasticité	теория аэроупругости
T 570	**theory of Arrhenius**, dissociation theory of Arrhenius-Ostwald theory of automatic control	Arrheniussche Theorie f, Arrhenius-Ostwaldsche Dissoziationstheorie f [von Arrhenius-Ostwald] s. automatic control theory	théorie f d'Arrhénius, théorie de dissociation d'Arrhénius-Ostwald	теория Аррениуса, ионная теория [Аррениуса], теория диссоциации Аррениуса-Оствальда
T 571	**theory of backwater**	Theorie f des Stauproblems	théorie f de la courbe de remous	теория подпора
	theory of Bardeen-Cooper-Schrieffer theory of cable, cable theory	s. Bardeen-Cooper-Schrieffer theory Kabeltheorie f	théorie f du câble	кабельная теория, теория кабеля
T 572	**theory of chances** **theory of Chapman-Enskog** theory of choice	s. probability theory Chapman-Enskogsche Theorie f s. statistical decision theory	théorie f de Chapman et Enskog	теория Чепмена-Энскога
T 573	**theory of circuits**, theory of electric circuits	Theorie f der Stromkreise (Schaltkreise), Stromkreistheorie f, Schaltkreistheorie f	théorie f des circuits [électriques]	теория электрических цепей
	theory of circuits	s. a. theory of electric circuits		
T 574	**theory of colours**, colour theory, chromatics, chromatology	Farbenlehre f, Farblehre f	théorie f des couleurs, coloristique f	теория цветов, наука о цветах, колористика
	theory of combinations **theory of control systems**	s. combinatorial (combinatory) analysis s. automatic control theory		
T 574 a	**theory of cool ocean floor**	Kühlbodentheorie f	hypothèse f du fond froid [de l'océan]	гипотеза холодного [океанического] дна
T 575	**theory of cycles**	Zyklentheorie f	théorie f des cycles	теория циклов
T 576	**theory of defects**, theory of lattice imperfections (defects)	Fehlordnungstheorie f	théorie f des défauts	теория дефектов [решетки], теория дефектов кристаллической решетки
T 577	**theory of elasticity**, elastomechanics **theory of electrical networks**, network theory	Elastizitätstheorie f, Elastomechanik f Netzwerktheorie f	théorie f de l'élasticité, élastomécanique f théorie f des réseaux [électriques]	теория упругости, эластомеханика теория цепей
T 578	**theory of electric circuits**, theory of circuits, circuit theory	Schaltungstheorie f, Schaltungslehre f, Schalttheorie f, Schaltlehre f	théorie f de circuits [électriques]	теория схем коммутации, учение о схемах коммутации; теория коммутации
	theory of electric circuits	s. a. theory of circuits		
T 579	**theory of elementary divisor**	Elementarteilertheorie f	théorie f des diviseurs élémentaires	теория элементарных делителей [матриц]
T 579 a	**theory of epicycles**	Epizyklentheorie f, Epizyklenlehre f	théorie f des épicycles	теория эпициклов
T 579 b	**theory of errors** **theory of E. Schmidt,** Schmidt['s] theory [of integral equations]	Fehlerrechnung f Schmidtsche Theorie f [der Integralgleichungen]	calcul m des erreurs théorie f d'E. Schmidt, théorie de Schmidt	теория ошибок теория Шмидта [интегральных уравнений]
T 579 c	**theory of estimation** **theory of failure**, theory of strength	Schütztheorie f Festigkeitshypothese f, Festigkeitstheorie f	théorie f de l'estimation théorie f de la rupture, définition f de la limite d'élasticité	теория оценок теория прочности
	theory of flight, mechanics of flight, flight mechanics **theory of flow**	Flugmechanik f s. fluid mechanics	mécanique f du vol, théorie f du vol	механика полета, теория полета

T 580	**theory of four-terminal networks,** network theory	Vierpoltheorie f	théorie f des quadripôles	теория четырехполюсников
T 581	**theory of functions [of a complex variable],** function theory	Funktionentheorie f	théorie f des fonctions	теория функций [комплексной переменной]
T 581a	**theory of games,** games theory	Spieltheorie f	théorie f des jeux	теория игр
	theory of gyroscope, theory of tops, gyroscopic theory	Kreiseltheorie f, Theorie f des Kreisels	théorie f du gyroscope	теория гироскопа
T 582	**theory of hearing**	Hörtheorie f	théorie f de l'audition	теория слушания
T 583	**theory of heat**	Wärmetheorie f	théorie f de la chaleur	теория тепла
T 584	**theory of heredity**	Nachwirkungstheorie f	théorie f héréditaire	теория последствия, теория наследственности
	theory of invariants	s. invariant theory		
	theory of Kelvin [and Helmholtz]	s. Kelvin contraction theory [of stars]		
	theory of lattice defects (imperfections), theory of defects	Fehlordnungstheorie f	théorie f des défauts	теория дефектов [решетки], теория дефектов кристаллической решетки
T 585	**theory of lattices**	Gittertheorie f	théorie f des réseaux	теория решеток
	theory of limiting stress condition, Mohr's [strength] theory	Hypothese f des elastischen Grenzzustandes [von Mohr]	théorie f de Mohr	теория Мора
	theory of linkages, mechanical kinematics	Zwang[s]lauflehre f, Getriebelehre f, Theorie f der Getriebe	cinématique f [mécanique], théorie f des engrenages	кинематика, механическая кинематика
T 586	**theory of locally isotropic turbulence,** Kolmogoroff['s] theory [of turbulence]	Theorie f der lokal isotropen Turbulenz, Kolmogorowsche Turbulenztheorie f	théorie f de la turbulence isotrope locale, théorie de turbulence de Kolmogoroff	теория турбулентности по Колмогорову, теория турбулентности Колмогорова
T 587	**theory of machines**	Maschinentheorie f, Maschinenkunde f	théorie f des machines	теория машин, машиноведение
T 588	**theory of maximum strain energy due to distortion,** maximum distortion energy theory	Hypothese f der größten Gestaltsänderungsarbeit	théorie f de l'énergie de déformation maximale due à la distorsion	теория потенциальной энергии изменения формы, теория Губера
	theory of motion	s. kinematics		
	theory of multiplets, multiplet theory	Multiplettheorie f, Theorie f der Multipletts	théorie f des multiplets	теория мультиплетов
T 589	**theory of non-linear vibrations,** non-linear mechanics	Theorie f der nichtlinearen Schwingungen, nichtlineare Mechanik f	théorie f des vibrations non linéaires, mécanique f non linéaire	теория нелинейных колебаний, нелинейная механика
	theory of Obukhoff, Obukhoff['s] theory	Obuchowsche Theorie f, Theorie von Obuchow	théorie f d'Obukhoff	теория Обухова
T 590	**theory of oscillations,** theory of vibrations	Schwingungstheorie f, Schwingungslehre f	théorie f des oscillations	теория колебаний, учение о колебаниях
	theory of perturbations	s. perturbation theory		
	theory of probabilities	s. probability theory		
	theory of propositions	s. propositional calculus		
	theory of queues	s. queuing theory		
T 591/2	**theory of radiation**	Strahlungstheorie f	théorie f du rayonnement	теория излучения, радиационная теория
	theory of relativity, relativity [theory]	Relativitätstheorie f	théorie (loi) f de la relativité	теория относительности
	theory of relativity	s. a. general theory of relativity		
	theory of relaxation, relaxation theory [of elasticity]	Relaxationstheorie f [der Elastizität]	théorie f de la relaxation élastique	теория релаксации [упругости]
T 593	**theory of reliability**	Zuverlässigkeitstheorie f	théorie f de la fiabilité, théorie de la sécurité de fonctionnement	теория безотказности, теория надежности
T 594	**theory of representations**	Darstellungstheorie f	théorie f de la représentation linéaire	теория представлений
	theory of Seitz, heat spike theory	Seitzsche Wärmespitzentheorie f, Wärmespitzentheorie [von Seitz]	théorie f de Seitz	теория Зейца, теория тепловых пиков Зейца
T 595	**theory of sets,** set theory, theory of aggregates, mengenlehre	Mengenlehre f, Mengentheorie f	théorie f des ensembles	теория множеств, учение о множествах
	theory of shells, shell theory	Schalentheorie f	théorie f des enveloppes	теория оболочек
	theory of statistical decision[s]	s. statistical decision theory		
	theory of strain energy of distortion, distortion energy theory	Gestaltänderungsenergiehypothese f	théorie f de l'énergie de déformation	теория энергии изменения формы
T 596	**theory of strength,** theory of failure	Festigkeitshypothese f, Festigkeitstheorie f	théorie f de la rupture, définition f de la limite d'élasticité	теория прочности
	theory of structures	s. structural mechanics		
T 597	**theory of subterranean flow**	Unterströmungstheorie f	théorie f des écoulements souterrains	теория подземных течений
T 598	**theory of supersonic speed,** supersonics	Überschalltheorie f	théorie f des vitesses supersoniques	теория сверхзвуковых скоростей
T 599	**theory of surfaces,** surface theory	Flächentheorie f	théorie f des surfaces	теория поверхностей
T 600	**theory of the double solution**	Theorie f der doppelten Lösung	théorie f de la double solution	теория двойного решения
	theory of the energy bands, band theory [of metals]	Bändertheorie f [der Metalle], Bandtheorie f	théorie f des bandes [énergétiques], théorie des bandes d'énergies	зонная теория [металлов]

T 601	**theory of tops,** theory of gyroscope, gyroscopic theory	Kreiseltheorie f, Theorie f des Kreisels	théorie f du gyroscope	теория гироскопа
	theory of transmission lines, line theory	Leitungstheorie f	théorie des lignes [de transmission]	теория линий [передачи], теория длинных линий
T 602	**theory of vacuum**	Vakuumtheorie f	théorie f du vide	теория вакуума
T 603	**theory of valence**	Valenztheorie f	théorie f de la valence	теория валентности
	theory of vibrations, theory of oscillations	Schwingungstheorie f, Schwingungslehre f	théorie f des oscillations	теория колебаний, учение о колебаниях
T 604	**theory of visibility**	Sichttheorie f	théorie f de la visibilité	теория видимости
T 605	**theory of yielding**	Fließtheorie f	théorie f de fluage, théorie d'écoulement	теория течения, теория текучести
	therapeutic dose, therapy dose	Therapiedosis f, therapeutische Dosis f	dose f thérapeutique	терапевтическая доза
	therapeutic radiology; radiation therapy, radiotherapy	Strahlentherapie f	radiothérapie f; thérapie f par rayonnement	лучевая терапия, радиотерапия
T 606	**therapy dose,** therapeutic dose	Therapiedosis f, therapeutische Dosis f	dose f thérapeutique	терапевтическая доза
	therma	s. thermal spring		
	thermactinic radiation	s. temperature radiation		
T 607	**thermal,** thermal bubble	Thermikblase f, Luftballen m	thermique m, bulle f thermique	термический пузырек, термик
	thermal	s. a. laminar thermal convection in the atmosphere		
	thermal absorptivity	s. heat capacity		
	thermal acceptor, thermium	Thermium n, thermischer Akzeptor m	thermium m, accepteur m thermique	термий, термический акцептор
	thermal accumulator	s. heat absorber		
	thermal action	s. action of heat		
T 608	**thermal activation**	thermische Aktivierung f	activation f thermique	термическая активация
T 609	**thermal activation cross-section,** thermal neutron activation cross-section	Aktivierungsquerschnitt m für thermische Neutronen	section f efficace d'activation par neutrons thermiques	сечение активации тепловыми нейтронами
T 609a	**thermal adhesion technique**	Wärmehafttechnik f, Wärmehaftmethode f	méthode f de l'adhésion thermique	метод теплового прилипания
T 610	**thermal ageing,** heat ageing	thermische Alterung f, Wärmealterung f	vieillissement m thermique	термическое (тепловое) старение, старение под действием тепла
T 611	**thermal agitation,** thermal motion, heat motion	Wärmebewegung f, thermische Bewegung (Unruhe, Agitation) f, Temperaturbewegung f	agitation f thermique, mouvement m thermique	тепловое движение, флуктуация теплового движения
	thermal agitation noise	s. Johnson noise		
	thermal agitation of molecules	s. molecular motion		
	thermal agitation voltage, thermal noise voltage	Wärmerauschspannung f	tension f de bruit d'agitation thermique, tension de bruit thermique	напряжение теплового шума
T 612	**thermal analysis,** thermo-analysis, thermography	thermische Analyse f, Thermoanalyse f	analyse f thermique, thermoanalyse f, thermographie f	термоанализ, термический анализ, тепловой анализ, метод термоанализа, термография
T 613	**thermal analysis / by,** thermoanalytic[al]	thermoanalytisch	par analyse thermique, thermo-analytique	методом термоанализа, термографический
T 614	**thermal arc**	hermischer Bogen m; thermischer Lichtbogen m	arc m thermique	термическая дуга
	thermal balance, heat balance	Wärmebilanz f	bilan m thermique, bilan calorifique	тепловой баланс
	thermal barrier	s. heat barrier		
T 615	**thermal beam,** thermal neutron beam	thermischer Neutronenstrahl m, thermisches Neutronenbündel n, Bündel n thermischer Neutronen	faisceau m de neutrons thermiques	пучок тепловых нейтронов
T 616	**thermal behaviour**	thermisches Verhalten n	comportement m calorifique	термическое поведение, тепловое поведение
T 617	**thermal boundary, thermal boundary layer,** temperature boundary layer	Temperaturgrenzschicht f, thermische Grenzschicht f	couche f limite de température	термический пограничный слой, температурный пограничный слой
	thermal boundary resistance	s. Kapitza thermal resistance		
	thermal branch of lattice vibrations	s. thermal lattice vibration		
T 618	**thermal breakdown** <semi.; el.>; thermal dielectric breakdown <el.>; thermal punch-through <semi.>	Wärmedurchschlag m, thermischer Durchschlag m <El.; Halb.>; Wärmedurchbruch m, thermischer Durchbruch m <Halb.>; thermischer dielektrischer Durchschlag <El.>	claquage m thermique, disruption f thermique	тепловой пробой
T 619	**thermal breeder [reactor], thermal-breeder reactor**	thermischer Brüter m, thermischer Brutreaktor m	réacteur m surrégénérateur à neutrons thermiques	термический бридер, реактор-размножитель на тепловых нейтронах
T 620	**thermal breeding,** thermal neutron breeding	thermisches Brüten n	régénération f thermique, régénération de combustible nucléaire par les neutrons thermiques	расширенное воспроизводство ядерного горючего на тепловых нейтронах
T 620a	**thermal brine**	Warmsole f	saumure f thermique	теплый рассол
	thermal bubble	s. thermal		
	thermal capacitance	s. heat capacity		
	thermal capacity	s. heat capacity		

T 621	**thermal capture cross-section,** thermal neutron capture cross-section, cross-section for thermal neutron capture, capture cross-section for thermal neutrons	Wirkungsquerschnitt *m* für den Einfang thermischer Neutronen, Einfangquerschnitt *m* für thermische Neutronen, thermischer Neutroneneinfangquerschnitt *m*, thermischer Einfangquerschnitt	section *f* efficace de capture de (pour les) neutrons thermiques, section efficace de capture thermique, section efficace thermique de capture	сечение захвата [для] тепловых нейтронов
	thermal coefficient of cubical expansion	*s.* thermal coefficient of volume expansion		
	thermal coefficient of expansion	*s.* thermal expansion coefficient		
T 622	**thermal coefficient of volume expansion,** coefficient of volume expansion, [thermal] coefficient of cubical expansion, volume (cubic) expansion coefficient	kubischer Ausdehnungskoeffizient *m*, kubische Ausdehnungszahl *f*, räumlicher Ausdehnungskoeffizient, räumliche Ausdehnungszahl, Raumausdehnungskoeffizient *m*, Raumausdehnungszahl *f*	coefficient *m* de dilatation cubique, coefficient de dilatation volumique, coefficient de dilatation volumétrique	коэффициент объемного расширения, термический коэффициент объемного расширения
T 623	**thermal column**	thermische Säule *f*, thermische Grube *f*, Graphitsäule *f*	colonne *f* thermique	тепловая [графитовая] колонна, тепловая призма
T 624	**thermal combustion**	Wärmeverbrennung *f*	combustion *f* thermique	тепловое горение
T 625	**thermal comparator**	thermischer Komparator *m*	comparateur *m* thermique	тепловой компаратор
	thermal compensation, temperature compensation	Temperaturkompensation *f*	compensation *f* de température	температурная компенсация, компенсация температурных влияний
T 626	**thermal condensation**	thermische Kondensation *f*	condensation *f* thermique	тепловая конденсация
T 627	**thermal conductance**	Wärmeleitwert *m* <in kcal/h grd>	conductance *f* thermique, conductance calorifique, conductance de chaleur	обратное термическое сопротивление
	thermal conduction	*s.* heat conduction		
T 628	**thermal conductivity [coefficient],** coefficient of thermal conductivity, heat conductivity, coefficient of heat conductivity, heat conductivity coefficient, *k* factor	Wärmeleitfähigkeit *f*, Wärmeleitzahl *f*, Wärmeleitungsvermögen *n*, spezifisches Wärmeleitungsvermögen, spezifische Wärmeleitfähigkeit, Wärmeleitvermögen *n*, spezifisches Wärmeleitvermögen, Wärmeleitkoeffizient *m*, thermische Leitfähigkeit *f*, innere Wärmeleitfähigkeit, Koeffizient *m* der Wärmeleitung	conductibilité *f* thermique (calorifique, de chaleur), coefficient *m* de conductibilité thermique (calorifique, de chaleur, interne), coefficient de conductibilité, conductivité *f* thermique (calorifique, de chaleur), coefficient de conductivité thermique (calorifique, de chaleur, interne), thermoconductibilité *f*, thermoconductivité *f*	коэффициент теплопроводности, коэффициент внутренней теплопроводности, удельная теплопроводность
T 628a	**thermal conductivity detector,** TCD	Wärmeleitfähigkeitsdetektor *m*	détecteur *m* de conductibilité thermique	детектор теплопроводности
	thermal conductor, heat conductor	Wärmeleiter *m*	conducteur *m* de [la] chaleur, conducteur thermique	теплопроводник, проводник тепла
T 629	**thermal confinement**	Wärmeeinschließung *f*, thermisches Confinement *n*	confinement *m* thermique	тепловое удержание, теплоудержание
T 630	**thermal contact,** heat contact	thermischer Kontakt *m*, thermische Kopplung *f*, Wärmekontakt *m*, Thermokontakt *m*	contact *m* thermique, couplage *m* thermique	тепловой контакт, тепловая связь
T 631	**thermal continentality**	thermische Kontinentalität *f*	continentalité *f* thermique	тепловая степень континентальности, тепловая континентальность
T 632	**thermal contraction**	Wärmeschrumpfung *f*	contraction *f* thermique	температурное сжатие
T 633	**thermal-convection,** thermoconvective	thermokonvektiv	par (de, à) convection thermique, thermoconvectif	термоконвективный
	thermal convection	*s. a.* convection of heat		
	thermal convection	*s. a.* laminar thermal convection in the atmosphere		
	thermal converter, thermo[-]converter, electrically heated thermocouple	Thermoumformer *m*	thermo[-]convertisseur *m*, convertisseur *m* thermoélectrique	термопреобразователь, термоэлектрический преобразователь, термопара
T 634	**thermal creep**	thermische Kriechströmung *f*, thermisches Kriechen *n*, Wärmekriechen *n*	fluage *m* thermique	ползучесть при повышенной температуре
T 635	**thermal creep velocity**	thermische Kriechgeschwindigkeit *f*	vitesse *f* de fluage thermique	скорость тепловой ползучести
	thermal cross	*s.* thermocross		
T 636	**thermal cross-section,** thermal neutron cross-section, cross-section for thermal neutrons	thermischer Neutronen[wirkungs]querschnitt *m*, Wirkungsquerschnitt *m* für thermische Neutronen, Wirkungsquerschnitt der thermischen Neutronen, thermischer Wirkungsquerschnitt (Querschnitt) *m*	section *f* efficace thermique, section efficace pour les neutrons thermiques	сечение для тепловых нейтронов, тепловое нейтронное сечение
T 637	**thermal cycle**	Wärmekreislauf *m*	cycle *m* thermique	тепловой цикл
	thermal cycle, temperature cycle	Temperaturwechsel *m*, Thermozyklus *m*, Wechsel *m* <beim Temperaturwechselversuch>	cycle *m* de température, cycle thermique	температурный цикл, термический цикл

T 638	**thermal cycling**	Temperaturwechsel-beanspruchung f; Temperaturwechselversuch m, Temperaturwechsel-prüfung f, thermische Wechselbeanspruchung f	cyclage m thermique	циклическая теплообработка, циклическая термообработка
T 639	**thermal cycling stability**	Temperaturwechselfestig-keit f, Temperatur-wechselbeständigkeit f, Abschreckfestigkeit f	stabilité f thermique, stabilité aux cycles de température, stabilité aux fluctuations de température	устойчивость при изменениях температуры, устойчивость (стойкость) к изменениям температуры, стойкость к температурным циклам, стойкость к колебаниям температуры, температурная устойчивость (стабильность), температуростойкость
	thermal decomposition	s. thermal dissociation		
T 640	**thermal deformation,** thermal strain	thermische Verformung (Deformation) f, Wärmeformänderung f	déformation f thermique	тепловая деформация, термическая деформация
T 641	**thermal destruction [of polymers]**	thermischer Abbau m [von Polymeren]	destruction f thermique [des polymères]	термическая деструкция [полимеров]
T 642	**thermal detector**	Wärmedetektor m	détecteur m thermique	тепловой детектор, термический детектор, термодетектор
T 643	**thermal detector [of nuclear radiations],** thermal-neutron detector	Detektor m für thermische Neutronen, thermischer Detektor m [für Kernstrahlungen]	détecteur m à (de) neutrons thermiques, détecteur thermique [des rayonnements nucléaires], fluxmètre m de neutrons thermiques	детектор тепловых нейтронов, тепловой детектор [ядерного излучения]
T 644	**thermal detuning,** thermal frequency shift	thermische Verstimmung f	désaccord m thermique	тепловая расстройка
	thermal development, temperature cycle method, temperature development <of nuclear emulsions>	Temperaturentwicklungs-verfahren n, Temperatur-entwicklung f <von Kernemulsionen>	méthode f du cycle de température, cycle m de température <des émulsions nucléaires>	метод термопроявления, термопроявление <ядерных эмульсий>
T 645	**thermal diagram**	Wärmediagramm n	diagramme m thermique	тепловая диаграмма
	thermal dielectric breakdown	s. thermal breakdown		
	thermal diffuse scattering	s. inelastic scattering by crystals		
T 646	**thermal diffusion,** thermodiffusion	Thermodiffusion f	diffusion f thermique, thermodiffusion f	термодиффузия, термическая (тепловая) диффузия
T 647	**thermal diffusion coefficient,** [coefficient of] thermal diffusivity, coefficient of thermal diffusion, thermodiffusion coefficient	Thermodiffusionskoeffizient m	coefficient m de diffusion thermique	коэффициент термодиффузии
T 648	**thermal diffusion column,** Clusius column, Clusius-Dickel column, thermodiffusion column, thermal diffusion pipe, separation pipe, separation tube	Trennrohr n [von Clusius], Clusiussches Trennrohr, Clusius-Dickel-Trennrohr n, Thermodiffusionstrennrohr n, Thermodiffusions-kolonne f	colonne f de diffusion thermique, colonne de séparation [par diffusion thermique], colonne de thermodiffusion, colonne diffusante thermique, colonne de Clusius[-Dickel]	термодиффузионная колонка [Клузиуса], термодиффузионная колонка [Клузиуса], колонка (колонна) Клузиуса, разделительная трубка, термодиффузионное разделительное устройство
T 649	**thermal diffusion effect**	Thermodiffusionseffekt m, Koeffizient m des Diffusionsthermoeffekts	effet m de diffusion thermique	термодиффузионный эффект
T 650	**thermal diffusion factor**	Thermodiffusionsfaktor m	facteur m de diffusion thermique, facteur de thermodiffusion	термодиффузионный фактор
T 651	**thermal diffusion flow**	thermischer Diffusionsstrom m, Thermodiffusions-strom m	courant m de diffusion thermique	термодиффузионный поток
T 652	**thermal diffusion length**	Diffusionslänge f für thermische Neutronen	longueur f de diffusion pour les neutrons thermiques	диффузионная длина для тепловых нейтронов
	thermal diffusion method	s. separation of isotopes by thermal diffusion		
	thermal diffusion pipe	s. thermal diffusion column		
T 653	**thermal diffusion plant**	Thermodiffusionsanlage f	installation f de diffusion thermique	термодиффузионная установка
T 654	**thermal diffusion potential,** potential of thermal diffusion	Thermodiffusionspotential n	potentiel m de diffusion thermique	потенциал термодиффузии, термодиффузионный потенциал
T 655	**thermal diffusion ratio,** thermodiffusion ratio	Thermodiffusionsverhältnis n	rapport m de diffusion thermique	термодиффузионное отношение, термодиффузионная постоянная
T 656	**thermal diffusivity,** diffusivity [for heat], heat diffusivity, temperature (thermometric) conductivity, coefficient of thermometric conductivity	Temperaturleitfähigkeit f, Temperaturleitzahl f, Temperaturleitvermögen n	diffusivité f thermique, conductibilité f de température, conductivité f thermométrique	коэффициент температуропроводности, температуропроводность
	thermal diffusivity	s. a. thermal diffusion coefficient		
	thermal dilatation	s. thermal expansion		
	thermal dilation	s. thermal expansion		

	thermal dissipation, dissipation of heat, heat dissipation	Wärmezerstreuung f, Wärmedissipation f, Wärmeableitung f	dissipation f de la chaleur, dissipation calorifique	теплорассеяние, рассеяние тепла, рассеивание тепла
T 657	thermal dissociation, thermolysis; thermal decomposition	thermische Dissoziation f, Thermolyse f; thermische Zersetzung f	dissociation f thermique, thermolyse f; décomposition f thermique, cracking m thermique	термическая (тепловая) диссоциация, термолиз; термическое разложение, термический распад
T 658	thermal distribution	thermische Verteilung f	distribution f thermique	тепловое распределение
T 659	thermal disturbance	thermische Störung f	perturbation f thermique	термическое возмущение
T 660	thermal drift	Wärmedrift f	dérive f thermique	тепловой дрейф
	thermal effect	s. thermal action		
T 661	thermal efficiency, heat[ing] efficiency	[thermischer] Wirkungsgrad m, Wärmewirkungsgrad m, [thermischer] Nutzeffekt m	rendement m thermique	термический (тепловой) коэффициент полезного действия, термический к. п. д., тепловой к. п. д.; тепловая эффективность; коэффициент использования тепла
T 662	thermal effusion	thermische Effusion f	effusion f thermique	термическая эффузия, термоэффузия
T 663	thermal e.m.f., thermo-electromotive force, thermo-e.m.f., thermo-electric power, thermoelectric voltage, thermo[-] voltage; thermocouple electromotive force	Thermo-EMK f, thermoelektromotorische Kraft f, Thermospannung f, Thermokraft f, thermoelektrische Spannung (Kraft) f, Thermo-Urspannung f; Seebeck-EMK f	force f thermo[-]électromotrice, force thermo-électrique, thermo-f. é. m. f, pouvoir m thermo-électrique, tension f thermo-électrique	термо-э. д. с., термо-эдс, термоэдс, термоэлектродвижущая сила, термоэлектрическое напряжение, термонапряжение
	thermal emission	s. thermionic emission		
	thermal emission <in the r.f. range>	s. a. thermal radio-frequency radiation		
T 664	thermal emissivity	Wärmeabgabevermögen n <in kcal/s grd>	pouvoir m d'échange calorifique	теплоотдача, способность отдавать тепло
	thermal emittance	s. thermal exitance		
T 664a	thermal energy	thermische Energie f	énergie f thermique	тепловая энергия
T 665	thermal energy, heat energy, calorific energy, thermal work, heat work, heat	Wärmeenergie f, thermische Energie f, Wärmearbeit f, thermische Arbeit f, Wärme f	énergie f thermique, énergie calorifique, travail m calorifique, chaleur f, calorifique m	тепловая энергия, термическая энергия, теплота, термическая работа
T 666	thermal equation of state, thermal state equation	thermische Zustandsgleichung f	équation f d'état thermique	термическое уравнение состояния
T 667	thermal equator	Wärmeäquator m	équateur m thermique	термический экватор
T 668	thermal equilibrium, temperature equilibrium	thermisches Gleichgewicht n, Wärmegleichgewicht n, Temperaturgleichgewicht n	équilibre m thermique, équilibre de température	тепловое равновесие, температурное равновесие
	thermal equivalent, equivalent of heat	Wärmeäquivalent n	équivalent m de la chaleur	эквивалент тепла, тепловой (термический) эквивалент, эквивалент теплоты
T 669	thermal equivalent of mechanical energy, thermal equivalent of work	thermisches (kalorisches) Arbeitsäquivalent n, Arbeitsäquivalent der Wärme, Arbeitswert m	équivalent m en travail de la calorie, équivalent thermique de l'énergie	тепловой эквивалент работы
T 670	thermal etching	thermische Ätzung f, Heißätzung f, Kristallabdampfung f	attaque f thermique	термическое травление, тепловое травление, горячее травление
T 671	thermal excitation	thermische Anregung f	excitation f thermique	тепловое возбуждение
T 671a	thermal exitance, thermal luminous exitance, thermal emittance	thermische spezifische Lichtausstrahlung (Leuchtstärke) f	émittance (exitance) f lumineuse	тепловая светимость
T 672	thermal expansion, thermal extension (dilation, dilatation), expansion by heat	Wärme[aus]dehnung f, thermische Ausdehnung (Dehnung) f, Wärmeschub m	dilatation f thermique, expansion f thermique	тепловое расширение, термическое расширение
	thermal expansion coefficient	s. coefficient of thermal expansion		
	thermal expansivity	s. thermal expansion coefficient		
T 673	thermal explosion	Wärmeexplosion f	explosion f thermique	тепловой взрыв
	thermal extension	s. thermal expansion		
T 674	thermal farad	Wärmefarad n	farad m thermique	тепловая фарада
T 675	thermal fatigue	thermische Ermüdung f	fatigue f thermique	термическая усталость
T 675a	thermal feedback	thermische Rückkopplung f	réaction f thermique	тепловая обратная связь
T 676	thermal field	Wärmefeld n	champ m thermique	тепловое поле
T 677	thermal fission, thermal neutron fission; thermofission	thermische Spaltung f, Spaltung durch thermische Neutronen	fission f thermique, fission par les neutrons thermiques, fission due aux neutrons thermiques	деление на тепловых нейтронах, деление под действием тепловых нейтронов, деление ядра, вызванно тепловыми нейтронами
T 678	thermal fission cross-section, thermal neutron fission cross-section, fission cross-section for thermal neutrons	thermischer Spaltquerschnitt m, Spaltquerschnitt für thermische Neutronen, Wirkungsquerschnitt m für Spaltung durch thermische Neutronen	section f efficace de fission par les neutrons thermiques	сечение деления тепловыми нейтронами, сечение деления на тепловых нейтронах, сечение деления под действием тепловых нейтронов
T 679	thermal fission factor	thermischer Spaltfaktor m	facteur m de fission thermique	коэффициент размножения на тепловых нейтронах

	thermal flash, temperature flash	Temperaturblitz *m*	éclat *m* thermique, éclat de température	резкий скачок температуры, вспышка температуры
	thermal flow	s. rate of heat flow		
	thermal flow	s. thermal convection		
T 680	**thermal fluctuation**	thermische Schwankung (Fluktuation) *f*, Wärmeschwankung *f*	fluctuation *f* thermique	тепловая флуктуация
T 681	**thermal flux,** thermal neutron flux	Fluß *m* der thermischen Neutronen, thermischer Fluß, thermischer Neutronenfluß *m*	flux *m* de neutrons thermiques, flux thermique	поток тепловых нейтронов
	thermal flux	s. a. rate of heat flow		
	thermal flux vector, heat flow (flux) vector	Wärmeflußvektor *m*, Wärmestromvektor *m*	vecteur *m* flux de chaleur	вектор теплового потока, вектор потока тепла
T 681a	**thermal focal spot, thermal focus**	thermischer Brennfleck *m*	tache *f* focale thermique, foyer *m* thermique	тепловое фокусное пятно, тепловой фокус
	thermal frequency shift, thermal detuning	thermische Verstimmung *f*	désaccord *m* thermique	тепловая расстройка
T 682	**thermal generation,** thermal production	thermische Erzeugung *f*	génération *f* thermique, production *f* thermique	тепловое образование, тепловая генерация
	thermal glow, thermoluminescence	Thermolumineszenz *f*	thermoluminescence *f*, lueur *f* thermique	термолюминесценция, термовысвечивание, тепловое высвечивание
T 683	**thermal glow curve,** thermoluminescence curve; glow curve	Thermolumineszenzkurve *f*; Glowkurve *f*	courbe *f* de thermoluminescence, courbe de lueur thermique	кривая термовысвечивания; кривая высвечивания
T 684	**thermal glow peak,** glow peak	Glowmaximum *n*, Glowpeak *m*	maximum (pic) *m* de la courbe de thermoluminescence	максимум [на] кривой термовысвечивания
T 685	**thermal gradient,** temperature gradient	Temperaturgradient *m*, Temperaturgefälle *n*	gradient *m* de température, gradient thermique	перепад (градиент) температуры, температурный градиент (напор)
T 686	**thermal gradient**	thermische Höhenstufe *f*	degré *m* thermique [de hauteur], gradient *m* thermique	термическая ступень [высоты], термический градиент
	thermal gradient	s. a. geothermal gradient		
T 687	**thermal head**	Wärmegefälle *n*	chute *f* de la chaleur	тепловой напор, теплоперепад, перепад тепла, теплопадение, падение тепла, разность теплосодержаний
T 688	**thermal henry**	Wärmehenry *n*	henry *m* thermique	тепловой генри
	thermal history, thermal prehistory	thermische Vorgeschichte (Geschichte) *f*	histoire (préhistoire) *f* thermique	тепловая предыстория
T 689	**thermal hum**	thermisches Brumm[en] *n*	ronflement *m* thermique	тепловой фон переменного тока
T 690	**thermal hysteresis**	thermische Hysteresis (Hysterese) *f*	hystérésis *f* thermique	тепловой гистерезис
T 691	**thermal inductance**	thermische Induktivität *f*	inductance *f* thermique	тепловая индуктивность
T 692	**thermal inelastic scattering cross-section,** cross-section for thermal inelastic scattering	unelastischer Streuquerschnitt *m* für thermische Teilchen, Wirkungsquerschnitt *m* für die unelastische Streuung thermischer Teilchen, Wirkungsquerschnitt der unelastischen Streuung von thermischen Teilchen	section *f* efficace de diffusion inélastique thermique	сечение неупругого рассеяния тепловых частиц
T 693	**thermal inertia,** thermal lag	thermische Trägheit *f*, Wärmeträgheit *f*, Wärmebeharrungsvermögen *n*, Wärmeverzug *m*, thermische Verzögerung *f*	inertie *f* thermique, inertie calorifique	тепловая инерция
T 694	**thermal instrument,** electrothermic instrument <US>	elektrothermisches (thermisches) Meßgerät *n*, elektrothermisches (thermisches) Instrument *n*	appareil *m* de mesure thermique, appareil thermique, appareil électrothermique	тепловой измерительный прибор, тепловой прибор
T 695	**thermal insulation,** thermal insulation of plasma	Thermoisolation *f* [des Plasmas]	isolement *m* thermique [du plasma]	теплоизоляция [плазмы], термоизоляция [плазмы]
	thermal insulation	s. a. heat insulation <therm.>		
	thermal insulation of plasma	s. thermal insulation		
T 696	**thermal intrinsic conduction**	thermische Eigenleitung *f*	conduction *f* intrinsèque thermique	собственная электропроводность при возбуждении теплотой
T 697	**thermal ionization**	thermische Ionisierung *f*, thermische Ionisation *f*, Thermoionisation *f*, Temperaturionisation *f*, Temperaturionisierung *f*	ionisation *f* thermique, thermo-ionisation *f*	термическая ионизация, термоионизация
T 698	**thermalization**	Thermalisierung *f*, Thermalisation *f*, Abbremsung auf thermische Geschwindigkeit (Energie)	thermalisation *f*	термализация, замедление до тепловой скорости (энергии)
T 699	**thermalization power**	Thermalisierungskraft *f*	force *f* de thermalisation	сила термализации
T 700	**thermalization time**	Thermalisierungszeit *f*	temps *m* (durée *f*) de thermalisation	продолжительность (время) термализации
T 701	**thermal jump**	thermischer Sprung *m*	saut *m* thermique	термический скачок
	thermal junction	s. thermocouple junction		
	thermal lag	s. thermal inertia		
T 702	**thermal laminar boundary layer**	thermische laminare Grenzschicht *f*	couche *f* laminaire limite de température	термический ламинарный пограничный слой

T 703	thermal lattice vibration, thermal branch of lattice vibrations	thermische Gitterschwingung f, thermischer Zweig m der Gitterschwingungen	vibration f thermique du réseau, branche f thermique des vibrations du réseau	тепловое колебание решетки, тепловая ветвь колебаний решетки
T 704	thermal leakage	thermischer Ausfluß (Abfluß, Verlust) m, Ausfluß thermischer Neutronen	fuite f thermique	утечка тепловых нейтронов
T 705	thermal leakage factor	thermischer Verlustfaktor m	facteur m de fuite thermique	коэффициент утечки тепловых нейтронов
	thermal leakage modulus, accomodation coefficient	Akkomodationskoeffizient m	coefficient m d'accomodation	коэффициент аккомодации
T 706	thermal level	thermisches Niveau n, Wärmeniveau n	niveau m thermique	тепловой уровень
	thermal light source, thermal source of light, temperature source of light	thermische Lichtquelle f	source f thermique de lumière, source lumineuse thermique	температурный источник света, тепловой источник света
	thermal load[ing], heat load[ing], thermal stress	Wärmebelastung f, Wärmebeanspruchung f	charge f calorifique, charge thermique	тепловая нагрузка, теплонапряженность
	thermal luminous exitance	s. thermal exitance		
	thermally conducting, heat-conducting, heat conductive	wärmeleitend	conducteur de la chaleur	теплопроводящий; теплопроводный
T 707	thermally fissionable material	durch thermische Neutronen spaltbares Material n, thermisch spaltbares Material	matière f fissile par les neutrons thermiques	материал, делящийся под действием тепловых нейтронов
	thermally sensitive resistor	s. thermistor		
	thermally stable	s. heat-proof		
T 707a	thermally stimulated exoelectron emission, TSEE	thermisch stimulierte (angeregte) Exoelektronenemission f, TSEE	émission f exoélectronique stimulée thermiquement	термически возбужденное испускание (излучение) экзоэлектронов
	thermal magnetization	s. thermomagnetization		
T 708	thermal Maxwell flux distribution	Maxwellsche Flußverteilung f im thermischen Gebiet	distribution f maxwellienne de flux thermique	максвелловское распределение частиц в тепловой области
	thermal microphone	s. hot[-]wire microphone		
T 709	thermal mobility	thermische Beweglichkeit f, Wärmebeweglichkeit f	mobilité f thermique	тепловая подвижность, подвижность при изменении температуры
	thermal molecular flow	s. Knudsen effect		
	thermal molecular pressure, thermomolecular pressure, molecular thermal pressure	Thermomolekulardruck m, thermomolekularer Druck m, thermischer Molekulardruck m	pression f thermomoléculaire, pression thermique moléculaire	термомолекулярное давление, тепловое молекулярное давление
	thermal motion	s. thermal agitation		
	thermal motion of the molecules	s. molecular motion		
T 710	thermal neutron	thermisches Neutron n	neutron m thermique	тепловой нейтрон, термический нейтрон
	thermal neutron activation cross-section	s. thermal activation cross-section		
	thermal neutron beam	s. thermal beam		
	thermal neutron breeding, thermal breeding	thermisches Brüten n	régénération f thermique, régénération de combustible nucléaire par les neutrons thermiques	расширенное воспроизводство ядерного горючего на тепловых нейтронах
	thermal neutron capture cross-section	s. thermal capture cross-section		
	thermal neutron cross-section	s. thermal cross-section		
	thermal-neutron detector, thermal detector [of nuclear radiations]	Detektor m für thermische Neutronen, thermischer Detektor m [für Kernstrahlungen]	détecteur m à (de) neutrons thermiques, détecteur thermique [des rayonnements nucléaires]	детектор тепловых нейтронов, тепловой детектор [ядерного излучения]
	thermal neutron fission	s. thermal fission		
	thermal neutron fission cross-section	s. thermal fission cross-section		
	thermal neutron flux, thermal flux	Fluß m der thermischen Neutronen, thermischer Fluß, thermischer Neutronenfluß m	flux m de neutrons thermiques, flux thermique	поток тепловых нейтронов
	thermal neutron lifetime	s. diffusion time		
	thermal neutron spectrum, thermal spectrum	thermisches Spektrum n, Energiespektrum n der thermischen Neutronen	spectre m thermique, spectre des neutrons thermiques	тепловой спектр, спектр тепловых нейтронов
T 711	thermal neutron yield, thermal yield	Ausbeute f thermischer Neutronen, thermische Neutronenausbeute f	rendement m de neutrons thermiques	выход тепловых нейтронов
	thermal noise	s. Johnson noise		
T 712	thermal noise generator	Wärmerauschgenerator m	générateur m de bruit thermique	тепловой генератор шума
T 713	thermal noise source	Wärmerauschquelle f	source f de bruit d'agitation thermique, source de bruit thermique	источник теплового шума
T 714	thermal noise voltage, thermal agitation voltage	Wärmerauschspannung f	tension f de bruit [d'agitation] thermique	напряжение теплового шума
T 715	thermal ohm	Wärmeohm n	ohm m thermique	тепловой ом
T 715a	thermal oil	Thermalöl n	huile f thermique	тепловое масло
T 716	thermal overload capacity	thermische Überlastbarkeit f	capacité f de surcharge thermique	тепловая перегружаемость

	thermal phenomenon, heat phenomenon	Wärmeerscheinung f	phénomène m thermique	тепловое явление
	thermal pile, thermal reactor	thermischer Reaktor m	réacteur m à neutrons thermiques, réacteur thermique	реактор на тепловых нейтронах, тепловой реактор
T 717	thermal pinch effect	thermischer Pincheffekt m	effet m de pincement thermique	тепловой пинч-эффект
T 718	thermal Pitot tube	thermisches Pitot-Rohr n	tube m de Pitot thermique, mesureur m de vitesse de l'air par la température de refoulement	тепловая трубка Пито
T 719	thermal pole <geo.>	Wärmepol m <Geo.>	pôle m thermique <géo.>	термический полюс <гео.>
	thermal polymer, thermopolymer	Thermopolymerisat n	thermopolymère m, polymère m thermique	термополимер
	thermal potential	s. free enthalpy		
T 720	thermal power	Wärmekraft f, nutzbare Wärmeenergie f	énergie f thermique [utilisable]	тепловая энергия
T 721	thermal power <of the reactor> <in MW or MW(th)>	Wärmeleistung f [des Reaktors], thermische Leistung f [des Reaktors], Reaktorwärmeleistung f <in MW, MW$_{th}$ oder MW(th)>	puissance f thermique [du réacteur] <en MW ou MW(th)>	тепловая мощность [реактора], теплосъем [реактора] <в $Мвт$>
	thermal power	s. a. heat output		
T 722	thermal prehistory, thermal history	thermische Vorgeschichte (Geschichte) f	histoire (préhistoire) f thermique	тепловая предыстория
T 723	thermal pretreatment	thermische Vorbehandlung f	traitement m thermique préliminaire	предварительная термообработка, предварительная тепловая обработка
	thermal production, thermal generation	thermische Erzeugung f	génération f thermique, production f thermique	тепловое образование, тепловая генерация
T 723a	thermal protection	Wärmeschutz m, Wärmeabschirmung f	protection f thermique	тепловая защита, теплозащита
	thermal punch-through	s. thermal breakdown		
T 724	thermal quantity	thermische Größe f	grandeur f thermique	термическая величина
T 725	thermal quenching, thermoquenching	thermische Löschung f, Temperaturlöschung f, Thermolöschung f; thermische Tilgung f, Temperaturtilgung f, Thermotilgung f	extinction f thermique, thermo-extinction f	термогашение, термотушение
T 725a	thermal radiant emittance (exitance)	thermische spezifische Ausstrahlung f	exitance (émittance) f énergétique thermique	тепловая энергетическая светимость
	thermal radiation	s. heat radiation		
	thermal radiation	s. thermal radio-frequency radiation		
T 726	thermal radiator	Temperaturstrahler m, Wärmestrahler m, Strahler m <Therm.>	radiateur m thermique, corps m thermorayonnant	тепловой излучатель
T 727	thermal radio-frequency radiation, thermal radiation (emission) <in the r.f. range>	thermische Radiofrequenzstrahlung f (Strahlung) f, <im Radiofrequenzbereich>	rayonnement m [radio-électrique] thermique <dans la gamme radio-électrique>	тепловое радиоизлучение, тепловое излучение <в диапазоне радиочастот>
T 728	thermal range, thermal region <of energy>	thermisches Gebiet (Energiegebiet) n	domaine m thermique [d'énergie]	тепловая область [энергии]
T 729	thermal reactor, thermal pile	thermischer Reaktor m	réacteur m à neutrons thermiques, réacteur thermique	реактор на тепловых нейтронах, тепловой реактор
T 730	thermal rearrangement, thermal transposition	thermische Umlagerung f, Mehrzentrenumlagerung f	regroupement m (transposition f) thermique	термическая перегруппировка
	thermal regenerator	s. regenerator		
T 731	thermal regime of the lake	Wärmeklima n des Sees	régime m thermique du lac	термический режим озера
	thermal region, thermal range <of energy>	thermisches Gebiet (Energiegebiet) n	domaine m thermique [d'énergie]	тепловая область [энергии]
T 732	thermal regulation	Wärmeregulierung f, Wärmeregelung f	régulation f thermique	терморегуляция, тепловое регулирование
T 733	thermal relaxation	thermische Relaxation f	relaxation f thermique	термическая (тепловая) релаксация, релаксация температуры
	thermal relaxation time	s. spin-lattice relaxation time		
T 734	thermal relay, electrothermal relay, thermorelay	Thermorelais n, thermoelektrisches Relais n, Temperaturrelais n, Hitzdrahtrelais n; Temperaturbegrenzer m, Temperaturwächter m	relais m thermique, thermorelais m	электротепловое (тепловое) реле, термореле, термоэлектрическое (термическое, биметаллическое) реле
T 735	thermal relay, thermostat <techn.>	Thermoschalter m, Temperaturschalter m, Thermostat m <Techn.>	automate m thermométrique, thermostat m <techn.>	автоматический тепловой выключатель; тепловой автомат, температурный автоматический выключатель <техн.>
T 736	thermal resilience, thermoresilience	Thermorückfederung f	résilience f thermique, thermorésilience f	термоупругая инверсия
T 737	thermal resistance	Wärmewiderstand m	résistance f thermique	термическое сопротивление, тепловое сопротивление
T 738	thermal resistance <of transistor>, transistor, thermal resistance	thermischer Widerstand m [des Transistors]	résistance f thermique [du transistor]	тепловое сопротивление [транзистора]
T 738a	thermal resistance noise	Wärme[durchgangs]widerstandsrauschen n	bruit m thermique de résistance	тепловой (термический, температурный) шум сопротивления

T 739	**thermal resistivity**	spezifischer Wärmewiderstand *m*, spezifischer Wärmeleitungswiderstand *m* <reziproke Wärmeleitzahl>	résistivité *f* thermique, résistance spécifique thermique, résistance au transfert de chaleur	удельное термическое сопротивление, коэффициент теплового сопротивления
T 740	**thermal response**	Temperaturanstiegsrate *f*	réponse *f* thermique, taux *m* d'augmentation de la température	скорость возрастания температуры
T 741	**thermal saturated activity**	thermische Sättigungsaktivität *f*	activité *f* saturée par neutrons thermiques	насыщенная активность при облучении тепловыми нейтронами
T 742	**thermal scattering**	thermische Streuung *f*	diffusion *f* thermique	тепловое рассеяние
T 743	**thermal self-diffusion current**	Selbstthermodiffusionsstrom *m*, thermischer Selbstdiffusionsstrom *m*	courant *m* d'autodiffusion thermique	поток самотермодиффузии
	thermal sensitive resistor	s. thermistor		
T 744	**thermal shield**, heat shield	thermische Abschirmung *f*, Wärmeabschirmung *f*; thermischer Schild *m*; Hitzeschild *m*, Wärmeschild *m*; Wärmeschutz [-schirm] *m*	blindage *m* thermique; bouclier *m* thermique; écran *m* thermique	тепловая защита, теплозащита; тепловой экран, теплозащитный экран, тепловой защитный экран
T 745	**thermal shock**	Thermoschock *m*, Wärmeschock *m*, Wärmestoß *m*	choc *m* thermique	тепловой удар, термический удар, резкое изменение температуры
T 746	**thermal shock protection, thermal shock shield**	Wärmeschockschild *m*, Wärmeschockabschirmung *f*	écran *m* de choc thermique	защита от тепловых ударов
	thermal short-time current rating <US>, rated short-circuit current	thermischer Grenzstrom *m*, thermischer Kurzschlußstrom *m*	courant *m* de court-circuit nominal	предельный ток термической устойчивости
	thermal source	s. thermal spring		
T 747	**thermal source of light**, thermal light source, temperature source of light	thermische Lichtquelle *f*	source *f* thermique de lumière, source lumineuse thermique	температурный источник света, тепловой источник света
	thermal spectrum, heat radiation spectrum, heat spectrum	Wärmestrahlungsspektrum *n*, Wärmespektrum *n*	spectre *m* des rayons calorifiques	теплоспектр
T 748	**thermal spectrum**, thermal neutron spectrum	thermisches Spektrum *n*, Energiespektrum *n* der thermischen Neutronen	spectre *m* thermique, spectre des neutrons thermiques	тепловой спектр, спектр тепловых нейтронов
T 749	**thermal spike**	„thermal spike", thermischer Störungsbereich *m*, Störungsbereich, [örtlicher] Erhitzungsbereich *m*	pointe *f* thermique [simple], zone *f* chaude, pic *m* thermique, « thermal spike » *m*	тепловой пик, термический пик, местный перегрев, термопик [Капицы]
T 750	**thermal spring**, thermal source, therma <pl.: thermae>; warm spring, warm source; hot spring, hot source, hot spa	Therme *f*, Thermalquelle *f*; warme Quelle *f*; heiße Quelle	source *f* thermale, therme *f*, eau *f* thermale; source chaude	терма, термальная вода, термальный источник, теплый источник; горячий источник
T 751	**thermal stability**, thermostability, heat resistance, resistance to heat, heat-resisting quality, heat proofness, heat-proof quality, heat endurance, heat fastness, heat-fast quality, high-temperature resistance, high-temperature strength; temperature stability, temperature resistance, temperature-resistant quality	Wärmebeständigkeit *f*, Wärmefestigkeit *f*, Wärmefestigkeit *f*, Wärmebeharrung *f*, Wärmesicherheit *f*, Temperaturbeständigkeit *f*, Temperaturfestigkeit *f*, thermische Stabilität *f*, Hitzebeständigkeit *f*, Hitzefestigkeit *f*, Hochtemperaturbeständigkeit *f*, Hochtemperaturfestigkeit *f*, Hochwarmfestigkeit *f*, Hochwärmebeständigkeit *f*, Hochwärmefestigkeit *f*; Wärmeformbeständigkeit *f*, Formbeständigkeit *f* in der Wärme <Plaste>; Wärmestandfestigkeit *f* <Plaste>	résistance *f* à la chaleur; résistance contre la chaleur, résistance à chaud, résistance thermique; endurance *f* thermique, stabilité *f* thermique, stabilité à la chaleur, stabilité à chaud, résistance aux hautes températures; ténacité *f* à la chaleur, ténacité à chaud	теплостойкость, теплоустойчивость, тепловая стойкость, тепловая устойчивость, термическая стойкость, термическая устойчивость, температуростойкость, температуроустойчивость, стойкость к действию температур, устойчивость к действию температур, термостабильность; жаростойкость, жаропрочность, жароустойчивость, жароупорность; прочность при высоких температурах; нагревоустойчивость
T 752	**thermal state**	Wärmezustand *m*	état *m* thermique	термический режим, тепловой режим
	thermal state equation, thermal equation of state	thermische Zustandsgleichung *f*	équation *f* d'état thermique	термическое уравнение состояния
T 753	**thermal stimulation**, thermostimulation	thermische Ausleuchtung (Stimulation) *f*, Temperaturausleuchtung *f*, Thermoausleuchtung *f*, Thermostimulation *f*	stimulation *f* thermique, thermostimulation *f*	термовысвечивание
T 754	**thermal stimulus**	thermischer Reiz *m*, Wärmereiz *m*	stimulus *m* thermique	тепловой раздражитель
	thermal strain	s. thermal deformation		
	thermal strain	s. thermal stress		
T 755	**thermal stratification**	Temperaturschichtung *f*, Temperaturstruktur *f*	stratification *f* thermique	температурная стратификация, стратификация по температуре, температурное расслоение
T 756	**thermal stress**, temperature stress; thermal strain	Wärmespannung *f*, thermische Spannung *f*	contrainte *f* thermique, contrainte d'origine thermique, tension *f* thermique	тепловое напряжение, теплонапряжение, теплонапряженность, термическое (температурное) напряжение, термонапряжение

	thermal stress, heat load [-ing], load[ing] thermal	Wärmebelastung f, Wärmebeanspruchung f	charge f calorifique, charge thermique	тепловая нагрузка, теплонапряженность
	thermal superconduction	s. superthermal conduction		
	thermal superconductivity	s. superthermal conduction		
T 757	thermal superconductor, super heat conductor	Suprawärmeleiter m, thermischer Supraleiter m	supraconducteur m thermique	тепловой сверхпроводник
T 758	thermal transition	thermischer Übergang m	transition f thermique	тепловой переход
T 759	thermal transition probability	thermische Übergangswahrscheinlichkeit f	probabilité f de transition thermique	вероятность теплового перехода
	thermal transmission	s. rate of heat flow		
	thermal transmission factor	s. thermal transmittance		
T 760	thermal transmittance, thermal transmission factor <quantity>	Durchlaßgrad m (Transmissionsgrad m, Durchlässigkeit f) für Wärmestrahlung, Wärmedurchlässigkeit f, Wärmetransmission f <Größe>	facteur m de transmission [pour le rayonnement] thermique, transmittance f thermique <quantité>	коэффициент пропускания теплового излучения, прозрачность для теплового излучения, теплопрозрачность <величина>
	thermal transmittance	s. a. heat[-] transmission coefficient		
T 761	thermal transpiration	thermische Transpiration f	transpiration f thermique	термическое испарение
	thermal transposition, thermal rearrangement	thermische Umlagerung f, Mehrzentrenumlagerung f	regroupement m (transposition f) thermique	термическая перегруппировка
T 762	thermal tripping	Wärmeauslösung f	déclenchement m thermique	расцепление от теплового реле
	thermal unit	s. unit of heat		
T 763	thermal utilization	thermische Nutzung f	utilisation f thermique	использование тепловых нейтронов
T 764	thermal utilization factor	Faktor m der thermischen Ausnutzung (Nutzung), thermischer Nutzfaktor m, Ausnutzungsgrad m für thermische Neutronen	facteur m d'utilisation thermique, coefficient m d'utilisation thermique	коэффициент использования тепловых нейтронов
	thermal value, heat equivalent [of the work done]	kalorisches Arbeitsäquivalent n, Wärmewert m [der Arbeitseinheit]	équivalent m calorifique [du travail], équivalent thermique [du travail]	тепловой эквивалент [работы], термический эквивалент [работы]
T 764a	thermal valve	Wärmeventil n	soupape f thermique	тепловой клапан
T 765	thermal velocity	thermische Geschwindigkeit f	vitesse f thermique	тепловая скорость
T 766	thermal vibration	Wärmeschwingung f, thermische Schwingung f, Thermoschwingung f	vibration f thermique	тепловое колебание
T 767	thermal wave	Wärmewelle f	onde f thermique, onde calorifique	тепловая волна, термическая волна
T 768	thermal wave	Wärmestrahlungswelle f	onde f [de rayonnement] thermique	термическая радиационная волна
T 769	thermal weathering, insolation weathering	Insolationsverwitterung f, Temperaturverwitterung f	dénudation f thermique	термическое выветривание, температурное выветривание
	thermal wind	s. thermic wind		
T 770	thermal wind rose	thermische Windrose f	rose f des vents thermique	термическая роза ветров
	thermal work	s. thermal energy		
	thermal yield	s. thermal neutron yield		
	thermel	s. thermocouple		
	thermel	s. a. thermocouple thermometer		
	thermic	s. thermal		
	thermic upwash	s. laminar thermal convection in the atmosphere		
T 771	thermic wind; thermal wind	thermischer Wind m	vent m thermique	термический ветер; ветер, создаваемый восходящими потоками теплого воздуха
T 772	thermion	Thermion n	thermion m	термион
T 773	thermion, thermoelectron	Glühelektron n, Thermoelektron n	thermo-électron m, thermion m	термоэлектрон, термион, термоион, испускаемый накаливаемым катодом электрон
T 774	thermionic	Glühelektronen-, glühelektrisch, Thermoelektronen-	thermo-ionique, thermo-électrique	термоэлектронный; термоэмиссионный
T 775	thermionic, thermoionic	thermionisch, Thermionen-, thermoionisch	thermo-ionique, thermoionique	термоионный
T 776	thermionic arc	thermionischer Bogen (Lichtbogen) m	arc m thermo-ionique	термоэлектронная дуга, дуга с термоэлектронной эмиссией, термоионная дуга
T 777	thermionic [atomic] battery	thermionische Batterie (Radionuklidbatterie) f	batterie f thermionique, pile f thermionique	термионная батарея, термионная атомная батарея
	thermionic cathode	s. hot cathode		
T 777a	thermionic conduction	Glühelektronenleitung f	conduction f thermionique (thermo-électronique)	термоэлектронная проводимость
T 778	thermionic constant, emission constant	Glühemissionskonstante f, Emissionskonstante f <Konstante K der Richardson-Gleichung>	constante f thermionique (d'émission), constante de la formule de Richardson	постоянная в законе термоэлектронной эмиссии, константа в формуле Ричардсона-Дэшмана, постоянная эмиссии
T 779	thermionic conversion, thermionic generation of electricity	thermionische Umwandlung (Umformung, Umsetzung, Energieumwandlung, Energieumformung) f	conversion f thermo-ionique, conversion thermionique	термоэлектронное преобразование, термоэлектронная генерация

T 780	**thermionic converter,** thermionic energy converter	thermionischer Wandler (Konverter) m, Thermionikkonverter m, Thermoemissionsumformer m, Thermoemissionsenergieumformer m, Thermoemissionsumsetzer m, Thermoemissionswandler m, glühelektrischer Generator m, Anlaufstromgenerator m	convertisseur m thermo-ionique, convertisseur d'énergie thermo-ionique, convertisseur thermionique	термоэлектронный преобразователь, термоэлектронный генератор
T 781	**thermionic current,** thermionic emission current	Glühelektronenstrom m, thermischer Emissionsstrom m	courant m thermionique (thermo-ionique, thermo-électronique, d'émission thermionique)	термоэлектронный ток, ток термоэлектронной эмиссии
T 782	**thermionic current**	Thermionenstrom m	courant m thermo-ionique (thermionique)	термоионный ток
T 783	**thermionic detector** / **thermionic diode**	s. valve rectifier / Röhrendiode f	diode f thermo-ionique	термоэлектронный диод
T 784	**thermionic discharge**	Glühelektronenentladung f; Thermionenentladung f	décharge f thermo-ionique, décharge thermionique	термоэлектронный разряд; термоионный разряд
T 785	**thermionic electron source**	Glühelektronenquelle f	source f thermionique d'électrons	источник термоэлектронов
T 786	**thermionic emission,** thermal emission, Richardson effect, Edison effect, thermoelectronic emission, thermoelectronic effect	Glühemission f, thermische Elektronenemission f, thermische Emission f, glühelektrischer Effekt m, glühelektrische Elektronenemission, Richardson-Effekt m, Edison-Effekt m, Glühelektronenemission f, Glühelektronenverdampfung f, Thermoemission f; Glühkatodenemission f	thermo-émission f, émission thermo-électronique, émission f thermo-ionique, émission thermionique, émission thermique, effet m thermo-électr[on]ique, effet Richardson, effet d'Edison, effet Edison	термоэлектронная эмиссия, термоэмиссия, явление термоэлектронной эмиссии, эффект Ричардсона, эффект Эдисона
T 787	**thermionic emission,** thermoionic emission / **thermionic emission current,** thermionic current	Thermionenemission f, thermionische Emission f / Glühelektronenstrom m, thermischer Emissionsstrom m	émission f thermo-ionique, émission thermionique / courant m thermionique (thermo-ionique, thermo-électronique, d'emission thermionique)	терм[о]ионная эмиссия / термоэлектронный ток, ток термоэлектронной эмиссии
	thermionic energy converter	s. thermionic converter		
	thermionic generation of electricity	s. thermionic conversion		
	thermionic generator	s. valve oscillator		
	thermionic ion source, thermionic source	Thermionenquelle f	source f thermo-ionique, source thermionique	термоионный источник, источник термионов
	thermionic rectifier	s. valve rectifier		
	thermionics	= theory and application of thermionic emission		
T 788	**thermionic source,** thermionic ion source	Thermionenquelle f	source f thermo-ionique, source thermionique	термоионный источник, источник термионов
T 789	**thermionic transistor**	Heißelektronentransistor m, Glühelektronentransistor m	transistor m thermionique	термоэлектронный транзистор термоэлектронный полупроводниковый триод
	thermionic tube, hot-cathode tube, hot-cathode valve, thermionic valve	Glühkatodenröhre f, Glühkatodenrohr n	tube m à cathode chaude, tube à cathode incandescente, tube thermionique	лампа с накаливаемым (подогревным) катодом, трубка с накаливаемым катодом
	thermionic tube	s. a. cathode-ray tube		
	thermionic tube	s. a. thermionic valve		
	thermionic vacuum tube, vacuum tube, vacuum valve	Vakuumröhre f, Hochvakuumröhre f	tube m à vide, lampe f à vide	электронная вакуумная лампа, вакуумная лампа
T 790	**thermionic valve,** valve, electron[ic] valve, thermionic tube, electron tube, tube <el.>	Elektronenröhre f, Röhre f <El.>	tube m électronique (thermo-ionique, thermionique, thermo-électronique), tube, lampe f thermo-électronique (électronique), lampe <él.>	электронная лампа, радиолампа, лампа, электронная трубка <эл.>
	thermionic valve	s. a. cathode-ray tube		
	thermionic valve	s. a. thermionic tube		
	thermionic valve electronics, tube electronics	Röhrenelektronik f	électronique f des tubes [thermo-ioniques]	электроника ламп
	thermionic valve equation, tube equation	Röhrengleichung f, Röhrenformel f	équation f de lampe, formule f de lampe	внутреннее уравнение лампы, уравнение лампы
	thermionic valve transmitter	s. vacuum-tube transmitter		
	thermionic voltmeter	s. vacuum tube voltmeter		
T 790a	**thermionic work function**	Austrittsarbeit f bei der Glühemission , Glühelektronen-Austrittsarbeit f	travail m d'extraction thermionique	термоэлектронная работа выхода
T 791	**thermistor,** thermally sensitive resistor, thermal sensitive resistor, heat-variable resistor, N.T.C. resistor, negative temperature coefficient resistor	Thermistor m, Heißleiter m, Thernewid m, NTC-Widerstand m, thermisch negativer Widerstand m	thermistance f, thermistor m, résistance f thermo-sensible	терморезистор, термистор, термосопротивление, полупроводниковое термосопротивление, термочувствительное (теплозависимое, температурозависимое, температурозависимое полупроводниковое) сопротивление

T 792	thermistor bridge	Thermistorbrücke f	pont m à thermistance[s]	термисторный мост
T 793	thermistor resistance	Thermistorwiderstand m	résistance f du thermistor, thermistance f	сопротивление термо-резистора
T 794	thermistor thermometer	Heißleiterthermometer n	thermomètre m à thermistance	термометр с термистором
T 795	thermistor vacuum-meter	Thermistorvakuummeter n	vacuomètre m à thermistor	термисторный вакуумметр
T 796	thermium, thermal acceptor	Thermium n, thermischer Akzeptor m	thermium m, accepteur m thermique	термий, термический акцептор
T 796a	thermoacoustics	Thermoakustik f	thermo-acoustique f	термоакустика
T 797	thermo-adsorption	Thermoadsorption f	thermo-adsorption f	термоадсорбция
T 798	thermo-alcoholometer	Thermoalkoholometer n	thermo-alcoomètre m	спиртометр с температурной шкалой
T 799	thermo-ammeter	Thermoamperemeter n, Thermostrommesser m	thermo-ampèremètre m	амперметр термоэлектрической системы, термо-амперметр, тепловой амперметр
	thermoanalysis, thermal analysis, thermography	thermische Analyse f, Thermoanalyse f	analyse f thermique, thermo-analyse f, thermographie f	термоанализ, термический анализ, тепловой анализ, метод термоанализа, термография
	thermoanalytic[al], by thermal analysis	thermoanalytisch	par analyse thermique, thermo-analytique	методом термоанализа, термографический
T 800	thermo-anelasticity	Thermoanelastizität f	thermo-anélasticité f	термонеупругость, термоанэластичность
	thermo-anemometer	s. thermocouple anemometer		
	thermo-areometer	s. thermocouple areometer		
T 801	thermobalance, thermo-gravity balance	Thermowaage f; Temperaturwaage f	thermobalance f, balance f thermogravimétrique, balance f de gravité thermique	термовесы, термогравиметрические весы
T 802	thermobaric field	thermobarisches Feld n	champ m thermobarique	термобарическое поле
T 803	thermobaric wave	thermobarische Welle f	onde f thermobarique	термобарическая волна
T 804	thermobarometer	Thermobarometer n	thermobaromètre m	термобарометр
	thermobattery	s. thermopile		
T 804a	thermocapillarity	Thermokapillarität f	thermocapillarité f	термокапиллярность
	thermocell	s. thermocouple		
T 805	thermochemical calorie, Rossini calorie, cal$_{thermochem}$ <= 4.1840 J>	thermochemische Kalorie f, Rossini-Kalorie f, cal$_{thermochem}$	calorie f thermochimique, calorie de Rossini, cal$_{thermochim}$	термохимическая калория, калория Россини, кал$_{термохим}$
T 806	thermo[-]chemistry, chemical thermodynamics	Thermochemie f, chemische Thermodynamik f	thermochimie f, thermodynamique f chimique	термохимия, химическая термодинамика
T 807	thermochromism	Thermochromie f	thermochromie f	термохромия, термохромизм
T 808	thermocline, discontinuity layer	Temperatursprungschicht f, [thermische] Sprungschicht f	couche f du saut thermique, couche de discontinuité	слой скачка, слой температурного (термического) скачка
T 809	thermocline, metalimnion <of lake>	Sprungschicht f, Metalimnion n <See>	couche f du saut thermique, métalimnion m <du lac>	слой скачка, слой температурного скачка, металимнион <озера>
T 810	thermocline gradient, gradient of the thermo-cline	Sprungschichtgradient m	gradient m de la couche du saut	градиент слоя скачка
T 811	thermoclinic	thermoklin	thermoclinique	термоклинный
T 812	thermocolorimeter	Thermokolorimeter n	thermocolorimètre m	термоколориметр
T 813	thermo[-]compression [bond]	Thermodruckbindung f, Thermokompression f, „thermocompression" f	thermocompression f; joint m par thermocompression	термическое прессование (обжатие); соединение методом термического прессования
T 814	thermocompressor	Thermokompressor m	thermocompresseur m	термокомпрессор, тепловой компрессор
T 815	thermoconductometric analysis, thermo-conductometry	thermokonduktometrische Analyse f, Thermokonduktometrie f	analyse f thermoconducto-métrique, méthode f thermoconductométrique, thermoconductométrie f	термокондуктометрический анализ, термокондуктометрический метод анализа, термокондуктометрия
	thermocontrol	s. temperature control		
	thermocontroller	s. thermoregulator		
	thermoconvection	s. convection of heat		
	thermoconvective, thermal-convection	thermokonvektiv	par (de, à) convection thermique, thermoconvectif	термоконвективный
T 816	thermo[-]converter, thermal converter, electrically heated thermocouple	Thermoumformer m	thermo[-]convertisseur m, convertisseur m thermoélectrique	термопреобразователь, термоэлектрический преобразователь, термопара
T 817	thermo[-]couple, thermo-electric couple, thermo-element couple; thermo-element, thermoelectric element, thermel, thermo-cell; pyod	Thermoelement n, thermoelektrisches Element n; Thermozelle f; Thermopaar n	thermocouple m, thermo-couple m, couple m thermo-électrique; canne f thermo-électrique; thermo[-]élément m, élément m de pile thermo-électrique	термопара; термоэлемент
T 817a	thermocouple amplifier	Thermoelementverstärker m	amplificateur m thermo-électrique	термоэлектрический (термопарный) усилитель
T 818	thermocouple ane-mometer, thermo-electric anemometer, thermoanemometer	thermoelektrisches Anemometer n, thermoelektrischer Windmesser m, Thermo[element]anemometer n, Anemometer mit Thermoelement, Windmeßgerät n (Windgeschwindigkeitsmesser m) mit Thermoelement	anémomètre m à thermo-couple, anémomètre thermo-électrique; thermo-anémomètre m, anémomètre à couple thermo-électrique	термоэлектрический анемометр, термопарный анемометр, термоанемометр, анемометр с термопарой

T 819	**thermocouple areom-eter,** thermoelectric areometer, thermo-areometer	Thermoaräometer n, thermoelektrisches Aräometer n	aréomètre m à thermo-couple, aréomètre thermo-électrique, thermo-aréomètre m	термоареометр, термо-электрический арео-метр, термопарный ареометр
T 820	**thermocouple circuit**	Thermomeßkreis m	circuit m à thermocouple, circuit de mesure à thermocouple	измерительная схема с термопарой
	thermocouple electro-motive force	s. thermal e.m.f.		
	thermocouple galva-nometer, thermo[-]gal-vanometer, thermocouple-type galvanometer, hot-wire galvanometer	Thermogalvanometer n, Hitzdrahtgalvanometer n	thermogalvanomètre m, galvanomètre m calorique, galvanomètre à fil chaud	термопарный гальвано-метр, термогальвано-метр, термоэлектриче-ский гальванометр, тепловой гальванометр
T 820a	**thermocouple gauge head**	Thermoelementmeßkopf m	sonde f thermo-électrique	термоэлектрический зонд (датчик)
T 821	**thermocouple instru-ment,** thermoelectric instrument, thermo-instrument	Thermoumformer-Meß-gerät n, Thermoumfor-mergerät n, Thermo-umformerinstrument n, thermoelektrisches Meß-gerät n, Thermomeßgerät n, Thermoinstrument n	appareil m de mesure à thermocouple, appareil à thermocouple, appareil de mesure thermo-électrique, appareil thermo-électri-que, appareil de mesure à thermoconvertisseur, appareil à thermoconver-tisseur, thermo-appareil m	термоэлектрический [изме-рительный] прибор, измерительный при-бор термоэлектрической системы, измерительный прибор с термопарой (термообразователем), термоэлементный [изме-рительный] прибор, термопарный [измери-тельный] прибор
T 822	**thermocouple junction,** thermojunction, thermal junction	Lötstelle (Kontaktstelle) f des Thermoelements, thermo-elektrische Lötstelle	soudure f de thermocouple, jonction f thermique, thermojonction f	спай термопары, термо-спай, рабочий конец термопары
	thermocouple micro-phone, thermoelectric microphone	thermoelektrisches Mikro-phon n, Thermoelement-mikrophon n	microphone m à couple thermo-électrique	термоэлектрический микрофон
	thermocouple pile	s. thermopile		
T 823	**thermocouple thermom-eter,** thermoelectric thermometer, thermo-electric pyrometer, thermel	Temperaturmeßgerät n mit Berührungsthermo-element, thermoelektri-sches Thermometer (Pyrometer) n	thermomètre m [à couple] thermo-électrique, pyro-mètre m [à couple] thermo-électrique	термоэлектрический пирометр, термоэлектри-ческий термометр
	thermocouple-type galvanometer	s. thermocouple galvanom-eter		
T 824	**thermocouple vacuum gauge,** thermoelectric vacuummeter, heat-con-duction gauge, thermo-tron	thermoelektrisches Vakuum-meter n, Thermoelement-Vakuummeter n, Wärme-leitungsmanometer n, Wärmeleitungsvakuum-meter n, Thermotron n	manomètre m thermique, manomètre à thermo-couple, vacuomètre m à couple thermo-électrique, manomètre thermo-électrique, thermotron m	термопарный вакуумметр, термовакуумметр, термопара, термоэлек-трический манометр
T 825	**thermocouple volt-meter,** thermovoltmeter	Thermovoltmeter n, Thermospannungsmesser m	thermovoltmètre m, volt-mètre m à thermocouple	термовольтметр, вольтметр термоэлектрической системы, термоэлектри-ческий вольтметр
	thermocouple wattmeter	s. thermowattmeter		
T 826	**thermocouple wire**	Thermodraht m, Thermo-elementdraht m	fil m de thermocouple	проволока термопары, термоэлектродная проволока
T 827	**thermocross,** thermo-electric cross, thermal cross	Thermokreuz n	croix f thermique, thermo-couple m à fils croisés, croix thermoélectrique	термокрест, термопара, крест Пельтье
T 828	**thermocross bridge**	Thermokreuzbrücke f	pont m à croix thermique	мост с термокрестом
	thermocurrent, thermo-electric current	Thermostrom m, thermo-elektrischer Strom m	courant m thermo-électrique, thermocourant m	термоэлектрический ток, термоток
T 829	**thermode**	Thermode f	thermode f	термод
T 829a	**thermodepolarization [current] method**	Methode f der Depolarisa-tionsthermoströme	méthode f des thermocou-rants de dépolarisation	метод термоэлектронных токов деполяризации
T 830	**thermo detector,** thermo[-]detector, thermo-electric detector	Thermodetektor m, thermo-elektrischer Detektor m	thermo[-]détecteur m, détecteur m thermo[-] électrique	термодетектор, термо-электрический детектор
T 831	**thermodielectric effect,** Costa de Ribeiro effect	thermodielektrischer Effekt m, Costa-de-Ribeiro-Effekt m	effet m thermo-diélectrique, effet Costa de Ribeiro	термодиэлектрический эффект
	thermodiffusion	s. thermal diffusion		
T 832	**thermoduct**	durch Temperaturinversion entstandener Tropo-sphärenkanal m, Inver-sions-Troposphärenkanal m	thermoconduit m	атмосферный волновод, образовавшийся вслед-ствие температурной инверсии
T 833	**thermodynamic[al] activity**	thermodynamische Aktivität f	activité f thermodynamique	термодинамическая активность
T 834	**thermodynamically unstable**	thermodynamisch instabil	thermodynamiquement instable	термодинамически неустойчивый
T 835	**thermodynamic con-stant,** constant of thermodynamics	Konstante f der Thermo-dynamik, thermodynami-sche Konstante	constante f thermodynami-que, constante de thermo-dynamique	термодинамическая по-стоянная, постоянная термодинамики
T 836	**thermodynamic co-ordinate,** thermodynam-ic parameter [of state], thermodynamic property	thermodynamischer Para-meter m, thermodynami-sche Koordinate f	coordonnée f thermo-dynamique, paramètre m thermodynamique	термодинамический параметр
	thermodynamic co-ordinate	s. a. parameter of state		
T 837	**thermodynamic cycle**	thermodynamischer Kreis-prozeß m	cycle m thermodynamique	термодинамический цикл
T 838	**thermodynamic degeneracy**	thermodynamische Entartung f	dégénérescence f thermique	термодинамическое вырождение
T 839	**thermodynamic diagram**	thermodynamisches Diagramm n	diagramme m thermo-dynamique	термодинамическая диаграмма

	thermodynamic diagram	s. a. phase diagram		
	thermodynamic efficiency	s. relative efficiency		
T 840/1	thermodynamic equation of state	thermodynamische Zustandsgleichung f	équation f d'état thermo-dynamique	термодинамическое урав-нение состояния
T 842	thermodynamic equilibrium	thermodynamisches Gleich-gewicht n	équilibre m thermo-dynamique	термодинамическое равновесие
	thermodynamic excess function	s. enthalpy of mixing		
T 843	thermodynamic exponent	thermodynamischer Exponent m	exposant m thermo-dynamique	термодинамический показатель
T 843a	thermodynamic factor	thermodynamischer Faktor m	facteur m thermo-dynamique	термодинамический множитель
T 844	thermodynamic flux, flux, flow, current, rate <therm.>	thermodynamischer Fluß m, Fluß <Therm.>	flux m thermodynamique, flux <therm.>	термодинамический поток, поток <тепл.>
T 845	thermodynamic freezing-in	thermodynamisches Ein-frieren n, Gleichgewichts-einfrieren n	congélation (vitrification) f thermodynamique	равновесное стеклование (остекловывание)
T 846	thermodynamic function	thermodynamische Funktion f	fonction f thermodyna-mique	термодинамическая функция
T 847	thermodynamic inter-action constant	thermodynamische Wechselwirkungs-konstante f	constante f d'interaction thermodynamique	термодинамическая кон-станта взаимодействия
T 848	thermodynamic isotope effect	thermodynamischer Isotopieeffekt m	effet m isotopique thermodynamique	термодинамический изотопный эффект
	thermodynamic machine, heat motor, heat engine	Wärmekraftmaschine f, kalorische Maschine f	machine f thermique, moteur m thermique	тепловой двигатель, тепловая машина
T 849	thermodynamic model [of nucleus]	thermodynamisches Kern-modell n, thermo-dynamisches Modell n [des Atomkerns]	modèle m thermodynamique [du noyau]	термодинамическая модель [ядра]
	thermodynamic param-eter [of state]	s. thermodynamic co-ordinate		
T 850	thermodynamic per-turbation theory	thermodynamische Störungstheorie f	théorie f des perturbations thermodynamique	термодинамическая (статистическая) теория возмущений
	thermodynamic phase diagram	s. phase diagram		
T 851	thermodynamic potential	thermodynamisches Potential n	potentiel m thermo-dynamique	термодинамический потенциал
	thermodynamic potential	s. a. free enthalpy		
T 852	thermodynamic power cycle	Wärmekraftprozeß m	cycle m thermodynamique de force	теплосиловой цикл
T 853	thermodynamic pressure	thermodynamischer Druck m	pression f thermodynamique	термодинамическое давление
T 854	thermodynamic probability	thermodynamische Wahr-scheinlichkeit f	probabilité f thermo-dynamique	термодинамическая вероятность
T 855	thermodynamic proc-ess, thermodynamic transformation	thermodynamischer Prozeß m	processus m (procédé m, transformation f) thermo-dynamique	термодинамический процесс
	thermodynamic property	s. thermodynamic co-ordinate		
	thermodynamic property	s. a. parameter of state		
T 856	thermodynamic quantity [of state], thermodynamic variable [of state]	thermodynamische Größe f, thermodynamische Zustandsgröße f	grandeur f thermo-dynamique [d'état]	термодинамическая величина [состояния]
T 857	thermodynamics	Thermodynamik f <im weiteren Sinne>, Wärme-mechanik f, Wärmekraft-lehre f, mechanische Wärmelehre f, Wärme-lehre	thermodynamique f	термодинамика
T 858	thermodynamic similarity	thermodynamische Ähnlichkeit f	similitude f thermo-dynamique	термодинамическое подобие
T 859	thermodynamics of reactions	Reaktionsthermodynamik f	thermodynamique f des réactions [chimiques], thermodynamique de réaction	термодинамика химиче-ских реакций, термо-динамика реакции
	thermodynamics of the nucleus, nuclear thermodynamics	Kernthermodynamik f, Thermodynamik f des Atomkerns	thermodynamique f nuclé-aire, thermodynamique du noyau [atomique]	ядерная термодинамика, термодинамика [атом-ного] ядра
T 859a	thermodynamic stiffness	thermodynamische Steifigkeit f	rigidité f thermodynamique	термодинамическая жесткость
T 860	thermodynamic temper-ature scale	thermodynamische Tempe-raturskala f, normale Temperaturskala, Normskala f der Tempe-ratur	échelle f thermodynamique [des températures]	термодинамическая тем-пературная шкала, термодинамическая шкала температур
	thermodynamic tension	s. intensive variable		
	thermodynamic trans-formation, thermo-dynamic process	thermodynamischer Prozeß m	processus m (procédé m, transformation f) thermo-dynamique	термодинамический процесс
	thermodynamic variable [of state], thermo-dynamic quantity [of state]	thermodynamische Größe f, thermodynamische Zustandsgröße f	grandeur f thermodynami-que [d'état]	термодинамическая величина [состояния]
	thermoelastic attenu-ation, thermoelastic damping	thermoelastische Dämpfung f	affaiblissement m thermo-élastique	термоупругое затухание

T 861	**thermoelastic coefficient,** thermoelasticity coefficient	Thermoelastizitätskoeffizient *m*, thermoelastischer Koeffizient *m*	coefficient *m* de thermo-élasticité, coefficient thermo-élastique	термоупругий коэффициент, коэффициент термоупругости
T 862	**thermoelastic constant**	thermoelastische Konstante *f*	constante *f* thermo-élastique	термоупругая константа
T 863	**thermoelastic coupling**	thermoelastische Kopplung *f*	couplage *m* thermo-élastique	термоупругая связь
T 864	**thermoelastic damping,** thermoelastic attenuation	thermoelastische Dämpfung *f*	affaiblissement *m* thermo-élastique	термоупругое затухание
T 865	**thermoelastic dissipation**	thermoelastische Dissipation *f*	dissipation *f* thermo-élastique	термоупругое рассеяние, термоупругая диссипация
T 866	**thermoelastic effect**	thermoelastischer Effekt *m*, thermoelastische Erscheinung *f*	effet *m* thermo-élastique	термоупругий эффект, термоупругое явление
T 866a	**thermoelastic inversion**	thermoelastische Inversion *f*	inversion *f* thermo-élastique	термоупругая инверсия
T 867	**thermoelasticity**	Thermoelastizität *f*	thermo-élasticité *f*	термоупругость, термоэластичность
T 868	**thermoelasticity coefficient,** thermoelastic coefficient	Thermoelastizitätskoeffizient *m*, thermoelastischer Koeffizient *m*	coefficient *m* de thermo-élasticité, coefficient thermo-élastique	термоупругий коэффициент, коэффициент термоупругости
T 868	**thermoelastic stress**	thermoelastische Spannung *f*	tension *f* thermo-élastique	термоупругое напряжение
T 868a	**thermoelectret**	Thermoelektret *n*	thermo-électret *m*	термоэлектрет
	thermoelectric anemometer	*s.* thermocouple anemometer		
	thermoelectric areometer, thermocouple areometer, thermo-areometer	Thermoaräometer *n*, thermoelektrisches Aräometer *n*	aréomètre *m* à thermo-couple, aréomètre thermo-électrique, thermo-aréomètre *m*	термоареометр, термоэлектрический ареометр, термопарный ареометр
T 869	**thermoelectric battery,** thermoelectric nuclear battery, thermo-e.m.f. nuclear battery, thermo-e.m.f. [atomic] battery, isotope powered thermoelectric generator, radio-isotope thermoelectric generator, RTG	thermoelektrische Batterie *f*, thermoelektrische Radionuklidbatterie *f*, Thermokraftbatterie *f*	batterie *f* thermo-électrique, batterie nucléaire thermo-électrique, pile *f* thermo-électrique	термоэлектрическая батарея, термоэлектрическая атомная батарея
	thermoelectric battery	*s. a.* thermobattery		
	thermoelectric conversion	*s.* thermoelectric generation of electricity		
T 870	**thermoelectric converter; thermoelectric generator**	thermoelektrischer Wandler (Konverter; Generator) *m*	convertisseur *m* thermo-électrique; générateur *m* thermo-électrique	термоэлектрический преобразователь; термоэлектрический генератор, источник тока с термоэлектрическим преобразователем
	thermoelectric couple	*s.* thermocouple		
	thermoelectric cross	*s.* thermocross		
T 871	**thermoelectric current,** thermocurrent	Thermostrom *m*, thermoelektrischer Strom *m*	courant *m* thermo-électrique, thermocourant *m*	термоэлектрический ток, термоток
	thermoelectric detector	*s.* thermo[-]detector		
T 872	**thermoelectric effect**	thermoelektrische Erscheinung *f*, thermoelektrischer Effekt *m*	effet *m* thermo-électrique	термоэлектрическое явление
T 873	**thermoelectric effect,** Seebeck effect	Seebeck-Effekt *m*, thermoelektrischer Effekt *m*	effet *m* thermo-électrique, effet Seebeck	явление (эффект) Зеебека, термоэлектрический эффект, термоэлектрическое явление
	thermoelectric electromotive series	*s.* electrothermal series		
	thermoelectric element	*s.* thermocouple		
	thermoelectric force	*s.* thermal e.m.f.		
T 873a	**thermoelectric generation of electricity; thermoelectric conversion**	thermoelektrische Energieerzeugung (Stromerzeugung; Energie-Direktumwandlung, Wandlung) *f*	génération *f* d'électricité thermo-électrique; conversion *f* thermo-électrique	термоэлектрическое генерирование электроэнергии; термоэлектрическое преобразование
	thermoelectric generator	*s.* thermoelectric converter		
	thermoelectric instrument	*s.* thermocouple instrument		
T 874	**thermoelectricity**	Thermoelektrizität *f*, Wärmeelektrizität *f*	thermo-électricité *f*, thermoélectricité *f*	термоэлектричество
T 875	**thermoelectric microphone,** thermocouple microphone	thermoelektrisches Mikrophon *n*, Thermoelementmikrophon *n*	microphone *m* à couple thermo-électrique	термоэлектрический микрофон
	thermoelectric nuclear battery	*s.* thermoelectric battery		
T 876	**thermoelectric photometry**	thermoelektrische Photometrie *f*	photométrie *f* thermo-électrique	термоэлектрическая фотометрия
	thermoelectric pile	*s.* thermopile		
	thermoelectric potential, thermojunction potential	thermoelektrisches Potential *n*	potentiel *m* thermo-électrique	термоэлектрический потенциал
	thermoelectric potential series	*s.* electrothermal series		
	thermoelectric power	*s.* thermal e.m.f.		
	thermoelectric pyrometer	*s.* thermocouple thermometer		
T 877	**thermoelectric scale of temperature**	thermoelektrische Temperaturskala *f*	échelle *f* thermo-électrique des températures	термоэлектрическая температурная шкала, термоэлектрическая шкала температур
	thermoelectric series	*s.* electrothermal series		
	thermoelectric thermometer	*s.* thermocouple thermometer		

	thermoelectric vacuum-meter	s. thermocouple vacuum gauge		
	thermoelectric voltage	s. thermal e.m.f.		
T 878	thermoelectrode	Thermoelektrode f	thermo-électrode f	термоэлектрод
T 878a	thermoelectro-dynamics	Thermoelektrodynamik f	thermo-électrodynamique f	термоэлектродинамика
	thermoelectromotive force	s. thermal e.m.f.		
	thermoelectromotive force plotted against the temperature	s. curve of the thermo-electromotive force versus (vs.) temperature		
	thermoelectron, thermion	Glühelektron n, Thermo-elektron n	thermo-électron m, thermion m	термоэлектрон, термион, термоион, испускаемый накаливаемым катодом электрон
	thermoelectronic effect (emission)	s. thermionic emission		
T 878b	thermoelectrostatics	Thermoelektrostatik f	thermo-électrostatique f	термоэлектростатика
	thermoelement [couple]	s. thermocouple		
	thermo-e.m.f.	s. thermal e.m.f.		
	thermo-e.m.f. [atomic] battery, thermo-e.m.f. nuclear battery	s. thermoelectric battery		
	thermofission	s. thermal fission		
T. 878c	thermogalvanic cor-rosion	thermogalvanische Korro-sion f	corrosion f thermogalva-nique	термогальваническая коррозия; коррозия, обусловленная разность температур
T 879	thermo[-]galvanometer, thermocouple galvanom-eter, thermocouple-type galvanometer, hot-wire galvanometer	Thermogalvanometer n, Hitzdrahtgalvanometer n	thermogalvanomètre m, galvanomètre m calorique, galvanomètre à fil chaud	термопарный гальвано-метр, термогальвано-метр, термоэлектриче-ский гальванометр, тепловой гальванометр
T 879a	thermo gas chromatography, gas chromathermography	Thermogaschromatographie f	thermochromatographie f en phase gazeuse	газовая термохромато-графия
T 880	thermogauge, heat-pressure gauge	Thermomanometer n	thermomanomètre m, mano-mètre m thermique	тепловой манометр
T 880a	thermogradient coefficient	Thermogradientkoeffizient m	coefficient m de thermo-gradient	термоградиентный коэффициент
T 880b	thermogradientometric analysis	Thermogradientometrie f, thermogradiento-metrische Analyse f	analyse f thermo-gradientimétrique	термоградиентометриче-ский анализ
T 880c	thermogram	Thermogramm n	thermogramme m	термограмма
T 881	thermograph, recording thermometer, temper-ature recorder, thermo-metrograph	Thermograph m, Tempera-turschreiber m, registrie-rendes (schreibendes) Thermometer n, Schreib-thermometer n, Tempera-turselbstschreiber m, Thermometrograph m	thermographe m, thermo-métrographe m, thermo-mètre m enregistreur	термограф, самопишущий термометр, термометр-самописец, [автомати-ческий] самописец тем-ператур, регистрирую-щий термометр
T 881a	thermography <bio.> thermography, thermal analysis, thermoanalysis	Thermographie f <Bio.> thermische Analyse f, Thermoanalyse f	thermographie f <bio.> analyse f thermique, thermo-analyse f, thermographie f	термография «био.» термоанализ, термический анализ, тепловой ана-лиз, метод термоанализа, термография
T 882	thermogravimetric analysis, thermo-gravimetry	Thermogravimetrie f, thermogravimetrische Analyse f	thermogravimétrie f, analyse f thermogravimétrique	термогравиметрия, термогравиметриче-ский анализ
T 883	thermogravitational convection	thermogravitationelle Konvektion f	convection f thermogravi-tationnelle	термогравитационная конвекция
	thermogravity balance	s. thermobalance		
T 884	thermohydro-dynamic[al]	thermohydrodynamisch	thermohydrodynamique	термогидродинамический
T 885	thermohygrometer	Thermohygrometer n	thermo[-]hygromètre m	термогигрометр
T 886	thermoinduction	Thermoinduktion f	thermo-induction f	термоиндукция
	thermoinstrument	s. thermocouple instrument		
	thermoionic	s. thermionic		
T 887	thermoisodrome	Thermoisodrome f	thermo[-]isodrome f	термоизодрома
T 888	thermoisogradient	Thermoisogradient m	thermo-isogradient m	термоизоградиент
T 889	thermoisopleth	Thermoisoplethe f	thermo[-]isoplèthe f	термоизоплета
	thermojunction, thermo-couple junction, thermal junction	Lötstelle f des Thermo-elements, thermoelektri-sche Lötstelle	soudure f de thermocouple, jonction f thermique, thermojonction f	спай термопары, термо-спай, рабочий конец термопары
T 890	thermojunction <semi.>	Thermoübergang m, Thermokontakt m <Halb.>	thermojonction f <semi.>	тепловой переход, термо-переход «полу.»
T 891	thermojunction poten-tial, thermoelectric potential	thermoelektrisches Potential n	potentiel m thermo-électrique	термоэлектрический потенциал
T 892	thermokinetics	Thermokinetik f	thermocinétique f	термокинетика
T 893	thermolabile, heat-unsteady	thermolabil	thermolabile	термолабильный, разла-гающийся под дейст-вием тепла, неустойчи-вый к термическим воздействиям, терми-чески нестойкий
T 894	thermoluminescence, thermal glow, TL	Thermolumineszenz f	thermoluminescence f, lueur f thermique	термолюминесценция, термовысвечивание, тепловое высвечива-ние
	thermoluminescence curve, thermal glow curve; glow curve	Thermolumineszenzkurve f; Glowkurve f	courbe f de thermolumines-cence, courbe de lueur thermique	кривая термовысвечи-вания; кривая высвечи-вания

T 894a	**thermoluminescence dating**	Thermolumineszenz-datierung f, Altersbe-stimmung f aus Thermo-lumineszenzdaten	datage m par thermo-luminescence	определение возраста методом термовысвечи-вания
T 895	**thermoluminescence (thermoluminescent) dosimeter, TLD**	Thermolumineszenz-dosimeter n	dosimètre m [radio]thermo-luminescent, dosimètre à thermoluminescence	термолюминесцентный дозиметр
T 895a	**thermoluminescence (thermoluminescent) dosimeter reader**	Thermolumineszenzdosi-meter-Auswertegerät n	lecteur m pour les dosimètres radiothermo-luminescents	приспособление для отсчета термолюми-несцентных дозиметров
	thermolysis	s. thermal dissociation		
T 896	**thermomagnetic analysis**	thermomagnetische Analyse f	analyse f thermomagnétique	термомагнитный анализ
Г 897	**thermomagnetic effect**	thermomagnetischer Effekt m, thermomagnetische Erscheinung f	effet (phénomène) m ther-momagnétique, effet magnétothermique	термомагнитное явление, магнитотепловое явле-ние, термомагнитный эффект
T 898	**thermomagnetic hysteresis**	thermomagnetische Hysteresis f	hystérésis f thermomagné-tique	термомагнитный гисте-резис
	thermomagnetic torque	s. Scott effect		
T 899	**thermomagnetism**	Thermomagnetismus m	thermomagnétisme m	термомагнетизм
T 900	**thermomagnetization,** thermal magnetization	Thermomagnetisierung f	thermomagnétisation f, aimantation f thermique	термонамагничивание, тепловое намагничи-вание
T 901	**thermomechanical curve**	thermomechanische Kurve f	courbe f thermomécanique	термомеханическая кривая
T 902	**thermomechanical effect,** pressure thermo-mechanical effect, fountain effect	thermomechanischer Druck-effekt (Effekt) m, Fon-täne[n]effekt m, Foun-taineffekt m, ,,fountain effect" m, ,,fountain"-Effekt m, Springbrunnen-wirkung f, Springbrun-neneffekt m, Sprudeleffekt m	effet m fontaine, effet thermomécanique	термомеханический эффект, фонтан-эффект, фонтанный эффект
T 903	**thermomechanics**	Thermomechanik f, Ther-modynamik f im engeren Sinne	thermomécanique f	термомеханика
T 904	**thermometamorphism**	Thermometamorphose f	thermométamorphisme m	термометаморфизм
T 905	**thermometer bulb,** cistern of the thermometer	Thermometerkugel f, Thermometergefäß n	cuvette f du thermomètre	шарик термометра, резер-вуар термометра
T 906	**thermometer collar**	Bohrung f für das Thermo-meter, Thermometer-bohrung f	ouverture f pour le thermo-mètre	отверстие для термометра <в приборе>
T 907	**thermometer column,** thermometric column	Thermometerfaden m, Thermometersäule f	colonne f thermométrique	столбик термометра
	thermometer correction	s. thermometric correction		
T 908	**thermometer for measuring the water temperature**	Schöpfthermometer n, Wasserthermometer n	thermomètre m pour mesu-rer la température d'eau	водный термометр, черпа-тельный термометр, термометр для опреде-ления температуры воды
	thermometer probe, pyrometer probe	Temperaturfühler m	sonde f pyrométrique (thermométrique)	температурный зонд (щуп), термощуп
T 909	**thermometer problem**	Thermometerproblem n	problème m thermométrique	термометрическая задача
	thermometer resistor	s. resistance thermometer		
	thermometer stem	Thermometerkapillare f, Thermometerröhre f	capillaire m du thermo-mètre	капилляр[ная трубка] термометра
	thermometer substance	s. thermometric substance		
	thermometer tube	s. pyrometric rod		
	thermometer with saturated vapour	s. vapour pressure ther-mometer		
T 910	**thermometrical rate of cooling**	thermometrische Abküh-lungsgeschwindigkeit f	vitesse f thermométrique de refroidissement	термометрическая скорость охлаждения
	thermometric column	s. thermometer column		
	thermometric conductivity	s. thermal diffusivity		
T 911	**thermometric correc-tion,** thermometer cor-rection, stem correction; exposed-stem (exposed-thread) correction, emergent column (stem) correction; capillary stem correction	Thermometerkorrektion f, Fadenkorrektion f, Kor-rektion f für den heraus-ragenden Faden	correction f thermométri-que, correction de colonne émergente	поправка термометра, поправка на выступаю-щий столбик жидкости
	thermometric crayon, temperature-indicating crayon, tempilstik <US>	Temperaturfarbstift m, Farbstift m für Tempera-turmessung, Tempera-turmeßstift m	crayon m thermométrique	термоиндикационный карандаш, термоинди-кационный цветной карандаш
	thermometric element, temperature sensor, temperature-sensitive element, temperature-sensing element	Temperaturfühler m, Wärmefühler m, Fühler-element n	élément m sensible à la tem-pérature, élément thermo-sensible; élément thermo-métrique	термочувствительный элемент, термобаллон
	thermometric fluid	s. thermometric liquid		
T 912	**thermometric gas**	Thermometergas n	gaz m thermométrique	термометрический газ, газ для заполнения термометра
T 913	**thermometric liquid,** thermometric fluid	Thermometerflüssigkeit f	liquide m thermométrique	термометрическая жид-кость, жидкость для заполнения термометров
T 913a	**thermometric paper**	Thermometerpapier n	papier m thermométrique	термометрическая бумага
T 914	**thermometric parameter**	Thermometerparameter m, thermometrischer Para-meter m	paramètre m thermométri-que	термометрический пара-метр

T 915	**thermometric sub-stance,** thermometer substance, substance used for the filling of ther-mometer	Thermometersubstanz f	substance f thermométrique, substance f employée pour le remplissage du thermomètre	термометрическое веще-ство, термометрическое тело
	thermometric analysis (titration)	*s.* thermometry		
	thermometrograph	*s.* thermograph		
T 916	**thermometry,** thermo-metric analysis; thermo-metric titration, enthalpometric titration	Thermometrie f, thermo-metrische Analyse f, Enthalpometrie f, ther-mometrisch Titration f	thermométrie f, analyse f thermométrique; titrage m thermométrique	термометрия, термометри-ческий анализ; термо-метрическое титрование
	thermomicrophone	*s.* hot[-] wire microphone		
	thermomolecular flow	*s.* Knudsen effect		
T 917	**thermomolecular pres-sure,** thermal molecular pressure, molecular thermal pressure	Thermomolekulardruck m, thermomolekularer Druck m, thermischer Molekulardruck m	pression' f thermomolé-culaire, pression thermi-que moléculaire	термомолекулярное давле-ние, тепловое молеку-лярное давление
	thermomotor	*s.* hot-air engine		
T 918	**thermomultiplicator**	Thermomultiplikator m	thermomultiplicateur m	термоумножитель, термо-столбик с гальвано-метром, термомульти-пликатор
T 919	**thermonastic**	thermonastisch	thermonastique	термонастический
T 920	**thermonasty**	Thermonastie f	thermonastie f	термонастия
T 920a	**thermo[-]needles**	Thermonadeln fpl, Tast-thermometer n	aiguilles fpl thermo-électriques, thermocouple-aiguille m	игольчатый термоэлемент, игольчатая термопара
T 921	**thermonegative**	thermonegativ	thermonégatif	термоотрицательный
T 921a	**thermoneutral**	thermoneutral	thermoneutre	термонейтральный
T 922	**thermonuclear;** fusion	thermonuklear; Fusions-, Kernfusions-, Verschmel-zungs-	thermonucléaire; de (à, par) fusion	термоядерный
T 923	**thermonuclear appara-tus;** thermonuclear plant	Kernfusionsgerät n; Kern-fusionsanlage f, Fusions-anlage f; thermonukleare Anlage f	appareil (dispositif) m thermonucléaire; installa-tion f thermonucléaire	термоядерное устройство; термоядерная установка
	thermonuclear energy	*s.* fusion energy		
T 924	**thermonuclear explosion**	thermonukleare Explosion f, Kernfusionsexplosion f	explosion f [de bombe] thermonucléaire	термоядерный взрыв, взрыв термоядерной бомбы
T 925	**thermonuclear fusion**	thermonukleare Kernfusion f, thermonukleare Fusion f	fusion f thermonucléaire	термоядерный синтез ядер, термоядерное слияние ядер
	thermonuclear plant	*s.* thermonuclear apparatus		
T 926	**thermonuclear process, thermonuclear reaction**	thermonukleare Reaktion (Fusionsreaktion) f, thermonuklearer Prozeß m	réaction f thermonucléaire, processus m thermo-nucléaire	термоядерная реакция, термоядерный процесс
	thermonuclear reactor; nuclear fusion reactor, fusion reactor	Fusionsreaktor m, Kern-fusionsreaktor m; thermo-nuklearer Reaktor m	réacteur m à fusion; réacteur thermonucléaire	термоядерный реактор
T 927	**thermonuclear trans-formation, thermo-nuclear transmutation**	thermonukleare Umwand-lung f	transmutation f thermo-nucléaire	термоядерное превра-щение
T 928	**thermonucleonics**	Thermonukleonik f, Technik f und Lehre f von den thermonuklearen Reaktionen	thermonucléonique f	термоядерная техника, термонуклеоника
T 929	**thermo-optoelectric cooling**	thermooptoelektrische Kühlung f	refroidissement m thermo-opto-électrique	термооптоэлектрическое охлаждение
T 930	**thermo-osmosis**	Thermoosmose f	thermo-osmose f	термоосмос
T 931	**thermopause**	Thermopause f	thermopause f	термопауза
T 932	**thermoperiodical reaction**	thermoperiodische Reaktion f	réaction f thermopériodique	термопериодическая реакция
T 933	**thermoperiodicity, thermoperiodism**	Thermoperiodismus m, Thermoperiodizität f, Temperaturperiodizität f	thermopériodisme m, thermopériodicité f	термопериодизм, термо-периодичность
T 934	**thermophilic**	thermophil, wärmeliebend, wärmefreundlich	thermophile	термофильный, тепло-любивый
T 935	**thermophily**	Thermophilie f	thermophilie f	термофильность
T 936	**thermophone**	Thermophon n	thermophone m	термофон, термотелефон
T 937	**thermophore**	Thermophor m, Wärme-träger f	thermophore m	теплоноситель
T 938	**thermophoresis**	Thermophorese f	thermophorèse f	термофорез
T 939	**thermophosphorescence**	Thermophosphoreszenz f	thermophosphorescence f	термофосфоресценция
T 940	**thermo-photovoltaic**	thermophotoelektrisch, thermophotovoltaisch, wärmelichtelektrisch	thermophotovoltaïque	термофотоэлектрический
T 940a	**thermophysics**	Thermophysik f	thermophysique f	теплофизика
T 941	**thermopile,** thermo-electric pile, thermo-couple pile; thermo-battery, thermoelectric battery	Thermosäule f, thermo-elektrische Säule f; Ther-mokette f; Thermo-batterie f	thermopile f, pile f thermo-électrique; thermobatterie f	термоэлектрический столб[ик], термостолбик, термоэлемент; цепочка из термопар; термо-электрическая батарея, термобатарея
T 942	**thermoplastic,** thermo-plastic material	Thermoplast m, thermo-plastischer Kunststoff m, Plastomer n	thermoplastique m, matière f thermoplastique	термопластический мате-риал, термопластиче-ская масса, термопласт, термопластичный пла-стик, термопластик[ат], термопластичная пластмасса
T 943	**thermoplasticity**	Thermoplastizität f	thermoplasticité f	термопластичность

	thermoplastic material	s. thermoplastic		
T 944	thermopolymer, thermal polymer	Thermopolymerisat n	thermopolymère m, polymère m thermique	термополимер
T 945	thermopositive	thermopositiv	thermopositif	термоположительный
	thermoquenching	s. thermal quenching		
	thermoreceptor, heat receptor	Thermorezeptor m, Wärmerezeptor m	thermorécepteur m [au chaud]	терморецептор
	thermoregulation	s. temperature control		
T 946	thermoregulator, thermostatic regulator, thermocontroller, temperature regulating device, temperature controller, temperature regulator, attemperator	Temperaturregler m, Thermoregler m, Thermoregulator m	thermorégulateur m, régulateur m de température	терморегулятор, регулятор температуры
	thermorelay	s. thermal relay		
T 947	thermoremanence, thermoremanent magnetization, TRM	Thermoremanenz f, thermoremanente Magnetisierung f, TRM	aimantation (magnétisation) f thermorémanente, TRM	термонамагниченность, термостаточная намагниченность, TRM
	thermoresilience, thermal resilience	Thermorückfederung f	résilience f thermique, thermorésilience f	термоупругая инверсия
T 947a	thermoresonance	Thermoresonanz f	thermorésonance f	терморезонанс
T 948	thermos [bottle]	s. thermos flask		
	thermoscope	Thermoskop n	thermoscope m	термоскоп
	thermoset	s. thermosetting plastic		
T 949	thermosetting, hardenable at elevated temperatures, hardenable by heat treatment	warmhärtend, warmhärtbar, warmaushärtbar, wärmehärtend, wärmehärtbar	thermo-durcissable, durcissant à chaud, thermoréactif	термореактивный, термоотверждаемый
T 950	thermosetting plastic, thermoset, duromer	Duroplast m, Duromer n, duroplastisches Hochpolymer n, härtbarer Kunststoff m	plastique m thermoréactif (thermodurcissable), matière f plastique thermoréactive	термореактивная пластмасса, термореактивный пластик, дуропласт
T 950a	thermosetting resin, resinoid	duroplastisches Kunstharz n, härtbares Kunstharz	résine f thermoréactive (thermodurcissable)	термореактивная смола
T 951	thermos flask, thermos [bottle]	Thermosflasche f	bouteille f isolante, thermos f, récipient m isolant	термос
	thermos flask	s. a. Dewar vacuum flask		
T 952	thermosiphon cooling, thermo syphon cooling <US>	Wärmeumlaufkühlung f, Umlaufkühlung f, Thermosiphonkühlung f	refroidissement m par thermosiphon	термосифонное охлаждение, циркуляционное охлаждение
	thermosiphon pump	s. siphon pump		
	thermosphere, ionosphere, Heaviside layer	Ionosphäre f, Thermosphäre f, Heaviside-Schicht f, Ionisationsschicht f	ionosphère f, thermosphère f, couche f d'Heaviside	ионосфера, термосфера, слой Хевисайда
	thermostability	s. thermal stability		
	thermostable	s. thermally stable		
T 953	thermostat	Thermostat m; Wärmeschrank m	thermostat m, calorstat m	термостат
	thermostat	s. a. thermal relay <techn.>		
	thermostat	s. a. thermoregulator		
T 954	thermostated, thermostatically controlled, temperature-controlled	thermostatiert, temperaturstabilisiert, temperaturgeregelt, thermisch stabilisiert, thermostabilisiert	thermostatisé	термостатированный, температуростабилизированный, снабженный терморегулятором
T 955	thermostatic bath, constant-temperature bath	Temperaturbad n, Temperierbad n	bain m thermostatique	температурная ванна (баня), баня с постоянно поддерживаемой температурой
T 956	thermostatic delay relay	thermostatisches Verzögerungsrelais n	relais m retardateur thermostatique	термостатическое замедляющее реле
	thermostatic regulator	s. thermoregulator		
T 957	thermostatics	Thermostatik f	thermostatique f	термостатика
	thermostatistics	s. statistical thermodynamics		
	thermostimulation	s. thermal stimulation		
T 957a	thermostriction	Thermostriktion f	thermostriction f	термострикция, спонтанная деформация решетки
	thermo syphon cooling <US>, thermosiphon cooling	Wärmeumlaufkühlung f, Umlaufkühlung f, Thermosiphonkühlung f	refroidissement m par thermosiphon	термосифонное охлаждение, циркуляционное охлаждение
T 958	thermotactic	thermotaktisch	thermotactique	термотактичный
T 959	thermotactism, thermotaxis	Thermotaxis f	thermotactisme m	термотаксис
T 960	thermotonus	Thermotonus m	thermotonicité f	термотонус
T 960a	thermotransport	Thermotransport m	thermotransport m	теплоперенос
	thermotron	s. thermocouple vacuum gauge		
T 961	thermotropic	thermotropisch	thermotropique	термотропный
T 962	thermotropism	Thermotropismus m	thermotropisme m	термотропизм
T 962a	thermotube	Thermotube f	thermotube m	термотрубка
T 962b	thermoviscometer	Thermoviskosimeter n	thermoviscosimètre m	вискозиметр с широким температурным диапазоном, термовискозиметр
T 962c	thermoviscous number	Thermoviskositätszahl f	nombre m de thermoviscosité	число термовязкости
	thermo[-]voltage	s. thermal e.m.f.		
	thermovoltmeter	s. thermocouple voltmeter		
T 963	thermowattmeter, thermocouple wattmeter	Thermowattmeter n, Thermoleistungsmesser m, thermischer Leistungsmesser m	thermowattmètre m, wattmètre m thermoélectrique	термоваттметр, ваттметр термоэлектрической системы

T 964	theta characteristic	Theta-Charakteristik f	caractéristique f thêta	тета-характеристика
	theta function	s. Jacobi['s] theta function		
T 965	thetagram	Thetagramm n	thêtagramme m, tétagramme m	тетаграмма
T 966	theta meson, theta particle, Θ° $<= K^\circ$ meson>	Theta-Meson n, Theta-Teilchen n	méson m thêta, particule f thêta	тета-мезон, тета-частица
T 967	theta-pinch, ϑ-pinch, azimuthal pinch	Theta-Pinch m, ϑ-Pinch m	effet m de pincement orthogonal, pincement m orthogonal, striction f orthogonale, striction azimutale	тета-пинч-эффект, тета-пинч, ϑ-пинч-эффект, ϑ-пинч
T 968	theta polarization	Theta-Polarisation f	polarisation f thêta	тета-поляризация
T 969	theta series, ϑ series	Theta-Reihe f, ϑ-Reihe f	série f thêta, série ϑ	тета-ряд, ϑ-ряд
T 970	theta state	Theta-Zustand m, Theta-Punkt m	état m thêta	тета-состояние, тета-точка
T 971	theta temperature of Flory, Flory temperature	Theta-Temperatur f [von Flory], Florysche Temperatur f, Θ-Temperatur f	température f de Flory, température thêta	тета-точка, точка Флори, тета-температура, температура Флори
T 972	thetatron	Thetatron n	thêtatron m	тетатрон
T 972a	Thévenin['s] equivalent [generator], Thévenin['s] generator	Ersatzgenerator m (Ersatzspannungsquelle f) [nach dem Helmholtzschen Satz], Helmholtzscher Ersatzgenerator, Zweipolquelle f	générateur m [équivalent] de Thévenin	эквивалентный генератор [по теореме Тевенена]
T 973	Thévenin-Helmholtz theorem, Thévenin['s] theorem, Helmholtz['] theorem <el.>	Helmholtzscher (Théveninscher) Satz m, Satz (Theorem n) von Helmholtz (Thévenin)	théorème m de Thévenin	теорема Тевенена
T 974	thickening <mech.>	Verdickung f <Mech.>	épaississement m <méc.>	утолщение <мех.>
	thickening	s. a. inspissation <chem.>		
T 975	thick lens	dicke (lange) Linse f	lentille f épaisse	толстая (длинная) линза
	thick liquid	s. viscidity		
	thickly liquid	s. viscid		
T 976	thickness	Dicke f, Stärke f; Dickschichtigkeit f	épaisseur f	толщина; толстослойность
T 977	thickness, thickness of layer <geo.>	Mächtigkeit f, Schichtmächtigkeit f, Schichthöhe f, Schichtdicke f, Schichtstärke f <Geo.>	épaisseur f, épaisseur de la couche, puissance f <géo.>	мощность, мощность пласта, мощность слоя <гео.>
	thickness	s. a. thickness of layer		
T 977a	thickness by reflection	in Reflexion gemessene Dicke f, nach der Reflexionsmethode gemessene Dicke	épaisseur f par réflexion	толщина, определенная по отражению [частиц]
	thickness chord ratio	s. thickness ratio		
	thickness control	s. thickness gauging		
T 978	thickness gauge, thickness meter; lateral extensometer	Dickenmesser m, Dickenmeßgerät n	épaisseurmètre m, jauge f [pour mesure] d'épaisseur; compas m d'épaisseur	толщиномер, измеритель толщины
	thickness gauge	s. a. thickness meter		
T 979	thickness gauging; thickness control	Dickenmessung f	jaugeage m d'épaisseur, mesure f d'épaisseur; contrôle m d'épaisseur	измерение толщины; контроль толщины
	thickness measurement by backscatter[ing], backscatter[ing] gauging	Rückstreudickenmessung f, Reflexionsdickenmessung f	mesure f d'épaisseur par rétrodiffusion, mesure d'épaisseur par réflexion	метод измерения толщины, основанный на принципе обратного рассеяния
T 980	thickness meter, thickness gauge, film thickness meter (gauge), coating thickness meter (gauge)	Schichtdickenmesser m, Schichtdickenmeßgerät n	épaisseurmètre m, mesureur m de l'épaisseur de couches	измеритель толщины слоя, прибор для измерения толщины слоя
	thickness meter	s. a. thickness gauge		
T 981	thickness of layer, layer thickness; film thickness; coating thickness; thickness <in g cm^{-2}>	Schichtdicke f, Schichtstärke f; Filmdicke f; Hautdicke f; Dicke f des Belages (Überzuges); Dicke <in g/cm^2>	épaisseur f de la couche; épaisseur du film, épaisseur de la pellicule; épaisseur du revêtement, épaisseur de couche superficielle; épaisseur <en g/cm^2>	толщина слоя; толщина планки; толщина покрытия; толщина <в г/см^2>
	thickness of layer	s. a. thickness <geo.>		
T 982	thickness of shock layer, shock front thickness	Stoßfronttiefe f	épaisseur f du front de choc, couche f du choc	толщина скачка уплотнения, толщина фронта ударной волны, толщина ударного слоя
	thickness of the barrier layer	s. barrier width		
	thickness of the cloud, cloud thickness	Wolkenmächtigkeit f, Wolkendicke f	épaisseur f du nuage, puissance f du nuage	мощность облака
T 983	thickness of the lens on the optic axis	Achsendicke f, Achsenstärke f <Linse>	épaisseur f de la lentille sur l'axe optique	осевая толщина линзы
T 984	thickness ratio, thickness chord ratio, relative thickness of the aerofoil	relative Profildicke f, relative Dicke f [des Profils]	épaisseur f relative [du profil]	относительная толщина [профиля]
	thickness vibration	s. flexural vibration		
T 985	thick-target excitation curve	Anregungskurve f für [unendlich] dickes Target	courbe f d'excitation pour la cible [infiniment] épaisse	кривая возбуждения для [бесконечно] толстой мишени
T 986	Thiele transformation	Thielesche Transformation f	transformation f de Thiele	преобразование Тиле
	thigmic stimulus, contact stimulus, haptic stimulus	Berührungsreiz m, Kontaktreiz m, Tastreiz m, haptischer (thigmischer) Reiz m	stimulus m de contact, stimulus thigmique, stimulus haptique, stimulus tactil	раздражитель соприкосновения, контактный раздражитель

T 987	thigmonastic	thigmonastisch, haptonastisch	thigmonastique	тигмонастический
T 988	thigmonasty	Thigmonastie f, Haptonastie f	thigmonastie f	тигмонастия
T 989	thigmo reaction	Thigmoreaktion f, Hapto-reaktion f, haptische Reaktion f	thigmoréaction f	тигмореакция
T 990	thigmotactic	thigmotaktisch	thigmotactique	тигмотактичный
T 991	thigmotaxis	Thigmotaxis f	thigmotactisme m	тигмотаксис
T 992	thigmotropic	thigmotropisch, hapto-tropisch	thigmotropique	тигмотропический
T 993	thigmotropism	Thigmotropismus m, Haptotropismus m	thigmotropisme m	тигмотропизм
T 994	thimble [chamber], thimble ionization chamber	Fingerhutkammer f, Finger-hutionisationskammer f	chambre-dé f, chambre f d'ionisation à dé à coudre	наперстковая (наперсточ-ная) ионизационная камера
	thimble of micrometer, micrometer thimble	Mikrometertrommel f, Trommel f des Mikro-meters; Meßtrommel f	tambour m du micromètre, tambour micrométrique	барабан микрометра; мерный барабан
T 995	thin	dünn[schichtig]	mince	тонкий; тонкослойный
	thin film	s. thin layer		
T 996	thin-film integrated circuit	integrierte Dünnfilmschal-tung f, Dünnfilm-schaltung f	circuit m intégré en couche mince	интегральная тонкослой-ная схема, тонкослой-ная схема
T 997	thin-film transistor	Dünnschichttransistor m, Dünnfilmtransistor m	transistor m à pellicule mince, transistor à couche mince	тонкопленочный тран-зистор (полупроводни-ковый триод)
	thin flame	s. shooting flame		
	thin fog	s. mist		
	thin ground section	s. thin metal film		
T 998	thin layer; [thin] film; pellicle; wash	dünne Schicht f; Haut f, Häutchen n; Film m	couche f mince, film m, pellicule f	тонкий слой; [поверхност-ная] пленка
T 999	thin layer chromatog-raphy, TLC	Dünnschichtchromato-graphie f	chromatographie f sur couche mince	тонкослойная хромато-графия, хроматография на тонком слое, ТСХ
T 999a	thin layer electro-phoresis	Dünnschichtelektro-phorese f	électrophorèse f sur couche mince	тонкослойный электро-форез
T 1000	thin lens	dünne (kurze) Linse f	lentille f mince	тонкая (короткая) линза
T 1001	thin metal film (layer), thin polished section, thin ground section, thin section	Dünnschliff m	lame f mince, section f polie [mince]	шлиф
	thinning, dilution, desa-turation <of the solution>	Verdünnung f, Konzen-trationsverminderung f <Lösung>	dilution f, atténuation f, raréfaction f <de la solution>	разбавление, разжижение, разведение <раствора>
	thinning[-down] [of cross-section]	s. contraction		
T 1002	thinning-out <geo.>	Verdrückung f der Schicht, Schichtverdrückung f, Schichtenverdrückung f; Auskeilen n <Geo.>	étranglement m de la couche, crain m, étreinte f de la couche, amincissement m [en coin] de la couche, coincement m, inter-section f de la couche <géo.>	пережим пласта; выкли-нивание <гео.>
	thin plate	s. wafer		
	thin-plate weir	s. sharp-crested weir		
	thin [polished] section	s. thin metal film		
	thin section	s. microsection <bio.>		
	thin shell (slab)	s. shell <in theory of elasticity>		
T 1003	thin-target excitation curve	Anregungskurve f für dünnes Target	courbe f d'excitation pour la cible mince	кривая возбуждения для тонкой мишени
T 1004	thin track	schwache (leichte, dünne) Spur f	trace f mince	слабый след, тонкий след
T 1005	thin-wall[ed] counter tube	dünnwandiges Zählrohr n	tube m compteur à paroi mince	тонкостенный счетчик
T 1006	thin-walled ionization chamber	dünnwandige Ionisations-kammer f	chambre f d'ionisation à paroi mince	тонкостенная ионизацион-ная камера
T 1007	thin-walled orifice plate, sharp-edge orifice meter plate <US>	dünnwandige Blende f	diaphragme m à mince paroi	тонкостенная расходомер-ная шайба
T 1008	thin window counter [tube]	Zählrohr n mit dünnem Fenster	tube m compteur à fenêtre mince	счетчик с тонким окном
	thioplast	s. elastothiomer		
	third boundary con-dition, boundary con-dition of the third kind	Randbedingung f dritter Art, dritte Randbedin-gung	condition f aux limites de troisième espèce, troi-sième condition aux limites	краевое условие третьего рода, третье краевое условие
T 1009	third boundary [value] problem, boundary value problem of the third kind	drittes (gemischtes) Rand-wertproblem n, dritte (gemischte) Randwert-aufgabe f, Randwertpro-blem (Randwertaufgabe) dritter Art	troisième problème m [aux limites], problème aux limites de troisième espèce, problème de Fourier	третья краевая задача, краевая задача третьего рода, III краевая задача
	third boundary value problem <of the Laplace equation>	s. Robin['s] problem		
	third law of motion	s. Newton third law		
T 1010	third law [of thermo-dynamics], Nernst['s] law, Nernst['s] [heat] theorem, heat theorem, principle of the unattainability of the absolute zero	Nernstscher Wärmesatz m, Wärmesatz [von Nernst], dritter Hauptsatz m [der Thermodynamik], Nernstsches Wärme-theorem n, Wärme-theorem von Nernst	trosième principe m de la thermodynamique, théorème m (principe, postulat m) de Nernst	третье начало термодина-мики, третий закон тер-модинамики, теорема (принцип) Нернста

T 1011	third-moment method	Methode f der dritten Momente	méthode f des troisièmes moments	метод третьих моментов
T 1012	third-order distortion, distortion of third order	kubische Verzerrung f, Verzerrung dritter Ordnung	distorsion f cubique, distorsion de troisième ordre	кубическое искажение, искажение третьего порядка
T 1013	third purple light	drittes Purpurlicht n	troisième lueur f pourprée	третий пурпурный свет
T 1013a	thirteen-moment approximation, thirteen moments approximation, 13 moments approximation	Dreizehnmomenten-methode f [nach H. Grad]	approximation (méthode) f des treize (13) moments	метод тринадцати (13) моментов
T 1014	thixotrometer	Thixotrometer n	thixotromètre m	тиксотрометр
T 1015	thixotropic effect	thixotroper Effekt m	effet m thixotropique	тиксотропный эффект
T 1016	thixotropic fluid	thixotrope Flüssigkeit f	fluide m thixotropique	тиксотропная жидкость
T 1017	thixotropic state	thixotroper Zustand m	état m thixotropique	тиксотропное состояние, состояние тиксотропии
T 1018	thixotropy	Thixotropie f	thixotropie f	тиксотропия, тиксотропность
T 1019	Thollon prism	Thollon-Prisma n, Thollonsches Prisma f	prisme m de Thollon	призма Толона
T 1020	Thoma cavitation number	Thomasche Kavitationszahl f, Kavitationszahl nach Thoma	nombre m de cavitation de Thoma	число кавитации Тома
T 1021	Thomas cyclotron, Thomas-type cyclotron, Thomas-shim cyclotron, radial-sector cyclotron, radial-ridge cyclotron	Isochronzyklotron n nach Thomas, Thomas-Zyklotron n, Radialsektor-zyklotron n	cyclotron m de Thomas, cyclotron aux secteurs radiaux	циклотрон Томаса, радиально-секторный циклотрон
	Thomas distribution, double Poisson distribution	doppelte Poisson-Verteilung f, Thomas-Verteilung f	distribution f de Thomas	распределение Томаса, двойное распределение Пуассона
T 1022	Thomas effect	Thomas-Effekt m	effet m Thomas	эффект Томаса
T 1023	Thomas-Fermi approximation	Thomas-Fermi-Näherung f	approximation f de Thomas-Fermi	приближение Томаса-Ферми
	Thomas-Fermi [differential] equation	s. Fermi-Thomas equation		
T 1024	Thomas-Fermi model <of the atom>	Thomas-Fermi-Modell n <des Atoms>	modèle m de Thomas-Fermi <de l'atome>	модель Томаса-Ферми, модель атома Томаса-Ферми
	Thomas-Fermi model <of the nucleus>	s. Fermi-gas model		
T 1025	Thomas-Fermi radius	Thomas-Fermi-Radius m	rayon m de Thomas-Fermi	радиус Томаса-Ферми
	Thomas['] field, radial-sectored field	Radialsektorfeld n, Thomas-Feld n	champ m dû aux secteurs radiaux, champ de Thomas	поле, создаваемое радиальными секторами
T 1026	Thomas flowmeter, Thomas meter	Thomasscher Strömungs-messer (Mengenmesser) m	débitmètre m de Thomas	расходомер Томаса
T 1027/8	Thomas precession, relativity precession	Thomas-Präzession f	précession f de Thomas	томасовская прецессия, прецессия Томаса
	Thomas-Reiche-Kuhn f-sum rule	s. Kuhn-Thomas-Reiche [f-] sum rule		
	Thomas-shim (Thomas type) cyclotron	s. Thomas cyclotron		
T 1029	Thompson['s] bridge	Thompsonsche Brücken-schaltung f, Thompson-Brücke f	pont m de Thompson	мостовая схема Томпсона, мост Томпсона
T 1030	Thompson prism	Thompsonsches Prisma n, Thompson-Prisma f	prisme m de Thompson	призма Томпсона
T 1031	Thompson weir	Thompson-Überfall m	déversoir m de (d'après) Thompson	водослив Томпсона
T 1032	Thomson['s] atom model, Thomson['s] model	Atommodell n von Thomson, Thomsonsches Atommodell (Modell n), Thomson-Modell n	modèle m atomique de Thomson, modèle de Thomson	томсоновская модель [атома], модель атома Томсона, модель Томсона
T 1032a	Thomson-Bakhmet'ev effect	Thomson-Bachmetjew-Effekt m	effet m de Thomson-Bachmetyev	эффект Томсона-Бахметьева
T 1033	Thomson-Berthelot['s] principle	Thomson-Berthelotsches Prinzip n	principe m de Thomson-Berthelot	принцип Томсона-Бертло
	Thomson['s] body	s. Poynting-Thomson body		
	Thomson circulation theorem	s. Kelvin circulation theorem		
T 1034	Thomson coefficient	Thomson-Koeffizient m, Thomsonscher Koeffizient m	coefficient m de Thomson	коэффициент Томсона
T 1035	Thomson cross-section, Thomson scattering cross-section, cross-section for Thomson scattering	Thomson-Streuquerschnitt m, Wirkungsquerschnitt m für (der) Thomson-Streuung	section f efficace de Thomson, section efficace de diffusion Thomson	сечение томсоновского рассеяния
	Thomson double bridge	s. Kelvin bridge		
T 1036	Thomson effect, Kelvin effect	Thomson-Effekt m, Kelvin-Effekt m	effet m Thomson	эффект Томсона, термо-электрический эффект Томсона, явление Томсона
T 1037	Thomson['s] experiment	Thomsonscher Versuch m, Thomson-Versuch m, Versuch von Elihu Thomson	expérience f de Thomson	опыт Томсона
	Thomson factor, polarization factor	Polarisationsfaktor m, Thomson-Faktor m, Thomsonscher Faktor m	facteur m de polarisation, facteur de Thomson	поляризационный фактор, фактор Томсона
T 1038	Thomson['s] formula <el.>	Thomsonsche Schwingungs-formel (Gleichung, Formel) f, [Thomson-]Kirchhoffsche Formel <El.>	formule f de Thomson <él.>	формула Томсона [для периода незатухающих колебаний] <эл.>

T 1039	Thomson['s] formula, Thomson['s] scattering formula <nucl.>	Thomsonsche Streuformel *f*, Thomsonsche Formel *f*, Thomson-Formel *f* <Kern.>	formule *f* de Thomson <nucl.>	формула Томсона, формула рассеяния Томсона <яд.>
T 1039a	Thomson-Freundlich equation	Thomson-Freundlichsche Gleichung *f*	formule *f* de Thomson-Freundlich	формула Томсона-Фрейндлиха
	Thomson['s] function	s. Kelvin['s] function		
T 1040	Thomson-Gibbs equation	Thomson-Gibbssche Gleichung *f*	formule *f* de Thomson-Gibbs	формула Томсона-Гиббса
T 1041	Thomson heat	Thomson-Wärme *f*, Thomsonsche Wärme *f*	chaleur *f* Thomson, chaleur de Thomson	теплота Томсона, тепло Томсона
T 1042	Thomson['s] heat current	Thomsonscher Wärmestrom *m*	courant *m* de chaleur Thomson	тепловой поток Томсона, поток тепла Томсона
T 1043	Thomson interaction	Thomson-Wechselwirkung *f*, Thomsonsche Wechselwirkung *f*	interaction *f* de Thomson	томсоновское взаимодействие, взаимодействие Томсона
T 1044	Thomson isotherm	Thomson-Isotherme *f*	isotherme *f* de Thomson	изотерма Томсона, томсоновская изотерма
	Thomson line, resistance-capacitance line, R-C line	RC-Leitung *f*, Thomson-Leitung *f*	ligne *f* à résistance-capacité, ligne R. C., ligne de Thomson	резистивно-емкостная линия, RC-линия, линия Томсона
T 1045	Thomson meter	elektrodynamischer Zähler *m*, elektrodynamischer Motorzähler *m*	compteur *m* électrodynamique à collecteur	электродинамический счетчик
	Thomson['s] model	s. Thomson['s] atom model		
	Thomson['s] parabola method, parabola method [of J. J. Thomson], method of parabolas	Parabelmethode *f* [von J. J. Thomson], Thomsonsche Parabelmethode	méthode *f* de la parabole [de J. J. Thomson], méthode de paraboles	метод парабол [Дж. Дж. Томсона]
T 1046	Thomson-Planck perpetual motion of the second kind	Thomson-Plancksches Perpetuum *n* mobile zweiter Art	perpetuum *m* mobile de la deuxième sorte de Thomson et Planck	вечный двигатель второго рода Томсона-Планка
T 1047	Thomson['s] potential gradient	Thomsonscher Potentialgradient *m*	gradient *m* de potentiel de Thomson	градиент потенциала Томсона
T 1048	Thomson['s] principle	Thomsonsches Prinzip *n*	principe *m* de Thomson	принцип Томсона
T 1049	Thomson['s] relation <first or second>	Thomsonsche Beziehung *f*, Thomsonsche Gleichung *f* <erste bzw. zweite>	relation *f* de Thomson <première ou deuxième>	соотношение Томсона <первое или второе>
T 1050	Thomson['s] rose	Thomson-Rose *f*	rose *f* de Thomson	роза Томсона
T 1051	Thomson['s] rule	Thomsonsche Regel *f*	règle *f* de Thomson	правило Томсона
T 1052	Thomson scattering, classical scattering	Thomson-Streuung *f*, Thomsonsche Streuung *f*, klassische Streuung	diffusion *f* de Thomson, diffusion classique, diffusion non modifiée	томсоновское рассеяние, классическое рассеяние
T 1053	Thomson scattering coefficient	Thomsonscher Streukoeffizient *m*, Thomson-Streukoeffizient *m*	coefficient *m* de diffusion Thomson	коэффициент рассеяния Томсона
	Thomson scattering cross-section	s. Thomson cross-section		
	Thomson['s] scattering formula	s. Thomson['s] formula <nucl.>		
T 1054	Thomson-Thalen magnetometer	Thomson-Thalen-Magnetometer *n*	magnétomètre *m* de Thomson-Thalen	магнитометр Томсона-Талена
	Thomson['s] theorem	s. Thomson['s] circulation theorem		
T 1055	Thomson['s] theorem [of electrostatics]	Thomsonscher Satz *m* [der Elektrostatik]	théorème *m* de Thomson [de l'électrostatique]	теорема Томсона [в электростатике]
	Thomson['s] transformation, Kelvin['s] transformation	Kelvin-Transformation *f*, Thomson-Transformation *f*	transformation *f* de Kelvin, transformation de Thomson	преобразование Кельвина, преобразование Томсона
T 1056	Thomson-Wheatstone bridge	Thomson-Wheatstone-Brücke *f*	pont *m* de Thomson-Wheatstone	[комбинированный] мост Томсона-Уитстона
T 1057	Thomson-Whiddington law	Thomson-Whiddington-sches Gesetz *n*	loi *f* de Thomson-Whiddington	закон Томсона-Уиддингтона
T 1058	Thonemann[-type] ion source, Thonemann-type source	Thonemann-Ionenquelle *f*, Thonemann-Quelle *f*	source *f* d'ions [de] type Thonemann	ионный источник Тонемана
T 1059	Thoraeus filter	Thoraeus-Filter *n*, Thoräusfilter *n* <Sn-Cu-Al-Filter>	filtre *m* de Thoraeus	фильтр Тореуса
T 1059a	thoride, thoroide	Thorid *n*, Thoroid *n*	thoride *m*, thoroïde *m*	тороид, торид
T 1060	thorium cycle	Thoriumzyklus *m*, Thorium-Brennstoffzyklus *m*, Thoriumkreislauf *m*	cycle *m* du thorium	ториевый цикл
	thorium D age	s. thorium lead age		
T 1061	thorium D method, thorium lead method <of dating>	Thorium-Blei-Methode *f*, Thoriumbleimethode *f*, Thorium-D-Methode *f*	méthode *f* thorium-plomb, méthode thorium D	метод определения геологического возраста по содержанию ториевого свинца, ториевый метод [определения геологического возраста]
	thorium emanation	s. thoron		
	thorium family	s. thorium series		
T 1062	thorium lead age, thorium D age	Thorium-Blei-Alter *n*, Thoriumbleialter *n*, Thorium-D-Alter *n*, [232Th-] 208Pb-Alter *n*	âge *m* thorium-plomb, âge de plomb de thorium, âge de thorium D	геологический возраст, определяемый по содержанию ториевого свинца
	thorium lead method	s. thorium D method		
	thorium radioactive family	s. thorium series		
T 1063	thorium [radioactive] series, 4n series; thorium family, thorium radioactive family, radioactive family of thorium, 4n family	Thoriumzerfallsreihe *f*, Thoriumreihe *f*, 4n-Zerfallsreihe *f*, Zerfallsreihe *f* des Thoriums; radioaktive Familie *f* des Thoriums, Thoriumfamilie *f*	famille *f* du thorium, famille radioactive du thorium, famille 4n; série *f* du thorium, série 4n	ряд тория; семейство тория, радиоактивное семейство тория

	thoroide	s. thoride		
T 1064	**thoron, thorium emanation**, $^{220}_{86}$Rn, Tn	Thoron n, Thoriumemanation f, Tn, $^{220}_{86}$Rn	thoron m, émanation f de thorium, Tn, $^{220}_{86}$Rn	торон, эманация тория, Tn, $^{220}_{86}$Rn
T 1065	**Thorpe and Rodger['s] formula, Thorpe-Rodger['s] formula**	Thorpe-Rodgersche Formel f, Formel von Thorpe und Rodger	formule f de Thorpe et Rodger	формула Торпа-Роджера
	thought experiment	s. imaginary experiment		
T 1065a	**thraustics**	Thraustik f, Technologie f der spröden Werkstoffe	thraustique f, technologie f des matériaux fragiles	технология хрупких материалов
T 1066	**thread; filament**	Faden m	fil m; ficelle f	нить; волосок
T 1067	**thread**	Gewinde n	filet m, filetage m	резьба, нарезка
	thread	s. a. stria <in glass>		
T 1068	**threaded core**	Schraubkern m	noyau m à filetage	сердечник с нарезкой
	thread-like molecule, linear molecule, linear macromolecule	Fadenmolekül n, lineares Molekül (Makromolekül) n, Linearmolekül n	molécule f linéaire, macromolécule f linéaire	линейная молекула, линейная макромолекула
T 1069	**thread pendulum**	Fadenpendel n	pendule m à fil	нитяной маятник
T 1069a	**thread probe**	Fadensonde f	fil-sonde m	шелковинка-зонд, нить-зонд
	thread-probe technique	s. wooltuft technique		
T 1070	**thread-shaped,** filiform, filamentous, filamentary	fadenförmig	en forme de fil, filiforme, filaire	нитевидный, нитеобразный
T 1071	**thread suspension**	Fadenaufhängung f	suspension f à fil, suspension filaire	проволочная подвеска, проволочный подвес, подвес на нити
T 1072	**thread tension; string tension** <mech.>	Fadenspannung f; Saitenspannung f <Mech.>	tension f du fil; tension de la corde <méc.>	натяжение (напряжение) струны; натяжение (напряжение) нити <мех.>
	thread-type field (magnetic) balance	s. band-type magnetic balance		
T 1073	**three-ammeter method**	Dreiamperemetermethode f	méthode f des trois ampèremètres	метод трех амперметров
T 1074	**three-beam problem**	Dreistrahlproblem n	problème m des trois faisceaux	задача трех пучков
	three-body collision	s. triple collision		
T 1075	**three-body decay**	Zerfall m in drei Teilchen, Dreiteilchenzerfall m, Dreikörperzerfall m	désintégration f en trois particules (corps), tri-partition f	распад на три частицы
	three-body problem, problem of three bodies	Dreikörperproblem n	problème m de[s] trois corps	задача трех тел, проблема трех тел
T 1076	**three-body recombination**	Dreikörperrekombination f, Dreierrekombination f	recombinaison f de trois corps	рекомбинация трех тел
T 1077	**three-carrier model**	Dreiladungsträgermodell n	modèle m des trois porteurs	модель трех носителей
T 1078	**three-cavity klystron, triple-cavity klystron**	Dreikreisklystron n, Dreikammerklystron n	klystron m à trois cavités	трехрезонаторный клистрон, трехконтурный клистрон
	three-circles theorem, Hadamard['s] three-circles theorem	[Hadamardscher] Dreikreisesatz m, Hadamard-Faber-Blumenthalscher Dreikreisesatz	théorème m de trois cercles d'Hadamard	теорема о трех кругах
T 1079	**three-colour colorimetry,** three-colour method colorimetry	Dreifarbenkolorimetrie f	colorimétrie f trichromatique (en trois couleurs)	трехцветная колориметрия
T 1080	**three-colour method**	Dreifarbenverfahren n	méthode f trichrome, procédé m trichrome, trichromie f	трехцветный процесс
	three-colour method colorimetry	s. three-colour colorimetry		
T 1081	**three-colour photometry**	Dreifarbenphotometrie f	photométrie f en (à) trois couleurs	трехцветная фотометрия
T 1082	**three-colour projection [method]**	Dreifarbenprojektion f	projection f trichrome	трехцветная проекция
	three-colour tube	s. tricolour tube		
T 1083	**three-component balance,** balance for three-component force measurements	mechanische Dreikomponentenwaage f	balance f mécanique à trois composantes	трехкомпонентные аэродинамические весы
	three-component diagram	s. ternary diagram		
T 1084	**three-component field-intensity (field-strength) meter**	Dreikomponenten-Feldstärkemesser m	mesureur m de l'intensité de champ à trois composantes	трехкомпонентный измеритель напряженности поля
T 1085	**three-component marine magnetometer**	Dreikomponenten-Schiffsmagnetometer n	magnétomètre m marin à trois composantes	трехкомпонентный морской магнитометр
	three-current density	s. three-dimensional current density vector		
T 1085a	**three-decision test**	Dreientscheidungstest m	test m à trois décisions	критерий с тремя решениями
	three-digit group, trigram	Trigramm n	trigramme m	трехбуквенная структура, триграмма
T 1086	**three-dimensional,** tridimensional; cubic[al]; volume, volumic; spatial, space; extended [in space]	dreidimensional; räumlich [ausgedehnt]; kubisch; Raum-, Volum[en]-	tridimensionnel, à trois dimensions; cubique; volumique; spatial; étendu [dans l'espace]	трехмерный; пространственный; объемный; кубический; протяженный [в пространстве]
T 1087	**three-dimensional current density vector,** three-current density	Dreierstromdichte f, dreidimensionale Stromdichte f, dreidimensionaler Stromdichtevektor m	trivecteur m densité de courant, vecteur m densité de courant tridimensionnel	плотность трехмерного тока, трехвектор плотности тока
T 1088	**three-dimensional elasticity**	dreidimensionale Elastizität f	élasticité f générale, élasticité à trois dimensions	пространственная упругость
	three-dimensional flow, flow in three dimensions	dreidimensionale Strömung f, räumliche Strömung	mouvement m spatial (à trois dimensions), écoulement m spatial (à trois dimensions)	пространственное течение, трехмерное течение; пространственный поток, трехмерный поток

	English	German	French	Russian
	three-dimensional lattice	s. space lattice		
	three-dimensional momentum	s. three-momentum		
	three-dimensional motion	s. space motion		
	three-dimensional strain	s. general state of strain		
	three-dimensional stress	s. volume stress		
T 1089	three-eights rule, Newton['s] three-eights (3/8 th) rule	Newtons Lieblingsformel f, Drei-Achtel-Regel f	seconde formule f de Simpson, formule f négligeant Δ^4	[ньютоново] правило трех восьмых
	three-electrode tube	s. triode		
	three-electrode valve	s. triode		
T 1090	three-electron bond	Dreielektron[en]bindung f	liaison f à trois électrons	трехэлектронная связь
	three-fold axis [of symmetry]	s. triad axis		
T 1091	three-force, 3-force	Dreierkraft f	tri-force f, force tridimensionnelle	три-сила, 3-сила, трехмерная сила
	three-gang capacitor	s. triple-gang capacitor		
T 1092	three-grid ion tube, ion pentode, gas-filled pentode	Gaspentode f	tube m ionique trigrille, pentode f à gaz	газонаполненный пентод, трехсеточная ионная лампа
	three-grid valve, pentode, pentode tube, pentode valve, five-electrode tube	Pentode f, Fünfpolröhre f, Fünfelektrodenröhre f, Dreigitterröhre f	pent[h]ode f, tube m trigrille	пентод, пятиэлектродная лампа
T 1093	three-group theory	Dreigruppentheorie f	théorie f à trois groupes	трехгрупповая теория
T 1094	three-gun deflection system	Dreistrahlablenksystem n	système m déviateur à trois canons	трехлучевая отклоняющая система
	three-halves power law	s. Langmuir['s] law		
T 1095	three-hinged arch, three-pinned arch	Dreigelenkbogen m	arc m à trois rotules (articulations)	трехшарнирная арка
	three-index symbol	s. Christoffel symbol		
	three-index symbol of the first <or second> kind	s. Christoffel symbol of the first <or second> kind		
	three-junction diode	s. four-layer diode		
	three-junction triode	s. four-layer transistor		
T 1096	three-leafed rose	reguläres Dreiblatt n, Dreiblatt, Kleeblatt n	rose f à trois feuilles	трехлепестковая роза
T 1097	three-level maser	Dreiniveaumaser m	maser m à trois niveaux, amplificateur m à trois niveaux	трехуровневый квантовый усилитель, квантовый усилитель с тремя уровнями
T 1098	three-level solid-state maser	Dreiniveau-Festkörpermaser m	maser m à l'état solide à trois niveaux	трехуровневый квантовый генератор с твердым рабочим веществом
T 1099	three-liquid theory	Dreiflüssigkeitstheorie f	théorie f des trois liquides	теория трех жидкостей
T 1099a	three-membered ring	Dreierring m, Dreiring m	anneau m à trois membres	трехчленное кольцо
T 1100	three-mirror system, three-mirror telescope	Dreispiegler m, Spiegeltriplet n, Triplet n, Dreispiegelsystem n	système m à trois miroirs, télescope m à trois miroirs	трехзеркальный телескоп
	three-mirror telescope, three-mirror system	Dreispiegler m, Spiegeltriplet n, Triplet n, Dreispiegelsystem n	système m à trois miroirs, télescope m à trois miroirs	трехзеркальный телескоп
	three-moment (three moments) equation, three-moment theorem	s. equation of three moments		
T 1101	three-momentum, 3-momentum, three-dimensional momentum	Dreierimpuls m, dreidimensionaler Impuls m	tri-impulsion f, impulsion f tridimensionnelle, quantité f de mouvement tridimensionnelle	трехмерный импульс, 3-импульс, три-импульс
T 1102	three-nucleon system	Dreinukleonensystem n	système m de trois nucléons	система трех нуклонов
	three-particle collision	s. triple collision		
T 1103	three-particle Coulomb problem	Coulombsches Dreikörperproblem n	problème m coulombien de trois corps	кулоновская задача трех тел
T 1104	three-particle interaction	Dreiteilchenwechselwirkung f	interaction f de trois particules	взаимодействие троек (трех) частиц
T 1105	three-particle state	Dreiteilchenzustand m	état m à trois particules	трехчастичное состояние
T 1106	three-phase bridge-type rectifying circuit	Dreiphasen-Graetz-Gleichrichter m, Dreiphasen-Graetz-Schaltung f	circuit m triphasé de Graetz, redresseur m triphasé de Graetz	трехфазная мостовая схема [выпрямления]
T 1107	three-phase current, rotary current	Drehstrom m, Dreiphasenstrom m	courant m triphasé	трехфазный ток
T 1108	three-phase equilibrium	Dreiphasengleichgewicht n	équilibre m de trois phases	равновесие трех фаз
T 1109	three-phase rectifier, three-phase rectifying circuit	Dreiphasengleichrichter m, Dreiphasengleichrichterschaltung f	redresseur m triphasé, circuit m redresseur triphasé	трехфазный выпрямитель
T 1109a	three-phase X-ray generator	Sechsspulengenerator m, Sechsventil-Hochspannungsgenerator m, Dreiphasengenerator m, Drehstromapparat m	générateur m de rayons X triphasé	трехфазный рентгеновский генератор
T 1110	three-phonon process	Dreiphononenprozeß m	processus m à trois phonons	трехфононный процесс
	three-photon annihilation	s. three-quantum annihilation		
	three-pinned arch	s. three-hinged arch		
T 1110a	three-point assay	Dreipunkt[e]prüfung f	essai m à trois points	трехточечное испытание
T 1111	three-point circuit	Dreipunktschaltung f	montage m en trois points	трехточечная схема
	three-point Colpitts circuit	s. Colpitts oscillator		
	three-point Hartley circuit	s. Hartley oscillator		

T 1112	**three-position controller**	Dreipunktregler m	régulateur m à trois positions	регулятор по принципу «вперед-стоп-назад» трехпозиционный регулятор, регулятор на три положения
T 1113	**three-pronged star, trident** <nucl.>	Dreierstern m, dreiarmiger Stern m, Dreizackereignis n, Dreizackspur f <Kern.>	étoile f triple, trident m <nucl.>	трехлучевая звезда, тройной след, «трезубец» <яд.>
T 1114	**three-quantum annihilation, three-photon annihilation**	Dreiquantenvernichtung f	annihilation f de trois quanta	трехквантовая аннигиляция
T 1115	**three-quarter-wave resonant circuit**	Dreiviertelwellen[längen]-Resonanzkreis m	circuit m résonnant trois quarts d'onde	трехчетвертьволновый резонансный контур
T 1116	**three-ray interference**	Dreistrahlinterferenz f	interférence f de trois rayons	интерференция трех лучей
T 1116a	**three-sigma rule**	Dreisigmaregel f, Drei-Sigma-Regel f, 3σ-Regel f	règle f des trois sigmas	правило трех сигм
T 1116b	**three-slit interference**	Dreispaltinterferenz f	interférence f de trois fentes	интерференция от трех щелей
T 1117	**three-slot magnetron**	Dreischlitzmagnetron n, Dreischlitzmagnetfeldröhre f	magnétron m à trois fentes	магнетрон с трехрезонаторным анодом
T 1118	**three-stage rocket, three-step rocket**	Dreistufenrakete f	fusée f à trois étages	трехступенчатая ракета
T 1119	**three-stage tandem [accelerator]**	Dreistufen-Tandemgenerator m	générateur m type tandem à trois étages	трехступенчатый генератор типа «тандем»
	three-step rocket, three-stage rocket	Dreistufenrakete f	fusée f à trois étages	трехступенчатая ракета
	three-term control	s. derivative proportional integral control		
	three-term controller	s. derivative proportional integral controller		
	three-terminal circuit	s. three-terminal network		
T 1120	**three-terminal contact; twin contacts**	Doppelkontakt m	contact m à trois bornes; contact double	трехзажимный контакт; сдвоенный контакт, двойной контакт
T 1121	**three-terminal network, tri-pole; three-terminal circuit**	Dreipol m; Dreiklemmenschaltung f	tripôle m; circuit m à trois bornes	трехполюсник
T 1122	**three-track reaction**	Dreispurenreaktion f	réaction f à trois traces	реакция, приводящая к образованию трех следов
T 1123	**three-valued logic[al calculus], trivalent logic[al calculus]**	dreiwertige Logik f	logique f trivalente	трехзначная логика
T 1124	**three-vector, 3-vector, trivector**	Dreiervektor m, Trivektor m	trivecteur m, vecteur m tridimensionnel	трехмерный вектор, 3-вектор, тривектор
T 1125	**three-voltmeter method**	Dreivoltmetermethode f, Dreispannungsverfahren n	méthode f des trois voltmètres	метод трех вольтметров
T 1126	**three-way cock**, three-way stop-cock, three-way tap, three-way valve	Dreiwegehahn m, Dreiweghahn m, Dreiwegventil n	robinet m à trois voies, vanne f à trois voies	трехходовой кран
	three-way pipe, T-pipe, T; tee, conduit tee	T-Stück n; T-Rohr n, T-Rohrstück n	raccord m en T, té m de raccordement, T m	тройник; Т-образное соединение, Т-образная трубка
	three-way stop-cock	s. three-way cock		
T 1127	**three-way switch**	Dreiweg[e]schalter m, Dreiwegumschalter m	inverseur m à trois directions	переключатель на три цепи
	three-way tap (valve)	s. three-way cock		
T 1128	**three-wire system**	Dreileitersystem n	système m à trois fils, système m à trois conducteurs	трехпроводная система
T 1129	**threo-polymer**	threo-Polymer n	thréo-polymère m	трео-полимер
T 1130	**threshold, threshold value; liminal value** <bio.>	Schwelle f, Schwellenwert m, Schwellwert m, Grenze f	seuil m, valeur f de seuil, valeur seuil, valeur-seuil f; valeur-limite f; valeur liminaire	пороговая величина, пороговое значение, порог
	threshold	s. a. energy threshold		
	threshold audiogram	s. audiogram		
T 1131	**threshold condition**	Schwellenbedingung f	condition f seuil	пороговое условие
T 1132	**threshold control**, delayed control, retarded control	Schwellenwertregelung f, Schwellwertregelung f, verzögerte Regelung f	réglage m de seuil, réglage différé	регулирование с запаздыванием
T 1133	**threshold current**	Schwellenstrom m, Schwellwertstrom m, Schwellenwertstrom m, Schwellstrom m	courant m de seuil	пороговый ток
T 1134	**threshold detector**	Schwellwertdetektor m, Schwellendetektor m	détecteur m à seuil	пороговый детектор
T 1135	**threshold dose**	Schwellendosis f, Schwell[en]wertdosis f	dose f seuil, dose [du seuil] limite	пороговая доза
T 1136	**threshold effect**	Schwelleneffekt m, Schwellenwirkung f	effet m seuil, effet de seuil	пороговый эффект
	threshold energy	s. energy threshold		
	threshold energy of normal photoelectric effect	s. photoelectric threshold		
T 1137	**threshold erythema dose**, erythema dose	Erythemdosis f	dose f érythème, dose érythématique	эритемная доза
	threshold excitation, threshold stimulation	schwellige Reizung f, Schwellenreiz m	stimulation f [de] seuil, excitation f [de] seuil	пороговое раздражение, пороговое возбуждение
T 1138	**threshold field**	Schwellenfeld n	champ m seuil	пороговое поле

	English	German	French	Russian
	threshold field, critical field <superconductivity>	kritisches Magnetfeld n, kritisches Feld n, kritische Feldstärke f <Supraleitfähigkeit>	champ m critique <supra-conductivité>	критическое магнитное поле, критическое поле <сверхпроводимость>
	threshold field curve, critical field curve	magnetische Schwell[en]-wertkurve, Schwell[en]-wertkurve f, kritische Feldkurve f	champ m critique en fonction de la température	зависимость величины критического магнитного поля от температуры
T 1139	**threshold frequency** <for photoelectric effect>	Grenzfrequenz f des Photoeffekts (lichtelektrischen Effekts)	fréquence-seuil f [de l'effet photoélectrique]	красная граница фотоэффекта, граничная частота фотоэффекта
T 1140	**threshold frequency** **threshold indicator**	s. a. limiting frequency Schwell[en]wertindikator m, Indikator m mit Ansprechschwelle, Schwellenindikator m	indicateur m à seuil	пороговый индикатор
T 1141	**threshold law** <of single ionization>	Schwellengesetz n <für Einfachionisation>	loi f de seuil <d'ionisation unique>	пороговый закон <для однократной ионизации>
T 1142	**threshold light**	Schwellenfeuer n	feu m de seuil	входной и ограничительный огонь
T 1143	**threshold line [of glare]**	Blend[ungs]gerade f, Blendungsgrenze f, Schwellengerade f [der Blendung]	droite f seuil [d'éblouissement], ligne f seuil [d'éblouissement]	пороговая прямая [ослепления], пороговая линия [ослепления]
	threshold of audibility **threshold of cirque** **threshold of colour,** colour threshold **threshold of detectability**	s. threshold of hearing Karschwelle f Farbschwelle f s. threshold of hearing	seuil m du cirque seuil m chromatique, seuil de couleur	порог кара цветовой порог
T 1144				
	threshold of detectability (detection), detection threshold	untere Nachweisgrenze f	seuil m de détection	нижний предел обнаружения
	threshold of discomfort	s. upper threshold of hearing		
T 1145	**threshold of efficiency,** efficiency threshold **threshold of feeling**	Wirksamkeitsschwelle f, Effektivitätsschwelle f s. upper threshold of hearing	seuil m d'efficacité	порог эффективности
T 1146	**threshold of hearing,** lower (minimum) threshold of hearing, threshold of audibility (detectability)	Hörschwelle f, untere Hörschwelle, Reizschwelle f (Intensitätsschwelle) f des Ohres, Nullschwelle f	seuil m d'audibilité, seuil inférieur d'audibilité, audibilité f minimum, seuil de l'audition	порог слышимости, абсолютный порог [слышимости], минимальная слышимость
T 1147	**threshold of hue [discrimination]** **threshold of irritation** **threshold of pain**	Farbton-Unterschiedsschwelle f s. excitation threshold s. upper threshold of hearing	seuil m de discrimination des teintes	порог различимости цветовых тонов
	threshold of response	s. threshold of sensitivity		
T 1148	**threshold of sensation** <bio.>	Empfindungsschwelle f, Empfindungsgrenze f, Schwellenwert m, Schwelle[nhöhe] f, Empfindlichkeitsschwelle f <Bio.>	seuil m de sensation <bio.>	порог чувствительности, порог восприятия <био.>
T 1149	**threshold of sensitivity,** sensitivity threshold (limit), threshold sensitivity, limit of sensitivity, limiting (ultimate) sensitivity; threshold [of] response, response threshold (limit), limit of response; detection limit, limit of detectability; limit of sensibility	Empfindlichkeitsschwelle f, Empfindlichkeitsgrenze f, Schwellenempfindlichkeit f; Grenzempfindlichkeit f <z. B. Empfänger>; Ansprechgrenze f, Ansprechschwelle f; Nachweisgrenze f	limite f de sensibilité, seuil m de sensibilité; sensibilité f seuil, sensibilité limite; limite de détection; seuil de réponse <aux impulsions>	порог чувствительности, пороговая чувствительность, предел чувствительности; предельная чувствительность; граничная чувствительность; порог реакции
	threshold of stimulation (stimulus)	s. excitation threshold		
	threshold of the reaction, reaction threshold	Reaktionsschwelle f, Schwellenenergie f der Reaktion	seuil m de la réaction	порог реакции, энергетический порог реакции
T 1150	**threshold of tickle** **threshold of visibility,** threshold of vision	s. upper threshold of hearing Sichtbarkeitsschwelle f	seuil m de [la] visibilité	порог видимости
	threshold potential **threshold potential**	s. threshold voltage s. a. appearance potential		
T 1151	**threshold probe**	Schwellensonde f	sonde f à seuil	пороговый зонд
T 1152	**threshold reaction**	Schwellenreaktion f	réaction f à seuil, réaction de seuil	пороговая реакция
T 1153	**threshold reaction temperature,** temperature at which reaction commences	Temperaturschwelle f der Reaktion, Anfangstemperatur f der Reaktion	seuil m thermique de la réaction	температурный порог реакции
	threshold response **threshold sensitivity**	s. threshold of sensitivity s. threshold of sensitivity		
T 1154	**threshold stimulation,** threshold excitation **threshold temperature**	schwellige Reizung f, Schwellenreiz m s. excitation threshold	stimulation f [de] seuil, excitation f [de] seuil	пороговое раздражение, пороговое возбуждение
T 1155	**threshold temperature** **threshold value**	Schwellentemperatur f s. threshold	température f de seuil	пороговая температура
T 1156	**threshold velocity**	Schwellengeschwindigkeit f	vitesse f de seuil	пороговая скорость

	English	German	French	Russian
T 1157	**threshold voltage,** threshold potential	Schwellenspannung f, Schwellwertspannung f, Schwellenwertspannung f, Spannungsschwelle f, Schwellenpotential n	tension f de seuil, potentiel m de seuil	пороговое напряжение, пороговый потенциал
T 1158	**threshold wavelength [for photoelectric effect]**	Grenzwellenlänge f [des Photoeffekts], Grenzwellenlänge des lichtelektrischen Effekts, langwellige (rote) Grenze f [des Photoeffekts]	seuil m photoélectrique, longueur f d'onde seuil [de l'effet photoélectrique]	длина волны красной границы, граничная длина волны [фотоэффекта]
T 1159	**threshold wave number**	Grenzwellenzahl f	nombre m d'onde seuil	граничное (предельное) волновое число
T 1160	**throat**	Vereng[er]ungsstelle f, Vereng[er]ung f, Einschnürungsstelle f, Hals m	col m	горловина, место сужения, сужение
T 1161	**throat,** restrictor <of flow>	Einschnürung f, Drosselstelle f <Durchfluß>	étranglement m <du débit>	горло, горловина
	throat, experimental section <e.g. of the wind tunnel>	Versuchsstrecke f; Versuchsstelle f; Versuchsplatz m <z. B. Windkanal>	section f expérimentale <p. ex. du tunnel aérodynamique>	опытный участок, рабочая часть <напр. аэродинамической трубы>
T 1162	**throat microphone,** laryngophone	Kehlkopfmikrophon n	microphone m de gorge, microphone laryngien, laryngophone m	ларингофон
T 1163	**throat of the nozzle,** nozzle throat	Düsenhals m, Hals m (Verengung f) der Düse, kritischer Düsenquerschnitt m	col m de la tuyère	горловина сопла, критическое сечение сопла
T 1164	**throat of the Venturi tube**	Verengung f des Venturi-Rohres	col m du Venturi	сужение трубки Вентури
T 1165	**throttle, throttle-valve**	Drosselventil n, Expansionsventil n, Drosselklappe f	soupape f d'étranglement, papillon f de réglage	дроссельный вентиль, дросселирующий вентиль
T 1166	**throttling,** Joule-Thomson expansion	Drossel[entspann]ung f, Joule-Thomsonsche Ausdehnung (Expansion) f, Joule-Thomson-Expansion f	détente f de Joule-Kelvin	дросселирование, расширение в пустоту
T 1167	**throttling calorimeter**	Drosselkalorimeter n	calorimètre m à étranglement	дроссельный калориметр
T 1168	**throttling coefficient**	Drosselungskoeffizient m	coefficient m d'étranglement	коэффициент дросселирования
	throttling experiment [of Joule and Kelvin]	s. Joule-Kelvin throttling experiment		
T 1168a	**through corrosion,** penetration corrosion, perforation	Durchlöcherung f, Penetrationskorrosion f, Perforation f	corrosion f de pénétration, perforation f	сквозная коррозия, сквозное проявление (проедание, изъязвление), перфорация
T 1169	**through-hardening**	Durchhärtung f	trempe f profonde	сквозная закалка
T 1170	**through-illumination**	Beleuchtung f mit der Lichtquelle auf der Seite gegenüber der Kamera, Durchlichtbeleuchtung f	éclairage m direct	освещение с источником, расположенным против стороны фотокамеры
	throughput	s. rate of flow		
	throw, projection, cast <mech.>	Wurf m; Werfen n <Mech.>	projection f, jet m <méc.>	метание, бросание; бросок <мех.>
	throw	s. a. fault height <geo.>		
	throw	s. a. deflection <of a pointer, a needle>		
	throwing-away, rejection <chem.>	Verwerfen n <Chem.>	rejet m, réjection f <chim.>	отбрасывание; устранение <хим.>
T 1170a	**throwing index** <el.chem.>	Streuindex m <El. Chem.>	indice m de pénétration <él. chim.>	показатель рассеивания <эл.хим.>
T 1171	**throwing power** <el.chem.>	Streuvermögen n, Streukraft f, Streufähigkeit f <El. Chem.>	pouvoir m couvrant (de pénétration) <él. chim.>	рассеивающая способность <эл. хим.>
	throwing range, range of the projection, range of throw (hurling), cast	Wurfweite f	portée f [de projection]	дальность броска, дальность метания; дальность забрасывания; дальнобойность
T 1172	**throw-over relay,** trigger-action relay	Kipprelais n, Umschlagrelais n	relais m à deux directions	фиксирующее двухпозиционное реле
T 1173	**thrust,** thrust power, propelling power, propelling force, repulsive thrust, forward thrust; push	Schub m, Schubkraft f, Vortriebskraft f, Vortrieb m	poussée f, force f propulsive	тяга, реактивная тяга, сила тяги, сила отрицательного сопротивления, распор; реактивная движущая сила (тяга)
	thrust	s. a. epiparaclase <geo.>		
	thrust	s. a. dynamic lift <aero., hydr.>		
T 1174	**thrust centre,** centre of thrust	Schubmittelpunkt m, Schubzentrum n, Vortriebsmittelpunkt m, Vortriebszentrum n	centre m de poussée; coefficient de traction	точка приложения силы тяги
T 1175	**thrust coefficient;** traction coefficient	Belastungsgrad m, Schubkoeffizient m, Schubverhältnis n, Schubbeiwert m; Traktionskoeffizient m	coefficient m de poussée	коэффициент тяги, тяговый коэффициент, коэффициент подъемной силы
	thrust fault	s. overfault		
T 1176	**thrust horsepower,** thrust performance, thrust power	Schubleistung f, Vortriebsleistung f	puissance f propulsive, cheval-vapeur m de poussée	тяговая мощность
T 1176a	**thrust line,** line of thrust, pressure line	Drucklinie f	ligne f de pression[s]	линия давления
	thrust loading	s. thrust-to-mass ratio		

T 1177	thrust of arch, horizontal thrust of arch	Horizontalschub (Seitenschub) m des Bogens	poussée f horizontale de l'arc	распор арки
	thrust performance	s. thrust horsepower		
	thrust plane	s. overthrust surface		
	thrust power	s. thrust horsepower		
	thrust power	s. a. thrust		
T 1177a	thrust strength	Schubstärke f	intensité f de poussée	интенсивность тяги
	thrust surface	s. overthrust surface		
T 1178	thrust-to-mass ratio, thrust-to-weight ratio, thrust loading	Schub-Masse-Verhältnis n	rapport m poussée/masse, rapport poussée/poids	отношение тяги к массе (весу), тяговооруженность
T 1179	thrust vector	Schubvektor m	vecteur m de poussée	вектор тяги
	thumb rule	s. corkscrew rule		
	thumb-screw, screw press, pressing screw	Druckschraube f	vis f de pression	винтовой пресс
	thundercloud, cumulonimbus, storm cloud, Cb	Cumulonimbus m, Kumulonimbus m, Gewitterwolke f, getürmte Haufenwolke f, Böenwolke f, Gewitterturm m, Cb	nuée f orageuse, cumulonimbus m, Cb	кучево-дождевое облако, грозовое облако, Cb
T 1180	thunder effect	Donnereffekt m	effet m tonnerre	доннер-эффект, низкочастотный шум фонограммы
	thunderhead	s. thunderstorm line		
T 1181	thundersquall	Gewitterbö f	rafale f orageuse	грозовой шквал
T 1182	thunderstorm activity	Gewitteraktivität f, Gewittertätigkeit f	activité f orageuse	грозоактивность, грозовая активность, грозовая деятельность
T 1183	thunderstorm cell	Gewitterzelle f	cellule f d'orage	грозовая ячейка, ячейка грозового облака
T 1184	thunderstorm electricity	Gewitterelektrizität f	électricité f d'orage	грозовое электричество
	thunderstorm frequency, frequency of thunderstorms	Gewitterhäufigkeit f	fréquence f d'orages	частота (повторяемость) гроз
T 1185	thunderstorm line, thundery front, thunderhead	Gewitterfront f, Gewitterlinie f	front m orageux	грозовой фронт
T 1186	Thwaites['] method	Thwaitessche Methode f	méthode f de Thwaites	метод Туэтса
T 1187	thyratron, thyratron valve, gas triode	Thyratron n, Thyratronröhre f, Stromtor n, Stromtorröhre f, Stromrichter m, Kippschwingröhre f, Kippschwingungsröhre f, Kippröhre f, Gastriode f, steuerbarer Gleichrichter m, Eingitterthyratron n	thyratron m, tube m thyratron, triode f à gaz	тиратрон, односеточный тиратрон
T 1188	thyratron pre-striking current	Vorzündstrom (Vorentladungsstrom) m des Thyratrons	courant m de pré-allumage du thyratron, courant pré-disruptif du thyratron	предзажигательный (предпробойный) ток тиратрона
	thyratron transistor	s. thyristor		
	thyratron valve	s. thyratron		
T 1189	thyristor, thyratron transistor	Thyristor m, steuerbarer Kristallgleichrichter m, steuerbares (gesteuertes) Halbleiterventil n, steuerbare Einkristallgleichrichterzelle f, Halbleiterthyratron n, Halbleiterstromtor n, Thyratrontransistor m, Vierschicht[en]triode f, Kipptriode f	thyristor m, transistor m thyratron, thyratron m solide	тиристор, полупроводниковый тиратрон
T 1190	thyristron	Thyristron n	thyristron m	тиристрон
T 1191	thyrite	Thyrit m, Thyritwiderstand m	thyrite f	тирит, тиритовое (нелинейное полупроводниковое) сопротивление
T 1192	thyrode	Thyrode f	thyrode f	тирод, тайрод
	tick	s. ticking		
T 1193	ticker	Ticker m, Schnellunterbrecher m	ticker m	тикер, пищик, быстрый прерыватель
T 1194	ticking, tick	Ticken n	tic-tac m	тиканье
T 1195	ticking frequency	Tickfrequenz f	fréquence f du ticker	частота тиканья
	tidal bore, eagre, tidal eagre	Springwelle f, Springflutwelle f	onde f de haute marée, mascaret m de haute marée	волна сизигийного прилива, прыжковая волна
T 1196	tidal bulge	Gezeitenberg m, Flutberg m	renflement m dû aux marées	приливный горб
T 1197	tidal component, constituent of tide	Gezeitenkomponente f, Gezeitenglied n, Tidenkomponente f	composante f des marées	составляющая прилива, компонента прилива
T 1197a	tidal constant	Tidenkonstante f, Gezeitenkonstante f	constante f des marées	постоянная (константа) приливов
T 1198	tidal current, tide current; tide flux	Gezeitenstrom m, Tidestrom m; Gezeitenströmung f, Tideströmung f	courant m de marée; flux m de marée	приливное течение, приливо-отливное течение
T 1199	tidal curve	Tidekurve f, Tidenkurve f	courbe f des marées	кривая приливов, приливная кривая
T 1200	tidal day	Tidentag m	jour m de marées	приливные сутки
T 1201	tidal deformation	Gezeitendeformation f	déformation f due aux marées	приливная деформация
	tidal eagre	s. tidal bore		
	tidal flat	s. shallow water		
	tidal forces	s. tide-generating forces		
T 1202	tidal friction	Gezeitenreibung f	friction f des marées	приливное трение, трение приливной волны

	tidal-generating forces	*s.* tide-generating forces		
	tidal impulse	*s.* tidal motion		
T 1203	**tidal instability**	Gezeiteninstabilität *f*	instabilité *f* due aux marées	приливная неустойчивость
	tidal limit, limit of tides	Tidegrenze *f*	limite *f* des marées	граница приливов [на реке]
T 1204	**tidal motion**, tidal impulse	Gezeitenbewegung *f*, Tide[n]bewegung *f*	mouvement *m* dû aux marées	приливо-отливное движение [воды], движение во время прилива и отлива, приливное движение
	tidal potential	*s.* tide-generating potential		
T 1205	**tidal power**, tide energy	Gezeitenenergie *f*, Tidenenergie *f*	énergie *f* des marées	энергия прилива (приливов), приливная энергия
T 1206	**tidal range**, range of tide; amplitude of tide	Gezeitenhub *m*, Tidenhub *m*, Tidenstieg *m*	marnage *m* [de marée], amplitude *f* des marées, différence *f* de niveau à marée haute et basse	подъем прилива, амплитуда прилива, высота приливов; величина прилива
T 1207	**tidal river**	Tidefluß *m*, Gezeitenfluß *m*; Tidegebiet *n* [des Flusses]	rivière *f* à marées, rivière maritime	река, подверженная влиянию приливо-отливных течений; река, подверженная воздействию приливов и отливов; ливная река; приливо-отливный участок [на реке], приливной участок реки, область прилива [на реке]; область реки, подверженная действию прилива
	tidal shallow	*s.* shallow water		
T 1208	**tidal station**, tide station	Gezeitenobservatorium *n*, Gezeitenbeobachtungsstation *f*	observatoire *m* des marées	станция наблюдения приливов, пункт наблюдения приливов
T 1209	**tidal wave**	Gezeitenwelle *f*, Tide[n]welle *f*; Gezeitenwoge *f*, Tidewoge *f*; Flutwelle *f*	onde *f* de marée, onde-marée *f*, onde marée	приливная волна; приливо-отливная волна
T 1210	**tidal wind**	Gezeitenwind *m*	vent *m* dû aux marées	приливный ветер
T 1211	**tide**	Tide *f*	marée *f*	прилив
	tide current	*s.* tidal current		
T 1212	**tide current meter**	Gezeitenstrommesser *m*	indicateur *m* du courant de marée	указатель приливного течения
	tide curve	*s.* tide diagram		
T 1213	**tide diagram**; tide curve	Gezeitendiagramm *n*, Gezeitenkurve *f*	diagramme *m* des marées; courbe *f* des marées	диаграмма приливов; мареограмма
	tide energy	*s.* tidal power		
T 1214	**tide equation**, equation of tides	Gezeitengleichung *f*	équation *f* des marées	уравнение приливов
	tide flux	*s.* tidal current		
	tide gauge; water gauge; sea gauge <hydr.>	Pegel *m*; Gezeitenpegel *m* <Hydr.>	échelle *f* <hydr.>	футшток; водомерный пост; приливомер <гидр.>
T 1215	**tide gauge**	Gezeitenhubmesser *m*	indicateur *m* d'amplitudes des marées	указатель амплитуд прилива
T 1216	**tide-generating forces**, tidal-generating forces, tide-producing forces, tide-raising forces, tidal forces	Gezeitenkräfte *fpl*, gezeitenerzeugende (tiderzeugende, fluterzeugende) Kräfte *fpl*, Flutkräfte *fpl*	forces *fpl* marégénaires, forces de marée[s]	приливообразующие силы, приливные силы
T 1217	**tide-generating potential**, tidal potential	Gezeitenpotential *n*, gezeitenerzeugendes (fluterzeugendes) Potential *n*, Flutpotential *n*	potentiel *m* de marée	приливный потенциал
	tide-producing forces	*s.* tide-generating forces		
	tide propagation, propagation of the tide	Gezeitendehnung *f*	propagation *f* de la marée	распространение прилива
	tide-raising forces	*s.* tide-generating forces		
T 1218	**tides**, inflow and outflow, ebb and flood, ebb and flow, ebb-and-float	Gezeiten *pl*, Tiden *fpl*, Ebbe *f* und Flut *f*	marées *fpl* [descendantes et montantes], marées hautes et basses, flux *m* et reflux *m*	приливы, прилив и отлив
	tides in the atmosphere, atmospheric tides, barometric tides	Atmosphärengezeiten *pl*, Gezeiten *pl* der Atmosphäre	marées *fpl* atmosphériques, marées barométriques	атмосферические приливы, барометрические приливы
	tide station	*s.* tidal station		
T 1218a	**tide table**	Gezeitentafel *f*	tableau *m* des marées	таблица приливов
T 1219	**tie** <stat.>	Bindung *f*, Ranggleichheit *f* <Stat.>	lien *m* <stat.>	связь, соединение <стат.>
T 1220	**Tiede['s] rule**	Tiedesche Regel *f*	règle *f* de Tiede	правило Тиде
T 1221	**tied gyroscope**	Kreisel *m* mit äußeren Drehmomenten	gyroscope *m* lié	связанный гироскоп
T 1222	**tie line**	Verbindungslinie *f*, Verbindungsachse *f*	ligne *f* de jonction, ligne de liaison	соединительная линия, линия соединения, связывающая линия
	tie line, conode	Konode *f*, Konnode *f*	conode *f*	коннода
T 1223	**tie of the traverse** <onto another>	Anschluß *m* des Polygonzuges <an einen anderen>	greffage *m* du cheminement <sur un autre>	привязка, увязка, присоединение <хода к другому>
T 1224	**tie rod**, tension member, tie, tension tie, bar in tension	Zugstange *f*	tirant *m*, membrure *f* de tension	тяга, шатун; стержень, воспринимающий растягивающие усилия

T 1225	**tight,** proof; leakproof, leak-tight; impermeable; impenetrable; impervious [to]	dicht, undurchlässig; undurchdringlich [für], undurchdringbar [für]; leckdicht, lecksicher; impermeabel	étanche; imperméable; impénétrable	плотный; непроницаемый; герметичный; герметический; течебезопасный; недопускающий просачивания; непромоковый
T 1226	**tight,** taut, stretched **tight binding** **tight binding approximation** **tight bond**	straff [gespannt], gespannt s. strong coupling <nucl.> s. strong coupling approximation s. strong coupling <nucl.>	fortement tendu, raide	тугой, [туго] натянутый
T 1227	**tight contact**	guter Kontakt m	contact m bon	хороший контакт
T 1228	**tight coupling,** close coupling, overcritical coupling, overcoupling <el.>	feste Kopplung f, überkritische Kopplung, Überkopplung f <El.>	couplage m serré (fort, surcritique), surcouplage m, accouplement m serré <el.>	сильная связь, жесткая связь, сверхкритическая связь, связь выше критической <эл.>
T 1229	**tightness;** impermeability; impenetrability; imperviousness	Dichtigkeit f; Undurchlässigkeit f; Undurchdringlichkeit f, Undurchdringbarkeit f; Impermeabilität f	étanchéité f; imperméabilité f; impénétrabilité f	непроницаемость
T 1230	**tightness,** vacuum tightness <vac.>	Dichtigkeit f, Dichtheit f, Lecksicherheit f, Hermetizität f <Vak.>	étanchéité f, compacité f <vac.>	герметичность; плотность <вак.>
	tilt; slope; inclination, incline	Neigung f; Gefälle n; Steigung f	pente f; inclinaison f; penchant m	наклон; уклон; скат; скос; перекос; перепад; падение
	tilt, obliquity **tilt;** oblique position; obliquity	Schiefe f, Schräge f Schräglage f, schräge Lage f; Schiefstellung f; Schrägstellung f; Verkippung f; Neigung f	biais m, obliquité f position f inclinée; obliquité f	скос; наклон; уклон наклонное положение; скошенное (косое) положение; перекос, перекашивание
T 1231	**tilt,** pulse tilt, sloping top <of pulse>	Dachschräge f, Dachabfall m, Impulsdachschräge f, Schräganstieg m	pente f d'impulsion, pente de front d'impulsion	наклон горизонтальной (плоской) части [импульса], спадание верхушки [импульса], перекос плоской части импульса, крутизна фронта импульса
T 1232	**tilt** <of balance>	ausschlagen <Waage>	pencher d'un côté, pousser, trébucher <de la balance>	отклоняться <о весах>
	tilt angle, angle of tilt; inclination, angle of inclination, slope angle, angle of slope	Neigungswinkel m, Neigung f; Fallwinkel m; Hangneigung f, Böschungswinkel m, Gefälle n <Geo.>	inclinaison f, angle m d'inclinaison, angle d'incidence	угол наклона, крутизна ската; угол падения
T 1233	**tilt angle,** tilting angle, angle of inclination <mech.>	Kippwinkel m, Kippungswinkel m <Mech.>	angle m de basculement, angle d'inclinaison <méc.>	угол качания, угол поворота, угол наклона <мех.>
T 1234	**tilt boundary** <of dislocation>	Neigungskorngrenze f, „tilt boundary" f, Kipp[korn]grenze f <Versetzung>	joint m de flexion <de la dislocation>	наклонная граница, граница наклона <дислокации>
T 1235	**tilted source,** sloped source	schräg angeordnete Quelle f, gekippte Quelle	source f inclinée	наклонный источник
T 1236	**tilting** **tilting,** tipping **tilting** **tilting angle** **tilting axis,** axis of tilt	Verkantung f, Kanten n Kippen n; Umkippen n; Umklappen n s. a. inclination <to> s. tilt angle Verkantungsachse f	déversement m basculement m axe m de déversement	крен опрокидывание ось крена
T 1236a	**tilting coil**	Kippspule f, Klappspule f	bobine f basculante	опрокидывающаяся (качающаяся) катушка, катушка на шарнирах
T 1237	**tilting level** **tilting manometer,** inclined tube manometer	Nivellier[instrument] n mit Kippschraube [und Libelle] Schrägrohrmanometer n, Flüssigkeitsmanometer n mit geneigtem Schenkel	niveau m à vis d'inclinaison, niveau à vis de basculement manomètre m à tube incliné	нивелир с элевационным винтом, нивелир с подъемными винтами [чашечный] манометр с наклонной трубкой, [чашечный] микроманометр с наклонной трубкой
T 1238	**tilting mechanism** **tilting-mirror [Martens] gauge** **tilting moment** **tilting moment coefficient**	Kippvorrichtung f s. Martens strain gauge s. maximum torque s. pitching moment coefficient	mécanisme m de bascule	опрокидывающее приспособление (устройство), опрокидыватель
T 1239	**tilting motion**	Kippbewegung f	mouvement m de bascule	опрокидывающее движение
T 1240	**tilting over,** canting, overturn, upturning <geo.>	Überkippung f, Kippung f <Geo.>	renversement m, versage m <géo.>	опрокидывание, переворачивание; опрокинутое положение <гео.>
T 1241	**tilting plate micrometer** **tilting-ring manometer,** ring balance, ring balance manometer **tilt meter** **timber**	Schwenkplattenmikrometer n Ringwaage f, Ringwaage[n]manometer n, Kreisrohrmanometer n, Kreismikromanometer n s. clinometer s. rib	micromètre m à rotule tore m pendulaire, manomètre m à tore pendulaire, balance f annulaire	микрометр с наклонной пластинкой кольцевые весы, кольцевой дифференциальный манометр, кольцевой манометр
T 1242	**timbre of sound,** quality of sound, tone colour, tone quality; tone <el.>	Klangfarbe f, Tonfarbe f, Farbe f des Klangs	timbre m [du son]; tonalité f, sonalité f <él.>	тембр звука, звуковая окраска, окраска звука

	English	German	French	Russian
T 1243	**time**	Zeit f	temps m, heure f	время
	time, hour	Uhrzeit f, Uhr f, [h]	heure f	час
	time, instant [of time], moment, epoch	Zeitpunkt m, Zeit f, Moment m, Augenblick m	instant m, moment m [du temps], temps m, époque f	момент [времени], время; мгновение; миг
T 1244	**time**, measure <ac.>	Takt m, Zeitmaß n <Ak.>	mesure f, cadence f, rythme m <ac.>	такт <ак.>
T 1245	**time action** [of relay]	Relaisanzugszeit f, Anzugszeit f des Relais	temps m d'actionnement [du relais]	время притяжения якоря реле, время втягивания сердечника реле
	time-amplitude converter	s. time-to-amplitude converter		
T 1246	**time analyzer**	Zeitanalysator m	analyseur m de temps	временной анализатор, анализатор времени пролета
	time-antisymmetric, antisymmetric in time	zeitantisymmetrisch	antisymétrique par rapport au temps, antisymétrique dans le temps	антисимметричный по отношению к времени, антисимметричный по времени
	time-antisymmetric tensor, tensor antisymmetric in time	zeitantisymmetrischer Tensor m, c-Tensor m	tenseur m antisymétrique par rapport au temps	антисимметричный по отношению к времени тензор
T 1247	**time average**	Zeitmittel n, Zeitmittelwert m, zeitlicher Mittelwert m, zeitliches Mittel n	moyenne f temporelle, moyenne sur le temps, moyenne de temps	временное среднее, среднее по времени, среднее значение по (во) времени
T 1248	**time-axis plate**	Zeitplatte f; Horizontalplatte f der Zeitachse, Kippplatte f der Zeitachse	plaque f de l'axe de temps	пластина временной развертки, пластинка временной развертки
T 1249	**time balance**	Zeitwaage f	balance f de temps	весы времени, прибор для поверки хода часов
T 1250	**time base**	Zeitachse f, Zeitlinie f, Zeitnullinie f, Zeitbasis f, Zeitmaßstab m, Zeitablenkung f	base f de balayage, trace f de balayage, base de temps	линия развертки [во времени], ось времени
T 1251	**time base**, time-base sweep, time sweep, sweep	Zeitablenkung f	base f de temps, balayage m, exploration f, analyse f	развертка [во времени], временная развертка, отклонение во (по оси) времени
	time base	s. time-base unit		
T 1252	**time-base capacitor**	Zeitkreiskondensator m, Kippkapazität f	condensateur m de base de temps	конденсатор, включаемый для создания выдержки времени
	time-base circuit	s. sweep circuit		
	time-base expansion	s. sweep expansion		
	time-base extension	s. sweep expansion		
	time-base frequency	s. sweep frequency		
T 1253	**time base generator**, sweep generator	Zeitablenkgenerator m, Zeitbasisgenerator m	générateur m de balayage, générateur de base de temps	генератор развертки, осциллятор развертки
	time-base sweep	s. time base		
T 1254	**time-base unit**, time base, sweep unit, sweep base, scan base	Zeitablenkgerät n, Zeitbasisgerät n	élément m base de temps, bloc m de balayage (déviation); déflecteur m; bloc d'analyse <de la caméra>	блок развертки
	time-base velocity	s. deflection speed		
	time-base voltage	s. sweep voltage		
T 1255	**time behaviour**	zeitliches Verhalten n, Zeitverhalten n	comportement m en temps	поведение во времени
T 1256	**time behaviour**, time history, time slope, time lapse, lapse	Zeitablauf m, zeitlicher Ablauf m, zeitlicher Verlauf m, Zeitverlauf m	comportement m en temps, cours m, histoire f	временной ход, ход времени
	time belt	s. time zone		
T 1257	**time coherence**, temporal coherence, coherence in time	Zeitkohärenz f, zeitliche Kohärenz f	cohérence f temporelle	временная когерентность
T 1258	**time component** [of four-vector]	zeitliche Komponente f, Zeitkomponente f <Vierervektor>	composante f temporelle [du quadrivecteur]	временная компонента [четыре-вектора]
	time compression [technique]	s. low-speed photography		
	time compressor [camera]	s. time-lapse camera		
T 1259	**time constant**; time response; characteristic time <el.>	Zeitkonstante f; RC-Konstante f, elektrische Zeitkonstante, RC <El.>	constante f de temps <él.>	постоянная времени <эл.>
	time constant	s. a. sluggishness		
	time constant [of nuclear reactor]	s. time constant		
T 1260	**time constant of rise**	Anstiegszeitkonstante f	constante f de temps d'accroissement	постоянная времени нарастания
	time constant range	s. period range <of reactor>		
	time constant standard, standard time constant	Zeitkonstantennormal n	étalon m de constante de temps	эталон постоянной времени, образцовая мера постоянной времени
T 1261	**time-consuming**, tedious	zeitraubend, zeitaufwendig, langwierig	de longue durée	требующий много времени, трудоемкий, длительный
T 1262	**time contraction**	Zeitkontraktion f, Zeitverkürzung f	contraction f du temps	сокращение времени
	time control	s. time schedule control		
T 1263	**time conversion**	Zeitkonvertierung f, Zeitkonversion f	conversion f du temps, conversion de temps	преобразование времени
T 1264	**time converter**	Zeitkonverter m	convertisseur m de temps	преобразователь времени, временной преобразователь

T 1265	**time co-ordinate**	Zeitkoordinate *f*	coordonnée *f* de temps	временная координата, координата времени
T 1266	**time correlation**	zeitliche Korrelation *f*, Zeitkorrelation *f*	corrélation *f* par le temps	корреляция по времени
T 1266a	**time decrease of perme-ability,** disaccommodation of permeability, magnetic disaccommodation	Nachwirkung *f* der Permeabilität, zeitlicher Permeabilitätsabfall *m*, Desakkommodation *f* der Permeabilität, magnetische Desakkommodation *s. a.* time lag	désaccommodation *f* de la perméabilité, désaccommodation magnétique	временной спад проницаемости, магнитная дезаккомодация [магнитной] проницаемости
T 1267	**time delay** **time delay,** time lag, switching delay	Schaltverzug *m*, Schaltverzögerung *f*	délai *m* de commutation, délai de coupure	выдержка времени при коммутации, запаздывание коммутации; замедление (затягивание) включения; замедление (затягивание) переключения
T 1267a	**time delay circuit,** timing circuit	Verzögerungsschaltung *f*, Zeitverzögerungs-schaltung *f*	circuit *m* retardateur, circuit de retard	схема задержки, цепь задержки
T 1268	**time-delay relay,** time-lag relay, delay relay, time-limit relay, time relay, slow-release (slow-releasing) relay, timing circuit	Zeitrelais *n*, Verzögerungs-relais *n*, Relais *n* mit Zeit-auslösung (verzögerter Auslösung)	relais *m* temporisé, relais chronométrique, relais de temporisation, relais retardateur	реле времени, реле выдержки времени, реле замедленного действия, замедляющее реле
T 1269	**time-delay switch,** time[-lag] switch, timing interrupter (relay)	Zeitschalter *m*, Zeitkontakt-einrichtung *f*, Zeitrelais *n*	automate *m* chronométrique, automate temporisé	выключатель с выдержкой времени; программное реле времени
T 1270	**time-delay-type overcurrent relay**	Überstromzeitrelais *n*	relais *m* temporisé de surintensité	реле максимального тока с выдержкой времени
T 1271	**time-dependent,** dependent on time, varying with time, as a function of time, non-stationary; rheonomic, rheonomous <mech.>	zeitabhängig *f*, nichtstationär; rheonom <Mech.>	dépendant du temps, en fonction du temps, non stationnaire; rhéonome <méc.>	зависящий от времени, нестационарный; реономный <мех.>
T 1272	**time-dependent per-turbation theory, time-dependent theory of perturbations,** Dirac['s] theory of perturbations	zeitabhängige Störungs-theorie *f*, Diracsche Störungstheorie	méthode *f* de variations des constantes, théorie *f* des perturbations dépendant du temps, théorie des perturbations de Dirac	зависящая от времени теория возмущений, теория возмущений Дирака, диракова теория возмущений
T 1273	**time derivative,** derivative with respect to time	Zeitableitung *f*, zeitliche Ableitung *f*, Ableitung nach der Zeit	dérivée *f* par rapport au temps, dérivée temporelle	производная по времени, временная производная
T 1274	**time determination;** chronology	Zeitbestimmung *f*, Chronologie *f*	détermination *f* de l'heure; chronologie *f*	определение времени, хронология
T 1275	**time dilatation,** Einstein['s] time dilation, time dilation <rel.>	Zeitdilatation *f*, Zeit-dehnung *f*, Einstein-Dilatation *f*, Einsteinsche Zeitdilatation, Einsteinsche Zeitdehnung <Rel.>	dilatation *f* du temps, dilatation des durées, dilatation de temps d'Einstein, effet *m* de ralentissement des horloges <rel.>	замедление [течения] времени, лоренцово замедление времени, дилатация времени, замедление хода движущихся часов <рел.>
	time dilation	*s.* time dilatation		
T 1276	**time discriminator**	Zeitdiskriminator *m*	discriminateur *m* de temps	дискриминатор по времени
	time displacement	*s.* time shift		
	time displacement error, time shift error	Zeitversetzungsfehler *m*, Zeitverschiebungsfehler *m*	erreur *f* de déplacement en temps	погрешность смещения по времени
T 1277	**time distribution**	zeitliche Verteilung *f*, Zeitverteilung *f*	distribution *f* en temps	распределение [во] времени
	time distribution, time transmission	Zeitübermittlung *f*, Zeit-übertragung *f*	diffusion *f* de l'heure, transmission *f* de l'heure, distribution *f* de l'heure	передача времени, распределение времени
	time distribution system	*s.* electrical time distribution system		
T 1278	**time division multiplex,** time multiplex	Zeitmultiplex[system] *n*, Zeitteilungsmultiplex *n*; Vierkanal-Zeit-Multi-plex[system] *n*, MUX-System *n*	multiplex *m* à partage dans le temps, multiplex dans le temps, multiplex à voies échelonnées dans le temps, système *m* à multiplexage par répartition dans le temps	многоканальная система связи с временным уплотнением (разделением каналов); многоканальный способ телеизмерений с временным разделением каналов
T 1278a	**time-edge effect**	Randveränderung[seffekt *m*] *f*	effet *m* de bord temporel	временной краевой эффект
T 1279	**timed neutron**	nach der Flugzeit ausgewähltes Neutron *n*	neutron *m* trié selon son temps de vol	нейтрон, отобранный по времени пролета
T 1280	**time factor** <bio.>	Zeitfaktor *m* <Bio.>	facteur *m* de temps, facteur d'intensité <bio.>	коэффициент времени, фактор времени <био.>
T 1281	**time fluctuation;** time jitter	zeitliche Schwankung *f*	fluctuation *f* temporelle; instabilité *f* dans le temps, instabilité temporelle	временная флуктуация; неустойчивость во времени
T 1282	**time-gamma curve**	Zeit-Gamma-Kurve *f*, Zeitgammakurve *f*	courbe *f* de la variation des densités optiques en fonction de la durée de développement, courbe gamma-temps	кривая зависимости гаммы от времени проявления, кривая зависимости коэффициента контрастности от времени проявления
T 1283	**time gate**	Zeittor *n*	sélecteur *m* de temps, porte *f* de temps	временной селектор
	time history	*s.* time behaviour		

	English	German	French	Russian
T 1284	time-independent, independent of time; scleronomous, scleronomic[al] <mech.>	zeitunabhängig, zeitfrei; skleronom <Mech.>	ne dépendant pas du temps; scléronome <méc.>	независимый от времени, независящий от времени; склерономный <мех.>
T 1285	time-independent perturbation theory, time-independent theory of perturbations, Schrödinger['s] theory of perturbations, Rayleigh-Schrödinger perturbation theory	zeitunabhängige Störungstheorie f, Schrödingersche Störungstheorie	calcul m de perturbation des états stationnaires, théorie f des perturbations ne dépendant pas du temps, théorie des perturbations de Schrödinger	не зависящая от времени теория возмущений, теория возмущений Шредингера, шредингерова теория возмущений
	time-independent wave equation, oscillation equation, equation of oscillation	Schwingungsgleichung f, zeitfreie Wellengleichung f, zeitunabhängige Schrödinger-Gleichung f	équation f du mouvement oscillatoire, équation de vibration	уравнение колебаний, уравнение колебательного движения, уравнение колебательного процесса
T 1286	time integral	Zeitintegral n, Integral n über die Zeit	intégrale f de temps	интеграл во времени
	time integral of flux	s. integrated flux <in n/cm²>		
	time integral of force, impulse [of force] <mech.>	Impuls m, Kraftstoß m, Kraftimpuls m, Zeitintegral n der Kraft <Mech.>	impulsion f, impulsion de puissance <méc.>	импульс, импульс силы <мех.>
T 1287	time interval meter [unit], intervalometer	Zeitintervallmesser m, Zeitintervallmeßgerät n, Intervallmesser m	intervalomètre m, appareil m de mesure des intervalles de temps	прибор для отсчета (измерения) интервалов времени
T 1288	time-invariant	zeitinvariant	invariant en temps	инвариантный по времени
	time inversion	s. time reversal		
	time inversion operation	s. time reversal operation		
	time jitter	s. time fluctuation		
	time keeper; time piece, chronometer; clock; watch	Zeitmesser m, Zeitmeßgerät n; Uhr f, Chronometer n; Zeitnehmer m	chronomètre m, garde-temps m; horloge f; pendule f; montre f	хронометр, измеритель времени; часы; хранитель
	time keeper, metronome	Metronom n	métronome m, métronome batteur, batteur m de mesure	метроном
	time[-]keeping; measurement of time, time measurement, timing, chronometry	Zeitmessung f, Chronometrie f; Zeitnahme f; Aufnahme f von Zeitmarken	mesure f de temps, chronométrie f, chronométrage m	измерение времени, хронометрия; отсчет времени; хронометраж, хронометрирование
T 1289	time lag, lagging, lag, delay, time delay, retardation, hangover	zeitliche Verzögerung f, Zeitverzögerung f, Verzögerung f, Verzug m, Zeitverzug m, Nachhinken n, zeitliches Nacheilen n, Nacheilen, Nacheilung f, Nachbleiben n, Zurückbleiben n	retard m, retardement m, retardation f, délai m	запаздывание во времени, запоздание во времени, задержка, временная задержка, выдержка времени, инертность, отставание
	time lag	s. a. time delay		
T 1290	time lag in discharge	Entladeverzug m, Entladungsverzug m	délai m de décharge[ment]	задержка разряда, запаздывание разряда
	time lag of the ignition, ignition delay, ignition lag, firing delay, firing lag <of discharge>	Zündverzögerung f, Zündverzug m <Entladung>; Zündmomentverspätung f <Gleichrichter>	retard m d'amorçage, retard d'allumage <de la décharge>	запаздывание зажигания <разряда>
	time lag of the ignition	s. a. ignition lag		
	time-lag relay	s. time-delay relay		
	time-lag switch	s. time-delay switch		
	time lapse	s. time behaviour		
T 1291	time-lapse camera, time-lapse motion camera, time-lapse equipment, stop-motion device, quick-motion camera, time compressor [camera]	Zeitraffer m, Zeitrafferkamera f	caméra f en accéléré, caméra pour prises de vue en accéléré, accéléré m	цейтрафер, цейтраферная [кино]съемочная камера, [кино]съемочная замедленная камера, замедленная [кино-] съемочная камера
T 1292	time-lapse camera shooting, time-lapse shooting, stop-motion camera shooting, stop-motion record, single-picture taking, shooting for fast motion effect, low-speed shooting for high-speed projection	Zeitrafferaufnahme f, Zeitraffaufnahme f	prise f de vue en accéléré, accéléré m	замедленная киносъемка, замедленная съемка, съемка с замедленной скоростью, цейтраферная [кино]съемка
	time-lapse cinematography	s. low-speed photography		
	time-lapse equipment (motion camera)	s. time-lapse camera		
	time lapse photography	s. low-speed photography		
	time-lapse shooting	s. time-lapse camera shooting		
T 1293	time law	Zeitgesetz n	loi f temporelle	закон изменения параметра во времени, временной закон
T 1294	time-light output curve	Zeit-Lichtleistungs-Kurve f, Zeitlichtleistungskurve f	courbe f réprésentant le flux lumineux émis en fonction de temps, courbe flux lumineux-temps	график изменения светового потока в зависимости от времени, кривая зависимости светового потока от времени

	English	German	French	Russian
T 1295	time[-]like	zeitartig	du genre temps	времениподобный, времянеподобный
	time-like four-vector	s. time-like vector		
T 1296	time-like interval	zeitartiges Intervall n	intervalle m du genre temps	времениподобный интервал
T 1297	time-like vector, time-like four-vector	zeitartiger Vektor m, zeitartiger Vierervektor m	vecteur m du genre temps, quadrivecteur m du genre temps	времениподобный вектор, времениподобный четыре-вектор
	time-limit relay	s. time-delay relay		
	time line	s. isochrone		
	time magnification	s. sweep expansion		
	time magnifier	s. slow-motion camera		
	time magnifying	s. high-speed photography		
	time magnifying	s. a. sweep expansion		
T 1298	time mark, time trace	Zeitmarke f, Zeitmeßmarke f	marque f horaire, marque du temps, marqueur m de temps	отметка времени, метка времени, марка времени
	time marker	s. time mark generator		
T 1299	time marker pulse	Zeitmarkenimpuls m	impulsion f de minutage	импульс отметки времени
T 1300	time mark frequency	Zeitmarkenfrequenz f	fréquence f des marques du temps	частота отметок времени, частота меток времени
T 1301	time mark generator, time marker, time signal injector	Zeitmarkengenerator m, Zeitmarkengeber m	marqueur m de temps, générateur m de chronométrage, minuterie f	генератор [от]меток времени, датчик [от]меток времени
	time marking, time record	Zeitmarkierung f, Zeitmarkengebung f	marquage m de temps	маркировка времени, подача [от]меток времени
T 1302	time mark recorder	Zeitmarkenschreiber m	enregistreur m de marques de temps	самопишущий прибор для записи [от]меток времени, отметчик времени
T 1303	time measure, time scale	Zeitmaß n	mesure f de temps	мера времени
	time measurement, measurement of time, timing, chronometry; time[-]keeping	Zeitmessung f, Chronometrie f; Zeitnahme f; Aufnahme f von Zeitmarken	mesure f de temps, chronométrie f, chronométrage m	измерение времени, хронометрия; отсчет времени; хронометраж, хронометрирование
	time measuring equipment (instrument)	s. timing system		
T 1304	time meter	Zeitzähler m	compteur m du temps, compteur de temps	счетчик времени
T 1305	time metering, time reference	Zeitzählung f	comptage m du temps, comptage de temps, référence f de temps	счет времени, отсчет времени
	time modulation	s. pulse-duration modulation		
	time multiplex	s. time division multiplex		
	time of climb, duration of ascent	Steigzeit f, Steigdauer f	temps m de montée	время подъема
	time of collision, collision time, time of impact, collision period	Stoßzeit f, Stoßdauer f	temps m de collision, durée f du choc	время столкновения
T 1305a	time of conservation	Erhaltungszeit f	temps m de conservation	время сохранения
	time of dead tide, time of neap tide	Nippzeit f	temps m des petites marées	время квадратурного прилива
	time of decay	s. decay time		
T 1306	time of deplasmolysis	Deplasmolysezeit f	temps m de déplasmolyse	время деплазмолиза
T 1307	time of detachment <bio.>	Abhebungszeit f <Bio.>	temps m de détachement <bio.>	время снимания <био.>
T 1308	time of energy exchange, energy exchange time	Energieaustauschzeit f	temps m [de relaxation] d'échange d'énergie	время обмена энергией
T 1309	time of fall, time the body is falling	Fallzeit f	temps m de chute	время падения
T 1310	time of first passage	Zeit f des ersten Durchgangs	temps m du premier passage	время первого прохождения
T 1311	time of flight, flight time, transit time <nucl.>	Flugzeit f, Laufzeit f <Kern.>	temps m de vol (transit), temps transitionnel, temps de trajet (propagation) <nucl.>	время пролета, время полета <яд.>
T 1312	time-of-flight analysis	Laufzeitanalyse f	analyse f de temps de vol, analyse par temps de vol	анализ по времени пролета
T 1313	time-of-flight analyzer	Laufzeitanalysator m	analyseur m de temps de vol, analyseur de temps de parcours	анализатор по времени пролета
T 1314	time-of-flight arrangement (array, device, equipment)	Laufzeitanordnung f, Flugzeitanordnung f, Laufzeitgerät n	appareil m de temps de vol, appareillage m de temps de vol	аппаратура для отбора частиц по времени пролета, прибор для отбора частиц по времени пролета
	time-of-flight mass separator	s. time-of-flight separator		
T 1315	time-of-flight mass spectrograph	Laufzeitmassenspektrograph m	spectrographe m de masse à temps de vol	масс-спектрограф по времени пролета, времяпролетный масс-спектрограф
T 1316	time-of-flight neutron spectrometer	Neutronenflugzeitspektrometer n	spectromètre m neutronique à temps de vol	нейтронный спектрометр по времени пролета
	time-of-flight radio-frequency spectrometer	s. radio-frequency time-of-flight spectrometer		
T 1317	time-of-flight separator [of isotopes], time-of-flight mass separator	Laufzeitmassentrenner m, Flugzeitmassentrenner, Laufzeitisotopentrenner m, Flugzeitisotopentrenner m, elektromagnetischer Massentrenner m nach dem Laufzeitprinzip	séparateur m de masses à temps de vol, séparateur d'isotopes à temps de transit	масс-сепаратор по времени пролета, разделитель изотопов по времени пролета

	English	German	French	Russian
T 1318	time-of-flight spectrograph, velocity spectrograph	Laufzeitspektrograph m, Geschwindigkeits-spektrograph m	spectrographe m à temps de vol, spectrographe à temps de parcours, spectrographe à temps de transit, spectrographe de vitesse[s]	спектрограф по времени пролета, скоростной спектрограф, спектрограф скоростей
T 1319	time-of-flight spectrography, velocity spectrography	Laufzeitspektrographie f, Geschwindigkeits-spektrographie f	spectrographie f à temps de vol, spectrographie à temps de parcours, spectrographie à temps de transit, spectrographie f de vitesse[s]	спектрография по времени пролета, скоростная спектрография
T 1320	time-of-flight spectrometer, velocity spectrometer, transit-time spectrometer	Laufzeitspektrometer n, Geschwindigkeits-spektrometer n, Flugzeitspektrometer n	spectromètre m à temps de parcours, spectromètre à temps de vol, spectromètre à temps de transit, spectromètre de vitesse[s]	спектрометр по времени пролета, скоростной спектрометр, спектрометр скоростей
	time-of-flight spectrometry	s. time-of-flight spectroscopy		
T 1321	time-of-flight spectroscope, velocity spectroscope	Laufzeitspektroskop n, Geschwindigkeitsspektroskop n	spectroscope m à temps de parcours (vol, transit), spectroscope de vitesse[s]	спектрометр по времени пролета, скоростной спектроскоп, спектроскоп скоростей
T 1322	time-of-flight spectroscopy, time-of-flight spectrometry, velocity spectroscopy, velocity spectrometry	Laufzeitspektroskopie f, Laufzeitspektrometrie f, Geschwindigkeitsspektroskopie f, Geschwindigkeitsspektrometrie f, Flugzeitspektroskopie f, Flugzeitspektrometrie f	spectroscopie f à temps de parcours, spectrométrie f à temps de parcours, spectroscopie à temps de vol, spectroscopie de vitesse	спектроскопия по времени пролета, спектрометрия по времени пролета, скоростная спектроскопия, скоростная спектрометрия, спектроскопия скоростей, спектрометрия скоростей
T 1323	time-of-flight velocity selector	Geschwindigkeitsselektor m nach der Laufzeitmethode	sélecteur m de vitesses à temps de transit	селектор по времени пролета
	time of impact, collision time, time of collision, collision period	Stoßzeit f, Stoßdauer f	temps m de collision, durée f du choc	время столкновения
T 1324	time of measurement	Meßzeit f	temps m de mesure; moment m de mesure	момент измерения; срок измерения
T 1325	time of neap tide, time of dead tide	Nippzeit f	temps m des petites marées	время квадратурного прилива
	time of one revolution, period, period of revolution, orbital period <astr.>	Umlaufzeit f, Umlaufzeit f, Umlauf[s]dauer f, Umlauf[s]periode f <Astr.>	période f (durée f, temps m) de révolution <astr.>	период обращения, время обращения <астр.>
	time of one revolution	s. a. rotation period		
T 1326	time of operation, operating time, transit time <of relay>	Ansprechzeit f <Relais>	délai m de réponse <du relais>	время срабатывания, собственное время <реле>
	time of partial shutter opening, opening period <phot.>	Öffnungszeit f <Phot.>	durée f d'ouverture <phot.>	время открывания, время раскрывания <фот.>
	time of periastron passage	s. epoch of periastron		
T 1327	time of perihelion passage	Perihelzeit f	temps m du passage au périhélie	момент прохождения через перигелий
	time of persistence	s. persistence		
	time of relaxation	s. relaxation time		
	time of the onset of the excitation, reaction time <bio.>; response time	Reaktionszeit f	temps m de réaction	время реакций
	time of travel, travel time, travelling time, transit time <geo., ac.>	Laufzeit f <Geo., Ak.>	temps m de parcours, temps du trajet <géo., ac.>	время пробега; время прохождения; время добегания <гео., ак.>
	time of travel	s. a. transit time <el.>		
	time-ordered product	s. chronological product		
	time ordering operator	s. Dyson chronological operator		
T 1328	time parameter	Zeitparameter m	paramètre m temporel	временной параметр
T 1329	time parity	Zeitparität f, Parität f der Zeit	parité f du temps	временная четность
T 1330	time-path curve	Zeit-Weg-Kurve f	courbe f temps-chemin	пространственно-временная кривая, кривая пути по времени
	time-path diagram, time-traverse diagram	Zeit-Weg-Diagramm n, Zeit-Weg-Schaubild n	diagramme m temps-chemin	пространственно-временная диаграмма, диаграмма пути по времени
	time pattern control	s. time schedule control		
T 1331	time-pattern control system, timing system	Zeitplansystem n, Zeitplanregelsystem n, Regelsystem n mit Zeitplan, System n mit Zeitplanregelung	système m de commande à programme	программная система, система программного регулирования
T 1332	time[ ]piece, chronometer; clock; watch; time keeper	Zeitmesser m, Zeitmeßgerät n; Uhr f, Chronometer n; Zeitnehmer m	chronomètre m, garde-temps m; horloge f; pendule f; montre f	хронометр, измеритель времени; часы; хранитель
	time[ ]piece, timing generator, time transmitter	Zeitgeber m	temporisateur m, garde-temps m	датчик времени
T 1333	time-preserving	zeitgetreu, zeittreu	conservant le temps	верный по времени, без запаздывания по времени
	time printer	s. chronograph		
	time-proportional, linear in time, proportional to time	zeitlinear; zeitproportional	linéaire dans le temps; proportionnel au temps	временно-линейный, линейный по времени; пропорциональный времени

	English	German	French	Russian
T 1334	**time quadrature,** quadrature in time	zeitliche Verschiebung *f* um 90°, zeitliche 90°-Verschiebung *f*	quadrature *f* dans le temps	сдвиг во времени на 90°
T 1335	**time quantization**	Zeitquantelung *f*, Zeitquantisierung *f*	quantification *f* temporelle	квантование во времени
	timer, time schedule controller, cyclelog	Zeitplanregler *m*, Programmregler *m*	régulateur *m* à programme[s], régulateur de correspondance	[автоматический] программный регулятор, программированный регулятор
	timer, timing element <el.>	Zeitglied *n*, Zeitelement *n* <El.>	élément *m* de temporisation <él.>	замедляющее звено, замедляющий элемент <эл.>
	timer		*s. a.* stop[-]watch	
	timer		*s. a.* clock relay	
	timer		*s. a.* electronic timer	
	time rate, rate	Geschwindigkeit *f*, Häufigkeit *f*, Rate *f*	vitesse *f*, taux *m*	скорость
T 1336	**time rate of change,** rate of change	zeitliche Änderung *f*; Änderungsgeschwindigkeit *f*	variation *f* avec le temps; vitesse *f* de variation	изменение во времени; скорость изменения
T 1337	**time reckoning,** chronology	Zeitrechnung *f*, Chronologie *f*	calcul *m* de temps, chronologie *f*	времяисчисление, летоисчисление, исчисление времени, хронология
T 1338	**time record,** time marking	Zeitmarkierung *f*, Zeitmarkengebung *f*	marquage *m* de temps	маркировка времени, подача меток времени, подача отметок времени
T 1339	**time record,** time recording, time registering	Zeitregistrierung *f*	enregistrement *m* du temps	запись времени, регистрация времени
	time recorder		*s.* chronograph	
	time recording		*s.* time record	
	time recording apparatus		*s.* time recorder	
	time reference		*s.* time metering	
	time registering		*s.* time record	
	time relay		*s.* time-delay relay	
T 1340	**time required,** sacrifice of time, waste of time, loss of time	Zeitaufwand *m*	sacrifice *m* de temps	затрата времени, расход времени
T 1341	**time resolution,** time resolving power	Zeitauflösung *f*, zeitliches Auflösungsvermögen *n*, Zeitauflösungsvermögen *n*	pouvoir *m* de résolution dans le temps	временное разрешение, разрешение по времени, разрешающая способность по времени
	time resolving power, time resolution	Zeitauflösung *f*, zeitliches Auflösungsvermögen *n*, Zeitauflösungsvermögen *n*	pouvoir *m* de résolution dans le temps	временное разрешение, разрешение по времени, разрешающая способность по времени
T 1342	**time response**	Zeitgang *m*, Zeitcharakteristik *f*	réponse *f* temporelle	временная характеристика
	time response; time constant; characteristic time <el.>	Zeitkonstante *f*; *RC*-Konstante *f*, elektrische Zeitkonstante, *RC* <El.>	constante *f* de temps <él.>	постоянная времени <эл.>
	time response, rise time, build-up time, building-up time <e.g. of pulse>	Anstiegszeit *f*; Aufbauzeit *f* <z. B. Impuls>	temps *m* de montée, période *f* de montée, temps de croissance <p. ex. de l'impulsion>	время нарастания <напр. импульса>
	time response		*s. a.* unit[-] step response	
T 1343	**time reversal,** time inversion	Zeitumkehr *f*	inversion *f* de temps, renversement *m* des axes du genre temps	временное отражение, отражение времени, отражение знака времени, обращение времени
T 1344	**time[-] reversal invariance,** *T* invariance, time reversibility	T-Invarianz *f*, Zeitumkehrinvarianz *f*	invariance *f* par rapport à l'inversion de temps, invariance *T*	инвариантность относительно обращения знака времени
T 1344a	**time reversal operation,** time inversion operation	Zeitumkehroperation *f*	opération *f* d'inversion de temps	операция обращения времени
T 1345	**time reversal operator,** operator of time reversal	Operator *m* der (für die) Zeitumkehr, Zeitumkehroperator *m*	opérateur *m* d'inversion de temps, opérateur inversion de temps	оператор обращения времени
	time reversibility		*s.* time[-] reversal invariance	
T 1346	**timer switch**	Programmzeitschalter *m*	contacteur *m* de programmation	программный по времени переключатель
	time saving, saving of time	Zeitersparnis *f*, Einsparung *f* an Zeit	économie *f* de temps, gain *m* de temps	экономия времени
T 1347	**time scale**	Zeitskala *f*; Zeitmaßstab *m*	échelle *f* de temps	шкала времени; масштаб времени
T 1348	**time scale,** time measure	Zeitmaß *n*	mesure *f* de temps	мера времени
	time scale factor	Zeitmaßfaktor *m*	facteur *m* d'échelle de temps	коэффициент линейности, масштабный множитель времени
T 1349	**time schedule**	Zeitplan *m*, Zeitprogramm *n*	programme *m* temporel	временная программа
T 1350	**time schedule control,** time pattern control, time control, programme control, programmed control	Zeitplanregelung *f*, Programmregelung *f*, programmierte Regelung *f*, Fahrplanregelung *f*; Zeitplansteuerung *f*, Programmsteuerung *f*	réglage *m* à programme, régulation *f* à programme, réglage programmé; commande *f* à programme, cycle *m* automatique, commande à cycle automatique	программное регулирование; программное управление
T 1351	**time schedule controller,** cyclelog, timer	Zeitplanregler *m*, Programmregler *m*	régulateur *m* à programme[s], régulateur de correspondance	программный регулятор, автоматический программный регулятор, программированный регулятор

T 1352	time selection	Zeitselektion f, Zeit-schachtelung f	sélection f dans le temps, sélection en temps	временная селекция
T 1353	time selection pulse	Zeitselektionsimpuls m, Zeitschachtelungsimpuls m	impulsion f de sélection en temps	импульс временной селекции
T 1354	time sense	Zeitsinn m	orientation f temporelle	ориентация по времени
T 1354a	time sensitometry	Zeitsensitometrie f	sensitométrie f temporelle	временная сенситометрия
	time sequence	s. chronology		
T 1355	time series <stat.>	Zeitreihe f <Stat.>	série f chronologique, « time series » m <stat.>	временной ряд <стат.>
T 1356	time service	Zeitdienst m	service m de l'heure	служба времени
T 1357	time sharing [scheme], multi-access computing <num. math.>	Teilnehmer-Rechenbetrieb m, Multikonsolbetrieb m, Zeitverteilung f, „time sharing" n <num. Math.>	partage m de temps, répartition f temporelle <math. num.>	схема разделения по времени, совмещение по времени, разделение времени, временное разделение, распределение во времени <числ. матем.>
T 1358	time shift, time displacement	Zeitversetzung f, Zeitverschiebung f, Zeittranslation f	déplacement m en temps	смещение по времени, сдвиг по времени
T 1359	time shift error, time displacement error	Zeitversetzungsfehler m, Zeitverschiebungsfehler m	erreur f de déplacement en temps	погрешность смещения по времени
T 1360	time-shift theorem [of Laplace transform], shifting (lag) theorem [of Laplace transform]	Verschiebungssatz m [der Laplace-Transformation], Heavisidescher Verschiebungssatz	théorème m de retard [de la transformation de Laplace], « shifting theorem » m [pour la transformation de Laplace]	теорема запаздывания [для преобразования Лапласа], принцип смещения Хевисайда
T 1361	time signal	Zeitzeichen n	signal m horaire	сигнал времени
	time signal injector	s. time mark generator		
T 1362	time-slice axiom	Zeitschichtaxiom n		
T 1362a	time slicing	Zeitunterteilung f	subdivision f de temps	подразделение времени
	time slope, time behaviour, time history, time lapse, lapse	Zeitablauf m, zeitlicher Ablauf m, zeitlicher Verlauf m, Zeitverlauf m	comportement m en temps, cours m, histoire f	временной ход, ход времени
	time sorter, pulse interval analyzer, interval analyzer	Impulsintervallanalysator m, Intervallanalysator m	analyseur m d'intervalles des impulsions, analyseur d'intervalles	анализатор интервалов [между импульсами]
T 1363	time-space correlation, space-time correlation	zeitlich-räumliche (räumlich-zeitliche) Korrelation f	corrélation f espace-temps	временно-пространственная корреляция
T 1364	time spectrum	Zeitspektrum n	spectre m temporel	временной спектр
T 1365	time stability, stability in time	zeitliche Konstanz f, Zeitkonstanz f	stabilité f temporelle, stabilité en temps	временное постоянство, временная устойчивость, устойчивость во времени
T 1366	time standard, standard time	Zeitnormal n	étalon m de temps	эталон времени
	time strength	s. fatigue strength for limit life		
T 1367	time sum, sum over time	Zeitsumme f	somme f de temps, somme sur le temps	сумма по времени
	time sweep, time base, time-base sweep, sweep	Zeitablenkung f	base f de temps, balayage m, exploration f, analyse f	развертка [во времени], временная развертка, отклонение по оси времени, отклонение во времени
	time switch	s. clock relay		
	time switch	s. time-delay switch		
	time-symmetric	s. symmetric in time		
	time-symmetric tensor, tensor symmetric in time	zeitsymmetrischer Tensor m, i-Tensor m	tenseur m symétrique par rapport au temps	симметричный по отношению к времени тензор
T 1368	time-to-amplitude converter, time-to-pulse height converter, time amplitude converter, TAC	Zeit-Amplitude[n]-Konverter m, Zeit-Impulshöhe[n]-Konverter m, Zeitamplitudenwandler m	convertisseur m temps-amplitude, convertisseur temps-impulsion, convertisseur du temps en impulsion	преобразователь [типа] время-амплитуда, временно-амплитудный (время-амплитудный, время-импульсный) преобразователь, время-амплитудный конвертор, ПВА, ВАП
T 1369	time-to-time converter	Zeit-Zeit-Konverter m, Zeit-Zeit-Wandler m	convertisseur m temps-temps	время-временной преобразователь (конвертор)
	time trace, time mark	Zeitmarke f, Zeitmeßmarke f	marque f horaire, marque du temps, marqueur m de temps	отметка времени, метка времени, марка времени
T 1370	time transformer	Zeittransformator m	transformateur m de temps	трансформатор времени; прибор для автоматической регистрации малых интервалов времени; устройство для преобразования интервалов времени
T 1371	time transmission, time distribution	Zeitübermittlung f, Zeitübertragung f	diffusion f de l'heure, transmission f de l'heure, distribution f de l'heure	передача времени, распределение времени
	time transmitter, timing generator, time piece	Zeitgeber m	temporisateur m, garde-temps m	датчик времени
T 1372	time-traverse diagram, time-path diagram	Zeit-Weg-Diagramm n, Zeit-Weg-Schaubild n	diagramme m temps-chemin	пространственно-временная диаграмма, диаграмма пути по времени
	time variant, variable with time, variable in time	zeitlich veränderlich, zeitvariabel	variable avec le temps, variable dans le temps	[из]меняющийся во времени
	time vector	s. vector <in alternating-current theory>		

T 1373	**time zone,** time belt	Zeitzone f, Zone f gleicher Zeit, Meridianstreifen m	fuseau m horaire (méridien), fuseau	часовой пояс, зона стандартного времени, меридианная зона, меридианный пояс
T 1374	**timing**	Zeitsteuerung f, Steuerung f; Zeitregelung f, Regelung f	commande f, réglage m	регулирование, определение последовательности операций
	timing	s. a. time measurement		
T 1375	**timing circuit**	Zeitschaltung f, Zeitsteuerschaltung f, Zeitsteuerungsschaltung f, Zeitregelungsschaltung f	circuit m d'horloge, circuit de définition du temps	хронирующая схема
	timing circuit	s. a. time delay circuit		
	timing circuit	s. a. time-delay relay		
T 1376	**timing element,** timer <el.>	Zeitglied n, Zeitelement n <El.>	élément m de temporisation <él.>	замедляющее звено, замедляющий элемент <эл.>
T 1377	**timing generator,** time transmitter, time piece	Zeitgeber m	temporisateur m, garde-temps m	датчик времени
	timing impulse	s. timing pulse		
	timing interrupter	s. time-delay switch		
T 1378	**timing pulse,** clock[-] pulse	Taktimpuls m	impulsion f de minutage	хронирующий импульс, тактовый импульс
	timing pulse generator	s. electronic timer		
	timing relay	s. time-delay relay		
T 1379	**timing system,** timing unit, time measuring equipment, time measuring instrument	Zeitmeßanordnung f; Zeitmeßanlage f, Zeitmeßgerät n	dispositif m de chronométrage, dispositif de minutage, système m de chronométrage	устройство для измерения времени, устройство для измерения отсчета времени; прибор для измерения времени, прибор для отсчета времени
T 1380	**timing system**	Zeitmarkiersystem n, Zeitmarkensystem n	système m de marquage de temps	система маркировки времени
	timing system	s. a. time-pattern control system		
T 1381	**timing unit**	Taktgerät n	cadenceur m, chronodéclencheur m	хронирующий блок
	timing unit	s. a. timing system		
T 1382	**timing voltage**	Taktspannung f	tension f de minutage	тактовое (хронирующее) напряжение
T 1383	**tin cry**	Zinngeschrei n, Zinnschrei m	cri m d'étain	оловянный крик
	tinge	s. tint		
T 1384	**tinging,** colouring, colouration, tinting, tintage, dyeing, staining	Anfärbung f	coloration f, teinture f, application f d'un colorant	окрашивание, окраска, подкрашивание
T 1385	**tinging method,** tinging technique	Anstrichmethode f	méthode f de peinture	метод визуализации покрытием окраски
T 1386	**tin pest,** tin plague	Zinnpest f	maladie f de l'étain	оловянная чума
	tint, tinge; shading; shade	Schattierung f	dégradation f des ombres; nuance f	затенение, оттенок; тушовка; отмывка
T 1387	**tint,** colour shade, tinge, colour tinge (tint); shade; shading value	Farbnuance f, Farbschattierung f, Farbstufe f; Farbtönung f; Färbung f, Tönung f	nuance f, tonalité f [générale] <de l'image>	цветовой оттенок, оттенок, тональность, окраска
	tintage, tinting	s. tinging		
T 1388	**tint of passage,** sensitive tint, sensitive violet	empfindliche Farbe (Färbung) f, „teinte sensible" f, Rot n erster (I.) Ordnung	teinte f sensible	чувствительная краска
	tintometer	s. Lovibond tintometer		
	T invariance, time[-] reversal invariance, time reversibility	T-Invarianz f, Zeitumkehrinvarianz f	invariance f par rapport à l'inversion de temps, invariance T	инвариантность относительно обращения знака времени
T 1389	**tip curve,** curve of magnetization tips, curve of normal magnetization	Kommutierungskurve f, Kommutierungskennlinie f, Spitzenkurve f	caractéristique f d'aimantation normale, courbe f de commutation	коммутационная кривая [намагничивания], основная кривая намагничивания
T 1390	**tip dispersion,** tooth tip dispersion	Zahnkopfstreuung f	dispersion f de têtes	рассеяние в головках зубцов
	tip eddy	s. tip vortex		
	tip of the tooth, tooth tip	Zahnkopf m, Zahnkrone f	tête f de la dent, saillie f de la dent	головка зуба
T 1391	**tipping,** tilting	Kippen n; Umkippen n; Umklappen n	basculement m	опрокидывание
	tipping moment coefficient	s. tilting moment coefficient		
T 1392	**tip surface of the tooth,** surface of the tip	Zahnscheitel m, Zahnrücken m	sommet m de la dent	вершина зубца
T 1393	**tip vortex,** wing-tip vortex, tip eddy, trailing vortex, marginal vortex, rim vortex, vortex rope	Randwirbel m, Wirbelzopf m	tourbillon m au bord de fuite, tourbillon libre, tourbillon d'enroulement	вихревой шнур, вихревой ус, концевой вихрь, вихрь у конца крыла, вертикальный вихрь
T 1394	**Tirrill regulator**	Tirrill-Regler m	régulateur m de Tirrill	быстродействующий вибрационный регулятор Тирилля
T 1395	**Tisserand['s] criterion**	Tisserands[ches] Kriterium n [für die Identität von Kometen]	critère m de Tisserand	критерий Тиссерана
T 1396	**Tissot indicatrix,** indicatrix, distortion ellipse <geo.>	Tissotsche Indikatrix f, Indikatrix, Verzerrungsellipse f <Geo.>	indicatrice f de Tissot, indicatrice, ellipse f des distorsions <géo.>	индикатриса Тиссо, эллипс искажений <гео.>
T 1397	**tissue culture**	Gewebekultur f	culture f des tissus	тканевая культура, культура тканей

T 1398	**tissue dose**	Gewebedosis f, Gewebs-dosis f	dose f tissulaire (de tissu)	тканевая доза
T 1399	**tissue equivalence,** equivalence to tissue	Gewebeäquivalenz f	équivalence f au (en, du) tissu	тканеэквивалентность
T 1400	**tissue-equivalent ionization chamber**	gewebeäquivalente Ionisationskammer f	chambre f d'ionisation équivalente au (en) tissu	тканеэквивалентная ионизационная камера
T 1401	**tissue-equivalent material,** phantom material	gewebeäquivalentes Material n, Gewebeäquivalent n, Phantomsubstanz f	matière f équivalente au tissu, matière fantôme	тканеэквивалентное вещество, фантомное вещество
T 1402	**tissue-equivalent proportional counter**	gewebeäquivalentes Pro-portionalzählrohr n	tube m compteur propor-tionnel équivalent au tissu	тканеэквивалентный пропорциональный счетчик
T 1403	**tissue half-value depth,** half-value depth, HVD, $D_{1/2}$	Gewebe-Halbwerttiefe f, GHT, $D_{1/2}$	couche f de demi-absorption du tissu, CDA, $D_{1/2}$	слой ткани половинного поглощения
T 1403a	**tissue tension**	Gewebespannung f	tension f du tissu	напряжение (натяжение) ткани
T 1404	**titanium getter-ion pump**	Titangetter-Ionenpumpe f	pompe f ionique à sorption par titane	титановый сорбционный насос
	titer <US>	s. titre		
	Titius-Bode law	s. law of planetary distances		
T 1404a	**Titius-Bode series**	Titius-Bodesche Reihe f	série f de Titius-Bode	ряд Тициуса-Боде
T 1405	**titrant,** titrating solution, standard solution <chem.>	Maßlösung f, Maßflüssig-keit f, Titrierlösung f; Titrierflüssigkeit f, Titer-lösung f, Titerflüssigkeit f, Meßflüssigkeit f, Meß-lösung f, Reagenzlösung f, Titrans n	solution f titrée, solution de titrage, titrant m <chim.>	титрант, титрованный раствор <хим.>
	titratable acidity	s. titration acidity		
	titratable alkalinity	s. titration alkalinity		
T 1405a	**titrate, titrated substance**	Titrat n, titrierte Substanz f	substance f titrée, titrat m	титруемое вещество
	titrating solution	s. titrant		
T 1406	**titration acidity,** titratable acidity	Titrationsacidität f	acidité f de titrage, acidité de titration	титруемая кислотность, общая кислотность
T 1407	**titration alkalinity,** titratable alkalinity	Titrationsalkalinität f	alcalinité f de titrage, alca-linité de titration	титруемая щелочность, общая щелочность
	titration analysis	s. volumetric analysis		
	titration coulometer	s. titration voltameter		
T 1408	**titration curve**	Titrationskurve f	courbe f de titrage	кривая титрования
	titration end[-] point, end[-] point [of titration]	Titrationsendpunkt m, End-punkt m [der Titration]	point m final [de titrage]	конечная точка [титро-вания]
T 1408a	**titration level**	Titrationsniveau n	niveau m de titrage	уровень титрования
	titration test	s. volumetric analysis		
T 1409	**titration voltameter,** titration coulometer	Titrationscoulometer n, Titrationsvoltameter n	voltamètre m à titrage, coulombmètre m à titrage	титрационный (титроваль-ный) вольтаметр, титра-ционный кулонметр
T 1410	**titre, titer** <US>	Titer m, Normalfaktor m, Reaktionsstärke f der Normallösung	titre m	титр
T 1411	**titrimeter**	Titrimeter n, Titriermesser m	titrimètre m	титрометр
	titrimetric	s. volumetric[al]		
	titrimetric analysis	s. volumetric analysis		
T 1411a	**titrimetric standard sub-stance;** primary titri-metric standard substance	Urtitersubstanz f; primäre Urtitersubstanz	substance f standard titrimé-trique; substance standard titrimétrique primaire	стандартное титрованное вещество, первичное стандартное титрован-ное вещество
	titrimetry	s. volumetric analysis		
T 1412	**tjaele,** permafrost, per-petually frozen soil, ever-frost, pergelisol	Dauerfrostboden m, ewige Gefrornis n, Gefrornis, Permafrost m, Pergelisol m, Kongelisol m, Conge-lisol m	congélation f perpétuelle, glaces fpl perpétuelles	вечная мерзлота
T 1413	**T-layer effect**	T-Schicht-Effekt m	effet m de couche T	эффект Т-слоя
	TM[-] mode	s. wave of electric type		
	T-mode	s. transverse mode		
	TM[-] wave	s. wave of electric type		
T 1414	**T[-] network,** T[-] section <of the filter>	T-Glied n, T-Schaltung f, T-Netzwerk n, T-Vierpol m; T-Grundkette f, T-Grundschaltung f, Grund-T-Schaltung f	cellule f de filtre en T, cellule en T, réseau m en T, réseau T, circuit m en T, circuit T	Т-образное звено [фильт-ра], Т-образная секция (схема, цепь, ячейка), четырехполюсник типа Т
	to-and-fro motion	s. reciprocating motion		
	to-and-fro test	s. reverse bend[ing] test		
T 1414a	**Tobolsky-Leaderman-Ferry reduction formula**	Tobolsky-Leaderman-Ferrysche Reduktions-formel f	formule f de réduction de Tobolsky-Leaderman-Ferry	формула [приведения] То-больского-Лидермана-Ферри
T 1415	**toe [of the characteristic curve],** lower part of the characteristic curve, region of underexposure, reciprocity failure	Durchhang m [der Schwär-zungskurve], Gebiet n der Unterexposition, Fuß m [der Schwärzungskurve]	talon m [de la courbe caractéristique], domaine m de sous-exposition, pied m [de la courbe caractéristique], région f curviligne inférieure	область недодержек [характеристической кривой], зона недодер-жек, начальный участок [характеристической кривой]
T 1416	**Toepler generator**	Toepler-Generator m, Toepler-Maschine f	accélérateur m Tœpler	электростатический гене-ратор Тэплера
T 1417	**Toepler-Holtz genera-tor,** Holtz-type generator	Toepler-Holtz-Generator m	accélérateur m Tœpler-Holtz, accélérateur Holtz	генератор Тэплера-Хольца, электростати-ческий генератор Тэплера-Хольца
T 1418	**Toepler['s] method,** Toepler['s] schlieren method (technique, pro-cedure), Toepler['s] shadow technique	Toeplersches Schlierenver-fahren n, Toeplersche Schlierenmethode f	méthode f de Tœpler, méthode des stries de Tœpler, procédé m de visualisation strioscopique	метод Тэплера, шлирен[-] метод, метод свилей, теневой метод Тэплера, стриоскопический способ визуализации

№	English	German	French	Russian
T 1419	Toepler['s] method [for the determination of refractive index]	Toeplersche Methode *f* [zur Brechzahlbestimmung]	méthode *f* de Tœpler [pour la détermination de l'indice de réfraction]	метод Теплера [для определения показателя преломления]
T 1420	Toepler pump	Toepler-Pumpe *f*, Geißlersche Quecksilberpumpe *f*, Geißler-Pumpe *f*, Geisler-Pumpe *f*	pompe *f* de Tœpler	насос Теплера, насос Гейслера-Теплера
T 1421	Toepler['s] schlieren image, schlieren image of Toepler	Toeplersches Schlierenbild *n*, Schlierenbild nach Toepler	image *f* strioscopique de Tœpler	теневое изображение, шлирен-изображение [по методу Теплера]
	Toepler['s] schlieren method (procedure, technique), Toepler['s] shadow technique	s. Toepler method		
T 1421a	Toeplitz['] limit theorem, Toeplitz['] theorem	Toeplitzscher Grenzwertsatz *m*, Toeplitzscher Satz *f*	théorème-limite *m* de Tœplitz, théorème *m* de Tœplitz	предельная теорема Теплица, теорема Теплица
T 1421b	Toeplitz matrix	Toeplitzsche Matrix *f*	matrice *f* de Tœplitz	матрица Теплица
	Toeplitz['s] theorem	s. Toeplitz['] limit theorem		
T 1421c	Toeplitz['] theorem [for reciprocals]	Toeplitzsches Reziprokentheorem *n*	théorème *m* de Tœplitz [pour les opérateurs inverses]	теорема Теплица [для обратных операторов]
T 1422	tog <= 4,180 cm² s °C/cal>	Tog *n*, tog <= 4180 cm² s °C/cal>	tog *m* <= 4 180 cm² s °C/cal>	тог, *тог* <= 4180 *см*² *сек* °С/*кал*>
	toggle lever	s. bent lever		
	toggle switch	s. tumbler		
T 1423	tokamak, toroidal diffuse-pinch configuration	Tokamak *m*, Tokamak-Anlage *f*	tokamak *m*	токамак
T 1424	Tolansky['s] method	Tolanskysche Methode *f*, Methode von Tolansky	méthode *f* de Tolansky	метод Толянского
T 1425	tolerance, allowance, permissible tolerance, permissible limits, allowable limits, margin	Toleranz *f*, Maßtoleranz *f*, zulässige Abweichung *f*, zulässiger Fehler *m*, Spielraum *m*	tolérance *f*, tolérance admise, tolérance permise, limite *f* de tolérance	допуск, допустимое отклонение, допускаемое отклонение, допустимая погрешность, толерантность
	tolerance	s. a. stability		
	tolerance analysis, dose-effect method	Dosis-Wirkungs-Verfahren *n*, Toleranzanalyse *f*	méthode *f* dose-effet	анализ допусков
	tolerance bridge, limit bridge	Toleranzmeßbrücke *f*, Toleranzbrücke *f*	pont *m* à mesurer la tolérance	мостовая схема для измерения допуска
	tolerance concentration, permissible concentration	zulässige Konzentration *f*, verträgliche Konzentration, Toleranzkonzentration *f*	concentration *f* admissible, concentration tolérée, concentration de tolérance	допустимая концентрация
T 1426	tolerance dose, permissible dose, permissible tolerance [dose], radiation tolerance	zulässige Dosis *f*, zulässige Strahlungsdosis *f*, verträgliche Dosis, verträgliche Strahlungsdosis, Toleranzdosis *f*	dose *f* tolérée [d'irradiation], dose admissible [d'irradiation], dose de tolérance	допустимая доза [облучения]
	tolerance gauge	s. limit gauge		
	tolerance interval	s. tolerance range		
T 1427	tolerance limit <stat.>	Toleranzgrenze *f*, Duldungsgrenze *f* <Stat.>	limite *f* de tolérance <stat.>	допустимый предел, толерантный предел <стат.>
	tolerance limit gauge	s. limit gauge		
	tolerance limits	s. tolerance range		
T 1428	tolerance meter	Toleranzmeßgerät *n*, Toleranzmesser *m*	tolérancemètre *m*	прибор для измерения по допускам, измеритель допусков, допускомер, предельное измерительное устройство
T 1429	tolerance range, tolerance interval, tolerance limits, limits of tolerance	Toleranzbereich *m*, Toleranzgebiet *n*, Toleranzintervall *n*, Toleranzfeld *n*	limites *fpl* de tolérance, intervalle *m* de tolérance, gamme *f* de tolérance	пределы допусков, пределы допустимости, диапазон допуска, область допуска, поле допуска, допустимый интервал
T 1430	Tollmien-Schlichting wave	Tollmien-Schlichting-Welle *f*, Tollmien-Schlichtingsche Welle *f*	onde *f* de Tollmien-Schlichting	волна Толмина-Шлихтинга
T 1431	Tolman effect	Tolman-Effekt *m*	effet *m* Tolman	эффект Толмена
T 1432	Tolman['s] experiment	Tolman-Versuch *m*, Tolmanscher Versuch *m*, Versuch von Tolman, Tolmanscher Nachweis *m* freier Ladungsträger, Experiment *n* von Tolman <Brems- *oder* Schüttelversuch>	expérience *f* de Tolman	опыт Толмена
T 1433	toluene thermometer	Toluolthermometer *n*	thermomètre *m* à toluène	толуольный термометр
T 1434	tombac [sylphon]	Tombakschlauch *m*	tombac *m*, sylphon *m* à tombac	сильфон, томпаковый гибкий шланг, томпаковая складчатая трубка
	tomograph	s. laminograph		
	tomography	s. body section roentgenography		
T 1435	Tomonaga equation	Tomonaga-Gleichung *f*, Tomonagasche Gleichung *f*	équation *f* de Tomonaga	уравнение Томонага
T 1436	Tomonaga-Schwinger['s] equation, interaction picture equation	Tomonaga-Schwinger-Gleichung *f*, Tomonaga-Schwingersche Gleichung *f*	équation *f* de Tomonaga-Schwinger	уравнение Томонага-Швингера

	Tomonaga-Schwinger picture	s. interaction representation		
T 1436a	tomophoto[fluoro-]graphy	Schirmbildschichtverfahren n, Tomophotographie f	tomophoto[fluoro-]graphie f	томо[флуоро]фотография
T 1437	Tomotika and Tamada fluid, Tomotika-Tamada fluid, idealized fluid of Tomotika and Tamada	Tomotika-Tamada-Flüssigkeit f, Tomotika-Tamadasche Flüssigkeit f, idealisierte Flüssigkeit von Tomotika und Tamada	fluide m fictif de Tomotika et Tamada, fluide de Tomotika-Tamada	жидкость Тамада и Томотика
T 1438	Tomotika and Tamada gas, Tomotika-Tamada gas	Tomotika-Tamada-Gas n, Tomotika-Tamadasches Gas n	gaz m de Tomotika-Tamada	газ Тамада-Томотика
T 1439	Tomotika-Tamada profile	Tomotika-Tamada-Profil n	profil m de Tomotika-Tamada	профиль Томотика-Тамада
T 1439a	Toms effect	Toms-Effekt m	effet m Toms	эффект Томса
T 1440	ton, ton of refrigeration <= 840 cal/s, unit in refrigeration engineering = 288,000 B.t.u./day>	„ton" f, Tonne f Eis <= 840 cal/s, Einheit in der Kältetechnik>	tonne f [de réfrigération] <= 840 cal/s, unité en technique de réfrigération>	тонна охлаждения <= 840 кал/сек, единица в холодильной технике>
T 1441	tonality	Tonalität f	tonalité f	тональность
T 1442	tonality, mode <ac.>	Tonart f <Ak.>	mode m, tonalité f <ac.>	строй, звуковой (музыкальный) строй, тональность <ак.>
T 1443	tonal range	Tonumfang m	volume m sonore	звуковой (тоновой) диапазон
T 1444	tone, sound <ac.>	Ton m <Ak.>	son m, ton m <ac.>	тон, музыкальный тон, звук <ак.>
	tone, sound, musical sound <ac.>	Klang m <Ak.>	son m <ac.>	звон, звучание, [музыкальный] звук <ак.>
	tone <el.>; tone colour, timbre of sound, quality of sound, tone quality	Klangfarbe f, Tonfarbe f, Farbe f des Klangs	timbre m [du son]; tonalité f, sonalité f <él.>	тембр звука, звуковая окраска, окраска звука
	tone frequency	s. audio[-] frequency		
	tone generator	s. audio generator		
T 1445	tone interval	Tonintervall n, Tonschritt m, Tonstufe f, Tonabstand m	intervalle m de tons	звуковой интервал
	tone oscillator	s. audio generator		
	tone pitch, pitch [of the tone], pitch of note, sound pitch <ac.>	Tonhöhe f, Höhe f <Ton> <Ak.>	hauteur f [du son] <ac.>	высота [тона], высота звука <ак.>
	tone quality	s. tone <el.>		
	tone scale, gamut, scale, musical scale <ac.>	Tonleiter f, Tonskala f, Tonreihe f <Ak.>	échelle f musicale, échelle, gamme f <ac.>	гамма, музыкальная гамма, звуковая шкала, звукоряд <ак.>
	tone source	s. audio generator		
	tone space, tonraum	Tonraum m	« tonraum » m, espace m sonore	тонраум, сложный объемный резонатор
	tone wheel, phonic wheel	phonisches Rad n, Tonrad n	roue f phonique	фоническое колесо, колесо Лакура
T 1446	tongue; reed; tag	Zunge f	anche f; languette f; lame f	язычок, пластинка, лепесток
	tongue, pointer <of the balance>	Zunge f <Waage>	aiguille f de la balance	стрелка весов
	tongue flame	s. shooting flame		
	tongue of the glacier, glacier tongue	Gletscherzunge f	langue f glaciaire, glacier m d'écoulement	ледниковый язык, язык ледника, цунг
	tongue pipe	s. reed pipe		
T 1447	tonguing <ac.>	Ansatzrohr n <Ak.>	résonateur m acoustique <ac.>	наставная трубка <ак.>
T 1448	tonic	Tonika f, Grundton m	tonique f	тоника, основной тон
T 1449	tonic stimulus	tonischer Reiz m	stimulus m tonique	тонический раздражитель
T 1450	toning, bronzing <of photographic pictures>	Tonung f <photographischer Bilder>, photographische Tonung	virage m, bronzage m <des images photographiques>	вирирование, вираж, тонирование <изображений>
T 1451	toning bath	Tonbad n, Tonungsbad n	bain m de virage	вираж; тонизирующий раствор
T 1451a	Tonks-Dattner resonance	Tonks-Dattner-Resonanz f	résonance f de Tonks-Dattner	резонанс Тонкса-Датнера
T 1452	Tonks['] equation [of state]	Tonkssche Zustandsgleichung f, Tonkssche Gleichung f	équation f d'état de Tonks, équation de Tonks	уравнение состояния Тонкса, уравнение Тонкса
	tonne, metric ton, t, millier	Tonne f, t	tonne f, t	тонна, весовая тонна, метрическая тонна, m, t
	ton of refrigeration	s. ton		
T 1453	tonometer	Tonometer n	tonomètre m	тонометр
T 1454	tonometry	Tonometrie f	tonométrie f	тонометрия, измерение давления [в глазах]
T 1455	tonotron	Tonotron n	tonotron m	тонотрон, тоноскоп <потенциалоскоп прямого видения>
T 1456	tonpilz	Tonpilz m	tonpilz m	тонпильц, механический аналог электрического последовательно-параллельного контура
T 1457	tonraum, tone space	Tonraum m	« tonraum » m, espace m sonore	тонраум, сложный объемный резонатор
T 1458	tonus <bio.>	Tonus m, Spannkraft f <Bio.>	tonicité f <bio.>	тонус <био.>
T 1459	Tool elliptic analyzer, Tool halfshade analyzer	Halbschattenanalysator m nach Tool, Toolscher Halbschattenapparat m (Halbschattenanalysator)	analyseur m de Tool	полутеневой анализатор Тула

T 1460	tool holder	Geräthalter m, Werkzeughalter m	porte-outil m	держатель инструмента
T 1461	tooth <el.>; spike	Zacken m, Zacke f <El.>	pointe f <él.>	выброс; отметка <эл.>
T 1462	toothed, spiked, pronged, indented	zackig, gezackt	dentelé, denté	зубчатый, с зубцами
	toothed disk	Zahnscheibe f	disque m denté, disque à dents	зубчатый диск
T 1463	toothed wheel method	s. Fizeau method		
	tooth flank, tooth form	Zahnflanke f	flanc m de dent	боковая сторона зубца, боковая стенка зубца, боковая поверхность зубца, боковой профиль зубца
T 1464	tooth form, tooth profile, tooth shape	Zahnprofil n, Zahnform f	profil m de la dent, forme f de la dent	профиль зубца, форма зубца
T 1465	tooth pitch, pitch of the teeth	Zahnteilung f	pas m de l'engrenage, pas d'engrenage; pas circonférentiel de l'engrenage	шаг зацепления, шаг зубцов, зубцовый шаг, зубцовое деление
T 1466	tooth profile, tooth shape, tooth form	Zahnprofil n, Zahnform f	profil m de la dent, forme f de la dent	профиль зубца, форма зубца
	tooth tip, tip of the tooth	Zahnkopf m, Zahnkrone f	tête f de la dent, saillie f de la dent	головка зуба
T 1467	tooth tip dispersion, tip dispersion	Zahnkopfstreuung f	dispersion f de têtes	рассеяние в головках зубцов
	top; gyroscope, gyro	Kreisel m	gyroscope m, gyro m; toupie f	гироскоп, жироскоп; волчок
	top <of the pulse>, pulse tilt, pulse top, horizontal part of the pulse	Impulsdach n, Dach n	partie f horizontale [de l'impulsion]	горизонтальная часть [импульса], плоская часть [импульса], верхушка импульса
T 1467a	top chord, upper chord	Obergurt m	membrure f supérieure, bride f supérieure	верхний пояс [Фермы], верхняя балка
	T operator, Wick['s] chronological operator, Wick['s] operator	Wick-Operator m, Wickscher Operator m, T-Operator m, Wickscher Zeitordnungsoperator m	opérateur m T, opérateur de Wick, opérateur chronologique de Wick	хронологический оператор Вика, оператор T
T 1468	topic	topisch	topique	топический
T 1469	top molecule, spinning molecule	Kreiselmolekül n	molécule-toupie f	молекула-волчок
	topmost level, uppermost level	oberstes (höchstes) Niveau n	niveau m le plus supérieur	высший (наивысший) уровень
T 1470	topocentre	Topozentrum n	topocentre m	топоцентр
T 1471	topochemical reaction	topochemische Reaktion f	réaction f topochimique	топохимическая реакция
T 1471a	topochemistry	Topochemie f, ortsgebundene Chemie f	topochimie f	топохимия
T 1472	topochronotherm	Topochronotherme f	topochronotherme f	топохронотерма
T 1473	topoclimate	Topoklima n	topoclimat m	топоклимат
	top of the atmosphere, ceiling of the atmosphere	Atmosphärengipfel m, Grenze f der Erdatmosphäre, Atmosphärengrenze f	limite f supérieure de l'atmosphère, sommet m de l'atmosphère	граница (предел) атмосферы, верхние слои атмосферы, потолок атмосферы
	top of the atmospheric layer, peak of the atmospheric layer	Gipfel m (Maximum n) der Atmosphärenschicht	maximum m de la région de l'atmosphère	пик атмосферного слоя
	top of the cloud, cloud top, cloud dome	Wolkenkuppe f	sommet m du nuage	вершина облака, облачная вершина
T 1474	top of the column	Kolonnenkopf m, Kopf m der Kolonne	sommet m de la colonne	верхняя часть колонны, головка колонны
T 1475	top of the valence band	obere Kante f des Valenzbandes, oberer Rand m des Valenzbandes, Oberkante f des Valenzbandes	limite f supérieure de la bande de valence	потолок (верхний край, верхняя граница) валентной зоны
	top of the wave	s. crest [of the wave]		
T 1476	topogenic vortex	topogener Wirbel m	tourbillon m topogénique	топогенный вихрь
T 1477	topogram	Topogramm n	topogramme m	топограмма
	topographical criterion	s. Nyquist['s] criterion [of stability]		
T 1478	topographic correction	topographische Korrektion f, Geländekorrektion f	correction f topographique	топографическая поправка
	topographic inequality, inequality; unevenness	Unebenheit f	inégalité f; rugosité f; anfractuosité f, infractuosité f	неровность
T 1479	topographic mapping, mapping, topographic survey, survey	Kartenaufnahme f, topographische Aufnahme f, Geländeaufnahme f, Aufnahme; Kartierung f	levé m topographique, levé, lever m	топографическая съемка, съемка для получения карты; составление карты, картирование, картографирование, картографическое изображение
T 1480	topographic mapping	s. a. mapping		
	topographic projection, coted projection	kotierte Projektion f, topographisches Verfahren n	projection f cotée	топографическая проекция
T 1480a	topographic reduction	topographische Reduktion f; Reduktion auf ebenes Terrain	réduction f topographique	топографическое приведение
T 1481	topographic refraction	topographische Refraktion f	réfraction f topographique	топографическая рефракция
T 1482	topographic stadia rod, stadia rod, level rod <US>	Tachymeterlatte f	stadia f topographique, jalon m, jalon-mire m, mire f parlante, latte f	тахеометрическая рейка
	topographic survey	s. topographic mapping		
	topological graph	s. topologic graph		
T 1483	topological group, continuous group	topologische (kontinuierliche) Gruppe f	groupe m continu (topologique)	непрерывная (топологическая) группа

	English	German	French	Russian
T 1483a	**topological isomerism** **topologically equivalent** \<math.>; homeomorphic \<math.; opt.>	topologische Isomerie *f* homöomorph; topologisch äquivalent \<math.>; raumähnlich \<opt.>	isomérie *f* topologique homéomorphe	топологическая изомерия гомеоморфный
	topological mapping	s. bi-continuous mapping \<math.>		
	topological trans- **formation**	s. bi-continuous mapping \<math.>		
T 1484	**topologic graph,** topological graph, graph	topologischer Graph *m*, Graph, Streckenkomplex *m*	graphe *m* topologique, graphe, réseau *m* [topologique]	[топологический] граф, одномерный комплекс \<в топологии>
T 1485	**topophototaxis**	Topophototaxis *f*	topophototactisme *m*, topophototaxie *f*	топофототаксис
T 1486	**topotactic reaction**	topotaktische Reaktion *f*	réaction *f* topotactique	топотактическая реакция
T 1487	**topotaxis**	Topotaxis *f*	topotactisme *m*, topotaxie *f*	топотаксис; движение к тому месту, откуда исходит стимул
T 1488	**topothermogram**	Topothermogramm *n*	topothermogramme *m*	топотермограмма
	topotropism	s. morphotropism		
	top-to-bottom inverted **(reversed)**	s. reversed top to bottom \<of image>		
	top view; horizontal projection	Horizontalprojektion *f*; Grundriß *m*; Draufsicht *f*	projection *f* horizontale; tracé *m*; vue *f* en plan	горизонтальная проекция, изображение в плане; план; вид сверху, вид в плане
	tor	s. millibar		
T 1489	**torch cell**	Stabelement *n*, Stabzelle *f*	pile *f* torche, élément *m* torche	стержневой [гальванический] элемент, цилиндрический [гальванический] элемент
	torch hardening	s. surface hardening		
	tore	s. torus \<math.>		
T 1490	**toric lens; spherotoric lens**	punktuell abbildende Linse *f*, Punktallinse *f*; Punktalglas *n*; torische Linse; sphärotorische Linse	lentille *f* torique; lentille sphérotorique	торическая линза; сферо-торическая линза
T 1491	**toric surface,** toroidal surface	torische Fläche *f* \<tonnen- *oder* wulstförmig>	surface *f* torique, surface toroïdale	торическая поверхность
T 1492	**tornado**	Tornado *m*, Großtrombe *f*	tornade *m*, tornado *m*	торнадо, смерч
T 1492a	**tornado hook**	Trombenhaken *m*	crochet *m* du tornade	крюк смерча
T 1493	**tornado prominence**	Tornadoprotuberanz *f*	protubérance *f* tourbillonnaire	протуберанец «торнадо»
	toroid, doughnut, vacuum doughnut, donut \<of betatron>	Ringkammer *f*, Ringröhre *f*, [ringförmige] Vakuumkammer *f* \<Betatron>	chambre *f* à vide toroïdale, chambre torique, tore *m*, «doughnut» *m*, «donut» *m* \<du bêtatron>	тороидальная камера, вакуумная камера \<бетатрона>
T 1494	**toroid,** toroidal coil, annular coil, annulus \<cl.>	Toroid *n*, Toroidspule *f*, Ringsolenoid *n*, Kreisringspule *f*, Ringspule *f*, ringförmige Spule *f*; Ringdrossel *f* \<El.>	toroïde *m*, bobine *f* toroïdale, bobine annulaire, bobine en anneau [circulaire] \<él.>	тороид, тороидальная катушка, кольцевой соленоид, кольцевая катушка \<эл.>
T 1495	**toroid** \<math.>	Toroid *n* \<Math.>	toroïde *m* \<math.>	тороид \<матем.>
T 1495a	**toroid** \<math.>	Toroide *f* \<Math.>	toroïde *f* \<math.>	тороида \<матем.>
T 1496	**toroidal chamber,** torus	Toroidkammer *f*, Toroidröhre *f*, Torus *m*	tube *m* toroïdal, chambre *f* torique, tore *m*	тороидальная камера (трубка), тор
	toroidal coil	s. toroid \<el.>		
T 1497	**toroidal co-ordinates**	Ringkoordinaten *fpl*, Toruskoordinaten *fpl*, Thomsonsche Koordinaten *fpl*, Koordinaten von Thomson, annulare (toroidale) Koordinaten	coordonnées *fpl* toriques, coordonnées toroïdales	тороидальные координаты
T 1498	**toroidal-core perme-** **ability,** permeability of the toroidal core	Ringkernpermeabilität *f*, Werkstoffpermeabilität *f*	perméabilité *f* du noyau toroïdal	магнитная проницаемость тороидального сердечника
T 1499	**toroidal-core storage,** **toroidal-core store,** toroidal storage	Ringspeicher *m*, Ringkernspeicher *m*	mémoire *f* à tores magnétiques	запоминающее устройство на тороидальных магнитных сердечниках
T 1500	**toroidal-core trans-** **former,** toroidal transformer, toroidal repeating coil, ring transformer	Ringkernwandler *m*, Ringkernstromwandler *m*, Ringwandler *m*; Ringkernübertrager *m*, Ringübertrager *m*, Ringkerntransformator *m*, Ringtransformator *m*, Toroidtransformator *m*	transformateur *m* toroïdal	[измерительный] трансформатор с кольцевым сердечником, трансформатор тока с тороидальным сердечником, кольцевой трансформатор [тока]; тороидальный трансформатор
	toroidal diffuse-pinch **configuration**	s. tokamak		
T 1501	**toroidal discharge,** ring discharge	Toroidentladung *f*, Ringentladung *f*	décharge *f* toroïdale, décharge annulaire	тороидальный разряд, кольцевой [безэлектродный] разряд
T 1502	**toroidal field,** toroidal magnetic field, toroidal part of the magnetic field	toroidales Feld *n*, toroidaler Teil *m* des magnetischen Feldes, toroidales Magnetfeld *n*, Toroidfeld *n*	champ *m* toroïdal, partie *f* toroïdale du champ magnétique	тороидальное поле, тороидальная часть магнитного поля
T 1503	**toroidal function,** ring function	Ringfunktion *f*, toroidale Funktion *f*, Torusfunktion *f*	fonction *f* toroïdale (torique, annulaire)	тороидальная функция
	toroidal magnetic field	s. toroidal field		
T 1504	**toroidal mode**	toroidale Mode *f*, toroidaler Typ *m*	mode *m* toroïdal	тороидальный вид, тороидальный тип
	toroidal part of the **magnetic field**	s. toroidal field		

T 1505	**toroidal photocell**	Ringphotozelle f	photocellule f toroïdale	кольцевой (тороидаль-ный) фотоэлемент
T 1506	**toroidal pinch [effect]**	toroidaler Pinch m, Toroidpinch m	effet m de pincement toroïdal, pincement m toroïdal, striction f toroïdale	тороидальный пинч[-эффект]
T 1507	**toroidal plasmoid**	Toroidplasmoid n, toroidales Plasmoid n	plasmoïde m toroïdal	тороидальный плазмоид
T 1508	**toroidal potentiometer**	Ringpotentiometer n	potentiomètre m toroïdal, résonateur m annulaire	тороидальный потенцио-метр, кольцевой потен-циометр, кольцевое пе-ременное сопротивле-ние
	toroidal repeating coil	s. toroidal-core transformer		
T 1509	**toroidal resonator, ring resonator**	Ringresonator m	résonateur m toroïdal	тороидальный резонатор, кольцевой резонатор
T 1510	**toroidal spectrometer**	Toroidspektrometer n	spectromètre m toroïdal	тороидальный спектрометр
	toroidal storage	s. toroidal-core storage		
	toroidal surface, toric surface	torische Fläche f <tonnen- oder wulstförmig>	surface f torique, surface toroïdale	торическая поверхность
	toroidal transformer	s. toroidal-core transformer		
T 1511	**Toronto burner**	Toronto-Brenner m, Welsh-Crawford-Brenner m	bec m Toronto, brûleur m de Toronto	горелка Торонто
T 1512	**Toronto function**	Toronto-Funktion f	fonction f de Toronto	функция Торонто
T 1513	**torpedo sinker, torpedo-type weight, streamlined weight, Columbus-type weight, C-type weight**	fischförmiger Belastungs-körper m, Fischgewicht n	lest m en forme de poisson, plomb-poisson m	рыбовидный груз, торпедообразный груз
T 1514	**torque, moment of couple (rotation), exerted moment, turning moment, rotational moment, rotational inertia, torque moment**	Drehmoment n, Moment n des Kräftepaares	couple m, moment m du couple, moment vectoriel [du couple], cotiple torque	вращающий момент, момент вращения, вращательный момент; вращающая пара [сил]
	torque	s. a. torsional moment		
T 1515	**torque converter, fluid converter**	Strömungsumwandler m	convertisseur m hydraulique de couple	гидротрансформатор, гидравлический пре-образователь крутя-щего момента
T 1516	**torque-error constant**	Momentenverstärkungs-koeffizient m	gain m par rapport au moment	коэффициент усиления по моменту
	torque force	s. torsional force		
	torque load	s. torsional strain		
	torque magnetometer, torsion magnetometer	Torsionsmagnetometer n, Drehmagnetometer n	magnétomètre m à torsion (couple)	вращательный (крутиль-ный) магнитометр
	torque meter	s. torsimeter		
	torque moment	s. torque		
	torque moment	s. a. torsional moment		
	torque of torsion	s. torsional moment		
	torque resistance	s. torsional strength		
T 1517	**torque-weight ratio <of a meter>**	bezogenes Drehmoment n <Zähler>	couple m spécifique <d'un compteur>	удельный вращающий момент <счетчика>
T 1518	**torr; millimetre of mercury, conventional millimetre of mercury, mm of mercury, mm Hg**	Torr n, torr; Millimeter n Quecksilbersäule, mm Hg, mm QS	torr m; millimètre m de mercure [de pression], millimètre de colonne de mercure, mm de mercure, mm Hg	тор, тор, torr; миллиметр ртутного столба, мм ртутного столба, мм рт. ст., mm Hg
Г 1519	**torrential**	wolkenbruchartig	torrentiel	ливнеобразный
	torrential wash	s. mud stream		
	Torrey oscillation	s. transient nutation		
	Torricellian vacuum	s. Torricelli vacuum		
T 1520	**Torricelli['s] experiment**	Torricellischer Versuch m	expérience f de Torricelli	опыт Торричелли
T 1521	**Torricelli['s] formula, Torricelli['s] law [of efflex]**	Torricellisches Gesetz (Theorem, Ausflußtheorem) n, Torricelli-Theorem n, Torricellische Formel (Ausflußformel) f, Satz m von Torricelli	formule f de Torricelli, théorème m de Torricelli	формула Торричелли, теорема Торричелли
T 1522	**Torricelli['s] principle**	Torricellisches Prinzip n	principe m de Torricelli	принцип Торричелли
T 1523	**Torricelli tube**	Torricellisches Rohr n	tube m de Torricelli	трубка Торричелли
T 1524	**Torricelli vacuum, Torricellian vacuum, barometric chamber**	Torricellische Leere f	vide m de Torricelli, chambre f barométrique	торричеллиева пустота
	torrid zone, tropics, tropic zone	Tropen pl, tropische Zone f, warme Zone, Tropenzone f	tropiques mpl, région f tropicale, zone f tropicale	тропики, тропическая зона, тропический пояс
T 1525	**torsator**	Torsator m	torseur m	торсатор
	torse, developable surface	abwickelbare Fläche f, Torse f	surface f développable, torse f	развертывающаяся (раз-вертываемая) поверх-ность, торс
T 1526	**torsimeter, torque meter, torsion torque meter, torsiometer**	Torsions[moment]messer m, Torsiometer n, Dreh-momentmesser m	torsiomètre m	торсиометр, измеритель крутящего (вращаю-щего) момента
T 1527	**torsiogram**	Torsiogramm n	torsiogramme m	торсиограмма
T 1528	**torsiograph, recording torsion meter, recording torsiometer**	Torsiograph m, Torsions-schreiber m, Drehschwin-gungsschreiber m, Drill-schwingungsschreiber m, Verdrehungsschreiber m, Verdrehschwingungs-schreiber m	torsiographe m	торсиограф

	torsiometer	s. torsimeter		
T 1529	**torsion, twist[ing]**	Torsion f, Drillung f, Verdrehung f, Verdrillung f, Drehung f	torsion f; tordage m, torsadage m, torsade f	кручение, скручивание, торсион; закручивание, закрутка; проворачивание
	torsion \<bio\>.; turn, turn of winding, single turn, spire; worm \<of screw\>	Windung f; Lage f	tour m, spire f	виток; завиток; оборот
T 1530	**torsion,** second curvature \<of the curve\> \<math.\>	Windung f, Torsion f, Schmiegung f, zweite Krümmung f \<Raumkurve\> \<Math.\>	torsion f, deuxième courbure f \<de la courbe\> \<math.\>	кручение, вторая кривизна \<кривой\> \<матем.\>
	torsion	s. a. simple torsion		
	torsional angle [of twist]	s. angle of twist		
T 1531	**torsional axis,** axis of twist, axis of torsion	Torsionsachse f, Verdreh[ungs]achse f, Drill[ungs]achse f	axe m de torsion	ось кручения
	torsional buckling	s. twist buckling		
	torsional couple	s. torsional moment		
	torsional crystal, twister, twister crystal	Torsionskristall m, Drillungskristall m, Verdreh[ungs]kristall m	cristal m à torsion	скрученный кристалл
	torsional deformation	s. torsional strain		
T 1531a	**torsional disclination**	Torsionsdisklination f	disclinaison f de torsion	дислокация кручения
T 1532	**torsional eigenoscillation, torsional eigenvibration**	Torsionseigenschwingung f	vibration (oscillation) f de torsion propre	собственное крутильное колебание
T 1533	**torsional elasticity**	Torsionselastizität f, Verdreh[ungs]elastizität f, Drehungselastizität f	élasticité f de torsion	упругость при кручении
	torsional endurance limit	s. torsional strength		
	torsional endurance limit at alternating load	s. torsional endurance strength at alternating load		
	torsional endurance limit at repeated load	s. torsional endurance strength at repeated load		
	torsional endurance strength	s. torsional strength		
T 1534	**torsional endurance strength at alternating load,** torsional fatigue strength at alternating load, torsional endurance limit at alternating load, torsional fatigue limit at alternating load, torsional vibration resistance, resistance to torsional vibration	Verdreh[ungs]wechselfestigkeit f, Verdreh[ungs]schwingungsfestigkeit f, Torsionsschwingungsfestigkeit f, Dauerschwingfestigkeit f gegenüber Verdrehwechselbeanspruchung, Wechselfestigkeit f gegenüber Verdrehbeanspruchung (Torsionsbeanspruchung)	résistance f aux torsions alternées	предел выносливости при симметричном цикле напряжений кручения, предел выносливости при знакопеременном цикле напряжений кручения
T 1535	**torsional endurance strength at repeated load [in one direction],** torsional fatigue strength at repeated load, torsional endurance limit at repeated load, torsional fatigue limit at repeated load	Verdreh[ungs]schwellfestigkeit f, Torsionsschwellfestigkeit f, Dauerschwellfestigkeit f gegenüber Verdrehbeanspruchung (Torsionsbeanspruchung), Schwellfestigkeit f gegenüber Verdrehbeanspruchung (Torsionsbeanspruchung)	résistance f aux torsions ondulées, résistance aux torsions pulsatoires, résistance aux torsions répétées	предел выносливости при пульсирующем цикле напряжений кручения, предел выносливости при отнулевом цикле напряжений кручения, предел выносливости при знакопостоянном цикле напряжений кручения
T 1536	**torsional fatigue**	Torsionsermüdung f, Verdreh[ungs]ermüdung f	fatigue f sous torsion	усталость от скручивания
	torsional fatigue limit (strength)	s. torsional strength		
	torsional fatigue limit (strength) at alternating load	s. torsional endurance strength at alternating load		
	torsional fatigue limit (strength) at repeated load	s. torsional endurance strength at repeated load		
T 1537	**torsional fissure**	Torsionsspalte f	fente f de torsion	трещина скручивания
T 1538	**torsional flow**	Torsionsfließen n	fluage m de torsion	крутильная текучесть
T 1539	**torsional force,** twisting force, torque force, rotary force, rotating force, rotation[al] force	Drehkraft f, Drehungskraft f, drehende Kraft f, verdrehende Kraft f, Torsionskraft f, Drillungskraft f, Drillkraft f, Verdrehkraft f, Verdrehungskraft f	force f de torsion	крутящая сила, сила кручения, крутящее усилие, скручивающее усилие, вращающая сила
T 1540	**torsional frequency**	Torsionsschwingungsfrequenz f	fréquence f de vibrations de torsion	частота крутильных колебаний
T 1541	**torsional impact,** torsion impact	Torsionsstoß m, Verdrehungsstoß m, Verdrehstoß m, Drillstoß m, Drehstoß m, Drehungsstoß m	impact m de torsion	скручивающий удар
	torsional instability	s. wriggle instability		
T 1542	**torsional mode**	Torsionsschwingungstyp m, Drehschwingungstyp m, Drillschwingungstyp m	mode m de torsion	вид крутильного колебания, тип крутильного колебания
	torsional modulus	s. shear modulus		

T 1543	**torsional moment,** torsion[al] couple, torsion torque, torque [of torsion], twisting moment, external twisting moment, moment of torsion, twisting couple, torque moment	Torsionsmoment n, Verdreh[ungs]moment n, Drill[ungs]moment n, Drehmoment n [der Torsion], Drehungsmoment n [der Torsion]	moment m de torsion; couple m de torsion	крутильный момент, крутящий момент, скручивающий момент, момент кручения, крутящая пара
	torsional oscillation	s. torsional vibration		
T 1544	**torsional oscillation resonance,** torsional resonance	Torsionsresonanz f, Torsionsschwingungsresonanz f, Drehresonanz f	résonance f de l'oscillation de torsion	резонанс крутильного колебания
T 1545	**torsional pendulum,** torsion pendulum	Torsionspendel n, Drehpendel n, Verdrehpendel n	pendule m à torsion	крутильный маятник
	torsional resistance	s. torsional strength		
	torsional resonance	s. torsional oscillation resonance		
T 1546	**torsional resonance frequency**	Torsionsresonanzfrequenz f	fréquence f de la résonance de torsion	частота резонанса крутильного колебания
T 1547	**torsional rigidity,** torsional stiffness	Torsionssteifigkeit f, Verdreh[ungs]steifigkeit f, Drill[ungs]steifigkeit f	rigidité f à la torsion, rigidité de (en) torsion, raideur f à la torsion	жесткость на кручение, жесткость кручения, жесткость при кручении
	torsional rigidity per unit length	s. shear modulus		
T 1548	**torsional sound vibration**	Torsionsschallschwingung f	oscillation f sonore de torsion	крутильное звуковое колебание
	torsional spring	s. torsion spring		
	torsional stiffness	s. torsional rigidity		
T 1549	**torsional strain,** twisting strain, torque load	Torsionsbeanspruchung f, Verdreh[ungs]beanspruchung f, Verdrehbelastung f, Verdrehungsbelastung f	effort m de torsion	скручивающее (крутящее) усилие, скручивающая (крутящая) нагрузка, нагрузка на кручение, нагрузка крутящим моментом
	torsional strain	s. a. torsional stress		
	torsional strain	s. a. torsional work		
	torsional strain	s. a. twisting strain		
T 1550	**torsional strength,** torsional endurance (fatigue) strength, twisting strength, torsional endurance (fatigue) limit, torsional (twisting) resistance, resistance to torsion, resistance to twist[ing], torque resistance, ultimate torsional strength	Verdrehfestigkeit f, Verdrehungsfestigkeit f, Torsionsfestigkeit f, Drehfestigkeit f, Drehungsfestigkeit f	limite f de torsion, limite de fatigue sous torsion, résistance f à la torsion, résistance à torsion	предел прочности на кручение, предел прочности (выносливости) при кручении, прочность на кручение (скручивание), сопротивление кручению (скручиванию)
T 1551	**torsional stress,** torsional strain, intensity of torsional stress (strain), twisting stress	Torsionsspannung f, Verdrehspannung f, Verdrehungsspannung f, Drehspannung f	contrainte f de torsion [par unité de section], tension f de torsion	напряжение на кручение, напряжение при кручении, напряжение от скручивания, напряжение кручения
T 1552	**torsional stress**	tordierter Spannungszustand m	état m de contrainte à torsion	напряженное состояние с кручением
T 1553	**torsional susceptibility meter, torsion susceptometer**	Torsionssuszeptometer n	susceptomètre m à torsion	крутильный сусцептометр (прибор для измерения магнитной восприимчивости)
T 1554	**torsional suspension,** torsion suspension	Torsionsaufhängung f, Torsionsstabaufhängung f, Torsionsgehänge n; Torsionslagerung f	suspension f par barre de torsion	торсионная (крутильная) подвеска, крутильный подвес; стержневая подвеска; торсионное подвешивание
T 1555	**torsional test,** twist test	Verdreh[ungs]versuch m, Torsionsversuch m; Verwindeversuch m <Faden oder Draht>	essai m de torsion, essai à la torsion	испытание на скручивание, испытание прочности при кручении, испытание на кручение
T 1556	**torsional vibration,** torsion[al] oscillation, torsion vibration, twisting vibration (oscillation); rotary vibration (oscillation)	Torsionsschwingung f, Drill[ungs]schwingung f, Verdreh[ungs]schwingung f; Dreh[ungs]schwingung f, Torsionspendelung f	vibration f de torsion, oscillation f de torsion; vibration tournante, oscillation tournante; vibration de pivotement	крутильное колебание, крутящее колебание
T 1556a	**torsional vibration gauge**	Drehschwingungsmanometer n	manomètre m à vibrations de pivotement	манометр с крутильными колебаниями
	torsional vibration resistance	s. torsional endurance strength at alternating load		
T 1557	**torsional vibrator,** twisting vibrator	Drehschwinger m, Torsionsschwinger m, Drillschwinger m	vibrateur m à torsion	крутильный вибратор
T 1558	**torsional wave**	Torsionswelle f, Verdrehungswelle f	onde f de torsion	крутильная волна
T 1558a	**torsional wave generating machine**	Torsionswellenmaschine f	machine f génératrice des ondes de torsion	машина, генерирующая (образующая) крутильных волн
	torsional work, work of twisting, twisting (torsional) strain	Torsionsarbeit f, Verdreharbeit f, Verdrehungsarbeit f	travail m de torsion	работа на кручение, работа на скручивание
	torsion angle	s. angle of twist		
T 1559	**torsion balance**	Schneckenfederwaage f, Torsionswaage f, Drehwaage f, Verdreh[ungs]waage f	balance f de torsion	крутильные весы; торсионные весы, торзионные весы
	torsion bar	s. torsion rod		

№	English	German	French	Russian
T 1560	torsion constant [of the thread]	Torsionskonstante f [des Fadens], Verdrehungskonstante f	constante f de torsion [du fil]	постоянная кручения [нити]
	torsion couple	s. torsional moment		
T 1561	torsion curve	Torsionskurve f, Verdreh[ungs]kurve f	courbe f de torsion	кривая скручивания, кривая кручения
T 1562	torsion dynamometer	Torsionsdynamometer n, Torsionselektrodynamometer n	dynamomètre m de torsion	крутильный динамометр (электродинамометр, электродинамический прибор), крутильный прибор электродинамической системы, прибор электродинамической системы с крутильной головкой
T 1563	torsion electrometer	Torsionselektrometer n, Torsionsfadenelektrometer n	électromètre m à torsion	крутильный электрометр, электрометр с крутильной нитью, электроторсиометр
T 1564	torsion endurance test, torsion fatigue test, endurance torsion test, fatigue torsion test	Dauerverdrehversuch m, Dauertorsionsversuch m, Torsionsdauerversuch m, Verdrehdauerversuch m, Dauerschwingversuch m mit Verdrehbeanspruchung	essai m de fatigue par torsions [alternées], essai de fatigue à la torsion	испытание на выносливость при кручении, испытание на усталость при знакопеременном кручении
T 1565	torsion failure	Verdrehungsbruch m, Torsionsbruch m	fracture f par torsion	разрушение при кручении
	torsion fatigue test	s. torsion endurance test		
T 1566	torsion flexure	Torsionsbiegung f	flexion f rotative	прогиб при вращении, вращательный изгиб
	torsion[-] free, torsionless, twist-free	torsionsfrei, verdrehungsfrei, verdrehfrei	sans torsion	без скручивания, без кручения
T 1567	torsion function, Prandtl['s] torsion function, warping function	Torsionsfunktion f, Prandtlsche Torsionsfunktion f	fonction f de torsion de Prandtl, fonction de Prandtl	функция кручения [Прандтля]
T 1568	torsion galvanometer	Torsionsgalvanometer n	galvanomètre m à torsion	крутильный гальванометр
	torsion group, periodic group	periodische (ordnungsfinite) Gruppe f, Torsionsgruppe f	groupe m périodique, groupe à (avec) torsion	периодическая группа, группа с кручением
T 1569	torsion-head instrument	Torsionsinstrument n, Torsionsmeßgerät n, Torsionskopfmeßgerät n, Torsionskopfinstrument n, Torsionsgerät n	appareil m de mesure à torsion, appareil de mesure à tête de torsion	измерительный прибор с крутильной головкой, прибор с крутильной головкой, крутильный измерительный прибор
T 1570	torsion-head wattmeter	Torsionsleistungsmesser m, Torsionskopfleistungsmesser m, Torsionswattmeter n, Torsionskopfwattmeter n	wattmètre m à torsion, wattmètre à tête de torsion	ваттметр с крутильной головкой
	torsion impact	s. torsional impact		
	torsion impact test, impact torsion test	Schlagverdrehversuch m, Schlagtorsionsversuch m, Schlagdrehversuch m	essai m de torsion par choc	испытание на ударную прочность при кручении, ударное испытание на кручение
T 1571	torsionless, torsion[-]free, twist-free	torsionsfrei, verdrehungsfrei, verdrehfrei	sans torsion	без скручивания, без кручения
T 1572	torsionless stress	torsionsfreier Spannungszustand m	état m de contrainte sans torsion	напряженное состояние без скручивания
T 1573	torsion magnetometer, torque magnetometer	Torsionsmagnetometer n, Drehmagnetometer n	magnétomètre m à torsion (couple)	вращательный (крутильный) магнитометр
T 1574	torsion meter, twist-measuring device, troptometer	Torsionsmesser m, Verdrehungsmesser m	torsiomètre m	крут∗комер, торсиометр, измеритель кручения
	torsion modulus	s. shear modulus		
T 1575	torsion movement ‹bio.›	Torsionsbewegung f ‹Bio.›	mouvement m de torsion ‹bio.›	торсионное движение, движение по спирали ‹био.›
	torsion oscillation	s. torsional vibration		
	torsion pendulum	s. torsional pendulum		
T 1576	torsion permeameter	Torsionspermeabilitätsmesser m, Torsionspermeameter n	perméamètre m à torsion	крутильный пермеаметр
T 1577	torsion radius, radius of torsion, radius of second curvature	Windungsradius m, Torsionsradius m, Schmiegungsradius m, Radius m der zweiten Krümmung	rayon m de torsion, rayon de la deuxième courbure	радиус кручения, радиус второй кривизны
T 1578	torsion ratio	Torsionsverhältnis n	rapport m de torsion	отношение кручения
	torsion-resistant, resistant to twist[ing]	torsionsfest, verdrehfest, verdrehungsfest	résistant à la torsion	не подвергающийся скручиванию
T 1579	torsion rod, torsion bar	Torsionsstab m, Drillstab m, Verdrehungsstab m, Verdrehstab m, Drehstab m	barre f de torsion; tige f de torsion	крутильный стержень, торсионный стержень; стержень, работающий на скручивание; торсион
T 1580	torsion seismograph	Torsionsseismograph m, Drehseismograph m ‹nach Wood-Anderson›	séismographe (sismographe) m à torsion	крутильный сейсмограф
T 1581	torsion seismometer	Torsionsseismometer n, Drehseismometer n	séismomètre m à torsion, sismomètre m à torsion	крутильный сейсмометр
T 1582	torsion spring, torsional spring	Torsionsfeder f, Drehfeder f, Verdrehungsfeder f, Verdrehfeder f	ressort m de torsion	крутильная (торсионная) пружина, пружина кручения; пружина, работающая на кручение

	English	German	French	Russian
T 1583	torsion strain gauge	Torsionsdehnungsmeß-streifen m	extensomètre m à torsion, jauge f de contrainte de (à) torsion	торсионный (крутильный) тензодатчик
	torsion suspension	s. torsional suspension		
T 1584	torsion tape	Torsionsband n	ruban m de torsion	лента крутильного подвеса
	torsion tensor, tensor of torsion	Torsionstensor m	tenseur m de torsion	тензор кручения (скручивания)
T 1585	torsion testing machine	Torsions[prüf]maschine f, Verdreh[ungs]prüf-maschine f, Verdrehungs-maschine f, Verdreh-festigkeits-Prüfmaschine f	machine f à torsions, machine d'essai aux torsions	машина для испытания на кручение
	torsion torque	s. torsional moment		
	torsion torque meter	s. torsimeter		
	torsion variometer, magnetic torsion balance	Torsionsvariometer n, magnetische Drehwaage (Torsionswaage) f	balance f de torsion magnétique, variomètre m de torsion	магнитные крутильные весы
T 1586	torsion vector	Torsionsvektor m	vecteur m de torsion	вектор кручения (скручивания)
	torsion vibration	s. torsional vibration		
T 1587	torsion vibration testing machine, repeated-load torsional fatigue testing machine	Verdrehschwingungs[prüf]-maschine f, Verdre-hungsschwingungsprüf-maschine f, Drehschwing-[ungs]maschine f	machine f à torsions alternées	машина для испытания на выносливость при знакопеременном кручении
T 1588	torsion viscometer	Torsionsviskosimeter n	viscosimètre m à torsion	торсионный вискозиметр
T 1589	torsion wire	Torsionsfaden m; Torsions-draht m	fil m de torsion	крутильная нить
T 1590	torson	Torson n	torson m	торсион
	torsor, impulsor, ejector <math.>	Impulsor m, Ejektor m, Torsor m <Math.>	impulseur m, éjecteur m, torseur m <math.>	импульсор, эжектор, торсор <матем.>
	tortuosity, sinuosity	Flußentwicklung f	sinuosité f	извилистость [реки]
	tortuosity <of porous medium>; twist per unit length, amount of torsion (twist), twist	Verwindung f	tortuosité f	извилистость; искривленность, угол закручивания на единицу длины
T 1590 a	tortuosity <of rock>	Tortuosität f Tortuositäts-faktor m <Gestein>	tortuosité f <de la roche>	извилистость <горной породы>
	torus, toroidal chamber	Toroidkammer f, Toroid-röhre f, Torus m	tube m toroïdal, chambre f torique, tore m	тороидальная камера (трубка), тор
T 1591	torus [ring], tore, anchor ring, ring [surface] <math.>	Torus m, Kreiswulst f, Wulstfläche f, Wulst f; Ringfläche f, Ringwulst f, Ring m; Ringkörper m <Math.>	tore m [de révolution] <math.>	тор; поверхность тора, поверхность баранки <матем.>
	total absorptance	s. radiant total absorptance <opt.>		
T 1592	total absorption	Gesamtabsorption f, Total-absorption f	absorption f globale, absorption totale	полное поглощение
T 1593	total absorption coefficient	Gesamtabsorptions-koeffizient m, totaler Absorptionskoeffizient m	coefficient m d'absorption global (total)	полный коэффициент поглощения
	total absorptivity	s. radiant total absorptance <opt.>		
T 1594	total activity	Gesamtaktivität f	activité f totale (globale)	полная активность
T 1595	total adaptation	Totaladaptation f	adaptation f totale	общая (полная) адаптация
	total aerodynamic force, resulting aerodynamic force	aerodynamische Resultante f, resultierende aero-dynamische Kraft f	résultante f aérodynamique	полная аэродинамическая сила, результирующая аэродинамическая сила
T 1596	total albedo	Gesamtalbedo f	albédo m total	общее альбедо
	total amplitude	s. peak-to-peak		
T 1597	total angular momentum, resultant moment of momentum	Gesamtdrehimpuls m	moment m angulaire (cinétique) total, moment total	полный момент количества движения
	total angular momentum operator, operator of total angular momentum	Gesamtdrehimpulsoperator m, Operator m des Gesamtdrehimpulses	opérateur m du moment angulaire total	оператор полного момента количества движения
	total angular momentum quantum number	s. inner quantum number		
T 1598	total astigmatism	Gesamtastigmatismus m, Totalastigmatismus m	astigmatisme m total	полный астигматизм
T 1599	total attenuation	Gesamtschwächung f	atténuation f totale	полное ослабление
T 1600	total beta activity, gross beta activity	Gesamt-Beta-Aktivität f, Brutto-Beta-Aktivität f	activité f bêta totale	суммарная бета-активность
T 1601	total binding energy, total nuclear binding energy	Gesamtbindungsenergie f des Kerns, totale Kern-bindungsenergie f	énergie f totale de liaison nucléaire	полная энергия связи ядра
	total body exposure	s. whole-body exposure		
	total body irradiation	s. whole-body exposure		
T 1602	total break time, interrupting time <US>	Ausschaltdauer f, elektrische Ausschaltdauer	durée f totale de coupure	общая продолжительность выключения
	total brightness	s. total luminance		
T 1603	total cloudiness, total overcast	Gesamtbewölkung f, Gesamtbedeckung f	nébulosité f totale	общая облачность
T 1604	total collision cross-section, total effective collision cross-section	totaler Stoßquerschnitt m, Gesamtstoßquerschnitt m, gesamter Stoßquerschnitt	section f spécifique de choc	полное сечение столкновения
T 1605	total Compton mass attenuation coefficient	Massenschwächungs-koeffizient m für den Compton-Effekt, Massen-schwächungskoeffizient des Compton-Prozesses, Compton-Massen-schwächungskoeffizient m	coefficient m d'atténuation [par unité de masse sur-facique] correspondant au processus Compton	массовый коэффициент ослабления для компто-эффекта, суммарный комптоновский массовый коэффициент ослабления

	total conductance, combination conductance, overall conductance	Kombinationsleitwert m, Gesamtleitwert m	conductance f combinée (totale)	общая [активная] проводимость <сложной цепи>, полная проводимость
T 1606	**total correlation,** perfect correlation	totale Korrelation f, vollkommene Korrelation	corrélation f totale, corrélation parfaite	полная корреляция, прямолинейная корреляция
T 1607	**total correlation coefficient**	totaler Korrelationskoeffizient m	coefficient m de corrélation total	коэффициент полной корреляции
T 1608	**total covariant derivative**	totale kovariante Ableitung f	dérivée f covariante totale	полная ковариантная производная
T 1609	**total cross-section,** bulk cross-section	totaler Wirkungsquerschnitt m, Gesamt[wirkungs]querschnitt m	section f efficace totale	полное сечение
T 1610	**total cross-section of the winding,** winding cross-section	Wicklungsquerschnitt m, Wickelquerschnitt m	section f des conducteurs de l'enroulement; section disponible pour l'enroulement	поперечное сечение всех витков, сечение обмотки
T 1611	**total curvature**	Gesamtkrümmung f, Totalkrümmung f, curvatura f integra	courbure f totale	полная кривизна
	total curvature	s. a. Gauss curvature		
T 1612	**total damping;** resultant damping, net damping	Gesamtdämpfung f; resultierende Dämpfung f	affaiblissement m total; affaiblissement résultant (composite)	полное затухание; суммарное (результирующее) затухание
T 1613	**total deflection of plumbline**	totale Lotabweichung f	déviation f totale de la verticale	полное отклонение отвеса
T 1614	**total derivative**	totale Ableitung f	dérivée f totale	полная производная
	total derivative	s. a. material derivative		
	total determination	= square of the multiple correlation coefficient		
	total differential, exact differential, perfect differential, complete differential	vollständiges Differential n, totales Differential, exaktes Differential	différentielle f totale exacte, différentielle exacte, différentielle totale	полный дифференциал, точный дифференциал
T 1615	**total differential equation,** Pfaffian differential equation, exact [differential] equation	exakte Differentialgleichung f, totale Differentialgleichung, Pfaffsche Gleichung f	équation f aux différentielles totales, équation de Pfaff	уравнение Пфаффа, уравнение в полных дифференциалах
T 1615a	**total dispersion**	totale Dispersion f	dispersion f totale	полная дисперсия
T 1616	**total eclipse**	totale Finsternis f, vollständige Verfinsterung f	éclipse f totale	полное затмение
T 1617	**total eclipse of the Sun,** total solar eclipse	totale Sonnenfinsternis f	éclipse f solaire totale, éclipse totale du Soleil	полное солнечное затмение, полное затмение Солнца
	total effective collision cross-section, total collision cross-section	totaler Stoßquerschnitt m, Gesamtstoßquerschnitt m, gesamter Stoßquerschnitt	section f spécifique de choc	полное сечение столкновения
	total effective cross-section for electronic collisions	s. Ramsauer-Townsend collision cross-section		
	total elastic potential energy	s. total strain energy		
	total electrode capacitance	s. interelectrode capacitance		
T 1618	**total electron binding energy**	Gesamtbindungsenergie f des Elektrons, totale Elektronenbindungsenergie f	énergie f totale de liaison éectronique	полная энергия связи электрона
T 1619	**total emissivity** <e.g. of a thermal radiator>	Gesamtemissionsvermögen n, Gesamtemissionsgrad m, Gesamtausstrahlung f, Emissionsgrad m <z. B. Temperaturstrahler>	pouvoir m émissif total <p. ex. d'un corps thermorayonnant>	полный коэффициент излучения, полная лучеиспускательная (испускательная) способность
	total energy head	s. total head		
	total energy of radiation	s. total radiant energy		
T 1620	**total error**	Gesamtfehler m	erreur f totale	суммарная ошибка
T 1621	**total error of measurement,** total measuring error	Gesamtmeßfehler m	erreur f totale de mesure	общая погрешность измерений
	total extension	s. breaking elongation		
T 1622	**total extinction**	Gesamtextinktion f	extinction f totale	полное погасание; полная экстинкция
T 1623	**total filter**	Gesamtfilter n	filtre m total	полный фильтр
	total flow, total flux <hydr.>	Gesamtfluß m <Hydr.>	flux m total <hydr.>	полный поток <гидр.>
	total fluctuation, total variation <also of a function>	Gesamtschwankung f	variation f totale, fluctuation f totale	полная вариация, полное изменение
T 1624	**total flux,** total magnetic flux	Gesamtfluß m, magnetischer Gesamtfluß, Gesamtkraftfluß m, Flußverkettung f	flux m total, flux magnétique total	полный поток, полный магнитный поток
T 1625	**total flux,** total flow <hydr.>	Gesamtfluß m <Hydr.>	flux m total <hydr.>	полный поток <гидр.>
T 1626	**total force,** total intensity <magn.>	Totalintensität f <Magn.>	intensité f totale <magn.>	полная напряженность геомагнитного поля, общая напряженность поля, полная интенсивность, тотальная интенсивность <магн.>
T 1627	**total force** <mech.>	Gesamtkraft f <Mech.>	force f totale <méc.>	полная (общая) сила <мех.>

T 1628	**total-force magne-tometer**	Totalintensitätsmagneto-meter *n*	magnétomètre *m* total	магнитометр для измерения [общей] напряженности геомагнитного поля, магнитометр общей напряженности поля
	total-force variometer	s. total-intensity variometer		
	total formula	s. empirical formula		
	total Hamiltonian	s. complete Hamiltonian		
T 1629	**total hardness of water**	Gesamthärte *f* des Wassers, GH	dureté *f* totale de l'eau	общая жесткость воды
T 1630	**total head,** total energy head	Energiehöhe *f*, hydraulische Höhe *f*, gesamte Energiehöhe *f*	charge *f* totale, altitude *f* du plan de charge, hauteur *f* d'énergie totale	удельная энергия потока, трехчлен Бернулли, полная высота [энергии]
	total head	s. a. total pressure <aero.>		
	total head pressure	s. total pressure <aero.>		
	total heat	s. enthalpy <at constant pressure>		
T 1631	**total horopter**	Totalhoropter *m*, Punkthoropter *m*, Vollhoropter *m*, totaler Horopter *m*	horoptère *m* total	полный гороптер
	total impulse	s. total momentum		
T 1632	**total inflow**	Zuflußsumme *f*, Gesamtzufluß *m*	affluence *f* totale	суммарный приток
T 1633	**total intensity**	Gesamtintensität *f*; Gesamtfeldstärke *f*	intensité *f* totale	суммарная интенсивность, полная интенсивность; полная напряженность
	total intensity	s. a. total force <magn.>		
T 1634	**total-intensity variometer,** total-force variometer	Totalintensitätvariometer *n*	variomètre *m* de l'intensité totale, variomètre du champ total, variomètre total	вариометр общей напряженности [поля], вариометр общей интенсивности, вариометр для измерения общей напряженности геомагнитного поля
T 1635	**total internal conversion coefficient**	totaler Konversionskoeffizient *m*	coefficient *m* de conversion interne total	полный коэффициент внутренней конверсии
T 1636	**total ionization**	Gesamtionisation *f*; totale Ionisation *f*; Gesamtzahl *f* der erzeugten Ionenpaare; Gesamtladung *f* der Ionen eines Vorzeichens	nombre *m* total de paires d'ions produites, ionisation *f* totale	полная ионизация
T 1637	**total ionization,** complete ionization, full ionization	vollständige Ionisation *f*, vollständige Ionisierung *f*, Vollionisation *f*, Vollionisierung *f*	ionisation *f* totale, ionisation complète	полная ионизация
T 1638	**total isodynam**	Totalisodyname *f*	isodyname *f* totale	изолиния полной напряженности геомагнитного поля
T 1639	**totality, totality of eclipse**	Totalität *f* [der Verfinsterung]	totalité *f* [de l'éclipse]	полная фаза [затмения]
	totalizer, pluviometer-association	Totalisator *m*, Niederschlagstotalisator *m*, Niederschlagssammler *m*	pluviomètre-association *m*, pluviomètre *m* totalisateur, totalisateur *m*	суммирующий плювиометр, суммарный дождемер, осадкомер-интегратор, тотализатор
T 1640	**total kinetic energy**	kinetische Gesamtenergie *f*	énergie *f* cinétique totale; demi-force *f* vive totale; force *f* vive totale	полная кинетическая энергия
T 1641	**total level width,** total width	Gesamtbreite *f* [des Niveaus], totale Niveaubreite *f*	largeur *f* totale [de niveau]	полная ширина [уровня]
	total light flux, total luminous flux	Gesamtlichtstrom *m*, Leistung *f* <Lichtquelle>	flux *m* lumineux total	полный световой поток, общий световой поток
T 1642	**total load**	Gesamtbelastung *f*	charge *f* totale	полная (общая) нагрузка, совокупная нагрузка
T 1643	**total loss,** flop	Totalausfall *m*	défaut *m* cataleptique	полный отказ
T 1644	**total luminance,** total brightness	Gesamtleuchtdichte *f*, Gesamthelligkeit *f*	luminance *f* totale (résultante)	общая яркость, полная яркость
T 1645	**total luminous flux,** total light flux	Gesamtlichtstrom *m*, Leistung *f* <Lichtquelle>	flux *m* lumineux total	полный световой поток, общий световой поток
	totally additive	s. countably additive		
	totally disconnected <math.>; disconnected, unconnected	zusammenhangslos, punkthaft, total unzusammenhängend; total zusammenhangslos <Math.>	non connexe; totalement non connexe <math.>	разрывный, несвязный; вполне разрывный <матем.>
T 1646	**totally enclosed** <of instrument>	geschlossen <Gerät>	fermé <de l'appareil>	закрытый, закрытого типа, совершенно закрытый, совершенно закрытого типа <о приборе>
	totally reflecting prism	s. reflecting prism		
T 1647	**totally symmetric**	totalsymmetrisch	entièrement symétrique	полносимметричный
	total magnetic flux	s. total flux		
T 1648	**total magnification,** overall magnification	Gesamtvergrößerung *f*	grossissement *m* total	общее увеличение, полное увеличение
T 1649	**total mass absorption coefficient**	totaler Massenabsorptionskoeffizient *m*	coefficient *m* d'absorption massique total	полный массовый коэффициент поглощения
T 1650	**total mass attenuation coefficient**	totaler Massenschwächungskoeffizient *m*	coefficient *m* d'atténuation massique total, coefficient d'atténuation total par unité d'épaisseur massique	полный массовый коэффициент ослабления
T 1650a	**total mass stopping power**	totales Massenbremsvermögen *n*, Gesamtmassenbremsvermögen *n*	pouvoir *m* d'arrêt massique total	полная массовая тормозная способность

	total mean square	s. total variance		
	total measuring error	s. total error of measurement		
	total modulation, full modulation	Vollaussteuerung f	modulation f totale	полная модуляция
T 1651	total moment	resultierendes Moment n	moment m résultant, maître-couple m	главный момент
T 1652	total momentum, total impulse, overall momentum (impulse)	Gesamtimpuls m; resultierender Impuls m	impulsion f totale; impulsion résultante (composite)	полный (общий) импульс; суммарное количество движения
	total neutron cross-section	s. neutron total cross-section		
T 1653	total neutron importance	Gesamteinfluß m, „gewogener" (verallgemeinerter) Neutroneninhalt m	importance f neutronique totale	общая ценность нейтронов
	total nuclear binding energy, total binding energy	Gesamtbindungsenergie f des Kerns, totale Kernbindungsenergie f	énergie f totale de liaison nucléaire	полная энергия связи ядра
	total of the digits	s. sum of the digits		
T 1654	total operating time <of fuse>	Abschaltzeit f, Ausschaltzeit f <Sicherung>	durée f totale de coupure <du coupe-circuit à fusible>	продолжительность отключения (выключения предохранителя)
T 1655	total orbital angular momentum, total orbital moment [of momentum]	Gesamtbahndrehimpuls m	moment m [angulaire] orbital total	полный орбитальный момент [количества движения]
	total ordering	s. ordering <math.>		
	total overcast, total cloudiness	Gesamtbewölkung f, Gesamtbedeckung f	nébulosité f totale	общая облачность
T 1656	total permeability	totale Permeabilität f, Gleichfeldpermeabilität f	perméabilité f totale	полная магнитная проницаемость
T 1657	total plastic, stereo-power	totale Plastik f	plastique f totale, pouvoir m stéréoscopique	полная пластика
T 1658	total pressure, total head pressure, total head, true stagnation pressure <aero.>	Gesamtdruck m, Kesseldruck m, Ruhedruck m, ruhender Druck m <statischer + dynamischer Druck> <Aero.>	pression f totale <aéro.>	полное давление, суммарное давление, результирующее давление, давление торможения, давление покоя <аэро.>
T 1659	total probability	totale Wahrscheinlichkeit f	probabilité f totale	полная вероятность
	total quantum number	s. principal quantum number		
T 1660	total radiant energy, total energy of radiation; radiancy <total radiant energy per sec and cm²>	Energie f der Gesamtstrahlung, Gesamtstrahlungsenergie f, gesamte Strahlungsenergie f, Gesamtstrahlung f	énergie f rayonnante totale, énergie totale de rayonnement	полная лучистая энергия
T 1661	total radiation	Gesamtstrahlung f, Totalstrahlung f	rayonnement m total, radiation f totale	полное (общее, суммарное) излучение; полная (общая, суммарная) радиация
T 1662	total radiation, solar total radiation	Gesamtstrahlung f [der Sonne]	radiation f totale [du Soleil], rayonnement m total	полная (суммарная) радиация [Солнца]
	total radiation coefficient	s. Stefan-Boltzmann['s] constant		
	total radiation pyrometer	s. Féry pyrometer		
T 1663	total radiation standard	Gesamtstrahlungsnormal n	étalon m de radiation totale, étalon de rayonnement total	эталон полного излучения
T 1664	total radiation temperature, bolometric radiation temperature, full radiator temperature <opt.>	Gesamtstrahlungstemperatur f	température f de rayonnement total (bolométrique)	температура полного излучения, болометрическая радиационная температура, энергетическая температура, радиационная температура [теплового излучателя]
	total radiation type pyrometer	s. Féry pyrometer		
	total reflectance	s. total reflection factor <opt.>		
T 1665	total reflection	Totalreflexion f, totale Reflexion f, vollkommene Spiegelung f	réflexion f totale, réflexion complète	полное внутреннее отражение, полное отражение
T 1666	total reflection factor, reflection factor, total reflectance, reflectance, radiant total reflectance, radiant reflectance, reflectivity, reflecting factor, reflecting coefficient <opt.>	totaler Reflexionsgrad m, Gesamtreflexionsgrad m, Reflexionsgrad m, totaler Reflexionskoeffizient m, Gesamtreflexionskoeffizient m, Reflexionskoeffizient <Opt.>	facteur m total de réflexion, facteur de réflexion, réflectance f totale, réflectance, réflexibilité f <opt.>	полный коэффициент отражения, коэффициент отражения <опт.>
T 1667	total reflection layer	Totalreflexionslamelle f	lame f à réflexion totale	пленка полного внутреннего отражения
	total reflection prism	s. reflecting prism		
	total reflectivity	s. total reflection factor		
T 1668	total refraction	Gesamtrefraktion f	réfraction f totale	полная рефракция
T 1668a	total resistance [coefficient]	Gesamtwiderstandsbeiwert m	coefficient m de résistance total	коэффициент суммарного сопротивления <напр. диффузора>
T 1668b	total run-off	Gesamtabfluß m, gesamter Abfluß m	débit m d'écoulement total	суммарный сток; объем стока

T 1669	total scattering coefficient	totaler Streukoeffizient m	coefficient m de diffusion total	полный коэффициент рассеяния
T 1670	total scattering cross-section	totaler Streuquerschnitt m, Gesamtstreuquerschnitt m, gesamter Streuquerschnitt	section f efficace totale de diffusion	полное сечение рассеяния
	total solar eclipse, total eclipse of the Sun	totale Sonnenfinsternis f	éclipse f solaire totale, éclipse totale du Soleil	полное солнечное затмение, полное затмение Солнца
	total solids, solid residue [from evaporation]	Trockenrückstand m; Abdampfrückstand m	résidu m sec	сухой остаток
T 1671	total specific activity	spezifische Gesamtaktivität f	activité f massique totale	полная удельная активность
	total specific ionization	s. specific ionization		
T 1671a	total-step iteration (method)	Gesamtschrittverfahren n, Iteration f in Gesamtschritten	méthode f des pas totaux, itération f par pas totaux	метод общих (полных) шагов
	total step iteration [for solving linear equations]	s. Gauss-Seidel method		
T 1672	total strain energy, total elastic potential energy, elastic strain energy, strain energy, potential energy of deformation, potential energy of the deformed body, potential energy <of elastic body>	Deformationsenergie f, Formänderungsenergie f, [innere] Formänderungsarbeit f, Verzerrungsarbeit f, Verzerrungsenergie f, innere Energie f, Verformenergie f, Formenergie f, Verformungsenergie f, Spannungsenergie f	énergie f de déformation, énergie potentielle d'un corps déformé élastiquement, énergie totale de déformation, énergie potentielle totale [de déformation], énergie potentielle de déformation	энергия упругой деформации, [скрытая] энергия деформации, энергия упругости, потенциальная энергия деформации
T 1673	total stress, interior force	Spannkraft f	force f intérieure, force de tension de pression	сила натяжения; стягивающее усилие, зажимное усилие
T 1674	total stress <mech.>	Gesamtspannung f <Mech.>	tension f globale <méc.>	полное напряжение <мех.>
T 1675	total temperature <aero.>	Gesamttemperatur f, Kesseltemperatur f, Ruhetemperatur f <Aero.>	température f totale <aéro.>	полная температура, температура торможения, температура покоя <аэро.>
T 1676	total temperature profile	Staupunkttemperaturprofil n	profil m des températures totales	профиль температуры торможения
T 1677	total temporal derivative	totale zeitliche Ableitung f	dérivée f temporelle totale	полная производная по времени
T 1678	total term	Gesamtterm m	terme m total	полный терм
	total thermodynamic potential	s. free enthalpy		
T 1679	total tide, high tide, high water	Hochwasser n, Gezeitenhochwasser n, Tidehochwasser n	marée f totale, marée haute	полная вода [прилива], полный прилив, высокая вода
T 1680	total time of exposure per week	Arbeitsfaktor m, Beschäftigungsfaktor m	pourcentage m hebdomadaire d'exposition	общая продолжительность облучения за неделю
	total transmission factor	s. transmission factor		
	total transmittance	s. transmission factor		
T 1681	total turbidity factor [of Linke]	Gesamttrübungsfaktor m [nach Linke]	facteur m de turbidité total [de Linke]	полный фактор мутности [Линке]
T 1681a	total variance, total mean square	Gesamtvarianz f	variance f totale	общая дисперсия, общее среднее квадратичное
T 1682	total variation, total fluctuation <also of a function>	Gesamtschwankung f	variation f totale, fluctuation f totale	полная вариация, полное изменение
	total width	s. total level width		
	total width of grating, overall width [of grating]	Gitterbreite f, Gesamtbreite f des Beugungsgitters	largeur f totale [du réseau de diffraction]	общая (полная) широта дифракционной решётки
	total zone of obscuration, band of totality, zone of totality	Totalitätszone f	zone f de totalité	полоса полного затмения, область полного затмения
T 1682a	totient	Eulersche Funktion f φ (n)	totient m	тотиент, [φ-]функция Эйлера
T 1683	totipotency	Totipotenz f	totipotence f	тотипотентность
T 1684	totipotent	totipotent	totipotent	тотипотентный
	tottering	s. shaking		
	touch	s. contiguity <gen.>		
	touch	s. a. sense of touch		
	touching, tangential	tangential, Tangential-; berührend, tangierend; Tangenten-	tangentiel, tangent	касательный, касающийся, тангенциальный
T 1685	touch organ, feeling organ	Tastsinnesorgan n, Tastorgan n, Tangorezeptor m, Fühlorgan n	organe m de toucher, organe palpeur, palpeur m	орган осязания, осязательный орган
	touch sense	s. sense of touch		
	touch spark	s. break spark		
T 1686	tough, tenacious <of materials, especially metals>	zäh, zähfest, zähhart [vergütet], widerstandsfähig, fest, biegsam <Werkstoffe, besonders Metalle>	tenace <de matériaux, en particulier de métaux>	вязкий, вязкотвёрдый; ударно вязкий; термически обработанный до вязкой твёрдости; крепкий; не ломкий; прочный <о материалах, особенно металлах>
T 1687	toughness, tenaciousness, tenacity <of materials, especially metals>	Zähigkeit f, Zähfestigkeit f, Zähhärte f, Widerstandsfähigkeit f, Festigkeit f, Biegsamkeit f <Werkstoffe, besonders Metalle>	ténacité f <de matériaux, en particulier de métaux>	вязкость, вязкая твёрдость; ударная вязкость; крепкость; сопротивляемость, прочность <материалов, особенно металлов>
	toughness	s. a. impact strength		

	English	German	French	Russian
	toughness	s. a. notch impact strength		
T 1688	**Toulon bridge**	Toulon-Brücke f	pont m de Toulon	мост Тулона
T 1689	**tourmalin[e] plate,** turmalin[e] plate	Turmalinplatte f	lame f de tourmaline	турмалиновая пластина
T 1690	**tourmalin[e] tongs,** turmalin[e] tongs	Turmalinzange f	pinces fpl de tourmaline	турмалиновые щипцы
T 1691	**Touschek effect**	Touschek-Effekt m	effet m Touschek	эффект Тушека
	towering, castellatus, cas <meteo.>	castellatus, zinnenförmig, türmchenförmig, zinnenartig, cas <Meteo.>	castellatus, crénelé, cas <météo.>	башенкообразный, башенковидный, башеннообразный, cas <метео.>
T 1692	**tower telescope,** solar tower	Turmteleskop n, Sonnenturm m	tour f solaire, télescope m vertical	башенный телескоп, башенный (вертикальный) солнечный телескоп, солнечная башня
T 1693	**town fog**	Stadtnebel m, Großstadtnebel m	brouillard m de ville	городской туман
T 1694	**Townsend avalanche**	Townsend-Lawine f	avalanche f de Townsend	лавина Таунсенда, таунсендовская лавина
T 1695	**Townsend breakdown**	Townsend-Durchbruch m, Townsend-Durchschlag m	disruption f de Townsend	таунсендовский пробой
	Townsend coefficient	s. Townsend ionization coefficient		
T 1696	**Townsend current**	Townsend-Strom m, dunkler Vorstrom m, Vorstrom	courant m [de] Townsend	предразрядный ток, таунсендовский ток, ток Таунсенда, темновой ток
T 1697	**Townsend discharge,** dark discharge, silent discharge	Townsend-Entladung f, Dunkelentladung f, stille Entladung f, dunkle Entladung, dunkler Vorstrom m	décharge f [de] Townsend, décharge obscure, décharge silencieuse	таунсендовский разряд, темный разряд, разряд по Таунсенду, тихий разряд
	Townsend discharge mechanism, Townsend mechanism	Townsend-Mechanismus m, Townsendscher Entladungsmechanismus m	mécanisme m de Townsend, mécanisme de la décharge Townsend	таунсендовский механизм, механизм таунсендовского разряда
T 1697a	**Townsend energy factor (ratio)**	Townsendscher Energiefaktor m	facteur m d'énergie de Townsend	коэффициент энергии Таунсенда
	Townsend['s] formula, Townsend['s] relation	Townsendsche Beziehung f	formule f de Townsend	формула Таунсенда
T 1698	**Townsend ionization**	Townsend-Ionisation f	ionisation f Townsend	таунсендовская ионизация
T 1699	**Townsend ionization coefficient,** Townsend coefficient, ionization coefficient, ionization constant, specific ionization, total specific ionization	Townsend-Koeffizient m, [Townsendscher] Ionisierungskoeffizient m, Ionisierungskonstante f, Townsendsche Stoßzahl f, spezifische Ionisation (Ionisierung) f, differentielle Ionisation, Ionisierungsstärke f, Ionisationsstärke f; Ionisierungszahl f <Gasentladung>	coefficient m de Townsend, coefficient d'ionisation de Townsend, coefficient d'ionisation, constante f d'ionisation, ionisation f linéique [totale], ionisation spécifique, ionisation spécifique totale	коэффициент Таунсенда, коэффициент ионизации [Таунсенда], линейная плотность ионизации, удельная ионизация
T 1700	**Townsend mechanism,** Townsend discharge mechanism	Townsend-Mechanismus m, Townsendscher Entladungsmechanismus m	mécanisme m de Townsend, mécanisme de la décharge Townsend	таунсендовский механизм, механизм таунсендовского разряда
T 1701	**Townsend['s] relation,** Townsend['s] formula	Townsendsche Beziehung f	formule f de Townsend	формула Таунсенда
	toxicant, toxic agent, poison	Gift n, Giftstoff m, toxischer Stoff m	poison m, toxique m, agent m toxique	яд, ядовитое вещество, ядовито действующий агент, отрава, отравляющее вещество, токсическое вещество
T 1702	**toxicity**	Toxizität f, Giftigkeit f	toxicité f	токсичность, ядовитость
T 1703	**toxoid**	Toxoid n	toxoïde m	токсоид
	T-μ partition function, grand canonical partition function	große kanonische Verteilungsfunktion f	grande fonction f canonique de répartition	большая каноническая функция распределения
	TPC theorem	s. CPT theorem		
	T-pipe; tee, conduit tee; three-way pipe, T	T-Stück n; T-Rohr n, T-Rohrstück n	raccord m en T, té m de raccordement, T m	тройник; Т-образное соединение, Т-образная трубка
T 1704	**Trabert['s] formula**	Trabertsche Formel f	formule f de Trabert	формула Траберта
T 1705	**trace**	Schreibspur f	trace f	след записи
T 1706	**trace,** diagonal sum, main diagonal sum, spur, tr <of matrix, operator>	Spur f, Diagonalsumme f, Sp <Matrix, Operator>	trace f, tr <de la matrice, de l'opérateur>	след, шпур, сумма диагональных элементов, Sp <матрицы, оператора>
	trace, streak <of mineral>	Strich m <Mineral>	tiret m <du minerai>	«черта» <минерала>
T 1707	**trace,** trace of the surface <cryst.>	Spur f [der Fläche] <Krist.>	trace f [de la surface] <crist.>	след [плоскости] <крист.>
T 1708	**trace; trace amount;** tracer amount	Spur f, gewichtslose Menge f, Indikatormenge f; Tracermenge f	trace f, quantité f impondérable, échelle f traceuse	микроколичество, след[овое количество], ничтожное (невесомое, индикаторное) количество
T 1709	**trace analysis**	Spurenanalyse f	analyse f des traces	анализ микроэлементов
	trace chemistry <US>, microchemistry <GB>	Mikrochemie f, Spurenchemie f	microchimie f	микрохимия, химия веществ с ничтожной концентрацией
T 1710	**trace concentration;** tracer concentration	Spurenkonzentration f, Indikatorkonzentration f; Tracerkonzentration f <≈ 10⁻⁹ mol>	concentration f de traces, concentration insignifiante, microconcentration f, concentration infinitésimale	микроконцентрация, ничтожная концентрация, ничтожно малая концентрация, ультрамалая концентрация, индикаторная концентрация
	trace element	s. tracer element <bio.>		
T 1711	**trace impurity,** trace of impurity	Spurenverunreinigung f, Indikatorverunreinigung f	trace f d'impureté	след загрязнения

	English	German	French	Russian
	trace metal, tracer metal	Spurenmetall n	métal-trace m	примесный металл
	trace nutrient	s. tracer element <bio.>		
	trace of impurity	s. trace impurity		
	trace of rays <US>; path of rays, run of rays, ray[-] trajectory	Strahlengang m, Strahlenverlauf m, Strahlenweg m, Strahlenbahn f	marche f (trajectoire f, trajet m, cheminement m) des rayons	ход лучей, путь лучей, траектория лучей
T 1712	**trace of the line,** trace of the straight line	Spurpunkt m, Spur f der Geraden	trace f de la ligne (droite)	след прямой, след линии, точечный след
	trace of the plane	s. trace of the surface		
	trace of the straight line	s. trace of the line		
T 1713	**trace of the surface;** trace of the plane	Spurlinie f; Spurgerade f	trace f de la surface; trace du plan	след (линия пересечения) поверхности; след (линия пересечения) плоскости
	trace of the surface, trace <cryst.>	Spur f [der Fläche] <Krist.>	trace f [de la surface] <crist.>	след [плоскости] <крист.>
	trace of trajectory, track of trajectory, track	Bahnspur f	piste f de trajectoire, trace f	след пути, след, траектория
T 1714	**tracer,** labelled atom, tagged atom, indicator, marker <nucl.>	Tracer m, markiertes Atom n, Indikator m <Kern.>	indicateur m [atomique], traceur m [atomique], atome m marqué <nucl.>	индикатор, меченый атом <яд.>
	tracer	s. a. radioactive tracer <nucl.>		
	tracer	s. a. spike <in isotope dilution analysis>		
	tracer amount	s. trace		
T 1715	**tracer analysis**	Traceranalyse f, Indikatoranalyse f, Hevesy-Paneth-Analyse f	analyse f par traceur, détermination f par traceur	анализ методом меченых атомов, анализ методом изотопных индикаторов
T 1716	**tracer compound,** labelled compound, tagged compound, isotopically labelled compound	Tracerverbindung f, markierte Verbindung f, Indikatorverbindung f, isotop markierte Verbindung	composé m indicateur, composé traceur, composé marqué [par isotope]	соединение с индикатором, индикаторное соединение, соединение с меченым атомом, меченое соединение; соединение, содержащее меченые атомы
	tracer concentration	s. trace concentration		
T 1717	**tracer detector**	Spurenfinder m	détecteur m de traces	прибор для обнаружения меченых атомов
T 1717a	**tracer diffusion**	Tracerdiffusion f	diffusion f de traceur	диффузия меченых атомов
T 1718	**tracer element**	Tracerelement n, Leitelement n, Indikatorelement n	élément m indicateur, élément traceur	элемент-индикатор
T 1719	**tracer element,** trace element, microelement, trace nutrient <bio.>	Spurenelement n, Mikronährstoff m, Mikroelement n, Hochleistungselement n, katalytisches Element n, Spurenstoff m <Bio.>	élément-trace m, microélément m <bio.>	микроэлемент <био.>
	tracer investigation	s. tracer study		
	tracer isotope	s. isotopic tracer		
T 1720	**tracer metal,** trace metal	Spurenmetall n	métal-trace m	примесный металл
T 1721	**tracer method,** tracer technique, method of labelled atoms, isotope method	Tracermethode f, Tracerverfahren n, Tracertechnik f, Methode f der markierten Atome, Indikatorverfahren n, Indikatormethode f, Hevesy-Paneth-Verfahren n, Leitisotopenmethode f, Isotopenmethode f	méthode f des éléments traceurs, méthode des traceurs, méthode des indicateurs, méthode des atomes étiquettés, méthode des atomes marqués	метод меченых атомов, метод изотопных индикаторов
T 1722	**tracer study,** tracer investigation	Traceruntersuchung f, Indikatoruntersuchung f, Untersuchung f mit markierten Atomen, Leitisotopenuntersuchung f	étude f des éléments traceurs, étude à l'aide de traceur [isotopique]	исследование с помощью меченых атомов, исследование с помощью изотопных индикаторов, исследование по методу меченых изотопов
	tracer technique	s. tracer method		
T 1722a	**tracht [of crystal],** crystal tracht	Kristalltracht f, Tracht f [des Kristalls]	« tracht » f [du cristal]	трахт [кристалла]
	tracing	s. tracking		
	tracing	s. labelling <nucl.>		
T 1723	**tracing arm** <of planimeter>	Fahrarm m, Fahrstange f <Planimeter>	bras m moteur <du planimètre>	обводной рычаг <планиметра>
T 1724	**tracing distortion**	Rillenverzerrung f	distorsion f d'enveloppe	искаженное огибание; искажение огибающей
T 1725	**tracing error**	Rillenfehler m	erreur f d'enregistrement	угол погрешности звукосъемника
	tracing of the rays, ray tracing	Strahlengangsbestimmung f	traçage (cheminement) m des rayons	определение траекторий лучей
T 1726	**tracing point** <of planimeter>	Fahrstift m <Planimeter>	traçoir m <du planimètre>	обводной штифт <планиметра>
	tracing speed, recording speed, writing speed; writing rate	Registriergeschwindigkeit f, Schreibgeschwindigkeit f	vitesse f d'enregistrement, vitesse d'écriture	скорость записи, скорость регистрации; скорость развертки
T 1727	**track,** track of the particle, particle track <nucl.>	Spur f [des Teilchens], Teilchenspur f, Partikelspur f <Kern.>	trace f [de la particule] <nucl.>	след [частицы], трек, трэк <яд.>
	track	s. a. track of trajectory		
	track breadth	s. track width		
	track chamber	s. track detector		
T 1728	**track-chamber experiment**	Spur[en]kammerexperiment n, Kammerexperiment n	expérience f à chambre à trace	эксперимент (опыт) с трековым детектором

	English	German	French	Russian
T 1729	track-chamber photograph	Spur[en]kammeraufnahme f, Kammeraufnahme f	photographie f par chambre à trace	снимок следов частиц в трековом детекторе
T 1730	track clogging	Spurverunreinigung f	blocage m de la trace	блокировка следа
	track concentration	s. track density		
	track delineating chamber, gas discharge track chamber, gas discharge track detector	Gasspurenkammer f, Gasspurkammer f, Gasentladungs-Spurdetektor m	détecteur m à trace à décharge, chambre f à trace à décharge	газоразрядный трековый детектор
	track delineating chamber, isotropic [spark] chamber	isotrope Funkenkammer f	chambre f à étincelles isotrope, chambre isotrope	изотропная искровая камера, изотропная камера
T 1731	track density, track concentration, concentration of the tracks <nucl.>	Spurdichte f, Spurendichte f <Kern.>	concentration f des traces, densité f des traces <nucl.>	плотность следов, концентрация следов <яд.>
T 1732	track detector, nuclear track detector, tracking detector; [nuclear] track chamber, tracking chamber	Spurdetektor m, Kernspurdetektor m, Spurendetektor; Spurkammer f, Kernspurkammer f, Spurenkammer f	détecteur m à trace; chambre f à trace	трековый детектор [частиц], трэковый детектор [частиц]; трековая камера, трэковая камера, следовая камера
T 1733	track displacement	Spurverschiebung f	décalage (déplacement) m de trace	смещение следа
T 1734	track distortion	Spurverzerrung f	distorsion f du relevé	искажение следа
T 1735	track edge	Spurbegrenzung f	limite f de trace, bord m de trace	край следа
T 1736	track fading	Spurfading n, Fading n der Spur	fading m de trace	замирание следа
	tracking; detection; tracing; proof; verification; evidence	Nachweis m, Detektion f, Detektierung f, Beobachtung f, Feststellung f, Entdeckung f; [experimenteller] Beweis m	détection f; mise f en évidence; décèlement m, évidence f	обнаружение, детектирование; [эксперимен-тальное] доказательство, свидетельство
T 1737	tracking, tracing	Verfolgung f <Spur>	traçage m; pistage m, poursuite f; dépistage m, localisation f dynamique, cheminement m	прослеживание, слежение
T 1738	tracking <in insulation>	Kriechwegbildung f	formation f de trace dans l'isolement	образование следа; оставление следа; образование проводящих мостиков; образование пути утечки тока
T 1739	tracking, following <in the trajectory>	Nachlauf m <in der Bahn>	traçage m <dans la trajectoire>	сопровождение цели, слежение за целью, прослеживание
T 1740	tracking <of discharge>	Spurbildung f [bei der Entladung]	relevé m de trajectoire [dans la décharge]	образование следа [при разряде]
T 1741	tracking beam	Spurstrahl m	rayon m de conjugaison	сопровождающий луч
	tracking chamber	s. track detector		
T 1742	tracking circuit	Nachlaufschaltung f	circuit m d'asservissement	схема сопровождения
	tracking current	s. surface leakage current		
	tracking detector	s. track detector		
	tracking noise	s. track noise		
T 1743	tracking of path	Bahnverfolgung f	relevé m de la trajectoire, localisation f de la trajectoire, traçage m	прослеживание пути, слежение за траекторией
	tracking path; leakage path <el.>	Kriechweg m; Kriechstrecke f <El.>	ligne f de fuite <él.>	путь утечки, путь тока утечки; путь скользящего разряда <эл.>
T 1744	tracking radar	Verfolgungsradar n	radar m de poursuite, radar traqueur	радиолокационная станция сопровождения [целей]
T 1745	tracking resistance, non-tracking quality	Kriechstromfestigkeit f, Gleichstrom-Kriechstromfestigkeit f	résistance f au courant de fuite [superficielle]	стойкость к токам утечки; стойкость к скользящим разрядам, сопротивление действию блуждающего тока
	track in nuclear emulsion	s. nuclear track		
T 1746	track length	Spurenlänge f, Spurlänge f	longueur f de trace	длина следа
T 1746a	track noise, tracking noise	Spurverwaschung f	bruit m de traçage	шум при сопровождении реальной цели
	track of the nucleus	s. nuclear track		
	track of the particle	s. track <nucl.>		
T 1746b	track of the storm, storm track	Sturmbahn f	trajectoire f de la tempête	траектория (путь) бури
T 1747/8	track of trajectory, trace of trajectory, track	Bahnspur f	piste f de trajectoire, trace f	след пути, олед, траектория
	track photograph, nuclear track photograph	Kernspuraufnahme f, Spuraufnahme f	photographie f de traces, photo f de traces	снимок следов [частиц], фотоснимок следов [частиц]
T 1749	track placement	Spurlage f	emplacement m de la piste	положение фонограммы
T 1750	track population	Bahnzahl f, Spurenzahl f	nombre m de traces	число следов
	track resistant	s. non-tracking		
T 1751	track-sensitive volume <of cloud chamber>	empfindliches Volumen n <Nebelkammer>	volume m sensible <de la chambre à détente>	чувствительный объем <камеры Вильсона>
T 1752	track width, width of the track	Spurbreite f	largeur f de piste	ширина фонограммы
T 1753	track width, track breadth, width of the track <nucl.>	Spurbreite f, Spurenbreite f <Kern.>	largeur f de trace <nucl.>	ширина следа <яд.>
	traction; tension; pull, pulling	Ziehen n, Zug m, Auseinanderziehen n	tension f; traction f; tirage m; étirage m	растяжение; растягивание; вытягивание
T 1754	traction; pull[ing]; drawing; tug; drag	Ziehen n, Zug m, Fortziehen n; Schleppen n	traction f; traînage m	тяга; буксирование
	traction	s. a. tractive force		

	English	German	French	Russian
T 1755	**tractional resistance,** tractive resistance	Zugwiderstand m; Fahrt-widerstand m	résistance f à la traction	тяговое сопротивление, сопротивление тяге, сопротивление протягиванию
	traction coefficient	s. thrust coefficient		
	traction dynamometer, tension dynamometer; tractive force meter	Zugdynamometer n, Zugkraftmesser m, Zugkraftmeßgerät n, Zugmeßgerät n, Zugmesser m	dynamomètre m à traction, appareil m à mesurer la force de traction	тяговый динамометр, динамометр для измерения силы тяги, измеритель силы тяги, тягомер
	traction relief, traction relieving; tension relief, tension relieving	Zugentlastung f	décharge f de traction, soulagement m de traction	разгрузка от растягивающего напряжения
T 1756	**tractive action**	Zugwirkung f	action f de traction	действие тяги
	tractive effort	s. tractive force		
	tractive force, tractive effort, traction; tensile (stretching) force, pull, pull[ing] force	Zugkraft f, Zug m	force f (effort m, sollicitation f) de traction; force de rappel	растягивающая сила, растягивающее усилие; сила тяги, тяговое усилие; влекущая сила
	tractive force meter; tension dynamometer, traction dynamometer	Zugdynamometer n, Zugkraftmesser m, Zugkraftmeßgerät n, Zugmeßgerät n, Zugmesser m	dynamomètre m à traction, appareil m à mesurer la force de traction	тяговый динамометр, динамометр для измерения силы тяги, измеритель силы тяги, тягомер
	tractive force meter, tractive force transducer	Zugkraftmeßdose f, Zugkraftdose f. Zugmeßdose f, Zugkraftgeber m	capteur m de la force de traction	датчик тягового усилия
T 1757	**tractive force recorder**	Zugkraftschreiber m, Zugschreiber m	enregistreur m de la force de traction	прибор для записи силы тяги, самопишущий тягомер
T 1758	**tractive force transducer,** tractive force meter	Zugkraftmeßdose f, Zugkraftdose f, Zugmeßdose f, Zugkraftgeber m	capteur m de la force de traction	датчик тягового усилия
	tractive resistance, tractional resistance	Zugwiderstand m; Fahrt-widerstand m	résistance f à la traction	тяговое сопротивление, сопротивление тяге, сопротивление протягиванию
	tractor, derived vector <math.>	derivierter Vektor m, Traktor m <Math.>	vecteur m dérivé, tracteur m <math.>	производный вектор, трактор <матем.>
T 1759	**tractor airscrew (propeller, screw),** forward airscrew, puller airscrew	Zugschraube f	tracteur m	тянущий винт; натяжной винт
T 1760	**tractory**	Traktorie f	tractoire f	трактория
T 1761	**tractory of Huyghens, tractrix,** Huyghens tractory	Traktrix f, Schleppkurve f, Traktorie f von Huygens, Hundekurve f	tractrice f, tractoire f d'Huygens	трактриса
	trade, trade wind	Passat m, Passatwind m	vent m alizé, alizé m	пассат, пассатный ветер
T 1762	**trade inversion**	Passatinversion f	inversion f d'alizé	пассатная инверсия
T 1763	**trade-name**	Handelsname m, Handelsbezeichnung f, handelsübliche Bezeichnung f	nom m commercial	фирменное название, условное название
T 1764	**trade wind,** trade	Passat m, Passatwind m	vent m alizé, alizé m	пассат, пассатный ветер
T 1765	**traffic channel,** route	Leitweg m	voie f d'acheminement, trajet m	путь прохождения, направление прохождения; путь для направления
T 1766	**trailing** <of the spiral arms>	feuerradähnliche Rotation f	enroulement m des bras spiraux dans le sens de la rotation	скручивание галактических рукавов, закручивание ветвей
T 1767	**trailing edge,** lagging edge, back edge <of the pulse>, back pulse front	Rückflanke f, Hinterflanke f, Rückkante f, Hinterkante f, Schleppkante f <Impuls>, Impulshinterflanke f, Impulsrückflanke f	front m arrière, queue f <d'impulsion>	задний фронт, сбегающий скат, спадающая часть, спад <импульса>
T 1768	**trailing edge** <aero.>	Hinterkante f; Abströmkante f <Aero.>	bord m de fuite, arêtier m arrière <aéro.>	задняя кромка, ребро-схода, задний обтекатель <аэро.>
T 1769	**trailing-edge drag,** trailing-vortex drag, edge drag, induced drag, drag due to lift, drag from lift, vortex drag, additional drag, additional resistance <aero.>	induzierter Widerstand m, Randwiderstand m, zusätzlicher Widerstand <Aero.>	entraînement m induit, résistance f induite <aéro.>	индуктивное сопротивление, индуктивное лобовое сопротивление, добавочное лобовое сопротивление
	trailing-edge flap	s. camber changing flap <of airfoil>		
	trailing motion	s. creeping motion <bio.>		
T 1770	**trailing point**	Abströmungspunkt m	point m de fuite	точка схода
T 1771	**trailing-pointer instrument**	Schleppzeigergerät n, Schleppzeigerinstrument n	appareil m de mesure à aiguille entraînée	измерительный прибор с контрольной стрелкой, прибор с контрольной стрелкой
T 1772	**trailing vortex,** trailing vorticity	Kantenwirbel m	tourbillon m marginal	вихрь, сбегающий с задней кромки
	trailing vortex	s. a. tip vortex		
	trailing-vortex drag	s. trailing-edge drag		
	trailing vorticity	s. trailing vortex		
	trail of the meteor, meteor trail	Spur f des Meteors, Meteorspur f	trace f météorique, trace du météore	след метеора
T 1773	**training** <of cathode>	Einbrennen n, Trainieren n <Katode>	formation f, entraînement m <de la cathode>	формовка, тренировка <катода>
T 1774	**training reactor**	Ausbildungsreaktor m, Hochschulreaktor m	réacteur m (pile f) d'enseignement	учебный реактор, реактор для учебных целей
	train of impulses	s. pulse train		
	train of measurand	s. series of measurands		
T 1775	**train of the meteor,** meteor train	Schweif m des Meteors, Meteorschweif m	traînée f du météore	след метеора, метеорный след

	English	German	French	Russian
	train of waves, wave train, pulse of waves **train of waves**	Wellenzug m, Schwingungszug m s. a. pulse train	train m d'ondes, série f d'ondes	группа волн, серия волн, цуг волн, цепь волн
T 1776	**train weather**	Rückseitenwetter n	temps m de traîne [du système dépressionnaire]	погода в тылу [циклона]
T 1777	**trajection**	Trajektion f	trajection f	траекция
T 1778	**trajectory,** path, pathway, path line, flight path, way	Bahn f, Bahnkurve f, Bahnlinie f, Flugbahn f, Trajektorie f, Zugstraße f, Weg m	trajectoire f, trajectoire de vol; chemin m	траектория; траектория полета; путь [перемещения]
T 1779	**trajectory** <math.>	Trajektorie f <Math.>	trajectoire f <math.>	траектория <матем.>
	trajectory of air [mass], trajectory of air particle, air trajectory	Luftbahn f, Lufttrajektorie f, Trajektorie f der Luftteilchen	trajectoire de l'air, trajectoire de la particule d'air	траектория воздуха, траектория воздушной частицы
T 1780	**trajectory of ejection**	Ejektionsbahn f	trajectoire f d'éjection	траектория выбр сывания
T 1781	**trajectory of principal extensions (strains)**	Hauptdehnungslinie f, Hauptdehnungstrajektorie f	trajectoire f des dilatations principales	траектория главных удлинений
T 1782	**trajectory of principal stresses,** principal stress trajectory, line of principal stresses **trajectory of projection**	Hauptspannungslinie f, Hauptspannungstrajektorie f, Hauptlinie f, Hauptdehnungslinie f s. trajectory of the body thrown	trajectoire f des contraintes principales, trajectoire des tensions principales, isostatique f, ligne f isostatique	траектория главных напряжений
T 1783	**trajectory of sound,** sound trajectory, sound path **trajectory of stress,** stress trajectory	Schallbahn f, Schallweg m Spannungstrajektorie f	trajectoire f du son, voie f du son trajectoire f de tensions	траектория звука, путь звука траектория напряжений
T 1784	**trajectory of the body thrown,** trajectory of projection **trajectory of the meteor,** meteor path	Wurfbahn f Bahn f des Meteors, Meteorbahn f	trajectoire f du corps [pro]jeté, trajectoire de projection trajectoire f du météore	траектория полета брошенного тела траектория метеора, путь метеора
T 1785	**trajectory of the vortex,** vortex trajectory, vortex path	Wirbelbahn f	trajectoire f du tourbillon	траектория вихря
T 1786	**trajectory of the wind,** wind trajectory, wind course, wind path	Windbahn f, Windweg m	trajectoire f du vent, chemin m du vent	путь ветра
T 1787	**trajectory of water particle,** water trajectory	Wasserbahn f	trajectoire f de la particule d'eau, trajectoire d'eau	траектория частицы воды, траектория воды
T 1788	**trajectory parabola**	Wurfparabel f	parabole f de projection	парабола метания
T 1789	**Tralles degree**	Tralles-Grad m	degré m Tralles	градус Траллеса
	trammel, ellipsograph, elliptic trammel	Ellipsograph m, Ellipsenzirkel m, Ovalzirkel m	ellipsographe m	эллипсограф, эллиптический циркуль
T 1790	**tranquil flow,** streaming flow, slow flow, subcritical flow <hydr.>	ruhiges Fließen n, ruhige Strömung f, ruhiger Strom m, Strömen n, strömende Bewegungsart f <Hydr.>	écoulement m tranquille, écoulement [en régime] fluvial, régime m fluvial <hydr.>	спокойное течение <гидр.>
T 1791	**tranquillization,** smoothing <e.g. of oscillation, flow>	Beruhigung f	tranquillisation f, aplatissement m	успокоение
T 1792	**trans-acceptor,** transacceptor	trans-Akzeptor m, Transakzeptor m	transaccepteur m	транс-акцептор
T 1792a	**transactinide [element], transactinoide**	Transaktinoid n, Transactinoid n, Transaktinid n, Transactinid n	transactinoïde m, transactinide m	трансактиноид, трансактинид, трансактиниевый элемент
T 1793	**trans-addition**	trans-Addition f, Transaddition f	addition f trans, réaction f d'addition trans	транс-присоединение; реакция присоединения, дающая транс-изомер
T 1794	**transadmittance,** transconductance **transadmittance**	Durchgangsscheinleitwert m; Elektronenleitfähigkeit f s. a. transconductance	transadmittance f	полная динамическая [амплитудная] проводимость
T 1795	**transauroral line**	Transauroralinie f; rote Polarlichtlinie f; Nebellinie f <Übergang vom höchsten metastabilen in den Grundzustand>	raie f transaurorale, ligne f transaurorale	трансавроральная линия
T 1796	**transceiver,** transmitter receiver	Sende-Empfangs-Gerät n, Sendeempfänger m, Senderempfänger m, Tran[s]ceiver m	émetteur-récepteur m, poste m émetteur-récepteur	приемо-передатчик, приемно-передающее устройство
T 1797	**transcendality,** transcendence, transcendency	Transzendenz f	transcendance f	трансцендентность
T 1798	**transcendental, transcendental number**	transzendente Zahl f	nombre m transcendant, transcendant m	трансцендентное (неалгебраическое) число
T 1799	**transconductance,** gridplate transconductance, mutual conductance, internal conductance; static transconductance, static mutual conductance, short-circuit transconductance, transadmittance, slope [of the emission characteristic], slope conductance	Steilheit f [der Elektronenröhre], Röhrensteilheit f, Elektronenröhrensteilheit f, Kennliniensteilheit f, [der Elektronenröhre] Kurzschlußsteilheit f, statische Steilheit, statische Kennliniensteilheit, statische Röhrensteilheit	pente f [de caractéristique], conductance f interne [du tube], conductance de transfert [du tube]; pente statique [de caractéristique], pente de caractéristique en court-circuit, conductance f interne statique [du tube], conductance de transfert statique [du tube]	крутизна характеристики электронной лампы; статическая крутизна характеристики
T 1800	**transconductance** <of the transistor>	Steilheit f [des Transistors], Transistorsteilheit f	pente f [du transistor], conductance f interne [du transistor]	крутизна [характеристики полупроводникового триода]

	English	German	French	Russian
T 1801	**transconductance**	s. a. transadmittance		
	transconductance characteristic, mutual characteristic	Steilheitskennlinie f, Steilheitscharakteristik f	caractéristique f de pente	кривая крутизны в зависимости от напряжения на сетке
T 1802	**transconductance constant**	Steilheitskonstante f	facteur m de pente	коэффициент крутизны
	transconductance distortion, anode current distortion	Steilheitsverzerrung f, Anodenstromverzerrung f	distorsion f du courant anodique, distorsion due à la variation de pente	искажение анодного тока
T 1803	**transconductance-to-capacitance ratio,** figure of merit	S/C-Verhältnis n, Steilheit/Elektrodenkapazität-Verhältnis n	rapport m pente/capacité	отношение крутизна характеристики/емкость электрода
T 1804	**trans[-]configuration**	trans-Konfiguration f	configuration f trans	*транс-*конфигурация, трансконфигурация
T 1805	**transcriber,** converter unit <num. math.>	Übersetzer m, Umschreiber m, Umsetzer m <num. Math.>	traducteur m, dispositif (réseau) m de décodage, décodeur m, déchiffreur m <math. num.>	дешифратор, декодирующее устройство <числ. матем.>
T 1806	**transcription** <bio.>	Transkription f, Umschreibung f <Bio.>	transcription f <bio.>	транскрипция <био.>
T 1807	**transcrystalline cleavage,** transgranular cleavage	intrakristalline Spaltung f, transkristalline Spaltung	clivage m transcristallin	транскристаллитный кливаж, внутрикристаллитный кливаж
T 1808	**transcrystalline fracture,** transgranular fracture, fracture across the grains	intrakristalliner (transkristalliner) Bruch m, Bruch quer durch Einzelkristalle	fracture f intracristalline, fracture transcristalline	транскристаллитное разрушение
	transcrystallization	s. columnar granulation		
T 1809	**transcurium nuclide**	Transcuriumnuklid n <Nuklid mit einer Ordnungszahl > 96>	nucléide m transcurien	транскюриевый (закюриевый) изотоп
T 1810	**transcurrent fault,** cross fault, proparaclase	Querverwerfung f	faille f transversale, décrochement m transversal, faille orthogonale, proparaclase m	поперечный сброс, сброс вкрест простирания, пропараклаз
T 1811	**trans[-]donor**	trans-Donator m, Transdonator m	transdonneur m	*транс-*донор
	transducer, communication (transmission, transfer) system	Übertragungssystem n	système m de transmission	система передачи
T 1812	**transducer,** measuring transformer, instrument transformer, transformer, converter, pick-up, sensor detector <meas.>	Meßgrößenumformer m; Meßwandler m, Wandler m, Transducer m, Transformator m, Meßumformer m, Meßtransformator m, Meßtrafo m; Meßgeber m, Geber m; Taster m; Sonde f; Aufnehmer m; Umsetzer m; Sender m; Meßwertumformer m, Meßwertwandler m <Meß.>	convertisseur m de mesure, convertisseur [de données], transducteur m de mesure, transducteur [de données], traducteur m de mesure, traducteur [de données], transformateur m de mesure, transformateur [de données], élément m sensible à la grandeur physique, capteur m, détecteur m de mesure <mes.>	измерительный трансформатор, измерительный преобразователь, преобразователь [измеряемой величины], измерительный датчик, датчик <изм.>
	transducer	s. a. ultrasonic generator		
T 1813	**transducer loss**	Wandlerverlust m	perte f du convertisseur de mesure	потеря от измерительного трансформатора
T 1814	**transducing of experimental values,** transduction of experimental values	Meßwertumformung f	conversion f des valeurs expérimentales, transduction f des valeurs expérimentales	преобразование измеряемой величины, преобразование измеряемого значения
T 1814a	**transduction** <bio.>	Transduktion f <Bio.>	transduction f <bio.>	трансдукция <био.>
T 1815	**transductor**	Transduktor m, gleichstromvormagnetisierbare Drosselspule f	transducteur m	трансдуктор, подмагничиваемый постоянным током насыщенный реактор
	transductor	s. a. magnetic amplifier		
T 1816	**transection-type glacier,** trough glacier	Jochgletscher m	glacier m diffluent	переметный ледник, дифлюэнтный ледник, двойниковый ледник
T 1817	**trans-effect**	Trans-Effekt m	effet m trans	*транс-*эффект
T 1818	**transelectron,** passing electron	Transelektron n	électron m de passage	пролетный электрон, пролетающий электрон
T 1819	**trans-elimination**	trans-Eliminierung f, trans-Abspaltung f	élimination f de l'isomère trans, élimination trans	*транс-*отщепление, *транс-*элиминирование, выделение *транс-*изомера
T 1820	**transfer,** transference, transport, carrying[-] over	Übertragung f; Überführung f; Übergang m; Transfer m	transfert m, transport m, déplacement m	перемещение, перенос, перенесение, сдвиг, передача; унос
	transfer, material pick-up, pick-up material transfer	Werkstoffübertragung f, Übertragung f von Werkstoffen	transfert m de matériaux	перенос материала, перенос вещества
T 1821	**transfer** <of relay>	Umschlagen n <Relais>	transfert m <du relais>	переключение <реле>
T 1822	**transfer** <num. math.>	Überführung f <num. Math.>	transmission f <math. num.>	передача <числ. матем.>
T 1823	**transfer** <phot.>	Übertragung f, Transfer m <Phot.>	report m, transfert m <phot.>	перенос [фотографического изображения] <фот.>
	transfer	s. a. jump		
T 1824	**transfer admittance,** forward transadmittance, short-circuit transfer admittance	Übertragungsleitwert m, Kernleitwert m, Kurzschluß-Kernleitwert m, Kopplungsleitwert m	admittance f de transfert [en court-circuit]	полная проводимость передачи, приведенная проводимость, [полная] проводимость внутренней связи [короткого замыкания], [полная] взаимная проводимость [четырехполюсника]

	transfer agent	s. carrier		
T 1825	**transfer characteristic**	Übertragungscharakteristik f, Übertragungskennlinie f	caractéristique f entrée-sortie, caractéristique de transmission (transfert)	передаточная характеристика, характеристика передачи
T 1826	**transfer characteristic**	Übergangscharakteristik f, Übergangskennlinie f, Ausgleichscharakteristik f	caractéristique f transitoire	переходная характеристика, переходная кривая
	transfer characteristic, control characteristic	Steuerkennlinie f, Steuercharakteristik f; Steuerstabkennlinie f <Reaktor>	caractéristique f de commande, caractéristique de réglage	характеристика управления
T 1827	**transfer coefficient,** transport coefficient	Transportkoeffizient m	coefficient m de transfert, coefficient de transport	коэффициент переносса
T 1827a	**transfer coefficient,** transfer factor <el.chem.>	Durchtrittsfaktor m <El. Chem.>	coefficient m de transfert <él. chim.>	коэффициент переноса <эл. хим.>
	transfer coefficient	s. a. heat transfer coefficient		
	transfer coefficient	s. a. propagation constant		
	transfer coefficient	s. a. transfer ratio <of network>		
T 1828	**transfer collision**	Umladungsstoß m, Stoß m mit Umladung	choc à transfert de charge, choc de transfert	столкновение с передачей заряда, столкновение с перезарядкой
	transfer command	s. jump		
	transfer constant	s. propagation constant		
T 1829	**transfer container,** shipping container, container	Transportbehälter m, Transportkontainer m, Kontainer m, Container m	récipient m de transfert, conteneur m de transport, conteneur, caisse f de transport, container m	переносный контейнер, передвижной контейнер, транспортный контейнер, транспортировочный контейнер, контейнер
T 1830	**transfer current ratio**	Stromübertragungsfaktor m [rückwärts]	rapport m de transfert en courant	коэффициент передачи по току, коэффициент передачи тока
T 1831	**transfer effect**	Übertragungseffekt m	effet m de transfert	эффект переноса
T 1832	**transfer element;** transfer section	Übertragungsglied n	élément (organe) m de transfert	элемент (орган, звено) передачи
	transfer ellipse	s. transfer trajectory		
	transference	s. transfer		
T 1832a	**transference experiment**	Überführungsexperiment n	expérience f de transfert	опыт (эксперимент) переноса
	transference number, transport number	Überführungszahl f, Hittorfsche Überführungszahl	nombre m de transport [des ions]	число переноса [ионов], коэффициент переноса (перемещения)
	transference of heat	s. heat transfer		
	transfer energy, energy of transfer <Therm.>	Überführungsenergie f <Therm.>	énergie f de transfert <therm.>	перенесенная энергия <тепл.>
	transfer entropy	s. entropy of transfer		
T 1833	**transfer equation**	Übertragungsgleichung f	équation f de transmission	уравнение передачи
T 1833a	**transfer factor,** conjugon <bio.>	Transferfaktor m, Konjugon n <Bio.>	facteur m de transfert, conjugon m <bio.>	фактор переноса, конъюгон <био >
	transfer factor	s. a. propagation constant		
	transfer factor	s. a. transfer ratio <of network>		
	transfer factor	s. a. transfer coefficient <el. chem.>		
T 1834	**transfer function,** performance operator, TF	Übertragungsfunktion f, ÜF	transmittance f, fonction f de transfert, opérateur m de performance, admittance f généralisée	передаточная функция, оператор линейного звена
	transfer function meter	s. transferometer		
	transfer function of the closed-loop system	s. closed-loop transfer function <control>		
	transfer function of the open-loop system	s. open-loop transfer function		
T 1835	**transfer impedance**	Übertragungsimpedanz f, Übertragungswiderstand m, Kernwiderstand m, Kopplungswiderstand m	impédance f de transfert	полное сопротивление передачи
	transfer jack, break jack, disconnect jack	Trennklinke f	jack m de rupture, clé m de sectionnement	разъединительное гнездо, гнездо с размыкающимся контактом
T 1836	**transfer locus,** Nyquist plot, Nyquist locus, response vector locus	Nyquist-Diagramm n, Nyquist-Kurve f, Ortskurve f des Frequenzganges	lieu m de transfert (Nyquist), lieu de réponse en fréquences, diagramme m de Nyquist	[частотный] годограф, годограф Найквиста, частотная характеристика; амплитудно-фазовая характеристика
T 1837	**transfer matrix;** reciprocal transmission matrix	Übertragungsmatrix f, Betriebs-Kettenmatrix f	matrice f de transfert	матрица передачи
T 1838	**transfer mechanical impedance**	mechanische Übertragungsimpedanz f	impédance f mécanique de transfert	механическое сопротивление передачи
	transfer medium	s. heat-transfer agent		
T 1839	**transfer of air masses,** transport (journey) of air masses	Luftmassentransport m, Luftmassenverfrachtung f, Luftmassenversetzung f	transfert m de masse d'air	перенос воздушных масс
	transfer of constant	s. jump		
T 1840	**transfer of heat,** heat transfer, transition of heat, heat transition <from a solid to a streaming fluid in direct contact with it>	Wärmeübergang m <Wärmeaustausch zwischen einem Körper und einem ihn unmittelbar berührenden strömenden Stoff>	transfert m de la chaleur, transition f de la chaleur <d'un solide à un fluide coulant>	теплоотдача, переход тепла, теплопереход <от нагревающей среды к стенке или от стенки к нагреваемой среде>
	transfer of heat	s. a. heat transfer		
	transfer of momentum	s. momentum transfer		
	transfer of solids	s. transport of solids <geo.>		

	English	German	French	Russian
T 1841	**transfer of the length**	Längenübertragung *f*	transfert *m* de la longueur	перенесение длины
T 1842	**transferometer,** transfer function meter	Transferometer *n*	transféromètre *m*	трансферометр, прибор для определения передаточных функций
	transfer orbit	s. transfer trajectory		
	transfer overpotential	s. transition overpotential		
T 1843	**transfer phenomenon** <therm.>	Überführungsphänomen *n* <Therm.>	phénomène *m* de transfert <therm.>	явление переноса <тепл.>
	transfer polarization	s. transition overpotential		
T 1844	**transfer process** <phot.>	Übertragungsprozeß *m* <Phot.>	procédé *m* de transfert, mécanisme *m* du transfert <phot.>	процесс переноса <фот.>
T 1845	**transfer ratio,** transfer coefficient, transfer factor <of network>	Übertragungsfaktor *m*, Übersetzung *f*, Übertragungsverhältnis *n* <Vierpol>	rapport *m* de transfert, transmittance *f* <du quadripôle>	коэффициент передачи <четырехполюсника>
T 1845a	**transfer reaction** <el.chem.>	Durchtrittsreaktion *f* <El. Chem.>	réaction *f* de transfert <él. chim.>	реакция переноса, промежуточная реакция <эл. хим.>
T 1846	**transfer reaction** <nucl.>	Transferreaktion *f*, Transferkernreaktion *f* <Kern.>	réaction *f* de transfert [d'un nucléon] <nucl.>	реакция с передачей [нуклона], реакция передачи <яд.>
	transfer reaction	s. a. charge transfer reaction		
T 1847	**transfer resistance,** transmission resistance	Übertragungswiderstand *m*, Übertragungswirkwiderstand *m*	résistance *f* de transfert	сопротивление передачи, активное сопротивление передачи
	transfer resistor	s. transistor		
T 1847a	**transfer ribonucleic acid, transfer RNA,** soluble ribonucleic acid, soluble RNA, tRNA, sRNA	Transfer-Ribonukleinsäure *f*, Überträger-Ribonukleinsäure *f*, lösliche Ribonukleinsäure *f*, Transfer-RNS *f*, Überträger-RNS *f*, lösliche RNS *f*, Aminosäure-Akzeptor-RNS *f*, tRNS, t-RNS, sRNS	acide *m* ribonucléique de transfert, acide ribonucléique soluble, ARN *m* de transfert, ARN soluble, RNA *m* de transfert, RNA soluble, tARN, sARN	транспортная рибонуклеиновая кислота, растворимая рибонуклеиновая кислота, транспортная РНК, растворимая РНК, тРНК, рРНК
	transfer RNA	s. transfer ribonucleic acid		
	transfer section	s. transfer element		
T 1848	**transfer symmetry**	Übertragungssymmetrie *f*, Kopplungssymmetrie *f*, Kernsymmetrie *f*, Umkehrbarkeit *f* <Vierpol>	symétrie *f* de transfert	симметрия передачи
	transfer system, communication (transmission) system, transducer	Übertragungssystem *n*	système *m* de transmission	система передачи
T 1848a	**transfer technique** <chromatography>	Übertragung *f*, Überführung *f*, Transfertechnik *f* <Chromatographie>	technique *f* de transfert, transfert *m* <chromatographie>	перенос, передача, метод переноса <хроматография>
	transfer theorem for moment of inertia	s. parallel[-] axis theorem		
	transfer theory	s. transport theory		
T 1849	**transfer trajectory;** transfer ellipse; transfer orbit	Übergangsbahn *f*; Übergangsellipse *f*	trajectoire *f* de transfert; ellipse *f* de transfert; orbite *f* de transfert	переходная траектория; переходная орбита, орбита перехода
T 1850	**transfer voltage ratio,** transmission gain	Spannungsübertragungsfaktor *m* [rückwärts]	rapport *m* de transfert en tension	коэффициент передачи по напряжению, коэффициент передачи напряжения
T 1851	**transfiguration of network,** transformation of network, network transformation	Netztransfiguration *f*, Netzumwandlung *f*	transfiguration *f* de réseau, transformation *f* de réseau	преобразование цепей; преобразование сети
T 1852	**transfinite diameter**	transfiniter Durchmesser *m*	diamètre *m* transfini	трансфинитный диаметр
T 1853	**transfinite induction**	transfinite Induktion *f*, [transfinite] Rekursion *f*	induction *f* transfinie, récurrence *f* transfinie	трансфинитная индукция
T 1854	**transfluence**	Transfluenz *f*	transfluence *f*	«перетекание» [ледника через перевал]
T 1855	**transfluxor**	Transfluxor *m*	transfluxor *m*, transfluxeur *m*	трансфлюксор, трансфлюксор
T 1856	**transfocator**	Transfokator *m* [von Gramatzki]	transfocateur *m*	трансфокатор [Грамацкого]
	trans-form, trans-[stereo]isomer, trans-isomeride	trans-Form *f*, trans-Isomer *n*	isomère *m* trans, forme *f* trans	*транс*-изомер, *транс*-изомерная форма, *транс*-форма
T 1857	**transform,** image function, image <math.>	Transformierte *f*, Unterfunktion *f*, Bildfunktion *f*, Resultatfunktion *f* <Math.>	transformée *f*, fonction *f* image, image *f* <math.>	изображение [функции], преобразованная функция (форма), результат преобразования, образ, трансформанта, трансформа <матем.>
	transform	s. a. transformation <math.>		
T 1858	**transformability**	Transformierbarkeit *f*	transformabilité *f*	преобразуемость, трансформируемость
	transformation, rearrangement, reorganization, transposition <chem.>	Umlagerung *f*, Umgruppierung *f* <Chem.>	regroupement *m*, transposition *f* <chim.>	перегруппировка, перегруппирование, перестройка <хим.>
T 1859	**transformation** <bio.>	Transformation *f* <Bio.>	transformation *f* <bio.>	трансформация <био.>
T 1860	**transformation** <el.>	Transformation *f*; Umspannung *f* <El.>	transformation *f* <él.>	трансформация, трансформирование, преобразование <эл.>
T 1861	**transformation,** transform <math.>	Transformation *f* <Math.>	transformation *f* <math.>	преобразование; трансформирование, трансформация <напр. матрицы> <матем.>

T 1862	**transformation**, rewriting, conversion <of the equation> <math.>	Umformung f, Umschreibung f <der Gleichung> <Math.>	transformation f, conversion f <de l'équation> <math.>	преобразование, превращение, переписание <формулы> <матем.>
	transformation, transition, phase change, change <met.>	Umwandlung f, Übergang m, Phasenumwandlung f, Phasenübergang m <Met.>	transition f, transformation f, changement m de phase, changement d'état <mét.>	фазовый переход, фазовое превращение, переход, превращение <мет.>
	transformation, nuclear transformation, transformation of nucleus, atomic transformation, nuclear transmutation, transmutation of nucleus, atomic transmutation <nucl.>	Kernumwandlung f, Umwandlung f [des Atomkerns], Atomumwandlung f, Transmutation f <Kern.>	transmutation f nucléaire, transmutation [du noyau], transmutation atomique, transformation f nucléaire, transformation [du noyau], transformation atomique <nucl.>	превращение ядра, превращение атомного ядра, превращение, ядерное превращение, атомное превращение <яд.>
T 1863	**transformation** <phot.>	Umbildung f <Phot.>	redressement m <phot.>	фототрансформирование, трансформирование, преобразование <фот.>
	transformation apparatus	s. rectifier		
T 1864	**transformation by zones**	Zonentransformation f	transformation f par zones	трансформирование по зонам, трансформирование по частям
	transformation carrying circles into circles	s. circle property		
	transformation chain	s. disintegration chain		
T 1865	**transformation circle**	Transformationskreis m	cercle m de transformation	круг преобразования
	transformation constant	s. decay constant		
T 1866	**transformation drawing apparatus**, mechanical type plotting machine, mechanical type of plotting machine	Umzeichengerät n; Luftbildumzeichner m	redresseur m graphique, redresseur mécanique, camera f clara, camera lucida, chambre f claire	графический трансформатор [аэроснимков], аэрофотограмметрический трансформатор, прибор для перечерчивания, копировальный прибор, камера клара
	transformation energy, energy of transformation, energy of transition, transition energy	Umwandlungsenergie f	énergie f de transformation, énergie de transition, énergie de changement de phase	энергия превращения, энергия фазового превращения
	transformation enthalpy	s. heat of transformation		
	transformation entropy, entropy of transformation, entropy of transition, transition entropy	Umwandlungsentropie f	entropie f de transformation, entropie de transition, entropie de changement de phase	энтропия превращения, энтропия фазового превращения
T 1867	**transformation equation**	Transformationsgleichung f	équation f de transformation	уравнение преобразования
T 1868	**transformation factor [of the discharge gap]**	Transformationsfaktor m [der Entladungsstrecke]	facteur m de transformation [de l'éclateur]	коэффициент преобразования [разрядного промежутка]
	transformation family	s. radioactive family <nucl.>		
T 1869	**transformation group**	Transformationsgruppe f	groupe m de transformations	группа преобразований
	transformation heat	s. heat of transformation		
T 1870	**transformation hysteresis**	Umwandlungshysteresis f, Umwandlungshysterese f	hystérésis f de transformation	гистерезис превращения
	transformation interval	s. transformation range		
T 1871	**transformation into firn (névé)**	Verfirnung f	transformation f en névé	фирнизация, превращение в фирн
T 1872	**transformation line**	Transformationsleitung f	ligne f de transformation	трансформирующая линия
T 1873	**transformation loop**	Transformationsschleife f	boucle f de transformation, boucle d'adaptation	трансформирующий шлейф, трансформирующая петля
	transformation matrix, matrix of the transformation	Transformationsmatrix f, Koeffizientenmatrix f der Transformation	matrice f de passage	матрица преобразования
T 1874	**transformation network**	Transformationsvierpol m	quadripôle m de transformation	трансформирующий четырехполюсник
T 1875	**transformation of air mass**	Umwandlung f der Luftmasse	transformation f de la masse d'air	трансформация воздушной массы
	transformation of Clebsch, Clebsch['s] transformation	Clebsch-Transformation f, Clebschsche Transformation f	transformation f de Clebsch	преобразование Клебша
T 1876	**transformation of coordinates**, co-ordinate transformation, change of co-ordinates	Koordinatentransformation f, Koordinatenwechsel m	changement m de coordonnées, transformation f de coordonnées, transformation des coordonnées	преобразование координат
T 1877	**transformation of energy**, energy transformation, conversion of energy, energy conversion, power conversion	Energieumwandlung f, Energieumformung f, Energieumsetzung f, Energieumsatz m, Energietransformation f, Umwandlung f von Energie	transformation f de l'énergie, transformation d'énergie, conversion f d'énergie	превращение энергии, преобразование энергии
	transformation of first order	s. first order transition		
T 1878	**transformation of heat flow**, heat flow transformation	Wärmeflußtransformation f	transformation f du flux thermique	преобразование теплового потока
	transformation of network, transfiguration of network, network transformation	Netztransfiguration f, Netzumwandlung f	transfiguration f de réseau, transformation f de réseau	преобразование цепей; преобразование сети
	transformation of n-th order	s. n-th order transition		

	English	German	French	Russian
	transformation of nucleus	s. nuclear transformation		
	transformation of second order	s. second order transition		
	transformation of similitude	s. homothetic transformation		
T 1879	transformation of variables, variable transformation, change of variables <bio., stat.>	Variablentransformation f <Bio., Stat.>	transformation f des variables, changement m des variables <bio., stat.>	преобразование переменных, замена переменных <био., стат.>
T 1880	transformation operator	Transformationsoperator m	opérateur m de transformation	оператор преобразования
T 1881	transformation period	Umwandlungsperiode f, Umwandlungszeit f	période f de transformation	период превращения
	transformation period	s. a. transmutation period		
T 1882	transformation point, transformation temperature, transition point (temperature); critical point (temperature) <of steel>	Umwandlungspunkt m, Umwandlungstemperatur f, Transformationspunkt m, Transformationstemperatur f, Tp.	point m de transformation, température f de transformation, point de transition, température de transition	точка превращения, температура превращения, точка трансформации, температура трансформации, точка перехода, температура перехода; критическая точка <стали>
	transformation point on cooling	s. recalescence point		
	transformation point on heating	s. decalescence point		
T 1883	transformation pressure	Umwandlungsdruck m	pression f de transformation	давление превращения
	transformation product, transmutation product	Umwandlungsprodukt n	produit m de transmutation	продукт радиоактивного превращения, продукт превращения
T 1884	transformation property	Transformationseigenschaft f	propriété f de transformation	трансформационное (трансформирующее) свойство
T 1885	transformation range, transformation interval	Transformationsintervall n, Transformationsbereich m, Umwandlungsbereich m; Einfriergebiet n, Einfrierbereich m <bei Polymeren>	intervalle m de transformation	интервал превращения, интервал температурных превращений, интервал трансформации, область превращения
T 1886	transformation rate, transition rate	Umwandlungsgeschwindigkeit f	vitesse f de transformation (transition, changement de phase)	скорость превращения, скорость фазового превращения
T 1887	transformation ratio <of transformer>	Übersetzung f, Übersetzungsverhältnis n, Transformatorübersetzungsverhältnis n, Umspannungsverhältnis n, Transformationsverhältnis n, Transformationskoeffizient m <Transformator>	rapport m de transformation <du transformateur>	коэффициент трансформации, передаточное число <трансформатора>
	transformation series	s. disintegration series		
	transformations per minute	s. transmutations per minute		
	transformations per second	s. transmutations per second		
T 1887a	transformation stage structure	Zwischenstufengefüge n, Bainit m	bainite f	бейнит
	transformation superplasticity, transition superplasticity	Umwandlungs-Superplastizität f	superplasticité f de transition, superplasticité de transformation	сверхпластичность превращения
	transformation temperature	s. transformation point		
T 1888	transformation theory	Transformationstheorie f, [quantenmechanische] Darstellungstheorie f	théorie f de transformation	теория преобразования
T 1889	transformation to principal axes, principal[-] axis transformation	Hauptachsentransformation f, Transformation f auf die Hauptachsen	transformation f aux (des) axes principaux	преобразование (приведение) к главным осям
T 1890	transformer	Transformator m, Trafo m; Umspanner m	transformateur m, transfo m	трансформатор
	transformer	s. a. ultrasonic generator		
	transformer	s. a. transducer <meas.>		
T 1891	transformer bridge	Transformatorbrücke f	pont m à transformateur	трансформаторный мост, мостовая схема с трансформатором
	transformer container	s. transformer shell		
T 1892	transformer core	Transformatorkern m	noyau m de transformateur, carcasse f du transformateur	сердечник трансформатора, керн трансформатора
	transformer-core yoke; magnetic yoke, magnetic return path	magnetische Rückleitung f, magnetischer Rückschluß m, Rückschlußjoch n; Rückschlußschenkel m	culasse f magnétique, retour m magnétique; culasse nue	ярмо магнитопровода, замыкающий обратный поток; стержень магнитопровода
T 1893	transformer coupling	Transformator[en]kopplung f, Übertragerkopplung f, transformatorische (gegeninduktive) Kopplung f; Transformatorankopplung f	couplage m par transformateur[s]	трансформаторная связь, индуктивная связь
T 1894	transformer equivalent circuit	Transformatorersatzschaltung f, Transformatorersatzschaltbild n	circuit m équivalent du transformateur	эквивалентная схема трансформатора

№	English	German	French	Russian
T 1895	**transformer feedback**	Transformatorrückkopplung f, transformatorische Rückkopplung f	réaction f par transformateur	трансформаторная обратная связь
T 1896	**transformer iron, transformer lamination,** transformer sheet	Transformatorenblech n, Transformatorblech n	tôle f pour les transformateurs	трансформаторное [листовое] железо, трансформаторная листовая сталь
	transformer of ratio 1:1, repeater coil, repeater	Übertrager m	transformateur m de rapport 1:1	трансформатор с коэффициентом трансформации 1:1, переходный (линейный) трансформатор
T 1897	**transformer principle**	Transformatorprinzip n	principe m de transformateur	принцип трансформатора
	transformer sheet	s. transformer iron		
T 1898	**transformer shell (tank),** transformer container	Transformatormantel m, Transformatorgehäuse n	enceinte f du transformateur	кожух трансформатора
	transforming camera	s. rectifier		
T 1899	**transforming function**	Abbildungsfunktion f	fonction f de transformation, fonction de représentation	отображающая функция
T 1900	**transfusion**	Transfusion f	transfusion f	трансфузия, переливание через перегородку
T 1901	**transfusion rate**	Transfusionsgeschwindigkeit f	vitesse f de transfusion	скорость переливания
	transgranular cleavage, transcrystalline cleavage	intrakristalline Spaltung f, transkristalline Spaltung	clivage m transcristallin	транскристаллитный кливаж, внутрикристаллитный кливаж
	transgranular fracture	s. transcrystalline fracture		
	transgranulation	s. columnar granulation		
T 1902	**transgressing sea**	transgredierendes Meer n	mer f transgressante	наступающее море
T 1903	**transgression**	Transgression f, Meeresüberflutung f, Überflutung f durch das Meer	transgression f [de la mer], transgression marine	[морская] трансгрессия, трансгрессия моря, наступление моря [на сушу]
	transgression	s. a. overrun		
T 1904	**transgressive discordance, transgressive stratification**	übergreifende Lagerung f, transgrediente Lagerung	transgressivité f [graduelle], transgression f, discordance f transgressive	трансгрессивное залегание [слоев], облекающее залегание, напластование в виде надвигов
	transgrid action	s. penetrance		
T 1905	**transient,** transient phenomenon	Übergangserscheinung f, Übergangsphänomen n, Transient m	phénomène m transitoire	переходное явление, явление неустановившегося режима, переходящее явление
T 1906	**transient,** transient function	Transiente f, Übergangsfunktion f; Einschaltfunktion f	fonction f transitoire, transitoire f	переходная функция
T 1907	**transient,** electrical transient, transient process	Ausgleichsvorgang m, Ausgleichsprozeß m, Übergangsprozeß m, Übergangsvorgang m; Einschwing[ungs]vorgang m, Einschwingprozeß m; Einschaltvorgang m, Einschaltprozeß m; Umschaltvorgang m, Umschaltprozeß m	processus m non stationnaire, processus transitoire, phénomène m transitoire, transitoire m	неустановившийся процесс, нестационарный процесс, переходный процесс, процесс установления, процесс выравнения, уравнительный процесс, неустановившийся режим, нестационарный режим, переходный режим
	transient, transient process <control>	Übergangsprozeß m <Regelung>	processus m transitoire <réglage>	переходный процесс <управление>
	transient	s. a. transient state		
	transient	s. a. transient voltage		
T 1908	**transient behaviour;** transient response	Übergangsverhalten n; Übergangsbetrieb m	régime m transitoire; comportement m transitoire	переходный режим; поведение в переходном режиме
	transient behaviour	s. a. transient response		
T 1908a	**transient buckling**	Durchschlag m	flambage m transitoire	перескок, прощелкивание <упругой системы>
T 1909	**transient characteristic**	s. transient response		
	transient characteristic of thyratron, E_p/E_g characteristic of thyratron	Übergangssteuerkennlinie f des Thyratrons	caractéristique f transitoire du thyratron	переходная характеристика тиратрона
T 1909a	**transient creep,** beta flow, primary creep, initial creep, initial flow	Übergangskriechen n, erstes Kriechstadium n, erster Bereich m der Kriechkurve	fluage m transitoire, premier fluage	неустановившаяся ползучесть, переходная (начальная, первая) стадия ползучести
T 1910	**transient current;** making current; inrush current	Einschaltstrom m; Übergangsstrom m; Ausgleichsstrom m; flüchtiger Strom m; Anpassungsstrom m	courant m de fermeture, courant transitoire <de mise en circuit>	неустановившийся ток, переходный ток <при включении>, ток неустановившегося режима, ток во время переходного процесса, ток включения, пусковой ток
T 1910a	**transient decay current**	Nachwirkungsstrom m	courant m de rémanence (traînage)	ток последействия
T 1911	**transient equilibrium,** transient radioactive equilibrium, dynamic equilibrium, kinetic equilibrium	laufendes [radioaktives] Gleichgewicht n, [radioaktives] Laufgleichgewicht n, dynamisches [radioaktives] Gleichgewicht n, Übergangsgleichgewicht n	équilibre m transitoire, équilibre radioactif transitoire, équilibre dynamique, équilibre mobile, équilibre radioactif de courte durée	переходное [радиоактивное] равновесие, динамическое [радиоактивное] равновесие, подвижное [радиоактивное] равновесие
	transient flow	s. transition flow		
T 1912	**transient formation**	Übergangskomplex m	complexe m transitoire	промежуточное образование, переходный комплекс

T 1913	**transient function**	s. transient		
	transient longitudinal reactance	Stoßlängsreaktanz f	réactance f longitudinale transitoire	ударный продольный реактанс
	transient motion, Brownian motion, Brownian movement	Brownsche Bewegung f, Brownsche Molekular-bewegung f	mouvement m brownien, mouvement de Brown, agitation f brownienne	броуновское [молекулярное] движение, броуновское [тепловое] движение
T 1914	**transient motion**	Einschwingbewegung f	mouvement m transitoire	переходное движение, восстанавливающееся движение
T 1914a	**transient nutation,** Torrey oscillation	Torrey-Schwingung f, Übergangsnutation f	nutation f transitoire, oscillation f de Torrey	неустановившаяся (переходная) нутация
T 1915	**transient oscillation,** build-up	Einschwingen n	oscillation f transitoire	переходное колебание, колебание в переходном процессе
T 1916	**transient oscillation**	gedämpfte Schwingung f eines Stromkreises nach plötzlicher Störung	oscillation f transitoire	переходное затухающее колебание
T 1917	**transient period** <of reactor>	vorübergehende Periode f, intermediäre Periode <Reaktor>	période f transitoire <du réacteur>	переходный период, период установления <реактора>
	transient period	s. a. transient time <of oscillation>		
	transient phenomenon	s. transient		
T 1918	**transient problem**	Einschwingproblem n; Anlaufproblem n	problème m des phéno-mènes transitoires	задача переходных явлений, проблема переходных явлений
T 1919	**transient process,** transient <control>	Übergangsprozeß m <Regelung>	processus m transitoire <réglage>	переходный процесс <управление>
	transient process	s. a. transient		
	transient protection, overvoltage protection, surge protection	Überspannungsschutz m	protection f contre les sur-tensions, protection contre les pointes de tension	защита от перенапряже-ний
T 1920	**transient pulse**	Einschwingimpuls m	impulsion f transitoire	переходный импульс
	transient pulse, make pulse	Einschaltstoß m, Ein-schaltstromstoß m	impulsion f d'enclenche-ment	толчок тока при включении
	transient radioactive equilibrium	s. transient equilibrium		
T 1921	**transient reactance**	Übergangsreaktanz f, transitorische Reaktanz f, Transientreaktanz f; Stoßreaktanz f, Stoß-blindwiderstand m	réactance f transitoire	переходная реактив-ность, переходный реак-танс; ударный реак-танс, ударная реактив-ность, ударное реактив-ное сопротивление
	transient region	s. boundary		
T 1922	**transient response,** transient characteristic, jump characteristic, square-wave response; transient behaviour	Sprungcharakteristik f, Sprungkennlinie f; Einschwingverhalten n	caractéristique f transitoire, réponse f transitoire, réponse en transitoires; comportement m tran-sitoire, allure f du régime transitoire	переходная характери-стика, скачкообразная характеристика, пре-рывистая характе-ристика
	transient response	s. a. transient behaviour		
	transient response	s. a. unit[-] step response		
	transient shower, passing shower, local shower	Strichregen m	pluie f partielle	местный дождь
T 1923	**transient state,** transient, transitional state	Ausgleichszustand m, Übergangszustand m, nichtstationärer (vorüber-gehender, flüchtiger) Zu-stand m, Nichtgleichge-wichtszustand m; Ein-schwingzustand m	état m non stationnaire, état transitoire, état de non-équilibre	неустановившееся (не-стационарное, пере-ходное, неравновесное) состояние, переходный (неустановившийся) режим
	transient surge, voltage transient	Stoßspannungswelle f	onde f de tension d'impulsion	волна импульсного напряжения
	transient time	s. build-up time		
T 1924	**transient transverse reactance**	Stoßquerreaktanz f	réactance f transversale transitoire	ударный поперечный реактанс
T 1925	**transient voltage,** restriking voltage	Übergangsspannung f; Einschwingspannung f; flüchtige Spannung f	tension f transitoire [de rétablissement], tension non stationnaire	напряжение в (при) пе-реходном процессе, пе-реходное (неустано-вившееся, нестационар-ное) напряжение; вос-станавливающееся [после переходного про-цесса] напряжение; колебательное на-пряжение
T 1926	**transient voltage,** voltage transient, transient	vorübergehende Über-spannung f, momentane Überspannung	surtension f instantanée	мгновенное перенапряже-ние
	transient voltage	s. a. instantaneous voltage		
T 1927	**transillumination,** illumination in trans-mitted light	Durchlichtbeleuchtung f, Transillumination f; Durchleuchtung f	éclairage m par trans-mission, éclairage d'absorption, trans-illumination f	освещение в проходящем свете, освещение про-ходящим светом, трансиллюминация
T 1927a	**transimpedance**	rcziproke Steilheit f	transimpédance f, pente f réciproque	обратная величина крутизны [харак-теристики]
T 1928	**transinformation**	Transinformation f, richtig übermittelte Information f, Wirkinformation f	transinformation f	[правильно] переданная информация
T 1929	**transinformation content**	Transinformationsgehalt m	contenu m de transin-formation	содержание переданной информации

T 1930	**trans-isomer[ide]**, trans-stereoisomer, trans-form	trans-Form f, trans-Isomer n	isomère m trans, forme f trans	*транс*-изомер, *транс*-изомерная форма, *транс*-форма
T 1931	**transistor; transistor triode**	Transistor m, Halbleiter-triode f, Transistortriode f, Kristalltriode f	transistor m, transistron m, transistor triode, transistor à trois électrodes	полупроводниковый триод, транзистор, кристаллический триод
T 1932	**transistor action**	Transistoreffekt m, Transistorwirkung f	effet m transistor	транзисторный эффект, усилительное действие полупроводникового триода
T 1933	**transistor amplifier**	Transistorverstärker m, Kristallverstärker m	amplificateur m à transistors	полупроводниковый (транзисторный) усилитель, усилитель на полупроводниковых триодах
T 1934	**transistor analyzer**	Transistorenanalysator m	transisgraphe m	анализатор полупроводниковых триодов
T 1935	**transistor characteristic**	Transistorkennlinie f	caractéristique f du transistor	характеристика полупроводникового триода
T 1936	**transistor circuit**	Transistorschaltung f	montage m du transistor, circuit m du transistor	схема полупроводникового триода, схема транзистора
	transistored	s. transistorized		
T 1937	**transistor electronics**	Transistorelektronik f	électronique f des transistors	электроника полупроводниковых триодов, электроника транзисторов
T 1938	**transistor equivalent circuit**	Transistorersatzschaltbild n, Transistorersatzschaltung f	circuit m équivalent du transistor	эквивалентная схема полупроводникового триода
T 1939	**transistor gain**	Transistorverstärkung f, Transistorverstärkungsfaktor m	gain m (coefficient m d'amplification) du transistor	коэффициент усиления полупроводникового триода
	transistor in coaxial packing	s. coaxial transistor		
T 1940	**transistorized**, transistored	transistorisiert, transistorbestückt	transistorisé, à transistors, transistronisé	на полупроводниковых триодах, транзисторный, на транзисторах
T 1941	**transistorized circuit**	transistorisierte Schaltung f, Transistorschaltung f	circuit (montage) m à transistors, circuit (montage) m transistorisé	схема на полупроводниковых триодах, схема на транзисторах, транзисторная схема
T 1942	**transistor noise**	Transistorrauschen n	bruit m de transistors	шум полупроводниковых триодов
T 1943	**transistor physics**	Transistorphysik f	physique f des transistors	физика полупроводниковых триодов, физика транзисторов
	transistor structure as a photoelectric cell, phototransistor, photistor, phototriode	Phototransistor m, lichtempfindlicher Transistor m, Phototriode f	photistor m, phototransistor m, phototransistron m, transistor m à effet photo-électrique, phototriode f	фототранзистор, фототриод
T 1944	**transistor switch**, switching transistor	Schalttransistor m, Schaltertransistor m	transistor m de commutation	переключающий транзистор (полупроводниковый триод); полупроводниковый триод-выключатель
	transistor tetrode	s. semiconductor tetrode		
	transistor thermal resistance, thermal resistance <of transistor>	thermischer Widerstand m [des Transistors]	résistance f thermique [du transistor]	тепловое сопротивление [транзистора]
	transistor triode	s. transistor		
	transit	s. drift		
	transit	s. passage <of a star>		
	transit	s. passing <of light, particles>		
	transit	s. transit instrument <astr.>		
T 1945	**transit across the solar disk**	Vorübergang m vor der Sonne[nscheibe]	passage m devant le Soleil	прохождение по диску Солнца
T 1946	**transit angle;** transit phase angle, bunching angle	Laufwinkel m, Laufzeitwinkel m	angle m de transit, angle m de parcours	угол пролета, пролетный угол
	transit-circle, meridian circle, meridian instrument	Meridiankreis m	cercle m méridien, instrument m méridien, méridien m	меридианный круг, меридиональный круг
T 1947	**transit instrument**, passage instrument, transit <astr.>	Durchgangsinstrument n, Passageninstrument n, Passageinstrument n <Astr.>	instrument m de passage, instrument des passages, lunette f de passage <astr.>	пассажный инструмент, пассажный прибор <астр.>
T 1947a	**transition** <bio.>	Transition f <bio.>	transition f <bio.>	переход <био.>
T 1948	**transition**, transformation, phase change, change <met.>	Umwandlung f, Übergang m, Phasenumwandlung f, Phasenübergang m <Met.>	transition f, transformation f, changement m de phase, changement d'état <mét.>	фазовый переход, фазовое превращение, переход, превращение <мет.>
T 1949	**transition**, jump, jumping <qu.>	Übergang m, Sprung m <Qu.>	transition f, saut m, discontinuité f <qu.>	переход, скачок <кв.>
	transition	s. a. transition to turbulence <aero., hydr.>		
T 1950	**transitional climate**	Übergangsklima n	climat m transitoire	переходный климат
T 1951	**transitional coupling**	transitionale Kopplung f	couplage m transitoire	переходная связь
	transitional element	s. transition metal		
T 1951a	**transitional Knudsen number**	Übergangs-Knudsen-Zahl f	nombre m de Knudsen transitoire	переходное число Кнудсена

	English	German	French	Russian
	transitional state	*s.* transient state		
T 1952	**transitional structure**	Übergangsstruktur *f*	structure *f* transitoire (provisoire)	переходная структура, переходное строение
T 1953	**transition between levels,** interlevel transition	Niveauübergang *m*	transition *f* entre les niveaux, transition interniveau	переход между уровнями
	transition capacitance	*s.* barrier-layer capacitance		
T 1953a	**transition colour**	Übergangsfarbe *f*	couleur *f* de transition	переходный цвет
T 1953b	**transition conductor**	Übergangsleiter *m*, Übergangs-Typ-Leiter *m*	conducteur *m* de transition	проводник переходного типа
T 1954	**transition cone**	Übergangskegel *m*	cône *m* de transition	переходный конус
T 1955	**transition curve**	Übergangskurve *f*, Transitionskurve *f*	courbe *f* de transition	переходная кривая, кривая перехода
T 1956	**transition effect** <radiobiology>	Transitionseffekt *m*, Energieverteilungseffekt *m* <Radiobiologie>	effet *m* de transition <radiobiologie>	эффект распределения энергии <радиобиология>
	transition element	*s.* transition metal		
	transition energy, energy of transformation, transformation energy, energy of transition	Umwandlungsenergie *f*	énergie *f* de transformation, énergie de transition, énergie de changement de phase	энергия превращения, энергия фазового превращения
T 1957	**transition energy** <of charged particle> <acc.>	Transitionsenergie *f*, kritische Energie *f* <geladenes Teilchen> <Beschl.>	énergie *f* de transition, énergie critique <de la particule chargée> <acc.>	критическая энергия, энергия перехода <заряженной частицы> <уск.>
	transition enthalpy	*s.* heat of transformation		
	transition entropy, entropy of transformation, transformation entropy, entropy of transition	Umwandlungsentropie *f*	entropie *f* de transformation, entropie de transition, entropie de changement de phase	энтропия превращения, энтропия фазового превращения
T 1958	**transition flow,** transient flow	Übergangsströmung *f*	écoulement *m* transitoire	переходное течение, неустановившееся течение, переходная форма течения
T 1959	**transition frequency**	Übergangsfrequenz *f*	fréquence *f* de transition	частота перехода
	transition frequency, jump frequency	Sprungfrequenz *f*	fréquence *f* de la discontinuité	частота скачков
	transition from laminar to turbulent flow	*s.* transition to turbulence		
T 1960	**transition half-life**	Übergangshalbwertzeit *f*	demi-vie *f* de la transition	период полуперехода
	transition heat	*s.* heat of transformation		
T 1961	**transition index,** transition number	Umschlag[s]zahl *f*	indice *m* de virage, nombre *m* de virage	показатель изменения цвета, показатель перехода
T 1962	**transition interval [of indicator],** indicator range, indicator interval	Umschlagbereich *m*, Umschlagsbereich *m*, Umschlagsgebiet *n*, Umschlag[s]intervall *n* <Farbindikator>	intervalle *m* de virage [de l'indicateur], zone *f* de virage [de l'indicateur]	интервал изменения цвета [индикатора], диапазон изменения цвета [индикатора], интервал (область) перехода индикатора
T 1963	**transition layer**	Übergangsschicht *f*	couche *f* de passage	переходный слой
T 1964	**transition line**	Umschlag[s]linie *f*	ligne *f* de transition	линия перехода [ламинарного режима в турбулентный]
T 1965	**transition loss**	Übergangsverlust *m*	perte *f* de transition, perte due à la transition	переходная потеря, потеря при переходе; потеря в сопротивлении контакта
T 1966	**transition matrix**	Übergangsmatrix *f*	matrice *f* de transition	матрица перехода
	transition matrix	*s. a.* scattering matrix <el.>		
T 1967	**transition metal,** transition[al] element, meta-element	Übergangsmetall *n*, Übergangselement *n*	métal *m* de transition, élément *m* de transition	переходный металл, металл переходной группы, переходный элемент
T 1968	**transition moment**	Übergangsmoment *n*	moment *m* de transition	переходный момент
T 1969	**transition multipole moment**	Übergangsmultipolmoment *n*	moment *m* multipolaire de transition	переходный мультипольный момент
	transition number	*s.* transition index		
	transition of first order	*s.* first order transition		
	transition of heat	*s.* transfer of heat		
	transition of n-th order	*s.* n-th order transition		
	transition of second order	*s.* second order transition		
	transition of the "lambda" type	*s.* second order transition		
T 1970	**transition operator**	Übergangsoperator *m*	opérateur *m* de transition	оператор перехода
T 1971	**transition overpotential,** transfer overpotential; transition polarization, transfer polarization	Durchtrittsüberspannung *f*; Durchtrittspolarisation *f*	surtension *f* de transition (transfert); polarisation *f* de transition (transfert)	перенапряжение прохождения; поляризация прохождения, переходная поляризация
T 1972	**transition point; transition temperature**	Übergangspunkt *m*; Übergangstemperatur *f*; Umschlag[s]temperatur *f*, Umschlag[s]punkt *m* <Schlagzähigkeit>	point *m* de transition; température *f* de transition	точка перехода; температура перехода
T 1973	**transition point [of indicator]**	Umschlag[s]punkt *m* <Farbindikator>	point *m* de virage [de l'indicateur]	точка изменения цвета [индикатора], точка перехода индикатора
	transition point	*s.* transition temperature		

	English	German	French	Russian
T 1974	**transition point** ‹from laminar to turbulent flow›, point of transition ‹aero., hydr.›	Umschlag[s]punkt *m*, Umschlagstelle *f* ‹Aero., Hydr.›	point *m* de transition	точка перехода [ламинарного течения в турбулентное], место перехода [ламинарного режима в турбулентный] ‹аэро., гидр.›
	transition point	*s. a.* transformation point ‹of steel›		
	transition polarization	*s.* transition overpotential		
T 1975	**transition probability** ‹also stat.›	Übergangswahrscheinlichkeit *f* ‹auch stat.›	probabilité *f* de transition (passage) ‹aussi stat.›	вероятность перехода ‹также стат.›
	transition probability of Einstein	*s.* Einstein coefficient		
T 1976	**transition range** ‹aero., hydr.›	Umschlagsgebiet *n*, Umschlaggebiet *n* ‹Aero., Hydr.›	zone *f* de transition ‹aéro., hydr.›	зона перехода, область перехода ‹аэро., гидр.›
	transition rate, transformation rate	Umwandlungsgeschwindigkeit *f*	vitesse *f* de transformation (transition, changement de phase)	скорость превращения, скорость фазового превращения
T 1977	**transition rate**	Übergangsrate *f*	intensité *f* des transitions	интенсивность переходов
T 1977a	**transition régime (regime)** ‹of turbulent flow›	Übergangsbereich *m* ‹turbulente Rohrströmung›	régime *m* de transition ‹de l'écoulement tourbillonnaire›	режим перехода ‹турбулентного течения›
	transition region, inversion region	Inversionszone *f*, Inversionsbereich *m*, Inversionsgebiet *n*	zone *f* d'inversion	зона инверсии, зона перехода
	transition region, transition zone ‹geo.›	Übergangsgebiet *n*, Übergangszone *f*, Übergangsbereich *m* ‹Geo.›	zone *f* de transition ‹géo.›	переходная зона, переходная область, переходный пояс ‹гео.›
T 1978	**transition region [of core],** F region ‹geo.›	Kernzwischenschicht *f*, Kernübergangsschicht *f*, Zwischenschicht (Übergangsschicht) *f* des Kerns, F-Schicht *f*, F-Schale *f* ‹Geo.›	zone *f* de transition [du noyau], zone F [du noyau] ‹géo.›	переходная зона [ядра], зона F [ядра], область F [ядра] ‹гео.›
T 1979	**transition region [of mantle],** C region ‹geo.›	Mantelzwischenschicht *f*, Zwischenschicht *f* [des Mantels], C-Schicht *f*, C-Schale *f* ‹Geo.›	zone *f* de transition [du manteau], zone C ‹géo.›	переходный слой [оболочки], слой C [оболочки] ‹гео.›
	transition region, interface, junction region, junction transition region ‹semi.›	Übergangszone *f*, Übergangsgebiet *n*, Übergangsbereich *m* ‹Halb.›	interface *f*, zone *f* de jonction, zone de transition ‹semi.›	промежуточная поверхность, зона перехода, область перехода ‹полу.›
	transition region capacitance	*s.* barrier-layer capacitance		
T 1980	**transition relations**	Übergangsrelationen *fpl*	relations *fpl* de transition	соотношения перехода
	transition resistance, contact resistance ‹el.chem.›	Übergangswiderstand *m* ‹El.Chem.›	résistance *f* de transition (contact) ‹él.chim.›	переходное сопротивление [контакта] ‹эл.хим.›
	transition Reynolds number	*s.* critical Reynolds number		
T 1981	**transition-state theory,** theory of absolute reaction rates, absolute reaction rate theory	Theorie *f* des Übergangszustandes, Theorie des aktivierten Komplexes, Theorie der absoluten Reaktionsgeschwindigkeit	théorie *f* de l'état de transition	теория переходного состояния ‹в химической кинетике›
T 1982	**transition superplasticity,** transformation superplasticity	Umwandlungs-Superplastizität *f*	superplasticité *f* de transition, superplasticité de transformation	сверхпластичность превращения
T 1983	**transition temperature,** transition point, critical temperature, critical point ‹of superconductor›, superconducting transition temperature	Sprungtemperatur *f*, Sprungpunkt *m*, Übergangstemperatur *f*, Übergangspunkt *m* ‹Supraleiter›	température *f* de transition, point *m* de transition, température critique, point critique ‹du supraconducteur›	критическая температура [сверхпроводника], критическая температура перехода в сверхпроводящее состояние, температура перехода [в сверхпроводящее состояние]
T 1983a	**transition temperature** ‹el.›	Übergangstemperatur *f* ‹El.›	température *f* de transition ‹él.›	температура перехода ‹эл.›
	transition temperature	*s. a.* transformation point		
	transition temperature	*s. a.* transition point		
T 1984	**transition time,** transit time	Übergangszeit *f*	durée *f* du régime transitoire	продолжительность переходного процесса (режима), переходное время
T 1985	**transition time**	„transition time" *f*, Transitionszeit *f*, Sprungzeit *f*	temps *m* de transition	время перехода
	transition time	*s. a.* build-up time		
	transition to turbulence, origin of turbulence	Turbulenzentstehung *f*	naissance *f* de la turbulence, déclenchement *m* de la turbulence	возникновение турбулентности
T 1986	**transition to turbulence (turbulent flow),** transition from laminar to turbulent flow, transition ‹aero., hydr.›	Umschlag *m* laminar-turbulent, laminar-turbulenter Umschlag, turbulenter Umschlag, Umschlag, Turbulentwerden *n* der Strömung ‹Aero., Hydr.›	saut *m* laminaire-turbulent, transition *f* laminaire-turbulente, transition, passage *m* du régime laminaire au régime turbulent ‹aéro., hydr.›	переход ламинарного течения в турбулентное, переход, турбулизация потока ‹аэро., гидр.›
	transition to turbulence in boundary layer	*s.* boundary-layer transition		
T 1987	**transition-type galaxy,** transition-type nebula	S0-Spirale *f*, SB0-Spirale *f*	galaxie *f* de transition, nébuleuse *f* du type de transition	туманность переходного типа

T 1988	**transition wire**, trip wire, tripping wire	Stolperdraht m, Turbulenzdraht m	piège m à couche limite, stimulant m de turbulence, fil m stimulant de turbulence	турбулизирующая проволока, турбулентный шнур
T 1989	**transition zone**, transition region <geo.>	Übergangsgebiet n, Übergangszone f, Übergangsbereich m <Geo.>	zone f de transition <géo.>	переходная зона, переходная область, переходный пояс <гео.>
T 1990	**transitive group**	transitive Gruppe f	groupe m transitif	транзитивная группа
T 1990a	**transitive law**	Transitivgesetz n	loi f transitive	транзитивный закон
T 1991	**transitiveness, transitivity**	Transitivität f	transitivité f	транзитивность
	transit level, theodolite level, tacheometer level	Nivelliertachymeter n	niveau-tachéomètre m	теодолит-нивелир
T 1992	**transitory stimulus**	Übergangsreiz m	stimulus m transitoire	переходный раздражитель
	transit phase angle	s. transit angle		
T 1993	**transitron multivibrator**	Transitronmultivibrator m	multivibrateur m à transitron	транзитронный мультивибратор
	transit through the central meridian	s. central-meridian passage		
	transit through the meridian	s. meridian transit		
T 1994	**transit time** <of relay>	Umschlag[s]zeit f <Relais>	temps m de commutation <du relais>	время переключения <реле>
T 1995	**transit time**, travel time, time of travel <el.>	Laufzeit f <El.>	temps m de vol, temps de transit <él.>	время пролета, пролетное время <эл.>
	transit time, time of flight, flight time <nucl.>	Flugzeit f, Laufzeit f <Kern.>	temps m de vol (transit), temps transitionnel, temps de trajet (propagation) <nucl.>	время пролета, время полета <яд.>
	transit time	s. a. transition time		
	transit time	s. a. time of operation <of relay>		
	transit time	s. a. travelling time <geo., ac.>		
T 1996	**transit time compensation, transit time correction**	Laufzeitausgleich m	compensation f du temps de transit, égalisation f du temps de propagation	компенсация времени пролета, коррекция времени пролета [электронов]
T 1997	**transit time delay**	Laufzeitverzögerung f	retard m artificiel, retard du temps de vol (transit)	задержка пролета
T 1998	**transit-time difference**	Laufzeitdifferenz f, Laufzeitunterschied m	différence f de temps de vol	разница во времени пролета, фазовая разность
	transit time distortion	s. phase distortion		
T 1999	**transit time error**; delay error, phase-delay error	Laufzeitfehler m	erreur f due au temps de transit	ошибка, обусловленная временем пролета
T 2000	**transit-time oscillation**	Laufzeitschwingung f	oscillation f à onde progressive	пролетное колебание
T 2001	**transit-time oscillator**, travelling-wave-tube oscillator, travelling-wave oscillator	Laufzeitoszillator m, Laufzeitgenerator m	oscillateur m à onde progressive	генератор на пролетной лампе
T 2002	**transit time phenomenon**, velocity-modulation effect	Laufzeiterscheinung f, Laufzeiteffekt m, Laufzeiteinfluß m	effet m de temps de propagation, phénomène m de temps de propagation	влияние времени пролета
T 2003	**transit-time region**	Laufzeitgebiet n	région f de temps de propagation	область влияния времени пролета
	transit-time spectrometer	s. time-of-flight spectrometer		
	transit traverse, traverse, traverse line, theodolite traverse <geo.>	Polygonzug m, Streckenzug m, Linienzug m, Theodolitzug m <Geo.>	cheminement m, cheminement goniométrique, polygonale f, itinéraire m <géo.>	полигонометрический ход, полигональный ход, полигонный ход, ход <гео.>
	translation	s. translational motion		
T 2004	**translation** <bio.>	Translation f, Übersetzung f <Bio.>	translation f <bio.>	трансляция <био.>
T 2005	**translation** <cryst.>	Schiebung f <Krist.>	translation f <crist.>	параллельное передвижение [при операциях совмещения] <крист.>
T 2006	**translation** <math.>	Translation f <Math.>	translation f <math.>	перенос <матем.>
T 2007	**translation** <math.>	Umrechnung f, Umwertung f <Math.>	translation f <math.>	трансляция, пересчет, передача, переход <матем.>
T 2008	**translation**, parallel displacement, parallel shift <mech.>	Translation f, Parallelverschiebung f, [translatorische] Verschiebung f <Mech.>	translation f, déplacement m parallèle, déplacement <méc.>	[параллельный] перенос, [параллельный] сдвиг, параллельное перемещение (смещение), трансляция
T 2009	**translation** <tv.>	Umsetzung f <Fs.>	translation f, retransmission f <tv.>	трансляция <тв.>
T 2010	**translational acceleration**	Translationsbeschleunigung f	accélération f de translation	поступательное ускорение, ускорение переноса
T 2011	**translational characteristic temperature**	charakteristische Temperatur f der Translation, charakteristische Translationstemperatur f	température f caractéristique de translation	характеристическая температура поступательного движения
T 2012	**translational degree of freedom**	Translationsfreiheitsgrad m	degré m de liberté [de mouvement] de translation	поступательная степень свободы
T 2013	**translational energy [of molecule]**	Translationsenergie f [des Moleküls]	énergie f de translation [de la molécule], force f vive de translation [de la molécule]	поступательная энергия [молекулы], энергия поступательного движения [молекулы]
	translational enthalpy	s. translational heat		
T 2014	**translational entropy**	Translationsentropie f	entropie f de translation	поступательная энтропия

	translational group	s. translation group		
T 2015	translational heat [capacity]; translational enthalpy	Translationswärme f, Translationswärme-kapazität f; Translations-enthalpie f	chaleur f de translation, enthalpie f de translation	поступательная теплота; поступательная энтальпия
T 2016	translational motion, translational movement, motion of translation, translation movement (motion), translation, progressive (advancing) motion	Translation f, Translations-bewegung f, translatorische Bewegung f, fort-schreitende Bewegung, Fortschreitung f	translation f, mouvement m de translation	поступательное движение, трансляционное движение, трансляция
T 2017	translational partition function	Translationszustandssumme f, Translationsanteil m der Zustandsfunktion	fonction f de partition translationnelle (de translation)	сумма по состояниям поступательной энергии
T 2018	translational state	Translationszustand m	état m de translation	состояние поступательного движения
T 2019	translational symmetry	Translationssymmetrie f	symétrie f de translation	трансляционная симметрия
T 2020	translational temperature	Translationstemperatur f	température f de translation	поступательная температура
T 2021	translational vibration	Translationsschwingung f	vibration f de translation	поступательное колебание
T 2022	translational wave, wave of translation, translatory wave	Translationswelle f	vague f de translation	волна перемещения
T 2023	translation component	Translationskomponente f, translativer Bestandteil m [der Bewegung]	composante f de translation	составляющая поступательного движения
T 2024	translation curve	Schiebkurve f, Erzeugende f der Translationsfläche	courbe f de translation	кривая переноса
T 2025	translation field	Translationsfeld n	champ m de translations	поле переноса
T 2026	translation formula for variance <stat.>	Verschiebungssatz m <Stat.>	théorème m de Steiner <stat.>	формула смещения для дисперсии <стат.>
T 2027	translation group, translational group, group of translations	Translationsgruppe f	groupe m de translations	группа переносов, трансляционная группа, группа трансляций
T 2028	translation invariant	Schiebungsinvariante f, Translationsinvariante f	invariant m de translation	инвариант переноса, трансляционный инвариант
T 2029	translation[-] invariant	translationsinvariant	invariant à translation	инвариантный относительно переносов
	translation lattice	s. Bravais lattice		
	translation motion (movement)	s. translational motion		
	translation of the wave	s. wave propagation		
T 2030	translation period	Translationsperiode f	période f de translation	период трансляции, трансляционная повторяемость
	translation plane, Veblen-Wedderburn plane <math.>	Translationsebene f, Veblen-Wedderburn-Ebene f <Math.>	plan m de translation, plan de Veblen-Wedderburn <math.>	плоскость переноса, веблен-веддербарнова плоскость
T 2030a	translation slip	Translationsgleitung f	glissement m de translation	трансляционное скольжение
T 2031	translation surface	Translationsfläche f, Schiebfläche f	surface f de translation	поверхность трансляции (переноса)
T 2032	translator	Umrechner m, Umwerter m, Zuordner m, Translator m	translateur m	транслятор, пересчетчик, передатчик, повторитель, преобразователь
T 2033	translator <tv.>	Umsetzer m <Fs.>	convertisseur m <tv.>	транслятор <тв.>
	translatory	s. movable		
T 2034	translatory flow	Translationsströmung f, translatorische Strömung f	écoulement (mouvement) m de translation	поступательный поток, поступательное течение
	translatory shift	s. slip		
	translatory velocity, velocity of translation	Translationsgeschwindig-keit f	vitesse f de translation	поступательная скорость, скорость переноса (поступательного движения)
	translatory wave	s. translational wave		
	translocation (of chromosome], chromosome translocation	Chromosomenstück-verlagerung f, Chromo-somentranslokation f, Translokation f	translocation f chromosomique, translocation	смещение секции хромосомы, транслокация
T 2035	translucency, diaphanousness, diaphaneity	Diaphanität f	translucidité f, diaphanéité f	полупрозрачность, просвечивание
T 2036	translucent, diaphanous	durchscheinend, diaphan	translucide, diaphane	полупрозрачный, просвечивающий
T 2037	translucent glass	leichttrübes Glas n	verre m translucide	полупрозрачное (просвечивающее) стекло
	translucent light, transmitted light, permeating light	Durchlicht n	lumière f transmise	просвет, пропущенный свет, проходящий свет
T 2038	translucide (translucidus) cloud	durchscheinende Wolke f, Translucidusform f	nuage m translucide	просвечивающее облако
T 2039	transmission	Fortleitung f	transmission f	передача
T 2040	transmission <of radiation, light>	Durchlassung f, Trans-mission f <Strahlung, Licht>	transmission f <d'un rayonnement, de la lumière>	пропускание, прохождение <излучения, света>
T 2041	transmission <el.>	Übertragung f, Transmission f; Wellenleitung f; Übermittlung f; Sendung f <El.>	transmission f; émission f; diffusion f <él.>	передача, трансмиссия; пересылка <эл.>
T 2042	transmission <el. opt.>	Durchstrahlung f <El. Opt.>	transmission f <opt. él.>	просвечивание <эл. опт.>
T 2042a	transmission <mech.>	Transmission f; Über-tragung f <Mech.>	transmission f <méc.>	передача, трансмиссия <мех.>

	English	German	French	Russian
	transmission, transparency, transmittance <phot.>	Transparenz *f*, Durchlassung *f*, Durchlässigkeit *f*, Transmission *f* <Phot.>	transparence *f*, transmittance *f*, transmission *f* <phot.>	прозрачность <фот.>
	transmission	*s.* passing <of light, particles>		
	transmission agent	*s.* transmission medium		
T 2043	**transmission band, transmitted frequency band, transmission region**	Übertragungsbereich *m*, Übertragungsfrequenzband *n*, Übertragungsband *n*	bande *f* de transmission, bande passante de transmission	полоса передачи, частотная полоса передачи, диапазон применимых частот
	transmission band; pass[-]band, filter range; pass range; transmission range, free transmission range	Durchlässigkeitsbereich *m*, Durchlässigkeitsband *n*, Durchlaßbereich *m*; nutzbare Bandbreite *f*	cannelure *f*, bande *f* passante, bande de transmission, domaine *m* passant	полоса пропускания, диапазон пропускания; полоса прозрачности
T 2044	**transmission band** <spectr.>	Transmissionsbande *f* <Spektr.>	bande *f* de transmission <spectr.>	полоса пропускания <спектр.>
T 2045	**transmission beam method**, transmission method <nucl.>	Durchstrahlungsverfahren *n*, Durchstrahlungsmethode *f*, Transmissionsmethode *f* <Kern.>	méthode *f* de transmission <nucl.>	метод пропускания, метод прохождения, метод просвечивания <яд.>
T 2046	**transmission Čerenkov counter**	Transmissions-Čerenkov-Zähler *m*	détecteur *m* Cerenkov à transmission	трансмиссионный счетчик Черенкова
	transmission channel	*s.* communication channel		
T 2047	**transmission coefficient** <for wave>	Durchlaßkoeffizient *m*, Durchlässigkeitskoeffizient *m* <für Wellen>	coefficient *m* de transmission <pour l'onde>	коэффициент пропускания <для волны>
T 2048	**transmission coefficient** <of antenna>	Übertragungskoeffizient *m* <Antenne>	coefficient *m* de transmission <de l'antenne>	коэффициент передачи <антенны>
T 2049	**transmission coefficient** <of the atmosphere>	Transmissionsfaktor *m*, Transmissionskoeffizient *m*, Durchlässigkeitsfaktor *m* <Atmosphäre>	coefficient *m* de transmission [de l'atmosphère]	коэффициент пропускания [атмосферы], коэффициент прозрачности [атмосферы]
T 2050	**transmission coefficient, transmission factor** <control>	Übertragungsfaktor *m* <Regelung>	facteur (coefficient) *m* de transmission, facteur (coefficient) d'émission <réglage>	коэффициент передачи, коэффициент пропорциональности передачи <управление>
T 2051	**transmission coefficient** <qu.>	Transmissionskoeffizient *m*, Durchlaßkoeffizient *m* <Qu.>	coefficient *m* de transmission <qu.>	коэффициент пропускания <кв.>
	transmission coefficient	*s. a.* propagation constant		
	transmission coefficient [for sound]	*s.* acoustic transmission factor <ac.>		
	transmission constant	*s.* propagation constant		
T 2052	**transmission cross-section**	Übertragungs[wirkungs]querschnitt *m*	section *f* [efficace] de transmission	[эффективное] сечение передачи
T 2053	**transmission cross-section** <nucl.>	Transmissionsquerschnitt *m*, Transmissions-Wirkungsquerschnitt *m*, Durchlaßquerschnitt *m* <Kern.>	section *f* efficace de transmission, section de transmission <nucl.>	сечение пропускания; сечение, определенное методом пропускания <яд.>
T 2054	**transmission curve**	Dosisleistungs-Absorberdicke-Kurve *f*, Absorptionskurve *f*	courbe *f* de transmission	характеристика прохождения, кривая зависимости мощности дозы от толщины поглотителя
T 2055	**transmission curve** <opt.>	Durchlässigkeitskurve *f* <Opt.>	courbe *f* de transmission <opt.>	кривая пропускания <опт.>
	transmission density	*s.* optical density		
T 2056	**transmission diagram**	Sendediagramm *n*, Sendeantennendiagramm *n*	diagramme *m* [directif de l'antenne] d'émission, diagramme [directionnel] de rayonnement	диаграмма направленности передающей антенны, диаграмма направленности на излучение, диаграмма излучения
	transmission direction	*s.* forward direction		
T 2056a	**transmission dynamometer**	Transmissionsdynamometer *n*	dynamomètre *m* à transmission	трансмиссионный динамометр
T 2057	**transmission échelon**	Transmissionsstufengitter *n*	échelon *m* par transmission, réseau *m* échelon par transmission	прозрачный эшелон
T 2058	**transmission efficiency**	Übertragungswirkungsgrad *m*	rendement *m* de transmission	коэффициент полезного действия передачи, к.п.д. передачи
T 2059	**transmission electron diffraction**	Transmissionselektronenbeugung *f*, Elektronenbeugung *f* in Durchstrahlung	diffraction *f* électronique (des électrons) de transmission	дифракция проходящих электронов
	transmission electron microscope	*s.* transmission-type electron microscope		
T 2059a	**transmission electron microscopy, transmission microscopy, microscopy by transmission, TEM**	Durchstrahlungselektronenmikroskopie *f*	microscopie *f* électronique par transmission	просвечивающая [электронная] микроскопия, излучение под просвечивающим электронным микроскопом
	transmission equivalent	*s.* network transmission equivalent		
T 2060	**transmission error**	Übertragungsfehler *m*	erreur *f* de transmission (transfert)	погрешность передачи
T 2061	**transmission experiment**	Transmissionsexperiment *n*, Durchgangsversuch *m*, Durchstrahlungsexperiment *n*	expérience *f* par transmission	эксперимент на прострел (прохождение), опыт методом пропускания, измерение методом прохождения; определение сечения по прохождению нейтронов через пластинку

T 2062	**transmission factor,** total transmission factor, transmittance <US>, total transmittance <US>, transmissivity	[totaler] Durchlaßgrad *m*, [totaler] Transmissionsgrad *m*, Durchlässigkeit *f*, Lichtdurchlässigkeit *f*, Lichtdurchlässigkeitsfaktor *m*, Durchlässigkeitsgrad *m*, Durchlassungsvermögen *n* <Opt.>; Strahlendurchlässigkeit *f*, Strahlungsdurchlässigkeit *f*	facteur *m* de transmission, facteur total de transmission, transmittance *f*	коэффициент пропускания, полный коэффициент пропускания; коэффициент светопропускания <опт.>
	transmission factor	*s. a.* transmission constant		
	transmission factor	*s.* transmission coefficient <control>		
	transmission factor [for sound]	*s.* acoustic transmission factor <ac.>		
T 2063	**transmission gain,** modulation gain	Sendegewinn *m* [für Modulationsverfahren]	gain *m* d'émission, gain de modulation	коэффициент передачи напряжения
	transmission gain, transfer voltage ratio	Spannungsübertragungsfaktor *m* [rückwärts]	rapport *m* de transfert en tension	коэффициент передачи по напряжению, коэффициент передачи напряжения
T 2064	**transmission grating**	Transmissionsgitter *n*, Durchlaßgitter *n*	réseau *m* par (de) transmission	прозрачная [дифракционная] решетка
T 2065	**transmission index**	Übertragungsindex *m*	indice *m* de transfert	показатель передачи
T 2066	**transmission line**	Übertragungsleitung *f*	ligne *f* de transmission	линия передачи
T 2067	**transmission loss**	Übertragungsverlust *m*, Übertragungsdämpfung *f*	perte *f* de transmission, affaiblissement *m* de transmission (transfert)	затухание при передаче, потеря при передаче; потеря передачи
T 2068	**transmission matrix**	Übertragungsmatrix *f*, Transmissionsmatrix *f*	matrice *f* de transmission	матрица передачи, матрица трансмиссии
T 2069	**transmission measuring set,** TMS	Pegelbildgerät *n*	reproducteur *m* de courbe de réponse	прибор для измерения уровня сигнала с фиксированием электроннолучевой трубкой
T 2070/1	**transmission medium,** communication medium, transmission agent	Übertragungsmittel *n*, Übertragungsmedium *n*	milieu *m* de transmission	передающая среда
	transmission method	*s.* transmission beam method <nucl.>		
	transmission microscope	*s.* microscope arranged for transillumination		
	transmission microscope	*s. a.* transmission-type electron microscope		
	transmission microscopy	*s.* transmission electron microscopy		
T 2072	**transmission modulation,** transmitting modulation	Modulation *f* des Transmissionsgrades, Sendemodulation *f*	modulation *f* de transmission	модуляция коэффициента пропускания
T 2073	**transmission of heat,** heat transmission, passage of heat, heat passage <from one fluid through a solid wall to another fluid>	Wärmedurchgang *m* <Wärmeaustausch zwischen zwei strömenden Stoffen, die durch eine feste Wandung voneinander getrennt sind>	transmission *f* de la chaleur, passage *m* de la chaleur <passage d'un fluide, à travers un mur, à l'autre>	теплопередача, прохождение тепла <от нагревающей среды через стенку к нагреваемой среде>
	transmission of heat	*s. a.* heat transfer		
	transmission of light, light transmission; permeability to light; light permeability (perviousness)	Lichtdurchlässigkeit *f*; Lichtdurchlassung *f*	perméabilité *f* à la lumière; transmission *f* de lumière	светопропускаемость, пропускаемость для света; светопропускание, пропускание света
T 2074	**transmission of motion (movement)**	Bewegungsübertragung *f*, Bewegungsfortleitung *f*, Bewegungsfortpflanzung *f*, Transmission *f*	transmission *f* de mouvement	передача движения, трансмиссия движения
T 2075	**transmission of pressure,** pressure propagation (transmission)	Druckfortpflanzung *f*, Druckübertragung *f*	transmission (propagation) *f* des pressions	передача давления, распространение давлений
T 2076	**transmission of sound,** sound transmission	Schallübertragung *f*; Tonübertragung *f*	transmission *f* du son, transmission sonore	звукопередача, передача звука
T 2077	**transmission of sound,** sound transmission	Schalldurchgang *m*, Schalltransmission *f*	passage *m* du son, transmission *f* du son	прохождение звука
	transmission of stimulus	*s.* stimulus conduction <bio.>		
	transmission optical density	*s.* optical density		
	transmission performance	*s.* sound transmission quality		
	transmission plane, plane of transmission	Transmissionsebene *f*	plan *m* de transmission	плоскость пропускания (прохождения)
	transmission power	*s.* transmitting power		
T 2077a	**transmission pulse technique;** transmission ultrasonic materials testing	Durchschallungsprüfung *f*; Schalldurchstrahlungsverfahren *n*	essai (examen, contrôle des matériaux) *m* ultrasonique (ultrasonore) par transmission	метод прозвучивания, метод звукового просвечивания
	transmission quality	*s.* sound transmission quality		
	transmission radiometric materials testing	*s.* radiometric materials testing		
	transmission range	*s.* transmission band		
	transmission range formula, range formula	Reichweitenformel *f*	formule *f* de la portée de transmission	формула дальности
T 2078	**transmission rate,** transmission speed; speed of transmission	Übertragungsgeschwindigkeit *f*, Signalübertragungsgeschwindigkeit *f*; Fortleitungsgeschwindigkeit *f*	rapidité *f* de transmission [du signal]; vitesse *f* de transmission	скорость передачи [сигнала]

T 2079	**transmission ratio,** gear ratio, ratio of transmission	Übersetzung f, Übersetzungsverhältnis n	rapport m d'engrenage, rapport de transmission, engrenage m	передаточное число, передаточное отношение
	transmission region	s. transmission band		
	transmission resistance, transfer resistance	Übertragungswiderstand m, Übertragungswirkwiderstand m	résistance f de transfert	сопротивление передачи, активное сопротивление передачи
	transmission speed	s. transmission rate		
T 2080	**transmission symmetry**	Übertragungssymmetrie f	symétrie f de transmission	симметрия передачи
	transmission system, communication system, transfer system, transducer	Übertragungssystem n	système m de transmission	система передачи
T 2081	**transmission target**	Transmissionstarget n	cible f de transmission	мишень пропускания
T 2082	**transmission technique of X-ray crystallographic analysis**	Röntgen-Durchstrahl[ungs]verfahren n, Durchstrahlungsverfahren, Durchstrahlverfahren n	méthode f de transmission de l'analyse par radiocristallographie	метод прохождения в рентгеноструктурном анализе, метод пропускания в рентгеноструктурном анализе
T 2083	**transmission time** <bio.>	Leitungszeit f <Bio.>	temps m de conduction <bio.>	время проведения <био.>
T 2084	**transmission-type cavity maser,** two-port cavity maser, two-jet maser, two-beam maser	Transmissionshohlraummaser m, Zweistrahlmaser m	maser m à cavité transitoire, maser à deux jets (faisceaux), maser à double faisceau	мазер (квантовый усилитель) с проходным резонатором, двухлучевой квантовый усилитель, двухлучевой мазер
T 2085	**transmission-type electron microscope,** transmission [electron] microscope	Durchstrahlungsmikroskop n, Durchstrahlungselektronenmikroskop n, Transmissionselektronenmikroskop n	microscope m électronique à transmission, microscope de (à) transmission	электронный микроскоп с просвечиванием, просвечивающий электронный микроскоп
	transmission ultrasonic materials testing	s. transmission pulse technique		
T 2086	**transmissivity,** internal transmission factor of unit length (thickness), transmitting power, transmittivity	Durchsichtigkeitsmodul m; Durchsichtigkeitsgrad m, bezogen auf die Längeneinheit; Reintransmissionsmodul m; Reintransmissionsgrad m, bezogen auf die Längeneinheit; Reintransmissionsgrad für die Schichtdicke Eins	facteur m de transmission interne de l'épaisseur unité [du milieu], transmissibilité f, transmissivité f	пропускаемость, коэффициент внутреннего пропускания на единицу длины, коэффициент внутреннего пропускания для единичной толщины·слоя, удельный коэффициент пропускания
	transmissivity	s. a. transmission factor		
T 2087	**transmissometer**	Transmissometer n	transmissomètre m	трансмиссометр
	transmittance	s. transmission factor <US>		
	transmittance, transparency, transmission <phot.>	Transparenz f, Durchlassung f, Durchlässigkeit f, Transmission f <Phot.>	transparence f, transmittance f, transmission f <phot.>	прозрачность <фот.>
	transmitted colour	s. colour of the body in transmitted light		
	transmitted frequency band, transmission band, transmission region	Übertragungsbereich m, Übertragungsfrequenzband n, Übertragungsband n	bande f de transmission, bande passante de transmission	полоса передачи, частотная полоса передачи, диапазон применимых частот
	transmitted fringe	s. interference fringe by transmission		
T 2088	**transmitted intensity,** part of transmitted intensity	durchgelassene Intensität f, Bruchteil (Anteil) m der durchgelassenen Intensität, durchgelassener Intensitätsanteil m	intensité f transmise, partie f de l'intensité transmise	проходящаяся интенсивность, проходящаяся доля интенсивности
T 2089	**transmitted light,** translucent light, permeating light	Durchlicht n	lumière f transmise	просвет, пропущенный свет, проходящий свет
T 2090	**transmitted-light bright-field condenser**	Durchlicht-Hellfeldkondensor m	condenseur m pour l'éclairage par transmission à fond lumineux (clair)	светлопольный конденсор для изучения в проходящем свете
T 2091	**transmitted-light bright-field microscopy,** bright-field microscopy in transmitted light	Durchlicht-Hellfeldmikroskopie f	microscopie f de transparence à fond lumineux (clair), microscopie à éclairage par transmission à fond lumineux (clair)	изучение под микроскопом в проходящем свете на освещенном поле
T 2092	**transmitted-light condenser,** condenser for transillumination	Durchlichtkondensor m	condenseur m pour l'éclairage par transmission	конденсор для изучения в проходящем свете
T 2093	**transmitted-light dark-field condenser**	Durchlicht-Dunkelfeldkondensor m	condenseur m pour l'éclairage par transmission à fond noir	темнопольный конденсор для изучения в проходящем свете
T 2094	**transmitted-light dark-field microscopy,** dark-field microscopy in transmitted light	Durchlicht-Dunkelfeldmikroskopie f	microscopie f de transparence à fond noir, microscopie à éclairage par transmission à fond noir	изучение под микроскопом в проходящем свете на темном поле
	transmitted-light microscope	s. microscope arranged for transillumination		
T 2095	**transmitted-light microscopy,** microscopy in transmitted light	Durchlichtmikroskopie f	microscopie f de transparence, microscopie f (observation f sous le microscope) à éclairage par transmission, microscopie en éclairage diascopique	изучение под микроскопом в проходящем свете
T 2095a	**transmitted load**	mittelbare Belastung f	charge f transmise	непрямая (передаваемая) нагрузка
T 2096	**transmitted power,** transported power	übertragene Leistung f; Durchgangsleistung f	puissance f transmise; puissance transportée	передаваемая мощность; излученная мощность

T 2097	**transmitted power meter**	Durchgangsleistungsmesser *m*, Durchgangswattmeter *n*	wattmètre *m* de puissance transmise	ваттметр [для измерения] проходящей мощности, ваттметр проходящего типа, проходящий ваттметр
T 2098	**transmitter**, transmitting set, sender	Sender *m*; Hochfrequenzgenerator *m*, HF-Generator *m*	émetteur *m*	передатчик
T 2099	**transmitter**	Transmitter *m*, Meßgeber *m* mit einheitlichen Ausgangsdaten	transmetteur *m*	датчик, преобразователь измеряемой величины
T 2099a	**transmitter** <bio.>	Transmitter *m*, Neurotransmitter *m* <Bio.>	transmetteur *m* <bio.>	невропередатчик, передатчик <био.>
	transmitter	*s. a.* telephone transmitter		
	transmitter aerial (antenna)	*s.* transmitting aerial <el.>		
	transmitter diaphragm; microphone diaphragm	Mikrophonmembran *f*	membrane *f* du microphone; membrane d'écouteur	мембрана микрофона, диафрагма микрофона
T 2100	**transmitter diversity**	Senderdiversity *n*, Ablagewellenfunk *m*	diversité *f* d'émetteurs	разнесение передатчиков
	transmitter inset	*s.* telephone transmitter		
	transmitter noise; microphone noise, microphone burning	Mikrophonrauschen *n*, Mikrophongeräusch *n*	bruit *m* de microphone	микрофонный шум
	transmitter receiver, transceiver	Sende-Empfangs-Gerät *n*, Sendeempfänger *m*, Senderempfänger *m*, Tran[s]ceiver *m*	émetteur-récepteur *m*, poste *m* émetteur-récepteur	приемо-передатчик, приемно-передающее устройство
T 2101	**transmitter-receiver cell**, TR cell	Sperröhre *f*	duplexeur *m* (lampe *f*) transmission-réception, duplexeur T. R., tube *m* de protection du récepteur	разрядник защиты (блокировки) приемника, разрядник для антенного переключения
T 2102	**transmitter-responder**, transponder	Transponder *m*, TSP	répétiteur *m* d'impulsions	импульсный повторитель, повторитель импульсов
	transmitter tube	*s.* transmitting tube		
	transmitter unit	*s.* telephone transmitter		
T 2103	**transmitting aerial (antenna)**, emitting (sending, transmitter) antenna, transmitter aerial <el.>	Sendeantenne *f*; Senderantenne *f*; Strahler *m* <El.>	antenne *f* émettrice (d'émission, rayonnante, à rayonnement, de transmission), antenne-radiateur *f* <él.>	передающая антенна, активный вибратор, излучатель <эл.>
	transmitting direction	*s.* forward direction		
	transmitting light	*s.* transparent		
	transmitting modulation	*s.* transmission modulation		
T 2104	**transmitting power**, transmission power, sending power	Sendeleistung *f*	puissance *f* d'émission	излучаемая мощность
	transmitting power	*s. a.* transmissivity		
	transmitting set	*s.* transmitter		
T 2105	**transmitting tube**, **transmitting valve**, sending tube, transmitter tube	Senderöhre *f*	tube *m* d'émission, tube oscillateur (émetteur), lampe *f* émettrice	генераторная лампа
T 2106	**transmitting wave**	Übertragungswelle *f*	onde *f* de transmission (transfert)	передаточная волна
	transmittivity	*s.* transmissivity		
	transmodulation	*s.* cross modulation		
	transmutation	*s.* nuclear transformation		
	transmutation constant	*s.* decay constant		
	transmutation of nucleus	*s.* nuclear transformation		
T 2107	**transmutation period**, transformation (decay) period, disintegration period (time), decay time <nucl.>	Umwandlungszeit *f*, Zerfallszeit *f* <Kern.>	période *f* de transmutation (désintégration), durée *f* de transmutation (désintégration) <nucl.>	период распада, период ядерного превращения, период превращения, время распада <яд.>
	transmutation probability	*s.* nuclear transformation probability <nucl.>		
T 2108	**transmutation product**, transformation product	Umwandlungsprodukt *n*	produit *m* de transmutation	продукт радиоактивного превращения, продукт превращения
	transmutation rate	*s.* disintegration rate <nucl.>		
	transmutation rate	*s.* nuclear transformation probability <nucl.>		
T 2109	**transmutations per minute**, transformations per minute, disintegrations per minute, tpm, dpm	Anzahl (Zahl) *f* der Zerfälle pro Minute, Zerfälle *mpl* pro Minute, Zerf./min, tpm-Zahl *f*, tpm-Einheit *f*, tpm	transmutations *fpl* par minute, désintégrations *fpl* par minute, tpm, dpm	распады на минуту, число распадов на минуту, *расп./мин.*
T 2110	**transmutations per second**, transformations per second, disintegrations per second, tps, dps	Anzahl (Zahl) *f* der Zerfälle pro Sekunde, Zerfälle *mpl* pro Sekunde, Zerf./s, tps-Zahl *f*, tps-Einheit *f*, tps	transmutations *fpl* par seconde, désintégrations *fpl* par seconde, tps, dps	распады на секунду, число распадов на секунду, *расп./сек.*
T 2111	**transonic**, transsonic	schallnah, transsonisch	transsonique	околозвуковой, близкий к скорости звука, трансзвуковой
	transonic	*s. a.* transonic flow		
T 2112	**transonic equation**	schallnahe gasdynamische Gleichung *f*	équation *f* transsonique	околозвуковое уравнение, трансзвуковое уравнение
T 2113	**transonic flow**, transonic	schallnahe (transsonische) Strömung *f*	écoulement (mouvement) *m* transsonique	околозвуковое течение
T 2114	**transonic nozzle**	transsonische Düse *f*	tuyère *f* transsonique	околозвуковое сопло

	English	German	French	Russian
	transonic range (regime)	s. transonic region		
T 2115	**transonic region,** transonic range; transonic regime	schallnaher Bereich m, Transsonikbereich m, transsonischer Bereich, Schallgrenzbereich m	région f transsonique, gamme f transsonique; régime m transsonique	околозвуковой диапазон, околозвуковая область, околозвуковая зона
T 2115a	**transonics**	Aerodynamik f im Schallgrenzbereich, schallnahe Aerodynamik	aérodynamique f transsonique, transsonique f	аэродинамика околозвуковых скоростей
T 2116	**transonic wind tunnel**	transsonischer Windkanal m, Transsonikwindkanal m	soufflerie f transsonique	околозвуковая аэродинамическая трубка, аэродинамическая трубка для испытаний при околозвуковых скоростях
T 2117	**transosonde**	Transosonde f; Transozeansonde f	transosonde f	трансозонд, высотный радиозонд дальнего действия
	transparence	s. penetrance		
T 2118	**transparence, transparency** <opt.>	Durchsichtigkeit f, Transparenz f <Opt.>	transparence f, limpidité f <opt.>	прозрачность <опт.>
T 2119	**transparency, transmittance, transmission** <phot.>	Transparenz f, Durchlassung f, Durchlässigkeit f, Transmission f <Phot.>	transparence f, transmittance f, transmission f <phot.>	прозрачность <фот.>
T 2120	**transparency meter**	Transparenzmesser m	transparencemètre m	измеритель прозрачности
	transparency of the potential barrier	s. barrier factor		
T 2121	**transparency of water**	Sichttiefe f	transparence f de l'eau	прозрачность воды, глубина видимости
	transparent, clear, limpid <e.g. of water>	klar, durchsichtig <z. B. Wasser>	clair, limpide, transparent <p. ex. de l'eau>	прозрачный, ясный <напр. о воде>
T 2122	**transparent** <to light, electromagnetic radiation>; transmitting light, permeable to light; radiation transparent	durchsichtig, durchlässig, transparent <für Licht, elektromagnetische Strahlung>; lichtdurchlässig; strahlungsdurchlässig, strahlendurchlässig	transparent <à la lumière, au rayonnement électromagnétique>; perméable à la lumière; transparent au rayonnement	прозрачный, просвечивающий <для света, электомагнитного излучения>; светопроницаемый, светопропускаемый
	transparent, penetrable <to particles>	durchlässig <für Teilchen>	pénétrable, transparent <aux particules>	проницаемый, прозрачный <для частиц>
T 2123	**transparent colour**	Lasurfarbe f, nichtdeckende Farbe f, Nichtdeckfarbe f	azur m; glacis m	лазурь, лессирующий пигмент
T 2124	**transparent nucleus model**	durchlässiges Kernmodell n	modèle m du noyau transparent	модель прозрачного ядра
	transparent to infra-red [rays]	s. infra-red transmitting		
	transparent to ultra-violet [rays]	s. ultra-violet transmitting		
T 2125	**transparent window**	Strahlenaustrittsfenster n	fenêtre f transparente, fenêtre d'irradiation	прозрачное окошечко, окно для выхода лучей (излучения), окно для прохода излучения
T 2126	**transpassivation**	Transpassivierung f	transpassivation f	перепассивация, транспассивация
T 2127	**transpassivity**	Transpassivität f	transpassivité f	транспассивность, перепассивность
T 2127a	**transpiration**	Transpiration f, produktive Verdunstung f	transpiration f	транспирация <растений>
	transpirational pull	s. transpiration pull		
T 2128	**transpiration coefficient**	Transpirationskoeffizient m	coefficient m de transpiration	коэффициент транспирации
	transpiration cooling, sweat cooling	Schwitzkühlung f, Transpirationskühlung f	refroidissement m par transpiration	охлаждение выпотеванием, эффузионное (транспирационное) охлаждение
T 2129	**transpiration method, dynamic[al] method** <of vapour-pressure measurement>	dynamische Methode f, Siedemethode f <der Dampfdruckbestimmung>, Mitführung f im Gasstrom	méthode f dynamique [de la mesure de pression de vapeur]	метод газового насыщения, метод струи, динамический метод <измерения давления насыщенного пара>
T 2130	**transpiration pull, transpirational pull**	Transpirationssog m	succion f de transpiration	транспирационное натяжение, транспирационное насасывание
T 2131	**transpiration resistance**	Transpirationswiderstand m	résistance f à la transpiration	сопротивление транспирации
T 2132	**trans-plutonian planet**	Transpluto m	planète f trans-plutonienne	заплутонная (трансплутонная, трансплутоновая) планета
T 2133	**transplutonium element**	Transplutoniumelement n, Transplutonium n	transplutonien m	заплутониевый элемент
	transponder, transmitter-responder	Transponder m, TSP	répétiteur m d'impulsions	импульсный повторитель, повторитель импульсов
T 2134	**transport; transportation**	Transport m; Beförderung f	transport m; transfert m	перенос, транспорт, перевозка
	transport	s. a. transfer		
T 2135	**transportable**	transportabel	transportable	транспортабельный, транспортируемый, перевозимый, переносный
	transportation	s. transport		
	transport[ation] by wind, wind transport	Windverschleppung f	transport m par le vent, transfert m par le vent	перенос ветром
T 2135a	**transportation problem**	Transportproblem n	problème m de transport	задача о перевозках, транспортная задача
	transport coefficient, transport factor <neutron transport theory>	Transportfaktor m, Transportkoeffizient m <Neutronentransporttheorie>	facteur m de transport <théorie de transport des neutrons>	коэффициент переноса <в теории переноса нейтронов>

T 2136	**transport coefficient** s. a. transfer coefficient **transport cross-section,** neutron transport cross-section, cross-section for [neutron] transport	Transportquerschnitt *m*, Transportwirkungsquerschnitt *m*, Neutronentransport[wirkungs]querschnitt *m*	section *f* efficace de transport [neutronique], section efficace du transport des neutrons	сечение переноса [нейтронов], транспортное сечение, нейтронное транспортное сечение
	transported power s. transmitted power **transport effect** s. transport phenomenon **transport entropy** s. entropy of transfer			
T 2137	**transport equation**	Transportgleichung *f*; Maxwellsche Transportgleichung	équation *f* du transport, équation de transfert de Maxwell; équation de transfert	уравнение переноса
T 2138	**transport equation of angular momentum**	Drehimpulstransportgleichung *f*	équation *f* de transfert du moment cinétique	уравнение переноса количества движения
T 2139	**transport factor,** transport coefficient <neutron transport theory>	Transportfaktor *m*, Transportkoeffizient *m* <Neutronentransporttheorie>	facteur *m* de transport <théorie de transport des neutrons>	коэффициент переноса <в теории переноса нейтронов>
T 2140	**transport kernel**	Transportkern *m*	noyau *m* de l'intégrale de transport	ядро (функция влияния) переноса
T 2141	**transport lag**	Transportverzögerung *f*	retard *m* de transport	транспортное запаздывание
T 2142	**transport mean free path,** mean free path for transport	[mittlere freie] Transportweglänge *f*, mittlere freie Weglänge *f* für Transport	libre parcours *m* moyen de transport	[средняя] длина свободного пробега переноса, средний свободный пробег переноса, транспортная длина [свободного пробега], средний транспортный свободный пробег, средний свободный транспортный пробег, средний транспортный пробег, транспортный пробег
T 2143	**transport number,** transference number **transport number of the anion**	Überführungszahl *f*, Hittorfsche Überführungszahl s. anion transport number	nombre *m* de transport [des ions]	число переноса [ионов], коэффициент переноса (перемещения)
T 2144	**transport number of the cation,** cation transport (transference) number **transport of air masses** s. transfer of air masses **transport of momentum** s. transfer of momentum <mech.>	Kationenüberführungszahl *f*	nombre *m* de transport du cation, nombre de transport cationique	число переноса катиона
T 2145	**transport of solids,** transfer of solids, mass transport, mass transfer <e.g. by rivers> <geo.>	Massentransport *m*, Materialtransport *m*, Massenverlagerung *f*, Massenverfrachtung *f*, Feststofftransport *m* <z. B. durch Flüsse> <Geo.>	transport *m* des solides, transfert *m* des solides, transfert du matériel solide <p. ex. par ou sur les rivières> <géo.>	перенос материалов (массы), перемещение массы, перенос твердых веществ; твердый расход, расход твердых веществ; твердый сток <напр. реками> <гео.>
	transport of water [particles], water transport	Wassertransport *m*, Wasserverfrachtung *f*, Wasserverfrachtung *f*	transfert *m* des eaux, transfert des masses d'eau, transfert des particules d'eau	перемещение вод, перемещение водных масс
T 2146	**transport phenomenon,** transport effect	Transporterscheinung *f*, Transportphänomen *n*	phénomène *m* de transfert (transport), effet *m* de transfert (transport)	явление переноса
T 2147	**transport reaction**	Transportreaktion *f*	réaction *f* de transport	реакция переноса
T 2148	**transport term**	Transportterm *m*, Transportglied *n*	terme *m* de transport	член переноса
T 2149	**transport theorem**	Transportsatz *m*	théorème *m* de transport	теорема переноса
T 2149a	**transport theory,** transfer theory	Transporttheorie *f*	théorie *f* du transport	теория переноса
T 2150	**transport theory,** neutron transport theory	Transporttheorie *f*, Neutronentransporttheorie *f*, kinetische Diffusionstheorie *f*	théorie *f* du transport [des neutrons]	теория переноса [нейтронов]
T 2151/2	**transport vessel** **transpose** s. transposed matrix **transposed and conjugate matrix** s. adjoint matrix	Transportgefäß *n*	vase *m* de transport	транспортный сосуд
T 2153	**transposed kernel**	transponierter Kern *m*	noyau *m* transposé	транспонированное ядро, переставленное ядро
T 2154	**transposed matrix,** transpose	transponierte Matrix *f*, gestürzte Matrix, Transponierte *f*	matrice *f* transposée, transposée *f*	транспонированная матрица, переставленная матрица
T 2155	**trans-position,** trans-situation, anti-position	trans-Stellung *f*, anti-Stellung *f*	arrangement *m* (position *f*) trans, position anti, anti-position *f*	*транс*-положение, *анти*-положение
T 2156	**transposition** <of lines>	Verdrillung *f* <Fernmeldeleitung>	transposition *f* <de lignes>	транспозиция [проводов], скрещивание [проводов], скрутка [линии]
	transposition, rearrangement, reorganization, transformation <chem.>	Umlagerung *f*, Umgruppierung *f* <Chem.>	regroupement *m*, transposition *f* <chim.>	перегруппировка, перегруппирование, перестройка <хим.>
T 2157	**transposition** <el.>	Verschränkung *f* <El.>	transposition *f* <él.>	транспозиция <эл.>
	transposition; rearrangement; permutation <gen.>	Umlagerung *f*, Verlagerung *f*; Umordnung *f*; Umstellung *f*; Umsetzung *f*; Vertauschung *f* <allg.>	réarrangement *m*; regroupement *m*; interversion *f*; transposition *f*; permutation *f*; substitution *f* <gén.>	перегруппировка; перестановка; подстановка; изменение порядка; перераспределение; перемена <общ.>
T 2158	**transposition** <math.>	Transposition *f* <Math.>	transposition *f* <math.>	транспозиция <матем.>

		English	German	French	Russian
		transposition	s. a. frequency conversion <el.>		
		transposition [by crossing]; crossing <of wires>	Kreuzung f <Leitungen>	croisement m; transposition f [par croisement] <de lignes>	скрещивание; транспозиция <проводов>
		transposition of pairs, phantom transposition; interchange of sites; exchange of site, place exchange	Platzwechsel m	échange m, échange des sites, permutation f des sites, interchange m des sites	обмен местами, обмен, обмен положения
		transposition of pairs	s. a. phantom transposition <el.>		
T 2159		transposition of the matrix, interchanging the rows and columns of the matrix	Transponieren n (Stürzen n, Transposition f) der Matrix, Vertauschung f von Spalten und Zeilen <Matrix>	transposition f de la matrice	переставление (транспонирование [строк и столбцов], перестановка) матрицы
		transposition reaction, rearrangement reaction	Umlagerungsreaktion f	réaction f de regroupement, réaction de transposition	реакция перегруппировки
		transrectifier	s. valve rectifier		
T 2160		transrector	Transrektor m, Transrector m	redresseur m idéal, transrecteur m	идеальный выпрямитель, трансректор
		trans-situation	s. trans-position		
		transsonic	s. transonic		
		trans-stereoisomer, trans-isomer, trans-isomeride, trans-form	trans-Form f, trans-Isomer n	isomère m trans, forme f trans	*транс*-изомер, *транс*-изомерная форма, *транс*-форма
T 2161		trans-substitution	trans-Substitution f	substitution f trans	*транс*-замещение
T 2161a		trans-tactic	trans-taktisch	trans-tactique	*транс*-тактический
		transtat	s. variable ratio transformer		
T 2162		**Transtrojans**	Transtrojaner mpl	planètes fpl transtroyennes	Перетроянцы
T 2163		transuranic element, (metal), transuranium element	Transuran n	transuranien m, élément m transuranien	заурановый элемент, трансурановый элемент
T 2163a		transvection <math.>	Transvektion f <Math.>	transvection f <math.>	трансвекция <матем.>
		transvection, contraction, inner multiplication <of tensor>	Überschiebung f [von Indizes] <Tensor>	multiplication f contractée, transvection f <de tenseur>	внутреннее умножение, умножение со свертыванием <тензора>
		transversal, secant	Sekante f, Transversale f, Treffgerade f	sécante f, transversale f	секущая, трансверсаль
		transversal	s. a. transverse		
T 2164		transversal derivative, transverse derivative	Ableitung f in Richtung der Konormalen	dérivée f transversale	производная по конормали
T 2165		transversality	Transversalität f	transversalité f	поперечность <волны>; трансверсальность <матем.>
T 2166		transversality condition	Transversalitätsbedingung f	condition f de transversalité; condition aux limites <calcul des variations>	условие трансверсальности; условие поперечности
		transversally damped wave	s. inhomogeneous wave		
T 2167		transversally stratified, piled up transversally	quergeschichtet	stratifié transversalement (en direction transversale), disposé par couches transversales	поперечнослоистый, слоистый в поперечном направлении
		transverse aberration	s. transverse ray aberration		
T 2168		transverse acceleration, transverse componente of acceleration	Querbeschleunigung f, Transversalbeschleunigung f, transversale Beschleunigung f, transversale (azimutale) Komponente f der Beschleunigung	accélération f transversale, composante f transversale de l'accélération	поперечное ускорение, трансверсальное ускорение, азимутальное ускорение, поперечная составляющая ускорения
		transverse axis, minor axis; secondary axis <cryst.>	kleine Achse f; Nebenachse f <Krist.>	petit axe m	малая ось, вторая ось
T 2169		transverse Bauschinger effect	transversaler Bauschinger-Effekt m	effet m Bauschinger transversal	поперечный эффект Баушингера
T 2170		transverse beam, bridge beam, cross[-] beam, cross girder; cross[-]arm, cross[-]bar, cross[-] piece, traverse <mech.>	Querbalken m; Querträger m; Traverse f <Mech.>	poutre f transversale, barre f transversale; traverse f <méc.>	поперечная балка, перекрестная балка; поперечная опорная балка, поперечная балка рамы, поперечина [рамы], перекладина, траверса <мех.>
		transverse bending, cross bending, bending in flexure	allgemeine Biegung f, Querkraftbiegung f	flexion f transversale	поперечный изгиб
T 2170a		transverse Bloch wall	Bloch-Querwand f	cloison f de Bloch transversale	поперечная граница доменов (Блоха)
		transverse chromatic aberration	s. lateral chromatic aberration		
T 2171		transverse comparator	Transversalkomparator m	comparateur m transversal	поперечный компаратор
T 2172		transverse component, cross component	Querkomponente f, Transversalkomponente f, transversale (azimutale) Komponente f	composante f transversale	поперечная составляющая
		transverse component of acceleration	s. transverse acceleration		
T 2173		transverse conductance	Querleitwert m	conductance f transversale	поперечная активная проводимость, поперечная проводимость; распределенная проводимость на единицу длины линии

T 2174	**transverse conductivity,** transverse electric conductivity	Querleitfähigkeit f, transversale Leitfähigkeit f	conductibilité f électrique transversale, conductibilité transversale	поперечная электропроводность (проводимость); электропроводность, перпендикулярная магнитному полю
	transverse contraction, contraction <elast.>	Querkontraktion f, Querverkürzung f, Querkürzung f, Kontraktion f	contraction f, contraction transversale	поперечное сужение (укорочение), относительное укорочение, поперечное (пуассоновское) сжатие
	transverse contraction	s. a. Poisson ratio		
T 2175	**transverse-control cathode-ray tube, transverse-control tube**	Quersteuerröhre f, Quersteuer-Elektronenstrahlröhre f	tube m à réglage transversal, tube cathodique à réglage transversal	электроннолучевая трубка с поперечным управлением, лампа с поперечным управляющим полем
T 2176	**transverse crevasse**	Querspalte f	crevasse f transversale	поперечная трещина (расселина)
	transverse current, cross current, diagonal current; shunt current <el.>	Nebenschlußstrom m, Zweigstrom m; Querstrom m <El.>	courant m transversal <él.>	поперечный ток <эл.>
T 2177	**transverse-current carbon microphone**	Querstrommikrophon n	microphone m au charbon à courant transversal	угольный микрофон, при котором ток протекает поперечно к направлению падения звука; контактный микрофон
T 2178	**transverse curvature**	Querkrümmung f	courbure f transversale	поперечная кривизна; поперечное искривление; кривизна вертикала
T 2179	**transverse damping**	Querdämpfung f, Querfelddämpfung f; Schrägdämpfung f	amortissement m transversal	поперечное демпфирование (затухание), косое затухание
	transverse derivative	s. transversal derivative		
T 2180	**transverse diffusion**	Querdiffusion f, Diffusion f in Querrichtung	diffusion f transverse	поперечная диффузия
T 2181	**transverse direction,** direction of conormal	Konormalenrichtung f	direction f de la conormale	направление конормали
T 2182	**transverse Doppler effect**	transversaler Doppler-Effekt m	effet m Doppler-Fizeau transversal	поперечный эффект Доплера
T 2182a	**transverse earthquake**	Querbeben n	tremblement m de terre transversal	поперечное землетрясение
T 2183	**transverse effect**	Quereffekt m, Transversaleffekt m	effet m transversal	поперечный эффект
	transverse electric conductivity	s. transverse conductivity		
	transverse electric mode	s. H[-] mode		
	transverse electric wave	s. H[-] mode		
	transverse electromagnetic mode	s. transverse electromagnetic wave		
	transverse electromagnetic wave	s. principal wave		
	transverse E[-] mode	s. H[-] mode		
	transverse E[-] wave	s. H[-] mode		
	transverse expansion (extension)	s. transverse strain		
T 2184	**transverse field amplifier,** transverse-field parametric amplifier, Adler tube	parametrischer Verstärker m mit Querfeld, Adler-Röhre f	amplificateur m paramétrique à champ transversal, tube m d'Adler	прибор Адлера
T 2185	**transverse field instrument**	Querfeldinstrument n	appareil m à champ transversal	прибор с поперечным полем
	transverse-field parametric amplifier	s. transverse field amplifier		
	transverse force, cross force <mech.>	Querkraft f, seitliche Kraft f <Mech.>	force f latérale, force transversale; poussée f transversale <méc.>	поперечная сила <мех.>
	transverse force	s. a. shear force		
T 2185a	**transverse force coefficient**	Querkraftbeiwert m	coefficient m de force transversale	коэффициент поперечной силы
	transverse force diagram	s. shearing force diagram		
T 2186	**transverse galvanomagnetic effect**	galvanomagnetischer Transversaleffekt m	effet m galvanomagnétique transversal	поперечный гальваномагнитный эффект
T 2187	**transverse geotropism**	Transversalgeotropismus m, Plagiogeotropismus m, Horizontalgeotropismus m	géotropisme m transversal	поперечный геотропизм, горизонтальный геотропизм
	transverse H[-] mode	s. wave of electric type		
T 2188	**transverse horizontal shift**	transversale Horizontalverschiebung f	décrochement m horizontal transversal	трансверсальный горизонтальный сдвиг, поперечное горизонтальное смещение
T 2189	**transverse horopter,** horizontal horopter	Querhoropter m, Horizontalhoropter m	horoptère m transversal (horizontal)	поперечный (горизонтальный) гороптер
	transverse H[-] wave	s. wave of electric type		
	transverse impulse	s. transverse momentum		
	transverse inclination; transverse slope	Quergefälle n, Querneigung f; Querkippung f	pente f transversale; inclinaison f transversale	поперечный уклон; поперечный наклон
	transverse inductance	s. cross inductance		
T 2190	**transverse Joule effect**	transversaler Joule-Effekt m	effet m Joule transversal	поперечный эффект Джоуля
	transverse load, lateral load	seitliche Belastung f, Belastung in der Querrichtung, Querbelastung f	charge f transversale	поперечная нагрузка

	English	German	French	Russian
T 2191	**transverse magnetic field**	magnetisches Querfeld *n*, transversales Magnetfeld *n*	champ *m* magnétique transversal	поперечное магнитное поле
	transverse magnetic mode (wave)	*s.* wave of electric type		
	transverse magnetization, cross magnetization, perpendicular magnetization	Quermagnetisierung *f*, transversale Magnetisierung *f*	aimantation *f* transversale, aimantation perpendiculaire	поперечное намагничивание
T 2192	**transverse magnetoresistance, transverse magnetoresistance (magnetoresistive) effect**	transversale magnetische Widerstandsänderung *f*, transversaler W.-Thomson-Effekt *m*	magnétorésistance *f* transversale, effet *m* magnétorésistif transversal	поперечный эффект Томсона, поперечный магниторезистивный эффект
T 2193	**transverse magnetostriction**	transversale Magnetostriktion *f*, Quermagnetostriktion *f*	magnétostriction *f* transversale	поперечная магнитострикция
	transverse magnification	*s.* magnification		
T 2194	**transverse mass**	transversale Masse *f*	masse *f* transversale	поперечная масса
T 2195	**transverse Mercator projection**, Gauss-Krüger projection, Gauss conformal projection	Gauß-Krüger-Projektion *f*, Gaußsche Projektion *f*, querachsige Mercator-Projektion *f*, transversale Mercator-Projektion, Gauß-Krüger-Entwurf *m*	projection *f* Mercator transverse, projection Gauss-Krüger, projection de Mercator transverse, projection de Gauss-Krüger	поперечная меркаторская проекция, поперечная проекция Меркатора, проекция Гаусса-Крюгера
T 2196	**transverse metacentre**, little metacentre	Breitenmetazentrum *n*, kleines Metazentrum *n*	métacentre *m* transversal, petit métacentre	поперечный метацентр
T 2197	**transverse mode**, T-mode, transverse wave, T-wave <el.>	Transversalwelle *f*, T-Welle *f*, Transversaltyp *m*, T-Typ *m*, T-Typ-Welle *f*, Transversalmode *f*, T-Mode *f* <El.>	mode *m* transversal, mode T, onde *f* transversale, onde T <él.>	поперечная волна, поперечный вид волн, поперечный тип волн, Т-волна <эл.>
T 2198	**transverse momentum**, transverse impulse	Impuls *m* senkrecht zur Bewegungsrichtung des Teilchens, Querimpuls *m*	impulsion *f* transversale	поперечный импульс; импульс, перпендикулярный направлению движения частицы
T 2199	**transverse motion, transverse movement**	Transversalbewegung *f*, Querbewegung *f*, transversale Bewegung *f*	mouvement *m* transversal	поперечное движение
T 2200	**transverse Nernst-Ettingshausen coefficient**	transversaler Nernst-Ettingshausen-Koeffizient *m*	coefficient *m* de Nernst-Ettingshausen transversal	поперечный коэффициент Нернста-Эттингсгаузена
T 2201	**transverse Nernst-Ettingshausen effect**	transversaler (erster) Nernst-Ettingshausen-Effekt *m*	effet *m* Nernst-Ettingshausen transversal	поперечный эффект Нернста-Эттингсгаузена
	transverse oscillation	*s.* transverse vibration		
T 2202	**transverse part of the Hamiltonian**	transversaler Anteil *m* des Hamilton-Operators	partie *f* transversale du hamiltonien	поперечная часть гамильтониана
T 2203	**transverse photon**	transversales (transversal polarisiertes, querpolarisiertes) Photon *n*	photon *m* transversal	поперечный фотон
T 2204	**transverse phototropism**	Transversalphototropismus *m*	phototropisme *m* transversal	поперечный фототропизм
T 2205	**transverse piezoelectric effect**	transversaler Piezoeffekt (piezoelektrischer Effekt) *m*	effet *m* piézo-électrique transversal	поперечный пьезоэффект
	transverse pilling	*s.* transverse stratification		
	transverse polarity	Querpolarität *f*	polarité *f* transversale	поперечная полярность
T 2206	**transverse polarization**, cross polarization	Querpolarisation *f*, transversale Polarisation *f*, Transversalpolarisation *f*	polarisation *f* transversale	поперечная поляризация
T 2206a	**transverse pore**	durchgehende Pore *f*	pore *m* transversal	сквозная пора
	transverse pressure	*s.* lateral pressure		
T 2207	**transverse projection**, equatorial projection	äquatorständige (transversale, querachsige, äquatoriale) Projektion *f*, Transversalprojektion *f*, äquatorständiger (transversaler, querachsiger, äquatorialer) Entwurf *m*	projection *f* transverse, projection équatoriale	поперечная проекция, экваториальная проекция
T 2208	**transverse pull**	Querzug *m*	traction *f* transversale	поперечное растяжение
T 2209	**transvers ray aberration**, transverse [spherical] aberration, lateral [spherical] aberration	Queraberration *f*, sphärische Queraberration, Breitenabweichung *f*	aberration *f* sphérique transversale, aberration transversale	поперечная аберрация, поперечная сферическая аберрация
T 2209a	**transverse relaxation**	transversale Relaxation *f*	relaxation *f* transversale	поперечная релаксация
	transverse relaxation time	*s.* spin-spin relaxation time		
T 2210	**transverse resistance** <semi.>	transversaler Widerstand *m*, Transversalwiderstand *m* <Halb.>	résistance *f* transversale <semi.>	поперечное сопротивление <полу.>
	transverse resistance	*s. a.* shear strength		
T 2210a	**transverse rigidity**	Quersteifigkeit *f*, Quersteife *f*	rigidité *f* transversale	поперечная жесткость, жесткость на поперечный сдвиг
T 2211	**transverse scale**	Transversalmaßstab *m*, Transversalskala *f*, Transversalnonius *m*; Transversalskale *f*	échelle *f* transversale	поперечный масштаб, поперечная шкала, трансверсальный нониус, поперечный нониус, поперечный верньер
T 2211a	**transverse shear**	Querschub *m*, transversale Scherung *f*	cisaillement *m* transversal	поперечный сдвиг
T 2212	**transverse shrinkage**, cross shrinkage	Querschrumpfung *f*	rétrécissement *m* transversal	поперечное сжатие, поперечная усадка

T 2213	transverse slope; transverse inclination	Quergefälle n; Querneigung f; Querkippung f	pente f transversale; inclinaison f transversale	поперечный уклон; поперечный наклон
	transverse sound velocity	s. transverse velocity <ac.>		
T 2214	transverse sound wave	transversale Schallwelle f	onde f acoustique transversale	поперечная звуковая волна
	transverse spherical aberration	s. transverse ray aberration		
T 2215	transverse stability [of charged particle]	Querstabilität f [des Teilchens]	stabilité f transversale [de la particule chargée]	поперечная устойчивость [движения заряженной частицы]
T 2216	transverse strain, transverse extension (expansion), lateral strain	Querdehnung f; Querverzerrung f; Querdehnungszahl f	dilatation f transversale	поперечное расширение (удлинение); коэффициент поперечного расширения
T 2217	transverse stratification; transverse piling	Querschichtung f; Querrippelung f	stratification f transversale; disposition f par couches transversales	поперечная слоистость, поперечное расслоение
	transverse strength	s. shear strength		
	transverse stress, bending stress, flexural stress	Biegespannung f, Biegenormalspannung f	contrainte f de flexion	напряжение при изгибе
	transverse stripe, cross stripe; stripe running across	Querstreifen m	bande f transversale, raie f transversale	поперечная полоска, поперечная полоса
T 2218	transverse tension coefficient of resistivity	transversaler Spannungskoeffizient m des spezifischen Widerstandes	coefficient m transversal de tension de la résistivité (résistance spécifique)	поперечный коэффициент напряжения удельного сопротивления
T 2218a	transverse tomography	Querschichtenaufnahmetechnik f, Transversaltomographie f	tomographie f transversale	поперечная томография
T 2219	transverse valley	Quertal n, Durchbruchstal n, Transversaltal n	vallée f transversale, vallée perçante	поперечная долина, долина прорыва
T 2220	transverse velocity, transverse sound velocity, velocity of transverse waves <ac.>	Ausbreitungsgeschwindigkeit f transversaler Schallwellen, transversale Schallgeschwindigkeit f, Transversalgeschwindigkeit f <Ak.>	vitesse f transversale <ac.>	скорость поперечных звуковых волн, скорость поперечных волн, поперечная скорость <ак.>
T 2221	transverse vibration, transverse oscillation; lateral oscillation (vibration); swaying	transversale Schwingung f, Transversalschwingung f, Querschwingung f	vibration f transversale, oscillation f transversale	поперечное колебание
T 2222	transverse Villari effect	transversaler Villari-Effekt m	effet m Villari transversal	поперечный эффект Виллари
	transverse voltage, cross voltage, perpendicular voltage	Querspannung f	tension f transversale, tension perpendiculaire	поперечное напряжение; напряжение, перпендикулярное направлению тока
T 2223	transverse wave, shear wave, S wave	Transversalwelle f, transversale Welle f, Querwelle f, Scherwelle f, S-Welle f	onde f transversale	поперечная волна
	transverse wave, shear wave, S ray, S wave <geo.>	S-Welle f, Transversalwelle f, Scherwelle f <Geo.>	onde f transversale, onde S <géo.>	поперечная волна, волна S, сейсмическая волна типа S <гео.>
T 2224	transverse wave	s. a. transverse mode <el.>		
	transverse wave along the string	Seilwelle f	onde f transversale le long de la corde	поперечная волна вдоль веревки (каната)
	transverse wave once-reflected downwards at the Earth's outer surface, SS ray (wave)	SS-Welle f, einfach reflektierte Transversalwelle f	onde f SS, onde transversale réfléchie une fois	однократно отраженная поперечная волна, волна SS
T 2225	transverse Zeeman effect	transversaler Zeeman-Effekt m, Transversaleffekt m	effet m Zeeman transversal	поперечный эффект Зеемана
T 2225a	transversion <bio.>	Transversion f <Bio.>	transversion f <bio.>	трансверсия <био.>
T 2225b	transverter	Transverter m, Gleichrichter m	convertisseur m alternatif-continu, transverseur m	трансвертор, трансвертер
T 2226	trap <semi.>	Haftstelle f, Trap m, Falle f, Fangstelle f, Anlagerungsstelle f, Haftterm m <Halb.>	piège m, trappe f <semi.>	ловушка, ловушка захвата, центр прилипания <полу.>
T 2227	trap	Falle f, Abscheider m	piège m	ловушка
	trap, filter element <el.>	Siebglied n <El.>	élément m de filtrage <él.>	ячейка фильтра, звено фильтра <эл.>
	trap	s. a. absorption circuit <el.>		
	trap	s. a. cold trap		
	trap	s. a. trapping centre		
	TRAPATT	= trapped plasma avalanche triggered transit diode		
T 2228	trap coefficient	Haftkoeffizient m	coefficient m de captage	коэффициент захвата
T 2229	trap depth	Haftstellentiefe f	profondeur f des pièges; profondeur du piège	глубина ловушек; глубина ловушки
T 2230	trapezium	Trapezoid n	trapézoïde m	четырехугольник, никакие две стороны которого не параллельны; трапецоид
	trapezium	s. a. trapezoid		
	trapezium distortion	s. keystone distortion		
	trapezohedral [crystal] class	s. enantiomorphous hemihedry of the hexagonal system		

	English	German	French	Russian
	trapezohedral [crystal] class	*s. a.* enantiomorphous hemihedry of the tetragonal system		
	trapezohedral [crystal] class	*s. a.* trigonal holoaxial class		
T 2231	**trapezohedron**	Trapezoeder *n*	trapézoèdre *m*	трапецоэдр
	trapezohedron	*s. a.* pentagonal icositetrahedron		
T 2232	**trapezoid**	Trapez *n*, Paralleltrapez *n*	trapèze *m*	трапеция
	trapezoid	*s. a.* trapezium		
	trapezoidal distortion	*s.* keystone distortion		
T 2233	**trapezoidal function**	Trapezfunktion *f*	fonction *f* trapézoïdale	трапециевидная (трапецеидальная) функция
T 2234	**trapezoidal generator,** trapezoidal-wave generator	Trapezgenerator *m*, Trapezwellengenerator *m*	générateur *m* de tension en trapèze, générateur d'ondes trapézoïdales	генератор трапецеидального напряжения, генератор трапецеидальных импульсов (колебаний)
T 2235	**trapezoidal hemihedry**	trapezoidale Hemiedrie *f*	hémiédrie *f* trapézoïdale	трапецеидальный вид симметрии
T 2236	**trapezoidal load**	Trapezlast *f*	charge *f* trapézoïdale	трапецеидальная нагрузка
T 2237	**trapezoidal oscillation**	Trapezschwingung *f*	oscillation *f* trapézoïdale	трапецеидальное колебание
T 2238	**trapezoidal pulse**	Trapezimpuls *m*	impulsion *f* trapézoïdale	трапецеидальный импульс
T 2239	**trapezoidal rule,** trapezoid rule, trapezoid formula	Trapezregel *f*; Trapezformel *f*, Trapezmethode *f*, Sehnentrapezregel *f*, Sehnentrapezformel *f*	méthode (formule) *f* des trapèzes, formule trapézoïdale	формула трапеций, метод трапеций
	trapezoidal-wave generator	*s.* trapezoidal generator		
T 2240	**trapezoid wing**	Trapezflügel *m*	aile *f* trapézoïdale	трапециевидное крыло
	trapezoid formula (rule)	*s.* trapezoidal rule		
T 2241	**trap level,** trapping level, trapping term (state)	Haftterm *m*, Haftstellenniveau *n*, Haftniveau *n*; Trapniveau *n*	niveau *m* de captage, niveau (de) piège	уровень захвата, уровень прилипания, ловушечный уровень
T 2242	**trap model**	Trapmodell *n*	modèle *m* du piège	модель ловушек
T 2243	**trapped electron**	Haftelektron *n*	électron *m* piégé (capté)	захваченный электрон
	trapped-radiation region	*s.* Allen radiation belt / Van		
T 2244	**trapping;** collection; gathering; interception	Auffangen *n*; Fangen *n*; Sammlung *f*	capture *f*, captage *m*; attrapement; collection *f*; réception *f*; recueillement *m*; recueil *m*	улавливание; захват[ывание]; перехват[ывание]
	trapping, attachment, capture, addition	Anlagerung *f*	capture *f*, attachement *m*, adhérence *f*, addition *f*	захват, прилипание, присоединение, пристройка
	trapping, capture <of electrons>	Einfang *m*, Einfangen *n*	capture *f*, captage *m*	захват
T 2245	**trapping** <semi.>	Trapping *n*, „trapping" *n*, Haftung *f* <Halb.>	piégeage *m*, captage *m* <semi.>	захватывание, захват, захвачивание <полу.>
T 2246	**trapping centre,** trap	Haftzentrum *n*, Anlagerungszentrum *n*, Einfangzentrum *n*	centre *m* de captage (capture)	центр захвата, центр прилипания
T 2247	**trapping cross-section,** [effective] cross-section of carrier trapping, cross-section for trapping <semi.>	Haftungsquerschnitt *m*, Wirkungsquerschnitt *m* für (der) Haftung, Haftungswirkungsquerschnitt *m*, Haftquerschnitt *m* <Halb.>	section *f* efficace de captage, section efficace de piégeage <semi.>	эффективное сечение захвата [носителей заряда], сечение захвата <полу.>
T 2248	**trapping effect**	„trapping"-Effekt *m*	effet *m* de piégeage	явление захвата
	trapping level	*s.* trap level		
T 2249	**trapping mode**	„trapping mode" *f*, Einfangmode *f*	mode *m* de captage	захватывающий тип волн
T 2250	**trapping of air,** inclusion of air	Lufteinschluß *m*	libelle *f*, enclave *f* d'air, inclusion *f* d'air	воздушное включение
T 2251	**trapping rate**	Einfangrate *f*	vitesse *f* de capture	скорость захвата
T 2251a	**trapping region,** trapping spot	Kontaktenge *f*	région *f* de piégeage	область ловушек, захватывающая область
T 2252	**trapping sphere,** capture sphere	Einfangkugel *f*	sphère *f* de capture	сфера захвата
	trapping spot	*s.* trapping region		
	trapping state (therm)	*s.* trap level		
T 2253	**trapping time**	Einfangzeit *f*; Haftzeit *f* <Halb.>	temps *m* de capture (captage)	время захвата
T 2253a	**traser**	Traser *m*	traser *m*	тразер
T 2254	**Traube plate**	Traubesche Glimmer-Doppelplatte *f*	lame (plaque) *f* de Traube	пластинка Траубе
T 2255	**Traube['s] rule**	Traubesche Regel *f*	loi *f* de Traube	закон Траубе
	traumataxis, traumatotaxis	Traumatotaxis *f*	traumatotactisme *m*	травматаксис
T 2256	**traumatic action**	traumatische Einwirkung *f*	intervention *f* traumatisante, traumatisme *m*	травматическое действие
T 2257	**traumatonasty**	Traumatonastie *f*	traumatonastie *f*	травманастия
T 2258	**traumatotaxis,** traumataxis	Traumatotaxis *f*	traumatotactisme *m*	травматаксис
T 2259	**trauma[to]tropism**	Traumatotropismus *m*	traumatotropisme *m*	травматропизм
	travel	*s.* path		
T 2260	**travelling dune**	Wanderdüne *f*	dune *f* mouvante	блуждающая дюна, движущаяся дюна, передвигающаяся дюна, кочующая дюна

T 2261	travelling field	Wanderfeld n, Lauffeld n	champ m d'ondes progressives, champ mobile	перемещающееся поле, бегущее поле
T 2262	travelling layer, running layer	laufende Schicht f	couche f mobile, couche courante	подвижной слой, текущий слой
	travelling load	s. live load		
	travelling microscope; measuring microscope	Meßmikroskop n; Feinmeßmikroskop n	microscope m de mesure; microscope de voyage	измерительный микроскоп
T 2263	travelling screen, diaphragm [for measuring stream velocity]	Meßschirm m	écran m mobile	профильный поплавок, «передвижной» экран, движущийся экран, поплавок-экран
T 2264	travelling screen technique, diaphragm technique	Schirmverfahren n der Wassermengenmessung, Schirmmessung f	méthode f de l'écran mobile	измерение расхода воды с помощью передвижного экрана, измерение расхода воды профильным поплавком
T 2265	travelling speed, speed of travel	Zuggeschwindigkeit f	vitesse f de marche	скорость передвижения, скорость прохождения
	travelling spot	s. flying spot		
T 2266	travelling time, travel time, time of travel, transit time <geo., ac.>	Laufzeit f <Geo., Ak.>	temps m de parcours, temps du trajet <géo., ac.>	время пробега; время прохождения; время добегания <гео., ак.>
T 2267	travelling time difference, travelling time residual <geo.>	Laufzeitunterschied m, Laufzeitdifferenz f <Geo.>	différence f des temps de parcours, différence des temps du trajet <géo.>	разность времен пробега <гео.>
T 2268	travelling wave, running wave; advancing wave, progressive wave, wave of translation	Wanderwelle f; fortschreitende Welle f, laufende Welle, Ausbreitungswelle f	onde f progressive; onde mobile, onde propagée, onde de translation	бегущая волна; прогрессивная волна, распространяющаяся волна, блуждающая бегущая волна, блуждающая отраженная волна, волна перемещения
	travelling wave	s. a. surge <el.>		
T 2269	travelling-wave accelerator, travelling-wave linear accelerator	Wanderwellenbeschleuniger m, Wanderwellen-Linearbeschleuniger m	accélérateur m à onde progressive, accélérateur linéaire à onde progressive	ускоритель с бегущей волной, линейный ускоритель с бегущей волной
T 2270	travelling-wave amplifier	Wanderfeldverstärker m, Wanderwellenverstärker m	amplificateur m à onde progressive	усилитель с бегущей волной, усилитель бегущей волны
T 2271	travelling-wave amplifier tube	Wanderfeldverstärkerröhre f	tube m amplificateur à propagation d'onde	усилительная лампа бегущей волны
T 2272	travelling-wave helix, helix waveguide, helix <acc.>	Wendel f, Helix f, Hohlleiterwendel f, Wendelhohlleiter m <Beschl.>	hélice f, guide m d'onde à hélice <acc.>	спиральный волновод [с бегущими волнами], спирально-замедляющая структура <уск.>
	travelling-wave helix; delay-line helix	Wendelleiter m als Verzögerungsleitung, Verzögerungswendel f	ligne f à retard en hélice	спиральная линия задержки, замедляющая спираль
T 2273	travelling-wave helix tube	Wanderfeldwendelröhre f, Wendelröhre f	tube m à propagation d'onde à hélice	лампа бегущей волны с замедляющей спиралью
	travelling-wave laser	s. travelling-wave optical maser		
	travelling-wave linear accelerator	s. travelling-wave accelerator		
T 2274	travelling-wave magnetron	Wanderfeldmagnetron n, „travelling-wave"-Magnetron n	magnétron m à onde progressive	магнетрон бегущей волны, магнетрон типа бегущей волны, магнетрон с бегущей волной
T 2275	travelling-wave maser [amplifier]	Wanderwellenmaser[verstärker] m, Wanderfeldmaser[verstärker] m	maser m à onde progressive, maser amplificateur à onde progressive	мазер (квантовый усилитель) бегущей волны
T 2275a	travelling-wave maser generator (oscillator)	Wanderwellenmaser[oszillator] m, Wanderfeldmaser[oszillator] m	maser m à onde progressive, maser générateur (oscillateur) à onde progressive	квантовый генератор бегущей волны
T 2276	travelling-wave optical maser, travelling-wave laser	optischer Wanderwellenmaser m, optischer Wanderfeldmaser m, Wanderwellenlaser m, Wanderfeldlaser m	maser m optique à onde progressive, laser m à onde progressive	мазер бегущей волны оптического диапазона, квантовый усилитель бегущей волны оптического диапазона, лазер бегущей волны
T 2277	travelling-wave oscillation	Wanderwellenschwingung f	oscillation f migratrice, oscillation vagabonde	колебание блуждающей волны
	travelling-wave oscillator, transit-time oscillator, travelling-wave-tube oscillator	Laufzeitoszillator m, Laufzeitgenerator m	oscillateur m à onde progressive	генератор на пролетной лампе
T 2278	travelling-wave paramagnetic maser amplifier	paramagnetischer Wanderwellenmaserverstärker m	maser m amplificateur paramagnétique à onde progressive, amplificateur m maser paramagnétique à onde progressive	парамагнитный квантовый усилитель бегущей волны
T 2279	travelling-wave parametric amplifier, parametric travelling-wave amplifier	parametrischer Wanderfeldverstärker m, parametrischer Wanderwellenverstärker m	amplificateur m paramétrique à onde progressive	параметрический усилитель бегущей волны, параметрический усилитель с бегущей волной
T 2280	travelling-wave slotted antenna	Wanderwellenschlitzantenne f	antenne f à onde progressive à fente[s]	щелевая антенна бегущей волны, щелевая антенна с бегущей волной

	English	German	French	Russian
T 2281	travelling-wave tube, travelling-wave-type wave tube, wave tube, TWT	Lauffeldröhre f, Wanderfeldröhre f, „travelling-wave"-Röhre f	tube m à propagation d'onde, tube à onde progressive, T.P.O.	лампа бегущей волны, лампа с бегущей волной, ЛБВ
T 2282	travelling-wave tube amplifier, TWT amplifier	Wanderfeldröhrenverstärker m	amplificateur m à tube à propagation d'onde	усилитель на лампе бегущей волны, усилитель на ЛБВ
	travelling-wave-tube oscillator	s. travelling-wave oscillator		
	travelling-wave-type wave tube	s. travelling-wave tube		
	travelling wave with sharp-edged front	s. surge <el.>		
T 2283	travel of the valve, valve travel	Ventilspiel n	jeu m de la soupape	клапанный зазор, зазор между клапаном и толкателем
	travel time	s. transit time <el.>		
	travel time <geo., ac.>	s. travelling time		
	traversal	s. traverse <geo.>		
T 2284	traverse, traverse line, transit traverse, theodolite traverse, traversal <geo.>	Polygonzug m, Streckenzug m, Linienzug m, Theodolitzug m, Zug m <Geo.>	cheminement m, cheminement goniométrique, polygonale f, itinéraire m <géo.>	полигонометрический ход, полигональный ход, полигонный ход, теодолитный ход, ход <гео.>
	traverse	s. a. polygonal method		
	traverse	s. a. transverse beam <mech.>		
	traversed by a current, current-carrying, carrying a current, live	stromführend; stromdurchflossen; unter Strom	traversé (parcouru) par le courant, sous courant, amenant le courant, en charge	токоведущий, токопроводящий, находящийся под током, обтекаемый током, токонесущий
	traverse line	s. traverse <geo.>		
T 2285	traverse of levelling	Nivellementszug m; Nivellementsschleife f	cheminement m de nivellement	нивелирный полигон
	traverse which closes on itself, closed traverse, closed-on-itself traverse	geschlossener Polygonzug m	cheminement m en boucle	замкнутый полигон, замкнутый ход, сомкнутый ход
	traversing; intersection; intercepting; piercing	Schneiden n, Schnitt m; Durchstoßen n	intersection	пересечение
	traversing	s. a. passing <of light, particles>		
	traversing	s. a. polygonal method		
T 2286	trawl, trawl[-] net	Trawl n, Trawlnetz n, Schleppnetz n	traîneau m	трал, невод
	tray; plate, head, stage <chem.>	Boden m, Platte f; Stufe f <Chem.>	plateau m <chim.>	тарелка <хим.>
	treating	s. processing <mech.>		
	treatment; processing; working; handling	Verarbeitung f	traitement m; consommation f	обработка; переработка; выработка <стекла>
T 2287	treatment <of a problem>	Behandlung f <Problem>	traitement m <d'un problème>	трактовка, решение, подход <задачи>
	treatment	s. a. evaluation <of data>		
	treatment	s. a. processing <mech.>		
T 2288	treatment cone	Bestrahlungskegel m	cône m de traitement	конус облучения
T 2289	treatment of the experimental data	Versuchsauswertung f	traitement m des données expérimentales	переработка экспериментальных данных, обработка результатов опыта
	treble block	s. pulley <mech.>		
T 2290	treble cut	Höhenabsenkung f	affaiblissement (abaissement) m des hautes fréquences	завал верхних частот, ослабление верхних частот
	trebling	s. tripling		
T 2290a	Treder['s] field equation	Tredersche Feldgleichung f	équation f du champ de Treder	уравнение поля Тредера
T 2290b	tree <math.>	Baum m <Math.>	arbre m <math.>	дерево <матем.>
	tree discharge	s. brush discharge		
T 2290c	tree function	Baumfunktion f	fonction f des arbres	функция «деревьев»
	tree-like crystal	s. dendrite		
T 2291	Trefftz-Glauert method	Trefftz-Glauertsches Verfahren n	méthode f de Trefftz-Glauert	метод Трефца-Глауэрта
T 2292	Trefftz['] integral equation	Trefftzsche Integralgleichung f	équation f intégrale de Trefftz	интегральное уравнение Трефца
T 2293	Trefftz['] method	Trefftzsches Verfahren n	méthode f de Trefftz	метод Трефца
T 2294	Trefftz plane	Trefftzsche Ebene f, Trefftz-Ebene f	plan m de Trefftz	плоскость Трефца
T 2294a	Treiman-Yang angle	Treiman-Yang-Winkel m	angle m de Treiman-Yang	угол Треймана-Янга
T 2295	Treiman-Yang criterion	Treiman-Yangsches Kriterium n	critère m de Treiman-Yang	критерий Треймана-Янга
	trellis	s. frame <mech.>		
T 2296	trembling, trembling motion, vibratory motion	Zittern n, Zitterbewegung f	tremblement m, vibration f, mouvement m vibratoire	дрожание, вибрирование
	trembling, vibration <of image> <opt.>	Tanzen n, Zittern n, Springen n <Bild> <Opt.>	agitation f <de l'image> <opt.>	дрожание, вибрация, «пляска» <изображения> <опт.>
	trembling	s. a. quake		
	trembling effect, irregular photophoresis	irreguläre (unregelmäßige) Photophorese f	photophorèse f irrégulière	нерегулярный фотофорез
	trembling motion	s. trembling		
	trembling motion	s. a. zitterbewegung <of electron>		

T 2297	**tremolo effect**	Tremoloeffekt *m*	effet *m* trémolo	явление тремоло
	tremor	*s.* quake		
T 2298	**trench; trough** <geo.>	Graben *m*, Grabenbruch *m* <Geo.>	effondrement *m* [linéaire], massif *m* effondré, zone effondrée, bassin *m* d'effondrement, fossé *m* d'effondrement, fosse *f* <géo.>	грабен, впадина, яма <гео.>
T 2299	**trench** <geo.>	Furche *f*; Rinne *f* <Geo.>	sillon *m*; bas-fond *m* <géo.>	ложбина <гео.>
T 2300	**trench in the ocean floor,** trough in the ocean [floor], ultra-abyssal region, ultra-abyssal zone	Tiefseegraben *m*, Tiefseegesenke *n*, ultraabyssale Zone *f*; Tiefseerinne *f*	creux *m* [de l'océan], région *f* ultra-abyssale, zone *f* ultra-abyssale	глубоководная [океанская] впадина, [океанический] ров, сверхглубинная область; ложбина морского дна, глубоководный каньон, [океанический] желоб, борозда
T 2301	**trend**	Trend *m*	trend *m*, tendance *f* séculaire, tendance, progrès *m* <stat.>	тренд <стат.>; тенденция, направление <общ.>
	trend	*s. a.* tendency		
	trend	*s. a.* strike <geo.>		
T 2302	**trend[-]line**	tektonische Linie *f*	ligne *f* tectonique	тектоническая линия
	trennschaukel	*s.* gasschaukel		
	Tresca['s] hexagon	*s.* Tresca['s] yield hexagon		
	Tresca['s] yield condition (criterion)	*s.* St. Venant-Tresca yield condition		
T 2303	**Tresca['s] yield hexagon,** Tresca['s] hexagon	Trescasches Sechseck *n*, Tresca-Sechseck *n*, Sechseck von Tresca	hexagone *m* de Tresca	шестиугольник текучести Треска, шестиугольник Треска
T 2304	**Trevelyan rocker**	Trevelyan-Schaukel *f*, Trevelyansche Schaukel *f*	basculeur *m* de Trevelyan	коромысло Тревельяна
T 2305	**TRIAC,** triode alternating-current semiconductor switch	Wechselstromthyristor *m*, bidirektionaler Wechselstromthyristor, TRIAC *m*	thyristor *m* à courant alternatif [bidirectionnel]	тиристор переменного тока, двухнаправленный тиристор переменного тока
T 2306	**triac**	*s. a.* trigger triode		
	triad, Döbereiner['s] triad	Triade *f* [nach Döbereiner], Döbereinersche Triade	triade *f* [de Döbereiner]	триада [Деберейнера]
T 2307	**triad axis,** 3-al axis, axis of order 3, three-fold axis [of symmetry], 3-fold axis, axis of three-fold symmetry, trigonal axis, triple axis	dreizählige Symmetrieachse (Drehungsachse, Drehsymmetrieachse, Achse) *f*, Trigyre *f*, 3zählige Symmetrieachse	axe *m* ternaire, axe de symétrie directe d'ordre 3, axe direct d'ordre 3	ось третьего порядка, простая ось третьего порядка, ось симметрии третьего порядка, ось 3-го порядка
T 2308	**triadic structure**	triadische Struktur *f*, Dreigliedrigkeit *f*	structure *f* triadique	триадическая структура, триадическое строение
T 2309	**triad rule,** rule of triads	Triadenregel *f*	règle *f* des triades	правило триад
T 2310	**triakisdodecahedron,** trigonal dodecahedron, hemiakisoctahedron, trigondodecahedron	Triakisdodekaeder *n*, Trisdodekaeder *n*, Trigon[o]dodekaeder *n*	trigone-dodécaèdre *m*	тригон[-]додекаэдр
T 2311	**triakisoctahedron,** [trigonal] trisoctahedron, pyramidal octahedron	Pyramidenoktaeder *n*, Triakisoktaeder *n*, Trisoktaeder *n*	trigone-trioctaèdre *m*, octaèdre *m* pyramidal	тригон[-]триоктаэдр, тригоноктаэдр, пирамидальный октаэдр, триакисоктаэдр
T 2312	**triakistetrahedron,** tristetrahedron, pyramidal tetrahedron	Pyramidentetraeder *n*, Triakistetraeder *n*, Tristetraeder *n*	trigone-tritétraèdre *m*, tétraèdre *m* pyramidal	тригон[-]тритетраэдр, тригонтетраэдр, пирамидальный тетраэдр, триакистетраэдр
T 2313	**trial and error, trial-and-error method**	„trial-and-error"-Methode *f*, Probiermethode *f*, Lernen *n* durch Versuch und Irrtum, Lernen durch den Erfolg, empirisches Bestimmungsverfahren *n*, empirische Näherung *f*	méthode *f* « par essai et retouche », méthode d'essai et d'erreur, méthode des tentatives, méthode de sélection, méthode d'approximation empirique	метод проб [и ошибок], метод подбора
	trial rod	*s.* test bar		
T 2314	**trial solution,** solution to be tested	Probenlösung *f*, Probelösung *f*	solution *f* d'essai	испытуемый раствор, испытательный (исследуемый) раствор
	trial solution, preparation, batch, charge <chem.>	Ansatz *m*	préparation *f*	составление, исследуемый раствор
T 2315	**triangle axiom,** triangle inequality <math.>	Dreiecksungleichung *f*, Dreiecksaxiom *n*, Abstandsungleichung *f*, Dreiecksrelation *f*	inégalité *f* du triangle, inégalité triangulaire	неравенство треугольника, аксиома треугольника
	triangle connection	*s.* delta connection		
	triangle inequality	*s.* triangle axiom <math.>		
T 2316	**triangle of forces**	Kräftedreieck *n*	triangle *m* des forces	силовой треугольник
	triangle of impedances, impedance triangle, vector diagram of impedance	Widerstandsdreieck *n*	triangle *m* d'impédances	треугольник сопротивлений
	triangle of position	*s.* polar triangle		
	triangle of velocities, velocity diagram, velocity vector diagram, speed triangle	Geschwindigkeitsdreieck *n*	triangle *m* des vitesses, diagramme *m* des vitesses	треугольник скоростей
T 2317	**triangle pulse; triangular transient pulse**	Dreieckimpuls *m*	impulsion *f* en triangle	треугольный импульс, импульс треугольной формы

T 2318	triangle relation <for angular momentum quantum number>	Dreiecksrelation f, Dreiecksregel f <für die Drehimpulsquantenzahl>	relation f du triangle, relation triangulaire, inégalité f triangulaire <pour le nombre quantique orbital>	соотношение треугольника <для квантового числа полного момента>
T 2319	triangular co-ordinates, trilinear co-ordinates	Dreieckskoordinaten fpl	coordonnées fpl de triangle, coordonnées du triangle, coordonnées triangulaires (trilinéaires)	треугольные координаты
T 2319a	triangular distribution	Dreiecksverteilung f	distribution (répartition) f triangulaire	треугольное распределение
	triangular frame	s. triangular web <mech.>		
T 2320	triangular load	Dreiecksbelastung f	charge f triangulaire	треугольная нагрузка
T 2321	triangular matrix, superdiagonal matrix <zeroes below diagonal>; subdiagonal matrix <zeroes above diagonal>	Dreiecksmatrix f, Halbmatrix f	matrice f triangulaire	треугольная матрица, квазидиагональная матрица
	triangular-notch weir	s. V-notch weir		
T 2322	triangular pulse oscillation	Dreieck-Stoßschwingung f	oscillation f impulsionnelle triangulaire	импульсное колебание треугольной формы
T 2323	triangular stacking fault, stacking fault triangle	Stapelfehlerdreieck n	défaut m (faute f) d'empilement triangulaire, triangle m de défauts d'empilement	треугольный дефект упаковки, треугольник дефектов упаковки
	triangular transient pulse	s. triangle pulse		
T 2323a	triangular web, triangular frame, triangulated system, simple system <mech.>	einfaches System n, einfaches Fachwerk n, Dreiecknetz n, Dreiecksystem n <Mech.>	treillis m simple [en V], système m articulé simple, réseau triangulaire <méc.>	треугольная решетка [фермы] <мех.>
	triangular weir	s. V-notch weir		
	triangulated system	s. triangular web <mech.>		
T 2324	triangulation	Triangulation f, Dreiecks[ver]messung f, Triangulierung f	triangulation f	триангуляция; триангулирование
T 2325	triangulation, triangulation grid, field triangulation	Triangulationsnetz n	réseau m de triangulation, triangulation f	триангуляционная сеть, сеть триангуляции, тригонометрическая сеть
T 2326	triangulation point, trigonometric point, triangulation station	Triangulationspunkt m, trigonometrischer Punkt m, Stationspunkt m, T. P.	point m de triangulation, point trigonométrique	пункт триангуляции, триангуляционный (тригонометрический) пункт
T 2327/8	triangulation signal, trigonometric signal, beach	Triangulationssignal n	signal m trigonométrique	триангуляционная вышка, триангуляционный [геодезический] сигнал, сигнал триангуляционной сети, триангуляционный знак
T 2329	triax	Triax f, Triax-Anlage f	triax m	Триакс, установка «Триакс»
T 2330	tri-axial ellipsoid	dreiachsiges Ellipsoid n	ellipsoïde m à trois axes inégaux, ellipsoïde à trois axes	трехосный эллипсоид
	triaxiality	s. volume stress		
	tri-axial strain	s. general state of strain		
	tri-axial stress	s. volume stress		
T 2330a	triboabsorption	Triboabsorption f	triboabsorption f	трибоабсорбция
T 2330b	tribocatalytic reaction	tribokatalytische Reaktion f	réaction f tribocatalytique	трибокаталитическая реакция
T 2331	tribochemical energy relation	tribochemische Energiebeziehung f	relation f d'énergie tribochimique	трибохимическое соотношение энергии
T 2331a	tribochemical equilibrium	tribochemisches Gleichgewicht n	équilibre m tribochimique	трибохимическое равновесие
T 2332	tribochemical reaction	tribochemische Reaktion f	réaction f tribochimique	трибохимическая реакция
T 2333	tribochemistry	Tribochemie f	tribochimie f	трибохимия, химия трения [и ударных процессов]
T 2333a	tribodesorption	Tribodesorption f	tribodésorption f	трибодесорбция
T 2334	triboelectric effect	triboelektrischer Effekt m, reibungselektrischer Effekt	effet m tribo-électrique	трибоэлектрический эффект, трибоэлектрическое явление
	triboelectricity, frictional electricity, friction electricity	Reibungselektrizität f, Triboelektrizität f	électricité f de friction, électricité de frottement, triboélectricité f	электричество трения, трибоэлектричество; электричество, получаемое трением
T 2335	triboelectric series	reibungselektrische Spannungsreihe f, Spannungsreihe für Reibungselektrizität	série f tribo-électrique, série des éléments des potentiels tribo-électriques	трибоэлектрический ряд
	triboelectrification, frictional electrification	Reibungselektrisierung f	électrisation f par frottement	электризация трением
	triboemission, triboluminescence emission, triboluminescent emission	Triboemission f	tribo-émission f	светоиспускание (испускание) при триболюминесценции
T 2336	tribology	Tribologie f, Reibungslehre f	tribologie f	трибология, учение о трении
T 2337	triboluminescence	Tribolumineszenz f, Trennungsleuchten n, Reibungslumineszenz f, Reibungsleuchten n	triboluminescence f	триболюминесценция, люминесценция при трении
T 2338	triboluminescence emission, triboluminescent emission, triboemission	Triboemission f	tribo-émission f	светоиспускание (испускание) при триболюминесценции
T 2339	tribometer	Tribometer n, Reibungsmesser m, Reibungskraftmesser m	tribomètre m	прибор для измерения силы трения, трибометр

T 2339a	tribometry	Tribometrie f, Reibungs-kräftemessung f	tribométrie f	трибометрия
T 2340	tribophysics	Reibungsphysik f, Tribo-physik f	tribophysique f	физика трения [и смазочного действия], трибофизика
T 2341	triboplasma	Triboplasma n	triboplasma m	трибоплазма
T 2341a	tribosublimation	Tribosublimation f	tribosublimation f	трибосублимация
T 2342	tributary <of river>	tributär <Fluß>	tributaire <de la rivière>	приточный, от притока
	tricarboxylic acid cycle	s. Krebs cycle		
T 2343	Trichel oscillation	Trichel-Schwingung f, Trichelsche Schwingung f	oscillation f de Trichel	колебание Тричеля
T 2344	Trichel pulse	Trichel-Impuls m	impulsion f de Trichel	импульс Тричеля
T 2344a	trichotomy	Trichotomie f	trichotomie f	трихотомия; испытание с тремя возможными исходами
T 2345	trichroism	Trichroismus m	trichroïsme m	трихроизм, трехцветность
T 2346	trichromatic coefficient	trichromatische Maßzahl f	coefficient m trichromatique	координата цвета, трихроматический коэффициент [цветового уравнения]
T 2347	trichromatic colorimeter	Dreifarbenmeßgerät n, trichromatisches Kolorimeter n	colorimètre m trichromatique	трехцветный колориметр
T 2348	trichromatic system	trichromatisches Farbmaß-zahlensystem (System) n	système m trichromatique	трехцветная система
T 2349	trichromatic unit	Farbvalenzeinheit f	unité f trichromatique	единица трехцветной системы
T 2350	trichromatic vision	trichromatisches Sehen n, Dreifarbensehen n	vision f trichromatique	трехцветное зрение
T 2351	trichromatism	Trichromasie f, Farben-normalsichtigkeit f, Farbentüchtigkeit f	trichromatisme m	трихроматизм
T 2352	trichrome filter, yellow-ish and blue colour filter	Trichromfilter n	filtre m trichrome	трихромный фильтр
T 2353	trick, artifice, wrinkle	Kunstgriff m, Kniff m	truc m, artifice m	ухищрение, хитроумный прием, остроумный прием, хитрость
	trickling filter	s. biological filter		
	trickling through, seepage, oozing	Durchsickern n, Eindringen n	suintage m, suintement m	просачивание, процеживание
	trickling water, dripping water, dropping water	Tropfwasser n	eau f tombante	капающая вода, водяные капли, стекающая вода; вода, не поглощаемая материалом
T 2354	triclinic crystal system, triclinic system, anorthic [crystal] system, asym-metric [crystal] system	triklines System n, triklines Kristallsystem n	système m triclinique, système anorthique, système asymétrique	триклинная сингония, триклинная система, анортивая система, асимметрическая система, трехклиномерная система, триклиноэдрическая система
	triclinic hemihedral class, triclinic hemi-hedry	s. hemihedry of the triclinic system		
	triclinic holohedral class, triclinic holohedry	s. holohedry of the triclinic system		
	triclinic system	s. triclinic crystal system		
T 2355	tricolour kinescope	Dreifarbenkineskop n, Tricolorkineskop n, „trichrome"-Kineskop n, Trichromoskop n	kinéscope m trichrome, tube m trichrome [de télé-vision], tube tricolore à canon unique	трехцветный кинескоп, однопрожекторный кинескоп, приемная [телевизионная] трубка с трехцветным экраном, трехцветная телевизионная трубка
T 2356	tricolour tube, three-colour tube	Dreifarbenröhre f, Drei-farbenbildröhre f, Drei-farben-Elektronenstrahl-röhre f	tube m trichrome [à trois canons], tube tricanon, tube tricolore	электроннолучевая трубка с трехцветным экраном, трехпрожекторная электроннолучевая трубка, трехпрожекторный кинескоп
	Tricomi['s] boundary value problem, Tri-comi['s] problem	Tricomisches Randwert-problem n, Tricomisches Problem n	problème m de Tricomi, problème du type Tricomi	задача Трикоми
T 2357	Tricomi['s] equation	Tricomische Differential-gleichung (Gleichung) f, Tricomi-Gleichung f	équation f de Tricomi	уравнение Трикоми
T 2358	Tricomi['s] function	Tricomische Funktion f	fonction f de Tricomi	функция Трикоми
T 2359	Tricomi gas	Tricomi-Gas n	gaz m de Tricomi	газ Трикоми
T 2360	Tricomi['s] problem, Tricomi['s] boundary value problem	Tricomisches Randwert-problem n, Tricomisches Problem n	problème m de Tricomi, problème du type Tricomi	задача Трикоми
	tricrystal	s. trilling		
	trident	s. three-pronged star		
T 2361	tridental ligand	dreizähniger (dreizähliger) Ligand m	ligand m à trois dents	трехзубчатый диганд (адденд)
	tridimensional	s. three-dimensional		
T 2362	triductor	Triduktor m	triducteur m, triductor m	тридактор, статический утроитель частоты с подмагниченными сердечниками
T 2363	trifilar gravimeter	Dreifadengravimeter n, Trifilargravimeter n	gravimètre m trifilaire	гравиметр с тремя нитями, гравиметр Перро-Шмидта, трифилярный гравиметр
T 2364	trigatron	Trigatron n, Hochdruck-stromtor n	trigatron m, éclateur m à étincelle pilote	тригатрон

	English	German	French	Russian
T 2365	**trigger**, trigger circuit, triggering circuit, triggered circuit; trigger pair	Trigger m, Triggerkreis m, Triggerschaltung f; Röhrenwippe f, Wippe f	trigger m, basculeur m, bascule f, déclencheur m, circuit m trigger (basculeur, à déclenchement, de déclenchement, déclencheur, à déclic)	спусковая схема, триггер, триггерная ячейка, триггерная схема; цепь отпирания, цепь искровозбудителя, триггерная цепь
	trigger action	s. triggering		
	trigger-action relay	s. throw-over relay		
	trigger circuit	s. trigger		
T 2366	**trigger diode**, diac	Triggerdiode f, Diac f	diode f trigger	спусковой диод, пусковой диод, триггерный диод
	trigger discharge tube, trigger tube	Triggerröhre f	tube m de décharge à détente	запускающая лампа
	triggered circuit	s. trigger		
T 2367	**triggered time base**	getriggerte Zeitbasis (Zeitablenkung) f	base f de temps déclenchée	подвижная шкала времени
T 2368	**trigger electrode**	Triggerelektrode f, Auslöschelektrode f	électrode f d'allumage, électrode d'amorçage	поджигающий электрод, пусковой электрод
T 2369	**triggering**, trigger action	Triggerung f, Triggerauslösung f	déclenchement m [de balayage], déclenchement par impulsion, déclenchement monocourse	запуск, импульсный (однократный, одноразный) запуск, спуск, триггерный спуск, однократное срабатывание, триггерное действие, переключение схемы [из одного устойчивого состояния в другое], переход порога генерации, отпирание; зажигание <электровакуумного прибора>
	triggering circuit	s. trigger		
	triggering pulse	s. trigger pulse		
	trigger pair	s. trigger		
	trigger pulse	s. initiating pulse		
	trigger switch	s. tumbler		
T 2370	**trigger triode**, triac	Triggertriode f, Triac f	triode f trigger	спусковой триод, пусковой триод, триггерный триод
T 2371	**trigger tube**, trigger discharge tube	Triggerröhre f	tube m de décharge à détente	запускающая лампа
	trigonal axis	s. triad axis		
T 2372	**trigonal bipyramidal [crystal] class**, trigonal dipyramidal [crystal] class, trigonal equatorial [crystal] class, trigonal paramorphic hemihedry [of the hexagonal system], trigonal paramorphy, sphenoidal tetartohedry, tetartohedral class with threefold axis of the hexagonal system	trigonal[-] bipyramidale Klasse f, trigonal[-] bipyramidale Symmetrieklasse f, trigonal[-] dipyramidale Klasse f, trigonal[-] dipyramidale Symmetrieklasse, pyramidale Hemiedrie f, trigonale Tetartoedrie f, Tetartoedrie II. Art des hexagonalen Systems	antitétartoédrie f du système sénaire, antitétartoédrie sénaire, tétartoédrie f triangulaire du système hexagonal, tétartoédrie triangulaire hexagonale, classe f trigonale bipyramidale, classe giroprimitive [du système hexagonal]	тригонально-дипирамидальный вид симметрии, тригонально-дипирамидальный класс
T 2373	**trigonal bond**	trigonale Bindung f, Dreieckbindung f	liaison f trigonale	треугольная связь
	trigonal crystal system	s. rhombohedral crystal system		
	trigonal dipyramidal [crystal] class	s. trigonal bipyramidal class		
	trigonal dodecahedron	s. triakisdodecahedron		
	trigonal equatorial [crystal] class	s. trigonal bipyramidal class		
T 2374	**trigonal holoaxial class**, trapezohedral [crystal] class, trigonal-trapezohedral [crystal] class, rhombohedral enantiomorphy, enantiomorphous hemihedral class of the trigonal system, enantiomorphous hemihedry of the rhombohedral system	trigonal-trapezoedrische Klasse f, trigonal trapezoedrische Klasse, trapezoedrische Tetartoedrie f, enantiomorphe Hemiedrie f des rhomboedrischen Systems	hémiédrie f holoaxe du système ternaire, hémiédrie énantiomorphe [du système] rhomboédrique, classe f trigonale trapézoédrique, classe axiale du système trigonal	тригонально трапецоэдрический вид симметрии, тригирно-аксиальный вид симметрии, тригонально трапецоэдрический класс, тригирно-аксиальный класс
T 2375	**trigonal holohedry [of the hexagonal system]**, ditrigonal equatorial class, trigonotype class, sphenoidal hemihedry, ditrigonal bipyramidal [crystal] class, hemihedral class with threefold axis of the hexagonal system, ditrigonal dipyramidal [crystal] class	Hemiedrie f II. Art des hexagonalen Systems, ditrigonal-bipyramidale Klasse f, trigonale Hemiedrie, ditrigonal dipyramidale Klasse	antihémiédrie f à axe ternaire du système sénaire, hémiédrie f triangulaire hexagonale (du système hexagonal), tétartoédrie f triangulaire du système hexagonal, classe f bitrigonale bipyramidale, classe giro-planaire [du système hexagonal]	дитригонально-дипирамидальный вид симметрии, дитригонально-дипирамидалый класс
	trigonal paramorphic hemihedry [of the hexagonal system]	s. trigonal bipyramidal [crystal] class		
	trigonal paramorphy	s. trigonal bipyramidal [crystal] class		
T 2376	**trigonal polar class, trigonal pyramidal [crystal] class**, tetartohedral class of the trigonal system, rhombohedral tetartohedry, tetartohedry of the rhombohedral system, hexagonal ogdohedry	trigonal-pyramidale Klasse f, trigonal pyramidale Klasse, Tetartoedrie f I. Art des rhomboedrischen Systems, Ogdoedrie f	tétartoédrie f du système ternaire, tétartoédrie ternaire, tétartoédrie énantiomorphe [du système] rhomboédrique, classe f tétartoèdre du système ternaire, classe trigonale pyramidale, classe primitive du système trigonal	тригонально-пирамидальный вид симметрии, тригирно-примитивный вид симметрии, тригонально-пирамидальный класс, тригирно-примитивный класс

	trigonal system	s. rhombohedral crystal system		
	trigonal-trapezohedral [crystal] class	s. trigonal holoaxial class		
	trigonal trisoctahedron	s. triakisoctahedron		
	trigondodecahedron	s. triakisdodecahedron		
	trigonometrical altitude measurement	s. trigonometric levelling		
T 2377	**trigonometric calculation [of optical systems]**	trigonometrische Durchrechnung f	calcul m trigonométrique [de systèmes optiques]	тригонометрический расчет [оптических систем]
T 2378	**trigonometric function,** circular function	trigonometrische Funktion f, Kreisfunktion f, Winkelfunktion f	fonction f trigonométrique (circulaire)	тригонометрическая функция, круговая функция
T 2379	**trigonometric levelling, trigonometric measurement of height,** trigonometrical altitude measurement	trigonometrische Höhenmessung f, trigonometrisches Nivellement n	nivellement m trigonométrique	тригонометрическое нивелирование, тригонометрическое измерение высот, нивелирование наклонным лучом
T 2380	**trigonometric parallax**	trigonometrische Parallaxe f	parallaxe f trigonométrique	тригонометрический параллакс
	trigonometric point	s. triangulation point		
T 2381	**trigonometric polynomial**	trigonometrisches Polynom n, Exponentialpolynom n, endliche trigonometrische Summe f	polynôme m trigonométrique	тригонометрический многочлен, тригонометрический полином
T 2382	**trigonometric series**	trigonometrische Reihe f, Sinus-Kosinus-Reihe f	série f trigonométrique	тригонометрический ряд
	trigonometric signal	s. triangulation signal		
	trigonotype class	s. trigonal holohedry		
T 2383	**trigram,** three-digit group	Trigramm n	trigramme m	трехбуквенная структура, триграмма
T 2384	**trihedral,** co-ordinate trihedral	Dreibein n, Koordinatendreibein n	trièdre m des axes, trièdre, trièdre des coordonnées, trièdre trirectangle	триэдр, трехгранник <координат>
	trihedral	s. a. trihedron		
T 2385	**trihedral angle**	Triederwinkel m, dreiseitige körperliche Ecke f, Dreikant n	angle m trièdre	трехгранный угол
T 2386	**trihedron,** trihedral	Trieder n, Dreiflach n, Dreiflächner n	trièdre m	трехгранник, триэдр
T 2387	**trilateration,** long-range triangulation	Trilateration f, streckenmessende Triangulation f	trilatération f	трилатерация, измерение по трем сторонам треугольника
	trilinear co-ordinates	s. triangular co-ordinates		
T 2388	**trilling,** triplet crystal, triple crystal, tricrystal	Drilling m, Drillingskristall m, Kristalldrilling m, Trikristall n	triple cristal m, cristal triple, tricristal m	тройник, тройной кристалл
	trim	s. trimming <el.>		
T 2388a	**trim** <hydr.>	Trimm m <Hydr.>	différence f [de tirant d'eau] <hydr.>	дифферент, удифферентованность <гидр.>
T 2389	**trimer**	Trimer n	trimère m	трехзвенный полимер, тример, полимер из трех мономеров
T 2390	**trimetric projection**	trimetrische Parallelperspektive f; trimetrische (anisometrische) Projektion f	projection f trimétrique	триметрическая проекция
T 2391	**trimmer, trimmer capacitor,** trimming capacitor	Abgleichkondensator m; Trimmerkondensator m, Trimmer m, Trimmkondensator m; Quetschkondensator m, Quetschtrimmer m	trimmer m, condensateur m d'appoint, condensateur semi-fixe	подстроечный конденсатор, триммер, полупеременный конденсатор
T 2392	**trimmer potentiometer**	Trimmerpotentiometer n	potentiomètre m d'appoint	подстроечный потенциометр
T 2392a	**trimming** <aero.; hydr.>	Trimmung f <Aero.; Hydr.>	équilibrage m <aéro.; hydr.>	балансировка <аэро,>; дифферентование <гидр.>
T 2393	**trimming,** trim <el.>	Trimmen n <El.>	accord m secondaire, réglage m (retouche f, correction f, commande f) d'accord <él.>	подстройка, выравнивание <эл.>
	trimming capacitor	s. trimmer		
T 2393a	**trimming moment**	Trimmoment n	moment m d'équilibrage	балансирующий момент
T 2394	**trimodal distribution**	dreigipflige Verteilung f	distribution f trimodale	трехвершинное распределение
T 2395	**trimolecular reaction,** termolecular reaction, reaction of the third order	trimolekulare Reaktion f, Reaktion dritter Ordnung	réaction f trimoléculaire, réaction de troisième ordre	тримолекулярная реакция, реакция третьего порядка
	trimorphic, trimorphous	trimorph	trimorphe	триморфный
T 2396	**trimorphism**	Trimorphie f, Trimorphismus m	trimorphisme m	триморфизм
T 2397	**trimorphous,** trimorphic	trimorph	trimorphe	триморфный
T 2398	**trinitrotoluene equivalent,** T.N.T. equivalent	Trinitrotoluoläquivalent n, TNT-Äquivalent n, TNT-Energieäquivalent n	équivalent m de trinitrotoluène, équivalent de T.N.T.	тротиловый эквивалент, тринитротолуоловый эквивалент
T 2399	**trinomial**	trinomisch, dreigliedrig	trinôme	трехчленный
T 2400	**triode,** three-electrode tube, three-electrode valve, triode tube, triode valve, single-grid tube, single-grid valve	Triode f, Dreipolröhre f, Dreielektrodenröhre f, Dreielektrodenrohr n, Eingitterröhre f, Triodenröhre f	triode f, tube m à trois électrodes, tube monogrille	триод, трехэлектродная лампа, односеточная лампа

	English	German	French	Russian
	triode alternating-current semiconductor switch, TRIAC	Wechselstromthyristor m, bidirektionaler Wechselstromthyristor, TRIAC m	thyristor m à courant alternatif [bidirectionnel]	тиристор переменного тока, двухнаправленный тиристор переменного тока
T 2401	triode oscillator, oscillion	Triodenoszillator m, Triodengenerator m	oscillateur (générateur) m à triode[s]	триодный генератор, генератор на триодах
T 2402	triode-tetrode, tri-tet	Triode-Tetrode f	triode-tétrode f	триод-тетрод
	triode tube (valve)	s. triode		
	triorthogonal	s. triply orthogonal		
T 2403	tripack film	Dreischichtenfilm m	pellicule f à trois couches	трехслойная пленка
	tripartition	s. ternary fission		
T 2404	trip coil	Unterbrecherspule f	bobine f d'interrupteur	катушка прерывателя
T 2405	triple-alpha process, alpha process, Salpeter process, jamming alpha-particles together	Heliumreaktion f, Salpeter-Prozeß m, Alpha-Prozeß m	réaction f de Salpeter, processus m de Salpeter, processus alpha, réaction $3\alpha \to {}^{12}C$	альфа-процесс, реакция Солпитера, реакция $3\alpha \to {}^{12}C$
	triple axis	s. triad axis		
T 2406	triple bond[ing], six-electron bond, triple link[age]	Dreifachbindung f, Sechselektronenbindung f	liaison f triple, liaison à six électrons	тройная связь, шестиэлектронная связь
	triple-cavity klystron, three-cavity klystron	Dreikreisklystron n, Dreikammerklystron n	klystron m à trois cavités	трехрезонаторный клистрон, трехконтурный клистрон
T 2407	triple coincidence counter	Dreifachkoinzidenzzähler m	détecteur m de coïncidences triples	счетчик тройных совпадений
T 2408	triple collision, three-body collision, three-particle collision	Dreierstoß m, Dreifachstoß m, Dreikörperstoß m, Dreiteilchenstoß m	triple collision f, collision triple (ternaire, de trois particules, à trois corps)	тройное соударение, тройное столкновение, столкновение трех частиц
T 2409	triple condensor [lens]	Tripelkondensor m, Triplexkondensor m	triple condenseur m	тройной конденсор
	triple crystal	s. trilling		
T 2409a	triple electron-nuclear-nuclear resonance method, electron-nuclear-nuclear triple resonance method	Elektron-Kern-Kern-Dreifachresonanzmethode f	méthode f de triple résonance électron-nucléaire-nucléaire	метод тройного электронно-ядерно-ядерного резонанса, ТЭЯЯР
	triple fission	s. ternary fission		
T 2410	triple focusing mass spectrometer	dreifach fokussierendes Massenspektrometer n, Massenspektrometer mit Dreifachfokussierung (dreifacher Fokussierung)	spectromètre m de masse à focalisation triple	масс-спектрометр с тройной фокусировкой, масс-спектрометр с трехкратной фокусировкой
T 2411	triple gamma-ray cascade	dreistufige Gamma-Kaskade f, sukzessive Emission f von drei Gamma-Quanten	triple cascade f de rayons gamma	трехступенчатый каскад гамма-лучей
T 2411a	triple-gang capacitor, three-gang capacitor	Dreifach-Drehkondensator m, Dreigang-Drehkondensator m, Dreifachkondensator m	condensateur m variable triple, condensateur variable à trois cases	трехходовой (трехсекционный) конденсатор переменной емкости
	triple integral; volume integral	Volum[en]integral n, Raumintegral n; dreifaches Integral n	intégrale f de volume; intégrale triple	объемный интеграл; тройной интеграл
	triple isomorphism, isotrimorphism	Isotrimorphie f	isotrimorphisme m	изотриморфизм
	triple link[age]	s. triple bond		
	triple mirror	s. corner cube		
	triple of numbers, number triple	Zahlentripel m	triple m de nombres	тройка чисел
T 2412	triple point	Tripelpunkt m <Zustandsdiagramm>; Dreieckpunkt m <Stoßfront>	triple point m, point triple	тройная точка
T 2413	triple pressure	Tripelpunktsdruck m	pression f au triple point	давление в тройной точке
	triple product [of three vectors]	s. parallelepipedal product		
T 2414	tripler	Verdreifacher m	tripleur m, triplicateur m	утроитель
T 2415	triple salt	Tripelsalz n	sel m triple	тройная соль
	triple scalar product	s. parallelepipedal product		
T 2416	triple scattering	Dreifachstreuung f	diffusion f triple, dispersion f triple	трехкратное рассеяние
T 2417	triple split[ting]	Dreifachaufspaltung f	décomposition f triple, détriplement m	тройное расщепление
T 2418	triple star <astr.>	Dreifachstern m, dreifaches Sternsystem n, Tripelsystem n <Astr.>	étoile f triple, système m triple <astr.>	тройная звезда <астр.>
T 2419	triple state	Tripel[punkts]zustand m	état m au triple point	состояние в тройной точке
	triple-substituted, trisubstituted, triply substituted	dreifach substituiert	trisubstitué, triplement substitué	трехзамещенный
T 2420	triplet; triplet lens	Triplet[t] n, Dreilinser m; Dreilinsensystem n	triplet m; objectif m à trois lentilles	триплет; трехлинзовый объектив; оптический прибор с тремя линзами; комбинация из трех линз
T 2421	triplet <spectr.>	Triplett n <Spektr.>	triplet m <spectr.>	триплет <спектр.>
	triplet crystal	s. trilling		
T 2422	triplet density	Triplettdichte f	densité f des triplets	плотность триплетов
T 2423	triplet fine structure	Triplettfeinstruktur f	structure f fine triplet	триплетная тонкая структура
T 2424	triplet interaction	Triplettwechselwirkung f	interaction f triplet (de triplet, triplète)	триплетное взаимодействие
	triplet lens	s. triplet		
	triplet level	s. triplet state		

№	English	German	French	Russian
	triplet level	s. a. triplet term		
T 2425	triplet neutron-proton interaction, triplet n-p interaction	Triplett-Neutron-Proton-Wechselwirkung f, Triplett-n-p-Wechselwirkung f	interaction f neutron-proton [de] triplet	триплетное нейтрон-протонное взаимодействие
T 2426	triplet neutron-proton potential, triplet n-p potential	Triplett-Neutron-Proton-Potential n, Triplett-n-p-Potential n	potentiel m neutron-proton triplet	триплетный нейтрон-протонный потенциал
	triplet positronium	s. ortho[-]positronium		
T 2427	triplet potential	Triplettpotential n	potentiel m [de] triplet	триплетный потенциал
T 2428	triplet scattering	Triplettstreuung f	diffusion f [de] triplet	триплетное рассеяние
T 2429	triplet scattering cross-section, cross-section for triplet scattering	Triplettstreuquerschnitt m, Wirkungsquerschnitt m für (der) Triplett-streuung	section f efficace de diffusion triplet	сечение триплетного рассеяния
T 2430	triplet spectrum	Triplettspektrum n	spectre m triplet	триплетный спектр
T 2431	triplet spin state	Triplettspinzustand m, Triplettzustand m des Spins	état m triplet de spin	триплетное спиновое состояние
T 2432	triple state, triplet level	Triplettzustand m; Triplettniveau n	état m triplet; niveau m triplet	триплетное состояние; триплетный уровень
T 2433	triplet system	Triplettsystem n	système m triplet	триплетная система [термов]
T 2434	triplet term; triplet level	Tripletterm m	terme m triplet (triple)	триплетный терм
T 2435	triple velocity correlation	dreifache Geschwindigkeitskorrelation f	triple corrélation f de vitesse	тройная корреляция скорости
T 2436	tripling, trebling	Verdreifachung f	triplage m, triplication f	утраивание, утроение
T 2437	triply charged negative ion	dreifach geladenes Anion n	trinégatif m	трехзарядный отрицательный ион
T 2438	triply charged positive ion	dreifach geladenes Kation n	tripositif m	трехзарядный положительный ион
	triply orthogonal, trirectangular, triorthogonal	dreifach-rechtwinklig, dreifach-orthogonal	trirectangulaire	триортогональный
	triply saturated, trisaturated	dreifachgesättigt	trisaturé, triplement saturé	трояконасыщенный
	triply substituted	s. trisubstituted		
T 2439	tripod, stand	Stativ n; Dreifuß m	pied m, trépied m, statif m, affût m à trépied	штатив, тренога, подставка, треножник
	tri-pole	s. three-terminal network		
T 2440	tripole antenna	Tripolantenne f	antenne f tripôle	антенна с тремя вибраторами
	tripoli, kieselguhr, diatomaceous earth, diatomite, infusorial earth, siliceous earth.	Kieselgur n, Infusorienerde f, Diatomeenerde f, Tripel m, Polierschiefer m	kieselguhr m, terre f à diatomées, terre à infusoires, terre d'infusoires, diatomite f, tripoli m	диатомовая земля, диатомит, инфузорная земля, кизельгур, трепел, полировальный сланец
	tripping; release; clearing ‹el.›	Auslösung f ‹El.›	déclenchement m ‹él.›	размыкание; разобщение; расцепление; отключение; освобождение; выпадение; отбой ‹эл.›
	tripping wire	s. trip wire		
	trip Reynolds number	s. critical Reynolds number		
	trip wire, transition wire, tripping wire	Stolperdraht m, Turbulenzdraht m	piège m à couche limite, stimulant m de turbulence, fil m stimulant de turbulence	турбулизирующая проволока, турбулентный шнур
	triquetra	s. parallactic rule		
	trirectangular	s. triply orthogonal		
	trirhombohedral class	s. hexagonal tetartohedry of the second sort		
T 2441	trisaturated, triply saturated	dreifachgesättigt	trisaturé, triplement saturé	трояконасыщенный
T 2442	trisection	Dreiteilung f, Trisektion f	trisection f	трисекция; деление на три [равные] части
T 2443	trisectrix	Trisektrix f	trisectrice f	трисектриса [Маклорена]
	trisoctahedron	s. triakisoctahedron		
	trisonics	= subsonics, transonics, and supersonics		
T 2444	tristable	tristabil	tristable	с тремя устойчивыми состояниями; с тремя равновесными положениями
	tristetrahedron, triakistetrahedron, pyramidal tetrahedron	Pyramidentetraeder n, Triakistetraeder n, Tristetraeder n	trigone-tritétraèdre m, tétraèdre m pyramidal	тригон[-]тритетраэдр, тригонтетраэдр, пирамидальный тетраэдр, триакистетраэдр
T 2445	tristimulus sum, sum of tristimulus values, tristimulus weight, colour [stimulus] weight, colour value sum	Farbwertsumme f, Farbreizvalenzgewicht n, Farbgewicht n, Farbreizsumme f	somme f des composantes trichromatiques, poids m trichromatique, poids de couleur	сумма координат цвета, сумма трихроматических коэффициентов, вес цвета
T 2446	tristimulus value, value, colour value	Farbwert m, Eichreizbetrag m, Farbreizbetrag m; Farbmaßzahl f	valeur f tristimule (de la couleur), composante f trichromatique	трехцветный компонент цвета
T 2447	tristimulus value [in the C.I.E. standard colorimetric system], standard tristimulus value	Normfarbwert m, trichromatische Maßzahl f [im Normvalenzsystem], Normalfarbwert m, Normalreizbetrag m	composante f trichromatique [dans le système colorimétrique C.I.E.]	координата цвета [по стандартной системе МКО], координата по стандартной системе МКО
	tristimulus weight	s. tristimulus sum		
T 2448	trisubstituted, triple-substituted, triply substituted	dreifach substituiert	trisubstitué, triplement substitué	трехзамещенный

T 2449	**tritanomalous vision**	Tritanomalie f, Blauschwäche f, Gelbblaublindheit f	tritanomalie f, vision f tritanomale	тританомалия, тританомальное зрение
T 2450	**tritanopia**	Tritanopie f	tritanopie f	тританопия
	tri-tet, triode-tetrode	Triode-Tetrode f	triode-tétrode f	триод-тетрод
T 2451	**tri-tet circuit, tri-tet oscillator**	Tri-Tet-Schaltung f, Tri-Tet-Oszillator m	oscillateur m tri-tet, circuit m tri-tet	триод-тетродный генератор, триод-тетродная схема
T 2452	**tritiated**	tritiiert, tritiert, tritiummarkiert, ³H-markiert, mit Tritium markiert; tritiumgesättigt, mit Tritium gesättigt	tritié	тритированный; насыщенный тритием
T 2453	**tritide**	Tritid n, überschweres Hydrid n	triture m, hydrure m très lourd	тритид
T 2454	**tritium, T, $_1^3$H**	Tritium n, überschwerer Wasserstoff m, T, $_1^3$H	tritium m, hydrogène m hyperlourd, T, $_1^3$H	тритий, сверхтяжелый водород, T, $_1^3$H
T 2455	**tritium nucleus, triton, t**	Triton n, Tritiumkern m, t, t	triton m, noyau m du tritium, t	тритон, ядро трития, t
T 2455a	**tritium unit, TU**	Tritiumeinheit f, T. E., TE, TU	unité f de tritium, U. T., UT, TU	тритиевая единица, Т. Е.
	trituration	s. rubbing		
	trivalent logic[al calculus]	s. three-valued logic		
	trivector, three-vector, 3-vector	Dreiervektor m, Trivektor m	trivecteur m, vecteur m tridimensionnel	трехмерный вектор, 3-вектор, тривектор
T 2455b	**trivector**, 3-vector \<math.\>	Trivektor m, 3-Vektor m \<Math.\>	trivecteur m, 3-vecteur m \<math.\>	тривектор, 3-вектор \<матем.\>
T 2456	**trivial solution**	triviale Lösung f	solution f banale (triviale, nulle)	нулевое (тривиальное) решение
T 2457	**Trkal flow**	Trkalsche Strömung f	mouvement m de Trkal	течение Тркаля
	TRM	s. thermoremanent magnetization		
	tRNA	s. transfer ribonucleic acid		
T 2458	**trochoid**	Trochoide f, Trochoidale f	trochoïde f, cycloïde f raccourcie	трохоида, трохоидальная кривая
T 2459	**trochoidal analyzer**	Zykloidenanalysator m; Trochoidenanalysator m, Trochoidalanalysator m	analyseur m à trajet trochoïdal, analyseur trochoïdal	трохоидальный анализатор
T 2460	**trochoidal theory**	Trochoidentheorie f	théorie f trochoïdale	трохоидальная теория [волн]
T 2461	**trochoidal time-of-flight mass spectrometer**	Zykloiden-Laufzeit[massen-]spektrometer n; Trochoiden-Laufzeitspektrometer n, Trochoidal-Laufzeitspektrometer n	spectromètre m de masse à temps de transit à trajet trochoïdal	трохоидальный масс-спектрометр по времени пролета
T 2462	**trochoidal wave**	Trochoidalwelle f, trochoidale Welle f	onde f trochoïdale	трохоидальная волна
T 2463	**trochoid equation, trochoid formula,** equation of the trochoid	Trochoidengleichung f, Trochoidenformel f	formule f de la trochoïde, équation f de la trochoïde	формула трохоиды, уравнение трохоиды
T 2464	**trochotron**	Trochotron n	trochotron m, tube m trochotron	трохотрон, многоэлектродная переключательная электронная лампа
T 2465	**troikatron**	Troikatron n	troikatron m	тройкатрон
T 2466	**Trojan asteroid**	Trojaner m	planète f troyenne, petite planète du groupe troyen	Троянец
T 2467	**Trojan group, Trojans**	Trojaner mpl	groupe m troyen, planètes fpl troyennes	Троянцы, группа Троянцев
	troland, luxon, international photon, photon	Troland n, internationales Photon n, Photon, Luxon n	troland m, photon m international, photon, luxon m	троланд, международный фотон, фотон, люксон
T 2468	**Trompeter zone**	Trompeter-Zone f, Trompetersche Zone f	zone f de Trompeter	зона Тромпетера
T 2469	**tropadyne circuit**	Tropadyneschaltung f	tropadyne f, circuit m tropadyne	тропадин, тропадинная схема
T 2470	**tropic air wheel**	Tropikluftrad n	« roue » f d'air tropique	«колесо» тропического воздуха
T 2471	**tropical cyclone**; whirling storm; cyclone, [tropical] revolving storm \<Indian Ocean\>; hurricane \<Atlantic and Caribbean\>; typhoon \<West Pacific\>; willy-willy \<Australia\>	tropischer Wirbelsturm m, Wirbelsturm m, Zyklon m; Hurrikan m; Taifun m; Willy-Willy m	cyclone m tropical, ouragan m tropical; ouragan; typhon m; willy-willy m	тропический циклон, тропический ураган; тайфун; ураган
T 2472	**tropical day**, hot day	Tropentag m, heißer Tag m	jour m tropique (chaud)	жаркий день \<с температурой выше 30 °C\>
T 2473	**tropical diurnal lunar inequality**	tropische tägliche lunare Ungleichheit f	inégalité f diurne lunaire tropique	тропическое суточное лунное неравенство
T 2474	**tropical diurnal solar inequality**	tropische tägliche solare Ungleichheit f	inégalité f diurne solaire tropique	тропическое суточное солнечное неравенство
T 2475	**tropical front wave**	Tropikfrontwelle f	onde f du front tropique	волна тропического фронта
T 2476	**tropicalized**, tropic-proof, resistant to tropic climate, suitable for tropical service, suitable for tropical climate	klimafest, klimabeständig, tropenfest, tropenbeständig, tropengeeignet	tropicalisé, résistant au climat tropical	тропикализированный, тропикоустойчивый, тропикостойкий, стойкий (изготовленный для работы) в тропических условиях

	tropical maritime air, maritime tropical air	maritime Tropikluft *f*, tropische Meeresluft *f*	air *m* tropique maritime	морской тропический воздух, тропический морской воздух
T 2477	**tropical month**	tropischer Monat *m*	mois *m* tropique, révolution *f* tropique [de la Lune]	тропический месяц
T 2478	**tropical rain,** zenithal rain	Zenitalregen *m*, Tropenregen *m*, tropischer Regen *m*	pluie *f* tropicale, pluie zénithale	тропический дождь
T 2479	**tropical year**	tropisches Jahr *n*	année *f* tropique	тропический год
T 2480	**tropic continental air**	kontinentale Tropikluft *f*	air *m* tropique continental	континентальный тропический воздух, тропический континентальный воздух
T 2481	**tropic of Cancer**	Wendekreis *m* des Krebses, nördlicher Wendekreis	tropique *m* du Cancer	тропик Рака, северный тропик
T 2482	**tropic of Capricorn**	Wendekreis *m* des Steinbocks, südlicher Wendekreis	tropique *m* du Capricorne	тропик Козерога, южный тропик
	tropic-proof	*s.* tropicalized		
T 2483	**tropics, tropic zone,** torrid zone	Tropen *pl*, tropische Zone *f*, warme Zone, Tropenzone *f*	tropiques *mpl*, région *f* tropicale, zone *f* tropicale	тропики, тропическая зона, тропический пояс
T 2484	**tropism, tropistic movement**	Tropismus *m*, tropistische Krümmungsbewegung (Bewegung) *f*	tropisme *m*, mouvement *m* tropistique	тропизм, тропистическое движение
T 2485	**tropopause,** substrosphere, upper inversion, lower stratosphere	Tropopause *f*, obere Inversion *f*, Substratosphäre *f*; substratosphärische Inversion	tropopause *f*, substratosphère *f*, inversion *f* supérieure, stratosphère *f* inférieure	тропопауза, верхняя инверсия, субстратосфера; субстратосферическая инверсия, инверсия в субстратосфере
T 2486	**tropopause bump**	Tropopausenhöcker *m*	bosse *f* de tropopause	горб на тропопаузе
T 2487	**tropopause cyclone**	Tropopausenzyklone *f*	cyclone *m* de tropopause	циклон тропопаузы
T 2488	**tropopause fluctuation,** tropopause oscillation	Tropopausenschwankung *f*, Tropopausenschwingung *f*	fluctuation *f* de la [hauteur de] tropopause, oscillation *f* de la hauteur de tropopause	колебание уровня тропопаузы, колебание тропопаузы
T 2489	**tropopause hill (mountain),** tropopause peak	Tropopausenberg *m*	montagne *f* de tropopause	гора тропопаузы
	tropopause oscillation	*s.* tropopause fluctuation		
	tropopause peak	*s.* tropopause hill		
T 2490	**tropopause wave**	Tropopausenwelle *f*	onde *f* de tropopause	волна на (в) тропопаузе
T 2491	**troposphere**	Troposphäre *f*	troposphère *f*	тропосфера
	tropospheric duct	*s.* atmospheric duct		
T 2492	**tropospheric fading**	troposphärischer Schwund *m*	évanouissement (affaiblissement) *m* troposphérique	тропосферное замирание
T 2493	**tropospheric mode,** mode of tropospheric propagation	troposphärischer Schwingungstyp (Wellentyp) *m*, troposphärische Schwingungsart (Mode) *f*	mode *m* troposphérique	тропосферный вид колебаний, тропосферный тип колебаний
T 2494	**tropospheric scatter**	troposphärische Streuausbreitung *f*, Streuausbreitung in der Troposphäre	propagation *f* troposphérique, propagation par diffusion troposphérique	тропосферное распространение, тропосферное рассеянное распространение
T 2495	**tropospheric scattering**	troposphärische Streuung *f*, Troposphärenstreuung *f*, Streuung *f* in der Troposphäre	diffusion *f* troposphérique	тропосферное рассеяние, рассеяние электромагнитных волн в тропосфере
T 2496	**tropospheric wave**	troposphärische Welle *f*, Troposphärenwelle *f*	onde *f* troposphérique	тропосферная волна
T 2497	**tropotactic**	tropotaktisch	tropotactique	тропотактичный
T 2498	**tropotaxis**	Tropotaxis *f*	tropotactisme *m*	тропотаксис
	troptometer, torsion meter, twist-measuring device	Torsionsmesser *m*, Verdrehungsmesser *m*	torsiomètre *m*	круткомер, торсиометр, измеритель кручения
	Trotter and Weber photometer, roof photometer, Dach photometer	Dachphotometer *n*, Trotter-Weber-Photometer *n*	photomètre *m* de Trotter-Weber, photomètre en toit	фотометр Троттера-Вебера, фотометр с крышей
T 2499	**Trotter photometer**	Trotter-Photometer *n*	photomètre *m* de Trotter	фотометр Троттера
T 2499a	**trouble**	Störung *f*; Schaden *m*; Fehler *m*	trouble *m*, dérangement *m*	нарушение, неправильность, неисправность; повреждение, дефект
	trouble, microvariations, microscopic variations, disturbances	Unruhe *f*	microvariations *fpl*, variations *fpl* microscopiques, perturbations *fpl* microscopiques, trouble *m*	микроколебания, малые возмущения
	trouble coefficient	*s.* turbidity coefficient		
	trouble factor	*s.* turbidity factor		
T 2500	**trouble shooting**	Störungsbeseitigung *f*	élimination *f* de défectuosités	устранение повреждений (неисправностей)
T 2501	**trouble spot,** weak spot, weak point	Schwachstelle *f*	point *m* d'usure	ослабленное место, точка ослабления
	troubling; turbidity; turbidness	Trübung *f*, optische Trübung; Trübheit *f*, Trübe *f*; Eintrübung *f*	turbidité *f*; trouble *m*	мутность; муть, помутнение, мутнение, замутнение
	troubling layer, layer of troubling	Trübschicht *f*, Trübungsschicht *f*	couche *f* trouble, couche de trouble	мутный слой, слой с большим содержанием взвесей
T 2502	**troubling particle,** troubling particulate	trübendes Teilchen *n*, trübendes Körperchen *n*	particule *f* trouble	замутняющая частица

	English	German	French	Russian
T 2503	**trough**	Trog *m*	cuve *f* profonde (verticale), auge *f*, auget *m*	корыто, бачок; лоток, желоб
T 2504	**trough,** trough of the wave, wave trough	Wellental *n*	creux *m* de la vague, creux de l'onde, point *m* bas de l'onde	впадина волны, подошва волны, ложбина волны
	trough	*s. a.* barometric trough		
	trough	*s. a.* syncline <geo.>		
	trough	*s. a.* trench <geo.>		
	trough glacier, transection-type glacier	Jochgletscher *m*	glacier *m* diffluent	переметный ледник, дифлюэнтный ледник, двойниковый ледник
	trough in the ocean [floor]	*s.* trench in the ocean floor		
T 2505	**trough line,** line depression <meteo.>	Troglinie *f* <Meteo.>	dépression *f* linéaire, ligne *f* de dépression <météo.>	линия ложбины <метео.>
	trough of low pressure	*s.* barometric trough		
	trough of the wave	*s.* trough		
T 2506	**trough valley,** U-shaped valley	Trogtal *n*, U-Tal *n*, trogförmiges Tal *n*, Trog *m*	vallée *f* en auge, vallée en U, auge *f*	корытообразная (трогообразная, троговая) долина, трог
	Trouton and Noble experiment	*s.* Trouton-Noble experiment		
T 2507	**Trouton['s] constant**	Troutonsche Konstante *f*, Trouton-Konstante *f*	constante *f* de Trouton	постоянная Трутона
	Trouton['s] law	*s.* Trouton['s] rule		
T 2508	**Trouton-Noble experiment**	Trouton-Nobelscher Versuch *m*	expérience *f* de Trouton-Noble	опыт Троутона-Нобля
T 2509	**Trouton-Rankine body**	Trouton-Rankine-Körper *m*	corps *m* de Trouton-Rankine	тело Трутона-Ранкина
T 2510	**Trouton['s] rule,** Trouton['s] law	Troutonsche Regel *f*	règle *f* de Trouton[-Pictet]	правило Трутона, правило Трутона-Пикте
T 2511	**Trouton viscosity**	Trouton-Viskosität *f*, Troutonsche Viskosität *f*	viscosité *f* de Trouton	вязкость Трутона
T 2512	**true,** real, veritable	echt, wahr, tatsächlich, wirklich, absolut, real	vrai, réel, véritable	истинный, действительный, реальный
T 2513	**true absorption**	echte Absorption *f*, absolute Absorption, wahre Absorption	absorption *f* réelle (vraie)	истинное поглощение
T 2514	**true acronycal rising**	wahrer akronychischer Aufgang *m*	lever *m* acronycal vrai	истинный акроникальный восход
T 2515	**true acronycal setting**	wahrer akronychischer Untergang *m*	coucher *m* acronycal vrai	истинный акроникальный заход
T 2515a	**true anomaly**	wahre Anomalie *f*	anomalie *f* vraie	истинная аномалия
T 2516	**true astronomical refraction**	wahre astronomische Refraktion *f*	réfraction *f* astronomique vraie	истинная астрономическая рефракция
T 2517	**true bearing,** true radio bearing, corrected bearing	rechtweisende Peilung *f*, wahre Peilung	relèvement *m* vrai, relèvement corrigé	истинный пеленг (азимут), исправленный пеленг
	true cavitation	*s.* vaporous cavitation		
	true charge, free charge	freie (ableitbare, wahre) Ladung *f*	charge *f* libre	свободный заряд
T 2518	**true coincidence,** genuine coincidence	echte Koinzidenz *f*	coïncidence *f* réelle, coïncidence vraie	истинное совпадение
	true colloid, eucolloid, natural colloid	Eukolloid *n*	eucolloïde *m*	эвколлоид, эйколлоид, истинный коллоид
T 2519	**true conic projection**	echte Kegelprojektion *f*, echter Kegelentwurf *m*, echte konische Projektion *f*, echter konischer Entwurf *m*, wahre Kegelprojektion, wahrer Kegelentwurf, wahre konische Projektion, wahrer konischer Entwurf	projection *f* conique vraie	истинная коническая проекция
	true co-ordinates, holonomic co-ordinates	holonome Koordinaten *fpl*, wahre Koordinaten	coordonnées *fpl* holonomes, coordonnées vraies	голономные координаты, истинные координаты
T 2520	**true current density**	wahre Stromdichte *f*	densité *f* de courant réelle	истинная плотность тока
T 2521	**true cylindrical projection**	echte (wahre) Zylinderprojektion *f*, echter (wahrer) Zylinderentwurf *m*	projection *f* cylindrique vraie	истинная цилиндрическая проекция
T 2522	**true degeneracy,** true degeneration	echte Entartung *f*, Symmetrieentartung *f*	dégénérescence *f* vraie	истинное вырождение
	true density	*s.* theoretical density		
T 2523	**true diameter,** linear diameter <of star>	wahrer Durchmesser *m*, linearer Durchmesser <Gestirn>	diamètre *m* réel, diamètre *m* vrai, diamètre linéaire <de l'étoile>	стинный диаметр, линейный диаметр <звезды>
	true elevation of boiling point, true rising of boiling point	wahre Siedepunkt[s]erhöhung *f*	élévation *f* vraie de la température d'ébullition	истинное повышение точки кипения
T 2524	**true equilibrium**	wahres Gleichgewicht *n*	équilibre *m* réel	истинное равновесие
T 2525	**true error**	wahrer Fehler *m*	erreur *f* vraie	истинная погрешность
	true glacier, valley glacier, valley-type glacier	Talgletscher *m*	glacier *m* de vallée	ледник долинного типа, долинный ледник
T 2526	**true height,** absolute height, height	wahre Höhe *f*, absolute Höhe, Höhe	altitude *f* vraie, altitude absolue, hauteur *f*	истинная высота
	true height, flying altitude (height), flight altitude (height), altitude	Flughöhe *f*	hauteur *f* du vol, altitude *f* du vol; perpendiculaire *f* de la trajectoire	высота полета
	true height, real height <of reflection	tatsächliche Reflexionshöhe *f*	hauteur *f* réelle [de couche ionisée]	действительная высота [ионизированного слоя], истинная высота [ионизированного слоя]

T 2527	true height of ionosphere	wahre Ionosphärenhöhe f, wahre Höhe f der Ionosphäre	hauteur f de l'ionosphère, altitude f vraie de l'ionosphère	истинная высота ионосферы
T 2528	true horizon, geocentric horizon, celestial horizon, geometrical horizon	wahrer Horizont m, geozentrischer Horizont	horizon m rationnel, horizon vrai, horizon astronomique	истинный горизонт
T 2529	true horopter, empiric horopter	wahrer Horopter m, empirischer Horopter	horoptère m vrai, horoptère empirique	истинный гороптер, эмпирический гороптер
	true ionization potential	s. adiabatic ionization potential		
T 2530	true isotherm	wahre Isotherme f	isotherme f vraie	истинная изотерма
T 2531	true linear [energy] absorption coefficient	wahrer linearer Absorptionskoeffizient m	coefficient m d'absorption d'énergie linéique vrai, coefficient d'absorption linéique vrai	истинный линейный коэффициент поглощения
T 2532	true lowering of the freezing point	wahre Gefrierpunkt[s]erniedrigung f	abaissement m vrai du point de congélation	истинное понижение температуры замерзания
T 2533	true mass [energy] absorption coefficient	wahrer Massenabsorptionskoeffizient m	coefficient m d'absorption [d'énergie] massique vrai	истинный массовый коэффициент поглощения
T 2534	true motion	wahre Schiffsbewegung f, „true motion" f	mouvement m réel	истинное движение [судна]
	trueness	s. rightness		
	trueness of rotation error	s. truth of running error		
	true noon, apparent noon	wahrer Mittag m	midi m vrai, midi apparent	истинный полдень
T 2535	true osmotic pressure	wahrer osmotischer Druck m	pression f osmotique vraie	истинное осмотическое давление
T 2536	true place [of the star], true position [of the star]	wahrer Ort m [des Gestirns], wahrer Sternort m	position f vraie [de l'étoile]	истинное место [звезды]
T 2537	true pole, apparent pole	wahrer Pol m	pôle m apparent, pôle vrai	истинный полюс
	true position [of the star], true place [of the star]	wahrer Ort m [des Gestirns], wahrer Sternort m	position f vraie [de l'étoile]	истинное место [звезды]
	true projection	s. perspective projection		
T 2538	true radiant	wahrer Radiant m	radiant m vrai	истинный радиант
	true radio bearing	s. true bearing		
T 2539	true range	wahre Reichweite f	parcours m vrai	истинный пробег
T 2540	true refraction	wahre Refraktion f	réfraction f vraie	истинная рефракция
	true remanence	s. retentivity		
T 2541	true rising of boiling point, true elevation of boiling point	wahre Siedepunkt[s]erhöhung f	élévation f vraie de la température d'ébullition	истинное повышение точки кипения
	true scale reducer, proportional reducer	proportionaler Abschwächer m	faiblisseur m proportionnel, affaiblisseur m proportionnel	пропорциональный ослабитель, ослабитель пропорционального действия
T 2541a	Truesdell number	Truesdellsche Zahl f	nombre m de Truesdell	число Трюсделла
T 2542	true sided, laterally uninverted, correct <of image>	seitenrichtig <Bild>	redressé de gauche à droite, de sens normal, normal <de l'image>	прямой, незеркальный <об изображении>
	true sidereal day, apparent sidereal day	wahrer Sterntag m	jour m sidéral vrai, jour sidéral apparent	истинные звездные сутки
	true sidereal time, apparent sidereal time	wahre Sternzeit f	temps m sidéral vrai, temps sidéral apparent	истинное звездное время
	true solar day, apparent solar day	wahrer Sonnentag m	jour m solaire vrai (apparent)	истинные солнечные сутки
T 2543	true solar radiation	wahre Sonnenstrahlung f	radiation f solaire vraie	истинная солнечная радиация
	true solar time, apparent solar time; sundial time	wahre Sonnenzeit f; wahre Ortszeit f	temps m solaire vrai, temps solaire apparent	истинное солнечное время
T 2544	true solution, molecular solution, solitude	echte Lösung f, molekulare Lösung	solution f vraie, solution moléculaire	истинный (подлинный, молекулярный) раствор
	true stagnation pressure	s. total pressure <aero.>		
T 2545	true stress-strain curve, true stress-strain diagram	wahres Spannungs-Dehnungs-Schaubild n, wahre Spannungs-Dehnungs-Kurve f	courbe f de tension vraie	истинная диаграмма «напряжение-деформация», истинная кривая зависимости деформаций от напряжения
T 2546	true Sun, apparent Sun	wahre Sonne f	Soleil m vrai, Soleil apparent	истинное Солнце
	true surface [area]	wahre Oberfläche f	aire f vraie, aire réelle; surface f vraie	истинная площадь; истинная поверхность
T 2547	true transference number, true transport number, Nernst transport number	wahre Überführungszahl f, Nernstsche Überführungszahl	nombre m vrai de transport, nombre de transport de Nernst	истинное число переноса, число переноса Нернста
	true value	s. actual value <meas.>		
T 2548	true zenithal distance	wahre Zenitdistanz f	distance f zénithale vraie	истинное зенитное расстояние
	trumpet cooler	s. pipe cooler		
T 2549	Trümpler's star	Trümplerscher Stern m	étoile f de Trümpler	звезда Трюмплера
T 2549a	truncated cone	Kegelstumpf m	cône m tronqué, tronc m de cône	усеченный конус
T 2550	truncated cylinder	Zylinderstumpf m	cylindre m tronqué	усеченный цилиндр
T 2551	truncated distribution	gestutzte Verteilung f	distribution f tronquée	усеченное распределение
T 2552	truncated distribution function	teilintegrierte Verteilungsfunktion f	fonction f de distribution tronquée	усеченная функция распределения
T 2552a	truncated sample	gestutzte Stichprobe f	échantillon m tronqué	усеченная выборка
T 2553	truncated transient [voltage]	abgeschnittene Stoßspannung f	surtension f impulsionnelle tronquée	усеченная волна импульсного напряжения
T 2554	truncation, cut <of the series, math.>	Abbrechen n <der Reihe, Math.>	troncation f, chute f <de la série, math.>	отбрасывание членов <ряда, матем.>
T 2554a	truncation <stat.>	Stutzung f <Stat.>	troncation f <stat.>	усечение <стат.>
T 2555	truncation error	Abbruchfehler m, Abbrechfehler m	erreur f de chute, erreur de troncateur	ошибка отбрасывания
T 2556	truncation number	„truncation number" f	nombre m de troncature	число усечения

	English	German	French	Russian
T 2557	truncation of crystal	Abstumpfung f der Kristallkanten	usure f des arêtes du cristal	притупление граней кристалла
	trunk circuit (junction line)	s. long distance transmission line <el.>		
	trunk of the nucleus, core of the nucleus, nuclear core, nuclear trunk, nuclear frame	Kernrumpf m, Rumpf m des Atomkerns	tronc m du noyau, cœur m du noyau, cœur nucléaire	остов ядра, ядерный остов; сердцевина ядра
	trunnion	s. pivot journal		
T 2558	trunnion axis	Schwenkachse f	axe m de pivotement	подвижная ось, отклоняющаяся ось, управляемая ось
	trunnion axis, horizontal axis, horizontal trunnion axis <of theodolite>	Kippachse f, Horizontalachse f <Theodolit>	axe m horizontal <du théodolite>	горизонтальная ось <теодолита>
	truss, truss[ed] frame	s. space framework		
	truth, rightness, trueness; correctness <num. math.>	Richtigkeit f <num. Math.>	exactitude f, justesse f; correction f <math. num.>	истинность, истина; правильность <числ. матем.>
T 2559	truth function, function of formal logic	Wahrheitsfunktion f	fonction f de vérité (logique formale)	функция истинности
T 2559a	truth of running error, trueness of rotation error	Rundlauffehler m	erreur f de l'exactitude de rotation	кругобегущая погрешность
T 2560	truth value	Wahrheitswert m	valeur f de vérité, valeur logique	значение (модальность, степень) истинности
T 2560a	try square, back square	Anschlagwinkel m	équerre f à chapeau	аншлажный угольник
	Tschebyscheff['s] polynomial	s. Chebyshev['s] polynomial <of the first or second kind>		
T 2561	Tscherning['s] curve	Tscherningsche Kurve f	courbe f de Tscherning	кривая Чернинга
T 2562	T-S diagram	S-T-Diagramm n	diagramme m T-S	S-T-диаграмма, график [связи] температуры и солености [воды], график T-S
	T,s diagram	s. temperature-entropy chart		
	T[-] section	s. T[-] network		
T 2563	T-section filter	T-Schaltung f, Kettenleiter m zweiter Art, Sternschaltung f	filtre m en T	фильтр с Т-образными секциями, Т-образный фильтр
	$T_2[-]$ space	s. Hausdorff space		
T 2564	tsunami	Tsunami m, Tsunami-Welle f, zerstörende Seebebenwelle f, Seebebenwelle f, seismische Meereswelle f	tsunami m, raz m de marée	цунами, тсунами, громадная океанская волна
T 2565	Tswett['s] absorption method, Tswett['s] chromatography	Tswettsche Säulenchromatographie (Chromatographie) f, Säulenchromatographie nach Tswett	chromatographie f de Tswett, méthode f d'absorption de Tswett	метод хроматографического анализа Цвета
T 2566	T Tauri star, RW Aurigae-type star, nebular variable	RW Aurigae-Stern m, T Tauri-Stern m, Nebelveränderlicher m	variable f du type T Tauri, variable du type RW Aurigae, variable nébulaire	переменная типа Т Тельца, небулярная переменная [звезда]
	t-test	s. Student['s] test		
	TTT diagram	s. temperature-time-transformation diagram		
	tube	s. thermionic valve		
	tube amplifier, vacuum-tube amplifier, valve amplifier	Röhrenverstärker m, Elektronenröhrenverstärker m, Vakuumröhrenverstärker m	amplificateur m à tubes	ламповый усилитель, электронный усилитель
T 2567	tube analyzer	Tubusanalysator m	analyseur m à tube	тубусный анализатор
	tube capacitance	s. interelectrode capacitance		
	tube characteristic	s. current-voltage characteristic		
T 2567a	tube chromatography	Tubechromatographie f	chromatographie f [sur couche mince] en tube	[тонкослойная] хроматография в стеклянной трубке
	tube circuit, valve circuit, vacuum-tube circuit	Röhrenschaltung f	circuit m à lampes [électroniques]	ламповая схема, схема с электронными лампами
	tube constant	s. tube parameter		
	tube-controlled, valve-controlled, vacuum-tube-controlled	röhrengesteuert	commandé par les lampes (tubes thermioniques)	урпавленный электронными лампами, с электронным урпавлением
	tube counter	s. counter <nucl.>		
T 2568	tube drawing, drawing of tubes	Ziehen n von Rohren, Rohrziehen n, Rohrzug m	étirage m de tubes	волочение труб, протягивание труб, протяжка труб
	tube electrometer, vacuum tube electrometer	Röhrenelektrometer n	électromètre m à tube	ламповый электрометр, лампа-электрометр
T 2569	tube electronics, thermionic valve electronics	Röhrenelektronik f	électronique f des tubes [thermo-ioniques]	электроника ламп
T 2570	tube entrance, entrance [of the tube]	Rohreinlauf m, Einlauf m [des Rohres]	entrée f [du tube]	вход [трубы]
T 2571	tube equation, thermionic valve equation	Röhrengleichung f, Röhrenformel f	équation f de lampe, formule f de lampe	внутреннее уравнение лампы, уравнение лампы
T 2572	tube expander, expander	Aufweitedorn m, Rohraufweitedorn m, Streckdorn m, Aufweitestopfen m	mandrin m à élargir les tubes	разгоночная оправка
T 2573	tube extension, extension of the tube	Tubusauszug m	tirage m du tube, rallonge m de tube	растяжение тубуса
T 2574	tube factor <opt.>	Tubusfaktor m, Vergrößerungsfaktor m <Opt.>	coefficient m de tube <opt.>	коэффициент тубуса, тубусный коэффициент <опт.>

T 2575	**tube filter**	Schlauchfilter *n*	filtre *m* en tuyau	рукавный фильтр
	tube float, staff float, pole float, rod float, velocity rod	Stabschwimmer *m*, Stangenschwimmer *m*, Stockschwimmer *m*, hydrometrische Stange *f*, Schwimmstange *f*	bâton-flotteur *m*, tige *f* plongeante lestée	стержневой поплавок, гидрометрический шест
	tube generator, valve oscillator, vacuum-tube oscillator, tube oscillator, valve generator, vacuum-tube generator, tube-oscillator generator, thermionic generator	Röhrenoszillator *m*, Röhrengenerator *m*	oscillateur *m* à tube[s], oscillateur à tube électronique, oscillateur à lampe[s], générateur *m* à tube[s], générateur à tube thermionique, générateur à lampe[s]	ламповый генератор, ламповый осциллятор
	tube housing	*s.* X-ray tube housing		
T 2576	**tube lens**	Tubuslinse *f*, Tubussystem *n*	lentille *f* de tube	тубусная линза (система)
T 2577	**tube manometer**	Rohrmanometer *n*, Röhrenmanometer *n*	manomètre *m* en tube	трубный манометр, трубчатый манометр
T 2578	**tube noise,** vacuum tube noise, valve noise, tube rustle, valve rustle	Röhrenrauschen *n*	bruit *m* du tube, souffle *m* du tube	шум лампы
	tube of flow	*s.* stream tube		
T 2579	**tube of flux, tube of force, tube of lines of force**	Kraft[feld]röhre *f*, Feldröhre *f*, Feldlinienröhre *f*, Kraftflußröhre *f*	tube *m* de force[s], tube de champ [de force]	силовая трубка [поля], трубка силовых линий
T 2580	**tube of [magnetic] induction, tube of magnetic lines of force**	Induktionsröhre *f*	tube *m* d'induction	трубка магнитной индукции
T 2581	**tube of microscope,** microscope tube	Mikroskoptubus *m*, Tubus *m* des Mikroskops	tube *m* du microscope	тубус микроскопа
T 2582	**tube of the polarizing microscope**	Polarisationstubus *m*	tube *m* du microscope à polarisation	тубус поляризационного микроскопа
	tube of the vector field, vector tube	Vektorröhre *f*, Vektorfeldröhre *f*, Feldröhre *f*, Feldlinienröhre *f*	tube *m* de champ [vectoriel]	векторная трубка, трубка линий поля, трубка в векторном поле, трубка поля
	tube oscillator, tube-oscillator generator	*s.* tube generator		
	tube-oscillator high-voltage generator	*s.* vacuum-tube transmitter		
T 2582a	**tube parameter,** tube constant, valve parameter (constant)	Röhrenkonstante *f*	constante *f* (paramètre *m* caractéristique) de la lampe électronique	параметр [электронной] лампы
T 2583	**tube photometer**	Tubusphotometer *n*	photomètre *m* à tube (collimateur)	тубусный фотометр, фотометр с коллиматором
T 2584	**tube plate**	Rohrboden *m*, Rohrplatte *f*, Rohrtafel *f*	plaque *f* tubulaire	трубная решетка, трубная доска
T 2585	**tube quality,** valve quality	Röhrengüte *f*	qualité *f* des tubes électroniques	добротность лампы
T 2586	**tubercular corrosion,** tuberculation, honeycomb corrosion, honeycombing	Narbenkorrosion *f*, [flache] narbenartige Korrosion *f*, narbenartige Anfressung *f*	corrosion *f* par (à) piqûres	язвенная (оспенная) коррозия, бугристое изъязвление
	tube rectifier	*s.* valve rectifier		
	tube rustle	*s.* tube noise		
T 2587	**tube spring manometer, tube spring pressure gauge,** elastic tube pressure gauge	Rohrfedermanometer *n*, Rohrfedermeßwerk *n*, Rohrfederdruckmesser *m*, Röhrenfedermanometer *n*, Röhrenfedermeßwerk *n*, Röhrenfederdruckmesser *m*, Röhrenfeder *f*, Rohrfeder *f*	manomètre *m* à tuyau élastique	манометр с одновитковой трубчатой пружиной, манометр с трубчатой пружиной, измерительный механизм с трубчатой пружиной
T 2588	**tube stand**	Röhrenstativ *n*	support *m* d'ampoule, statif *m*	подставка рентгеновской лампы
T 2589	**tube telescope**	Tubusfernrohr *n*	lunette *f* de tube	тубусный телескоп
T 2590	**tube thickness,** tube wall thickness	Rohrwanddicke *f*, Rohrwandstärke *f*, Rohrdicke *f*	épaisseur *f* des parois de tuyaux, épaisseur du tuyau	толщина стенок труб
	tube transmitter	*s.* vacuum-tube transmitter		
T 2591	**tube-type camera**	Tubuskamera *f*	chambre *f* à tube-rallonge	тубусный фотоаппарат
	tube-type galvanometer, valve galvanometer, vacuum-tube galvanometer	Röhrengalvanometer *n*	galvanomètre *m* à lampe	ламповый гальванометр
	tube voltmeter	*s.* vacuum-tube voltmeter		
	tube wall thickness, tube thickness	Rohrwanddicke *f*, Rohrwandstärke *f*, Rohrdicke *f*	épaisseur *f* des parois de tuyaux, épaisseur du tuyau	толщина стенок труб
T 2592	**tube wind tunnel**	Rohrwindkanal *m*	soufflerie *f* tubulaire	упрощенная аэродинамическая труба
T 2593	**tubular anemometer**	Tubenanemometer *n*, Rohranemometer *n*, Röhrenanemometer *n*	anémomètre *m* tubulaire	трубчатый анемометр
T 2594	**tubular antenna**	Rohrantenne *f*, Röhrenantenne *f*	antenne *f* en tube, antenne tubulaire	трубчатая антенна
T 2595	**tubular capacitor**	Rohrkondensator *m*, Röhrenkondensator *m*; Rollkondensator *m*, Rollenkondensator *m*	condensateur *m* tubulaire	трубчатый конденсатор, цилиндрический конденсатор; рулонный конденсатор
	tubular conductor	*s.* hollow waveguide		
T 2596	**tubular discharge lamp,** high-voltage tubular discharge lamp	Hochspannungsleuchtröhre *f*, Leuchtröhre *f*; röhrenförmige Niederdruckentladungslampe (Entladungslampe) *f*	lampe *f* tubulaire à décharge, tube *m* à décharge de haute tension, tube luminescent	трубчатая газоразрядная лампа высокого напряжения, высоковольтная люминесцентная лампа, трубчатая разрядная лампа

	English	German	French	Russian
	tubular electrical dust filter, pipe filter, tubular filter	Röhrenfilter n, Rohrfilter n	filtre m à tube, filtre [électrostatique] tubulaire	трубчатый фильтр, трубчатый электрофильтр
T 2596a	**tubular electrodynamometer**	Röhrenelektrodynamometer n	électrodynamomètre m tubulaire	трубчатый электродинамометр
T 2597	**tubular exchanger**	Röhrenwärmeaustauscher m, Röhrenwärmetauscher m, Rohrbündel-Wärmeaustauscher m, Rohrbündelaustauscher m	échangeur m tubulaire; échangeur de chaleur à faisceau de tubes	трубчатый теплообменник; кожухотрубный теплообменник
T 2598	**tubular extension**	röhrenförmiger Ansatz m	épanouissement m [de forme] tubulaire, col m	трубчатый придаток
	tubular filter, pipe filter, tubular electrical dust filter	Röhrenfilter n, Rohrfilter n	filtre m à tube, filtre [électrostatique] tubulaire	трубчатый фильтр, трубчатый электрофильтр
	tubular flow	s. pipe flow		
T 2599	**tubular lamp**, tubular line lamp, tubular light, strip lamp, spot	Soffittenlampe f, Soffitte f, Lichtwurflampe f L	lampe f tubulaire miniature, lampe à filament rectiligne	софит, соффитная лампа, трубчатая лампа накаливания, софита
T 2600	**tubular level**, level tube	Röhrenlibelle f	niveau m tubulaire	трубчатый (цилиндрический) уровень
	tubular light (line lamp)	s. tubular lamp		
T 2601	**tubular microphone**, wave-type microphone	Rohrmikrophon n, Rohrrichtmikrophon n, Wellenleitermikrophon n	microphone m tubulaire, microphone à guide d'ondes	остронаправленный микрофон с набором трубок; волноводный микрофон
T 2602	**tubular pinch**	Hohlpinch m	effet m de pincement tubulaire, pincement m tubulaire, striction f tubulaire	трубчатый пинч[-эффект], голый пинч[-эффект]
T 2603	**tubular resistor**	Rohrwiderstand m; Schlauchwiderstand m	résistance f tubulaire	трубчатое сопротивление
	tubular source, hollow cylinder source	hohlzylinderförmige Quelle f, Hohlzylinderquelle f, rohrförmige Quelle	source f en forme de cylindre creux, source-puits f, source tubulaire, tube-source m	источник, имеющий форму полого цилиндра; трубчатый источник
T 2604	**tubular trimmer**	Tauchkondensator m	condensateur m ajustable tubulaire	цилиндрический подстроечный конденсатор, подстроечный цилиндрический конденсатор, подстроечный конденсатор с поступательно перемещаемой обкладкой
T 2605	**Tuchel contact**	Tuchel-Kontakt m	contact m de Tuchel	контакт Тухеля
T 2605a	**Tudor plate**	Tudor-Platte f	plaque f Tudor	пластина Тюдор
	tug; traction; pull[ing]; drawing; drag	Ziehen n, Zug m, Fortziehen n; Schleppen n	traction f; traînage m	тяга; буксирование
	tug	s. a. jerk		
T 2605b	**Tukey test**	Tukey-Test m	test m de Tukey	критерий Тьюки
T 2606	**tumbler, tumbler switch**; trigger switch; toggle switch, single-throw switch, single-way switch	Kippschalter m, Kipphebelschalter m, Kellog-Schalter m; Hebel[um]schalter m; Einweg[um]schalter m; Tumblerschalter m	interrupteur m à bascule; tumbler m	тумблер, перекидной выключатель, клавишный выключатель; перекидной переключатель, клавишный переключатель; переключатель с клавишами
	tumbling	s. sudden fall		
	tumbling	s. staggering motion		
T 2607	**tumour dose**	Tumordosis f, Herddosis f	dose f tumorale, dose tumoricide	опухолевая доза
T 2607a	**tunable chemical laser**	abstimmbarer chemischer Laser m	laser m chimique accordable, laser accordable à pompage chimique	настраиваемый химический лазер, настраиваемый лазер с химической накачкой
T 2607b	**tunable dye laser**	abstimmbarer Farbstofflaser m	laser m accordable à colorant	настраиваемый лазер на красителях
	tune	s. tuning		
T 2608	**tuned amplifier**, resonance amplifier	abgestimmter Verstärker m, selektiver Spannungsverstärker m, Resonanzverstärker m	amplificateur m accordé, amplificateur à résonance	резонансный усилитель
	tuned circuit	s. tuning circuit		
T 2609	**tuned coupling**	Sperrkreiskopplung f	liaison f par circuit bouchon	межкаскадная связь с непосредственным включением контура в анодную цепь лампы
	tuned-reed frequency meter	s. reed-type frequency meter		
	tuned-reed relay	s. vibrating relay		
	tuned transformer, resonant transformer	Resonanztransformator m, abgestimmter Transformator m	transformateur m accordé, transformateur à résonance	резонансный трансформатор, настроенный трансформатор
T 2610	**tungsten arc lamp**	Wolframbogenlampe f, Punktlichtlampe f, Wolframpunktlampe f	lampe f à arc au tungstène, lampe à arc entre billes de tungstène, lampe ponctuelle, lampe pointolite	дуговая лампа с вольфрамовыми электродами, вольфрамовая дуговая лампа
T 2611	**tungsten cathode**	Wolframkatode f, Wolframreinmetallkatode f	cathode f en tungstène, cathode au tungstène	вольфрамовый катод
	tungsten emitter	s. tungsten lamp		
T 2612	**tungsten filament bolometer**	Wolframbolometer n	bolomètre m à filament en tungstène	болометр с вольфрамовой нитью
T 2613	**tungsten filament lamp**	Wolframfadenlampe f, Wolframfadenglühlampe f, Wolframdrahtlampe f, Wolframdrahtglühlampe f; Wolframwendellampe f	lampe f à filament en (au, de) tungstène	лампа с вольфрамовой нитью; лампа с вольфрамовой спиралью

T 2613a	tungsten halogen lamp	Halogenglühlampe f, Halogenlampe f	lampe f [à incandescence] à halogène	галогенная лампа накаливания
T 2614	tungsten-hydrogen barretter	Wolframwasserstoffwiderstand m	barretter m tungstène-hydrogène	вольфрамоводородный бареттер
	tungsten iodine lamp	s. quartz iodine lamp		
T 2615	tungsten lamp, tungsten light source, tungsten emitter	Wolframlampe f, Wolframlichtquelle f, Wolframemitter m, Wolframstrahler m	lampe f au tungstène	вольфрамовая лампа, вольфрамовый излучатель
T 2616	tungsten ribbon lamp, tungsten strip lamp	Wolframbandlampe f, Bandlampe f	lampe f à ruban de tungstène, lampe tubulaire miniature au tungstène	лампа с вольфрамовой лентой, ленточная лампа
T 2617	tuning, tune	Abstimmung f	accord m	настройка
T 2618	tuning <ac.>	Stimmen n <Ak.>	accordage m <ac.>	настройка <ак.>
T 2619	tuning characteristic, tuning curve, selectivity characteristic	Abstimmcharakteristik f, Abstimmkurve f, Abstimmdiagramm n	caractéristique f d'accord, courbe f d'accord	кривая настройки, характеристика настройки
T 2620	tuning circuit; tuned circuit	Abstimmkreis m, Abstimmungs[strom]kreis m	circuit m d'accord	настраиваемый контур
	tuning curve	s. tuning characteristic		
	tuning eye [tube]	s. tuning indicator		
T 2621	tuning-fork, tuning fork, pitchfork	Stimmgabel f	diapason m	камертон
T 2622	tuning-fork frequency modulator	Stimmgabelmodulator m	modulateur m de fréquence à diapason	камертонный вариатор [частоты]
T 2623	tuning-fork oscillator	Stimmgabelgenerator m, Stimmgabeloszillator m, Stimmgabelsummer m	oscillateur m à diapason	камертонный генератор
T 2624	tuning indicator, tuning-indicator tube, tuning eye [tube], tunoscope, magic eye, "Magic Eye" tube, magic fan	Abstimmanzeigeröhre f, magisches Auge n, magischer Fächer m, magisches Band n; Abstimmanzeige f	indicateur m d'accord, œil m magique, œil cathodique	электронный индикатор настройки, индикатор настройки, электронно-световой индикатор, «магический глаз»
T 2625	tuning variometer, syntonizing variometer	Abstimmvariometer n	variomètre m d'accord, variomètre m de syntonisation	вариометр настройки
T 2626	tunnel <in the emulsion>	„Tunnel" m <Emulsionstechnik>	tunnel m <dans l'émulsion>	трубка <в эмульсии>
	tunnel	s. a. wind tunnel		
T 2627	tunnel breakthrough	Tunneldurchbruch m	perçage m tunnel, rupture f tunnel	туннельный пробой
	tunnel coefficient, coefficient of utilization of the tunnel	Kanalfaktor m <Aero.>	coefficient m d'utilisation [de la soufflerie]	качество аэродинамической трубы, качество потока
	tunnel contact, Josephson contact (junction)	Josephson-Kontakt m, Tunnelkontakt m	contact m [de] Josephson, contact tunnel	контакт Джозефсона, джозефсоновский (туннельный) контакт
T 2628	tunnel current, tunnelling current	Tunnelstrom m	courant m tunnel, courant d'effet tunnel	туннельный ток
T 2629	tunnel diode, Esaki diode	Tunneldiode f, Esaki-Diode f	diode-tunnel f, diode f tunnel (à effet tunnel, à tunnel, Esaki)	туннельный диод, диод Езаки, диод Эсаки
T 2630	tunnel-diode trigger	Tunneldiodentrigger m	trigger m à diode tunnel	туннельно-диодный триггер
T 2631	tunnel effect; tunnelling, tunneling	Tunneleffekt m; Tunneln n	effet m tunnel; tunneling m	туннельный эффект; туннелирование, туннельный переход
	tunnel efficiency	s. tunnel coefficient		
T 2632	tunnel emission	Tunnelemission f	émission f tunnel	туннельная эмиссия
	tunnel-emitter triode	s. tunnel transistor		
T 2632a	tunnel exponential	Tunnelexponent m	exponentielle f tunnel	туннельный показатель
T 2633	tunnel furnace	Tunnelofen m	four m à tunnel	туннельная печь, тоннельная печь
	tunneling	s. tunnel effect		
T 2634	tunnel injection	Tunnelinjektion f	injection f tunnel	туннельная инжекция
T 2635	tunnel junction	Tunnelübergang m	jonction f tunnel	туннельный переход
	tunnelling	s. tunnel effect		
	tunnelling current, tunnel current	Tunnelstrom m	courant m tunnel, courant d'effet tunnel	туннельный ток
T 2636	tunnelling energy	Durchtunnelungsenergie f, Tunnelenergie f, Überwindungsenergie f	énergie f de pénétration [à travers la barrière de potentiel]	энергия преодоления [потенциального] барьера
T 2637	tunnelling probability	Durchtunnelungswahrscheinlichkeit f, Tunnelwahrscheinlichkeit f, Überwindungswahrscheinlichkeit f	probabilité f de pénétration [à travers la barrière de potentiel]	вероятность преодоления [потенциального] барьера
T 2638	tunnelling resistance	Tunneleffektwiderstand m	résistance f tunnel, résistance d'effet tunnel	туннельное сопротивление, сопротивление туннельному эффекту
T 2639	tunnelling through the [potential] barrier; overcoming the potential barrier, surmounting the potential barrier, getting over the potential barrier	Durchtunnelung f des Potentialwalls, Durchgang m durch den Potentialwall, Durchdringung f des Potentialwalls; Überwindung f des Potentialwalls	traversée f de la barrière de potentiel, pénétration f à travers la barrière de potentiel, « tunneling » m; surmontée f de la barrière de potentiel	[туннельное] проникновение через потенциальный барьер, [туннельное] прохождение через потенциальный барьер, [туннельное] просачивание через потенциальный барьер, туннельный переход, прохождение вследствие туннельного эффекта; преодоление потенциального барьера
T 2640	tunnel model	Tunnelmodell n	modèle m tunnel	туннельная модель

	tunnel model	*s. a.* wind tunnel model		
T 2641	**tunnel transistor**, tunnel-emitter triode	Tunneltransistor *m*, Tunnel-Emitter-Triode *f*	transistor *m* tunnel, transistor à effet tunnel	туннельный транзистор
T 2642	**tunnel triode**	Tunneltriode *f*	triode *f* tunnel, triode à effet tunnel	туннельный полупроводниковый триод
	tunoscope	*s.* tuning indicator		
T 2643	**turbator**	Turbator *m*	turbator *m*	магнетрон с одним тороидальным резонатором, турбатор, магнетрон с одним объемным резонатором, магнетрон с анодным блоком типа встречных стержней
T 2644	**turbid**; troubled, muddy, thick, mothery <of liquid>; dull <of glass>	trüb; getrübt	trouble	мутный; тусклый <о стекле>
T 2645	**turbidimeter**, turbidity meter	Lufttrübungsmesser *m*; Trübungsmesser *m*, Trübungsmeßgerät *n*; Schwebstoffmesser *m*	urbidimètre *m*	мутномер, прибор для определения мутности, прибор для измерения степени помутнения, турбидиметр
T 2645a	**turbidimetric titration**	turbidimetrische Titration *f*, Trübungstitration *f*	titrage *m* turbidimétrique	титрование до помутнения
T 2646	**turbidimetry**, measurement of turbidity	Trübungsmessung *f*, Extinktionsmessung *f*, Turbidimetrie *f*	turbidimétrie *f*	измерение мутности (степени помутнения)
T 2647	**turbidity**; troubling; turbidness; dimness	Trübung *f*, optische Trübung; Trübheit *f*, Trübe *f*; Eintrübung *f*	turbidité *f*; trouble *m*	мутность; муть, помутнение, мутнение, замутнение
T 2648	**turbidity**, photographic turbidity <phot.>	photographische Unschärfe (Streuunschärfe) *f*, Streuunschärfe, Unschärfe <Phot.>	flou *m*, flou d'émulsion, flou photographique <phot.>	размытость контуров изображения, нечеткость <фот.>
T 2649	**turbidity coefficient** [of Ångström], Ångström['s] turbidity coefficient, Ångström['s] turbidity parameter, coefficient of turbidity, Ångström['s] coefficient of turbidity, trouble coefficient	Trübungskoeffizient *m* [nach Ångström], Ångströmscher Trübungskoeffizient, Ångströmsches Trübungsmaß *n*	coefficient *m* de turbidité [d'Ångström], coefficient de trouble [d'Ångström], facteur *m* de trouble [d'Ångström]	коэффициент мутности [Ангстрема], коэффициент помутнения [Ангстрема]
	turbidity current <in dissolution of salts>; convective flow	konvektive Strömung *f*, Konvektionsströmung *f*; Konvektionsstrom *m*	écoulement *m* par convection, écoulement de convection; courant *m* de convection	конвекционный поток, конвективный поток; конвективное течение
T 2650	**turbidity current**	Trübstrom *m*; Suspensionsströmung *f*	courant *m* de turbidité	мутьевое течение
T 2651	**turbidity due to atmospheric haze**	Dunsttrübung *f*, Dunsttrübe *f*	turbidité *f* due à la brume atmosphérique	мутность, вызванная дымкой; мутность сухого тумана
T 2652	**turbidity due to condensation**, condensation turbidity	Kondensationstrübe *f*, Kondensationstrübung *f*	turbidité *f* due à la condensation, turbidité de condensation	конденсационная мутность, помутнение вследствие конденсации
T 2653	**turbidity factor** <of Linke>, Linke['s] turbidity factor (parameter), factor of turbidity, Linke['s] factor of turbidity, trouble factor	Trübungsfaktor *m* [nach Linke], Linkescher Trübungsfaktor, Linkesches Trübungsmaß *n*	facteur *m* de turbidité [de Linke], facteur de trouble [de Linke]	фактор мутности [Линке], фактор помутнения [Линке]
T 2654	**turbidity factor for short-wave radiation** <of Linke>	Kurztrübungsfaktor *m* [nach Linke]	facteur *m* de turbidité [de Linke] pour la radiation à ondes courtes	фактор мутности [Линке] для коротковолновой радиации
	turbidity measure, measure of turbidity, turbidity parameter	Trübungsmaß *n*	mesure *f* de turbidité, paramètre *m* de turbidité	мера (характеристика, параметр) мутности, мера (параметр) помутнения
	turbidity meter	*s.* turbidimeter		
T 2655	**turbidity of water**	Wassertrübung *f*, Trübung *f* des Wassers; Gewässertrübung *f*	turbidité *f* de l'eau	мутность воды, помутнение воды
	turbidity parameter	*s.* turbidity measure		
	turbidness	*s.* turbidity		
	turbine expansion engine	*s.* turbine liquefier		
	turbine interrupter	*s.* turbo[-]interrupter		
	turbine inverter	*s.* turbo[-]inverter		
T 2656	**turbine liquefier**, turbo-expansion engine, turbine expansion engine	Entspannungsturbine *f*, Turboexpansionsmaschine *f*, Turbinenexpansionsmaschine *f*, Turbinenverflüssiger *m*, Turbodetander *m* [nach Kapitza]	turbomachine *f* à détente, turbodétendeur *m*	турбодетандер [Капицы], турбинный детандер
T 2657	**turbine meter**	Turbinenzähler *m*	compteur *m* à turbine	турбинный счетчик расхода, счетчик с турбинным колесом
	turbine pump	*s.* rotodynamic pump		
T 2658	**turbine stirrer**	Turbinenrührer *m*, Turbinenrührwerk *n*	agitateur *m* à turbine	турбинная мешалка
T 2659	**turbo-alternator**	Turboalternator *m*, Wechselstrom-Turbogenerator *m*	turbo-alternateur *m*	турбогенератор переменного типа, турбоальтернатор

T 2660	**turbo-blower**	Kreiselgebläse n, Turbogebläse n	turbo-ventilateur m, turbo-soufflante f	турбонагнетатель, турбогазодувка, турбовоздуходувка, центробежная воздуходувка, центробежный вентилятор
T 2661	**turbo-compressor**	Kreiselverdichter m, Turbokompressor m, Turboverdichter m	turbo-compresseur m, turbo-soufflante f	турбокомпрессор, турбонагнетатель, центробежный компрессор
T 2662	**turbo[-]dynamo**	Turbodynamo m, Gleichstrom-Turbogenerator m	turbo-dynamo m	турбодинамо, турбогенератор постоянного тока
T 2663	**turbo-electric**	turboelektrisch	turbo-électrique	турбоэлектрический
	turbo-expansion engine	s. turbine liquefier		
T 2664	**turbo[-]interrupter,** turbine interrupter	Turbinenunterbrecher m, Turbounterbrecher m <mit Quecksilberstrahl>	interrupteur m à jet de mercure	ртутноструйный турбопрерыватель (турбинный прерыватель), [центрифугальный] ртутноструйный прерыватель
T 2665	**turbo[-]inverter,** turbine inverter	Turbowechselrichter m, Turbinenwechselrichter m <mit Quecksilberstrahl>	convertisseur m à jet de mercure	ртутноструйный турбоинвертор (турбинный инвертор), [центрифугальный] ртутноструйный преобразователь [постоянного тока в переменный]
T 2666	**turbo-jet [drive]**	Turbinenstrahltriebwerk n, Turbojettriebwerk n, Turbojet m	turboréacteur m, turbojet m	турбореактивный двигатель, ТРД
T 2667	**turbomolecular drag pump**	Turbomolekularpumpe f	pompe f [rotative] turbomoléculaire	турбомолекулярный насос [Беккера]
	turpo-prop [drive]	s. propeller turbine		
	turbo-pump	s. rotodynamic pump		
T 2668	**turbosphere**	Turbosphäre f	turbosphère f	турбосфера
T 2669	**turbulator**	Turbulator m, Verwirbler m, Wirbler m; Wirbelplatte f	turbulateur m	завихритель
T 2670	**turbulence**	Turbulenz f	turbulence f	турбулентность
	turbulence	s. a. whirling		
	turbulence axis	s. vortex axis		
	turbulence element	s. element of turbulence		
T 2671	**turbulence factor**	Turbulenzfaktor m, Turbulenzziffer f	facteur m de turbulence	коэффициент турбулентности
T 2672	**turbulence heating**	Turbulenzaufheizung f, turbulente Aufheizung f	chauffage m par turbulence	турбулентный нагрев, турбулентное нагревание
	turbulence intensifier, turbulizer	Turbulenzverstärker m	intensificateur m de turbulence, turbuliseur m	усилитель турбулентности, турбулизатор
	turbulence intensity, intensity of turbulence	Turbulenzstärke f	intensité f de turbulence	интенсивность турбулентности, степень турбулизации, степень завихрения
T 2673	**turbulence near the wall,** wall turbulence	Wandturbulenz f	turbulence f près de la paroi, turbulence aux parois	пристеночная турбулентность
T 2673a	**turbulence paradox**	Turbulenzparadoxon n	paradoxe m de turbulence	парадокс турбулентности
	turbulence spectrum	s. spectrum of turbulence		
	turbulence theory	s. Weizsäcker['s] turbulence theory		
	turbulency	s. turbulence		
T 2674	**turbulent boundary layer**	turbulente Grenzschicht f, turbulente Reibungsschicht f	couche f limite turbulente	турбулентный пограничный слой, турбулентный погранслой
T 2675	**turbulent burner**	Wirbelbrenner m, Wirbelstrombrenner m	brûleur m à tourbillonnement	вихревая горелка, турбулентная горелка; вихревая форсунка
T 2676	**turbulent cloud**	Turbulenzwolke f	nuage m turbulent	турбулентное облако
T 2677	**turbulent combustion**	turbulente Verbrennung f	combustion f turbulente	турбулентное горение, вихревой режим сжигания
	turbulent conduction [of heat]	s. eddy conduction		
	turbulent conductivity	s. eddy conductivity		
T 2678	**turbulent convection,** convection by turbulence	turbulente Konvektion f, Wirbelkonvektion f	convection f turbulente	турбулентная конвекция
	turbulent core [flow]	s. vortex-core flow		
T 2679	**turbulent density fluctuation,** turbulent fluctuation of density	turbulente Dichteschwankung f	fluctuation f turbulente de densité	турбулентная флуктуация плотности
	turbulent diffusion	s. eddy diffusion		
	turbulent diffusion coefficient	s. eddy diffusivity		
	turbulent diffusivity	s. eddy diffusivity		
T 2680	**turbulent energy,** energy of turbulence, eddy energy, eddy kinetic energy	Turbulenzenergie f, turbulente Energie f; Wirbelungsenergie f, Wirbelungsarbeit f	énergie f de turbulence, énergie turbulente	турбулентная энергия, энергия турбулентности, энергия турбулентного движения
T 2681	**turbulent energy density**	turbulente Energiedichte f, Turbulenzenergiedichte f	densité f d'énergie turbulente	вихревая плотность энергии, турбулентная плотность энергии
T 2682	**turbulent energy equation**	Turbulenzenergiegleichung f	équation f de l'énergie turbulente	уравнение турбулентной энергии
T 2683	**turbulent exchange**	turbulenter Austausch m, Turbulenzaustausch m	échange m turbulent	турбулентный обмен
	turbulent field	s. turbulent flow field		

T 2684	**turbulent flame**	turbulente Flamme *f*	flamme *f* turbulente	турбулентное пламя
T 2685	**turbulent flow; turbulent stream; turbulent motion, eddy motion, eddying whirl**	turbulente Strömung *f*, Flechtströmung *f*, wirblige (wirbelnde) Strömung; turbulente Bewegung *f*, Turbulenzbewegung *f*, Quirlung *f*, Wirbelung *f*	écoulement *m* turbulent; courant *m* turbulent; mouvement *m* turbulent	турбулентное течение, завихренное течение; турбулентный поток; турбулентное движение
T 2686	**turbulent flow field, turbulent field**	turbulentes Strömungsfeld *n*, turbulentes Feld *n*, Turbulenzfeld *n*	champ *m* de courant turbulent, champ turbulent	турбулентное поле потока, турбулентное поле течения, турбулентное поле
	turbulent flow of heat	*s.* turbulent heat flow		
T 2687	**turbulent fluctuation**	turbulente Schwankung *f*, Turbulenzschwankung *f*	fluctuation *f* turbulente	турбулентная флуктуация, турбулентное колебание, турбулентная пульсация
	turbulent fluctuation, phenomenon of turbulent fluctuation	turbulente Schwankungserscheinung *f*	phénomène *m* de fluctuation turbulente, fluctuation *f* turbulente	явление турбулентной флуктуации
	turbulent fluctuation of density, turbulent density fluctuation	turbulente Dichteschwankung *f*	fluctuation *f* turbulente de densité	турбулентная флуктуация плотности
	turbulent flux, vortex (eddy, vorticity) flux, flux of vorticity	Wirbelfluß *m*, Vorticityfluß *m* ‹Geo.›	flux *m* tourbillonnaire, flux de tourbillon	вихревой поток, поток [вектора] вихря
T 2688	**turbulent friction; apparent friction; virtual friction**	turbulente Scheinreibung *f*, ·Turbulenzreibung *f*; Scheinreibung *f*, scheinbare Reibung *f*	frottement *m* turbulent; frottement apparent, frottement fictif	турбулентное трение, виртуальное трение, кажущееся трение
	turbulent heat conduction	*s.* eddy conduction [of heat]		
T 2689	**turbulent heat flow, turbulent flow of heat**	turbulenter Wärmestrom *m*, Turbulenzwärmestrom *m*	écoulement *m* turbulent de chaleur, courant *m* turbulent de chaleur	турбулентный поток тепла
T 2690	**turbulent jet**	turbulenter Strahl *m*, Wirbelstrahl *m*	jet *m* turbulent (tourbillonnaire), veine *f* turbulente	турбулентная струя
T 2691	**turbulent jet burner**	Wirbelstrahlbrenner *m*	brûleur *m* à jet tourbillonnaire	вихреструйная горелка
	turbulent law of resistance, law of resistance for turbulent flow	turbulentes Widerstandsgesetz *n*	loi *f* de résistance pour le régime turbulent	закон сопротивления при турбулентном движении
T 2692	**turbulent layer**	turbulente Schicht *f*, Turbulenzschicht *f*	couche *f* turbulente, turbulence *f* fine	турбулентный слой
T 2693	**turbulent mixing**	turbulente Durchmischung *f*, turbulente Mischung *f*, Turbulenzmischung *f*	mélange *m* turbulent	турбулентное перемешивание
	turbulent motion	*s.* turbulent flow		
T 2694	**turbulent Prandtl number, Pr_t**	turbulente Prandtl-Zahl *f*, Pr_t	nombre *m* de Prandtl turbulent, Pr_t	турбулентное число Прандтля, Pr_t
T 2695	**turbulent region, turbulent zone, zone of turbulence, region of turbulence**	Turbulenzbereich *m*, Turbulenzgebiet *n*, Turbulenzzone *f*, turbulenter Bereich *m*, turbulentes Gebiet *n*, turbulente Zone *f*; Turbulenzstrecke *f*	zone *f* de turbulence, région *f* de turbulence, zone turbulente, région turbulente, régime *m* turbulent	турбулентная область, зона турбулентности, турбулентный режим
T 2696	**turbulent separation, eddy making**	turbulente Ablösung *f*	décollement *m* turbulent	отрыв турбулентного слоя, срыв потока в турбулентном пограничном слое
T 2697	**turbulent spot**	Turbulenzfleck[en] *m*	tache *f* de turbulence	пятно турбулентности
	turbulent state, state of turbulence	Turbulenzzustand *m*, turbulenter Zustand	état *m* de turbulence, état turbulent	турбулентное состояние, состояние турбулентности
	turbulent stream	*s.* turbulent flow		
	turbulent thermal conductivity	*s.* eddy conductivity		
	turbulent thermal diffusivity	*s.* eddy diffusivity		
T 2698	**turbulent transfer, eddy transfer (transport)**	turbulenter Transport *m*, Turbulenztransport *m*	transfert *m* turbulent	турбулентный перенос
T 2698a	**turbulent transfer coefficient, eddy transfer coefficient**	turbulente Austauschgröße *f*	coefficient *m* de transfert tourbillonnaire	коэффициент турбулентного переноса
	turbulent transfer coefficient	*s. a.* effective turbulent diffusivity		
	turbulent viscosity	*s.* eddy viscosity		
T 2699	**turbulent wake**	turbulenter Nachlauf *m*	sillage *m* turbulent	турбулентный след
T 2700	**turbulent wedge**	Turbulenzkeil *m*	coin *m* turbulent	клин турбулентности, турбулентный клин
	turbulent zone	*s.* turbulent region		
T 2701	**turbulizer, turbulence intensifier**	Turbulenzverstärker *m*	intensificateur *m* de turbulence, turbuliseur *m*	усилитель турбулентности, турбулизатор
	turgescence	*s.* turgidity		
	turgescence motion	*s.* turgor motion		
T 2702	**turgid**	turgeszent	turgescent	тургесцентный, раздутый, разбухший, набухший
T 2703	**turgidity, turgidness, turgor, turgescence, turgor pressure**	Turgordruck *m*, Turgor *m*, Turgeszenz *f*, Turgeszenzdruck *m*	turgescence *f*, pression *f* de turgescence	тургор, тургесценция, тургорное давление, набухлость
T 2704	**turgor change**	Turgorschwankung *f*	variation *f* de la turgescence	тургорное изменение, флуктуация тургора
T 2705	**turgor deficit**	Turgordefizit *n*	déficit *m* de turgescence	дефицит тургора

T 2706	turgor motion, turgescence motion	Turgorbewegung f	mouvement m de turgescence	тургорное движение
	turgor pressure	s. turgor		
T 2707	turgor state	Turgeszenzzustand m	état m de turgescence	тургор, тургорное состояние
T 2708	**Turing machine**	Turing-Maschine f	machine f de Turing	машина Тьюринга, машина Тюринга
T 2709	**Turkestan-type glacier**	Firnkesselgletscher m, Turkestanischer Gletschertyp m	glacier m du type Turkestan	ледник туркестанского типа
	turmalin[e] plate	s. tourmalin[e] plate		
	turmalin[e] tongs	s. tourmalin[e] tongs		
T 2710	**turn, turn of winding, single turn, spire; worm <of screw>; torsion <bio.>**	Windung f; Lage f	tour m, spire f	виток; завиток; оборот
	turn, revolution	Umdrehung f, Tour f, U	tour m, révolution f	оборот, об
T 2711	turn, turn-back; diversion; deflection [around a corner]; piping around a corner	Umlenkung f	changement m de direction, déviation f, renversement m, renvoi m	изменение направления, отклонение, поворот
	turn	s. a. turn-back		
	turn-and-bank indicator, turn indicator, turnmeter	Wendezeiger m	indicateur m de virage	[гироскопический] указатель поворотов
T 2712	turn aperture	Windungsöffnung f	ouverture f de la spire	раскрытие витка
T 2713	turn area	Windungsfläche f	aire f de spire, aire de tour	площадь витка; охватываемая витком площадь
T 2714	**turn-back, turn, turning-back, turning**	Wendung f; Drehung f; Umwendung f	renvoi m, renversement m	поворот
T 2715	turn-back; reverse torsion; reverse rotation	Rückdrehung f, Rückwärtsdrehung f; Gegendrehung f; Gegenrotation f	tour m en arrière; retorsion f; rétrogradation f du vent	вращение в обратную сторону, обратное вращение; обратный поворот, поворот назад; левое вращение ветра, вращение влево ветра
	turn-back	s. a. turn		
T 2716	turn cross-section, cross-section of single turn	Windungsquerschnitt m	section f transversale de la spire, section de la spire	поперечное сечение витка
T 2717	**Turner filter, Turner interference filter**	Filter n der verhinderten Totalreflexion, Turner-Filter n	filtre m interférentiel de Turner, filtre de Turner	интерференционный светофильтр с оборванным полным внутренним отражением
T 2718	turn flux, flux through single turn	Windungsfluß m	flux m à travers la spire [unique]	поток через отдельный виток, поток через виток
T 2719	**turn indicator**, turn-and-bank indicator, turnmeter	Wendezeiger m	indicateur m de virage	[гироскопический] указатель поворотов
	turning[-back]	s. turn-back		
	turning moment	s. torque		
	turning moment coefficient	s. tilting moment coefficient		
	turnmeter	s. turn indicator		
	turn-off characteristic; reverse characteristic; blocking characteristic	Sperrcharakteristik f, Sperrkennlinie f	caractéristique f de blocage, caractéristique d'arrêt	характеристика запирающего слоя, характеристика запирающей области
T 2720	**turn of the drum, turn of the thimble**	Trommelumdrehung f	tour m du tambour	поворот барабана
	turn of the spiral, spiral turn	Spiralwindung f, Windung f der Spirale	tour m de spire, spire f	ход спирали, оборот спирали, оборот спиральной линии, виток спирали
	turn of the thimble, turn of the drum	Trommelumdrehung f	tour m du tambour	поворот барабана
T 2721	**turn of tide**, change of tide; slack tide, slack water, slack	Flutwechsel m, Gezeitenwechsel m; Kentern n des Gezeitenstromes, Umkehr f des Gezeitenstromes, Umschlagen n des Gezeitenstromes, Umschlagen der Strömung, Stillstand m der Gezeiten; Stillwasser n, Stauwasser n	renversement m de marée, renverse f de la marée, changement m de marées; molle-eau f	смена приливно-отливного движения, смена прилива [и отлива], чередование приливно-отливных явлений; период застоя между приливом и отливом; застойная вода во время смены приливных течений, застой воды, стояние уровня прилива
	turn of winding	s. turn		
	turnover; complete revolution; complete turn	volle Umdrehung f, vollständige Umdrehung; voller Umlauf m, Vollumlauf m, ganzer Umlauf	révolution f complète, tour m complet	полный оборот, поворот на 360°
T 2722	**turnover <bio.>**	Umsatz m, Umsetzung f; Austausch m, Wechsel m <Bio.>	renouvellement m <bio.>	обмен <био.>
	turnover	s. a. alternation of polarity		
	turnover frequency	s. Nyquist frequency		
T 2723	**turnover rate**	Umsatzrate f, Umsatzgeschwindigkeit f	vitesse f de renouvellement	скорость обмена

	English	German	French	Russian
T 2724	**turnover rate constant**	Umsatzgeschwindigkeits-konstante f, Umsatz-konstante f	constante f de renouvelle-ment	постоянная скорости обмена
T 2725	**turnover time**	Umsatzzeit f	temps m de renouvelle-ment	время обмена
	turn-over voltage, Zener voltage	Zener-Spannung f	tension f de Zener	напряжение Зинера, зинеровское напряже-ние
	turnover voltage	s. a. knee voltage		
	turn speed	s. speed		
	turns per minute	s. revolutions per minute		
	turns per unit time	s. speed		
T 2726	**turns ratio,** winding ratio, ratio of the windings	Windungs[zahl]verhältnis n, Windungsübersetzung f	rapport m d'enroulement	отношение витков
T 2727	**turnstile antenna**	Drehkreuzantenne f, Kreuzdipol m, Quirl-antenne f, „turnstile"-Antenne f; Drehkreuz-strahler m, Kreuz-strahler m	antenne f en tourniquet (moulinet), antenne en croix, antenne croisée, antenne [en] turnstile	турникетная антенна
T 2728	**turn-up circle** **turret**	Rückkehrkreis m s. turret head	cercle m des rebroussements	круг возврата
T 2729	**turret eyepiece**	Revolverokular n	tourelle f revolver pour les oculaires	револьверный окуляр
T 2730	**turret head,** turret, revolv-ing nosepiece, revolving objective changer; lens turret; cine turret	Revolverkopf m, Revolver m, Objektivrevolver m	tourelle f revolver, tourelle d'objectifs, tourelle	револьверная головка, револьверная приставка [объективов], револь-верный держатель [объективов]
T 2730a	**turret telescope**	Turret-Teleskop n [nach Hartness]	télescope-tourelle m	трубка-турель
	tutton salt, complex salt	komplexes Salz n	sel m complexe	комплексная соль
	tuyere, measuring nozzle	Meßdüse f	tuyère f de mesure	измерительное сопло
T 2731	**T value,** cation exchange capacity, CEC, sorption capacity <bio.>	T-Wert m, Kationenaus-tauschkapazität f, Um-tauschkapazität f, Aus-tauschkapazität f, Sorp-tionskapazität f <Bio.>	valeur f T, capacité f d'échange cationique, capacité de sorption <bio.>	величина T, катионо-обменная способность, сорбционная емкость <био.>
	T-v diagram, temperature-volume diagram	Temperatur-Volumen-Diagramm n, Tv-Diagramm n	diagramme m température-volume, diagramme T-v	диаграмма температура-объем, объем-темпера-турная диаграмма, Tv-диаграмма
T 2732	**Twaddle degree,** degree Twaddle	Twaddle-Grad m, Twad-del[l]-Grad m	degré m Twaddle	градус Твадля, градус по Тваделю
	T-wave	s. transverse mode <el.>		
T 2733	**tweeter**	Hochtonlautsprecher m	haut-parleur m d'aiguës, haut-parleur pour fré-quences élevées, tweeter m	громкоговоритель для вы-соких частот, громко-говоритель для воспро-изведения высоких то-нов, громкоговоритель для воспроизведения верхних частот, верхне-частотный громко-говоритель
T 2734	**twelve-membered ring,** **twelve ring**	Zwölferring m, Zwölfring m	anneau m à douze membres, cycle m à douze membres	двенадцатичленное коль-цо, двенадцатичленный цикл
T 2735	**twenty-one-centimetre line,** 21 cm emission line, 21 cm line	21-cm-Linie f [des Wasser-stoffs], Einundzwanzig-Zentimeter-Linie f	raie f émettrice 21 cm, raie 21 cm	эмиссионная линия ней-трального водорода при $\lambda = 21$ см, водородная линия при $\lambda = 21$ см
T 2736	**twenty-seven-day recurrence effect,** 27-day period	Siebenundzwanzig-Tage-Periode f, 27-d-Periode f	effet m se répétant tous les 27 jours, période f de 27 jours	период 27 дней
T 2737	**twice forbidden,** doubly forbidden, second for-bidden	zweifach verboten	deux fois interdit, double-ment interdit	дважды (двукратно) за-прещенный
T 2738	**twice-reflected**	zweimal reflektiert, doppelt-reflektiert	deux fois réfléchi	двукратно отраженный
T 2739	**twilight;** tenebrescence	Dämmerung f; Zwielicht n	crépuscule m; ténébrescence f; demi-jour m	сумерки; полумрак, полу-свет; двойной свет
T 2740	**twilight**	Dämmerlicht n, Dämme-rungslicht n	lueur f crépusculaire, lumière f crépusculaire	сумеречный свет
	twilight, dusk, owl-light gloaming	Abenddämmerung f	crépuscule m	[вечерние] сумерки
T 2741	**twilight airglow,** twilight glow	Dämmerungsleuchten n	lueur f [atmosphérique] crépusculaire	сумеречное свечение атмосферы
T 2742	**twilight arch**	Dämmerungsbogen m	arc m crépusculaire	сумеречная дуга, дуга зари, заревое кольцо
	twilight brightness, twilight luminance	Dämmerungsbeleuchtung f, Dämmerungshelligkeit f	luminance f crépusculaire	яркость сумерек
	twilight effect	s. night effect		
	twilight glow	s. twilight airglow		
T 2743	**twilight luminance,** twilight brightness	Dämmerungsbeleuchtung f, Dämmerungshelligkeit f	luminance f crépusculaire	яркость сумерек
T 2744	**twilight phenomenon**	Dämmerungserscheinung f	phénomène m crépusculaire	сумеречное явление
T 2745	**twilight rainbow,** red rainbow	Dämmerungsregenbogen m, roter Regenbogen m	arc-en-ciel crépusculaire, arc-en-ciel rouge	сумеречная радуга, красная радуга
T 2746	**twilight sky**	Dämmerungshimmel m	ciel m crépusculaire	сумеречное небо
T 2747	**twilight visibility** **[distance]**	Dämmerungssichtweite f, Dämmerungssicht f	portée f de vue crépuscu-laire, visibilité f crépuscu-laire	сумеречная дальность видимости, сумеречная видимость
T 2748	**twilight zone**	Zwielichtzone f	zone f crépusculaire, « zone de demi-jour »	зона сумерек

	English	German	French	Russian
T 2749	twin, twin crystal, twinned crystals, bicrystal, hemitrope, macle <cryst.>	Zwilling m, Kristallzwilling m, Zwillingskristall m, Doppelkristall m, Bikristall m, Zwillingsindividuum n <Krist.>	macle f, cristal m maclé, édifice m maclé, jumeau m, cristal jumeau, cristal double, bicristal m, mâcle m <crist.>	двойник [кристаллов], двойникованный кристалл, двойниковый кристалл, индивид двойника <крист.>
T 2750	twin aggregate, twinned aggregate	Zwillingsaggregat n	agrégat m hémitrope, agrégat cristallin hémitrope	двойниковый агрегат
	twin axis	s. twinning axis		
	twin band, Neumann band	Neumannsches Band n, Zwillingsstreifen m	bande f de Neumann	полоса Неймана
T 2751	twin boundary	Zwillingsgrenze f	joint m de macles	двойниковая граница, граница двойников [кристаллов], граница двойникования, раздел двойников
T 2752	twin boundary energy	Zwillingsgrenzenenergie f	énergie f de joint de macles	энергия двойниковой границы
	twin calorimeter, differential calorimeter	Differentialkalorimeter n, Zwillingskalorimeter n	calorimètre m différentiel	дифференциальный калориметр, двойной калориметр
	twin circuit (conductor)	s. two-wire line		
T 2753	twin contact	Zwillingskontakt m	contact m jumelé	раздвоенный контакт с одним разрывом
	twin contacts; three-terminal contact	Doppelkontakt m	contact m à trois bornes; contact double	трехзажимный контакт; сдвоенный контакт, двойной контакт
T 2754	twin corner, twinning corner	Zwillingsecke f	coin m de macle	двойниковый угол
	twin crystal	s. twin <cryst.>		
T 2755	twin edge, twinning edge	Zwillingskante f	arête f de macle	двойниковое ребро [кристалла], двойниковое крыло [кристалла]
	twin electron	s. positron-electron pair		
T 2756	twin element	Zwillingselement n	élément m de macle	двойниковый элемент
T 2757	twin energy, twinning energy	Zwillingsenergie f	énergie f de maclage	энергия двойникования
	twin formation	s. twinning <cryst.>		
	twin-gang capacitor	s. two-gang variable capacitor		
T 2758	twin graded [interference] filter	Verlaufdoppelfilter n	double filtre m dégradé, filtre dégradé double	сдвоенный оттененный светофильтр
T 2758a	twinkle, twinkling, sparkling, glitter	Funkeln n, Blinken n, Blitzen n, Glitzern n; Glänzen n	étincellement m; brillantage m	мерцание; сверкание; сияние; блеск
	twinkling	s. scintillation <of stars> <astr.>		
T 2759	twin lamella, twin lamina	Zwillingslamelle f	lamelle f de macle, lame f de macle	двойниковая пластинка, кристаллическая пластинка полисинтетического двойника
T 2760	twin lens; binary lens	Zwillingslinse f; Doppellinse f, Bilinse f	deux lentilles fpl identiques; bilentille f	двойная линза; билинза
T 2761	twin-lens reflex camera	zweiäugige Spiegelreflexkamera f	appareil m reflex à deux objectifs, reflex m à deux objectifs	двухобъективный зеркальный фотоаппарат
	twin lever	s. double lever		
	twin line	s. two-wire line		
T 2762	twinned	hemitrop, Zwillings-	hémitrope, maclé	двойникованный, двойниковый
	twinned aggregate	s. twin aggregate		
	twinned crystals	s. twin <cryst.>		
	twinned cyclones, two-centre cyclone	Zwillingstief n	cyclone m à deux centres, cyclone jumelé	циклон с двумя ядрами, двойниковый циклон
T 2763	twinned structure, twin structure	Zwillingsstruktur f, Zwillingsbau m	édifice m maclé	двойниковое строение
T 2764	twinning, twin formation, hemitropism <cryst.>	Zwillingsbildung f, Zwillingsverwachsung f, Verzwillingung f <Krist.>	maclage m, hémitropie f <crist.>	двойникование, двойниковое срастание <крист.>
T 2765	twinning axis, twin axis	Zwillingsachse f	axe m d'hémitropie	двойниковая ось [кристалла], ось двойникового кристалла
	twinning corner, twin corner	Zwillingsecke f	coin m de macle	двойниковый угол
	twinning direction	s. direction of twinning		
T 2766	twinning dislocation	Zwillingsversetzung f	dislocation f de maclage	двойникующая дислокация, двойниковая дислокация
	twinning edge	s. twin edge		
	twinning energy, twin energy	Zwillingsenergie f	énergie f de maclage	энергия двойникования
T 2767	twinning law	Zwillingsgesetz n	loi f d'association	закон двойникования, закон двойникового срастания, закон срастания
	twinning plane	s. twin plane		
T 2768	twin paradox, paradox of the space traveller	Zwillingsparadoxon n	paradoxe m de voyageur de Langevin, paradoxe de Langevin	парадокс о близнецах
T 2769	twin plane, twinning plane	Zwillingsebene f, Zwillingsfläche f, Zwillingsäquator m	plan m double, plan de macle	двойниковая плоскость, плоскость двойникования, плоскость двойникового срастания, плоскость срастания

T 2770	**twin plane reflection**	Reflexion f an der Zwillingsfläche, Zwillingsebenenreflexion f, Zwillingsflächenreflexion f	réflexion f par le plan double	отражение от двойниковой плоскости
T 2771	**twin position**	Zwillingsstellung f	position f de macles, position des cristaux maclés	двойниковое положение, положение сдвойникованных кристаллов
T 2772	**twin prism**	Zwillingsprisma n	deux prismes mpl identiques	двойная призма
	twin probe, double probe, dual probe	Doppelsonde f	double sonde f	сдвоенный зонд
	twin radiosonde, tandem radiosonde	Radiosondengespann n	radiosonde f tandem	спаренный радиозонд, тандем-радиозонд
T 2773	**twin resistance box**	[gegenläufiger] Doppelkurbelwiderstand m	boîte f de résistances jumelées	двойной курбельный реостат
T 2774	**twin serial camera,** double serial camera, double serial cine camera [for serial shots]	Zweifachreihenkammer f, Zweifachreihenbildkammer f, Zwillingsreihenkammer f	double chambre f aérophotogrammétrique [pour des prises de vue en série], chambre aérophotogrammétrique jumelée	спаренная маршрутная фотокамера
T 2775	**twin slippage**	Zwillingsgleitung f	glissement m aux joints de macles	двойниковое скольжение, двойникование при скольжении
T 2776	**twin striae, twin striation**	Zwillingsstreifung f	striation f jumelée. stries fpl jumelées	двойниковая штриховка, двойниковая бороздчатость
	twin structure, twinned structure	Zwillingsstruktur f, Zwillingsbau m	édifice m maclé	двойниковое строение
	twin T-bridge, double T-bridge [circuit]	Doppel-T-Brücke f, Doppel-T-Meßbrücke f, T-T-Netzwerk n	[circuit m en] double-T m ponté, pont m en T jumeaux	двойной Т-образный мост
T 2777	**twin tube**	Doppelröhre f	tube m double	сдвоенная лампа, сдвоенная электронная лампа
T 2778	**twin water-flow pyrheliometer**	Zwillings-Waterflowpyrheliometer n, Zwillings-Durchflußpyrheliometer n	double pyrhéliomètre m à courant d'eau, pyrhéliomètre m à courant d'eau jumelé	спаренный водяной пиргелиометр, спаренный пиргелиометр с текущей водой
T 2778a	**Twiss coefficient**	Twiss-Koeffizient m	coefficient m de Twiss	коэффициент Твиса
	twist, angular momentum, moment of momentum; angular momentum vector	Drehimpuls m, Impulsmoment n; Drehimpulsvektor m, Drall m, Schwung m	moment m angulaire, moment cinétique; vecteur m moment angulaire, vecteur moment cinétique	момент количества движения; вектор момента количества движения
	twist, lay	Drallänge f, Schlaglänge f, Drall m	pas m de torsion	шаг скрутки
T 2779	**twist,** twisting <of cable>	Verdrillung f [der Leitung], Verseilung f	torsade f [du câble], toronnage m	скрутка проволок [в жиле кабеля]
T 2780	**twist** <of wing>	Verwindung f <Tragflügel>	gauchissement m <de l'aile>	закрутка <крыла>
	twist	s. a. screw displacement		
	twist	s. a. twisting <of fibre or wire>		
	twist	s. a. twisting		
	twist	s. a. twist per unit length		
	twist angle	s. angle of torsion		
T 2781	**twist boundary**	„twist boundary" f, Verdrehungskorngrenze f, Verdrillungskorngrenze f, Verdrillungsgrenze f, Dreh[korn]grenze f	joint m de torsion	граница скручивания, граница кручения
T 2781a	**twist buckling,** torsional buckling	Drillknickung f, Drehknickung f	flambage m sous torsion	[продольный] изгиб при кручении (скручивании)
	twisted curve, curve of double curvature; space curve, spatial curve	Raumkurve f; doppeltgekrümmte Kurve f, Kurve doppelter Krümmung, nichtebene Kurve	courbe f spatiale, courbe dans l'espace; courbe gauche, courbe à double courbure, courbe torsadée	кривая в пространстве, пространственная кривая; кривая двоякой кривизны
T 2782	**twisted halo**	verdrehter Halo m	halo m tordu	скрученное гало
T 2783	**twisted line**	verdrillte Leitung f	ligne f torsadée	скрученный провод
T 2784	**twisted ring scaler, twisted ring scaling circuit,** Moebius counter	„twisted-ring"-Zähler m, Möbius-Zähler m	circuit m d'échelle en anneau torsadé, échelle f en anneau torsadé, échelle Moebius	пересчетная схема типа «скрученное кольцо», скрученно-кольцевая пересчетная схема, пересчетная схема Мебиуса, счетчик Мебиуса
	twisted surface	s. skew ruled surface		
T 2785	**twisted waveguide**	verwundener Hohlleiter m	guide m d'ondes torsadé, torsadé f	скрученный волновод
T 2786	**twister, twister crystal,** torsional crystal	Torsionskristall m, Drillungskristall m, Verdreh[ungs]kristall m	cristal m à torsion	скрученный кристалл
T 2786a	**twist form**	Twistform f	forme f en torsion	форма кручения
	twist-free, torsionless, torsion[-] free	torsionsfrei, verdrehungsfrei, verdrehfrei	sans torsion	без скручивания, без кручения
	twisting, torsion, twist	Torsion f, Drillung f, Verdrehung f, Verdrillung f, Drehung f	torsion f; tordage m, torsadage m, torsade f	кручение, скручивание, торсион; закручивание, закрутка; проворачивание
T 2787	**twisting,** twist <of fibre or wire>	Verdrehung f, Verwindung f <Faden oder Draht>	tortillement m, torsadage m, torsade f <du fil>	сучение; закручивание; перекручивание; перевивание <волокна или проволоки>
T 2788	**twisting,** twisting vibration <of molecule>	Torsionsschwingung f, Drillschwingung f <Molekül>	torsion f, vibration f de torsion <de la molécule>	крутильное колебание <молекулы>
	twisting	s. a. twist <of cable>		
	twisting deformation	s. twisting strain		

	twisting force	s. torsional force		
	twisting moment	s. torsional moment		
	twisting oscillation	s. twisting vibration		
T 2789	**twisting polymorphy**	Verdrillungspolymorphie f	polymorphie f de toronnage	крутильный полиморфизм
	twisting resistance	s. twisting strength		
T 2790	**twisting strain, torsional strain, twisting deformation, torsional deformation**	Torsionsverzerrung f, Torsionsdeformation f, Torsionsverformung f, Verdrehverformung f, Verdrehungsverformung f	déformation f de torsion	деформация скручивания, деформация кручения
	twisting strain	s. a. torsional strain		
	twisting strain	s. a. work of twisting		
	twisting strength	s. torsional strength		
	twisting stress	s. torsional stress		
	twisting vibration	s. torsional vibration		
	twisting vibration	s. a. twisting <of molecule>		
	twisting vibrator, torsional vibrator	Drehschwinger m, Torsionsschwinger m, Drillschwinger m	vibrateur m à torsion	крутильный вибратор
	twist-measuring device, torsion meter, troptometer	Torsionsmesser m, Verdrehungsmesser m	torsiomètre m	крутокомер, торсиометр, измеритель кручения
T 2791	**twistor**	Twistor m	twistor m	твистор
T 2792	**twist per unit length, amount of torsion (twist), twist; tortuosity <of porous medium>**	Verwindung f	tortuosité f	извилистость; искривленность; угол закручивания на единицу длины
	twist test, torsional test	Verdreh[ungs]versuch m, Torsionsversuch m; Verwindeversuch m <Faden oder Draht>	essai m de torsion, essai à la torsion	испытание на скручивание, испытание прочности при кручении, испытание на кручение
T 2793	**twitch <of muscle>**	Einzelzuckung f [des Muskels]	secousse f musculaire simple	одиночное сокращение, вздрагивание
T 2794	**twitch duration**	Zuckungsdauer f	durée f de la secousse	продолжительность одиночного сокращения
T 2795	**twitch induced by a stimulus at break**	Öffnungszuckung f	secousse f d'ouverture	сокращение, вызванное размыканием тока
T 2796	**twitch induced by a stimulus at make**	Schließungszuckung f	secousse f de fermeture	сокращение, вызванное замыканием тока
T 2797	**two-accelerator effect**	Zweibeschleunigereffekt m	effet m des deux accélérateurs	действие сочетания двух ускорителей
T 2798	**two-anode rectifier, two-plate rectifier, biplate rectifier**	zweianodiger Ventilgleichrichter m	redresseur m bianodique, redresseur biplaque	выпрямитель с двуханодным вентилем
T 2799	**two-aperture electronic lens, two-aperture lens**	Zweiloch-Elektronenlinse f, Zweilochlinse f	lentille f électronique à deux ouvertures, lentille à deux ouvertures	электронная линза с двумя отверстиями, линза с двумя отверстиями
T 2800	**two-armed lever**	zweiarmiger Hebel m	levier m à deux bras, levier à deux branches	двуплечий рычаг, рычаг первого рода
T 2801	**two aspects of the nature of light, wave and particle aspects of light**	Doppelnatur f des Lichtes, Welle-Teilchen-Natur f des Lichtes	deux aspects mpl de la lumière, aspects corpusculaire et ondulatoire de la lumière	два аспекта света, корпускулярный и волновой аспекты света
	two-axis plotter	s. X-Y plotter		
T 2801a	**two-band filter**	Doppelbandfilter n	filtre m à double bande	двухполосный фильтр
T 2802	**two-band model**	Zweibändermodell n	modèle m à deux bandes	двухзонная модель, двухполосная модель
T 2803	**two-band picture, two-band representation**	Zweibänderdarstellung f	représentation f à deux bandes	двухзонное представление двухполосное представление
T 2804	**two-basic transistor, double-base transistor**	Doppelbasistransistor m <Typ pnp oder npn>	transistor m à double base	двухбазовый полупроводниковый триод, полупроводниковый триод с двумя основаниями
	two-bath development	s. two-solution development		
T 2805	**two-beam interference, two-ray interference**	Zweistrahlinterferenz f	interférence f de deux faisceaux, interférence de deux rayons	двухлучевая интерференция
	two-beam maser	s. transmission-type cavity maser		
	two-beam oscilloscope	s. double-beam oscillograph		
	two-bed filter, two-layer filter	Zweibettfilter n, Zweischicht[en]filter n	filtre m à deux couches	двухслойный фильтр
T 2806	**two-bladed airscrew**	zweiblättrige Schraube f, Zweiblattschraube f	hélice f bipale, hélice à deux pales, hélice à deux ailes	дву[х]лопастный винт
	two-blade shutter, two-wing shutter	Zweiflügelblende f	obturateur m à deux pales	дву[х]лопастный дисковый обтюратор
	two-body collision [process]	s. binary collision		
T 2807	**two-body decay, two-body disintegration**	Zerfall m in zwei Teilchen, Zweiteilchenzerfall m, Zweikörperzerfall m, Zweizentrenzerfall m	désintégration f en deux particules, bipartition f	распад на две частицы
T 2808	**two-body equation**	Zweikörpergleichung f, Bewegungsgleichung f des Zweikörperproblems	équation f de deux corps	уравнение двух тел
T 2809	**two-body force**	Zweikörperkraft f, Zweinukleonenkraft f	force f de deux corps, force à deux corps, force de deux nucléons	двухчастичная сила, сила взаимодействия между двумя нуклонами
T 2810	**two-body interaction**	Zweikörperwechselwirkung f	interaction f de deux corps, action f réciproque de deux corps	взаимодействие двух тел

	English	German	French	Russian
	two-body motion, Keplerian motion, Keplerian elliptic motion	Kepler-Bewegung f, Keplersche Bewegung f, Kegelschnittsbewegung f, Zweikörperbewegung f	mouvement m keplérien	кеплерово движение, кеплеровское движение
T 2811	two-body potential	Zweikörperpotential n, Zweinukleonenpotential n	potentiel m de deux corps, potentiel des forces à deux corps (nucléons)	потенциал двухчастичных сил, двухнуклонный потенциал
T 2812	two-body problem problem of two bodies; Kepler problem	Zweikörperproblem n; Kepler-Problem n, Einkörperproblem m mit ruhendem zweitem Körper	problème m des (de, à) deux corps; problème de Kepler, problème keplérien	задача двух тел, проблема двух тел; кеплерова задача, кеплеровская задача, задача Кеплера
	two-by-two [contingency] table, four[-]fold table, 2×2 table	Vierfeldertafel f, Zwei-mal-zwei-Tafel f, 2 · 2-Tafel f, 2×2-Tafel f	tableau m (table f) 2×2, table[au] de contingence 2×2	четырехклеточная таблица [корреляции], четырехпольная таблица (2×2)
	two-by-two Pauli matrix	s. Pauli spin matrix		
T 2813	two-carrier theory	Zweiträgertheorie f	théorie f des deux porteurs	теория двух носителей [заряда]
	two-cavity klystron, double-cavity klystron, double-resonator klystron	Zweikammerklystron n, Zweikreisklystron n	klystron m à deux cavités	двухрезонаторный клистрон
T 2814	two-centre cyclone, twinned cyclones	Zwillingstief n	cyclone m à deux centres, cyclone jumelé	циклон с двумя ядрами, двойниковый циклон
T 2815	two-centre problem	Zweizentrenproblem n	problème m des deux centres fixes	задача о притяжении двумя неподвижными центрами
T 2816	two-chamber filter	Zweikammerfilter n	filter m à deux chambres	двухкамерный фильтр
T 2817	two-channel coincidence spectrometry	Zweikanal-Koinzidenz-spektrometrie f	spectrométrie f de coïncidences à deux canaux, spectrométrie de coïncidences à double voie, spectrométrie de coïncidences bicanal	двухканальная спектрометрия на совпадениях
T 2818	two-channel probe	Zweifingersonde f	sonde f à deux canaux	двухканальный зонд
T 2818a	two-circle crystal diffractometer	Zweikreis-Kristall-diffraktometer n	diffractomètre m à deux cercles	двукружный дифрактометр
T 2819	two-circle goniometer, theodolite goniometer	Zweikreisgoniometer n, Zweikreis-Reflexgoniometer n, Zweikreis-Reflexionsgoniometer n, zweikreisiges Goniometer n, Theodolitgoniometer n	goniomètre m à deux cercles, goniomètre à arcs [orthogonaux]	двукружный гониометр, двукружный отражательный гониометр
T 2820	two-circuit boiling water reactor	indirekter Siedewasserreaktor m, Zweikreis-Siedewasserreaktor m	réacteur m à eau bouillante à deux circuits	двухконтурный кипящий реактор
T 2821	two-circuit filter	Zweikreisfilter n	filtre m à deux circuits	двухконтурный фильтр
	two-circuit system, two-loop system, two-cycle system, bicyclic system	Zweikreislaufsystem n	système m bicyclique, système à deux circuits	двухконтурная система, двухцикловая система
T 2822	two-coil instrument	Zweispulen[meß]gerät n, Zweispuleninstrument n, Doppelspul[meß]gerät n, Doppelspulinstrument n	appareil m de mesure à deux cadres, appareil à deux cadres	двухрамочный измерительный прибор, двухкатушечный измерительный прибор
	two-colour	s. dichroic		
T 2823	two-colour process	Zweifarbenprozeß m	dichromie f, photographie f en deux couleurs complémentaires	двухцветный метод, двухцветный процесс ‹цветной кинематографии›
T 2824	two-colour pyrometry	Zweifarbenpyrometrie f	pyrométrie f bicolore, pyrométrie dichrome (en deux couleurs)	двухцветная пирометрия
T 2825	two-colour separation	Zweifarbentrennung f	sélection f dichrome	фотографическое цветоделение на два частичных оптических изображения
T 2825a	two-column matrix	zweispaltige Matrix f	matrice f à deux colonnes	матрица с двумя столбцами
T 2826	two-component balance	Zweikomponentenwaage f	balance f à deux composantes	двухкомпонентные весы
	two-component equation of the neutrino	s. Weyl['s] equation		
	two-component mixture, binary mixture	Zweistoffgemisch n, Zweikomponentengemisch n, binäres Gemisch n, binäre Mischung f	mélange m binaire, mélange à deux composantes	бинарная смесь, двойная смесь, двухкомпонентная смесь, комбинированная смесь
T 2827	two-component neutrino, longitudinally polarized neutrino	Zweikomponentenneutrino n, longitudinal polarisiertes Neutrino n, longitudinales Neutrino	neutrino m longitudinal (polarisé longitudinalement, à polarisation longitudinale, à deux composantes)	продольное нейтрино, продольно поляризованное нейтрино, двухкомпонентное нейтрино
T 2828	two-component spinor, spinor of two components, Weyl spinor	zweikomponentiger Spinor m, Weylscher Spinor	spineur m à deux composantes	двухкомпонентный спинор
	two-component system, binary system	binäres System n, Zweistoffsystem n, Zweikomponentensystem n, zweikomponentiges System	système m binaire, système à deux composantes	бинарная система, двойная система, двухкомпонентная система
T 2829	two-component theory [of neutrino]	Zweikomponententheorie f [des Neutrinos]	théorie f à deux composantes [de neutrino]	двухкомпонентная теория [нейтрино]
T 2830	two-component theory of the irritability process, two-factor theory of excitation, two-factor excitation theory	Zweikomponententheorie f des Erregungsvorganges	théorie f d'excitation par deux composantes	двухкомпонентная теория возбуждения

	English	German	French	Russian
	two-conductor circuit, two-wire circuit	Zweileiterschaltung f	circuit m à deux conducteurs, circuit à deux fils	двухпроводная схема
	two-cycle engine (motor), two-stroke [cycle] engine (motor)	Zweitaktmotor m, Zweitaktmaschine f, Zweitakter m	moteur m à deux temps	двухтактный двигатель
	two-cycle system, two-loop system, two-circuit system, bicyclic system	Zweikreislaufsystem n	système m bicyclique, système à deux circuits	двухконтурная система, двухцикловая система
T 2831	two-decision problem	Zweientscheidungsproblem n, Alternativentscheidungsproblem n	problème m de décisions alternatives	задача с двумя решениями, проблема с двумя решениями, двухальтернативная задача
T 2832	two-diaphragm condenser [lens]	Zweiblendenkondensor m [nach Berek], Zweiblenden-Hellfeldkondensor m	condensateur m à deux diaphragmes	конденсор с двумя диафрагмами
T 2833	two-dimensional classification, two-dimensional spectral classification	zweidimensionale Spektralklassifikation f	classification f spectrale bidimensionnelle	двумерная спектральная классификация
T 2834	two-dimensional coincidence spectrometer	zweidimensionales Koinzidenzspektrometer n	spectromètre m à coïncidences en deux dimensions	двумерный спектрометр совпадений
	two-dimensional flow, plane flow	ebene Strömung f, zweidimensionale Strömung, ebene Bewegung f	mouvement (écoulement) m à deux dimensions, mouvement [en courant] plan, courant (écoulement) m plan	плоское течение, двумерное течение
	two-dimensional Fourier transformation, double Fourier transformation	zweifache Fourier-Transformation f	transformation f de Fourier à deux variables	преобразование Фурье функции двух переменных
	two-dimensional grating, crossed grating <opt.>	Kreuzgitter n, Flächengitter n, zweidimensionales Gitter n <Opt.>	réseau m à deux dimensions, réseau bidimensionnel, réseau en croix <opt.>	двумерная решетка, пересекающаяся решетка <опт.>
	two-dimensional lattice, plane lattice	Flächengitter n, zweidimensionales (ebenes) Gitter n	réseau m bidimensionnel, réseau plan, réseau à deux dimensions; réseau à plans atomiques	двумерная решетка, плоская кристаллическая решетка, плоская решетка
T 2835	two-dimensional photometry	zweidimensionale Photometrie f	photométrie f bidimensionnelle	двумерная фотометрия
	two-dimensional spectral classification, two-dimensional classification	zweidimensionale Spektralklassifikation f	classification f spectrale bidimensionnelle	двумерная спектральная классификация
T 2836	two-dimensional time analyzer	zweidimensionaler Zeitanalysator m	analyseur m de temps bidimensionnel	двумерный временной анализатор
	two-dimensional wave, cylindrical wave, cylinder wave	Zylinderwelle f, Kreiszylinderwelle f, zweidimensionale Welle f	onde f cylindrique, onde bidimensionnelle, onde de révolution	цилиндрическая волна, двумерная волна
T 2837	two-directional focusing	Richtungsdoppelfokussierung f, Fokussierung f in zwei Richtungen	focalisation f suivant deux directions, focalisation en deux directions	фокусировка по двум направлениям
T 2838	two-directional reaction	Zweiweg[e]reaktion f	réaction f en deux directions	реакция, идущая в двух направлениях
	two-disk phosphoroscope, phosphoroscope [of Becquerel], Becquerel phosphoroscope	Phosphoroskop n, Becquerel-Phosphoroskop n	phosphoroscope m, phosphoroscope de Becquerel	двухдисковый фосфороскоп [Беккереля], фосфороскоп Беккереля
T 2839	two-distance-layer graded interference filter	Verlaufbandfilter n	filtre m interférentiel dégradé à deux couches	двухслойный оттененный светофильтр, оттененный светофильтр с двумя промежуточными слоями
T 2840	two-drift hypothesis, two-stream hypothesis	Zweistromtheorie f	hypothèse f des deux courants stellaires, hypothèse de glissement double	гипотеза двух потоков
T 2841	two-effect evaporator, double-effect evaporator	Zweistufenverdampfer m	évaporateur m à double effet	двухкорпусный выпарной аппарат
	two-electrode tube (valve)	s. diode		
	two-electron bond	s. single bond		
T 2842	two-electron problem	Zweielektronenproblem n	problème m des deux électrons	задача двух электронов
	two-electron recombination	s. dielectronic recombination		
	two-electron shell, K-shell	K-Schale f, K-Schale f, Zweierschale f	couche f K, couche à deux électrons	K-слой, слой K-электронов, K-оболочка, оболочка с двумя электронами
T 2842a	two-electron transfer	Zweielektronentransfer m, Zweielektronenüberführung f	transfert m de deux électron[s]	двухэлектронный переход (перенос)
	two-element tube (valve)	s. diode		
T 2843	two-event characteristic function	vierdimensionales Eikonal n, vierdimensionale Wirkungsfunktion f	fonction f caractéristique à deux événements, iconale f quadridimensionnelle	четырехмерная характеристическая функция, четырехмерный эйконал
	two eyes / by; binocular	binokular, beidäugig; zweiäugig	binoculaire; à deux yeux	бинокулярный; с двумя глазами
	two-factor excitation theory	s. two-component theory of the irritability process		
T 2844	two-factor model	Zweifaktormodell n	modèle m des deux facteurs	двухфакторная модель
	two-factor theory of excitation	s. two-component theory of the irritability process		
	two-fibre electrometer	s. Wulf electrometer		

T 2845	**two-field method [of Ramsay]**, Ramsay['s] two-field method	Zweifeldermethode *f* [von Ramsay], Ramsaysche Zweifeldermethode	méthode *f* des deux champs [de Ramsay]	метод двух полей [Рамзая]
T 2846	**two-film theory**	Zweifilmtheorie *f*	théorie *f* des deux films	двухпленочная теория [массообмена]
T 2847	**two-fluid barometer**	Zweistoffbarometer *n*, Zweiflüssigkeitenbarometer *n*, Zweiflüssigkeitsbarometer *n*	baromètre *m* à deux fluides	дву[х]жидкостный барометр, двухкомпонентный барометр
	two-fluid concept	s. two-fluid model		
T 2848	**two-fluid manometer**, two-liquid manometer, Chattock gauge	Zweistoffmanometer *n*, Zweiflüssigkeitenmanometer *n*, Zweiflüssigkeitsmanometer *n*, Manometer mit zwei Flüssigkeiten, Chattock-Manometer *n*, Seegersches Manometer	manomètre *m* à deux fluides, manomètre à deux liquides	дву[х]жидкостный манометр, двухкомпонентный манометр
T 2849	**two-fluid model**, two-fluid concept <of superfluidity>	Zweiflüssigkeitenmodell *n* [der Suprafluidität]	modèle *m* de deux liquides, maquette *f* à deux fluides <de la suprafluidité>	двухкомпонентная модель, дву[х]жидкостная модель <сверхтекучести>
	two-fold axis [of symmetry]	s. diad axis		
	two-fold axis of the second sort	s. diad axis of the second sort		
T 2849a	**two-fold primitive**	zweifach primitiv	deux fois primitif	двукратно примитивный
	two-fold rotary axis	s. diad axis		
T 2850	**two-from-three circuit**	Zwei-von-drei-Schaltung *f*	circuit *m* de deux entre trois	схема совпадения 2 из 3-х
T 2851	**two-gang capacitor**, **two-gang variable capacitor**, twin-gang capacitor	Zweigang-Drehkondensator *m*, Zweigangkondensator *m*, Zweifach-Drehkondensator *m*, Zweifachkondensator *m*	condensateur *m* variable jumelé, condensateur variable à deux cases	сдвоенный (спаренный, двухходовой, двухсекционный) конденсатор переменной емкости
	two-grid tube (valve)	s. tetrode		
T 2852	**two-group constant**	Zweigruppenkonstante *f*	constante *f* à deux groupes	двухгрупповая константа, двухгрупповая постоянная
T 2853	**two-group model**	Zweigruppenmodell *n*	modèle *m* à deux groupes	двухгрупповая модель
T 2854	**two-hinged arch**, two-pinned arch	Zweigelenkbogen *m*	arc *m* à deux rotules, arc à articulation double, arc à deux articulations	двухшарнирная арка
T 2855	**two-hole coupler**, **two-hole directional coupler**	Zweilochkoppler *m*, Zweiloch-Richtungskoppler *m*, Richtungskoppler *m* mit zwei Löchern	coupleur *m* directif à deux fentes	двухщелевой ответвитель, двухщелевой направленный ответвитель
	two-ideal	s. two-sided ideal		
	two-image photogrammetry	s. intersection photogrammetry		
	two-image rangefinder	s. stereoscopic rangefinder		
	two-jet maser	s. transmission-type cavity maser		
T 2856	**two-layer conductor**	Zweischicht[en]leiter *m*	conducteur *m* à deux couches, conducteur bimétal	двухслойный проводник
T 2856a	**two-layer electrode**	Doppelschichtelektrode *f*	électrode *f* à (en) deux couches	двухслойный электрод
T 2857	**two-layer filter**, two-bed filter	Zweibettfilter *n*, Zweischicht[en]filter *n*	filtre *m* à deux couches	двухслойный фильтр
T 2858	**two-layer lattice**	Zweischicht[en]gitter *n*	réseau *m* à deux couches	структура с двухслойной упаковкой, двухслойная решетка
T 2859	**two-layer model of the atmosphere**	Zweischichtenmodell (Doppelschichtmodell) *n* der Atmosphäre	modèle *m* de l'atmosphère à deux couches	двухслойная модель атмосферы
T 2860	**two-layer problem**	Zweischichtenproblem *n*	problème *m* à (des) deux couches, problème des deux couches	задача двух слоев
T 2861	**two-layer winding**	Zweischicht[en]wicklung *f*, Zweilagenwicklung *f*, Zweietagenwicklung *f*	enroulement *m* à deux couches, enroulement en deux plans	двухслойная обмотка
T 2862	**two-level maser [amplifier]**	Zweiniveaumaser[verstärker] *m*	maser *m* (amplificateur *m* quantique) à deux niveaux	двухуровневый мазер (квантовый усилитель), квантовый усилитель с двумя уровнями
	two-line method; method of homologous pairs of lines	Verfahren *n* der homologen Linienpaare	méthode *f* des paires de lignes homologues	метод гомологических пар линий
	two-liquid manometer	s. two-fluid manometer		
	two-liquid model	s. hydrodynamical model		
	two-liquid nuclear model	s. hydrodynamical model		
T 2863	**two-liquid theory**	Zweiflüssigkeitentheorie *f*, Zweiflüssigkeitstheorie *f*	théorie *f* de deux liquides	теория двух жидкостей, двухжидкостная теория
T 2864	**two-loop system**, two-circuit system, two-cycle system, bicyclic system	Zweikreislaufsystem *n*	système *m* bicyclique, système à deux circuits	двухконтурная система, двухцикловая система
T 2865	**two-medium photogrammetry**	Zweimedienphotogrammetrie *f*	photogrammétrie *f* à deux milieux	двухсредная фотограмметрия
	two-pair network	s. two-port network		

T 2865a	two-parameter family	zweiparametrige Schar f	famille f biparamétrique	двупараметрическое семейство
	two-parametric gradient	s. differential parameter of the first order		
	two-particle collision	s. binary collision		
T 2866	two-particle Green['s] function	Greensche Zweiteilchen-funktion f, Zweiteilchen-Green-Funktion f	fonction f de Green à deux particules	двухчастичная функция Грина, двучастичная функция Грина
T 2867	two-particle interaction	Zweiteilchen-Wechsel-wirkung f	interaction f de deux particules, action f réciproque de deux particules	взаимодействие двух частиц
T 2868	two-particle interaction potential	Potential n der Paar-wechselwirkung (Zwei-teilchenwechselwirkung)	potentiel m d'interaction de deux particules	потенциал парного взаимодействия
T 2869	two-particle resonance	Zweiteilchenresonanz f	résonance f de deux particules	двухчастичный резонанс
T 2870	two-particle scattering amplitude	Zweiteilchen-Streu-amplitude f	amplitude f de diffusion à deux particules	двухчастичная ампли-туда рассеяния
T 2871	two-particle system	Zweiteilchensystem n	système m de deux particules	двухчастичная система, система двух частиц
T 2872	two-phase alloy	Zweiphasenlegierung f	alliage m à deux phases	двухфазный сплав
T 2873	two-phase bridge [circuit]	Zweiphasen-Brücken-schaltung f	montage m en pont à deux phases, montage en pont diphasé, pont m diphasé	двухфазная мостиковая схема
T 2874	two-phase equilibrium	Zweiphasengleichgewicht n	équilibre m à deux phases, équilibre de deux phases	двухфазное равновесие, равновесие двух фаз
T 2875	two-phase five-wire system	Zweiphasen-Fünfleiter-System n	système m diphasé à cinq fils	двухфазная пятипровод-ная система
T 2876	two-phase four-wire system	Zweiphasen-Vierleiter-System n	système m diphasé à quatre fils	двухфазная четырехпро-водная система
T 2877	two-phase inverter, biphase inverter	Zweiphasenwechselrichter m	inverseur m diphasé, con-vertisseur m continu-alternatif diphasé	двухфазный инвертор
	two-phase region, diphase region	Zweiphasenbereich m, Zweiphasengebiet n, heterogenes Gebiet n des Zweiphasengemisches	domaine m biphasique, domaine biphasé	гетерогенная область [двухфазной смеси], двухфазная область, область двухфазного состояния
T 2878	two-phase sampling	zweiphasige Stichproben-entnahme f, doppelte Stichprobenentnahme, zweiphasiges Stich-probenverfahren n	échantillonnage m à deux phases, échantillonnage double, sondage m à deux phases, sondage double	двухступенчатый выбор, двухступенчатый выборочный метод
T 2879	two-phase three-wire system	Zweiphasen-Dreileiter-System n	système m diphasé à trois fils	двухфазная трехпровод-ная система
T 2880	two-phonon process	Zweiphononenprozeß m	procédé m de deux phonons	двухфононный процесс
	two-photon annihila-tion	s. two-quantum annihilation		
	two-pi counter, two-pi detector	s. two-pi pulse counting assembly		
	two-pinned arch, two-hinged arch	Zweigelenkbogen m	arc m à deux rotules, arc à articulation double, arc à deux articulations	двухшарнирная арка
T 2881	two-pi pulse counting assembly, 2π pulse counting assembly; 2π counter, two-pi counter; 2π detector, two-pi detector	2π-Zähler m, Zwei-pi-Zähler m; 2π-Detektor m, Zwei-pi-Detektor m	ensemble m de mesure à impulsions 2π; détecteur m 2π, détecteur deux pi	2π-счетчик, два-пи-счетчик; 2π-детектор, два-пи-детектор
T 2882	two-plate chamber	Zweiplattenkammer f	chambre f à deux plaques	двухпластинная камера
T 2883	two-plate method	Zweiplattenverfahren n	méthode f des deux plaques	метод двух пластин
	two-plate rectifier, two-anode rectifier, biplate rectifier	zweianodiger Ventil-gleichrichter m	redresseur m bianodique, redresseur biplaque	выпрямитель с двуханод-ным вентилем
T 2884	two plates set to produce Brewster's fringes	Brewstersche Anordnung f [zur Erzeugung von Interferenzstreifen durch Vielfachreflexion]	plaques fpl de Brewster	пластины Брюстера
	two-point characteristic [function]	s. Hamilton's charac-teristic function		
	two-point regulator	s. two-step action control		
	two-pole network, two-terminal network, one-port [network]	Zweipol m	réseau m dipôle, dipôle m, bipôle m	двухполюсник
	twoport	s. two-port network		
	two-port cavity maser	s. transmission-type cavity maser		
T 2885	two-port network, two-pair network, twoport	Zweiklemmenpaar n, Vierpol m	réseau m à deux paires de bornes, réseau à deux portes	схема с двумя парами выводов
	two-position action [control], two-position control	s. on-off control		
	two-position action control[ler], two-position control[ler]	s. two-step action control		
T 2886	two-position element	Zweipunktglied n, Zwei-stellungsglied n, Zwei-stellungselement n	élément m à deux positions	двухпозиционный элемент

	English	German	French	Russian
	two-position switch, on-and-off switch, two-way switch	Schalter *m* mit zwei Stellungen, Zwei-stellungsschalter *m*, Zweiweg[e]schalter *m*, Ein-Aus-Schalter *m*	interrupteur *m* à deux voies, interrupteur à deux positions	выключатель на два по-ложения, двухпози-ционный выключатель
T 2887	**two-position viewfinder,** double finder telescope	Zweifachsucher *m*	viseur *m* bifocal	видоискатель двухкрат-ного действия, ви-доискатель двух фокус-ных расстояний
	two-probe method	*s.* two-probe technique		
T 2888	**two-probe technique,** two-probe method	Zweisondenverfahren *n*, Doppelsondenmethode *f*	méthode *f* des deux sondes, méthode de double sonde	метод двух зондов, двухзондовый метод [измерения], метод из-мерения при помощи двух зондов
T 2889	**two-pronged star**	Zweierstern *m*, zwei-armiger Zertrümme-rungsstern *m*, Zwei-strahlstern *m*	étoile *f* biradiale, étoile à deux rayons, étoile à double faisceau	двухлучевая звезда
T 2890	**two-quantum anni-hilation,** two-photon annihilation	Zweiquantenvernichtung *f*, Zweiquantenzer-strahlung *f*	annihilation *f* de deux quanta (photons)	двухквантовая анни-гиляция, двухфотон-ная аннигиляция
	two-ray interference, two-beam interference	Zweistrahlinterferenz *f*	interférence *f* de deux faisceaux, interférence de deux rayons	двухлучевая интер-ференция
T 2891	**two-reflector system** <el.>	Zweispiegelsystem *n*, Zweireflektorsystem *n* <El.>	système *m* à deux réflecteurs <él.>	система с двумя отража-телями, двухрефлек-торная система <эл.>
T 2892	**two-region reactor,** two-zone reactor	Zweizonenreaktor *m*, Zweigebietreaktor *m*	réacteur *m* à deux milieux (régions, zones)	двухзональный реактор, двухзонный реактор
T 2893	**two-region technique,** two-zone technique	Zweigebiet[s]verfahren *n*, Zweizonenverfahren *n*	méthode *f* des deux zones (régions)	двухзонный метод, двухзональный метод
T 2894	**two-rowed matrix, two-row matrix**	zweizeilige Matrix *f*; zwei-reihige Matrix	matrice *f* à deux lignes, ma-trice à deux lignes ou co-lonnes	дву[х]строчная матрица, двухрядная матрица, двурядная матрица
T 2895	**two-sample problem**	Zweistichprobenproblem *n*, Zwei-Stichproben-Problem *n*, Problem *n* der zwei Stichproben	problème *m* de[s] deux échantillons	задача двойной выборки, задача двух выборок
T 2896	**two-sample test**	Zweistichprobentest *m*, Zwei-Stichproben-Test *m*, Zweistichprobenver-fahren *n*	test *m* à deux échantillons, essai *m* à deux échantillons	критерий, основанный на двойной выборке
T 2897	**two-section voltmeter**	Zweikammerinstrument *n*, Zweikammervoltmeter *n*	voltmètre *m* à deux sections	двухкамерный вольтметр, двухсекционный вольт-метр
T 2898	**two-segmented magnetron,** two-slot magnetron, Habann magnetron, Habann tube	Zweischlitzmagnetron *n*, Habann-Magnetron *n*, Habann-Röhre *f*	magnétron *m* à deux fentes d'anode, magnétron d'Habann, tube *m* d'Habann	магнетрон с двухщелевым анодом, двухразрезный магнетрон, магнетрон Хабана, лампа Хабана
T 2899	**two-segment electrom-eter,** Dolezalek two-segment electrometer, Dolezalek electrometer, duant electrometer	Duantelektrometer *n*, Duantenelektrometer *n*, Binantelektrometer *n*, Binantenelektrometer *n*	électromètre *m* à deux segments	дуантный электрометр, бинантный электро-метр, двухлисточный электрометр
T 2900	**two-sheeted** <math.>	zweiblättrig <Math.>	à double couche, à deux feuilles <math.>	двухлистный, двулист-ный <матем.>
T 2901	**two-sheet hyperboloid,** parted hyperboloid, hyperboloid of two sheets	zweischaliges Hyper-boloid *n*	hyperboloïde *m* à deux nappes	двуполостный гипер-болоид, двуполый гиперболоид
T 2902	**two-sided ideal,** two-ideal	zweiseitiges Ideal *n*	idéal *m* bilatère	двусторонний идеал
	two-sided Laplace transformation, bilateral Laplace trans-form[ation]	zweiseitige Laplace-Transformation *f*, bilaterale Laplace-Transformation	transformation *f* bilatérale de Laplace	двустороннее преобразо-вание Лапласа
	two-sided level rod <US>; double-sided staff, staff graduated on both sides, rod graduated on both sides	Wendelatte *f*	mire *f* à double face	двусторонняя рейка, оборотная рейка
T 2903	**two-sided surface,** orientable surface	zweiseitige Fläche *f*, orientierbare Fläche	surface *f* orientable, surface bilatère	двусторонняя поверх-ность, ориентируемая поверхность
T 2904	**two-sided test,** double-tailed test, double tail test	zweiseitiger Test *m*	test *m* bilatéral, test à deux queues	двусторонний критерий, двусторонне ограничен-ный критерий
	two-site chemisorption	= chemisorption-chemidesorption		
T 2904a	**two-site sorption,** adsorption-desorption	Adsorption-Desorption *f*	adsorption-désorption *f*	адсорбция-десорбция
T 2904b	**two-slit interference**	Zweispaltinterferenz *f*	interférence *f* de deux fentes	интерференция от двух щелей
T 2905	**two-slot antenna, two-slot cylinder antenna**	Doppelschlitzstrahler *m*, Zweischlitzstrahler *m*	antenne *f* cylindrique à deux fentes, antenne à deux fentes	двухщелевая цилиндри-ческая антенна, двухщелевая антенна
	two-slot magnetron	*s.* two-segmented magnetron		
T 2906	**two-solution develop-ment,** two-bath develop-ment	Zweibadentwicklung *f*, Zweischalenent-wicklung *f*	développement *m* en deux bains successifs, dévelop-pement en deux cuvettes	двухрастворное проявле-ние, двухванное проявление
T 2907	**two spin system**	Zweispinsystem *n*	système *m* à deux spins	двухуровневая система спинов

T 2908	**two-stacked antenna, two-stacked array**	Zweietagenantenne f, Zweiebenenantenne f	antenne f à deux étages	двухэтажная антенная решетка, двухэтажная антенна, двухярусная антенна
T 2909	**two-stage amplifier**	zweistufiger Verstärker m, Zweistufenverstärker m	amplificateur m à deux étages	двухкаскадный усилитель, двухступенчатый усилитель, двухступенный усилитель
T 2910	**two-stage demagnetization**	zweistufige Entmagnetisierung f	démagnétisation f à deux étapes, désaimantation f à deux étapes	двухступенчатое размагничивание
T 2911	**two-stage microscope**	Zweistufenmikroskop n	microscope m à deux étapes	двухступенчатый микроскоп
T 2912	**two-stage rocket,** two-step rocket	Zweistufenrakete f, zweistufige Rakete f	fusée f à deux étages	двухступенчатая ракета
	two-state control	s. on-off control		
	two-station rangefinder	s. long-baseline rangefinder		
	two-step action [control]	s. on-off control		
T 2913	**two-step action control[ler],** two-position action control[ler], two-position control[ler], on-off control[ler], two-point regulator	Zweipunktregler m, Zweistellungsregler m, Schwarz-Weiß-Regler m	régulateur m à deux paliers, régulateur à deux positions, régulateur par « tout-ou-rien », régulateur par tout ou rien, régulateur par « plus-ou-moins », régulateur par plus ou moins	двухпозиционный регулятор
	two-step control	s. on-off control		
T 2914	**two-step microscopy**	Zweischrittmikroskopie f	microscopie f en deux étapes	двухступенчатая микроскопия
T 2915	**two-step replica technique,** double replica technique	Zwischenschichtverfahren n; zweistufiges Abdruckverfahren n; Mehrfachabdruckverfahren n	méthode f de [la] double empreinte, technique f de double empreinte	двухступенчатая методика, метод двухступенчатого отпечатка
	two-step rocket	s. two-stage rocket		
	two-stream hypothesis	s. two-drift hypothesis		
	two-stream instability; stream instability	Strahlinstabilität f	instabilité f de faisceau; instabilité de double faisceau	пучковая неустойчивость
T 2916	**two-stroke [cycle] engine (motor),** two-cycle engine (motor)	Zweitaktmotor m, Zweitaktmaschine f, Zweitakter m	moteur m à deux temps, deux temps m	двухтактный двигатель
T 2917	**two-stub transformer**	Zweisäulentransformator m; Zweischenkeltransformator m, zweischenkliger Transformator m	transformateur m à deux culasses	двухстержневой трансформатор, трансформатор с двумя сердечниками
T 2918	**two-surface lens**	Zweiflächenlinse f	lentille f à deux surfaces [réfléchissantes]	двухповерхностная линза
T 2919	**two-system wattmeter**	Zweisystem-Leistungsmesser m, Zweisystem-Wattmeter n, zweisystemiger Leistungsmesser m, Leistungsmesser mit zwei Meßwerken	wattmètre m à deux systèmes	двухсистемный ваттметр, двухсистемный измеритель мощности
T 2920	**two-terminal capacitor**	zweipoliger Kondensator m	condensateur m bipolaire	двухполюсный конденсатор
T 2920a	**two-terminal impedance network**	Impedanzzweipol m	dipôle m à impédance	двухполюсник с активным сопротивлением
T 2921	**two-terminal network,** one-port [network], two-pole network	Zweipol m	réseau m dipôle, dipôle m, bipôle m	двухполюсник
	two-terminal-pair network	s. four-terminal network		
T 2921a	**two-thirds law [of Kolmogoroff]**	Zwei-Drittel-Gesetz n [von Kolmogoroff]	loi f des deux tiers [de Kolmogoroff]	закон двух третей [А. Н. Колмогорова]
	two-time Green['s] function, double time Green['s] function	Greensche Zweizeitfunktion f, Zweizeit-Green-Funktion f	fonction f de Green à double temps, fonction de Green à deux temps	двухвременная функция Грина
T 2922	**two-transducer circuit**	Zweiwandler-Meßschaltung f, Zweiwandlerschaltung f	circuit m à deux transformateurs	схема измерения двумя трансформаторами
T 2923	**two-tube electronic lens, two-tube lens**	Zweiröhren-Elektronenlinse f, Zweiröhrenlinse f	lentille f électronique à deux tubes, lentille à deux tubes	электронная линза, состоящая из двух цилиндров; линза, состоящая из двух цилиндров
T 2924	**two-valued,** doublevalued <math.>	zweiwertig, zweideutig <Math.>	bivalué, bivalent, à deux valeurs; biforme <math.>	двузначный, двухзначный <матем.>
T 2925	**two-valued logic**	zweiwertige Logik f	logique f bivalente, logique à deux valeurs	двухзначная логика
T 2926	**two-valuedness,** double-valuedness <math.>	Zweiwertigkeit f, Zweideutigkeit f <Math.>	propriété f d'avoir deux valeurs, bivalence f <math.>	двузначность, двухзначность <матем.>
	two-wattmeter method	s. two-wattmeter technique		
T 2927	**two-wattmeter technique,** two-wattmeter method	Zweiwattmeterverfahren n, Zweileistungsmesserverfahren n, Zweileistungsmessermethode f	méthode f des deux wattmètres	метод двух ваттметров
T 2928	**two-wavelength microscopy**	Zweiwellenlängenmikroskopie f	microscopie f à deux longueurs d'onde	микроскопия при двух длинах волн
	two-wave property	s. double ripple		

	two-way antenna, duplexer	Zweiwegantenne f, Simultanantenne f	duplexeur m, antenne f émission-réception, antenne commune à l'émission et à la réception	приемно-передающая антенна, приемо-передающая антенна, двунаправленная антенна
T 2929	two-way cock	Zweiwegehahn m, Doppelwegehahn m, Durchgangshahn m	robinet m à deux voies, robinet droit	двухходовой кран, проходной кран
T 2930	two-way contact [with neutral position], double-throw contact, changeover contact	Wechselkontakt m, Umschaltkontakt m, Umschaltekontakt m, Umschalterkontakt m	contact m à deux directions [avec position neutre]	перекидной контакт, переключающий контакт, контакт двухстороннего действия
T 2931	two-way inverter	Umkehrstromrichter m	convertisseur m avec dispositif d'inversion	ионный преобразователь для реверсивного привода
	two-way mirror, semitransparent mirror, semipermeable mirror	halbdurchlässiger Spiegel m, teildurchlässiger Spiegel	miroir m semi-transparent	полупрозрачное зеркало
	two-way switch, on-and-off switch, two-position switch	Schalter m mit zwei Stellungen, Zweistellungsschalter m, Zweiweg[e]schalter m, Ein-Aus-Schalter m	interrupteur m à deux voies, interrupteur à deux positions	выключатель на два положения, двухпозиционный выключатель
	two-way switch	s. a. double-throw switch		
T 2932	two-winding-type transformer	Wickelwandler m, Wickelstromwandler m	transformateur m à enroulements superposés	[многовитковый] катушечный трансформатор тока; катушечный измерительный трансформатор
T 2933	two-wing shutter, two-blade shutter	Zweiflügelblende f	obturateur m à deux pales	дву[х]лопастный дисковый обтюратор
	two-wipe slide, wipe, wipe slide; wipe fading	Wischblende f, Verdrängungsblende f	volet m	каше для вытеснения кадра
T 2934	two-wire bridge circuit	Zweileiter-Brückenschaltung f	montage m en pont à deux conducteurs (fils), pont m à deux conducteurs	двухпроводная мостиковая схема
T 2935	two-wire circuit, two-conductor circuit	Zweileiterschaltung f	circuit m à deux conducteurs, circuit à deux fils	двухпроводная схема
	two-wire circuit	s. a. two-wire line		
T 2936	two-wire line, twin line, two-wire system, parallel-wire line, double-conductor line; two-wire circuit, two-wire loop circuit, loop circuit; double conductor, twin conductor	Zweidrahtleitung f, zweidrähtige Leitung f, Doppelleitung f, Doppeldrahtsystem n, Paralleldrahtsystem n, Paralleldrahtleitung f, Zweidrahtkreis m, Zweidrahtschaltung f, Doppelleiter m	ligne f bifilaire, ligne à double fil, système m à deux fils, ligne à deux conducteurs, circuit m bifilaire, circuit à deux conducteurs, conducteur m double	двухпроводная линия, двухпроводная система, двупроводная система, двухпроводная цепь, двухцепная линия
	two-wire loop circuit	s. two-wire line		
	two-wire system	s. two-wire line		
T 2937	two-zone problem	Zweizonenproblem n	problème m des deux zones	задача двух зон
	two-zone reactor, two-region reactor	Zweizonenreaktor m, Zweigebietreaktor m	réacteur m à deux milieux (régions, zones)	двухзональный реактор, двухзонный реактор
	two-zone technique, two-region technique	Zweigebiet[s]verfahren n, Zweizonenverfahren n	méthode f des deux zones (régions)	двухзонный метод, двухзонная методика
T 2938	two-zone theory [of magnetoresistance]	Zweizonentheorie f [der magnetischen Widerstandsänderung]	théorie f des deux zones [de la magnétorésistance]	двухзонная теория [магнитосопротивления]
T 2939	Twyman-Green interferometer	Twyman-Green-Interferometer n, Twyman-Interferometer n, Interferometer n nach Twyman	interféromètre m de Twyman-Green	интерферометр Тваймана
T 2940	Tycho['s] star	Tychonischer Stern m, Tychos Nova f	étoile f de Tycho [Brahe]	звезда Тихо Браге
T 2941	tympanic cavity, drum cavity	Paukenhöhle f, cavum n tympani, Trommelhöhle f	caisse f du tympan	барабанная полость
T 2942	tympanic membrane, tympanum, ear drum, drumhead	Trommelfell n	tympan m	барабанная перепонка
T 2943	Tyndall cone	Tyndall-Kegel m	cône m de Tyndall	конус Тиндаля
T 2944	Tyndall effect, Faraday-Tyndall effect	Tyndall-Effekt m, Faraday-Tyndall-Effekt m; Tyndall-Phänomen n	effet m Tyndall, effet Faraday-Tyndall	эффект Тиндаля, явление [Фарадея-] Тиндаля, рассеяние света малыми частицами вещества
T 2945	tyndallimeter, tyndallometer, Tyndall meter	Tyndallometer n, Streulichtmesser m	tyndallomètre m	тиндалометр, измеритель рассеянного [микроскопическими частицами] света
T 2946	tyndallimetry, tyndallometry, nephelometry in its proper sense	Tyndallometrie f, Streulichtmessung f, Trübungsmessung f, eigentliche Nephelometrie f	tyndallométrie f	тиндалометрия, измерение рассеянного микроскопическими частицами света, измерение рассеянного потока
T 2946a	tyndallization	Tyndallisierung f	tyndallisation f	тиндализация
T 2947	Tyndall light	Tyndall-Licht n	lumière f [de l'effet] Tyndall	свет Тиндаля
	Tyndall meter, tyndallometer, tyndallimeter	Tyndallometer n, Streulichtmesser m	tyndallomètre m	тиндалометр, измеритель рассеянного [микроскопическими частицами] света
	tyndallometry	s. tyndallimetry		
	Tyndall-Röntgen effect	s. optico-acoustic phenomenon		

	type	*s.* version		
T 2948	**type I burst,** stormburst	Typ-I-Burst *m*, Sturmburst *m*	sursaut *m* du type I, sursaut d'orage, burst *m* d'orage	всплеск класса I, всплеск шумовой бури
	type I error	*s.* error of the first kind		
	type II error	*s.* error of the second kind		
T 2949	**type-homologous curve**	Typhomologe *f*	courbe *f* homologique type	типичная кривая состояния однородной воздушной массы
T 2950	**type of current**	Stromart *f*	type *m* (nature *f*) de courant	род тока
T 2951	**type of equilibrium;** equilibrium form	Gleichgewichtsform *f*, Gleichgewichtsart *f*	type *m* d'équilibre	форма равновесия
T 2952	**type of geomagnetic disturbance, (perturbation)**	Störungstyp *m*	type *m* de perturbation [géomagnétique]	тип возмущения, тип геомагнитного возмущения
	type of interaction, mode of interaction, interaction type	Wechselwirkungstyp *m*, Wechselwirkungsart *f*, Art *f* der Wechselwirkung	mode *m* de l'interaction	тип взаимодействия, вид взаимодействия
T 2953	**type of lattice**	Gittertyp *m*	type *m* de réseau	тип решетки
T 2954	**type of light**	Lichtart *f*	type *m* de lumière	вид света
	type of particle; kind of particle, sort of particle	Teilchensorte *f*; Teilchenart *f*	sorte *f* de particule; type *m* de particule	сорт частиц; разновидность частиц
Г 2955	**type of radiation,** mode of radiation, character of radiation, nature of radiation	Strahlungsart *f*, Strahlenart *f*	type *m* (espèce *f*, mode *m*, nature *f*, caractère *m*) de rayonnement	вид излучения, тип излучения, характер излучения
T 2956	**type of symmetry,** symmetry type	Symmetrietyp *m*	type *m* de symétrie	тип (вид) симметрии
	typhoon	*s.* tropical cyclone ⟨Atlantic and Caribbean⟩		

U

U 1	**Ubbelohde-Umstätter viscogram**	Ubbelohde-Umstätter-Viskogramm *n*, Viskogramm *n* von Ubbelohde-Umstätter	viscogramme *m* d'Ubbelohde-Umstätter	вискограмма Уббелоде-Умштеттера
U 2	**Ubbelohde-type viscometer,** Ubbelohde['s] viscometer	Ubbelohde-Viskosimeter *n*	viscosimètre *m* d'Ubbelohde ([de] type Ubbelohde)	вискозиметр с висячим уровнем, вискозиметр Уббелоде
	(U — B) colour index, ultraviolet minus blue colour index	*U*-*B*-Farbenindex *m*	indice *m* de couleur *U*-*B*, indice *U*-*B*	показатель *U*-*B*
	U.B.C.R. estimator	*s.* uniformly best constant risk estimator		
U 3	**(U, B, V) system**	U, B, V- System *n*	système *m* U, B, V	система U, B, V
	udometer	*s.* rain gauge		
	Uehling effect, Ühling effect	Ühling-Effekt *m*	effet *m* Ühling, effet Uehling	эффект Юлинга
	Uehling term, Ühling term	Ühlingscher Term *m*, Ühling-Term *m*	terme *m* d'Ühling, terme d'Uehling	член Юлинга
U 4	**U Geminorum star,** U Geminorum-type star, SS Cygni variable, SS Cygni star, UG	U Geminorum-Stern *m*, SS Cygni-Stern *m*, SS Cygni-Veränderlicher *m*, Zwergnova *f*	variable *f* du type U Geminorum, variable du type SS Cygni, étoile *f* variable SS Cygni	переменная звезда типа U Близнецов
	U.H.F.	*s.* ultra-high frequency		
	Uhlenbeck-Goudsmit hypothesis	*s.* Goudsmit-Uhlenbeck assumption		
U 4a	**Uhlig['s] apparatus**	Uhligscher Apparat *m*	appareil *m* d'Uhlig	прибор Улига
U 5	**Ühling effect,** Uehling effect	Ühling-Effekt *m*	effet *m* Ühling, effet Uehling	эффект Юлинга
U 6	**Ühling term,** Uehling term	Ühlingscher Term *m*, Ühling-Term *m*	terme *m* d'Ühling, terme d'Uehling	член Юлинга
U 7	**Ulam-von Neumann ergodic theorem**	zufälliger Ergodensatz *m*, Ergodensatz von Ulam und von Neumann	théorème *m* ergodique d'Ulam-von Neumann	случайная эргодическая теорема
	Ulbricht's globe photometer, Ulbricht sphere	*s.* photometric integrator		
U 8	**Ulich['s] approximation, Ulich['s] formula**	Ulichsche Näherung *f*, Ulichsche Näherungsgleichung *f*, Ulichsche Formel *f* ⟨erste, zweite *oder* dritte⟩	approximation *f* d'Ulich, formule *f* d'Ulich	приближение Улиха, формула Улиха
U 9	**U-line,** unloaded line	U-Leitung *f*	ligne *f* U	ненагруженная линия
U 10	**Uller['s] wave theory**	Ullersche Wellentheorie *f*, Wellentheorie von Uller	théorie *f* ondulatoire d'Uller	волновая теория Уллера
	ultimate analysis	*s.* elementary analysis		
	ultimate bad carrying capacity	*s.* carrying capacity		
	ultimate bending strength	*s.* bending strength		
	ultimate breaking strength	*s.* tensile strength		
	ultimate elongation in percent	*s.* breaking elongation		
	ultimate load carrying capacity	*s.* carrying capacity		
U 11	**ultimate modulus**	Endmodul *m*	module *m* ultime, module limite	предельный модуль

	English	German	French	Russian
	ultimate pressure	s. final vacuum		
	ultimate sensitivity	s. threshold of sensitivity		
	ultimate strength	s. strength \<mech.\>		
	ultimate strength	s. a. modulus of rupture \<mech.\>		
	ultimate stress	s. fracture stress		
	ultimate tensile strength	s. tensile strength		
	ultimate torsional strength	s. torsional strength		
	ultimate vacuum	s. final vacuum		
	ultra-abyssal region	s. trench in the ocean floor		
	ultra-abyssal zone	s. trench in the ocean floor		
U 11a	ultra-accelerator	Ultrabeschleuniger m	ultra-accélérateur m	ультраускоритель
	ultra-acoustic, ultrasonic	Ultraschall-, ultraakustisch	ultrasonore, ultrasonique, ultra-acoustique	ультразвуковой, ультра-акустический
	ultra-acoustics, ultrasonics	Ultraschallehre f, Lehre f vom Ultraschall, Ultraschallakustik f	ultrasonique f, acoustique f des fréquences ultra-sonores	ультраакустика, акустика ультразвуковых частот
	ultra[]audible frequency	s. ultrasonic frequency		
U 12	ultra[-]centrifugation, ultracentrifuging	Ultrazentrifugierung f, Trennung f mit der Ultrazentrifuge	ultracentrifugation f	ультрацентрифугирование
U 13	ultracentrifuge, high-speed centrifuge, super-centrifuge	Ultrazentrifuge f	ultracentrifugeuse f, ultracentrifugeur m	ультрацентрифуга, сверхцентрифуга
U 14	ultrachromatography	Ultrachromatographie f	ultrachromatographie f	ультрахроматография
U 14a	ultracold neutron	ultrakaltes Neutron n	neutron m ultrafroid	сверххолодный нейтрон
U 15	ultracrystallite	Ultrakristallit m	ultracristallite f	ультракристаллит
U 16	ultradyne	Ultradyneempfänger m	ultradyne f	ультрадин
U 17	ultra-elliptic	ultraelliptisch	ultra-elliptique	ультраэллиптический
	ultrafast lens	s. ultrarapid lens		
U 18	ultrafast pinch	ultraschneller Pinch m, ultraschnelle Plasmaeinschnürung f	effet m de pincement ultrarapide, pincement m ultrarapide, striction f ultrarapide, effet m de striction ultrarapide	сверхбыстрый самостягивающийся разряд, сверхбыстрый пинч-эффект
	ultrafilter	s. ultrafine filter		
U 19	ultrafiltration, micro-filtration	Ultrafiltration f	ultrafiltration f	ультрафильтрация
	ultrafine filter, membrane filter, ultrafilter	Membranfilter n, Ultrafilter n, Ultrafeinfilter n	ultrafiltre m, filtre-membrane m	мембранный фильтр, ультрафильтр, ультратонкий фильтр
U 20	ultrafine focus	Feinstfokus m	foyer m ultra-fin	сверхтонкий фокус
U 21	ultrafine grain	Ultrafeinkorn n	grain m ultrafin	сверхмелкое зерно, особо мелкое зерно
U 22	ultrafine grain developer	Feinstkornentwickler m, Ultrafeinkornentwickler m	révélateur m à (pour) grain très fin, révélateur pour (à) grain ultrafin, révélateur à très faible granulation	особо мелкозернистый проявитель
U 23	ultrafine grinding, ultrafine [ground] section, ultra[-]thin section	Ultradünnschliff m	section f ultramicroscopique, ultra-microsection f	ультрамикрошлиф, сверхтонкий шлиф, ультратонкий шлиф
U 23a	ultragravity wave	Ultraschwerewelle f	onde f ultragravitationnelle	ультрагравитационная волна
U 24	ultrahard	ultrahart	ultra-dur	ультражесткий
	ultraharmonic	s. upper harmonic		
U 25	ultraharmonic [oscillation], ultraharmonic vibration	ultraharmonische Schwingung f, subharmonische Schwingung von der Ordnung 1/m	oscillation f ultra-harmonique, vibration f ultraharmonique, ultra-harmonique f	ультрагармоническое колебание, ультрагармоника
U 26	ultraharmonic resonance	ultraharmonische Resonanz f	résonance f ultraharmonique	ультрагармонический резонанс
	ultraharmonic vibration	s. ultraharmonic oscillation		
	ultrahigh-energy accelerator	s. superenergy accelerator		
U 27	ultra-high frequency, U.H.F., UHF, u.h.f., uhf \<300 ··· 3,000 Mc/s\>	Höchstfrequenz f im Dezimeterwellenbereich, Frequenz f im Dezimeterwellenbereich, Dezimeterwelle f, Ultrahochfrequenz f, UHF \<300 ··· 3 000 MHz\>	ultra-haute fréquence f, UH. F. \<300 ··· 3 000 Mc/s\>	ультравысокая частота, УВЧ \<300÷3 000 Мгц\>
U 28	ultra-high frequency, U.H.F., UHF, u.h.f., uhf \<\> 300 Mc/s\>	Höchstfrequenz f, UHF \<\> 300 MHz\>	ultra-haute fréquence f, UH. F \<\> 300 Mc/s\>	сверхвысокая (ультравысокая) частота, СВЧ, УВЧ \<\> 300 Мгц\>
U 29	ultra-high frequency band, U.H.F. band	Ultrahochfrequenzband n, UHF-Band n	bande f d'ultra-hautes fréquences, bande UH. F.	ультравысокочастотная полоса, УВЧ полоса
U 30	ultrahigh-frequency cathode-ray tube	Höchstfrequenz-Elektronenstrahlröhre f	tube m cathodique à ultra-haute fréquence	электронно-лучевая трубка для сверхвысоких частот
U 31	ultra-high frequency discharge, U.H.F. discharge	Ultrahochfrequenzentladung f, UHF-Entladung f	décharge f à ultra-haute fréquence, décharge UH. F.	ультравысокочастотный разряд, УВЧ разряд
U 32	ultra-high frequency engineering; microwave engineering	Höchstfrequenztechnik f; Mikrowellentechnik f	technique f d'hyper-fréquence[s]; technique des ultra-hautes fréquences	техника сверхвысоких частот; микроволновая техника, техника микроволн

	English	German	French	Russian
	ultra-high frequency method	s. microwave method		
U 33	ultra-high frequency range, range of ultra-high frequency, decimetric wavelength [range], U.H.F. range, U.H.F.	Dezimeterwellenbereich *m*, Dezimeterbereich *m*, Dezibereich *m*, Ultrahochfrequenzbereich *m*, UHF-Bereich *m*, UHF	gamme *f* d'ultra-hautes fréquences, gamme des ondes décimétriques, gamme décimétrique, gamme UH. F., UH. F.	диапазон дециметровых волн, дециметровые волны, диапазон волн ультравысоких частот
	ultra-high frequency spectroscopy, microwave spectroscopy	Mikrowellenspektroskopie *f*, Höchstfrequenzspektroskopie *f*	spectroscopie *f* en micro-ondes, spectroscopie ultra-hertzienne	микроволновая спектроскопия (радиоспектроскопия), спектроскопия на сверхвысоких частотах
	ultra-high frequency technique	s. microwave method		
U 34	ultra-high frequency voltmeter, U.H.F. voltmeter	Ultrahochfrequenzvoltmeter *n*, Dezivoltmeter *n*, UHF-Voltmeter *n*	voltmètre *m* à ultra-haute fréquence, voltmètre UH. F.	ультравысокочастотный вольтметр, УВЧ вольтметр
U 35	ultra-high frequency wave, decimetre wave, U.H.F. wave <100—10 cm>	Dezimeterwelle *f* <100 ··· 10 cm>	onde *f* ultra-haute fréquence, onde décimétrique, onde UH. F <100 ··· 10 cm>	дециметровая волна, волна ультравысокой частоты <100÷10 см>
U 36	ultra-high [ohmic] resistance	Höchstohmwiderstand *m*	résistance *f* d'ultra-haute valeur	сверхвысокоомное сопротивление
U 37	ultra high speed, ultraspeed	überschnell, ultraschnell, ultrarapid	ultrarapide	сверхскоростной; сверхбыстрый, сверхбыстродействующий
	ultra-high-speed radiography	s. flash radiography		
U 38	ultra-high vacuum, superhigh vacuum, very high vacuum, extra-high vacuum, U.H.V., UHV << 10⁻⁸ Torr	Ultrahochvakuum *n*, Höchstvakuum *n* << 10⁻⁸ Torr>	ultravide *m*, ultra-haut vide *m*, très haut vide, vide très poussé, vide ultra-haut << 10⁻⁸ Torr>	сверхвысокий вакуум, очень высокий вакуум, ультравысокий вакуум << 10⁻⁸ мм рт. ст.>
U 39	ultrahyperbolic differential equation	ultrahyperbolische Differentialgleichung *f*	équation *f* différentielle ultrahyperbolique	ультрагиперболическое дифференциальное уравнение
U 40	ultraionization potential	Ultraionisationspotential *n*	potentiel *m* d'ultra-ionisation	потенциал ультраионизации
U 41	ultralinear amplifier circuit, ultralinear circuit	Ultralinearschaltung *f*	circuit *m* ultra-linéaire, montage *m* ultra-linéaire	сверхлинейная схема, ультралинейная схема
	ultralong propagation	s. non-standard propagation		
U 41a	ultra low temperature, ULT, U.L.T. <0.3 K>	Ultratieftemperatur *f*, ultratiefe Temperatur *f* <0,3 K>	température *f* ultrabasse <0,3 K>	сверхнизкая температура <0,3 к>
U 42	ultramacroion	Ultragroßion *n*	ultramacro-ion *m*	ультрамакроион
U 43	ultramicroanalysis	Ultramikroanalyse *f*, Mikrogrammethode *f* <10⁻⁵ ··· 16⁻⁶ g>	ultramicro-analyse *f*	ультрамикроанализ
U 44	ultramicroassay	s. ultramicrodetermination		
U 44	ultramicrobalance	Ultramikrowaage *f*	ultramicrobalance *f*	ультрамикровесы
U 45	ultramicrocoacervation	Ultramikrokoazervation *f*	ultramicrocoacervation *f*	ультрамикрокоацервация
U 46	ultramicroconcentration	Ultramikrokonzentration *f*	ultramicroconcentration *f*	ультрамикроконцентрация
U 47	ultramicrodetermination, ultramicroassay	Ultramikrobestimmung *f*	ultramicrodosage *m*	ультрамикроопределение
U 48	ultramicro method, microgram[me] method	Ultramikroverfahren *n*, Mikrogrammethode *f*	ultramicrométhode *f*	ультрамикрометод
U 49	ultramicroscope, hypermicroscope	Ultramikroskop *n*, Spaltultramikroskop *n* [nach Siedentopf und Zsigmondy], Übermikroskop *n*	ultra[-]microscope *m*	ультрамикроскоп
	ultramicroscope, electron microscope, hypermicroscope	Elektronenmikroskop *n*, Elektronenübermikroskop *n*, Übermikroskop *n*	microscope *m* électronique, hypermicroscope *m*, ultramicroscope *m*	электронный микроскоп, ультрамикроскоп
U 50	ultramicroscopic[al]	ultramikroskopisch	ultramicroscopique	ультрамикроскопический
	ultramicroscopical	s. a. electron-microscopical		
U 51	ultra[-]microscopy	Ultramikroskopie *f*, Übermikroskopie *f*	ultra[-]microscopie *f*	ультрамикроскопия
U 52	ultramicrotomy	Ultramikrotomie *f*	ultramicrotomie *f*	ультрамикротомия
	ultraphotic rays, invisible radiation	unsichtbare Strahlung *f*, Strahlung im unsichtbaren Spektralbereich	rayonnement *m* invisible, rayons *mpl* invisibles	излучение невидимой части спектра, невидимое излучение, невидимые лучи
	ultra-pure water	s. conductance water		
U 53	ultra-rapid development	Ultrarapidentwicklung *f*	développement *m* ultra-rapide	сверхбыстрое проявление
U 53a	ultra-rapid high-pressure gauge	ultraschnelles Hochdruckmanometer *n*	manomètre *m* haute pression ultrarapide	сверхбыстродействующий манометр высокого давления
U 54	ultrarapid lens, ultrafast lens	ultralichtstarkes Objektiv *n*	objectif *m* de très grande clarté géométrique, objectif à très grande luminosité, objectif ultra-lumineux	сверхсветосильный объектив
	ultra[-]rays	s. cosmic radiation		
	ultra-red	s. infra-red		
U 55	ultrarelativistic case	extrem relativistischer Fall *m*, relativistischer Grenzfall *m*, ultrarelativistischer Fall	cas *m* ultrarelativiste	ультрарелятивистский случай, предельный релятивистский случай

U 56	**ultrarelativistic region**	extrem relativistisches Gebiet n, ER-Gebiet n	région f ultrarelativiste	ультрарелятивистская область
	ultra-sensitivity, supersensitivity, extreme sensitivity	Höchstempfindlichkeit f, Superempfindlichkeit f, extreme Empfindlichkeit f	ultra-sensibilité f, sensibilité f extrême	сверхчувствительность
	ultra-short wave	s. very high frequency wave <1 – 10 m>		
U 57	**ultra soft, ultrasoft**	ultraweich	ultra-mou	ультрамягкий
	ultrasonic, ultrasound	Ultraschall m, Überschall m, Supraschall m	ultra[-]son m	ультразвук
U 58	**ultrasonic,** ultra-acoustic, superacoustic, superaudible	Ultraschall-, ultra-akustisch	ultrasonore, ultrasonique, ultra-acoustique	ультразвуковой, ультра-акустический
U 59	**ultrasonic absorption coefficient**	Ultraschallabsorptions-koeffizient m	coefficient m d'absorption ultrasonore	коэффициент поглоще-ния ультразвука
U 60	**ultrasonically induced, ultrasonically initiated**	ultraschallinitiiert	initié par les ultrasons, induit par l'ultrason	инициированный ультразвуком
U 61	**ultrasonic attenuation**	Ultraschalldämpfung f, Ultraschallabschwä-chung f, Ultraab-schwächung f, Ultra-schallschwächung f	amortissement m ultra-sonore, atténuation f ultrasonore	затухание ультразвука, ослабление ультра-звука
U 62	**ultrasonic bubble chamber**	Ultraschall-Blasenkammer f	chambre f à bulles ultra-sonore	ультразвуковая пузырь-ковая камера
U 63	**ultrasonic centrifuge,** supersonic centrifuge	Ultraschallzentrifuge f	centrifugeuse f ultrasonore, centrifugeur m ultra-sonore	ультразвуковая центри-фуга
	ultrasonic chemistry, sonochemistry	Ultraschallchemie f	sonochimie f, chimie f ultrasonique	ультразвуковая химия
	ultrasonic coagulation, supersonic coagulation, acoustic coagulation	Ultraschallkoagulation f, Koagulation f durch Schallwellen	coagulation f ultrasonique, coagulation acoustique	ультразвуковая коагуля-ция, акустическая коагуляция
U 64	**ultrasonic cross grating,** ultrasonic multiple grating, multiple grating	ebenes Ultraschallgitter n	réseau m ultrasonique à deux dimensions	двумерная ультразвуко-вая решетка, ультра-звуковая перекрестная решетка
U 65	**ultrasonic crystal,** ultrasound emitting crystal	Ultraschallschwinger m	cristal m émetteur d'ultrasons	ультразвуковой вибратор
U 66	**ultrasonic current**	Ultraschallstrom m	courant m à fréquence supersonique	ультразвуковой ток
U 67	**ultrasonic delay line,** supersonic delay line, sonic delay line, acoustic delay line, supersonic storage	Ultraschall-Laufzeitglied n, Ultraschall-Laufzeitkette f, Ultraschall-Verzöge-rungsleitung f, Ultra-schall-Verzögerungs-strecke f, akustischer Verzugsspeicher m, akustische Verzöge-rungsleitung f, akusti-sches Laufzeitglied n	ligne f à retard ultra-sonore, ligne à retard acoustique, circuit m de retard acoustique	ультразвуковая линия задержки, акусти-ческая линия задерж-ки, ультразвуковая задержка, сверхзву-ковое задерживающее устройство
U 68	**ultrasonic depolymeri-zation,** ultrasonic destruction of polymers	Ultraschallabbau m von Polymeren	dépolymérisation f ultra-sonique, destruction f ultrasonique des poly-mères	ультразвуковая деструк-ция [полимеров], деструкция ультразву-ком, ультразвуковая деполимеризация
	ultrasonic depth finder	s. ultrasonic echo-sounding device		
	ultrasonic destruction of polymers	s. ultrasonic depolymeri-zation		
U 69	**ultrasonic detector**	Ultraschalldetektor m	détecteur m ultrasonique	ультразвуковой детектор
U 70	**ultrasonic dispersion**	Ultraschalldispergierung f, Ultraschalldispersion f, Dispergierung f durch Ultraschall	dispersion f ultrasonore <des solides et des liquides>	ультразвуковое диспергирование
	ultrasonic echoes method	s. ultrasonic echo sounding		
	ultrasonic echo sounder	s. ultrasonic echo-sounding device		
U 71	**ultrasonic echo sounding,** ultrasonic sounding, ultrasonic echoes method, supersonic sounding	Ultraschallechoverfahren n, Ultraschallechomethode f, Ultraschallotung f, Ultraschallecholotung f	méthode f d'échos ultra-sonores, méthode des échos d'ondes ultra-sonores, échosondage m ultrasonique, sondage m par échos ultrasonores	ультразвуковая электро-пеленгация; ультра-звуковое зондирова-ние, ультразвуковое эхолотирование; метод ультразвуковых эх
U 72	**ultrasonic echo-sounding device,** ultrasonic depth finder, ultrasonic echo sounder, supersonic echo sounder; active sonar	Ultraschall-Echolot n, Ultraschallot n, Ultra-schall-Echolotgerät n	écho-sondeur m ultra-acoustique, écho-sondeur ultrasonique, écho-sondeur à ultrason[s], sondeur m à ultrason[s]; détecteur m ultrasonore sous-marin	ультразвуковой эхолот; гидролокатор
	ultrasonic emitter	s. ultrasonic radiator		
U 73	**ultrasonic energy**	Ultraschallenergie f	énergie f ultrasonore	ультразвуковая энергия
U 74	**ultrasonic excitation,** ultrasound excitation; ultrasound stimulation, ultrasonic stimulation	Ultraschallanregung f, Anregung f mit Ultra-schall; Ultraschall-stimulierung f	excitation f par l'ultrason, excitation ultrasonore; stimulation f par l'ultra-son, stimulation ultra-sonore	возбуждение ультразву-ком; стимуляция ультразвуком
U 75	**ultrasonic field**	Ultraschallfeld n	champ m ultrasonore	ультразвуковое поле

	English	German	French	Russian
U 76	**ultrasonic flaw detector,** ultrasonic inspection equipment, ultrasonic testing device, ultrasonic testing apparatus, soniscope, ultrasonoscope	Ultraschallprüfgerät n [zur Ermittlung von Fehlerstellen], Ultraschall-Werkstoffprüfgerät n, Ultraschallrißprüfer m, Ultraschalldefektoskop n	détecteur m des défauts ultrasonique, défectoscope m ultrasonique	ультразвуковой дефектоскоп
	ultrasonic fluid whistle, liquid whistle	Flüssigkeitspfeife f	sifflet m à liquide	жидкостный свисток
U 77	**ultrasonic fluorometer,** supersonic fluorometer	Ultraschallfluorometer n	fluorimètre m à ultrason	ультразвуковой флуорометр
U 78	**ultrasonic frequency;** superaudio frequency, ultraaudible frequency	Ultraschallfrequenz f, Ultraschallwellenfrequenz f; Überhörfrequenz f	fréquence f ultrasonore, fréquence f ultrasonique; fréquence ultra-audible	ультразвуковая частота, частота ультразвука (ультразвуковых колебаний)
U 79	**ultrasonic frequency range,** ultrasonic range	Ultraschallbereich m	gamme f des fréquences ultrasonores, gamme ultrasonore	диапазон ультразвуковых частот
U 80	**ultrasonic generator,** ultrasound generator, supersonic generator; vibratory unit, transducer, transformer	Ultraschallgenerator m, Ultraschallerzeuger m, Ultraschallgeber m; Ultraschallschwinger m, Schwinger m	générateur m d'ultrasons, générateur ultrasonore	генератор ультразвуковых колебаний, ультразвуковой генератор; ультразвуковой вибратор
U 81	**ultrasonic grating**	Ultraschallgitter n, Ultraschall-Beugungsgitter n	réseau m ultrasonique	ультразвуковая дифракционная решетка
U 82	**ultrasonic immersion technique**	Ultraschallprüfung f nach der Tauchtechnik	méthode f d'immersion de l'essai ultrasonique	иммерсионный метод ультразвуковой дефектоскопии
U 83	**ultrasonic inspection,** ultrasonic testing, supersonic testing, ultrasonic method of materials testing	Ultraschallprüfung f, Werkstoffprüfung f mit Ultraschall, [zerstörungsfreies] Ultraschall-Werkstoffprüfverfahren n, Ultraschalldefektoskopie f	exploration f ultrasonique, essai m ultrasonique, essai ultrasonore	ультразвуковая дефектоскопия, ультразвуковой метод дефектоскопии; обследование с помощью ультразвука
	ultrasonic inspection equipment	s. ultrasonic flaw detector		
U 84	**ultrasonic irradiation**	Ultraschallbestrahlung f, Ultrabeschallung f, Beschallung f	irradiation f par ultrasons	ультразвуковое облучение, облучение ультразвуком
U 85	**ultrasonic lens,** supersonic lens	Ultraschallinse f	lentille f ultrasonore	ультразвуковая линза
U 86	**ultrasonic luminescence**	Ultraschallumineszenz f	luminescence f ultrasonore	ультразвуковая люминесценция
	ultrasonic method of materials testing	s. ultrasonic inspection		
U 86a	**ultrasonic microscope**	Ultraschallmikroskop n	microscope m ultrasonore (ultrasonic)	ультразвуковой микроскоп
U 87	**ultrasonic microtome,** supersonic microtome	Ultraschallmikrotom n	microtome m ultrasonore, microtome à ultrason	ультразвуковой микротом
	ultrasonic multiple grating	s. ultrasonic cross grating		
U 88	**ultrasonic output meter**	Ultraschalleistungsmesser m	mesureur m de puissance ultrasonique	измеритель мощности ультразвука
U 89	**ultrasonic power**	Ultraschalleistung f	puissance f ultrasonore, puissance ultrasonique	мощность ультразвука
U 90	**ultrasonic pressure gauge**	Ultraschallmanometer n	manomètre m ultrasonique	ультразвуковой манометр
U 91	**ultrasonic probe,** supersonic probe	Ultraschallsonde f, Überschallsonde f	sonde f ultrasonique	ультразвуковой зонд, ультразвуковой щуп
U 92	**ultrasonic pulse-echo testing, ultrasonic pulse reflection testing**	Ultraschallprüfung f nach dem Echo-Impuls-Verfahren n, Ultraschallimpulsreflexionsverfahren n	méthode f des échos d'ondes ultrasonores de l'essai ultrasonique, méthode d'échos de l'essai ultrasonique	эхометод ультразвуковой дефектоскопии, импульсная ультразвуковая дефектоскопия
	ultrasonic quartz	s. ultrasonic quartz generator		
U 93	**ultrasonic quartz generator;** ultrasonic quartz	Ultraschallgenerator m mit Schwingquarz, Quarz-Ultraschallgenerator m, Quarz-Schallgenerator m; Ultraschallquarz m	quartz m émetteur d'ultrasons	кварцевый источник ультразвука, кварцевый излучатель ультразвука, ультразвуковой кварц
U 94	**ultrasonic quartz transducer,** quartz transducer	Quarz-Ultraschallwandler m, Ultraschallwandler m mit Schwingquarz, Quarzwandler m, Quarzmeßwandler m	quartz m transducteur d'ultrasons, transducteur m à quartz	кварцевый ультразвуковой преобразователь, кварцевый преобразователь [ультразвука]
U 95	**ultrasonic radiation**	Ultraschallstrahlung f	rayonnement m ultrasonore	ультразвуковое излучение
U 96	**ultrasonic radiator,** supersonic radiator, ultrasonic (supersonic) emitter; ultrasonic (supersonic) transmitter	Ultraschallstrahler m; Ultraschallgeber m; Ultraschallsender m, Ultraschallsendekopf m	radiateur m ultrasonore, émetteur m ultrasonore	ультразвуковой излучатель
	ultrasonic range, ultrasonic frequency range	Ultraschallbereich m	gamme f des fréquences ultrasonores, gamme ultrasonore	диапазон ультразвуковых частот
U 97	**ultrasonic receiver**	Ultraschallempfänger m	récepteur m d'ultrason[s]	приемник ультразвука, приемник ультразвуковых колебаний, ультразвуковой приемник
U 98	**ultrasonic resonance testing**	Ultraschallprüfung f nach dem Resonanzverfahren	méthode f de résonance de l'essai ultrasonique	резонансный метод ультразвуковой дефектоскопии

U 99	**ultrasonics,** ultra-acoustics	Ultraschallehre *f*, Lehre *f* vom Ultraschall, Ultraschallakustik *f*	ultrasonique *f*, acoustique *f* des fréquences ultrasonores	ультраакустика, акустика ультразвуковых частот
	ultrasonic sounding	s. ultrasonic echo sounding		
	ultrasonic source, ultrasound source, supersonic source	Ultraschallquelle *f*	source *f* d'ultrasons	источник ультразвуковых колебаний, источник ультразвуков
U 100	**ultrasonic space grating**	räumliches Ultraschallgitter *n*, Ultraschall-Raumgitter *n*	réseau *m* spatial ultrasonique	ультразвуковая пространственная решетка
U 101	**ultrasonic spectrometer,** supersonic spectrometer, ultrasonic spectroscope, supersonic spectroscope	Ultraschallspektrometer *n*, Ultraschallspektroskop *n*	spectromètre *m* ultrasonore, spectroscope *m* ultrasonore	ультразвуковой (ультраакустический) спектрометр, ультразвуковой (ультраакустический) спектроскоп
	ultrasonic spectrometry	s. ultrasonic spectroscopy		
	ultrasonic spectroscope	s. ultrasonic spectrometer		
U 102	**ultrasonic spectroscopy,** supersonic spectroscopy, ultrasonic spectrometry, supersonic spectrometry	Ultraschallspektroskopie *f*, Ultraschallspektrometrie *f*	spectroscopie *f* ultrasonore, spectrométrie *f* ultrasonore	ультразвуковая (ультраакустическая) спектроскопия, ультразвуковая (ультраакустическая) спектрометрия
U 103	**ultrasonic spectrum,** supersonic spectrum	Ultraschallspektrum *n*	spectre *m* ultrasonore	спектр ультразвуковых частот, спектр сверхзвуковых частот, ультразвуковой спектр, сверхзвуковой спектр
	ultrasonic stimulation	s. ultrasonic excitation		
	ultrasonic stroboscope	s. supersonic stroboscope		
	ultrasonic testing	s. ultrasonic inspection		
	ultrasonic testing apparatus	s. ultrasonic flaw detector		
	ultrasonic testing device	s. ultrasonic flaw detector		
U 104	**ultrasonic thickness gauge;** sonigage <for metals>	Ultraschall-Dickenmesser *m*, Ultraschalldickenmeßgerät *n*	épaisseurmètre *m* à ultrasons, épaisseurmètre (épaissimètre *m*) ultrasonique, jauge *f* d'épaisseur ultrasonique	ультразвуковой толщиномер, ультразвуковой измеритель толщины
U 105	**ultrasonic transducer**	Ultraschallumformer *m*, Ultraschallwandler *m*	transducteur *m* d'ultrason[s]	ультразвуковой преобразователь
	ultrasonic transmitter	s. ultrasonic radiator		
U 106	**ultrasonic velocity,** ultrasound velocity	Ultraschallgeschwindigkeit *f*	vitesse *f* de propagation des ondes ultrasonores, vitesse *f* de propagation des ultrasons	скорость ультразвука, скорость распространения ультразвуковых колебаний
U 107	**ultrasonic vibration,** supersonic vibration	Ultraschallschwingung *f*	vibration *f* ultrasonore (acoustique ultra-audible)	ультразвуковое (ультраакустическое) колебание
U 108	**ultrasonic visualization technique**	Schallsichtverfahren *n* [nach Pohlman]	méthode *f* de visualisation des sons	метод визуализации звуков
	ultrasonic wave	s. ultrasound wave		
U 109	**ultrasonic wind**	Quarzwind *m*	vent *m* du quartz	акустический (звуковой) ветер
U 110	**ultrasonography**	Ultrasonographie *f*, Ultraschallaufzeichnung *f*	ultrasonographie *f*	ультразвукография, ультразвуковая запись, запись на ультразвуковых частотах
	ultrasonoscope	s. ultrasonic flaw detector		
U 111	**ultrasonoscopy**	Ultrasonoskopie *f*	ultrasonoscopie *f*	ультразвукоскопия, звуковидение
U 112	**ultrasound,** ultrasonic	Ultraschall *m*, Überschall *m*, Supraschall *m*	ultra[-]son *m*	ультразвук
	ultrasound emitting crystal, ultrasonic crystal	Ultraschallschwinger *m*	cristal *m* émetteur d'ultrasons	ультразвуковой вибратор
	ultrasound excitation	s. ultrasonic excitation		
	ultrasound generator	s. ultrasonic generator		
U 113	**ultrasound source,** ultrasonic source, supersonic source	Ultraschallwelle *f*; Überschallwelle *f*	source *f* d'ultrasons	источник ультразвуковых колебаний, источник ультразвуков
	ultrasound stimulation	s. ultrasonic excitation		
	ultrasound velocity	s. ultrasonic velocity		
U 114	**ultrasound wave,** ultrasonic wave, supersonic wave	Ultraschallwelle *f*; Überschallwelle *f*	onde *f* ultrasonore	ультразвуковая волна
	ultraspeed, ultra high speed	überschnell, ultraschnell, ultrarapid	ultrarapide	сверхскоростной; сверхбыстрый; сверхбыстродействующий
	ultraspherical function, Gegenbauer['s] function	Gegenbauersche (metasphärische, ultrasphärische) Funktion *f*	fonction *f* de Gegenbauer, fonction ultrasphérique	функция Гегенбауэра
	ultraspherical polynomial	s. Gegenbauer['s] polynomial		
U 115	**ultrastability**	Ultrastabilität *f*	ultrastabilité *f*	сверхустойчивость, ультрастабильность, ультраустойчивость
U 116	**ultra-subharmonic [oscillation],** ultra-subharmonic vibration	ultra-subharmonische Schwingung *f*, subharmonische Schwingung von der Ordnung *n/m*	oscillation (vibration) *f* ultra-subharmonique, ultra-subharmonique *f*	ультра-субгармоническое колебание, ультрасубгармоника
U 117	**ultra-subharmonic resonance**	ultra-subharmonische Resonanz *f*	résonance *f* ultra-subharmonique	ультра-субгармонический резонанс
	ultra-subharmonic vibration	s. ultra-subharmonic oscillation		

	English	German	French	Russian
	ultra tau meter	s. tau meter		
	ultratelescopic meteor, micrometeor	Mikrometeor n, ultrateleskopisches Meteor n	micrométéore m, météore m ultratélescopique, météore télescopique très faible	микрометеор, ультрателеметеор
	ultra[-]thin section, ultrafine [ground] section, ultrafine grinding	Ultradünnschliff m	section f ultramicroscopique, ultramicrosection f	ультрамикрошлиф, сверхтонкий шлиф, ультратонкий шлиф
U 118	**ultra[-]thin section**	Ultradünnschnitt m, ultradünner Schnitt m	coupe f ultrafine	ультратонкий срез
U 118a	**ultravacuum** <10⁻⁶ Torr>	Ultravakuum n <10⁻⁶ Torr>	ultra[-]vide m <10⁻⁶ Torr>	ультравакуум <10⁻⁶ тор>
U 119	**ultra-violet, ultraviolet,** U.V., UV, u.v., uv	ultraviolett, Ultraviolett-, UV-	ultraviolet, ultra-violet, U. V., UV., UV	ультрафиолетовый, УФ
	ultra-violet	s. a. ultra-violet radiation		
	ultra-violet	s. a. ultra-violet range		
U 120	**ultra-violet absorption,** U.V. absorption	Ultraviolettabsorption f, UV-Absorption f	absorption f de rayonnement ultraviolet, absorption ultraviolette, absorption de (dans) l'ultraviolet, absorption U. V.	поглощение ультрафиолетового излучения, поглощение в ультрафиолетовой области спектра, ультрафиолетовое поглощение, УФ поглощение
U 121	**ultra-violet absorption band,** U.V. absorption band	Ultraviolett-Absorptionsbande f, UV-Absorptionsbande f	bande f d'absorption ultraviolette	полоса [спектра] ультрафиолетового поглощения
U 122	**ultra-violet absorption microscopy,** U.V. absorption microscopy	Ultraviolett-Absorptionsmikroskopie f, UV-Absorptionsmikroskopie f	microscopie f d'absorption ultra-violette	ультрафиолетовая микроскопия поглощения
	ultra-violet absorption spectrometry	s. ultra-violet absorption spectroscopy		
U 123	**ultra-violet absorption spectrometry,** ultra-violet absorption spectrometry, U.V. absorption spectroscopy, U.V. absorption spectrometry	Ultraviolett-Absorptionsspektroskopie f, Ultraviolett-Absorptionsspektrometrie f, UV-Absorptionsspektroskopie f, UV-Absorptionsspektrometrie f	spectroscopie f d'absorption des radiations ultraviolettes, spectrométrie f d'absorption des radiations ultraviolettes	ультрафиолетовая абсорбционная спектроскопия, ультрафиолетовая абсорбционная спектрометрия, абсорбционная спектроскопия (спектрометрия) в ультрафиолетовой области спектра
U 124	**ultra-violet absorption spectrum,** U.V. absorption spectrum	Ultraviolett-Absorptionsspektrum n, UV-Absorptionsspektrum n	spectre m d'absorption des rayons ultraviolets	спектр ультрафиолетового поглощения
U 125	**ultra-violet active,** U.V. active	ultraviolettaktiv, UV-aktiv	actif en ultraviolet, actif en U. V.	активный в ультрафиолетовом спектре, УФ активный
	ultra-violet A region	s. ultra-violet region A		
U 126	**ultra-violet band,** U.V. band	Ultraviolettbande f, UV-Bande f	bande f ultraviolette, bande spectrale dans l'ultraviolet, bande U.V.	полоса ультрафиолетового спектра, ультрафиолетовая полоса, полоса в ультрафиолетовой области спектра, УФ полоса
U 127	**ultraviolet band spectrum,** U.V. band spectrum	Ultraviolett-Bandenspektrum n, UV-Bandenspektrum n	spectre m ultraviolet de bandes, spectre de bandes ultraviolettes	полосатый спектр ультрафиолетового излучения
	ultraviolet B region	s. ultra-violet region B		
U 128	**ultraviolet burst,** U.V. burst	Ultravioletteruption f, UV-Eruption f	sursaut (éclat) m ultraviolet, éruption f ultraviolette, sursaut U.V., éclat U. V., éruption U. V.	ультрафиолетовая вспышка, УФ вспышка
U 129	**ultra-violet catastrophe,** ultra-violet problem, ultra-violet divergence, U.V. catastrophe, U.V. problem, U.V. divergence	Ultraviolettkatastrophe f, Ultraviolettdivergenz f, UV-Katastrophe f, UV-Divergenz f	catastrophe f ultraviolette, catastrophe à l'ultraviolet, divergence f ultraviolette, problème m de l'ultraviolet, catastrophe U.V., divergence U.V.	ультрафиолетовая катастрофа, ультрафиолетовая расходимость, расходимость в ультрафиолетовой области, УФ катастрофа, УФ расходимость
	ultra-violet C region	s. ultra-violet region C		
U 130	**ultra-violet cutting filter,** U.V. cutting filter	Ultraviolettschutzfilter n, UV-Schutzfilter n, Ultraviolettsperrfilter n, UV-Sperrfilter n	filtre m correcteur ultra-violet, filtre ultraviolet, filtre correcteur U.V., filtre U.V.	ультрафиолетовый светофильтр <поглощающий ультрафиолетовые лучи>, УФ светофильтр
	ultra-violet detector	s. ultra-violet radiation detector		
U 131	**ultra-violet dichroism,** U.V. dichroism	Ultraviolettdichroismus m, UV-Dichroismus m	dichroïsme m ultraviolet, dichroïsme U.V.	ультрафиолетовый дихроизм, УФ дихроизм
	ultra-violet divergence	s. ultra-violet catastrophe		
U 132	**ultra-violet dosimeter,** U.V. dosimeter	Ultraviolettdosimeter n, UV-Dosimeter n	dosimètre m du rayonnement ultraviolet	дозиметр ультрафиолетовой радиации, УФ дозиметр
U 133	**ultra-violet dosimetry,** U.V. dosimetry	Ultraviolettdosimetrie f, UV-Dosimetrie f	dosimétrie f du rayonnement ultraviolet	дозиметрия ультрафиолетовой радиации
	ultra-violet effect	s. ultra-violet radiation effect		
U 134	**ultra-violet emission,** U.V. emission	Ultraviolettemission f, UV-Emission f	émission f de rayonnement ultraviolet, émission ultraviolette, émission dans l'ultraviolet, émission U.V.	эмиссия ультрафиолетового излучения, испускание ультрафиолетового излучения, эмиссия в ультрафиолетовой области спектра, ультрафиолетовая эмиссия, УФ эмиссия

	ultra-violet emulsion	s. ultraviolet-sensitive emulsion		
	ultra-violet excitation	s. ultra-violet stimulation		
	ultra-violet film	s. ultraviolet-sensitive film		
U 135	**ultra-violet filter,** U.V. filter	Ultraviolettfilter n, UV-Filter n	filtre m ultraviolet, écran m ultraviolet, filtre U.V., écran U.V.	ультрафиолетовый светофильтр, светофильтр для ультрафиолетовых лучей, УФ светофильтр ‹пропускающий ультрафиолетовые лучи›
U 136	**ultra-violet glass,** U.V. glass	Ultraviolettglas n, UV-Glas n	verre m pour l'ultraviolet, verre pour les filtres ultraviolets	ультрафиолетовое стекло, стекло для ультрафиолетовых фильтров, УФ стекло
	ultra-violet illumination	s. ultra-violet irradiation		
	ultra-violet image	s. ultra-violet photograph		
U 137	**ultra-violet irradiation,** ultra-violet illumination, U.V. irradiation, U.V. illumination	Ultraviolettbestrahlung f, UV-Bestrahlung f	irradiation f ultraviolette, irradiation U.V., irradiation par les rayons ultraviolets, traitement m par les radiations ultraviolettes	облучение ультрафиолетовыми лучами, ультрафиолетовое облучение, освещение ультрафиолетовым излучением, УФ облучение
U 138	**ultra-violet lamp,** ultra-violet source, ultra-violet radiator, U.V. lamp, U.V. source, U.V. radiator	Ultraviolettstrahler m, Ultraviolettlichtquelle f, Ultraviolettlampe f, UV-Strahler m, UV-Lichtquelle f, UV-Lampe f	lampe f ultraviolette, lampe à rayonnement ultraviolet, source f d'ultraviolet, radiateur m ultraviolet, lampe U.V., source U.V., radiateur U.V.	лампа ультрафиолетового излучения, ультрафиолетовая лампа, источник ультрафиолетового излучения, ультрафиолетовый радиатор, УФ лампа, УФ радиатор
	ultra-violet layer	s. ultraviolet-sensitive layer		
	ultra-violet light	s. ultra-violet radiation		
U 139	**ultra-violet line,** U.V. line	Ultraviolettlinie f, UV-Linie f	raie f ultraviolette, raie U.V.	линия в ультрафиолетовой части спектра
U 139a	**ultra-violet luminescence,** U.V. luminescence	Ultraviolettlumineszenz f, UV-Lumineszenz f, Ultraviolettleuchten n, UV-Leuchten n, u-Leuchten n	luminescence f ultraviolette, luminescence U. V.; lueur f ultraviolette, lueur U. V.	ультрафиолетовое свечение
	ultra-violet magnitude, ultra-violet stellar magnitude, U.V. magnitude ‹of the star›	Ultravioletthelligkeit f, UV-Helligkeit f ‹Gestirn›	magnitude f stellaire ultraviolette, magnitude ultraviolette	ультрафиолетовая звездная величина, ультрафиолетовая величина [звезды]
U 140	**ultra-violet microscope,** U.V. microscope	Ultraviolettmikroskop n, Ultramikroskop n, UV-Mikroskop n	microscope m pour l'ultraviolet, microscope ultraviolet, microscope U.V.	микроскоп в ультрафиолетовых лучах, ультрафиолетовый микроскоп, УФ микроскоп
U 141	**ultra-violet microscopy,** U.V. microscopy	Ultraviolettmikroskopie f, Ultramikroskopie f, UV-Mikroskopie f	microscopie f dans l'ultraviolet, microscopie ultraviolette, microscopie U.V.	микроскопия в ультрафиолетовых лучах, ультрафиолетовая микроскопия, УФ микроскопия
U 142	**ultra-violet microspectrograph,** U.V. microspectrograph	Ultraviolett-Mikrospektrograph m, UV-Mikrospektrograph m	microspectrographe m [pour l']ultraviolet, microspectrographe U.V.	ультрафиолетовый микроспектрограф, УФ микроспектрограф
U 143	**ultra-violet microspectrography,** U.V. microspectrography	Ultraviolett-Mikrospektrographie f, UV-Mikrospektrographie f	microspectrographie f ultraviolette, microspectrographie U.V.	ультрафиолетовая микроспектрография, УФ микроспектрография
U 144	**ultra-violet microspectrometer,** U.V. microspectrometer	Ultraviolett-Mikrospektrometer n, UV-Mikrospektrometer n	microspectromètre m [pour l']ultraviolet, microspectromètre U.V.	ультрафиолетовый микроспектрометр, УФ микроспектрометр
	ultra-violet microspectrometry	s. ultra-violet microspectroscopy		
U 145	**ultra-violet microspectrophotometer,** U.V. microspectrophotometer	Ultraviolett-Mikrospektralphotometer n, UV-Mikrospektralphotometer n	microspectrophotomètre m [pour l']ultraviolet, microspectrophotomètre U.V.	ультрафиолетовый микроспектрофотометр, УФ микроспектрофотометр
U 146	**ultra-violet microspectrophotometry,** U.V. microspectrophotometry	Ultraviolett-Mikrospektralphotometrie f, UV-Mikrospektralphotometrie f	microspectrophotométrie f ultraviolette, microspectrophotométrie U.V.	ультрафиолетовая микроспектрофотометрия, УФ микроспектрофотометрия
U 147	**ultra-violet microspectroscope,** U.V. microspectroscope	Ultraviolett-Mikrospektroskop n, UV-Mikrospektroskop n	microspectroscope m [pour l']ultraviolet, microspectroscope U.V.	ультрафиолетовый микроспектроскоп, УФ микроспектроскоп
U 148	**ultra-violet microspectroscopy,** U.V. microspectroscopy, ultraviolet microspectrometry, U.V. microspectrometry	Ultraviolett-Mikrospektroskopie f, UV-Mikrospektroskopie f, Ultraviolett-Mikrospektrometrie f, UV-Mikrospektrometrie f	microspectroscopie f ultraviolette, microspectroscopie U.V., microspectrométrie f ultraviolette, microspectrométrie U.V.	ультрафиолетовая микроспектроскопия, УФ микроспектроскопия, ультрафиолетовая микроспектрометрия, УФ микроспектрометрия
U 149	**ultraviolet minus blue colour index,** (U−B) colour index	U−B-Farbenindex m	indice m de couleur U−B, indice U−B	показатель U−B
	ultra-violet part	s. ultra-violet range		
U 150	**ultra-violet photocell,** ultraviolet-sensitive photocell, U.V. photocell	Ultraviolettphotozelle f, UV-Photozelle f, Ultraviolettzelle f, UV-Zelle f	cellule (photocellule) f sensible à l'ultraviolet, cellule U.V., photocellule U.V.	фотоэлемент, чувствительный к ультрафиолетовым лучам
U 151	**ultra-violet photoeffect,** ultra-violet photoelectric effect, U.V. photoeffect	Ultraviolettphotoeffekt m, UV-Photoeffekt m	effet m sensible à l'ultraviolet	фотоэффект в ультрафиолетовой части спектра

	English	German	French	Russian
U 152	**ultra-violet photo-graph, ultra-violet image,** U.V. photo-graph, U.V. image	Ultraviolettaufnahme f, Ultraviolettbild n, Ultraviolettphoto-graphie f, UV-Auf-nahme f, UV-Bild n, UV-Photographie f	photographie f en ultra-violet, image f en ultra-violet, image ultra-violette, image U.V.	фотоснимок в ультра-фиолетовых лучах, снимок в ультрафиоле-товых лучах, ультра-фиолетовый фото-снимок
U 153	**ultra-violet photog-raphy,** U.V. photog-raphy	Ultraviolettphotographie f, UV-Photographie f	photographie f en ultra-violet, photographie par l'ultraviolet, photo-graphie ultraviolette, photographie U.V.	фотографирование (съемка, фотография в ультрафиолетовых лучах, ультрафиолето-вая фотография, УФ фотография
U 154	**ultra-violet photometer,** U.V. photometer	Ultraviolettphotometer n, UV-Photometer n	photomètre m ultraviolet, photomètre U.V.	ультрафиолетовый фото-метр, УФ фотометр
U 155	**ultra-violet photometry,** U.V. photometry	Ultraviolettphotometrie f, UV-Photometrie f	photométrie f du rayonne-ment ultraviolet, photo-métrie ultraviolette, pho-tométrie U.V.	ультрафиолетовая фото-метрия, фотометрия ультрафиолетового из-лучения, УФ фото-метрия
U 156	**ultra-violet photomi-crography,** U.V. photo-micrography	Ultraviolett-Mikrophoto-graphie f, UV-Mikro-photographie f	microphotographie f en ultraviolet, microphoto-graphie par l'ultraviolet, microphotographie ultraviolette, micro-photographie U.V.	микрофотография в уль-трафиолетовых лучах, ультрафиолетовая микрофотография, УФ микрофотография
U 157	**ultra-violet physics,** U.V. physics	Ultraviolettphysik f, UV-Physik f	physique f de l'ultraviolet	физика ультрафиолето-вого излучения
	ultra-violet plate	s. ultraviolet-sensitive plate		
	ultra-violet portion	s. ultra-violet range		
	ultra-violet problem	s. ultra-violet catastrophe		
U 158	**ultra-violet radiation,** ultra-violet, ultraviolet rays, ultra-violet light, U.V. radiation, U.V., UV, uv	Ultraviolettstrahlung f, ultraviolette Strahlung f, Ultraviolett n, Ultra-violettstrahlen mpl, ultraviolette Strahlen mpl, Ultraviolettlicht n, ultraviolettes Licht n, UV-Strahlung f, UV	radiation f ultraviolette, rayonnement m ultra-violet, ultraviolet m, lumière f ultraviolette, rayons mpl ultraviolets, radiation U.V., rayonne-ment U.V., lumière U.V., U.V.	ультрафиолетовое излу-чение, ультрафиолето-вая радиация, ультра-фиолетовые лучи, ультрафиолет, ультра-фиолетовый свет, УФ излучение, УФ радиа-ция, УФ лучи, УФ свет, УФ
U 159	**ultra-violet radiation detector,** ultra-violet detector, ultra-violet radiation measuring instrument, U.V. [radiation] detector	Ultraviolettdetektor m, Ultraviolett-Strah-lungsmeßgerät n, Ultra-violett-Strahlungsmesser m, UV-Detektor m, UV-Strahlungsmeß-gerät n, UV-Strahlungs-messer m	détecteur m d'ultraviolets, détecteur de rayons ultraviolets, détecteur U.V.	детектор ультрафиолето-вого излучения, уль-трафиолетовый детек-тор, УФ детектор
U 160	**ultra-violet radiation effect,** ultra-violet effect, U.V. [radiation] effect	Ultraviolettstrahlenwirkung f, Ultraviolettwirkung f, UV-Strahlenwirkung f, UV-Wirkung f	effet m du rayonnement ultraviolet, action f du rayonnement ultraviolet, effet U.V., action U.V.	действие ультрафиолето-вого излучения; воз-действие ультрафио-летового излучения
	ultra-violet radiation measuring instrument	s. ultra-violet radiation detector		
U 161	**ultra-violet radiation receiver,** ultra-violet receiver, U.V. [radiation] receiver	UV-Empfänger m, Ultra-violett[-Strahlungs]-empfänger m, UV-Strahlungsempfänger m	récepteur m d'ultraviolets, récepteur de rayons ultraviolets, récepteur U.V.	приемник ультрафиолето-вого излучения, уль-трафиолетовый прием-ник, УФ приемник
	ultra-violet radiator	s. ultra-violet lamp		
U 162	**ultra-violet range,** ultra-violet portion, ultra-violet part, ultra-violet region <of the electromagnetic spec-trum>, ultra-violet, U.V., U.V. range, U.V. portion	Ultraviolettbereich m, Ultraviolettgebiet n, ultravioletter Bereich m, ultraviolettes Gebiet n <des elektromagneti-schen Spektrums>, ultra-violetter Spektralbereich m, ultraviolettes Spek-tralgebiet n, Ultraviolett n, UV, UV-Bereich m, UV-Gebiet n	partie f ultraviolette, région f ultraviolette <du spectre électro-magnétique>, ultraviolet m, U.V., partie U.V., région U.V.	ультрафиолетовая часть, ультрафиолетовая область <электромагнит-ного спектра>, область ультрафиолетового из-лучения, ультрафиолет, УФ, УФ область, УФ часть
	ultraviolet rays	s. ultra-violet radiation		
	ultra-violet receiver	s. ultra-violet radiation receiver		
	ultra-violet region, region of the ultra-violet spectrum, U.V. region	Ultraviolettgebiet n, Gebiet n des ultravioletten Spektrums, UV-Gebiet n	région f du spectre ultra-violet, région ultra-violette, région U.V.	область ультрафиолето-вого спектра
	ultra-violet region	s. a. ultra-violet range		
U 163	**ultra-violet region A,** ultra-violet A region <400—320 nm>	UV-A-Gebiet n, Ultra-violett-A-Gebiet n <400 ··· 320 nm>	région f A ultraviolette, ré-gion A du rayonnement ultraviolet <400 ··· 320 nm>	область A ультрафиолето-вого излучения <400÷320 нм>
U 164	**ultra-violet region B,** ultra-violet B region <320—280 nm>	UV-B-Gebiet n, Ultravio-lett-B-Gebiet n <320 ··· 280 nm>	région f B ultraviolette, ré-gion B du rayonnement ultraviolet <320 ··· 280 nm>	область B ультрафиолето-вого излучения <320÷280 нм>
U 165	**ultra-violet region C,** ultra-violet C region <280—200 nm>	UV-C-Gebiet n, Ultra-violett-C-Gebiet n <280 ··· 200 nm>	région f C ultraviolette, ré-gion C du rayonnement ultraviolet <280 ··· 200 nm>	область C ультрафиолето-вого излучения <280÷200 нм>
U 165a	**ultra-violet rotational band,** U.V. rotational band	Ultraviolett-Rotations-bande f, UV-Rotations-bande f	bande f rotationnelle (de rotation) ultraviolette	ультрафиолетовая полоса вращательного спектра, ультрафиолетовая вра-щательная полоса
	ultraviolet-sensitive	s. sensitive to ultra-violet		

	English	German	French	Russian
U 166	**ultraviolet-sensitive emulsion,** ultra-violet emulsion, U.V. sensitive emulsion, U.V. emulsion	ultraviolettempfindliche Emulsion f, Ultraviolett-emulsion f, UV-empfindliche Emulsion, UV-Emulsion f	émulsion f sensible à l'ultraviolet, émulsion sensible aux rayons ultraviolets	эмульсия, чувствительная (очувствленная, сенси-билизированная) к ультрафиолетовым лучам
U 167	**ultraviolet-sensitive film,** ultra-violet film, U.V. sensitive film, U.V. film	ultraviolettempfindlicher Film m, Ultraviolettfilm m, UV-empfindlicher Film m, UV-Film m	film m sensible à l'ultra-violet, film pour l'ultra-violet, film ultraviolet, pellicule f ultraviolette, film U.V., pellicule U.V.	пленка для съемки в ультрафиолетовых лучах, ультрафиолето-вая пленка, УФ пленка
U 168	**ultraviolet-sensitive layer,** ultra-violet layer, U.V. sensitive layer, U.V. layer	ultraviolettempfindliche Schicht f, Ultraviolett-schicht f, UV-empfind-liche Schicht, UV-Schicht f	couche f sensible à l'ultra-violet	слой, чувствительный к ультрафиолетовым лучам
	ultraviolet-sensitive photocell	s. ultra-violet photocell		
U 169	**ultraviolet-sensitive plate,** ultra-violet plate, U.V. sensitive plate, U.V. plate	Ultraviolettplatte f, ultra-violettempfindliche Platte f, UV-Platte f, UV-empfindliche Platte	plaque f sensible à l'ultra-violet, plaque ultra-violette, plaque U.V.	фотопластинка, чувстви-тельная к ультрафио-летовым лучам
U 170	**ultra-violet sensitivity,** sensitivity to ultra-violet rays, U.V. sensitivity	Ultraviolettempfindlich-keit f, UV-Empfind-lichkeit f	sensibilité f aux rayons ultraviolets, sensibilité dans l'ultraviolet	чувствительность к уль-трафиолетовому излу-чению, чувствитель-ность к ультрафиолето-вым лучам, чувстви-тельность в ультрафио-летовой области, уль-трафиолетовая чувстви-тельность, УФ чувстви-тельность
U 171	**ultra-violet sensitiza-tion,** U.V. sensitization	Ultraviolettsensibilisierung f, UV-Sensibilisierung f	sensibilisation f ultra-violette, sensibilisation à l'ultraviolet, sensibilisa-tion U.V.	ультрафиолетовая сенси-билизация, УФ сенси-билизация
U 172	**ultra-violet sensitizer,** U.V. sensitizer	Ultraviolettsensibilisator m, UV-Sensibilisator m	sensibilisateur m à l'ultra-violet	сенсибилизатор для при-дания чувствитель-ности к ультрафио-летовым лучам
U 173	**ultra-violet shadow,** U.V. shadow	Ultraviolettschatten m, UV-Schatten m	ombre f ultraviolette, ombre U.V.	ультрафиолетовая тень, УФ тень
U 174	**ultraviolet shift**	Blauverschiebung f, Violettverschiebung f	décalage m vers l'ultraviolet	фиолетовое смещение
U 175	**ultra-violet source** **ultra-violet spectro-graph,** U.V. spectro-graph	s. ultra-violet lamp Ultraviolettspektrograph m, UV-Spektrograph m	spectrographe m [pour l']ultraviolet, spectro-graphe U. V.	ультрафиолетовый спек-трограф, УФ спектро-граф
U 176	**ultra-violet spectrog-raphy,** U.V. spectrog-raphy	Ultraviolettspektrographie f, UV-Spektrographie f	spectrographie f ultra-violette, spectrographie U. V.	ультрафиолетовая спек-трография, УФ спек-трография
U 177	**ultra-violet spectrom-eter,** U.V. spectrom-eter	Ultraviolettspektrometer n, UV-Spektrometer n	spectromètre m [pour l']ultraviolet, spectro-mètre U. V.	ультрафиолетовый спек-трометр, УФ спектро-метр
	ultra-violet spectrom-etry	s. ultra-violet spectroscopy		
U 178	**ultra-violet spectro-photometer,** recording ultraviolet spectrometer, U.V. spectrophotometer	Ultraviolett-Spektralphoto-meter n, registrierendes Ultraviolettspektrometer n, UV-Spektralphoto-meter n, registrierendes UV-Spektrometer n	spectrophotomètre m pour l'ultraviolet, spectro-mètre m enregistreur pour l'ultraviolet, spectro-photomètre ultraviolet, spectrophotomètre U. V.	ультрафиолетовый спек-трофотометр, самопишу-щий ультрафиолетовый спектрометр, УФ спек-трофотометр
U 179	**ultra-violet spectro-scope,** U.V. spectroscope	Ultraviolettspektroskop n, UV-Spektroskop n	spectroscope m [pour l']ul-traviolet, spectroscope U. V.	ультрафиолетовый спек-троскоп, УФ спектро-скоп
U 180	**ultra-violet spectros-copy,** U.V. spectros-copy, ultra-violet spec-trometry, U.V. spectrom-etry	Ultraviolettspektroskopie f, UV-Spektroskopie f, Ultraviolettspektro-metrie f, UV-Spektro-metrie f	spectroscopie f ultraviolette, spectroscopie U. V., spectrométrie f ultra-violette, spectrométrie U. V.	ультрафиолетовая спек-троскопия, УФ спек-троскопия, ультрафио-летовая спектрометрия, УФ спектрометрия
U 181	**ultra-violet spectrum,** U.V. spectrum	Ultraviolettspektrum n, UV-Spektrum n, ultra-violettes Spektrum n	spectre m ultraviolet, spectre U. V.	ультрафиолетовый спектр, спектр ультрафиолето-вого излучения, УФ спектр
U 182	**ultra-violet standard,** standard ultra-violet, U.V. standard	Ultraviolettstandard m, Ultraviolettnormal n, UV-Standard m, UV-Normal n	étalon m ultraviolet, étalon U. V.	ультрафиолетовая нор-маль, нормаль ультра-фиолетового излучения, ультрафиолетовый эта-лон, эталон ультрафио-летового излучения, УФ нормаль, УФ эталон
U 183	**ultra-violet stellar magnitude,** ultra-violet magnitude, U.V. magni-tude <of the star>	Ultravioletthelligkeit f, UV-Helligkeit f <Gestirn>	magnitude f stellaire ultra-violette, magnitude ultra-violette	ультрафиолетовая звезд-ная величина, ультра-фиолетовая величина [звезды]
U 184	**ultra-violet stimulation,** ultra-violet excitation, U.V. stimulation, U.V. excitation	Ultraviolettstimulierung f, Ultravioletterregung f, Ultraviolettanregung f, UV-Stimulierung f, UV-Erregung f, UV-Anregung f	stimulation f ultraviolette, excitation f ultraviolette, stimulation U. V., excita-tion U. V.	ультрафиолетовая стиму-ляция, ультрафиолето-вое возбуждение, стиму-ляция ультрафиолето-вым излучением, воз-буждение ультрафио-летовыми лучами, УФ стимуляция, УФ воз-буждение

	English	German	French	Russian
U 185	**ultra-violet transmitting,** ultra-violet transparent, transparent to ultra-violet [rays], U.V. transmitting	ultraviolettdurchlässig, UV-durchlässig	transmettant la radiation ultraviolette, transparent au rayonnement ultra-violet, transparent pour les rayons ultra-violets	пропускающий ультра-фиолетовое излучение, прозрачный для ультра-фиолетовых лучей
U 186	**ultra-violet trans-parency,** U.V. trans-parency	Ultraviolettdurchlässigkeit f, UV-Durchlässigkeit f, Durchlässigkeit f im ultravioletten Spektral-bereich	transparence f à l'ultraviolet, transparence pour les rayons ultraviolets, trans-parence dans l'ultraviolet	прозрачность для ультра-фиолетового излуче-ния, прозрачность для ультрафиолетовых лу-чей, прозрачность в ультрафиолетовой области спектра
	ultra-violet transparent	s. ultra-violet transmitting		
U 187	**ultra-violet vibrational band,** U.V. vibration[al] band	Ultraviolett-Schwingungs-bande f, UV-Schwin-gungsbande f	bande f de vibration dans l'ultraviolet, bande de vibration ultraviolette, bande vibrationnelle ultraviolette	ультрафиолетовая полоса колебательного спектра, ультрафиолетовая коле-бательная полоса, коле-бательная полоса в ультрафиолетовой части спектра
	ultra-white, whiter than white	Ultraweiß n	ultra-blanc m	белее белого
U 188	**umbilic[al point],** spherical point	Nabelpunkt m, Nabel m, Kreispunkt m, Umbilikal-punkt m	ombilic m, point m ombilical, point sphérique	омбилическая точка, кру-говая точка, шаровая точка, округленная точка
U 189	**umbra,** complete shadow, core shadow	Kernschatten m; Voll-schatten m; Haupt-schatten m	ombre f totale	полная тень
U 190	**umbra,** spot umbra	Umbra f des Sonnenflecks	ombre f de la tache [solaire]	тень пятна, ядро солнеч-ного пятна
	umbra	s. a. shadow cone		
	umbra effect, shadow effect	Schatteneffekt m	effet m d'ombre	теневой эффект; эффект экранирования, экра-нирующий эффект
	umbral index (suffix), dummy index, saturated index <of tensor>; dummy, summation dummy	Summationsindex m	indice m muet, variable f muette	индекс суммирования, указатель суммиро-вания, немой индекс
	umbra of the Earth, Earth's shadow	Erdschatten m	ombre f de la Terre	тень Земли, земная тень
U 191	**umbrella antenna, umbrella-shaped antenna**	Schirmantenne f, dach-förmige Antenne f	antenne f en parapluie, antenne-parapluie f, antenne abat-jour	зонтичная антенна, зон-тообразная антенна
	umkehr	s. temperature inversion <meteo.>		
U 192	**umkehr effect**	Umkehreffekt m	effet m Götz, « umkehr-effekt » m	эффект обращения, умкер-эффект
	umkehreinwand, Loschmidt['s] reversibility paradox, reversibility paradox [of Loschmidt]	Loschmidtscher Umkehr-einwand m, Umkehrein-wand von Loschmidt	paradoxe m de Loschmidt, objection f de Loschmidt	парадокс Лошмидта
	umklapp probability, flop-over probability, flip-over probability	Umklappwahrscheinlichkeit f	probabilité f de réorientation du spin, probabilité de fustigation	вероятность переориента-ции спина, вероятность переворачивания [спина]
U 193	**umklapp process,** U-process, flop-over process	Umklappprozeß m; Spin-umklappprozeß m, Spin-„flip-flop"-Prozeß m, „flip-flop"-Prozeß m	processus m de réorientation, processus de fustigation	процесс переброса, пере-брос, процесс переори-ентации, процесс перево-рачивания [спина]
	umklapp resistance	s. intrinsic resistance		
	umladung, charge ex-change, recharging, recharge, reversal of charge	Umladung f, Trägerum-ladung f, Trägerumwand-lung f; Ladungsaustausch m	échange m de charge, « um-ladung » f, renversement m de la charge [électrique]	перезарядка; обмен заря-дами
U 194	**Umov effect**	Umow-Effekt m	effet m Umov	эффект Умова
	umpire test	s. arbitrational analysis		
U 195	**Umstätter visco[si]m-eter**	Strukturviskosimeter n [nach Umstätter]; Frei-flußviskosimeter n [nach Umstätter]	viscosimètre m d'Umstätter	вискозиметр Умштеттера
	unaccelerated	s. accelerationless		
	unaccented	s. unprimed <math.>		
	unadjusted moment	s. raw moment		
	unaided eye, naked eye	unbewaffnetes Auge n, bloßes (freies) Auge	œil m nu	невооруженный глаз
U 196	**unanimous,** unison	einstimmig	à une voix, à l'unisson, unisson	одноголосный
	unary system	s. unitary system		
	unassociated liquid	s. normal liquid		
U 197	**unattainability**	Unerreichbarkeit f	inaccessibilité f	недостижимость
U 198	**unattainable state**	unerreichbarer Zustand m	état m qu'on ne peut pas atteindre, état inaccessible	недостижимое состояние
	unattended; unmanned, without crew; pilotless	unbemannt; unbesetzt, nichtbesetzt	sans équipage; sans pilote; non surveillé	без экипажа; беспилот-ный; необслуживаемый, без обслуживающего персонала
U 199	**unattenuated**	ungeschwächt	non atténué	неослабленный
	unavailable energy, lost energy	verlorene Energie f	énergie f perdue, énergie non disponible	потерянная энергия

U 199a	**unavailable soil moisture** <geo.>	Totwasser *n*, Totwasseranteil *m* <Geo.>	humidité *f* du sol non disponible <géo.>	непродуктивная почвенная влага <гео.>
U 200	**unbalance**	Abgleichfehler *m*	erreur *m* d'adaptation	погрешность согласования, рассогласование, рассогласованность, небаланс, дисбаланс
U 201	**unbalance**	Unausgeglichenheit *f*, Unbalance *f*; Ungleichgewicht *n*; Unsymmetrie *f* <El.>; Verstimmung *f* <El.>	déséquilibre *m*, déséquilibrité *f*, non-équilibrité *f*; désaccord *m* <él.>	неуравновешенность; несбалансированность; небаланс; асимметрия <эл.>; разбаланс <эл.>
U 202	**unbalance, out-of-balance** <mech.>	Unwucht *f* <Mech.>	disbalance *f* <méc.>	дисбаланс, небаланс, дебаланс <мех.>
	unbalance	*s. a.* control error		
	unbalance	*s. a.* disturbance of equilibrium		
U 203	**unbalance attenuation**	Unsymmetriedämpfung *f*	affaiblissement *m* de déséquilibrage, affaiblissement de désadaptation	небалансное (несимметричное) затухание, затухание вследствие небаланса (несогласования)
U 204	**unbalanced bridge**; out-of-balance bridge	verstimmte (unabgeglichene) Brücke *f*; Ausschlag[s]brücke *f*	pont *m* non balancé, pont non équilibré; pont à déviation	неуравновешенный (несбалансированный) мостик; неравновесный мост
U 205	**unbalanced cable,** unbalanced electric cable	unsymmetrisches Kabel *n*	câble *m* [électrique] non compensé	несимметричный кабель
U 206	**unbalanced current**	Unsymmetriestrom *m*, unsymmetrischer Strom *m*	courant *m* de déséquilibre	ток небаланса
	unbalanced electric cable, unbalanced cable	unsymmetrisches Kabel *n*	câble *m* [électrique] non compensé	несимметричный кабель
U 207	**unbalanced load,** asymmetrical load	unsymmetrische Belastung *f*, Schieflast *f*, Schiefbelastung *f*	charge *f* déséquilibrée (dissymétrique, asymétrique), déséquilibre *m* de charge	несимметричная нагрузка; перекос нагрузки
U 208	**unbalance error,** error due to unbalance	Unsymmetriefehler *m*	erreur *f* due au déséquilibre	погрешность от несимметрии
U 209	**unbiased,** unbiassed <stat.>	erwartungsfrei, unverzerrt, biasfrei, ohne Bias <stat.>	sans biais, sans erreur systématique <stat.>	несмещенный, беспристрастный, лишенный систематических ошибок <стат.>
U 210	**unbiased critical region** <stat.>	überall wirksamer kritischer Bereich *m*, unverzerrter kritischer Bereich <Stat.>	région *f* critique non biaisée <stat.>	несмещенная критическая область <стат.>
	unbiased error	*s.* sampling error		
U 211	**unbiased estimation**	biasfreie Schätzung *f*	estimation *f* sans erreur systématique	несмещенная оценка
U 212	**unbiased estimator**	erwartungstreue (unverzerrte) Schätzfunktion *f*	estimateur *m* sans biais	несмещенная оценка
U 213	**unbiased ferrite**	nichtvormagnetisierter Ferrit *m*	ferrite *m* non aimanté	феррит без подмагничивания
U 214	**unbiased test**	überall wirksamer Test *m*, unverzerrter Test	test *m* non biaisé, test sans erreur systématique	несмещенный критерий
	unbiassed	*s.* unbiased <stat.>		
U 214a	**unboundedness**	Unbeschränktheit *f*	propriété *f* de n'être pas borné	неограниченность
U 215	**unbounded operator**	nichtbeschränkter (unbeschränkter) Operator *m*	opérateur *m* non borné	неограниченный оператор
	unbound particle, free particle	freies Teilchen *n*, nichtgebundenes Teilchen	particule *f* libre, particule non liée	свободная частица, несвязанная частица
U 216	**unbound state**	ungebundener Zustand *m*	état *m* non lié, état non combiné	несвязанное состояние
U 217	**unbranched chain,** straight chain	unverzweigte Kette *f*	chaîne *f* non ramifiée (branchée)	неразветвленная цепь, прямая цепь
U 218	**unbranched chain reaction,** unbranching chain reaction	unverzweigte Kettenreaktion *f*	réaction *f* en chaîne non ramifiée	неразветвляющаяся (неразветвленная) цепная реакция
	unbranched section of the programme, linear section of the programme	unverzweigtes Programmstück *n*, gerades Programmstück	section *f* linéaire du programme, section non ramifiée du programme	линейный участок программы, неразветвленный участок программы
	unbranching chain reaction, unbranched chain reaction	unverzweigte Kettenreaktion *f*	réaction *f* en chaîne non ramifiée	неразветвляющаяся (неразветвленная) цепная реакция
U 219	**unbreakability, unbreakableness**	Unzerbrechlichkeit *f*	infrangibilité *f*, incassabilité *f*	неломкость
U 220	**unburned,** unburnt	unverbrannt	non consommé [par le feu], non brûlé	необожженный; несгоревший
U 221	**unburned fraction,** unburned part	Unverbrannte *n*	fraction (partie) *f* non consommée	недожог
	unburnt, unburned	unverbrannt	non consommé [par le feu], non brûlé	необожженный; несгоревший
	unc	*s.* uncinus <meteo.>		
U 222	**uncanned fuel element**	entmanteltes (enthülstes, nacktes) Brennelement *n*	élément *m* combustible nu	непокрытый тепловыделяющий элемент, тепловыделяющий элемент без (лишенный) оболочки
	uncertainty, indeterminacy <phys.>	Unsicherheit *f*, Ungenauigkeit *f*, Unbestimmtheit *f*, Unschärfe *f*, Ungewißheit *f* <Phys.>	indétermination *f*, incertitude *f* <phys.>	неопределенность <физ.>
	uncertainty of direction, direction uncertainty	Richtungsunschärfe *f*	indétermination (incertitude) *f* de direction	неопределенность направления

U 223	uncertainty principle, indeterminacy principle, principle of uncertainty, Heisenberg['s] principle of uncertainty, principle of indeterminacy, Heisenberg['s] uncertainty principle	Unschärferelation f [Heisenbergs], Heisenbergsche Unschärferelation, Unschärfebeziehung f [Heisenbergs], Heisenbergsche Unschärfebeziehung, Ungenauigkeitsrelation f [Heisenbergs], Heisenbergsche Ungenauigkeitsrelation, Ungenauigkeitsbeziehung f [Heisenbergs], Heisenbergsche Ungenauigkeitsbeziehung, Unbestimmtheitsrelation f [Heisenbergs], Heisenbergsche Unbestimmtheitsrelation, Unbestimmtheitsbeziehung f [Heisenbergs], Heisenbergsche Unbestimmtheitsbeziehung, Unbestimmtheitsprinzip n [Heisenbergs], Heisenbergsche Unsicherheitsbeziehung f, Unsicherheitsbeziehung [Heisenbergs], Heisenbergsche Unsicherheitsrelation f, Unsicherheitsrelation [Heisenbergs], Unsicherheitsprinzip n [Heisenbergs]	principe m d'incertitude [de Heisenberg], principe d'indétermination [de Heisenberg], relation f d'incertitude [de Heisenberg], relation d'indétermination [de Heisenberg]	соотношение неопределенностей, соотношение неопределенности [Гейзенберга], соотношение Гейзенберга, неравенство Гейзенберга, принцип неопределенности [Гейзен ерга]
	uncharged	s. neutral		
	uncharged particle	s. neutral		
U 224	uncinus, unc <meteo.>	uncinus, hakenförmig, unc <Meteo.>	uncinus, unc <météo.>	крючкообразный <метео.>
	unclosed traverse, open traverse; spur (offshoot) of the traverse	offener Polygonzug m, offener Zug m	cheminement m ouvert; antenne f de cheminement	несомкнутый ход, незамкнутый полигон; висячий ход
U 225	uncoated particle	unbeschichtetes Teilchen n	particule f non revêtue, particule nue	частица, не покрытая оболочкой
	uncollided neutron	s. virgin neutron		
	unconcentrated wash	s. sheet erosion		
U 226	unconditional branch, unconditional jump, unconditional transfer [of control]	unbedingter Sprung m	transfert (saut, branchement) m inconditionnel, rupture f de séquence inconditionnelle, fonctionnement m séquentiel inconditionné, saut m inconditionné, opération f de saut inconditionnée	безусловный переход, безусловная передача [управления]
U 227	unconditional probability	unbedingte Wahrscheinlichkeit f	probabilité f inconditionnelle	безусловная вероятность
	unconditional transfer [of control]	s. unconditional jump		
U 228	unconformity, discrepancy, disagreement, divergence, departure, ·deviation	Diskrepanz f, Nichtübereinstimmung f, Divergenz f, Abweichung f	désaccord m, divergence f, déviation f	расхождение, несходство, рассогласование, различие, отклонение, несогласованность
	unconnected, disconnected; [mass] totally disconnected <math.>	zusammenhangslos, punkthaft, total unzusammenhängend; total zusammenhangslos <Math.>	non connexe; totalement non connexe <math.>	разрывный, несвязный; вполне разрывный <матем.>
U 229	unconstrained point, free [mass] point	freier Massenpunkt (Punkt) m	point m [matériel] libre	свободная [материальная] точка
U 230	unconstrained system, system without constraints	System n ohne Zwang[sbedingungen]	système m sans liaison	свободная система; система, не стесненная (ограниченная) связями
	uncontrasty picture, soft picture, non-contrasty picture	weiches Bild n, kontrastloses Bild, flaues Bild	image f sans sécheresse, image terne, image floue	мягкое изображение
U 231	uncontrolled chain reaction, divergent chain reaction	ungesteuerte (unbeherrschte, nicht gesteuerte) Kettenreaktion f, Kettenexplosion f	réaction f en chaîne incontrôlable (non dirigée, divergente)	неуправляемая (неконтролируемая, нерегулируемая, нарастающая) цепная реакция
U 232	uncontrolled fission, explosive fission, non-controlled fission	explosive Spaltung f, ungesteuerte Spaltung	fission f explosive	взрывное деление, неуправляемый процесс деления
	uncountable, non-enumerable	nichtabzählbar, überabzählbar, unabzählbar	non dénombrable, innombrable	несчетный, бесчисленный
	uncoupling	s. decoupling		
U 232a	uncoupling agent	Entkoppler m	agent m découpleur	развязывающее вещество
U 233	uncrossed disparity	ungekreuzte (gleichnamige) Disparation f	disparité f non croisée	неперекрестная диспарация
U 234	undamped oscillation, self-sustained oscillation, sustained oscillation, continuous oscillation	ungedämpfte Schwingung f, kontinuierliche Schwingung	oscillation f entretenue (auto-entretenue, permanente, persistante, non amortie, non atténuée)	незатухающее колебание; недемпфированное колебание
	undamped wave, continuous wave, CW, cw, C.W., c.w.	ungedämpfte Welle f, kontinuierliche Welle	onde f continue, onde entretenue, onde non amortie	незатухающая волна; недемпфированная волна
	undation, epirogenetic motion	epirogenetische Bewegung f; Undation f	mouvement m épirogénétique, ondation f	эпирогенетическое движение, ундация

U 234a	**undation theory**	Undationstheorie f	théorie f des ondations	теория ундаций
U 235	**undecidability** <math.>	Unentscheidbarkeit f <Math.>	non-décidabilité f, indécidabilité f <math.>	неразрешимость <матем.>
	undeformed, unstrained	unverformt, undeformiert, nichtdeformiert	non déformé	недеформированный
	undemonstrable, unprovable	unbeweisbar	indémontrable	недоказуемый
	underbalance	s. undercompensation		
U 236	**underbunching**	unterkritische Ballung f	sous-groupement m, sous-rassemblage m	недостаточное [с]группирование
U 237	**undercommutation,** delayed commutation	Unterkommutierung f, verzögerte Kommutierung (Stromwendung) f	sous-commutation f, commutation f retardée	недокоммутация, замедленная коммутация
U 238	**undercompensation,** underbalance	Unterkompensation f, unvollständige Kompensation f	sous-compensation f, compensation f incomplète	неполная компенсация, недокомпенсация, недокомпенсирование, недокомпенсированность, недостаточная сбалансированность (балансировка)
U 239	**undercompounding**	Unterkompoundierung f	sous-compoundage m	недокомпаундирование, недостаточное компаундирование
	undercooled, supercooled	unterkühlt	sous-réfrigéré, refroidi à l'excès, surfondu	переохлажденный; недоохлажденный
	undercooled liquid, supercooled liquid	unterkühlte Flüssigkeit f	liquide m sous-réfrigéré, liquide refroidi à l'excès, liquide surfondu	переохлажденная жидкость
	undercooling, supercooling, supercooled state	Unterkühlung f	sous-refroidissement m, refroidissement m à l'excès, surfusion f	переохлаждение, переохлаживание
U 240	**undercorrection**	Unterkorrektion f	sous-correction f	недостаточная поправка, недопоправка, недостаточная коррекция, недокоррекция
	undercritical coupling, loose coupling, weak coupling <el.>	lose Kopplung f, unterkritische Kopplung <El.>	couplage m faible (lâche), accouplement m lâche, couplage sous-critique <él.>	слабая связь, связь ниже критической <эл.>
U 241	**undercurrent** <el.>	Unterstrom m <El.>	sous-intensité f, courant m de sous-intensité <él.>	недоток, ток ниже номинального, пониженный ток <эл.>
	undercurrent	s. a. subsurface flow		
U 242	**undercurrent relay**	Unterstromrelais n	relais m à minimum d'intensité, relais de sous-intensité	реле минимального тока, реле нулевого тока
U 243	**undercurrent tripping**	Unterstromauslösung f	déclenchement m à minimum de courant	расцепление минимального (нулевого) тока
U 244	**undercut[ting]**	Unterschneidung f, Unterschnitt m	étranglement m à la base	подрезка
	undercut[ting], underwashing, undermining, underscouring, scour; piping	Unterspülung f, Unterwaschung f, Unterkolkung f	affouillement m, ancorbellement m	подмыв; подмывание; размыв; подрывание; подкапывание; инфильтрация <под сооружением>
	underdamping	s. subcritical damping		
U 245	**underdense**	unterdicht <Elektronendichte < 10^{12} e/cm>	de densité inférieure à 10^{12} él./cm	пониженной плотности, с электронной плотностью меньше 10^{12} эл. см$^{-1}$
U 246	**underdeterminate system**	unterbestimmtes System n	système m sous-déterminé	недоопределимая (недоопределенная) система
U 247	**underdevelopment**	Unterentwicklung f	sous-développement m	недопроявление
	underestimate, undervaluation, underestimation, underrating	Unterschätzung f	sous-estimation f	недооценка
	underestimated, undervalued	unterschätzt	sous-estimé	недооцененный
	underestimation, undervaluation, underestimate, underrating	Unterschätzung f	sous-estimation f	недооценка
U 248	**underexcitation**	Untererregung f	sous-excitation f	недовозбуждение, неполное возбуждение
	underexposition	s. underexposure		
U 249	**underexposure;** photographic underexposure, underexposition	Unterexposition f; Unterbelichtung f	sous-exposition f	недодержка; недостаточная экспозиция; недостаточное облучение
	underfault	s. underthrust		
	underfilm corrosion	s. subsurface corrosion		
U 250/1	**underflow**	Grundwasserströmung f; Grundwasserstrom m	courant m souterrain	течение грунтовых вод; поток грунтовых вод, грунтовой поток
	underflow	s. a. subsurface flow		
	underflow conductor	s. water-bearing stratum		
U 252	**underground burst,** underground explosion	unterirdische Explosion f	explosion f souterraine (sous terre), tir m souterrain	подземный взрыв
	underground current	s. subterranean current		
U 253	**underground discharge,** underground effluent	unterirdischer Abfluß m	écoulement m souterrain	подземный сток
	underground explosion, underground burst	unterirdische Explosion f	explosion f souterraine (sous terre), tir m souterrain	подземный взрыв
	underground flow	s. subterranean current		

	English	German	French	Russian
	underground leaching, subrosion <geo.>	Subrosion f, unterirdische Auslaugung f <Geo.>	subrosion f, lessivage m souterrain <géo.>	суброзия, подземное выщелачивание <гео.>
	underground percolation, underground water flow	Grundwasserbewegung f	écoulement m souterrain, mouvement m des eaux souterraines	подземное течение, подземная фильтрация
	underground stream	s. subterranean current		
U 254	**underground water;** ground water; subsurface water; underwater; subsoil water; subterranean water	Grundwasser n; unterirdisches Wasser n; Tiefenwasser n	eau f souterraine; eau de sous-sol, eau de fond	грунтовая вода; подземная вода; подпочвенная вода
	underground water	s. a. internal water		
U 255	**underground water flow,** underground percolation	Grundwasserbewegung f	écoulement m souterrain, mouvement m des eaux souterraines	подземное течение, подземная фильтрация
U 256	**underheat[ing]**	Unterheizung f	sous-chauffage m	недокал, недостаточный (пониженный) накал
U 257	**underimpedance relay**	Unterimpedanzrelais n, Unterimpedanzansprechglied n	relais m à minimum d'impédance	реле снижения полного сопротивления
U 258	**underlayer,** inferior layer, underlying surface; sole; sole fault (thrust) <geo.>	Liegendes n, Liegendschicht f, liegende Schicht f, Unterlage f; Liegendgestein n; Sohle f <Geo.>	couche f sous-jacente, couche inférieure, surface f sous-jacente; substratum m; lèvre f inférieure (abaissée) <géo.>	почва пласта, подстилающий слой (пласт), подстилающая поверхность, нижний пласт (слой), нижележащий слой (пласт), нижняя поверхность надвигов, подошва, субстрат; лежачий бок, опущенное крыло; подошвенное разрывное нарушение <гео.>
	underlight, underwater light	Unterlicht n <Gewässer>	lumière f dans les profondeurs, lumière sous-marine	свет в нижних слоях [воды], подводный свет, подводная освещенность
U 259	**underload,** fractional load	Unterlast f, Teillast f; Unterbelastung f, Unterlastung f	sous-charge f, charge f partielle	недогрузка; неполная нагрузка
	underload relay	s. undervoltage relay		
	underlying surface	s. underlayer <geo.>		
U 260	**undermatching,** matching for maximum current transfer	Unteranpassung f	sous-adaptation f	недосогласование, неточное согласование с сопротивлением нагрузки меньше сопротивления источника
	undermining	s. underwashing		
	undermining corrosion	s. subsurface corrosion		
	undermining pitting	s. deposit attack		
U 261	**undermodulation**	Untermodulation f	sous-modulation f	неполная (недостаточно глубокая, неглубокая) модуляция
	under-moon, lower paraselena	Untermond m	parasélène f inférieure	нижняя луна, нижняя побочная (ложная) луна, нижняя параселена
	under-parhelion	s. lower parhelion		
U 262	**underpressure,** negative pressure, vacuum gauge pressure, pressure deficiency, pressure below atmospheric, subpressure, partial vacuum, vacuum, suction, tension	Unterdruck m, negativer Druck m, Vakuum n, Teilvakuum n, relatives Vakuum	sous-pression f, dépression f, pression f négative, vide m partiel, vide, vacuum m	разрежение, вакуумметрическое давление, пониженное давление, давление ниже атмосферного, отрицательное давление, частичный (неполный) вакуум, вакуум
	underrating	s. undervaluation		
U 263	**underreactance relay**	Unterreaktanzrelais n	relais m à minimum de réactance	реле снижения реактивного сопротивления
U 264	**under[-]relaxation**	Unterrelaxation f	sous-relaxation f	нижняя релаксация
	undersaturation, saturation deficit, vapour pressure deficit	Sättigungsdefizit n, Sättigungsmangel m, Sättigungsfehlbetrag m, Untersättigung f, Dampfhunger m	déficit m de saturation	дефицит влажности, дефицит насыщения
	underscouring	s. underwashing		
U 265	**undersea delta,** underwater delta	Unterwasserdelta n	delta m sous-marin	подводная дельта
U 266	**undersea wave**	unterseeische (untermeerische) Welle f, Unterseewelle f	onde f sous-marine	внутренняя волна, подводная волна
	underset current	s. subsurface flow		
U 267	**undershoot,** underswing	Unterschwingen n, Unterschwing m	sursaut (dépassement) m négatif <de l'impulsion>	отрицательный выброс, провал
U 268	**undershooting**	Untersteuerung f	sous-modulation f	недомодуляция
U 269	**undershot waterwheel**	unterschlächtiges Wasserrad n, Poncelet-Rad n	roue f hydraulique en-dessous, roue de Poncelet	подливное водяное колесо, нижнебойное водяное колесо, ударное водяное колесо
	undersize, short measure	Untermaß n	dimension f inférieure à la cote préconisée	недомер; неполномерность
U 270	**undersize [product],** minus material, siftings	Siebdurchfall m, Siebdurchlauf m, Durchfall m, Unterkorn n; Untergröße f	passant m du crible, produit m sous tamis	просев подрешеточный (нижний) продукт, проход, проходящее через сито материал, отсев

	English	German	French	Russian
U 271	understressing <mech.>	Unterbeanspruchung f, Unterbelastung f <Mech.>	sous-contrainte f <méc.>	недонапряжение, недогруз, недостаточная нагрузка <мех.>
	under-sun	s. lower parhelion		
	underswell	s. swell		
	underswing, undershoot	Unterschwingen n, Unterschwing m	sursaut (dépassement) m négatif <de l'impulsion>	отрицательный выброс, провал
	undersynchronous	s. subsynchronous		
	undertension	s. undervoltage		
U 272	underthrust, underfault, faulted underfold	Unterschiebung f, Untervorschiebung f	sous-charriage m, avancée f en profondeur	поддвиг
U 272a	undertone	Unterton m	sous-ton m, sous-harmonique f	унтертон
U 273	undertow, undertow current	Sog m, Gegenströmung f, Gegenstrom m, Rückströmung f, Grundströmung f	remous m	донное противотечение [отступающей волны], компенсационное придонное течение
U 274	undervaluation, underestimate, underestimation, underrating	Unterschätzung f	sous-estimation f	недооценка
U 275	undervalued, underestimated	unterschätzt	sous-estimé	недооцененный
U 276	undervoltage, undertension	Unterspannung f	sous-tension f, sous-voltage m, manque m de tension	пониженное напряжение, напряжение ниже номинального; недонапряжение
U 277	undervoltage relay, underload relay	Unterspannungsrelais n, Minimalrelais n	relais m à minimum de tension, relais de sous-tension	реле минимального (нулевого) напряжения, минимальное реле, реле уменьшения напряжения
U 278	undervoltage release, undervoltage trip	Unterspannungsauslöser m, Spannungsrückgangsauslöser m	déclencheur m à minimum (retour) de tension	расцепитель минимального (нулевого) напряжения
U 279	undervoltage state	unterspannter Zustand m	état m à sous-tension	недонапряженное состояние, состояние с пониженным напряжением
	undervoltage trip	s. undervoltage release		
U 280	underwashing, undercut[ting], undermining, underscouring, scour; piping	Unterspülung f, Unterwaschung f, Unterkolkung f	affouillement m, ancorbellement m	подмыв; подмывание; размыв; подрывание; подкапывание; инфильтрация <под сооружением>
	underwater	s. lower pool		
	underwater	s. underground water		
	underwater acoustics	s. hydroacoustics		
U 281	underwater bed	Unterwasserbett n	lit m [du bief] inférieur	русло нижнего бьефа
	underwater delta, undersea delta	Unterwasserdelta n	delta m sous-marin	подводная дельта
U 282	underwater light, underlight	Unterlicht n <Gewässer>	lumière f dans les profondeurs, lumière sous-marine	свет в нижних слоях [воды], подводный свет, подводная освещенность
U 283	underwater manipulator	Unterwassermanipulator m	manipulateur m sous l'eau	подводный манипулятор
	underwater microphone	s. hydrophone		
U 284	underwater period, underwater time	Untermeereszeit f	période f d'inondation	период подводного положения
U 285	underwater photography	Unterwasserphotographie f	photographie (photo) f sous-marine, photographie en plongée, photographie subaquatique	подводная фотография
U 286	underwater photometer	Unterwasserphotometer n	photomètre m sous-marin (subaquatique)	подводный фотометр
	underwater soil, subhydric soil	Unterwasserboden m, subhydrischer Boden m	sol m subhydrique	подводная почва
U 287	underwater sound projector; sonar transmitter	Unterwasserschallsender m, Unterwasserschallstrahler m, Unterwasserschallgeber m, Wasserschallsender m	émetteur (radiateur, élément rayonnant) m acoustique sous-marin, émetteur hydro-acoustique	подводный звукоизлучатель, подводный излучатель [звука], гидроакустический излучатель, подводный звукоизлучатель
U 288	underwater spark	Unterwasserfunke[n] m	étincelle f sous-marine	подводная искра
	underwater time, underwater period	Untermeereszeit f	période f d'inondation	период подводного положения
U 289	underwater visibility, subaqueous visibility	Unterwassersichtweite f	visibilité f sous l'eau, visibilité subaquatique	подводная видимость
U 289a	undesired noise, additional noise, disturbing noise	Nebengeräusch n, Stör[ungs]geräusch n, Rauschen n	bruit m parasite, brouillage m	побочный шум, мешающий шум, шумовая помеха
	undesired oscillation, parasitic oscillation	Störschwingung f	oscillation f parasitaire, oscillation à fréquence parasite	паразитное колебание, колебание на паразитной частоте
U 290	undetachable joint	unlösbare Verbindung f	joint m indétachable	неразъемное соединение
U 291	undetectable, undetectably low	nichtnachweisbar [gering]; unterhalb der Nachweisgrenze	non décelable	необнаруживаемый
U 292	undeterminate	Unbestimmte f	indéterminée f	неопределенная [величина]
	undetermined	s. statically indeterminable		
	undetermined multiplier	s. Lagrange's multiplier		

	English	German	French	Russian
	undeterminedness, indeterminateness, indeterminedness <mech.>	Unbestimmheit *f* <Mech.>	indétermination *f* <méc.>	неопределенность <мех.>
U 293	**undeterminedness**	*s. a.* indefiniteness		
U 294	**undeveloped shower**	unentwickelter Schauer *m*	gerbe *f* non développée	неразвившийся ливень
	undeviated light	direktes (nichtgebeugtes, ungebeugtes) Licht *n*	lumière *f* directe, lumière non déviée	прямо прошедший свет
U 295	**undirected flow**	ungerichtete Strömung *f*	écoulement (mouvement) *m* non dirigé	ненаправленный поток, ненаправленное течение
	undirected radiation	*s.* non-directed radiation		
	undissolving, insoluble, indissoluble, indissolvable	unlöslich, nichtlöslich; unangreifbar	insoluble, indissoluble	нерастворимый; нерастворяющийся
U 296	**undistorted lattice**	ungestörtes Gitter *n*, unverzerrtes Gitter	réseau *m* non perturbé (distordu), réseau sans distorsion	неискаженная кристаллическая решетка
U 297	**undistorted modulation**	verzerrungsfreie Modulation *f*	modulation *f* sans distorsion	неискаженная модуляция
U 298	**undistorted plane**	ungestörte Netzebene *f*, ungestörte Ebene *f*	plan *m* réticulaire sans distorsions, plan (surface *f*) sans distorsions	неискаженная плоскость [кристаллической решетки]
U 299	**undistorted wave**	unverzerrte Welle *f*	onde *f* sans distorsion, onde non distordue	неискаженная волна
	undisturbed, quiet	ruhig, ungestört	calme, non perturbé	спокойный, невозмущенный
U 300	**undisturbed differential equation**	ungestörte Differentialgleichung *f*	équation *f* différentielle non perturbée	невозмущенное дифференциальное уравнение
U 301	**undisturbed orbit**	ungestörte Bahn *f*	orbite *f* non perturbée	невозмущенная орбита
	undisturbed sun, quiet sun	ruhige Sonne *f*	soleil *m* calme	спокойное (невозмущенное) Солнце
U 302	**undor**	Undor *m*	● ondeur *m*	ундор
	undular	*s.* undulatory		
U 303	**undulated cloud,** billow cloud	Wogenwolke *f*, Undulatusform *f*, streifenförmige Wolke *f*, Streifenwolke *f*	nuage *m* ondulé, nuage ondoyant	волнистое облако
	undulating	*s.* undulatory		
	undulating current	*s.* undulatory flow		
	undulating flow	*s.* undulatory flow		
	undulating quantity, undulatory quantity	Mischgröße *f*	grandeur *f* ondulée (ondulatoire), quantité *f* ondulée (ondulatoire)	волнистая величина
U 304	**undulating terrain**	Wellengelände *n*	terrain *m* ondulé, terrain mouvementé	волнистая местность, волнистый рельеф местности
	undulation	*s.* wave motion		
	undulation effect	*s.* flutter <el.>		
U 305	**undulation of the geoid**	Undulation *f* des Geoids	ondulation *f* du géoïde	волнистость геоида
	undulation theory of light	*s.* wave theory of light		
U 306	**undulator**	Undulator *m*	ondulateur *m*	ондулятор
U 307	**undulatory,** undulating, undular, waving, in waves	wellenförmig, wellenartig	ondulatoire; ondulé; ondoyant	волнообразный; волнистый
U 308	**undulatory current,** undulating current	Mischstrom *m*	courant *m* ondulé, courant ondulatoire	волнистый ток, пульсирующий ток
U 309	**undulatory current, undulatory flow,** undulating flow, undulating current	Wellenströmung *f*, Wellenstrom *m*	écoulement *m* ondulatoire, mouvement *m* ondulatoire, courant d'onde	волновое течение; течение, вызванное волнами
U 310	**undulatory quantity,** undulating quantity	Mischgröße *f*	grandeur *f* ondulée (ondulatoire), quantité *f* ondulée (ondulatoire)	волнистая величина
	undulatory radiation, wave radiation	Wellenstrahlung *f*	rayonnement *m* d'ondes, rayonnement ondulatoire, radiation *f* ondulatoire	волновое излучение, волновая радиация
U 311	**undulatory shape**	Undulationsform *f*	forme *f* ondulatoire	волнистая форма рельефа [местности]
	undulatory theory of light	*s.* wave theory of light		
U 312	**unduloid**	Unduloid *n*	onduloïde *m*	ундулоид
	unechoic room	*s.* anechoic chamber		
	unenriched uranium, natural uranium, naturally occurring uranium	Natururan *n*, natürliches Uran *n*, nichtangereichertes Uran	uranium *m* naturel, uranium non enrichi	природный уран, естественный уран, необогащенный уран
U 313	**unequal-armed**	ungleicharmig	dissymétrique, à bras inégaux, à volées inégales	неравноплечий, неравноплечный
	unequal strain, non-uniform strain	ungleichmäßige Verformung (Deformation) *f*	déformation *f* non uniforme, déformation inégale	неравномерная деформация
U 314	**unequal stress,** non-uniform stress <mech.>	ungleichförmige Beanspruchung *f*, ungleichförmige Belastung *f*, ungleichmäßige Beanspruchung, ungleichmäßige Belastung <Mech.>	charge *f* non uniforme, charge inégale, effort *m* non uniforme, effort inégal <méc.>	неравномерное усилие <мех.>
U 315	**U-network,** U-type four-terminal network	U-Vierpol *m*	quadripôle *m* en U	четырехполюсник типа U, U-образный четырехполюсник (фильтр)
U 316	**unevenness;** inequality, topographic inequality; rugosity	Unebenheit *f*	inégalité *f*; rugosité *f*; anfractuosité *f*, infractuosité *f*	неровность
U 317	**unexcited degree of freedom**	nichtangeregter Freiheitsgrad *m*	degré *m* de liberté non excité	невозбужденная степень свободы
U 318	**unfavoured transition,** [allowed] *l*-forbidden transition	erschwerter (nichtbegünstigter, unbegünstigter, *l*-verbotener) Übergang *m*	transition *f* [permise] non favorisée, transition interdite par *l*	затрудненный (заторможенный, слабозапрещенный, *l*-запрещенный) переход

	English	German	French	Russian
	unfeeling <bio.>; insensible; indifferent	unempfindlich <Bio.>	insensible; indifférent; impassible <bio.>	невосприимчивый, нечувствительный <био.>
	unfilled; unoccupied, non-occupied; unpopulated; empty; vacant	unbesetzt, nichtbesetzt; leer; vakant; frei	inoccupé, non occupé; non comblé; vide; vacant	незанятый; незаполненный; свободный; вакантный
U 319	unfilled level, unoccupied level, empty level	unbesetztes Niveau n	niveau m inoccupé (non occupé, non comblé, vide)	незанятый уровень, незаполненный уровень
	unfilled shell	s. incomplete shell		
U 320	unfilled state, empty state	unbesetzter Zustand m	état m non occupé, état inoccupé, état vide	незаполненное состояние, незанятое состояние
	unfocused photomultiplier	s. Venetian blind multiplier		
	unfolding	s. deconvolution <of spectrum>		
	ungated period	s. blocking period		
U 321	ungula of the cylinder, cylindrical ungula	Zylinderhuf m	onglet m cylindrique	отсек цилиндра, отрезок цилиндра
U 322	unhydrogen-like, hydrogen-unlike	wasserstoffunähnlich	non hydrogénoïde	водородонеподобный, неводородоподобный
	uniaxial, optically uniaxial	optisch einachsig, einachsig	optiquement uniaxe, uniaxe	оптически одноосный, одноосный
U 323	uniaxial negative	negativ einachsig, einachsig-negativ	uniaxe négatif	одноосный отрицательный
U 324	uniaxial positive	positiv einachsig, einachsig-positiv	uniaxe positif	одноосный положительный
U 325	uniaxial stress	einachsiger (geradliniger, linearer) Spannungszustand m	champ m de contrainte uniaxial	одноосное напряженное состояние, линейное напряженное состояние
U 326	unicellular organism	Einzeller m	unicellulaire m, organisme m unicellulaire, être m vivant unicellulaire	одноклеточный организм
	unicity	s. uniqueness		
	unicomponent system, one-component system, unitary system, unary system	Einstoffsystem n, unitäres System n, Einkomponentensystem n, unäres System	système m à une composante, système unitaire, système unaire	однокомпонентная система, унарная система
U 327	unicursal curve	unikursale Kurve f	courbe f unicursale	уникурсальная кривая
U 327a	unidental ligand	einzähniger (unidentaler, einzähliger) Ligand m	ligand m à un dent, ligand unidenté	однозубчатый лиганд (адденд)
U 328	unidentified band	nichtidentifizierte Bande f	bande f non identifiée	неотождествленная полоса
U 329	unidentified flying object, flying saucer, UFO	unidentifiziertes fliegendes Objekt n, fliegende Untertasse f, UFO	objet m volant non identifié, soucoupe f volante	летающая тарелка, летающее блюдце, неопознанный летающий объект, НЛО
	unidimensional	s. one-dimensional		
U 330	unidirected, unidirectional, monodirectional	einseitig [gerichtet], einsinnig, in einer Richtung	unidirectionnel	однонаправленный
U 331	unidirectional	gerichtet; rückwirkungsfrei	unidirectionnel	однонаправленный
U 332	unidirectional compression	einfache Kompression f	compression f simple, compression pure	простое сжатие
	unidirectional current	s. direct current <el.>		
	unidirectional electrode	s. blocking electrode		
	unidirectional junction	s. rectifying junction		
U 333	unidirectional microphone, directional microphone	Richtmikrophon n, Mikrophon n mit Richtwirkung	microphone m unidirectionnel, microphone directionnel	однонаправленный микрофон, направленный микрофон
	unidirectional movement, directed movement	geordnete Bewegung f, gerichtete Bewegung	mouvement m directionnel (unidirectionnel)	направленное движение
	unidirectional point source, collimated point source	kollimierte Punktquelle f	source f ponctuelle collimatée (unidirectionnelle)	однонаправленный (коллимированный) точечный источник
U 334	unidirectional receiver, directional receiver	Richtempfänger m, Richtungsempfänger m	récepteur m directionnel	приемник для направленного приема; радиопеленгаторный приемник
U 335	unidirectional stress	gerichtete Spannung f	tension f unidirectionnelle	направленное напряжение (натяжение)
	unidirectional tension	s. linear expansion		
U 335a	uni-di[-]valent electrolyte	uni-di[-]valenter Elektrolyt m	électrolyte m uni-di[-]valent	одно-дву[-]валентный электролит
U 336	unification, standardization	Vereinheitlichung f, Unifizierung f	unification f	унификация, унифицирование, обобщаемость
	unified atomic mass	s. unfied mass unit		
U 337	unified atomic mass constant, m_u	[vereinheitlichte] Atommassenkonstante f, m_u	constante f unifiée de masse atomique, m_u	атомная единица массы, m_u
	unified atomic mass unit	s. unified mass unit		
U 338	unified atomic millimass unit, atomic millimass unit, mu	tausendstel [atomare] Masseneinheit f, mu, tausendstel vereinheitlichte atomare Masseneinheit	unité f [de] millimasse [atomique], m. u.	одна тысячная атомной единицы массы
U 339	unified field theory, unitary field theory	einheitliche Feldtheorie f	théorie f des champs unifiée, théorie du champ unifiée, théorie unitaire de champ	единая теория поля, объединенная теория поля, единая теория гравитационного и электромагнитного полей, обобщенная теория поля
U 339a	unified magnitude, m	Einheitsmagnitude f, einheitliche Magnitude f, m	magnitude f unifiée, m	единая магнитуда, магнитуда, m
U 340	unified mass unit, unified atomic mass [unit], u	[vereinheitlichte] Masseneinheit f, [vereinheitlichte] atomare Masseneinheit, u	unité f [unifiée] de masse, unité [unifiée] de masse atomique, u	атомная единица массы, u

U 341	**unified model [of nucleus]**, collective model [of nucleus], collective nuclear model, quasimolecular model [of nucleus]	kollektives Modell n [des Kerns], Kollektivmodell n [des Kerns], kombiniertes Modell [des Kerns], quasimolekulares Modell [des Kerns], kollektives (kombiniertes, quasimolekulares) Kernmodell n, deformierbares Einzelteilchenmodell n	modèle m unifié [du noyau], modèle collectif [du noyau], modèle d'ensemble, modèle quasi moléculaire [du noyau]	обобщенная модель [ядра], коллективная модель [ядра], квазимолекулярная модель [ядра]
U 341a	**unified signal**, standardized signal	Einheitssignal n, Signal n mit vereinheitlichtem Änderungsbereich	signal m unifié	унифицированный сигнал
	unifilar, unifilar variometer	Unifilarvariometer n	variomètre m unifilaire, unifilaire m	унифилярный вариометр, унифиляр
U 342	**unifilar electrodynamometer [of Kohlrausch]**	Unifilarelektrodynamometer n [nach Kohlrausch]	électrodynamomètre m unifilaire [de Kohlrausch]	унифилярный электродинамометр [по Кольраушу]
U 343	**unifilar electrometer**	Einfadenelektrometer n [nach Lutz]	électromètre m unifilaire	однонитный электрометр, однониточный электрометр, унифилярный электрометр
U 344	**unifilar galvanometer**	Unifilargalvanometer n	galvanomètre m [à suspension] unifilaire	гальванометр с однонитным подвесом
U 345	**unifilar magnetometer**	Unifilarmagnetometer n	magnétomètre m unifilaire	унифилярный магнитометр
U 346	**unifilar suspension**	Einfadenaufhängung f	suspension f unifilaire	унифилярный подвес, однонит[оч]ный подвес
U 347	**unifilar variometer**, unifilar	Unifilarvariometer n	variomètre m unifilaire, unifilaire m	унифилярный вариометр, унифиляр
U 348	**uniform acceleration**, constant acceleration, uniform increase in speed	gleichförmige Beschleunigung f	accélération f uniforme	равномерное ускорение
	uniformalization	s. uniformization		
U 349	**uniform bend[ing]**	gleichförmige Biegung f	flexion f uniforme	равномерный изгиб, равномерное изгибание
	uniform-boundedness principle, Banach-Steinhaus theorem	Banach-Steinhausscher Satz m, Satz von Banach und Steinhaus	théorème m de Banach-Steinhaus	теорема Банаха-Штейнгауса
U 350	**uniform colouration**	homogene Verfärbung f	coloration f uniforme	однородное окрашивание
U 351	**uniform combustion**, homogeneous combustion	homogene Verbrennung f	combustion f homogène	равномерное сгорание, гомогенное сгорание (горение)
U 352	**uniform continuity**	gleichmäßige Stetigkeit f	continuité f uniforme	равномерная непрерывность
U 353	**uniform convergence**	gleichmäßige Konvergenz f	convergence f uniforme	равномерная сходимость
	uniform corrosion	s. general corrosion		
U 354	**uniform diffuser**, Lambertian surface	Lambertsche Fläche f, Lambert-Fläche f, vollkommen matte Fläche, vollkommen (gleichmäßig) streuender Körper m	diffuseur m orthotrope, diffuseur uniforme	совершенный рассеиватель, равномерный рассеиватель
U 355	**uniform diffuse reflection**	vollkommen diffuse (gestreute) Reflexion f	réflexion f diffuse uniforme (orthotrope)	идеальнорассеянное отражение, равномерно-диффузное отражение
U 356	**uniform diffuse transmission**	vollkommen gestreute Transmission f, vollkommen diffuse Transmission, vollkommen gestreute Durchlassung f, vollkommen diffuse Durchlassung	transmission f diffuse uniforme (orthotrope)	идеальнорассеянное пропускание, равномерно-диффузное пропускание
U 356a	**uniform diffusion**	gleichmäßige (vollkommene) Streuung f	diffusion f orthotrope (uniforme)	равномерное рассеяние
U 357	**uniform dilatation**, dilatational strain, pure dilatational strain	gleichförmige Dilatation f, reine Volumenänderung f	changement m de volume, dilatation f pure	чистая объемная деформация, объемная деформация
	uniform distribution	s. equipartition		
U 358	**uniform elongation**	Gleichmaßdehnung f, gleichmäßige Dehnung f	allongement m uniforme	равномерное удлинение
	uniform emitting surface, surface emitting according to the cosine law, Lambertian radiator	Lambertscher Strahler m, Lambert-Strahler m	surface f émettant suivant la loi de Lambert, émetteur m lambertien	диффузно-светящаяся поверхность, излучатель Ламберта
U 359	**uniform ensemble**	uniforme Gesamtheit f	ensemble m uniforme	однородный ансамбль
U 360	**uniform flow** <hydr.>	gleichförmige (gleichmäßige) Strömung f, Gleichstrom m, homogene Strömung <Hydr.>	écoulement m uniforme, courant m uniforme <hydr.>	равномерное течение, равномерный поток <гидр.>
	uniform inclination fringe	s. fringe of equal inclination		
	uniform increase in speed	s. uniform acceleration		
U 361	**uniform integral** <therm.>	uniformes Integral n <Therm.>	intégrale f uniforme <therm.>	однородный интеграл <тепл.>
U 362	**uniformity**	Uniformität f; Gleichmäßigkeit f; Gleichgradigkeit f	uniformité f	равномерность; равностепенность
U 363	**uniformity** <math., mech.>	Gleichförmigkeit f; Gleichmäßigkeit f <Math., Mech.>	uniformité f <math., méc.>	равномерность <матем., мех.>
U 363a	**uniformity coefficient** <of soil>	Gleichförmigkeitsgrad m <Boden>	coefficient m d'uniformité <du sol>	коэффициент однородности <грунта>

U 364	**uniformity factor**	Gleichmäßigkeitskoeffizient m, Gleichmäßigkeitsfaktor m	coefficient m d'uniformité	коэффициент равномерности
U 365	**uniformity ratio [of illumination]** <opt.>	Gleichmäßigkeit f, Gleichmäßigkeitsgrad m [der Beleuchtung] <Opt.>	facteur m d'uniformité [des éclairements] <opt.>	равномерность [освещения] <опт.>
U 366	**uniformization**, uniformalization	Uniformisierung f	uniformisation f	униформизация
U 367	**uniformizing parameter**	uniformisierender Parameter m, uniformirende Variable f	variable f uniformisante	униформизирующий параметр
	uniform light, general diffused light	gleichförmiges Licht n	lumière f uniforme, lumière mixte	равномерно рассеянный свет, равномерный свет
	uniform lighting, general diffused lighting	gleichförmige Beleuchtung f	éclairage m mixte, éclairage uniforme	освещение равномерно рассеянным светом, рассеянное (равномерное) освещение
U 368	**uniform liquid**	einheitliche Flüssigkeit f	liquide m uniforme	однородная жидкость
U 369	**uniform load**, uniformly distributed load	gleichmäßig verteilte Belastung f, gleichmäßige Belastung, gleichförmig verteilte Belastung, Gleichflächenlast f	charge f uniformément répartie, charge uniforme	равномерно распределенная нагрузка
U 370	**uniformly accelerated motion**, uniformly variable motion	gleichförmig beschleunigte Bewegung f	mouvement m uniformément varié, mouvement uniformément accéléré	равномерное ускорительное движение, равноускоренное движение, равномернопеременное (равнопеременное) движение
U 371	**uniformly best constant risk estimator**, U.B.C.R. estimator	Schätzfunktion (Schätzung) f mit gleichmäßig bestem Risiko	estimateur m (fonction f estimatrice) à uniformément meilleur risque [constant]	оценка с равномерно наилучшим риском
U 372	**uniformly bounded**	gleichmäßig beschränkt	uniformément borné, équiborné	равномерно ограниченный
U 373	**uniformly continuous**	gleichmäßig stetig	uniformément continu	равномерно непрерывный
U 374	**uniformly convergent**	gleichmäßig konvergent	uniformément convergent	равномерно сходящийся
	uniformly distributed load	s. uniform load		
U 375	**uniformly most powerful test**, uniformly the most powerful test, U.M.P. test	gleichmäßig trennschärfster Test m, gleichmäßig der mächtigste Test, U. M. P.-Test m	test m uniformément le plus puissant, critère m « uniformly most powerful », test « uniformly most powerful »	равномерно наиболее мощный критерий
	uniformly variable motion	s. uniformly accelerated motion		
	uniform magnetic field, homogeneous magnetic field	homogenes Magnetfeld n, homogenes magnetisches Feld n	champ m magnétique uniforme (homogène)	однородное (равномерное) магнитное поле
	uniform mix[ture], mixture, homogeneous mixture, mix	Gemisch n, Mischung f, homogenes Gemisch, homogene Mischung	mélange m, mélange homogène, mélange uniforme	смесь, однородная смесь, гомогенная смесь
	uniform model of nucleus	s. Wigner model of nucleus		
U 376	**uniform mix[ture]**, mixture, homogeneous mixture, mix	gleichförmige Bewegung f	mouvement m uniforme	равномерное движение
U 377	**uniform motion in a straight line**, uniform straight line motion, uniform velocity motion	gleichförmige geradlinige Bewegung f, gleichförmig geradlinige Bewegung	mouvement m rectiligne uniforme, mouvement rectiligne et uniforme	равномерное и прямолинейное движение, прямолинейное равномерное движение
U 378	**uniform point source**	gleichförmige Punktquelle f	source f ponctuelle uniforme	равномерный точечный источник, равномерный точечный излучатель
	uniform random noise, white noise	weißes Rauschen n; Weißgeräusch n	bruit m blanc	белый шум
U 379	**uniform rotation**	gleichförmige Drehung f, gleichförmige Rotation f, gleichförmige Drehbewegung f	rotation f uniforme, rotation de vitesse constante	равномерное вращение, равномерно вращающее движение
U 380	**uniform scale**, numeric[al] line, line of numbers, number axis, numerical axis	Zahlengerade f, arithmetisches Kontinuum n	droite f numérique	числовая прямая, числовая ось; действительная прямая
U 381	**uniform shear**	gleichförmige Scherung f	cisaillement m uniforme	равномерный сдвиг
	uniform sidereal time, mean sidereal time	mittlere Sternzeit f	temps m sidéral moyen	среднее звездное время
	uniform speed motion	s. uniform motion		
	uniform straight line motion	s. uniform motion in a straight line		
U 382	**uniform translation**	gleichförmige Verschiebung (Translation) f	translation f uniforme	равномерное смещение
U 383	**uniform velocity**	gleichförmige Geschwindigkeit f	vitesse f uniforme	равномерная скорость
	uniform velocity motion	s. uniform motion in a straight line		
U 384	**unijunction transistor**	„unijunction"-Transistor m, pn-Flächentransistor m	transistor m à unijonction, transistor à jonction unique	однопереходный (одноконтактный) полупроводниковый триод, однопереходный (одноконтактный) транзистор, полупроводниковый триод с одним переходом транзистор с одним переходом

U 385	**unilateral constraint**	einseitige (nicht umkehrbare) Bedingung f, einseitige (nicht umkehrbare) Bindung f, einseitige Zwangsbedingung f	liaison f unilatère (unilatérale), contrainte f unilatérale	односторонняя связь, освобождающая связь
	unilateral surface, one-sided surface, non-orientable surface	einseitige Fläche f, nicht-orientierbare Fläche	surface f unilatérale, surface non orientable, surface unilatère	односторонняя поверхность, неориентируемая поверхность
	unimeter	s. volt-and-ammeter		
U 386	**unimodal distribution**	eingipflige Verteilung f, unimodale Verteilung	distribution f unimodale	одновершинное (унимодальное, одномодальное) распределение
U 387	**unimodular**	unimodular	unimodulaire	унимодулярный
U 388	**unimodular group,** special linear group	unimodulare Gruppe f, spezielle lineare Gruppe	groupe m unimodulaire, groupe spécial linéaire	унимодулярная группа
U 389	**unimodular mapping, unimodular transformation**	unimodulare Transformation (Abbildung) f	transformation f unimodulaire	унимодулярное преобразование (отображение)
	unimolecular adsorption, monomolecular adsorption, molecular adsorption	monomolekulare Adsorption f, Adsorption in molekularer Schicht	adsorption f monomoléculaire, adsorption moléculaire	мономолекулярная адсорбция
	unimolecular film (layer)	s. monolayer		
U 389a	**uninodal seiche**	einknotige Seiche f	seiche f uninodale	одноузловой сейш
U 390	**uninuclear, uninucleate**	einkernig	uninuclée	одноядерный
	uninverted crosstalk	s. intelligible crosstalk		
U 391	**uninverted top to bottom** <of image>	höhenrichtig <Bild>	redressé de haut en bas, non renversé de haut en bas, non retourné de haut en bas <de l'image>	необращенный сверху вниз или снизу вверх <об изображении>
U 392	**union,** sum, joint <of sets>, set union, [logical] sum, sum-set	Vereinigungsmenge f, Vereinigung f, Summe f <von Mengen>	[ré]union f <des ensembles>, ensemble-somme m	объединение, сумма <множеств>
U 393	**uniplanar filament,** monoplane filament <US>	flächenförmiger Leuchtkörper m	filament m plan	плоское тело накала
	uniplanar motion, plane motion	ebene Bewegung f	mouvement m plan, mouvement parallèle à un plan	плоское движение
	unipolar	s. homopolar <chem., el.>		
U 394	**unipolar anionic conduction; unipolar anionic conductivity**	unipolare Anionenleitung f; unipolare Anionenleitfähigkeit f	conduction f anionique unipolaire; conductibilité f anionique unipolaire	униполярная анионная электропроводность, униполярная анионная проводимость
U 395	**unipolar anionic conductor**	unipolarer Anionenleiter m	conducteur m anionique unipolaire	униполярный анионный проводник
U 396	**unipolar cationic conduction; unipolar cationic conductivity**	unipolare Kationenleitung f; unipolare Kationenleitfähigkeit f	conduction f cationique unipolaire; conductibilité f cationique unipolaire	униполярная катионная электропроводность; униполярная катионная проводимость
U 397	**unipolar cationic conductor**	unipolarer Kationenleiter m	conducteur m cationique unipolaire	униполярный катионный проводник
U 398	**unipolar cell**	Unipolarzelle f	cellule f unipolaire	униполярная ячейка
U 399	**unipolar conduction,** unipolar conductivity	unipolare Leitung (Leitfähigkeit) f	conduction (conductibilité) f unipolaire	униполярная электропроводность (проводимость)
U 400	**unipolar conductivity**	unipolare Leitfähigkeit f	conductibilité (conductivité) f unipolaire	униполярная проводимость
	unipolar conductivity	s. unipolar conduction		
U 401	**unipolar conductor**	unipolarer Leiter m	conducteur m unipolaire	униполярный проводник
U 402	**unipolar derivation**	unipolare Ableitung f	dérivation f unipolaire	однополюсный отвод
U 403	**unipolar electromagnetic induction,** unipolar induction	Unipolarinduktion f	induction f unipolaire	униполярная индукция
U 404	**unipolar field-effect transistor**	Unipolar-Feldeffekttransistor m	transistor m unipolaire à effet de champ	униполярный канальный транзистор (полупроводниковый триод), униполярный полевой транзистор (полупроводниковый триод)
	unipolar induction, unipolar electromagnetic induction	Unipolarinduktion f	induction f unipolaire	униполярная индукция
U 405	**unipolar ionic conduction; unipolar ionic conductivity**	unipolare Ionenleitung f; unipolare Ionenleitfähigkeit f	conduction f ionique unipolaire; conductibilité f ionique unipolaire	униполярная ионная электропроводность, униполярная ионная проводимость
U 406	**unipolar ionic conductor**	unipolarer Ionenleiter m	conducteur m ionique unipolaire	униполярный ионный проводник
U 407	**unipolar tube**	Unipolarröhre f	tube m unipolaire	униполярная трубка
U 408	**unipole antenna**	Unipol m, Unipolantenne f	antenne f unipolaire, unipôle m	униполярная антенна; антенна, излучающая равномерно во всех направлениях; антенна с равномерным излучением во всех направлениях
U 408a	**unipolyaddition**	Unipolyaddition f	unipolyaddition f	уни[поли]присоединение
U 408b	**unipolycondensation**	Unipolykondensation f	unipolycondensation f	униполиконденсация
U 409	**unipotential lens,** single lens, single electron lens, einzel lens	Einzellinse f, Dreielektrodenlinse f, elektrostatische Einzellinse	lentille f unipotentielle	одиночная линза, симметричная линза, трехэлектродная линза

U 410	**unique**	eindeutig	univoque, univalent, univalué	однозначный
U 411	**unique**, special-purpose	unikal, Spezial-	unique, à des fins spéciales	уникальный, специализированный, специального назначения
U 412	**unique creation**	Schöpfung *f*	création *f* unique	единый акт творения
U 413	**unique existence**	Existenz *f* und Eindeutigkeit *f*	existence *f* et unicité *f*	существование и единственность
	unique forbidden transition	*s.* unique transition		
U 414	**uniqueness**, unicity; single-valuedness	Eindeutigkeit *f*, Unität *f*	unicité *f*	единственность, однозначность
	uniqueness	*s. a.* specifity <stat.>		
U 415	**uniqueness theorem**	Eindeutigkeitssatz *m*, Unitätssatz *m*	théorème *m* d'unicité	теорема единственности, теорема одинаковости
U 416	**unique transition**, unique forbidden transition, parity favoured [forbidden] transition, favoured [forbidden] transition	unique-verbotener Übergang *m*	transition *f* unique, transition interdite unique	уникальный запрещенный переход, уникальный переход
	unirefringence, simple refraction, single refraction, accent	Einfachbrechung *f*	réfraction *f* unique, uniréfringence *f*	однократное преломление
	unison, prime <ac.>	Prime *f* <Ak.>	prime *f* <ac.>	унисон, прима <ак.>
U 417	**unison**, unanimous	einstimmig	à une voix, à l'unisson, unisson	одноголосный
U 418	**unit**, unit of measurement	Maßeinheit *f*, Einheit *f*	unité *f*, unité de mesure	единица, единица измерения
	unit	*s. a.* component <of construction>		
	unit	*s. a.* unit element		
U 419	**unit-area**, unit of area, unit surface	Flächeneinheit *f*	unité *f* de surface, unité d'aire	единица площади, площадь равная единице, единица поверхности
	unit area acoustic impedance	*s.* specific acoustic impedance		
	unit-area acoustic reactance, specific acoustic reactance	spezifische Schallreaktanz *f*	réactance *f* acoustique intrinsèque	реактивное удельное акустическое сопротивление
	unit-area acoustic resistance, specific acoustic resistance	spezifische Schallresistanz *f*	résistance *f* acoustique intrinsèque	активное удельное акустическое сопротивление
	unitarian bond	*s.* atomic bond		
	unitarian matrix, unitary matrix	unitäre Matrix *f*	matrice *f* unitaire	унитарная матрица
	unitarian transformation, unitary transformation	unitäre Transformation	transformation *f* unitaire, application *f* unitaire, automorphisme *m* unitaire	унитарное преобразование
U 420	**unitarity**	Unitarität *f*	unitarité *f*	унитарность
	unitary bond	*s.* atomic bond		
	unitary equivalence [of quadratic matrices]	*s.* unitary similarity		
	unitary field theory	*s.* unified field theory		
U 421	**unitary field theory [of Lanczos]**, Lanczos['] unitary field theory	unitäre Feldtheorie *f* [von Lanczos]	théorie *f* unitaire du champ [de Lanczos]	унитарная теория поля [Ланчоса]
U 422	**unitary group**	unitäre Gruppe *f*, Gruppe der unitären Transformationen, hyperorthogonale Gruppe	groupe *m* unitaire	унитарная группа
U 423	**unitary matrix**, unitarian matrix	unitäre Matrix *f*	matrice *f* unitaire	унитарная матрица
U 424	**unitary multiplet**	unitäres Multiplett *n*	multiplet *m* unitaire	унитарный мультиплет
U 425	**unitary operator**	unitärer Operator *m*	opérateur *m* unitaire	унитарный оператор
U 426	**unitary similarity [of quadratic matrices]**, unitary equivalence [of quadratic matrices]	Unitäräquivalenz *f*, Unitärähnlichkeit *f* <quadratischer Matrizen>	similitude *f* unitaire [de matrices quadratiques]	унитарное подобие [квадратичных матриц]
U 427	**unitary similar matrix**, conjunctive matrix by a unitary transformation	unitär[-]ähnliche Matrix *f*, unitär[-]kongruente Matrix, unitär-äquivalente Matrix	matrice *f* semblable par une transformation unitaire	унитарно подобная матрица
U 427a	**unitary spin**	unitärer Spin *m*	spin *m* unitaire	унитарный спин
	unitary stimulus	*s.* reference stimulus		
U 428	**unitary symmetry**	unitäre Symmetrie *f*	symétrie *f* unitaire	унитарная симметрия
	unitary system, onecomponent system, unicomponent system, unary system	Einstoffsystem *n*, unitäres System *n*, Einkomponentensystem *n*, unäres System	système *m* à une composante, système unitaire, système unaire	однокомпонентная система, унарная система
U 429	**unitary transformation**, unitarian transformation	unitäre Transformation *f*	transformation *f* unitaire, application *f* unitaire, automorphisme *m* unitaire	унитарное преобразование
	unitary unimodular group	*s.* special unitarian group		
	unit ball	*s.* unit sphere		
U 429a	**unit barrier layer**	spezifische (bezogene) Sperrschichtdicke *f*	épaisseur *f* spécifique (unitaire) de la couche barrière	удельная толщина барьерного слоя
	unit binormal	*s.* binormal		

	English	German	French	Russian
U 430	unit cell, basic cell, elementary cell, elementary lattice cell, primitive cell, unit of pattern, lattice unit <cryst.>	Elementarzelle f, Einheitszelle f, Basiszelle f, Elementarkörper m, Elementarbereich m, Elementarparallelepiped n <Krist.>	maille f, maille (cellule) f élémentaire <crist.>	элементарная ячейка, [решетки], ячейка решетки, базисная ячейка (клетка) <крист.>
U 431	unit cell dimension, lattice parameter, lattice constant, lattice spacing <cryst.>	Gitterkonstante f [des Kristalls], kristallographische Gitterkonstante, Kristallgitterkonstante f, Gitterparameter m, Gitterabstand m <Krist.>	constante f réticulaire, constante [du réseau], paramètre m de la maille de réseau <crist.>	постоянная (константа) решетки, постоянная кристалла, параметр решетки, период решетки, период повторяемости <крист.>
U 432	unit cell vector	Basisvektor m des Kristallgitters, Basisvektor der Einheitszelle, Grundtranslationsvektor m	vecteur m de base du réseau, vecteur de base du cristal	базисный вектор единичной ячейки [кристалла]
U 433	unit charge	Einheitsladung f	charge f unitaire	единичный заряд
	unit charge	s. a. electronic charge		
U 434	unit circle	Einheitskreis m	cercle m unité, cercle-unité m	окружность радиуса единицы, единичная окружность, граница единичного круга; единичный круг
	unit compressive strain	s. unit shortening		
	unit consumption	s. specific consumption		
U 435	unit cube	Einheitswürfel m	cube m unité	единичный куб
U 436	unit deviation of prism, degree of prismatic deviation	Prismengrad m	degré m prismatique, unité f de déviation du prisme	единица отклонения луча призмой
	unit duration of signal	s. step length		
U 437	united atom	vereinigtes Atom n	atome m uni	объединенный атом
U 438	united atom model, model of united atom	Modell n des vereinigten Atoms	modèle m de l'atome uni	модель объединенного атома
	United States yard	s. yard		
	unit element, identity element, identity, unity, unity element, unit; neutral element <math.>	Einheit f, Einheitselement n, Einselement n, Eins f; neutrales Element <Math.>	unité f, élément m unité, élément-unité m; élément neutre <d'un groupe> <math.>	единичный элемент, единица; нейтральный элемент <матем.>
U 439	unit elongation, unit strain, linear strain, tensile strain, normal strain, specific elongation, elongation per unit length <in μ/m °C or μ/m>	relative Längenänderung f, relative Verlängerung f, relative Dehnung f, spezifische Dehnung, Dehnung <in μ/m/m grd bzw. μm/m>	dilatation f linéaire relative, allongement m relatif, allongement linéique, allongement par unité de longueur <en μ/m °C ou μ/m>	относительное удлинение, удельное удлинение <в мк/м град или мк/м>
	unit first normal [vector]	s. principal normal		
	unit function [of Heaviside]	s. Heaviside['s] unit function		
	unit[-] function response	s. unit[-] step response		
	unit impulse function [of order one]	s. delta function		
U 440	unit[-] impulse response, unit[-] pulse response, impulse response, pulse response, weighting function, pulse step function <control>	Stoßantwort[funktion] f, Impulsantwort[funktion] f, Einheitsimpulsantwort [-funktion] f, Impulsübergangsfunktion f, Impulsübergang m, Gewichtsfunktion f, Greensche Funktion f <Regelung>	réponse f impulsive (impulsionnelle), réponse percussionnelle, réponse à une impulsion, fonction f de pondération, fonction poids (impulsionnelle) <réglage>	импульсная переходная функция, весовая функция, функция веса, импульсная реакция, ударная реакция <управление>
U 440a	unit interval <in the winding>	Spulenseitenteilung f, Spulenteilung f	intervalle m dans l'enroulement	деление обмотки якоря; результирующий шаг обмотки
	unitized principle [of construction]	s. unit principle		
	unit legal ohm	s. international ohm		
U 440b	unit load <mech.>	Einheitslast f, Last f pro Flächeneinheit <Mech.>	charge f unitaire <méc.>	нагрузка на единицу площади, единичная (удельная) нагрузка <мех.>
U 440c	unit mass, unit of mass	Masseneinheit f	unité f de masse	единица массы
	unit matrix, identity matrix	Einheitsmatrix f	matrice f unité, unité f matricielle	единичная матрица
U 441	unit membrane	Elementarmembran f	membrane f unitaire	элементарная мембрана
U 442	unit normal [vector], normal unit vector	Normaleneinheitsvektor m	vecteur m unitaire normal, vecteur unitaire de la normale, normale-unité f	единичный вектор нормали, орт нормали
	unit of area	s. unit area		
U 443	unit of heat, heat unit, caloric unit, thermal unit	Wärmemengeneinheit f, Wärmeeinheit f	unité f de chaleur, unité de quantité de chaleur, unité thermique	единица количества тепла, единица тепла, тепловая единица
U 444	unit of information	Informationseinheit f, Nachrichteneinheit f	unité f d'information	единица информации
U 445	unit of luminous intensity	Lichtstärkeeinheit f, Lichteinheit f	unité f de l'intensité lumineuse	единица светосилы
	unit of mass	s. unit mass		
	unit of measurement, unit; unity	Maßeinheit f, Einheit f; Eins f	unité f, unité de mesure	единица, единица измерения
	unit of pattern	s. unit cell <cryst.>		
	unit of time; unit time	Zeiteinheit f	unité f de temps	единица времени
	unit of volume, unit volume	Volum[en]einheit f; Raumeinheit f	unité f de volume	единица объема
U 446	unit operation	Grundverfahren n	opération f standard	основной процесс обработки

	unit operator	s. identity operator		
U 447	unit plane <cryst.>	Einheitsfläche f <Krist.>	face-unité f, face f unitaire <crist.>	единичная грань <крист.>
	unit plane	s. a. principal plane <opt.>		
U 448	unit point	Einheitspunkt m	point m unité	единичная точка
	unit principal normal [vector]	s. principal normal		
	unit principle [of construction]	s. modular principle		
	unit prism	s. protoprism		
U 449	unit process	einheitlicher Prozeß m, Einreaktorprozeß m, Einheitsprozeß m	procédé m unitaire	химический процесс, при котором все реакции протекают в одном и том же аппарате
	unit pulse function	s. Heaviside['s] unit function		
	unit[-] pulse response	s. unit[-] impulse response		
	unit pyramid	s. protopyramid		
	unit resistance	s. resistivity		
	units construction principle	s. modular principle		
	unit second normal	s. binormal		
U 450	unit shortening, linear compression, longitudinal contraction, [unit] compressive strain, compression strain; percentage strain	Stauchung f, relative Verkürzung f	accourcissement m linéique	[процентное] относительное укорочение, относительное сжатие (изменение длины)
U 451	unit skin dose [of Seitz and Wintz], HED	Hauteinheitsdosis f [nach Seitz und Wintz], Hauterythemdosis f, Röntgenerythemdosis f, HED	unité f de dose à la peau [de Seitz et Wintz], HED	единица кожной дозы
U 452	unit source	Einheitsquelle f, Quelle f der Stärke Eins	source f unité, source unique	единичный источник, источник с интенсивностью равной единице
U 453	unit sphere, unit ball	Einheitskugel f	sphère f unité, boule f unité	единичная сфера, сфера (шар) радиуса единицы
	unit step	s. Heaviside['s] unit function		
	unit step function	s. Heaviside['s] unit function		
	unit step function time response	s. unit[-] step response		
U 454	unit[-] step response, step response, step function time response, time response, transient response, unit[-] function response, indicial response, unit step function time response	Übergangsfunktion f, Sprungübergangsfunktion f, Einheitssprung-Übergangsfunktion f, Einheitsübergangsfunktion f, Sprungübergang m, Sprungantwort f, Sprungantwortfunktion f	réponse f unitaire, réponse indicielle, réponse à l'échelon unitaire (unité), réponse à un échelon [unité], réponse au signal unité, fonction f de transmission	переходная функция, единичная переходная функция, переходная характеристика, [переходная] реакция на скачок, передаточная функция, реакция на единичный скачок, единичная реакция; реакция на единичный сигнал
U 455	unit strain	spezifische Formänderung f	déformation f unitaire	относительная деформация
	unit strain	s. a. unit elongation		
	unit strength, strength per unit	spezifische Festigkeit f	résistance f unitaire, résistance par unité	удельная прочность
U 455a	unit stress	bezogene (spezifische) Spannung f	tension f unitaire	напряжение на единицу сечения
	unit surface	s. unit area		
U 456	unit tangent [vector], tangent unit vector	Tangenteneinheitsvektor m	vecteur m unitaire tangent	касательный единичный вектор, единичный касательный (тангенциальный) вектор, касательный орт
U 457	unit tensor, unit two (2) tensor, identity tensor, substitution tensor, Kronecker tensor, idemfactor	Einheitstensor m, Einheitsaffinor m, Kroneckerscher Tensor m, Identitätsdyade f, Idemfaktor m	tenseur m unité	единичный тензор, тензорная единица, идемфактор, единичный аффинор
U 458	unit time; unit of time	Zeiteinheit f	unité f de temps	единица времени
U 459	unit transformation	Einheitstransformation f	transformation f unité	единичное преобразование
U 460	unit triangle <stereographic projection of a crystal>	Einheitsdreieck n <stereographische Projektion von Kristallen>	unité f triangulaire <projection stéréographique des cristaux>	единичный треугольник <стереографическая проекция кристалла>
	unit two tensor	s. unit tensor		
U 461	unit vector, normalized vector, direction vector	Einheitsvektor m, normierter Vektor m, Einsvektor m	vecteur m unitaire, vecteur unité, vecteur normé	орт, единичный вектор, нормированный вектор
U 462	unit vector [in the direction of the coordinate axis]	Koordinateneinheitsvektor m	vecteur m unitaire de coordonnées	орт системы координат, орт координатной оси
U 463	unit vector of the outward normal	Einheitsvektor m der äußeren Normale, äußerer Normalen-[einheits]vektor m	vecteur m unité de la normale extérieure, vecteur unité normal extérieur	орт внешней нормали, единичный вектор внешней нормали
U 464	unit volume, unit of volume	Volum[en]einheit f; Raumeinheit f	unité f de volume	единица объема
	unit wavelength constant	s. image phase constant		
	unit weight	s. weight per unit volume		
	unity; unit, unit of measurement	Maßeinheit f, Einheit f; Eins f	unité f, unité de mesure	единица, единица измерения
	unity [element]	s. identity element <math.>		

	unity operator, identity operator, unit operator	Identitätsoperator *m*, Einheitsoperator *m*	opérateur *m* (transformation *f*) identique, opérateur-unité *m*	тождественный оператор, единичный оператор
U 465	uni-uni[-]valent electrolyte	uni-uni[-]valenter Elektrolyt *m*	électrolyte *m* uni-uni[-]valent	одно-одно[-]валентный электролит
	univalent, monovalent, <chem.>	monovalent, einwertig, einbindig <Chem.>	monovalent, univalent <chim.>	одновалентный, моновалентный <хим.>
	univalent [analytic] function	s. simple function		
	univalent function, schlicht function	schlichte (univalente, einwertige) Funktion *f*	fonction *f* univalente, fonction à un feuillet	однолистная функция
U 466	univalent representation, single-valued representation	eindeutige Darstellung *f*	représentation *f* univaluée	однозначное представление
	univariant, monovariant	univariant, monovariant	monovariant, univariant	одновариантный, моновариантный
	univariant equilibrium	s. monovariant equilibrium		
U 466a	univariate distribution, one-dimensional distribution	eindimensionale Verteilung *f*	distribution *f* unidimensionnelle (à une dimension)	одномерное распределение
U 467	universal actinometer	Universalaktinometer *n*	actinomètre *m* universel	универсальный актинометр
U 468	universal amplifier	Allverstärker *m*, Universalverstärker *m*	amplificateur *m* universel	универсальный усилитель
U 469	universal balance	kombinierte Feldwaage *f*, Feldwaage für *H*- und *Z*-Messungen	balance *f* magnétique universelle, balance universelle	универсальные магнитные весы [для определения вертикальной и горизонтальной составляющей поля]
U 470	universal bridge, resistance-inductance-capacitance bridge	Universalmeßbrücke *f*, Universalbrücke *f*, Allzweckbrücke *f*, RLC-Meßbrücke *f*, RLC-Brücke *f*	pont *m* universel; pont de résistances, inductances et capacités	универсальный мост[ик], универсальный измерительный мост[ик]; мост для измерения активного сопротивления, индуктивности и емкости
U 470a	universal characteristic <of turbine>	Muscheldiagramm *n*, Muschelschaubild *n*; Muschelkurve *f* <Turbine>	caractéristique *f* universelle <de la turbine>	универсальная характеристика, топограмма; линия постоянного коэффициента полезного действия <турбины>
U 471	universal constant	universelle Konstante (Zahlenkonstante) *f*, Naturkonstante *f*, universelle Naturkonstante	constante *f* universelle	мировая постоянная (константа), универсальная постоянная (константа)
U 472	universal covering group	universelle Überlagerungsgruppe *f*	groupe *m* de recouvrement universel	универсальная накрывающая группа, универсальная группа наложения
U 473	universal covering manifold	universelle Überlagerungsmannigfaltigkeit *f*	recouvrement *m* universel, revêtement *m* universel	универсальное многообразие наложения
U 474	universal covering surface	universelle Überlagerungsfläche *f*, Hauptüberlagerungsfläche *f*	surface *f* universelle de recouvrement	универсальная накрывающая поверхность, универсальная поверхность наложения
U 475	universal equilibrium	universelles Gleichgewicht *n*	équilibre *m* universel	универсальное равновесие
	universal equilibrium hypothesis	s. Kolmogoroff similarity hypothesis		
	universal filter, all-pass filter, universal network, all-pass network	Allpaß *m*	filtre *m* passe-tout	фазовый фильтр, всечастотный фильтр, пропускающий все частоты фильтр
U 476	universal finder, universal (multifocal) viewfinder, multi-focus (multifoc) finder, multifoc (multiple) viewfinder; zoom finder	Universalsucher *m*, Mehrfachsucher *m*, Vielfachsucher *m*	viseur *m* universel, viseur à champs multiples, viseur multifocal, viseur polyfocal, multifocal *m*, polyfocal *m*	универсальный видоискатель
U 477	universal function	universelle Funktion *f*	fonction *f* universelle	универсальная (мировая) функция
	universal gas constant	s. gas constant		
	universal gas constant per mole	s. gas constant		
	universal gravitation	s. gravitation		
U 478	universal indicator paper	Universalindikatorpapier *n*; Unitest-Papier *n*	papier *m* indicateur universel	универсальная индикаторная (реактивная) бумага
U 479	universal instrument, multi range multi-purpose instrument, multi-purpose instrument, multimeter	Universal[meß]gerät *n*, Universal[meß]instrument *n*, Mehrzweck-Mehrbereich-Meßgerät *n*, Mehrzweck-Mehrbereich-Instrument *n*, Mehrzweckmeßgerät *n*, Vielzweckmeßgerät *n*, Mehrfach[meß]gerät *n*, Mehrfachinstrument *n*, Vielfach[meß]gerät *n*, Vielfachinstrument *n*	appareil *m* universel, appareil de mesure universel, multimètre *m*, polymètre *m*	универсальный измерительный прибор, универсальный прибор
U 480	universal instrument, universal theodolite <in goniometry>	Universalinstrument *n*, Universal *n*, Universaltheodolit *m* <Winkelmeßinstrument>	instrument *m* universel, théodolite *m* universel <en goniométrie>	универсал, универсальный инструмент, универсальный теодолит, теодолит-универсал <для измерения углов>

	English	German	French	Russian
	universal instrument	*s. a.* alternating-current — direct-current instrument		
U 480a	**universal intensifying screen**	Universal[verstärker]folie *f*	écran *m* renforçateur universel	универсальный интенсифицирующий экран
U 481	**universal interaction**	universelle Wechselwirkung *f*	interaction *f* universelle	универсальное взаимодействие
U 482	**universal joint,** cardan joint, cardan	Kardan-Gelenk *n*, Universalgelenk *n*	joint *m* universel, joint de cardan, cardan *m*	универсальный (карданный) шарнир, кардан, шарнир Гука, шарнирная муфта, универсальная муфта
	universal manometer, universal pressure gauge	Vielfachmanometer *n*	manomètre *m* universel	универсальный манометр, групповой манометр
U 483	**universal measuring microscope**	Universalmeßmikroskop *n*	microscope *m* de mesure universel	универсальный измерительный микроскоп
	universal mounting	*s.* gimbal		
	universal network	*s.* universal filter		
	universal opaque illuminator	*s.* universal vertical illuminator		
	universal photometer, portable photometer	tragbares Photometer *n*, Universalphotometer *n*	photomètre *m* portatif, photomètre universel	переносный фотометр, универсальный фотометр
U 484	**universal pressure gauge,** universal manometer	Vielfachmanometer *n*	manomètre *m* universel	универсальный манометр, групповой манометр
	universal quantifier	*s.* generality quantifier		
	universal rotatable stage	*s.* universal stage		
U 485	**universal seismograph**	Universalseismograph *m*	séismographe (sismographe) *m* universel	универсальный сейсмограф
U 486	**universal shunt,** Ayrton shunt	Mehrfachshunt *m*, Mehrfachnebenwiderstand *m*, Vielfachnebenschluß *m*	shunt *m* universel	универсальный (многопредельный, переключаемый, подразделенный) шунт
U 487	**universal stage,** universal rotatable stage <of microscope> <three-, four-, *or* five-axis>	Universaldrehtisch *m*, Fedorowscher Tisch *m*, Fedorow-Tisch *m* <Mikroskop> <drei-, vier- *oder* fünffachsig>	platine *f* rotative universelle, platine universelle <du microscope> <à trois, quatre *ou* cinq axes>	федоровский столик, столик Фёдорова, универсальный ротационный столик <микроскопа> (трех-, четырех- *или* пятиосный>
	universal suspension	*s.* gimbal		
U 488	**universal tensile testing machine**	Universalprüfmaschine *f* für Zugversuche	machine *f* à traction universelle	универсальная машина для испытания на разрыв, универсальная разрывная машина
	universal theodolite	*s.* universal instrument <in goniometry>		
U 489	**universal time, Universal time,** Greenwich civil time, World Time, Weltzeit, Western-European time, U.T., UT, G.C.T., GCT, W.E.T., WET	Weltzeit *f*, Westeuropäische Zeit *f*, bürgerliche Zeit Greenwich (Grw.), Greenwicher Zeit, WZ, W. Z., WEZ	Temps *m* Universel, temps *m* universel, heure *f* de l'Europe Occidentale, temps de l'Europe Occidentale, heure de Greenwich, temps de Greenwich, T. U.	всемирное время, мировое время, западно-европейское время
U 490	**universal time second**	Weltzeitsekunde *f*	seconde *f* de temps universel	секунда всемирного времени
U 491	**universal tripod**	Universalstativ *n*	pied *m* pyramide (tripode universel)	универсальный штатив
U 492	**universal tube,** a.c.—d.c. tube	Allstromröhre *f*	tube *m* tous-courants, tube universel	[электронная] лампа с универсальным питанием
U 493	**universal vertical illuminator,** universal opaque illuminator	Universal-Opakilluminator *m*, Universal-Auflicht-illuminator *m*, Universal-Vertikalilluminator *m*	illuminateur *m* vertical universel, illuminateur opaque universel	универсальный опак-иллюминатор, универсальный вертикальный иллюминатор
	universal viewfinder	*s.* universal finder		
U 494	**universal weather,** world-wide weather	Weltwetter *n*	temps *m* universel	мировая погода, погода на земном шаре
	universe	*s.* population <stat.; gen.>		
	universe of Einstein and De Sitter	*s.* Einstein-De Sitter model		
U 495	**universe time clock**	Welt[zeit]uhr *f*	horloge *f* de temps universel	часы для мирового времени
U 496	**univibrator,** gating multivibrator, start-stop multivibrator, one-shot [multivibrator], monovibrator, one-kick (single-kick, single-shot, multistable, single-step) multivibrator	Univibrator *m*, Monovibrator *m*; monostabiler Multivibrator *m*, unselbständiger Multivibrator, Start-Stop-Multivibrator *m*	univibrateur *m*; multivibrateur *m* monostable, monostable *m*, multivibrateur bloqué, multivibrateur à cycle simple, multivibrateur déclenché, multivibrateur à un coup	одновибратор; задержанный (заторможенный, однотактный, запертый, ждущий, одноразовый, однотактно-релаксационный) мультивибратор
U 497	**unknown**	Unbekannte *f*	inconnue *f*	неизвестное, искомое, неизвестная [величина], искомая [величина]
	unlike	*s.* opposite		
U 498	**unlimited life**	unbegrenzte Lebensdauer *f*, Lebensdauer unendlich	durée *f* de service illimitée, vie *f* illimitée (infinie)	неограниченный срок службы
U 499	**unlimited solubility,** complete solubility	unbegrenzte Löslichkeit *f*, vollständige Löslichkeit	solubilité *f* illimitée, solubilité complète	безграничная растворимость, полная растворимость
U 500	**unlimited swelling**	unbeschränkte Quellung *f*	gonflement *m* illimité	неограниченное набухание
U 501	**unloaded,** no-load <el.>	unbelastet <El.>	non chargé <él.>	ненагруженный <эл.>
U 502	**unloaded,** unstressed <mech.>	unbeansprucht, unbelastet <Mech.>	non chargé <méc.>	ненагруженный <мех.>

	unloaded line	*s.* U-line		
U 503	unloaded Q, unloaded Q factor, intrinsic Q	Güte *f* (Gütefaktor *m*) des unbelasteten Resonanzkreises	facteur *m* de qualité à vide, facteur Q à vide	добротность ненагруженного контура
	unloading; relieving, relief, removal of the load	Entlastung *f*	décharge *f*	разгрузка, снятие нагрузки
U 504	unlocking	Entriegelung *f*, Öffnung *f*	déverrouillage *m*	деблокировка, отпирание, расцепление, размыкание
U 505	unmanned, without crew; pilotless; unattended	unbemannt; unbesetzt, nichtbesetzt	sans équipage; sans pilote; non surveillé	без экипажа; беспилотный; необслуживаемый, без обслуживающего персонала
	unmixability	*s.* immiscibility		
	unmixing	*s.* demixing		
U 506	unmodified scattering	Streuung *f* ohne Energieänderung	diffusion *f* non modifiée	рассеяние без изменения энергии фотона
	unnotched specimen, plain specimen	Vollprobestab *m*, Vollstab *m*	éprouvette *f* pleine, éprouvette non entaillée	сплошной образец, цельный образец, ненадрезанный образец
U 506a	unoccupied, non-occupied; unfilled; unpopulated; empty; vacant	unbesetzt, nichtbesetzt; leer; vakant; frei	inoccupé, non occupé; non comblé; vide; vacant	незанятый; незаполненный; свободный; вакантный
	unoccupied level	*s.* unfilled level		
U 507	unpaired electron	unpaares Elektron *n*, ungepaartes Elektron *n*, unpaariges Elektron	électron *m* impair	непарный электрон, неспаренный электрон
U 508	unpaired nucleon	unpaares Nukleon *n*, unpaariges Nukleon, ungepaartes Nukleon	nucléon *m* impair	непарный нуклон, неспаренный нуклон
U 509	unpitched sound; swishing <ac.>	Rauschen *n*, Geräusch *n* <Ak.>	bruit *m*, bruissement *m* <ac.>	нетональный (шумовой) звук; звук, не имеющий высоты <ак.>
	unpitched sound	*s. a.* sound combination <ac.>		
	unpolarizable (unpolarized) electrode, nonpolarizable electrode	unpolarisierbare Elektrode *f*	électrode *f* non polarisable, électrode impolarisable	неполяризуемый электрод, неполяризующийся электрод
U 510	unpolarized light	unpolarisiertes Licht *n*	lumière *f* non polarisée	неполяризованный свет
	unponderable	*s.* imponderable		
	unpopulated	*s.* unoccupied		
U 511	unprimed, unaccented <math.>	ungestrichen <Math.>	non primé <math.>	без штриха, без прима, нештрихованный <матем.>
U 512	unprimed quantity	ungestrichene Größe *f*	grandeur *f* non primée	величина без штриха
U 513	unpromoted	nichtbegünstigt	non amorcé	непромотированный
U 514	unprovable, undemonstrable	unbeweisbar	indémontrable	недоказуемый
U 515	unquantized	nichtgequantelt, ungequantelt	non quantifié	неквантованный
	unreactive; insensitive <of instrument>	unempfindlich <Gerät>	insensible; peu sensible <de l'appareil>	нечувствительный; мало[]чувствительный <о приборе>
U 515a	unrelaxed modulus [of elasticity], instantaneous modulus [of elasticity]	momentaner Elastizitätsmodul *m*	module *m* d'élasticité instantané	мгновенный модуль упругости
U 516	unresolvable <opt.>; unsolvable <math.>	nicht auflösbar <Opt.; Math.>; nichttrennbar, untrennbar <Opt.>; unlösbar, unauflösbar <Math.>	non résoluble <opt.; math.>	неразрешимый <опт.; матем.>
U 517	unresolved <opt.>	nichtgetrennt, nichtaufgelöst, unaufgelöst <Opt.>	non résolu, non résous <opt.>	неразрешенный <опт.>
U 517a	unrestricted dissipation of matter in the universe, dissipation of matter in the universe	[unbeschränkte] Zerstreuung *f* der Materie im Weltall	dissipation *f* [non restreinte] de la matière dans l'univers	опустение вселенной
U 517b	unrestricted symmetric group	uneingeschränkte symmetrische Gruppe *f*	groupe *m* symétrique non restreint	неограниченная симметрическая группа
	unrippled sea, smooth sea, glassy sea	spiegelglatte See *f*, vollkommen glatte See, glatte See, Meeresstille *f* <Stärke 0>	houle *f* nulle, mer *f* étale, mer calme	зеркальногладкое море, спокойное море, штиль <0 баллов>
U 518	unrolling	Abrollen *n*	viration *f*, roulement *m*, enroulement *m*	качение; сматывание
	unsatisfied bond	*s.* unsaturated bond		
U 519	unsaturated, nonsaturated	ungesättigt <auch Chem.>; nicht gesättigt; nichtabgesättigt; nicht voll ausgebildet	non saturé	ненасыщенный; непредельный <хим.>
U 520	unsaturated bond, dangling bond, unsatisfied bond	ungesättigte (nicht abgesättigte, freie) Bindung *f*	liaison *f* non saturée, liaison libre	ненасыщенная связь, свободная связь
U 521	unsaturated compound	ungesättigte Verbindung *f*	composé *m* non saturé	ненасыщенное (непредельное) соединение
U 522	unsaturated steam	ungesättigter Wasserdampf (Dampf) *m*	vapeur *f* d'eau non saturée, vapeur non saturée	ненасыщенный водяной пар, ненасыщенный пар
U 523	unsaturated vapour, unsaturated vapor <US>	ungesättigter Dampf *m*	vapeur *f* non saturée	ненасыщенный пар
	unsaturated vapor <US>	*s. a.* unsaturated vapour		

U 524	**unsaturation**	Ungesättigtheit *f*; Ungesättigtsein *n*; Nichtsättigung *f*, nichtgesättigter Zustand *m*	non-saturation *f*, insaturation *f*	ненасыщенность; непредельность ‹хим.›
U 525	**unscattered**	ungestreut	non diffusé	нерассеянный
U 526	**unsealed radioactive material**	offenes radioaktives Präparat *n*	préparation *f* radioactive non scellée	открытый радиоактивный препарат
U 527	**unsealed source**	offene Quelle *f*, offene Strahlungsquelle *f*	source *f* non scellée, source nue	открытый (неэкранированный, незакрытый) источник
	unshaded circle, open circle ‹in a figure›	heller Kreis *m*, offener Kreis ‹in der Abbildung›	cercle *m* ouvert, cercle clair ‹dans la figure›	светлый круг, контурный круг ‹в рисунке›
U 528	**unsharpness**, lack of definition, lack of focus, diffuseness, blur[ring] ‹opt.›	Unschärfe *f* ‹Opt.›	flou *m* [d'image], défocalisation *f* ‹opt.›	неопределенность, нерезкость, неточность, дефокусировка ‹опт.›
	unsharpness of the line, diffuseness of the line, line unsharpness	Linienunschärfe *f*, Unschärfe *f* der Spektrallinie	flou *m* de la raie [spectrale]	нерезкость спектральной линии, нерезкость линии
	unsolidified, non-solidified	unverfestigt	non solidifié	неупрочненный
	unsolvable	*s.* unresolvable		
	unsplintered glass, safety glass, splinter-proof glass	Sicherheitsglas *n*, splitterfreies Glas *n*	verre *m* de sécurité, verre infrangible	безосколочное стекло, безопасное стекло, небьющееся стекло
	unsqueezing, redressement, reestablishment; spreading ‹opt.›	Entzerrung *f* ‹Opt.›	redressement *m*; restitution *f* ‹opt.›	трансформирование; исправление искажений ‹опт.›
	unstability, instability, imbalance; lability	Instabilität *f*, Unstabilität *f*; Labilität *f*	instabilité *f*; labilité *f*	неустойчивость; лабильность
U 529	**unstability**, instability ‹chem.›	Unbeständigkeit *f*, Instabilität *f* ‹Chem.›	instabilité *f* ‹chim.›	нестабильность, неустойчивость ‹хим.›
	unstable circuit, astable circuit	instabiler Kreis *m*	circuit *m* instable	неустойчивая цепь, неустойчивый контур
U 530	**unstable equilibrium**, labile equilibrium, unsteady equilibrium, negative stability	labiles (instabiles, unsicheres, schwankendes) Gleichgewicht *n*, Umfallgleichgewicht *n*	équilibre *m* instable, équilibre labile	неустойчивое (лабильное) равновесие
U 531	**unstable equilibrium phase**	instabile Gleichgewichtsphase *f*, instabile Sollphase *f*	phase *f* d'équilibre instable	неустойчивая равновесная фаза
U 532	**unstable equilibrium position**	instabile Gleichgewichtslage *f*	position *f* d'équilibre instable	неустойчивое положение равновесия
U 533	**unstable frame**, labile frame; unstable truss, labile truss	labiles Fachwerk *n*, kinematisch unbestimmtes Fachwerk	treillis *m* instable	неустойчивая ферма
	unstable nucleus, radioactive nucleus, decaying nucleus	radioaktiver Kern *m*, instabiler Kern, zerfallender Kern	noyau *m* radioactif, noyau instable, noyau désintégrant	радиоактивное ядро, неустойчивое ядро, нестабильное ядро, распадающееся ядро
U 534	**unstable solution** ‹math.›	instabile Lösung *f*, labile Lösung ‹Math.›	solution *f* instable ‹math.›	неустойчивое решение ‹матем.›
U 535	**unstable state**	instabiler Zustand *m* ‹auch Kern.›; labiler (unstabiler) Zustand	état *m* instable	нестабильное состояние ‹также яд.›; неустойчивое состояние
	unstable stop band, stop band, stopband, instability stop band ‹acc.›	Stoppband *n* [im Diamanten], instabiler Streifen *m* ‹Beschl.›	bande *f* d'arrêt, bande d'instabilité, bande instable ‹acc.›	полоса устойчивости, резонансная полоса ‹уск.›
U 536	**unstable stratification**	labile Schichtung *f*, instabile Schichtung	stratification *f* instable	неустойчивая стратификация
	unstable structure / of	*s.* structural-unstable		
U 537	**unstable to fission**, unstable with respect to fission	instabil gegen Spaltung	instable à la fission	нестабильный по отношению к делению
	unstable truss; unstable frame, labile frame; labile truss	labiles Fachwerk *n*, kinematisch unbestimmtes Fachwerk	treillis *m* instable	неустойчивая ферма
	unstable with respect to fission, unstable to fission	instabil gegen Spaltung	instable à la fission	нестабильный по отношению к делению
U 538	**unsteadiness of light** ‹emitted by a source›; flashing ‹opt., el.›; flicker ‹e.g. of flame›	Flackern *n* ‹Opt., El.›; Aufflackern *n* ‹z. B. des Bogens›	tremblotement *m*, vacillations *fpl* ‹opt., él.›	мерцание, дрожание, непостоянство ‹света› ‹опт., эл.›
	unsteady, non-steady, unsteady-state; non-stationary	nichtstationär, instationär	non stationnaire, non permanent	нестационарный, неустановившийся
	unsteady; jump-like; stepped, step-like; discontinuous; sudden	sprunghaft; diskontinuierlich	discontinu	скачкообразный, с прерывами, прерывистый, прерывный
	unsteady equilibrium	*s.* unstable equilibrium		
	unsteady flow	*s.* non-stationary flow		
	unsteady motion	*s.* non-stationary flow		
	unsteady-state, non-steady, unsteady; non-stationary	nichtstationär, instationär	non stationnaire, non permanent	нестационарный, неустановившийся
U 539	**unstrained**, undeformed	unverformt, undeformiert, nichtdeformiert	non déformé	недеформированный
	unstrained	*s. a.* unstressed ‹mech.›		
	unstrained state; unstressed state	unverspannter Zustand *m*	état *m* sans contrainte, état de non-contrainte	ненапряженное состояние
U 540	**unstratified**, not stratified	ungeschichtet	non stratifié	ненапластованный; нестратифицированный; неслоистый

	unstressed, unloaded <mech.>	unbeansprucht, unbelastet <Mech.>	non chargé <méc.>	ненагруженный <мех.>
U 541	**unstressed,** stressless, free of stress, stress-free, free of tension, tension-free; unstrained, free from strain <mech.>	spannungsfrei, spannungs- los, ungespannt; unver- spannt, nicht verspannt, verspannungsfrei <Mech.>	sans tension, sans contrainte <méc.>	безнапряженный, нена- пряженный, без на- пряжения, свободный от механических напря- жений <мех.>
U 542	**unstressed state;** unstrained state	unverspannter Zustand *m*	état *m* sans contrainte, état de non-contrainte	ненапряженное состояние
U 542a	**unsupported**	freitragend, selbsttragend	à portée libre	безопорный, лишенный опоры
	unsupported length	*s.* span <mech.>		
	unsymmetric[al], asym- metric[al], dissymmetric [-al], nonsymmetric[al]	asymmetrisch, unsymme- trisch, nichtsymmetrisch	asymétrique, dissymétrique	несимметричный, асим- метрический, асимме- тричный, несимметри- ческий
U 543	**unsymmetrical top,** asymmetric gyroscope	unsymmetrischer Kreisel *m,* dreiachsiger Kreisel, asymmetrischer Kreisel	gyroscope *m* asymétrique, toupie *f* asymétrique	асимметричный (несим- метричный) волчок, не- симметрический (асим- метрический) гироскоп
	unsymmetry	*s.* asymmetry		
U 544	**untensioned,** slack, flabby, flaccid, loose, sagging, limp	schlaff, entspannt, unge- spannt	lâche, relâché; détendue	дряблый; гибкий; нежест- кий; ненатянутый
	untextured, without texture	ohne Textur, nicht vor- zugsgerichtet, nicht texturbehaftet, texturfrei	sans texture, non texturé	нетекстурированный
	untightness, leakiness	Undichtigkeit *f,* Undicht- heit *f*	non-étanchéité *f,* non- herméticité *f*	неплотность, негерметич- ность
	untuned aerial, aperiodic antenna	aperiodische Antenne *f*	antenne *f* apériodique, antenne non accordée	апериодическая антенна, ненастроенная антенна
	untuned feeder, non- resonant feeder	unabgestimmte Speise- leitung *f*	alimentateur *m* désaccordé (désadapté), feeder *m* désaccordé (désadapté)	ненастроенный фидер, рассогласованный фидер
	unvarying; constant; invariable; fixed	konstant; unveränderlich, invariabel, fest	constant; invariable	постоянный, неперемен- ный; неизменный, неизменяемый, неизме- няющийся
	unwanted signal	*s.* spurious signal		
	unweighable	*s.* imponderable		
U 545	**unweighted mean**	ungewogenes Mittel *n*	moyenne *f* non pondérée	невзвешенное среднее
U 545a	**unyawed**	nichtschiebend, mit dem Schiebungswinkel Null	à angle de lacet zéro	с нулевым углом рыскания
U 546	**up-and-down method,** staircase estimation method, staircase method	Pendelmethode *f,* Treppen- stufenmethode *f,* Auf- und-ab-Methode *f*	méthode *f* « de haut en bas », méthode « stair- case », méthode d'estima- tion de point 50 % ac- croissement ou diminu- tion du stimulus	метод «вверх и вниз», ступенчатый метод
	upcurrent, upwash, upward current, upflow, upward flow	Aufströmung *f,* Aufstrom *m,* aufsteigender Luft- strom *m*	courant *m* [d'air] ascendant, courant [d'air] montant	восходящий поток [воз- духа], скос потока вверх, скошенный вверх поток, направлен- ный вверх поток; восходящее течение
	up-down counter	*s.* bidirectional counter		
	updraft	*s.* anabatic wind		
	updraught	*s.* anabatic wind		
U 547	**uperization**	Uperisation *f,* Ultrapasteuri- sation *f,* Ultrapasteuri- sierung *f*	upérisation *f*	уперизация, мгновенная пастеризация
	upflow	*s.* upcurrent		
	upfold	*s.* anticlinal fold <geo.>		
U 548	**upgliding**	Aufgleiten *n*	glissement *m* ascendant	восходящее скольжение
U 549	**upheaval,** uplift, upthrust <geo.>	Hebung *f;* Bodenerhebung *f,* Erhebung *f* <Geo.>	levée *f,* surrection *f,* soulève- ment *m* <géo.>	поднятие <гео.>
	upheaval	*s. a.* lifting <geo.>		
U 549a	**uphill diffusion**	negative Diffusion *f*	diffusion *f* négative	отрицательная диффузия
	uplift, upheaval, upthrust <geo.>	Hebung *f;* Bodenerhebung *f,* Erhebung *f* <Geo.>	levée *f,* surrection *f,* soulève- ment *m* <géo.>	поднятие <гео.>
U 550	**uplift,** static lift, upthrust <aero.>	aerostatischer (statischer) Auftrieb *m* <Aero.>	poussée *f* aérostatique <aéro.>	подъемная сила <аэро.>
	uplift	*s. a.* lifting <geo.>		
	uplifted peneplain	*s.* dislocation mountains		
	upper-air chart, aero- logical map, altitude chart	Höhenkarte *f,* aerologische Karte *f;* Höhenströmungs- karte *f*	carte *f* aérologique, carte d'altitudes	высотная карта, аэро- логическая карта
U 551	**upper air climatology**	Klimatologie *f* der oberen Luftschichten	climatologie *f* de l'atmo- sphère supérieure	климатология верхних слоев атмосферы
	upper-air sounding rocket	*s.* altitude rocket		
	upper annealing point, annealing point <of glass>	oberer Kühlpunkt *m,* Ent- spannungspunkt *m,* Ent- spannungstemperatur *f* <Glas>	température *f* supérieure de recuit <du verre>	высшая температура отжига <стекла>
U 552	**upper atmosphere, upper atmospheric layer,** high atmosphere, high-upper atmosphere, upper part of the atmo- sphere	obere Atmosphärenschicht *f,* obere Atmosphäre *f,* hohe Atmosphäre, hohe Schichten *fpl* der Atmo- sphäre, Hochatmosphäre *f*	atmosphère *f* supérieure, couches *fpl* atmosphéri- ques supérieures, couches supérieures de l'atmo- sphère, haute atmosphère	верхние слои атмо- сферы, верхняя атмо- сфера
	upper atmospheric layer	*s.* upper atmosphere		
U 553	**upper bound**	obere Schranke *f*	borne *f* supérieure, limite *f* supérieure, majorant *m*	верхняя грань, верхняя граница
	upper calorific value	*s.* gross calorific value		
U 554	**upper central series**	aufsteigende Zentralfolge *f,* oberste Zentralfolge *f,* obere Zentralreihe *f*	série *f* centrale supérieure, série centrale ascendante	восходящий центральный ряд

	English	German	French	Russian
	upper chord	s. top chord		
U 555	upper chromosphere	höhere Chromosphäre f, hohe Chromosphäre	haute chromosphère f	верхняя хромосфера
	upper consolute temperature, upper plait-point, upper critical point	oberer kritischer Entmischungspunkt m	point m critique supérieur	верхняя критическая точка
U 556	upper course, head waters, upper waters <of river>	Oberlauf m <Fluß>	cours m supérieur, amont m <de la rivière>	верхнее течение [реки], верховье
	upper critical point, upper plait-point, upper consolute temperature	oberer kritischer Entmischungspunkt m	point m critique supérieur	верхняя критическая точка
U 557	upper culmination	obere Kulmination f, oberer Kulminationspunkt m	culmination f supérieure	верхняя кульминация
U 558	upper Darboux integral	Oberintegral n, oberes [Darbouxsches] Integral n	intégrale f supérieure, intégrale par excès	верхний интеграл [Дарбу]
	upper front, altitude front	Höhenfront f	front m d'altitude	высотный фронт, верхний фронт
U 559	upper half-plane	obere Halbebene f	demi-plan m supérieur	верхняя полуплоскость
U 560	upper harmonic, higher harmonic, ultraharmonic, overtone	höhere Harmonische f, Harmonische höherer Ordnung	harmonique f supérieure	высшая гармоника, гармоника высшего порядка
U 561	upper hemispherical flux, upper flux	oberer halbräumlicher (hemisphärischer) Lichtstrom m	flux m hémisphérique supérieur	верхний полусферический поток
	upper index	s. superscript		
	upper inversion	s. tropopause		
U 562	upper ionosphere	hohe Ionosphäre f	ionosphère f supérieure	верхняя ионосфера
U 563	upper limit, superior limit, limit superior, lim sup, lim̄	limes m superior, oberer Limes m, obere Häufungsgrenze f, obere Unbestimmtheitsgrenze f, oberer Hauptlimes m, lim sup, lim̄	la plus grande des limites, la plus grande limite f, la plus haute des limites, limite supérieure [d'indétermination], lim sup, lim̄	верхний предел, наибольший предел, lim sup, lim̄
U 564	upper limit <gen.>	Obergrenze f <Allg.>	limite f supérieure <gén.>	верхняя граница <общ.>
	upper limiting filter	s. low-pass filter		
U 565	upper limit of audibility, upper limit of hearing	obere Hörgrenze f	limite f supérieure d'audibilité	верхняя частотная граница слышимости, верхняя граница диапазона слышимых частот
U 566	upper limit of the atmosphere	Grenze f der Atmosphäre, Grenze zum Weltraum, Weltraumgrenze f	limite f supérieure de l'atmosphère	граница земной атмосферы с мировым пространством
U 567	upper limit of the cloud	Wolkenobergrenze f, obere Wolkengrenze f	limite f supérieure du nuage	верхняя граница облачности
U 568	upper limit of the integral	obere Grenze f des Integrals, obere Integrationsgrenze f	limite f supérieure de l'intégrale	верхний предел интегрирования, верхний предел интеграла
U 569	upper mantle [of Earth], B region	obere Mantelschicht f, oberer Mantel m, oberer Teil m des Mantels, Obermantel m, B-Schicht f, B-Schale f	manteau m supérieur [de la Terre], zone f B	верхний слой [оболочки], слой B [оболочки]
U 570	upper measure, exterior measure, outer measure	äußeres Maß n	mesure f extérieure	внешняя мера
	uppermost layer of soil	s. eluvial soil		
U 571	uppermost level, topmost level	oberstes (höchstes) Niveau n	niveau m le plus supérieur	высший (наивысший) уровень
	upper partial	s. overtone <ac.>		
	upper part of the atmosphere	s. upper atmosphere		
	upper part of the rectifying column	s. rectifier <chem.>		
U 572	upper plait-point, upper critical point, upper consolute temperature	oberer kritischer Entmischungspunkt m	point m critique supérieur	верхняя критическая точка
U 572a	upper pond, upper pool, upper reach, forebay, head water	Oberhaltung f, obere Haltung f, Oberwasser n, Oberstau m	bief m supérieur	верхний бьеф
U 573	upper semicontinuous function	oberhalbstetige Funktion f, nach oben halbstetige Funktion	fonction f semi-continue supérieurement	полунепрерывная сверху функция, непрерывная сверху функция
U 574	upper side[-]band	oberes Seitenband n	bande f latérale supérieure	верхняя боковая полоса
U 575	upper sum	Obersumme f, Darbouxsche Obersumme	somme f supérieure	верхняя сумма Дарбу
U 576	upper surface of the airfoil, low pressure surface, suction side of the airfoil	Flügeloberseite f, Oberseite f des Tragflügels	extrados m	верхняя поверхность, спинка
U 577	upper surface of the cloud	Wolkenoberseite f	surface f supérieure du nuage	верхняя поверхность облака
U 578	upper tangential arc	oberer Berührungsbogen m	arc m tangent supérieur	верхняя касательная дуга <к гало>
	upper threshold of audibility	s. upper threshold of hearing		
U 579	upper threshold of hearing, pain threshold of hearing, upper threshold of audibility, level of discomfort, threshold of feeling, threshold of pain, threshold of discomfort, threshold of tickle	obere Hörschwelle f, Schmerzschwelle f, Schmerzgrenze f	seuil m supérieur d'audibilité, seuil douloureux de l'ouïe, seuil de douleur	порог болевого ощущения, болевой порог, болевой предел слышимости, верхний предел слухового восприятия, порог болевой ощущаемости, порог чувствительности
U 580	upper trade [wind]	Oberpassat m	vent m alizé supérieur	верхний пассат

U 581	**upper troposphere**	obere Troposphäre *f*	troposphère *f* supérieure	верхняя тропосфера
	upper waters, upper course, head waters ‹of river›	Oberlauf *m* ‹Fluß›	cours *m* supérieur, amont *m* ‹de la rivière›	верхнее течение [реки], верховье
	upper wind, high-altitude wind; aloft wind	Höhenwind *m*	vent *m* des hauteurs	высотный ветер, верховой ветер, ветер на высотах
U 582	**upper yield point, upper yield point stress, upper yield strength**	obere Streckgrenze *f*, obere Fließgrenze *f*, Loslösespannung *f*	limite *f* supérieure d'étirement, limite élastique supérieure, valeur *f* limite d'allongement supérieure, limite d'écoulement supérieure	верхний предел текучести, верхний порог текучести
	Uppsala scale, Ångström pyrheliometric scale, Ångström scale	Ångström-Skala *f*, Upsala-Skala *f*	échelle *f* pyrhéliométrique d'Ångström, échelle d'Ångström, échelle d'Upsal	европейская пиргелиографическая шкала
	U-process, umklapp process, flop-over process	Umklappprozeß *m*; Spin-umklappprozeß *m*, Spin-„flip-flop"-Prozeß *m*, „flip-flop"-Prozeß *m*	processus *m* de réorientation, processus de fustigation	процесс переброса, переброс, процесс переориентации, процесс переворачивания [спина]
U 583	**upsetting**, jumping up	Stauchung *f*; Anstauchung *f*	écrasement *m*	осадка, осаживание; высадка, высаживание
	upsetting test	*s.* compression test		
	upside-down, inverted, reversed upside-down ‹of image›	kopfstehend, umgekehrt ‹Bild›	renversé de haut en bas ‹de l'image›	перевернутый, обратный ‹об изображении›
U 584	**upslope fog**	Hangnebel *m*	brouillard *m* de pente	склоновый туман, туман горных склонов
U 585	**upslope radiation fog**	Strahlungshochnebel *m*	brouillard *m* élevé de rayonnement	радиационный высотный туман
	upslope wind	*s.* orographic upward wind		
U 586	**up-stream**, up the river	stromaufwärts, stromauf, gegen die Strömung	[en] amont	вверх по течению, выше по течению, вверх по реке, [направленный] против течения
U 587	**upstream apron, upstream floor**	Vorboden *m*, Oberteil *m* der Wehrsohle	avant-radier *m*	понур
U 587a	**uptake**	Uptake *m*, Aufnahme *f* ‹radioaktiver Stoffe› in die extrazellulare Flüssigkeit	apport *m*	поступление, введение ‹радиоактивного вещества во внеклеточную жидкость›
	uptake	*s.* intake		
U 588	**uptake factor** ‹bio.›	Aufnahmefaktor *m* ‹Bio.›	facteur *m* d'apport ‹bio.›	коэффициент поглощения организмом
	uptake of water	*s.* water intake		
U 589	**uptake rate**; absorption rate	Aufnahmegeschwindigkeit *f*	vitesse *f* d'apport	скорость поглощения
	upthrust, upheaval, uplift ‹geo.›	Hebung *f*; Bodenerhebung *f*, Erhebung *f* ‹Geo.›	levée *f*, surrection *f*, soulèvement *m* ‹géo.›	поднятие ‹гео.›
	upthrust	*s. a.* lifting ‹geo.›		
	upthrust	*s. a.* hydrostatic buoyancy ‹hydr.›		
	upthrust	*s. a.* uplift ‹aero.›		
	upturning	*s.* tilting over ‹geo.›		
	upward current	*s.* upwash		
	upward current	*s. a.* anabatic wind		
	upward flow	*s.* upwash		
	upward flux	*s.* upper hemispherical flux		
	upward force at the support	*s.* supporting force		
	upward forces at the supports	*s.* support reactions		
U 590	**upward induced transition**	induzierter Übergang *m* nach oben	transition *f* induite vers le haut	индуцированный переход вверх
	upward wind	*s.* anabatic wind		
U 591	**upwash**, upward current, upcurrent, upflow, upward flow	Aufströmung *f*, Aufstrom *m*, aufsteigender Luftstrom *m*	courant *m* [d'air] ascendant, courant [d'air] montant	восходящий поток [воздуха], скос потока вверх, скошенный (направленный) вверх поток; восходящее течение
	upwash due to heat rising	*s.* laminar thermal convection in the atmosphere		
	upwash	*s. a.* anabatic wind		
	upwind	*s.* anabatic wind		
	uranium-actinium family	*s.* actinium family		
	uranium-actinium radioactive family	*s.* actinium family		
	uranium-actinium radioactive series	*s.* actinium series		
	uranium-actinium series	*s.* actinium series		
U 592	**uranium-carbon lattice**, uranium-graphite lattice	Uran-Graphit-Gitter *n*, U-D₂O-Gitter *n*	réseau *m* uranium-graphite, réseau d'uranium à ralentisseur de graphite	уран-графитовая решетка
U 593	**uranium dioxide resistor**, urdox resistor, urdox	Urdoxwiderstand *m*, Urandioxidwiderstand *m*	lampe *f* urdox, urdox *m*	урдокс-сопротивление, урдокс, сопротивление урдокс
	uranium family	*s.* uranium series		
	uranium-graphite lattice, uranium-carbon lattice	Uran-Graphit-Gitter *n*, U-D₂O-Gitter *n*	réseau *m* uranium-graphite, réseau d'uranium à ralentisseur de graphite	уран-графитовая решетка
U 594	**uranium-heavy water lattice**	Uran-Schwerwasser-Gitter *n*	réseau *m* uranium-eau lourde, réseau d'uranium à ralentisseur d'eau lourde	уран-тяжеловодная решетка

	English	German	French	Russian
U 595	uranium intensifier	Uranverstärker *m*	renforçateur *m* au nitrate d'uranyle	урановый усилитель
	uranium lead, radium G, radium lead, 206Pb, RaG	Radium *n* G, Uranblei *n*, Radiumblei *n*, 206Pb, RaG	radium *m* G, plomb *m* d'uranium, plomb de radium, 206Pb, RaG	радий G, урановый свинец, радиевый свинец, 206Pb, RaG
	uranium lead method [of dating]	*s.* radium G method		
	uranium radioactive family (series), uranium-radium family (radioactive series)	*s.* uranium series		
U 596	uranium-radium ratio	Uran/Radium-Verhältnis *n*, U/Ra-Verhältnis *n*	proportion *f* uranium-radium, rapport *m* uranium-radium	отношение уран-радий, отношение содержания урана к содержанию радия
	uranium-radium series	*s.* uranium series		
U 597	uranium series, uranium radioactive series, 4n + 2 series, uranium-radium series, uranium-radium radioactive series, radium series, radium radioactive series; uranium family, uranium radioactive family of uranium, 4n + 2 family, uranium-radium family, radium family, radioactive family of [uranium-]radium	Uranzerfallsreihe *f*, Uranreihe *f*, (4n + 2)-Zerfallsreihe *f*, Zerfallsreihe *f* des Urans, Uran-Radium-Zerfallsreihe *f*, Uran-Radium-Reihe *f*, Radium[zerfalls]reihe *f*, Zerfallsreihe des Radiums; radioaktive Familie *f* des Urans, Uranfamilie *f*, radioaktive Familie des [Uran-]Radiums, Uran-Radium-Familie *f*, Radiumfamilie *f*	famille *f* de l'uranium, famille radioactive de l'uranium, famille 4n + 2, famille de l'uranium-radium, famille radioactive de l'uranium-radium, famille de radium, famille radioactive de radium; série *f* de l'uranium, série 4n + 2, série de l'uranium-radium, série du radium	ряд урана, ряд урана-радия, ряд радия; семейство урана, радиоактивное семейство урана, семейство урана-радия, радиоактивное семейство урана-радия, семейство радия, радиоактивное семейство радия
U 598	uranography, descriptive astronomy	beschreibende Astronomie *f*, Himmelsbeschreibung *f*, Uranographie *f*	uranographie *f*, astronomie *f* descriptive	уранография, описательная астрономия
U 598a	uranoide	Uranoid *n*,	uranoïde *m*	ураноид
	uranolith, meteorite	Meteorit *m*, Uranolith *m*	météorite *f* (*m*), uranolite *f*, uranolithe *m*	метеорит
U 599	uranometry <sky map>	Uranometrie *f* <Himmelskarte>	uranométrie *f* <carte céleste>	уранометрия <карта неба>
	uranometry	*s. a.* astrometry		
U 600	uranoscopy	Himmelsbeobachtung *f*, Uranoskopie *f*	uranoscopie *f*	ураноскопия
U 601	uranostat	Uranostat *m*	uranostat *m*	ураностат
U 601a	Urbach[s] rule	Urbachsche Regel *f*	règle *f* d'Urbach	правило Урбаха
U 602	urban climate	Stadtklima *n*, städtisches Klima *n*	climat *m* urbain	городской климат, климат городов
U 603	URCA process, loss of energy due to ordinary beta decay	URCA-Prozeß *m*	processus *m* URCA, procédé *m* URCA	урка-процесс
	urdox [resistor], uranium dioxide resistor	Urdoxwiderstand *m*, Urandioxidwiderstand *m*	lampe *f* urdox, urdox *m*	урдокс-сопротивление, урдокс, сопротивление урдокс
U 604	Urey-Bradley field	Urey-Bradley-Feld *n*, Urey-Bradleysches Kraftfeld *n*	champ *m* d'Urey-Bradley	силовое поле Юри-Бредли
	Urey-Bradley['s] potential function	*s.* Urey-Bradley-Simanouti['s] potential function		
U 605	Urey-Bradley-Shimanouchi['s] potential function, potential function of Urey-Bradley-Shimanouchi, Urey-Bradley['s] potential function	Potentialfunktion *f* von Urey-Bradley-[Shimanouchi]	fonction *f* potentielle de Urey-Bradley-[Shimanouchi]	потенциальная функция Юри-Бредли[-Симаноути]
U 606	Ursa Major cluster, UMa cluster	Ursa Major-Haufen *m*, Bärenstrom *m*, UMa-Haufen *m*	amas *m* de Grande Ourse	звездное скопление Большой Медведицы, скопление Большой Медведицы
U 606a	Ursell-Mayer cluster expansion	Ursell-Mayersche Clusterentwicklung (Entwicklung) *f*	expansion *f* d'Ursell-Mayer	разложение Урселла-Майера
U 607	ursigram	Ursigramm *n*	ursigramme *m*	урсиграмма <сводка радиометеорологических данных>
	use, utilization, using	Nutzung *f*, Ausnutzung *f*; Nutzbarmachung *f*; Verwertung *f*	utilisation *f*, usage *m*	использование
U 608	useful amplitude	Nutzamplitude *f*	amplitude *f* utile	амплитуда полезного сигнала
	useful area, effective area <opt.>	Nutzfläche *f* <Opt.>	aire *f* utile <opt.>	рабочая поверхность, полезная площадь <опт.>
U 609	useful beam	Nutzstrahlenbündel *n*, Nutzstrahl *m*	faisceau *m* utile	полезная часть пучка, полезный пучок, используемый пучок
	useful capture	*s.* fission capture		
U 610	useful cone, useful radiation cone	Nutzstrahlenkegel *m*	cône *m* utile, cône de rayonnement utile	полезный (активный) конус лучей
U 611	useful current, actual current	Nutzstrom *m*	courant *m* utile (efficace)	полезный ток, эффективный ток
	useful energy, power, energy	Nutzenergie *f*, nutzbare Energie *f*	énergie *f* utilisable	полезная энергия
U 612	useful field, signal field	Nutzfeld *n*	champ *m* utile	полезное поле
U 613	useful field intensity, useful strength of field	Nutzfeldstärke *f*	intensité *f* de champ utile	напряженность полезного поля

	English	German	French	Russian
U 614	**useful field of view measured externally,** external field ‹of polarizing prism›	Gesichtsfeldwinkel m, Dingwinkel m ‹Polarisationsprisma›	champ m utile ‹du prisme polarisateur›	апертурный угол ‹поляризационной призмы›, апертура полной поляризации
	useful flux, principal flux	Nutzfluß m, Hauptfluß m	flux m principal, flux utile	полезный магнитный поток, полезный поток, основной поток
U 615	**useful gain**	nützliche Verstärkung f	gain m utile	коэффициент полезного усиления
	useful inductance, principal inductance	Hauptinduktivität f, Nutzinduktivität f	inductance f principale (utile)	основная (полезная) индуктивность
U 616	**useful luminous flux,** utilized flux	Nutzlichtstrom m	flux m lumineux utile, flux utile	полезный световой поток
U 617	**useful magnification**	förderliche (nutzbare) Vergrößerung f	grossissement m optimal	полезное увеличение
	useful output (power)	s. actual output		
	useful power	s. actual output		
U 618	**useful radiation,** effective radiation	Nutzstrahlung f	rayonnement m utile, radiation f utile	используемое излучение, полезное излучение
	useful radiation cone, useful cone	Nutzstrahlenkegel m	cône m utile, cône de rayonnement utile	полезный (активный) конус лучей
	useful reliability	s. dependability		
U 619	**useful resistance**	Nutzwiderstand m	résistance f utile	полезное сопротивление
	useful resistance	s. a. lift ‹aero., hydr.›		
U 620	**useful signal**	Nutzsignal n	signal m utile (à recevoir)	полезный (принимаемый) сигнал
U 621	**useful solid angle** ‹of mass spectrograph›	nutzbarer Raumwinkel m, „Lichtstärke" f ‹Massenspektrograph›	angle m solide utile, « intensité f lumineuse » ‹du spectrographe de masse›	светосила ‹масс-спектрографа›
	useful strength of field, useful field intensity	Nutzfeldstärke f	intensité f de champ utile	напряженность полезного поля
U 622	**useful thermal power [of reactor]**	nutzbare thermische Leistung f, nutzbare Wärmeleistung f ‹Reaktor›	puissance f thermique utilisable [du réacteur]	полезная тепловая мощность [реактора]
U 622a	**useful voltage**	Nutzspannung f	tension f utile	полезное напряжение
U 623	**useful work,** effective work, performance	Nutzarbeit f	travail m utile	полезная работа
	use of moving averages	s. moving average		
U 624	**use of phantom circuits**	Phantomausnutzung f	utilisation f de lignes fantômes	использование фантомных цепей
	use of the shell	s. sag		
U 625	**U-shaped core**	U-Kern m	noyau m en U	подковообразный сердечник
	U-shaped valley, trough valley	Trogtal n, U-Tal n, trogförmiges Tal n, Trog m	vallée f en auge, vallée en U, auge f	корытообразная (трогообразная, троговая) долина, трог
	using, utilization, use	Nutzung f, Ausnutzung f; Nutzbarmachung f; Verwertung f	utilisation f, usage m	использование
	US knot, international knot, knot, kn, int. kn.	Knoten m, kn	nœud m, nœud international, kn	узел, узел, kn
	US-nautical mile, international mile, sea mile, nautical mile, intern. mile ‹= 1,852 m›	Seemeile f, internationale Seemeile, sm ‹= 1 852 m›	mille m [marin] ‹= 1 852 m›	морская миля ‹= 1 852 м›
	usual calorimeter	s. liquid calorimeter		
	US yard	s. yard		
	U test	s. Wilcoxon['s] test		
	utilance	s. room utilization factor		
U 626	**utility theory**	Utilitytheorie f, Nutzentheorie f	théorie f de l'utilité	теория пользы, теория выгоды
U 627	**utilization,** use, using	Nutzung f, Ausnutzung f; Nutzbarmachung f; Verwertung f	utilisation f, usage m	использование
	utilization coefficient	s. utilization factor ‹opt.›		
U 628	**utilization factor**	Nutz[ungs]faktor m, Nutzung f	coefficient m d'utilisation	коэффициент использования
U 628a	**utilization factor** ‹of paramagnetic›	Ausnutzungsfaktor m ‹Paramagnetikum›	coefficient m d'utilisation ‹du paramagnétique›	коэффициент использования ‹парамагнетика›
U 629	**utilization factor,** utilization coefficient, efficiency, coefficient of utilization; illumination efficiency ‹opt.›	Ausnutzungsfaktor m, Ausnutzungsgrad m, Ausnutzungskoeffizient m, Ausnutzungsverhältnis n, Beleuchtungswirkungsgrad m; Beleuchtungsausnutzung f ‹Opt.›	facteur m d'utilisation, coefficient m d'utilisation, rendement m; efficacité f d'éclairage ‹opt.›	коэффициент использования, показатель использования [освещения], коэффициент полезного действия освещения ‹опт.›
	utilization of energy, energy utilization; energy efficiency	energetischer Wirkungsgrad m; Energieausnutzung f	rendement m énergétique; utilisation f d'énergie	энергетический коэффициент полезного действия; использование энергии
U 630	**utilization of heat,** heat utilization, heat efficiency	Wärmeausnutzung f, Wärmenutzung f	utilisation f de la chaleur	использование тепла, теплоиспользование
	utilized flux	s. useful luminous flux		
U 631	**U tube**	U-Rohr n	tube m en U	U-образное колено, U-образная трубка
	U-tube	s. a. U tube manometer		
U 632	**U-tube capillary pycnometer**	U-Rohr-Kapillarpyknometer n	picnomètre (pycnomètre) m capillaire à tube en U	U-образный капиллярный пикнометр
	U-tube draught gauge, water draught gauge	Wassersäulenzugmesser m	déprimomètre m à eau	водяной тягомер
U 633	**U tube manometer,** U-tube manometer, U-tube	U-Rohr-Manometer n, zweischenkliges Manometer n	manomètre m à tube en U	U-образный манометр, U-образный дифманометр, U-образный трубчатый манометр

	English	German	French	Russian
U 634	U-tube viscometer	U-Rohr-Viskosimeter n	viscosimètre m à tube en U	U-образный [трубчатый] вискозиметр
	U-type four-terminal network, U-network	U-Vierpol m	quadripôle m en U	четырехполюсник типа U, U-образный четырех-полюсник (фильтр)
	UV, uv	s. ultra-violet		
U 635	uvaser	Uvaser m, Ultraviolettlaser m, UV-Laser m	uvaser m	лазер ультрафиолетового диапазона, уфазер
U 636	UV Ceti-type star, UV Ceti-type variable [star], UV Ceti variable [star], flare star	UV Ceti-Stern m, UV Ceti-Veränderlicher m, Flackerstern m, „flare star" m	variable f du type UV Ceti, variable à flare	вспыхивающая звезда, переменная звезда типа UV Кита
	u value <US>	s. over[-]all coefficient		
	uviol, uviol glass	Uviolglas n	verre m uviol, uviol m	увиолевое стекло, увиоль
U 637	uviol glass, uviol	Uviolglas n	verre m uviol, uviol m	увиолевое стекло, увиоль
U 638	uviol lamp	Uviollampe f	lampe f en verre uviol	увиолевая лампа
U 638a	Uzawa['s] method	Uzawa-Methode f	méthode f d'Uzawa	метод Узавы

V

	English	German	French	Russian
V 1	1/v absorber	1/v-Absorber m	absorbeur m en loi 1/v, absorbeur en 1/v	поглотитель по закону 1/v, поглотитель по 1/v, поглотитель с законом поглощения 1/v
	vacancy	s. vacant site <cryst.>		
	vacancy	s. a. positive hole		
	vacancy aggregate	s. vacancy cluster		
V 2	vacancy cluster, cluster of vacancies, vacancy aggregate	Leerstellenassoziat n, Leer-stellenagglomerat n, Assoziat n von Leer-stellen, Leerstellen-cluster m	agglomération f de va-cances	сгусток вакансий, агло-мерат свободных мест
V 3	vacancy[-] creep	Leerstellenkriechen n, Fehlstellenkriechen n	fluage m de vacances, fluage de place vacante	вакансионная ползу-честь; ползучесть, вызванная вакансиями
V 4	vacancy diffusion, hole diffusion	Leerstellendiffusion f, Lük-kendiffusion f	diffusion f par les trous	диффузионное перемеще-ние вакансий, диффу-зия по вакансиям
V 5	vacancy-interstitial recombination	Leerstelle-Zwischengitter-atom-Rekombination f	recombinaison f vacance-interstice	рекомбинация вакансия-междоузлие
	vacancy in the shell, shell vacancy, empty place in the shell	Leerstelle f in der Schale	vacance f dans la couche, place f vacante dans la couche	вакансия в оболочке, свободное место в оболочке
V 6	vacancy jog	Leerstellensprung m	cran m de vacance	ступенька вакансии
V 7	vacancy migration (motion), migration of vacancies	Leerstellenwanderung f; Ausheilung f von Leer-stellen	diffusion f par les trous, migration f des vacances	миграция вакансий
	vacancy pair	s. double vacancy		
V 7a	vacancy recovery	Ausheilung f von Leer-stellen	restitution (récupération) f de trous	возврат вакансий
	vacancy theory	s. hole theory [of electron]		
	vacancy-type Schottky defect	s. Schottky defect		
	vacant; unoccupied, non-occupied; unfilled; unpopulated; empty	unbesetzt, nichtbesetzt; leer; vakant; frei	inoccupé, non occupé; non comblé; vide; vacant	незанятый; незаполнен-ный; свободный; вакантный
	vacant atomic site	s. vacant site <cryst.>		
V 7b	vacant crystal	Lückenfehlkristall m	cristal m lacunaire, cristal à réseau lacunaire	вакантный кристалл
	vacant electron site	s. positive hole		
V 7c	vacant lattice	Lückengitter n	réseau m lacunaire	вакантная [кристалличе-ская] решетка
	vacant lattice position (site)	s. vacant site <cryst.>		
V 8	vacant shell	freie Schale f, unbesetzte Schale	couche f vacante	свободная оболочка
V 9	vacant site [in the lattice], vacant (empty) lattice site, vacant atomic site, substitutional site, [lattice] vacancy, vacant lattice position, lattice hole, open position, empty site, void, empty place <cryst.>	Leerstelle f, Gitterleer-stelle f, Gitter[baustein]-lücke f, Gitterloch n, Leerplatz m, Loch n, Vakanz f, leerer (unbe-setzter) Gitterplatz m, Zwischengitterlücke f, Lücke f <Krist.>	lacune f réticulaire, lacune, trou m de réseau, trou, place f vacante, loge f, pore m, site m vacant, nœud m vide, nœud vacant [du réseau] <crist.>	вакансия, вакантный узел [решетки], не-занятый узел решетки, вакантное место, сво-бодное место, пустой узел решетки, дырка, вакансия <крист.>
V 10	vacillation [about zero]	Einspielen n [des Zeigers]; Nulleinspielung f	vacillation f [de l'aiguille]	устанавливание стрелки [на нуль]
V 11	vacuojunction, vacuum thermocouple, vacuum-type thermocouple; vacuum thermo-converter	Vakuumthermoelement n; Vakuumthermo-umformer m, Vakuum-umformer m	thermocouple m à vide, couple m thermo-électrique à vide; thermoconvertisseur m à vide	вакуумная термопара, вакуумный термо-элемент, пустотный термоэлемент; вакуум-ный термопреобразо-ватель
V 12	vacuolar contraction	Vakuolenkontraktion f	contraction f vacuolaire	контракция вакуоли, стягивание вакуоли
V 13	vacuolar plasmolysis	Vakuolenplasmolyse f	plasmolyse f vacuolaire	плазмолиз вакуоль
	vacuolar sap, cell sap	Zellsaft m	suc m cellulaire, suc vacuolaire	клеточный сок

	English	German	French	Russian
	vacuometer	s. vacuum gauge		
	vacuon, pomeranchukon, Pomeranchuk particle, Pomeranchuk pole, pomeranchon	Pomerantschukon n, Pomerantschuk-Teilchen n, Pomerantschuk-Pol m, Vakuon n	pomérantchoukon m, particule f de Pomerantchouk, pôle m de Pomerantchouk, vacuon m	померанчукон, частица Померанчука, полюс Померанчука, вакуон
V 14	vacuscope	Vakuskop n	vacuscope m	вакускоп
V 15	vacustat	Vakustat m	vacustat m	вакустат <компрессионный манометр>
	vacuum	s. free space		
	vacuum	s. underpressure		
	vacuum adiabatic calorimeter, vacuum-type adiabatic calorimeter	adiabatisches Vakuum-kalorimeter n	calorimètre m adiabatique au vide	вакуумный адиабатический калориметр
V 16	vacuum annealing, annealing in vacuo	Vakuumglühen n	recuit m dans le vide, recuit sous (au, à) vide	отжиг в вакууме, отжиг под вакуумом, вакуумный отжиг
V 17	vacuum apparatus	Vakuumapparat m	appareil m à vide	вакуум-аппарат, вакуумный аппарат
V 18	vacuum arc	Vakuumlichtbogen m, Vakuumbogen m	arc m dans le vide, arc au vide	вакуумная дуга
V 19	vacuum arrestor, vacuum lightning arrestor, vacuum tube lightning arrestor	Luftleerspannungsableiter m, Vakuumspannungs-ableiter m, Luftleerblitz-ableiter m, Vakuum-blitzableiter m	parafoudre m à air raréfié	безвоздушный молние-отвод, пустотный разрядник, вакуумный молниеотвод
	vacuum attainable by vacuum jet pump, water jet vacuum	Wasserstrahlvakuum n	vide m atteint à l'usage d'une pompe à jet d'eau	вакуум, получаемый с помощью водоструйного насоса
	vacuum binant electrometer, vacuum duant electrometer, vacuum two-segment electrometer	Vakuumduant[en]elektro-meter n [nach Hoffmann]	électromètre m à deux segments à vide	вакуумный дуантный электрометр, вакуумный бинантный электрометр
V 20	vacuum breakdown, electrical breakdown in vacuum, vacuum sparking	Vakuumdurchschlag m, Durchschlag (Durch-bruch) m im Vakuum	disruption f dans le vide	пробой в вакууме; вакуумное искрение
	vacuum calorimeter, Dewar calorimeter	Vakuumkalorimeter n	calorimètre m au vide	вакуумный калориметр
V 21	vacuum cement	Vakuumkitt m	ciment m pour le vide	вакуумная замазка
V 22	vacuum chamber	Vakuumkammer f	chambre f à vide	вакуумная камера
V 22a	vacuum coat[ing], vacuum deposit[ion]	Vakuumaufdampfschicht f, [vakuum]aufgedampfte Schicht f, Aufdampf-schicht f	couche f vaporisée [sous vide], revêtement m avec métal vaporisé [sous le vide]	покрытие, наносимое методом напыления в вакууме
	vacuum coating	s. a. metallization by high vacuum evaporation		
	vacuum coating system	s. vacuum metallizer		
V 23	vacuum cock	Vakuumhahn m	robinet m à vide	вакуумный кран; вакуумный клапан
	vacuum column, vacuum distilling column, vacuum tower	Vakuumdestillierkolonne f, Vakuumkolonne f, Vakuumturm m	colonne f [de distillation] à vide, tour f à vide	вакуум-перегонная колонна, вакуумная перегонная колонна
	vacuum compartment	s. vacuum space		
V 24	vacuum connection, vacuum joint	Vakuumverbindung f	connexion f (joint m, jonction f) de vide	вакуумная коммуникация, вакуумплотное соединение
V 25	vacuum constant	Vakuumkonstante f	constante f de vide	постоянная вакуума
V 26	vacuum contact	Vakuumkontakt m	contact m sous vide	вакуумный контакт, контакт в вакууме
V 27	vacuum control valve, vacuum regulating valve	Vakuumreglerventil n, Vakuumregelventil n	soupape f régulatrice de vide	регулирующий вакуумный клапан, клапан для регулирования вакуума (разрежения)
V 28	vacuum cryostat	Vakuumkryostat m	cryostat m à (au, sous) vide	вакуум-криостат, вакуумный криостат
V 29	vacuum crystallization	Vakuumkristallisation f	cristallisation f au vide, cristallisation sous le vide	кристаллизация под вакуумом, кристаллизация в вакууме, вакуумная кристаллизация
	vacuum cup	s. suctorial disk		
V 30	vacuum current	Vakuumstrom m	courant m dans le vide	вакуумный [электронный] ток
	vacuum deposit[ion]	s. vacuum coat[ing]		
	vacuum deposition	s. a. metallization by high vacuum evaporation		
	vacuum desiccation; vacuum drying	Vakuumtrocknung f	séchage m à (au) vide; dessiccation f à (au, sous le) vide	вакуумная сушка, сушка в вакууме, сушка под вакуумом
	vacuum diagram, counterpressure diagram	Unterdruckfigur f	épure f de contre-pression, épure de vide	эпюра противодавления, эпюра вакуума
	vacuum diffusion pump	s. diffusion pump		
	vacuum diode	s. diode		
V 31	vacuum distillation, vacuum topping	Vakuumdestillation f, Unterdruckdestillation f	distillation f dans le vide	дистилляция под вакуумом, вакуум-дистилляция, вакуумная дистилляция; вакуумная перегонка, перегонка в вакууме, перегонка под уменьшенным давлением

	English	German	French	Russian
V 32	**vacuum distilling column,** vacuum column, vacuum tower	Vakuumdestillierkolonne f, Vakuumkolonne f, Vakuumturm m	colonne f [de distillation] à vide, tour f à vide	вакуум-перегонная колонна, вакуумная перегонная колонна
	vacuum doughnut, doughnut, toroid, donut <of betatron>	Ringkammer f, Ringröhre f, [ringförmige] Vakuumkammer f <Betatron>	chambre f à vide toroïdale, chambre f torique, tore m, « doughnut » m, « donut » m <du bêtatron>	тороидальная камера, вакуумная камера <бетатрона>
V 33	**vacuum drying;** vacuum desiccation	Vakuumtrocknung f	séchage m à (au) vide; dessiccation f à (au, sous le) vide	вакуумная сушка, сушка в вакууме, сушка под вакуумом
V 34	**vacuum duant electrometer,** vacuum binant electrometer, vacuum two-segment electrometer	Vakuumduant[en]elektrometer n [nach Hoffmann]	électromètre m à deux segments à vide	вакуумный дуантный электрометр, вакуумный бинантный электрометр
V 35	**vacuum effect,** vacuum phenomenon	Vakuumeffekt m	effet m du vide, phénomène m du vide	вакуумный эффект
V 36	**vacuum electrodynamics,** electrodynamics in vacuo	Vakuumelektrodynamik f	électrodynamique f dans le vide, électrodynamique du vide	вакуумная электродинамика, электродинамика в вакууме
V 37	**vacuum electron**	Vakuumelektron n	électron m du vide, électron dans le vide	вакуумный электрон, электрон в вакууме
V 38	**vacuum envelope,** vacuum jacket	Vakuummantel m	enceinte f vide, enveloppe f à vide	вакуумная рубашка (оболочка)
V 39	**vacuum envelope**	Vakuumkolben m	ampoule f vidée, ampoule sous vide	откачанная (эвакуированная) колба, колба
V 40	**vacuum equipment**	Vakuumanlage f, Vakuumapparatur f, vakuumtechnische Ausrüstung f	appareillage m à vide, équipage m pour obtenir le vide, équipement m pour obtenir le vide	вакуумная установка (аппаратура), вакуумное оборудование, оборудование для создания вакуума
	vacuum evaporation	s. metallization by vacuum evaporation		
	vacuum evaporation plant	s. vacuum metallizer		
V 41	**vacuum evaporator**	Vakuumverdampfer m	appareil m d'évaporation à vide, appareil évaporatoire à vide, évaporateur m à vide	вакуумный испаритель, вакуумный выпарной аппарат, вакуумвыпарной аппарат
V 42	**vacuum expectation value**	Vakuumerwartungswert m	valeur f moyenne dans le vide, moyenne f dans le vide	вакуумное среднее, среднее по вакууму
V 43	**vacuum extraction still**	Vakuumextraktionsapparat m	appareil m d'extraction à vide, extracteur m à (au) vide	вакуум-экстрактор, вакуум-экстракционный аппарат
V 43a	**vacuum factor** <of vacuum pump>	Vakuumfaktor m <Vakuumpumpe>	facteur m du vide <de la pompe à vide>	вакуум-фактор; коэффициент скорости <вакуум-насоса>
V 44	**vacuum factor,** gas ratio <of vacuum tube>	Vakuumfaktor m <Mehrelektrodenröhre>	facteur m de vide, degré m de vide <du tube électronique>	вакуум-фактор <электронной лампы>
V 45	**vacuum factor [of ionization gauge]**	Vakuumfaktor m [des Ionisationsmanometers]	facteur m du vide [du manomètre à ionisation]	вакуум-фактор, чувствительность <ионизационного манометра>
	vacuum filling, vacuum impregnating	Vakuumtränkung f, Vakuumimprägnierung f	imprégnation f au vide, imprégnation sous le vide	пропитка в вакууме, пропитка под вакуумом (разрежением)
V 45a	**vacuum filter**	Vakuumfilter n	filtre m à vide	вакуум-[-]фильтр
V 46	**vacuum filtration,** antigravity filtration	Vakuumfiltration f	filtration f à (sous le) vide	вакуумная фильтрация, вакуум-фильтрация
	vacuum flask, Dewar vacuum flask, Dewar flask, Dewar vessel, thermos flask	Dewar-Gefäß n, Dewarsches Gefäß n, Weinholdsches Gefäß, Vakuummantelgefäß n, Vakuumgefäß n	Dewar m, vase m Dewar, récipient m isolant au vide	сосуд Дьюара, дьюаровский сосуд
	vacuum fluctuation of the eletromagnetic field	s. electromagnetic vacuum fluctuation		
V 47	**vacuum furnace**	Vakuumofen m	four m à vide	вакуумная печь
V 48	**vacuum gauge,** vacuum[ ]meter, vacuometer	Vakuummeter n, Vakuummeßgerät n, Vakuummesser m, Unterdruckmesser m	vacuomètre m, dépressiomètre m, déprimomètre m, jauge f au vide, jauge de vide, indicateur m de vide, mesureur m de vide	вакуумметр, вакуумный манометр, прибор для измерения разрежения, указатель степени разрежения [воздуха]
	vacuum gauge pressure	s. underpressure		
V 49	**vacuum generation,** vacuum production	Vakuumherstellung f	pompage m pour obtenir le vide, obtention f du vide, génération f du vide, production f du vide	создание вакуума, образование вакуума
V 50	**vacuum grating spectrograph**	Vakuumgitterspektrograph m, Gittervakuumspektrograph m	spectrographe m à réseau à vide, spectrographe à réseau à vide	вакуумный дифракционный спектрограф
V 51	**vacuum grease**	Vakuumfett n	graisse f de vide	вакуумная смазка
V 52	**vacuum head**	Unterdruckhöhe f	hauteur f de la dépression	высота вакуума (отрицательного давления)
V 53	**vacuum impregnating,** vacuum filling	Vakuumtränkung f, Vakuumimprägnierung f	imprégnation f au vide, imprégnation sous le vide	пропитка в вакууме, пропитка под вакуумом (разрежением)
	vacuum in the proper sense	s. free space		
	vacuum ionization gauge	s. ionization gauge		

	English	German	French	Russian
	vacuum jacket	s. vacuum envelope		
	vacuum joint, vacuum connection	Vakuumverbindung f	connexion f (joint m, jonction f) de vide	вакуумная коммуникация, вакуумплотное соединение
V 54	**vacuum lamp**	Vakuumglühlampe f, Vakuumlampe f	lampe f à vide	пустотная лампа, вакуумная лампа
V 55	**vacuum layer**	Vakuumschicht f	couche f [à] vide	вакуумный слой
V 56	**vacuum leak**	Vakuumleck n, Undichtigkeit f im Vakuumsystem	fuite f dans le système à vide	вакуумная течь
	vacuum lightning arrestor	s. vacuum arrestor		
V 57	**vacuum line,** vacuum manifold	Vakuumleitung f	conduit m de vide, conduite f sous vide	вакуумпровод, вакуумны трубопровод, трубопровод для вакуумной системы, вакуумная линия
V 58	**vacuum lock**	Vakuumverschluß m	vanne f à vide	вакуумный затвор
V 59	**vacuum lock**	Vakuumschleuse f	sas m à vide, écluse f de vide	вакуумная шлюз
	vacuum manifold	s. vacuum line		
	vacuum metallization	s. metallization by high vacuum evaporation		
V 60	**vacuum metallizer, vacuum metallizing machine,** vacuum evaporation plant, vacuum coating system	Vakuumbedampfungsanlage f, Vakuummetallbedampfungsanlage f, Vakuummetallbedampfer m, Vakuumverdampfungsanlage f, Vakuumaufdampfanlage f	dispositif m de métallisation dans le vide, dispositif d'évaporation dans le vide, installation f de métallisation dans le vide, installation d'évaporation dans le vide	установка для металлизации в вакууме
	vacuum[ ]meter	s. vacuum gauge		
V 61	**vacuum oil**	Vakuumöl n	huile f de vide	вакуумное масло
	vacuum phenomenon, vacuum effect	Vakuumeffekt m	effet m du vide, phénomène m du vide	вакуумный эффект
V 62	**vacuum photocell, vacuum photoemissive tube,** vacuum tube, photoemissive vacuum cell, phototube, photovalve; high-vacuum photocell	Vakuumphotozelle f, Vakuumzelle f, Vakuumemissionsphotoelement n, Vakuumemissionsphotozelle f, Vakuumphotoelement n; Hochvakuumphotozelle f, Hochvakuumzelle f	cellule f photoélectrique à vide [poussé], cellule à vide [poussé], photocellule f à vide [poussé], tube m à vide photoémissif, tube photoélectrique	[электро]вакуумный фотоэлемент; высоковакуумный фотоэлемент
V 63	**vacuum physics**	Vakuumphysik f	physique f du vide	физика вакуума, вакуумная физика
	vacuum polarization, polarization of free space, polarization of vacuum	Polarisation f des Vakuums, Vakuumpolarisation f	polarisation f du vide	поляризация вакуума
V 64	**vacuum polarization diagram**	Vakuumpolarisationsdiagramm n	diagramme m de la polarisation du vide	диаграмма погяризации вакуума
V 65	**vacuum prism spectrograph**	Vakuumprismenspektrograph m	spectrographe m à prisme[s] à vide, spectrographe à vide à prisme[s]	призменный вакуумспектрограф, вакуумный призменный спектрограф
	vacuum production	s. vacuum generation		
V 66	**vacuum pump**	Vakuumpumpe f	pompe f à vide, trompe f à vide	вакуум[-]насос, вакуумный насос, разрежающий насос
	vacuum pump system	s. pump assembly		
	vacuum rectifier [valve]	s. vacuum valve		
	vacuum refrigerating machine, vacuum-type refrigerating machine	Vakuumkältemaschine f	machine f réfrigérante à vide	вакуумная холодильная машина
	vacuum regulating valve, vacuum control valve	Vakuumreglerventil n, Vakuumregelventil n	soupape f régulatrice de vide	регулирующий вакуумный клапан, клапан для регулирования вакуума (разрежения)
V 67	**vacuum seal[ing]**	Vakuumdichtung f; Vakuumabschluß m	joint m de vide; étanchage m [au vide]; dispositif m d'étanchéité [au vide]	вакуумное уплотнение, вакуумная запайка
V 68	**vacuum space,** vacuum compartment, evacuated space	Unterdruckraum m, Vakuumraum m, Vakuum n, evakuierter Raum m	espace m vide, espace vidé, espace évacué, espace à basse pression	объем разреженного пространства; разреженное пространство, пространство (область) разрежения, область вакуума, пустота; вакуумный колпак; вакуумная камера
V 69	**vacuum spark**	Vakuumfunke[n] m	étincelle f dans le vide, étincelle à vide	вакуумная искра
	vacuum sparking, vacuum breakdown, electrical breakdown in vacuum	Vakuumdurchschlag m, Durchschlag (Durchbruch) m im Vakuum	disruption f dans le vide	пробой в вакууме; вакуумное искрение
V 70	**vacuum spark ion source**	Vakuumfunkenionenquelle f	source f d'ions à étincelle à vide	вакуум-искровой ионный источник, вакуумный искровой источник ионов
V 71	**vacuum spectrograph**	Vakuumspektrograph m	spectrographe m à vide	вакуум-спектрограф, вакуумный спектрограф

V 72	**vacuum spectrometer, vacuum spectroscope**	Vakuumspektrometer n, Vakuumspektroskop n	spectromètre m à vide, spectroscope m à vide	вакуум-спектрометр, вакуумный спектрометр, вакуум-спектроскоп, вакуумный спектроскоп
V 73	**vacuum spectroscopy**	Vakuumspektroskopie f	spectroscopie f à vide	вакуумная спектроскопия
V 74	**vacuum state**	Vakuumzustand m	état m [du] vide	вакуумное состояние
V 75	**vacuum system,** evacuated system	Vakuumsystem n	système m à vide, système au vide	вакуумная установка, вакуумная система
	vacuum thermo-converter (thermo-couple)	s. vacuojunction		
V 76	**vacuum thrust**	Vakuumschub m	poussée f dans le vide	тяга в пустоте
V 77	**vacuum-tight**	vakuumdicht, hermetisch	étanche à vide, hermétique	вакуумно[-]плотный, вакуумплотный, герметический
	vacuum tightness	s. tightness <vac.>		
	vacuum topping	s. vacuum distillation		
	vacuum tower, vacuum distilling column, vacuum column	Vakuumdestillierkolonne f, Vakuumkolonne f, Vakuumturm m	colonne f [de distillation] à vide, tour f à vide	вакуум-перегонная колонна, вакуумная перегонная колонна
V 78	**vacuum trap**	Vakuumfalle f	piège m à vide	вакуумная ловушка, ловушка для конденсирующихся паров
	vacuum trapezoid, counterpressure trapezoid	Unterdrucktrapez n	trapèze m de contre-pression, trapèze de vide	трапеция противодавления, трапеция вакуума
V 79	**vacuum tube,** thermionic vacuum tube, vacuum valve	Vakuumröhre f, Hoch-vakuumröhre f	tube m à vide, lampe f à vide	электронная вакуумная лампа, вакуумная лампа
V 80	**vacuum tube**	s. a. vacuum photocell		
	vacuum-tube amplifier, tube amplifier, valve amplifier	Röhrenverstärker m, Elektronenröhrenver-stärker m, Vakuum-röhrenverstärker m	amplificateur m à tubes	ламповый усилитель, электронный усилитель
	vacuum-tube circuit, valve circuit, tube circuit	Röhrenschaltung f	circuit m à lampes [électroniques]	ламповая схема, схема с электронными лампами
	vacuum-tube-con-trolled, valve-controlled, tube-controlled	röhrengesteuert	commandé par les lampes (tubes thermioniques)	управленный электронными лампами, с электронным управлением
V 81	**vacuum tube electrom-eter,** tube electrometer	Röhrenelektrometer n	électromètre m à tube	ламповый электрометр, лампа-электрометр
V 82	**vacuum tube electronics**	Vakuumröhrenelektronik f, Röhrenelektronik f	électronique f des tubes à vide	электроника вакуумных ламп
	vacuum-tube galvanometer, valve galvanometer, tube-type galvanometer	Röhrengalvanometer n	galvanomètre m à lampe	ламповый гальванометр
	vacuum-tube generator	s. valve oscillator		
	vacuum tube lightning arrestor	s. vacuum arrestor		
V 83	**vacuum-tube measuring instrument,** measuring instrument employing vacuum tubes	Röhrenmeßgerät n, Röhrengerät n	appareil m de mesure à lampes [électroniques]	ламповый измерительный прибор, ламповый прибор
V 83a	**vacuum-tube microm-eter**	Röhrenmikrometer n	micromètre m à tube (lampe)	ламповый микрометр
	vacuum tube noise	s. tube noise		
	vacuum-tube oscillator	s. valve oscillator		
V 84	**vacuum-tube photometer**	Röhrenphotometer n	photomètre m à lampe	ламповый фотометр
	vacuum-tube rectifier	s. vacuum valve		
V 85	**vacuum-tube trans-mitter,** [thermionic] valve (tube) transmitter, tube-oscillator high-voltage generator	Röhrensender m	émetteur m à lampes (tubes thermioniques), transmetteur m à lampes (tubes thermioniques)	ламповый передатчик; ламповый радиопередатчик
V 86	**vacuum-tube voltmeter,** tube voltmeter, valve voltmeter, thermionic voltmeter, vacuum[-] valve voltmeter	Röhrenvoltmeter n, Röhrenspannungsmesser m, Röhren-Wechsel-spannungsmesser m	voltmètre m électronique, voltmètre à tubes [électroniques], volt-mètre amplificateur, voltmètre à lampes, volt-mètre thermionique, voltmètre thermo-électronique	ламповый вольтметр, электронный вольтметр
	vacuum two-segment electrometer, vacuum duant electrometer, vacuum binant electrometer	Vakuumduant[en]elektro-meter n [nach Hoffmann]	électromètre m à deux segments à vide	вакуумный дуантный электрометр, вакуумный бинантный электрометр
V 87	**vacuum-type adiabatic calorimeter,** vacuum adiabatic calorimeter	adiabatisches Vakuum-kalorimeter n	calorimètre m adiabatique au vide	вакуумный адиабатический калориметр
V 88	**vacuum-type refrigerating ma-chine,** vacuum refrigerating machine	Vakuumkältemaschine f	machine f réfrigérante à vide	вакуумная холодильная машина
	vacuum-type thermo-couple	s. vacuojunction		
V 89	**vacuum ultraviolet,** vuv, VUV	Vakuumultraviolett n, Vakuum-UV n, VUV	ultraviolet m à vide	вакуумная ультрафиолетовая область [спектра], ультрафиолетовая вакуумная область [спектра]

	English	German	French	Russian
	vacuum value of velocity	s. velocity in free space		
	vacuum value of velocity of light	s. velocity of light in vacuum		
V 90	vacuum value of wavelength, vacuum wavelength, wavelength in vacuum (vacuo, free space, empty space)	Vakuumwellenlänge f	longueur f d'onde dans le vide	длина волны в вакууме
V 91	vacuum valve, vacuum-tube rectifier, vacuum rectifier [valve]; high-vacuum rectifier	Vakuumgleichrichterröhre f; Vakuumgleichrichter m; Hochvakuumgleichrichter m; Hochvakuum-Gleichrichterröhre f	valve f à vide [poussé]; redresseur m à vide [poussé]	вакуумный вентиль, вакуумный выпрямитель, вакуумная выпрямительная лампа; высоковакуумный вентиль; кенотронный выпрямитель
	vacuum valve, vacuum tube, thermionic vacuum tube	Vakuumröhre f, Hoch-vakuumröhre f	tube m à vide, lampe f à vide	электронная вакуумная лампа, вакуумная лампа
V 92	vacuum valve <mech.>	Vakuumventil n <Mech.>	soupape f à vide <méc.>	вакуумный вентиль; вакуумный клапан <мех.>
	vacuum[-]valve voltmeter	s. vacuum-tube voltmeter		
V 93	vacuum vector	Vakuumvektor m	vecteur m vide	вакуумный вектор
V 94	vacuum volatilization	Vakuumverflüchtigung f	volatilisation f dans le vide	улетучивание в вакууме, улетучивание под вакуумом, вакуумное улетучивание
	vacuum wavelength	s. vacuum value of wavelength		
V 95	vacuum window	Vakuumfenster n	fenêtre f du vide	вакуумное окно
V 96	vadose water	vadoses Wasser n	eau f vadose	вадозные воды, вадозная [грунтовая] вода, фильтрационная вода
	V-aerial	s. vee antenna		
	vagabond current	s. parasite current		
V 97	vagabond ray, stray light	Irrstrahl m	rayon m parasitaire	паразитный луч
V 98	vagabond river <geo.>	Wechselfluß m <Geo.>	rivière f vagabonde <géo.>	блуждающая река <гео.>
V 98a	vagabond tektite	verschleppter Tektit m	tectite f vagabonde	блуждающий тектит
V 99	Väisälä comparator	Interferometer n von Väisälä, Väisäläsches Interferometer	comparateur m de Väisälä	компаратор Вайсала
	val	s. gramme-equivalent		
	valence, rank, order, degree <of tensor> valence	Stufe f <Tensor>, Tensor-stufe f s. a. valency	ordre m, valence f <du tenseur>	ранг, валентность <тензора>
V 100	valence angle, bond angle, angle of valence	Valenzwinkel m, Bindungs-winkel m	angle m de valence, angle de liaison, angle valenciel	валентный угол, угол валентности, угол связи
V 101	valence band, valence electron band, valence-bond band, normal band	Valenzband n, V-Band n, Valenzelektronenband n	bande f de valence, zone f de valence	валентная зона, нижняя зона, нормальная зона, заполненная зона
V 102	valence band edge	Valenzbandkante f	bord m de la bande de valence	край валентной зоны
V 103	valence band scattering	Valenzbandstreuung f	diffusion f dans la bande de valence	рассеяние в валентной зоне
V 104	valence band state	Valenzbandzustand m	état m de la bande de valence	состояние валентной зоны
V 105	valence bond, valence link[age], valency bond	Valenzbindung f	liaison f de valence	валентная связь
	valence-bond band	s. valence band		
	valence-bond method	s. valence bond theory <chem.>		
V 106	valence bond theory, v.b. theory, resonance theory, valence-bond method, v.b. method, resonance method, Heitler-London-Slating-Pauling theory, HLSP theory	Valenzstrukturmethode f, Valenzbindungsmethode f, Strukturresonanz-theorie f Resonanztheorie f, Methode f der Valenz-bindung, VB-Methode f <Chem.>	méthode f des liaisons de va-lences, méthode à liaison des valences, méthode des paires localisées <chim.>	метод локализованных пар, метод валентных схем, метод валентных связей <хим.>
	valence chain, bond chain, chain of valencies	Valenzkette f, Bindungs-kette f	chaîne f de liaisons, chaîne f de valences	цепь валентностей, цепь связей
	valence crystal	s. atomic crystal		
V 107	valence deflection angle, deflection angle of the valences	Valenzablenkungswinkel m	angle m de déviation des valences	угол отклонения валент-ностей
V 108	valence electron <semi.>	Valenzelektron n, Elektron n im Valenzband, Valenz-bandelektron n <Halb.>	électron m de valence <semi.>	валентный электрон, электрон в валентной зоне <полу.>
	valence electron	s. a. bonding electron <chem., nucl.>		
	valence electron band, valence band, valence-bond band, normal band	Valenzband n, V-Band n, Valenzelektronenband n	bande f de valence, zone f de valence	валентная зона, нижняя зона, нормальная зона, заполненная зона
V 109	valence electron con-centration, electron-to-atom ratio	Valenzelektronenkonzen-tration f, Valenzelektro-nendichte f	concentration f des électrons de valence	концентрация электронов в валентной зоне, элек-тронная концентрация в валентной зоне
V 110	valence force, valency force	Valenzkraft f	force f de valence	валентная сила
V 111	valence force constant	Valenzkraftkonstante f	constante f de force de valence	валентно-силовая кон-станта
V 112	valence-force co-ordinates	Valenzkraftkoordinaten fpl	coordonnées fpl des forces de valence	валентно-сильные координаты

ID	English	German	French	Russian
V 113	**valence force field**	Valenzkraftfeld n	champ m des forces de valence	валентное силовое поле, поле валентных сил
V 114	**valence force model**	Modell n der reinen Valenzkräfte	modèle m des forces de valence	модель чистых валентных сил
V 115	**valence isomerism**	Valenzisomerie f	isomérie f de valence	изомерия валентности
V 116	**valence lattice**	Valenzgitter n	réseau m de valence	валентная решетка
V 117	**valence line,** bond line, line noting the valence	Valenzstrich m, Bindungsstrich m	ligne f désignant la valence, ligne de valence	валентный штрих, черта валентности <в структурных формулах>
	valence link[age], valence bond	Valenzbindung f	liaison f de valence	валентная связь
	valence number	s. valency		
	valence orbit, outermost orbit, outer orbit, peripheral orbit	Valenzbahn f, kernfernste Bahn f, äußere Elektronenbahn f	orbite f externe, orbite périphérique, couronne f extérieure, orbite de valence	внешняя орбита, валентная орбита
V 118	**valence orbital**	Valenzorbital n, Valenzbahnfunktion f, Valenzfunktion f	orbitale f de valence	валентная орбиталь
V 119	**valence semiconductor**	Valenzhalbleiter m	semi-conducteur m de valence	валентный полупроводник
V 120	**valence shell,** outermost shell, outer shell, peripheral shell	Valenzschale f, Außenschale f, äußere Schale f, äußerste Schale f, äußerste Elektronenschale f, äußere Elektronenschale, kernfernste Schale	couche f de valence, couche périphérique, couche superficielle, couche externe, couche électronique externe	оболочка валентных электронов, валентная оболочка, слой валентных электронов, валентный слой, внешняя [электронная] оболочка, внешний [электронный] слой
	valence stage	s. valency		
V 121	**valence state**	Valenzzustand m	état m de valence	валентное состояние
V 122	**valence tautomerism**	Valenztautomerie f	tautomérie f de valence	валентная таутомерия, таутомерия валентности
V 123	**valence-type symmetry co-ordinates**	Valenzsymmetriekoordinaten fpl	coordonnées fpl à symétrie de valence	валентные координаты симметрии
	valence vibration	s. stretching vibration		
V 124	**valency,** valency number, valence, valence number, hydrogen valence, valence stage, atomicity	Wertigkeit f, chemische Wertigkeit, Wertigkeitsstufe f, Valenz f, Valenzzahl f, Valenzstufe f, Wasserstoffwertigkeit f, Wasserstoffvalenz f	valence f, nombre m de valence, atomicité f	валентность [по водороду], атомность, степень валентности, численная величина валентности
	valency bond	s. valence bond		
	valency coefficient, valency factor	Wertigkeitsfaktor m	facteur m de valence, coefficient m de valence	коэффициент валентности
V 125	**valency-controlled semiconductor**	valenzgesteuerter Halbleiter m	semi-conducteur m contrôlé par la valence	управляемый валентностью полупроводник
	valency electron	s. valence electron		
V 126	**valency factor,** valency coefficient	Wertigkeitsfaktor m	facteur m de valence, coefficient m de valence	коэффициент валентности; валентный фактор
	valency force, valence force	Valenzkraft f	force f de valence	валентная сила
	valency number	s. valency		
V 127	**valency rule**	Valenzregel f	règle f de valence	правило валентности
V 128	**valency-saturated**	valenzgesättigt	saturé de valences	насыщенный валентностями
V 129	**validity,** holding; applying	Gültigkeit f	validité f	справедливость, действительность, законность, сила
V 130	**valley** <geo.>	Tal n; Talung f <Geo.>	vallée f <géo.>	долина; впадина; русло <гео.>
	valley	s. a. minimum <of the curve>		
V 131	**valley bottom,** valley floor	Talboden m, Talgrund m, Talsohle f	fond m de vallée	дно долины, подошва долины
V 132	**valley breeze,** valley wind	Talwind m	vent m de vallée, vent dans la vallée	долинный ветер
V 133	**valley current**	Talstrom m	courant m de vallée	ток в провале между двумя пиками, ток минимума, ток долины
	valley divide, valley watershed	Talwasserscheide f	vallée f de partage [des eaux]	долинный водораздел
	valley floor, valley bottom	Talboden m, Talgrund m, Talsohle f	fond m de vallée	дно долины, подошва долины
V 134	**valley fog**	Talnebel m	brouillard m de vallée	долинный туман
V 135	**valley glacier,** valley-type glacier, true glacier	Talgletscher m	glacier m de vallée	ледник долинного типа, долинный ледник
V 136	**valley of stability**	„Stabilitätstal" n <in der Fläche der Bindungsenergie über Ordnungs- und Massenzahl>	vallée f de stabilité, crevasse f de stabilité	провал стабильности, впадина стабильности
V 137	**valley slope**	Talhang m, Talgehänge n, Talwand f, Tallehne f, Talabhang m	versant m de la vallée	склон долины, бок долины, гребень долины
V 138	**valley source**	Talquelle f	source f de vallée	долинный источник
V 139	**valley station**	Talstation f	station f de vallée	долинная станция
	valley-type glacier, valley glacier, true glacier	Talgletscher m	glacier m de vallée	ледник долинного типа, долинный ледник
V 140	**valley voltage**	Talspannung f	tension f de vallée	напряжение в провале между двумя пиками, напряжение минимума (долины)
V 141	**valley watershed,** valley divide	Talwasserscheide f	vallée f de partage [des eaux]	долинный водораздел

	English	German	French	Russian
	valley wind, valley breeze	Talwind m	vent m de vallée, vent dans la vallée	долинный ветер
V 142	valuation, rating <math.>	Bewertung f <Math.>	valuation f <math.>	оценка, вычисление, нормировка <матем.>
V 143	value	Wert m	valeur f	значение [величины], величина; ценность <напр. нейтронов или плутония>; цена
	value, separative work content, separation potential <in isotope separation>	Trennpotèntial n	potentiel m de séparation	потенциал разделения
	value, magnitude, length <of vector>	Betrag m, Länge f <Vektor>	module m, magnitude f, mesure f, grandeur f, intensité f <du vecteur>	модуль, [абсолютная] величина <вектора>
	value	s. a. tristimulus value		
V 144	value distribution theory	Wertverteilungslehre f, Theorie f der Wertverteilung	théorie f de la répartition des valeurs	теория распределения значений
V 145	value function	Wertfunktion f	fonction f de valeur	функция ценности
	value measured	s. experimental value		
V 146	value of a turn [of the micrometer screw]	Trommelwert m [der Mikrometerschraube]	valeur f d'un tour de vis micrométrique	цена оборота винта [микрометра]
	value of gravity	s. acceleration of gravity		
	value of level division, level constant, sensitiveness of the level	Parswert m, Teilwert m der Libelle, Angabe f der Libelle, Empfindlichkeit f der Libelle	valeur f de la partie de niveau, sensibilité f du niveau	цена деления уровня, чувствительность уровня
	value of the capacitance; capacitance, electric[al] capacitance, electric capacity <el.>	Kapazitätswert m; Kapazität f, elektrische Kapazität <El.>	valeur f de la capacité, capacité f; capacité électrique <él.>	величина емкости; емкость, электрическая емкость <эл.>
	value of the discontinuity, discontinuity value	Sprungwert m, Sprunggröße f	valeur f de discontinuité	величина скачка, величина разрыва
	value of the scale division	s. scale value		
V 147	value per unit length <per 1 km>	Belag m	valeur f linéique	погонный параметр
V 148	valve <techn.>	Ventil n <Techn.>	soupape f <techn.>	клапан; вентиль <техн.>
	valve	s. a. thermionic valve <el.>		
	valve	s. a. rectifier tube <el.>		
	valve action, valve effect, rectification effect	Ventilwirkung f, Ventileffekt m, Gleichrichterwirkung f, Gleichrichtereffekt m	effet m de valve, effet de soupape	вентильный эффект
	valve amplifier, vacuum-tube amplifier, tube amplifier	Röhrenverstärker m, Elektronenröhrenverstärker m, Vakuumröhrenverstärker m	amplificateur m à tubes	ламповый усилитель, электронный усилитель
V 149	valve area, valve opening area, opening area of the valve	[freier] Ventilquerschnitt m, Ventilöffnungsquerschnitt m	aire f d'ouverture de la soupape, section f de la soupape	свободное проходное сечение клапана, проходное сечение клапана
V 150	valve body, valve box	Ventilgehäuse n, Ventilkörper m	corps m de la soupape, boîte f de la soupape	клапанная коробка, корпус (тело) клапана; корпус вентиля
	valve characteristic	s. current-voltage characteristic		
V 151	valve circuit, vacuum-tube circuit, tube circuit	Röhrenschaltung f	circuit m à lampes [électroniques]	ламповая схема, схема с электронными лампами
V 152	valve cock	Ventilhahn m	robinet-valve m [à soupape]	клапанный кран
	valve cone, valve head, valve disk	Ventilteller m, Ventilkegel m	tête f (plateau m, cône m) de la soupape	головка клапана, клапанная тарелка, тарелка (конус, шток) клапана
	valve constant	s. tube parameter		
V 153	valve-controlled, vacuum-tube-controlled, tube-controlled	röhrengesteuert	commandé par les lampes (tubes thermioniques)	управленный электронными лампами, с электронным управлением
V 153a	valve-controlled	ventilgesteuert	commandé par soupape	управленный клапаном (вентилем)
V 154	valve diagram	Ventildiagramm n	diagramme m [d'ouverture et de fermeture] de la soupape	диаграмма клапана
	valve disk, valve head, valve cone	Ventilteller m, Ventilkegel m	tête f (plateau m, cône m) de la soupape	головка клапана, клапанная тарелка, тарелка (конус, шток) клапана
V 155	valve dosemeter	Röhrendosimeter n, Röhrendosismesser m	dosimètre m à tube	ламповый дозиметр
V 156	valve effect, valve action, rectification effect	Ventilwirkung f, Ventileffekt m, Gleichrichterwirkung f, Gleichrichtereffekt m	effet m de valve, effet de soupape	вентильный эффект
V 157	valve face	Ventilsitzfläche f	surface f d'obturation, surface de contact <de la soupape>	уплотнительная поверхность
	valve gain	s. amplification factor of the valve		
V 158	valve galvanometer, tube-type galvanometer, vacuum-tube galvanometer	Röhrengalvanometer n	galvanomètre m à lampe	ламповый гальванометр
V 159	valve gear	Ventilsteuerung f	distribution f par valve, distribution à soupapes	клапанное распределение
	valve generator	s. valve oscillator		

	English	German	French	Russian
V 160	valve head, valve disk, valve cone	Ventilteller m, Ventilkegel m	tête f (plateau m, cône m) de la soupape	головка клапана, клапанная тарелка, тарелка (конус, шток) клапана
V 161	valve lift, lift of the valve, valve travel	Ventilhub m, Hub m des Ventils, Ventilerhebung f	levée f (soulèvement m) de la soupape	ход клапана, высота подъема клапана
V 162	valve lift diagram	Hubdiagramm n des Ventils, Ventilhubdiagramm n, Ventilerhebungsdiagramm n	diagramme m de la levée de la soupape	диаграмма подъема клапана
V 163	valve needle	Ventilnadel f	pointeau m de la soupape	игла клапана
	valve noise	s. tube noise		
	valve of the rectifier, rectifier (rectifying, detecting) valve	Gleichrichterventil n, Ventil n des Gleichrichters	élément m redresseur, valve (soupape) f du redresseur	вентиль выпрямителя, выпрямительный вентиль
	valve opening, opening of the valve	Ventilöffnung f	ouverture f de la soupape	открытие клапана; проходное отверстие клапана
	valve opening area, valve area, opening area of the valve	freier Ventilquerschnitt m, Ventilquerschnitt, Ventilöffnungsquerschnitt m	aire f d'ouverture de la soupape, section f de la soupape	свободное проходное сечение клапана, проходное сечение клапана
V 164	valve oscillator, vacuum-tube oscillator, tube oscillator, valve generator, vacuum-tube generator, tube generator, tube-oscillator generator, thermionic generator	Röhrenoszillator m, Röhrengenerator m	oscillateur m à tube[s], oscillateur à tube électronique, oscillateur à lampe[s], générateur m à tube[s], générateur à tube thermionique, générateur à lampe[s]	ламповый генератор, ламповый осциллятор
	valve parameter	s. tube parameter		
	valve potentiometer	s. Poggendorff-Du Bois-Raymond potentiometer		
	valve quality, tube quality	Röhrengüte f	qualité f des tubes électroniques	добротность лампы
	valve ratio	s. rectification ratio		
V 165	valve rectifier, thermionic rectifier, transrectifier, tube rectifier, thermionic detector	Röhrengleichrichter m; Ventilgleichrichter m	redresseur m thermionique, redresseur à lampe[s] (valve, tube)	ламповый выпрямитель, выпрямитель на электронной лампе, выпрямитель с вентилем, вентильный выпрямитель
V 166	valve rustle	s. tube noise		
	valve seat[ing], seat of the valve	Ventilsitz m, Sitz m des Ventils	siège m de la soupape	седло клапана, гнездо клапана
	valve transmitter	s. vacuum-tube transmitter		
	valve travel, travel of the valve	Ventilspiel n	jeu m de la soupape	клапанный зазор, зазор между клапаном и толкателем
	valve travel	s. a. valve lift		
	valve tube	s. rectifier tube <el.>		
	valve voltmeter	s. vacuum-tube voltmeter		
V 167	valving	Ventilsystem n	système m des soupapes	размещение клапанов, система вентилей
V 168	Vandermonde['s] determinant, alternant	Vandermondesche (Cauchysche) Determinante f, Alternante f, alternierende Funktion f	déterminant m de Vandermonde, Vandermonde m	определитель Вандермонда, детерминант Вандермонда, альтернант
V 169	vane	Flügelrad n	moulinet m	вертушка, крыльчатое колесо, крыльчатка
V 169a	vane <of electrometer>	Flügel m, flügelförmige (lemniskatenförmige, biskuitförmige) Nadel f <Elektrometer>	aiguille f <de l'électromètre>	бисквит <электрометра>
V 170	vane <of the wind wheel>	Windschaufel f, Windflügel m	aile f [de l'aéromoteur]	крыльчатка, крыло ветрянки
	vane	s. a. sliding vane		
	vane	s. a. hydrometric vane <hydr.>		
	vane	s. a. plate <of capacitor>		
V 171	vane anemometer, rotary-vane anemometer, wind-vane anemometer, wind wheel anemometer, fan wheel anemometer, rotating wheel anemometer, anemometer of wind-mill type, windmill anemometer, plate anemometer	Windradanemometer n, Flügelradanemometer n, Flügelradwindmesser m, Flügelrad-Windgeschwindigkeitsmesser m	anémomètre m à ailettes planes, anémomètre à moulinet	крыльчатый анемометр, анемометр с мельничной вертушкой
V 172	vane current meter, vane-type current meter	Flügelradströmungsmesser m, Schaufelradströmungsmesser m, Schaufelradstrommesser m	courantomètre m à ailettes	лопастный прибор для измерений течений
	vaned flowmeter	s. propeller-type flowmeter		
	vane distance	s. electrode separation		
	vane grid, blade grid, grid <hydr., aero.>	Schaufelgitter n, Flügelgitter n, Gitter n <Hydr., Aero.>	grille f d'aubes [profilées], grille d'ailettes [profilées], grille <hydr., aéro.>	сетка лопаточных профилей <гидр., аэро.>
	vane pump, vane-type pump	Flügelradpumpe f, Kapselpumpe f, Schaufelradpumpe f	pompe f à aubes, pompe à ailettes	крыльчатый насос, лопастный насос, лопаточный насос
	vane radiometer	s. Crookes['] radiometer		
	vane-type current meter	s. vane current meter		
V 173	vane-type draught gauge	Klappenzugmesser m, Flügelzugmesser m, Hudlerscher Zugmesser m	déprimomètre m à volet	тягомер с вертушками

	English	German	French	Russian
V 174	**vane-type pump,** vane pump	Flügelradpumpe f, Kapselpumpe f, Schaufelradpumpe f	pompe f à aubes, pompe à ailettes	крыльчатый насос, лопастный насос, лопаточный насос
	vane wheel	s. wind motor		
	vanishing, disappearance, dying-away	Verschwinden n, Auflösung f	disparition f, nullité f	исчезновение; размывание
V 175	**vanishing** <math.>	Nullwerden n, Verschwinden n <Math.>	annulation f, propriété f de devoir nulle <math.>	обращение в нуль, исчезновение <матем.>
V 176	**vanishing current method,** initial onset method	Nullstrommethode f	méthode f du courant zéro	метод исчезающего тока
V 177	**vanishing line**	Fluchtgerade f, Fluchtlinie f; Verschwindungsgerade f, Verschwindungslinie f	ligne f de fuite	линия схода
V 178	**vanishing plane**	Fluchtebene f; Verschwindungsebene f	plan m de fuite	плоскость схода
V 179	**vanishing point**	Fluchtpunkt m; Verschwindungspunkt m	point m de fuite	точка схода
	V-antenna	s. vee antenna		
	vapor <US>	s. vapour		
V 180	**vaporability, vaporizability,** evaporability, evaporative capacity	Verdampfbarkeit f, Verdampfungsfähigkeit f, Verdampfungsvermögen n	vaporisabilité f, évaporabilité f	испаряемость, испарительная способность
V 181	**vaporization,** evaporation <by ebullition>	Verdampfung f	vaporisation f, évaporation f [par ébullition]	испарение, парообразование, образование пара, выпаривание, упаривание
	vaporization, distillation, volatilization, sublimation	Destillation f, Destillieren n, Siedetrennung f	distillation f	дистилляция, перегонка
	vaporization calorimeter	s. steam calorimeter		
V 182	**vaporization curve;** evaporation curve	Verdampfungskurve f; Verdunstungskurve f	ccurbe f de vaporisation; courbe d'évaporation	кривая испарения
V 183	**vaporization equilibrium,** evaporation equilibrium	Verdampfungsgleichgewicht n	équilibre m d'évaporation, équilibre de vaporisation	равновесие испарения
	vaporization heat	s. evaporation heat		
	vaporization rate, evaporation rate, rate of evaporation, rate of vaporization, evaporative rate	Verdampfungsgeschwindigkeit f, Verdunstungsgeschwindigkeit f	vitesse f de vaporisation, vitesse d'évaporation	скорость испарения
	vaporization rate	s. a. rate of evaporation		
V 184	**vaporous cavitation,** true cavitation, genuine cavitation	echte Kavitation f, Dampfkavitation f, Dampfblasenbildung f	cavitation f vaporeuse (de vapeur, vraie)	паровая кавитация, истинная кавитация
	vaporous envelope	s. vapour sheath		
	vaporus <US>, vapourus	Kondensationskurve f	courbe f « vapeur »	кривая конденсации, кривая пара
V 185	**vapour,** vapor <US>	Dampf m	vapeur f	пар
	vapour-absorption refrigerator	s. absorption refrigerator		
V 186	**vapour bath,** steam bath	Dampfbad n, Wasserdampfbad n	bain m de vapeur	паровая баня, паровая ванна
V 187	**vapour concentration,** absolute humidity	absolute Feuchtigkeit f	humidité f absolue	абсолютная влажность, влагосодержание
	vapour cooling	s. evaporative cooling		
V 188	**vapour density,** density of vapour[s], gas density, density of gas	Dampfdichte f, Gasdichte f	densité f de vapeur (gaz)	плотность пара (газа)
	vapour diagram	s. indicator diagram		
	vapour lamp	s. metal vapour lamp		
	vapour-liquid equilibrium	s. liquid-vapour equilibrium		
V 189	**vapour model**	Dampfmodell n	modèle m de vapeur	паровая модель
V 190	**vapour phase**	Dampfphase f, Dampfform f	phase f vapeur	паровая фаза, фаза пара
	vapour pressure	s. saturated vapour pressure		
	vapour pressure deficit	s. saturation deficit		
V 191	**vapour pressure equation,** equation for vapour pressure	Dampfdruckgleichung f	équation f de pression de vapeur [en fonction de température]	уравнение зависимости упругости пара от температуры
V 192	**vapour pressure equilibrium**	Dampfdruckgleichgewicht n	équilibre m de pression de vapeur	равновесие давления пара; равновесная упругость пара
	vapour pressure lowering, lowering of vapour pressure	Dampfdruckerniedrigung f, Dampfdruckverminderung f	abaissement m de la pression de vapeur, abaissement de pression de vapeur	понижение давления пара, понижение упругости пара, понижение давления паров
V 193	**vapour pressure thermometer,** vapour tension thermometer, thermometer with saturated vapour	Dampfdruckthermometer n, Dampfspannungsthermometer n, Spannungsthermometer n, Tensionsthermometer n, Stockthermometer n, Thalpotasimeter n	thermomètre m à pression de vapeur, thermomètre à pression maximum de vapeur	газонаполненный термометр, конденсационный термометр, [паровой] манометрический термометр, термометр с насыщенным паром, термометр с вытянутым резервуаром
V 194	**vapour pump;** steam ejector	Dampfstrahlpumpe f, Ejektor m; Treibdampfpumpe f	pompe f à jet de vapeur	пароструйный насос, насос Ленгмюра, пароструйный вакуумный насос, эжектор
V 195	**vapours**	Brodem m, Wrasen m; Schwaden m	buée f, vapeur f [chaude]; fumée f	выпар, испарения; чад, облако пара, пар; дым

	English	German	French	Russian
V 195a	**vapour sheath, vapour shroud**, vaporous envelope	Dampfmantel *m*, Dampfhülle *f*, Dampfhemd *n*; Dunsthülle *f*	enveloppe *f* à vapeur	паровая рубашка, паровой слой; паровая прослойка
	vapour tension	*s.* saturated vapour pressure		
	vapour tension thermometer	*s.* vapour pressure thermometer		
	vapour trail	*s.* condensation trail		
	vapour train, fog train <of meteor>	Nebelschweif *m*, Dampfschweif *m* <Meteor>	traînée *f* de brouillard (vapeur) <du météore>	туманный след, паровой след <метеора>
V 196	**vapour trap**	Dampffalle *f*	piège *m* à vapeur	ловушка для пара
V 197	**vapourus**, vaporus <US>	Kondensationskurve *f*, Kondensationslinie *f*, Taulinie *f*, Taupunktskurve *f*, Taukurve *f*, obere Grenzkurve *f*, rechte Grenzkurve, Vaporus *m*	courbe *f* « vapeur », ligne *f* (courbe) de condensation	кривая конденсации, кривая пара
V 198	**Vaquier balance**	Vaquier-Waage *f*	balance *f* [magnétique] de Vaquier	магнитные весы Вакье
V 199	**var**, reactive volt[-]ampere	Var *n*, VAR *n*, var, Blindwatt *n*, Blindvoltampere *n*, bW	voltampère *m* réactif, var *m*, var, watt *m* réactif	реактивный вольтампер (ватт), вольт[-]ампер реактивный, вар, *вар*
	var	*s. a.* variance <stat.>		
V 200	**varactor [diode]**, [variable-]capacitance diode, variable capacitance semiconductor junction diode, varicap, parametric diode	Varaktor *m*, Kapazitätsdiode *f*, Kapazitäts-Variations-Diode *f*, Varaktordiode *f*, Varactor *m*, Varikap *f* (*m*), parametrische Diode *f*	varactor *m*, varicap *m*, diode *f* capacitive, diode à capacité variable, diode paramétrique	варикап, варикапа, варактор, параметрический диод; полупроводниковый диод, зависящий от приложенного напряжения, вариконд
	var-hour meter, reactive-energy meter, wattless component meter	Blindverbrauchszähler *m*, Blindwattstundenzähler *m*	varheuremètre *m*, compteur *m* d'énergie réactive	счетчик варчасов, счетчик реактивной энергии
V 200a	**variability** <of star>	Helligkeitsschwankung *f* <Gestirn>	variabilité *f* <de l'étoile>	переменность блеска [звезды], переменность звездной величины
V 201	**variability** <bio., stat.> **variability**	Variabilität *f* <Bio., Stat.> *s. a.* range <stat.>	variabilité *f* <bio., stat.>	изменчивость <био., стат.>
V 202	**variable**	Variable *f*, Veränderliche *f*	variable *f*	переменная [величина], переменное
	variable, variable star	Veränderlicher *m*, veränderlicher (variabler) Stern *m*	variable *f*, étoile *f* variable	переменная звезда, переменная
V 203	**variable acceleration**	Wechselbeschleunigung *f*, veränderliche Beschleunigung *f*	accélération *f* variable	переменное ускорение
V 204	**variable-area recording, variable-area track**	Amplitudenschrift *f*, Zackenschrift *f*	trace *f* à surface variable, enregistrement *m* à surface variable, trace à amplitude variable, trace à densité fixe	поперечная фонограмма, фонограмма переменной ширины, амплитудная звукозапись, трансверсальная звукозапись, однозубчатая звукозапись
	variable autotransformer	*s.* variable ratio transformer		
	variable capacitance [semiconductor junction] diode	*s.* varactor		
V 205	**variable capacitor**	Drehkondensator *m*	condensateur *m* variable, condensateur réglable, condensateur rotatif, condensateur à rotation	конденсатор переменной емкости, переменный конденсатор
	variable capacitor	*s.* adjustable capacitor		
V 206	**variable clouding**	wechselhafte (wechselnde) Bewölkung *f*, wechselnde Bedeckung (Himmelsbedeckung) *f*	nuages *mpl* variables	переменная облачность
V 207	**variable-density sound track, variable density track**	Sprossenschrift *f*, Intensitätsschrift *f*, Dichteschrift *f*	enregistrement *m* photographique de sons à densité variable, trace *f* à densité variable	звуковая дорожка переменной плотности, фонограмма (запись) переменной плотности, система звукозаписи с переменной плотностью, оптическая интенсивная звукозапись, оптическая звукозапись штрихами разной интенсивности
	variable-focus lens	*s.* zoom lens		
V 208	**variable-gain amplifier**, adjustable gain amplifier	Regelverstärker *m*, regelbarer Verstärker *m*	amplificateur *m* à gain variable	усилитель с регулированием усиления
V 209	**variable-immersion type hydrometer**	Skalenaräometer *n*	aréomètre *m* à poids constant	ареометр постоянного веса
	variable index, running index	Laufindex *m*, laufender Index *m*, variabler Index	indice *m* variable, indice courant	переменный индекс, текущий индекс
V 210	**variable inductance**	veränderbare Induktivität (Selbstinduktion) *f*, veränderliche Induktivität (Selbstinduktion), variable Induktivität (Selbstinduktion), regelbare Induktivität (Selbstinduktion)	inductance *f* variable, inductance réglable	переменная индуктивность, регулируемая индуктивность

	English	German	French	Russian
	variable inductor, variometer, [continuously] adjustable inductor, inductometer	Variometer n	variomètre m	вариометр [индуктивности]
V 211	**variable inductor**	Regeldrossel[spule] f, Regulierdrosselspule f	bobine f de self réglable, self f réglable, self variable	регулировочная (регулируемая) дроссельная катушка, регулятор дроссельного типа, регулируемый реактор
	variable in time, variable with time, time variant	zeitlich veränderlich, zeitvariabel	variable avec le temps, variable dans le temps	[из]меняющийся во времени
V 212	**variable mu [amplifier], variable mutual conductance valve, variable-mutual tube (valve), variable mu tube (valve)**, vari-mu variable-transconductance tube (valve), sliding-screen valve (tube), selectode	Regelröhre f, Variabel-S-Röhre f, Variabel-μ-Röhre f, Röhre f mit variabler Steilheit, Selektode f, Exponentialröhre f	tube m à pente variable, tube à gain réglable, sélectode f	лампа переменной крутизны, лампа с переменной крутизной характеристики, лампа с удлиненной характеристикой, селектод, варимю
V 213	**variable of Blasius, Blasius['] variable**	Blasiussche Variable f	variable f de Blasius	переменная Блазиуса
V 214	**variable of integration**	Integrationsvariable f	variable f d'intégration	переменная интегрирования
V 215	**variable of Riemann** **variable of state**	Riemannsche Variable f s. parameter of state	variable f de Riemann	переменная Римана
V 216	**variable ratio transformer**, variable autotransformer, adjustable transformer, variable-voltage -(voltage-regulating, regulating) transformer, variac, transtat	Stelltransformator m, veränderbarer Transformator m, veränderlicher Transformator, verstellbarer Transformator, regelbarer Transformator, Regeltransformator m; Variac m, Variak m; Stellumspanner m, Regelumspanner m	transformateur m à rapport variable, rhéostat m transformateur, transformateur régulateur, transformateur de régulation, transformateur régulé; autotransformateur m variable, variac m	трансформатор с переменным коэффициентом трансформации, регулировочный трансформатор, регулируемый трансформатор, регулируемый автотрансформатор, вариак
	variable reluctance microphone **variable-resistance transducer**	s. electromagnetic microphone s. resistance transducer		
V 217	**variable resistor**, adjustable resistor, rheostat	Stellwiderstand m, veränderbarer (veränderlicher) Widerstand m, Rheostat m, Regelwiderstand m, Regelungswiderstand m, Regulierwiderstand m	résistance f variable, résistance ajustable, rhéostat m	реостат, переменное сопротивление, регулируемое сопротивление, регулировочное сопротивление, установочное сопротивление
V 218	**variable star**, variable	Veränderlicher m, veränderlicher (variabler) Stern m	variable f, étoile f variable	переменная звезда, переменная
V 219	**variable sweep aerofoil (airfoil, wing)**, swept wing (aerofoil, airfoil), crescent wing (aerofoil, airfoil), swept back wing	Tragflügel m mit veränderlicher Pfeilung, Flügel m mit veränderlicher Pfeilung, Sichelflügel m	aile f cimeterre, aile en croissant, aile en flèche variable	крыло с переменной стреловидностью, серповидное крыло
	variable-transconductance tube (valve)	s. variable mu		
	variable transformation, transformation of variables, change of variables <bio., stat.>	Variablentransformation f <Bio., Stat.>	transformation f des variables, changement m des variables <bio., stat.>	преобразование переменных, замена переменных <био., стат.>
V 220	**variable transformer**	regelbarer (veränderbarer, veränderlicher) Übertrager m	transformateur m réglable (variable, ajustable)	регулируемый трансформатор, переменный трансформатор
	variable-voltage transformer	s. variable ratio transformer		
V 221	**variable wind; shifting wind; baffling wind**	veränderlicher Wind m; umlaufender Wind; unbeständiger Wind; umspringender Wind	vent m variable	переменный ветер
V 222	**variable with time**, variable in time, time variant	zeitlich veränderlich, zeitvariabel	variable avec le temps, variable dans le temps	[из]меняющийся во времени
	variac	s. variable autotransformer		
	variac	s. variable ratio transformer		
V 223	**variance**, dispersion, square of the standard deviation, var <stat.>	Varianz f, Dispersion f, Streuungsquadrat n, Streuung f, var <Stat.>	dispersion f, moment m de dispersion, variance f, fluctuation f, var <stat.>	дисперсия [распределения вероятностей], квадрат стандартного отклонения, var <стат.>
	variance <of thermodynamic system>	s. a. degree of freedom		
	variance analysis, analysis of variance, ANOVA	Varianzanalyse f, Streuungszerlegung f, F-Verfahren n	analyse f de variance, analyse de dispersion, analyse dispersionnelle	дисперсионный анализ
	variance between classes (treatments)	s. interclass variance		
	variance-covariance matrix	s. covariance matrix		
V 224	**variance ratio, F ratio, F-statistic**	Varianzquotient m, Quotient m F, F-Prüfzahl f	rapport m (critère m, variable f) F, rapport de variance	дисперсионное отношение, F-статистика, F-отношение

V 225	**variance ratio test,** F-test	Varianzquotiententest m, F-Test m	critère m de rapport de variance, critère de rapport F, critère F, test m F, test du rapport des variances	критерий дисперсионного отношения, F-критерий
	variance within groups (treatments)	s. within-group variance		
	variant; version	Variante f	version f; variante f	вариант, версия, разновидность
V 226	**variant** <stat.>	Variante f <Stat.>	variante f <stat.>	вариант <стат.>
	variate	s. random variable		
	variation, modification <e.g. of experimental arrangement>	Modifizierung f, Abänderung f, Abwandlung f <z. B. Versuchsanordnung>	modification f, variation f <p. ex. de l'arrangement expérimental>	модифицирование, видоизменение, изменение, модификация <напр. установки>
	variation; change; alteration; varying <gen.>	Änderung f; Veränderung f; Variation f; Schwankung f; Abänderung f <allg.>	changement m; variation f; altération f <gén.>	изменение; отклонение; уклонение; колебание; вариация; ход <общ.>
V 227	**variation,** variation of the function <math.>	Variation f [der Funktion], Schwankung f [der Funktion]	variation f [de la fonction] <math.>	вариация [функции], варьирование [функции] <матем.>
V 228	**variation** <perturbation of lunar motion>	Variation f <Störung der Mondbahn>	variation f <perturbation du mouvement de la Lune>	вариация <возмущение движения Луны>
V 229	**variational calculus,** calculus of variations	Variationsrechnung f	calcul m des variations	вариационное исчисление
V 230	**variational condition**	Variationsbedingung f	condition f variationnelle	вариационное условие
V 231	**variational derivative,** variation derivative, Lagrangian derivative, functional derivative	Variationsableitung f, Lagrangesche (Euler-Lagrangesche, funktionale) Ableitung f, Funktionalableitung f	dérivée f variationnelle, dérivée fonctionnelle	вариационная производная, функциональная производная
V 232/3	**variational equation**	Variationsgleichung f	équation f aux variations, équation variationnelle	уравнение в вариациях, вариационное уравнение
V 234	**variational method**	Variationsmethode f, Variationsverfahren n	méthode f des variations	вариационный метод
V 234a	**variational movement**	Variationsbewegung f	mouvement m variationnel	вариационное движение
	variational orbit, Hill['s] variational orbit	Hillsche Variationsbahn f, Variationsbahn	orbite f variationnelle [de Hill]	вариационная орбита [по Хиллу]
V 235	**variational principle,** integral variational principle, integral principle <mech.; qu.>	Variationsprinzip n, Integralprinzip n, Extremalprinzip n <Mech.; Qu.>	principe m de variation, principe variationnel <méc.; qu.>	вариационный принцип <мех.; кв.>
V 236	**variational principle of Schwarzschild**	Schwarzschildsches Wirkungsprinzip n, Schwarzschildsches Prinzip n	principe m de Schwarzschild	принцип Шварцшильда
V 237	**variational problem**	Variationsproblem n, Variationsaufgabe f	problème m variationnel	вариационная задача
V 238	**variational solution**	Variationslösung f	solution f variationnelle	вариационное решение
V 239	**variational wave function**	Variationswellenfunktion f	fonction f d'onde variationnelle	вариационная волновая функция
V 240	**variation at constant time**	Variation f bei konstanter Zeit	variation f à temps constant	неполная вариация, изохронная вариация
	variation chart	s. declination chart		
	variation coefficient, coefficient of variation	Variationskoeffizient m, Variabilitätskoeffizient m, Variationsbeiwert m	coefficient m de variation, coefficient de variabilité	коэффициент вариации, коэффициент изменчивости (однородности)
	variation derivative	s. variational derivative		
	variation in light	s. light variation		
	variation in the mains voltage	s. main voltage fluctuation		
	variation map	s. variation chart		
	variation of altitude of the pole	s. variation of latitude		
	variation of amplitude, amplitude swing	Amplitudenhub m	variation f d'amplitude	изменение амплитуды <при амплитудной модуляции>
V 241	**variation of constants,** variation of parameters	Variation f der Konstanten	variation f des constantes	вариация произвольных постоянных, вариация постоянных (постоянной); метод вариации постоянных
V 242	**variation of latitude;** variation of altitude of the pole	Breitenschwankung f; Polhöhenschwankung f	variation f de latitude; variation de hauteur du pôle, variation de l'angle polaire	колебание широты; колебание высоты полюса, движение полюсов Земли, движение земных полюсов
V 243	**variation of mass with velocity,** relativistic variation of mass with velocity	Massenveränderlichkeit f, relativistische Massenveränderlichkeit	variation f de la masse [relativiste]	релятивистское изменение массы, изменяемость массы, зависимость массы от скорости
	variation of parameters	s. variation of constants		
V 244	**variation of temperature,** temperature variation; heating pattern	Temperaturgang m; Temperaturverlauf m	variation f de la température, marche f de la température	ход температуры; температурная характеристика
	variation of the compass	s. declination		
	variation of the function, variation <math.>	Variation f [der Funktion] <Math.>	variation f [de la fonction] <math.>	вариация [функции], варьирование [функции] <матем.>

V 245	**variation of water level**	Spiegelbewegung f, Spiegelgang m, Wasserspiegelbewegung f, Wasserspiegelgang m, Wasserstand[s]gang m	variation f du niveau [d'eau]	движение уровня воды, ход уровня воды, изменение уровня свободной поверхности воды
V 245a	**variation principle,** minimum energy principle <chem.>	Variationsprinzip n <Chem.>	principe m variationnel <chim.>	вариационный принцип <хим.>
V 246	**variation tone**	Variationston m	ton m variationnel	вариационный тон
V 247	**variation with time** <geo.>	zeitliche Variation f, zeitliche Schwankung f, zeitlicher Gang m <Geo.>	variation f avec le temps <géo.>	временное изменение, временное колебание, временная вариация <гео.>
V 248	**variator,** non-linear semiconducting dipole	Variator m	variateur m	вариатор
	varicap	s. varactor		
V 248a	**varicond**	Varikond m, Varicond m <spannungsabhängiger Kondensator mit ferroelektrischem Dielektrikum>	variconde m <condensateur à capacité variable avec la tension>	вариконд
V 249	**varied orbit**	variierte Bahn f	orbite f variée	варьированная орбита
V 249a	**variegation**	Variegation f; Mosaikfleckung f	variégation f	пестрота; варьегация
	variety, modification <bio.>	Abart f, Varietät f, Spielart f, var.; Rasse f <Bio.>	modification f, variété f <bio.>	разновидность, модификация <био.>
V 250	**variety;** manifold <algebraic geometry> <math.>	Mannigfaltigkeit f; Varietät f <algebraische Geometrie> <Math.>	variété f <math.>	многообразие <матем.>
	varifocal lens, zoom lens, zooming lens, variable-focus lens	Objektiv n mit veränderlicher Brennweite, Gummilinse f, Varioptik f, Zoomlinse f; Zoomar n	objectif m à focale variable, téléobjectif m à foyer variable	объектив с переменным фокусным расстоянием, вариообъектив
V 251	**Varignon['s] theorem**	Varignonscher Satz m, Satz (Theorem n) von Varignon	théorème m de Varignon	теорема Вариньона
	vari-mu	s. variable mu		
V 252	**variocoupler**	Variokoppler m	variocoupleur m	вариокуплер, устройство переменной связи, вариометр связи
V 253	**variogram**	Variogramm n	variogramme m	вариограмма
	variograph, recording variometer	registrierendes Variometer n, Registriervariometer n, Variograph m	variomètre m enregistreur, variographe f	вариометр-самописец, самопишущий (регистрирующий) вариометр, вариограф
V 254	**variometer,** [continuously] adjustable inductor, variable inductor, inductometer	Variometer n; variable Induktionsspule f	variomètre m	вариометр [индуктивности]
V 255	**variometer** <aero.>	Variometer n <Aero.>	variomètre m <aéro.>	вариометр <аэро.>
V 256	**variometer bar,** bar of the variometer	Variometerstab m, Stab m des Variometers	tige f du variomètre	коромысло вариометра
V 257	**variometer constant**	Variometerkonstante f	constante f du variomètre	постоянная вариометра
V 258	**variometer rotor,** moving coil of the variometer	drehbare Variometerspule f	bobine f mobile du variomètre, rotor m du variomètre	вращающаяся катушка вариометра, ротор вариометра
V 259	**variometer stator,** stationary coil of the variometer	feste Variometerspule f	bobine f stationnaire du variomètre, stator m du variomètre	неподвижная катушка вариометра, статор вариометра
	variopter, optical slide rule	optischer Rechenstab m, Variopter m	curseur m optique, varloptre m	оптическая счетная линейка, вариоптер
V 260	**varioscope**	Varioskop n	varioscope m	вариоскоп
V 261	**varistor,** voltage-dependent resistor, non-linear semiconducting dipole	Varistor m, VDR-Widerstand m, spannungsabhängiger Widerstand m	varistance f, résistance f variable avec la tension	варистор, зависящее от напряжения сопротивление, [активное] нелинейное полупроводниковое сопротивление, нелинейное сопротивление, полупроводниковый диод с нелинейной зависимостью тока от напряжения, НПС
V 262	**Varley bridge**	Varley-Brücke f	pont m de Varley	мост Варлея
V 262a	**Varley effect**	Varley-Effekt m	effet m Varley	эффект Варлея
V 263	**varmeter**	Blindleistungsmesser m, Varmeter n	varmètre m	реактивный ваттметр, ваттметр реактивной мощности, вармётр
	varying; change; alteration; variation <gen.>	Änderung f; Veränderung f; Variation f; Schwankung f; Abänderung f <allg.>	changement m; variation f; altération f <gén.>	изменение; отклонение; уклонение; колебание; вариация; ход <общ.>
	varying load	s. live load <statics>		
	varying with time	s. time-dependent		
V 264	**vascular resistance**	Gefäßwiderstand m <Blut>	résistance f vasculaire	сопротивление сосудов
V 265	**vasoconstriction**	Vasokonstriktion f	vaso-constriction f	сужение сосудов
V 266/7	**vasomotor centre**	Vasomotorzentrum n	centre m vaso-moteur	сосудодвигательный центр, вазомоторный центр
V 268	**vault, vaulting** <statics>	Wölbung f, Gewölbe n <Statik>	voûte f <statique>	свод, сводчатое перекрытие <статика>
V 269	**vault of heaven,** firmament	Himmelsgewölbe n, Himmelsgestalt f, Himmelsschale f, Gestalt f des Himmels, Firmament n	voûte f céleste, firmament m	небосвод, небесный свод

V 270	**Vautier mirror**	Vautierscher Spiegel m, Vautier-Spiegel m	miroir m de Vautier	зеркало Вотье
	Vavilov-Čerenkov effect, Čerenkov effect, Tcherenkov effect	Čerenkov-Effekt m, [Wawilow-]Tscherenkow-Effekt m	effet m Mallet-Cerenkov, effet Vavilov-Cerenkov, effet Cerenkov	эффект Вавилова-Черенкова
V 271	**Vavilov['s] law**	Wawilowsches Gesetz n	loi f de Vavilov	закон Вавилова
V 272	**V band** <0.536—0.652 cm>	V-Band n <0,536 ⋯ 0,652 cm>	gamme f V [d'ondes], bande f V [d'ondes] <0,536—0,652 cm>	диапазон V [волн] <0,536÷0,652 см>
V 273	**V-bridge**	V-Brücke f	pont m en V	мост типа V
V 274	**V centre**	V-Zentrum n	centre m V	V-центр
	V-characteristic, V-shaped curve, V-curve	V-Kurve f	courbe f en V, caractéristique f en V	V-кривая, V-образная характеристика, V-образная кривая
V 275	**V connection**	V-Schaltung f, Aron-Schaltung f	montage m en V	схема открытого треугольника, схема разомкнутого треугольника, «фау-схема», включение открытым треугольником
	V-curve, V-chaped curve, V-characteristic	V-Kurve f	courbe f en V, caractéristique f en V	V-кривая, V-образная характеристика, V-образная кривая
V 276	**V-depression,** vee depression, notch-type depression	V-Depression f, V-förmige Senke f	dépression f en V	V-образная депрессия
V 277	**1/v detector**	1/v-Detektor m	détecteur m en 1/v, détecteur 1/v	детектор, подчиняющийся закону 1/v; детектор по закону 1/v, детектор по 1/v
V 278	**V-dipole**	Spreizdipol m; Winkeldipol m; V-Dipol m	dipôle m en V	V-образный диполь, V-образный вибратор, диполь из двух клиновидных элементов; диполь из нескольких расходящихся проводов
V 279	**Veblen-Wedderburn plane,** translation plane <math.>	Translationsebene f, Veblen-Wedderburn-Ebene f <Math.>	plan m de translation, plan de Veblen-Wedderburn <math.>	плоскость переноса, веблен-веддербарнова плоскость <матем.>
	vectogram, vector diagram	Zeigerdiagramm n <für Wechselstrom>; Vektordiagramm n	diagramme m vectoriel, diagramme-vecteur m, diagramme de Fresnel	векторная диаграмма
V 280	**vectograph,** stereovectograph	Vektograph m, Stereovektograph m	stéréovectographe m, vectographe m	стереовектограф, вектограф
	vectograph[ic] film, stereovectograph[ic] film, vectographic film	Vektographenfilm m	pellicule f stéréovectographique, film m stéréovectographiqué	стереовектографическая пленка, стереовектографическая фотопленка
V 281	**vecton,** vectorial particle	Vekton n, vektorielles Teilchen n	vecton m, particule f vectorielle	векторная частица, вектон
V 282	**vectopluviometer**	Vektopluviometer n	vectopluviomètre m	вектоплювиометр
V 283	**vector**	Vektor m	vecteur m	вектор
V 284	**vector,** time vector <in alternating-current theory>	Zeiger m, Zeitzeiger m, Zeitvektor m, ebener Vektor m, Vektor [in der Gaußschen Zahlenebene], Pfeil m, Speer m <komplexe Wechselstromrechnung>	vecteur m <dans la théorie des courants alternatifs>	вектор [времени], временной вектор, указатель времени <при символическом методе вычисления переменных токов>
V 285	**vector** <of the quaternion>	Vektorteil m, Vektor m <Quaternion>	partie f vectorielle <du quaternion>	векторная часть <кватерниона>
V 286	**vector addition,** geometric addition, vector composition	Vektoraddition f, geometrische Addition f	addition f des vecteurs, addition vectorielle (géométrique)	векторное сложение, геометрическое сложение
	vector addition coefficient	s. Clebsch-Gordan coefficient		
V 287	**vector algebra of Gibbs,** Gibbs['] vector algebra	Gibbssche Vektoralgebra f, Vektoralgebra von Gibbs	algèbre f vectorielle de Gibbs	алгебра векторов Гиббса
	vector analyzer, vectorlyzer	Vektoranalysator m	vecteur-analyseur m	вектор-анализатор, векторлайзер
V 288	**vector analysis**	Vektoranalysis f	analyse f vectorielle	векторный анализ
V 289	**vector boson,** vectorial boson	Vektorboson n	boson m vectoriel	векторный бозон
	vector[]cardiogram, vector[]electrocardiogram	Vektorelektrokardiogramm n, Vektorkardiogramm n	vectocardiogramme m	векторная электрокардиограмма, векторкардиограмма
	vector[]cardiograph, vector[]electrocardiograph	Vektorelektrokardiograph m, Vektorkardiograph m	vectocardiographe m, électrocardiographe m vectoriel	векторный электрокардиограф, векторкардиограф
V 290	**vector[]cardiography,** vector[]electrocardiography	Vektordiagraphie f, Vektorelektrokardiographie f, Vektorkardiographie f	vectocardiographie f, électrocardiographie f vectorielle	векторная электрокардиография, векторкардиография
	vector chart, vector map	Vektorkarte f	carte f vectorielle (des vecteurs H)	векторная карта
V 291	**vector colorimeter**	Vektorkolorimeter n	colorimètre m à vecteur	векторный колориметр
	vector composition	s. vector addition		
V 292	**vector couple,** couple of vectors	Vektorpaar n; Stäbepaar n <Study>	couple m [de vecteurs], couple de Poinsot	пара векторов
V 293	**vector coupling**	Vektorkopplung f, vektorielle Kopplung f	couplage m vectoriel	векторная связь
V 294	**vector coupling coefficient**	Vektorkopplungskoeffizient m	coefficient m de couplage vectoriel	коэффициент векторной связи
V 295	**vector density**	Vektordichte f, vektorielle Dichte f	densité f vectorielle	векторная плотность

V 296	vector diagram, vectogram	Zeigerdiagramm n <für Wechselstrom>; Vektor-diagramm n	diagramme m vectoriel, diagramme-vecteur m, diagramme de Fresnel	векторная диаграмма
	vector diagram	s. a. locus <control>		
	vector diagram of collision, collision diagram	Stoßdiagramm n, Vektor-diagramm n des Stoßvor-gangs	diagramme m vectoriel du choc	векторная диаграмма столкновения
	vector diagram of im-pedance, impedance triangle, triangle of im-pedances	Widerstandsdreieck n	triangle m d'impédances	треугольник сопротивле-ний
	vector diagram of voltage, potential dia-gram, voltage diagram <el.>	Spannungsdiagramm n, Spannungsbild n <El.>	diagramme m des potentiels, diagramme des tensions <él.>	векторная диаграмма на-пряжений, диаграмма напряжений <эл.>
	vector differential oper-ator	s. del		
	vector divergence	s. divergence		
V 296a	vector dominance	Vektordominanz f	dominance f vectorielle	векторная доминантность
V 296b	vector dominance model, VDM	Vektordominanzmodell n	modèle m de dominance vec-torielle	модель векторной доми-нантности
	vectored quantity	s. directed quantity		
V 297	vector[]electrocardio-gram, vector[]cardio-gram	Vektorelektrokardiogramm n, Vektorkardiogramm n	vectocardiogramme m	векторная электрокардио-грамма, векторкардио-грамма
V 298	vector[]electrocardio-graph, vector[]cardio-graph	Vektorelektrokardiograph m, Vektorkardiograph m	vectocardiographe m, électrocardiographe m vectoriel	векторный электрокар-диограф, векторкардио-граф
	vector[]electrocardiog-raphy, vector[]cardiog-raphy	Vektordiagraphie f, Vektor-elektrokardiographie f, Vektorkardiographie f	vectocardiographie f, électrocardiographie f vectorielle	векторная электрокардио-графия, векторкардио-графия
V 299	vector equation	Vektorgleichung f	équation f vectorielle	векторное уравнение (равенство)
V 300	vector field, vectorial field	Vektorfeld n	champ m vectoriel, champ de vecteurs	векторное поле, векто-риальное поле, поле векторов
	vector field derivable from a scalar potential	s. irrotational field		
	vector flux, flux [of the vector], vectorial flux <through the surface>	Fluß m [des Vektors], Vek-torfluß m <durch die Fläche>	flux m [du vecteur], flux vectoriel <à travers la surface>	поток [вектора] <через поверхность>
V 301	vector function	Vektorfunktion f	fonction f vectorielle	вектор-функция, вектор-ная функция
	vectorgraph [unit]	s. vectorscope		
	vector angle, polar angle	Polarwinkel m	angle m polaire	полярный угол
	vectorial boson, vector boson	Vektorboson n	boson m vectoriel	векторный бозон
V 302	vectorial differentiation	vektorielle Differentiation f	différentiation f vectorielle, différentiation du vecteur	векторное (векториаль-ное) дифференциро-вание, дифференциро-вание вектора
V 303	vectorial effect of photoemission	Vektoreffekt m der Photo-emission	effet m vectoriel de la photo-émission	векторный эффект фото-электронной эмиссии
	vectorial field, vector field	Vektorfeld n	champ m vectoriel (de vecteurs)	векторное (векториаль-ное) поле, поле векторов
	vectorial flux, flux [of the vector], vector flux <through the surface>	Fluß m [des Vektors], Vektorfluß m <durch die Fläche>	flux m [du vecteur], flux vectoriel <à travers la surface>	поток [вектора] <через поверхность>
V 304	vectorial Huyghens['] principle, Huyghens['] vectorial principle	vektorielles Huygenssches Prinzip n	principe m d'Huygens vec-toriel, principe vectoriel d'Huygens	векторный принцип Гюйгенса
	vectorial particle, vecton	Vekton n, vektorielles Teil-chen n	vecton m, particule f vectorielle	векторная частица, вектон
	vectorial quantity, vector quantity	vektorielle Größe f, Vektor-größe f, Vektor m	grandeur (quantité) f vectorielle	векторная (векториаль-ная) величина
V 304a	vectorial recorder	Vektorschreiber m, vekto-rieller Schreiber m	enregistreur m vectoriel	векторный самописец (са-мопишущий прибор)
V 305	vectorial representation, vector representation	Zeigerdarstellung f, Strahl-darstellung f, Vektor-darstellung f	représentation f vectorielle	векторное представление, векторное изображение
	vectorial sum	s. geometric sum		
V 306	vectorial wave	vektorielle Welle f	onde f vectorielle	векторная волна
V 307	vector in colour space, colour vector	Farbvektor m	vecteur m dans l'espace des couleurs	вектор в пространстве цветов
V 308	vector interaction	vektorielle Wechselwirkung f, Vektorwechselwirkung f	interaction f vectorielle	векторное взаимодействие
	vector line, line of vector	Vektorlinie f, Feldlinie f des Vektorfeldes	ligne f vectorielle, ligne de vecteurs	векторная линия, линия вектора, линия вектор-ного поля
V 309	vectorlyzer, vector analyzer	Vektoranalysator m	vecteur-analyseur	вектор-анализатор, векторлайзер
	vector magnetic potential	s. magnetic vector potential		
V 310	vector magnetometer	Vektormagnetometer n	magnétomètre m à vecteur, magnétomètre vectoriel	векторный магнитометр
V 311	vector map, vector chart	Vektorkarte f	carte f vectorielle (des vecteurs H)	векторная карта
V 312	vector meson	Vektormeson n, vektorielles Meson n	méson m vectoriel	векторный мезон
V 312a	vector meson dominance model, VMD model	Vektormesonen-Dominanz-modell n	modèle m de dominance du méson vectoriel	модель доминантности векторного мезона
V 313	vector meter	Vektormesser m	vecteurmètre m	векторметр

V 314	**vector model** <of atom or molecule>	Vektorgerüst n, Vektormodell n <des Atoms oder Moleküls>	modèle m vectoriel <de l'atome ou de la molécule>	векторная модель <атома или молекулы>
V 315	**vector notation**	Vektorschreibweise f	notation f vectorielle	векторная запись, векторное обозначение
V 316	**vector of force** **vector of four-dimensional force**	Kraftvektor m s. four-force	vecteur m force	вектор силы
V 317	**vector of generalized acceleration**, generalized acceleration vector	verallgemeinerter Beschleunigungsvektor m	vecteur m d'accélération généralisée	вектор обобщенного ускорения
V 318	**vector of generalized velocity**, generalized velocity vector, generalized velocity	verallgemeinerter Geschwindigkeitsvektor m	vecteur m de vitesse généralisée	вектор обобщенной скорости
	vector of induction, induction vector	Induktionsvektor m	vecteur m induction	вектор индукции
	vector of isobaric spin	s. isotopic spin vector		
	vector of isotopic spin	s. isotopic spin vector		
	vector of magnetic induction	s. magnetic induction <el.>		
	vector of magnetic polarization	s. magnetic polarization		
	vector of magnetization	s. intensity of magnetization		
V 319	**vector of oscillation**, oscillation vector	Schwingungsvektor m	vecteur m de l'oscillation	вектор колебания
	vector of principal normal, principal normal vector; principal normal, unit first normal	Hauptnormale f; Hauptnormalenvektor m	normale f principale; vecteur m normal principal, vecteur de la normale principale	главная нормаль; вектор главной нормали
V 320	**vector of state**, state vector	Zustandsvektor m	vecteur m d'état	вектор состояния
V 321	**vector operation**	Vektoroperation f	opération f vectorielle	векторная операция
V 322	**vector operator**	Vektoroperator m	opérateur m vecteur	векторный оператор
V 323	**vector polygon**, polygon of vectors	Vektorpolygon n	polygone m des vecteurs, polygone de Varignon	многоугольник векторов, полигон векторов
V 324	**vector potential**	Vektorpotential n, vektorielles Potential n; elektrodynamisches Potential	potentiel m vecteur, potentiel-vecteur m, vecteur m potentiel, vecteur-potentiel m	вектор-потенциал, векторный потенциал
V 325	**vector product**, cross product, skew product, outer product	Vektorprodukt n, vektorielles Produkt n, Kreuzprodukt n, äußeres Produkt	produit m vectoriel, produit gauche, produit extérieur, produit angulaire <Cauchy>, produit géométrique <St. Venant>	векторное произведение
V 326	**vector quantity**, vectorial quantity	vektorielle Größe f, Vektorgröße f, Vektor m	grandeur (quantité) f vectorielle	векторная (векториальная) величина
	vector representation	s. vectorial representation		
	vector resolution	s. resolution		
V 327	**vectorscope [unit]**, vectorgraph [unit]	Vektorskop n, Vektorgraph m	vectorscope m, vectorgraphe m	вектороскоп, векторограф, векторскоп, векторграф, фазоизмерительный осциллоскоп (осциллограф)
V 327a	**vector sheet**	Vektorblatt n	feuille f vectorielle	векторный лист
V 328	**vectors of opposite sense**	entgegengerichtete Vektoren mpl	vecteurs mpl de sens opposé	противоположные векторы
V 329	**vectors of the same sense**	gleichgerichtete Vektoren mpl	vecteurs mpl de même sens	согласно направленные векторы
V 330	**vector space**, linear vector space, linear space	Vektorraum m, Vektorgebilde n, linearer Raum m	espace m vectoriel, espace linéaire	векторное пространство, линейное пространство
V 331	**vector spherical harmonic**	Vektorkugelfunktion f, vektorielle Kugelfunktion f, Winkel-Spin-Funktion f	harmonique f sphérique vectorielle	векторная сферическая гармоника (функция)
	vector sum, vectorial sum, geometric sum	geometrische Summe f, Vektorsumme f	somme f géométrique, somme vectorielle	геометрическая сумма, векторная сумма
	vector system	s. system of vectors		
V 332	**vector transformation**	Zeigertransformation f	transformation f vectorielle	векторное преобразование
V 333	**vector tube**, tube of the vector field	Vektorröhre f, Vektorfeldröhre f, Feldröhre f, Feldlinienröhre f	tube m de champ [vectoriel]	векторная трубка, трубка линий поля, трубка поля, трубка в векторном поле
V 334	**vector wave equation**	Vektorwellengleichung f, vektorielle Wellengleichung f	équation f d'onde vectorielle	векторное волновое уравнение
V 335	**vector wave function**	Vektorwellenfunktion f, vektorielle Wellenfunktion f	fonction f d'onde vectorielle	векторная волновая функция
V 336	**vee[d] antenna**, V-type antenna, V-shaped antenna, V-antenna, V-aerial	V-Antenne f	antenne f en V	V-образная антенна
	vee depression, V-depression, notch-type depression	V-Depression f, V-förmige Senke f	dépression f en V	V-образная депрессия
V 337	**vee filament**, zigzag spiral filament	Zickzackwendel f	filament m au festons	зигзагообразная спираль; зигзагообразно расположенная спирализированная нить
V 338	**Veen specimen / Van der**	Van-der-Veen-Probe f	épreuve f de Van der Veen	образец фан-дер-Вина
V 339	**veering of wind [to]**, shifting of wind [to]; going round of the wind, veering round of the wind	Drehung f des Windes [nach], Umschwenken n des Windes [nach]; Umlaufen n des Windes	tour m de vent	вращение ветра; поворот ветра

	veering round of the wind	s. veering of wind		
V 340	**Vegard-Kaplan band**	Vegard-Kaplan-Bande *f*	bande de Végard-Kaplan	полоса Вегарда-Каплана; последовательность системы Вегарда-Каплана
V 341	**Vegard['s] law, Vegard['s] rule**	Vegardsches Gesetz *n*, Vegardsche Additivitätsregel (Regel) *f*, Vegard-Regel *f*	loi *f* de Végard	правило Вегарда
V 342	**vegetational period, vegetation period**	Vegetationsperiode *f*, Vegetationszeit *f*	période *f* de végétation	вегетационный период
V 343	**veil**	Schleier *m*; Nebelschleier *m*; Rauchschleier *m*	voile *m*	завеса; пелена; покрывало, покров; пелена тумана, туманнаядымка; вуаль
V 344	**veil due to atmospheric haze**	Dunstschleier *m*	voile *m* atmosphérique	атмосферная вуаль
	veiled by black	s. non-zero black content / having \<of chromatic colour\>		
	veiled by grey	s. non-zero black and white content / having \<of chromatic colour\>		
	veiled by white	s. non-zero white content / having \<of chromatic colour\>		
V 345	**veiling, masking, shading** \<of chromatic colours by a portion of white and / or black\>	Verhüllung *f* [bunter Farben]	masquage *m* de couleurs chromatiques [par une portion de blanc et / ou noir]	маскирование хроматических цветов [содержанием белого или черного]
V 346	**veiling by black, masking by black, shading by black, black veiling, black masking, black shading**	Schwarzverhüllung *f*, Verschwärzlichung *f*	masquage *m* par le noir	маскирование содержанием черного цвета
V 347	**veiling by grey, masking by grey, shading by grey, grey veiling, grey masking, grey shading**	Grauverhüllung *f*, Vergrauung *f*	masquage *m* par le gris (blanc et noir)	маскирование содержанием белого и черного цветов
V 348	**veiling by white, masking by white, shading by white, white veiling (masking, shading)**	Weißverhüllung *f*, Verweißlichung *f*	masquage *m* par le blanc	маскирование содержанием белого цвета
	veiling effect; fogging \<phot.\>	Verschleierung *f*; Verschleierungseffekt *m* \<Phot.\>	voilage *m*, voile *m*; effet *m* de voile \<phot.\>	вуалирование, завуалирование; дымка \<фот.\>
V 349	**veiling glare**	Schleierblendung *f*, Nebelblendung *f*	éblouissement *m* par diffusion	вуалирующая слепимость (блескость), слепимость (блескость) рассеяния
	veil of cloud, cloud veil	Wolkenschleier *m*; Wolkenschirm *m*	voile *m* de nuages	облачная пелена; облачная завеса
V 350	**vein; jet** \<aero., hydr.\>	Strahl *m* \<Aero., Hydr.\>	jet *m*; veine *f* \<aéro., hydr.\>	струя \<аэро., гидр.\>
	Velick-Gorin equation, Velick-Gorin formula	Velick-Gorinsche Gleichung *f*, Gleichung von Velick und Gorin	équation *f* de Velick-Gorin, formule *f* de Velick-Gorin	формула Велика-Горина
V 351	**velocity; speed** \<gen.\> **velocity**	Geschwindigkeit *f* \<allg.\>	vitesse *f*, vélocité *f*, célérité *f* \<gén.\>	скорость \<общ.\>
	velocity	s. a. velocity vector		
	velocity addition formula in special relativity	s. relativistic composition of velocities		
V 352	**velocity amplitude**	Geschwindigkeitsamplitude *f*	amplitude *f* de vitesse	амплитуда скорости
V 353	**velocity analyzer**	Geschwindigkeitsanalysator *m*	analyseur *m* de vitesse	анализатор по скорости
V 354	**velocity antiresonance**	Geschwindigkeitsantiresonanz *f*, Geschwindigkeitsgegenresonanz *f*	antirésonance *f* des vitesses; antirésonance par vitesse	антирезонанс скоростей; скоростной антирезонанс
	velocity band	s. velocity range		
	velocity coefficient	s. coefficient of velocity		
V 355	**velocity compatibility relations**	Geschwindigkeits-Kompatibilitätsrelationen *fpl*	relations *fpl* de compatibilité des vitesses	соотношения совместности скоростей
	velocity compatible with the constraints, possible velocity, virtual velocity	virtuelle Geschwindigkeit *f*	vitesse *f* virtuelle	возможная скорость, виртуальная скорость
V 356	**velocity component, component of velocity, component of the velocity vector**	Geschwindigkeitskomponente *f*, Komponente *f* der Geschwindigkeit, Teilgeschwindigkeit *f*	composante *f* de la vitesse	составляющая скорости, слагающая скорости, компонента скорости, проекция скорости
V 357	**velocity constant** \<el., phys.\>	Geschwindigkeitskonstante *f* \<El., Phys.\>	constante *f* de vitesse \<él., phys.\>	постоянная скорости \<эл., физ.\>
V 358	**velocity co-ordinates**	Geschwindigkeitskoordinaten *fpl*	coordonnées *fpl* de vélocité	координаты скорости
V 359	**velocity correlation tensor [of turbulence], correlation tensor of turbulence**	Korrelationstensor *m* der Turbulenz	tenseur *m* de corrélation de la turbulence	корреляционный тензор турбулентности
V 360	**velocity coupling**	Geschwindigkeitskopplung *f*	couplage *m* par vitesse	связь по скорости
V 361	**velocity curve**	Geschwindigkeitskurve *f*	courbe *f* de vitesses	эпюра скоростей; кривая скорости

V 362	velocity diagram, velocity vector diagram, velocity triangle, triangle of velocities, speed triangle	Geschwindigkeitsdreieck n	triangle m des vitesses, diagramme m des vitesses	треугольник скоростей
V 363	velocity dispersion, velocity straggling	Geschwindigkeitsdispersion f, Geschwindigkeitsstreuung f	dispersion f de vitesse	дисперсия по скорости, разброс скорости
	velocity-distance relation	s. Hubble['s] law		
V 364	velocity distribution, distribution of velocity, distribution of velocities	Geschwindigkeitsverteilung f	distribution (répartition) f des vitesses, distribution (répartition) de vitesse	распределение по скоростям, распределение скоростей
V 365	velocity distribution function	Geschwindigkeitsverteilungsfunktion f	fonction f de distribution (répartition) des vitesses	функция распределения скоростей
V 366	velocity ellipse, adiabatic ellipse	Geschwindigkeitsellipse f, Adiabatenellipse f	ellipse f des vitesses, ellipse adiabatique	эллипс скоростей, адиабатный эллипс
V 367	velocity ellipsoid	Geschwindigkeitsellipsoid n	ellipsoïde m des vitesses	эллипсоид скоростей
	velocity energy, specific kinetic energy	spezifische kinetische Energie f, Geschwindigkeitsenergie f	énergie f cinétique spécifique, énergie de vitesse	удельная кинетическая энергия, энергия скорости
V 368	velocity factor, velocity rate, reduction factor <of the line or antenna>	Verkürzungsfaktor m; Leitungsverkürzungsfaktor m; Antennenverkürzungsfaktor m	facteur m de réduction <de la ligne ou de l'antenne>	коэффициент укорочения <линии или антенны>
V 369	velocity field, field of velocity	Geschwindigkeitsfeld n	champ m de (des) vitesses, champ de vitesse	поле скоростей, поле скорости
V 370	velocity filter	Geschwindigkeitsfilter n	filtre m de vitesses	фильтр скоростей
	velocity flowmeter	s. propeller-type flowmeter		
V 371	velocity focusing	Geschwindigkeitsfokussierung f	focalisation f par vitesse	фокусировка по скоростям
V 371a	velocity gradient	Geschwindigkeitsgradient m, Geschwindigkeitsgefälle n	gradient m de vitesse	градиент скорости, перепад скоростей
	velocity greater than that of light	s. super-velocity of light		
V 372	velocity head, kinetic energy head, kinetic head, dynamic head; water rise head, water-surface elevation	Geschwindigkeitshöhe f, Geschwindigkeitsgefälle n, Fließfallhöhe f; Stauhöhe f	hauteur f dynamique, hauteur de chute cinétique (dynamique); hauteur de remous	высота скоростного напора, скоростной напор, динамический напор; высота подпора, подпор, напор
V 373	velocity head coefficient, pressure head coefficient	Staudruckbeiwert m	coefficient m de pression dynamique, coefficient d'énergie cinétique	коэффициент скоростного напора
V 374	velocity-head tachometer, hydraulic tachometer	Staudrucktachometer n	tachymètre m hydraulique	гидравлический тахометр; гидравлический измеритель скорости
	velocity incompatible with the constraints, impossible velocity	unmögliche Geschwindigkeit f	vitesse f impossible	невозможная скорость
V 375	velocity in free space, vacuum value of velocity	Vakuumgeschwindigkeit f, Ausbreitungsgeschwindigkeit f im Vakuum (freien Raum), Vakuumausbreitungsgeschwindigkeit f, Vakuumfortpflanzungsgeschwindigkeit f	vitesse f de propagation dans le vide, vitesse dans le vide	скорость распространения в вакууме
	velocity limit; critical velocity; cut-off velocity; limit of velocity	Grenzgeschwindigkeit f, kritische Geschwindigkeit f	vitesse f critique; vitesse limite	критическая скорость; граничная скорость, предельная скорость
V 376	velocity-load diagram	Geschwindigkeit-Belastung-Diagramm n, Geschwindigkeits-Belastungs-Diagramm n	diagramme m vitesse-charge	диаграмма скорость-нагрузка
V 377	velocity loop	Schnellebauch m	ventre m de vitesse	пучность колебательной скорости [частиц]
	velocity lower than that of light, subvelocity of light	Unterlichtgeschwindigkeit f	vitesse f inférieure à celle de la lumière	досветовая скорость
	velocity meter	s. propeller-type flowmeter		
	velocity microphone	s. pressure-gradient microphone		
V 378	velocity modulation	Geschwindigkeitsmodulation f, Geschwindigkeitssteuerung f, Laufzeitmodulation f, Klystrongruppierung f	modulation f de vitesse	модуляция [по] скорости
	velocity-modulation effect, transit time phenomenon	Laufzeiterscheinung f, Laufzeiteffekt m, Laufzeiteinfluß m	effet m de temps de propagation, phénomène m de temps de propagation	влияние времени пролета
V 379	velocity node	Schnelleknoten m	nœud m de vitesse	узел колебательной скорости [частиц]
V 380	velocity of combustion [reaction], speed of combustion, burning velocity; rate of combustion	Verbrennungsgeschwindigkeit f, Brenngeschwindigkeit f	vitesse f de combustion	скорость горения, скорость сгорания; скорость сжигания
	velocity of descent	s. velocity of fall		
V 381	velocity of dislocations, dislocation velocity	Versetzungsgeschwindigkeit f	vitesse f de dislocations	скорость движения дислокаций
V 382	velocity of drying out	Austrocknungsgeschwindigkeit f	vitesse f de dessiccation	скорость высушивания
	velocity of energy transmission	s. ray velocity		

V 383	**velocity of entry,** entry velocity, entry rate	Eintauchgeschwindigkeit *f*, Eintrittsgeschwindigkeit *f*, Eindringgeschwindigkeit *f* <in die Erdatmosphäre>	vitesse *f* à l'entrée dans l'atmosphère, vitesse d'entrée	скорость при входе в атмосферу, скорость вторжения
	velocity of escape	*s.* escape velocity		
V 384	**velocity of fall,** rate of fall, velocity (rate) of descent, falling speed	Fallgeschwindigkeit *f*	vitesse *f* de chute	скорость падения
	velocity of flight	*s.* velocity of motion along the path		
	velocity of flow	*s.* flow rate		
	velocity of inlet, entrance velocity, inlet velocity, intake velocity, admission velocity	Eintrittsgeschwindigkeit *f*, Geschwindigkeit *f* am Eingang, Einströmgeschwindigkeit *f*	vitesse *f* d'entrée	скорость на входе, скорость при впуске, входная скорость
V 385	**velocity of light,** light velocity; speed of light, light speed	Lichtgeschwindigkeit *f*	vitesse *f* [de propagation] de la lumière, célérité *f* de la lumière	скорость света
V 386	**velocity of light in empty (free) space, velocity of light in vacuo (vacuum),** speed of light in vacuum (vacuo, free space, empty space), vacuum value of velocity of light, electromagnetic constant, electrodynamic constant	Vakuumlichtgeschwindigkeit *f*, elektromagnetische Konstante *f*, elektrodynamische Konstante	vitesse *f* de la lumière dans le vide, célérité *f* de la lumière dans le vide, constante *f* électromagnétique, constante électrodynamique	скорость распространения света в вакууме, скорость света в вакууме, электромагнитная постоянная, электродинамическая постоянная
	velocity of longitudinal waves, longitudinal velocity <ac.>	Ausbreitungsgeschwindigkeit *f* longitudinaler Schallwellen, Longitudinalgeschwindigkeit *f* <Ak.>	vitesse *f* longitudinale <ac.>	скорость продольных звуковых волн, скорость продольных волн, продольная скорость <ак.>
	velocity of motion along the path, orbital velocity, velocity of flight	Bahngeschwindigkeit *f*	vitesse *f* orbitale	орбитальная скорость, скорость движения по орбите, скорость на траектории
	velocity of propagation, propagation velocity, speed of propagation, spread velocity, velocity of transmission	Ausbreitungsgeschwindigkeit *f*, Fortpflanzungsgeschwindigkeit *f*	vitesse *f* de propagation, célérité *f*, célérité de propagation, vitesse de progression	скорость распространения
	velocity of propagation of sound	*s.* velocity of sound <ac.>		
	velocity of propagation of the nervous impulse	*s.* velocity of the nerve impulse		
V 387	**velocity of pure rolling**	Rollgeschwindigkeit *f*	vitesse *f* de roulement, vitesse du roulement pur	скорость чистого качения
V 388	**velocity of recession**	Fluchtgeschwindigkeit *f*	vitesse *f* de récession	скорость удаления
V 389	**velocity of rotation,** rotational velocity, rotation speed, speed of rotation	Drehgeschwindigkeit *f*, Drehungsgeschwindigkeit *f*, Rotationsgeschwindigkeit *f*, Umdrehungsgeschwindigkeit *f*	vitesse *f* de rotation	скорость вращения, вращательная скорость
	velocity of settling	*s.* rate of sedimentation		
	velocity of slip, slip velocity <of fluids>	Gleitgeschwindigkeit *f*	vitesse *f* de glissement	скорость сдвига
	velocity of small shallow-water gravity wave	*s.* critical velocity <hydr.>		
V 390	**velocity of sound [propagation],** velocity of propagation of sound, sound [propagation] velocity, speed of sound, sonic speed, acoustic[al] velocity <ac.>	Schallgeschwindigkeit *f*, Schallwellengeschwindigkeit *f*, Schallausbreitungsgeschwindigkeit *f*, Schallfortpflanzungsgeschwindigkeit *f* <Ak.>	vitesse *f* du son, vitesse de son, vitesse de propagation du son, vitesse sonique, célérité *f* du son <ac.>	скорость звука, скорость распространения звука, скорость акустических волн, акустическая скорость <ак.>
	velocity of the moving space	*s.* velocity of transport <mech.>		
V 391	**velocity of the nerve impulse,** velocity of propagation of the nervous impulse, speed of conduction of the nerve	Nervenleitgeschwindigkeit *f*, Nervenleitungsgeschwindigkeit *f*, Leitungsgeschwindigkeit *f* der Nerven	vitesse *f* de conduction de l'influx nerveux, vitesse de propagation de l'influx nerveux	скорость нервного проведения
	velocity of the pulse	*s.* pulse propagation velocity		
	velocity of the wave	*s.* phase velocity		
V 392	**velocity of translation,** translatory velocity	Translationsgeschwindigkeit *f*	vitesse *f* de translation	поступательная скорость, скорость переноса (поступательного движения)
	velocity of transmission	*s.* velocity of propagation		
V 393	**velocity of transport**	Transportgeschwindigkeit *f*	vitesse *f* de transfert	скорость переноса; скорость перемещения [потока]
V 394	**velocity of transport,** velocity of the moving space <mech.>	Führungsgeschwindigkeit *f* <Mech.>	vitesse *f* d'entraînement <méc.>	переносная скорость <мех.>
	velocity of transverse waves	*s.* transverse velocity <ac.>		

	velocity of wave front, front velocity	Frontgeschwindigkeit f	vitesse f de front d'onde, vitesse frontale	скорость [перемещения] фронта
V 395	velocity operator, operator of velocity	Geschwindigkeitsoperator m, Operator m der Geschwindigkeit	opérateur m de vitesse	оператор скорости
V 396	velocity parallelogram	Geschwindigkeits-parallelogramm n	parallélogramme m des vitesses	скоростной параллело-грамм, параллелограмм скоростей
V 397	velocity plane	Geschwindigkeitsebene f	plan m des vitesses	плоскость скоростей
V 398	velocity potential	Geschwindigkeitspotential n	potentiel m des vitesses, potentiel de vitesse	потенциал скоростей, потенциал скорости
V 399	velocity potential of sound <ac.>	Potential n der Schall-schnelle, Geschwindig-keitspotential n <Ak.>	potentiel m de la vitesse de son, potentiel de vitesse [acoustique] <ac.>	потенциал акустической скорости, потенциал скоростей в акусти-ческом поле <ак.>
	velocity potential theorem of Lagrange and Cauchy, theorem of Lagrange and Cauchy	Lagrange-Cauchyscher Satz m	théorème m de Lagrange et Cauchy	интеграл Лагранжа-Коши
V 400	velocity profile velocity rate	Geschwindigkeitsprofil n s. velocity factor	profil m des vitesses, profil de vitesse	профиль скоростей, эпюра скоростей
V 401	velocity rating, required frequency	Sollgeschwindigkeit f	vitesse f nominale	номинальная скорость
V 402	velocity resolution	Geschwindigkeits-auflösung f	résolution f de vitesse	скоростное разрешение, разрешающая способ-ность по скорости
V 403	velocity resonance	Geschwindigkeitsresonanz f	résonance f des vitesses; résonance par vitesse	резонанс скоростей; скоростной резонанс
	velocity resonance, phase resonance	Phasenresonanz f	résonance f de phase	фазовый резонанс
	velocity rod	s. staff float		
V 404	velocity selector	Geschwindigkeitsselektor m	sélecteur m de vitesse	селектор скоростей, селектор по скорости
	velocity sensitive detector of sound	s. pressure-gradient microphone		
V 405	velocity space	Geschwindigkeitsraum m	espace m de vitesses, espace des vitesses, espace de vitesse	пространство скоростей, пространство скорости
	velocity spectrograph	s. time-of-flight spectro-graph		
	velocity spectrography	s. time-of-flight spectrography		
	velocity spectrometer	s. time-of-flight spectrometer		
	velocity spectrometry	s. time-of-flight spectroscopy		
	velocity spectroscope	s. time-of-flight spectroscope		
	velocity spectroscopy	s. time-of-flight spectroscopy		
V 406	velocity spectrum	Geschwindigkeitsspektrum n	spectre m des vitesses	спектр скоростей
	velocity stage, Curtis stage	Curtis-Stufe f, Geschwindigkeitsstufe f	étage m Curtis, étage de vitesse	ступень Кертиса, ступень скорости
	velocity stage turbine	s. Curtis turbine		
	velocity straggling, velocity dispersion	Geschwindigkeitsdispersion f, Geschwindigkeits-streuung f	dispersion f de vitesse	дисперсия по скорости, разброс скорости
V 407	velocity through the interstices, velocity through the pores	Porengeschwindigkeit f	vitesse f à travers les pores, vitesse à travers les interstices	скорость просачивания в порах
V 408	velocity-time law	Geschwindigkeits-Zeit-Gesetz n	loi f vitesse-temps	закон зависимости ско-рости от времени
	velocity triangle	s. velocity diagram		
	velocity turbine	s. Curtis turbine		
V 409	velocity vector, linear velocity, velocity	Geschwindigkeitsvektor m	vecteur m vitesse, vecteur-vitesse m, vecteur de vitesse	вектор скорости
	velocity vector diagram, velocity diagram, triangle of velocities, speed triangle	Geschwindigkeitsdreieck n	triangle m des vitesses, diagramme m des vitesses	треугольник скоростей
V 410	velodyne integrator, velodyne system	Velodyn[e]integrator m, Velodyn[e]system n	intégrateur m vélodyne, système m vélodyne, vélodyne m	велодинный интегратор, интегратор велодинной системы, велодинная система
	velometer	s. speedometer		
V 411	Veltmann['s] theorem	Veltmann-Theorem n, Theorem n von Veltmann	théorème m de Veltmann	теорема Вельтмана
	vena contracta, con-tracted vein [of the liquid], contracted stream [of the liquid]	vena f contracta, verengter Flüssigkeitsstrahl m	jet m liquide rétréci, jet rétréci [du liquide]	суженная струя [жид-кости], сужающаяся струя [жидкости]
	Venetian blind	s. quarter-wave plate		
	Venetian blind dynode, louver-type dynode	Jalousiedynode f	dynode f à persiennes	жалюзный динод, жалю-зийный электрод умножителя
V 412	Venetian blind multi-plier, mesh multiplier, unfocused photomulti-plier, net multiplier	Netzvervielfacher m	photomultiplicateur m à dynodes en « persiennes », multiplicateur m mesh (à dynodes réticulaires)	фотоэлектронный умножи-тель с жалюзной динод-ной системой, фотоумно-житель с динодами типа «жалюзи», фотоумно-житель с каскадами типа «жалюзи», умно-житель с жалюзийными каскадами, сетчатый умножитель

V 412a	**Veneziano model**	Veneziano-Modell n	modèle m de Veneziano	модель Венециано
V 412b	**Vening-Meinesz [isostatic] reduction**	[regionale] isostatische Reduktion f von Vening-Meinesz	réduction f [isostatique] de Vening-Meinesz	[изостатическая] редукция Венинг-Мейнеса
V 412c	**venous mercury electrode,** streaming mercury electrode	Quecksilberstrahlelektrode f	électrode f à jet de mercure	струйчатый (струйный) ртутный электрод, ртутно струйный электрод
V 413	**venous pulse**	Venenpuls m	pouls m veineux	венный пульс
V 414	**vent,** venthole, venting hole	Ventilationsöffnung f, Ventilationsloch n; Abzugsöffnung f	trou m d'aérage	вентиляционное отверстие
V 414a	**vented fuel element**	ventiliertes Brennelement n	élément m combustible ventilé, cartouche f combustible ventilée	вентилируемый тепловыделяющий элемент
	venthole	s. vent		
	ventilated psychrometer	s. aspiration psychrometer		
V 415	**ventilation loss**	Ventilationsverlust m	perte f par ventilation	вентиляционная потеря, потеря вследствие вентиляции
	venting hole	s. vent		
V 416	**ventricle**	Ventrikel m	ventricule m	желудочек
V 417	**ventricular fibrillation**	Kammerflimmern n, Herzkammerflimmern n	fibrillation f ventriculaire	мерцание желудочков
	Venturi, Venturi tube	Venturi-Rohr n, Venturi-Düse f	tube m Venturi, tube de Venturi, ajutage m de Venturi, Venturi m	труба Вентури, трубка Вентури, расходомерная труба Вентури, насадок Вентури, сопло Вентури
V 418	**Venturi flume**	Venturi-Zuflußkanal m	canal m d'amenée Venturi	подводящий канал по Вентури, лоток Вентури
V 419	**Venturi meter**	Venturi-Messer m, Venturimeter n, Venturi-Wassermesser m, Venturi-Kanalmesser m	compteur m Venturi, venturimètre m, Venturi m	водомер Вентури, расходомер Вентури, лоток-водомер
V 420	**Venturi tube,** Venturi	Venturi-Rohr n, Venturi-Düse f	tube m Venturi, tube de Venturi, ajutage m de Venturi, Venturi m	труба Вентури, трубка Вентури, расходомерная труба Вентури, насадок Вентури, сопло Вентури
V 421	**Ventzke degree, °V**	Ventzke-Grad n, °V	degré m Ventzke, °V	градус Вентцке, градус шкалы Вентцке, °В, °V
V 422	**Verant lens**	Verant-Linse f, Verant-Lupe f	lentille f de type Verant	линза типа «Верант»
V 423	**Verdet['s] constant,** magnetic rotary power, specific magnetic rotatory power	Verdetsche Konstante f, Verdet-Konstante f	constante f de Verdet	постоянная Верде
V 424	**vergence,** divergence <geo.>	Vergenz f, Überfaltungsrichtung f <Geo.>	vergence f, divergence f <géo.>	вергенция, дивергенция <гео.>
V 425	**vergence,** vergency <opt.>	Vergenz f, reziproke Schnittweite f <Opt.>	vergence f <opt.>	вергенция <опт.>
V 426	**vergence of punctum proximum**	Nahpunktsrefraktion f, Nahpunktsbrechwert m, Nahpunktsbrechkraft f; Nah-Scheitelbrechwert m	vergence f du punctum proximum	оптическая сила ближней точки, преломляющая сила ближней точки
	vergency, vergence <opt.>	Vergenz f, reziproke Schnittweite f <Opt.>	vergence f <opt.>	вергенция <опт.>
	vergency of correcting lens, vertex power	Scheitelbrechwert m, Scheitelbrechkraft f	vergence f du verre correcteur, convergence f du verre correcteur	обратная величина расстояния от вершины очковой линзы до изображения
	verhovodka	s. verkhovodka		
	verification; detection; tracing; tracking; proof; evidence	Nachweis m, Detektion f, Detektierung f, Beobachtung f, Feststellung f, Entdeckung f	détection f; mise f en évidence; décèlement m	обнаружение, детектирование
	verification, confirmation, corroboration <math.>	Bestätigung f, Erhärtung f, Verifizierung f <Math.>	confirmation f, vérification f <math.>	утверждение, проверка, верификация <матем.>
	verification	s. a. testing		
	veritable, true, real	echt, wahr, tatsächlich, wirklich, absolut, real	vrai, réel, véritable	истинный, действительный, реальный
V 427	**veritable wind**	wahrer Wind m	vent m véritable	истинный ветер, действительный ветер
V 428	**verkhovodka,** temporary perched water, verhovodka	Werchowodka f	verhovodka f, nappe f suspendue temporaire	верховодка
V 429	**vernal equinox,** northern vernal equinox, spring equinox	Frühlingsäquinoktium n, Frühlings-Tagundnachtgleiche f	équinoxe m vernal, équinoxe de (du) printemps	весеннее равноденствие
V 430	**vernal [equinox] point,** first point of Aries	Frühlingspunkt m, Widderpunkt m	point m vernal, équinoxe m vernal	точка весеннего равноденствия, точка весны
V 430a	**Verneuil boule**	Verneuil-Birne f	boule f de Verneuil	«груша» Вернейля
V 431	**Verneuil method,** Verneuil technique	Verneuil-Verfahren n, Verneuil-Methode f, Kristallzüchtung f aus der Schmelze nach der Methode von Verneuil	méthode f de Verneuil	метод Вернейля, выращивание монокристаллов методом Вернейля
V 432	**vernier,** nonius	Nonius m	vernier m, nonius m	верньер, вернир; нониус
	vernier	s. a. vernier scale		
	vernier acuity, contour acuity	Noniensehschärfe f, Breitenwahrnehmung f	acuité f de contour	острота зрения нониуса
V 433	**vernier caliper,** sliding (slide) caliper, caliper[s], calliper [gauge], vernier (slide, sliding) gauge, gauge, gage	Schublehre f, Schieblehre f, Schiebelehre f, Dickenmeßlehre f, Meßschieber m	calibre m [d'épaisseur], pied m à coulisse, jauge f	штангенциркуль, калиберная скоба, раздвижной калибр, шубригель
V 434	**vernier capacitor,** vernier-control capacitor	Spreizungskondensator m, Vernierkondensator m	condensateur m à démultiplicateur (vernier)	конденсатор с верньером
V 435	**vernier chronotron**	Vernierchronotron n	chronotron m vernier, chronotron à vernier	верньерный хронотрон

	vernier-control capacitor	s. vernier capacitor		
V 436	**vernier converter**	Noniuskonverter m, Vernierkonverter m	convertisseur m vernier, convertisseur à vernier	верньерный преобразователь
	vernier gauge	s. vernier caliper		
V 437	**vernier height gauge**	Höhenreißer m mit Nonius	calibre m à vernier pour distances verticales	штангенрейсмус с нониусом, прецизионный штангенрейсмус
V 438	**vernier microscope,** vernier reading microscope	Noniusmikroskop n	microscope m à vernier[s]	микроскоп для отсчета по верньеру (верньерам)
V 439	**vernier principle**	Noniusprinzip n	principe m du vernier	принцип верньера, принцип нониуса
V 440	**vernier ratio,** ratio of verniers	Nonienverhältnis n	rapport m des verniers	отношение верньеров; отношение нониусов
V 441	**vernier reading**	Nonienablesung f	lecture f au vernier	отсчет по верньеру; отсчет по нониусу
	vernier reading microscope, vernier microscope	Noniusmikroskop n	microscope m à vernier[s]	микроскоп для отсчета по верньеру (верньерам)
V 442	**vernier scale,** fine-adjustment scale, micro-adjustment dial, vernier	Feineinstellskala f, Noniusskala f; Noniusskale f; Nonienteilung f	cadran m vernier	верньерная шкала
V 443	**vernier theodolite**	Nonientheodolit m	théodolite m à verniers	теодолит с верньерами
	versine α	= 1 − cos α		
V 444	**version;** variant	Variante f	version f; variante f	вариант, версия, разновидность
V 445	**version,** design, layout, display, pattern, model, type	Ausführung f, Ausführungsform f, Ausführungsweise f, Auslegung f, Bauart f, Baumuster n, Modell n, Typ m	version f, fini m, formule f, modèle m, type m	исполнение, выполнение, конструкция, тип [изготовления], вид [изготовления], модель
	versor	s. normalized quaternion		
	versorial force	s. restoring force ‹mech.›		
V 446	**vertebrae, vertebrate waveguide**	Gliederhohlleiter m	guide m d'ondes vertébré	панцирный волновод
V 447	**vertex;** apex ‹highest point›, corner ‹geometry; cryst.›	Eckpunkt m; Spitze f ‹Geometrie; Krist.›	sommet m ‹géométrie; crist.›	вершина ‹геометрия; крист.›
V 448	**vertex,** convergent point ‹e.g. of moving star cluster› ‹astr.›	Vertex m ‹pl.: Vertices›, Fluchtpunkt m, Zielpunkt m der Bewegung ‹z. B. des Bewegungshaufens› ‹Astr.›	vertex m, point m de convergence ‹p. ex. de l'amas de mouvement› ‹astr.›	вертекс, радиант ‹напр. движущегося звездного скопления› ‹астр.›
V 449	**vertex,** apex ‹opt.›	Scheitel m ‹Opt.›	sommet m ‹opt.›	вершина ‹опт.›
V 449a	**vertex** ‹rel.; in the graph›	Eckpunkt m ‹Rel.›; Ecke f ‹Graph›	sommet m ‹rel.; du graphe›	вершина [диаграммы] ‹рел.›; вершина ‹графа›
	vertex ‹of pencil›	s. a. base point		
	vertex	s. a. node		
V 450	**vertex angle**	Scheitelwinkel m	angle m au sommet	угол при вершине
V 450a	**vertex-diffraction law**	Kantenbrechungsgesetz n	loi f de diffraction par l'arête	закон дифракции на крае
V 451	**vertex function**	Vertexfunktion f	fonction f de sommet	вершинная часть, вершинная функция
V 452	**vertex of the lens,** lens vertex	Linsenscheitel m; Linsenpol m	sommet m de la lentille, pôle m de la lentille	вершина линзы
V 452a	**vertex part** ‹rel.›	Eckteil m ‹Rel.›	partie f de sommet, opérateur m de sommet ‹rel.›	вершинная часть, вершинный оператор ‹отн.›
V 453	**vertex power,** vergency of correcting lens	Scheitelbrechwert m, Scheitelbrechkraft f	vergence f du verre correcteur, convergence f du verre correcteur	обратная величина расстояния от вершины очковой линзы до изображения
V 454	**vertex refraction**	Scheitelpunktsrefraktion f, Scheitelrefraktion f	réfraction f de l'œil avec origine au sommet	обратная величина расстояния от вершины роговицы глаза до дальней точки глаза
V 455	**vertex tangent**	Scheiteltangente f	tangente f au sommet	касательная в вершине
V 456	**vertical,** vertical line, plumb line	Lotlinie f, Lotrechte f, Vertikale f, Vertikallinie f, vertikale Linie f	ligne f de fil à plomb, verticale f, ligne verticale	линия отвеса, отвесная линия, вертикаль, вертикальная линия, перпендикуляр
	vertical, vertical circle, altitude circle	Vertikalkreis m, Vertikal m, Höhenkreis m, Scheitelkreis m	cercle m vertical, vertical m	высотный круг, круг высот, вертикал, вертикальный круг
V 457	**vertical adjustment,** vertical motion, height adjustment	Höhenverstellung f	mouvement m vertical	вертикальное перемещение
V 458	**vertical aerial photograph,** vertical photograph, vertical shot	Vertikalaufnahme f, Vertikalluftbild n, Vertikalbild n, Hochaufnahme f	photographie f aérienne verticale, photographie verticale	плановый аэроснимок, плановый фотоснимок, плановый снимок
	vertical aerial photography	s. vertical photography		
V 459	**vertical aerial survey**	Luftbild-Senkrechtaufnahme f	photographie f aérienne verticale	вертикальная аэрофотосъемка
V 460	**vertical amplifier,** vertical deflection amplifier, frame amplifier, Y amplifier, Y-axis amplifier	Vertikalverstärker m, Vertikalablenkverstärker m, Y-Verstärker m	amplificateur m vertical, amplificateur de déviation verticale, amplificateur de déflexion verticale, amplificateur de balayage vertical	усилитель вертикально отклоняющего напряжения, усилитель вертикального отклонения, усилитель кадровой развертки, усилитель кадровых сигналов, усилитель отклонения по кадру, усилитель сигналов вертикального отклонения

V 461	vertical angle <geo.>	Vertikalwinkel m <Geo.>	angle m vertical <géo.>	вертикальный угол <гео.>
V 462	vertical aperture, vertical relative aperture	vertikale [relative] Apertur f	ouverture f [relative] verticale	аксиальная апертура, вертикальная апертура
V 463	vertical axis <of theodolite>	Stehachse f, Vertikalachse f, Umdrehungsachse f, Alhidadenachse f <Theodolit>	axe m vertical <du théodolite>	основная ось, вертикальная ось, ось вращения <теодолита>
V 464	vertical axis <cryst.>	Vertikalachse f <Krist.>	axe m vertical <crist.>	вертикальная ось <крист.>
	vertical axis error, error of vertical axis	Stehachsenfehler m	erreur f de l'axe vertical, erreur de verticalité	ошибка оси вращения
	vertical-axis [spin] wind tunnel	s. free spinning vertical wind tunnel		
V 465	vertical balance	Vertikalwaage f	balance f verticale	вертикальные весы
V 466	vertical blanking pulse	Vertikalaustastimpuls m	impulsion f de suppression [d']image, impulsion de suppression de trames, impulsion de blocage vertical	кадровый бланкирующий импульс, кадровый гасящий импульс
V 467	vertical camera, vertically operated camera, vertically mounted camera	Vertikalkamera f	caméra f verticale, caméra opérée en position verticale	вертикальная камера, вертикально работающая камера
	vertical casting	s. vertical throw <mech.>		
V 468	vertical circle, vertical, altitude circle	Vertikalkreis m, Vertikal m, Höhenkreis m, Scheitelkreis m	cercle m vertical, vertical m	высотный круг, круг высот, вертикал, вертикальный круг
V 469	vertical-circle level tube	Indexlibelle f, Höhenkreislibelle f, Noniuslibelle f	niveau m du cercle vertical	уровень вертикального круга
V 470	vertical cleft	Vertikalriß m, Vertikalspalte f	échancrure f	вертикальная трещина, расселина
	vertical condenser	s. vertical illuminator		
	vertical conducted heat flow, geothermal flux	geothermischer Fluß m	flux m géothermique	геотермический поток
	vertical current	s. air-earth current		
	vertical deflecting electrode	s. vertical plate		
V 471	vertical deflection, Y deflection; image deflection, frame deflection, vertical sweep	Vertikalablenkung f, Senkrechtablenkung f; Y-Ablenkung f <Oszillograph>; Bildablenkung f <Fs.>	déviation f verticale, déviation Y; balayage m vertical, balayage de trames, base f de temps image, base de temps d'images	вертикальное отклонение, вертикальная развертка; кадровая развертка, кадровое отклонение
	vertical deflection amplifier	s. vertical amplifier		
	vertical deflection electrode	s. vertical plate		
V 472	vertical deflection unit	Vertikalablenkgenerator m, Vertikalablenkgerät n, Vertikalablenkungsgenerator m	générateur m de balayage vertical, relaxateur m d'image	генератор кадровой развертки
	vertical deflector	s. vertical plate		
	vertical dispersion	s. vertical spread		
V 473	vertical displacement	Vertikalverschiebung f	déplacement m vertical	вертикальное перемещение (смещение), вертикальный сдвиг; сбросо-сдвиг <гео.>
	vertical distance above ground, height above ground, elevation above ground	Höhe f über Grund, Höhe über dem Erdboden (Boden)	hauteur f au-dessus du sol	высота от поверхности земли
	vertical distance above sea level	s. height above sea level		
V 474	vertical distribution, distribution in height (altitude), hypsometric distribution	Höhenverteilung f, hypsometrische Verteilung f	distribution f verticale, distribution de l'altitude, distribution altimétrique (hypsométrique)	распределение по высоте, вертикальное распределение, гипсометрическое распределение
V 475	vertical distribution of temperature	Temperaturschnitt m	distribution f verticale de la température	температурный разрез, вертикальное распределение температур
V 476	vertical distribution of velocities, vertical velocity distribution	Vertikalgeschwindigkeitsverteilung f	distribution f verticale des vitesses	распределение скоростей [течения] по вертикали
V 477	vertical exchange coefficient	Vertikalaustauschkoeffizient m, vertikaler Austauschkoeffizient m	coefficient m d'échange vertical	коэффициент вертикального обмена
V 478	vertical fault	Seigersprung m, Saìgersprung m	faille f verticale	вертикальный сброс
V 479	vertical field balance, vertical magnetic [field] balance, magnetic field balance, Z balance	Feldwaage f zur Messung der Vertikalintensität, Z-Waage f, magnetische Vertikalwaage f, vertikale Feldwaage f	balance f magnétique [pour mesurer l'intensité] verticale, balance Z	магнитные весы для определения вертикальной составляющей поля, магнитные вертикальные весы
V 480	vertical flow, vertical motion, vertical stream	Vertikalströmung f, vertikale Strömung f	mouvement (courant, écoulement) m vertical	вертикальное течение
	vertical force	s. perpendicular force		
	vertical force	s. vertical intensity <geo.>		
	vertical-force variometer, vertical-intensity variometer, Z-variometer	Vertikalintensitätsvariometer n, Z-Variometer n	variomètre m de l'intensité verticale, variomètre vertical, variomètre Z	вариометр вертикальной составляющей, Z-вариометр
V 481	vertical frequency	Vertikalfrequenz f	fréquence f de répétition d'image, fréquence d'image, fréquence image, fréquence d'analyse verticale, fréquence de balayage vertical	частота кадров, кадровая частота, частота кадровой развертки

V 482	vertical gust, vertical gustiness	Vertikalbö f	rafale f verticale	вертикальная порывистость, вертикальный порыв
	vertical horopter, longitudinal horopter	Längshoropter m, Vertikalhoropter m	horoptère m longitudinal (vertical)	продольный (вертикальный) гороптер
	vertical hydrodynamic force, hydrodynamic buoyancy	hydrodynamischer Auftrieb m	poussée f hydrodynamique, poussée verticale hydrodynamique	гидродинамическая подъемная сила
	vertical hydrostatic force	s. hydrostatic buoyancy <hydr.>		
V 483	vertical illumination, episcope illumination, illumination in reflected light, incident light illumination	Auflichtbeleuchtung f, Vertikalbeleuchtung f	éclairage m vertical, éclairage d'en haut, éclairage épiscopique, illumination f verticale	вертикальное освещение
V 484	vertical illuminator, opaque illuminator, illuminator; vertical condenser, incident light condenser	Auflichtilluminator m, Vertikalilluminator m, Opakilluminator m, Illuminator m; Auflichtkondensor m, Vertikalkondensor m	illuminateur m vertical, illuminateur opaque, illuminateur m vertical; condenseur m vertical	опак-иллюминатор, вертикальный осветитель, осветитель; вертикальный конденсор
	vertical incidence, normal incidence	senkrechter Einfall m, normaler Einfall, Normaleinfall m	incidence f normale, incidence verticale	падение по нормали, нормальное падение, вертикальное падение
V 485	vertical-incidence ionospheric sounding	vertikale Ionosphärenmessung f, Vertikallotung f der Ionosphäre	sondage m ionosphérique à incidence verticale	зондирование (прозвучивание) ионосферы при вертикальном падении
V 486	vertical intensity, vertical force <geo.>	Vertikalintensität f, erdmagnetische Vertikalintensität <Geo.>	intensité f verticale <géo.>	вертикальная составляющая геомагнитной напряженности, вертикальная интенсивность <гео.>
V 487	vertical-intensity magnetometer, vertical magnetometer, Z-magnetometer	Vertikalintensitätsmagnetometer n, Vertikalmagnetometer n, Z-Magnetometer n	magnétomètre m de l'intensité verticale, magnétomètre vertical, magnétomètre Z	магнитометр вертикальной составляющей, вертикальный магнитометр, Z-магнитометр
	vertical intensity meter, Z intensiometer	Z-Intensiometer n	intensimètre m vertical	измеритель вертикальной напряженности поля
V 488	vertical-intensity variometer, vertical-force variometer, Z-variometer	Vertikalintensitätsvariometer n, Z-Variometer n	variomètre m de l'intensité verticale, variomètre vertical, variomètre Z	вариометр вертикальной составляющей, Z-вариометр
V 489	vertical ionization potential, electron-impact value of ionization potential	vertikale Ionisierungsspannung f	potentiel m d'ionisation vertical	вертикальный потенциал ионизации
V 490	vertical isodynam, vertical isodynamic line	Vertikalisodyname f	isodyname f verticale, ligne f isodynamique de l'intensité verticale	изолиния вертикальной напряженности геомагнитного поля, вертикальная изодинама
V 491	vertical launching, vertical take-off	Senkrechtstart m	départ m vertical	вертикальный взлет (запуск, старт)
	vertical line, perpendicular [line], normal, plumb line	Senkrechte f, Lot n, Normale f	perpendiculaire f, ligne f verticale	перпендикуляр; вертикаль, вертикальная линия; отвесная линия, линия отвеса
	vertical line	s. a. vertical		
	vertically mounted camera, vertically operated camera, vertical camera	Vertikalkamera f	caméra f verticale, caméra opérée en position verticale	вертикальная камера, вертикально работающая камера
V 492	vertically polarized wave	vertikal polarisierte Welle f, senkrecht polarisierte Welle	onde f à polarisation verticale, onde polarisée verticalement	вертикально поляризованная волна
	vertical magnetic [field] balance	s. vertical field balance		
	vertical magnetometer, vertical-intensity magnetometer, Z-magnetometer	Vertikalintensitätsmagnetometer n, Vertikalmagnetometer n, Z-Magnetometer n	magnétomètre m de l'intensité verticale, magnétomètre vertical, magnétomètre Z	магнитометр вертикальной составляющей, вертикальный магнитометр, Z-магнитометр
V 493	vertical member, [vertical] strut, stanchion, stay	Vertikalstab m, Pfosten m	barre f verticale, membre m vertical; contre-fiche f; étrésillon m; jambe f [de force]	вертикальный стержень, стойка, подвеска, стояк; подпорный брус, подпорка, подкос
	vertical method of zone melting	s. floating-zone technique		
V 494	vertical motion, vertical movement; heaving [motion]	Vertikalbewegung f; Hebung f	mouvement m vertical; montée f	вертикальное движение, движение по высоте; поднятие, подъем
	vertical motion, vertical flow, vertical stream	Vertikalströmung f, vertikale Strömung f	mouvement (courant, écoulement) m vertical	вертикальное течение
	vertical motion	s. a. vertical adjustment		
	vertical movement	s. vertical motion		
V 495	vertical pattern	Vertikaldiagramm n, Vertikalstrahlungsdiagramm n, Vertikalcharakteristik f	diagramme m de rayonnement vertical, diagramme en site	диаграмма направленности в вертикальной плоскости
V 496	vertical phase contrast illuminator, vertical phase illuminator	Vertikalphasenkontrastkondensor m, Vertikalphasenkontrastilluminator m, Vertikalphasenilluminator m	condenseur m vertical de phase	фазовый (фазовоконтрастный) вертикальный конденсор
	vertical photograph, vertical aerial photograph, vertical shot	Vertikalaufnahme f, Vertikalluftbild n, Vertikalbild n, Hochaufnahme f	photographie f aérienne verticale, photographie verticale	плановый аэроснимок, плановый фотоснимок, плановый снимок

V 497	**vertical photography,** vertical aerial photography, vertical taking, vertical shot, steep shot	Vertikalaufnahme f, Senkrechtaufnahme f, Steilaufnahme f	prise f de vue verticale, photographie aérienne verticale, photographie verticale	плановая аэрофотосъемка (съемка, аэросъемка), вертикальная съемка, съемка с вертикально направленной осью камеры
V 498	**vertical pillar,** sun-pillar, Sun pillar	Lichtsäule f, Sonnensäule f	colonne f lumineuse	световой столб [около Солнца], светлый столб [около Солнца], солнечный столб, столб около Солнца
V 499	**vertical plate,** Y plate, vertical deflecting electrode, vertical deflection electrode, vertical deflector	Vertikalablenkplatte f, Y-Platte f; Meßablenkplatte f, Meßplatte f	plaque f de déviation verticale, plaque Y	пластин[к]а вертикального отклонения, вертикально отклоняющая пластин[к]а, вертикальная отклоняющая пластин[к]а; отклоняющая измерительная пластина
	vertical projection	s. vertical throw		
V 500	**vertical recording,** hill and dale recording	[Aufzeichnung f in] Tiefenschrift f, Edisonschrift f, Edison-Schrift f	gravure f en profondeur, enregistrement m vertical	глубинная запись, глубинная механическая звукозапись
V 501	**vertical refraction**	Höhenrefraktion f	réfraction f verticale	вертикальная рефракция
	vertical relative aperture, vertical aperture	vertikale [relative] Apertur f	ouverture f [relative] verticale	аксиальная апертура, вертикальная апертура
V 502	**vertical resolution**	Vertikalauflösung f, Senkrechtauflösung f	pouvoir m de résolution verticale, résolution f verticale	разрешающая способность поперек строк, разрешающая способность по вертикали
V 503	**vertical rhombic antenna**	Vertikalrhombusantenne f	antenne f en losange vertical[e]	вертикальная ромбическая антенна
V 504	**vertical ring**	Vertikalring m	anneau m vertical	вертикальное кольцо [гало]
V 505	**vertical row index,** column index	Spaltenindex m	indice m de colonne	индекс столбца, столбцевой индекс
V 506	**vertical scanning generator,** vertical sweep circuit <tv.>	Rasterkippgenerator m, Bildwechselgenerator m, Rasterwechselgenerator m; Rasterkippgerät n, Bildkippgerät n, Bildkippteil n <Fs.>	générateur m de balayage vertical <tv.>	генератор кадровой развертки <тв.>
V 507	**vertical section**	Vertikalschnitt m	coupe f verticale	вертикальный разрез
V 508	**vertical seismograph**	Vertikalseismograph m	séismographe (sismographe) m vertical	вертикальный сейсмограф
V 509	**vertical seismometer**	Vertikalseismometer n, Vertikalerschütterungsmesser m	séismomètre m vertical, sismomètre m vertical	вертикальный сейсмометр
V 510	**vertical shock** <geo.>	vertikaler Stoß m, Vertikalstoß m, Senkrechtstoß m <Geo.>	secousse f sussultoire <géo.>	вертикальный толчок <гео.>
	vertical shot	s. vertical photograph		
	vertical shot	s. a. vertical photography		
	vertical spin wind tunnel	s. free spinning vertical wind tunnel		
V 510a	**vertical spread,** vertical dispersion	Höhenstreuung f, Vertikalstreuung f	dispersion f verticale	вертикальное рассеяние
	vertical stream, vertical flow, vertical motion	Vertikalströmung f, vertikale Strömung f	mouvement (courant, écoulement) m vertical	вертикальное течение
	vertical sweep	s. image deflection		
	vertical sweep circuit	s. vertical scanning generator <tv.>		
V 511	**vertical sweep retrace time**	Vertikalrücklaufzeit f	temps m de retour vertical, temps de retour d'image	время обратного хода вертикальной (кадровой) развертки
	vertical take-off, vertical launching	Senkrechtstart m	départ m vertical	вертикальный взлет (запуск, старт)
	vertical taking	s. vertical photography		
V 512	**vertical temperature gradient,** geometric temperature gradient	vertikaler (geometrischer) Temperaturgradient m, vertikales Temperaturgefälle n	gradient m de température vertical, gradient de température géométrique	вертикальный температурный градиент, геометрический температурный градиент
	vertical thickness, vertical width	vertikale Mächtigkeit f	épaisseur (étendue, puissance) f verticale	вертикальная мощность
V 513	**vertical throw,** vertical projection	lotrechter Wurf m, senkrechter Wurf, vertikaler Wurf	jet m vertical, projection f verticale	вертикальный бросок, вертикальное движение (метание); движение тела, брошенного вертикально
V 514	**vertical throw**	s. a. steep throw		
	vertical transfer, vertical transport	Vertikaltransport m	transfert m vertical	вертикальный перенос
V 515	**vertical-tube manometer,** single-column manometer	Gefäßmanometer n, einschenkliges Manometer n, Manometer mit senkrechtem Meßrohr	manomètre m à tube vertical, manomètre direct	чашечный манометр
V 516	**vertical velocity**	Vertikalgeschwindigkeit f	vitesse f verticale	вертикальная скорость, скорость по вертикали, скорость по высоте

V 517	**vertical velocity curve** ‹hydr.›	Vertikalgeschwindigkeits- kurve *f*, Vertikal- geschwindigkeitsvertei- lung[skurve] *f*, Vertikal- geschwindigkeitspolygon *n* ‹Hydr.›	courbe *f* de répartition verticale des vitesses ‹hydr.›	эпюра вертикальной скорости [течения], эпюра скоростей тече- ния на вертикали, эпюра распределения вертикальной скорости, годограф ‹гидр.›
	vertical velocity distribution, vertical distribution of velocities	Vertikalgeschwindigkeits- verteilung *f*	distribution *f* verticale des vitesses	распределение скоростей [течения] по вертикали
V 518	**vertical visibility [distance]**	vertikale Sichtweite *f*, Vertikalsicht *f*	portée *f* de vue verticale, visibilité *f* verticale	дальность вертикальной видимости, вертикаль- ная дальность види- мости, вертикальная видимость
V 519	**vertical width**, vertical thickness	vertikale Mächtigkeit *f*	épaisseur (étendue, puissance) *f* verticale	вертикальная мощность
	vertical wind tunnel	*s.* free spinning vertical wind tunnel		
	vertometer, focometer, focimeter	Fokometer *n*, Brenn- weitenmesser *m*	focomètre *m*, focimètre *m*	фокометр
	very angry sea, very rough sea, surging sea	sehr grobe See *f*, sich türmende See ‹Stärke 6›	houle *f* forte, mer *f* très houleuse	очень бурное море ‹6 баллов, волны вы- сотой 3,5÷6 м›
V 519a	**very compact galaxy**	sehr kompakte Galaxie *f*	galaxie *f* très compacte	очень компактная галак- тика
V 520	**very distant earthquake**	weites Fernbeben *n*	tremblement *m* de terre très éloigné	очень далекое землетрясение
V 521	**very fast nova**	sehr schnelle Nova *f*	nova *f* très rapide	очень быстрая новая [звезда]
	very high energy, superhigh energy, extra-high energy	Höchstenergie *f*	très haute énergie *f*, énergie ultra-haute, énergie extrêmement haute	сверхвысокая энергия
V 522	**very high frequency**, V.H.F., VHF, v.h.f., vhf ‹30−300 Mc/s›	Meterwellenfrequenz *f*, Frequenz *f* im Meter- wellenbereich, Frequenz im UKW-Bereich, Meterwelle *f*, VHF ‹30 ··· 300 MHz›	très haute fréquence *f*, « very high frequency » *f*, TH. F., VH. F. ‹30 ··· 300 Mc/s›	весьма высокая частота, очень высокая частота ‹30÷300 *Мгц*›
V 523	**very high frequency range**, range of very high frequency, very high frequency wave- length [range], metric wavelength [range], V.H.F. range, V.H.F.	Ultrakurzwellenbereich *m*, Ultrakurzwelle *f*, Meter- wellenbereich *m*, Meter- bereich *m*, UKW-Be- reich *m*, VHF-Bereich *m*, UKW, VHF	gamme *f* de très hautes fréquences, gamme des ondes métriques, gamme métrique, ondes *fpl* très hautes fréquences, ondes métriques, gamme VH. F., VH. F.	диапазон метровых волн, диапазон ультракорот- ких волн, диапазон очень высоких частот, ультракоротковолно- вый диапазон, метровые волны
V 524	**very high frequency wave**, metre wave, ultra- short wave, very short wave, V.H.F. wave ‹1−10 m›	Ultrakurzwelle *f*, Meter- welle *f*, UKW ‹1 ··· 10 m›	onde *f* très haute fréquence, onde ultra-courte, onde très courte, onde mé- trique ,onde VH. F., O.T.C., OTC ‹1 ··· 10 m›	ультракороткая волна, метровая волна, волна очень высокой часто- ты, УКВ ‹1÷10 м›
	very high frequency wavelength [range]	*s.* very high frequency range		
V 525	**very high pressure**, extra-high pressure, hyperpressure	Höchstdruck *m*	très haute pression *f*	сверхвысокое давление
V 526	**very high seas**, storm sea, stormy sea	sehr hohe (hoch[ ]gehende) See *f*, sehr hoher (großer) Wellengang *m*, sehr hohe (große) Wellen *fpl* ‹Stärke 8›	très grosse mer *f*, mer furieuse, houle *f* de tempête, houle tempestueuse	очень сильное (большое, высокое) волнение, бушующее море, што- рмовые волны ‹8 бал- лов, волны высотой до 20 м›
	very high vacuum	*s.* ultra-high vacuum		
V 527	**very light breeze**, light air ‹of Beaufort No. 1›	leiser Zug *m*, leiser Wind *m* ‹Stärke 1›	presque-calme *m*, vent *m* très léger, brise *f* très légère ‹du degré 1›	очень легкий ветер ‹1 балл›
V 528	**very long wave**, very low frequency wave	Längstwelle *f* ‹2 ··· 30 km›	onde *f* très longue	сверхдлинная волна, очень длинная волна
V 529	**very low frequency**, V.L.F., VLF, v.l.f., vlf ‹< 30 kc/s›	Myriameterwellenfrequenz *f*, Frequenz *f* im Myria- meterwellenbereich, VLF ‹< 30 kHz›	fréquence *f* ultra-basse, « very low frequency » *f*, VL.F. ‹< 30 kc/s›	весьма низкая частота, сверхнизкая частота, инфранизкая частота ‹< 30 *кгц*›
V 530	**very low frequency**, v.l.f., VLF ‹10 ··· 30 kc/s›	Frequenz *f* im niedrigen Langwellenbereich, nie- drige Langwellenfrequenz *f*, VLF	fréquence *f* ultrabasse	сверхнизкая частота, инфранизкая частота
V 531	**very low frequency range**, range of very low frequency, myriametre wavelength [range], V.L.F. range, V.L.F.	Myriameterwellenbereich *m*, Myriameterbereich *m*, Myriabereich *m*, VLF- Bereich *m*, VLF	gamme *f* de fréquences ultra-basses, gamme des ondes myriamétriques, gamme myriamétrique, gamme VL. F., VL. F.	диапазон мириаметровых волн, мириаметровые волны, диапазон волн весьма низких частот
V 532	**very low frequency wave**, myriametre wave, V.L.F. wave ‹> 10,000 m›	Myriameterwelle *f*, Ultra- langwelle *f* ‹> 10 000 m›	onde *f* ultra-basse fré- quence, onde myriamé- trique, onde VL. F. ‹> 10 000 m›	мириаметровая (очень длинная) волна, волна весьма низкой частоты, волна сверхнизкой (инфранизкой) частоты ‹> 10 000 м›
	very low frequency wave, very long wave	Längstwelle *f* ‹2 ··· 30 km›	onde *f* très longue	сверхдлинная волна, очень длинная волна
V 533	**very low nova**	sehr langsame Nova *f*	nova *f* très lente	очень медленная новая [звезда]

V 534	very near infra-red [region] <0.75 − 2.5 μ>	nahes Infrarot n, nahes Infrarotgebiet n, nahes IR[-Gebiet] n <IR-A- und IR-B-Gebiet> <0,76 ··· 3,0 μm>	infrarouge m proche	близкая инфракрасная область, ближняя инфракрасная область <0,74 ÷ 2,5 мк>
V 535	very rough sea, very angry sea, surging sea	sehr grobe See f, sich türmende See <Stärke 6>	houle f forte, mer f très houleuse	очень бурное море <6 баллов, волны высотой 3,5 ÷ 6 м>
	very short wave	s. very high frequency wave		
	very slow flow (motion), very small motion	s. creeping motion		
V 536	very soluble	gut löslich	bien soluble	хорошо растворимый
V 536a	vesicular structure	Blasenstruktur f, blasige Struktur f	structure f vésiculaire, structure bulleuse	пузыристая структура
	vessel	s. flask		
	vessel of the rain gauge, measuring vessel of the rain gauge	Regenmessergefäß n	récipient m du pluviomètre	дождемерное ведро, ведро дождемера
	vestalium	= cadmium		
	vestigial filter	s. vestigial[-] sideband filter		
V 537	vestigial sideband	Restseitenband n	bande f latérale tronquée, bande latérale atténuée	частично подавленная боковая полоса, передаваемая боковая полоса
V 538	vestigial[-] sideband filter, vestigial filter, sideband filter	Restseitenbandfilter n, Seitenbanddämpfer m	filtre m de bande latérale [tronquée]	фильтр частичного подавления боковой полосы; фильтр подавления боковой полосы
V 539	vestigial[-] sideband modulation	Restseitenbandmodulation f, RBM	modulation f d'amplitude à porteuse embryonnaire	амплитудная модуляция с частичным подавлением одной боковой полосы частот
V 540	vestigial[-]sideband transmission, asymmetric sideband transmission	Restseitenbandübertragung f, Restseitenbandverfahren n	transmission f à bande latérale atténuée, transmission à bandes asymétriques	передача с частичным подавлением одной боковой полосы, передача с частично подавленной боковой полосой
V 540a	veto counter	Zählrohr n in Antikoinzidenzschaltung	tube m compteur en circuit de sélection des anticoïncidences	счетчик, включенный на антисовпадения
V 541	V event, V-event	V-Ereignis n	événement m V	V-распад, V-явление
	V.H.F.	s. very high frequency		
V 542	viability	Lebensfähigkeit f	viabilité f	жизнеспособность
V 543	vial, phial	Phiole f, Fläschchen n	fiole f	склянка [с длинным горлом], пузырек, флакон
	Via Lactea, Milky Way	Milchstraße f	Voie f Lactée	Млечный Путь
V 544	Vianello['s] method	Vianellosches Verfahren n, Vianello-Verfahren n	méthode f de Vianello	метод Вианелло
V 545	vibrant	Vibrant m	vibrant m	вибранта
	vibrating capacitor	s. vibrating condenser		
V 546	vibrating capacitor amplifier	Schwingkondensatorverstärker m	amplificateur m à condensateur vibrant	усилитель с динамическим конденсатором
	vibrating capacitor electrometer	s. vibrating reed electrometer		
	vibrating coil, vibration coil; oscillator coil; moving coil	Oszillatorspule f; Schwingspule f, Vibrationsspule f	bobine f oscillatrice; bobine mobile, bobine oscillante	катушка генератора; вибрирующая катушка, поворотная катушка, подвижная катушка
V 547	vibrating-coil magnetometer	Schwingspulenmagnetometer n, Vibrations-[spulen]magnetometer n	magnétomètre m à bobine oscillante (vibrante)	магнитометр с вибрирующей катушкой
V 548	vibrating-coil oscillator	Schwingspulenoszillator m	oscillateur m à bobine mobile	генератор с вибрирующей катушкой
V 549	vibrating condenser, vibrating capacitor, vibrating reed [dynamic] condenser	Schwingkondensator m	condensateur m à lame vibrante, condensateur vibrant	динамический конденсатор, вибрационный конденсатор
V 550	vibrating contact, oscillating contact	Schwingkontakt m	contact m vibrant, vibreur m	качающийся контакт
	vibrating contactor	s. chopper <el.>		
V 551	vibrating contact rectifier, vibrator inverter	Schwingkontaktgleichrichter m, Schwinggleichrichter m, Zungengleichrichter m	redresseur m à vibreur, vibreur m	вибрационный [контактный] выпрямитель, выпрямитель с качающимися контактами
	vibrating field, oscillating field	Schwingungsfeld n	champ m oscillatoire, champ vibratoire	колебательное поле, поле колебаний
	vibrating galvanometer	s. vibration galvanometer		
	vibrating load	s. oscillating load		
	vibrating magnet, moving magnet	Schwingmagnet m	aimant m mobile	подвижный магнит виброметра
V 552	vibrating mill, vibration mill	Schwingmühle f	vibromoulin m, moulin m à vibration	вибрационная мельница, вибромельница
	vibrating mirror	s. oscillating mirror		
V 553	vibrating potential model	Modell n des schwingenden Potentials, Schwing[ungs]potentialmodell n	modèle m du potentiel oscillant	модель колеблющегося потенциала
V 554	vibrating probe	Schwingsonde f	sonde f vibrante	виброщуп, виброзонд, вибрирующий зонд
	vibrating quartz [crystal]	s. oscillating quartz		
	vibrating rectifier	s. chopper <el.>		
	vibrating reed [dynamic] capacitor	s. vibrating capacitor		

V 555	**vibrating reed electrometer,** vibrating capacitor electrometer, vibration electrometer	Schwing[kondensator]-elektrometer n, Vibrationselektrometer n, Elektrometer n nach le Chaine und Waghorn, „vibrating-reed"-Elektrometer n, „vibrating reed" n	électromètre m à condensateur vibrant, électromètre à lame vibrante, électromètre à tige vibrante	динамический электрометр, язычковый динамический электрометр, вибрационный электрометр, электрометр с колеблющейся пластинкой
	vibrating-reed frequency meter	s. reed-type frequency meter		
	vibrating-reed instrument	s. reed-type frequency meter		
V 556	**vibrating relay,** tuned-reed relay, resonance relay	Zungenresonanzrelais n, Zungenfrequenzrelais n, Resonanzrelais n, Unterbrecherrelais n, Unterbrechungsrelais n, Vibrationsrelais n	relais m vibrant, relais à résonance, relais accordé, relais vibreur	вибрационное реле, резонансное реле, реле обрыва
V 557	**vibrating rod,** oscillating rod	schwingender Stab m	barre (tige) f vibrante, barre (tige) oscillante	колеблющийся стержень
V 558	**vibrating rotator,** oscillating rotator	schwingender Rotator m	rotateur m vibrant (oscillant), roteur m oscillant	колеблющийся ротатор
V 559	**vibrating silica fibre**	schwingender Quarzfaden m, Quarzfadenpendel n <als Vakuummeter>	fibre f de silice vibrante	демпферный вязкостный манометр с нитью
	vibrating strain	s. oscillating load		
	vibrating stress, cyclic stress, cyclical stress, vibratory stress, oscillating stress	Schwingspannung f, Schwingungsspannung f, schwingende Spannung f	tension f cyclique, tension oscillatoire, tension vibratoire	циклическое напряжение, напряжение цикла
V 560	**vibrating string**	schwingende Saite f	corde f vibrante	колеблющаяся струна
	vibrating system	s. oscillation system		
V 561	**vibrating viscometer gauge**	Schwingungsmanometer n	jauge f à viscosité	демпферный вязкостный манометр
V 562	**vibration**	Vibration f; Schwingung f <z. B. Platte, Stab, Saite, Zunge>	vibration f	вибрация; дрожание; колебание
	vibration, shaking, chatter	Erschütterung f	ébranlement m, secousse f, saccade f, vibration f	сотрясение, встряхивание, вибрация
V 563	**vibration,** trembling <of image> <opt.>	Tanzen n, Zittern n, Springen n <Bild> <Opt.>	agitation f <de l'image> <opt.>	дрожание, вибрация, пляска <изображения> <опт.>
	vibration	s. a. zitterbewegung <of electron>		
	vibration absorber	s. attenuator		
V 564	**vibrational absorption spectrum**	Absorptionsschwingungsspektrum n	spectre m vibrationnel d'absorption	колебательный спектр поглощения
V 564a	**vibration acceleration**	Schwingbeschleunigung f, Schwingungsbeschleunigung f	accélération f de vibration	ускорение колебаний
V 565	**vibrational angular momentum**	Schwingungsdrehimpuls m	moment m cinétique de vibration, moment angulaire de vibration	колебательный момент количества движения, момент количества движения колебания
V 566	**vibrational band,** vibration band	Schwingungsbande f	bande f de vibration, bande vibrationnelle	полоса колебательного спектра, колебательная полоса, вибрационная полоса
	vibrational-band temperature, vibrational characteristic temperature	s. vibration temperature		
V 567	**vibrational compacting,** compacting by vibration, compaction by vibration, vibrocompaction	Vibrationsverdichtung f	vibrotassement m, vibrocompression f, vibroserrage m, vibrocompaction f	вибрационное уплотнение, уплотнение встряхиванием, виброуплотнение, уплотнение вибрированием, уплотнение вибрацией, сжимание при вибрировании, вибрационное сжатие
V 568	**vibrational constant**	Schwingungskonstante f	constante f de vibration, constante vibrationnelle	колебательная постоянная
V 569	**vibrational co-ordinate**	Schwingungskoordinate f	coordonnée f de vibration	колебательная координата
V 570	**vibrational corrosion**	Schwingungsrißkorrosion f, Schwingungskcrrosion f	corrosion f vibrationnelle, corrosion sous vibration	вибрационная коррозия, коррозионное растрескивание при циклическом нагружении
V 571	**vibrational degree of freedom**	Schwingungsfreiheitsgrad m	degré m de liberté de vibration	колебательная степень свободы
	vibrational density, density after vibration	Rütteldichte f	densité f après la vibration	плотность после встряхивания
V 572	**vibrational discharge**	Schwingentladung f	décharge f oscillatoire	колебательный разряд
V 572a	**vibrational eigenfunction**	Schwingungseigenfunktion f	fonction f propre vibrationnelle	колебательная собственная функция
V 573	**vibrational energy,** vibration energy, energy of vibration, oscillation energy	Schwingungsenergie f, Vibrationsenergie f <z. B. Moleküle>; Oszillationsenergie f	énergie f de vibration, énergie vibratoire, énergie d'oscillation, énergie oscillatoire, énergie vibrationnelle	энергия колебаний, колебательная энергия
	vibrational energy level	s. vibrational level		
	vibrational enthalpy; vibrational heat [capacity]	Schwingungswärme f; Schwingungsenthalpie f	chaleur f de vibration, chaleur vibrationnelle	выделяемая при колебаниях теплота
V 574	**vibrational entropy**	Schwingungsentropie f	entropie f de vibration, entropie vibrationnelle	колебательная энтропия

V 575	**vibrational excitation**	Schwingungsanregung f, Anregung f des Schwingungszustandes	excitation f de l'état vibrationnel	возбуждение колебательного уровня
V 576	**vibrational fine structure**	Schwingungsfeinstruktur f	structure f fine due à la vibration	колебательная тонкая структура
	vibrational frequency	s. frequency		
V 577	**vibrational function**	Schwingungsfunktion f	fonction f de vibration, fonction vibrationnelle	функция колебаний, колебательная функция
V 578	**vibrational heat [capacity]; vibrational enthalpy**	Schwingungswärme f; Schwingungsenthalpie f	chaleur f de vibration, chaleur vibrationnelle; enthalpie f de vibration, enthalpie vibrationnelle	выделяемая при колебаниях теплота; выделяемая при колебаниях энтальпия
V 579	**vibrational instability,** oscillatory instability	Schwingungsinstabilität f	instabilité f vibrationnelle, instabilité aux vibrations	вибрационная неустойчивость
V 580	**vibrational level,** vibrational energy level, vibration level	Schwingungsniveau n, Schwingungsenergieniveau n	niveau m de vibration, niveau énergétique de vibration, niveau vibrationnel, niveau d'oscillation	колебательный уровень [энергии], вибрационный уровень [энергии]
V 581	**vibrational line**	Schwingungslinie f	raie f de vibration, raie vibrationnelle, raie d'oscillation	вибрационная линия, колебательная линия, линия колебательного спектра
V 582	**vibrational mode,** mode [of wave]; natural (characteristic) vibration, natural oscillation; self-oscillation; eigentone <ac.>	Eigenschwingung f; Eigenschwingungstyp m, Mode f	mode m de vibrations; oscillation f naturelle (simple propre, propre), vibration f propre (caractéristique)	собственное колебание; автоколебание
V 583	**vibrational part**	Schwingungsanteil m	partie f vibrationnelle	колебательная часть
V 584	**vibrational partition function**	Schwingungszustandssumme f, Schwingungsanteil m der Zustandsfunktion	fonction f de partition vibratoire, fonction de partition vibrationnelle	сумма по колебательным состояниям, колебательная сумма по состояниям, колебательная сумма состояний
V 585	**vibrational perturbation**	Schwingungsstörung f	perturbation f vibrationnelle	колебательное возмущение
	vibrational quantum number	s. vibration quantum number		
V 585a	**vibrational Raman spectrum,** Raman vibrational spectrum	Schwingungs-Raman-Spektrum f, Raman-Schwingungsspektrum n	spectre m vibrationnel de Raman, spectre de Raman vibrationnel	колебательный спектр комбинационного рассеяния [света]
V 586	**vibrational relaxation**	Schwingungsrelaxation f	relaxation f vibratoire	колебательная релаксация
V 586a	**vibrational scattering**	Gitterschwingungsstreuung f, Streuung f an Gitterschwingung[squant]en	diffusion f vibratoire	рассеяние на колебаниях [решетки]
V 587	**vibrational spectrum,** vibration spectrum, oscillation spectrum	Schwingungsspektrum n	pectre m de vibration, spectre vibrationnel, spectre d'oscillation	колебательный спектр, вибрационный спектр
V 588	**vibrational state,** vibration state	Schwingungszustand m	état m de vibration, état vibrationnel, état d'oscillation	колебательное состояние, вибрационное состояние
V 589	**vibrational structure**	Schwingungsstruktur f	structure f de vibration, structure vibrationnelle, structure d'oscillation	колебательная структура, вибрационная структура
V 590	**vibrational sum rule**	Schwingungssummenregel f, Summenregel f für die Schwingungen	règle f des sommes de vibrations, règle du total des vibrations	правило сумм колебаний
	vibrational temperature	s. vibration temperature		
V 591	**vibrational term,** vibration term	Schwingungsterm m, Schwingungsglied n	terme m de vibration, terme vibrationnel	колебательный член, вибрационный член
V 592	**vibrational theory of solids**	Schwingungstheorie f der Festkörper	théorie f d'oscillation des corps solides	колебательная теория твердых тел
V 593	**vibrational transition**	Schwingungsübergang m	transition f de vibration, transition vibrationnelle	колебательный переход, вибрационный переход
V 594	**vibrational wave function**	Schwingungswellenfunktion f	fonction f d'onde de vibration, fonction d'onde vibrationnelle	колебательная волновая функция
	vibrational weight, weight after vibration	Rüttelgewicht n	poids m après la vibration	вес после встряхивания
	vibration amplitude	s. amplitude <of vibration, oscillation>		
	vibration antinode	s. antinodal point		
	vibration band	s. vibrational band		
	vibration coil	s. vibrating coil		
V 595	**vibration due to unbalance**	Unwuchtschwingung f	vibration f due à la disbalance	колебание от неуравновешенности (дисбаланса), механическое колебание, вибрация вследствие дисбаланса
	vibration electrometer	s. vibrating reed electrometer		
	vibration energy	s. vibrational energy		
	vibration excitation	s. excitation of oscillations		
	vibration frequency	s. frequency		
V 596	**vibration galvanometer,** vibrating galvanometer	Vibrationsgalvanometer n, Nadelvibrationsgalvanometer n, Nadelschwingungsgalvanometer n, Schwingungsgalvanometer n	galvanomètre m de résonance, galvanomètre à vibration	вибрационный гальванометр, резонансный гальванометр
	vibration generation	s. excitation of oscillations		
	vibration generator	s. oscillator <el.>		
V 597	**vibration gravimeter**	Schwingungsgravimeter n	gravimètre m à vibration	вибрационный гравиметр

V 598	**vibration instrument**	Vibrationsmeßgerät n, Vibrationsinstrument n, Vibrationsgerät n, Vibrationsmesser m	appareil m à vibration, appareil de résonance	вибрационный [электро-]измерительный прибор, прибор вибрационной [электроизмерительной] системы, измеритель (измерительный прибор) вибрационной системы, резонансный [электро-]измерительный прибор, резонансный прибор, прибор резонансной [электроизмерительной] системы, [измерительный] прибор резонансного типа, измеритель резонансного типа
V 598 a	**vibration insulation (isolation)**	Schwingungsisolierung f, Schwingungsschutz m	isolation f des vibrations	виброизоляция
V 598 b	**vibration isolator**	Schwingungsisolator m, Schwingungsschutz m	isolateur m des vibrations	виброизолятор
	vibration level	s. vibrational level		
	vibration load	s. oscillating load		
	vibration loop	s. antinodal point		
V 599	**vibration measuring apparatus, vibration meter, vibrometer**	Schwingungsmesser m, Schwingungsmeßgerät n, Vibrometer n, Erschütterungsmesser m	vibromètre m, appareil m pour mesurer les vibrations	вибpометр, измеритель вибраций, измеритель колебаний, прибор для измерения вибраций (колебаний)
V 600	**vibration microscope**	Vibrationsmikroskop n	microscope m à vibration	вибрационный микроскоп
	vibration mill	s. vibrating mill		
V 601	**vibration movement**	Vibrationsmeßwerk n	équipage m à vibration	механизм вибрационной [электроизмерительной] системы
	vibration node	s. node		
V 602	**vibration of membrane**	Membranschwingung f	vibration f de membrane	колебание мембраны
V 603	**vibration of plate**	Plattenschwingung f	vibration f de plaque	колебание пластинки
V 604	**vibration of reed**, reed vibration	Zungenvibration f, Zungenschwingung f	vibration f de la lame; vibration de l'anche	вибрация язычка, вибрация упругой пластинки
	vibration of systems with variable characteristics	s. quasi-harmonic oscillation		
V 605	**vibration of the bar**, bar vibration	Stabschwingung f; Stäbeschwingung f	oscillation f de la tige; oscillation des tiges	колебание стержня; колебание стержней
V 606	**vibration of the molecules**, molecule vibration, molecular vibration	Molekülschwingung f	vibration f moléculaire, vibration des molécules	молекулярное колебание, колебание молекул
V 607	**vibration of the rope, vibration of the string**	Seilschwingung f	vibration f du cordon	колебание (вибрация) веревки, вибрация троса (провода)
	vibration of the string, string vibration	Saitenschwingung f	vibration f de la corde	колебание струны
V 608	**vibration of two degrees of freedom**	Schwingung f von zwei Freiheitsgraden	oscillation f à deux degrés de liberté	двухстепенное колебание
	vibration patterns	s. Chladni['s] figures		
	vibration period	s. period of oscillation		
	vibration plane, plane of vibration[s], plane of oscillation	Schwingungsebene f, Schwingebene f	plan m de l'oscillation, plan d'onde, plan de vibration	плоскость колебания. плоскость качания. плоскость качения
V 609	**vibration quantum number**, vibrational (oscillation) quantum number	Schwingungsquantenzahl f	nombre m quantique vibrationnel (de vibration, d'oscillation)	колебательное квантовое число
	vibration recorder (recording apparatus), vibrograph, recording vibration meter, vibration recording apparatus	schreibender Schwingungsmesser m, Schwingungsschreiber m, Vibrograph m	vibrographe m, appareil m pour enregistrer les vibrations	виброграф, самопишущий измеритель вибраций, прибор для записи вибраций (колебаний)
V 610	**vibration resistance**, resistance to vibration[s] (shaking)	Rüttelfestigkeit f; Erschütterungsfestigkeit f	résistance f à la vibration, résistance aux vibrations	вибропрочность, вибростойкость; тряскостойкость
	vibration resistance	s. a. dynamic strength		
	vibration resonance, rumble	Schüttelresonanz f	résonance f vibrationnelle	рокотание, громыхание
V 611	**vibration-rotation band**, rotation-vibration band	Rotationsschwingungsbande f	bande f de rotation-vibration, bande de rotation-oscillation	колебательно-вращательная полоса, полоса вращательно-колебательного спектра, вращательно-ротационная полоса
V 612	**vibration-rotation band spectrum**	Rotationsschwingungsbandenspektrum n, Rotationsschwingungs-Bandenspektrum n	spectre m de bandes de rotation-vibration	полосатый колебательно-вращательный спектр, колебательно-вращательный полосатый спектр
V 613	**vibration-rotation constant**, rotation-vibration constant	Rotationsschwingungskonstante f	constante f de rotation-vibration	вращательно-колебательная постоянная
V 614	**vibration-rotation energy**, rotation-vibration energy	Rotationsschwingungsenergie f	énergie f de rotation-vibration	вращательно-колебательная энергия
V 615	**vibration-rotation interaction**, rotation-vibration interaction	Rotationsschwingungswechselwirkung f	interaction f de rotation-vibration	вращательно-колебательное взаимодействие

V 616	**vibration-rotation spectrum,** rotation-vibration spectrum	Rotationsschwingungs-spektrum *n*	spectre *m* de rotation-vibration, spectre rotationnel-vibrationnel	колебательный спектр, колебательно-вращательный спектр, вращательно-колебательный спектр, вращательно-вибрационный спектр
	vibration spectrum, vibrational spectrum, oscillation spectrum	Schwingungsspektrum *n*	spectre *m* de vibration, spectre vibrationnel, spectre d'oscillation	колебательный спектр, вибрационный спектр
	vibration state, vibrational state	Schwingungszustand *m*	état *m* de vibration, état vibrationnel, état d'oscillation	колебательное состояние, вибрационное состояние
	vibration strain	s. oscillating load		
	vibration strength	s. dynamic strength		
	vibration stress	s. vibratory stress		
V 617	**vibration temperature,** vibrational (vibrationalband, vibrational characteristic) temperature, temperature from the vibration-rotation (vibrational) spectrum	Schwingungstemperatur *f*, charakteristische Schwingungstemperatur, aus dem Rotationsschwingungsspektrum bestimmte Temperatur *f*	température *f* de vibration	колебательная температура
	vibration term, vibrational term	Schwingungsterm *m*, Schwingungsglied *n*	terme *m* de vibration, terme vibrationnel	колебательный член, вибрационный член
V 618	**vibration test**	Dauerschwingversuch *m*, Schwingungsversuch *m*, Dauerversuch *m*	essai *m* de fatigue par oscillation, essai de vibration, essai aux vibrations	испытание на усталость при знакопеременном цикле, испытание на выносливость при вибрационной нагрузке, вибрационное испытание, виброиспытание, испытание на воздействие вибраций
V 619	**vibration test**	Schüttelversuch *m*, Schüttelprüfung *f*	essai *m* de vibration, essai aux vibrations	испытание на вибропрочность (тряску, вибрацию), виброиспытание, вибрационное испытание
V 619a	**vibration tomography**	Vibrationstomographie *f*	tomographie *f* à vibration	вибрационная томография
V 620	**vibration transducer**	Schwingungswandler *m*	transducteur *m* de vibrations, transducteur d'oscillations	преобразователь колебаний
	vibrator; oscillator	Oszillator *m*, schwingendes Gebilde *n*, schwingfähiges Gebilde	oscillateur *m*; vibrateur *m*	осциллятор; вибратор
V 621	**vibrator**	Vibrator *m*; Rüttler *m*	vibrateur *m*	вибратор, вибрационное устройство; встряхиватель; трясун
	vibrator	s. a. chopper <el.>		
	vibrator inverter, vibrating contact rectifier	Schwingkontaktgleichrichter *m*, Schwinggleichrichter *m*	redresseur *m* à vibreur, vibreur *m*	вибропреобразователь, вибрационный выпрямитель, выпрямитель с качающимися контактами
	vibratory load	s. oscillating load		
	vibratory motion, trembling, trembling motion	Zittern *n*, Zitterbewegung *f*	tremblement *m*, vibration *f*, mouvement *m* vibratoire	дрожание, вибрирование
	vibratory strain	s. oscillating load		
	vibratory stress, cyclic stress, cyclical stress, vibration stress, vibrating stress, oscillating stress	Schwingspannung *f*, Schwingungsspannung *f*, schwingende Spannung *f*	tension *f* cyclique, tension oscillatoire, tension vibratoire	циклическое напряжение напряжение цикла
	vibratory unit	s. ultrasonic generator		
	vibrocompaction	s. vibrational compaction		
V 621a	**vibrogel**	Vibrogel *n*	vibrogel *m*	виброгель
V 622	**vibrogram,** vibrorecord	Schwingungsdiagramm *n*, Schwingungsbild *n*, Vibrogramm *n*	vibrogramme *m*	виброграмма
V 623	**vibrograph,** recording vibration meter, vibration recorder, vibration recording apparatus; recording oscillometer	schreibender Schwingungsmesser *m*, Schwingungsschreiber *m*, Vibrograph *m*	vibrographe *m*, appareil *m* pour enregistrer les vibrations	виброграф, самопишущий измеритель вибраций, прибор для записи вибраций (колебаний)
	vibrometer	s. vibration meter		
V 624	**vibromotive force**	schwingungserzeugende Kraft *f*	force *f* vibromotrice	вибродвижущая сила
V 624a	**vibronic band**	Elektronenschwingungsbande *f*, vibronische Bande *f*	bande *f* vibronique	вибронная (электронно-колебательная) полоса
V 624b	**vibronic model**	vibronisches Modell *n*	modèle *m* vibronique	вибронная модель
V 624c	**vibronic spectrum**	vibronisches Spektrum *n*, Elektronenschwingungsspektrum *n*	spectre *m* vibronique	вибронный (электронно-колебательный) спектр
V 625	**vibronic wave function**	Elektronenschwingungs-Wellenfunktion *f*, vibronische Wellenfunktion *f*	fonction *f* d'onde vibronique	электронно-колебательная волновая функция
	vibrorecord	s. vibrogram		
	vic	s. vicinal		
V 626	**vicinal,** vic., 1.2.3 <chem.>	vizinal, vicinal, vic., 1,2,3- <chem.>	vicinal, vic. 1.2.3 <chim.>	вицинальный, 1,2,3- <хим.>
	vicinal	s. vicinal face[t]		
V 626a	**vicinal edge**	Vizinalkante *f*	arête *f* vicinale	вицинальное ребро

V 627	**vicinal face[t]**, vicinal	Vizinalfläche f, Vizinal-ebene f	face f vicinale, plan m vicinal	вициналь, грань вици-нали, вицинальная грань
V 627a	**vicinity**; proximity; con-tiguity; neighbourhood, neighborhood <US>; closeness	Nachbarschaft f; Nähe f; Umgebung f	voisinage m; proximité f; contiguité f	близость; соседство
V 628	**Vickers diamond**, Vickers indenter	Vickers-Diamant m	diamant m Vickers	алмаз Виккерса
V 629	**Vickers [diamond] hardness, Vickers hardness number**, diamond pyramid hard-ness, D.P. hardness, D.P.H., V.D.H., H_D, H_V	Vickers-Härte f, Diamant-pyramidenhärte f, Pyramidenhärte f, HV, H_V	dureté f de Vickers, dureté Vickers, H_V	твердость по Виккерсу
V 630	**Vickers hardness test**, Vickers hardness testing, diamond pyramid hardness test	Vickers-Härteprüfung f, Härteprüfung f nach Vickers, Pyramiden-härteprüfung f	essai m de dureté Vickers	испытание на твердость по Виккерсу, испыта-ние на твердость вдавливанием пира-миды
	Vickers hardness tester	s. Vickers hardness testing machine		
	Vickers hardness testing	s. Vickers hardness test		
V 631	**Vickers hardness testing machine**, Vickers hardness tester, diamond pyramid hardness testing machine	Vickers-Härteprüfgerät n, Pyramidenhärteprüf-gerät n	machine f d'essai de dureté Vickers	прибор для определения твердости по Вик-керсу, прибор для определения твердости вдавливанием пира-миды
	Vickers indenter, Vickers diamond	Vickers-Diamant m	diamant m Vickers	алмаз Виккерса
	victorium	= gadolinium		
	video	s. video signal		
V 631a	**video densitometry**	Videodensitometrie f	densitométrie f vidéo	видеоденситометрия
V 632	**video oscillograph, video oscilloscope**	Videooszillograph m, Videooszilloskop n	oscilloscope m vidéo, oscillographe m vidéo	видеоосциллоскоп, видеоосциллограф
	video pulse	s. video signal		
V 633	**video signal**, video; video pulse	Videosignal n; Video-zeichen n, Videoimpuls m	signal m vidéo, signal d'image; impulsion f vidéo	видеосигнал; видео-импульс
V 634	**vidicon, vidicon tube, vidikon tube**	Vidikon n, Vidicon n, Vidiconröhre f, Vidi-conaufnahmeröhre f	vidicon m	видикон, передающая телевизионная трубка с фотосопротивлением
	vierbein, quadruped, tetrapod, four nuple	Vierbein n	tetrapode m	тетрада, четыре-репер, 4-репер
V 634a	**Vierendeel truss**	Pfostenfachwerk n	treillis (système) m Vieren-deel	решетка со стойками, сквозная безраскосная система
	vierer group, quadratic group, Klein['s] quadratic group, Klein['s] group, Klein['s] 4-group, Klein['s] four-group, four-group <math.>	Kleinsche Vierergruppe f, Vierergruppe [von Klein] <Math.>	groupe m quadratique, groupe de Klein, Vierer-gruppe f du Klein, groupe du rectangle <math.>	четверная группа, группа Клейна <матем.>
V 635	**Viëta['s] formulae** <rela-tion between the roots and coefficients of an algebraic equation>	Viëtascher Wurzelsatz m, Viëtascher Lehrsatz m, Viëtescher Lehrsatz	formules fpl de Viète	формулы Виета, формулы Вьета, обобщенная теорема Виета
V 636	**Viëta['s] theorem**	Viëtascher Satz m	théorème m de Viète	теорема Виета
	Vieth-Müller circle (horopter)	s. Müller circle		
V 636a	**viewfinder** <phot.>	Sucher m <Phot.>	viseur m <phot.>	видоискатель <фот.>
	viewing distance	s. visibility		
	viewing mirror, mirror reflector	Spiegelreflektor m	réflecteur m à miroir	зеркальный отражатель, зеркальный рефлек-тор
	viewing screen, picture screen <tv.>	Bildschirm m, Leucht-schirm m der Bildröhre <Fs.>	écran m de télévision, écran télévisionique <tv.>	телевизионный экран, экран телевизора, зри-тельный экран, видеоэкран <тв.>
V 637	**viewing storage tube**, character display tube, character writing tube, character storage tube	Sichtspeicherröhre f, Sichtröhre f; Zeichen-schreibröhre f	tube m cathodique d'affichage, tube catho-dique d'observation, tube de représentation; tube cathodique à entretien d'images	индикаторная электрон-нолучевая трубка
	viewing unit	s. indicator <el.>		
	viewing window	s. observation port		
	view projection	s. skew projection		
	vignetter	s. vignetting mask		
V 638	**vignetting**, gradation; vignetting effect <phot.>	Abschattung f, Randab-schattung f, Vignettie-rung f; Vignettierwir-kung f <Phot.>	diaphragmation f en œil-de-chat, œil-de-chat m, silhouettage m; effet m d'œil-de-chat, effet dégradateur, effet de lucarne <phot.>	виньетирование, затем-нение; виньетирующее действие, действие виньетирования <фот.>
	vignetting diaphragm	s. vignetting mask		
	vignetting effect	s. vignetting <phot.>		

V 639	**vignetting mask,** vignetting diaphragm, vignetter	Vignettiermaske f	dégradateur m	маска для виньетирования, [виньетирующая] диафрагма
V 640	**Villard circuit,** Villard['s] rectifier circuit	Villard-Schaltung f, Villard-Stufe f	circuit m Villard, montage m Villard	выпрямительная схема Вилльярда, схема Вилльярда
V 641	**Villard effect** <phot.>	Villard-Effekt m <Phot.>	effet m Villard <phot.>	явление Вилляра <фот.>
	Villard['s] rectifier circuit, Villard circuit	Villard-Schaltung f, Villard-Stufe f	circuit m Villard, montage m Villard	выпрямительная схема Вилльярда, схема Вилльярда
V 642	**Villari effect [of magnetostriction]**	Villari-Effekt m, Villarischer Magnetostriktionseffekt m, Villari-Umkehr f	effet m Villari	эффект Виллари
V 643	**Villari reversal**	Villari-Umkehrpunkt m, Villari-Punkt m	point m de Villari	точка Виллари
V 644	**Vinett[-tape magnifier]**	Vinettlupe f	loupe f du type « Vinett »	лупа «Винетт», лупа типа «Vinett»
V 645	**Vineyard['s] theory**	Vineyard-Theorie f, Vineyardsche Theorie f	théorie f de Vineyard	теория Виньярда
V 646	**vinylation**	Vinylierung f	vinylation f	винилирование, введение винильной группы
V 647	**vinylogy,** principle of vinylogy	Vinylogieprinzip n	vinylogie f	винилогия, принцип винилогии
	violation of causality, causality violation	Kausalitätsverletzung f, Verletzung f der Kausalität	violation f de causalité	нарушение [принципа] причинности
	violation of parity, non-conservation of parity, parity non-conservation (violation)	Nichterhaltung f der Parität, Paritätsverletzung f	non-conservation f de la parité	несохранение четности
V 648	**violation of the selection rule,** offense against the selection rule	Verletzung f der Auswahlregel	violation f de la règle de sélection	нарушение правила отбора
	violent downpour, downpour, cloud burst, heavy shower	Wolkenbruch m; Platzregen m	pluie f torrentielle, pluie battante; pluie diluvienne; averse f	проливной дождь; ливневой дождь, обложной дождь, затяжной ливень, сильный ливень
	violent earthquake, strong earthquake	Großbeben n, heftiges Beben n, schweres Erdbeben n	tremblement m de terre fort	сильное землетрясение
V 649	**violent reaction**	heftige Reaktion f	réaction f violente	бурная реакция
V 650	**violent squall**	heftiger Windstoß m, scharfer Windstoß, starker Windstoß	bourrasque f	резкий порыв ветра
	violet and ultraviolet transmitting	s. diactinic		
	violet degradation, degradation to[wards] the violet	Violettabschattierung f	dégradation f au violet, dégradation violette	синее оттенение, фиолетовое оттенение
	violet-shaded, degraded to[wards] the violet, shaded to[wards] the violet	violettabschattiert	dégradé au violet, teinté de violet	оттененный в сторону больших частот, оттененный в сторону синей области спектра
V 650a	**viol instrument Violle [standard], Violle unit**	Streichinstrument n = 20,23 cd	instrument m à cordes	смычковый инструмент
V 651	**virga,** fall streak	Fallstreifen m	virga f	полоса падения [осадков]
V 652	**virgation** <geo.>	Virgation f <Geo.>	virgation f <géo.>	виргация, разветвление складок, расхождение складок <гео.>
V 653	**virgin curve of magnetization,** virgin magnetization curve, initial curve of magnetization, initial magnetization curve, normal curve of magnetization, normal magnetization curve	Neukurve (Erstkurve) f [der magnetischen Induktion], Neukurve (Erstkurve) der Magnetisierung, Magnetisierungsneukurve f, jungfräuliche Magnetisierungskurve, jungfräuliche Kurve f der Magnetisierung	caractéristique f de première aimantation, courbe f de première aimantation, courbe initiale d'aimantation, courbe d'aimantation pour l'échantillon vierge	кривая первого намагничивания, кривая первоначального намагничивания, кривая намагничивания с размагниченного состояния
	virgin flux, virgin neutron flux	jungfräulicher Neutronenfluß m, jungfräulicher Fluß m	flux m neutronique vierge, flux vierge, flux de neutrons vierges	первичный нейтронный поток
	virginium	= francium		
	virgin magnetization curve	s. virgin curve of magnetization		
V 654	**virgin neutron,** uncollided neutron	Neutron n vor dem Stoß, jungfräuliches Neutron	neutron m vierge	нейтрон, не испытавший столкновения; первичный нейтрон
V 655	**virgin neutron flux,** virgin flux	jungfräulicher Neutronenfluß m, jungfräulicher Fluß m	flux m neutronique vierge, flux vierge, flux de neutrons vierges	первичный нейтронный поток
V 656	**virial,** virial of Clausius, energy of n-particle system	Virial n	viriel m [de Clausius]	вириал [Клаузиуса]
V 657	**virial coefficient**	Virialkoeffizient m	terme m du viriel, coefficient m du viriel, coefficient viriel	вириальный коэффициент, коэффициент в вириальном разложении

V 658	**virial equation of state,** general virial equation	viriale Zustandsgleichung *f*, Virialform *f* der thermischen Zustandsgleichung	forme *f* générale de l'équation d'état, forme *f* virielle de l'équation d'état	вириальное уравнение состояния, вириальная форма уравнения состояния
V 659	**virial expansion,** virial series	Virialentwicklung *f*, Virialreihe *f*	expansion *f* virielle, série *f* virielle	вириальное разложение, вириальный ряд
	virial law	*s.* virial theorem		
	virial of Clausius	*s.* virial		
V 660	**virial representation**	Virialdarstellung *f*	représentation *f* virielle	вириальное представление
	virial series, virial expansion	Virialentwicklung *f*, Virialreihe *f*	expansion *f* virielle, série *f* virielle	вириальное разложение, вириальный ряд
V 661	**virial theorem [of Clausius],** Clausius['] virial theorem, virial law	Virialsatz *m*, Virialgleichung *f*	théorème *m* du viriel, loi *f* virielle, équation *f* du viriel	теорема вириала
V 662	**virtual annihilation**	virtuelle Vernichtung (Annihilation) *f*	annihilation *f* virtuelle	виртуальное аннигиляция, виртуальное поглощение
V 663	**virtual cathode**	virtuelle Katode *f*	cathode *f* virtuelle	виртуальный катод
V 664	**virtual chemical potential**	virtuelles chemisches Potential *n*	potentiel *m* chimique virtuel	возможный химический потенциал, виртуальный химический потенциал
V 665	**virtual colour**	virtuelle Farbe *f*	couleur *f* virtuelle	виртуальный цвет
V 666	**virtual creation,** virtual production	virtuelle Erzeugung *f*	création *f* virtuelle, production *f* virtuelle	виртуальное рождение
V 667	**virtual deformation**	virtuelle Verzerrung *f*, virtuelle Deformation *f*	déformation *f* virtuelle	возможная деформация, виртуальная деформация
V 668	**virtual displacement**	virtuelle Verrückung *f*, virtuelle Verschiebung *f*	déplacement *m* virtuel [compatible avec les liaisons]	возможное перемещение, виртуальное перемещение
	virtual energy level, virtual level	virtuelles Niveau *n*, virtuelles Energieniveau *n*	niveau *m* virtuel, niveau d'énergie virtuel	виртуальный уровень
V 669	**virtual entropy**	virtuelle Entropie *f*	entropie *f* virtuelle	возможная энтропия, виртуальная энтропия
	virtual focus	*s.* centre of dispersion		
V 670	**virtual free energy**	virtuelle freie Energie *f*	énergie *f* libre de Gibbs virtuelle	возможная свободная энергия, виртуальная свободная энергия
V 671	**virtual free enthalpy**	virtuelle freie Enthalpie *f*	enthalpie *f* libre virtuelle	возможная свободная энтальпия, виртуальная свободная энтальпия
	virtual friction, turbulent friction; apparent friction	turbulente Scheinreibung *f*, Turbulenzreibung *f*; Scheinreibung *f*, scheinbare Reibung *f*	frottement *m* turbulent; frottement *m* apparent, frottement *m* fictif	турбулентное трение, виртуальное трение, кажущееся трение
V 672	**virtual height** <of [ionospheric] reflection>	virtuelle Höhe *f* [der Ionosphärenreflexion]	hauteur *f* virtuelle [de la réflexion ionosphérique]	действующая высота [отражения радиоволн]
	virtual height	*s. a.* apparent height		
	virtual height	*s. a.* radiation height		
V 673	**virtual image**	virtuelles (unwirkliches, scheinbares) Bild *n*; virtuelle Abbildung *f*	image *f* virtuelle	мнимое изображение
V 674	**virtual image point**	virtueller Bildpunkt *m*	point *m* image virtuel	мнимая точка изображения
V 675	**virtual inertia,** apparent inertia	virtuelle Trägheit *f*, scheinbare Trägheit	inertie *f* virtuelle, inertie apparente	инерция присоединенной массы
V 676	**virtual level,** virtual energy level	virtuelles Niveau *n*, virtuelles Energieniveau *n*	niveau *m* virtuel, niveau d'énergie virtuel	виртуальный уровень
V 677	**virtual mass,** induced (effective, apparent additional) mass	scheinbare Masse *f*, virtuelle Masse, induzierte Masse	masse *f* apparente, masse virtuelle	присоединенная масса
V 678	**virtual meson**	virtuelles Meson *n*	méson *m* virtuel	виртуальный мезон
V 679	**virtual nucleon,** virtual nucleon pair	virtuelles Nukleonenpaar *n*, virtuelles Nukleon *n*	paire *f* de nucléons virtuelle, nucléon *m* virtuel	виртуальная нуклонная пара, виртуальный нуклон
V 680	**virtual particle**	virtuelles Teilchen *n*	particule *f* virtuelle	виртуальная частица
V 681	**virtual photon field**	virtuelles Photonenfeld *n*	champ *m* photonique virtuel	виртуальное фотонное поле
	virtual production, virtual creation	virtuelle Erzeugung *f*	création *f* virtuelle, production *f* virtuelle	виртуальное рождение
V 682	**virtual ray**	virtueller Strahl *m*	rayon *m* virtuel	мнимый луч, виртуальный луч
V 683	**virtual singlet state**	virtueller Singulettzustand *m*	état *m* singulet virtuel	виртуальное синглетное состояние
	virtual source, image source	Bildquelle *f*, virtuelle Quelle *f*	source *f* virtuelle, source image	воображаемый источник, источник-изображение
V 684	**virtual temperature**	virtuelle Temperatur *f*	température *f* virtuelle	виртуальная температура
V 685	**virtual transformation**	virtuelle Änderung *f*	transformation *f* virtuelle, modification *f* virtuelle	возможное изменение, виртуальное изменение
V 686	**virtual transition**	virtueller Übergang *m*	transition *f* virtuelle	виртуальный переход
	virtual velocity, possible velocity, velocity compatible with the constraints	virtuelle Geschwindigkeit *f*	vitesse *f* virtuelle	возможная скорость, виртуальная скорость
	virtual viscosity	*s.* eddy viscosity		
V 687	**virtual work**	virtuelle Arbeit *f*	travail *m* virtuel	возможная (виртуальная) работа, работа на виртуальном перемещении

	virtual work principle	s. principle of virtual work·		
V 688	**viscid,** viscous, heavy-bodied, thickly liquid; sluggish; consistent; sticky <chem.>	zähflüssig, zäh; schwerflüssig, dickflüssig, dick, dicht, konsistent; klebrig <Chem.>	viscide, visqueux, tenace; consistant <chim.>	вязко[-]текучий, вязкий; вязкожидкий; густотекучий, густой; плотный; консистентный; клейкий, липкий <хим.>
V 689	**viscidity,** viscosity, tenaciousness, tenacity; thick liquid; sluggishness; consistency, consistence; stickiness; stiffness; ropiness <chem.>	Zäh[flüss]igkeit f; Schwerflüssigkeit f, Dickflüssigkeit f, Dicke f, Dichtheit f, Dichte f, Konsistenz f; Klebrigkeit f; Quellungszustand m <Chem.>	viscidité f, viscosité f, ténacité f; consistance f <chim.>	вязкотекучесть, вязкость; вязкая жидкость, вязкожидкость; густотекучесть, густота; плотность; консистентность, консистенция; клейкость, липкость; тягучесть <хим.>
V 690	**visco[-]elastic**	viskoelastisch, zäh-elastisch	visco[-]élastique	вязко[-]упругий, упруговязкий
V 691	**visco[-]elasticity** **viscoelastic material**	Viskoelastizität f s. Burgers solid	visco-élasticité f	вязкоупругость, упруговязкое (упруговязсостное) свойство
V 692	**viscoelastic model**	viskoelastisches Modell n, viskoelastisches Element n	modèle m visco-élastique	вязкоупругая модель, модель вязкоупругого тела, упруго-вязкая модель
V 693	**viscoelastic modulus**	viskoelastischer Modul m	module m visco-élastique	вязкоупругий модуль
V 694	**viscoelastic plate equation** **viscoelastic solid**	viskoelastische Plattengleichung f s. Burgers solid	équation f de plaque visco-élastique	вязкоупругое уравнение пластины
V 695	**viscoelastic wave**	viskoelastische Welle f	onde f visco-élastique	вязкоупругая волна
V 696	**viscoelastic wave equation**	viskoelastische Wellengleichung f	équation f d'onde visco-élastique	вязкоупругое волновое уравнение, уравнение вязкоупругих волн
V 697	**viscogel**	Viskogel n	viscogel m	вискогель
V 698	**viscogram**	Viskogramm n	viscogramme m	вискограмма
V 699	**viscometer,** viscosimeter, fluidmeter, fluidimeter	Viskosimeter n, Viskometer n, Zähigkeitsmesser m, Viskositätsmesser m	viscosimètre m	вискозиметр
V 700	**viscometer gauge**	Reibungsmanometer n	jauge f à viscosité	вязкостный манометр
V 701	**viscometry,** viscosimetry, viscosity measurement	Viskosimetrie f, Zähigkeitsmessung f, Viskositätsmessung f	viscosimétrie f, mesure f de viscosité	вискозиметрия, измерение вязкости
V 702	**visco[-]plastic**	viskoplastisch, zäh[-]plastisch	visco[-]plastique	вязко[-]пластический
V 703	**viscoplastic boundary layer** **viscoplastic deformation**	viskoplastische Grenzschicht f s. viscoplastic strain	couche f limite viscoplastique	вязкопластический пограничный слой
V 704	**viscoplastic flow**	viskoplastisches Fließen n, zäh-plastische Strömung f, plastisch-zähe Strömung	fluage m viscoplastique	вязкопластическая текучесть, пластично-вязкий поток
V 705	**visco[-]plasticity**	Viskoplastizität f	visco[-]plasticité f	вязко[-]пластичность
V 706	**viscoplastic strain,** viscoplastic deformation	viskoplastische Verformung f, zäh-plastische Verformung, plastisch-zähe Verformung	déformation f viscoplastique	пластично-вязкая деформация
	viscosimeter **viscosimetry,** viscometry, viscosity measurement	s. viscometer Viskosimetrie f, Zähigkeitsmessung f, Viskositätsmessung f	viscosimétrie f, mesure f de viscosité	вискозиметрия, измерение вязкости
V 707	**viscosity;** internal friction, damping capacity, mechanical relaxation	Viskosität f, Zähigkeit f; innere Reibung f, innere Verschiebungsfestigkeit f, Verschiebungsfestigkeit	viscosité f; frottement m interne, frottement intérieur, friction f interne	вязкость; внутреннее трение
	viscosity **viscosity**	s. a. coefficient of viscosity <quantity> s. a. viscidity		
V 708	**viscosity average molecular weight**	Viskositätsmittel n des Molekulargewichts	masse f moléculaire moyenne en (par) viscosité, poids m moléculaire moyen en (par) viscosité	средневязкостный молекулярный вес
V 709	**viscosity breaking,** breaking of viscosity **viscosity coefficient**	Viskositätsabnahme f, Zähigkeitsabnahme f s. coefficient of viscosity	diminution f de la viscosité	понижение вязкости
V 710	**viscosity constant**	Viskositätskonstante f	constante f de viscosité	постоянная вязкость
V 711	**viscosity correction,** correction for viscosity **viscosity dilatancy**	Viskositätskorrektion f, Zähigkeitskorrektion f s. dilatancy	correction f de viscosité	поправка за вязкость, поправка на вязкость
V 712	**viscosity due to the change of volume**	Volum[en]änderungszähigkeit f	viscosité f de changement de volume	вязкость изменения объема
V 713	**viscosity force,** viscous force	Zähigkeitskraft f, Viskositätskraft f	force f visqueuse, force de viscosité	сила вязкости
V 714	**viscosity index**	Viskositätsindex m, VI, V.I.	indice m de viscosité [de Dean et Davis], degré m de viscosité	индекс вязкости [по Дину и Дэвису]
V 715	**viscosity integral**	Viskositätsintegral n, Zähigkeitsintegral n	intégrale f de viscosité	интеграл вязкости
V 716	**viscosity limit zero**	Oseenscher Grenzfall m	mouvement m limite [d'Oseen]	предельное течение Озеена
	viscosity measurement, viscometry, viscosimetry	Viskosimetrie f, Zähigkeitsmessung f, Viskositätsmessung f	viscosimétrie f, mesure f de viscosité	вискозиметрия, измерение вязкости

V 717	viscosity number, limiting viscosity number, viscosity value	Grenzviskositätszahl f, Viskositätszahl f, Staudinger-Index m	nombre m limite de viscosité, nombre de viscosité, viscosité f caractéristique, indice m de Staudinger	характеристическая вязкость, граничное число вязкости, индекс Штаудингера
V 718	viscosity pole	Viskositätspol m	pôle m de viscosité	полюс вязкости
	viscosity pole height, height of the viscosity pole	Viskositätspolhöhe f	hauteur f du pôle de viscosité	высота полюса вязкости
V 719	viscosity pump	Viskositätspumpe f	pompe m à viscosité	вязкостный насос
V 720	viscosity ratio	Viskositätsverhältnis n, Zähigkeitsverhältnis n	rapport m des viscosités	отношение вязкостей
	viscosity resistance, viscous resistance; viscous drag	Zähigkeitswiderstand m, Viskositätswiderstand m	résistance f visqueuse, résistance due à la viscosité	вязкое сопротивление, вискозное сопротивление
V 721	viscosity tensor	Viskositätstensor m, Zähigkeitstensor m	tenseur m de viscosité	тензор вязкости
V 722	viscosity transport	Viskositätstransport m	transfert m de viscosité, transport m de viscosité	перенос вязкости
	viscosity value, viscosity number, limiting viscosity number	Grenzviskositätszahl f, Viskositätszahl f, Staudinger-Index m	nombre m limite de viscosité, nombre de viscosité, viscosité f caractéristique, indice m de Staudinger	характеристическая вязкость, граничное число вязкости, индекс Штаудингера
V 723	viscothermal equation	viskothermische Gleichung f	équation f viscothermique	вязкотермическое уравнение
V 724	viscothermal theory	viskothermische Theorie f	théorie f viscothermique	вязкотермическая теория
V 725	viscous, frictional <hydr., aero.>	zäh, viskos, viskös, reibungsbehaftet <Hydr., Aero.>	visqueux, avec frottement [interne] <hydr., aéro.>	вязкий, с внутренним трением, вязкостный <гидр., аэро.>
	viscous	s. a. high-melting		
	viscous	s. a. viscid <chem.>		
V 726	viscous boundary layer	viskose Grenzschicht f, zähe Grenzschicht	couche f limite visqueuse	вязкий пограничный слой
V 727	viscous correction	Reibungskorrektion f	correction f pour le frottement	фрикционная коррекция
	viscous damping coefficient, friction constant <damped oscillations>	Reibungskonstante f <gedämpfte Schwingung>	constante f de frottement <oscillations amorties>	коэффициент силы трения <при затухающих колебаниях>
V 728/9	viscous dissipation	viskose Dissipation f	dissipation f visqueuse	вязкая диссипация, вязкое рассеяние
V 730	viscous dissipation function, Rayleigh dissipation function [of hydrodynamics], dissipation function of Rayleigh <hydr.>	[Rayleighsche] Dissipationsfunktion f, Verlustfunktion f <bei der inneren Reibung> <Hydr.>	fonction f dissipative [de la viscosité], fonction dissipative de [Lord] Rayleigh <hydr.>	функция рассеяния Рэлея <гидр.>
V 731	viscous dissipation of energy	viskose Energiedissipation f	dissipation f visqueuse d'énergie	вязкостная диссипация энергии, вязкостное рассеяние энергии
V 732	viscous dissipation rate	viskose Dissipationsgeschwindigkeit f	vitesse f de dissipation visqueuse	скорость вязкостной диссипации
	viscous drag	s. viscous resistance		
V 733	viscous flow, frictional flow, viscous motion, frictional motion	zähe Strömung f, viskose Strömung, reibungsbehaftete Strömung, Reibungsströmung f, zähe Bewegung f, viskose Bewegung, reibungsbehaftete Bewegung; zähes Fließen n, viskoses Fließen	mouvement m visqueux, écoulement m visqueux, écoulement des fluides visqueux	течение вязкой жидкости, вязкое течение, вязкостное течение; течение, возникшее при участии сил трения; истечение при наличии трения
	viscous flow	s. a. yielding (of metal, material, solid)		
	viscous fluid, viscous liquid	zähe Flüssigkeit f, viskose Flüssigkeit, reibungsbehaftete Flüssigkeit	liquide m visqueux, fluide m visqueux, liquide avec frottement, fluide avec frottement	вязкая жидкость
	viscous force, viscosity force	Zähigkeitskraft f, Viskositätskraft f	force f visqueuse, force de viscosité	сила вязкости
V 734	viscous hysteresis, magnetic creeping	viskose Hysteresis f, viskose Hysterese f, kriechende Hysteresis (Hysterese)	hystérésis f visqueuse, fluage m magnétique	вязкий гистерезис, магнитное сползание, сползание несимметричной петли гистерезиса
V 735	viscous liquid, viscous fluid	zähe (viskose, reibungsbehaftete) Flüssigkeit f	liquide (fluide) m visqueux, liquide (fluide) avec frottement	вязкая жидкость
V 736	viscous loss	viskoser Verlust m	perte f visqueuse	вязкая потеря
V 737	viscous magnetization	viskose Magnetisierung f	aimantation f visqueuse	вязкое намагничивание
	viscous motion	s. viscous flow		
V 738	viscous particle	zähes Teilchen n	particule f visqueuse	вязкая частица
V 739	viscous resistance, viscosity resistance; viscous drag	Zähigkeitswiderstand m, Viskositätswiderstand m	résistance f visqueuse, résistance due à la viscosité	вязкостное сопротивление, вязкое сопротивление, сопротивление [внутреннего] трения
	viscous shearing stress	s. viscous stress <hydr.>		
V 740	viscous slip	viskoses Gleiten n, zähes Gleiten	glissement m visqueux	вязкое скольжение
V 741	viscous strain	viskose Formänderung f, zähe Formänderung	déformation f visqueuse	вязкая деформация
V 742	viscous stress, viscous shearing stress <hydr.>	Reibungsspannung f, Reibungsschubspannung f, Schubspannung f, viskose Spannung f <Hydr.>	tension f visqueuse	касательное напряжение трения, напряжение трения, вязкое напряжение, компонента тензора вязкого напряжения

	viscous sub-layer, laminar sublayer, laminar sub-layer	laminare Unterschicht *f*	sous-couche *f* laminaire	ламинарный подслой
V 743	viscous wake	viskoser Nachlauf *m*, zäher Nachlauf	remous *m* visqueux	вязкий след
V 744	visibility, visibility distance, visual range, range of sight (visibility, vision), reach [of sight], radius of visibility, optical range, vision range, viewing distance, optical distance, sight distance, vision distance, seeing distance, sight, visual distance, line-of-sight distance	Sichtweite *f*, Sicht *f*, Sichtreichweite *f*, Sehweite *f*	portée *f* [directe] de vision, portée de vue, visibilité *f*, distance *f* de vue optique	дальность видимости, видимость, дальность прямой видимости, визуальная дальность, расстояние видимости; видение
V 745	visibility, extremely good visibility, vista	Fernsicht *f*	visibilité *f* [extrêmement bonne]	видимость
V 746	visibility <meteo., astr.>; seeing <astr.>; conspicuity <with the naked eye> <astr.>	Sichtbarkeit *f* <Meteo., Astr.>; Sicht *f* <Meteo.>; Sichtgrad *m* <Meteo.>	visibilité *f*, vue *f*	видимость, видность
	visibility	*s. a.* luminous efficiency		
V 747	visibility at night, night visibility [distance], night visual range	Nachtsichtweite *f*, Nachtsicht *f*	portée *f* de vue de nuit, visibilité *f* de nuit	дальность видимости ночью, ночная видимость
	visibility distance	*s.* visibility		
V 748	visibility distance of a point source of light	Tragweite *f*, Feuersicht *f*, Sichtweite *f* der Lichtquelle	portée *f* de vision d'une source ponctuelle de lumière	дальность видимости светящегося точечного объекта
V 749	visibility estimation	Sichtschätzung *f*	estimation *f* de la visibilité	оценка видимости
	visibility factor [of radiation]	*s.* photometric radiation equivalent		
V 750	visibility meter	Sichtmesser *m*; Sichtweitenmesser *m*	appareil *m* à mesurer la visibilité	измеритель видимости, измеритель (прибор для измерения) дальности оптической видимости
V 750a	visibility of fringes	Interferenzkontrast *m* <$(I_{max} - I_{min})/(I_{max} + I_{min})$>	visibilité *f* des franges	контрастность [интерференционных] полос
	visibility of radiation	*s.* luminous efficiency		
V 751	visible; conspicuous <with the naked eye> <astr.>	sichtbar	visible	видимый
	visible horizon	*s.* apparent horizon		
	visible part	*s.* visible region		
	visible radiation, light, light radiation	Licht *n*, sichtbare Strahlung *f*, sichtbares Licht	lumière *f*, rayonnement *m* visible, radiation *f* visible (lumineuse)	свет, видимое излучение, видимый свет, видимая радиация, излучение в оптическом диапазоне
V 752	visible range, visible region, visible part, visual part, visual range <of the spectrum or radiation>	sichtbares Spektralgebiet *n*, sichtbarer Spektralbereich *m*, Sichtbare *n* <Strahlung *oder* Spektrum>	domaine *m* visible, partie *f* visible, visible *m* <du spectre *ou* rayonnement>, domaine spectral visible, domaine spectral lumineux	видимый участок, видимая часть, видимая область <спектра *или* излучения>
	visible spectrum, optical spectrum, luminous spectrum, light spectrum	Lichtspektrum *n*, sichtbares Spektrum *n*, optisches Spektrum	spectre *m* optique, spectre visible	оптический спектр, видимый спектр, световой спектр
V 753	visible speech	sichtbare Sprache *f*, „visible speech"	parole *f* visible	видимая речь
	vis inertia, inertia, inertness	Trägheit *f*, Beharrungsvermögen *n*, Beharrung *f*	inertie *f*; persistance *f*	инерция, инертность
V 753a	vision, sight	Sehen *n*	vision *f*	зрение
	vision distance	*s.* visibility		
	vision field	*s.* visual field		
	vision of movements, perception of movements	Bewegungswahrnehmung *f*, Bewegungssehen *n*	perception *f* de mouvements, vision *f* des mouvements	восприятие движений, зрение движений
	vision process, process of vision	Sehvorgang *m*	processus *m* visuel, processus de vision	зрительный процесс, зрительный акт
	vision range	*s.* visibility		
V 754	Visolett[-type magnifier]	Visolettlupe *f* [nach G. Jaeckel]	loupe *f* du type « Visolett »	лупа «Визолетт», лупа типа «Visolett»
V 755	visor	Visierspalt *m*, Visierspalte *f*	visière *f*	щель диоптра
	vista	*s.* visibility		
V 756	visual acuity, acuity of vision, sharpness of vision, keenness [of vision]	Sehschärfe *f*, Visus *m*, Schärfe *f* des Auges; Kehrwert *m* der angularen Sehschärfe	acuité *f* visuelle, acuité de vision	острота зрения
	visual acuity of the naked eye, visual efficiency	Sehleistung *f*, freie Sehschärfe *f*	acuité *f* visuelle de l'œil nu	острота зрения невооруженного глаза
V 756a	visual angle	Gesichtswinkel *m*; Sehwinkel *m*	angle *m* visuel	угол зрения
V 757	visual axis, sight axis	Sehachse *f*, Gesichtsachse *f*	axe *m* visuel	зрительная ось
V 758	visual binary, visual double [star]	visueller Doppelstern *m*	étoile *f* double visuelle, binaire *f* visuelle	визуальная двойная звезда
V 759	visual cell	Sehzelle *f*	cellule *f* visuelle	светочувствительная клетка
V 760	visual colorimetry, direct colorimetry	visuelle Farbmessung *f*, subjektive Farbmessung	colorimétrie *f* visuelle	визуальная колориметрия
V 761	visual direction finder	optischer Peiler *m*, Peildiopter *m* mit Kompaß	goniomètre *m* optique	визуальный гониометр
	visual distance	*s.* visibility		

	visual double [star], visual binary	visueller Doppelstern *m*	étoile *f* double visuelle, binaire *f* visuelle	визуальная двойная звезда
V 762	**visual efficiency,** visual acuity of the naked eye	Sehleistung *f*, freie Sehschärfe *f*	acuité *f* visuelle de l'œil nu	острота зрения невооруженного глаза
	visual efficiency [of radiation]	*s.* luminous efficiency		
	visual efficiency of visible radiation	*s.* luminous efficiency of visible radiation		
	visual estimate, ocular estimate	visuelle Schätzung *f*, Schätzung	évaluation *f* visuelle	глазомерная оценка, определение на глаз
	visual examination	*s.* visual inspection		
V 763	**visual field,** field of vision, vision field	Gesichtsfeld *n*, Sehdingfeld *n*, Sehfeld *n*	champ *m* visuel, champ de vision	поле зрения
	visual field	*s. a.* field of sight <of instrument>		
V 764	**visual field for a defined colour**	Farbengesichtsfeld *n*	champ *m* visuel pour une couleur	поле зрения для определенного цвета
	visual field meter, field of sight meter, kampometer	Gesichtsfeldmesser *n*, Kampimeter *n*	campimètre *m*	прибор для измерения поля зрения, кампометр
V 765	**visual green**	Sehgrün *n*	vert *m* visuel	зрительный зеленый [краситель]
	visual impression, impression <opt.>	Sehbild *n*, Anschauungsbild *n*, Eindruck *m* <Opt.>	impression *f* [visuelle] <opt.>	[визуальное] восприятие, зрительное восприятие (впечатление) <опт.>
	visual indicator	*s.* indicator <el.>		
V 766	**visual inspection,** visual examination	visuelle Prüfung *f*, subjektive Prüfung, Sichtprüfung *f*	examen *m* visuel; contrôle *m* visuel	визуальный осмотр; визуальный контроль; визуальное определение; визуальное испытание
V 767	**visualization,** rendering visible	Sichtbarmachung *f*	visualisation *f*	визуализация, создание видимости
	visualizer	*s.* indicator <el.>		
	visual line	*s.* line of vision		
	visual luminous efficiency [of radiation]	*s.* luminous efficiency		
	visual luminous efficiency of visible radiation	*s.* luminous efficiency of visible radiation		
	visual magnitude, visual stellar magnitude	visuelle Helligkeit *f* [eines Gestirns]	magnitude *f* stellaire visuelle, magnitude visuelle	визуальная звездная величина, визуальная величина [звезды]
V 768	**visual orange**	Sehorange *n*	orange *m* visuel	зрительный оранж
	visual organ	*s.* organ of vision		
	visual part	*s.* visible range		
V 769	**visual perception**	Gesichtswahrnehmung *f*, optische Wahrnehmung *f*	perception *f* [visuelle]	зрительное восприятие
V 770	**visual photometer,** subjective photometer	visuelles (subjektives) Photometer *n*	photomètre *m* visuel (subjectif)	визуальный (субъективный) фотометр
V 771	**visual photometry,** subjective photometry	visuelle Photometrie *f*, subjektive Photometrie	photométrie *f* visuelle, photométrie subjective	визуальная фотометрия, субъективная фотометрия
	visual plane, plane of vision	Visionsebene *f*; Blickebene *f*	plan *m* de vision	зрительная плоскость, картинная плоскость
	visual purple, rhodopsin	Rhodopsin *n*, Sehpurpur *m*	rhodopsine *f*, pourpre *m* rétinien, pourpre visuel	родопсин, зрительный пурпур
V 772	**visual radiation temperature**	visuelle Strahlungstemperatur *f*	température *f* de rayonnement visuel	температура визуального излучения
V 773	**visual range** <nucl.>	abgeschätzte (visuelle) Reichweite *f* <Kern.>	parcours *m* visuel <nucl.>	визуальный пробег <яд.>
	visual range	*s. a.* visibility		
V 774	**visual ray**	Sehstrahl *m*	rayon *m* visuel	луч зрения
	visual ray pyramid, pyramid of visual rays	Sehstrahlpyramide *f*	pyramide *f* des rayons visuels	пирамида лучей зрения
V 775	**visual red**	Sehrot *n*	rouge *m* visuel	зрительный красный [краситель]
V 776	**visual sensation**	Gesichtsempfindung *f*	sensation *f* visuelle	зрительное ощущение
V 776a	**visual space**	Sehraum *m*, Wahrnehmungsraum *m*, Anschauungsraum *m*	espace *m* visuel	зрительное пространство
V 777	**visual spectrophotometer,** subjective spectrophotometer	visuelles Spektralphotometer *n*, subjektives Spektralphotometer	spectrophotomètre *m* visuel, spectrophotomètre subjectif	визуальный спектрофотометр, субъективный спектрофотометр
V 778	**visual stellar magnitude,** visual magnitude	visuelle Helligkeit *f* [eines Gestirns]	magnitude *f* stellaire visuelle, magnitude visuelle	визуальная звездная величина, визуальная величина [звезды]
V 779	**visual white**	Sehweiß *n*	blanc *m* visuel	зрительный белый [краситель]
	vis viva	*s.* kinetic energy		
V 780	**vital activity**	Lebenstätigkeit *f*	activité *f* vitale, activité de la vie	жизнедеятельность
V 781	**vital capacity**	Vitalkapazität *f*, maximales Atemhubvolumen *n*, Lebensfassungsvermögen *n*	capacité *f* vitale, indice *m* spirométrique	жизненная емкость
	vital dye, vital stain	Vitalfarbstoff *m*	colorant *m* vital	витальная краска, витальный краситель, прижизненный краситель
	vital fluorochrome staining; vital stain[ing]	Vitalfärbung *f*; Vitalfluorochromierung *f*	coloration *f* vitale	витальная окраска, прижизненная окраска
V 782	**vital functions, vital process**	Lebensprozeß *m*, Lebensvorgang *m*	fonctions *fpl* vitales, mécanisme *m* de la vie, procès *m* vital	жизненный процесс
V 783	**vital stain,** vital dye	Vitalfarbstoff *m*	colorant *m* vital	витальная краска, витальный краситель, прижизненный краситель

V 784	vital stain, vital staining; vital fluorochrome staining	Vitalfärbung f; Vital-fluorochromierung f	coloration f vitale	витальная окраска, прижизненная окраска
	vitamin P, permeability factor	Permeabilitätsfaktor m, Vitamin n P, Vitamin-P-Gruppe f, Permeabilitätsvitamin n, Citrin n	facteur m de perméabilité, vitamine f P	витамин Р
V 785	viton-hour	Vitonstunde f	viton-heure m	витон-час
V 785a	vitrosol	Vitreosol n	vitréosol m	витреозоль
	vitreous, glassy	glasig, glasartig	vitreux, vitriforme	стеклообразный, стекловидный, стекловатый, стеклянный
V 786	vitreous body, vitreous humour	Glaskörper m, Corpus vitreum n	humeur f vitrée	стекловидное тело
V 786a	vitreous electricity, positive electricity	positive Elektrizität f, Glaselektrizität f, glaselektrischer Zustand m	électricité f positive, électricité vitrée	положительное электричество, «стеклянное» электричество, недостаток электронов
	vitreous humour	s. vitreous body		
	vitreous state, glassy state	Glaszustand m, glasartiger Zustand m	état m vitreux	стеклообразное (стекловидное) состояние
V 787	vitrification, glass transiton, glass formation	Vitrifizierung f, Vitrifikation f, Verglasung f, Übergang m in den Glaszustand, Glasbildung f	vitrification f, verrage m	стеклование, остекловывание, переход в стекловидное состояние, превращение в стекло
V 788	vitrification temperature	Vitrifizierungstemperatur f	température f de vitrification	температура стеклования
	vitrification temperature	s. freezing-in temperature		
V 789	vitrophyric, hyaline	glasig, hyalin, vitrophyrisch	hyalin, vitrophyrique	стекловидный, стекловатый, гиалиновый, витрофировый, просвечивающий
V 790	Vlas[s]ov equation, Boltzmann-Vlasov equation	Wlassow-Gleichung f, Vlasov-Gleichung f	équation f de Vlas[s]ov	уравнение Власова
V 791	1/v law, Fermi['s] 1/v law	1/v-Gesetz n, Fermisches 1/v-Gesetz	loi f 1/v [de Fermi]	закон 1/v, закон поглощения 1/v
V 792	Vleck['s] method / Van	van Vlecksche Methode f	méthode f de Van Vleck	метод Ван-Флека
V 793	Vleck-Weisskopf collision theory / Van, collision theory of Van Vleck and Weisskopf	van Vleck-Weisskopfsche Stoßtheorie f, Stoßtheorie von van Vleck und Weisskopf	théorie f des collisions de Van Vleck et Weisskopf	теория столкновений Ван-Флека-Вайскопфа
V 794	V-notch, V-shaped notch	Spitzkerbe f, V-Kerbe f, V-förmige Kerbe f	entaille f en V	V-образный надрез
V 795	V-notch specimen	Spitzkerbprobe f	éprouvette f entaillée en V	образец с V-образным надрезом
V 796	V-notch weir, triangular-notch weir, triangular weir	Dreieckwehr n, dreieckiger Überfall m, Dreiecküberfall m	déversoir m triangulaire	водослив треугольного сечения, водослив с треугольным вырезом, водослив с треугольным отверстием, треугольный водослив [с тонкой стенкой]
V 797	vocal cord	Stimmlippe f; Stimmband n	corde f vocale	голосовая связка
	vocal level, electrical speech level, speech level, volume level	Sprachpegel m	niveau m de parole, niveau de voix	разговорный уровень, уровень разговорных токов
V 798	vocal range	Stimmumfang m	gamme f vocale	диапазон голоса
V 799	vocoder, voice coder, voice code to recreate	Vocoder m, Vokoder m	« vocodeur » m	вокодер
V 800	voder, voice operation demonstrator	Voder m, Sprachwirkungsvorführgerät n	voder m, appareil m démonstrateur de parole artificielle, démonstrateur m de parole artificielle	водер, искусственный голосовой аппарат, аппаратура искусственной речи
	Vogel-Colson-Russell effect, Russell effect	Russell-Effekt m, Vogel-Colson-Russell-Effekt m	effet m Russell, effet Vogel-Colson-Russell	эффект Рассела (Расселла, Ресселла), явление Рассела (Расселла, Ресселла)
V 801	Vogel['s] formula	Gleichung f von Vogel, Vogelsche Gleichung, Vogelsche Formel f	formule f de Vogel	формула Фогеля
V 802	Vogler['s] theorem	Voglerscher Satz m	théorème m de Vogler	теорема Фоглера
	voice coder, voice code to recreate	s. vocoder		
V 803	voice coil, moving coil, speaking coil ‹of loudspeaker›	Tauchspule f, Sprechspule f ‹Lautsprecher›	bobine f vocale (mobile, oscillante) ‹du haut-parleur›	звуковая катушка, подвижная катушка ‹громкоговорителя›
V 804	voice current, speech current, telephone current	Sprechstrom m	courant m téléphonique	телефонный ток
V 805	voice-ear test, speech test, volume comparison	Sprech-Hör-Versuch m	essai m de voix	речевое испытание, испытание на разговор
	voice frequency	s. audio[-] frequency		
	voice-frequency band, speech-frequency range	Sprachfrequenzbereich m, Sprachfrequenzband n, Sprechfrequenzbereich m, Sprechfrequenzband n	bande f de fréquences vocales	полоса разговорных частот, разговорная полоса частот
	voice operation demonstrator	s. voder		
V 806	void	Leerraum m; Hohlraum m; leerer Zwischenraum m; Pore f	vide m, vacuité f, cavité f	пустота, пустотность; вакансионная пора; пустое (незаполненное) пространство; карман
	void	s. a. vacant site ‹cryst.›		
	voidage	s. void volume		

V 807	**void coefficient,** cavity coefficient	Voidkoeffizient m, Dampf-blasenkoeffizient m [der Reaktivität]; Blasen-koeffizient m, Leeranteil-koeffizient m, Leerraum-koeffizient m, Hohlraum-koeffizient m	coefficient m de vide, coeffi-cient cavitaire, coefficient de cavité, coefficient de bulles	коэффициент пустотности, пустотный коэффициент
V 808	**void of air,** devoid of matter	luftleer	vide d'air	пустотный
V 808a	**void set**	leere Menge f, Nullmenge f	ensemble m vide	пустое множество
	void space	s. pore space		
V 809	**void volume,** voidage	Porenvolumen n, Hohl-raumvolumen n, Poren-raum m	volume m des vides	объем пустот, объем пор
V 810	**Voigt approximation**	Voigt-Näherung f, Voigt-sche Näherung f	approximation f de Voigt	приближение Фохта
V 810a	**Voigt-Cotton-Mouton effect,** magnetic linear dichroism	Voigt-Cotton-Mouton-Effekt m	effet m Voigt-Cotton-Mou-ton, dichroïsme m linéaire magnétique	эффект Фо[й]хта-Коттона-Мутона
V 811	**Voigt effect**	Voigt-Effekt m	effet m Voigt	эффект Фохта
V 812	**Voigt['s] elastic constant**	Voigtsche elastische Kon-stante f	constante f élastique de Voigt	упругая константа Фохта
V 813	**Voigt['s] function**	Voigt-Funktion f, Voigt-sche Funktion f	fonction f de Voigt •	функция Фохта
	Voigt material (model)	s. Kelvin body		
V 814	**Voigt['s] notation**	Voigtsche Bezeichnung f, Voigtsche Schreibweise (Darstellung) f	notation f de Voigt	обозначение Фойхта, система обозначений Фойхта
V 815	**Voigt profile**	Voigt-Profil n	profil m Voigt	профиль Фохта
V 816	**Voigt-Reuss-Hill approximation**	Voigt-Reuß-Hill-Näherung f, Voigt-Reuß-Hillsche Näherung f	approximation f de Voigt-Reuss-Hill	приближение Фохта-Рейса-Хилла
	Voigt unit	s. Kelvin body		
V 817	**Voith-Sinclair coupling**	Voith-Sinclair-Kupplung f, VS-Kupplung f	embrayage m Voith-Sinclair	гидравлическая муфта Войта-Синклера, муфта Войта-Синклера
V 817a	**Volarovich [zero-degree] viscometer**	Wolarowitsch-Viskosi-meter n; Wolarowitsch-Nullgradviskosimeter n	viscosimètre m de Volaro-vitch [pour les tempéra-tures zéros]	вискозиметр Воларовича [для нулевых темпера-тур]
V 817b	**volatile**	flüchtig	volatil, fugace	летучий
	volatile, volatile sub-stance, volatile matter	flüchtiger Stoff m, Flüchtige n	substance f volatile, volatil	летучее вещество, летучее
	volatile fission products, fission gas	Spaltgas n, Spaltungsgas n, gasförmige Spaltprodukte npl, flüchtige Spaltpro-dukte	gaz m de fission, produits mpl de fission volatils (gazeux)	газовые продукты деления, летучие осколки деления
V 818	**volatile matter, volatile substance,** volatile	flüchtiger Stoff m, Flüchtige n	substance f volatile, volatil m	летучее вещество, летучее
V 819	**volatility**	Flüchtigkeit f	volatilité f	летучесть
V 820	**volatility product**	Verflüchtigungsprodukt n	produit m de volatilité	летучий продукт, продукт улетучивания
V 821	**volatilization**	Verflüchtigung f	volatilisation f	улетучивание
	volatilization, distillation, vaporization, sublimation	Destillation f, Destillieren n, Siedetrennung f	distillation f	дистилляция, перегонка
	volative matter	s. volatile matter		
	volcanic	s. eruptive rock		
V 822	**volcanic activity**	vulkanische Tätigkeit f	activité f volcanique	вулканическая деятель-ность
V 823	**volcanic ash,** volcanic dust	Vulkanasche f, vulkanische Asche f, Vulkanstaub m, vulkanischer Staub m	cendre f volcanique	вулканический пепел
V 824	**volcanic cone**	Vulkankegel m	cône m de volcan	вулканический конус, конус вулкана
V 825	**volcanic dome**	Quellkuppe f; Staukuppe f; Stoßkuppe f	dôme m volcanique	вулканический купол, экструзивный купол
	volcanic dust, volcanic ash	Vulkanasche f, vulkanische Asche f, Vulkanstaub m, vulkanischer Staub m	cendre f volcanique	вулканический пепел
V 826	**volcanic earthquake,** volcanic tremor	Ausbruchsbeben n, vulkani-sches Beben n, vulkani-sches Erdbeben n	tremblement m de terre volcanique	вулканическое землетря-сение, землетрясение вулканического про-исхождения
V 827	**volcanic embryo**	Vulkanembryo m	volcan m embryonnaire, embryon m de volcan	эмбриональный вулкан, эмбрион вулкана
	volcanic eruption, eruption [of volcano]	Ausbruch m, Eruption f <Vulkan>, Vulkanaus-bruch m, Vulkaneruption f	éruption f [du volcan]	извержение вулкана, эрупция вулкана
	volcanic exhalation, exhalation	Exhalation f; Aushauchung f; Ausdünstung f <Geo.>	exhalaison f	эксгаляция, вульканиче-ская эксгаляция; эма-нация, первоначальная эманация [из магмы]
	volcanic focus, magmatic focus	Vulkanherd m, vulkanischer Herd m, Magmaherd m	foyer m de magma	магматический очаг, вул-канический очаг
	volcanic igneous rock	s. eruptive rock		
V 828	**volcanicity**	Vulkanizität f	volcanicité f	вулканичность, степень проявлений вулкани-ческой деятельности
	volcanic neck	s. neck <geo.>		
	volcanic pellets	s. lapilli		
	volcanic pipe	s. pipe <geo.>		
	volcanic rock	s. eruptive rock		

V 829	volcanic theory	Vulkantheorie *f*	théorie *f* volcanique	вулканическая теория [происхождения кольцевых гор на Луне]
	volcanic tremor	*s.* volcanic earthquake		
V 830	volcanogenic	vulkanogen	volcanogénique, volcanogène	вулканогенический
V 831	Volkmann['s] rule	Volkmannsche Regel *f*	règle *f* de Volkmann	правило Фолькмана
V 832	volley theory [of hearing]	Salventheorie *f* [des Hörens]	théorie *f* de décharge [de l'ouïe]	теория разряда [слуха]
	Volmer['s] adsorption equation (isotherm)	*s.* Volmer['s] equation		
V 833	Volmer diffusion	Volmer-Diffusion *f*	diffusion *f* de Volmer	диффузия Фольмера
V 834	Volmer['s] equation [for adsorption], Volmer['s] adsorption equation, Volmer['s] adsorption isotherm, adsorption isotherm of Volmer, adsorption formula of Volmer, Freundlich['s] equation [for adsorption], Freundlich['s] adsorption equation, Freundlich['s] [adsorption] isotherm, adsorption isotherm of Freundlich	Adsorptionsisotherme *f* von Volmer, Adsorptionsisotherme von Freundlich, Isothermengleichung *f* von Volmer (Freundlich), Volmersche Adsorptionsgleichung *f*, Freundlichsche Adsorptionsgleichung (Adsorptionsisotherme *f*), Volmersche Gleichung *f* [für die Adsorption], Freundlichsche Gleichung [für die Adsorption]	équation *f* de Volmer, équation (isotherme *f*) de Freundlich, isotherme *f* d'adsorption de Volmer (Freundlich), équation de l'isotherme d'adsorption de Volmer (Freundlich), formule *f* d'adsorption de Volmer (Freundlich), formule de Volmer, formule de Freundlich	уравнение Фрейндлиха, уравнение изотермы адсорбции Фрейндлиха, уравнение Фольмера [для адсорбции], уравнение адсорбционной изотермы Фольмера, уравнение изотермы адсорбции Фольмера, адсорбционное уравнение Фольмера, изотерма [адсорбции] Фрейндлиха
V 835	Volmer-Heyrovsky mechanism	Volmer-Heyrovsky-Mechanismus *m*	mécanisme *m* de Volmer-Heyrovsky	механизм Фольмера-Хейровского
V 836	Volmer-Tafel mechanism	Volmer-Tafel-Mechanismus *m*	mécanisme *m* de Volmer-Tafel	механизм Фольмера-Тафеля
	Volmer-Weber mechanism; liquid-drop model, drop model <cryst.>	Tröpfchenmodell *n*; Volmer-Weber-Mechanismus *m* <Krist.>	modèle *m* de la goutte [liquide]; mécanisme *m* de Volmer-Weber <crist.>	капельная модель; механизм Фольмера-Вебера <крист.>
	volometer, volt-ammeter, volt-ampere[ ]meter	Scheinleistungsmesser *m*, Voltamperemeter *n*, VA-Meter *n*	voltampèremètre *m*, jaugeur *m* électrique	прибор для измерения полной мощности, измеритель полной мощности
	volplane, gliding flight, glide	Gleitflug *m*, Segelflug *m*	vol *m* plané	планирующий полет, планирование
V 836a	volt, V, v	Volt *n*, V	volt *m*, V	вольт, *в*, V
V 837	Volta effect	Volta-Effekt *m*	effet *m* Volta	эффект Вольта, явление Вольта
	Volta electromotive force	*s.* Volta potential difference		
	Volta electromotive series, voltaic electromotive series, voltaic series, Volta series	Voltasche Spannungsreihe *f*	tableau *m* des tensions voltaïques, tableau des potentiels voltaïques	вольтов ряд потенциалов, вольтов ряд напряжений, ряд Вольта, ряд Вольты
V 838	Volta['s] experiment	Voltascher Fundamentalversuch *m*	expérience *f* de Volta	опыт Вольта
V 839	voltage, electric[al] tension, tension, difference of potential, potential difference; potential, electric potential <el.>	Spannung *f*, elektrische Spannung, Potentialdifferenz *f*, elektrische Potentialdifferenz, Potentialunterschied *m*, elektrischer Potentialunterschied, Liniensumme *f* der elektrischen Feldstärke, Linienintegral *n* der elektrischen Feldstärke; Potential *n*, elektrisches Potential <El.>	tension *f*, tension électrique, voltage *m*, différence *f* de potentiel [électrique], différence des potentiels [électriques]; potentiel *m*, potentiel électrique <él.>	напряжение, электрическое напряжение, разность потенциалов; потенциал, электрический потенциал <эл.>
V 839a	voltage	Spannung *f* in Volt, Voltzahl *f*	voltage *m*	напряжение в вольтах
V 840	voltage across bridge diagonal	Brückenspannung *f*	tension *f* du pont	напряжение моста
V 841	voltage amplification	Spannungsverstärkung *f*	amplification *f* en tension	усиление напряжения, усиление по напряжению
	voltage amplification factor, voltage gain	Spannungsverstärkungsfaktor *m*, Spannungsverstärkung *f*	gain *m* en tension, coefficient *m* d'amplification en tension	коэффициент усиления напряжения
V 842	voltage amplifying tube	Spannungsverstärkerröhre *f*	tube *m* amplificateur de tension	лампа-усилитель напряжения, усилительная электронная лампа напряжения
V 843	voltage amplitude <el.>	Spannungsamplitude *f* <El.>	amplitude *f* de tension <él.>	амплитуда напряжения <эл.>
V 844	voltage analog[ue]	Spannungsanalogon *n*	analogue *m* de tension	аналог напряжения
	voltage at break, break voltage, voltage induced at break	Abreißspannung *f*, Öffnungsspannung *f*	tension *f* de rupture, tension de coupure	напряжение размыкания, индуктированное при размыкании напряжение
V 845	voltage attenuation	Spannungsdämpfung *f*	affaiblissement *m* de tension	затухание (ослабление) напряжения
	voltage at the terminals, terminal voltage	Klemmenspannung *f*, Klemmspannung *f*	tension *f* aux bornes, tension entre les bornes	напряжение на зажимах, напряжение на клеммах
V 846	voltage breakdown	Spannungsdurchschlag *m*, Spannungsüberschlag *m*	claquage *m* dû à la tension	пробой под действием напряжения
V 847	voltage characteristic <el.>	Spannungscharakteristik *f*, Spannungskennlinie *f* <El.>	caractéristique *f* de tension <él.>	характеристика напряжения <эл.>

V 848	voltage circuit, volt circuit, shunt circuit, voltage path, shunt path, potential circuit <el.>	Spannungspfad m, Spannungskreis m <El.>	circuit m de tension, circuit dérivé <él.>	цепь напряжения, совокупность элементов цепи под напряжением <эл.>
V 849	voltage collapse, collapse of the voltage	Spannungszusammenbruch m, Zusammenbruch m der Spannung	rupture f de tension	провал напряжения, посадка напряжения
	voltage component, partial voltage, voltage fraction, component of the voltage	Teilspannung f	tension f partielle, composante f de tension	частичное напряжение, составляющая часть напряжения, составляющее напряжение
V 850	voltage conversion	Spannungswandlung f	conversion f de tension	преобразование напряжения
	voltage-current characteristic	s. current-voltage characteristic <of photocell>		
V 851	voltage curve	Spannungskurve f, Spannungsverlauf m	courbe f de tension	кривая [изменения] напряжения
	voltage-dependent resistor	s. varistor		
V 852	voltage detector, voltage indicator <el.>	Spannungsprüfer m, Spannungsanzeiger m <El.>	déceleur m de tension, détecteur m de tension <él.>	указатель [наличия] напряжения, индикатор напряжения <эл.>
	voltage diagram, potential diagram, vector diagram of voltage <el.>	Spannungsdiagramm n, Spannungsbild n <El.>	diagramme m des potentiels, diagramme des tensions <él.>	векторная диаграмма напряжений, диаграмма напряжений <эл.>
V 853	voltage directive coefficient	Spannungsrichtfaktor m	coefficient m de directivité en tension	коэффициент направленности по напряжению
V 854	voltage divider, potential divider, potentiometer	Spannungsteiler m, Potentiometer n	diviseur (réducteur) m de tension, potentiomètre m	делитель напряжения, потенциометр
V 855	voltage divider chain	Spannungsteilerkette f	chaîne f de diviseurs de tension	цепь делителей напряжения
V 855a	voltage-dividing factor	Spannungsteilerfaktor m	facteur m de division de tension	коэффициент деления напряжения
V 856	voltage-dividing network	Spannungsteilernetzwerk n	réseau m diviseur de tension	многополюсник-делитель напряжения
	voltage division ratio, ratio of voltage division	Spannungsteilungsverhältnis n	rapport m de division de tension	кратность (отношение, коэффициент) деления напряжения
V 857	voltage doubler; voltage doubler circuit, voltage doubling circuit	Spannungsverdoppler m; Spannungsverdopplerschaltung f	doubleur m de tension; montage m doubleur de tension, circuit m doubleur de tension; circuit à doubler la tension	удвоитель напряжения; схема удвоителя напряжения; схема удвоения напряжения
	voltage doubling circuit [of Greinacher]	s. Greinacher circuit		
V 858	voltage drift	Spannungsdrift f	dérive (excursion) f de tension	уход напряжения
	voltage drop, voltage loss; potential drop, drop of potential, fall of potential, potential fall, decline in potential	Potentialabfall m, Potentialfall m; Spannungsabfall m, Spannungsfall m	chute f de tension, chute de potentiel	падение напряжения, падение потенциала, спад напряжения
V 859	voltage drop in the resistor	Spannungsabfall m am Widerstand, Widerstandsspannung f	chute f de tension dans la résistance	теряемое в сопротивлении напряжение
V 859a	voltage efficiency, volt efficiency	Spannungsausnutzung f, Spannungsausnutzungskoeffizient m	coefficient m d'utilisation de la tension	коэффициент использования напряжения
	voltage factor	s. gain		
V 860	voltage feed	Spannungseinkopplung f	alimentation f en tension	питание напряжением
V 861	voltage feedback	Spannungsrückkopplung f	réaction f parallèle (en tension)	обратная связь по напряжению
V 862	voltage feedback amplifier	spannungsgegengekoppelter Verstärker m	amplificateur m à contraréaction en tension	усилитель с отрицательной обратной связью по напряжению
V 863	voltage fluctuation <el.>	Spannungsschwankung f <El.>	fluctuation f de tension <él.>	флуктуация напряжения; колебание (качание) напряжения <эл.>
	voltage fraction	s. voltage component		
V 864	voltage gain, voltage amplification factor	Spannungsverstärkungsfaktor m, Spannungsverstärkung f	gain m de tension, coefficient m d'amplification en tension	коэффициент усиления напряжения
V 865	voltage generator	Spannungserzeuger m	générateur m de tension, source f à tension constante	генератор напряжения
	voltage gradient	s. potential gradient		
V 866	voltage harmonic, harmonic of the voltage	Spannungsoberwelle f	harmonique f (composante f harmonique) de la tension	высшая гармоника (гармоническая составляющая) напряжения
	voltage impulse	s. impulse of voltage		
	voltage indicator, voltage detector <el.>	Spannungsprüfer m, Spannungsanzeiger m <El.>	déceleur m de tension, détecteur m de tension <él.>	указатель [наличия] напряжения, индикатор напряжения <эл.>
	voltage induced at break, break voltage, voltage at break	Abreißspannung f, Öffnungsspannung f	tension f de rupture, tension f de coupure	напряжение размыкания, индуктированное при размыкании напряжение
V 867	voltage in non-active position	Ruhespannung f	tension f de repos	напряжение покоя (в спокойном состоянии)

	voltage law	s. Kirchhoff['s] voltage law		
V 868	voltage limiting, potential limiting	Spannungsbegrenzung f	limitation f de tension [électrique]	ограничение напряжения
V 869	voltage loss	Spannungsverlust m	perte f de tension	потеря (падение) напряжения
	voltage loss	s. a. voltage drop		
V 870	voltage matrix	Spannungsmatrix f	matrice f de tension	матрица напряжения
V 871	voltage maximum permissible in cold state	Kaltspannung f	tension f à froid	напряжение в холодном состоянии
	voltage-multiplication-type generator	s. cascade generator		
V 872	voltage-multiplying circuit	Spannungsvervielfacher-schaltung f	circuit m multiplicateur de tension, montage m multiplicateur de tension, montage à multiplier la tension	схема умножения напряжения, схема многократного повышения напряжения
V 873	voltage of electrolytic bath	Badspannung f	tension f du bain électrolytique	напряжение электролитической ванны
	voltage of filament battery, heater voltage, filament voltage <el.>	Heizfadenspannung f, Fadenspannung f, Heizspannung f	tension f de filament, tension de chauffage	напряжение накала, напряжение на нити накала
	voltage of microphonic effect	s. microphony voltage		
	voltage of the main	s. supply voltage		
	voltage path	s. voltage circuit <el.>		
	voltage plateau, plateau of the counter, Geiger plateau <of the counter>	Plateau n, Geiger-Plateau n, Plateaubereich m <Zählrohrcharakteristik>	palier m du tube compteur, plateau m du tube compteur	плато счетчика, плато счетной характеристики
V 874	voltage pole	Spannungspol m	pôle m de la tension	полюс напряжения (электродвижущей силы, потенциала); полюс источника напряжения
V 875	voltage-proof	spannungsfest	résistant à la tension	устойчивый к напряжению, стойкий к напряжению
	voltage pulse	s. impulse of voltage		
V 876	voltage quadrupler	Spannungsvervierfacher m	quadrupleur m de tension	учетверитель напряжения
V 877	voltage ratio	Spannungsverhältnis n <El.>	rapport m des tensions <él.>	коэффициент напряжения <эл.>
	voltage reference [value], voltage standard	Spannungsnormal n	étalon m de tension	эталон напряжения, образцовая мера напряжения
V 878	voltage reflection coefficient	Spannungsreflexions-koeffizient m	coefficient m de réflexion de tension	коэффициент отражения напряжения
V 879	voltage regeneration	Spannungsrückgewinnung f	récupération f de tension	возврат напряжения; восстановление напряжения
	voltage-regulating transformer	s. variable ratio transformer		
V 880	voltage regulator tube, VR tube	Spannungsreglerröhre f, Spannungsregelröhre f	tube m régulateur de tension	лампа-регулятор напряжения; лампа стабилизатора напряжения
V 881	voltage resonance, series resonance	Reihenresonanz f, Serienresonanz f, Spannungsresonanz f	résonance f série, résonance en série, résonance de tension	последовательный резонанс, резонанс при последовательном соединении, резонанс напряжений
	voltage resonance frequency	s. series resonant frequency		
	voltage-responsive	s. voltage-sensitive		
	voltage r.m.s.	s. voltage root-mean-square		
V 882	voltage root-mean-square, voltage r.m.s., root-mean-square voltage, r.m.s. voltage	Effektivwert m der Spannung, Effektivspannung f, effektive Spannung f	valeur f efficace de tension	эффективное значение напряжения, действительное значение напряжения
V 883	voltage saturation	Spannungssättigung f	saturation f de la tension [électrique]	насыщение напряжения
V 884	voltage-sensitive, voltage-responsive	spannungsempfindlich	sensible à la tension	чувствительный к изменениям напряжения, чувствительный к напряжению
V 885	voltage source	Spannungsquelle f	source f de tension (voltage)	источник напряжения
V 886	voltage source equivalent circuit	Spannungsquellenersatz-schaltung f	circuit m équivalent avec générateur de tension	эквивалентная схема с генератором напряжения
V 887	voltage stability	Spannungskonstanz f, Spannungsstabilität f, Stabilität f der Spannung	stabilité f de tension, constance f de tension	постоянство напряжения, устойчивость напряжения
V 888	voltage stabilization	Spannungsstabilisierung f, Spannungsstabilisation f, Spannungsgleichhaltung f, Spannungskonstanthaltung f	stabilisation f de tension	стабилизация напряжения
	voltage stabilizer [tube], voltage stabilizing tube, stabilizer tube, stabilivolt, stabilovolt, stabilitron	Stabilisatorröhre f, Spannungsstabilisatorröhre f, Stabilivoltröhre f, Stabilisierungsröhre f	tube m stabilovolt, tube régulateur de tension, tube stabilisateur [de tension], stabilisateur m de tension, stabilisateur	стабилитрон, стабилизатор напряжения, стабиловольт

V 889	**voltage standard,** voltage reference [value]	Spannungsnormal *n*	étalon *m* de tension	эталон напряжения, образцовая мера напряжения
V 890	**voltage standing wave ratio** <el.>	Spannungsstehwellenverhältnis *n*, Spannungsverhältnis *n* <El.>	taux *m* d'onde stationnaire de tension, rapport *m* d'ondes stationnaires exprimé en volts <él.>	коэффициент стоячей волны напряжения, к.с.в.н. <эл.>
	voltage surge	*s.* surge <el.>		
	voltage surge	*s.* impulse of voltage		
V 891	**voltage-time converter** [unit]	Spannungs-Zeit-Konverter *m*, Spannungs-Zeit-Umwandlungsgerät *n*	convertisseur *m* tension-temps	преобразователь напряжение-время
V 891a	**voltage-to-frequency converter,** VFC, V.F.C.	Spannungs-Frequenz-Umsetzer *m*	convertisseur *m* tension-fréquence, C.T.F.	преобразователь напряжения в частоту
	voltage to neutral	*s.* star point voltage		
V 892	**voltage transfer, voltage transformation**	Spannungsübersetzung *f*	transformation *f* de tension	трансформация напряжения
V 893	**voltage transformation,** voltage transformation ratio <quantity>	Spannungsübersetzung *f* <Größe>	coefficient (rapport) *m* de transformation en tension <grandeur>	коэффициент трансформации по напряжению <величина>
V 894	**voltage transformation factor;** response to voltage <transducer>	Spannungsübertragungsmaß *n*; Spannungsübertragungsfaktor *m* <elektroakustischer Wandler>	facteur *m* de transformation de la tension; réponse *f* à la tension <transducteur émetteur>	коэффициент передачи напряжения; чувствительность по напряжению <преобразователя>
	voltage transformation ratio	*s.* voltage transformation <quantity>		
V 895	**voltage transformer,** potential transformer, shunt transformer	Spannungswandler *m*, Spannungsumsetzer *m*	transformateur *m* de tension (potentiel), transformateur shunt	трансформатор напряжения
	voltage transient, transient voltage, transient	vorübergehende Überspannung *f*, momentane Überspannung	surtension *f* instantanée	мгновенное перенапряжение
V 896	**voltage transient,** transient surge	Stoßspannungswelle *f*	onde *f* de tension d'impulsion	волна импульсного напряжения
V 897	**voltage transient**	Spannungssprungcharakteristik *f*	caractéristique *f* transitoire de tension	переходная характеристика напряжения
V 898	**voltage trebling**	Spannungsverdreifachung *f*	triplication *f* de tension	утроение напряжения
V 899	**voltage triangle**	Spannungsdreieck *n*	triangle *m* de tension	треугольник напряжений
V 900	**voltage tripler**	Spannungsverdreifacher *m*	tripleur (triplicateur) *m* de tension	утроитель напряжения
V 901	**voltage vector** <el.>	Spannungszeiger *m*, Spannungsvektor *m* <El.>	vecteur *m* de tension <él.>	вектор напряжения; конец вектора напряжения на векторной диаграмме <эл.>
	voltaic arc, arc, electric arc <el.>	Bogen *m*; Lichtbogen *m*, elektrischer Lichtbogen (Bogen) <El.>	arc *m*, arc électrique, arc voltaïque <él.>	дуга, электрическая дуга, световая дуга, вольтова[я] дуга <эл.>
	voltaic battery, voltaic pile, voltaic column	Voltasche Säule *f*, Voltasche Batterie *f*	pile *f* galvanique	вольтов столб
V 902	**voltaic cell,** electrochemical cell, chemical cell, galvanic cell, current generator cell, electric cell, voltaic couple cell, chemical source of current	galvanisches Element *n*, Volta-Element *n*, elektrochemisches Element, galvanische Zelle *f*, elektrochemische Zelle, galvanische Kette *f*, Element, chemische Stromquelle *f*	pile *f* galvanique, pile, cellule *f* galvanique, cellule électrochimique, cellule chimique, cellule, élément *m* galvanique, source *f* de courant chimique, source chimique de courant	гальванический элемент, гальваническая цепь, гальваническая пара, электрохимическая ячейка, химический источник тока
V 903	**voltaic cell**	Voltasche Kette *f*	élément *m* voltaïque	вольтова цепь
	voltaic column	*s.* voltaic pile		
	voltaic couple	*s.* voltaic cell		
V 904	**voltaic coupling,** Loftin-White coupling <of thermionic valves>	galvanische Kopplung *f*, Loftin-White-Kopplung *f* <Röhren>	couplage *m* galvanique, couplage de Loftin-White <de tubes électroniques>	гальваническая связь <электронных ламп>
V 904	**voltaic electromotive series,** Volta electromotive series, voltaic series, Volta series	Voltasche Spannungsreihe *f*	tableau *m* des tensions voltaïques, tableau des potentiels voltaïques	вольтов ряд потенциалов, вольтов ряд напряжений, ряд Вольта, ряд Вольты
V 905	**voltaic pile,** voltaic battery, voltaic column; Volta['s] pile	Voltasche Säule *f*, Voltasche Batterie *f*; Volta-Element *n*	pile *f* galvanique	вольтов столб
	voltaic potential	*s.* Volta potential difference		
	voltaic series	*s.* voltaic electromotive series		
	voltaism	*s.* galvanism		
V 906	**Volta['s] law**	Voltasches Spannungsgesetz *n*, Voltasches Gesetz *n*	loi *f* de Volta	вольтов закон, закон Вольта
V 906a	**Volta luminescence**	Volta-Lumineszenz *f*	luminescence *f* de Volta	вольтова люминесценция
V 907	**voltameter,** coulómeter, coulombmeter	Coulometer *n*, Voltameter *n*, Coulombmeter *n*	voltamètre *m*, coulomètre *m*, coulombmètre *m*	вольтметр, кулонметр
V 907a	**voltametric**	voltametrisch	voltamétrique	вольтаметрический
V 907b	**voltametric titration,** voltametry	Voltametrie *f*, voltametrische Titration *f*	voltamétrie *f*, titrage *m* voltamétrique	вольтаметрия, вольтаметрическое титрование
V 908	**volt-ammeter,** volt-ampere[ ]meter, volometer	Scheinleistungsmesser *m*, Voltamperemeter *n*, VA-Meter *n*	voltampèremètre *m*, jaugeur *m* électrique	прибор для измерения полной мощности, измеритель полной мощности
	volt-ammeter	*s. a.* volt-and-ammeter		
V 909	**voltammetric**	voltammetrisch	voltammétrique	вольтамперометрический

V 909a	voltammetric titration, voltammetry	Voltammetrie *f*, voltammetrische Titration *f*	voltam[péro]métrie *f*, titrage *m* voltammétrique	вольтамперометрия, вольтамперометрическое титрование
	voltammetry at controlled current	*s.* voltammetric titration		
	voltammetry at controlled potential	*s.* amperometry		
V 910	volt[-]ampere, VA	Voltampere *n*, VA	voltampère *m*, VA	вольтампер, *ва*
	volt-ampere characteristic	*s.* current-voltage characteristic		
	volt-ampere-hour[ ] meter, apparent-energy meter	Scheinverbrauchszähler *m*, Voltamperestundenzähler *m*	voltampèreheuremètre *m*, compteur *m* d'énergie apparente	счетчик вольтампер-часов, счетчик полной энергии, счетчик кажущейся энергии
	volt-ampere[ ]meter	*s.* voltammeter		
	volt-ampere-ohmmeter	*s.* volt-ohm-ammeter		
V 911	volt-and-ammeter, volt-ammeter, unimeter	Strom- und Spannungsmesser *m*, Stromspannungsmesser *m*, Strom-Spannungs-Messer *m*, Strom-Spannungs-Meßgerät *n*, Spannungs- und Strommesser *m*, Spannungs-Strom-Messer *m*, Spannungsstrommesser *m*, Volt- und Amperemeter *n*, Volt-Ampere-Messer *m*, Volt-Ampere-Meter *n*	voltampèremètre *m*, ampèremètre-voltmètre *m*	ампервольтметр, вольтамперметр, вольтамметр, амперметр-вольтметр, юниметр
	Volta['s] pile	*s.* voltaic pile		
	Volta potential	*s.* Volta potential difference		
V 912	Volta potential difference, Volta electromotive force; Volta potential, outer electrical potential, voltaic potential	Volta-Spannung *f*, Voltasche Kontaktspannung *f*, Voltasche Kontaktpotentialdifferenz *f*; Volta-Potential *n*, äußeres elektrisches Potential *n*	différence *f* de potentiel de Volta; potentiel *m* de Volta, potentiel électrique externe	вольта-потенциал, Вольта-потенциал, внешняя контактная разность потенциалов, вольтова разность потенциалов
	Volta series	*s.* Volta electromotive series		
	volt circuit, voltage circuit, shunt circuit, voltage path, shunt path, potential circuit <el.>	Spannungspfad *m*, Spannungskreis *m* <El.>	circuit *m* de tension, circuit dérivé <él.>	цепь напряжения, совокупность элементов цепи под напряжением <эл.>
V 913	volt effective, effective volt	Volt *n* effektive Spannung, Volt effektiv	volt *m* de tension efficace, volt efficace	вольт эффективного напряжения, эффективный вольт, вольт эффективный
	volt efficiency	*s.* voltage efficiency		
V 914	Volterra['s] dislocation	Volterra-Versetzung *f*, Volterrasche Versetzung *f*	dislocation *f* de Volterra	дислокация Вольтерра
V 915	Volterra['s] distortion	Volterrasche Distorsion *f*	distorsion *f* de Volterra	искажение Вольтерра
V 916	Volterra['s] equation	Volterrasche Gleichung *f*	équation *f* de Volterra	уравнение Вольтерра
V 917	Volterra['s] integral equation <of the first or second kind>	Volterrasche Integralgleichung *f* <erster *oder* zweiter Art>	équation *f* de Volterra, équation intégrale de Volterra <de première *ou* seconde espèce>	интегральное уравнение Вольтерра <первого *или* второго рода>
V 918	Volterra['s] kernel	Volterrascher Kern *m*	noyau *m* de Volterra	ядро Вольтерра
	volt-line, weber, volt-second, Wb, Vs	Weber *n*, Voltsekunde *f*, Wb, Vs	weber *m*, volt-seconde *m*, Wb, Vs	вебер, вольт-секунда, *вб*, Wb, *в·сек*, V·s
V 918a	voltmeter <el.>	Spannungsmesser *m*, Voltmeter *n* <El.>	voltmètre *m* <él.>	вольтметр <эл.>
V 919	volt-ohm-ammeter, volt-ampere-ohmmeter, avometer	Spannungs-Strom-Widerstandsmesser *m*, Strom-Spannungs-Widerstandsmesser *m*, Ampere-Volt-Ohm-Meter *n*, Volt-Ampere-Ohm-Meter *n*, Ampere-Volt-Ohm-Messer *m*, Avometer *n*	ampère-volt-ohmmètre *m*, avomètre *m*, contrôleur *m* universel	авометр, ампервольтомметр, вольтамперомметр
V 920	volt-ohm[ ]meter	Voltohmmeter *n*, Volt-Ohm-Meter *n*, Volt-Ohm-Messer *m*, Spannungs- und Widerstandsmesser *m*, Widerstands- und Spannungsmesser *m*	voltohmmètre *m*	вольт[-]омметр
V 921	volt peak-to-peak, peak-to-peak volt	Volt *n* Scheitelspannung, Volt Spitze-Spitze	volt *m* de tension de pointe, volt de pointe, volt de crête	вольт пикового напряжения, пиковый вольт, вольт пиковый
	volt-second, weber, volt-line, Wb, Vs	Weber *n*, Voltsekunde *f*, Wb, Vs	weber *m*, volt-seconde *m*, Wb, Vs	вебер, вольт-секунда, *вб*, Wb, *в·сек*, V·s
V 922	volume; capacity; cubical contents	Volumen *n* <*pl.*: Volu­mina>; Rauminhalt *m*, Raum *m*, Kubikinhalt *m*, körperlicher Inhalt *m*, Inhalt <räumlich>	volume *m*; cubage *m*, cubature *f*	объем; кубатура
V 923	volume <ac.>	Schallvolumen *n* <Ak.>	volume *m* acoustique <ac.>	электрический уровень <ак.>
	volume	*s. a.* hypervolume		
	volume	*s. a.* loudness level <ac.>		
	volume	*s. a.* three-dimensional		
V 924	volume absorption, bulk absorption	Volum[en]absorption *f*	absorption *f* volum[étr]ique, absorption de (dans le) volume	объемное поглощение, объемная абсорбция

V 925	**volume advantage factor**	Volum[en]vorteilfaktor m, Volum[en]flußfaktor m	facteur m d'avantage volumique, facteur d'irradiation optimale volumique	объемный коэффициент выигрыша
V 926	**volume anelasticity**	Volum[en]anelastizität f	anélasticité f de volume	объемная неупругость
	volume at the absolute zero of temperature	s. zero-point volume		
	volume capacity	s. capacity		
	volume change by shear, dilatancy, Kelvin effect, viscous dilatancy	Dilatanz f, Volum[en]ände-rung f durch Scherung, Kelvin-Effekt m	dilatance f	дилатансия, изменение объема сдвигом
	volume charge, volumetric charge	Volum[en]ladung f	charge f volumétrique, charge de (du, dans le) volume	объемный заряд
V 926a	**volume collision[al] fre-quency**	Volumenstoßhäufigkeit f	fréquence f des collisions (chocs) par unité de volume	частота столкновений на единицу объема
	volume comparison, voice-ear test, speech test	Sprech-Hör-Versuch m	essai m de voix	речевое испытание, испытание на разговор
	volume compressibility	s. compressibility		
	volume compressibility	s. cubic compressibility		
V 927	**volume compression,** volume contraction <ac.>	Volumenpressung f, Dyna-mikpressung f, Dynamik-verminderung f <Ak.>	compression f des sons, compression de volume <ac.>	сжатие диапазона громкости <ак.>
V 928	**volume compression** <mech.>	Volum[en]kompression f <Mech.>	compression f de volume <méc.>	сжатие объема, объемное сжатие <мех.>
	volume compressor	s. compressor <el.>		
	volume concentration, concentration by volume, volumetric con-centration; bulk con-centration	Konzentration f in Volum[en]prozent, Volum[en]konzen-tration f	concentration f en volume, concentration volu-métrique	концентрация по объему, объемная концентрация
V 929	**volume conduction**	Volum[en]leitung f	conduction f volum[étr]i-que, conduction du (dans le) volume	объемная проводимость
	volume conservation	s. constancy of volume		
	volume constancy	s. constancy of volume		
	volume content, content by volume	Gehalt m in Volumenein-heiten, Volum[en]gehalt m	teneur f en volume	содержание по объему, объемное содержание
V 930	**volume contraction,** volumetric contraction, contraction in volume, cubic[al] contraction	Volum[en]kontraktion f, räumliche Zusammen-ziehung (Kontraktion) f, kubische Kontraktion (Zusammenziehung)	contraction f de (du) vo-lume, contraction volumi-que (cubique)	сжатие объема, объемное сжатие, относительное объемное сжатие
	volume contraction	s. volume compression <ac.>		
	volume contraction	s. a. volume shrinkage		
	volume coulometer, volume voltameter, volumetric voltameter	Volum[en]voltameter n. Volum[en]coulometer n	voltamètre m à volume, coulombmètre m à volume	объемный вольтаметр, объемный куло[н]метр, газовый вольтаметр
	volume crystallization, bulk crystallization	Volum[en]kristallisation f	cristallisation f de volume	объемная кристаллиза-ция
	volume current, bulk current <el.>	Volum[en]strom m <El.>	courant m volumique <él.>	объемный ток <эл.>
V 931	**volume current density,** spatial current density, volume (spatial) density of current	räumliche Stromdichte f, Volum[en]stromdichte f, Stromdichte f pro Volumeneinheit	densité f cubique de courant, densité volu-mique de courant, den-sité de courant volumique	объемная плотность тока
V 932	**volume-defined chamber**	Kammer f mit veränder-lichem Volumen, durch Volum[en]änderung ge-steuerte Kammer	chambre f à volume variable	камера, режим которой регулируется измене-нием объема
V 933	**volume density,** volumetric density, spatial density, space density, density by volume; bulk density	räumliche Dichte f, Raum-dichte f, Volum[en]-dichte f	densité f cubique, densité volumique, densité spatiale, densité en volume	объемная плотность, пространственная плотность
	volume density of charge	s. space charge density		
	volume density of current	s. volume current density		
	volume density of electric charge	s. space charge density		
	volume density of ionization	s. ionization volume density		
V 934	**volume density of magnetization**	Magnetisierungsdichte f [pro Volumeneinheit]	densité f volumique d'aimantation	объемная плотность намагничивания
	volume density of polarization	s. polarization volume density		
V 935	**volume diffusion**	Volum[en]diffusion f	diffusion f de (en) volume	объемная диффузия
	volume diffusion coefficient, coefficient of volume diffusion	Volum[en]diffusions-koeffizient m	coefficient m de diffusion en volume	коэффициент объемной диффузии
V 936	**volume dilatometer**	Volum[en]dilatometer n	dilatomètre m de volume, dilatomètre cubique	объемный дилатометр
	volume diminution	s. volumetric reduction		
V 937	**volume dispersion,** spatial dispersion	räumliche Dispersion f	dispersion f cubique (spatiale)	пространственная дисперсия
	volume displaced, displaced volume, volume forced away, displacement <quantity>	verdrängtes Volumen n, eingetauchtes Volumen, Verdrängung f <Größe>	volume m déplacé, volume substitué, volume immergé, déplacement m <grandeur>	вытесненный объем, погруженный объем <величина>
V 938	**volume displacement**	Volumenverschiebung f; Volumenverdrängung f	déplacement m de volume	смещение объема; вытес-нение объема

V 939	**volume dose**	Volum[en]dosis *f*, Raumdosis *f*	dose *f* absorbée dans le volume, dose volume	объемная доза
V 940	**volume effect,** isotope volume effect, isotopic volume effect, effects due to isotopic change of volume	Kernvolumeneffekt *m* [der Isotopie], volum[en]abhängiger Isotopieeffekt *m*, volum[en]abhängiger Isotopieverschiebungseffekt *m*, volum[en]abhängige Isotopieverschiebung *f*, Volum[en]isotopieeffekt *m*	effet *m* de volume, déplacement *m* isotopique dépendant du volume	объемный эффект; изотопическое смещение, зависящее от объема
	volume elasticity	*s.* bulk modulus [of elasticity] <quantity> <therm.>		
	volume elasticity	*s.* compressibility <property> <therm.>		
	volume element, element of volume, space element, element of extension	Volum[en]element *n*, Raumelement *n*	élément *m* de volume	элемент объема, элемент пространства, элементарный объем, дифференциал объема
	volume element	*s. a.* hypervolume element		
V 941	**volume energy**	Volum[en]energie *f*	énergie *f* volumétrique, énergie de (dans le) volume	объемная энергия
V 942	**volume excitation**	Volum[en]anregung *f*	excitation *f* de (du) volume, excitation volumétrique	объемное возбуждение
	volume expander, expander <el.>	Dynamikdehner *m* <El.>	expanseur *m* [de volume], expanseur de son <él.>	расширитель [динамического диапазона громкости] <эл.>
V 943	**volume expansion** <ac.>	Volumendehnung *f*, Dynamikdehnung *f* <Ak.>	expansion *f* de volume <ac.>	расширение диапазона громкости <ак.>
	volume expansion	*s. a.* cubic[al] expansion <therm.>		
	volume expansion coefficient	*s.* thermal coefficient of volume expansion		
V 944	**volume flow, volume flow rate,** volume flux, flux, rate of volume flow <volume per unit time>	Durchfluß *m* [in Volumeneinheiten], Durchflußvolumen *n* [je Zeiteinheit], Volum[en]durchfluß *m*, Volum[en]flußdichte *f*, Volum[en]fluß *m*, Volum[en]strom *m*, Volum[en]durchsatz *m* <Volumen/Zeiteinheit>	débit *m* volumétrique, débit-volume *m*, débit volume, débit en volume, flux *m* volumétrique, flux de volume, courant *m* volumétrique, courant de volume <volume par unité de temps>	объемный расход, расход по объеме, поток объема, объемный поток <объем на единицу времени>
	volume fluorescence, bulk fluorescence	Volum[en]fluoreszenz *f*	fluorescence *f* de volume, fluorescence volumique	объемная флуоресценция
	volume flux	*s.* volume flow		
V 945	**volume force,** volumetric force, body force	Volum[en]kraft *f*	force *f* volumétrique	объемная сила
V 945a	**volume force**	Massenkraft *f*	force *f* massique, force de masse	массовая сила, объемная сила
	volume forced away	*s.* displaced volume <quantity>		
V 946	**volume fraction,** volume ratio	Volum[en]bruch *m*, Volum[en]fraktion *f*, Volum[en]gehalt *m*, Volum[en]anteil *m*	fraction *f* volumique, fraction en volume	объемная доля, объемная долевая концентрация
V 947	**volume-generated carrier**	volum[en]erzeugter Träger *m*	porteur *m* créé dans le volume	носитель заряда, рожденный в объеме
	volume heat capacity	*s.* heat capacity per unit volume		
	volume increase, increase of volume; bulking	Volum[en]zunahme *f*, Volum[en]vergrößerung *f*	augmentation *f* (accroissement *m*) de volume	увеличение объема, объемное увеличение, приращение объема
V 948	**volume indicator,** loudness level indicator, sound level indicator	Lautstärkeanzeiger *m*, Volumzeiger *m*, Volumenzeiger *m*, Volumanzeiger *m*, Volumenanzeiger *m*, Aussteuerungsanzeiger *m*	indicateur *m* de volume	указатель (индикатор) громкости, указатель уровня громкости указатель (индикатор) электрического уровня
V 948a	**volume inertial force**	Volumenträgheitskraft *f*	force *f* d'inertie volumétrique	объемная сила инерции
V 949	**volume integral;** space integral; triple integral	Volum[en]integral *n*, Raumintegral *n*; dreifaches Integral *n*	intégrale *f* de volume; intégrale triple	объемный интеграл; тройной интеграл
V 950	**volume ionization;** Branley-Lenard effect	Volum[en]ionisation *f*, Volum[en]ionisierung *f*, Raumionisation *f*, Raumionisierung *f*; Branley-Lenard-Effekt *m*, Lenard-Effekt *m*, lichtelektrische Raumwirkung *f*	ionisation *f* volumétrique, ionisation de (du) volume; effet *m* Branley-Lenard	объемная ионизация
V 951	**volume ionization coefficient**	Volum[en]ionisierungskoeffizient *m* Volum[en]ionisationskoeffizient *m*, Raumionisationskoeffizient *m*	coefficient *m* d'ionisation volumétrique	коэффициент объемной ионизации
V 952	**volume ionization density**	räumliche Ionisationsdichte (Ionendichte) *f*, Volumenionisationskonzentration *f*	densité *f* d'ionisation volumique, densité volumétrique d'ionisation	объемная концентрация ионов

	volume level, electrical speech level, speech level, vocal level	Sprachpegel m	niveau m de parole, niveau de voix	разговорный уровень, уровень разговорных токов
	volume lifetime, bulk lifetime	Volum[en]lebensdauer f	durée f de vie volumique, durée de vie en volume, durée de vie du volume	объемное время жизни [неравновесных носителей заряда]
V 953	**volume magnetostriction,** bulk magnetostriction	Volum[en]magnetostriktion f, Magnetostriktion f des Volumens	magnétostriction f de volume, magnétostriction en volume, magnétostriction volumique	объемная магнитострикция
	volume meter	s. sound intensity meter ‹ac.›		
	volume meter	s. sound level meter ‹ac.›		
V 954	**volume microdilatometer**	Volum[en]mikrodilatometer n	microdilatomètre m de volume, microdilatomètre cubique	объемный микродилатометр
	volume moisture, bulk moisture	Volum[en]feuchtigkeit f	humidité f de volume	объемная влажность
V 955	**volumenometer,** volumometer ‹for solids›	Volumenometer n, Volumometer n, Stereometer n, Volumenmesser m ‹für Festkörper›	voluménomètre m, volumomètre m ‹pour les corps solides›	объемомер, волюминометр, волюм[ен]ометр ‹для измерения объема твердых тел›
	volume of absolute zero	s. zero-point volume		
V 956	**volume of computation,** amount of calculation, computing expenditure	Rechenaufwand m	volume m de calcul, dépense f de calcul	объем вычисления, затраты на вычисления, вычислительные затраты
V 957	**volume of displaced liquid**	verdrängtes Flüssigkeitsvolumen n	volume m liquide déplacé	вытесненный объем жидкости
	volume of information	s. information content		
V 958	**volume of mixing**	Mischungsvolumen n	volume m de mélange	объем смеси
	volume of sound, sound volume ‹ac.›	Klangumfang m ‹Ak.›	volume m sonore ‹ac.›	звуковой диапазон, диапазон звука ‹ак.›
	volume of sound	s. a. loudness level ‹ac.›		
	volume of stroke, displacement, displacement volume, piston-swept volume	Hubraum m; Hubvolumen n	cylindrée f, volume m de la cylindrée	рабочий объем цилиндра литраж цилиндра
	volume of water, water volume	Wasservolumen n, Wasserinhalt m	volume m d'eau	водяной объем, объем воды, объем водоема, емкость водоема
	volume per cent	s. volume percentage		
	volume percentage, per cent by volume, volume per cent, % vol., vol. %, v/v	Volum[en]prozent n, Vol.-%, Vol. %	pourcent m en volume, pourcentage m en volume, %vol.	объемный процент, об. %
V 959	**volume photoeffect (photoelectric effect, photoemission, photoemissive effect),** bulk photoemissive effect	Volum[en]photoeffekt m, lichtelektrischer Volumeneffekt m, Volum[en]photoemission f	effet m photo-émetteur de volume, effet photoémissif de volume, effet photo-électrique de volume, photoémission f de volume	объемный внешний фотоэффект, объемный фотоэффект
V 960	**volume photovoltaic effect,** bulk photovoltaic effect	Volum[en]sperrschichtphotoeffekt m	effet m photovoltaïque de volume	объемный вентильный фотоэффект
V 961	**volume polarization**	Volum[en]polarisation f	polarisation f de (du) volume, polarisation volumétrique	объемная поляризация, высоковольтная поляризация
V 962	**volume porosity**	Volum[en]porosität f	porosité f de volume	объемная пористость
	volume potential, bulk potential	Volum[en]potential n	potentiel m de volume	объемный потенциал
	volume radiator, bulk radiator	Volum[en]strahler m	émetteur m de volume	объемный излучатель
V 963	**volume range**	Lautstärkebereich m; Lautstärkeumfang m, Lautstärkeverhältnis n	gamme f de volume sonore	диапазон громкости [звука], звуковой диапазон
V 964	**volume range,** dynamic range	Dynamik f, Schalldruckumfang m, Aussteuer[ungs]bereich m	étendue f de dynamique, dynamique f	динамический диапазон, диапазон громкости [звука]
V 964a	**volume range characteristic**	Dynamiklinie f, Dynamikverlauf m	caractéristique f de volume sonore	характеристика динамического диапазона
V 965	**volume ratio;** volume relation; dilatation number	Volum[en]verhältnis n	rapport m volumétrique, rapport des volumes	объемное отношение, объемное соотношение
	volume ratio	s. a. volume fraction		
V 966	**volume recombination**	Volum[en]rekombination f	recombinaison f de (dans le) volume, recombinaison volumétrique	объемная рекомбинация
V 967	**volume recombination rate**	Volum[en]rekombinationsgeschwindigkeit f, Volum[en]rekombinationsrate f, Volum[en]rekombinationshäufigkeit f	vitesse f de la recombinaison de volume, vitesse de la recombinaison volumétrique	объемная скорость рекомбинации
	volume relation; volume ratio; dilatation number	Volum[en]verhältnis n	rapport m volumétrique	объемное отношение, объемное соотношение
	volume requirement	s. required volume		
V 968	**volume resistance**	Durchgangswiderstand m; Volum[en]widerstand m, Raumwiderstand m	résistance f volumique (de volume, du volume, dans le volume, volumétrique)	объемное сопротивление
V 969	**volume resistivity**	spezifischer Volumenwiderstand m	résistivité f volumique (de volume), résistance f spécifique volumique	удельное объемное сопротивление, объемная сопротивляемость
	volume resistivity	s. a. resistivity		

	volume resonance, bulk resonance	Volum[en]resonanz f	résonance f de volume	объемный резонанс
V 970	volume shrinkage, shrinkage of volume, volume contraction	Volum[en]schwindung f, Volum[en]schrumpfung f, Raumschwindung f	retrait m de volume, retrait cubique, rétrécissement m de volume, rétrécissement cubique, contraction f du volume	объемная усадка; объемная усушка
V 971	volume source	Raumquelle f, räumlich ausgedehnte Quelle f, Volum[en]quelle f	source f volumétrique (tri-dimensionnelle, distribuée dans le volume)	объемный источник
V 972	volume strain, bulk strain, strain of volume, dilatational strain	relative Volum[en]-änderung f, Volum[en]dilatation f, Dilatation f	déformation f de volume, dilatation f de volume relative, dilatation cubique relative	объемная деформация, объемное расширение
	volume strain	s. a. general state of strain		
V 973	volume stress, tri-axial stress, three-dimensional stress, general state of stress, cubic[al] stress, triaxiality	dreidimensionaler Spannungszustand m, dreiachsiger Spannungszustand, räumlicher Spannungszustand, allgemeiner Spannungszustand	état m général de contrainte, état général des tensions	трехмерное напряженное состояние, пространственное напряженное состояние, сложное напряженное состояние
V 974	volume susceptibility, susceptibility per unit volume	Volum[en]suszeptibilität f	susceptibilité f volumique, susceptibilité par unité de volume	объемная магнитная восприимчивость, объемная восприимчивость
V 975	volumeter <for fluids>	Volumeter n, Aräometer n mit Volumeneinteilung <für Flüssigkeiten und Gase>	volumètre m <pour les fluides>	волюметр <для измерения объема газов и жидкостей>
V 976	volumetric[al], titrimetric	maßanalytisch, volumetrisch, titrimetrisch	volumétrique, titrimétrique	объемноаналитический, объемный, титриметрический, волюметрический, волюмометрический, методом титрования
V 977	volumetric analysis, measure analysis, titrimetric analysis, titration analysis (test), titrimetry	Maßanalyse f, Volumetrie f, volumetrische Analyse f, Titrimetrie f, titrimetrische Analyse	titrimétrie f, analyse f volumétrique, analyse titrimétrique, analyse de la mesure	объемный анализ, объемный (титриметрический) метод анализа, волю[мо]метрический анализ, волюметрия
	volumetric assay	s. volumetric determination		
	volumetric capacity	s. capacity		
V 978	volumetric charge, volume charge	Volum[en]ladung f	charge f volumétrique, charge de (du, dans le) volume	объемный заряд
	volumetric concentration	s. volume concentration		
	volumetric contraction	s. volume contraction		
	volumetric density	s. volume density		
V 979	volumetric determination, volumetric assay	maßanalytische Bestimmung f	dosage m volumétrique	объемное (титриметрическое) определение
	volumetric dilatation	s. cubic[al] dilatation <elasticity>		
V 980	volumetric efficiency	volumetrischer Wirkungsgrad m; Völligkeitsgrad m; Füllungsgrad m	rendement m volumétrique	объемный коэффициент полезного действия, объемный к.п.д.
	volumetric energy	s. strain energy due to the change of volume		
	volumetric expansion	s. cubic[al] expansion <therm.>		
V 980a	volumetric fluorescence analysis (titration), fluorescence titration	Fluoreszenztitration f, Fluoreszenzmaßanalyse f; fluorimetrische Endpunktbestimmung f	titrage m [volumétrique] par fluorescence	флуоресцентное [объемное] титрование
	volumetric force, volume force, body force	Volum[en]kraft f	force f volumétrique	объемная сила
	volumetric heat capacity	s. heat capacity per unit volume		
	volumetric manometry, manometry	Manometrie f, volumetrische Manometrie; Manometermessung f, manometrische Messung f	manométrie f volumétrique, manométrie	манометрия
	volumetric modulus of elasticity	s. bulk modulus		
	volumetric precipitation analysis	s. precipitation analysis		
	volumetric reduction	s. decrease in volume		
V 981	volumetric refrigerating capacity	volumetrische Kälteleistung f	puissance f frigorifique volumétrique	объемная холодопроизводительность
	volumetric specific heat	s. heat capacity per unit volume		
	volumetric voltameter, volume voltameter, volume coulometer	Volum[en]voltameter n, Volum[en]coulometer n	voltamètre m à volume, coulombmètre m à volume	объемный вольтаметр, объемный куло[н]метр, газовый вольтаметр
	volumetric weight	s. weight per unit volume		
	volumetric work, volume work, dilatational work	Volum[en]arbeit f	travail m volumétrique, travail de dilatation	объемная работа, пространственная работа
V 982	volume unit, vu <ac.>	Volum[en]einheit f, vu <Ak.>	unité f de volume, vu <ac.>	единица громкости <ак.>
V 983	volume utilization factor	Volum[en]ausnutzungsziffer f	coefficient m de l'utilisation du volume	коэффициент использования объема

V 984		volume velocity [across a surface element], acoustic[al] volume velocity <ac.>	Schallfluß m, Schallenergiefluß m, Volum[en]schnelle f <Ak.>	flux m de vitesse acoustique [à travers un élément de surface], vitesse f volumique <ac.>	объемная скорость, объемная колебательная скорость <ак.>
		volume viscosity	s. bulk viscosity		
V 985		volume voltameter, volumetric voltameter, volume coulometer	Volum[en]voltameter n, Volum[en]coulometer n	voltamètre m à volume, coulombmètre m à volume	объемный вольтаметр, объемный куло[н]метр, газовый вольтаметр
V 986		volume weight	s. weight per unit volume		
		volume work, volumetric work, dilatational work	Volum[en]arbeit f	travail m volumétrique, travail de dilatation	объемная работа, пространственная работа
		volumic	s. volume		
		volumometer, volumenometer <for solids>	Volumenometer n, Volumometer n, Stereometer n, Volumenmesser m <für Festkörper>	voluménomètre m, volumomètre m <pour les corps solides>	объемомер, волюминометр <для измерения объема твердых тел>
V 987		vortex <pl.: vortices, vortexes>; eddy <large-scale>; whirl	Wirbel m; Wirbelgebilde n	tourbillon m	вихрь
		vortex	s. a. vortex tube		
		vortex	s. a. vortex point <of differential equation>		
		vortex	s. a. centre <of differential equation>		
		vortex	s. a. swirl <hydr.>		
		vortex	s. a. vortical		
V 988		vortex axis, axis of the vortex, turbulence axis; axis of the centre of vortex	Wirbelachse f; Wirbelkernachse f	axe m du tourbillon; axe du centre tourbillonnaire	ось вихря, вихревая ось; ось ядра вихря
		vortex beam, vortex jet	Wirbelstrahl m	jet m tourbillonnaire, veine f tourbillonnaire	вихревая струя, закрученная струя
		vortex centre	s. vortex core		
V 989		vortex chamber, eddy chamber	Wirbelkammer f	chambre f de turbulence	камера завихрения, вихревая камера
		vortex core, core of the vortex, vortex centre, vortex nucleus	Wirbelkern m, Wirbelzentrum n	noyau m tourbillonnaire, centre m tourbillonnaire, noyau m du tourbillon	ядро вихря, центр завихрения
V 990		vortex-core flow, turbulent core [flow]	Wirbelkernströmung f, turbulente Kernströmung f	noyau m turbulent, écoulement m de centre tourbillonnaire	турбулентное стержневое течение, турбулентное ядро [течения], турбулентная главная струя течения
		vortex currents	s. eddy currents		
		vortex distribution, vorticity distribution	Wirbelbelegung f, Wirbelverteilung f	distribution f de tourbillon[nement]	распределение вихря, распределение завихренности
		vortex drag	s. trailing-edge drag		
V 991		vortex element, element of vortex, elementary vortex	Wirbelelement n, Elementarwirbel m	élément m [de] tourbillon, élément-tourbillon m	элемент вихря, вихревой элемент
		vortex field	s. rotational field		
V 992		vortex filament	Wirbelfaden m	filet m de tourbillon, filet-tourbillon m, tube m de tourbillon infiniment délié, « wirbelfaden » m	вихревая нить, элементарная вихревая нить, вихревой шнур, элементарная вихревая струйка
		vortex flow	s. rotational flow		
V 993		vortex flux, turbulent flux, eddy flux, vorticity flux, flux of vorticity	Wirbelfluß m; Vorticityfluß m <Geo.>	flux m tourbillonnaire, flux de tourbillon	вихревой поток, поток вектора вихря, поток вихря
V 994		vortex flux density, vorticity flux density	Wirbelflußdichte f	densité f de flux tourbillonnaire	плотность вихревого потока
		vortex formation	s. formation of vortices		
V 995		vortex frequency	Wirbelfrequenz f	fréquence f de tourbillon	частота вихря
		vortex generation	s. formation of vortices		
		vortex hypothesis	s. Weizsäcker['s] turbulence theory		
V 996		vortex in the wake, wake vortex	Totwasserwirbel m	tourbillon m de l'eau morte	вихрь в следе [за телом]
V 997		vortex invariant; eddy invariant	Wirbelinvariante f	invariant m du tourbillon	инвариант вихря
V 998		vortex jet, vortex beam	Wirbelstrahl m	jet m tourbillonnaire, veine f tourbillonnaire	вихревая струя, закрученная струя
V 999		vortex jet turbine	Wirbelstrahlturbine f	turbine f à veine tourbillonnaire	вихреструйная турбина, вихревая турбина, турбина Рейфенштейна
		vortex-like	s. vortical		
V 1000		vortex line, line vortex	Wirbellinie f	ligne f tourbillon, ligne-tourbillon f, ligne de tourbillon	вихревая линия
V 1001		vortex line, vortex locus, locus of the vortices <opt.>	Scheitelkurve f <Opt.>	ligne f des sommets, courbe f des sommets <opt.>	кривая вершин, геометрическое место вершин лучей <опт.>
V 1002		vortex line element	Wirbellinienelement n	élément m de la ligne tourbillon	элемент вихревой линии, линейный элемент вихря
		vortex locus	s. vortex line <opt.>		
		vortex motion	s. rotational flow		
		vortex nucleus	s. vortex core		
		vortex of fluid	s. swirl <hydr.>		
V 1003		vortex pair	Wirbelpaar n	paire f de tourbillons	пара вихрей, вихревая пара
		vortex path, trajectory of the vortex, vortex trajectory	Wirbelbahn f	trajectoire f du tourbillon	траектория вихря

	English	German	French	Russian
	vortex path	s. a. vortex street		
V 1004	vortex point	Wirbelpunkt m	point m de tourbillon, point tourbillon, point-tourbillon m	точка вихря, вихревая точка
	vortex point, centre <of differential equation>	Wirbelpunkt m <Differentialgleichung>	centre m, sommet m <de l'équation différentielle>	центр <дифференциального уравнения>
V 1004a	vortex power flow (flux)	Wirbelleistungsfluß m	flux m de puissance tourbillonnaire	вихревой поток мощности
	vortex pump	s. vortex vacuum pump		
V 1005	vortex region, vortex zone, eddy	Wirbelbereich m, Wirbelgebiet n, Wirbelzone f; Wirbelstrecke f	zone f tourbillonnaire, région f tourbillonnaire, zone des tourbillons, région des tourbillons	вихревая область, вихревая зона, область вихрей, зона вихрей, область завихренности, зона завихренности, район завихренности, зона завихрений
	vortex resistance; form drag, form resistance	Formwiderstand m	résistance f de forme, résistance résiduaire; résistance de sillage	сопротивление формы, профильное сопротивление
V 1006	vortex ring, collar vortex	Wirbelring m	anneau m tourbillonnaire, anneau de tourbillon	вихревое кольцо
V 1007	vortex ring flow	Wirbelringströmung f	écoulement m avec anneau tourbillonnaire	обтекание на режиме вихревого кольца
	vortex rope	s. wing-tip vortex		
V 1008	vortex row, [single] row of vortices	Wirbelreihe f	file f tourbillonnaire	вихревая цепочка, ряд вихрей
V 1009	vortex sheet, vorticity sheet	Wirbelschicht f, Wirbelband n, Wirbelblatt n	couche f tourbillonnaire, nappe f de tourbillon, bande f tourbillon	вихревой слой, вихревая полоса
V 1010	vortex sink, vortex sump, eddy sink, eddy sump	Wirbelsenke f	puits-tourbillon m, puits m tourbillon, puits de tourbillon, tourbillon-puits m	вихресток, сток вихрей
V 1011	vortex source, eddy source	Wirbelquelle f	source f tourbillon, source-tourbillon f, source de tourbillon, tourbillon-source m	вихреисточник, источник вихрей
V 1012	vortex space, eddy space	Wirbelraum m	espace m tourbillonnaire, espace du tourbillon	завихренное пространство, вихревое пространство
	vortex speed; vortex velocity	Wirbelgeschwindigkeit f	vitesse f du tourbillon	вихревая скорость, скорость вихря
V 1013	vortex street	Wirbelstraße f	train m de tourbillons, allée f de tourbillons	вихревая дорожка
	vortex street	s. a. Kármán['s] vortex path		
V 1014	vortex strength, strength of the vortex	Stärke f des Wirbels, Wirbelstärke f	intensité f du tourbillon, intensité tourbillonnaire	интенсивность вихря
	vortex strip, vortex veil	Wirbelstreifen m, Wirbelschleier m	nappe f de tourbillon	вихревая пелена
	vortex sump	s. vortex sink		
V 1015	vortex surface, vorticity surface	Wirbelfläche f	surface f de tourbillon[s], surface-tourbillon f	вихревая поверхность
	vortex theorem, vorticity theorem	Wirbelsatz m	théorème m de la théorie des tourbillons, théorème sur les tourbillons	теорема о вихрях
V 1016	vortex theory [of airscrew], vortex theory of propeller	„vortex theory" f des Propellers, „vortex"-Theorie f des Propellers, Wirbeltheorie f des Propellers	théorie f tourbillonnaire de l'hélice	вихревая теория воздушного винта
V 1017	vortex thermometer	Vortexthermometer n	thermomètre m tourbillonnaire	вихревой термометр
	vortex trail	s. vortex street		
	vortex trajectory, trajectory of the vortex, vortex path	Wirbelbahn f	trajectoire f du tourbillon	траектория вихря
V 1018	vortex tube, vortex	Wirbelröhre f	tube m tourbillon, tube-tourbillon m, tube de tourbillon	вихревая трубка
	vortex tube, Hilsch tube, Hilsch['s] vortex tube	Hilschsches Wirbelrohr n, Wirbelrohr, Hilschsche Wirbelröhre f, Hilsch-Rohr n	tube m de Ranque, tube tourbillon, réfrigérateur m à tourbillon	вихревая трубка, вихревая труба
	vortex-type flow	s. rotational flow		
V 1018a	vortex vacuum pump, vortex pump	Wirbelpumpe f	pompe f tourbillonnaire	вихревой насос, вихревой вакуумный насос
	vortex veil, vortex strip	Wirbelstreifen m, Wirbelschleier m	nappe f de tourbillon	вихревая пелена
V 1019	vortex velocity; vortex speed	Wirbelgeschwindigkeit f	vitesse f du tourbillon	вихревая скорость, скорость вихря
V 1020	vortex wake	wirbliger Nachlauf m	sillage m tourbillonnaire	вихревой след, завихренная спутная струя
V 1020a	vortex whistle	Wirbelpfeife f	sifflet m tourbillonnaire	вихревой свисток
	vortex zone	s. vortex region		
V 1021	vortical, vortex; eddying, eddy; whirling; vortex-like	Wirbel-; wirblig, wirbelig, wirbelnd; wirbelförmig, wirbelartig; wirbelbehaftet	tourbillonnaire, en [forme de] tourbillon, tournoyant	вихревой; завихренный; вихреобразный
	vortical flow	s. rotational flow		
V 1022	vortical perturbation	Wirbelstörung f	perturbation (disturbance) f tourbillonnaire	вихревое возмущение
V 1023	vortical structure	Wirbelstruktur f	structure f tourbillonnaire	вихревая структура
V 1024	vorticity <gen.>	Wirbeligkeit f, Wirbligkeit f <allg.>	tourbillonnement m, vorticité f <gén.>	завихренность <общ.>

	English	German	French	Russian
	vorticity	s. a. vorticity moment		
	vorticity	s. a. vorticity vector		
V 1025	**vorticity advection**	Vorticityadvektion f, Wirbeladvektion f	advection f de tourbillon	адвекция вихря
V 1025a	**vorticity average theorem**	Wirbelmittelwertsatz m	théorème m de la moyenne tourbillonnaire	теорема о вихревом среднем
V 1026	**vorticity branch of spectrum**	Wirbelzweig m des Spektrums	branche f tourbillonnaire du spectre	вихревая ветвь спектра
V 1027	**vorticity component**	Wirbelkomponente f	composante f du tourbillon	вихревая составляющая; составляющая вихря, компонента вихря
V 1028	**vorticity curve**	Wirbelstärkekurve f, Wirbelgrößenkurve f	courbe f de l'intensité tourbillonnaire	кривая интенсивности вихря
V 1029	**vorticity density,** density of vorticity	Wirbeldichte f	densité f tourbillonnaire	вихревая плотность
	vorticity diffusion	s. eddy diffusion		
V 1030	**vorticity distribution,** vortex distribution	Wirbelbelegung f, Wirbelverteilung f	distribution f de tourbillon[nement]	распределение вихря, распределение завихренности
V 1031	**vorticity effect**	Wirbeleinfluß m	effet m tourbillonnaire	вихревой эффект
V 1032	**vorticity equation;** predischarge vorticity equation	Wirbelgleichung f; Vorticitygleichung f <Geo.>	équation f de tourbillon	уравнение вихря
	vorticity flux, vortex flux, flux of vorticity	Wirbelfluß m; Vorticityfluß m <Geo.>	flux m tourbillonnaire, flux de tourbillon	вихревой поток, поток вектора вихря, поток вихря
	vorticity flux conservation law	s. law of conservation of eddy flux		
	vorticity flux density, vortex flux density	Wirbelflußdichte f	densité f de flux tourbillonnaire	плотность вихревого потока
V 1033	**vorticity formula**	Wirbelformel f	formule f de tourbillon	формула вихря
V 1033a	**vorticity measure,** vorticity number	Wirbelmaß n	mesure f de tourbillonnement	мера (степень) завихренности
V 1034	**vorticity moment,** vorticity	Wirbelstärke f [des Wirbelfadens], Wirbelmoment n [des Wirbelfadens], Wirbelintensität f, Wirbelgröße f, Wirbelwert m, Vorticitymoment n	intensité f tourbillonnaire, quantité f tourbillonnaire, intensité du tourbillon	интенсивность вихревой трубки, интенсивность вихря, напряжение вихревой нити, напряжение вихря, напряженность вихря
	vorticity number	s. vorticity measure		
	vorticity sheet	s. vortex sheet		
V 1035	**vorticity spectrum**	Wirbelstärkenspektrum n	spectre m de l'intensité tourbillonnaire	спектр интенсивности вихря
	vorticity surface, vortex surface	Wirbelfläche f	surface f de tourbillon[s], surface-tourbillon f	вихревая поверхность
V 1036	**vorticity tensor**	Wirbeltensor m, Drehgeschwindigkeitstensor m	tenseur m tourbillon	вихревой тензор
V 1037	**vorticity theorem,** vortex theorem	Wirbelsatz m	théorème m de la théorie des tourbillons, théorème sur les tourbillons	теорема о вихрях
V 1038	**vorticity transfer**	Wirbeltransport m, Wirbelübertragung f, Vorticitytransport m	transfert m de tourbillon, transfert de tourbillonnement, transfert de vorticité	перенос завихренности, перенос вихря, распространение вихря
V 1039	**vorticity transfer equation**	Wirbeltransportgleichung f	équation f de transfert de tourbillon <vorticité>	уравнение переноса вихря, уравнение распространения вихря
V 1040	**vorticity transfer theory [of G. I. Taylor], vorticity transport theory**	Wirbeltransporttheorie f	théorie f de transfert de tourbillon, théorie de transfert de tourbillonnement	теория переноса вихря
V 1041	**vorticity vector,** vorticity	Wirbelvektor m, „vorticity" f, Vorticity f, Wirbligkeit f, Wirbeligkeit f, Wirbelstärke f; Drehungsgeschwindigkeit f des Flüssigkeitsteilchens	vecteur m tourbillon, tourbillon m, rotation f moyenne, vorticité f	вихревой вектор, вектор вихря, вихрь; осевая скорость вихря
V 1042	**V-particle**	V-Teilchen n, V-Meson n	particule f V, méson m V	V-частица
	V reflector, corner reflector, angled reflector <el.>	Winkelreflektor m, Winkelspiegel m <El.>	réflecteur m en coin, réflecteur angulaire <él.>	уголковый отражатель, уголковый рефлектор; угловой рефлектор <эл.>
V 1042a	**Vries effect / De**	De-Vries-Effekt m	effet m de Vries	эффект де Фриза (Фриса)
	VR tube	s. voltage regulator tube		
	V-shaped antenna	s. vee antenna		
V 1043	**V-shaped curve,** V-curve, V-characteristic	V-Kurve f	courbe f en V, caractéristique f en V	V-кривая, V-образная характеристика, V-образная кривая
	V-shaped notch, V-notch	Spitzkerbe f, V-Kerbe f, V-förmige Kerbe f	entaille f en V	V-образный надрез
V 1044	**V-shaped track**	V-förmige Spur f, V-Spur f	trace f en [forme de] V	V-образный след
V 1045	**V-shaped valley**	Kerbtal n, V-Tal n, V-förmiges Tal n	vallée f en V	V-образная долина, надрезная долина
	V-type antenna, vee antenna	V-Antenne f	antenne f en V	V-образная антенна
	vug[g], geode <geo.>	Geode n, Sekretion f, Lösungshohlraum m, Geode f <Geo.>	géode f, aetite f, four m à cristaux <géo.>	жеода <гео.>
	vulcanizate, rubber, vulcanized rubber	Gummi m, vulkanisierter Kautschuk m, Vulkanisat n	gomme f, gomme vulcanisée, caoutchouc m vulcanisé, vulcanisat m	резина, вулканизованный каучук, вулканизованная резина, вулканизат

V 1045a	**vulcanization,** cure, curing	Vulkanisation *f*	vulcanisation	вулканизация
V 1046	**vulcanized caoutchouc**	Weichgummi *m*, Weich-kautschuk *m*, vulkani-sierter Kautschuk *m*	caoutchouc *m* vulcanisé, caoutchouc mou	вулканизированный каучук, мягкий каучук, слабый каучук, резина, мягкая резина
	vulcanized rubber	*s.* vulcanizate		
	vulgar logarithm	*s.* Brigg['s] logarithm		
	vu-meter	*s.* sound level meter ‹ac.›		
V 1047	**V value,** degree of saturation ‹geo.›	Sättigungsgrad *m*, *V*-Wert *m* ‹Geo.›	valeur *f V*, degré *m* de saturation ‹géo.›	величина *V*, степень насыщения ‹гео.›

W

	Waals adsorption / Van der	*s.* physisorption		
W 1	**Waals attraction / Van der**	Van-der-Waals-Anziehung *f*, Van-der-Waals-Attraktion *f*, van der Waalssche Anziehung *f*, Van-der-Waals-Moleku-larattraktion *f*	attraction *f* Van der Waals, attraction de Van der Waals	ван-дер-ваальсово притя-жение, притяжение Ван-дер-Ваальса
	Waals binding / Van der	*s.* Waals bond / Van der		
W 2	**Waals bond / Van der,** Van der Waals binding, residual bond	Van-der-Waals-Bindung *f*, van der Waalssche Bin-dung *f*, VdW-Bindung *f*, Edelgasbindung *f*	liaison *f* du type Van der Waals, liaison résiduelle	ван-дер-ваальсова связь
W 3	**Waals constant / Van der**	van der Waalssche Kon-stante *f*, Van-der-Waals-Konstante *f*	constante *f* de Van der Waals	постоянная Ван-дер-Ваальса
W 4	**Waals crystal / Van der**	Van-der-Waals-Kristall *m*, van der Waalsscher Kri-stall *m*, VdW-Kristall *m*	cristal *m* Van der Waals, cris-tal du type Van der Waals	ван-дер-ваальсов кристалл
W 5	**Waals dispersion force / Van der**	van der Waalssche Disper-sionskraft *f*, Van-der-Waals-Dispersionskraft *f*, VdW-Dispersionskraft *f*	force *f* de dispersion de Van der Waals	дисперсионная сила Ван-дер-Ваальса, ван-дер-ваальсова дисперсионная сила
W 6	**Waals energy / Van der**	van der Waalssche Energie *f*, Van-der-Waals-Energie *f*, VdW-Energie *f*	énergie *f* de Van der Waals	ван-дер-ваальсова энергия
W 7	**Waals['] equation [of state] / Van der**	van der Waalssche Zustands-gleichung (Gleichung) *f*, Van-der-Waals-Glei-chung *f*, Zustandsglei-chung nach van der Waals	équation *f* de Van der Waals, équation d'état de Van der Waals	уравнение Ван-дер-Вааль-са, уравнение состояния Ван-дер-Ваальса
W 8	**Waals['] force / Van der,** residual force	Van-der-Waals-Kraft *f*, van der Waalssche Kraft *f*, VdW-Kraft *f*; Neben-valenzkraft *f*	force *f* de Van der Waals, force résiduelle	ван-дер-ваальсова сила
W 9	**Waals gas / Van der**	Van-der-Waals-Gas *n*, van der Waalssches Gas *n*, VdW-Gas *n*	gaz *m* de Van der Waals	газ Ван-дер-Ваальса, ван-дер-ваальсов газ
W 10	**Waals interaction / Van der**	Van-der-Waals-Wechsel-wirkung *f*, van der Waalssche Wechsel-wirkung *f*, VdW-Wechselwirkung *f*	interaction *f* de Van der Waals	ван-дер-ваальсово взаи-модействие, ван-дер-ваальсовское взаимодействие
	Waals['] interaction energy / Van der	*s.* Waals potential / Van der		
W 11	**Waals isotherm / Van der**	van der Waalssche Iso-therme *f*, Van-der-Waals-Isotherme *f*	isotherme *f* de Van der Waals	ван-дер-ваальсова изо-терма, изотерма Ван-дер-Ваальса
W 11a	**Waals loop / Van der**	Van-der-Waals-Schleife *f*	boucle *f* de Van der Waals	петля Ван-дер-Ваальса
W 12	**Waals molecule / Van der**	Van-der-Waals-Molekül *n*, van der Waalssches Molekül *n*, VdW-Molekül *n*	molécule *f* Van der Waals	ван-дер-ваальсова моле-кула, молекула Ван-дер-Ваальса
W 13	**Waals['] potential / Van der; Van der Waals[']** interaction energy	van der Waalssche Wechsel-wirkungsenergie *f*, Van-der-Waals-Wechselwir-kungsenergie *f*, VdW-Wechselwirkungsenergie *f*; Van-der-Waals-Poten-tial *n*, van der Waalssches Potential *n*, VdW-Poten-tial *n*	énergie *f* d'interaction de Van der Waals; potentiel *m* de Van der Waals	ван-дер-ваальсова энер-гия взаимодействия; ван-дер-ваальсов по-тенциал, потенциал Ван-дер-Ваальса
W 14	**Waals radius / Van der**	Van-der-Waals-Radius *m*, van der Waalsscher Radius *m*, VdW-Radius *m*	rayon *m* de Van der Waals, rayon Van der Waals	ван-дер-ваальсов радиус
W 15	**Waals $1/R^6$ law / Van der**	van der Waalssches $1/R^6$-Gesetz *n*, $1/R^6$-Gesetz von van der Waals	loi *f* en $1/R^6$ de Van der Waals	закон Ван-дер-Ваальса $1/R^6$
W 16	**Waals theory [of liquids] / Van der**	van der Waalssche Theorie *f* [der Flüssigkeiten]	théorie *f* de Van der Waals [des liquides]	теория Ван-дер-Ваальса [жидкостей]
	wab[b]le	*s.* staggering ‹mech.›		
	wab[b]le	*s. a.* wobbulation		
W 17	**wading rod**	stehende Stange *f*, Grundstange *f*	tige *f* fixe	упорная штанга
W 17a	**Wadsley defect**	Wadsley-Defekt *m*, Wadsley-Fehlordnung *f*	défaut (désordre) *m* de Wadsley	дефект [по] Уэдсли

	English	German	French	Russian
W 18	**Wadsworth grating mounting, Wadsworth mounting [of diffraction grating]**	Wadsworthsche Gitteraufstellung f	montage m de Wadsworth [du réseau de diffraction]	установка решетки по Уодсворту, установка решетки Уодсворта, схема Уодсворта
W 19	**Wadsworth prism**	Wadsworth-Spiegelprisma n, Wadsworth-Prisma n, Fuchs-Wadsworth-Prisma n	prisme m de Wadsworth, prisme à miroir	призма Уодсворта
W 19a	**Waele-Bingham['s] law / De**	de Waele-Binghamsches Gesetz n	loi f de Waele-Bingham	закон де Вила-Бингама
W 19b	**Waerden['s] [X] test / Van der,** X test	Van-der-Waerden-Test m, [van-der-Waerdenscher] X-Test	test m de Van der Waerden, test X	критерий Ван дер Вардена, X-критерий
W 20	**wafer; slab; slice; thin plate**	Plättchen n, Blättchen n; dünne Platte f; dünnes Plättchen; dünnes Blättchen	lame f; lame mince; lamelle f; plaque f mince	пластинка, тонкая пластинка, тонкая пластина
W 21	**wagging,** wagging vibration	Wedelschwingung f, Schaukelschwingung f, Kippschwingung f, „wagging vibration" f	vibration f de balancement, balancement m	веерное колебание, деформационное колебание без изменения угла между связями
W 22	**wagging frequency**	Wedelschwingungsfrequenz f, Schaukelschwingungsfrequenz f, Kippschwingungsfrequenz f	fréquence f du balancement	частота веерного колебания
	wagging vibration	s. wagging		
W 23	**Wagner bridge, Wagner double bridge**	Wagner-Brücke f, Wagner-Doppelbrücke f	pont m de Wagner, double pont de Wagner	мост переменного тока Вагнера, мост Вагнера, двойной мост Вагнера
W 24	**Wagner earth,** Wagner ground [connection]	Wagner-Brückenzweig m, Wagner-Hilfszweig m, Wagner-Erde f, Wagner-Erdung f, Wagnersche Hilfsbrücke f	terre f Wagner	вспомогательная ветвь Вагнера
W 24a	**Wagner effect**	Wagner-Effekt m	effet m Wagner	эффект Вагнера
	Wagner ground [connection]	s. Wagner earth		
W 25	**Wagner half-section**	Wagner-Halbglied n	circuit m élémentaire de Wagner	полузвено Вагнера
W 26	**Wagner interrupter,** magnetic interrupter, hammer interrupter, electromagnetic interrupter	Wagnerscher Hammer m, magnetischer Hammer, Neefscher Hammer, Hammerunterbrecher m, elektromagnetischer Unterbrecher m, Selbstunterbrecher m	interrupteur m à marteau, interrupteur magnétique, interrupteur électromagnétique	молоточковый прерыватель, молоточек-прерыватель, прерыватель Вагнера, электромагнитный (магнитный молоточковый) прерыватель
W 27	**Wagner-Wertheimer winding**	Wagner-Wertheimer-Wicklung f	enroulement m de Wagner-Wertheimer	обмотка Вагнера-Вертгеймера
W 27a	**Waidner-Burgers standard**	Waidner-Burgers-Normal n	étalon m de Waidner-Burgers	эталон (стандарт) Вайднера-Бургерса
	waist	s. constriction		
W 28	**waist-level,** in the height of the breast	in Brusthöhe	à hauteur de la poitrine	на уровне груди
W 29	**waiting line,** queue	Warteschlange f	file f d'attente	очередь
W 30	**waiting line problem,** queuing problem, queueing problem	Warteschlangenproblem n	problème m d'attente	задача теории очередей, задача на ожидание
	waiting line theory, queuing theory, queueing theory, theory of queues	Bedienungstheorie f, Massenbedienungstheorie f, Warteschlangentheorie f, Theorie f der Warteschlangen	théorie f des files d'attente	теория очередей, теория массового обслуживания, теория обслуживания
W 31	**waiting time** <num. math.>	Wartezeit f <num. Math.>	temps m d'attente <math. num.>	время ожидания <числ. матем.>
W 32	**Waitzmann hardness [number]**	Kugelschubhärte f [nach Waitzmann], Schubhärte f [nach Waitzmann], Waitzmann-Härte f	dureté f de Waitzmann	твердость по Вайцману
W 33	**wake,** remous <aero., hydr.>	Nachlauf m, Strömungsschatten m, Nachstrom m, Wirbelschleppe f <Aero., Hydr.>; Totwasser n <Hydr.>; Kielwasser n, Kielwasserströmung f, Kielwasserwirbel m <bei Schiffen> <Hydr.>; Mitstrom m	sillage m, sillage arrière, sillage à arrière, sillage dormant <aéro., hydr.>; eau-morte f, eau f morte, remous m [de sillage], courant m d'accompagnement <hydr.>	след, спутный след, спутная струя, попутная струя, спутное течение, попутный поток, вихревой след <аэро., гидр.>; аэродинамический след [за обтекаемым телом] <аэро.>; кильватер, кильватерная струя, струя, завод, бурун <гидр.>; «послепоток»
W 34	**wake** <of the meteor>	Schweifansatz m, Nachlauf m <Meteor>	sillage m, queue f <du météore>	хвост, кильватер, весьма кратковременный след <метеора>
W 35	**wake boundary**	Totwassergrenze f	limite f de l'eau-morte	граница вихревой зоны, граница спутной струи
W 36	**wake of boundary layer [behind the aerofoil]**	Nachlauf m der Grenzschicht	sillage m de la couche limite	след пограничного слоя
W 37	**wake parameter**	Nachlaufparameter m	paramètre m de sillage	параметр струи, параметр кильватера, параметр попутного потока; параметр следа
W 38	**wake pressure**	Nachlaufdruck m	pression de sillage	давление в спутной струе

	English	German	French	Russian
W 39	**wake region**	Nachlaufgebiet n	zone f de sillage	кормовая область, область выбега, область за телом
W 40	**wake space**, dead water, still water	Totwassergebiet n, Totwasserbereich m, Totwasser n, Totraum m, totes Wasser n	région f de fluide mort, région morte, sillage m dormant, eau f morte	зона (область) мертвой воды, зона (область) стоячей воды, мертвая зона, застойная область, область застоя
	wake vortex, vortex in the wake	Totwasserwirbel m	tourbillon m de l'eau morte	вихрь в следе [за телом]
W 41	**wake wave**	Nachlaufwelle f; Kielwasserwelle f; Totwasserwelle f	onde f de sillage; onde de l'eau morte	кильватерная волна; волна мертвой воды
W 42	**Wald distribution**	Waldsche Verteilung f	distribution f de Wald	распределение Вальда
	Walden['s] empirical equation, Walden['s] rule	Waldensche Regel f, Waldens Regel, Waldensche Gleichung f	règle f de Walden	правило Вальдена
W 43	**Walden['s] inversion**	Waldensche Umkehrung f, Inversion f <Chem.>	inversion f de Walden	вальденовское обращение
W 43a	**Walden product**	Waldensches Produkt n	produit m de Walden	произведение Вальдена
W 44	**Walden['s] rule**, Walden['s] empirical equation	Waldensche Regel f, Waldens Regel, Waldensche Gleichung f	règle f de Walden	правило Вальдена
W 45	**Waldmann['s] rule**	Waldmannsche Regel f	règle f de Waldmann	правило Вальдмана
	W*-algebra	s. Neumann['s] algebra / von		
	walk	s. random walk		
	Walker oscillation, magnetostatic oscillation	magnetostatische Schwingung f, Walker-Schwingung f	oscillation f magnétostatique, oscillation de Walker	магнитостатическое колебание, уокеровское колебание
W 46	**Walkinshaw['s] frequency equation**	Walkinshawsche Frequenzgleichung f	équation f de fréquence de Walkinshaw, équation de Walkinshaw	уравнение Уолкиншоу
W 47	**Walkinshaw resonance**	Walkinshaw-Resonanz f	résonance f de Walkinshaw	резонанс Уолкиншоу
W 48	**wall**	Wand f; Wandung f	paroi f	стенка; стена
W 49	**wall / 180°**	180°-Wand f	cloison f à 180°, paroi f à 180°	180-градусная граница, 180°-граница
W 50	**wall absorption**	Wandabsorption f	absorption f aux (par les) parois	поглощение в стенках
	wall action, action of the walls, influence of the walls, wall influence	Wandeinfluß m, Wandwirkung f	action f des parois	влияние стенок, воздействие стенок
W 51	**wall boundary layer**	Wandgrenzschicht f	couche-limite f à la paroi	пограничный слой у стенки, пограничный слой на стенке, пристенный пограничный слой
W 52	**wall catalysis**	Wandkatalyse f	catalyse f aux parois [du vase]	каталитическое действие стенок [сосуда]
W 53	**wall charge density**	Wandladungsdichte f	densité f de charge de la paroi	плотность заряда стенки
W 54	**wall coating**, wall lining (covering)	Wandbelag m	revêtement m des cloisons (parois)	облицовка стенки, покрытие стенки
W 55	**wall condition**	Wandbedingung f	condition f aux parois (limites du mur)	условие на стенках
	wall covering	s. wall coating		
W 56	**wall current**	Wandstrom m	courant m de paroi	ток в стенках [волновода]
	wall displacement	s. boundary movement		
W 57	**walled plain**	Wallebene f	grand cirque m [lunaire]	большой цирк [на Луне]
W 58	**wall effect**	Wandeffekt m; Wandphänomen n	effet m de paroi	эффект стенки
	wall energy, domain boundary energy	Wandenergie f, Bloch-Wand-Energie f	énergie f de paroi [des domaines ferromagnétiques]	энергия границ [ферромагнитных доменов]
W 59	**wall friction**	Wandreibung f	frottement m de la paroi	трение о стенки, трение у стенок
W 60	**wall friction loss**, loss due to wall friction	Wandreibungsverlust m	perte f du frottement de la paroi	потеря на трение у стенок, потеря на трение у стенки
W 61	**wall influence**	s. wall action		
	Wallis['] formula, Wallis['] product	Wallissche Formel f	formule f de Wallis	формула Валлиса
W 62	**wall jet**	Wandstrahl m	jet m aux parois	струя у стенки
	wall lining	s. wall coating		
W 63	**wall loss**	Wandverlust m, Wandungsverlust m	perte f aux parois	потеря в стенке, потеря через стенки, потеря у стенки
W 64	**wall of the containing vessel**	Gefäßwand f	paroi f du vase	стенка сосуда
W 65	**wall of the counter [tube]**, counter wall	Zählrohrwand[ung] f	paroi f du tube compteur	стенка счетчика
W 66	**wall pressure**	Wanddruck m, Zellwanddruck m	pression f des parois [cellulaires]	давление стенки, давление клеточных стенок
W 67	**wall reaction**	Wandreaktion f	réaction f aux parois	реакция, идущая у стенок сосуда; реакция, идущая на стенках реактора
W 68	**wall recombination**, recombination at walls	Wandrekombination f	recombinaison f sur (à) la paroi	рекомбинация на стенке, рекомбинация в стенках
W 69	**wall reflection**	Wandreflexion f	réflexion f aux parois	отражение от стен
W 70	**wall roughness**	Wandrauhigkeit f	rugosité f de paroi	шероховатость стенки
	wall shear stress	s. skin friction		
W 71	**wall shear stress term**, surface friction term, skin friction term	Wandschubspannungsglied n	terme m de la tension de frottement [de la paroi]	коэффициент трения на стенке, коэффициент трения сдвига на стенке

W 72	wall temperature	Wandtemperatur f	température f de paroi	температура стенки
W 73	wall tension	Wandspannung f	tension f pariétale	стеночное напряжение
W 74	wall thickness	Wanddicke f, Dicke f der Wandung, Wandstärke f	épaisseur f [de la paroi]	толщина стены, толщина стенки
W 75	wall thickness gauge	Wanddickenmesser m	jauge f d'épaisseur de parois	измеритель толщины стен[ок], толщиномер для стен[ок]
	wall turbulence, turbulence near the wall	Wandturbulenz f	turbulence f près de la paroi, turbulence aux parois	пристеночная турбулентность
W 76	wall weathering, weathering of the walls	Wandverwitterung f	altération f des parois	стенное выветривание
W 76a	Walpole comparator	Walpole-Komparator m	comparateur m de Walpole	компаратор Вальполя
W 76b	Walsh function	Walsh-Funktion f	fonction f de Walsh	функция Уолша
W 76c	Walsh test	Walsh-Test m	test m de Walsh	критерий Уолша
W 77	Waltenhofen['s] pendulum	Waltenhofensches Pendel n	pendule m de Waltenhofen	маятник Вальтенгофена
W 77a	Walters liquid	Walters-Flüssigkeit f	liquide m de Walters	жидкость Вальтерса
W 77b	Walther['s] equation	Walther-Gleichung f [für die Viskosität-Temperatur-Abhängigkeit]	équation f de Walther	формула Вальтера
	wandering dislocation	s. moving dislocation		
	wandering of [the] pole	s. polar motion		
W 78	Wang['s] function	Wang-Funktion f, Wangsche Funktion f	fonction f de Wang	функция Ванга
W 79	waning Moon	abnehmender Mond m	Lune f décroissante	убывающая Луна
W 80	Wankel engine, rotary piston engine	Wankel-Motor m, Kreiskolbenmotor m	moteur m Wankel, moteur à piston rotatif	ротативно-поршневой двигатель Ванкеля, двигатель Ванкеля
W 81	Wanner pyrometer, polarizing pyrometer, polarization pyrometer	Wanner-Pyrometer n, Polarisationspyrometer n	pyromètre m de Wanner, pyromètre de polarisation	пирометр Ваннера, поляризационный пирометр
W 81a	Wannier['s] effective wave equation	Wanniersche effektive Wellengleichung f	équation f d'onde efficace de Wannier	эффективное волновое уравнение Ванье
W 81b	Wannier exciton	Wannier-Exciton n	exciton m de Wannier	экситон Ванье
W 82	Wannier function	Wannier-Funktion f	fonction f de Wannier	функция Ванье
W 82a	Wannier['s] theorem	Wannier-Theorem n	théorème m de Wannier	теорема Ванье
W 83	wan sky, murky sky	trüber Himmel m	ciel m indistinct (gros)	пасмурное небо
	warble	s. wobbulation		
W 84	warble [tone], wobble [tone]	Wobbelton m, Heulton m, Wechselton m	son m ulculé	воющий тон, частотно-модулированный тон (звук)
W 85	Warburg['s] apparatus	Warburg-Apparat m	appareil m de Warburg	аппарат Варбурга
W 85a	Warburg['s] law	Warburgsches Gesetz n	loi f de Warburg	закон Варбурга
W 86	Warburg['s] theory of narcosis	Narkosetheorie f von Warburg, Warburgsche Theorie f der Narkose	théorie f de Warburg [de la narcose], théorie de la narcose de Warburg	теория наркоза Варбурга
W 87	Ward['s] identity	Wardsche Identität f Ward-Identität f	identité f de Ward	тождество Уорда
W 88	Ward Leonard group	Leonard-Satz m	groupe m Ward Leonard, Ward Leonard m, montage m amplificateur Ward Leonard	агрегат генератор-двигатель, агрегат Г-Д, агрегат Леонарда
W 88a	Waring['s] formula	Waringsche Formel f	formule f de Waring	формула Варинга
W 89	Warluzel indicator tube, Warluzel tube	Warluzel-Anzeigeröhre f	tube m indicateur de Warluzel	труба с показателем отсчета глубин, индикаторная труба Варлюзеля
	warm, low-level, low-activity <nucl.>	niedrigaktiv, geringaktiv, „low-level"-, schwachaktiv, warm <Kern.>	de petite activité, de faible activité, tiède <nucl.>	малоактивный <яд.>
W 90	warm advection	Warmluftadvektion f, Warmadvektion f	advection f d'air chaud	адвекция (приток) теплого воздуха, теплая адвекция
W 91	warm air; warm air mass	Warmluft f, warme Luft; Warmluftmasse f	air m chaud; masse f d'air chaud, masse d'air chauffé	теплый воздух; теплая воздушная масса
W 92	warm air wedge, wedge of warm air	Warmluftkeil m	coin m d'air chaud	клин теплого воздуха
W 93	warm air wheel, wheel of circulating warm air	Warmluftrad n	roue f d'air chaud	колесо теплого воздуха, циркуляционное колесо теплого воздуха
W 94	warm and muggy, muggy	feuchtwarm	humide et chaud, lourd	влажнотеплый
	warm-blooded	s. homeothermal		
	warm current, warm stream	warme Strömung f	courant m tiède	теплое течение
W 95	warm front	Warmfront f, Aufgleitfront f	front m chaud, front tiède	теплый фронт
	warm front line, line of warm front	Warmfrontlinie f	ligne f du front chaud	линия теплого фронта
W 96	warm front occlusion, occlusion of warm front	Warmfrontokklusion f	occlusion f du front chaud	окклюзия теплого фронта
W 97	warm front precipitations	Warmfrontniederschläge mpl	précipitations fpl du front chaud	осадки теплого фронта
	warming; heating, heat; growing warm	Aufheizung f; Ausheizung f; Erhitzung f; Erwärmung f	chauffage m, réchauffage m, échauffement m	нагрев, нагревание, перегрев, подогрев, разогрев, прогрев, прогревание
	warming	s. a. temperature increase		

W 98	**warm laboratory,** semi-hot laboratory	warmes Laboratorium n, semiheißes Laboratorium <10 mCi ··· 1Ci>	laboratoire m tiède, laboratoire semi-chaud	лаборатория слабо активных материалов, лаборатория для исследования радиоактивных веществ слабой активности; лаборатория среднеактивных материалов, лаборатория для исследования радиоактивных веществ средней активности
	warm source (spring)	s. thermal spring		
W 99	**warm stream,** warm current	warme Strömung f	courant m tiède	теплое течение
	warmth; heat; hotness <gen.; geo.>	Wärme f <allg.; Geo.>	chaleur f; chaud m <gén.; géo.>	тепло <общ.; гео.>
W 100	**warm tongue**	Warmluftzunge f, Wärmezunge f	langue f d'air chaud, langue chaude	язык теплого воздуха
W 101	**warm-up time,** heating time, heating period, preheating time, preheat time	Anheizzeit f, Anwärmzeit f, Vorwärmzeit f, Vorheizzeit f	temps m d'échauffement, durée f de mise à température, temps de chauffage, temps de réchauffage, temps de préchauffage	время разогрева, время нагрева, время прогрева, время подогрева
	warning device, monitor	Warngerät n	avertisseur m, appareil m de signalisation	сигнальный предупредительный прибор, сигнальный прибор
W 102	**warning notice**	Warnmeldung f	annonce f d'avertissement, avertissement m	предупредительное сообщение, оповещение
W 103	**warning of tempest**	Unwetterwarnung f	avertissement m de la tempête	предупреждение о непогоде
	warp	s. drift soil		
	warp[age]	s. warping		
W 104	**warped cross-section**	verwölbter Querschnitt m	section f transversale gauchie	искривленное (коробленное) поперечное сечение
	warped surface	s. shew [ruled] surface		
	warping, warping in torsion	nichtebene Torsion f, Werfung f	gondolage m, gondolement m, gauchissement m	коробление, коробленность
W 105	**warping,** warpage; buckling; bending; distortion	Verziehen n, Verzug m; Werfung f, Verwerfung f; Verwölbung f; Verbiegung f; Verkrümmung f	gauchissement m, gauchissage m; voilage m; distorsion f; contournement m	искривление; коробление; перекашивание, перекос; депланация; изгибание; прогиб
	warping	s. a. bending		
W 106	**warping force**	Verzugskraft f	force f de gauchissement, force gauchissante	сила искривления, сила перекашивания
	warping function	s. torsion function		
W 107	**warping in torsion,** warping	nichtebene Torsion f, Werfung f	gondolage m, gondolement m, gauchissement m	коробление, коробленность
W 108	**Warren-Averbach analysis**	Warren-Averbach-Analyse f	analyse f de Warren et Averbach	анализ Уоррена-Авербаха
W 108a	**wash**	[glatter] Abfluß m der Strömung, Strömungsabfluß m, Abstrom m, abgehender Strom m	remous m d'arrière, sillage m	спутная струя; скос [потока]
	wash	s. a. thin layer		
	wash bottle	s. washing bottle		
	washed-out	s. smeared		
	wash flask	s. washing bottle		
W 109	**washing;** scrubbing <US>, stripping; washing-out	Waschen n, Wäsche f; Gaswäsche f; Turmwäsche f; Herauswaschen n; Auswaschung f	lavage m, lavement m	промывка; вымывание
W 110	**washing,** watering, rinsing <of photographic layers>	Wässerung f, Auswässerung f <photographischer Schichten>	lavage m, rinçage m <de couches photosensibles>	промывка, промывание <фотографических слоев>
	washing	s. a. wash water		
W 111	**washing agent**	waschaktive Substanz f, WAS; Waschmittel n	agent m de lavage	моющее вещество
W 112	**washing-away,** sweeping-away, encroaching [upon]	Wegschwemmen n, Fortschwemmen n, Fortspülen n	dénudation f, érosion f, affouillement m	размыв
W 113	**washing bottle (flask),** wash bottle, gas-washing bottle, gas bottle, wash flask	Waschflasche f, Gaswaschflasche f; Spritzflasche f	pissette f, flacon m de lavage, flacon laveur, vase m de lavage	промывалка, промывная склянка (колба), склянка для промывания газов, газопромыватель
W 114	**washing liquid (liquor),** wash liquid, wash liquor	Waschflüssigkeit f	liquide m laveur, liquide de lavage	жидкость для промывки, промывная жидкость, промывочная жидкость
	washing-out	s. washing		
W 115	**washing power**	Waschkraft f, Waschwirkung f	pouvoir m laveur	моющая способность, моющее действие
W 116	**washing rate**	Auswässerungsgrad m	degré m d'élimination de l'hyposulfite par le lavage	степень вымывания
	washing-round, circumcirculation, lopping-round	Umspülung f	circumcirculation f; baignage m	омывание
	washings	s. wash water		
	wash liquid (liquor)	s. washing liquid		
	wash liquor	s. wash liquid		
	wash of the waves, beating, dashing of the waves	Wellenschlag m	choc m des vagues, mouvement m des vagues	удар волны, прибой, волнение

	English	German	French	Russian
W 117	**wash water,** washing water, washing[s], rinsing water	Waschwasser n, Spülwasser n	eau f de lavage	промывочная вода, промывная вода, вода для промывки
W 117a	**wastage**	Wastage n, örtlich begrenzte Abtragung f	usure f locale	местный износ
W 118	**waste,** wastes; waste product	Abfall m, Abgang m, Müll m; Abprodukt n, Abfallprodukt n	déchets mpl	отходы, отбросы, отвал
W 119	**waste disposal,** waste withdrawal; waste storage	Abfallbeseitigung f; Abfallagerung f	élimination f des déchets, destruction f des déchets; décharge f terrestre des déchets	удаление отходов; захоронение отходов
	wasteful resistance, loss resistance, dissipation-loss resistance	Verlustwiderstand m	résistance f de perte	активное сопротивление потерь; эквивалентное сопротивление, пропорциональное потерям
	wasteful resistance	s. a. parasite drag		
W 120	**waste heat**	Abwärme f	chaleur f perdue	отходящее тепло, отходы тепла; уходящее тепло
	waste of time, time required, sacrifice of time, loss of time	Zeitaufwand m	sacrifice m de temps	затрата времени, расход времени
	waste pipe	s. down pipe		
	waste product, wastes	s. waste		
	waste storage	s. waste disposal		
W 121	**waste treatment**	Abfallkonzentrierung f, Abfallbehandlung f	traitement m des déchets à réduire le volume	концентрирование отходов, уменьшение объема радиоактивных отходов
	waste withdrawal	s. waste disposal		
	watch; time piece, chronometer; clock; time keeper	Zeitmesser m, Zeitmeßgerät n; Uhr f, Chronometer n; Zeitnehmer m	chronomètre m, gardetemps m; horloge f; pendule f; montre f	хронометр, измеритель времени; часы; хранитель
W 122	**water-absorbing capacity (power),** water-absorption capacity, water-absorptive capacity	Wasseraufnahmevermögen n, Wasseraufnahmefähigkeit f, Wasseraufnahme f	capacité f d'absorption d'eau, pouvoir m d'absorber l'eau	способность впитывать воду, водопоглотительная способность, водопоглощаемость, водопоглощающая способность
	water absorption, water intake, water uptake, intake of water, uptake of water, absorption of water	Wasseraufnahme f; Wasserschluckung f	apport m de l'eau, absorption f de l'eau	поглощение воды, водопоглощение
	water-adsorption capacity	s. water-adsorbing capacity		
W 123	**water-absorption capacity [of the soil]**	Wasserkapazität f [des Bodens]	capacité f pour l'eau [du sol]	влагоемкость [почвы]
	water-absorptive capacity	s. water-absorption capacity		
W 124	**water after standing**	abgestandenes Wasser n	eau f qui a perdu sa fraîcheur, eau pas fraîche	несвежая вода, вода после отстаивания
W 125	**water-air interface**	Wasser-Luft-Trenn[ungs]fläche f, Wasser/Luft-Grenzfläche f	surface f eau-air	раздел воздух/вода
W 126	**water balance,** water budget, water relations	Wasserhaushalt m, Wasserbilanz f	bilan m d'eau	водный баланс, водный режим; водное хозяйство
	water balance	s. a. level		
	water beam pump	s. water jet pump		
W 127	**water-bearing horizon,** water-bearing nappe	Wasserhorizont m, wasserführender Horizont m, Wasserstockwerk n	nappe f aquifère, terrains mpl aquifères	водоносный пласт, водоносный горизонт
W 128	**water-bearing stratum;** ground water-reservoir, aquifer, underflow conductor	wasserführende Schicht f, Grundwasserleiter m, Aquifer m	aquifère f, couche f aquifère, couche hydrofère, nappe f aquifère, nappe phréatique, nappe souterraine, conducteur m des eaux souterraines	водоносный слой, проводник грунтового потока
	water-binding capacity	s. water-holding capacity		
	water blast [pump]	s. water jet pump		
W 129	**waterborne sound,** sound propagating in water, sound in water	Wasserschall m	son m se propageant dans l'eau, son dans l'eau	распространяющийся в воде звук, звук в воде
W 130	**water bottle**	Schöpfgerät n, Schöpfgefäß n, Schöpfer m, Wasserschöpfer m, Wasserentnahmegerät n; Schöpfflasche f	bouteille f à l'eau	батометр; батометр-бутылка
	water breaking-in; invasion of water; water burst	Wasserdurchbruch m, Wassereinbruch m	invasion f d'eau, inondation f accidentelle; aven m	прорыв воды
	water budget, water balance, water relations	Wasserhaushalt m, Wasserbilanz f	bilan m d'eau	водный баланс, водный режим
	water burst; invasion of water; water breaking-in	Wasserdurchbruch m, Wassereinbruch m	invasion f d'eau, inondation f accidentelle; aven m	прорыв воды
W 131	**water calorie**	Wasserkalorie f	calorie f d'eau	водная калория
	water calorimeter	s. liquid calorimeter		
	water-cement ratio	s. water-to-cement ratio		
W 132	**water chamber**	Wasserstube f	chambre f d'eau	водяная камера
	water channel, water tunnel	Wasserkanal m, Wassertunnel m	bassin m de carènes, tunnel m à eau	гидродинамическая труба, гидроканал
	water circulation, circulation of water; water cycle	Wasserzirkulation f, Wasserumlauf m, Wasserkreislauf m	circulation f de l'eau	циркуляция воды, круговорот воды, оборот воды, водооборот

	English	German	French	Russian
W 133	**water clock,** clepsydra	Wasseruhr f, Klepsydra f	clepsydre f, horloge f à eau	водяные часы
W 134	**water cloud**	Wasserwolke f	nuage m d'eau	водяное облако, капельно[-]жидкое облако
	water coat; water film	Wasserfilm m; Wasserhaut f; Wasserhülle f	film m d'eau, pellicule f d'eau	водяная пленка; водяная оболочка, водная оболочка
W 135	**water colour**	Wasserfarbe f	couleur f à l'eau, gouache f, couleur f d'aquarelle, aquarelle f	акварельная краска, акварель, водяная краска
W 136	**water column,** column of water, head of water, plume	Wassersäule f, WS	colonne f d'eau	водяной столб; столб воды; высота водяного столба
W 137	**water column pressure,** hydraulic head	Wassersäulendruck m	pression f de colonne d'eau	давление водяного столба
W 138	**water content;** primage <of steam>	Wassergehalt m; Wasserhaltigkeit f	teneur f en eau	содержание воды; водность <напр. тумана, облака>
	water content of snow	s. water equivalent of snow		
W 139	**water-cooled valve**	wassergekühlte Röhre f, Wasserkühlröhre f	tube m à refroidissement par eau, tube à circulation d'eau	лампа с водяным охлаждением
W 140	**watercourse**	Wasserlauf m	cours m d'eau	водоток, течение воды
W 141	**water cover**	Wasserdecke f	couverture f d'eau	водяной покров
W 142	**water current velocity,** current velocity	Strömungsgeschwindigkeit f des Wassers, Wasserströmungsgeschwindigkeit f, Wassergeschwindigkeit f	vitesse f du courant [d'eau], vitesse de l'eau	скорость течения воды
W 143	**water cushion**	Wasserkissen n, Wasserpolster n	coussin m d'eau	водяная подушка
	water cycle	s. water circulation		
W 144	**water deficit**	Wasserdefizit n	déficit m d'eau	водный дефицит
	water demineralization (demineralizing)	s. water softening		
	water-deposited soil	s. drift soil		
	water depth gauge	s. water gauge <hydr.>		
W 145	**water desalination,** desalination of water	Wasserentsalzung f	adoucissement (dessalement) m de l'eau	опреснение воды; обессоливание воды
	water displacement, displacement <hydr.>	Wasserverdrängung f, Deplacement n, eingetauchtes Volumen n <Hydr.>	déplacement m, carène f <hydr.>	водоизмещение, подводный объем <гидр.>
W 146	**water draught gauge,** U-tube draught gauge	Wassersäulenzugmesser m	déprimomètre m à eau	водяной тягомер
W 147	**water dust,** water spray, spray	Wasserstaub m	poussière f d'eau	водяная пыль, мелкие брызги воды, капельная пыль
	water edge, strand[-] line, edge of water	Strandlinie f, Küstenlinie f, Streichlinie f, Uferlinie f, Wasserspiegelrand m	ligne f de plage, bord m de l'eau	береговая линия (черта), урез [воды], бровка берегового откоса
	water ejector	s. water-jet ejector		
	water ejector	s. a. water jet pump		
W 148	**water equivalent**	Wasseräquivalent n	équivalent m d'eau, équivalent en eau, eau-équivalent m	водяной эквивалент
W 149	**water equivalent,** water value <of calorimeter>	Wasserwert m [des Kalorimeters]	équivalent m d'eau, équivalent (valeur f) en eau, valeur d'eau, capacité f calorifique [du calorimètre]	тепловое значение калориметра, водный эквивалент, водяной эквивалент, водяное число [калориметра]
W 150	**water equivalent of snow cover (pack),** snow pack water equivalent, water content of snow	Wasserwert m der Schneedecke, Wasserwert des Schnees, Schneewasserwert m, Wassergehalt der Schneedecke, spezifische Schneetiefe f	équivalent m en eau de la couche de neige, valeur f en eau de la couche de neige	запас воды в снежном покрове, влагосодержание снега; влажность снега
W 151	**water exchange,** exchange of water	Wasserwechsel m; Wasserumsetzung f, Wasserumsatz m; Wasserumtausch m, Wasseraustausch m	échange m d'eau	водообмен; перемешивание воды
	water filament, filament of water	Wasserfaden m	filet m d'eau	водяная струйка, элементарная водяная струя, водяная струя
W 152	**water film;** water coat	Wasserfilm m; Wasserhaut f, Wasserhäutchen n; Wasserhülle f	film m d'eau, pellicule f d'eau	водяная пленка; водяная оболочка, водная оболочка
W 153	**water filter**	Wasserfilter n	filtre m à eau	водяной светофильтр; водяной фильтр, гидрофильтр
	water flow, run-off [of water], flow of water	Abfluß m <Wasser>, Wasserabfluß m, Wasserfracht f	écoulement m [des eaux]	сток; стекание; истечение; слив; спуск; проток <воды>
W 154	**water-flow calorimeter,** Junkers-type gas calorimeter, Junkers['] calorimeter	Kalorimeter n mit Wasserdurchfluß, Junkerssches Kalorimeter, Junkers-Kalorimeter n, Gaskalorimeter n [nach Junkers]	calorimètre m à circulation d'eau, calorimètre Junkers	калориметр Юнкерса
	water flowmeter	s. water meter		
	water-flow pyrheliometer	s. Smithsonian water-flow pyrheliometer		
W 155	**water gauge,** w.g.	Wasserstand[s]messer m, Wasserstand[s]meßgerät n, Wasserstand[s]meßorgan n	indicateur m de niveau d'eau	водяной уровнемер, уровнемер, прибор для измерения уровня воды

W 156	**water gauge,** w.g.	Wasserdruckmesser *m*, Wassermanometer *n*	manomètre *m* à eau	водяной манометр
W 157	**water gauge,** water depth gauge; sea gauge; tide gauge <hydr.>	Pegel *m*; Gezeitenpegel *m* <Hydr.>	échelle *f* <hydr.>	футшток; водомерный пост; приливомер <гидр.>
W 158	**water-gauge cock,** water-gauge tap	Wassermeßhahn *m*, Wasserstand[s]hahn *m*	robinet *m* du compteur d'eau, jauge *f*	водомерный кран
W 159	**water-gauge glass,** gauge glass, water glass	Standglas *n*, Wasserstand[s]glas *n*, Wasserstand[s]rohr *n*	indicateur *m* de niveau d'eau, tube *m* à niveau d'eau	водомерное (уровнемерное) стекло, водомерная трубка, показатель уровня воды, клингер
	water-gauge tap, water-gauge cock	Wassermeßhahn *m*, Wasserstand[s]hahn *m*	robinet *m* du compteur d'eau, jauge *f*	водомерный кран
	water glass, soluble glass	Wasserglas *n*	verre *m* soluble	жидкое стекло, растворимое стекло
	water glass	*s. a.* water-gauge glass		
W 160	**water hammer**	Wasserschlag *m*, Widderstoß *m*, Wasserstoß *m*, hydraulischer Stoß *m*; Flüssigkeitsschlag *m*	coup *m* de bélier, choc *m* hydraulique, choc des liquides	гидравлический удар, водяной удар, удар вод
W 161	**water hardener,** hardener, water hardening material	Wasserhärter *m*, Wasserhärtungsmittel *n*	addition *f* pour augmenter la dureté d'eau	добавка, повышающая твердость воды
W 162	**water hardening**	Wasserhärtung *f*	augmentation *f* de la dureté d'eau	повышение жесткости воды
	water hardening material, water hardener, hardener	Wasserhärter *m*, Wasserhärtungsmittel *n*	addition *f* pour augmenter la dureté d'eau	добавка, повышающая твердость воды
	water hardness, hardness of water	Wasserhärte *f*	dureté *f* de l'eau	жесткость воды
	water-hating, hydrophobic, hydrophobous	hydrophob, wasserfeindlich	hydrophobe	гидрофобный
W 163	**water head**	Wassergefälle *n*	poussée *f* d'eau	водяной напор, напор воды, высста напора воды
	water-head ascent	*s.* water-surface ascent		
W 164	**water hemisphere [of Earth]**	Wasserhalbkugel *f* [der Erde]	hémisphère *m* océanique [de la Terre]	водная полусфера [земного шара], океаническое полушарие [Земли]
W 165	**water-holding capacity,** moisture-holding capacity, water-binding capacity, water-retaining capacity, specific retention, moisture capacity	Wasserhaltefähigkeit *f*, Wasserhaltevermögen *n*, Wasserhaltungsfähigkeit *f*, Wasserhaltungsvermögen *n*, Wasserbindungsvermögen *n*, Wasserrückhaltungsvermögen *n*, Wasserkapazität *f*, WK	capacité *f* de rétention d'eau	водоудержательная способность, водоудерживающая способность, способность удерживать воду, водосвязывающая способность
W 166	**water-holding capacity of snow**	Wasserrückhaltevermögen *n* des Schnees	capacité *f* de rétention d'eau de la neige	водоудерживающая способность снега
	Waterhouse diaphragm	*s.* sliding stop		
W 167	**water immersion**	Wasserimmersion *f*	immersion *f* d'eau	водяная иммерсия
	water inflow; inflow, influx	Zufluß *m*; Zuflußmenge *f*, Zustrom *m*, Einströmung *f*	affluence *f* [d'eau], afflux *m* [d'eau]	втекание, приток [воды]; количество притока, количество притекающей воды, притекающий расход
	watering, washing, rinsing <of photographic layers>	Wässerung *f*, Auswässerung *f* <photographischer Schichten>	lavage *m*, rinçage *m* <de couches photosensibles>	промывка, промывание <фотографических слоев>
	water injection pump	*s.* water-jet injector		
W 168	**water-in-oil emulsion,** W/O emulsion	Wasser-in-Öl-Emulsion *f*, Wasser-Öl-Emulsion *f*, WO-Emulsion *f*, W/Ö	émulsion *f* du type « eau dans l'huile »	эмульсия типа «вода в масле», эмульсия в/м
W 169	**water intake,** water uptake, water absorption, intake of water, uptake of water, absorption of water	Wasseraufnahme *f*; Wasserschluckung *f*	apport *m* de l'eau, absorption *f* de l'eau	поглощение воды, водопоглощение
W 170	**water intake;** water sampling	Wasserentnahme *f*; Wasserentzug *m*; Wasserprobenahme *f*	prise *f* d'eau	водозабор, забор воды; изъятие воды; взятие пробы воды
W 171	**water jacket**	Wassermantel *m*	chemise *f* d'eau, chemise à eau	водяная рубашка, ватержакет
	water jet air pump	*s.* water jet pump		
W 172	**water-jet ejector,** water ejector	Wasserstrahlejektor *m*, Wasserstrahler *m*, Wasserstrahlanlage *f*, Wasserstrahlapparat *m*	éjecteur *m* à jet d'eau	водоструйный эжектор
	water jet ejector	*s. a.* water jet pump		
W 172a	**water-jet injector,** water injection pump	Wasserstrahlpumpe	injecteur *m* hydraulique (à jet d'eau), pompe *f* à jet d'eau	водоструйный инжектор, водоструйный насос
W 173	**water jet pump,** water jet vacuum pump, water jet air pump, water beam pump, water blast [pump], water jet ejector, water ejector	Wasserstrahlpumpe *f*, Wasserstrahlluftpumpe *f*, Wasserstrahlvakuumpumpe *f*, Wasserstrahlejektor *m*	pompe *f* à jet d'eau, trompe *f* à eau	водоструйный насос, водоструйный эжектор, водоструйный вакуумный насос, водоструйный воздушный насос
	water jets, sprayed water, jet water	Spritzwasser *n*	jets *mpl* d'eau	спрысковая вода, разбрызгиваемая вода
W 174	**water-jet-type lightning arrester**	Wasserstrahlerder *m*	prise *f* de terre à jet d'eau, conducteur *m* de terre à jet d'eau	водоструйный заземлитель

W 175	water jet vacuum, vacuum attainable by vacuum jet pump	Wasserstrahlvakuum n	vide m atteint à l'usage d'une pompe à jet d'eau	вакуум, получаемый с помощью водоструйного насоса
	water jet vacuum pump	s. water jet pump		
W 176	water jump, hydraulic jump	Wassersprung m, hydraulischer Sprung m, Wasserschwall m, Wechselsprung m	ressaut m hydraulique, saut m hydraulique	гидравлический прыжок
	water landing, landing on water, alighting [on water], surfacing	Landung f auf dem Wasser, Wasserlandung f, Wasserung f	amerrissage m, amérissage m	посадка на воду, приводнение
W 177	water level	Kanalwaage f, Schlauchwaage f	niveau m d'eau	гидростатический нивелир
W 177a	water level, water level line	Wasserspiegellinie f	ligne f de niveau d'eau, niveau m d'eau	кривая (линия, граница) свободной поверхности воды, линия уреза воды
	water level	s. a. water line		
	water level	s. a. level		
	water level	s. a. water stage		
W 178	water level curve, curve of water level variation	Wasserstand[s]ganglinie f, Wasserstand[s]kurve f, Wasserspiegelganglinie f, Spiegelgangkurve f, Spiegelganglinie f	courbe f de la variation du niveau d'eau	хронологический график колебаний уровня воды, кривая колебаний уровня воды, кривая хода уровня воды, кривая движения уровня воды
W 179	water level duration curve	Wasserstand[s]dauerlinie f	courbe f de durée du niveau d'eau	кривая продолжительности стояния равных уровней воды
W 180	water level fluctuation	Spiegelschwankung f, Wasserspiegelschwankung f, Wasserstand[s]schwankung f, Wasserschwankung f, Niveauschwankung f	variation f des cotes, variation du niveau	колебание уровня [воды], колебание зеркала
W 181	water level gauge, water level indicator	Wasserstand[s]anzeiger m, Wasserstand[s]zeiger m, Flüssigkeitspegel m, Wasserpegel m	indicateur m de niveau [d'eau]	указатель уровня воды
	water-level gauge	s. a. water scale <hydr.>		
	water level indicator	s. water level gauge		
	water level line	s. water level		
	water-level recorder	s. limnigraph		
	water-level recorder	s. a. mareograph		
	water-level scale	s. water scale <hydr.>		
W 182	water line, water level	Wasserlinie f	contour m de flottaison, ligne f de flottaison, niveau m d'eau	контур плавания, ватерлиния
W 183	water-line centre, centre of water-line section	Wasserlinienschwerpunkt m	centre m de gravité (masse) de la surface de flottaison	центр тяжести плоскости плавания
	water-line section, floatation area, water-plane area	Schwimmfeld n, Schwimmfläche f, Wasserlinienfläche f	aire f de flottaison, surface f de flottaison, surface des flottaisons d'égale carène	площадь плавания, площадь ватерлинии; плоскость плавания
W 184	water logging <nucl.>	Wasserdurchtritt m, Wassereintritt m <Kern.>	pénétration f d'eau <nucl.>	проникновение воды, проникание воды <яд.>
	water-loving, hydrophilic, hydrophilous	hydrophil, wasserfreundlich, wasserliebend, wasseranziehend	hydrophile	гидрофильный
W 185	water mark	Wassermarke f, Wasserstand[s]marke f, Spiegelpfahl m	marque f de niveau [d'eau]	отметка уровня воды, метка уровня воды
W 186	water-mark post, water post	Wasserpegel m, Pegel m, Peil m	échelle f d'étiage	водомерный пост
W 187	water mass, body of water	Wasserkörper m, Wassermasse f	masse f d'eau, corps m d'eau	водяная масса, водная масса
	water-measuring vane	s. hydrometric vane <hydr.>		
W 188	water meniscus	Wassermeniskus m, Wasserkuppe f, Wasserkuppel f	ménisque m d'eau	мениск воды, сферическая поверхность воды
W 189	water meter; water flowmeter	Wasseruhr f, Wasserzähler m, Wasserdurchflußmesser m, Wasserverbrauchsmesser m, Wassermengenmesser m, Wassermesser m	compteur m d'eau	водомер, водяной счетчик
W 190	water mill	Wassermühle f	moulin m à eau	водяная мельница
W 191	water monitor	Wasserüberwachungsgerät n, Wasserüberwachungsanlage f, Wassermonitor m	moniteur m d'eau, moniteur m de rayonnement de l'eau	прибор для контроля радиоактивности воды
W 192	water monitoring, water survey	Wasserüberwachung f	surveillance f de l'eau, contrôle m de l'activité d'eau	контроль радиоактивности воды
W 193	water of constitution, constitution[al] water	Konstitutionswasser n	eau f de constitution	конституционная вода
W 194	water of crystallization, crystal water, water of hydration	Kristallwasser n	eau f de cristallisation	кристаллизационная вода
W 195	water of hydration, hydration water, hydrate water	Hydratwasser n, Hydratationswasser n, Schwarmwasser n, Porenwinkelwasser n	eau f d'hydration	гидратная вода, вода гидратации, гидратационная вода

	water of hydration	s. a. water of crystallization		
W 196	water of imbibition	Quellungswasser n, Quellwasser n	eau f d'imbibition, eau de gonflement	вода набухания
W 197	water of infiltration, percolating water, seepage water	Sickerwasser n, Senkwasser n, Sinkwasser n	eau f de cheminement, eau d'infiltration	просачивающаяся (инфильтрационная, фильтрационная, фильтрующая) вода
	water permeability, permeability to water, permeability for water, perviousness to water	Wasserdurchlässigkeit f; Wasserpermeabilität f <Bio.>	perméabilité f à l'eau, perméabilité pour l'eau	водопроницаемость, проницаемость для воды; коэффициент водопроницаемости <био.>
W 198	water phantom	Wasserphantom n	fantôme m d'eau	водный фантом
W 199	water[ ]plane, plane of floatation, floatation plane	Schwimmebene f	plan m de flottaison	плоскость плавания
	water plane	s. a. water stage		
	water plane	s. a. surface <hydr.>		
	water[ ]plane area, floatation area, waterline section	Schwimmfeld n, Schwimmfläche f, Wasserlinienfläche f	aire f de flottaison, surface f de flottaison, surface des flottaisons d'égale carène	площадь плавания, площадь ватерлинии; плоскость плавания
W 200	water pocket <geo.>	Wasserloch n <Geo.>	poche f [d'érosion] <géo.>	вымоина <гео.>
	water post, water-mark post	Wasserpegel m, Pegel m, Peil m	échelle f d'étiage	водомерный пост
W 200a	water potential	Wasserpotential n	potentiel m d'eau	потенциал воды
W 201	water power, hydraulic power	Wasserkraft f, kinetische Energie f des Wassers, Wasserenergie f, hydraulische Kraft f	force f hydraulique, énergie f cinétique de l'eau, énergie de l'eau	гидроэнергия, гидравлическая энергия, сила течения воды, движущая сила воды, гидравлическая сила, вод[я]ная энергия, энергия воды
W 202	water pressure	Wasserdruck m, Wasserpressung f	pression f de l'eau	давление воды, гидростатическое давление [воды], гидравлическое давление
	water pressure deficit	s. suction force		
W 203	water pressure engine	Wassersäulenmaschine f, Wassersäulenmotor m	machine f à colonne d'eau	водостолбовой двигатель
W 204	water pressure line, line of hydrostatic pressure	Wasserdruckfigur f, Wasserdrucklinie f	ligne f de pression d'eau, ligne de pression hydrostatique	эпюра давления воды, эпюра гидростатического давления
	water-pressure test	s. hydraulic test		
	water proofness, water tightness	Wasserdichtheit f, Wasserdichtigkeit f, Wasserundurchlässigkeit f	étanchéité f à l'eau	водонепроницаемость
W 205	water purification, purification of water, water treatment	Wasseraufbereitung f; Wasserreinigung f	traitement m d'eau, purification f de l'eau	водоподготовка, подготовка воды, обработка воды, очистка воды, водоочистка
	water ram	s. hydraulic ram		
W 206	water ratio, percentage of water	Wasserprozentgehalt m, prozentualer Wassergehalt m	teneur f pourcentuelle en eau	содержание воды в процентах
	water recirculation	s. water reflux		
W 207	water reflector	Wasserreflektor m, Wasserstreumantel m	réflecteur m à eau, réflecteur aqueux	водный отражатель
W 208	water reflux, water return, water recirculation	Wasserrückfluß m, Wasserrückstrom m, Wasserrücklauf m	retour m de l'eau, récirculation f d'eau, reflux m de l'eau	обратный приток воды, обратное движение воды, опрокинутое движение воды, возврат воды, рециркуляция воды
	water relations, water balance, water budget	Wasserhaushalt m, Wasserbilanz f	bilan m d'eau	водный баланс, водный режим
	water repellency	s. hydrophoby		
W 209	water repellent	wasserabstoßend, wasserabweisend	hydrofuge	водоотталкивающий
W 210	water resistance	Wasserwiderstand m, Strömungswiderstand m des Wassers	résistance f de l'eau	сопротивление воды
	water-retaining capacity	s. water-holding capacity		
	water return	s. water reflux		
W 211	water ring [air] pump	Wasserringpumpe f, Wasserringluftpumpe f; Flüssigkeitsringpumpe f	pompe [rotative] f à anneau d'eau; pompe [rotative] à anneau liquide	водокольцевой насос, насос с водяным кольцом
	water rise head	s. velocity head		
W 212	waters	Gewässer n; Wässer npl	eaux fpl	воды
	water sampling; water intake	Wasserentnahme f; Wasserentzug m; Wasserprobenahme f	prise f d'eau	водозабор, забор воды; изъятие воды; взятие пробы воды
W 213	water-saturated	wassergesättigt, wassersatt	saturé en eau	насыщенный водой, водонасыщенный
W 214	water scale, water-level scale (gauge), staff gauge, gauge, gage <hydr.>	Lattenpegel m; Pegellatte f, Wassermeßlatte f, Wasserstock m <Hydr.>	échelle f de marée, échelle hydrométrique <hydr.>	водомерная рейка, футшток <гидр.>
	water screw, hydraulic screw	Wasserschraube f, Wasserschnecke f	vis f hydraulique	водоподъемный винт, гидравлический винт
	water seal	s. liquid seal		
	water secretion	s. secretion of water <bio.>		
	water separator	s. separator		
W 215	water[-]shed, watershed divide, divide <US>, line of separation between waters <geo.>	Wasserscheide f, Scheide f, Scheitelung f; Wasserscheidelinie f; Kammwasserscheide f <Geo.>	ligne f de partage [des eaux]; crête f de partage [des eaux] <géo.>	водораздел; водораздельная линия, линия водораздела <гео.>

W 216	**water shield; water shielding**	Wasserabschirmung f; Wasserschirm m, Wasserschutzwand f	bouclier m d'eau, écran m d'eau; blindage m d'eau	водный экран, защитный водный экран, водяной экран, водяной защитный экран; водяная защита, водная защита, экранирование водой
W 217	**water sky**	Wasserhimmel m	ciel m d'eau	водяное небо
W 218	**water slurry**, water suspension	wäßrige Suspension f, wäßrige Aufschlämmung f	suspension f aqueuse	водная взвесь, водная суспензия
W 219	**water softener**, softener	Wasserenthärter m, Wasserenthärtungsmittel n, Enthärter m	adoucissant m	мягчитель воды, умягчитель воды, опреснитель воды, водомягчитель, водоумягчитель, водоопреснитель, водосмягчающее средство, смягчающее средство, водоумягчающее средство, умягчающее средство
W 220	**water softening**, water demineralizing, water demineralization, demineralization of water	Wasserenthärtung f	déminéralisation f de l'eau, décalcification f de l'eau	мягчение воды, смягчение воды, умягчение воды, деминерализация воды
W 221	**water-soluble**, soluble in water	wasserlöslich	hydrosoluble, soluble dans l'eau	растворимый в воде, вод[н]орастворимый
W 222	**water splash**, water stain	Wasserspritzer m	éclaboussure f d'eau	водяной брызг
W 223	**water[-]spout**	Wasserhose f	trombe f d'eau	водяной смерч, водяной тромб
	water spray, spray, water veil	Wasserschleier m, Wassersprühregen m	voile f d'eau	водяная пелена, водяная завеса
	water spray, water dust, spray	Wasserstaub m	poussière f d'eau	водяная пыль, мелкие брызги воды, капельная пыль
W 224	**water stage**, water level, water plane	Wasserstand m, Höhe f des Wasserspiegels, Wasser[spiegel]höhe f, Wasserpegel m, Wasserniveau n, W	niveau m d'eau, hauteur f du niveau d'eau, hauteur d'eau, plan m d'eau, hauteur limnimétrique	высота уровня воды, уровень воды, водяной уровень
	water stage	s. a. surface <hydr.>		
W 225	**water stain**, water splash	Wasserspritzer m	éclaboussure f d'eau	водяной брызг
	water-stain mark	Wasserfleck m	marque f d'eau, tache f d'éclaboussure d'eau	водяное пятно
W 226	**water-stir pyrheliometer**	Waterstirpyrheliometer n, Wasserrührpyrheliometer n; Rührwasserpyrheliometer n	pyrhéliomètre m à circulation d'eau	водяной пиргелиометр с перемешиванием
W 227	**water streak**	Wasserstreifen m	bande f d'eau	водяная полоса, водная полоса, полоса воды
W 228	**water surface**	Wasseroberfläche f; Wasserfläche f	surface f d'eau	поверхность воды; водная (водяная) поверхность
W 229	**water-surface ascent**, water-head ascent, ascent; damming; swelling, swell, piling up; static water, slack [water], slack flow, afflux	Stau m, hydraulischer Stau, Spiegelstau m, Wasserstau m, Aufstau m; Wasserstauung f, Stauung f, Aufstauung f	remous m [d'exhaussement]; exhaussement m; surélévation f; retenue f; refoulement m	подпор [потока], подпор воды; создание подпора, возникновение подпора; застой; подпруживание; подпирание; запруживание; задержание [воды]; торможение [потока]; накопление [потока]; уплотнение [потока]; запруда; наплыв
	water surface elevation	s. velocity head		
	water survey, water monitoring	Wasserüberwachung f	surveillance f de l'eau, contrôle m de l'activité d'eau	контроль радиоактивности воды
	water suspension, water slurry	wäßrige Suspension f, wäßrige Aufschlämmung f	suspension f aqueuse	водная взвесь, водная суспензия
	water table	s. surface		
W 230	**water table contour**, contour [line] of water table, ground-water contour [line]	Grundwasserhöhenkurve f, Grundwasserhöhengleiche f, Grundwasserisohypse f	courbe f de niveau (la surface) de la nappe souterraine	гидроизогипса
	water test	s. hydraulic test		
W 231	**water tightness**, water proofness	Wasserdichtheit f, Wasserdichtigkeit f, Wasserundurchlässigkeit f	étanchéité f à l'eau	водонепроницаемость
W 232	**water-to-cement ratio**, water-cement ratio	Wasser/Zement-Verhältnis n, Wasser-Zement-Faktor m, Wasser-Zement-Wert m, Wasserfaktor m, Wasser-Zement-Kennzahl f	rapport m ciment-eau	водоцементное отношение, водоцементный фактор
	water trajectory, trajectory of water particle	Wasserbahn f	trajectoire f de la particule d'eau, trajectoire d'eau	траектория частицы воды, траектория воды
W 233	**water transport**, transport of water [particles]	Wassertransport m, Wasserverfrachtung f, Wasserversetzung f	transfert m des eaux, transfert des masses d'eau, transfert des particules d'eau	перемещение вод, перемещение водных масс

W 234	water trap	s. separator		
	water-treating equipment	Wasseraufbereitungsanlage f	dispositif m à traitement d'eau	установка (система) водоподготовки; водоочистительная (водоочистная) установка, оборудование для очистки (обработки) воды
	water treatment	s. water purification		
W 235	water[-] tube boiler	Wasserrohrkessel m, Siederohrkessel m	chaudière f à tube à eau, chaudière à tubes d'eau, chaudière aquatubulaire, chaudière à bouilleurs	водотрубный [паровой] котел, котел с кипятильными трубами
W 236	water tunnel, water channel	Wasserkanal m, Wassertunnel m	bassin m de carènes, tunnel m à eau	гидродинамическая труба, гидроканал
	water tunnel, cavitation tunnel	Kavitationsprüfstand m	tunnel m à eau	кавитационная труба
W 237	water tunnel experiment	Wasserkanalversuch m	expérience f dans le bassin de carènes	опыт в гидродинамической трубе
	water uptake	s. water intake		
	water value	s. water equivalent		
W 238	water vane	Wasserfahne f	girouette f hydrométrique	водяной флюгер, указатель течения
W 239	water-vapour atmosphere, water-vapour medium; steam atmosphere, steam medium	Wasserdampfatmosphäre f	atmosphère f de vapeur d'eau, milieu m de vapeur d'eau	атмосфера водяного пара
W 240	water vapour band, steam band	Wasserdampfbande f	bande f de vapeur d'eau	полоса водяного пара
	water vapour content, steam content	Wasserdampfgehalt m	teneur f en vapeur d'eau, contenu m en vapeur d'eau	содержание паров воды, содержание водяного пара
	water-vapour dissociation, dissociation of water vapour, steam dissociation	Wasserdampfspaltung f	dissociation f de la vapeur d'eau	диссоциация водяного пара, расщепление водяного пара
	water-vapour medium	s. water-vapour atmosphere		
	water vapour pressure, steam pressure, steam tension	Wasserdampfdruck m, Wasserdampfpartialdruck m, Wasserdampfspannung f, Dampfspannung f	tension f de vapeur d'eau	давление водяного пара, упругость водяного пара
W 241	water veil, water spray, spray	Wasserschleier m, Wassersprühregen m	voile f d'eau	водяная пелена, водяная завеса
W 242	water volume, volume of water	Wasservolumen n, Wasserinhalt m	volume m d'eau	водяной объём, объём воды, объём водоёма, ёмкость водоёма
W 243	water-water reactor, reactor cooled and moderated by ordinary water, VVR, WWR	Wasser-Wasser-Reaktor m, WWR <wassergekühlt und moderiert, meist: Druckwasserreaktor, selten: Siedewasserreaktor>	réacteur m refroidi et ralenti par l'eau, réacteur à refroidissement et ralentissement par l'eau [ordinaire]	водо-водяной реактор, реактор водо-водяного типа, ВВР
W 244	water wave	Wasserwelle f	onde f d'eau, lame f d'eau	водная волна, водяная волна
W 245	water wheel	Wasserrad n	roue f hydraulique	водяное колесо
W 246	water yield, yield of water, discharge of water	Wasserabgabe f; Wasserergiebigkeit f	rendement m d'eau; débit m d'eau	отдача воды, водоотдача; дебит воды
W 247	Watkins['] factor	Watkinsscher Entwicklungsfaktor m, Watkins-Faktor m, arithmetischer Entwicklungskoeffizient m	coefficient m de Watkins, coefficient arithmétique	фактор Ваткинса
W 247a	Watson-Crick model	Watson-Crick-Modell n	modèle m de Watson-Crick	модель Ватсона-Крика
W 248	Watson['s] lemma	Watsonsches Lemma n	lemme m de Watson	лемма Ватсона
W 249	Watson-Sommerfeld transform[ation], Sommerfeld-Watson transform[ation]	Watson-Sommerfeld-Transformation f, Sommerfeld-Watson-Transformation f	transformation f de Watson-Sommerfeld, transformation de Sommerfeld-Watson	преобразование Ватсона-Зоммерфельда, преобразование Зоммерфельда-Ватсона
W 250	Watson transform[ation]	Watsonsche Transformation f, Watson-Transformation f	transformation f de Watson	преобразование Ватсона
W 250a	watt, W, w	Watt n, W	watt m, W	ватт, вт, W
W 251	wattage	Wattzahl f, Leistung f in Watt	wattage m, puissance f en watts	мощность в ваттах
	wattage	s. a. active power <el.>		
W 252	Watt['s] equation	Wattsche Gleichung f	formule f de Watt	формула Уатта, уравнение Уатта
	wattful current, active current, real current	Wirkstrom m, Wattstrom m	courant m actif, courant watté, courant réel	активный ток, активная составляющая тока
	watt-hour meter, active-energy meter, energy meter	Wattstundenzähler m, Wirkverbrauchszähler m, WV-Zähler m	compteur m d'énergie [active], wattheuremètre m	счётчик ватт-часов, счётчик активной энергии, активный счётчик
W 253	Watt indicator	Wattscher Indikator m	indicateur m de Watt	указатель Уатта
W 253a	Watt['s] law [for latent heat of vapour]	Wattsches Gesetz n [für die latente Wärme von Dampf]	loi f de Watt	закон Уатта
W 254	wattless, reactive, idle, imaginary <el.>	Blind-, wattlos, leistungslos <El.>	réactif, déwatté <él.>	реактивный, безваттный, не потребляющий мощности <эл.>
	wattless component	s. reactive component		
	wattless component meter, reactive-energy meter, var-hour meter	Blindverbrauchszähler m, Blindwattstundenzähler m	varheuremètre m, compteur m d'énergie réactive	счётчик варчасов, счётчик реактивной энергии

	wattless current, reactive current, idle current, imaginary current	Blindstrom *m*, wattloser Strom *m*, Wattlosstrom *m*	courant *m* réactif, courant déwatté	реактивный ток
	wattless feedback, reactive feedback	Blindrückkopplung *f*, Blindstromrückkopplung *f*	réaction *f* réactive	реактивная обратная связь
	wattless power	*s.* reactive power		
	wattless voltage, reactive voltage, idle voltage, imaginary voltage	Blindspannung *f*, wattlose Spannung *f*, Wattlosspannung *f*	tension *f* réactive, tension déwattée	реактивное напряжение
W 255	**wattmeter,** power meter ‹el.›	Wattmeter *n*, Leistungsmesser *m*, Wattmesser *m* ‹El.›	wattmètre *m* ‹él.›	ваттметр, измеритель мощности ‹эл.›
W 256	**wattmeter constant**	Wattmeterkonstante *f*	constante *f* du wattmètre	постоянная ваттметра, цена деления ваттметра
W 257	**wattmeter loop**	Wattmeterschwinger *m*	boucle *f* pour mesure oscillographique de puissance	гальванометр мощности светолучевого осциллографа, вибратор мощности светолучевого осциллографа
	wattmeter parallel coil, parallel coil of wattmeter	Wattmeterspannungsspule *f*	bobine *f* du wattmètre en parallèle	параллельная катушка ваттметра, катушка напряжения ваттметра
	wattmeter series coil, series coil of wattmeter	Wattmeterstromspule *f*	bobine *f* du wattmètre en série	последовательная катушка ваттметра, токовая катушка ваттметра
W 258	**Watt regulator**	Wattscher Regulator *m*	régulateur *m* à force centrifuge de Watt	регулятор Уатта
	watt[-]second	*s.* joule		
W 258a	**Watt spectrum**	Wattsches Spektrum *n*	spectre *m* de Watt	спектр Уатта
W 259	**wave**	Welle *f*	onde *f*	волна
	wave, body of the wave	Wellenkörper *m*	corps *m* de l'onde, onde *f*	тело волны, волна
	wave	*s. a.* billow		
W 260	**wave aberration**	Wellenaberration *f*	aberration *f* d'onde	волновая аберрация
W 261	**wave acoustics,** physical acoustics	Wellenakustik *f*	acoustique *f* d'ondes, acoustique physique	волновая акустика
	wave admittance, characteristic [wave] admittance ‹of waveguide›	Wellenleitwert *m*, charakteristischer Wellenleitwert ‹Wellenleiter›	admittance *f* caractéristique, admittance d'onde ‹du guide d'ondes›	волновая проводимость, характеристическая проводимость ‹волновода›
	wave along the line (wire)	*s.* axial line wave		
W 262	**wave analyzer**	Wellenanalysator *m*	analyseur *m* d'ondes	анализатор волн
	wave and particle aspects of light, two aspects of the nature of light	Doppelnatur *f* des Lichtes, Welle-Teilchen-Natur *f* des Lichtes	deux aspects *mpl* de la lumière, aspects corpusculaire et ondulatoire de la lumière	два аспекта света, корпускулярный и волновой аспекты света
	wave antenna; Beverage antenna	Beverage-Antenne *f*, Langdrahtantenne *f*; Wellenantenne *f*	antenne *f* Beverage; antenne d'onde	волновая антенна, антенна Бевериджа, длинноволновая направленная антенна
	wave antinode	*s.* antinodal point		
	wave at interface	*s.* boundary wave		
	wave band, wave range, wavelength range	Wellenbereich *m*, Wellenband *n*, Wellenlängenbereich *m*	bande *f* d'ondes, gamme *f* d'ondes	диапазон волн
W 263	**wave base,** base of the wave	Wellenbasis *f*, Wellenfuß *m*	base *f* de l'onde	основание волны, подошва волны, низ волны
W 264	**wave beam**	Wellenbündel *n*	faisceau *m* d'ondes	пучок волн
W 265	**wave cancellation,** wave quenching	Wellenauslöschung *f*, Wellenlöschung *f*	extinction *f* d'onde	гашение волны
W 266	**wave category**	Wellenkategorie *f*	catégorie *f* d'ondes	категория волн
W 267	**wave centre,** centre of the wave, origin of the wave	Wellenzentrum *n*	centre *m* d'onde, origine *f* d'onde	центр волны, начало волны
	wave character, wave nature	Wellennatur *f*, Wellencharakter *m*	nature (structure) *f* ondulatoire	волновая природа, волновой характер
W 268	**wave class**	Wellenklasse *f*	classe *f* d'onde	класс волны
	wave clutter; wave reflection	Wellenreflexion *f*, Wellenrückwurf *m*	réflexion *f* d'onde	отражение волны
	wave collector	*s.* receiving aerial		
	wave component, wave part	Wellenanteil *m*, Wellenkomponente *f*	partie *f* ondulatoire, composante *f* ondulatoire	волновая часть, волновая составляющая
	wave contour, wave[] form, wave shape, wave profile	Wellenform *f*, Wellenkontur *f*, Wellenprofil *n*	forme *f* d'onde, contour *m* d'onde, profil *m* d'onde	форма волны, профиль волны, волновой профиль
	wave-corpuscle duality	*s.* wave-particle duality		
	wave crest	*s.* crest [of the wave]		
	wave curve, wave line	Wellenlinie *f*	ligne *f* ondulée	волнообразная линия, волновая линия, волнистая линия
W 269	**wave cyclone,** wave depression	Wellenzyklone *f*	cyclone *m* ondulatoire	волновой циклон, волновая депрессия
W 270	**wave damping** ‹hydr.›	Wellenbesänftigung *f*, Wellenberuhigung *f*, Wellendämpfung *f* ‹Hydr.›	amortissement *m* des houles ‹hydr.›	успокоение волны, успокоение волнения, затухание волнения ‹гидр.›
	wave deformation	*s.* waveform distortion		
	wave depression, wave cyclone	Wellenzyklone *f*	cyclone *m* ondulatoire	волновой циклон, волновая депрессия
	wave director	*s.* parasitic director ‹el.›		
	wave distortion	*s.* waveform distortion		
	wave disturbance, wave perturbation	Wellenstörung *f*, wellenförmige Störung *f*	perturbation *f* ondulée (ondulatoire)	волновое (волнообразное) возмущение

W 271	**wave[-] drag,** wave resistance <aero., hydr.>	Wellenwiderstand m <Aero., Hydr.>	résistance f d'onde <aéro., hydr.>	волновое сопротивление; сила волнового сопротивления <аэро., гидр.>
W 272	**wave-drag coefficient** <aero.>	Wellenwiderstandsbeiwert m <Aero.>	coefficient m de résistance d'ondes <aéro.>	коэффициент волнового сопротивления <аэро.>
	wave duct, duct, sound duct <ac.>	akustischer Wellenleiter m, Wellenleiter <Ak.>	conduit m d'ondes <ac.>	акустический волновод, звуковой канал, звукопровод <ак.>
	wave duct in the atmosphere	s. atmospheric duct		
W 273	**wave dynamics**	Wellendynamik f	dynamique f des ondes	динамика волн, волновая динамика
	wave dynamometer, wave-type dynamometer	Wellendynamometer n	dynamomètre m à onde	волновой динамометр
W 274	**wave energy flux**	Wellenenergiefluß m	flux m d'énergie d'ondes	поток волновой энергии
	wave equation, Schrödinger['s] equation, Schrödinger['s] wave equation	Schrödinger-Gleichung f, Schrödingersche Wellengleichung f, Wellengleichung	équation f de Schrödinger, équation d'onde de Schrödinger, équation d'onde	уравнение Шредингера, волновое уравнение Шредингера, волновое уравнение
W 275	**wave equation**	Wellengleichung f, Wellendifferentialgleichung f; Ausbreitungsgleichung f s. a. Helmholtz['] equation	équation f d'onde, équation de l'onde, équation du mouvement ondulatoire	волновое уравнение, уравнение распространения волн
W 276	**wave excitation**	Wellenanfachung f, Wellenanregung f	excitation f d'ondes	возбуждение волн
W 277	**wave-exciting device;** wave generator; wave producer	Wellenerreger m; Wellenerzeuger m	excitateur m d'ondes; générateur m d'ondes	возбудитель волн; генератор сигналов заданной формы
W 278	**wave field**	Wellenfeld n	champ m d'ondes, champ m ondulatoire	волновое поле
W 279	**wave filter**	Wellenfilter n, Wellensieb n, elektrisches Filter n	filtre m d'ondes	волновой фильтр, фильтр для сглаживания пульсаций
W 280	**wave[]form,** wave shape, wave contour, wave profile	Wellenform f, Wellenkontur f, Wellenprofil n	forme f d'onde, contour m d'onde, profil m d'onde	форма волны, профиль волны, волновой профиль
W 281	**waveform analyzer**	Wellenformanalysator m	analyseur m des formes d'ondes	анализатор форм волн
	wave formation	s. wave generation		
W 282	**waveform distortion,** wave distortion, wave deformation	Wellenformverzerrung f, Formverzerrung f	distorsion f de la forme d'ondes, distorsion de forme, déformation f des ondes	искажение формы [колебаний]
W 283	**wave front, wave[-] front,** surface of constant phase, surface of constant optical path, wave surface; wave head	Wellenfront f, Wellenfläche f; Wellenkopf m, Wellenstirn f	front m d'onde, surface f d'onde, surface équiphase, onde f enveloppe	фронт волны, волновой фронт; волновая поверхность; лицевая сторона волны
	wavefront shearing interferometer	s. shearing interferometer		
	wavefront shearing technique	s. shearing technique <opt.>		
W 284	**wavefront velocity**	Frontgeschwindigkeit f, Wellenfrontgeschwindigkeit f; Wellenkopfgeschwindigkeit f	vitesse f du front d'onde	скорость распространения фронта волны, скорость фронта волны
W 285	**wave function,** Schrödinger['s] wave function, Schrödinger['s] function	Wellenfunktion f, Schrödingersche Wellenfunktion, Schrödinger-Funktion f, Schrödingersche Zustandsfunktion f	fonction f d'onde, fonction d'onde de Schrödinger, fonction de Schrödinger	волновая функция, волновая функция Шредингера, функция Шредингера
W 286	**wave-generating**	wellenerzeugend, wellenbildend; wellenschlagend	générateur d'ondes	волнообразующий
	wave-generating machine	s. wave[-making] machine		
W 287	**wave generation,** generation of waves; wave formation, formation of waves	Wellenerzeugung f; Wellenbildung f, Wellenentstehung f	génération f d'ondes; formation f d'ondes	образование волн, волнообразование; возникновение волн; зарождение волн
	wave generator	s. wave-exciting device		
	wave group	s. wave packet		
W 288	**wave[]guide**	Wellenleiter m; Rohrleiter m; HF-Wellenleiter m, Hochfrequenzwellenleiter m	guide m d'ondes, conduit m d'ondes	волновод; радиоволновод
	waveguide	s. a. hollow waveguide		
W 288a	**waveguide accelerator**	Wellenleiterbeschleuniger m	accélérateur m à guide d'ondes	волноводный ускоритель
W 289	**waveguide antenna**	Hohlleiterantenne f, Hohlrohrantenne f	antenne f en extrémité de guide, guide m d'ondes rayonnant	волноводная антенна, излучающий волновод
W 290	**waveguide attenuation**	Wellenleiterdämpfung f; Hohlleiterdämpfung f	atténuation f de guide d'ondes	ослабление в волноводе
W 291	**waveguide attenuator**	Hohlleiterdämpfungsglied n	atténuateur m de guide d'ondes	волноводный аттенюатор, волноводный ослабитель
W 292	**waveguide bridge**	Wellenleiterbrücke f, Wellenbrücke f	pont m à guide d'ondes	волноводный мост[ик]
W 293	**waveguide cable**	Hohlleiterkabel n	câble m à guide d'ondes	волноводный кабель
	waveguide circulator	s. circulator		
W 294	**waveguide effect**	Wellenleitereffekt m	effet m conduit d'ondes	образование волноводных каналов в атмосфере, волноводный эффект

W 295	**waveguide elbow,** elbow of the waveguide	Wellenleiterknie *n*, Wellenleiterknickstelle *f*, Knie *n* des Wellenleiters, Knickstelle *f* des Wellenleiters; Hohlleiterknie *n*; Hohlleiterknickstelle *f*	coude *m* du guide d'ondes	колено волновода, загиб волновода, волноводное колено
W 296	**waveguide feed**	Hohlleiterspeisung *f*	alimentation *f* par guide	питание волноводом, облучатель для параболических зеркал; полый фидер, волноводный фидер
W 297	**waveguide filter**	Wellenleitungsfilter *n*, Hohlleiterfilter *n*	filtre *m* à guide d'ondes	волноводный фильтр
W 298	**waveguide impedance bridge**	Hohlleiter-Impedanzmeßbrücke *f*, Hohlleiter-Impedanzbrücke *f*	pont *m* de mesure d'impédances à guide d'ondes	волноводный мост полных сопротивлений
W 299	**waveguide joint, waveguide junction,** junction [of waveguide], joint [of waveguide]	Wellenleiterverbindung *f*, Wellenleiter[verbindungs]übergang *m*, Wellenleiter[an]kopplung *f*, Übergang *m* [zwischen Wellenleitern], Verbindung *f* [von Wellenleitern], Kopplung *f* [von Wellenleitern], Ankopplung *f* [von Wellenleitern], Hohlleiterübergang *m*, Hohlleiterverbindung *f*, Hohlleiter[an]kopplung *f*	jonction *f* [de guide d'ondes], raccord *m* [de guide d'ondes], jonction *f* guide-guide [d'ondes], jonction guide d'ondes-guide d'ondes, transition *f* guide-guide [d'ondes], transition guide d'ondes-guide d'ondes, transformateur *m* guide-guide [d'ondes]	волноводный переход, волноводное соединение, волноводное сочленение, переход между волноводами, переход волноводов, соединение волноводов, сочленение волноводов
W 300	**waveguide lens**	Wellenleiterlinse *f*, Hohlleiterlinse *f*	lentille *f* à guide d'ondes	волноводная линза
W 301	**waveguide line**	Wellenleitung *f*, Wellenleiter *m*	ligne *f* à guide d'ondes	волноводная линия
	waveguide line	*s. a.* hollow waveguide		
W 301a	**waveguide linear accelerator**	Wellenleiter-Linearbeschleuniger *m*	accélérateur *m* linéaire à guide d'ondes	волноводный линейный ускоритель
W 302	**waveguide low-pass [filter]**	Siebkasten *m*	filtre *m* passe-bas pour les ondes décimétriques	волноводный фильтр нижних частот
W 303	**waveguide mode,** mode in guide	Hohlleiterwellentyp *m*, Hohlrohrwellentyp *m*, Rohrwellentyp *m*, Hohlleiterschwingungstyp *m*, Hohlrohrschwingungstyp *m*, Rohrschwingungstyp *m*	mode *m* du guide d'ondes	вид волн в волноводе, вид колебаний в волноводе
W 304	**waveguide output**	Wellenleiterauskopplung *f*	sortie *f* sur guide d'ondes	волноводный вывод [энергии]
W 304a	**waveguide prism**	Wellenleiterprisma *n*	prisme *m* en guide d'ondes	волноводная призма
W 305	**waveguide radiator**	Rohrstrahler *m*, dielektrischer Rohrstrahler	radiateur *m* [diélectrique] à tube	волноводный излучатель
	waveguide slotted line	*s.* measuring waveguide		
	waveguide stub	*s.* stub		
W 306	**waveguide subsection**	Wellenleiterabschnitt *m*	tronçon *m* de guide d'ondes	волноводная секция, отрезок волновода
W 307	**waveguide synchrotron**	Wellenleitersynchrotron *n*	synchrotron *m* à guide d'ondes	волноводный синхротрон
W 308	**waveguide transformer**	Hohlleitertransformator *m*; Wellenleitertransformator *m*; Wellenleiterübertrager *m*	transformateur *m* de guide d'ondes	волноводный трансформатор
	waveguide transmission line	*s.* hollow waveguide		
	waveguide Y circulator, gyrator, Y circulator	Gyrator *m*, Y-Zirkulator *m*, Y-Richtungsgabel *f*	gyrateur *m*	гиратор
	wave head	*s.* wave front		
W 309	**wave height,** height of the wave	Wellenhöhe *f*	hauteur *f* de la vague; creux *m*	высота волны
	wave image	*s.* wave representation		
W 309a	**wave impact**	Wellenstoß *m*	impact *m* d'onde	удар волны
	wave impedance	*s.* characteristic impedance		
W 310	**wave impedance of free space**	Feldwellenwiderstand *m* des freien Raumes	impédance *f* de champ du vide	волновое сопротивление в вакууме
	wave impulse	*s.* radio-frequency pulse		
	wave in depth, depth wave	Tiefenwelle *f*	onde *f* en profondeur	глубинная волна
W 311	**wave indicator,** cymoscope	Wellenanzeiger *m*, Wellenindikator *m*	indicateur *m* d'ondes, cymoscope *m*	указатель волн, индикатор волн
	wave in opposition of phase	*s.* push-pull wave		
	wave intensity, intensity of wave	Intensität *f* der Welle	intensité *f* de l'onde	интенсивность волны
W 312	**wave-interference error**	Welleninterferenzfehler *m*	erreur *f* due à l'onde d'interférence	погрешность за счет интерференционной волны
	wave in the push-pull mode	*s.* push-pull wave		
	wave in the waveguide	*s.* guided wave		
W 313	**wave[]length, wavelength**	Wellenlänge *f*	longueur *f* d'onde; longueur d'ondulation <du liquide>	длина волны
W 314	**wavelength comparator**	Wellenlängenkomparator *m*	comparateur *m* de longueurs d'ondes	компаратор длин волн

W 315		**wavelength constant,** wave parameter, circular wave number, wave number, propagation factor, propagation constant, propagation coefficient $<2\pi/\lambda>$	Kreiswellenzahl f, Wellenzahl f, Wellendichte f, Betrag m des Ausbreitungsvektors, Ausbreitungsgröße f, Ausbreitungskonstante f, Fortpflanzungskonstante f, Fortpflanzungsmaß n, Phasenkonstante f $<2\pi/\lambda>$	constante f de longueur d'onde, nombre m d'onde circulaire, nombre d'onde, constante de propagation [des ondes] $<2\pi/\lambda>$	волновая постоянная, волновой параметр, волновое число $<2\pi/\lambda>$
		wavelength constant	*s. a.* image phase constant		
		wavelength constant	*s. a.* phase constant <el.>		
		wavelength cut-off, wavelength limit, wavelength threshold	Wellenlängengrenze f	limite f de longueur d'ondes, seuil m de longueur d'ondes	граница длины волн, порог длины волн
		wavelength in empty (free) space, wavelength in vacuo (vacuum)	*s.* vacuum value of wavelength		
W 316		**wavelength limit,** wavelength threshold, wavelength cut-off	Wellenlängengrenze f	limite f de longueur d'ondes, seuil m de longueur d'ondes	граница длины волн, порог длины волн
		wavelength meter	*s.* wavemeter		
		wavelength of the de Broglie wave[s]	*s.* Broglie wavelength / de		
		wavelength range	*s.* wave range		
W 317		**wavelength scale**	Wellenlängenskale f, Wellenlängenskala f	échelle f <du spectromètre> graduée en unités de longueur d'ondes	шкала <спектрометра> с указанием длины волн
W 318		**wavelength shifter,** colour shifter	Wellenlängenschieber m	attachement m à décaler la couleur (longueur d'ondes)	цветосдвигающая добавка
W 319		**wavelength standard,** standard wavelength	Wellenlängennormal n	étalon m de longueur d'onde [de lumière], longueur f d'onde étalon, longueur d'onde standard	эталон длины волны
		wavelength switch	*s.* wave-range switch		
		wavelength threshold, wavelength limit, wavelength cut-off	Wellenlängengrenze f	limite f de longueur d'ondes, seuil m de longueur d'ondes	граница длины волн, порог длины волн
W 320		**wave-like, wavelike**	wellenähnlich, wellenartig	ondulatoire	волноподобный
W 321		**wave line,** wave curve	Wellenlinie f	ligne f ondulée	волнообразная линия, волновая линия, волнистая линия
		wave loop	*s.* antinodal point		
W 322		**wave[-making] machine,** wave-generating machine	Wellenmaschine f	machine f génératrice d'ondes, machine d'ondes	волногенерирующая машина, волнообразующая машина
W 323		**wave matrix**	Wellenmatrix f	matrice f d'ondes	волновая матрица
W 324		**wave-mechanical**	wellenmechanisch	[en, par la, de la] mécanique ondulatoire	волновомеханический
W 325		**wave-mechanical perturbation theory**	wellenmechanische Störungsrechnung f	théorie f des perturbations en mécanique ondulatoire	теория возмущений в волновой механике, волновомеханическая теория возмущений
W 326		**wave-mechanical resonance [of molecules]**	wellenmechanische Resonanz f [der Moleküle]	résonance f quanto-mécanique [des molécules]	волновомеханический резонанс [молекул], квантовомеханический резонанс [молекулы]
W 327		**wave-mechanical theory of radiation**	wellenmechanische Strahlungstheorie f	théorie f quanto-mécanique du rayonnement	волновомеханическая теория излучения
W 328		**wave mechanics**	Wellenmechanik f, Undulationsmechanik f, Quantenmechanik f in der Ortsdarstellung	mécanique f ondulatoire	волновая механика
W 329		**wavemeter,** wavelength meter; cymometer; ondometer; frequency meter, frequency indicator	Wellenmesser m, Wellenlängenmesser m; Frequenzmesser m, f-Messer m, Frequenzanzeiger m	ondemètre m, ondomètre m; cymomètre m; fréquencemètre m, indicateur m de fréquence, hertzmètre m	волномер, индикатор длины волн, указатель длины волн; частотомер, индикатор частоты, указатель частоты, герцметр
		wave mode	*s.* mode of vibration		
		wave mode conversion, mode conversion, mode transformation, wave mode transformation	Wellentypumwandlung f, Wellentypumformung f, Wellentyptransformation f, Wellenformumwandlung f	transformation f de modes, conversion f de modes	преобразование типов волн, преобразование типов колебаний
		wave-mode filter	*s.* mode filter		
		wave mode transformation	*s.* wave mode conversion		
W 330		**wave motion; undulation**	Wellenbewegung f; wellenförmige Bewegung f; Undulation f	mouvement m ondulatoire, mouvement m d'ondes; ondulation f; ondoiement m	волновое движение; волнообразное движение (колебание); волнообразная неровность
W 331		**wave nature,** wave character	Wellennatur f, Wellencharakter m	nature (structure) f ondulatoire	волновая природа, волновой характер
		wave node	*s.* node		
W 332		**wave normal**	Wellennormale f, Wellenflächennormale f, Wellenfrontnormale f	normale f d'onde	волновая нормаль, нормаль к фронту волны, нормаль к фронту распространения волны
		wave-normal ellipsoid	*s.* index ellipsoid		
		wave-normal surface, normal surface, wave velocity surface	Normalenfläche f, Wellennormalenfläche f, Wellenfläche f, Wellengeschwindigkeitsfläche f	surface f des normales [d'onde]	поверхность фронта волны, поверхность нормалей, поверхность нормальных скоростей

W 333	wave normal velocity	Wellennormalengeschwindigkeit f, Normalengeschwindigkeit f	vitesse f normale [de l'onde]	нормальная скорость [волны], скорость по нормали
W 334	wave number $\langle 1/\lambda \rangle$	Wellenzahl f $\langle 1/\lambda \rangle$	nombre m d'onde $\langle 1/\lambda \rangle$	волновое число $\langle 1/\lambda \rangle$
	wave number	s. a. wavelength constant		
	wave number vector, wave vector	Wellenzahlvektor m, Wellenvektor m	vecteur m d'onde, vecteur de nombre d'onde	волновой вектор
	wave number vector	s. a. circular wave vector		
	wave of action, action wave	Wirkungswelle f	onde f d'action	волна действия
W 335	wave of division	Teilungswelle f	onde f de division	волна деления
	wave of electric type	s. E[-] mode		
	wave of magnetic type	s. H[-] mode		
W 336	wave of plastic strain	plastische Dehnungswelle f	onde f de déformation plastique	волна пластической деформации
	wave of rarefaction	s. rarefactional wave $\langle$aero., hydr.$\rangle$		
	wave of the first order, billow, first-order wave, wave	Woge f, Welle f erster Ordnung	vague f, flot m, lame f, onde f de premier ordre, onde f	волна первого порядка, колебательная волна, волна
W 337	wave of the parallel mode	Gleichtaktwelle f	onde f du mode parallèle	синфазная волна
	wave of translation, translational wave	Translationswelle f	vague f de translation	волна перемещения
	wave of translation	s. a. advancing wave		
	wave on the surface of liquids, liquid surface wave, surface wave on liquids	Oberflächenwelle f auf Flüssigkeiten, Welle f auf Flüssigkeitsoberflächen	onde f superficielle de liquides, onde de surface des liquides	волна на поверхности жидкостей, поверхностная волна на жидкостях
W 338	wave operator, Gordon['s] wave operator	Wellenoperator m, Gordonscher Wellenoperator	opérateur m d'onde [de Gordon]	волновой оператор [Гордона]
W 339	wave optics, physical optics	Wellenoptik f, physikalische Optik f	optique f d'ondes, optique physique	волновая оптика, физическая оптика
W 340	wave packet, wave group	Wellenpaket n, [nichtharmonische] Wellengruppe f	paquet m d'ondes, groupe d'onde[s], groupe m ondulatoire	волновой пакет, группа волн
W 340a	wave parabola	Wellenparabel f	parabole f d'onde	волновая парабола
W 341	wave parameter $\langle$of the line$\rangle$	Wellenparameter m [der Leitung]	paramètre m d'ondes [de la ligne]	волновой параметр [линии]
	wave parameter	s. wavelength constant		
	wave parameter	s. phase constant $\langle$el.$\rangle$		
W 342	wave-parameter theory	Wellenparametertheorie f	théorie f des paramètres d'ondes	теория волновых параметров
W 343	wave part, wave component	Wellenanteil m, Wellenkomponente f	partie f ondulatoire, composante f ondulatoire	волновая часть, волновая составляющая
W 344	wave-particle duality, wave-particle parallelism, wave-corpuscle duality	Dualismus m Welle — Teilchen, Dualismus Welle — Korpuskel, Welle-Teilchen-Dualismus m	dualisme m onde-particule, dualisme onde-corpuscule	дуализм волна-частица, волново-частичный дуализм, волново-корпускулярный дуализм, корпускулярно-волновой дуализм
	wave path, wave trajectory	Wellenbahn f	trajectoire f de l'onde, chemin m de l'onde	траектория волны, путь волны
W 345	wave perturbation, wave disturbance	Wellenstörung f, wellenförmige Störung f	perturbation f ondulée (ondulatoire)	волновое (волнообразное) возмущение
	wave phase velocity	s. phase velocity		
W 346	wave phenomenon	Wellenerscheinung f, Wellenphänomen n	phénomène m ondulatoire	волновое явление, волновой эффект
	wave picture, wave point of view	s. wave representation		
	wave potential	s. Wiechert potential		
W 347	wave pressure	Wellendruck m	pression f d'ondes	волновое давление
	wave producer	s. wave-exciting device		
	wave profile	s. wave[ ]form		
W 348	wave propagation, propagation of wave; translation of the wave	Wellenausbreitung f, Wellenfortpflanzung f, Ausbreitung f (Fortpflanzung f; Fortschreiten n) der Welle, Wellenfortschritt m	propagation f de l'onde; translation f de l'onde	распространение волны; продвижение волны, передвижение волны, поступательное движение волны
	wave propagation velocity	s. phase velocity		
W 349	wave property	Welleneigenschaft f	propriété f ondulatoire	волновое свойство
	wave quenching, wave cancellation	Wellenauslöschung f, Wellenlöschung f	extinction f d'onde	гашение волны
W 350	wave radiation, undulatory radiation	Wellenstrahlung f	rayonnement m d'ondes, rayonnement ondulatoire, radiation f ondulatoire	волновое излучение, волновая радиация
W 351	wave radius	Wellenradius m	rayon m d'onde	радиус волны
W 352	wave range, wave band, wavelength range	Wellenbereich m, Wellenband n, Wellenlängenbereich m	bande f d'ondes, gamme f d'ondes	диапазон волн
W 353	wave-range switch, wavelength switch	Wellenbereichsumschalter m, Wellenbereichsschalter m, Wellenschalter m	rotateur m, commutateur m de gammes [de longueurs] d'ondes, sélecteur m de gammes	переключатель диапазонов
W 354	wave ray	Wellenstrahl m	rayon m d'onde, rayon ondulatoire	волновой луч
W 355	wave recorder	Seegangschreiber m, Seegangsschreiber m	enregistreur m des ondes océaniques	волнограф, прибор для регистрации океанических волн

W 356	wave reflection; wave clutter	Wellenreflexion f, Wellenrückwurf m	réflexion f d'onde	отражение волны
W 357	wave representation, wave image, wave picture, wave point of view	Wellenbild n, Wellenaspekt m, Wellenstandpunkt m	aspect m onde[s], point m de vue ondulatoire, représentation f ondulatoire, image f ondulatoire	волновой аспект, волновая картина
	wave resistance, wave[-] drag <aero.>	Wellenwiderstand m <Aero.>	résistance f d'onde <aéro.>	волновое сопротивление <аэро.>
W 358	waves, swell, sweep waves / in	Wellengang m s. waving	houle f	волнение
W 359	wave science, wave theory	Wellenlehre f, Wellentheorie f	théorie f des ondes	учение о волнах, теория волн
	wave shape, wave[ ]form, wave contour, wave profile	Wellenform f, Wellenkontur f, Wellenprofil n	forme f d'onde, contour m d'onde, profil m d'onde	форма волны, профиль волны, волновой профиль
W 360	wave shaping circuit	Wellenformschaltung f	circuit m formateur d'ondes	схема формирования волн
W 361	wave solution	Wellenlösung f	solution f en forme d'onde	волновое решение
	wave spectrum, distribution of the wind waves, spectrum of the wind waves	Windseeverteilung f, Windseespektrum n, Windwellenspektrum n	distribution f des vagues d'origine éolienne, spectre m des vagues [d'origine éolienne]	распределение ветрового волнения, спектр морских волн
W 362	wave steepness, steepness of wave edge	Wellensteilheit f, Steilheit f der Wellenflanke	raideur f du front d'onde	крутизна волны, крутизна фронта волны
	wave surface, ray surface, ray velocity surface	Strahlenfläche f, Wellenfläche f	surface f de rayon, surface des vitesses de rayon, surface f d'onde	лучевая поверхность, поверхность лучевых скоростей, поверхность волны
W 363	wave surface	s. a. wave front		
W 363	wave tail	Wellenschwanz m	queue f d'onde	хвост волны
W 364	wave tank	Wellenwanne f, Wellentank m	bassin m d'ondes	бассейн для изучения волнения
	wave theory, wave science	Wellenlehre f, Wellentheorie f	théorie f des ondes	учение о волнах, теория волн
W 365	wave theory of light, undulation (undulatory) theory of light, Huyghens['] undulation theory	Wellentheorie f des Lichtes [von Huygens], Undulationstheorie f, Lichttheorie f von Huygens	théorie f ondulatoire [de la lumière]	волновая теория [света]
W 366	wave theory of matter	Wellentheorie f der Materie	théorie f ondulatoire de la matière	волновая теория вещества
W 367	wave tilt	Wellenfrontwinkel m	angle m du front d'onde	угол фронта волны
W 368	wave train, train of waves, pulse of waves, pulse train	Wellenzug m, Schwingungszug m	train m d'ondes, série f d'ondes	группа волн, серия волн, цуг волн, цепь волн
	wave train	s. a. pulse train		
W 369	wave trajectory, wave path	Wellenbahn f	trajectoire f de l'onde, chemin m de l'onde	траектория волны, путь волны
	wave trap	s. absorption circuit <el.>		
	wave trough, trough [of the wave]	Wellental n	creux m de la vague, creux de l'onde, point m bas de l'onde	впадина волны, подошва волны, ложбина волны
	wave tube, travelling-wave tube, travelling-wave-type wave tube	Lauffeldröhre f, Wanderfeldröhre f, „travelling-wave"-Röhre f	tube m à propagation d'onde, tube à onde progressive, T.P.O.	лампа бегущей волны, лампа с бегущей волной, ЛБВ
W 370	wave-type dynamometer, wave dynamometer	Wellendynamometer n	dynamomètre m à onde	волновой динамометр
	wave-type microphone	s. tubular microphone		
W 371	wave vector, wave number vector	Wellenzahlvektor m, Wellenvektor m	vecteur m d'onde, vecteur de nombre d'onde	волновой вектор
	wave vector	s. a. circular wave vector		
	wave-vector space, k-space	k-Raum m, Wellenzahlvektorraum m, Wellenvektorraum m, Wellenzahlraum m	espace m k, espace vecteur d'onde	k-пространство, пространство волновых векторов
	wave velocity	s. phase velocity		
	wave velocity surface, normal surface, wave-normal surface	Normalenfläche f, Wellennormalenfläche f, Wellenfläche f, Wellengeschwindigkeitsfläche f	surface f des normales [d'onde]	поверхность фронта волны, поверхность нормалей, поверхность нормальных скоростей
W 372	wave-wound coil	Wellenspule f	bobine f à enroulement ondulé	волновая катушка, катушка с волновой намоткой
	wave zone	s. radiation zone		
W 373	waviness, ripple	Welligkeit f	ondulation f	волнистость
W 374	waviness in glass, internal waviness of glass	Schlieren fpl im Glas, Glasschlieren fpl	ondes fpl du verre	свили в стекле, наличие свилей в стекле
	waving, undulatory, undulating, undular, in waves	wellenförmig, wellenartig	ondulatoire; ondulé; ondoyant	волнообразный; волнистый
	wax block [photometer], Joly block photometer, Joly block screen	Joly-Photometer n, Jolysches Photometer n	photomètre m de Joly	фотометр Джоли
W 375	waxed paper	Wachspapier n, Wachsschichtregistrierpapier n	papier m ciré	восковая бумага, бумага со слоем воска [для самопишущего прибора]
W 376	waxed paper recorder	Wachsschreiber m, Wachspapierschreiber m	enregistreur m sur papier ciré	самопишущий прибор с записью на восковой бумаге
W 377	waxing moon	zunehmender Mond m	lune f croissante	нарастающая луна
W 378	wax phantom	Wachsphantom n	fantôme m en cire, fantôme de cire	восковой фантом
	way, trajectory, path, pathway, path line, flight path	Bahn f, Bahnkurve f, Bahnlinie f, Flugbahn f, Trajektorie f	trajectoire f, trajectoire de vol; chemin m	траектория; траектория полета; путь

№	English	German	French	Russian
W 379	**Wayne-Kerr universal bridge**	Wayne-Kerrsche Universalmeßbrücke f, Wayne-Kerr-Universalbrücke f	pont m universel de Wayne-Kerr	универсальный мост Уейна-Керра
W 380	**way of hail squall**	Hagelstraße f	chemin m de la rafale de grêle	путь шквала с градом
W 381	**Way-Wigner formula**	Way-Wigner-Formel f, Formel f von Way und Wigner	formule f de Way et Wigner	формула Вея-Вигнера
	Wb	s. weber		
W 382	**W band** <≈ 0,5 cm>	W-Band n <≈ 0,5 cm>	gamme f W [d'ondes], bande f W [d'ondes] <≈ 0,5 cm>	диапазон W [волн] <порядка 0,5 см>
W 383	**W-boson**, intermediate vector boson	W-Boson n, schweres Boson	boson m W	W-бозон
W 384	**weak absorption**	schwache Absorption f	absorption f faible	слабое поглощение
W 385	**weak acid**	schwache Säure f	acide m faible	слабая кислота
W 386	**weak base**	schwache Base f	base f faible	слабое основание, слабая щелочь
	weak concentration	s. low concentration		
	weak convergence	s. convergence in probability		
	weak coupling, loose coupling, undercritical coupling <el.>	lose Kopplung f, unterkritische Kopplung <El.>	couplage m faible (lâche), accouplement m lâche, couplage sous-critique <él.>	слабая связь, связь ниже критической <эл.>
W 387	**weak coupling**, normal coupling <nucl.>	schwache Kopplung f, normale Kopplung <Kern.>	couplage m faible, couplage normal <nucl.>	слабая связь, нормальная связь <яд.>
W 388	**weak current**, feeble current, low-voltage low current, low current	Schwachstrom m; niedriger Strom m, geringer Strom, schwacher Strom	courant m faible, courant de faible intensité	слабый ток
W 388a	**weak discontinuity**	schwache Unstetigkeit f	discontinuité f faible	слабый разрыв
W 389	**weak electrolyte**	schwacher Elektrolyt m	électrolyte m faible	слабый электролит
	weakened	s. smeared		
	weakening (of cross-section)	s. contraction <mech.>		
W 390	**weak extremum**	schwaches Extremum n	extrémum m faible	слабый экстремум
W 391	**weak focusing**, constant-gradient focusing, CG focusing	schwache Fokussierung f	focalisation f faible, faible focalisation	мягкая фокусировка, слабая фокусировка
W 392	**weak interaction**	schwache Wechselwirkung f, schwache Kraft f, atonische Wechselwirkung	interaction f faible	слабое взаимодействие
W 393	**weak lens**	schwache Linse f	lentille f faible	малосветосильная линза
W 394	**weak limit**	schwacher Limes m	limite f faible	слабый предел
W 395	**weak line**	schwache Linie f	raie f faible	слабая линия
W 395a	**weakly acid**	schwachsauer	faiblement (peu) acide	слабокислый
	weak magnetic field, low magnetic field	schwaches Magnetfeld n	champ m magnétique faible	слабое магнитное поле
	weak point, trouble spot, weak spot	Schwachstelle f	point m d'usure	ослабленное место, точка ослабления
W 396	**weak shock**	schwacher Verdichtungsstoß m	choc m faible	слабый скачок уплотнения
W 397	**weak shock wave**, weak wave	schwache Stoßwelle (Welle) f	onde f de choc faible, onde faible	слабая ударная волна
W 397a	**weak solution** <chem.>	schwache Lösung f <Chem.>	solution f faible <chim.>	слабый раствор <хим.>
	weak spot, trouble spot, weak point	Schwachstelle f	point m d'usure	ослабленное место, точка ослабления
W 398	**weak topology**	schwache (minimale) Topologie f	topologie f faible (affaiblie)	слабая топология
	weak wave, weak shock wave	schwache Stoßwelle (Welle) f	onde f de choc faible, onde faible	слабая ударная волна
W 399	**wear**, wear and tear, wearing, scuffing	Verschleiß m; Abtragung f; Abnutzung f	usure f	износ; изнашивание; срабатывание; амортизация
W 400	**wearability**, wearing capacity	Verschleißfähigkeit f, Verschleißbarkeit f, Abnutzbarkeit f; Verschleißkraft f	pouvoir m d'usure	изнашиваемость, изношенность
	wearability, degree of wear	Verschleißgrad m, Grad m des Verschleißes, Abnutzungsgrad m	degré m d'usure	степень износа
	wear and tear	s. wear		
	wear by fatigue, fatigue wear	Ermüdungsverschleiß m	usure f par fatigue	износ (изнашивание) от усталости
W 401	**wear by impacts**, impact wear, brinelling	Stoßverschleiß m	usure f par chocs	износ ударами, ударный износ, износ толчками
	wear by rolling [motion], rolling wear	Rollverschleiß m, rollender Verschleiß m	usure f par roulement	износ при качении, изнашивание при качении
	wear due to slip	s. sliding wear		
	wearing	s. wear		
	wearing-away	s. weathering		
	wearing capacity, wearability	Verschleißfähigkeit f, Verschleißbarkeit f, Abnutzbarkeit f; Verschleißkraft f	pouvoir m d'usure	изнашиваемость, изношенность
W 402	**wearing detail, wearing element**, wearing part	Verschleißteil n (m)	élément m d'usure, pièce f d'usure	быстроизнашивающаяся (изнашивающаяся, поддержанная износу) деталь

	English	German	French	Russian
W 403	**wearing layer**	Verschleißschicht f	couche f d'usure [rapide]	быстроизнашивающийся слой
W 404	**wearing-off, wearing-out** <of bearing>	Auslaufen n <Lager>	usure f <du coussinet>	изнашивание, выплавление <подшипника>
	wearing part, wearing element, wearing detail	Verschleißteil n (m)	élément m d'usure, pièce f d'usure	быстроизнашивающаяся (изнашивающаяся, поддержанная износу) деталь
W 405	**wearing rate**	Verschleißgeschwindigkeit f	vitesse f d'usure	скорость изнашивания, скорость износа
W 406	**wear resistance,** resistance to wear, resistance to abrasion	Verschleißfestigkeit f, Verschleißbeständigkeit f; Verschleißwiderstand m	résistance f à l'usure	износоустойчивость, износостойкость, прочность на износ; сопротивление износу (изнашиванию)
W 407	**weather;** atmospheric conditions, meteorologic conditions, weather conditions	Wetter n; Witterung f, Wetterbedingungen fpl, Wetterverhältnisse npl, Witterungsverhältnisse npl	temps m; conditions fpl météorologiques, conditions atmosphériques	погода; метеорологические условия, синоптическое положение, режим погоды
W 408	**weather analysis,** synoptic analysis, synoptic situation analysis	Wetteranalyse f	analyse f synoptique, analyse de temps	анализ погоды, синоптический анализ, анализ синоптического положения
	weather broadcast	s. weather report		
	weather chart	s. synoptic map <meteo.>		
	weather[]cock	s. wind vane		
	weather code, synoptic code	Wetterkode m, Wettercode m, Wetterschlüssel m	code m synoptique	синоптический код
	weather conditions	s. weather		
W 409	**weathered layer,** decomposed layer	Verwitterungsschicht f	couche f altérée (décomposée)	выветрившийся слой
	weather element	s. meteorological element		
	weather-eye satellite	s. weather satellite		
	weather factor	s. meteorological element		
	weather[]flag	s. wind vane		
W 410	**weather forecast,** weather prognosis	Wettervorhersage f, Wetterprognose f	prévision f du temps, prognostic m du temps	прогноз погоды, предсказание погоды
W 411	**weather-induced**	wetterbedingt	provoqué (induit) par le temps	обусловленный погодой
	weather information	s. weather report		
W 412	**weathering,** wearing-away, alteration, disintegration, decomposition, decay <geo.>	Verwitterung f <Geo.>	désagrégation f, altération f, décomposition f <géo.>	выветривание <гео.>
W 413	**weathering by dissolution [of salts]**	Lösungsverwitterung f	altération f par dissolution [de sels]	выветривание растворением [солей]
W 414	**weathering by oxidation,** oxidative weathering	Oxydationsverwitterung f	altération f par oxydation	окислительное выветривание, выветривание воздействием атмосферного кислорода
W 415	**weathering due to salt crystallization**	Salzsprengung f, Salzverwitterung f	désagrégation f due à la cristallisation des sels	выветривание, вызываемое кристаллизацией солей
	weathering factors, active constituents of the atmosphere	Atmosphärilien pl	composantes fpl actives de l'atmosphère	активные составные части атмосферы <участвующие в процессах окисления, дыхания и т. д.>
	weathering of the walls, wall weathering	Wandverwitterung f	altération f des parois	стенное выветривание
W 415a	**weather key day**	Schlüsseltag m	jour m clef (clé), jour-clef m	опорный день
W 416	**weather limit,** meteorological limit, meteorological divide	Wetterscheide f	limite f météorologique	метеорологический раздел, линия раздела между областями с разной синоптической ситуацией
	weather map	s. synoptic map <meteo.>		
W 417	**weather maxim**	Wetterregel f, Wetterspruch m	règle f météorologique	примета о погоде
	weather message	s. weather report		
W 417a	**weathermometer**	Verwitterungsmesser m	appareil m à mesurer les altérations	везерометр, измеритель выветривания
	weather of ionosphere, ionospheric weather	Ionosphärenwetter n	temps m ionosphérique	погода ионосферы
W 418	**weather outlook;** tendency <meteo.>	Wetteraussichten fpl, Aussichten fpl; Tendenz f <Meteo.>	perspectives fpl du temps; tendance f <météo.>	перспективы погоды; тенденция <метео.>
	weather phenomenon	s. meteorologic phenomenon		
	weather prognosis, weather forecast	Wettervorhersage f, Wetterprognose f	prévision f du temps, prognostic m du temps	прогноз погоды, предсказание погоды
W 419	**weather[-]proof,** weather-tight, weather-resistant, resistant to weathering, resistant to atmospheric conditions (corrosion)	wetterfest, wetterbeständig, witterungsbeständig	résistant aux influences atmosphériques, résistant aux intempéries	атмосферостойкий, погодостойкий, устойчивый против действия атмосферных влияний, устойчивый (стойкий) против атмосферных влияний, устойчивый против атмосферного воздействия, стойкий к атмосферным влияниям

W 420	**weather[-]proof**	verwitterungsbeständig	résistant aux altérations	устойчивый против выветривания
W 421	**weather radar**	Wetterradar n; Regen-radar n	radar m météorologique	метеорологическая радиолокационная станция, метеорологический радиолокатор, радиолокационная метеоустановка
W 421 a	**weather reconnaissance**	Wettererkundung f	reconnaissance f du temps	разведка погоды
W 422	**weather report; weather information, weather message; weather broadcast**	Wetterbericht m; Wettermeldung f, Wetternachricht f	bulletin m météorologique; information f météorologique	бюллетень погоды; сообщение о погоде; метеорологическая сводка, сводка погоды
	weather-resistant	s. weather[-]proof		
W 423	**weather satellite,** weather-eye satellite, meteorological satellite	Wettersatellit m, Wetterbeobachtungssatellit m	satellite m d'observation météorologique, satellite météorologique	метеорологический спутник, спутник для метеорологических наблюдений
W 424	**weather ship,** meteorological ship	Wetterbeobachtungsschiff n, Wetterschiff n	navire m météorologique, navire d'observation météorologique	метеорологическое судно, плавучая метеорологическая станция
W 425	**weather-side flow**	Luvströmung f	écoulement m au vent	течение на наветренной стороне
W 426	**weather-side vortex,** windward eddy (vortex)	Luvwirbel m	tourbillon m au vent, tourbillon du côté au vent	вихрь с наветренной стороны, наветренный вихрь
W 427	**weather-side wave,** windward wave	Luvwelle f	onde f du côté au vent, onde au vent	волна на наветренной стороне, наветренная волна
W 428	**weather-side wave equation**	Luvwellengleichung f	équation f pour les ondes du côté au vent	уравнение наветренных волн
W 429	**weather symbol**	Wettersymbol n, Wetterzeichen n	symbole m météorologique	метеорологический символ
	weather-tight	s. weather[-]proof		
	weather[]vane	s. wind vane		
W 429a	**weave,** interline flicker	Zwischenzeilenflimmern n, Zwischenlinienflimmern n, Zeilenflimmern n	papillotement m d'interligne	меж[ду]строчное мерцание (мелькание), мерцание (мелькание) строк
W 430	**weber,** volt-line, volt-second, Wb, Vs	Weber n, Voltsekunde f, Wb, Vs	weber m, volt-seconde m, Wb, Vs	вебер, вольт-секунда, вб, Wb, в·сек, V·s
	Weber['s] Bessel function of the second kind	s. Neumann['s] function		
	Weber['s] differential equation	s. differential equation of the parabolic cylinder function		
W 431	**Weber-Fechner['s] law**	Weber-Fechnersches Gesetz n, Weber-Fechnersches Grundgesetz n, Empfindungsgesetz n, psychophysisches Grundgesetz	loi f de Weber et Fechner	закон Вебера-Фехнера
	Weber['s] function	s. Neumann['s] function		
W 432	**Weber['s] law**	Webersches Gesetz n	loi f de Weber	закон Вебера
W 433	**Weber['s] law of similarity,** Weber['s] similarity law	Webersches Ähnlichkeitsgesetz n	loi f de similitude de Weber	закон подобия Вебера
W 434	**Weber['s] number,** Weber similarity number, W	Webersche Zahl f, Weber-Zahl f, Webersche Kennzahl f, Webersche Ähnlichkeitszahl f, W	nombre m de Weber, nombre de la similitude de Weber, W	число Вебера, число подобия Вебера, W
W 435	**Weber['s] photometer,** Weber['s] tube photometer	Tubusphotometer n [von Weber], Weber-Photometer n, Webersches Photometer n, Webersches Flächenphotometer n, Flächenphotometer [nach Weber]	photomètre m de Weber, photomètre à tube de Weber	фотометр Вебера, тубусный фотометр Вебера
W 436	**Weber['s] rule**	Webersche Regel f	règle f de Weber	правило Вебера
	Weber['s] similarity law, Weber['s] law of similarity	Webersches Ähnlichkeitsgesetz n	loi f de similitude de Weber	закон подобия Вебера
	Weber similarity number, Weber['s] number, W	Webersche Zahl f, Weber-Zahl f, Webersche Kennzahl f, Webersche Ähnlichkeitszahl f, W	nombre m de Weber, nombre de la similitude de Weber, W	число Вебера, число подобия Вебера, W
W 437	**Weber['s] transform[ation]**	Webersche Transformation f	transformation f de Weber	преобразование Вебера
	Weber['s] tube photometer	s. Weber['s] photometer		
	web member	s. diagonal member		
	web network	s. lattice <mech.>		
W 438	**Weddle['s] rule [for numerical quadrature]**	Weddlesche Regel f	règle f de Weddle	формула Уэддля, правило Уэддля
W 439	**wedge,** optical wedge, wedge interferometer <opt.>	Keil m, optischer Keil <Opt.>	coin m, coin optique <opt.>	клин, оптический клин <опт.>
	wedge, neutral wedge, grey wedge	Graukeil m, Neutralkeil m, Keil m	coin m neutre, coin photométrique, coin gris, coin gris-neutre, coin	нейтральный клин, серый клин; градационный клин <тв.>
W 440	**wedge compensator**	Drehkeilpaar n, Herschelsches Doppelprisma n, Herschel-Prisma n, Keilkompensator m, Diasporameter n	compensateur m à coin	компенсатор с оптическим клином

	English	German	French	Russian
W 441	wedge constant	Keilkonstante f, Steilheit f des Keils	constante f du coin	константа (постоянная) клина
W 442	wedge densitometer	Keilschwärzungsmesser m, Keildensitometer n	densitomètre m à coin [neutre]	клиновой денситометр
W 443	wedge dislocation	Keilversetzung f	dislocation f en coin	клиновая дислокация
W 444	wedge drawing test, Sachs' drawing test	Keilziehversuch m [nach Kayseler-Sachs]	essai m Sachs, essai Kayseler-Sachs	испытание по Саксу, испытание на вытяжку по Саксу
W 445	wedge exposure meter, grey-wedge exposure meter	Keilbelichtungsmesser m	posemètre m à coin [neutre]	клиновой экспонометр
W 446	wedge filter	Keilfilter n	filtre m en coin	клин-фильтр, клинообразный фильтр
	wedge interferometer	s. wedge <opt.>		
	wedge-like	s. wedge-shaped		
W 447	wedge micrometer	Keilmikrometer n	micromètre m à coin [neutre]	клиновой микрометр, микрометр с оптическим клином
	wedge of cold air, cold air wedge	Kaltluftkeil m	coin m d'air froid	клин холодного воздуха
W 448	wedge of high pressure	Hochdruckkeil m	coin m de haute pression, coin anticyclonique	клин высокого давления
	wedge of warm air, warm air wedge	Warmluftkeil m	coin m d'air chaud	клин теплого воздуха
W 449	wedge photometer	Keilphotometer n <Astr.>; Graukeilphotometer n	photomètre m à coin [neutre]	клиновой фотометр
	wedge plate, wedge-shaped plate	Keilplatte f	lame f coin	клинообразная пластина
	wedge product	s. outer product		
W 450	wedge rangefinder, wedge telemeter	Keilentfernungsmesser m	télémètre m à coin [neutre]	клиновой дальномер, дальномер с оптическим клином
W 451	wedge sensitometer	Keilsensitometer n	sensitomètre m à coin [neutre]	клиновой сенситометр
W 452	wedge-shaped, wedge-like	keilförmig, Keil-	en coin, en forme de coin, à coin, cunéiforme	клиновидный, клинообразный
W 453	wedge-shaped, sphenoid[al] <cryst.>	keilförmig, sphenoid[al], sphenoidisch <Krist.>	en forme de coin, en coin, sphénoïdal <crist.>	клиновидный <крист.>
	wedge-shaped étalon, Rasmussen étalon	Keiletalon m [nach Rasmussen]	étalon m Rasmussen, coin m étalon	клиновидный эталон
W 454	wedge-shaped layer of air, lame étalon, Fabry-Pérot étalon, air wedge	Lame-étalon f, ,,lame étalon" f, Luftkeil m, keilförmige Luftschicht f, [keilförmige] Luftplatte f, Fabry-Pérot-Etalon m	lame f étalon, lame-étalon f, coin m d'air, étalon m de Fabry-Pérot	эталон Фабри-Перо, пластинка-эталон, воздушный клин, клиновидный слой воздуха
	wedge-shaped multilayer dielectric interference filter	s. graded interference filter		
W 455	wedge-shaped plate, wedge plate	Keilplatte f	lame f coin	клинообразная пластина
W 456	wedge-shaped shutter, wedge shutter, wedge-type shutter	Keilblende f; Keilverschluß m	obturateur m à coin	клиновидный обтюратор; клиновой затвор
W 457	wedge slit	Keilspalt m, keilförmiger Spalt m	fente f en (à) coin	клиновидный зазор
W 458	wedge spectrogram	Keilspektrogramm n	spectrogramme m à coin	спектрограмма, снятая с помощью клинообразного фильтра
W 459	wedge spectrograph, Seemann spectrograph, edge spectrograph	Graukeilspektrograph m, Keilspektrograph m, [Seemannscher] Schneidenspektrograph m, Seemann-Spektrograph m	spectrographe m à coin [de Seemann]	клиновой спектрограф [по Зееману]
	wedge telemeter	s. wedge rangefinder		
	wedge-type shutter, wedge shutter, wedge-shaped shutter	Keilblende f; Keilverschluß m	obturateur m à coin	клиновидный обтюратор; клиновой затвор
	wedging, fastening with wedges, keying	Verkeilen n	calage m, clavetage m	заклинивание, закрепление клиньями
	wedging; invasion; irruption <meteo.>; intrusion	Einbruch m; Durchbruch m <Meteo.>	invasion f; intrusion f <météo.>	вторжение; прорыв <метео.>
W 460	weekly dose	Wochendosis f, wöchentliche Dosis f	dose f par semaine, dose hebdomadaire	доза за неделю, недельная доза
W 461	weekly thermogram	Wochenthermogramm n	thermogramme m par semaine, thermogramme hebdomadaire	недельная термограмма, термограмма за неделю
	weeping-out	s. dropwise condensation		
	Wegener['s] theory of continental drift	s. continental drift theory		
W 462	Wehnelt cathode, Wehnelt electrode	Wehnelt-Katode f, Wehnelt-Elektrode f	cathode f de Wehnelt, électrode f de Wehnelt	катод Венельта, электрод Венельта
	Wehnelt control grid, Wehnelt cylinder	s. modulator		
	Wehnelt electrode, Wehnelt cathode	Wehnelt-Katode f, Wehnelt-Elektrode f	cathode f de Wehnelt, électrode f de Wehnelt	катод Венельта, электрод Венельта
	Wehnelt grid	s. modulator		
	Wehnelt interrupter, electrolytic interrupter	elektrolytischer Unterbrecher m, Wehnelt-Unterbrecher m	interrupteur m électrolytique, interrupteur de Wehnelt	электролитический прерыватель, прерыватель Венельта
	Wehnelt modulator	s. modulator		
W 463	Weibull distribution	Weibull-Verteilung f	distribution f de Weibull	распределение Вейбулла [и Рэлея]
W 463a	Weierstrass['] approximation theorem	Weierstraßscher Approximationssatz m	théorème m de Weierstrass	теорема Вейерштрасса

	English	German	French	Russian
W 464	**Weierstrass['] comparison test,** Weierstrass M-test [for uniform convergence], Weierstrass['] test for convergence	Weierstraßsches Vergleichskriterium n	critère m de comparaison de Weierstrass	критерий сравнения Вейерштрасса
W 465	**Weierstrass['] condition**	Weierstraßsche Bedingung f	condition f de Weierstraß	условие Вейерштрасса
W 466	**Weierstrass-Erdmann corner condition, Weierstrass-Erdmann vertex condition**	Weierstraß-Erdmannsche Eckenbedingung f	condition f d'Erdmann	условие на углы Вейерштрасса-Эрдмана
	Weierstrass function, Weierstrassian	s. Weierstrassian elliptical function		
	Weierstrassian ℘-function	s. Weierstrassian function ℘		
W 467	**Weierstrassian elliptical function,** Weierstrass function, Weierstrassian	Weierstraßsche p-Funktion f, Weierstraßsche elliptische Funktion f, p-Funktion f	fonction f elliptique, p(z) de Weierstrass	функция Вейерштрасса, эллиптическая функция Вейерштрасса
W 468	**Weierstrassian function ℘,** Weierstrassian ℘-function, ℘-function of Weierstrass	Weierstraßsche ℘-Funktion f, Exzeßfunktion f	fonction f ℘ de Weierstrass, fonction de Weierstrass	функция Вейерштрасса ℘, функция ℘ Вейерштрасса, функция Вейерштрасса
	Weierstrassian sigma-function, sigma-function [of Weierstrass]	Sigmafunktion f [von Weierstraß], Weierstraßsche Sigmafunktion	fonction f sigma [de Weierstrass]	сигма-функция [Вейерштрасса]
	Weierstrass M-test [for uniform convergence]	s. Weierstrass['] comparison test		
W 469	**Weierstrass['] preparation theorem**	Weierstraßscher Vorbereitungssatz m	théorème m de préparation de Weierstrass	подготовительная теорема Вейерштрасса
W 470	**Weierstrass['] quotient test**	Weierstraßsches Quotientenkriterium n	critère m de quotient de Weierstrass	признак Вейерштрасса
	Weierstrass['] test for convergence	s. Weierstrass['] comparison test		
W 471	**Weierstrass['] theorem**	Weierstraßscher Näherungssatz m, Satz m von Caserati-Weierstraß	théorème m de Weierstrass	теорема Сохоцкого, теорема Вейерштрасса
W 472	**Weierstrass['] zeta function,** zeta function [of Weierstrass], ζ function	Weierstraßsche Zeta-Funktion f, Zeta-Funktion [von Weierstraß], ζ-Funktion f	fonction f zéta [de Weierstrass], fonction ζ	дзета-функция [Вейерштрасса], ζ-функция
W 473	**Weigert effect** <phot.>	Weigert-Effekt m, Doppelbrechung f durch Belichtung <Phot.>	effet m Weigert <phot.>	явление Вейгерта, эффект Вейгерта <фот.>
	weighable, ponderable	wägbar	pondérable	весомый, взвешиваемый
	weigh bridge	s. weighing bridge		
	weighed amount	s. amount weighed		
	weighed quantity	s. amount weighed		
W 474	**weighing**	Wägung f, Wägen n	pesée f, pesage m	взвешивание; навеска, фасовка
	weighing bottle	s. pyknometer		
W 475	**weighing bridge,** weigh bridge, bridge scale, platform scale (balance)	Brückenwaage f	bascule f	мостовые весы; весовая платформа
	weighing by substitution	s. substitution Borda weighing		
	weighing dish	s. scale		
W 476	**weighing error**	Wägefehler m, Wägungsfehler m	erreur f de pesée	ошибка взвешивания
W 477	**weighing glass**	Wägeglas n, Wägegläschen n	pèse-filtres m	бюкс[а], весовой стаканчик, стеклянный стаканчик для взвешивания
W 478	**weighing[-] machine,** weighing table	Tafelwaage f, Roberval-Waage f	balance f de Roberval	настольные весы
	weighing scale, scale, pan, scale pan, weighing dish, dish [of the scales]	Waagschale f, Waageschale f	plateau m [de la balance], bassin m [de la balance]	чашка [весов], чашечка [весов]; тарелка [весов]
	weighing table, weighing[-] machine	Tafelwaage f, Roberval-Waage f	balance f de Roberval	настольные весы
W 479	**weight,** balancing weight	Gewichtsstück n, Massenstück n, Gewicht n	poids m	гиря, гирька, вес
W 480	**weight** <for Lie group>	Gewicht n <für Liesche Gruppen>	poids m <pour les groupes de Lie>	вес <для групп Ли>
W 481	**weight** <mech.>	Gewicht n <Mech.>	poids m <méc.>	вес <мех.>
	weight, weighting function, weight function	Gewichtsfunktion f, Gewicht n, Belegungsfunktion f, Belegung f; Einflußfunktion f <Opt.>	fonction f de pondération, fonction de poids, poids m	весовая функция, вес
	weight	s. a. degree of degeneracy		
	weight	s. a. sinker		
W 482	**weight after vibration,** vibrational weight	Rüttelgewicht n	poids m après la vibration	вес после встряхивания
W 483	**weight areometer,** weight hydrometer, constant displacement hydrometer	Gewichtsaräometer n	aréomètre m à poids	ареометр постоянного объёма
W 483a	**weight average molecular weight**	Gewichtsmittel n des Molekulargewichts	masse f moléculaire moyenne en (par) poids, poids m moléculaire moyen en (par) poids	средневзвешенный молекулярный вес, взвешенное среднее значение молекулярного веса
	weight barometer, gravity barometer	Waagenbarometer n	baromètre m à gravité, baromètre à poids	весовой барометр
	weight by volume	s. weight per unit volume		
	weight concentration	s. mass concentration		

	English	German	French	Russian
	weight content, mass content, content by mass, content by weight	Gehalt m in Masseeinheiten, Masse[n]gehalt m, Gewichtsgehalt m	teneur f en masse, teneur en poids	массосодержание, содержание по массе, содержание по весу
W 484	**weight coulometer,** weight voltameter, mass coulometer (voltameter)	Massencoulometer n, Massenvoltameter n, Gewichtscoulometer n, Gewichtsvoltameter n	voltamètre m à poids, coulombmètre m à poids	весовой кулометр, весовой вольтаметр, массовый кулометр, массовый вольтаметр
W 485	**weight diagram**	Gewichtsdiagramm n	diagramme m des poids	диаграмма весов
W 486	**weighted arithmetic average, weighted average, weighted mean**	gewogenes Mittel n, allgemeines arithmetisches Mittel, gewogener Mittelwert m, Gewichtsmittel n, gewichtetes Mittel	moyenne f pondérée, moyenne corrigée, moyenne par poids	среднее взвешенное, средневзвешенное, взвешенное среднее
W 487	**weight factor,** weighting factor, weighting coefficient	Gewichtsfaktor m, Gewicht n, Wichtungsfaktor m; Wägungsfaktor m <Stat.>	facteur m de pondération, coefficient m de pondération, poids m	весовой множитель, весовой коэффициент, взвешивающий коэффициент, вес
	weight flow (rate)	s. mass flow <mass per unit time>		
	weight fraction, mass fraction, mass ratio, weight ratio	Massenbruch m, Masseanteil m, Massefraktion f, Gewichtsanteil m, Gewichtsfraktion f, Gewichtsprozentsatz m	fraction f massique, fraction en masse, fraction en poids	весовая доля, весовая фракция, массовое соотношение, весовое соотношение
	weight function, loss function <stat.>	Verlustfunktion f <Stat.>	fonction f de perte <stat.>	функция потерь, весовая функция <стат.>
	weight function	s. a. weighting function		
	weight hygrometer	s. weight aerometer		
W 488	**weight hygrometer**	Gewichtshygrometer n	hygromètre m à poids	весовой гигрометр
W 489	**weighting**	Wichtung f	pondération f	взвешивание
	weighting coefficient, weighting factor	s. weight factor		
W 490	**weighting function,** weight function, weight	Gewichtsfunktion f, Gewicht n, Belegungsfunktion f, Belegung f; Einflußfunktion f <Opt.>	fonction f de pondération, fonction de poids, poids m	весовая функция, вес
	weighting function [of system]	s. a. unit[-] impulse response		
W 491	**weightless,** imponderable, agravic	schwerelos	impondérable, sans pesanteur	невесомый
	weightless, imponderable, unponderable, unweighable	unwägbar [gering], Spuren-; gewichtslos	impondérable, non pondérable; sans poids, de poids négligeable	невесомый, ничтожный
	weightlessness	s. absence of gravity		
W 492	**weight matrix**	Gewichtsmatrix f	matrice f des poids	весовая матрица
W 492a	**weight-median aerodynamic diameter**	gewichtsmedianer aerodynamischer Durchmesser m, Gewichts-MAD m	diamètre m aérodynamique médian en poids	средневзвешенный аэродинамический диаметр
W 493	**weight number**	Gewichtszahl f	nombre m de poids	весовое число
W 494	**weight of structure**	Strukturgewicht n	poids m de structure	вес структуры, структурный вес
W 495	**weight of the observation**	Gewicht n der Beobachtung	poids m de l'observation	вес наблюдения
W 496	**weight of the tensor**	Gewicht n des Tensors	poids m du tenseur	вес тензора
	weight per cent, mass per cent, mass %, wt.%	Masseprozent n, Gewichtsprozent n, Masse-%, Masse%, Gew.-%, Gew.%	pour cent m en masse, pour cent en poids, % en masse, % en poids	весовой процент, процент по весу, весовой %, вес. %, % вес.
	weight per cents	s. percentage by mass		
	weight per unit length	s. mass per unit length		
W 497	**weight per unit volume,** weight by volume, unit (volumetric, volume, bulk) weight	Rohdichte f, Raumgewicht n [ohne Wasser]	poids m par unité de volume, poids unitaire, poids spécifique apparent, poids apparent	объемный вес, вес единицы объема
W 497a	**weight pressure**	Gewichtsdruck m <Glied ρz in der Bernoullischen Gleichung>	pression f de poids	весовое давление
	weight ratio	s. weight fraction		
W 498	**weight thermometer**	Überlaufthermometer n	thermomètre m à poids	весовой термометр
	weight-to-thrust ratio, mass-to-thrust ratio	Masse-Schub-Verhältnis n	rapport m masse/poussée, rapport poids/poussée	удельная нагрузка на тягу, удельный тяговый вес
	weight voltameter	s. weight coulometer		
W 499	**Weimarn equation / Von**	von Weimarnsche Gleichung f	équation f de von Weimarn	уравнение фон-Веймарна, формула фон-Веймарна
W 500	**Weingarten['s] theorem** <first or second>	Weingartenscher Satz m, Satz von Weingarten <erster oder zweiter>	théorème m de Weingarten <premier ou deuxième>	теорема Вайнгартена <первый или второй>
W 501	**Weinland effect** <phot.>	Weinland-Effekt m <Phot.>	effet m Weinland <phot.>	явление Вайнлянда, эффект Вайнлянда <фот.>
W 501a	**Weinstein bound** <for eigenvalues>	Weinsteinsche Schranke f	borne f de Weinstein	грань Вайнштейна
W 502	**Weinstein['s] theorem**	[Krylow-Bogoljubow-] Weinsteinscher Einschließungssatz m	théorème m de Weinstein	теорема Крылова-Боголюбова-Вайнштейна
W 503	**weir**	Wehr n, Wasserwehr n; Überfall m, Wasserüberfall m	barrage m; déversoir m	плотина; водослив, водосливная преграда; перелив
	weir, measuring weir, measurement weir, notched weir	Meßüberfall m, Meßwehr n, Wehr n	déversoir m de mesure, déversoir à échancrure, déversoir	мерный водослив, измерительный водослив, гидрометрический водослив, водослив с вырезом

	weir	s. dam		
	weir crest, crest of the weir, crest of the dam, dam crest	Wehrkrone f, Dammkrone f, Sperrmauerkrone f, Bekrönung f	crête f du barrage, crête du déversoir	гребень плотины
W 504	**weir equation,** formula of discharge over weir	Überfallgleichung f, Wehrformel f	équation f de déversoir	уравнение расхода через водослив, формула расхода через плотину
	weir height, height of weir	Wehrhöhe f, Dammhöhe f, Höhe f der Dammkrone	hauteur f du barrage	высота плотины
	weir with free fall	s. free weir		
	weir with lifting gates, dam with lifting gates	Schützenwehr n	barrage m à pannes levantes, barrage à hausses	щитовая плотина, плотина с подъемными щитами
	Weiss constant	s. paramagnetic Curie point [of temperature]		
	Weiss['] domain	s. ferromagnetic domain <magn.>		
W 505	**Weissenberg camera,** Weissenberg goniometer, Weissenberg photogoniometer	Weissenberg-Goniometer n, Weissenberg-Böhm-Goniometer n, Röntgengoniometer n nach Weissenberg[-Böhm], Weissenberg-Kammer f, Weissenberg-Kamera f	chambre f de Weissenberg, appareil m de Weissenberg, goniomètre m de Weissenberg	рентгеновский гониометр типа Вайсенберга, камера Вайсенберга
W 506	**Weissenberg effect**	Weissenberg-Effekt m	effet m Weissenberg	эффект Вайсенберга
	Weissenberg goniometer	s. Weissenberg camera		
W 507	**Weissenberg['s] method**	Weissenberg-Böhm-Verfahren n, Weissenberg-[Böhm-]-Methode f, Weissenbergsche Methode f, Weissenbergsches Verfahren n	méthode f de Weissenberg [-Bœhm]	метод Вайсенберга, метод Вейсенберга
	Weissenberg pattern	s. Weissenberg photograph		
	Weissenberg photogoniometer	s. Weissenberg camera		
W 508	**Weissenberg photograph,** Weissenberg pattern	Weissenberg-Aufnahme f, Weissenberg-Diagramm n	diagramme m de Weissenberg	вайсенбергограмма, вейсенбергограмма
	Weiss field	s. Weiss internal field		
	Weiss field constant	s. molecular field coefficient		
W 509	**Weissfloch['s] transformer theorem**	Übertragertheorem n von Weissfloch, Weissflochsches Übertragertheorem	théorème m de Weissfloch	теорема Вайсфлоха
W 510	**Weiss['] formula**	Weisssche Beziehung f, Weissscher Ansatz m	formule f de Weiss	формула Вейса
	Weiss-Forrer method, method of Weiss and Forrer	Methode f von Weiß und Forrer, Weiß-Forrersche Methode	méthode f de Weiss et Forrer	метод Вейса-Форрера
W 511	**Weiss index**	Weißscher Index m	paramètre m de Weiss, caractéristique f numérique de Weiss	вейсовский параметр, вейссовский параметр
W 512	**Weiss internal field,** Weiss molecular field, molecular field	molekulares [Weissssches] Feld n, inneres [Weisssches] Feld n, inneres Molekularfeld n [nach Weiss], Molekularfeld von Weiss, [Weisssches] Molekularfeld, Weissssches Molekülfeld (Feld, Magnetfeld n)	champ m de Weiss, champ moléculaire de Weiss, champ moléculaire	молекулярное поле Вейса. молекулярное поле, поле Вейса
W 512a	**Weisskopf-Ewing formula**	Weisskopf-Ewing-Formel f	formule f de Weisskopf-Ewing	формула Вайскопфа-Эвинга
W 513	**Weisskopf radius of collision**	Weisskopfscher Stoßradius m	rayon m de collision de Weisskopf	радиус столкновения Вайскопфа
W 514	**Weisskopf unit**	Weisskopf-Einheit f	unité f de Weisskopf	единица Вайскопфа
W 515	**Weiss magneton**	Weisssches Magneton n	magnéton m de Weiss	магнетон Вейса
	Weiss molecular field	s. Weiss internal field		
W 516	**Weiss temperature,** characteristic temperature [of Weiss]	Weiss-Temperatur f, Weisssche Temperatur f, charakteristische Temperatur [von Weiss]	température f de Weiss, température caractéristique [de Weiss]	температура Вейса, характеристическая температура Вейса
	Weiss['] theory [of ferromagnetism], domain theory	Weisssche Theorie f [des Ferromagnetismus], Domänentheorie f	théorie f de Weiss, théorie des domaines, théorie du ferromagnétisme [de Weiss]	теория Вейса, теория ферромагнетизма Вейса, теория доменов
	Weiss zone law	s. zone law		
W 517	**Weizsäcker['s] formula [/ von],** semi-empirical mass formula	Weizsäckersche Formel f [für die Kernbindungsenergie], Weizsäcker-Gleichung f, Weizsäckersche Gleichung f, halbempirische Massenformel f von Weizsäcker, von Weizsäckersche Formel	formule f de Weizsäcker	формула для масс ядер Вейцзекера, полуэмпирическая формула Вейцзекера, формула Вейцзекера
W 518	**Weizsäcker['s] turbulence theory,** turbulence theory, vortex hypothesis	Turbulenztheorie f von Weizsäcker[s], Wirbelhypothese f nach Weizsäcker, Weizsäckersche Wirbelhypothese	théorie f de tourbillons de Weizsäcker	гипотеза К. Вейцзекера, турбулентная гипотеза Вейцзекера
W 519	**Weizsäcker-Williams method**	Weizsäcker-Williamssches Verfahren n, Verfahren von Weizsäcker und Williams	méthode f de Weizsäcker-Williams	метод Вейцзекера-Вильямса
W 520	**weld**	Schweißstelle f, Schweißung f	soudure f	место сварки

W 521	**weld,** joint	Klebstelle *f*	collure *f*, raccord *m*, point *m* de jonction	место склеивания, место склейки, склейка
W 522	**weld decay [phenomenon]**	Schweißversprödung *f*; Korrosion *f* der Schweißnaht	dégradation *f* de soudure	сварное охрупчивание; [межкристаллитная] коррозия в зоне сварного шва
W 523	**welded joint** **welding together,** fusion welding	Schweißverbindung *f* Verschweißen *n* <z. B. beim Verschleiß>	.joint *m*, soudé, sondure *f* soudage *m* par fusion	сварное соединение сварка плавлением, сварка, сваривание, заварка
W 523a	**Welker effect,** magnetic barrier layer effect	Welker-Effekt *m*	effet *m* Welker	эффект Велкера
	well; source; spring <geo.>	Quelle *f* <Geo.>	source *f*, source jaillissante; fontaine *f* <géo.>	источник; источник, бьющий из земли; ключ; родник <гео.>
W 524	**well conducting** **well counter** **well-defined beam,** well-focused beam **well depth**	gut leitend *s.* well-type counter scharf[fokussiert]er Strahl *m* *s.* potential well depth	bon conducteur faisceau *m* bien focalisé	хорошо проводящий хорошо фокусированный пучок
W 525	**well-focused beam,** well-defined beam **well logging**	scharf[fokussiert]er Strahl *m* *s.* borehole logging	faisceau *m* bien focalisé	хорошо фокусированный пучок
W 526	**well model,** potential well model	Potentialtopfmodell *n*	modèle *m* du puits de potentiel	модель потенциальной ямы
W 527	**well-ordered aggregate,** **well ordered-set,** normally ordered aggregate	wohlgeordnete Menge *f*, vollständig geordnete Menge, geordnete Menge, Wohlordnung *f*	ensemble *m* bien ordonné	вполне упорядоченное множество
W 528	**well ordering,** well-ordering relation **well-ordering principle** **well-ordering relation**	Wohlordnung *f* *s.* well ordering statement *s.* well[-]ordering	bon ordre *m*	полная упорядоченность
W 529	**well ordering statement,** **well ordering theorem,** well-ordering principle, Zermelo['s] theorem	Wohlordnungssatz *m* [von Zermelo], Zermeloscher Wohlordnungssatz, Satz *m* von Zermelo	théorème *m* de Zermelo; axiome *m* de Zermelo	теорема о полной упорядоченности [Цермело], теорема Цермело, теорема о полном упорядочении; аксиома полной упорядочиваемости
W 530	**well-posed problem**	korrekt gestelltes Problem *n*, sachgemäßes Problem	problème *m* bien posé	точная задача, хорошо установленная задача
W 531	**well-type counter [tube],** well counter	Zählrohr *n* mit Probenkanal, Bohrlochzähler *m*	tube *m* compteur à cavité, tube compteur à canal [pour échantillon]; détecteur *m* à cavité	счетчик колодезного типа, счетчик с каналом для [помещения] образцов, колодезный счетчик
W 532	**well-type crystal**	Bohrlochkristall *m*	cristal *m* creux, cristal [scintillateur] à canal <pour le logement d'un échantillon>	сцинтилляционный кристалл с каналом, кристалл с каналом <для помещения образцов>
W 533	**Welsbach burner**	Auer-Brenner *m*	bec *m* Auer, brûleur *m* Welsbach	горелка Ауэра
W 534	**Welsbach [gas] light** **Welsbach mantle,** gas mantle, incandescent mantle, mantle	*s.* gas light Auer-Glühkörper *m*, Auer-Strumpf *m*, Glühkörper *m*, Glühstrumpf *m*, Gasglühstrumpf *m*	manchon *m* à incandescence, manchon	[газо]калильная сетка
W 535	**Welton-Smets criterion**	Welton-Smets-Kriterium *n*	critère *m* de Welton-Smets	критерий Велтона-Сметса
W 536	**Weltzeit** **Wendt diagram,** Wendt plot	*s.* Universal time Wendtsches Diagramm *n*, Wendt-Diagramm *n*	diagramme *m* de Wendt	диаграмма Вендта
W 537	**Wenham prism** **Wentzel-Kramers-Brillouin[-Jeffreys] approximation (method)**	Wenham-Prisma *n* *s.* W.K.B. approximation	prisme *m* de Wenham	призма Уенгема
W 537a	**Werner band** **Werner complex,** co-ordination entity; complex compound, complex, co-ordination compound	Werner-Bande *f* Komplexverbindung *f*, Komplex *m*, Koordinationsverbindung *f*	bande *f* de Werner composé *m* complexe, complexe *m*, composé de coordination, coordinat *m*	полоса Вернера комплексное соединение, комплекс, координационное соединение
W 538	**Wernicke [dispersion] prism**	Wernicke-Prisma *n*	prisme *m* de Wernicke	призма Вернике
W 539	**Wertheim['s] equation** **Wessely keratometer,** keratometer	Wertheimsche Gleichung *f* Scheitelabstandsmesser *m*; Wesselysches Keratometer *n*, Keratometer [nach Wessely]	équation *f* de Wertheim kératomètre *m*	уравнение Вертгейма кератометр
	Westcott cross-section	*s.* effective thermal cross-section		
W 540	**west-east flow,** west-east stream	West-Ost-Strömung *f*	courant *m* de l'ouest à l'est	западно-восточное течение
W 541	**west-east velocity**	West-Ost-Geschwindigkeit *f*	vitesse *f* ouest-est, vitesse de l'ouest à l'est	скорость в направлении запад-восток
W 542	**western amplitude,** occasive amplitude	Abendweite *f*	amplitude *f* ouest	западная амплитуда, западное отстояние по горизонту
	Western-European time **western spot**	*s.* Universal time *s.* preceding spot		
W 543	**western synoptic situation**	Westwetterlage *f*, Westlage *f*, Westwetter *n*	situation *f* synoptique occidentale	западная синоптическая ситуация, западное синоптическое положение

W 544	**western twilight arch**	westlicher Dämmerungs-bogen *m*	arc *m* crépusculaire de l'ouest	западная сумеречная дуга
	Weston cell	*s.* Weston normal standard cell		
W 545	**Weston centrifuge**	Weston-Zentrifuge *f*	centrifugeuse *f* de Weston, centrifuge *f* de Weston	центрифуга системы Вестона
W 546	**Weston normal standard cell,** Weston cell, normal standard cell, cadmium standard cell, cadmium cell	Weston-Element *n*, Weston-Normalelement *n*, Weston-Normalzelle *f*, Kadmiumnormal-element *n*, Cadmium-normalelement *n*	pile *f* étalon Weston, pile Weston, étalon *m* en cadmium	нормальный элемент Вестона, эталонный элемент Вестона, элемент Вестона, кадмиевый элемент, нормальный кадмиевый элемент
W 547	**Weston scale, Weston speed rating**	Weston-Skala *f*	échelle *f* Weston, échelle de Weston	шкала по системе Вестона, шкала по Вестону
W 548	**West-point, west point, W**	Westpunkt *m*, W	point *m* de l'ouest, W	точка запада, Запад, W
W 549	**westward drift**	Westtrift *f*, Westwärts-trift *f*, Westdrift *f*, Westwärtsdrift *f*, West-wärtsverschiebung *f*, Westwärtswanderung *f*	dérive *f* à l'ouest, dérive vers l'occident	западный дрейф, западный перенос
	west wind belt, belt of west winds	Westwindgürtel *m*, West-windzone *f*, Westwind-band *n*	zone *f* des vents d'ouest, ceinture *f* des vents d'ouest	пояс западных ветров, зона западных ветров
W 550	**west wind drift**	Westwinddrift *f*, West-windtrift *f*	dérive *f* sous vent d'ouest	западный перенос в атмосфере, западное дрейфовое течение
	wet; wetness; humidity	Nässe *f*	humidité *f*	сырость; влага
	wet adiabat[ic]	*s.* moist adiabat		
	wet adiabatic lapse rate	*s.* saturated adiabatic lapse rate		
	wet- and dry-bulb hygrometer	*s.* psychrometer		
W 551	**wet- and dry-bulb hygrometer equation,** psychrometer equation, psychrometric formula	Psychrometerformel *f*, psychrometrische Gleichung *f*	formule *f* psychromé-trique, équation *f* psychrométrique	психрометрическая формула
	wet- and dry-bulb psychrometer (ther-mometer)	*s.* psychrometer		
	wet-bulb depression	*s.* wet-bulb temperature difference		
W 552	**wet-bulb potential temperature;** pseudo wet-bulb potential tem-perature	potentielle Temperatur *f* des feuchten Thermo-meters	température *f* potentielle du bulbe humide	потенциальная темпера-тура смоченного тер-мометра
W 553	**wet-bulb reading (tem-perature),** reading on the wet-bulb thermom-eter, humid tempera-ture, ice-bulb temperature	Feuchttemperatur *f*, Naß-temperatur *f*, Temperatur *f* des feuchten Thermo-meters	température *f* de bulbe humide, températurе du thermomètre humide (mouillé), température humide (mouillée)	температура по влажному термометру, темпера-тура смоченного термо-метра
W 554	**wet-bulb temperature difference,** wet-bulb depression, psychrometer difference, psychrometric difference, depression of wet-bulb	psychrometrische Differenz (Temperaturdifferenz) *f*, Psychrometerdifferenz *f*	différence *f* psychro-métrique	психрометрическая разность
W 555	**wet-bulb thermometer**	befeuchtetes Thermometer *n*, benetztes Thermo-meter, Naßthermometer *n*	thermomètre *m* mouillé, thermomètre humide	смоченный термометр, увлажненный тер-мометр
W 556	**wet cell,** hydroelectric cell	nasses Element *n*, Naß-element *n*, hydro-elektrisches Element	pile *f* à liquide, pile hydroélectrique	наливной (мокрый) элемент, жидкостный (гидроэлектрический) элемент, элемент с жид-ким электролитом
	wet collodion plate, collodion wet plate	nasse Kollodiumplatte *f*, Kollodiumnaßplatte *f*, Naßkollodiumplatte *f*, Naßplatte *f*	plaque *f* au collodion humide	мокрая коллодионная фотопластинка
W 556a	**wet electrolytic capacitor**	Flüssigkeits[elektrolyt]kon-densator *m*, Naßelektro-lytkondensator *m*	condensateur *m* à électrolyte liquide	жидкостный (мокрый) электролитический конденсатор, электроли-тический конденсатор жидкостного типа
W 557	**wet fog**	nasser (nässender) Nebel *m*	brouillard *m* mouillant	мокрый (влажный) туман
	wet labile, moist-labile, pseudo-labile	feuchtlabil, pseudolabil	à instabilité pseudo-adiabatique, pseudo-labile	влажнонеустойчивый, псевдонеустойчивый
	wet method, wet process, wet technique	nasses Verfahren *n*, nasser Weg *m*, Naßverfahren *n*	procédé *m* humide, méthode (technique) *f* humide	мокрый способ, мокрый метод, мокрый процесс
	wet method paste	*s.* magnetic paste		
W 558	**wetness;** wet; humidity	Nässe *f*	humidité *f*	сырость; влага
W 559	**wet process,** wet technique, wet method	nasses Verfahren *n*, nasser Weg *m*, Naßverfahren *n*	procédé *m* humide, méthode (technique) *f* humide	мокрый способ, мокрый метод, мокрый процесс
	wet-stable, moist-stable	feuchtstabil	stable humide	влажноустойчивый
W 560	**wet steam**	Naßdampf *m* <Wasser>	vapeur *f* humide <d'eau>	влажный [насыщенный] пар; мокрый пар
	wet steam	*s. a.* saturated steam		
W 561	**wettability**	Netzfähigkeit *f*; Netzbar-keit *f*, Benetzbarkeit *f*	mouillabilité *f*	смачиваемость, способ-ность смачивать; спо-собность к сшиванию

	English	German	French	Russian
	wet technique, wet process, wet method	nasses Verfahren n, nasser Weg m, Naßverfahren n	procédé m humide, méthode (technique) f humide	мокрый способ, мокрый метод, мокрый процесс
W 562	wetted perimeter	benetzter Umfang m, Bettumfang m, Umfang des benetzten Flußquerschnitts	périmètre m mouillé	смоченный периметр [живого сечения реки], профиль русла реки
W 563	Wetthauer bench	Wetthauer-Bank f	banc m de Wetthauer	скамья Веттгауэра
W 564	Wetthauer test	Verfahren n der streifenden Abbildung, Wetthauer-Verfahren n; Wetthauersche Spiegelprüfmethode f	méthode f de Wetthauer, épreuve f de Wetthauer	метод Веттгауэра, метод испытания Веттгауэра
	wetting	s. humidification		
W 565	wetting agent, spreading agent	Netzmittel n, Benetzungsmittel n, Benetzer m	mouillant m, agent m mouillant, agent humectant, agent de déployage <du film moléculaire>	смачиватель, смачивающее вещество, смачивающее средство, смачивающая добавка
	wetting angle	s. angle of contact		
W 566	wetting heat, heat of wetting	Benetzungswärme f	chaleur f de mouillement, chaleur d'humidification	теплота смачивания
	Weyl['s] conformal curvature tensor	s. Weyl['s] tensor		
	Weyl['s] conform tensor	s. Weyl['s] tensor		
W 567	Weyl['s] co-ordinates	Weylsche Koordinaten fpl	coordonnées fpl de Weyl	координаты Вейля
	Weyl-Eddington tensor, tensor of Weyl and Eddington	Weyl-Eddingtonscher Tensor m	tenseur m de Weyl-Eddington	тензор Вейля-Эддингтона
W 567a	Weyl['s] equation, two-component equation of the neutrino	Weylsche Gleichung f, Zweikomponentengleichung f des Neutrinos	équation f de Weyl, équation du neutrino à deux composantes	уравнение Вейля, двухкомпонентное уравнение нейтрино
	Weyl['s] postulate, coherency postulate, postulate of coherency	Kohärenzpostulat n, Weylsches Postulat n	postulat m de cohérence, postulat de Weyl	требование когерентности, постулат Вейля
W 568	Weyl['s] solution	Weylsche Lösung f, statische zylinder symmetrische Lösung der Einsteinschen Gravitationsgleichungen	solution f de Weyl	решение Вейля
W 569	Weyl space	Weylscher Raum m	espace m de Weyl	пространство Вейля
	Weyl spinor	s. two-component spinor		
W 570	Weyl['s] tensor, Weyl['s] conform tensor, conform tensor, Weyl['s] conformal curvature tensor, conformal curvature tensor	Weylscher Tensor m, Konformkrümmungstensor m	tenseur m de Weyl	тензор Вейля, тензор Вейля прилегающей кривизны, тензор Вейля конформной кривизны
W 571	Weyl['s] uniform field theory	Weylsche einheitliche Feldtheorie f	théorie f de champ uniforme de Weyl	единая теория поля Вейля
W 572	Whatman paper	Whatman-Papier n	papier m Whatman	ватманская бумага, ватман
W 573	Wheatstone['s] bridge, comparison bridge; Wheatstone bridge circuit	Wheatstonesche Brücke (Schleifdrahtbrücke) f, Wheatstone-Brücke f, Wheatstonesche Meßbrücke f, W-Brücke f, Wheatstonesche Brückenschaltung f, Widerstandsbrücke f	pont m de Wheatstone, balance f de Wheatstone; montage m en pont de Wheatstone	мост Уитстона, мостик Уитстона; мостовая схема Уитстона
	Wheatstone bridge circuit	s. Wheatstone['s] bridge		
W 574	Wheatstone photometer	Wheatstone-Photometer n, Wheatstonesches Photometer n	photomètre m de Wheatstone	фотометр Уитстона
W 575	Wheatstone stereoscope	Wheatstonesches Stereoskop n	stéréoscope m de Wheatstone	стереоскоп Уитстона
W 576	Wheatstone['s] theorem	Satz m von Wheatstone, Wheatstonescher Satz	théorème m de Wheatstone	теорема Уитстона
	wheel; pulley; roller	Rolle f; Scheibe f; Rad n	poulie f; roue f	ролик; колесо
	wheel, blade, screw <of current meter or vane>	Schaufel f, Flügelschaufel f	hélice f, aile f de l'hélice	лопастный винт, лопасть <вертушки>
	wheel barometer, dial barometer	Zeigerbarometer n	baromètre m à cadran	стрелочный барометр
W 576a	Wheeler-Feynman quantum theory	Wheeler-Feynmansche Quantentheorie f	théorie f quantique de Wheeler-Feynman	квантовая теория Уилера-Фейнмана
W 577	Wheeler['s] formula	Wheelersche Formel f	formule f de Wheeler	формула Уилера [для расчета индуктивности цилиндрических катушек]
	wheel magnetron, multisphere magnetron	Radmagnetron n	magnétron m « roue », magnétron multisphère	многокамерный кольцевой магнетрон
	wheel of circulating warm air, warm air wheel	Warmluftrad n	roue f d'air chaud	колесо теплого воздуха, циркуляционное колесо теплого воздуха
	wheel of recoil	s. Segner['s] water wheel		
	Whewell fringe	s. interference of diffracted light		
W 578	Whiddington['s] law	Whiddingtonsches Gesetz n	loi f de Whiddington	закон Уиддингтона
	while-you-wait photography	s. one-step photographic process		

	English	German	French	Russian
	whirl; vortex <pl.: vortices, vortexes>; eddy <large-scale>	Wirbel m; Wirbelgebilde n	tourbillon m	вихрь
	whirl	s. a. whirlwind <meteo.>		
	whirl	s. a. swirl		
	whirl	s. a. vortex motion		
	whirled psychrometer	s. whirling psychrometer		
	whirled thermometer	s. sling thermometer		
W 579	whirling, eddying, turbulence, swirling motion, eddy	Wirbelung f, Verwirblung f; Durchwirbelung f	tourbillonnement m; remous m; turbulence f	завихрение; турбулизация
	whirling; vortical, vortex; eddying, eddy; vortex-like	Wirbel-; wirblig, wirbelig, wirbelnd; wirbelförmig, wirbelartig; wirbelbehaftet	tourbillonnaire, en [forme de] tourbillon, tournoyant	вихревой; завихренный; вихреобразный
	whirling currents	s. eddy currents		
	whirling hygrometer, whirling psychrometer, sling psychrometer, whirled psychrometer	Schleuderpsychrometer n	psychromètre m crécelle, psychromètre fronde, psychromètre pirouettant	пращевой психрометр, психрометр-пращ
W 580	whirling squall	Wirbelbö f	rafale f tourbillonnaire	вихревой шквал
	whirling storm	s. tropical cyclone		
	whirling thermometer	s. sling thermometer		
	whirling up	s. wind pick-up		
	whirling wind	s. whirlwind		
	whirlpool	s. swirl		
W 581	whirlwind, whirling wind, whirl <meteo.>	Trombe f, Kleintrombe f, Luftwirbel m, Wirbelwind m, Wirbel m <Meteo.>	trombe f <météo.>	смерч, вихрь, воздушный вихрь <метео.>
	whirlwind over land, wind-spout	Windhose f, Trombe f über Land, Wettersäule f	trombe f de terre	смерч на суше, вихрь <метео.>
W 582	whisker, crystal whisker, crystal needle; needle-shaped crystal	Whisker m <pl.: Whisker oder Whiskers>, Haarkristall m, Fadenkristall m, Einfadenkristall m, Nadelkristall m, Kristallnadel f	« whisker » m, « wisker » m, fil m monocristallin, poil m, trichite f, excroissance f	нитевидный кристалл, нитеобразный кристалл, ус, заусенец
	whisker wire, Wollaston wire, capillary wire	Haardraht m; Wollaston-Draht m	fil m de Wollaston	волла379стоновская проволока, волосная проволока, волла379стоновская нить, нить Волла379стона
W 583	whispering	Flüstern n	chuchotement m	шепот
W 584	whispering gallery	Flüstergalerie f, Flüstergewölbe n	voûte f acoustique, « whispering gallery » m	акустический свод
W 584a	whispering mode	Totalreflexionsmode f, Flüstermode f, flüsternder Schwingungstyp m	mode m chuchotant	шепчущий вид колебаний, шепчущая мода, шепчущий мод
W 585	whispering wind	Wisperwind m	vent m murmurant	легкий ветер
W 586	whistle, pipe <ac.>	Pfeife f <Ak.>	sifflet m, tuyau m sonore (acoustique) <ac.>	свисток <ак.>
	whistle	s. a. whistling <ac.>		
W 587	whistler, whistler-type noise, whistling atmospheric	Whistler m, atmosphärische Pfeifstörung f	sifflement m atmosphérique, siffleur m atmosphérique m siffleur	свистящий атмосферик, свистящий, атмосферный свист, радиосвист
W 588	whistling, whistle <ac.>	Pfeifen n; Pfiff m <Ak.>	sifflement m <ac.>	свист <ак.>
	whistling atmospheric	s. whistler		
	white body, reflecting body, white object	spiegelnder Körper m, weißer Körper, weißes Objekt n	corps m réfléchissant, corps blanc, objet m blanc	зеркальное тело, белое тело, белый объект
W 589	white[]cap, white horse	Schaumwelle f, schaumgekrönte Welle f; Schaumkrone f	mouton m	барашек
W 590	white content	Weißgehalt m; Weißanteil m <Ostwald>	contenu m de blanc	содержание белого цвета
W 591	white content meter	Weißgehaltmesser m	appareil m pour mesurer le contenu de blanc	прибор для измерения содержания белого цвета, измеритель содержания белого цвета
W 592	white dwarf, white-dwarf star	weißer Zwerg m, weißer Zwergstern m, Liliputaner m	naine f blanche, étoile f naine blanche	звезда-белый карлик, белый карлик
	white frost, hoar frost, hoar-frost; hoar frost deposit	Rauhreif m	givre m mou, givre blanc, gelée f blanche, frimas m	изморозь, кристаллическая изморозь
	whiteglow	s. white heat		
W 593	white halo, colourless halo	weißer Halo m, farbloser Halo	halo m blanc	белое гало, бесцветное гало
W 593a	Whitehead['s] theory of gravitation	Whiteheadsche Gravitationstheorie f	théorie f gravitationnelle (de gravitation) de Whitehead	теория тяготения Уайтхеда
W 594	white heart, white[-] heart iron, white[-] heart malleable cast iron	weißer Temperguß m, Weißguß m, europäischer Temperguß	malléable m à cœur blanc	белосердечный ковкий чугун, белый чугун
	white heat, incalescence, incandescence, glowing heat, white glow, glow heat	Weißglut f, Weißglühen n, Weißglühhitze f, Weißgluthitze f, Inkaleszenz f <1 300 °C und mehr>	incalescence f, incandescence f, chaude f blanche	белое каление, каление; белый накал, белокалильный жар; температура белого каления
W 594a	white hole	weißes Loch n	trou m blanc, lacune f blanche	белая дыра

	English	German	French	Russian
	white horse, white[]cap	Schaumwelle f, schaumgekrönte Welle f; Schaumkrone f	mouton m	барашек
W 595	white lamp, lamp producing white light	Weißlichtlampe f, Weißlampe f	lampe f à lumière blanche	белая лампочка
W 596	white light; specified achromatic light	weißes Licht n, Glühlicht n	lumière f blanche; lumière achromatique spécifiée, lumière blanche spécifiée	белый свет; стандартизованный ахроматический источник излучения
	white masking	s. veiling by white		
W 597	whiteness	Weißheit f, Weiße f	blancheur f	белизна
W 598	white noise, uniform random noise	weißes Rauschen n; Weißgeräusch n	bruit m blanc	белый шум
	white object, reflecting body, white body	spiegelnder Körper m, weißer Körper, weißes Objekt n	corps m réfléchissant, corps blanc, objet m blanc	зеркальное тело, белое тело, белый объект
W 599	white of higher order, high-order white	Weiß m höherer Ordnung	blanc m de plus haut ordre	белый цвет высшего порядка, белый высшего порядка
	white peak	s. peak white		
	white point, location of white	Farbort m des Weiß, Weißpunkt m	location f du blanc, lieu m du blanc, point m du blanc	белая точка
W 599a	white quantum noise	weißes Quantenrauschen n	bruit m quantique blanc	белый квантовый шум
W 600	white radiation, heterogeneous (continuous, steady) radiation	weiße Strahlung f, kontinuierliche Strahlung	rayonnement m blanc (continu), radiation f blanche (continue)	белое (непрерывное) излучение, излучение с непрерывным спектром
	white rainbow, fog bow	Nebelbogen m, weißer Regenbogen m	arc-en-ciel m blanc, arc m nébuleux	туманная радуга, белая радуга, радуга на тумане
W 601	white reflection	weiße Reflexion f	réflexion f blanche	белое отражение
W 602	whiter than white, ultra-white	Ultraweiß n	ultra-blanc m	белее белого
	white shaded	s. non-zero white content/ having <of chromatic colour>		
	white shading	s. veiling by white		
W 603	White Spots <of Saturn>	Weiße Flecke mpl <des Saturn>	Taches fpl Blanches, Taches Claires <du Saturne>	Белые пятна <Сатурна>
W 603a	white-to-black amplitude range	Schwarz-Weiß-Amplitudenbereich m	taux m de modulation	амплитудный размах от белого до черного
	white veiling	s. veiling by white		
	Whittaker['s] confluent hypergeometric function	s. Whittaker['s] function		
W 604	Whittaker['s] differential equation	Whittakersche Differentialgleichung f	équation f différentielle de Whittaker	дифференциальное уравнение Уиттекера
W 605	Whittaker['s] function, Whittaker['s] confluent hypergeometric function, Coulomb wave function	Whittaker-Funktion f, Whittakersche Funktion f, Coulomb-Wellenfunktion f	fonction f de Whittaker, fonction hypergéométrique confluente de Whittaker, fonction d'onde coulombienne	функция Уиттекера, кулоновская функция, кулоновская волновая функция
W 606	Whittaker potential	Whittaker-Potential n, Whittakersches Potential n	pctentiel m de Whittaker	потенциал Уиттекера
W 607	whole-body counter, whole-body spectrometer (radiation meter), human-body counter (radiation meter, spectrometer)	Ganzkörperzähler m, Ganzkörperspektrometer n, „human-body counter"m, Ganzkörper-Aktivitätszähler m	anthroporadiamètre m, spectromètre m du corps humain, compteur m du corps humain	спектрометр излучений человека, счетчик излучений (общего тела) человека, сич
W 608	whole body dose; body burden	Körperdosis f, Ganzkörperdosis f, Vollbestrahlungsdosis f; Körperbelastung f	dose f d'irradiation du corps entier; charge f corporelle	доза облучения всего тела
W 609	whole-body exposure, whole-body irradiation, total body exposure, total body irradiation <externally>	Ganzkörperbestrahlung f, Vollbestrahlung f, Totalbestrahlung f <äußerlich>	irradiation f globale, irradiation du corps entier, irradiation générale <irradiation externe de la totalité de l'organisme>	облучение общего тела, облучение всего организма, общее облучение тела, общее облучение организма <внешнее>
	whole-body radiation meter, whole-body spectrometer	s. whole-body counter		
W 610	whole gale, gale <of Beaufort No. 10>	schwerer Sturm m <Stärke 10>	tempête f très forte <du degré 10>	сильный шторм, сильная буря <10 баллов>, десятибалльный ветер
	whole half-width	s. line width		
	wholeness, integrity	Ganzheit f	unité f propre, Ganzheit f, intégrité f	цельность, целостность
W 611	wholesomeness	Zuträglichkeit f	salubrité f, comestibilité f, « wholesomeness » m	целительность, благотворность
W 612	whole tone	Ganzton m, ganzer Ton m	ton m plein	целый тон, большая секунда
W 613	Wichmann compass, Wichmann sight compass	Stockbussole f [von Wichmann]	boussole f de Wichmann	буссоль с диоптрами Вихмана на одноножном штативе
W 614	Wick['s] chronological operator, Wick['s] operator, T operator	Wick-Operator m, Wickscher Operator m, T-Operator m, Wickscher Zeitordnungsoperator m	opérateur m T, opérateur de Wick, opérateur chronologique de Wick	хронологический оператор Вика, оператор T
	Wick['s] chronological product, chronological product, time-ordered product	chronologisches Produkt n, Wicksches Produkt, zeitgeordnetes Produkt, T-Produkt n	produit m chronologique [de seconde espèce], produit ordonné de Wick	хронологическое произведение, T-произведение
W 615	Wick['s] method, Chandrasekhar['s] method, Wick-Chandrasekhar method, method of discrete ordinates	Wicksche Methode f, Verfahren n von Chandrasekhar, Methode der diskreten Ordinaten	méthode f de Wick, méthode de Chandrasekhar	метод Вика, метод Чандрасехара

	Wick['s] operator	s. Wick['s] chronological operator		
W 616	Wick['s] theorem	Wickscher Satz m	théorème m de Wick	теорема Вика
W 617	wide-angle [aerial] camera; wide-angle lens camera	Weitwinkelkammer f; <Photogrammetrie>; Weitwinkelkamera f	chambre f grand angulaire, chambre grand-angle	широкоугольная камера
W 618	wide-angle cathode	Weitwinkelkatode f	cathode f grand angulaire, cathode grand-angle	широкоугольный катод
W 619	wide-angle converter	Weitwinkelvorsatzlinse f	bonnette f positive convergente	широкоугольная насадочная линза
W 620	wide-angled antenna, wide-angle antenna	Weitwinkelantenne f	antenne f à large angle	широкоугольная антенна
W 621	wide-angle eyepiece	Weitwinkelokular n [von Erfle], Okular n weit	oculaire m grand[-] angulaire, oculaire grand-angle	широкоугольный окуляр
W 622	wide-angle lens, wide-angle objective	Weitwinkelobjektiv n, Weitwinkel m	objectif m grand[-] angulaire, objectif grand-angle, grand-angulaire m, grand-angle m	широкоугольный объектив
	wide-angle lens camera	s. wide-angle [aerial] camera		
W 623	wide angle lighting fitting	Breitstrahler m, breitstrahlende Leuchte f	luminaire m extensif	широкоизлучатель
W 624	wide-angle magnifier	Weitwinkellupe f	loupe f grand angulaire, loupe grand-angle	широкоугольная лупа
	wide-angle objective	s. wide-angle lens		
	wide-angle observation, wide-angle viewing	Weitwinkelbeobachtung f	observation f au grand angle, observation sous grand angle	наблюдение под широким углом
W 625	wide-angle scattering, large-angle scattering	Weitwinkelstreuung f, Streuung f um große Winkel, Großwinkelstreuung f	diffusion f aux grands angles	рассеяние на большие углы, рассеяние под большими углами
W 626	wide-angle viewing, wide-angle observation	Weitwinkelbeobachtung f	observation f au grand angle, observation sous grand angle	наблюдение под широким углом
	wide-aperture	s. high-power		
W 627	wide-band amplifier tube	Breitbandverstärkerröhre f	tube m amplificateur à large bande	широкополосная усилительная лампа
W 628	wide deflection angle tube	Weitwinkelablenkröhre f	tube m cathodique à grand angle [de déviation]	электроннолучевая трубка с большим углом отклонения пучка
W 629	wide-gap chamber, wide-gap spark chamber	Funkenkammer f mit großem Elektrodenabstand	chambre f à grand « gap », chambre à étincelles à grande distance entre les électrodes	широкозазорная искровая камера, искровая камера с большим межэлектродным промежутком (расстоянием)
W 630	wide-mouthed flask, wide-necked flask	Weithalskolben m	ballon m à large col	широкогорлая колба
W 631	widening; expansion	Weitung f, Ausweitung f; Aufweitung f	élargissement m; expansion f	расширение; вспучивание
	widening; broadening	Verbreiterung f	élargissement m	уширение; расплывание
	widening; spreading <of the beam>	Strahlverbreiterung f, Bündelverbreiterung f, Verbreiterung f des Strahls	élargissement m du faisceau, dispersion f du faisceau	уширение (расширение) пучка
W 632	widening, broadening, expansion, enlargement <mech.>	Erweiterung f <Mech.>	élargissement m <méc.>	расширение, распространение, <мех.>
W 633	widening coil, enlarging coil	Expansionsspule f	bobine f d'expansion	обмотка увеличения области магнитного поля
W 633a	widening of pores	Porenerweiterung f	élargissement m des pores	расширение пор
	widening of the spectral line	s. line broadening		
W 634	wide-range radiation dosimeter	Weitbereichdosimeter n	dosimètre m à grande gamme de mesure, dosimètre à large bande	широкодиапазонный дозиметр
W 635	Wideröe['s] condition, Wideröe['s] flux condition, condition of Wideröe	1:2-Bedingung f [des Betatrons], Wideröe-Bedingung f, Wideröescher Satz m, erste Grundbedingung f des Betatrons, Wideröesche Bahnbedingung f	condition f de Wideröe	условие Видероe, условие Видере, бетатронное условие [«2:1»], условие два к одному
W 636	Widmanstätten pattern, Widmanstätten structure	Widmanstättensche Gefüge n, Widmanstättensche Figuren fpl	précipitation f de Widmanstætten, figures fpl de Widmanstætten, structure f de Widmanstætten	видманштеттенова структура, видманштеттенова структура, видманштеттеновы фигуры
W 637	width at water level	Wasserspiegelbreite f, Spiegelbreite f	largeur f à la surface [d'eau]	ширина по урезу воды, ширина по зеркалу воды (водной поверхности)
	width clipping, pulse-width clipping	Impulsbreitenbegrenzung f	limitation f de durée [d'impulsions]	ограничение длительности импульсов
	width for capture, capture width	Einfangbreite f	largeur f de capture	ширина захвата
W 638	width of air gap, air-gap width, gap width, length of air gap, gap length	Polschuhabstand m, Luftspaltlänge f, Luftspaltbreite f	largeur f de l'espace d'air, longueur f de l'espace d'air	ширина воздушного зазора, длина воздушного зазора, воздушный зазор
	width of bearing zone, bearing zone width	Peilbreite f	largeur f de la zone de relèvement	ширина зоны пеленгования
W 639	width of cloud, cloud width	Wolkenbreite f	largeur f du nuage	протяженность облака в направлении, поперечном его перемещению
	width of scale division	s. scale value		

	English	German	French	Russian
	width of the barrier layer	s. barrier width		
W 640	width of the dislocation	Versetzungsbreite f	largeur f de la dislocation	ширина дислокации
W 641	width of the forbidden gap, forbidden gap width, gap width, energy gap width	Breite f der verbotenen Zone, Breite der Energielücke, Breite des verbotenen Energiebandes	largeur f de la bande interdite	ширина запрещенной зоны
	width of the potential barrier, barrier width	Potentialbreite f, Breite f des Potentialwalls	largeur f de la barrière de potentiel	ширина потенциального барьера
	width of the potential barrier	s. a. jump distance		
W 642	width of the resonance, resonant width, resonance width	Resonanzbreite f	largeur f de résonance	ширина резонанса
	width of the spectral line	s. line width		
	width of the stacking faults, stacking fault width	Stapelfehlerbreite f	largeur f des défauts d'empilement	ширина дефектов упаковки
	width of the track, track width	Spurbreite f	largeur f de piste	ширина фонограммы
	width of the track, track width (breadth) <nucl.>	Spurbreite f, Spurenbreite f <Kern.>	largeur f de trace <nucl.>	ширина следа <яд.>
W 643	Wiechert bridge	Wiechert-Brücke f	pont m de Wiechert	мост Вихерта
W 643a	Wiechert-Gutenberg discontinuity	Wiechert-Gutenbergsche Diskontinuität[sfläche] f	discontinuité f de Wiechert-Gutenberg	граница Вихерта-Гутенберга
W 644	Wiechert-Herglotz['] method	Wiechert-Herglotzsches Verfahren n, Wiechert-Herglotz-Verfahren n	méthode f de Wiechert-Herglotz	метод Вихерта-Херглоца
	Wiechert-Liénard potential	s. Wiechert potential		
W 645	Wiechert['s] pendulum	Wiechert-Pendel n, Wiechertsches Pendel n, astatisch invertiertes Pendel von Wiechert, Wiechertsches astatisch invertiertes Pendel	pendule m de Wiechert	маятник Вихерта, астатический оборотный маятник Вихерта
W 646	Wiechert potential, Wiechert-Liénard potential, Liénard-Wiechert potential, wave potential	Liénard-Wiechert-Potential n, Liénard-Wiechertsches Potential n, Potential von Liénard-Wiechert, Wiechert-Liénardsches Potential, Wiechert-Liénard-Potential n, Wellenpotential n [der räumlichen Belegung], retardiertes Potential [der bewegten Punktladung]	potentiel m de Wiechert, potentiel de Liénard-Wiechert	потенциал Лиенара-Вихерта, волновой потенциал
W 647	Wiedemann double-quartz wedge	Wiedemannscher Doppelkeil m	bicoin m de Wiedemann	двойной клин Видемана
W 648	Wiedemann effect	Wiedemann-Effekt m	effet m Wiedemann	эффект Видемана
W 649	Wiedemann-Franz law, Wiedemann-Franz rule	Wiedemann-Franzsches Gesetz n, Wiedemann-Franzsche Regel f, Wiedemann-Franzsche Relation f	loi f de Wiedemann-Franz	закон Видемана-Франца, закон Видемана и Франца, правило Видемана-Франца
W 650	Wiedemann-Franz-Lorenz law, Lorenz law	Wiedemann-Franz-Lorenzsches Gesetz n	loi f de Wiedemann-Franz-Lorenz	закон Видемана-Франца-Лоренца
W 651	Wiedemann-Franz ratio	Wiedemann-Franzsches Verhältnis n	rapport m de Wiedemann-Franz	отношение Видемана-Франца
	Wiedemann-Franz rule	s. Wiedemann-Franz law		
W 652	Wiedemann['s] law	Wiedemannsches Gesetz n	loi f de Wiedemann	закон Видемана
W 653	Wiedemann phosphor	Wiedemann-Phosphor m	phosphore m de Wiedemann	кристаллофосфор Видемана, фосфор Видемана
	wiederkehreinwand, Zermelo['s] recurrence paradox, recurrence paradox [of Zermelo]	Zermeloscher Wiederkehreinwand m, Wiederkehreinwand [von Zermelo]	paradoxe m de Zermelo, objection f de Zermelo	парадокс Цермело
W 654	Wien['s] bridge; Wien['s] bridge circuit	Wien-Brücke f, Wiensche Brückenschaltung f, Wien-Brücken-Schaltung f, Wien-Wagner-Brücke f	pont m de Wien, montage m en pont de Wien	мост Вина, мост переменного тока Вина, мостовая схема по Вину, схема моста Вина
W 655	Wien bridge oscillator	Wien-Brücken-Oszillator m, Wien-Brücken-Generator m	oscillateur m à pont de Wien	генератор по схеме моста Вина
W 656	Wien['s] constant	Wiensche Konstante f, Wien-Konstante f	constante f de Wien	постоянная Вина
W 657	Wien['s] curve	Wiensche Kurve f [der Leitfähigkeitserhöhung]	courbe f de Wien	кривая Вина
W 658	Wien-Debye effect	Wien-Debye-Effekt m	effet m Wien-Debye	эффект Вина-Дебая
W 659	Wien['s] displacement law, displacement law of Wien	Wiensches Verschiebungsgesetz n, Verschiebungsgesetz [von W. Wien]	loi f de déplacement [de Wien], loi de Wien	закон смещения [Вина], закон Вина
W 660	Wien['s] effect, normal Wien effect	Wien-Effekt m, normaler Wien-Effekt, Feldstärkeeffekt m [von Wien]	effet m Wien, effet Wien normal	эффект Вина, нормальный эффект Вина, дисперсия электропроводности
W 661	Wiener['s] approach, Wiener['s] approximation	Wienersche Näherung f	approximation f de Wiener	винеровское приближение, приближение Винера
W 661a	Wiener['s] body	Wienerscher Mischkörper m, Mischkörper	corps m de Wiener	винеровское тело, тело Винера
W 662	Wiener['s] ergodic theorem	dominierender Ergodensatz m, Ergodensatz von Wiener, Wienerscher Ergodensatz	théorème m ergodique de Wiener	эргодическая теорема Винера

W 662a	**Wiener filter**	Wiener-Filter *n*	filtre *m* de Wiener	фильтр Винера
W 663	**Wiener-Hopf equation, Wiener-Hopf integral equation**	Wiener-Hopfsche Integralgleichung *f*	équation *f* [intégrale] de Wiener-Hopf	уравнение Винера-Хопфа
W 664	**Wiener-Hopf method**	Wiener-Hopf-Verfahren *n*, Wiener-Hopfsche Methode *f*	méthode *f* de Wiener-Hopf	метод Винера-Хопфа
W 665	**Wiener['s] integral**	Wienersches Integral *n*, Wienersches Funktionalintegral *n*	intégrale *f* de Wiener	интеграл Винера, винеровский интеграл
W 666	**Wiener['s] interference**	Wienersche Interferenz *f*	interférence *f* de Wiener	интерференция Винера, винеровская интерференция, винерова интерференция
W 667	**Wiener-Khintchine theorem**	Wiener-Khintchinesche Beziehungen *fpl*, Wiener-Chintschinsche Beziehungen, Satz *m* von Wiener-Khintchine, Satz von Wiener-Chintschin	théorème *m* de Wiener-Khintchine, formule *f* de Wiener-Khintchine	формула Хинчина-Винера
W 668	**Wiener['s] measure**	Wienersches Maß *n*	mesure *f* de Wiener	мера Винера, винеровская мера, *w*-мера
W 669	**Wiener-Paley criterion**	Wiener-Paley-Kriterium *n*	critère *m* de Wiener-Paley	критерий Винера-Палея
W 670	**Wiener['s] process,** Brownian process <math.>	Wienerscher Prozeß *m*, Wiener-Prozeß *m* <Math.>	processus *m* de Wiener <math.>	винеровский процесс <матем.>
W 670a	**Wiener spectrum**	Wiener-Spektrum *n*	spectre *m* de Wiener	спектр Винера
W 671	**Wiener['s] theorem**	Wienersches Theorem *n*	théorème *m* de Wiener	теорема Винера
W 672	**Wien['s] experiment**	Wienscher Versuch *m*, Versuch von Wien	expérience *f* de Wien	опыт Вина
W 672a	**Wien filter, wienfilter**	Wiensches Filter *n*	filtre *m* de Wien	фильтр Вина
W 673	**Wien['s] function**	Wiensche Funktion *f*	fonction *f* de Wien	функция Вина
W 674	**Wien['s] law,** Wien['s] law of radiation, Wien['s] radiation law	Wiensche Strahlungsformel *f*, Wiensches Strahlungsgesetz *n*, Strahlungsformel von Wien, Strahlungsgesetz von Wien, Wiensche Gleichung *f*, Wiensches Gesetz *n*	loi *f* de Wien [de la radiation], loi du rayonnement de Wien, loi de distribution de Wien, approximation *f* de Wien	закон Вина, закон излучения Вина
	Wien['s] law, Wien['s] thermodynamic law	thermodynamisches Gesetz *n* von Wien, Wiensches Gesetz	loi *f* de Wien thermodynamique, loi de Wien	закон Вина [в термодинамике]
	Wien['s] law of radiation	*s.* Wien['s] law		
W 675	**Wien['s] method** <for investigation of canal rays>	Durchströmungsmethode *f* [von Wien], Wiensche Durchströmungsmethode	méthode *f* de Wien <pour étudier les rayons canaux>	метод Вина <для исследования каналовых лучей>
W 676	**Wien network**	Wien-Netzwerk *n*, Wiensches Netzwerk *n*	réseau *m* de Wien	многополюсник Вина
W 677	**Wien-Niven bridge**	Wien-Niven-Brücke *f*	pont *m* de Wien-Niven	мост Вина-Нивена, частотнозависимый измерительный мост переменного тока Вина-Нивена
W 678	**Wien['s] paradox,** lightvalve paradox of Wien	Lichtventilparadoxon *n* von Wien, Wiensches Lichtventilparadoxon, Wiensches Paradoxon *n*	paradoxe *m* de Wien	парадокс В. Вина со световым вентилем
	Wien['s] radiation law	*s.* Wien['s] law [of radiation]		
W 678a	**Wien['s] region**	Wienscher Bereich *m*, Wien-Bereich *m*	région *f* de Wien	область Вина
W 679	**Wien-Robinson bridge,** Robinson bridge	Robinson-Brücke *f*, Wien-Robinson-Brücke *f*	pont *m* de Wien-Robinson, pont de Robinson	мост [Вина-]Робинсона, частотнозависимый мост Вина-Робинсона
W 679a	**Wien-Robinson oscillator**	Wien-Robinson-Oszillator *m*, Wien-Robinson-Generator *m*	oscillateur *m* de Wien-Robinson	генератор по схеме моста Вина-Робинсона
	Wien-Schiele effect	*s.* dissociation field effect		
W 680	**Wien['s] thermodynamic law,** Wien['s] law	thermodynamisches Gesetz *n* von Wien, Wiensches Gesetz	loi *f* de Wien thermodynamique, loi de Wien	закон Вина [в термодинамике]
W 681	**Wien velocity filter**	Wiensches Geschwindigkeitsfilter *n*	filtre *m* de vitesses de Wien	фильтр скоростей Вина
W 682	**Wigand visibility meter**	Wigandscher Sichtmesser *m*	appareil *m* à mesurer la visibilité de Wigand	измеритель видимости Виганда
W 683	**wiggles** <in nuclear induction>	„wiggles" *pl*, Modulationseinflüsse *mpl* <Kerninduktion>	battements *mpl* <dans l'induction nucléaire>	вигли, биения <в ядерной индукции>
W 684	**Wightman['s] function**	Wightman-Funktion *f*, Wightmansche Funktion *f*	fonction *f* de Wightman	функция Уайтмана
W 685	**Wightman['s] reconstruction theorem, Wightman['s] theorem**	Rekonstruktionstheorem *n* von Wightman, Wightmansches Rekonstruktionstheorem	théorème *m* de Wightman	теорема Уайтмана
W 686	**Wigner['s] approximation**	Wigner-Näherung *f*, Wignersche Näherung *f*	approximation *f* de Wigner	приближение Вигнера
W 686a	**Wigner coefficient,** six-*j* symbol of Wigner	Wigner-Koeffizient *m*	coefficient *m* de Wigner	коэффициент Вигнера
W 687	**Wigner-Critchfield interaction**	Wigner-Critchfield-Wechselwirkung *f*	interaction *f* de Wigner-Critchfield	взаимодействие Вигнера-Кричфильда
W 688	**Wigner-Eckart theorem**	Wigner-Eckart-Theorem *n*, Theorem *n* von Wigner und Eckart	théorème *m* de Wigner-Eckart	теорема Вигнера-Эккерта, разложение Вигнера-Эккерта

W 689	**Wigner effect**; discomposition effect, knocking-out effect	Wigner-Effekt *m*, Atomumlagerung *f* durch Kernstoß	effet *m* Wigner	эффект Вигнера
W 690	**Wigner energy**	Wigner-Energie *f*	énergie *f* Wigner, énergie de Wigner	энергия Вигнера; энергия, запасенная в графите реактора
W 691	**Wigner['s] expansion**	Wignersche Entwicklung *f*, Wigner-Entwicklung *f*	expansion *f* de Wigner	разложение Вигнера ‹для химического потенциала›
W 692	**Wigner force**, ordinary force	Wigner-Kraft *f*, Wignersche Kraft *f*	force *f* de Wigner	сила Вигнера
W 693	**Wigner function**, generalized spherical harmonic	Wigner-Funktion *f*, Wignersche Funktion *f*, verallgemeinerte Kugelfunktion *f*	fonction *f* de Wigner, harmonique *f* sphérique généralisée	обобщенная сферическая функция, функция Вигнера
W 694	**Wigner gap**	Wigner-Raum *m*, Wigner-Fuge *f*	espace *m* de Wigner	пространство Вигнера, щель Вигнера
W 695	**Wigner growth**	Wigner-Effekt-Wachstum *n*, Wigner-[Effekt-]Ausdehnung *f*, Wachstum *n* durch Wigner-Effekt	expansion *f* Wigner, grandissement *m* Wigner, grandissement dû à l'effet Wigner	рост вследствие эффекта Вигнера
W 696	**Wigner kernel**	Wigner-Kern *m*, Wigner-Bremskern *m*	noyau *m* de Wigner	ядро Вигнера
W 697	**Wigner-Kirkwood rule for one-electron jump**	*f*-Summensatz *m* von Wigner-Kirkwood	règle *f* d'addition (des sommes) de Wigner-Kirkwood	правило сумм Вигнера-Кирквуда
W 697a	**Wigner limit**	Wigner-Limes *m*	limite *f* de Wigner	предел Вигнера
W 698	**Wigner model of nucleus**, uniform model of nucleus, statistical model of nucleus	statistisches Kernmodell *n* [nach Wigner], statistisches Modell *n* [des Kerns], Wigner-Modell *n*, statistisches Compoundkernmodell *n*	modèle *m* statistique du noyau, modèle statistique nucléaire	статистическая модель ядра
W 699	**Wigner nuclei, Wigner nuclides**	Wigner-Kerne *mpl*	nucléides *mpl* de Wigner, noyaux *mpl* de Wigner	ядра Вигнера
W 700	**Wigner potential**	Wigner-Potential *n*, Wignersches Potential *n*, Potential der Wigner-Kräfte	potentiel *m* de Wigner	потенциал сил Вигнера, потенциал Вигнера
W 701	**Wigner-Racah theorem**	Wigner-Racah-Theorem *n*, Theorem *n* von Wigner und Racah	théorème *m* de Wigner et Racah	теорема Вигнера-Рака
W 702	**Wigner release**	Freisetzung *f* der Wigner-Energie, Wigner-Energie-Freisetzung *f*	libération *f* de l'énergie Wigner	выделение энергии Вигнера, освобождение энергии Вигнера
W 703	**Wigner['s] rule**	Wignersche Regel *f*	règle *f* de Wigner	правило Вигнера
W 704	**Wigner-Seitz atomic sphere**, Wigner-Seitz sphere	Wigner-Seitzsche Atomkugel *f*, Wigner-Seitzsche Kugel *f*, Wigner-Seitz-Kugel *f*	sphère *f* atomique de Wigner-Seitz, sphère de Wigner-Seitz	атомная сфера Вигнера-Зейца, сфера Вигнера-Зейца
W 705	**Wigner-Seitz cell**, Wigner-Seitz polyhedron	Wigner-Seitz-Zelle *f*, Wigner-Seitzsche Zelle *f*, Wigner-Seitz-Polyeder *n*, Wigner-Seitzsches Polyeder *n*	cellule *f* de Wigner-Seitz, polyèdre *m* de Wigner-Seitz	ячейка Вигнера-Зейца, полиэдр Вигнера-Зейца
W 705a	**Wigner-Seitz method**, cellular method	Zellenmethode *f*, Polyedermethode *f*, Wigner-Seitz-Methode *f*	méthode *f* de Wigner-Seitz, méthode cellulaire	метод Вигнера-Зейца, метод [элементарных] ячеек
	Wigner-Seitz polyhedron	*s.* Wigner-Seitz cell		
	Wigner-Seitz sphere, Wigner-Seitz atomic sphere	Wigner-Seitzsche Atomkugel *f*, Wigner-Seitzsche Kugel *f*, Wigner-Seitz-Kugel *f*	sphère *f* atomique de Wigner-Seitz, sphère de Wigner-Seitz	атомная сфера Вигнера-Зейца, сфера Вигнера-Зейца
W 706	**Wigner supermultiplet**	Wignersches Supermultiplett *n*	supermultiplet *m* de Wigner	сверхмультиплет Вигнера
W 707	**Wigner['s] theorem**	Wigner-Theorem *n*, Wignersches Theorem *n*	théorème *m* de Wigner	теорема Вигнера
W 708	**Wigner['s] theory [of magnetic moment]**	Wignersche Theorie *f* [des magnetischen Moments]	théorie *f* de Wigner [du moment magnétique]	теория Вигнера [магнитного момента]
W 709	**Wigner-Witmer correlation rules**	Wigner-Witmersche Korrelationsregeln *fpl*	règles *fpl* de corrélation de Wigner et Witmer	правила корреляции Вигнера-Уитмера
W 710	**Wilcoxon['s] test**, Mann-Whitney test, *U* test	Wilcoxon-Test *m*, Wilcoxonscher Test *m*, Mann-Whitney-Test *m*, *U*-Test	test *m* de Wilcoxon, test de deux échantillons de Wilcoxon, test de Mann-Whitney, test *U*	критерий Уилкоксона, критерий Манна-Уитни, *U*-критерий
W 711	**Wilde bridge**	Wilde-Brücke *f*	pont *m* de Wilde	мост Вильде, мостовая схема по Вильде
W 712	**Wild evaporimeter**	Wildscher Verdunstungsmesser *m*	évaporimètre *m* de Wild	испаритель Вильда
W 713	**Wild photometer**	Wild-Photometer *n*, Wildsches Photometer *n*	photomètre *m* de Wild	фотометр Вильда
W 714	**Wild polarimeter**, Wild saccharimeter	Wildsches Saccharimeter *n*, Wildsches Polarimeter *n*	polarimètre *m* de Wild, saccharimètre *m* de Wild	сахариметр Вайлда, поляриметр Вайлда
	Wild['s] pressure plate anemometer	*s.* pressure-plate anemometer		
	Wild saccharimeter, Wild polarimeter	Wildsches Saccharimeter *n*, Wildsches Polarimeter *n*	polarimètre *m* de Wild, saccharimètre *m* de Wild	сахариметр Вайлда, поляриметр Вайлда
W 715	**Wild screen**	Wildsche Hütte *f*	abri *m* thermométrique de Wild, abri de Wild	термометрическая будка Вильда
W 716	**Wilhelmy plate (slide)**	Wilhelmy-Platte *f*, Wilhelmysche Platte *f*	plaque *f* [plongeante] *f* de Wilhelmy	пластинка Вильгельми
W 716a	**Wilhelmy slide method**	Methode *f* von Wilhelmy	méthode *f* de la plaque plongeante [de Wilhelmy]	метод Вильгельми

W 717	**Wilip seismograph**	Wilip-Seismograph *m*	séismographe *m* de Wilip, sismographe *m* de Wilip	сейсмограф Вилипа
W 718	**Wilkinson['s] theory [of photonuclear effect]**	Wilkinsonsche Theorie *f* [des Kernphotoeffekts]	théorie *f* de Wilkinson [de l'effet photonucléaire]	теория Уилкинсона [фотоядерного эффекта]
W 718a	**Wilks criterion (test)**	Wilks-Test *m*	test *m* de Wilks	критерий Уилкса
W 719	**Williamson amplifier**	Williamson-Verstärker *m*	amplificateur *m* de Williamson	усилитель Вильямсона
W 720	**Williamson['s] equation, Williamson['s] relation**	Williamsonsche Gleichung *f*, Gleichung von Williamson	équation *f* de Williamson, formule *f* de Williamson	формула Вильямсона, уравнение Вильямсона
W 720a	**Williams striation**	Williams-Bänderung *f*, Williams-Streifung *f*	striation *f* de Williams	полосатость Вильямса
W 721	**Williot diagram, Williot-Mohr diagram**, plan of transposition, displacement diagram	Williotscher Verschiebungsplan *m*, Williot-Verschiebungsplan *m*, Verschiebungsplan [nach Williot], Williotscher Plan *m*, Williot-Plan *m*	diagramme *m* de translation [de Williot], tracé *m* de Williot	диаграмма Вильо
	willy-willy	*s.* tropical cyclone		
	Wilson['s] [cloud] chamber	*s.* Wilson['s] expansion chamber		
W 722	**Wilson effect**	Wilson-Effekt *m*	effet *m* Wilson	эффект Вильсона, явление Вильсона
W 722a	**Wilson electrometer**	Wilson-Elektrometer *n*, Wilsonsches Elektrometer *n*	électromètre *m* de Wilson	электрометр Вильсона
	Wilson['s] expansion chamber, expansion cloud chamber, Wilson['s] cloud chamber, Wilson['s] chamber	Expansionsnebelkammer *f*, Wilsonsche Nebelkammer *f*, Nebelkammer	chambre *f* de Wilson, chambre à détente	камера Вильсона
W 723	**Wilson line**	Wilson-Kurve *f*, Wilsonsche Kurve *f*	courbe *f* de Wilson	кривая Вильсона
W 724	**Wilson['s] model [of the thunderstorm cloud]**	Wilsopsches Modell *n* [der Gewitterwolke]	modèle *m* de Wilson [de la nuée orageuse]	моде... Вильсона [грозового облака]
W 725	**Wilson['s] phenomenon**	Wilson-Phänomen *n*, Schülen-Phänomen *n*	phénomène *m* de Wilson	явление Вильсона
W 726	**Wilson['s] rule**	Wilsonsche Regel *f*	règle *f* de Wilson	правило Вильсона
W 726a	**Wilson['s] theorem**	Wilson-Theorem *n*	théorème *m* de Wilson	теорема Вильсона
W 726b	**wilting point; coefficient of permanent wilting**	[permanenter] Welkepunkt *m*, Dauerwelkepunkt *m*, PWP; Bodenfeuchtigkeit *f* am Welkepunkt	point *m* de flétrissage; coefficient *m* de flétrissage permanent	точка [постоянного] завядания (увядания); коэффициент завядания (увядания)
W 727	**Wilzbach method, Wilzbach technique**	Wilzbach-Verfahren *n*	méthode *f* de Wilzbach	метод Вильцбаха
	windage, air friction	Luftreibung *f*	frottement *m* de l'air	трение воздуха
	windage	*s. a.* aerodynamic drag		
	windage	*s. a.* wind drift		
W 728	**wind aloft chart**	Höhenwindkarte *f*	carte *f* des vents des hauteurs	карта высотных ветров
W 729	**wind arrow**	Windpfeil *m*	flèche *f* de vent	стрелка ветра; стрелка, изображающая ветер
W 730	**wind avalanche**	Windlawine *f*	avalanche *f* provoquée par le vent	ветровая лавина
W 731	**wind belt**	Windgürtel *m*, Windzone *f*	ceinture *f* des vents, zone *f* des vents	пояс ветров, зона ветров
W 732	**wind-borne**	windverschleppt, windtransportiert	transporté par le vent, transféré par le vent	перенесенный ветром
	wind-borne sediment, eolian deposit, wind-laid deposit	äolisches Sediment *n*, Windsediment *n*, Windablagerung *f*	dépôt *m* éolien, dépôt aérogène	эоловый осадок, ветровой осадок, эоловое отложение, ветровое отложение, эоловое образование
	wind canal	*s.* wind tunnel		
W 733	**wind-carved pebble**, wind kanter; facet stone, facet rock	Windkanter *m*, Kantengeschiebe *n*, Kantengeröll *n*; Facettengeschiebe *n*, Facettengeröll *n*	caillou *m* à facettes	граненый валун, многогранник, эоловый многогранник
W 734	**wind catching area; wind surface**	Windfläche *f*, Windangriffsfläche *f*, Angriffsfläche *f* des Windes	aire *f* soumise à l'action du vent; surface *f* soumise à l'action du vent	площадь, подвергающаяся воздействию ветра; поверхность, подвергающаяся воздействию ветра
	wind channel	*s.* wind tunnel		
W 735	**wind chart**	Windkarte *f*	carte *f* des vents	карта ветров, карта распределения ветров
W 736	**wind component indicator**	Wetterspinne *f*	indicateur *m* des composantes de vent	указатель составляющей ветра
W 737	**wind cone**, wind sleeve, conical streamer, wind sock <US>	Windkegel *m*, Windsack *m*, Windrüssel *m*, Windbeutel *m*	cône *m* du vent	ветровой конус, вымпел
	wind course, trajectory of the wind, wind trajectory, wind path	Windbahn *f*, Windweg *m*	trajectoire *f* du vent, chemin *m* du vent	путь ветра
W 738	**wind crack**	Windriß *m*	fissure *f* due au vent	ветряная трещина, ветреница
W 739	**wind-cracked, wind-shaken**	windrissig	fissuré sous l'action du vent	трещиноватый вследствие воздействия ветра
	wind current; wind-generated flow, wind-generated stream	Windströmung *f*, winderzeugte Strömung *f*, windbedingte Strömung; Windstrom *m*	courant *m* de vent	ветровое течение; ветровой поток
	wind current, wind drift, wind drift current	Driftstrom *m*, Drift *f*, Trift *f*; Driftströmung *f*, Triftströmung *f*	courant *m* de dérive, dérive *f*, courant de vent	дрейфовое (ветровое, ветровое дрейфовое) течение, дрейф

W 740	**wind-direction indicator,** wind indicator, streamer	Windrichtungs[an]zeiger *m*, Windanzeiger *m*, Windzeiger *m*	indicateur *m* de la direction du vent, indicateur de vent	ветроуказатель, указатель направления ветра, вымпел
W 741	**wind direction recorder**	Windrichtungsschreiber *m*	anémorumbographe *m*	анеморумбограф, самописец направления ветра, самописец для регистрации направления ветра
W 742	**wind divide**	Windscheide *f*	ligne *f* de partage des vents	линия раздела ветров
W 743	**wind drift,** windage	Windabtrift *f*; Winddrift *f*; Windversetzung *f*	·dérive *f* par le vent	снос ветром, ветровой снос, ветровый дрейф
W 744	**wind drift; wind drift current,** wind current	Driftstrom *m*, Drift *f*, Trift *f*; Driftströmung *f*, Triftströmung *f*	courant *m* de dérive, dérive *f*, courant de vent	дрейфовое (ветровое, ветровое дрейфовое) течение, дрейф
	wind-driven electric, wind-electric	windelektrisch	à aérogénérateur, aéro[-] électrique	ветроэлектрический
W 745	**wind-driven electric generator,** wind-mill generator, wind-electric generator	Windgenerator *m*, Windkraftgenerator *m*, Windstromerzeuger *m*	aéro[-]générateur *m*, éolienne *f*	ветроэлектрический генератор, генератор с приводом от ветряка
W 746	**wind-driven generating equipment, wind-driven plant,** wind electric set	Windkraftanlage *f*	installation *f* à aéromoteur, aéro-installation *f*	ветро[-]силовая установка
W 747	**wind-electric,** wind-driven electric	windelektrisch	à aérogénérateur, aéro[-] électrique	ветроэлектрический
	wind-electric generator, wind-driven electric generator, wind-mill generator	Windgenerator *m*, Windkraftgenerator *m*, Windstromerzeuger *m*	aéro[-]générateur *m*, éolienne *f*	ветроэлектрический генератор, генератор с приводом от ветряка
	wind-electric set	*s.* wind-driven generating equipment		
W 748	**wind energy,** energy of wind	Windenergie *f*	énergie *f* éolienne, énergie du vent	ветровая энергия, энергия ветра
	wind engine	*s.* wind motor		
W 749	**wind equation**	Windgleichung *f*	équation *f* du vent	уравнение ветра
	wind erosion	*s.* deflation		
W 750	**wind factor**	Windfaktor *m*	facteur *m* de vent	фактор ветра
W 751	**wind field**	Windfeld *n*	champ *m* du vent	ветровое поле, поле ветра
W 752	**wind force,** wind intensity, wind strength, intensity (force) of wind	Windstärke *f*	force *f* du vent	сила ветра
W 753	**wind force; wind power**	Windkraft *f*	force *f* du vent; énergie *f* éolienne, énergie du vent	сила ветра, ветровое усилие
W 754	**wind frequency**	Windhäufigkeit *f*, Windfrequenz *f*	fréquence *f* des vents	частота ветров, повторяемость ветров
	wind gauge, anemometer	Anemometer *n*, Windgeschwindigkeitsmesser *m*, Windmeßgerät *n*, Windmesser *m*	anémomètre *m*	анемометр, ветромер
W 755	**wind-generated flow, wind-generated stream;** wind current	Windströmung *f*, winderzeugte Strömung *f*, windbedingte Strömung; Windstrom *m*	courant *m* de vent	ветровое течение; ветровой поток
W 756	**wind gradient,** gradient of wind	Windgradient *m*, Windgefälle *n*	gradient *m* du vent	градиент ветра
	wind indicator	*s.* wind-direction indicator		
W 757	**winding**	Wicklung *f*; Aufwicklung *f*; Bewicklung *f*; Windung *f*	enroulement *m*; bobinage *m*	обмотка, обматывание; намотка, наматывание
W 758	**winding capacitance**	Wicklungskapazität *f*, Wickelkapazität *f*, Eigenkapazität *f* der Wicklung	capacité *f* d'enroulement, capacité intérieure de bobine, capacité entre spires	собственная емкость обмотки, междувитковая емкость обмотки
	winding cross-section, total cross-section of the winding	Wicklungsquerschnitt *m*, Wickelquerschnitt *m*	section *f* des conducteurs de l'enroulement; section disponible pour l'enroulement	поперечное сечение всех витков; сечение обмотки
W 759	**winding factor**	Spulenwicklungsfaktor *m*, Wicklungsfüllfaktor *m*, Wickelfaktor *m*; Wicklungsfaktor *m*	facteur *m* d'enroulement, facteur de remplissage	коэффициент заполнения обмотки, коэффициент заполнения объема обмотки
W 760	**winding pipe,** winding tube, pipe coil, coil, serpentine	Rohrschlange *f*, Schlangenrohr *n*, Schlange *f*	serpentin *m*	трубный змеевик, змеевик
W 761	**winding pitch**	Wickelschritt *m*, Wicklungsschritt *m*	pas *m* de bobinage, pas d'enroulement	шаг намотки
	winding ratio, turns ratio, ratio of the windings	Windungsverhältnis *n*, Windungszahlverhältnis *n*, Windungsübersetzung *f*	rapport *m* d'enroulement	отношение витков
W 762	**winding space**	Wickelraum *m*	espace *m* d'enroulement	занимаемое обмоткой пространство
	winding tube	*s.* winding pipe		
W 763	**wind instrument**	Blasinstrument *n*	instrument *m* à vent	духовой [музыкальный] инструмент
	wind intensity	*s.* wind force		
	wind kanter, wind-carved pebble; facet stone, facet rock	Windkanter *m*, Kantengeschiebe *n*, Kantengeröll *n*; Facettengeschiebe *n*, Facettengeröll *n*	caillou *m* à facettes	граненый валун, многогранник, эоловый многогранник
	wind laid-deposit, eolian deposit, wind-borne sediment	äolisches Sediment *n*, Windsediment *n*, Windablagerung *f*	dépôt *m* éolien, dépôt aérogène	эоловый осадок, ветровой осадок, эоловое отложение, ветровое отложение, эоловое образование

	English	German	French	Russian
	wind load, wind loading; wind pressure	Winddruck *m*; Windlast *f*, Windbelastung *f*; Windangriff *m*	pression *f* du vent, poussée *f* du vent	давление ветра; ветровая нагрузка
	wind measurement, anemometry, wind-velocity measurement	Anemometrie *f*, Windgeschwindigkeitsmessung *f*, Windmessung *f*	anémométrie *f*, mesure *f* de la vitesse du vent, mesure du vent	анемометрия, измерение скорости ветра, измерение ветра
W 764	**wind measuring apparatus, wind measuring device**	Windmeßgerät *n*, Windmesser *m*, Windmeßvorrichtung *f*	appareil *m* à mesurer le vent	ветромер, прибор для измерения ветра, измеритель ветра
W 764a	**wind[-]mill**	Windmühle *f*	moulin *m* à vent	ветряная мельница, ветрянка
	windmill anemometer	*s.* vane anemometer		
	windmill generator, wind-driven electric generator, wind-electric generator	Windgenerator *m*, Windkraftgenerator *m*, Windstromerzeuger *m*	aéro[-]générateur *m*, éolienne *f*	ветроэлектрический генератор, генератор с приводом от ветряка
W 765	**windmilling** \<aero.\>	Antrieb *m* durch den Fahrtwind, Fahrtwindantrieb *m* \<Aero.\>	auto-rotation *f* \<aéro.\>	авторотация, самовращение \<аэро.\>
	windmill motor	*s.* wind motor		
W 766	**wind moment**	Windmoment *n*	moment *m* du vent	момент ветра
W 767	**wind motor,** windmill motor, wind [power] engine; wind turbine, wind wheel, air wing, vane wheel	Windmotor *m*, Windkraftmaschine *f*, Windmaschine *f*; Windrad *n*, Windturbine *f*	aéromoteur *m*, aéromotrice *f*, moteur *m* éolien, moteur aérien, moteur à vent; turbine *f* éolienne, turbine aérienne, roue *f* éolienne, roue aérienne, roue aérodynamique	ветродвигатель, ветряной двигатель, ветровой двигатель; ветряное колесо, ветряк, ветрянка, ветрогон, ветряная турбина
	wind of Beaufort force, Beaufort number	Beaufort-Zahl *f*, Beaufort-Windstärke *f*, Beaufort-Stärke *f*, Windstärke *f* nach Beaufort	nombre *m* Beaufort, chiffre *m* Beaufort	сила ветра по шкале Бофорта, балл [Бофорта]
W 768	**Windom antenna**	Windom-Antenne *f*	antenne *f* Windom	«американка»; горизонтальный диполь, питаемый однопроводным фидером
W 769	**window** \<counter\>	Fenster *n* \<Zählrohr\>	fenêtre *f* \<du compteur\>	окно, окошко \<счетчика\>
W 769a	**window** \<geo.\>	[geologisches] Fenster *n*, tektonisches Fenster	fenêtre *f* [tectonique]	[тектоническое] окно
W 770	**window** \<opt.\>	Luke *f* \<Opt.\>	lucarne *f* \<opt.\>	изображение диафрагмы поля зрения, люк \<опт.\>
	window	*s. a.* windows		
W 771	**window amplifier**	Fensterverstärker *m*, Kanalverstärker *m*	amplificateur *m* de canal, amplificateur à fenêtre, amplificateur-loupe *m*	канальный усилитель, канальный усилитель
	window in Earth's atmosphere, atmospheric window	Fenster *n* der Atmosphäre	fenêtre *f* atmosphère, fenêtre dans l'atmosphère de la Terre	атмосферное окно [прозрачности], окно в земной атмосфере
	window jamming	*s.* radar perturbation by ropes		
W 772	**windowless Geiger-Müller counter**	fensterloses Geiger-Müller-Zählrohr *n*	tube *m* compteur Geiger-Müller sans fenêtre	счетчик Гейгера-Мюллера без окна
W 773	**windows,** window; ropes, flashers \<radar\>, radar chaff	Düppel *pl*, Düppelstreifen *mpl*, streifenförmige Metallfolien *fpl*, Radarstörstreifen *mpl*	bandelettes *fpl* métallisées antiradar, rubans *mpl* métallisés antiradar	металлизированные ленты для создания радиолокационных помех, дипольные отражатели, фольговые ленты, ленты из фольги
	wind path	*s.* wind course		
W 774	**wind pick-up,** whirling up	Wiederaufwirbelung *f*, Aufwirbelung *f*	soulèvement *m* par le vent, soulèvement [en tourbillons]	поднятие ветром, поднимание ветром, завихрение \<напр. радиоактивных веществ\>
W 775	**wind power**	Windleistung *f*	puissance *f* du vent	мощность ветра
	wind power; wind force	Windkraft *f*	force *f* du vent; énergie *f* éolienne, énergie du vent	сила ветра, ветровое усилие
	wind power engine	*s.* wind motor		
W 776	**wind pressure;** wind load, wind loading	Winddruck *m*; Windlast, Windbelastung *f*; Windangriff *m*	pression *f* du vent, poussée *f* du vent	давление ветра; ветровая нагрузка
W 777	**wind pressure field**	Winddruckfeld *n*	champ *m* de pression du vent	поле ветрового давления
W 778	**wind pressure formula**	Winddruckgleichung *f*, Winddruckformel *f*	formule *f* de la pression du vent	формула давления ветра
W 779	**wind profile,** profile of wind, profile of wind velocity	Windprofil *n*, Windgeschwindigkeitsprofil *n*	profil *m* de vent, profil de la vitesse du vent	профиль ветра, профиль скорости ветра
W 780	**wind radar**	Windradar *n*; Windradaranlage *f*	radar *m* météorologique pour mesurer le vent	радиолокационный ветромер; радиолокационная ветромерная станция (установка)
	wind reference number, rhumb, point [of the compass]	Windstrich *m*, Windziffer *f*	aire *f* [de vent], rumb *m*, rhumb *m*	румб ветра
W 780a	**wind resistance**	Windwiderstand *m*	résistance *f* au vent	сопротивление ветру; сопротивление, вызванное обдувкой
W 781	**wind ripple**	Windfurche *f*, Windrippe *]f*, Windmarke *f*	ride *f*	ветровая рябь
	wind rose	*s.* compass card		
	wind scale, scale of wind force	Windstärkeskala *f*, Windskala *f*	échelle *f* des forces du vent	шкала ветра, шкала силы ветра
W 782	**wind shadow**	Windschatten *m*	ombre *f* aérodynamique	ветровая тень, аэродинамическая тень

	English	German	French	Russian
	wind-shaken, wind-cracked	windrissig	fissuré sous l'action du vent	трещиноватый вследствие воздействия ветра
W 783	**wind shear**	Windscherung *f*	cisaillement *m* du vent	сдвиг ветра
	wind shift, change of the wind	Winddrehung *f*; Änderung *f* der Windrichtung, Windrichtungsänderung *f*, Windänderung *f*	changement *m* du vent	вращение ветра, поворот ветра; изменение ветра
	wind sleeve (sock)	s. wind cone		
	wind sounding balloon for radar wind measurement, radar sounding balloon	Windradarballon *m*	ballon-sonde *m* pour la mesure radar du vent	радиолокационный шар-пилот
	wind speed, wind velocity	Windgeschwindigkeit *f*	vitesse *f* du vent	скорость ветра
W 784	**wind-spout,** whirlwind over land	Windhose *f*, Trombe *f* über Land, Wettersäule *f*	trombe *f* de terre	смерч на суше, вихрь <метео.>
	wind strength	s. wind force		
W 785	**wind stress**	Windspannung *f*, Spannung *f* infolge Windbelastung	tension *f* due à la pression du vent	напряжение от ветровой нагрузки
	wind surface; wind catching area	Windfläche *f*, Windangriffsfläche *f*, Angriffsfläche *f* des Windes	aire *f* soumise à l'action du vent; surface *f* soumise à l'action du vent	площадь, подвергающаяся воздействию ветра; поверхность, подвергающаяся воздействию ветра
	wind trajectory	s. wind course		
W 786	**wind transport,** transportation by wind, transport by wind	Windverschleppung *f*	transport *m* par le vent, transfert *m* par le vent	перенос ветром
W 786a	**wind tree**	Windbaum *m*		циррус (слоистое облако) в виде конских хвостов
W 787	**wind tunnel,** aerodynamic tunnel, tunnel, wind channel, wind canal	Windkanal *m*, Windtunnel *m*	soufflerie *f*, tunnel *m* (soufflerie) aérodynamique	аэродинамическая труба, аэродинамический туннель
W 788	**wind tunnel balance,** aerodynamic balance	Windkanalwaage *f*, aerodynamische Waage *f*	balance *f* aérodynamique, balance de soufflerie	аэродинамические весы
W 789	**wind tunnel bell,** wind tunnel funnel	Windkanaldüse *f*	tuyère *f* de la soufflerie	сопло аэродинамической трубы
W 790	**wind tunnel contraction,** contracting nozzle	Kontraktionsdüse *f* [des Windkanals]	bec *m* contractant [du tunnel aérodynamique], contraction *f* du tunnel aérodynamique	коллектор аэродинамической трубы, конфузор аэродинамической трубы
	wind tunnel experiment, wind tunnel test	Windkanalversuch *m*	essai *m* en soufflerie; expérience *f* en soufflerie	испытание в аэродинамической трубе; эксперимент в аэродинамической трубе
	wind tunnel funnel, wind tunnel bell	Windkanaldüse *f*	tuyère *f* de la soufflerie	сопло аэродинамической трубы
W 791	**wind tunnel model,** tunnel model	Windkanalmodell *n*	modèle *m* pour les études dans la soufflerie	модель для испытаний в аэродинамической трубе
	wind tunnel of closed-circuit type	s. return-flow wind tunnel		
W 792	**wind tunnel test,** wind tunnel experiment	Windkanalversuch *m*	essai *m* en soufflerie; expérience *f* en soufflerie	испытание в аэродинамической трубе; эксперимент в аэродинамической трубе
	wind tunnel with continuous closed circuit	s. return-flow wind tunnel		
	wind tunnel with open working section	s. open[-] jet wind tunnel <aero.>		
	wind turbine	s. wind motor		
W 793	**wind vane,** weather[]vane, weather[]flag, weather[]cock	Windfahne *f*, Wetterfahne *f*; Wetterhahn *m*	girouette *f*; coq *m* [du clocher]	флюгарка, флюгер
	wind vane anemometer	s. vane anemometer		
W 794	**wind vector**	Windvektor *m*	vecteur *m* du vent	вектор ветра
W 795	**wind velocity,** wind speed	Windgeschwindigkeit *f*	vitesse *f* du vent	скорость ветра
	wind velocity indicator	s. anemometer		
	wind velocity measurement, anemometry, wind measurement	Anemometrie *f*, Windgeschwindigkeitsmessung *f*, Windmessung *f*	anémométrie *f*, mesure *f* de la vitesse du vent, mesure du vent	анемометрия, измерение скорости ветра, измерение ветра
	wind velocity recorder	s. anemograph		
	windward eddy (vortex)	s. weather-side vortex		
	windward wave	s. weather-side wave		
W 796	**wind wave**	Windsee *f*; Windwelle *f*, Windseewelle *f*	vague *f* [d'origine] éolienne, vague provoquée par le vent	ветровое волнение; ветровая волна
	wind wheel	s. wind turbine		
	wind wheel anemometer	s. vane anemometer		
W 797	**windy**	windig	venteux	ветренный
W 798	**wine-bottle potential**	Weinflaschenpotential *n*	potentiel *m* à fond de bouteille	потенциал типа «винной бутылки»
W 799	**wing** <of line> <spectr.>	Linienflügel *m* <Spektr.>	aile *f* [d'une raie] <spectr.>	крыло линии <спектр.>
W 800	**wing at zero lift,** zero-incidence wing	nichtangestellter Flügel *m*	aile *f* à l'incidence zéro	крыло с нулевым углом атаки
	wing chord	s. chord		
	wing of small aspect ratio, low-aspect-ratio wing	Tragflügel (Flügel) *m* kleiner Streckung	aile *f* de faible allongement	крыло малого удлинения
	wing profile, airfoil section (profile)	Tragflügelprofil *n*, Flügelprofil *n*, Profil *n* des Tragflügels	profil *m* d'aile	крыловой профиль, профиль крыла
W 801	**wing span,** span of the wing, spread of the wing	Spannweite *f* [des Flügels], Flügelspannweite *f*	envergure *f* [des ailes]	размах [крыльев]

	English	German	French	Russian
	wing-tip vortex, tip vortex, tip eddy, trailing vortex, vortex rope	Randwirbel *m*, Wirbelzopf *m*	tourbillon *m* au bord de fuite, tourbillon libre, tourbillon d'enroulement	вихревой шнур, вихревой ус, концевой вихрь, вихрь у конца крыла, вертикальный вихрь
W 802	**Winkelmann's biprism**	Biprisma *n* von Winkelmann	biprisme *m* de Winkelmann	бипризма Винкельмана
W 803	**Winkel['s] projection**	Winkelscher Entwurf *m*, Winkelsche Projektion *f*	projection *f* de Winkel, projection Winkel	проекция Винкеля
W 804	**Winkler generator**	Winkler-Generator *m*	générateur *m* de Winkler, gazogène *m* de Winkler	газогенератор Винклера, генератор Винклера
W 805	**Winslow effect**	Winslow-Effekt *m*	effet *m* Winslow	эффект Уинслоуа
W 806	**winter solstice,** December solstice	Wintersolstitium *n*, Wintersonnenwende *f*	solstice *m* d'hiver	зимнее солнцестояние
W 807	**winter solstice point**	Wintersolstitialpunkt *m*, Winterpunkt *m*	point *m* de solstice d'hiver	точка зимнего солнцестояния
W 808	**wipe,** two wipe slide, wipe slide; wipe fading	Wischblende *f*, Verdrängungsblende *f*	volet *m*	каше для вытеснения кадра
	wipe contact	*s.* wiping contact		
	wipe fading	*s.* wipe		
W 809	**wipe pulse**	Wischimpuls *m*	impulsion *f* de courte durée	кратковременный импульс
W 810	**wiper,** wiper arm; slider, sliding cursor, cursor slide[r]; cursor <el.>	Schleifer *m*; Schieber *m*; Läufer *m* <El.>	curseur *m*	ползунок, ползушка, ползун; движок
	wiper	*s. a.* contact brush		
	wiper arm	*s.* wiper <el.>		
W 811	**wipe resistance**	Wischfestigkeit *f*, Wischbeständigkeit *f*	résistance *f* au frottement	прочность на стирание
	wipe slide	*s.* wipe		
	wipe test, smear test	Wischtest *m*, Wischversuch *m*; Wischprobe *f*; Reibtest *m*, Reibversuch *m*	frottis *m*	испытание на удержание обтиранием, испытание на удержание стиранием, испытание на стирание
	wiping; rubbing; grating; smearing	Reiben *n*; Wischen *n*	frottement *m*	натирание; вытирание
W 812	**wiping contact,** wipe contact, rubbing contact, sliding contact, slide contact	Gleitkontakt *m*, verschiebbarer Kontakt *m*; Schleifkontakt *m*, Schleifer *m*; Schiebekontakt *m*; Reibkontakt *m*	contact *m* glissant, contact de glissement; contact frotteur	скользящий контакт, ползун[ок]; трущийся контакт; ползунковый контакт; передвижной контакт, подвижный контакт
	wire	*s. a.* line <el.>		
W 813	**wire aerial,** wire antenna	Drahtantenne *f*	antenne *f* filaire	проволочная антенна
W 814	**wire chamber,** wire spark chamber	Drahtelektroden-Funkenkammer *f*, Funkenkammer *f* mit Drahtelektroden	chambre *f* à étincelles à électrodes en forme de fils minces	искровая камера с электродами из тонких проволок
W 815	**wire drawing,** drawing of wires	Ziehen *n* von Draht, Drahtziehen *n*	tréfilage *m*, tréfilerie *f*, étirage *m* en fil, tirage *m* en fil	волочение проволоки, протягивание проволоки, протяжка проволоки
W 816	**wire gauze, wire grating,** grating, wire grid <el.>	Drahtnetz *n*, Netz *n*, Drahtgitter *n* <El.>	treillis *m* métallique, treillis <él.>	проволочная сетка, сетка <эл.>
W 817	**wire grating** <opt.>	Drahtgitter *n* <Opt.>	réseau *m* de transmission à fils <opt.>	проволочная решетка, проволочная прозрачная решетка <опт.>
	wire grid, wire grating, grating, wire gauze <el.>	Drahtnetz *n*, Netz *n*, Drahtgitter *n* <El.>	treillis *m* métallique, treillis <él.>	проволочная сетка, сетка <эл.>
	wire recording	*s.* sound-on-wire recording		
	wire resistance	*s.* wire-wound resistor		
	wire resistance gauge	*s.* resistance strain gauge		
	wire resistor	*s.* wire-wound resistor		
	wire spark chamber	*s.* wire chamber		
	wire store, magnetic wire store	Magnetdrahtspeicher *m*, Drahtspeicher *m*	mémoire *f* sur fil magnétique	запоминающее устройство на магнитной проволоке
	wire texture, texture in drawn wires, drawing texture, texture resulting from drawing	Ziehtextur *f*	texture *f* du fil étiré, texture due à l'étirage	текстура протяжки, текстура тянутой проволоки; текстура, образующаяся при протяжке
W 818	**wire-wound heavy-duty resistor**	Hochlastdrahtwiderstand *m*	résistance *f* bobinée pleine charge	проволочное сопротивление для большой нагрузки
W 819	**wire-wound potentiometer,** wound potentiometer	Drahtpotentiometer *n*	potentiomètre *m* bobiné	проволочный потенциометр
W 819a	**wire-wound resistor,** wire resistor; wire resistance	Drahtwiderstand *m*	résistance *f* bobinée	проволочное (катушечное) сопротивление; проволочный (катушечный) резистор
	wiring	*s.* circuit wiring		
	wiring	*s.* line <el.>		
W 820	**wiring capacitance**	Schaltkapazität *f*, Schaltungskapazität *f*; Verdrahtungskapazität *f*	capacité *f* de câblage, capacité des fils de câblage	[паразитная] емкость монтажа
W 821	**wiring diagram,** circuit diagram, wiring scheme <el.>	Schaltbild *n*, Schaltschema *n*; Schaltskizze *f*; Verdrahtungsplan *m*, Verdrahtungsschaltbild *n* <El.>	plan *m* de câblage, schéma *m* de câblage, schéma de montage, schéma de connexions <él.>	схема, электрическая схема, монтажная схема, коммутационная схема, распределительная схема, схема электропроводки, схема соединений, схема включения <эл.>
	wiring diagram (layout)	*s. a.* schematic circuit diagram <el.>		

	wiring scheme	s. wiring diagram <el.>		
W 822	**Wishart distribution**	Wishartsche Verteilung f	distribution f de Wishart	распределение Уишарта
	wisp of cloud, rag of cloud, ribbon of cloud, cloud rag, cloud ribbon, cloud wisp	Wolkenfetzen m	lambeau m de nuage	обрывок облака, клочок облака
W 822a	**wisp of precipitation**	streifenförmiger Niederschlag m, Niederschlagsstreifen m	bande f de précipitations	узкая полоса выпадения осадков
W 823	**withdrawal**, extraction <e.g. of rods>	Ausfahren n, Herausziehen n; Anheben n	retrait m, extraction f	выведение, вынимание, выдвигание
W 824	**within-class variance, within-group variance,** intraclass variance, variance between groups (treatments)	Varianz f innerhalb der Gruppen, Varianz innerhalb der Klassen, Varianz in den Gruppen, Varianz in den Klassen, Binnenvarianz f, Innerklassenvarianz f	variance f à l'intérieur des classes, variance intraclasse	внутригрупповая дисперсия, дисперсия внутри групп, дисперсия внутри классов
W 825	**Witka circuit**	Witka-Schaltung f, Zimmermann-Schaltung f	circuit m de Witka, montage m de Witka	схема Витка, выпрямительная схема Витка
	witness mark	s. bench mark		
W 826	**Witoszyński-Szymański flow (mouvement)**	Witoszyński-Szymańskische Strömung f	mouvement (écoulement) m de Witoszyński et Szymański	течение Витошиньского-Шиманьского
W 827	**Wittich['s] method**	Wittichsches Verfahren n	méthode f de Wittich	метод Виттиха
W 828	**WKB (W.K.B.) approximation, WKBJ (W.K.B.J.) approximation, WKBJ (W.K.B.J.) method, WKB (W.K.B.) method, WKB-type (W.K.B.-type) approximation,** Wentzel-Kramers-Brillouin approximation, Wentzel-Kramers-Brillouin-Jeffreys approximation, quasi[-] classical approximation [of Wentzel-Kramers-Brillouin [-Jeffreys]]	WKB-Näherung f, WKB-Methode f, Wentzel-Kramers-Brillouin[-Jeffreys]-Näherung f, Wentzel-Kramers-Brillouin Jeffreys]-Methode f, quasiklassische Näherung f, [von Wentzel-Kramers-Brillouin[-Jeffreys]], Phasenintegralmethode f	approximation f W. K. B. [J.], approximation type W. K. B. [J.], méthode f W. K. B. [J.], approximation de Wentzel-Kramers-Brillouin[-Jeffreys], méthode f de Wentzel-Kramers-Brillouin[-Jeffreys], approximation quasi classique [de Wentzel-Kramers-Brillouin[-Jeffreys]]	квазиклассическое приближение [квантовой механики], ВКБ-метод, метод ВКБ, [квазиклассический] метод Вентцеля-Крамерса-Бриллюэна, квазиклассическое приближение Вентцеля-Крамерса-Бриллюэна
W 829	**Wobbe number,** W	Wobbe-Zahl f, W	indice m de Wobbe, nombre m de Wobbe, W	число Воббе, W
	wobble	s. warble tone		
	wobble	s. wobbulation		
	wobble	s. staggering <mech.>		
W 830	**wobble amplitude**	Wobbelhub m	amplitude f de vobulation	размах качания, амплитуда качания
W 831	**wobble circuit**	Wobbelschaltung f	circuit m de vobulation, montage m à vobulation	схема с качанием частоты
W 832	**wobble factor**	Wobbelfaktor m	facteur m de vobulation, coefficient m de vobulation	коэффициент вобуляции, коэффициент неустойчивости
W 833	**wobble frequency;** wobbling frequency	Wobbelfrequenz f, Taumelfrequenz f	fréquence f de vobulation	частота качания, периодичность качания, качающаяся частота, частота вобуляции
	wobble modulation	s. wobbulation		
W 834	**wobble period**	Wobbelperiode f	période f de vobulation	период качания [частоты]
	wobble plate, swash[]plate, wobbler	Taumelscheibe f	disque m oscillant, disque vobulateur	качающаяся шайба; диск, насаженный на ось не под прямым углом
	wobble pump, rotary swash plate pump, swash plate pump	Taumelscheibenpumpe f, Wobbelpumpe f	pompe f à disque oscillant, pompe [rotative] à piston oscillant	насос с качающейся шайбой
W 835	**wobbler**, wobbulator, sweep [frequency] generator; sweep signal generator; frequency-swept oscillator; master sweep generator	Wobbler m, Wobbelsender m; Wobbelfrequenzgenerator m, Wobbelgenerator m, Heultongenerator m, Heulsummer m; Wobbelmeßsender m	vobulateur m de fréquence, wobbulateur m [de fréquence], wobulateur m, générateur m à vobulation, générateur à balayage (exploration) de fréquence	вобулятор, генератор качающейся частоты; задающий генератор качающейся частоты
	wobbler, swash[]plate, wobble plate	Taumelscheibe f	disque m oscillant, disque vobulateur	качающаяся шайба; диск, насаженный на ось не под прямым углом
	wobble tone	s. warble tone		
	wobbling	s. wobbulation		
	wobbling	s. staggering <mech.>		
	wobbling frequency; wobble frequency	Wobbelfrequenz f, Taumelfrequenz f	fréquence f de vobulation	частота качания, периодичность качания, качающаяся частота, частота вобуляции
W 836	**wobbling pulse**	Wobbelimpuls m	impulsion f de vobulation	качающийся импульс
W 837	**wobbling voltage**	Wobbelspannung f	tension f de vobulation	напряжение, вызывающее качание частоты
W 838	**wobbulation**, wobbling, wobble modulation, frequency sweep, wobble, warble	Wobbelung f, Wobblung f, Wobbelauftastung f, Frequenzdurchlauf m, Frequenzverwerfung f	vobulation f, wobbulation f [de fréquence], balayage m de fréquence	качание частоты, вобуляция; изменение частоты при качании, пробег частоты
	wobbulator	s. wobbler		
W 839	**wobbuloscope**	Wobbeloszillograph m, Wobbeloszilloskop n	vobuloscope m, wobbuloscope m	характериограф, измеритель частотных характеристик

	W/O emulsion	s. water-in-oil emulsion		
W 840	**Wöhler curve; Wöhler diagram;** SIN curve, stress number curve, fatigue curve	Wöhler-Kurve f, Ermüdungskurve f, Wöhler-Linie f; Wöhler-Schaubild n, Wöhler-Diagramm n, SN-Diagramm n	courbe f de Wöhler, courbe de fatigue; diagramme m de Wöhler	кривая Велера, кривая выносливости, кривая усталости; диаграмма Велера
W 841	**Wöhler['s] method**	Wöhler-Verfahren n, Einstufen-Dauerschwingversuch m	méthode f de Wöhler	метод Велера
	Wolf bottle, Wolff bottle, Woulfe bottle	Woulfesche Flasche f, Wulfsche Flasche	flacon m de Wolf	вульфова склянка, склянка Вульфа <дву- или трехгорлая>
W 841a	**Wolfenstein [triple scattering] parameter**	Wolfensteinscher Dreifachstreuparameter m	paramètre m de Wolfenstein [de diffusion triple]	параметр трехкратного рассеяния Вольфенштейна
W 842	**Wolff bottle,** Wolf bottle, Woulfe bottle	Woulfesche Flasche f, Wulfsche Flasche	flacon m de Wolf	вульфова склянка, склянка Вульфа <дву- или трехгорлая>
W 843	**Wolf['s] method [for determining absorption and distance of dark cosmic clouds]**	Wolfsches Verfahren n, Wolfsche Methode f	méthode f de Wolf	метод Вольфа
W 844	**Wolf number,** Wolf['s] sunspot number, Zürich number, relative sunspots number	Fleckenrelativzahl f, Sonnenflecken-Relativzahl f, Wolfsche Zahl f, Wolfsche Relativzahl f (Sonnenfleckenzahl) f	nombre m de Wolf, nombre relatif des taches solaires	число Вольфа, относительное число солнечных пятен
W 845	**Wolf-Rayet star**	Wolf-Rayet-Stern m, W-Stern m	étoile f de Wolf-Rayet	звезда типа Вольф[а]-Райе, звезда Вольф[а]-Райе
	Wolf['s] sunspot number, Wolf number, Zürich number, relative sunspots number	Fleckenrelativzahl f, Sonnenflecken-Relativzahl f, Wolfsche Zahl f, Wolfsche Sonnenfleckenzahl f	nombre m de Wolf, nombre relatif des taches solaires	число Вольфа, относительное число солнечных пятен
W 846	**Wollaston, Wollaston['s] prism**	Wollaston-Prisma n; Polarisationsprisma n von Wollaston, Wollaston-Doppelprisma n, Wollaston-Platte f; Viereckprisma n (vierseitiges Reflexionsprisma) n nach Wollaston	prisme m de Wollaston	призма Волластона
W 847	**Wollaston wire,** whisker wire, capillary wire	Haardraht m; Wollaston-Draht m	fil m de Wollaston	волластоновская (волосная) проволока, волластоновская нить, нить Волластона
	Wolter['s] method, marking of minimum beam	Minimumstrahlkennzeichnung f, Woltersche Methode f der Minimumstrahlkennzeichnung, Methode von Wolter	marquage m de rayon minimum, méthode f de Wolter	отметка минимального луча, метод Вольтера
W 848	**Woltmann['s] sailwheel**	Woltmann-Flügel m, Woltmann-Zähler m, Woltmann-Wassermesser m	moulinet m de Woltmann	водомер Вольтмана, вертушка Вольтмана
W 849	**Wood['s] bridge**	Wood-Brücke f, Woodsche Brücke f, Woodsche Brückenschaltung f	pont m de Wood	мост Вуда, мостовая схема по Вуду
W 850	**Wood['s] discharge tube**	Woodsches Entladungsrohr n	tube m à décharge de Wood	разрядная трубка Вуда
W 850a	**Wood effect**	Wood-Effekt m	effet m Wood	эффект Вуда
W 851	**Wood filter,** black filter	Schwarzfilter n, Schwarzglas n, Schwarz-Uviol-Glas n, Woodsches Filter n	filtre m noir, verre m noir [de Wood], écran m noir, filtre de Wood, verre de Wood	черный светофильтр, фильтр Вуда
	Wood['s] lamp	s. black-light lamp		
W 851a	**wood-polymer composite,** WPC	Polymerholz n, Holz-Polymer-Verbindung f, Holz-Polymer-Kombination f, Polymer-Holz-Verbindung f, Plast-Holz-Kombination f, Plast-Holz-Werkstoff m; Plastlagenholz n	combinaison f bois-polymère, matériau m composite de bois et polymère	древесно-полимерная комбинация
W 851b	**Wood['s] resonance series**	Resonanzserie f von Wood, Woodsche Resonanzserie, Wood-Serie f	série f de résonance de Wood	резонансная [спектральная] серия Вуда
	woody fracture, fibrous fracture	Faserbruch m, Schieferbruch m, Holzfaserbruch m	cassure f fibreuse (schistoïde, à nerf, en bois pourri), rupture f fibreuse	волокнистый излом, шиферный излом
	wooliness; echo, re-echo, resounding, reverberation	Widerhall m	retentissement m, répercussion f	гулкость, отзвук
W 851c	**wooltuft technique;** thread-probe technique	Fadensondenmethode f, Wollfadenmethode f	méthode f des fils [de laine]	метод шелковинок, метод визуализации потока шелковинками
W 852	**word** <num. math.>	Wort n, Zahlengruppe f <num. Math.>	mot m <math. num.>	слово, группа символов; кодовая группа; число <числ. матем.>
	word group, free group	freie Gruppe f, Wortgruppe f	groupe m libre, groupe de mots	свободная группа, группа слов
W 853	**word length,** capacity <num. math.>	Wortlänge f <num. Math.>	longueur f de mot [codé] <math. num.>	длина слова, длина кодового слова, длина кода <числ. матем.>
	word problem, identity problem	Identitätsproblem n, Wortproblem n	problème m d'identité, problème des mots	проблема тождества [слов]
W 854	**word time**	Wortlaufzeit f, Wortzeit f	temps m de mot, durée f de mot	длительность слова, время слова

	English	German	French	Russian
W 855	work, energy	Arbeit f	travail m	работа
W 856	workability, working properties, formability	Umformbarkeit f, Verformbarkeit f, Formbarkeit f	déformabilité f, pouvoir m d'être déformé, propriété f d'être déformé	обрабатываемость, способность поддаваться обработке, податливость формоизменению, формируемость
W 857	work against resistance work diagram	Widerstandsarbeit f s. indicator diagram	travail m contre la résistance	работа сопротивления
W 858	work done <by>	geleistete Arbeit f	travail m produit, travail accompli	совершаемая (совершенная, выполненная, производимая) работа
	work done by external forces, exterior work, external work	äußere Arbeit f, Arbeit äußerer Kräfte	travail m extérieur, travail des forces extérieures	внешняя работа, работа внешних сил
	work done by friction	s. work of friction		
W 859	work done by the internal forces	innere Arbeit f, Arbeit der inneren Kräfte	travail m des forces intérieures	работа внутренних сил
W 860	work function, work of emission (escape), electronic work function	Austrittsarbeit f, Ablösearbeit f	travail m d'extraction, travail de sortie, fonction f de travail	работа выхода
	work function	s. a. free energy		
	work function of a nuclear particle	s. separation energy		
	work hardening	s. strain hardening		
W 861	work-hardening capacity, work-hardening property, strain-hardening capacity (property)	Verfestigungsfähigkeit f, Kalthärtbarkeit f	propriété f d'être écroui	способность упрочняться
W 862	work-hardening coefficient, strain-hardening coefficient, rate of work (strain) hardening	Verfestigungskoeffizient m, Verfestigungsanstieg m, Verfestigungskennwert m	taux m de consolidation, coefficient m d'écrouissage, vitesse f d'écrouissage	коэффициент упрочнения, модуль упрочнения, модуль нормальной пластичности, коэффициент наклепа
W 863	work-hardening curve, strain-hardening curve	Verfestigungskurve f	courbe f de consolidation, courbe d'écrouissage	кривая упрочнения
	work-hardening exponent	s. strain-hardening exponent		
W 864/5	work-hardening hypothesis	Verfestigungshypothese f	hypothèse f d'écrouissage, hypothèse de consolidation	гипотеза упрочнения
	work-hardening index	s. strain-hardening exponent		
	work-hardening property	s. work-hardening capacity		
W 866	work-hardening stress	Verfestigungsspannung f	tension f de consolidation, tension d'écrouissage	напряжение упрочнения
	working; processing; handling; treatment	Verarbeitung f	traitement m; consommation f	обработка; переработка; выработка <стекла>
	working	s. a. processing <mech.>		
W 867	working blade	Zugflügel m	pale f d'obturation	рабочая лопасть
	working characteristic	s. operating characteristic		
	working current	s. operating current		
	working curve	s. dynamic characteristic		
	working cycle, cycle <therm.>	Kreisprozeß m, geschlossener Prozeß m <Therm.>	cycle m, cycle fermé [de processus] <therm.>	тепловой цикл, цикл, круговой процесс; циклический процесс <тепл.>
W 868	working distance	Arbeitsabstand m, Abstand m für gefahrloses Arbeiten; freier Arbeitsabstand, freier Objektabstand m, freier Dingabstand m <Mikroskop>	distance f à travailler	рабочее расстояние
W 869	working energy	Arbeitsvermögen n; Leistungsfähigkeit f	puissance f	работоспособность
W 870	working fluid, working liquid <of diffusion pump>	Treibmittel n, Treibflüssigkeit f <Diffusionspumpe>	fluide m moteur, liquide m moteur <de la pompe à diffusion>	рабочая жидкость, рабочее вещество <диффузионного насоса>
W 871	working hours	Arbeitszeit f	heures fpl de travail	рабочее время
W 872	working hypothesis	Arbeitshypothese f	hypothèse f de travail	рабочая гипотеза
	working interval, working range	Verarbeitungsbereich m, Verarbeitungsintervall n	intervalle m de travail	интервал выработки, область выработки
	working liquid, working fluid <of diffusion pump>	Treibmittel n, Treibflüssigkeit f <Diffusionspumpe>	fluide m moteur, liquide m moteur <de la pompe à diffusion>	рабочая жидкость, рабочее вещество <диффузионного насоса>
W 872a	working mean, provisional mean	Arbeitsmittel n	moyenne f de travail	рабочее среднее, произвольно принятое среднее
W 873	working medium	Arbeitsstoff m	milieu m actif, milieu de travail	рабочая среда
W 874	working plane, plane of measurement	Meßebene f	plan m utile, plan référentiel, plan de mesure	рабочая поверхность (плоскость), плоскость измерения
	working point, sinking point, sinking temperature	Einsinkpunkt m, Einsinktemperatur f, Verarbeitungspunkt m, Verarbeitungstemperatur f	température f d'enfoncement, température de travail	температура начала размягчения, температура выработки
	working point, operating point	Arbeitspunkt m	point m de régime (fonctionnement, travail), point d'utilisation; point de repos	рабочая точка
	working properties	s. workability		
W 875	working range, working interval	Verarbeitungsbereich m, Verarbeitungsintervall n	intervalle m de travail	интервал выработки, область выработки

	English	German	French	Russian
W 876	**working standard [lamp], working standard of light;** secondary standard lamp, secondary luminous standard, secondary standard [of light], secondary standard light source	Anschlußlampe f, Sekundärnormallampe f, Sekundärstandardlampe f; Standardlampe f	étalon de travail de lumière, étalon m photométrique de travail, lampe f tare, lampe de comparaison, étalon photométrique secondaire, étalon secondaire de lumière	рабочий световой эталон; образцовая светоизмерительная лампа, вторичный фотометрический эталон, вторичный световой эталон
	working storage	s. internal memory		
	working stress	s. permissible stress		
W 877	**working stroke,** power stroke	Arbeitstakt m, Verbrennungstakt m	cycle m de travail, cycle de fonctionnement	рабочий цикл, рабочий ход, такт сгорания
W 878	**working temperature;** operating temperature, final temperature of operation	Betriebstemperatur f; Arbeitstemperatur f	température f d'opération, température de fonctionnement	рабочая температура
W 879	**working temperature**	Umformungstemperatur f, Umformtemperatur f, Verformungstemperatur f	température f de formage, température de travail	температура формования, температура обработки, рабочая температура
	working voltage	s. burning voltage <of discharge, arc>		
W 880	**working volume** <of the air pump>	Schöpfraum m, Schöpfvolumen n, Pumpraum m <Luftpumpe>	chambre f de travail <de la pompe à vide>	рабочая камера <воздушного насоса>
W 881	**work necessary to separate two bodies adherent to one another**	Arbeit f zum Enthaften zweier Körper, Abreißarbeit f	travail m de l'arrachement	работа отрыва, работа прилипания
W 882	**work of adhesion,** energy of adhesion	Adhäsionsarbeit f, Haftarbeit f	travail m d'adhésion	работа адгезии, работа адгезионного отрыва
	work of cohesion, cohesive energy, cohesional work	Kohäsionsenergie f	énergie f de cohésion	энергия сцепления
W 883	**work of compression,** compression work	Verdichtungsarbeit f, Kompressionsarbeit f	travail m de compression	работа сжатия
W 884	**work of deformation**	[äußere] Formänderungsarbeit f, Umformarbeit f, Verformungsarbeit f, Deformationsarbeit f, Verzerrungsarbeit f, Arbeit f der umformenden Kräfte, Arbeit der äußeren Kräfte bei der Umformung; Lastsenkungsarbeit f	travail m de déformation, effort m de déformation	работа деформации
	work of displacement, displacement work	Verdrängungsarbeit f	travail m de déplacement	работа вытеснения
	work of emission (escape)	s. work function		
W 885	**work of evaporation**	Verdampfungsarbeit f	travail m d'évaporation	работа испарения
W 886	**work of friction,** frictional work, work done by friction	Reibungsarbeit f	travail m dû au frottement, travail de frottement, travail total de l'action et de la réaction de frottement	работа трения
	work of magnetization	s. energy of magnetization		
W 887	**work of nucleation**	Keimbildungsarbeit f, Kernbildungsarbeit f	travail m de germination	работа образования зародышей
W 888	**work of reaction**	Reaktionsarbeit f	travail m de réaction	работа реакции
	work of rupture, stretching strain, rupture work	Zerreißarbeit f	travail m de rupture	работа на растяжение, работа растяжения, работа разрыва
W 889	**work of twisting,** torsional work, twisting strain, torsional strain	Torsionsarbeit f, Verdreharbeit f, Verdrehungsarbeit f	travail m de torsion	работа на кручение, работа на скручивание
W 890	**work softening**	Verformungsentfestigung f, Entfestigung f durch Kaltverformung	ramollissement m mécanique, ramollissement par travail à froid	механическое разупрочнение (размягчение), разупрочнение при холодной деформации
	work-softening	s. a. destrengthening		
W 891	**world acceleration vector**	Weltbeschleunigungsvektor m	vecteur m accélération d'univers	вектор ускорения Вселенной
	world curve, world line	Weltlinie f	ligne f d'univers, ligne cosmique	мировая линия
W 892	**world day**	Welttag m	jour m mondial	мировой день
	world force	s. gravitation		
	world force density	s. four-density of force		
W 893	**world invariant,** Lorentz invariant	Lorentz-Invariante f	invariant m de Lorentz	релятивистский инвариант, лоренцов инвариант
W 894	**world-invariant,** Lorentz-invariant, lorentz invariant	Lorentz-invariant, lorentzinvariant, relativistisch invariant, weltinvariant	Lorentz-invariant	лоренц-инвариантный, релятивистски инвариантный
W 895	**world-invariant conservation law, world-invariant law of conservation**	Lorentz-invarianter Erhaltungssatz m	loi f de conservation Lorentz-invariante	лоренц-инвариантный закон сохранения, релятивистски инвариантный закон сохранения
W 896	**world line,** world curve	Weltlinie f	ligne f d'univers, ligne cosmique	мировая линия
W 897	**world picture,** world system	Weltbild n, Weltsystem n	conception f du monde	картина мира, система мира, мировая система
	world point, event, space-time point	Ereignis n, Raumzeitpunkt m, Raum-Zeit-Punkt m, Weltpunkt m	événement m, point m de l'espace-temps	событие, мировая точка, точка пространства-времени
W 898	**world radius,** radius of the universe	Weltradius m	rayon m de l'univers	радиус вселенной

	English	German	French	Russian
	world space	s. space-time <math.>		
	world system, world picture	Weltbild n, Weltsystem n	conception f du monde	картина мира, система мира, мировая система
W 899	world tensor	Welttensor m	tenseur m d'univers	тензор вселенной
	world tensor	s. a. four-tensor		
W 900	world thunderstorm activity	Weltgewittertätigkeit f	activité f orageuse mondial (dans le monde)	мировая грозовая деятельность
	World Time	s. Universal time		
W 901	world vector	Weltvektor m	vecteur m d'univers	вектор вселенной
	world vector	s. a. four-vector		
	world-wide weather, universal weather	Weltwetter n	temps m universel	мировая погода, погода на земном шаре
W 902	worm, endless screw	Schnecke f, endlose Schraube f	hélice f, limaçon m, vis f sans fin	червяк, улитка, шнек, бесконечный винт
	worm <of screw>; turn, turn of winding, single turn, spire; torsion <bio.>	Windung f; Lage f	tour m; spire f	виток; завиток; оборот
W 903	worm gear	Schneckengetriebe n, Schnecke; Wurmgetriebe n	engrenage m à vis sans fin, engrenage hélicoïdal	червячная передача
W 904	worm's eye view	Froschperspektive f	contre-plongée f	лягушечья перспектива
W 905	worm wheel	Schneckenrad n	roue f à vis sans fin, roue hélicoïdale	червячное колесо
W 906	Wortmann['s] method	Tellurmethode f [nach Wortmann], Wortmannsche Methode f	méthode f de Wortmann	метод Вортмана
W 906a	Wosthoff pump	Wosthoff-Pumpe f	pompe f Wosthoff	насос Востхофа
	Woulfe bottle, Wolff bottle, Wolf bottle	Woulfesche Flasche f, Wulfsche Flasche	flacon m de Wolf	вульфова склянка, склянка Вульфа <дву- или трехгорлая>
	wound potentiometer, wire-wound potentiometer	Drahtpotentiometer n	potentiomètre m bobiné	проволочный потенциометр
W 907	wow, wowing, wow-wows, frequency wow <el.>	Jaulen n <El.>	pleurage m de son, pleurage de fréquence <él.>	детонационные искажения, плавание частоты <эл.>
	wrapped capacitor, roller-type capacitor	Wickelkondensator m	condensateur m bobiné, condensateur enroulé	рулонный конденсатор
	wrapping, covering	Umhüllung f, Umwicklung f	revêtement m [de protection], enrobage m, enrobement m, entourage m	оболочка, защитная оболочка, предохранительная оболочка
	wrapping angle	s. angle of embrace		
W 908	wrap[ping] test	Wickelversuch m, Wickelprobe f	essai m d'enroulement	испытание проволоки на перегиб
W 909	Wratten filter	Wratten-Filter n	filtre m de Wratten	фильтр Рэттена
W 910	wrench <math.>	Schraube f, Vektorschraube f, Dyname f <Math.>	vis f, visseur m <math.>	динама <матем.>
W 911	wrench, wrench of forces <mech.>	Dyname f, Kraftschraube f, Winder m; Bewegungsschraube f <Mech.>	torseur m <méc.>	динама, динама сил, динамический винт <мех.>
W 912	wriggle instability, torsional instability	Torsionsinstabilität f, Torsionsunbeständigkeit f, Verdrehungsinstabilität f, Verdrehinstabilität f, Drehungsinstabilität f	instabilité f à la torsion	неустойчивость по кручению, неустойчивость по скручиванию
W 913	Wright biquartz, Wright compensator	Wrightscher Kompensator (Kombinationskeil) m, Quarz-Kombinationskeil m von (nach) Wright	compensateur m de Wright, biquartz m de Wright	клин Райта, оптический клин Райта
	Wright compensator, Wright biquartz	Wrightscher Kompensator (Kombinationskeil) m, Quarz-Kombinationskeil m von (nach) Wright	compensateur m de Wright, biquartz m de Wright	клин Райта, оптический клин Райта
W 914	Wright['s] criterion	Wrightsches Kriterium n	critère m de Wright	критерий Райта
W 915	Wright eyepiece	Wrightsches Okular n, Wrightsches Mikroskopokular n, Okular nach Wright, Wright-Okular n	oculaire m de Wright	окуляр Райта
W 916	wringing	Ansprengen n	adhérence f	скручивание плоских поверхностей, соединение с использованием прилипания
W 916a	wrinkle	Runzel f, Falte f	ride f, pli m	морщина, складка
	wrinkle, trick, artifice	Kunstgriff m, Kniff m	truc m, artifice m	ухищрение, хитроумный прием, остроумный прием, хитрость
W 917	wrinkling, making deep furrows	Zerfurchung f	entaille f, incision f	изрезанность
W 918	wrinkling <geo.>	Fältelung f, Kleinfaltung f <Geo.>	chiffonnage m <géo.>	плойчатость, гофрировка, смятие тонких пластов в мелкие складочки <гео.>
W 919	wrinkling, surface wrinkling (roughening) <techn.>	Runzelbildung f; Faltung f; Aufrauhung f, Oberflächenaufrauhung f, <Techn.>	craquellement m [de la surface], corrugation f superficielle, rides fpl de surface <techn.>	шероховение, шероховка, жеванность [поверхности] <техн.>
W 920	wrinkling zone	Fältelungszone f, Zerquetschungszone f	zone f de chiffonnage	зона смятия
W 921	write beam, write ray	Schreibstrahl m	rayon (faisceau) m d'inscription	пишущий луч

	English	German	French	Russian
W 922	writing <in a storage tube>	Schreiben n <Speicherröhre>	écriture, <dans le tube à mémoire>	запись <в запоминающей трубке>
	writing rate; writing speed, recording speed, tracing speed	Registriergeschwindigkeit f, Schreibgeschwindigkeit f	vitesse f d'enregistrement. vitesse d'écriture	скорость записи, скорость регистрации; скорость развертки
W 923	Wronskian, Wronski['s] determinant	Wronskische Determinante f, Wronski-Determinante f	wronskien m, déterminant m de Wronski	вронскиан, определитель Вронского, детерминант Вронского
W 924	Wu['s] experiment	Wu-Experiment n, Versuch m von Wu, Wuscher Versuch	expérience f de Wu	опыт Ву
W 925	Wulf electrometer, bifilar electrometer, two-fibre electrometer	Bifilarelektrometer n, Wulf-Elektrometer n, Wulfsches Elektrometer n, Zweifadenelektrometer f, Zweifadenvoltmeter n	électromètre m de Wulf, électromètre bifilaire, électromètre à deux fils	бифилярный электрометр, электрометр Вульфа, двуниточный (двунитный) электрометр [Вульфа], электрометр с двойной нитью
W 926	Wulff['s] construction, construction by Wulff	Wulffsche Konstruktion f	construction f de Wulff	конструкция Вульфа
W 927	Wulff['s] net, net of Wulff, stereographic net	Wulffsches Netz n	réseau (canevas) m de [G.] Wulff, réseau (canevas) stéréographique	сетка Вульфа, стереографическая сетка
W 928	Wulff pressure	Wulffscher Kristallflächendruck m, Wulffscher Druck m, Wulff-Druck m	pression f de Wulff	кристаллоповерхностное давление Вульфа, давление Вульфа
W 928a	Wulff['s] surface	Wulffsche Fläche f	surface f de Wulff	поверхность Вульфа
W 929	Wulff['s] theorem	Wulffsches Theorem n	théorème m de Wulff	теорема Вульфа
W 930	Wüllner['s] law	Wüllnersches Gesetz n	loi f de Wüllner	закон Вюльнера
W 931	Wunderlich valve	Wunderlich-Röhre f	tube m de Wunderlich	лампа Вундерлиха
W 932	W Ursae Majoris[-type] star	W Ursae Majoris-Stern m	variable f du type W Ursae Majoris, étoile f du type W Ursae Majoris, étoile W Ursae Majoris	[переменная] звезда типа W Большой Медведицы
W 933	wurtzite structure, wurtzite-type structure	Wurtzitstruktur f, Wurtzittyp m	structure f de wurtzite, structure du type wurtzite, structure type wurtzite	структура вюрцита, структура типа вюрцита, вюрцитная структура
W 934	W Virginis[-type] star, spherical component cepheid	W Virginis-Stern m	variable (étoile) f du type W Virginis, étoile W Virginis	звезда типа W Девы
	wye-delta connection	s. star-delta connection		
W 935	Wyman['s] resonance method	Wymansche Resonanzmethode f, Resonanzmethode f von Wyman	méthode f de Wyman	резонансный метод Ваймена

X

	X-amplifier	s. horizontal amplifier		
	X[-] antenna, double V[-] antenna	Spreizdipol m, X-Antenne f, Doppel-V-Antenne f	antenne f en double V	ИКС-образная антенна, Х-образная антенна, двойная V-образная антенна
X 1	xanthopsy	Xanthopsie f, Gelbsehen n	xanthopsie f	ксантопсия
	X-axis amplifier	s. horizontal amplifier		
X 2	X band <8.5 – 12.5 or 5.2 – 11 Gc/s>	X-Band n <8,5 ⋯ 12,5 oder 5,2 ⋯ 11 GHz>	gamme f X [de fréquences], bande f X [de fréquences] <8,5 – 12,5 ou 5,2 – 11 Gc/s>	диапазон X [частот] <8,5 ÷ 12,5 или 5,2 ÷ 11 Ггц>
X 3	X contact, X synchronization [contact]	X-Kontakt m	prise f X	нулевой контакт, 0-контакт, Х-контакт
X 4	X cut, X-cut, normal cut, Curie cut	X-Schnitt m	coupe f X	Х-срез [кристалла]
X 5	X-cut crystal, X-shaped crystal	X-Schnitt-Kristall m, X-geschnittener Kristall m	cristal m à coupe X	кристалл с Х-срезом
	X deflection	s. horizontal deflection		
X 5a	xenocryst[al]	Xenokristall m	xénocristal m	ксенокристалл
X 5b	xenology	Xenologie f	xénologie f	ксенология
	xenomorphic	s. allotriomorphic		
X 6	xenon bubble chamber, xenon chamber, xenon-filled bubble chamber	Xenonblasenkammer f	chambre f de bulles à (remplie de) xénon, chambre à bulles de xénon	ксеноновая пузырьковая камера, ксеноновая камера
X 6a	xenon build-up [after shutdown]	Xenon-Vergiftungszunahme f [nach dem Abschalten des Reaktors], Zunahme f der Xenonvergiftung [nach dem Abschalten des Reaktors]	surempoisonnement m xénon, surempoisonnement par [le] xénon	сверхотравление ксеноном, сверхотравление реактора ксеноном
	xenon chamber	s. xenon bubble chamber		
X 7	xenon effect	Xenoneffekt m, Xenon-Vergiftungseffekt m	effet m xénon	эффект отравления реактора ксеноном, эффект отравления ксеноном, эффект ксенона

X 8	**xenon extra-high pressure arc,** extra-high pressure xenon arc	Xenon-Höchstdruck-bogen *m*	arc *m* au xénon à très haute pression	ксеноновая дуга сверх-высокого давления
	xenon-filled bubble chamber, xenon bubble chamber, xenon chamber	Xenonblasenkammer *f*	chambre *f* de bulles à (remplie de) xénon, chambre à bulles de xénon	ксеноновая пузырьковая камера, ксеноновая камера
X 9	**xenon poisoning [of reactor]**	Xenonvergiftung *f* [des Reaktors]	empoisonnement *m* xénon, empoisonnement par [le] xénon	отравление ксеноном, отравление реактора ксеноном
X 10	**xenon poisoning predictor**	Xenonvergiftungsrechner *m*	prédicteur *m* d'empoisonne-ment par xénon, predic-teur xénon	предсказатель отравления реактора ксеноном; счетно-решающее устройство, вычисля-ющее изменение реак-тивности в зависимости от отравления реактора ксеноном
X 11	**xerochasy**	Xerochasie *f*	xérochasie *f*	растрескивание сосудов семян под влиянием сухости
X 12	**xerogel**	Xerogel *n*	xérogel *m*	ксерогель
X 13	**xerographic develop-ment,** dry development	Betonerung *f*, elektro-photographische (xero-graphische) Entwick-lung *f*, Trockenent-wicklung *f*	développement *m* xéro-graphique, développe-ment électrophoto-graphique, développe-ment sec	сухое проявление [при ксерографии]
X 14	**xerophile, xerophilic, xerophilous**	xerophil	xérophile	ксерофильный, засухоустойчивый
	xerophilous nature (property), xerophily	Xerophilie *f*	xérophilie *f*	ксерофильность, засухоустойчивость
X 15	**xerophily,** xerophilous nature, xerophilous property	Xerophilie *f*	xérophilie *f*	ксерофильность, засухоустойчивость
X 16	**xeroradiography**	Xeroradiographie *f*; Röntgenxerographie *f*	xéroradiographie *f*	ксерорадиография
X 16a	**X-gamma coincidence,** X_γ coincidence	Röntgen[strahl]-Gamma-Koinzidenz *f*, Röntgen-γ-Koinzidenz *f*	coïncidence *f* X-gamma, coïncidence X_γ	рентгено-гамма-совпаде-ние
X 17	**X-gamma dosemeter,** X-ray gamma-ray dosemeter	Röntgen-Gamma-Dosi-meter *n*, Röntgen-γ-Dosimeter *n*	dosimètre *m* des rayons X et gamma	дозиметр для гамма-излучения и рент-геновских лучей
X 18	**Xi-hyperon,** $\varXi$ hyperon, cascade particle, cascade hyperon, c particle $\langle \varXi^+, \varXi^-, \varXi^0 \rangle$	$\varXi$-Hyperon *n*, Xi-Hyperon *n*, Kaskadenhyperon *n*, Kaskadenteilchen *n* $\langle \varXi^+, \varXi^-, \varXi^0 \rangle$	hypéron *m* $\varXi$, hypéron Xi, particule *f* de cascade, particule c $\langle \varXi^+, \varXi^-, \varXi^0 \rangle$	$\varXi$-гиперон, кси-гиперон, каскадный гиперон $\langle \varXi^+, \varXi^-, \varXi^0 \rangle$
	X-irradiation, X-ray irradiation	Röntgenbestrahlung *f*, Röntgenisation *f*	irradiation *f* aux rayons X	облучение рентгенов-скими лучами, рент-геновское облучение
	X plate	*s.* horizontal plate		
	X-quadripole	*s.* lattice-type section		
	X-radiation	*s.* X-rays		
X 19	**X-ray**	Röntgenstrahl *m*	rayon *m* X	рентгеновский луч
	X-ray absorptiometry (absorption analysis)	*s.* absorption spectro-chemical analysis using X-rays		
X 20	**X-ray absorption band**	Röntgenabsorptionsbande *f*, Röntgenabsorptions-kontinuum *n*	bande *f* d'absorption de[s] rayons X	рентгеновская полоса поглощения
X 21	**X-ray absorption coefficient**	Absorptionskoeffizient *m* der Röntgenstrahlung, Röntgenabsorptions-koeffizient *m*	coefficient *m* d'absorption pour les rayons X	коэффициент поглоще-ния рентгеновских лучей
X 22	**X-ray absorption cross-section**	Röntgenabsorptionsquer-schnitt *m*, Röntgen-strahlen-Absorptions-querschnitt *m*, Absorp-tionsquerschnitt *m* für (der) Röntgenstrahlung	section *f* efficace d'absorp-tion pour les rayons X	сечение поглощения рентгеновских лучей
X 23	**X-ray absorption edge,** X-ray absorption limit	Röntgenabsorptionskante *f*	limite *f* d'absorption par les rayons X, discon-tinuité *f* d'absorption pour les rayons X	рентгеновский кант поглощения
X 24	**X-ray absorption index**	Röntgenabsorptionsindex *m*, Absorptionsindex *m* der Röntgenstrahlung	indice *m* d'absorption pour les rayons X	показатель (коэффициент) поглощения рентгенов-ских лучей
X 25	**X-ray absorption jump**	Röntgenabsorptionssprung *m*, Absorptionssprung *m* der Röntgenstrahlung	saut *m* d'absorption de[s] rayons X, discontinuité *f* d'absorption de[s] rayons X	скачок поглощения рентгеновских лучей
	X-ray absorption limit, X-ray absorption edge	Röntgenabsorptionskante *f*	limite *f* d'absorption par les rayons X, disconti-nuité *f* d'absorption pour les rayons X	рентгеновский кант поглощения
	X-ray absorption spectrochemical analysis	*s.* absorption spectro-chemical analysis using X-rays		
X 26	**X-ray absorption spectrum**	Röntgenabsorptions-spektrum *n*, Absorp-tionsröntgenspektrum *n*	spectre *m* d'absorption X (de[s] rayons X)	рентгеновский спектр поглощения
X 27	**X-ray analysis**	Röntgenstrahl[en]analyse *f*, Röntgenanalyse *f*	analyse *f* par rayons X, analyse aux rayons X	рентгеновский анализ, рентгеноанализ
	X-ray analysis	*s. a.* X-ray crystal[lo-graphic] analysis		

	X-ray analysis	s. X-ray spectroscopic analysis		
X 28	**X-ray apparatus,** X-ray machine, roentgen apparatus, roentgen machine, radiograph	Röntgenapparat m, Röntgengerät n	appareil m à rayons X, appareil radiologique	рентгеновский аппарат, рентгеновская установка
X 29	**X-ray astronomy**	Röntgenastronomie f, Röntgenstrahlenastronomie f	astronomie f aux rayons X	рентгеновская астрономия
X 30	**X-ray background**	Röntgenuntergrund m	fond m de rayons X	фон рентгеновского излучения, рентгеновский фон
X 31	**X-ray beam**	Röntgenstrahlenbündel n, Röntgenbündel n	faisceau m de rayons X	пучок рентгеновских лучей
X 32	**X-ray/beta-ray yield ratio**	Röntgen/Beta-Ausbeuteverhältnis n	rendement m rayons X/rayons bêta	отношение выходов рентгеновского излучения и бета-лучей
X 33	**X-ray burn**	Röntgenverbrennung f	brûlure f par irradiation aux rayons X	ожог от рентгеновских лучей, ожог рентгеновскими лучами
X 34	**X-ray calorimetry**	Röntgenkalorimetrie f	calorimétrie f par les rayons X, calorimétrie aux rayons X	рентгеновская калориметрия
X 35	**X-ray camera,** camera for X-rays	Röntgenkamera f	appareil m à photographier les rayons X, chambre f photographique pour les rayons X	рентгеновская камера
	X-ray camera	s. a. X-ray diffraction camera		
X 36	**X-ray capture**	Röntgeneinfang m	capture f des rayons X	захват рентгеновских лучей
X 37	**X-ray cascade tube,** cascade [X-ray] tube	Kaskadenröhre f, Kaskadenröntgenröhre f, Röntgenkaskadenröhre f	tube m à rayons X à éléments séparés, ampoule f à éléments séparés, tube de rayons X à cascade	каскадная рентгеновская трубка
	X-ray cinematography	s. roentgen cinematography		
	X-ray coverage, X-ray field	Röntgenstrahlenfeld n	champ m de rayonnement X	поле облучения рентгеновскими лучами
X 38	**X-ray critical [absorption] wavelength**	kritische Wellenlänge f für Röntgenstrahlen	longueur f d'onde critique pour l'absorption des rayons X	критическая длина волн при поглощении рентгеновских лучей
X 38a	**X-ray crystal density;** X-ray density	Röntgenstrahlen-Kristalldichte f; Röntgendichte f	densité f du cristal par analyse radiocristallographique; densité par analyse aux rayons X	плотность кристалла, определяемая рентгенографически; плотность по рентгеновским данным, плотность из рентгеновских данных
X 38b	**X-ray crystal density method,** XRCD method	Röntgenstrahlen-Kristalldichtemethode f, XRCD-Methode f	méthode f XRCD, méthode de la densité des cristaux par [analyse aux] rayons X	метод плотности кристаллов по рентгеновским данным
X 39	**X-ray crystal[lographic] analysis,** X-ray crystallography, crystal analysis, radio crystallography, X-ray diffraction analysis [of crystals], X-ray analysis, X-ray structure investigation	Röntgen[-Kristall]strukturanalyse f, Röntgen[-Kristall]strukturuntersuchung f, Kristallstrukturanalyse f mit Röntgenstrahlung, Röntgenanalyse f der Kristalle, Röngenstrahl[en]analyse f [der Kristalle], Röntgenfeinstrukturanalyse f, Röntgenfeinstrukturuntersuchung f Röntgenfeinstrukturbestimmung f, röntgenographische Feinstrukturanalyse (Feinstrukturuntersuchung, Untersuchung) f, röntgenometrische Feinstrukturanalyse (Feinstrukturuntersuchung, Untersuchung), Kristallbestimmung f durch Röntgenstrahlbeugung, Röntgenstrahl[en]beugung f, Röntgenbeugungsanalyse f [der Kristalle], Röntgenbeugung f, Röntgenanalyse f	analyse f par radiocristallographie, analyse radiocristallographique [de structure], radiocristallographie f, étude f radiocristallographique, étude de structure aux rayons X, étude aux rayons X	рентгеноструктурный анализ, рентгеновский структурный анализ, рентгеноструктурное исследование, структурный рентгеноанализ, анализ кристаллов, радиокристаллография, рентгенокристаллография
X 40	**X-ray crystallography,** radio crystallography	Röntgenkristallographie f, Röntgenstrahlenkristallographie f	cristallographie f aux (par les) rayons X, radiocristallographie f	рентгеновская кристаллография, радиокристаллография
	X-ray crystallography	s. a. X-ray crystallographic analysis		
	X-ray density	s. X-ray crystal density		
	X-ray diagram	s. X-ray pattern		
X 41	**X-ray diascope**	Röntgendiaskop n	diascope m à rayons X	рентгеновский диаскоп
X 42	**X-ray diffraction**	Beugung f von Röntgenstrahlen, Röntgenbeugung f, Röntgenstrahl[en]beugung f, Röntgendiffraktion f	diffraction f de[s] rayons X	дифракция рентгеновских лучей

	English	German	French	Russian
	X-ray diffraction analysis [of crystals]	s. X-ray crystallographic analysis		
X 43	X-ray diffraction camera, X-ray camera	Röntgenkamera f, Röntgenbeugungskamera f	chambre (caméra) f de diffraction X, appareil m de radiocristallographie [par diffraction]	рентгеновская дифракционная камера
	X-ray diffraction instrument	s. X-ray diffractometer		
X 44	X-ray diffraction microscopy	Röntgenbeugungsmikroskopie f	microscopie f de diffraction aux rayons X	дифракционная рентгеновская микроскопия
	X-ray diffraction pattern (photograph, picture)	s. X-ray pattern		
X 45	X-ray diffractometer, X-ray diffraction instrument	Röntgendiffraktometer n, Röntgenbeugungsgerät n	radiodiffractomètre m, diffractomètre m à rayons X	рентгеновский дифрактометр, прибор для рентгеноструктурного анализа, установка для дифракции рентгеновских лучей
X 46	X-ray dispersion	Zerlegung f der Röntgenstrahlung f, Dispersion f der Röntgenstrahlen, Röntgenstrahlenzerlegung f, Röntgenstrahlendispersion f, Röntgenzerlegung f, Röntgendispersion f	dispersion f des rayons X	дисперсия рентгеновских лучей
X 47	X-ray dosemeter	Röntgendosimeter n, Röntgenstrahl[en]dosimeter n, Röntgendosismesser m	dosimètre m des rayons X	дозиметр рентгеновского излучения, рентгеновский дозиметр
X 47 a	X-ray element	Röntgenelement n	élément m de rayons X	элемент рентгеновских лучей
	X-ray emission analysis	s. emission spectrochemical analysis using X-rays		
X 48	X-ray emission band	Röntgenemissionsbande f, Röntgenemissionskontinuum n	bande f d'émission de rayons X	рентгеновская полоса испускания
	X-ray emission spectrochemical analysis	s. emission spectrochemical analysis using X-rays		
X 49	X-ray emission spectrum	Röntgenemissionsspektrum n, Emissionsröntgenspektrum n	spectre m d'émission [des rayons] X	рентгеновский спектр испускания
X 50	X-ray emulsion, radiographic emulsion, roentgenographic emulsion	Röntgenemulsion f	émulsion f radiographique	рентгеновская эмульсия
X 51	X-ray equipment, X-ray installation, X-ray unit, X-ray outfit	Röntgenanlage f; Röntgeneinrichtung f	installation f des rayons X; installation de rœntgenologie; installation de rœntgenographie	рентгеновская установка, рентгеновское оборудование, рентгеновское приспособление
X 52	X-ray escape	Röntgenescape m	fuite f de rayons X	рентгеновская утечка
	X-ray examination	s. X-ray test		
	X-ray examination	s. a. X-ray investigation		
X 53	X-ray field, X-ray coverage	Röntgenstrahlenfeld n	champ m de rayonnement X	поле облучения рентгеновскими лучами
	X-ray film	s. radiographic film		
X 54	X-ray filter	Röntgenfilter n, Röntgenstrahlenfilter n	filtre m pour les rayons X	фильтр рентгеновских лучей
	X-ray fine structure	s. X-ray structure		
X 55	X-ray flash	Röntgenblitz m	éclat m de rayons X	рентгеновская вспышка
X 56	X-ray flash tube, flash X-ray tube	Röntgenblitzröhre f	tube m à éclats à rayons X	рентгеновская скоростная трубка
	X-ray fluorescence, roentgenofluorescence	Röntgenfluoreszenz f	rœntgenofluorescence f, fluorescence f de rayons X	рентгенофлуоресценция, рентгеновская флуоресценция
X 57	X-ray fluorescence analysis, X-ray fluorescence spectroscopy, XRFA	Röntgenfluoreszenzanalyse f, Röntgenstrahlfluoreszenzanalyse f, Röntgenstrahl-Fluoreszenz-Spektralanalyse f, Röntgenfluoreszenz-Spektralanalyse f, Röntgenfluoreszenzspektroskopie f	analyse f par fluorescence des rayons X, spectroscopie f de fluorescence des rayons X	рентгенофлуоресцентный спектральный анализ, рентгеноспектральный флуоресцентный анализ
	X-ray fluorescence radiation	s. characteristic X-rays		
X 58	X-ray fluorescence spectrometer	Röntgenfluoreszenzspektrometer n	spectromètre m de fluorescence à rayons X	спектрометр для рентгенофлуоресцентного спектрального анализа
	X-ray fluorescence spectroscopy	s. X-ray fluorescence analysis		
	X-ray gamma-ray dosemeter, X-gamma dosemeter	Röntgen-Gamma-Dosimeter n, Röntgen-γ-Dosimeter n	dosimètre m des rayons X et gamma	дозиметр для гамма-излучения и рентгеновских лучей
X 58a	X-ray generator	Röntgengenerator m	générateur m de rayons X	рентгеновский генератор генератор рентгеновских лучей, рентгеновская установка

	English	German	French	Russian
	X-ray goniometer, goniometer [for single-crystal X-ray diffraction]	Röntgengoniometer n, Goniometer n	radiogoniomètre m, goniomètre m	рентгеногониометр, рентгеновский гониометр, радиогониометр
X 59	**X-ray goniometer with [Geiger-Müller] counter**	Zählrohrgoniometer n, Röntgengoniometer n mit [Geiger-Müller-] Zählrohr	goniomètre m à compteur, goniomètre à tube compteur [de Geiger-Müller]	рентгеновский гониометр с счетчиком [Гейгера-Мюллера], гониометр с ионизационной трубкой
X 60	**X-ray goniometry,** goniometer technique	Röntgengoniometerverfahren n, Röntgengoniometrie f	radiogoniométrie f, rœntgengoniométrie f, méthode f goniométrique	рентгеногониометрия
	X-ray image	s. radiograph		
	X-ray image amplification	s. X-ray image intensifying		
	X-ray image amplifier, X-ray image amplifier tube	s. X-ray image converter		
	X-ray image conversion	s. X-ray image intensifying		
X 61	**X-ray image converter, X-ray image intensifier, X-ray image intensifier tube, X-ray image amplifier, X-ray image amplifier tube**	Röntgenbildwandler m, Röntgenbildverstärker m, Röntgenbildverstärkerröhre f	convertisseur m d'images radiographiques (de rayons X), intensificateur m d'images radiographiques (de rayons X), tube m intensificateur d'images radiographiques	преобразователь рентгеновского изображения, электроннооптический преобразователь рентгеновского изображения
X 62	**X-ray image intensifying,** X-ray image amplification, X-ray image conversion	Röntgenbildverstärkung f, Röntgenbildumwandlung f	intensification (amplification, conversion) f des images radiographiques	усиление яркости рентгеновского изображения, [электроннооптическое] преобразование рентгеновского изображения
	X-raying	s. fluoroscopy		
	X-ray inspection	s. X-ray test		
	X-ray installation	s. X-ray equipment		
X 63	**X-ray intensification**	Röntgenstrahlenverstärkung f, Röntgenverstärkung f	intensification f des rayons X, amplification f des rayons X	повышение интенсивности рентгеновских лучей, интенсификация рентгеновского излучения
X 64	**X-ray intensifying screen**	Röntgenverstärkerfolie f	écran m renforçateur aux rayons X	интенсифицирующий экран в радиографии
X 65	**X-ray intensity**	Röntgenstrahl[en]intensität f, Röntgenintensität f	intensité f du rayonnement X	интенсивность рентгеновского излучения
X 66	**X-ray intensity meter**	Röntgenintensitätsmesser m	appareil m à mesurer l'intensité du rayonnement X, intensimètre m pour les rayons X	прибор для измерения интенсивности рентгеновских лучей
X 67	**X-ray interference**	Röntgenstrahlinterferenz f, Röntgeninterferenz f, Röntgenstrahleninterferenz f, Reflex m	interférence f de rayons X	интерференция рентгеновских лучей, рефлекс
X 68	**X-ray interference in crystal lattice**	Raumgitterinterferenz f, Kristallgitterinterferenz f, Röntgenstrahlinterferenz f im Kristallgitter	interférence f de rayons X dans le réseau cristallin	интерференция рентгеновских лучей в кристаллической решетке
X 69	**X-ray interference in liquids**	Flüssigkeitsinterferenz f, Röntgenstrahlinterferenz f in Flüssigkeiten	interférence f des rayons X dans les liquides	интерференция рентгеновских лучей в жидкостях
X 70	**X-ray interference line**	Röntgeninterferenzlinie f	ligne f d'interférence des rayons X	рентгеновская интерференционная линия
X 71	**X-ray investigation,** X-ray study, X-ray examination	Röntgenuntersuchung f, Untersuchung f mit Röntgenstrahlen	étude f aux rayons X	исследование с помощью рентгеновских лучей
X 72	**X-ray irradiation,** X-irradiation, roentgenization	Röntgenbestrahlung f, Röntgenisation f	irradiation f aux rayons X	облучение рентгеновскими лучами, рентгеновское облучение
X 73	**X-ray lamp**	Röntgenlampe f	lampe f à rayons X	рентгеновская лампа
X 74	**X-ray lens**	Röntgenlinse f	lentille f aux rayons X, lentille pour les rayons X	рентгеновская линза
X 75	**X-ray level; X-ray term**	Röntgenniveau n; Röntgenterm m	niveau m de rayons X; terme m de rayons X	рентгеновский уровень; рентгеновский терм
X 76	**X-ray line**	Röntgenlinie f, Röntgenspektrallinie f	raie f X	рентгеновская линия
	X-ray line spectrum	s. characteristic X-ray spectrum		
	X-ray low angle scattering	s. X-ray small-angle scattering		
	X-ray luminescence, roentgenoluminescence	Röntgenlumineszenz f	rœntgenoluminescence f	рентгенолюминесценция
	X-ray machine	s. X-ray apparatus		
	X-ray materials testing	s. X-ray test		
	X-ray materiology	s. X-ray test		
X 77	**X-ray metallography,** radiometallography	Röntgenmetallkunde f; Röntgenmetallographie f; Radiometallographie f; Durchleuchtung (Durchstrahlung) f von Metallen <mit radioaktiver oder Röntgenstrahlung>	métallorœntgenographie f; radiométallographie f, métalloradiographie f	рентгенография металлов, рентгенометаллография; радиометаллография
X 78	**X-ray micrograph**	Röntgenmikroaufnahme f	radiomicrographie f	микрорентгеноснимок

	English	German	French	Russian
X 79	**X-ray microradiography**	Röntgen-Mikroradiographie f	microradiographie f aux rayons X	рентгеномикрорадиография
X 80	**X-ray microscope**	Röntgenmikroskop n, Röntgenstrahlenmikroskop n	microscope m à rayons X	рентгеновский микроскоп
X 81	**X-ray microscopy**	Röntgenmikroskopie f	microscopie f aux rayons X	рентгеновская микроскопия, рентгеномикроскопия
X 82	**X-ray microspectrography**, roentgen microspectrography	Röntgenmikrospektrographie f	microspectrographie f aux rayons X	рентгеномикроспектрография, рентгеновская микроспектрография
X 83	**X-ray monochromator**	Röntgenstrahlenmonochromator m, Monochromator m für Röntgenstrahlen	monochromateur m pour les rayons X, monochromateur de rayons X	монохроматор рентгеновского излучения, монохроматор для рентгеновских лучей
	X-ray movies	s. roentgen cinematography		
	X-rayogram	s. X-ray pattern		
	X-rayogram	s. radiograph		
X 84	**X-ray optics**	Röntgenoptik f	optique f des rayons X	оптика рентгеновских лучей, рентгеновская оптика
	X-ray oscillation photograph, oscillation photograph	Schwenkkristallaufnahme f, Schwenkaufnahme f	photographie f radioscopique à cristal oscillant	рентгенограмма колебания
	X-ray outfit	s. X-ray equipment		
X 85	**X-ray paper**; radiographic paper	Röntgenpapier n; Radiographiepapier n	papier m radiographique	рентгеновская бумага
X 86	**X-ray pattern**, X-ray diffraction pattern (photograph, picture), X-rayogram, X-ray diagram, crystallogram	Röntgendiagramm n, Röntgenbeugungsbild n, Röntgenbeugungsaufnahme f, Röntgenstrahlendiagramm n, Kristallogramm n	diagramme m de diffraction [à rayons X], diagramme à rayons X, cristallogramme m	рентгенограмма, рентгеновская дифракционная картина
	X-ray photoelectron spectroscopy	s. ESCA		
X 87	**X-ray photogrammetry**, roentgen photogrammetry	Röntgenphotogrammetrie f	photogrammétrie f radiographique (aux rayons X)	рентгенофотограмметрия, рентгеновская фотограмметрия
	X-ray photograph	s. radiograph		
	X-ray photography	s. roentgenography		
X 88	**X-ray photometer**	Röntgenphotometer n, Röntgenlichtmesser m	photomètre m des rayons X	рентгенофотометр, фотометр для рентгеновски лучей
	X-ray photon	s. X-ray quantum		
X 89	**X-ray physics**, physics of X-radiation	Röntgenphysik f, Physik f der Röntgenstrahlen	physique f des rayons X	рентгенофизика, физика рентгеновских лучей
	X-ray picture	s. radiograph		
	X-ray plate, radiographic plate	Röntgenplatte f	plaque f radiographique	рентгеновская пластинк
X 90	**X-ray powder camera**, powder camera	Debye-Scherrer-Kammer f, Pulverbeugungskammer f	chambre f Debye-Scherrer, chambre de Debye-Scherrer, montage m Debye-Scherrer	дебаевская камера, порошковая камера
	X-ray powdered-crystal photograph	s. Debye-Scherrer pattern		
X 91	**X-ray protection**, protection against X-radiation	Röntgenschutz m, Röntgenstrahlenschutz m, Schutz m gegen (vor) Röntgenstrahlung	protection f contre les rayons X	защита от действия рентгеновских лучей
X 92	**X-ray protective glass**	Röntgenschutzglas n, Röntgenstrahlenschutzglas n	verre m protecteur aux rayons X	рентгеновское стекло, стекло для защиты от рентгеновских лучей, предохранительное стекло против рентгеновских лучей
X 93	**X-ray pulse**	Röntgenimpuls m	impulsion f de rayonnement X	импульс рентгеновского излучения, рентгеновский импульс
X 94	**X-ray quantum**, X-ray photon	Röntgenquant n, Röntgenstrahl[ungs]quant n, Röntgen[strahl]photon n	quantum m de rayonnement X	рентгеновский квант
	X-ray radiation	s. X-rays		
	X-ray radiographic examination	s. X-ray test		
	X-ray rotation photograph, rotation photograph	Drehkristallaufnahme f, Drehaufnahme f	photographie f radioscopique à cristal tournant	рентгенограмма вращения
X 95	**X-rays, X rays**, X-ray radiation, X-radiation, Röntgen rays roentgen (Roentgen) rays, Röntgen (Roentgen, roentgen) radiation	Röntgenstrahlung f, Röntgenstrahlen mpl; Röntgenlicht n	rayonnement m X, radiation f X, rayons mpl X, rayons de Rœntgen, rayonnement de Rœntgen	рентгеновские лучи, рентгеновы лучи, рентгеновское излучение, лучи Рентгена
	X-ray scanning analysis	s. body section roentgenography		
X 96	**X-ray scattering**	Röntgenstreuung f, Röntgenstrahl[en]streuung f, Streuung f von Röntgenstrahlen	diffusion f de rayons X, diffusion X	рассеяние рентгеновских лучей, рентгеновское рассеяние
X 97	**X-ray screen**	Röntgenschirm m, Röntgenleuchtschirm m, Röntgen-Durchstrahlungsschirm m	écran m rœntgenoscopique [fluorescent], écran radioscopique [fluorescent]	рентгеновский экран, флуоресцирующий экран рентгеновской установки

	English	German	French	Russian
X 98	**X-ray series**	Röntgenserie f	série f [de raies] X	рентгеновская серия
X 99	**X-ray small-angle scattering**, X-ray low angle scattering, low-angle (small-angle) X-ray scattering	Röntgenkleinwinkel-streuung f, Röntgen-Kleinwinkelstreuung f, RKS	diffusion f des rayons X aux petits angles	рассеяние рентгеновских лучей на малые углы, рассеяние рентгеновских лучей под малыми углами
X 100	**X-ray source**, radiographic source	Röntgenstrahlenquelle f, Röntgenstrahl[ungs]-quelle f, Röntgenstrahler m, Röntgenquelle f	source f de rayons X, source X, source radiographique	источник рентгеновских лучей
	X-ray source	s. a. X-ray star <astr.>		
	X-ray spectrochemical analysis	s. X-ray spectroscopic analysis		
X 101	**X-ray spectrogram**	Röntgenspektrogramm n, Röntgenstrahl[en]spektrogramm n	spectrogramme m radiographique, spectrogramme de rayons X	рентгеноспектрограмма, рентгеновская спектрограмма
X 102	**X-ray spectrograph**	Röntgenspektrograph m, Röntgenstrahl[en]spektrograph m	spectrographe m aux rayons X, spectrographe à rayons X	рентгеноспектрограф, рентгеновский спектрограф
X 103	**X-ray spectrography**	Röntgenspektrographie f, Röntgenstrahl[en]spektrographie f, Spektrographie f der Röntgenstrahlung	spectrographie f aux rayons X	рентгеноспектрография, рентгеновская спектрография
X 104	**X-ray spectrometer, X-ray spectroscope**	Röntgenspektrometer n, Röntgenstrahl[en]spektrometer n, Röntgenspektroskop n, Röntgenstrahl[en]spektroskop n	spectromètre m aux rayons X, spectromètre à rayons X, spectroscope m aux rayons X, spectroscope à rayons X	рентгеноспектрометр, рентгеновский спектрометр, рентгеноспектроскоп, рентгеновский спектроскоп
X 105	**X-ray spectroscopic analysis**, X-ray spectrochemical analysis, spectroscopic analysis using X-rays, X-ray analysis	Röntgenspektralanalyse f, angewandte Röntgenspektroskopie f	analyse f spectroscopique par les rayons X, analyse spectrale par les rayons X, analyse par les rayons X	рентгеноспектральный анализ
X 106	**X-ray spectroscopy**	Röntgenspektroskopie f, Röntgenstrahl[en]spektroskopie f, Spektroskopie f der Röntgenstrahlung	spectroscopie f à rayons X, spectroscopie aux rayons X	рентгеноспектроскопия, рентгеновская спектроскопия
	X-ray spectrum, roentgen spectrum	Röntgenspektrum n	spectre m des rayons X	рентгеновский спектр, спектр рентгеновских лучей
X 107	**X-ray star; X-ray source** <astr.>	Röntgenstern m; Röntgenquelle f <Astr.>	étoile f radio-électrique à émission des rayons X; source f [de rayons] X <astr.>	испускающая рентгеновские лучи звезда, рентгеновская звезда; рентгеновский источник <астр.>
X 108	**X-ray stereogram**, X-ray stereophotograph, stereoscopic radiograph, plastic radiograph	Röntgenstereogramm n, Stereoröntgenaufnahme f, Röntgenstereoaufnahme f, Röntgenstereobild n, plastisches Röntgenbild n	rœntgenostéréogramme m, radiostéréographie f, radiostéréogramme m, stéréogramme m radiographique, stéréogramme (radiogramme) m en relief, rœntgenogramme (radiogramme) m plastique	рентгеностереограмма, стереоскопическая рентгенограмма, стереоскопический рентгеноснимок, стереоскопический рентгеновский снимок
X 109	**X-ray stereogrammetry**	Röntgenstereogrammetrie f	rœntgenostéréogrammétrie f, stéréogrammétrie f radiographique	рентгеностереограмметрия, рентгеновская стереограмметрия
	X-ray stereometry, radiographic stereometry	Röntgenstereometrie f	stéréométrie f radiographique, stéréométrie aux rayons X	рентгеностереометрия
	X-ray stereophotograph	s. X-ray stereogram		
X 110	**X-ray stereophotography**	Röntgenstereoaufnahme f, Röntgenstereophotographie f	rœntgenostéréophotographie f, radiostéréophotographie f	рентгеностереофотография
	X-ray stereoscopy, radiographic stereoscopy	Röntgenstereoskopie f	stéréoscopie f radiographique, stéréoscopie aux rayons X	рентгеностереоскопия, радиостереоскопия
X 111	**X-ray structure**, X-ray fine structure	Röntgen[fein]struktur f, Röntgenstrahlenfeinstruktur f	structure f aux rayons X, structure à rayons X	рентгеновская [тонкая] структура, тонкая рентгеновская структура; структура, определенная методом рентгеноструктурного анализа
	X-ray structure investigation	s. X-ray crystal[lographic] analysis		
	X-ray study	s. X-ray investigation		
X 112	**X-ray telescope**	Röntgenteleskop n, Röntgenstrahlenteleskop n	télescope m (lunette f) aux rayons X	рентгеновский телескоп, рентгенотелескоп
	X-ray term	s. X-ray level		
X 113	**X-ray test**, X-ray materials testing, X-ray inspection, X-ray [radiographic] examination, X-ray materiology, roentgenomateriology, roentgenmateriology, radiography	Röntgenprüfung f, röntgenographische Prüfung f, Röntgenwerkstoffprüfung f, Röntgendefektoskopie f, Werkstoffprüfung f mit Röntgenstrahlen, zerstörungsfreie Werkstoffprüfung mit Röntgenstrahlen	examen m rœntgenographique, examen aux rayons X, examen radiographique, contrôle m au moyen de rayons X, contrôle [non destructif] de matériaux par rayons X	рентгенодефектоскопия, рентгеновская дефектоскопия, рентгеновский метод дефектоскопии, рентгенодефектоскопический контроль
X 114	**X-ray tube**, Röntgen tube, Roentgen tube	Röntgenröhre f	tube m à rayons X, ampoule f, tube de Rœntgen	рентгеновская трубка, трубка рентгена

X 115	**X-ray tube housing,** protective tube housing, tube housing; fully protective tube housing	Röhrenschutzgehäuse n, Schutzgehäuse n der Röntgenröhre, Röntgenröhrenschutzgehäuse n, Schutzhaube f [der Röntgenröhre]: Vollschutzgehäuse n, Vollschutzröhrengehäuse n, Vollschutzhaube f <gegen Hochspannung>	gaine f protectrice [de tube], gaine de tube; gaine de tube à protection totale	защитный кожух трубки, предохранительный кожух трубки
	X-ray unit s. X-ray equipment			
X 116	**X-ray wave**	Röntgenwelle f	onde f de rayons X, onde X	волна рентгеновского излучения
X 117	**X-ray wavelength**	Röntgenwellenlänge f	longueur f d'onde des rayons X	длина волн рентгеновских лучей
X 118	**X-ray yield**	Röntgenstrahlenausbeute f, Röntgenstrahl[ungs]ausbeute f, Röntgenausbeute f	rendement m de rayons X	выход рентгеновского излучения
	X-shaped crystal, X-cut crystal	X-Schnitt-Kristall m, X-geschnittener Kristall m	cristal m à coupe X	кристалл с X-срезом
	X-shaped twin s. X twin			
	X synchronization [contact], X contact	X-Kontakt m	prise f X	нулевой контакт, 0-контакт, X-контакт
	X test s. Waerden['s] [X] test / Van der			
X 119	**X twin,** X-shaped twin	X-Zwilling m	macle f par entrecroisement en X, macle en X	иксообразный двойник [прорастания], икс-образный двойник [прорастания]
X 120	**X-unit,** Siegbahn [X] unit, X, XU, Xu <≈ 1.00202×10⁻¹³ m>	X-Einheit f, Siegbahnsche X-Einheit, Siegbahn-Einheit f, X, Siegb. XE <≈ 1,00202 · 10⁻¹³ m>	unité f X, unité Siegbahn, X <≈ 1,00202 · 10⁻¹³ m>	X-единица, икс-единица, единица X, единица Зигбана, X <≈ 1,00202×10⁻¹³ м>
	X wave, extraordinary wave	außerordentliche Welle f	onde f extraordinaire	необыкновенная волна
X 121	**xylometry**	Xylometrie f	xylométrie f	ксилометрия, измерение объема древесины по количеству вытесненной воды
X 122	**xy plane,** xy-plane	x,y-Ebene f, xy-Ebene f, (x,y)-Ebene f, x-y-Ebene f	plan m (x, y), plan des xy	плоскость xy, плоскость x o y
X 123	**X-Y plotter,** two-axis plotter, graph plotter	Zweiachsenschreiber m, zweiachsiger Schreiber m, X-Y-Schreiber m	enregistreur m à deux axes, enregistreur X-Y	самопишущий прибор для записи в системе координат по двум осям, координатный самопишущий прибор, координатный самописец

Y

Y 1	**Yafet-Kittel angle**	Yafet-Kittel-Winkel m	angle m de Yafet-Kittel	яфет-киттелевский угол
Y 1a	**Yafet-Kittel configuration**	Yafet-Kittel-Dreieckskonfiguration f	configuration f de Yafet-Kittel	треугольная конфигурация Яфета-Киттеля, конфигурация Яфета-Киттеля
Y 2	**Yagi aerial [array],** Yagi antenna, Yagi-Uda array	Yagi-Antenne f, Wellenkanal m	antenne f Yagi	антенна типа волнового канала, антенна типа «волновой канал», антенна «волновой канал», антенна Уда-Яги, директорная антенна
Y 3	**Yamanouchi symbol**	Yamanouchi-Symbol n	symbole m de Yamanouchi	символ Ямануги
	Y amplifier s. vertical amplifier			
Y 3a	**Yang-Lee-Ruelle theory**	Yang-Lee-Ruellesche Theorie f	théorie f de Yang-Lee-Ruelle	теория Янга-Ли-Рюлле
Y 4	**Yang-Mills field**	Yang-Mills-Feld n	champ m de Yang-Mills	поле Янга-Миллса, янг-миллсовское поле
Y 4a	**Yang['s] theorem [on angular distribution]**	Yang-Theorem n	théorème m de Yang	теорема Янга
Y 5	**Y[-] antenna,** Y-type antenna	Y-Antenne f	antenne f en Y	Y-образная антенна, согласованная с фидером Y-образная антенна, дипольная антенна с симметричным питанием
Y 6	**yard;** imperial standard yard, imperial yard, yard UK, yd. UK < = 0.914 399 21 m (legal definition), = 0.91439841 m (scientific definition), ≈ 0.9144 m (for industrial uses)>; US yard, United States yard, yard US, yd. US < = 0.91440182 m (legal definition), ≈ 0.9144 m (for industrial uses)>	Yard n	yard m	ярд

	English	German	French	Russian
Y 7	**Yarkovsky effect**	Yarkovsky-Effekt m	effet m Yarkovsky	эффект Ярковского, явление Ярковского
Y 8	**Yates['] adjustment, Yates['] correction**	Yates-Korrektion f, Yates-Korrektur f	correction f de Yates	поправка Йэйтса
Y 9	**yaw, yawing**	Gieren n	lacet m, embardée f	рыскание, рысканье, угловое перемещение вокруг вертикальной оси, поворот относительно вертикальной оси
	yaw [angle]	s. yawing angle \<aero.\>		
	yaw axis, axis of yaw	Gierachse f	axe m de lacet	ось рыскания, нормальная (вертикальная) ось
Y 10	**yawed wing**	schiebender Flügel m	aile f en dérapage	крыло, совершающее движение рыскания
	yawing	s. yaw		
Y 11	**yawing angle,** yaw angle, yaw \<aero.\>	Scherungswinkel m \<Aero.\>	angle m de lacet \<aéro.\>	угол рыскания \<аэро.\>
	yawing moment	s. yaw moment \<aero.\>		
Y 12	**yawing moment coefficient,** coefficient of yawing moment	Giermomentenbeiwert m, Kursmomentenbeiwert m, Schermomentenbeiwert m, Seitenmomentenbeiwert m, Wendemomentenbeiwert m	coefficient m de moment de lacet	коэффициент момента рысканья, коэффициент момента путевой устойчивости
Y 13	**yaw[-] meter**	Gierungsmesser m, Winkelsonde f	appareil m pour mesurer l'embardée, mesureur m d'embardée	указатель рыскания
Y 14	**yaw moment,** yawing moment \<aero.\>	Giermoment n, Wendemoment n, Kursmoment n, Schermoment n \<Aero.\>	moment m de lacet, moment de giration \<aéro.\>	момент рыскания, заворачивающий (поворачивающий, путевой, курсовой) момент, момент относительно нормальной оси \<аэро.\>
	yawn	s. gap \<techn.\>		
	Y-axis amplifier	s. vertical amplifier		
Y 15	**Y/B ratio,** yellow-blue ratio	Gelb/Blau-Verhältnis n	rapport m jaune-bleu	желто-зинее отношение
	Y circulator, gyrator, waveguide Y circulator	Gyrator m, Y-Zirkulator m, Y-Richtungsgabel f	gyrateur m	гиратор
	Y coefficient [of four-terminal network], admittance coefficient, admittance matrix coefficient	Y-Koeffizient m [des Vierpols]	coefficient m de la matrice d'admittance, coefficient Y [du quadripôle]	коэффициент матрицы проводимости четырехполюсника, коэффициент Y [в соотношениях четырехполюсника]
	Y-connection, star connection, star grouping, Y grouping; star-connected circuit	Sternschaltung f, S-Schaltung f	couplage m en étoile, circuit m électrique monté en étoile	соединение звездой, соединение в звезду, схемы звезды
Y 16	**Y cut,** Y-cut, parallel cut	Y-Schnitt m	coupe f Y	Y-срез
Y 17	**Y-cut crystal,** Y-shaped crystal	Y-Schnitt-Kristall m, Y-geschnittener Kristall m	cristal m à coupe Y	кристалл с Y-срезом
	Y deflection	s. vertical deflection		
	yd. UK	s. imperial standard yard		
	yd. US	s. US yard		
Y 18	**year,** a, yr., yг., y	Jahr n, a	année f, an m, a	год, г.
Y 19	**yearly average (mean),** annual average, annual mean	Jahresmittel n, Jahresmittelwert m, Jahresdurchschnitt m, Jahresdurchschnittswert m	moyenne f annuelle	среднее годовое, среднегодовое значение, годовая средняя величина, среднегодовая величина
Y 20	**yearly variation** \<of meteoric activity\>	jährliche Variation f \<Meteortätigkeit\>	variation f annuelle \<de l'activité des météores\>	годичная вариация \<активности метеоров\>
	yellow-blue ratio, Y/B ratio	Gelb/Blau-Verhältnis n	rapport m jaune-bleu	желто-зинее отношение
	yellow cloud filter, cloud filter	Wolkenfilter n	écran m de ciel	оттенитель облаков
Y 21	**yellow colour index**	Gelbindex m	indice m de couleur pour le jaune	показатель желтизны
Y 22	**yellow filter**	Gelbfilter n, Gelbscheibe f	filtre m jaune, écran m jaune	желтый светофильтр
	yellow flame \<US\>, luminous flame	leuchtende Flamme f, Leuchtflamme f	flamme f blanche, flamme de diffusion, flamme éclairante	светящееся пламя, светящийся факел
Y 23	**yellow fog**	Gelbschleier m	voile m jaune	желтая вуаль
Y 23a	**yellow giant [star]**	gelber Riese f	géante f jaune	желтый гигант
	yellow glow	s. yellow heat		
Y 24	**yellow-green filter**	Gelbgrünfilter n	filtre (écran) m vert-jaune	желто-зеленый светофильтр
Y 25	**yellow heat,** yellow glow	Gelbglut f \<1000 °C\>	chaude f jaune	желтое каление, желтый накал, желтокалильный жар
Y 26	**yellowing**	Vergilbung f	jaunissement m	пожелтение
	yellowish and blue colour filter, trichrome filter	Trichromfilter n	filtre m trichrome	трихромный фильтр
Y 27	**yellow spot,** macula lutea	gelber Fleck m, Macula f lutea	tache f jaune, macula f lutea	желтое пятно
Y 28	**Yerkes classification,** Yerkes system [of spectral classification]	Yerkes-Klassifikation f	classification f Yerkes, système m Yerkes [de la classification spectrale]	иеркская классификация [звездных спектров]
Y 29	**Yerkes refractor**	Yerkes-Refraktor m	réfracteur m de l'observatoire d'Yerkes	рефрактор иеркской обсерватории

Y 30	**Yerkes system,** MKK system, Morgan-Keenan-Kellman system	MKK-System *n*, System *n* von Morgan-Keenan-Kellman	système *m* MKK, système de Morgan-Keenan-Kellman	МКК-система, система Моргана-Кинана-Келмана
	Yerkes system [of spectral classification], Yerkes classification	Yerkes-Klassifikation *f*	classification *f* Yerkes, système *m* Yerkes [de la classification spectrale]	иеркская классификация [звездных спектров]
	Y grouping, star connection, star grouping, Y-connection; star-connected circuit	Sternschaltung *f*, S-Schaltung *f*	couplage *m* en étoile, circuit *m* électrique monté en étoile	соединение звездой, соединение в звезду, схемы звезды
Y 31	**yield**	Ausbeute *f*, Ergiebigkeit *f*; Ertrag *m*	rendement *m*	выход; отдача; урожай; производительность
	yield	*s. a.* yielding <of metal, material, solid>		
	yield	*s. a.* yield properties		
	yield behaviour	*s.* yield properties		
Y 32	**yield condition,** yield criterion, criterion for yield, criterion of yielding, condition of plasticity, plasticity condition, flow condition (criterion)	Fließbedingung *f*, Plastizitätsbedingung *f*	condition *f* de plasticité, condition d'écoulement	условие текучести, условие пластичности
	yield condition of Sokolovsky, Sokolovsky yield condition	Sokolovskysche Fließbedingung *f*, Fließbedingung von Sokolovsky	condition *f* de plasticité de Sokolovsky	условие пластичности Соколовского
	yield criterion	*s.* yield condition		
	yield criterion of von Mises	*s.* Mises yield condition		
Y 33	**yield curve**	Ausbeutekurve *f*	courbe *f* de rendement	кривая выхода
Y 34	**yield function**	Fließfunktion *f*	fonction *f* de fluage	функция текучести
Y 35	**yielding,** yield, plastic flow, viscous flow, flow <of metal, material, solid>	Fließen *n*, Fluß *m*, plastisches Fließen	fluage *m*, écoulement *m*, fluage plastique	текучесть, растекание, пластическое течение, течение; начало течения
	yielding, sound-soft, acoustically soft	schallweich	acoustiquement mou	акустически мягкий
	yielding	*s. a.* yield properties		
	yielding boundary [surface], sound-soft boundary [surface], acoustically soft boundary [surface]	schallweiche Grenzfläche *f*, nachgebende Grenzfläche	surface *f* limite acoustiquement molle, limite *f* acoustiquement molle	акустически мягкая граница [раздела]
	yielding support	*s.* elastic support		
	yield limit	*s.* yield strength		
	yield load; limit load; collapse load	Traglast *f*	charge *f* limite	предельная нагрузка; разрушающая нагрузка; критическая нагрузка, вызывающая потерю устойчивости
Y 36	**yield locus**	Fließspannungsort *m*	point (lieu) *m* de tension	локус текучести
Y 37	**yield-mass curve**	Ausbeute-Masse-Kurve *f*, Ausbeute-Massenzahl-Kurve *f*	courbe *f* rendement-masse, courbe de production en fonction de la masse	кривая зависимости выходов от массы
Y 38	**yield-mass distribution**	Ausbeute-Masse-Verteilung *f*	distribution *f* rendement-masse	распределение выходов по массам
	yield of current	*s.* current yield		
Y 39	**yield of resonance radiation,** resonance yield	Resonanzausbeute *f*, Resonanzfluoreszenzausbeute *f*, Resonanzstrahlungsausbeute *f*	rendement *m* de rayonnement de résonance	выход резонансного излучения
	yield of secondary electrons, secondary emission coefficient, secondary emission ratio, secondary yield	Sekundärelektronenausbeute *f*, Sekundäremissionsausbeute *f*, Sekundäremissionsfaktor *m*, Sekundäremissionskoeffizient *m*, SE-Faktor *m*	coefficient *m* d'émission secondaire, pouvoir *m* d'émission secondaire	коэффициент вторичной эмиссии
	yield of water, water yield, discharge of water	Wasserabgabe *f*; Wasserergiebigkeit *f*	rendement *m* d'eau; débit *m* d'eau	отдача воды, водоотдача; дебит воды
	yield per day, diurnal yield	Tagesausbeute *f*	rendement *m* diurne (par jour)	суточный выход, выход за сутки
	yield per ion pair	*s.* M/N ratio		
Y 40	**yield per unit time**	Zeitausbeute *f*, Ausbeute *f* pro Zeiteinheit	rendement *m* par unité de temps	выход на единицу времени
	yield phenomenon	*s.* yield point phenomenon		
Y 41	**yield point,** yield temperature; flow[ing] point; thaw-point	Fließpunkt *m*, Fließtemperatur *f*	point *m* de fluage, point d'écoulement	точка (температура) текучести; точка ожижения, точка перехода в жидкое состояние, температура (точка) жидкоплавкого состояния; точка растекания
	yield point, yield strength, yield limit, yield stress, plastic limit	Fließgrenze *f*, Plastizitätsgrenze *f*, Fließfestigkeit *f*	limite *f* d'écoulement, limite de plasticité, limite apparente d'élasticité, limite [de déformation élastique], limite de liquidité	предел текучести, граница текучести, предел пластичности
Y 42	**yield point at elevated temperature;** tensile yield point at elevated temperature	Warmfließgrenze *f*; Warmstreckgrenze *f*	limite *f* élastique à température élevée, limite d'élasticité à chaud	предел текучести при повышенной температуре

	yield point in compression	s. yield stress in compression		
Y 43	yield point phenomenon, yield phenomenon	Streckgrenzenüberhöhung f, Streckgrenzeneffekt m, Streckgrenzenerscheinung f, Fließpunkterscheinung f, Fließgrenzenerscheinung f	phénomène m à limite d'écoulement, phénomène à limite d'allongement	явление на пределе текучести
Y 44	yield point strain, yield strain	Fließbereich m, Fließdehnung f	déformation f à la limite élastique	[относительная] деформация при пределе текучести
Y 45	yield point-to-tensile strength ratio	Streckgrenzenverhältnis n, Streckgrenze / Zugfestigkeit -Verhältnis n	rapport m limite d'écoulement / limite de rupture	отношение предел текучести — предел прочности на разрыв
Y 45a	yield polyhedron	Fließpolyeder n	polyèdre m de fluage	многогранник текучести
Y 46	yield probability, yield rate	Ausbeutewahrscheinlichkeit f	probabilité f de rendement	вероятность выхода
Y 47	yield properties, flow properties, yield, yielding, flow, yield behaviour, flow behaviour	Fließverhalten n, Fließeigenschaften fpl	propriétés fpl de fluage, propriétés d'écoulement, fluage m, écoulement m, comportement m de fluage, allure f de fluage	текучесть, реологические свойства, поведение по текучести
	yield rate, yield probability	Ausbeutewahrscheinlichkeit f	probabilité f de rendement	вероятность выхода
Y 48	yield ratio	Ausbeuteverhältnis n	rapport m des rendements	отношение выходов
	yield strain	s. yield point strain		
Y 49	yield strength, yield point, yield limit, yield stress, plastic limit, yield value, flowing strength, flow limit	Fließgrenze f, Fließgrenzspannung f, Plastizitätsgrenze f, Fließfestigkeit f, Formänderungsfestigkeit f, Umformungsfestigkeit f, Verformungsfestigkeit f, Dehngrenze f	limite f d'écoulement, limite de plasticité, limite [apparente] d'élasticité, limite [de déformation] élastique, limite de liquidité, crochet m de traction, crochet	предел текучести, граница пластичности, предел пластичности
	yield strength	s. a. yield value		
	0.2% yield strength, 0.2% proof stress	Zweizehnteldehngrenze f, Zweizehntelfließgrenze f, $\sigma_{0,2}$-Grenze f, 0,2-Dehngrenze f, 0,2-Grenze f, Nullzwei-Dehngrenze f	limite f conventionnelle d'élasticité $\sigma_{0,2}$, limite apparente d'élasticité $\sigma_{0,2}$	условный предел текучести (прочности) при растяжении $\sigma_{0,2}$
Y 50	yield strength for completely reversed stress	Wechselfließgrenze f, Dauerschwingfließgrenze f bei Wechselbeanspruchung	limite f élastique aux efforts alternés, limite de liquidité aux efforts alternés	предел текучести при знакопеременной нагрузке, предел текучести при симметричных циклах, предел текучести при знакопеременных напряжениях
	yield strength in tension	s. yield value		
Y 51	yield stress, flow stress	Fließspannung f	tension f à limite d'élasticité	напряжение пластического течения, деформирующее напряжение
	yield stress	s. a. yield strength		
	yield stress in compression, compressive yield strength (point), yield point in compression	Quetschgrenze f	limite f d'écoulement à la compression, limite élastique à la compression	предел текучести при сжатии
	yield stress in tension	s. tensile stress		
	yield stress in tension	s. yield value		
Y 52	yield surface, limiting surface of yield, limiting surface of rupture	Fließspannungsfläche f	surface f de fluage	поверхность текучести
	yield temperature	s. yield point		
	yield value, tensile yield strength, tensile yield point, yield strength in tension, yield stress in tension	Streckgrenze f	limite f d'écoulement à la traction, limite élastique à la traction, limite de résistance	предел текучести при растяжении, предел сопротивляемости
	yield value	s. a. yield strength		
Y 53	ylem, primordial plasma, primitive material (matter)	Urplasma n, Ylem n, Urstoff m, Urmaterie f	ylem m, plasma m primordial	«илем», исходная плазма, исходное вещество
	Y matrix, admittance matrix <of waveguide>	Wellenleitwertmatrix f, Y-Matrix f <Wellenleiter>	matrice f d'admittance <du guide d'ondes>	матрица [волновой] проводимости <волновода>
Y 54	Yoffé effect, Yoffe effect, Joffé (Joffe) effect	Joffé-Effekt m, Joffé-Effekt m	effet m Yoffé (Joffé)	эффект Иоффе
Y 55	Yoffe['s] magnetic bottle	Joffe-Flasche f, magnetische Spiegelmaschine f nach Joffe, magnetische Flasche f nach Joffe	bouteille f magnétique de Yoffé	магнитная ловушка с пробками по Иоффе
Y 56	Yoffe['s] solution	Yoffesche Lösung f	solution f de Yoffe (Joffé)	решение Иоффе
Y 57	yoke <of magnet>	Joch n <Magnet>	culasse f, joug m <de l'aimant>	ярмо <магнита>
Y 58	yoke lens	Jochlinse f	lentille f à culasse	ярмовая линза
Y 59	yoke method, yoke technique	Jochmethode f, Jochverfahren n, Magnetjochverfahren n	méthode f de la culasse, méthode de joug (circuit) magnétique	метод замкнутого ярма, способ измерения с замыкающим ярмом
	yoke suspension	s. bar suspension		
	yoke technique	s. yoke method		
	yoke-type mounting, English mounting, cradle-type mount	englische Rahmenmontierung f, englische Montierung f	monture f anglaise à berceau	рамочная английская установка

Y 60	**Yokota glass**	Yokota-Glas *n*, Silber-phosphatglas *n*	verre *m* de Yokota	фосфатное стекло, активированное серебром; стекло Екоты
Y 61	**Yokota glass dosimeter**	Yokota-Glasdosimeter *n*	dosimètre *m* en verre de Yokota	стеклянный дозиметр Екоты
	Youkowski	*s.* Joukowski		
Y 62	**Young-Bouguer correction**	Young-Bouguersche Korrektion *f*	correction *f* de Young-Bouguer	поправка Юнга-Буге[ра]
Y 63	**Young['s] construction,** Young['s] method	Youngsche Konstruktion *f*, Youngsches Verfahren *n*, Youngsche Methode *f*	méthode *f* d'Young, construction *f* d'Young	метод Юнга, конструкция Юнга
	Young['s] double slit, Young interferometer	Youngscher Doppelspalt *m*, Zweispaltinterfero-meter *n*, Doppelspalt-interferometer *n*	trous *mpl* d'Young, fentes *fpl* d'Young, dispositif *m* des trous d'Young, interféro-mètre *m* d'Young	две щели Юнга, интерферометр Юнга [с двумя щелями]
Y 63a	**Young['s] equation**	Youngsche Gleichung *f*	équation *f* d'Young	формула Юнга
Y 64	**Young['s] experiment,** Young['s] interference experiment	Youngscher Interferenz-versuch *m*, Youngscher Doppelspaltversuch *m*, Interferenzversuch von Young	expérience *f* des trous d'Young, expérience d'Young	опыт Юнга [с двумя щелями]
Y 65	**Young-Helmholtz theory**	Dreifarbentheorie *f* [von Young und Helmholtz], Young-Helmholtzsche Dreifarbentheorie	conception *f* trichromatique de la perception des couleurs, théorie *f* d'Young-Helmholtz, trichromatisme *m* d'Young[-Helmholtz]	трехцветная теория [Юнга и Гельмгольца]. теория Юнга-Гельмгольца
Y 66	**Young integral**	Youngsches Integral *n*	intégrale *f* d'Young	интеграл Юнга
	Young['s] interference experiment, Young['s] experiment	Youngscher Interferenz-versuch *m*, Youngscher Doppelspaltversuch *m*, Interferenzversuch von Young	expérience *f* des trous d'Young, expérience d'Young	опыт Юнга [с двумя щелями]
	Young['s] interference principle, Young['s] principle	Youngsches Interferenz-prinzip *n*, Youngsches Prinzip *n*	principe *m* d'Young, principe d'interférence d'Young	принцип Юнга, интерференционный принцип Юнга
Y 67	**Young interferometer,** Young['s] double slit	Youngscher Doppelspalt *m*, Zweispaltinterferometer *n*, Doppelspaltinter-ferometer *n*	trous *mpl* d'Young, fentes *fpl* d'Young, dispositif *m* des trous d'Young, interféromètre *m* d'Young	две щели Юнга, интерферометр Юнга [с двумя щелями]
Y 68	**Young-Korteweg formula**	Young-Kortewegsche Gleichung *f*	formule *f* d'Young-Korteweg	формула Юнга-Кортевега
	Young['s] method, Young['s] construction	Youngsche Konstruktion *f*, Youngsches Verfahren *n*, Youngsche Methode *f*	méthode *f* d'Young, construction *f* d'Young	метод Юнга, конструкция Юнга
Y 69	**Young['s] modulus [of elasticity],** tension-compression modulus of elasticity, modulus of elasticity, elastic modulus, modulus of elongation (expansion, extension)	[linearer] Elastizitätsmodul *m*, E-Modul *m*, Young-scher Elastizitätsmodul (Modul *m*), Elastizitäts-maß *n*, Dehnungsmaß *n*, Dehnungsmodul *m*, elasti-sche Konstante *f*	module *m* d'élasticité, module d'élasticité longi-tudinale, module d'élas-ticité d'Young, module de Young, module d'Young, module d'allongement	модуль Юнга, модуль упругости [первого рода], модуль продоль-ной (нормальной) упру-гости, модуль эластич-ности, модуль растяжения
Y 70	**Young['s] operator**	Youngscher Operator *m*	opérateur *m* d'Young	оператор Юнга
Y 71	**Young['s] principle,** Young['s] interference principle	Youngsches Interferenz-prinzip *n*, Youngsches Prinzip *n*	principe *m* d'Young, principe d'interférence d'Young	принцип Юнга, интерференционный принцип Юнга
Y 72	**Young prism**	Young-Prisma *n*, Young-Thollon-Prisma *n*	prisme *m* d'Young	призма Юнга
Y 73	**Young scheme,** Young['s] tableau	Youngsches Schema *n*, Youngsches Tableau *n*, Young-Schema *n*, Young-Tableau *n*, Youngscher Rahmen *m*	tableau *m* d'Young, schéma *m* d'Young	схема Юнга
Y 74	**Young spectrograph**	Young-Spektrograph *m*, Youngscher Spektro-graph *m*	spectrographe *m* d'Young	спектрограф Юнга
Y 75	**young star**	junger Stern *m*	étoile *f* jeune	молодая звезда, звезда-младенец
	Young['s] tableau	*s.* Young scheme		
	Y plate	*s.* vertical plate		
	yrneh	= reciprocal henry <1/H>		
	Y-shaped crystal, Y-cut crystal	Y-Schnitt-Kristall *m*, Y-geschnittener Kristall *m*	cristal *m* à coupe Y	кристалл с Y-срезом
Y 75a	**yttrium ferrite, yttrium iron garnet,** YIG	Yttrium-Eisen-Granat *m*, Yttriumeisengranat *m*, Yttriumferrit *m*	ferrite *f* [grenat] d'yttrium	феррогранат иттрия, [фер-ромагнитный] феррит иттрия
	Y-type antenna	*s.* Y[-] antenna		
Y 76	**Yukawa charge**	Yukawa-Ladung *f*	charge *f* de Yukawa	заряд Юкавы
Y 77	**Yukawa field**	Yukawa-Feld *n*	champ *m* de Yukawa	поле Юкавы
Y 78	**Yukawa force**	Yukawa-Kraft *f*	force *f* de Yukawa	сила Юкавы
Y 79	**Yukawa interaction**	Yukawa-Wechselwirkung *f*	interaction *f* de Yukawa	взаимодействие Юкавы
Y 80	**Yukawa interaction constant**	Yukawa-Wechselwirkungs-konstante *f*, Konstante *f* der Yukawa-Wechsel-wirkung	constante *f* de l'interaction de Yukawa, constante de Yukawa	постоянная взаимодей-ствия Юкавы, постоян-ная Юкавы
	Yukawa kernel	*s.* diffusion kernel		
	Yukawa meson	*s.* nuclear pi-meson		
	Yukawa['s] meson theory	*s.* Yukawa['s] theory		
	Yukawa particle	*s.* nuclear pi-meson		
Y 81	**Yukawa potential**	Yukawa-Potential *n*	potentiel *m* de Yukawa	потенциал Юкавы, потенциал Юкава
Y 82	**Yukawa potential function**	Yukawa-Potentialfunktion *f*	fonction *f* de potentiel de Yukawa	функция потенциала Юкавы

Y 83	**Yukawa['s] solution**	Yukawasche Lösung f, Yukawa-Lösung f	solution f de Yukawa	решение Юкавы
Y 84	**Yukawa['s] theory [of nuclear field], Yukawa['s] theory of nuclear forces,** Yukawa['s] meson theory	Yukawa-Theorie f der Kernkräfte, Yukawa-Theorie des Kernfeldes, Yukawa-Mesonentheorie f, Mesonentheorie f der Kernkräfte von Yukawa	théorie f de Yukawa [du champ nucléaire], théorie de Yukawa des forces nucléaires, théorie mésonique de Yukawa	мезонная гипотеза Юкавы, мезонная теория Юкавы, теория ядерных сил Юкавы, теория ядерного поля Юкавы
Y 85	**Yukawa well**	Yukawa-Potentialtopf m, Yukawa-Potential-mulde f	puits m de Yukawa	потенциальная яма Юкавы, яма Юкавы
	yukon	s. nuclear pi-meson		
	Y-voltage, star voltage; phase-to-neutral voltage, phase belt voltage	Phasenspannung f, Sternspannung f, Strangspannung f	tension f phase-neutre, tension étoilée, tension en étoile	фазовое (фазное) напряжение, напряжение между фазой и нейтралью; напряжение одной ветви обмотки
Y 86	**Yvon['s] integral equation**	Yvonsche Integralgleichung f	équation f intégrale d'Yvon	интегральное уравнение Ивона
Y 87	**Yvon['s] method,** dual spherical harmonics method	Methode f von Yvon, Yvonsche Methode	méthode f d'Yvon, méthode des doubles harmoniques sphériques	метод Ивона, метод двойных сферических гармоник
Y 88	**Yvon photometer**	Yvon-Photometer n, Yvonsches Photometer n	photomètre m d'Yvon	фотометр Ивона

Z

Z 1	**Zachariasen['s] theory**	Zachariasensche Theorie f	théorie f de Zachariasen	теория Цахариазена
Z 1a	**Zaitzeff [testing] machine**	Zaitzeff-Maschine f	machine f de Zaitzeff	машина Зайцева
Z 2	**Zanstra['s] method [for temperature determination of the central stars in planetary nebulae]**	Zanstra-Verfahren n, Zanstrasche Methode f, Methode von Zanstra	méthode f de Zanstra	метод Занстра
Z 3	**zapon foil**	Zaponfolie f	feuille f en zapon	пленка из цапонлака (цапонового лака)
Z 3a	**Zaremba-Fromm-De Witt liquid**	Zaremba-Fromm-de-Witt-Flüssigkeit f	liquide m de Zaremba-Fromm-De Witt	жидкость Заремба-Фромм-де Витта
	Z balance	s. vertical field balance		
Z 4	**Z[-] band,** Z[-]disk <bio.>	Z-Linie f, Z-Streifen m, Zwischenstreifen m, Zwischenschicht f <Bio.>	strie f d'Amici, membrane f Z <bio.>	Z-диск, промежуточная полоска <био.>
Z 5	**Z[-] centre**	Z-Zentrum n	centre m Z	Z-центр
Z 6	**Z-cut**	Z-Schnitt m	coupe f Z	Z-срез
Z 7	**Z-cut crystal,** Z-shaped crystal	Z-Schnitt-Kristall m, Z-geschnittener Kristall m	cristal m à coupe Z	кристалл с Z-срезом
	Z[-] disk, Z[-] band <bio.>	Z-Linie f, Z-Streifen m, Zwischenstreifen m, Zwischenschicht f <Bio.>	strie f d'Amici, membrane f Z <bio.>	Z-диск, промежуточная полоска <био.>
Z 8	**Zeeman component**	Zeeman-Komponente f	composante f Zeeman	компонента зеемановского расщепления; зеемановская структура
Z 8a	**Zeeman displacement,** Zeeman shift	Zeeman-Verschiebung f	écart[ement] m Zeeman, décalage m Zeeman	зеемановское смещение
Z 9	**Zeeman effect**	Zeeman-Effekt m. magnetische Aufspaltung f der Spektrallinien	effet m Zeeman	эффект Зеемана, явление Зеемана
Z 9a	**Zeeman modulation**	Zeeman-Modulation f	modulation f Zeeman	зеемановская модуляция
Z 10	**Zeeman pattern;** Zeeman structure	Aufspaltungsbild n beim Zeeman-Effekt, Zeeman-Aufspaltungsbild n; Zeeman-Struktur f	diagramme m de séparation (dédoublement) des raies dans l'effet Zeeman; structure f de Zeeman	картина зеемановского расщепления
	Zeeman shift	s. Zeeman displacement		
Z 11	**Zeeman splitting;** Lorentz splitting	Zeeman-Aufspaltung f; Lorentz-Aufspaltung f	séparation f (dédoublement m) Zeeman, séparation des raies par effet Zeeman; séparation (dédoublement) Lorentz	зеемановское расщепление [линий]; лоренцово расщепление [линий]
	Zeeman structure	s. Zeeman pattern		
Z 12	**Zeeman transition**	Zeeman-Übergang m	transition f de Zeeman	зеемановский переход
Z 13	**Zeeman triplet;** Lorentz triplet	Zeeman-Triplett n; Lorentz-Triplett n, Lorentzsches Triplett n	triplet m Zeeman; triplet Lorentz	триплет Зеемана; триплет Лоренца
Z 14	**Zehender chamber**	Zehender-Kammer f	chambre f de Zehender	камера Цехендера
Z 15	**Zehender['s] method**	Zehender-Verfahren n	méthode f de Zehender	метод Цехендера
Z 16	**Zener breakdown,** field breakdown	Zener-Durchbruch m, Zener-Durchschlag m, Felddurchbruch m, Felddurchschlag m	disruption f de Zener, perçage m par champ [électrique]	зинеровский пробой, зенеровский пробой, пробой Зинера, полевой пробой
Z 17	**Zener breakdown voltage**	Zener-Durchbruchspannung f, Zener-Durchschlagspannung f, Felddurchbruchspannung f	tension f de disruption de Zener	напряжение зинеровского пробоя, напряжение полевого пробоя
Z 18	**Zener characteristic**	Zener-Kennlinie f, Zener-Charakteristik f	caractéristique f de Zener	зинеровская характеристика
Z 19	**Zener current**	Zener-Strom m	courant m de Zener	ток Зинера, зинеровский ток, поток валентных электронов

	English	German	French	Russian
Z 20	**Zener diode; Zener diode stabilizer** semiconductor stabilitron, stabilitron	Zener-Diode f; Halbleiter-stabilitron n, Stabilitron n, Zener-Dioden-Stabilisator m	diode f Zener, diode de Zener, diode à effet Zener; stabilitron m semiconducteur, stabilitron	зинеровский (зенеровский, ценеровский) диод, диод Зинера (Зенера, Ценера), опорный диод, полупроводниковый диод для стабилизации напряжения; полупроводниковый стабилитрон
Z 21	**Zener effect, Zener emission,** internal field emission	Zener-Effekt m, innere Feldemission f, Zener-Emission f	effet m Zener, auto-émission f interne, émission f électrostatique interne	эффект Зинера, эффект Зенера, эффект Ценера, туннельное просачивание через барьер, внутренняя автоэлектронная эмиссия
	Zener emission	s. Zener effect		
Z 21a	**Zener-Hilbert model**	Zener-Hilbert-Modell n	modèle m de Zener-Hilbert	модель Зинера-Гильберта
Z 22	**Zener knee**	Zener-Knick m	coude m Zener	зинеровский перегиб, зинеров перегиб
	Zener relaxation, order relaxation	Ordnungsrelaxation f, Zener-Relaxation f	relaxation f d'ordre, relaxation de Zener, relaxation Zener	порядковая релаксация, зинеровская релаксация
Z 23	**Zener['s] theory [of activation entropy]**	Zenersche Theorie f [der Aktivierungs-entropie]	théorie f de Zener [de l'entropie d'activation]	теория Зинера [энтропии активации]
Z 24	**Zener voltage,** turn-over voltage	Zener-Spannung f	tension f de Zener	напряжение Зинера, зинеровское напряжение
Z 25	**zenith**	Zenit m, Scheitelpunkt m	zénith m	зенит, наивысшая точка
	zenithal distance, zenith distance, coaltitude	Zenitdistanz f, Zenit-abstand m	distance f zénithale, coaltitude f	зенитное расстояние
	zenithal eyepiece, zenith eyepiece, zenith ocular	Zenitokular n	oculaire m zénithal	зенитный окуляр
Z 26	**zenithal light**	Zenithimmelslicht n, Zenitlicht n	lumière f zénithale	зенитный свет
Z 27	**zenithal lune,** zenith lune	Zenitzweieck n	fuseau m zénithal, fuseau sphérique zénithal	зенитный двуугольник
	zenithal magnitude [of the star], zenithal stellar magnitude	Zenithelligkeit f [des Gestirns]	magnitude f stellaire réduite au zénith, magnitude réduite au zénith	зенитная звездная величина, зенитная величина [звезды], звездная величина в зените
	zenithal orthomorphic projection, stereographic projection	stereographische Projektion f, winkeltreue Azimutalprojektion f, Kugelprojektion f	projection f stéréographique, projection de Ptolémée	стереографическая проекция
	zenithal prism, zenith prism	Zenitprisma n, Steilsicht-prisma n	prisme m zénithal	зенитная призма, призма крутого визирования
	zenithal projection	s. azimuthal projection		
	zenithal rain, tropical rain	Zenitalregen m, Tropen-regen m, tropischer Regen m	pluie f tropicale, pluie zénithale	тропический дождь
Z 28	**zenithal refraction**	Zenitrefraktion f	réfraction f zénithale	зенитная рефракция
Z 29	**zenithal stellar magnitude,** zenithal magnitude [of the star]	Zenithelligkeit f [des Gestirns]	magnitude f stellaire réduite au zénith, magnitude réduite au zénith	зенитная звездная величина, зенитная величина [звезды], звездная величина в зените
Z 30	**zenith angle effect**	Zenitwinkeleffekt m, Zenitwinkelabhängigkeit f der Intensität	effet m de l'angle zénithal	зависимость интенсивности от зенитного угла
Z 31	**zenith attraction**	Zenitanziehung f	attraction f zénithale	зенитное притяжение [у метеоров]
Z 32	**zenith distance,** zenithal distance, coaltitude	Zenitdistanz f, Zenit-abstand m	distance f zénithale, coaltitude f	зенитное расстояние
Z 33	**zenith eyepiece,** zenithal eyepiece, zenith ocular	Zenitokular n	oculaire m zénithal	зенитный окуляр
	zenith level, telescope level tube	Fernrohrlibelle f	niveau m de la lunette	талькоттовский уровень, уровень зрительной трубы, уровень при зрительной трубе
	zenith lune, zenithal lune	Zenitzweieck n	fuseau m zénithal, fuseau sphérique zénithal	зенитный двуугольник
	zenith ocular, zenith eyepiece, zenithal eyepiece	Zenitokular n	oculaire m zénithal	зенитный окуляр
Z 34	**zenith photograph**	Zenitaufnahme f	photographie f zénithale, prise f de vue zénithale	зенитный снимок
Z 35	**zenith point**	Zenitpunkt m	point m de zénith, point zénithal	точка зенита
Z 35a	**zenith position**	Zenitstand m	position f dans le zénith	положение в зените
Z 36	**zenith prism,** zenithal prism	Zenitprisma n, Steilsicht-prisma n	prisme m zénithal	зенитная призма, призма крутого визирования
Z 37	**zenith reduction,** reduction to zenith	Zenitreduktion f	réduction f zénithale, réduction au zénith	приведение к зениту, зенитная редукция
Z 38	**zenith taking**	Zenitaufnahme f	prise f de vue zénithale	зенитная съемка; съемка с осью, направленной в зенит
Z 39	**zenith telescope,** zenith tube	Zenitteleskop n, Zenit-fernrohr n, Zenitrohr n	lunette f zénithale, télescope m zénithal, zénith-télescope m	зенитная труба, зенитный телескоп, зенит-телескоп

Z 40	**Zenker layer**	Zenkersche Schicht f	couche f de Zenker	слой Ценкера, ценеровский слой, ценкеров слой
Z 41	**Zenker prism**	Zenker-Prisma n	prisme m de Zenker	призма Ценкера
Z 42	**Zenneck wave**	Zenneck-Welle f	onde f de Zenneck	волна Ценнека
Z 43	**zeolite**	Zeolith m	zéolite f, zéolithe f	цеолит
Z 44	**Zepp antenna, Zeppelin antenna**	Zeppelinantenne f	antenne f Zeppelin	антенна типа «Цеппелин», антенна «цеппелин»
Z 45	**Zermelo['s] recurrence paradox,** recurrence paradox [of Zermelo], wiederkehreinwand	Zermeloscher Wiederkehreinwand m, Poincaré-Zermeloscher Wiederkehreinwand, Wiederkehreinwand [von Zermelo]	paradoxe m de Zermelo, objection f de Zermelo	парадокс Цермело
		s. well ordering theorem		
Z 46	**Zermelo['s] theorem**			
Z 46a	**Zernike['s] formula**	Zernikesche Formel f	formule f de Zernike	формула Цернике
	Zernike['s] orthogonal polynomial, circle polynomial	Zernikesches Orthogonalpolynom n	polynôme m orthogonal de Zernike	ортогональный полином Цернике
	Zernike['s] phase contrast method, Zernike['s] phase contrast test; phase-contrast test due to F. Zernike	Phasenkontrastverfahren n nach F. Zernike, Zernikesches Phasenkontrastverfahren	méthode f du contraste de phase dite de Zernike, méthode de Zernike	фазо[во]контрастный метод Цернике, метод Цернике
Z 47	**Zernike-Prins equation, Zernike-Prins formula**	Zernike-Prinssche Gleichung f	formule f de Zernike et Prins	формула Цернике-Принса
	zero, zero point	Nullpunkt m, Null f	zéro m, point m [de] zéro	нуль, нулевая точка; нульпункт; точка нуля
Z 48	**zero,** null <of function, curve>	Nullstelle f <Funktion, Kurve>	zéro m <de fonction, courbe>	нуль <функции, кривой>
Z 49	**zero** <math.>	Null f <Math.>	zéro m <math.>	нуль <матем.>
Z 50	**zero,** zero element, null element <math.>	Nullelement n, Null f <Math.>	élément m nul [pour l'addition], élément neutre <math.>	нулевой элемент, нуль <матем.>
Z 50a	**zero-access storage (store),** immediate-access storage (store), instantaneous store (storage)	zugriff[s]zeitfreier Speicher m	mémoire m à temps d'attente nul	запоминающее устройство с мгновенной выборкой [данных]
	zero-access storage (store)	s. a. rapid-access store		
Z 51	**zero adjust control; zero-adjusting device;** zero control	Nullstelleinrichtung f, Nullpunkt-Einstellvorrichtung f, Nullsteller m	régulateur m du zéro, dispositif m de réglage au zéro	регулятор установки нуля; корректор нулевой отметки, корректор нулевого положения; устройство для установки на нуль
Z 52	**zero adjustment,** zero point adjustment; zero setting, zero point setting; zeroing, resetting to zero	Nullpunkteinstellung f, Nulleinstellung f; Nullstellung f	réglage m au zéro; ajustage m du zéro	установка нуля; установка на нуль
	zero alternating stress, pulsating stress, stress varying from zero to maximum, one-way stress	schwellende Spannung f, Schwellspannung f	tension f pulsatoire, tension en cycle pulsatoire	пульсирующее напряжение, напряжение при пульсирующем цикле
Z 53	**zero anode**	Löschröhre f, Nullpunktanode f, Nullpotentialanode f, Nullanode f	anode f nulle	гасящая лампа, шунтирующий цепь нагрузки выпрямителя вентиль
	zero balance, zero balancing, null balancing	Nullabgleich m	équilibrage m au zéro	нулевое уравновешивание, уравновешивание на нуль
	zero balance	s. a. adjustment <el.>		
Z 54	**zero balancing,** null balancing, zero balance	Nullabgleich m	équilibrage m au zéro	нулевое уравновешивание, уравновешивание на нуль
Z 55	**zero band** <in the electron spectrum>	Nullbande f <im Elektronenspektrum>	bande f zéro <dans le spectre électronique>	нулевая полоса <в электронном спектре>
Z 56	**zero beat,** zero beating	Schwebungsnull f; Nullschwebung f	battement m zéro	точка нулевого биения, точка нулевых биений; нулевое биение
Z 57	**zero beat frequency**	Nullschwebungsfrequenz f, Schwebungsfrequenz f Null	fréquence f des battements zéro	частота нулевых биений
	zero beating, zero beat	Schwebungsnull f; Nullschwebung f	battement m zéro	точка нулевого биения, точка нулевых биений; нулевое биение
	zero-beat reception, homodyne reception	Homodyneempfang m	réception f homodyne, réception à battements zéro	гомодинный прием, прием на нулевых биениях, прием по методу нулевых биений, прием с восстановлением несущей
	zero branch, Q-branch <opt.>	Q-Zweig m, Nullzweig m <Opt.>	branche f Q, branche nulle <opt.>	Q-ветвь, нулевая ветвь <опт.>
Z 58	**zero carrier**	Nullamplitude f	porteuse f zéro	нулевая амплитуда несущей частоты
	zero centre meter, central zero instrument, centre-zero instrument	Gerät n mit zentralem Nullpunkt, Instrument n mit zentralem Nullpunkt	appareil m centré sur le zéro, instrument m centré sur le zéro	измерительный прибор с нулем посредине шкалы, измерительный прибор с нулем в центре

	English	German	French	Russian
	zero charge / of, neutral, electrically neutral; uncharged, without charge <el.>	neutral, elektrisch neutral; ungeladen, ladungsfrei; ohne Ladung <El.>	neutre, électriquement neutre; non chargé, sans charge, de (à) charge zéro <él.>	нейтральный, электрически нейтральный; незаряженный, без заряда, не имеющий заряда <эл.>
	zero control	s. zero adjust control		
	zero correction	s. zero-point correction		
Z 59	**zero current**	Nullstrom m	courant m zéro, courant nul	нулевой ток
Z 60	**zero-degree calorie,** 0 °C calorie, cal$_{0°}$	Nullgradkalorie f, 0-°C-Kalorie f, cal$_0$ °C, cal$_0$	calorie f de 0 °C, cal$_{0°}$	нульградусная калория, 0-градусная калория, кал$_{0°}$
Z 61	**zero depression,** depression of zero	Nullpunktsdepression f, Nullpunktdepression f	dépression f du zéro	понижение нулевой точки, понижение точки нуля, депрессия нулевой точки, депрессия точки нуля
Z 62	**zero-dimensional**	nulldimensional	de dimension zéro, de dimension nulle	нульмерный
Z 63	**zero divisor,** zero factor, divisor of zero	Nullteiler m	diviseur m de zéro	делитель нуля
Z 64	**zero drift,** zero variation, zero offset	Nullpunktdrift f, Nulldrift f, Nullpunktsdrift f, Nullabweichung f, Nullpunkt[s]abweichung f, Nullpunkt[s]wanderung f, Nullpunkt[s]verschiebung f, Nullpunkt[s]verlagerung f, Nullversatz m	déviation f de zéro, déplacement m du zéro	смещение нулевой точки, смещение нуля, дрейф нуля, смещение точки нуля, уход нуля, сдвиг нуля
	zero element	s. zero <math.>		
	zero-energy reactor, zero-power reactor	Nulleistungsreaktor m, Nullenergiereaktor m, Nullexperiment n, Nullreaktor m	pile f [de puissance] nulle, réacteur m [de puissance] nulle	нулевой реактор, реактор нулевой мощности
	Zero Energy Thermonuclear Assembly, ZETA, Zeta	Zeta-Anlage f, ZETA-Anlage f, ZETA n, Zeta n	ZETA m	установка ZETA, ZETA
Z 65	**zero epoch mean longitude,** mean longitude at zero epoch	mittlere Länge f zur Epoche Null	longitude f moyenne à l'époque zéro	средняя долгота для нулевой эпохи
	zero error	s. zero variation		
	zero factor	s. zero divisor		
	zero-field; fieldless, field-free	feldfrei	sans champ; dans le champ nul; à champ zéro	свободный от поля; в нулевом поле; бесполевой
	zero-field level crossing [technique]	s. Hanle effect		
	zero-field residual voltage, residual voltage at zero field	Nullfeldrestspannung f	tension f résiduelle dans le champ zéro	остаточное напряжение при нулевом поле
Z 66	**zero-frequency component,** direct-current component, d.c. component, direct component	Gleichstromkomponente f; Gleichstromanteil m; Gleichstromwert m, Gleichstromgröße f; Gleichwert m	composante f continue	постоянная составляющая [тока]
	zero gap	s. origin of the band <opt.>		
	zero gravity	s. absence of gravity		
	zero-incidence wing, wing at zero lift	nichtangestellter Flügel m	aile f à l'incidence zéro	крыло с нулевым углом атаки
	zeroing	s. zero adjustment		
	zero isolychn	s. alychn		
Z 67	**zero isotherm**	Nullisotherme f	isotherme f de valeur nulle	нулевая изотерма
	zero jitter	s. zero-point vibration		
Z 68	**zero layer** <aero., hydr.>	Nullschicht f <Aero., Hydr.>	couche f de vitesse nulle <aéro., hydr.>	слой нулевой скорости течения <аэро., гидр.>
Z 69	**zero layer line** <rotating-crystal method>	nullte Schichtlinie f, Äquatorlinie f, Äquator m <Drehkristallverfahren>	strate f équatoriale, strate zéro <méthode du cristal tournant>	нулевая слоевая линия, нулевая экваториальная линия <в методе вращающегося кристалла>
Z 70	**zero lift**	Nullauftrieb m	portance nulle, sustentation f nulle	нулевая подъемная сила
Z 71	**zero lift angle,** no-lift angle	Nullauftriebswinkel m, Nullanstellwinkel m	angle m de portance nulle, angle de sustentation nulle	угол нулевой подъемной силы
Z 72	**zero lift direction**	Nullauftriebsrichtung f	direction f de portance nulle	направление, при котором подъемная сила равна нулю; направление потока при нулевой подъемной силе
Z 73	**zero lift line,** no-lift line, axis of zero lift	Nullauftriebslinie f, Nulllinie f des Profils, erste Achse f des Profils, Nullauftriebsachse f	axe m de portance nulle, axe de sustentation nulle, premier axe	линия нулевой подъемной силы, ось нулевой подъемной силы
Z 74	**zero lift moment**	Nullauftriebsmoment n	moment m de portance nulle	момент при нулевой подъемной силе
	zero line, zero mark	Nullmarke f; Nullstrich m	marque f zéro	нулевая отметка, нулевое деление
	zero line [gap]	s. origin of the band <opt.>		
Z 75	**zero-line mirror**	Nullspiegel m	miroir m de zéro	зеркальце нулевой линии
Z 75a	**zero line system**	Kantensystem n, Bandkantensystem n	système m de raies nulles	система нулевых линий
Z 75b	**zerology**	Nullstellenanalyse f	analyse f des zéros, zérologie f	анализ нулей

	English	German	French	Russian
	zero-loss line, dissipationless line, no-loss line, loss-free line, lossless line	verlustlose Leitung f, verlustfreie Leitung	ligne f sans pertes, ligne sans dissipation, ligne sans affaiblissement	линия без потерь
Z 76	zero mark, zero line	Nullmarke f; Nullstrich m	marque f zéro	нулевая отметка, нулевое деление
	zero-mass, massless	masselos, mit der Masse 0	sans masse, de masse zéro	без массы, безмассовый, с нулевой массой
	zero matrix, null matrix	Nullmatrix f	matrice f nulle	нулевая матрица, нуль-матрица
Z 77	zero meridian, prime (first, standard, initial, Greenwich) meridian, meridian of Greenwich	Nullmeridian m, Anfangsmeridian m, Meridian m von Greenwich, Greenwicher Meridian	méridien m fondamental, méridien-origine m, méridien de Greenwich, méridien nul, méridien d'origine	основной (главный, гринвичский, гринический) меридиан, нулевой (начальный, первый) меридиан
	zero method	s. null method		
Z 78	zero-moment method	Nullmoment[en]methode f	méthode f des moments zéro	метод нулевых моментов
	zero offset	s. zero drift		
Z 79	zero-order approximation, zeroth approximation	nullte Näherung f, Näherung nullter Ordnung	approximation f d'ordre zéro	нулевое приближение, приближение нулевого порядка
Z 80	zero passage, passage of zero [point]	Nulldurchgang m	passage m du zéro	проход через нулевое значение, прохождение через нуль, прохождение через нулевую [от]метку
Z 81	zero phase angle	Nullphasenwinkel m	angle m de phase nulle	нулевой фазовый угол
Z 82	zero-phase modulation, Armstrong modulation	Nullphasenwinkelmodulation f, Armstrong-Modulation f	modulation f de phase nulle, modulation d'Armstrong	модуляция нулевого фазового угла, модуляция Армстронга
Z 82a	zero-phonon transition	phononenfreier Übergang m, Nullphononenübergang m	transition f à phonon zéro	бесфононный переход
Z 83	zero point, zero	Nullpunkt m, Null f	zéro m, point m [de] zéro	нуль, нулевая точка; нульпункт; точка нуля
	zero point adjustment	s. zero adjustment		
Z 84	zero-point correction, zero correction	Nullpunkt[s]korrektion f, Nullpunktkorrektur f	correction f du zéro	коррекция нулевой точки, коррекция нуля, коррекция нулевой отметки
	zero-point electromagnetic field fluctuation	s. electromagnetic vacuum fluctuation		
Z 85	zero-point energy, zero-temperature energy, energy at the absolute zero of temperature, energy of absolute zero	Nullpunktsenergie f, Nullpunktenergie f	énergie f au zéro absolu	нулевая энергия
Z 86	zero-point entropy, zero-temperature entropy, entropy at the absolute zero of temperature, entropy of absolute zero	Nullpunktsentropie f, Nullpunktentropie f	entropie f au zéro absolu	нулевая энтропия
Z 87	zero-point field	Nullpunkt[s]feld n, Nullfeld n	champ m au zéro absolu	нулевое поле
Z 88	zero-point fluctuation	Nullpunktschwankung f, Nullpunktsschwankung f	fluctuation f du zéro	нулевое колебание, нулевая флуктуация
Z 89	zero-point lattice vibration	Nullpunkt[s]gitterschwingung f	vibration f du réseau au zéro absolu	нулевое колебание решетки
	zero-point motion	s. zero-point vibration		
	zero point of the star	s. neutral point <el.>		
Z 89a	zero-point potential	Nullpunkt[s]potential n	potentiel m du point zéro	потенциал нулевой точки
Z 90	zero-point pressure	Nullpunktsdruck m, Nullpunktdruck m	pression f au zéro absolu	давление абсолютного нуля
Z 91	zero-point resistance	Nullpunktwiderstand m, Videowiderstand m	résistance f de zéro	нулевое сопротивление
Z 92	zero-point resistance <semi.>	Nullpunktwiderstand m <Halb.>	résistance f au zéro de la caractéristique <semi.>	сопротивление нулевой точки характеристики <полу.>
	zero-point setting	s. zero adjustment		
Z 93	zero-point sound	Nullpunkt[s]schall m	son m au zéro absolu	нулевой звук
	zero-point stability	s. zero stability		
Z 94	zero-point vibration, zero-point motion, zero jitter	Nullpunkt[s]schwingung f, Nullpunktsbewegung f, Nullpunkt[s]unruhe f	vibration f au zéro absolu, mouvement m au zéro absolu	нулевое колебание
Z 95	zero-point volume, zero-temperature volume, volume at the absolute zero of temperature, volume of absolute zero	Nullpunktsvolumen n, Nullpunktvolumen n	volume m au zéro absolu	нулевой объем, объем абсолютного нуля [температуры]
Z 96	zero position	Nullage f, Nullstellung f	position f zéro	нулевое положение
	zero position	s. a. position of rest		
Z 97	zero-power lens	Nullinse f	lentille f à pouvoir zéro	мениск равной кривизны
Z 98	zero-power range <nucl.>	Leerlaufbereich m <Kern.>	fonctionnement m à vide <nucl.>	часть пускового режима реактора, характеризующаяся нулевой мощностью; режим нулевой мощности <яд.>
Z 99	zero-power reactor, zero-energy reactor	Nulleistungsreaktor m, Nullenergiereaktor m, Nullexperiment n, Nullreaktor m	pile f [de puissance] nulle, réacteur m [de puissance] nulle	нулевой реактор, реактор нулевой мощности

Z 100	zero-radius approximation	Nullradiusnäherung *f*, Näherung *f* mit dem Radius Null	approximation *f* du rayon zéro	приближение нулевого радиуса
Z 101	zero reading	Nullablesung *f*	lecture *f* de zéro	нулевой отсчет
Z 102	zero reset[ting]	Nullrückstellung *f*, Rückstellung *f* auf Null	remise *f* à zéro	возврат в нулевое положение (состояние)
Z 103	zero rest mass	Ruhemasse *f* 0, verschwindende Ruhemasse	masse *f* au repos zéro	нулевая масса покоя
	zero rise	s. secular rise of zero		
Z 104	zero scattering	Streuung *f* ohne effektive Ablenkung	diffusion *f* sous un angle de 0°	рассеяние на нулевой угол
Z 105	zero sequence component	Nullkomponente *f*	composante *f* homopolaire	[симметричная] составляющая нулевой последовательности
Z 106	zero sequence current	Nullstrom *m*	courant *m* de neutre	ток нулевой последовательности, нулевая составляющая тока
Z 107	zero sequence impedance	Nullimpedanz *f*, Nullscheinwiderstand *m*	impédance *f* de champ homopolaire	полное (кажущееся) сопротивление нулевой последовательности, сопротивление нулевой последовательности
Z 108	zero sequence reactance	Nullreaktanz *f*, Nullblindwiderstand *m*	réactance *f* de champ homopolaire	реактивное сопротивление нулевой последовательности, реактивность (реактанс) нулевой последовательности
Z 109	zero sequence system <el.>	Nullsystem *n* <El.>	système *m* homopolaire <él.>	система нулевой последовательности [фаз] <эл.>
Z 110	zero sequence system vector	Nullsystemvektor *m*	vecteur *m* du système homopolaire	вектор системы нулевой последовательности
Z 111	zero sequence voltage	Nullspannung *f*	tension *f* de neutre	напряжение нулевой последовательности, нулевая составляющая напряжения
	zero setting	s. zero adjustment		
Z 112	zero shift	Nullpunktverschiebung *f*, Nullpunktsverschiebung *f*	déplacement *m* du zéro	сдвиг (смещение) положения нуля, смещение нулевой точки, смещение нуля
Z 113	zero stability, zero point stability	Nullpunkt[s]konstanz *f*, Nullkonstanz *f*, Nullpunktstabilität *f*, Nullpunktsicherheit *f*	stabilité *f* du zéro, fidélité *f* au zéro	стабильность нуля, постоянство нуля
Z 113a	zero sum game	Nullsummenspiel *n*	jeu *m* de somme nulle	игра с нулевой суммой
Z 114	zero suppression	Nullpunktunterdrückung *f*, Nullpunktsunterdrückung *f*, Nullunterdrückung *f*	suppression *f* du zéro, suppression de zéro	подавление нуля шкалы, подавление нулевого значения измеряемой величины, уничтожение незначащих нулей
	zero-system, null system <Math.>	Nullsystem *n*, Nullkorrelation *f* <Math.>	complexe *m* de Chasles <math.>	нуль-система <матем.>
	zero-temperature energy	s. zero-point energy		
	zero-temperature entropy	s. zero-point entropy		
	zero-temperature volume	s. zero-point volume		
	zeroth approximation	s. zero-order approximation		
	zeroth law of thermodynamics	s. law of thermal equilibrium		
Z 115	zero-time exchange	Nullzeitaustausch *m*	réaction *f* chimique à vitesse infinie	химическая реакция бесконечной скорости
Z 116	zero variation, zero error, residual deviation, origin distortion	Nullpunkt[s]fehler *m*, Nullfehler *m*, Nullpunkt[s]abweichung *f*, Nullabweichung *f*, Nullausschlag *m*; Restabweichung *f*; Restablenkung *f*, Restdeviation *f*	déviation *f* résiduelle, déviation de zéro	погрешность у нуля, остаточное отклонение, отклонение нуля, нулевое отклонение; остаточная девиация
	zero variation	s. a. zero drift		
Z 117	zero vector, null vector <also rel.>	Nullvektor *m* <auch Rel.>	vecteur *m* zéro, vecteur nul <aussi rel.>	нулевой вектор, нуль[-]вектор <также рел.>
Z 118	zero velocity curve	Hillsche Grenzkurve *f*, Nullgeschwindigkeitskurve *f*	courbe *f* de vitesse nulle	кривая нулевой скорости
Z 119	zero velocity surface	Hillsche Grenzfläche *f*, Nullgeschwindigkeitsfläche *f*	surface *f* de vitesse nulle	поверхность нулевой скорости, критическая эквипотенциальная поверхность, поверхность Роша
	zero visibility	s. non-visibility		
Z 120	zero voltmeter	Nullspannungsmesser *m*, Nullvoltmeter *n*	voltmètre *m* de creux	нулевой вольтметр
Z 121	zero-zero transition, 0-0 transition	Null-Null-Übergang *m*, 0-0-Übergang *m*	transition *f* zéro-zéro, transition 0-0	нуль-нуль-переход, 0-0-переход
Z 122	ZETA, Zeta, Zero Energy Thermonuclear Assembly	Zeta-Anlage *f*, ZETA-Anlage *f*, ZETA *n*, Zeta *f*	ZETA *m*	установка ZETA, ZETA
	zeta function <of Weierstrass>, Weierstrass['] zeta function, ζ function	Weierstraßsche Zeta-Funktion *f*, Zeta-Funktion [von Weierstraß], ζ-Funktion *f*	fonction *f* zéta [de Weierstrass], fonction ζ	дзета-функция [Вейерштрасса], ζ-функция

	zeta function		*s. a.* Liemann zeta function	
Z 123	**zeta function of Jacobi,** Jacobi['s] zeta function, zn	Zeta-Funktion *f* von Jacobi, Jacobische Zeta-Funktion *f*, zn	fonction *f* zéta de Jacobi, zn	дзета-функция Якоби, zn
Z 124	**Zeta Geminorum[-type] star**	Zeta Geminorum-Stern *m*, Zeta Geminorum-Veränderlicher *m*	étoile *f* [variable] du type Zéta Geminorum, variable *f* du type Zéta Geminorum	звезда типа Дзета Близнецов, переменная звезда типа Дзета Близнецов
Z 125	**zeta meson,** ζ meson	Zeta-Meson *n*, ζ-Meson *n*	méson *m* zéta, méson ζ	дзета-мезон, ζ-мезон
	zeta[-] potential		*s.* electrokinetic potential	
Z 126	**Zeuner['s] diagram**	Zeuner-Diagramm *n*	diagramme *m* de Zeuner	диаграмма Цейнера
Z 127	**Zeuner['s] formula**	Zeunersche Formel *f*	formule *f* de Zeuner	формула Цейнера
Z 128	**Zeuner pendulum**	Zeunersches Dreischneidenpendel *n*	pendule *m* de Zeuner	маятник Цейнера
Z 129	**Ziegler catalyst, Ziegler contact**	Ziegler-Katalysator *m*, Ziegler-Kontakt *m*	catalyseur *m* de Ziegler	катализатор Циглера
Z 130	**zigzag antenna**	Zickzackantenne *f*, Sägezahnantenne *f*	antenne *f* en dents de scie, antenne en zigzag	зигзагообразная антенна, антенна Ширекса
Z 131	**zigzag band-pass filter**	Zickzackbandpaß *m*	filtre *m* passe-bande en zigzag	шестиэлементный полосовой фильтр [с потерями]
Z 131a	**zigzag circuit, zigzag connection**	Zickzackschaltung *f*	connexion *f* en zigzag	соединение зигзагом, схема соединения зигзагом
Z 132	**zigzag crest**	Zickzackschwelle *f*	seuil *m* en zigzag	зигзагообразный порог, порог Базика
Z 133	**zigzag crevice**	Zickzackspaltung *f*	fissuration *f* en zigzag, fissure *f* en zigzag	зигзагообразная трещина
Z 134	**zigzag dislocation**	Zickzackversetzung *f*	dislocation *f* en zigzag	зигзагообразная дислокация
Z 135	**zigzag folding**	Zickzackfaltung *f*	plissement *m* en zigzag, plis *mpl* en zigzag	зигзагообразная складчатость, зигзагообразные складки
Z 136	**zigzag lightning**	Zickzackblitz *m*	foudre *f* en zigzag	зигзагообразная молния
Z 137	**zigzag reflection**	Zickzackreflexion *f*, Zickzackspiegelung *f*	réflexion *f* en zigzag	многократное отражение по зигзагообразной линии
	zigzag spiral filament, vee filament	Zickzackwendel *f*	filament *m* au festons	зигзагообразная спираль, зигзагообразно расположенная спирализированная нить
Z 138	**zinc blende lattice,** sphalerite lattice	Zinkblende[n]gitter *n*, ZnS-Gitter *n*	réseau *m* sphérolithe, réseau de type sulfure de zino	решетка типа цинковой обманки
Z 139	**zinc blende structure,** sphalerite structure	Zinkblende[n]struktur *f*, Zinkblende[n]typ *m*	structure *f* sphérolithe, structure de type sulfure de zinc	структура [типа] цинковой обманки
Z 140	**zinc-iron cell**	Zink-Eisen-Element *n*	élément *m* zinc-fer, pile *f* zinc-fer	железо-цинковый элемент
Z 141	**zinc sulphide phosphor**	Zinksulfidphosphor *m*, ZnS-Phosphor *m*	phosphore *m* en sulfure de zinc	сульфидо-цинковый фосфор (люминофор)
Z 142	**zinc sulphide screen**	Zinksulfidschirm *m*	écran *m* à sulfure de zinc	экран с сульфидо-цинковым люминофором, экран из сернистого цинка
Z 143	**Zinn[-type] arc**	Zinn-Bogen *m*	arc *m* de Zinn	дуга Цинна
Z 144	**Z intensiometer,** vertical intensity meter	Z-Intensiometer *n*	intensimètre *m* vertical	измеритель вертикальной напряженности поля
Z 145	**Zintl border**	Zintl-Grenze *f*	limite *f* de Zintl	граница Цинтля, предел Цинтля
Z 146	**Zintl line**	Zintl-Linie *f*	ligne *f* de Zintl	линия Цинтля
Z 147	**Zintl phase**	Zintlsche Phase *f*, Zintl-Phase *f*	phase *f* de Zintl	фаза Цинтля
Z 148	**Zintl['s] rule**	Zintlsche Regel *f*	règle *f* de Zintl	правило Цинтля
	Ziolkovsky['s] formula	*s.* fundamental equation of rocket motion		
	Ziolkovsky number	*s.* mass ratio <rocket>		
Z 149	**zirconium arc lamp,** zirconium lamp	Zirkonium-Punktlampe *f*, Zirkonium-Bogenlampe *f*, Zirkoniumlampe *f*, Zirkonlampe *f*	lampe *f* à arc au zirconium, lampe au zirconium	циркониевая дуговая лампа, циркониевая лампа
Z 150	**zitterbewegung,** trembling motion, vibration <of electron>	Zitterbewegung *f* [des Elektrons]	phénomène *m* du heublement [de Schrödinger], mouvement *m* tremblant, vibration *f*, agitation *f* <de l'électron>	виртуальный процесс «испускания-поглощения», дрожание, вибрация <электрона>
	Z-magnetometer, vertical-intensity magnetometer, vertical magnetometer	Vertikalintensitätsmagnetometer *n*, Vertikal-magnetometer *n*, Z-Magnetometer *n*	magnétomètre *m* de l'intensité verticale, magnétomètre vertical, magnétomètre Z	магнитометр вертикальной составляющей, вертикальный магнитометр, Z-магнитометр
	Z matrix, impedance matrix <of waveguide>	Wellenwiderstandsmatrix *f*, Z-Matrix *f* <Wellenleiter>	matrice *f* d'impédance <du guide d'ondes>	матрица сопротивления, матрица волнового сопротивления <волновода>
Z 151	**Zodiac,** zodiacal belt	Zodiakus *m*, Tierkreis *m*	Zodiaque *m*	Зодиак, круг Зодиака, пояс Зодиака, зодиакальный пояс
Z 152	**zodiacal band**	Zodiakalband *n*	bande *f* zodiacale	зодиакальная полоса
	zodiacal belt	*s.* Zodiac		
Z 153	**zodiacal constellation**	Sternbild *n* des Tierkreises	constellation *f* zodiacale	зодиакальное созвездие
Z 154	**zodiacal light**	Zodiakallicht *n*, Tierkreislicht *n*	lumière *f* zodiacale	зодиакальный свет

	English	German	French	Russian
Z 155	**zodiacal sign,** sign of the zodiac	Tierkreiszeichen n, Sternzeichen n	signe m du zodiaque	зодиакальный знак, знак зодиака
Z 156	**Zöllner pendulum**	Zöllnersches Pendel n	pendule m de Zöllner	цельнеровский маятник
Z 157	**Zöllner phenomenon,** anorthoscopic illusion	Zöllnersche Erscheinung f, Spaltbildversuch m, anorthoskopische Täuschung f	phénomène m de Zöllner, illusion f anorthoscopique	явление Цельнера
Z 158	**Zöllner suspension**	Zöllnersche Aufhängung f, Zöllner-Aufhängung f	suspension f de Zöllner	цельнеровский подвес
Z 159	**zonal aberration,** zone aberration, zone of uncorrected field of lens <opt.>	Zonenfehler m, Zwischenfehler m, Zone f <Opt.>	aberration f zonale, aberration de zone <opt.>	зональная аберрация <опт.>
	zonal arrangement	s. zonal structure		
Z 160	**zonal astrograph**	Zonenastrograph m	astrographe m de zones	зонный астрограф
	zonal catalog[ue] [of stars], zone star catalog[ue], zone catalog[ue] [of stars]	Zonenkatalog m, Zonensternkatalog m	catalogue m de zones	зонный звездный каталог, зонный каталог звезд, зональный звездный каталог
Z 161	**zonal circulation**	Zonalzirkulation f, zonale Zirkulation f	circulation f zonale	зональная циркуляция
Z 162	**zonal corrosion**	Zonenkorrosion f	corrosion f zonale	зональная коррозия
	zonal current, zonal flow	zonaler Strom m, Zonalströmung f	courant m zonal	зональный поток, зональное течение
Z 163	**zonal distribution**	zonale Verteilung f, zonare Verteilung	distribution f zonale, répartition f zonale	зональное распределение
Z 164	**zonal extinction**	zonale Auslöschung f	extinction f zonale	зональная экстинкция
Z 165	**zonal flow,** zonal current	zonaler Strom m, Zonalströmung f	courant m zonal	зональный поток, зональное течение
	zonal harmonic	s. Legendre polynomial		
	zonal harmonic function	s. Legendre polynomial		
Z 166	**zonality,** zoning	Zonalität f, Gürtelung f, Zonenbau m	zonalité f	зональность, полосчатость
Z 167	**zonal luminous flux,** zone luminous flux	Zonenlichtstrom m	flux m lumineux zonal	зональный световой поток
Z 168	**zonal-meridional circulation**	zonal-meridionale Zirkulation f	circulation f zonale-méridienne	зонально-меридиональная циркуляция
Z 169	**zonal multipole field**	zonales Multipolfeld n	champ m multipolaire zonal	зональное мультипольное поле
Z 170	**zonal quadrupole**	zonaler Quadrupol m	quadripôle m zonal	зональный квадруполь
Z 170a	**zonal solid angle**	Zonenraumwinkel m	angle m solide zonal	зональный телесный угол
	zonal spherical harmonic	s. Legendre polynomial		
Z 171	**zonal structure,** zonal arrangement	Zonarbau m, Zonarstruktur f; Zonenstruktur f, Zonenbau m, Zonalstruktur f, Zonalbau m	structure f zonale, structure zonaire, structure zonée	зональная структура, зональное строение, зонарное строение, зонарная структура
Z 172	**zonal texture,** cone texture	Kegelfasertextur f, Zonentextur f	texture f zonée (conique, zonale), structure f zonée	зональная текстура, конусная текстура
Z 173	**zonation,** zoning	Zoneneinteilung f, Zonengliederung f	division f en zones	[раз]деление на зоны; зональное распределение, распределение по зонам, зонирование
Z 174	**zone,** zone of crystal, crystallographic zone, crystal zone	Zone f <Krist.>, kristallographische Zone, Zonenverband m	zone f cristallographique, zone de cristal	зона [кристалла], кристаллографическая зона
	zone	s. a. region <gen.>		
	zone aberration	s. zonal aberration <opt.>		
Z 175	**zone antenna**	Zonenantenne f	antenne f zonale <ac.>; antenne à zones <él.>	зонная антенна, зональная антенна <ак.>; зонированная антенна <эл.>
	zone axis, crystallographic zone axis	Zonenachse f, Zonenlinie f, Zonengerade f	axe m de la zone [cristallographique], axe zonal	ось кристаллической зоны, ось зоны
Z 176	**zone boundary**	Zonengrenze f	limite f de la zone	граница зоны, предел зоны
	zone boundary, Brillouin zone boundary	Begrenzung f der Brillouinschen Zone	limite f de la zone Brillouin	граница зоны Бриллюэна
	zone catalog[ue] [of stars], zone star catalog[ue], zonal catalog[ue] [of stars]	Zonenkatalog m, Zonensternkatalog m	catalogue m de zones	зонный звездный каталог, зонный каталог звезд, зональный звездный каталог
	zone cooling, directional cooling	Zonenabkühlung f <stufenweise Abkühlung von einem Ende der Probe zum anderen>	refroidissement m directionnel, refroidissement par zone	направленное охлаждение, зонное охлаждение
Z 177	**zone electrophoresis**	Zonenelektrophorese f	électrophorèse f zonale	зональный электрофорез
	zone floating [method],	s. floating-zone melting		
Z 178	**zone floating technique** **zone heating**	Zonenaufheizung f	chauffage m par zone	зонное нагревание, зонный нагрев
Z 179	**zone index**	Zonenindex m	indice m de l'arête	индекс зоны
	zone law	s. Spoerer['s] law		
Z 180	**zone law,** zone law of Weiss, Weiss zone law	Zonengesetz n, Zonenverbandsgesetz n	loi f des zones [de Weiss], loi des zones cristallines, loi de zone	закон зон, закон поясов
	zone lens	s. zone plate		
Z 181	**zone levelling**	Zonennivellierung f	nivellement m en zones	выравнивание зон
	zone luminous flux, zonal luminous flux	Zonenlichtstrom m	flux m lumineux zonal	зональный световой поток
Z 182	**zone melting [technique],** zone melt technique, zone refining [technique], zone purification [method]	Zonenschmelzverfahren n, Zonenschmelzen n, Zonenreinigungsverfahren n, Zonenreinigung f	méthode f de la zone fondue, purification f par zone fondue, fusion f de zone, zone f fondue, raffinage m zonal	зонная плавка, зонная перекристаллизация, зонная очистка, зонное проплавление, способ зонной очистки, метод зонной плавки

	English	German	French	Russian
Z 183	zone of ablation [of the glacier]	Ablationsgebiet *f*, Zehrgebiet *n* <Gletscher>	zone *f* d'ablation [du glacier]	область абляции, зона абляции <ледника>
Z 184	zone of abnormal audibility, abnormal audibility zone	Zone *f* der anormalen Hörbarkeit	zone *f* d'audibilité anormale	зона анормальной слышимости
	zone of absence, zone of avoidance	„zone of avoidance" *f*, nebelfreie Zone *f*	zone *f* d'absence	зона избегания, галактическая зона избегания
Z 185	zone of advance	Voreilzone *f*	zone *f* d'avance	зона опережения
Z 186	zone of avoidance, zone of absence	„zone of avoidance" *f*, nebelfreie Zone *f*	zone *f* d'absence	зона избегания, галактическая зона избегания
	zone of cathode fall, cathode fall region, cathode fall zone, region of cathode fall	Katodenfallraum *m*, Katodenfallgebiet *n*	zone (région) *f* de chute cathodique [dc tension]	область (зона) катодного падения [потенциала], зона катодного падения [потенциала], участок разряда с катодным падением напряжения
Z 187	zone of confusion <ac.>	Verwirrungszone *f*, Verwirrungsgebiet *n* <Ak.>	zone *f* de confusion <ac.>	зона искаженного приема, зона приема с помехами <ак.>
	zone of crush	*s.* crush zone		
Z 188	zone of crustal weakness	Schwächezone *f* der Erdkruste, Schwächungszone *f* der Erdkruste	zone *f* d'affaiblissement, zone de relai	ослабленная зона земной коры
	zone of crystal	*s.* zone		
Z 188a	zone of detachment <geo.>	Abscherungszone *f* <Geo.>	zone *f* de charriage cisaillant, zone de cisaillement <géo.>	зона скалывания <гео.>
	zone of dispersion	*s.* spread		
	zone of earthquake shocks	*s.* seismic region		
	zone of equal temperature, temperature zone	Temperaturzone *f*; Temperaturgürtel *m*	zone *f* d'égale température	температурный (тепловой, термический) пояс
	zone of equatorial calmness, doldrum[s]	Mallung *f*, Doldrum *n*, Kalmengürtel *m*, Windstillengürtel *m*, Zone *f* der äquatorialen Windstillen	doldrum *m*	экваториальная зона затишья
Z 189	zone of faculae	Fackelzone *f*	zone *f* de facules	область появления факелов, зона факелов
	zone of fracture	*s.* crush zone		
Z 190	zone of glissade	Schleifzone *f*	zone *f* de glissement	зона скольжения, зона волочения [фронтов]
	zone of high pressure, high-pressure zone	Hochdruckgürtel *m*, Hochdruckzone *f*, Hochdruckring *m*	zone *f* de haute pression	пояс высокого давления, зона высокого давления
	zone of inflammation, ignition zone, inflammation zone	Zündzone *f*; Zündnest *n*	zone *f* d'allumage, zone d'inflammation	зона воспламенения, зона зажигания
	zone of potential fall, potential fall region (zone), region of potential fall	Fallraum *m*, Fallgebiet *n*	zone (région) *f* de chute de tension	область (зона) падения потенциала
Z 191	zone of sharpness, sharp zone, definition range	Schärfenbereich *m*, Schärfentiefe[n]bereich *m*	zone (profondeur) *f* de netteté, gamme *f* de la profondeur de champ	диапазон глубины резкости, область глубины резкости
Z 192	zone of short-range fading	Nahschwundzone *f*	zone *f* d'évanouissement à faible distance	зона ближних замираний
	zone of silence	*s.* silent zone		
	zone of solarization, region of solarization, region of image reversal	Solarisationsbereich *m*, Solarisationszone *f*, Solarisationsteil *m*	zone *f* de solarisation, zone neutre de solarisation	область соляризации
	zone of totality, band of totality, total zone of obscuration	Totalitätszone *f*	zone *f* de totalité	полоса полного затмения, область полного затмения
	zone of turbulence	*s.* turbulent region		
	zone of uncorrected field of lens, zonal aberration, zone aberration	Zonenfehler *m*, Zwischenfehler *m*, Zone *f* <Opt.>	aberration *f* zonale, aberration de zone <opt.>	зональная аберрация <опт.>
Z 193	zone of unsharpness	Unschärfezone *f*	zone *f* de flou	область нерезкости, зона нерезкости
Z 194	zone of weakness	Schwächezone *f*	zone *f* de résistance diminuée	ослабленная зона, зона ослабления прочности
Z 195	zone plate <ac.>	Zonenplatte *f* <Ak.>	plaque *f* zonale <ac.>	зональная пластинка <ак.>
Z 196	zone plate, zone lens <opt.>	Zonenplatte *f* [nach Soret], Soretsche Zonenplatte, Zonenlinse *f* <Opt.>	plaque *f* zonale, lentille *f* zonale <opt.>	зонная пластинка <опт.>
Z 197	zone pole, pole of zone	Zonenpol *m*	pôle *m* de la zone	полюс зоны
	zone purification [method]	*s.* zone melting		
	zone refining [technique]	*s.* zone melting		
	zone scanning	*s.* rectilinear scanning		
Z 198	zone star catalog[ue], zone catalog[ue] [of stars], zonal catalog[ue] [of stars]	Zonenkatalog *m*, Zonensternkatalog *m*	catalogue *m* de zones	зонный звездный каталог, зонный каталог звезд, зональный звездный каталог
Z 199	zone theory of colour vision	Zonentheorie *f* des Farbensehens	théorie *f* zonale de la vision des couleurs	зонная теория цветного зрения
	zone time, standard time, regional time	Zonenzeit *f*, Einheitszeit *f*	temps *m* de fuseau, temps zonal	поясное время, зональное время
	zonic depth finder	*s.* echo-sounding device		
	zoning, zonation	Zoneneinteilung *f*, Zonengliederung *f*	division *f* en zones	[раз]деление на зоны; зональное распределение, распределение по зонам, зонирование

	zoning, zonality	Zonalität *f*, Gürtelung *f*, Zonenbau *m*	zonalité *f*	зональность, полосчатость
Z 199a	**zonography**	Zonographie *f*	zonographie *f*	зонография
	zoom finder	*s.* universal finder		
Z 200	**zooming lens, zoom lens,** varifocal lens, variable-focus lens	Objektiv *n* mit veränderlicher Brennweite, Gummilinse *f*, Varioptik *f*, Zoomlinse *f*; Zoomar *n*	objectif *m* à focale variable, téléobjectif *m* à foyer variable	объектив с переменным фокусным расстоянием, вариообъектив
Z 200a	**zooplankton**	Zooplankton *n*	zooplankton *m*	зоопланктон
Z 201	**Zorawski['s] theorem** <on relative motion>	Zorawskischer Satz *m* <über die Relativbewegung>	théorème *m* de Zorawski <sur le mouvement relatif>	теорема Зоравского <об относительном движении>
Z 202	**Zorn['s] lemma, Zorn['s] [maximal] principle, Zorn['s] theorem,** principle of Zorn	Zornsches Lemma *n*	théorème *m* de Zorn, lemme *m* de Kuratowski-Zorn, axiome *m* de Zorn	теорема Цорна, лемма [Куратовского-]Цорна
Z 203	**z-pinch**	*z*-Pinch *m*	effet *m* de pincement *z*, pincement *m z*, striction *f z*	*z*-пинч, зет пинч, пинч-эффект в направлении оси *z*
	Z-shaped crystal	*s.* Z-cut crystal		
Z 204	**Zsigmondy osmometer**	Osmometer *n* nach Zsigmondy, Zsigmondy-Osmometer *n*	osmomètre *m* de Zsigmondy	осмометр Зигмонди
Z 204a	**Zunker coefficient**	Zunker-Koeffizient *m*	coefficient *m* de Zunker	коэффициент Цункера
Z 205	**Zürich classification**	Züricher Klassifikation *f*	classification *f* de Zurich	цюрихская классификация
	Zürich number, Wolf number, Wolf['s] sunspot number, relative sunspots number	Fleckenrelativzahl *f*, Sonnenflecken-Relativzahl *f*, Wolfsche Zahl *f*, Wolfsche Relativzahl (Sonnenfleckenzahl) *f*	nombre *m* de Wolf, nombre relatif des taches solaires	число Вольфа, относительное число солнечных пятен
	zustandssumme, partition function, sum over states, sum-over-states <therm.>	Zustandssumme *f* [von Planck], Plancksche Zustandssumme, Verteilungsfunktion *f* <Therm.>	fonction *f* de partition, somme *f* des états, somme d'états, zustandssumme *f* [de Planck] <therm.>	сумма по состояниям, сумма состояния <тепл.>
	Z-variometer, vertical-intensity variometer, vertical-force variometer	Vertikalintensitätsvariometer *n*, Z-Variometer *n*	variomètre *m* de l'intensité verticale, variomètre vertical, variomètre Z	вариометр вертикальной составляющей, Z-вариометр
	zwitterion, amphoteric ion, hybrid ion, dipolar ion, dual ion, amphion, inner salt	Zwitterion *n*, amphoteres Ion *n*	ion *m* amphotérique, ion amphotère, amphion *m*, zwitterion *m*, ion hybride, molécule *f* hybride	амфотерный ион, амфион, цвиттерион
Z 206	**zygomorphous**	dorsiventral, monosymmetrisch, zygomorph	zygomorphe	зигоморфический